# Wounded Tiger

## وکٹ سے وکٹ تک

## پاکستان کرکٹ کی تاریخ

# Wounded Tiger

# وکٹ سے وکٹ تک

## پاکستان کرکٹ کی تاریخ

مصنف: پیٹر اوبورن

مترجم: نجم لطیف

جمہوری پبلیکیشنز

Independent & Progressive Books

• نام کتاب۔ وکٹ سے وکٹ تک۔ پاکستان کرکٹ کی تاریخ
• مصنف ۔ پیٹراوبورن • مترجم ۔نجم لطیف
• سرورق۔ مصباح سرفراز • اشاعت ۔ 2019ء
• ناشر۔جمہوری پبلیکیشنز لاہور • جملہ حقوق بحق مصنف محفوظ

ISBN:978-969-652-144-0

قیمت 2400 روپے

درج بالا قیمت صرف اندرون پاکستان

اہتمام: فرخ سہیل گوئندی



**Wicket se Wicket tak - Pakistan Cricket ki Tareekh**



Find us on

**Jumhoori Publications**

2 Aiwan-e-Tijarat Road,Lahore-Pakistan

T: +92-42-36314140 +92-42-36283098

Mobile: 0333-4463121

info@jumhooripublications.com

www.jumhooripublications.com

# “Wounded Tiger”

**by Peter Oborne**

First Published in Great Britain by Simon & Schuster UK Ltd. 2014


Urdu Translation " **Wicket se Wicket tak - Pakistan Cricket ki Tareekh** "
Published by Jumhoori Publications - Pakistan
January 2019

**Publisher : Farrukh Sohail Goindi**

سعد اور راما کے نام

# فہرست

حصہ دوم

## خان کا عہد

1976ء-1992ء



حصہ سوم

## توسیع کا دور

1992ء-2000ء

# کتاب کے بارے میں

''ہر کام ہی ناممکن لگتا ہے، جب تک کہ اُسے پایہ تکمیل تک نہ پہنچا لیا جائے۔''
- نیلسن منڈیلا

ترجمہ کرنا اور مضمون کی روح کو برقرار رکھنا آسان کام نہیں۔ میری کوشش تھی کہ انگریزی کو اُردو میں ڈھالتے ہوئے بیان میں فرق نہ آئے اور انگریزی الفاظ کا استعمال صرف بامر مجبوری ہی کیا جائے۔ ترجمہ کی اس سعی کو میں اپنے والد سیٹھ حبیب احمد لطیف صاحب کے نام منسوب کرتا ہوں جن کی صحبت اور رہنمائی ہی میری سب سے بڑی درسگاہ تھی۔ انہوں نے اپنی حادثاتی طویل علالت کے باوجود اپنے بچوں کی پرورش، اعلیٰ تعلیم اور عمدہ تہذیب میں کسی قسم کی کمی نہ آنے دی۔ یہ انہی کی تربیت تھی کہ مجھے انگریزی اور اُردو زبانوں میں لکھنے کا سلیقہ آیا۔ وہ بجا طور پر کہا کرتے تھے کہ ایک دن مجھے اس تربیت کے حوالے سے یاد کرو گے۔

ابتدائی طور پر میں نہ تو مترجم تھا اور نہ ہی ادیب۔ البتہ لاہور جم خانہ کرکٹ کلب باغ جناح لاہور میں پاکستان کرکٹ کا پہلا عجائب گھر بنانے کا اعزاز حاصل تھا۔ 2003ء میں اعزازی حیثیت میں یہ سلسلہ شروع کیا جو اَب تک جاری ہے۔ 30 اکتوبر 2011ء کی ایک دوپہر جناب پیٹر اوبورن اور جناب چارلز الیگزنڈر جمخانہ گراؤنڈ مجھ سے ملنے اچانک آ پہنچے۔ میرے متعلق انہیں کراچی میں مقیم معروف کرکٹ تجزیہ نگار اور صحافی جناب قمر احمد نے متعارف کیا تھا۔ اور یوں اس پہلی ملاقات سے میری اور پیٹر اوبورن کے تعلق کی ابتدا ہوئی جو بعد میں دوستی کے رشتہ میں بدل گئی۔ اُس وقت پیٹر اوبورن اپنی مشہورِ زمانہ انگریزی کتاب "Wounded Tiger" کے نام سے پاکستانی کرکٹ کی تاریخ لکھنے کی ابتدائی تیاری میں مصروف تھے اور اس کام کو سرانجام دینے کے لیے وہ ایک ٹیم تشکیل دے رہے تھے۔ مجھے اپنے ساتھ کام کرنے کی دعوت دینے کے فوراً بعد وہ ایک رکشہ میں بے خوف سوار ہو کر مینارِ پاکستان، عمران خان کا پہلا تاریخی عظیم الشان جلسہ دیکھنے روانہ ہو گئے۔ مقامی زبان سے واقفیت نہ

رکھنے کے باوجود دنیا کے خطرناک ممالک میں اپنے صحافتی فرائض سرانجام دینے کی غرض سے پیٹراوبورن کا دلیرانہ انداز میں چلے جانا اُس کا طرۂ امتیاز تھا۔ میں نے یہ تاریخی کتاب لکھنے میں پیٹراوبورن کی ہر طرح سے بھرپور اعانت کی جس نے بعد میں وِزڈن کا سال کی بہترین کتاب ہونے کا اعزاز حاصل کیا۔

پھر جب اس کتاب کا اردو میں ترجمہ کرنے کا وقت آیا تو پیٹراوبورن کی نظرِ انتخاب مجھ پر پڑی۔ میری لیے یہ نہ صرف خوشگوار حیران کن لمحہ تھا بلکہ ایک اعزاز ہونے کے ساتھ ساتھ ایک بڑی اور کڑی آزمائش بھی تھی۔ میں جناب پیٹراوبورن کا تہہ دل سے مشکور ہوں کہ انہوں نے مجھے اس قابل سمجھا اور بھرپور اعتماد کیا جس کی بدولت یہ کام پایۂ تکمیل کو پہنچا۔

مجھے اعتراف ہے کہ مجھے ادیب اور مترجم بنانے میں سب سے بڑا ہاتھ پیٹراوبورن کا ہے جس کے لیے میں ہمیشہ اُس کا تہہ دل سے احسان مند اور شکرگزار ہوں۔ پیٹراوبورن اور ان کے خصوصی معاون رچرڈ ہیلر، پاکستان اور اس کی کرکٹ کے حقیقی مداح اور سچے دوست اور حمایتی ہیں۔ پاکستانی کرکٹ پر اپنی مثبت تحریروں، کتابوں اور مکالموں کے علاوہ اُنہوں نے دہشت گردی کے دشوار دور میں بھی اپنی کرکٹ ٹیم کو متعدد دوروں پر پاکستان لاکر دنیا کو امن و دوستی اور سلامتی کا پیغام دیتے ہوئے یہ ثابت کرنے کی کوشش کی کہ پاکستان اور وہاں کے رہنے والے ایسے خطرناک نہیں، جتنا انہی توڑ مروڑ کر پیش کیا جاتا ہے۔ اُن کی ٹیم میں مختلف شعبہ جاتِ زندگی سے تعلق رکھنے والے کھلاڑیوں میں معروف وکلا، صحافی، تاجر، تعلیم سے منسلک پروفیسروں نے شامل ہوکر دنیا میں واضح کیا کہ پاکستان ایک محفوظ معاشرہ ہے جسے دنیا غلط نظر سے دیکھ رہی ہے۔ یہ وہ وقت تھا جب پاکستان آنا تو درکنار لوگ صرف اِس کا نام سن کر ہی خوف زدہ ہوجاتے تھے۔ 2017ء میں پیٹراوبورن کی ٹیم نے پاک فوج کے اشتراک سے ایک میچ وزیرستان کے علاقے میران شاہ میں کھیلا جسے ٹیلی ویژن پر براہِ راست نشر کیا گیا تھا۔ اور یوں انہوں نے اپنی بہادری، دوستی اور پاکستان پر اعتماد کا واضح ثبوت دیا۔ اور واپس جاکر پاکستان کی حمایت میں نہ صرف لکھا بلکہ اس کے حق میں بات بھی کی۔

اس کتاب کی انگریزی اشاعت کی افتتاحی تقریب میں دنیا کے عظیم ترین آل راؤنڈروں میں شمار ہونے والے عمران خان 18 جولائی 2014ء کو خاص طور پر پاکستان سے لندن پہنچے اور ہوائی اڈہ سے سیدھے میری ایبٹس وِکریج، کینگنٹن کے باغیچہ میں منعقد ہونے والی تقریب میں آئے۔ اور بطور مہمان خصوصی تقریر کرتے ہوئے کہا کہ ''کاش یہ کام کوئی پاکستانی کرتا تو بہت اچھا ہوتا۔'' دراصل حقیقت تو یہی ہے کہ یہ کام پاکستانیوں کی شمولیت، تعاون اور معاونت کے بغیر پایۂ تکمیل تک پہنچ ہی نہیں سکتا تھا۔ اس عظیم کام میں میرے علاوہ قمر احمد، افضال احمد کے ساتھ ساتھ بہت سے پاکستانیوں کا حصہ ہے، جن کا ذکر پیٹراوبورن نے کتاب کے

اظہارِ تشکر کے حصہ میں کیا ہے۔ میں ان تمام شخصیات کو خراجِ عقیدت پیش کرتا ہوں۔ پیٹراوبورن نے جس ہنرمندی سے اپنے شرکا کی تشکیل کی، وہ انگلینڈ سے لے کر پاکستان تک پھیلے ہوئے تھے، جو قابل تعریف ہے۔ پاکستانی ادیب اور نامہ نگار اپنی تصنیفات اور تحریروں میں عموماً اظہارِ تشکر کی مدَ میں کسی کا نام لینا گوارا نہیں کرتے اور عقلِ کُل کا تاثر دینے کے لئے تمام تر کاوش کو صرف اپنا کام ظاہر کرنے کی کوشش کرتے ہیں۔ میرے نزدیک یہ عمل احساسِ کمتری اور چھوٹے پن کے سوا کچھ نہیں۔ پیٹراوبورن نے ٹیلی ویژن اور اخبارات کے جانے مانے اور منجھے ہوئے تبصرہ نگار اور صحافی ہونے کے باوجود ہر ایک کا فرداً فرداً شکریہ ادا کیا ہے۔ اس نے ہر ایک کی کوشش اور معاونت کو سراہا ہے۔ پیٹراوبورن ایک کھرا انسان اور سچا صحافی ہے جس نے کبھی اپنے منہ سے اپنی تعریف یا چرچا نہیں کیا۔ وہ اصول پرست اور فرض شناس مصنف ہونے کے ساتھ ساتھ ذہین، کہنہ مشق، حساس، ایماندار اور زیرک ادیب ہے جس نے صرف اصولوں کی بنیاد پر ڈیلی ٹیلی گراف کو استعفیٰ دے کر چھوڑ دیا تھا۔ لوگ اس کی حق گوئی سے خائف رہتے ہیں۔ اس نے ایٹمی پروگرام پر ایران کے حق خودارادیت پر کتاب بعنوان

"A Dangerous Delusion: Why the West is Wrong about Nuclear Iran"

لکھ کر اپنی بہادری اور راست گوئی کا ثبوت دیا۔ پیٹراوبورن کی اس کتاب سے پہلے پاکستان کرکٹ کی تاریخ پر اتنا گہرا اور تفصیلی کام نہیں کیا گیا تھا۔ یہ کتاب آئندہ نسلوں اور مستقبل کے کرکٹ کے تاریخ دانوں کے لیے ایک مشعل راہ اور سنگ میل کی حیثیت رکھے گی۔ میں کرکٹ سے محبت رکھنے والے اپنے ان تمام دوستوں کے تعاون کا مشکور ہوں جن کے بغیر اس کام کو عملی جامہ نہیں پہنایا جاسکتا تھا۔ ترجمہ کرتے وقت میں نے صرف ایک ڈکشنری آکسفورڈ انگلش اردو سے مدد حاصل کی۔ اپنے والدین کے لاتعداد احسانات کے اعتراف اور شکرگزاری کے ساتھ ساتھ میں غیر معمولی خوبیوں کی حامل اپنی بہن یاسمین حبیب، اس کی ہونہار بیٹی صوفیہ چوہدری، اپنی باصلاحیت بیٹی ڈاکٹر عنبرین لطیف اور انحصار کے لائق، نغمہ راحیلہ کا خصوصی طور پر شکرگزار ہوں جن کی ہمت افزائی کے سبب میں اس ذمہ داری سے عہدہ برآ ہوسکا۔

اشاعتی ادارے جمہوری پبلیکشنز کے سربراہ جناب فرخ سہیل گوئندی جو ناشر ہونے کے ساتھ ساتھ ترقی پسند دانشور بھی ہیں اور لال سلام کے داعی بھی، ان کی بیگم ریما عبداللہ گوئندی، ہما انور اور مصباح سرفراز کا اور خصوصاً پیٹراوبورن کا دلی طور پر بے حد مشکور ہیں کہ انہوں نے اشاعت کے علاوہ ہر قدم پر حوصلہ افزائی، رہنمائی اور اعانت کرتے ہوئے اس کتاب کی منزلِ مراد کو ممکن بنایا۔

کرکٹ سے میرا تعلق 1954ء میں اس وقت شروع ہوا جب میں پانچویں جماعت کا طالب علم تھا اور اسی سال 17 اگست کو پاکستانی ٹیم نے انگلینڈ کی ٹیم کو اوول کے میدان پر شکست دی جس کا سہرا اپنے دَور کے عظیم

ترین باؤلر اوول ہیرو فضل محمود کے سر تھا جن کی زندگی کے آخری پانچ سالوں میں مَیں ان کا سب سے قریبی رفیق رہا۔ کرکٹ کی تاریخ سے یہ رشتہ آج بھی قائم ہے۔ مجھے امید ہے کرکٹ سے دلچسپی رکھنے والے شوقین اس کتاب کو پسند کریں گے۔ اس کتاب کے اردو ترجمہ میں اضافی باب شامل کیے ہیں جو انگریزی کتاب کا حصہ نہ تھے۔

نجم لطیف

بانی و اعزازی منتظم، لاہور جم خانہ کرکٹ میوزیم

باغِ جناح، لاہور

29 دسمبر 2018ء

# اظہارِ تشکر

اس کتاب کے لکھنے میں تحقیق کے دوران، میں بہت سی شخصیات کے تعاون کا اس قدر مقروض ہوا کہ اسے اتارنا میرے بس کی بات نہیں۔ میں خصوصی طور پر لاہور جمخانہ کرکٹ کلب کے عجائب گھر کی نوادرات کے اعزازی منتظم اور بانی جناب نجم لطیف کا شکرگزار اور احسان مند ہوں جو ہر قدم پر مشورے کا ذریعہ رہا۔ اس کی بصیرت اور حقائق سمجھنے کی فطری صلاحیت، معلومات دلچسپ واقعات کا بیان اور حوصلہ افزائی نے میری بے حد رہنمائی کی۔ لاہور میں نقل وحرکت اور ضروریات کی فراہمی میں اس کی پشت پناہی میرے لیے خاص طور پر بیش قیمت رہی۔

کراچی میں افضال احمد اور قمر احمد پاکستان کرکٹ سے متعلق حالات سمجھنے میں میرے مددگار تھے۔ قمر احمد نے مجھے بے شمار غلطیوں اور غلط مفہوم سمجھنے سے بچائے رکھا جبکہ افضال احمد نے حیران کن فہرست کتب ماہرانہ علم شماریاتی مہارت اور اپنی ذہانت میرے لیے مہیا کر دی۔ میں افضال احمد کا خصوصی طور پر ممنون ہوں کہ اس نے اپنی گھریلو اور پیشہ وارانہ مصروفیات کے باوجود یکے بعد دیگرے آنے والے مسودوں کی اطمینان اور تحمل سے ورق گردانی کی۔

ادھر انگلینڈ میں، میں نے اپنے دیرینہ دوست اور کرکٹ ناول نگار رچرڈ ہیلر کو ابتدائی طور پر اپنا محقق بننے کی درخواست کی تھی مگر جوں جوں یہ علمی منصوبہ طویل اور پُرعزم ہوتا چلا گیا، وہ زیادہ تر میرا معاون بن گیا۔ اس کتاب میں چند پُراثر حصوں کو لکھنے کی خاص ذمہ داری رچرڈ ہیلر کی تھی جن میں خواتین کرکٹ، ریورس سوئنگ، پاکستان کی اندرون ملک کرکٹ اور ٹیسٹ کرکٹ سے متعلق کئی بیانات پر مبنی ابواب ہیں۔ وہ دانش اور مزاح کا بے حساب ذریعہ ثابت ہوا۔ اس میں جملوں کو منقش کرنے کی خداداد صلاحیت ہے۔ رچرڈ کے بغیر یہ کتاب مکمل نہیں ہو سکتی تھی اور اس کے بغیر نہ ہی میں لکھتے ہوئے اتنا لطف اندوز ہو سکتا تھا۔

جی۔ ای کیپیٹل یورپ کے سابق صدر چارلس الیگزینڈر نے بھی تحقیق کی اور تفصیلی تجزیہ کرتے

ہوئے پاکستان کرکٹ کے مالیاتی امور کے باب کا پہلا مسودہ تحریر کیا۔ پاکستان میں اس کی شگفتہ مزاجی کے ساتھ اس کا ساتھ رہا۔ اور ہماری گفت وشنید کی بدولت کتاب کی یہ شکل بننے میں رہنمائی حاصل ہوئی۔ اسٹورٹ جیکسن نے بھی برطانوی سلطنت کے دور کے زیراثر کرکٹ کے متعلق عوامی اور سرکاری دستاویزات کی عمدہ تحقیق کی جس میں ابتدائی ہندوستانی دورے (کیمبرج یونیورسٹی کے بی اے کے امتحان کو پاس کرتے وقت اس موضوع پر اس کا تفصیلی مقالہ تھا) اور ڈی بی کار کی ایم سی سی ٹیم کا 1956ء کا متنازع دورہ شامل ہیں۔ سینٹ پنکراس اور کولن ڈیل میں برطانوی لائبریری کی کتب، چیلسی میں فوجی عجائب گھر اور لیمبتھ (Lambeth) میں شاہی فوجی عجائب خانے میں رسائی کے بغیر یہ تمام کام ناممکن ہوتا۔ میں لارڈز کرکٹ گراؤنڈ اور وہاں پر کتب خانے اور سرکاری دستاویزات کی دیکھ بھال کرنے والے عملے کا خصوصی طور پر ذکر کروں گا۔ نیل رابنسن (Neil Robinson) کی سربراہی میں لارڈز کے کتب خانے کو شاندار طریقے سے دوبارہ بحال کیا گیا ہے۔ اور کرکٹ سے محبت رکھنے والے کسی بھی شخص کے سامنے معلومات کا خزانہ مہیا کر دیا گیا ہے۔ نیل اور اس کے نائب اینڈریو ٹرگ (Andrew Trigg) نے وہاں کھوج لگانے میں میری بے حد مدد کی۔ اور میری ہر درخواست کو تحمل سے نمٹایا۔ چاہے وہ معمولی نوعیت کی تھی یا خفیہ قسم کی۔ میں سیلون کالج (Selwyn College) کیمبرج کے دستاویزات کے نگراں رابرٹ ایتھول (Robert Athol) کا شکرگزار ہوں کہ اس نے اے آر کارنیلس کے یونیورسٹی میں گزرے دنوں کی کھوج لگانے میں میری مدد کی۔ میں گورنمنٹ کالج یونیورسٹی لاہور، اسلامیہ کالج لاہور اور خاص طور پر لاہور جمخانہ کا بھی شکرگزار ہوں۔

گورنمنٹ کالج یونیورسٹی لاہور کے چیف لائبریرین (مہتمم اعلیٰ) عبدالوحید نے کالج کے سو سال پرانے اور قیمتی رسائل اور تاریخ مہیا کی۔ کتب خانے کے دوسرے مہتمم حضرات خرم شہزاد اور محمد طفیل خان نے نہ صرف ڈھیر ساری معلومات فراہم کرکے مجھے اس کے مطالعے کا موقع فراہم کیا بلکہ پنجاب پبلک لائبریری کے علاوہ گورنمنٹ کالج یونیورسٹی کی کمپیوٹر میں ترتیب دی ہوئی مختلف معلومات تک رسائی کا انتظام کیا۔ میری خوش بختی تھی کہ مجھے اسلامیہ کالج میں پرنسپل پروفیسر امجد علی شاکر کے ساتھ نصف دن گزارنے کا موقع ملا جس نے اس انقلابی ادارے کی تاریخ اور اس کے نظریے سے روشناس کروایا اور مہربانی کرتے ہوئے کالج کی دستاویزات تک رسائی کی اجازت دی۔ فیاض علی شاہ (صدر پشاور کرکٹ ایسوسی ایشن) اور اسلامیہ کالج پشاور میں دستاویزات کے عملے نے شمال مغربی علاقے میں کرکٹ کی تاریخ کے حوالے سے اہم اور ضروری معلومات فراہم کیں۔ لاہور جمخانہ لائبریری سے منسلک غلام یاسین نے وہاں کے تمام وسائل مجھے فراہم کیے اور کتاب کے لیے گھنٹوں تصاویر کی کاپیاں (Scan) کرنے میں میری مدد کی۔

نازیہ حسن شاہ، سحر مشتاق اور سید محمد ثاقب نے لاہور کی مختلف لائبریریوں سے پچھلے ساٹھ سالوں

میں اردو میں چھپنے والے اخبارات ورسائل سے متعدد معلومات حاصل کر کے ان کا ترجمہ کیا۔اس پرانے دور میں انگریزی زبان میں چھپنے والے اخبارات ورسائل میں اکثر مختصر سرکاری وضاحتوں کے جواب میں اس طرح کچھ پیش رفت ہوئی اور یوں اصل موضوع کو اجاگر کرنے کے لیے جوابی نکتہ پیش ہوا۔میکس گروڈیکی (Max Grodecki) لوی مور (Livvy Moore), جیمز باوکر (James Bowker)، فیبیا مارٹن (Fabia Martin) (علیگڑھ مسلم یونیورسٹی کے محافظ خانے سے منسلک) ایلس آڈلے (Alice Audley) لورنا سٹڈہوم (Lorna Strdhome) اور جیس سٹیفورڈ (Jess Stafford) نے بیش قیمت تحقیق سرانجام دی اوراس منصوبے کے دوران اہم اورضروری تنظیمی خدمات بہم پہنچائیں۔گیل میرینر (Gail Marriner) نے خواتین کرکٹ سے متعلق لمبی گفتگو کو تحریری شکل دی۔

سبین آغا نے کراچی میں میری رہنمائی کی اور عبدالرؤف اور عرفان اشرف نے پشاور میں یہی خدمات سرانجام دیں جبکہ ہمایوں خان اور منور خان بہترین میزبان تھے۔سعد باری چیمہ اور رما ایس چیمہ لاہور میں ہمیشہ خوشگوار صحبت کے ساتھ مہمان نوازی کرتے رہے۔پروفیسر عمر ترین نے فراخ دلی سے شمال مغربی سرحدی علاقے کی اپنی وسیع معلومات مہیا کیں۔مرتضیٰ شبلی نے پاکستانی ناموں کشمیر اور بہت سے مسائل پر مجھے اپنی مہارت سے آگاہ کیا۔منا حبیب نے اسلام آباد میں قومی دستاویزات کے شعبے میں اہم تحقیق کی۔ مسودے کی صورت میں کتاب کو جو اور ریچل سڈہوم (Joe & Rachel Studholme)، چارلس لی سیخٹ (Charles Lysacht)، جیمز اوبورن (James Oborne)، نجم لطیف، قمر احمد، افضال احمد، رچرڈ ہیلر، میکس گروڈیکی (Max Grodecki) اور کرکٹ کی شماریات کے غیر معمولی ماہر سٹیون لینچ (Steven Lynch) نے پڑھا۔ان سب نے مل کر مجھے غلطیوں سے محفوظ رکھا۔تاہم میں ان تمام غلطیوں جن کا تعلق حقیقت سے تھا اور وہ رہ گئی ہوں اور فیصلہ کرتے ہوئے غلطی سرزد ہوگئی ہو تو میں اس کا ذمہ دار ہوں۔

سلطان محمود، ماجد خان، جائلز کلارک، آفتاب گل، وسیم باری، شاہد حفیظ کاردار جمیل (جمی) رانا اور عارف عباسی نے غیر معمولی فراخدلی کا مظاہرہ کرتے ہوئے مجھے اپنے وقت اور معلومات سے نوازا۔اسی طرح مندرجہ ذیل شخصیات جن کی کافی تعداد ہے اور جنھوں نے اپنے کھلے ذہن اور شفاف سوچ کے علاوہ پرتپاک طریقے سے معلومات فراہم کیں لیکن میں ان کے نام ترتیب وار نہیں کر سکا۔لہٰذا مندرجہ ذیل فہرست میں کسی ایک کو دوسرے پر سبقت حاصل نہیں۔پروفیسر سارہ انصاری، پروفیسر ہمایوں انصاری، خالد عزیز، امتیاز احمد، سعید احمد، مشتاق محمد، معین خان، مختار بھٹی، خالد بٹ، خالد قریشی، نسیم الغنی، غلام مصطفیٰ خان، کرنل (ریٹائرڈ) رفیع نسیم، عامر سہیل، آصف اقبال، محمد الیاس، محمد عامر، حنیف محمد، مصباح الحق، ہوم گھرانے کا سربراہ (Earl of Home)، محمد عامر، ساجدہ ملک، گیرتھ پیئرس (Gareth Pierce) شندانا خان، احسان اللہ خان، عمران خان، فیضان

لاکھانی، عبادالحق، سید افتخار علی بخاری، خالد عباد اللہ، محمد حنیف شاہد، آیوٹینٹ (Ivo Tennant)، سکلڈ بیری (Scyld Berry) سید ذوالفقار علی بخاری، ڈاکٹر خادم حسین بلوچ، محمد سلیم پرویز، شہزر محمد (حنیف محمد کا پوتا)، جلیل کاردار (عبدالحفیظ کاردار کا بھانجا)، راشد لطیف، مصطفیٰ کمال، بروکس نیومارک (Brooks Newmark)، ڈیرک پرنگل (Derek Pringle)، ہنری بلوفیلڈ (Henry Blofeld)، مائیک بریرلے (Mike Brearley)، جوناتھن ایگنیو (Jonathan Agnew)، مائیک ایتھرٹن (Mike Atherton) سلیم الطاف، پرویز سجاد، شفقت رانا، ڈاکٹر ظفر الطاف، اکرام باری چیمہ، شاہد مقبول چیمہ، سعد باری، سرفراز نواز، جاوید برکی، میاں محمد، وقار حسن، یاور سعید، جاوید زمان خان، مسعود حسن، عرفان حیدر، انیس حیدر، پروفیسر شائستہ سراج الدین، مجید شیخ، نغمہ راحیلہ، ڈاکٹر عنبرین لطیف سیپٹیمبر، عبدالرؤف ملک، پروفیسر فرانسس رابن سن (Prof. Francis Robinson)، سہیل خان، سید عرفان اشرف، شمسہ ہاشمی، آئی اے رحمٰن، ڈاکٹر مبشر حسن، محمود الحسن، ڈاکٹر ڈیوڈ واشبروک (Dr. David Washbrook)، ڈاکٹر پرشانت کدمی، معین افضل، عبدالقادر، آفتاب بلوچ، انتخاب عالم، انضمام الحق، کرن بلوچ، جارج اوبورن (George Oborne)، راجندر امر ناتھ، ایم جے اکبر، رام چندر گوہا، ولیم ڈیل رمپل (William Dalrymple)، شامین خان، شائزہ خان، صادق محمد، وزیر محمد، بیگم بشریٰ اعتزاز (پاکستان کرکٹ بورڈ کے شعبہ خواتین کی سربراہ)، عائشہ اشعر (منیجر پاکستان کرکٹ بورڈ شعبہ خواتین و پاکستان خواتین کرکٹ ٹیم)، ارم جاوید (منیجر خواتین ٹیم)، ناہیدہ بی بی (رکن خواتین ٹیم)، اعجاز چوہدری، لیفٹیننٹ جنرل توقیر ضیا، حفصہ عادل (ڈان اخبار کی کھیل کی پیشکار)، صباحت کلیم (ڈان اخبار کی لائبریری کی سربراہ)، ڈیوڈ پیج (David Page) (ایڈیٹر کپلنگ جرنل)، پروفیسر ڈاکٹر فرخ خان (جن کا بدقسمتی سے کتاب شائع ہونے سے کچھ وقت پہلے انتقال ہو گیا)، جمشید مارکر، ڈاکٹر سعد شفقت، جنرل پرویز مشرف، خالد محمود، عبدالحفیظ پیرزادہ، نوابزادہ محمد ادریس خان (برادر پرنس اسلم)، نوابزادہ عبدالخالق ناصر الدین (پرنس اسلم کا کزن)، فیصل چوہدری، شہزاد محمود (عظیم فضل محمود کا پسر اور قومی کرکٹ اکیڈمی کے کتب خانے کا مہتمم)، فیصل علی خان، علی امین گنڈا پور (وزیر محصولات حکومت خیبر پختونخوا)، ایس ایف رحمان، کیری شوفیلڈ (Carey Schofield)، شہریار محمد خان، آصف سہیل، نسرین الٰہی، عمران ایوب، بدر ایم خان (پاکستان کرکٹ بورڈ کے مالی امور کا مہتمم اعلیٰ)، سبحان احمد (منتظم اعلیٰ پاکستان کرکٹ بورڈ)، میاں مبشر منان (منیجر مالی امور پاکستان کرکٹ بورڈ)، محمد علی (جیو ٹیلی ویژن)، احسان مانی، فیصل حسنین (مہتمم اعلیٰ مالی امور آئی سی سی)، زاہد نورانی (ڈائریکٹر ٹین سپورٹس)، نجم سیٹھی (جب میری اس سے گفتگو ہوئی تو وہ پاکستان کرکٹ بورڈ میں کام کے دباؤ میں مصروف سربراہ تھا)، خان شہرام یوسف زئی، بریگیڈیئر تیمور دوتانی اور شاہد جاوید خان (دونوں ڈیرہ اسمٰعیل خان کرکٹ ٹیم کے

1964-65ء میں رکن تھے)، فوٹو جرنلسٹ ایف ای چوہدری مرحوم۔

میں اپنی شریک حیات مارٹین (Martine) کا مشکور ہوں کہ اس نے متواتر پاکستان سفر پر جانے کی غیر حاضری کو برداشت کیا۔ اسی طرح ٹونی گیلاگھر (Tony Gallagher) جو اس وقت مدیر تھا اور کرس ڈیرن (Chris Deerin) تبصراتی مدیر ڈیلی ٹیلی گراف نے بھی میری غیر حاضری کو برداشت کیا۔ کون کفلن (Con Coughlin) عمدہ اور فرحت بخش شریک سفر ثابت ہوا۔ ناشر سائمن اور شوسٹر کی طرف سے مائیک جونز نے بے حد برداشت کا ثبوت دیا کیوں کہ کتاب لکھنے میں بہت زیادہ وقت لگا اور اس کے ساتھ ساتھ یہ ہمارے اوّلین تصور سے بڑھ کر دوگنی ہوگئی۔ ٹام وہائیٹنگ (Tom Whiting) نے مدیر کی حیثیت میں بہت عمدہ کام کیا اور ہمیشہ کی طرح میں اپنے ایجنٹ (نمائندہ) اینڈرو گورڈن (Andrew Gordon) کا بے حد شکرگزار ہوں۔

آخر میں، مَیں لندن میں پاکستان کے ہائی کمشنر واجد شمس الحسن اور لندن میں پاکستانی سفارت خانہ کے وزیر تشہیر شبیر انور اور تشہیری سفارتکار منیر احمد کو خراجِ عقیدت پیش کرتا ہوں۔

گلیکسی ٹریول کے میجر احمد، سندھ کلب کراچی کے خوش مزاج سیکریٹری اور وہاں کے خوش اخلاق اور پُرتپاک عملے خاص طور پر سکواش کے پیشہ ور عمر جس نے پاکستان کرکٹ میں ہنرمندی کے ذخیرے کی نمائندگی کرتے ہوئے کلب کے نیٹ میں ایسی لیگ بریک باؤلنگ کی جسے کھیلنا ممکن نہ تھا۔ میں ان سب کا تہہ دل سے شکرگزار ہوں۔ رچرڈ ہیلر اور مجھے امید ہے کہ پاکستان سے ہماری جان پہچان ابھی ختم نہیں ہوئی کیوں کہ ہم نے پہلے ہی پاکستان کرکٹ پر آئندہ آنے والے دوسرے حصے کی کتاب پر کام شروع کر دیا ہے۔

پیٹر اوبورن

لندن۔ مارچ 2014ء

# مصنف کی وضاحت

بہت سے شہروں اور جگہوں کے نام وقت سے تبدیل ہو چکے ہیں مگر میں نے ان کی ترتیب کو تاریخ کے حوالے سے رکھا ہے جیسا کہ لائل پور کا اب نام بدل کر فیصل آباد ہو چکا ہے۔ تاہم گفتگو کے دوران بولنے والے کے الفاظ کو حوالہ دیتے وقت تبدیل کیے بغیر جوں کا توں رکھا ہے۔

وزڈن کرکٹرز الماناک (Wisden Cricketer's Almanack) کو مختصر کر کے میں نے اس کے عام فہم نام وزڈن (Wisden) کو کتاب میں ہر جگہ استعمال کیا ہے۔ لامتناہی وضاحتوں اور حوالوں سے بچنے کے لیے میں نے کرکٹ سے متعلق اعداد و شمار اور دیگر تفصیلات www.cricketarchive.com سے حاصل کیں۔

# پیش لفظ

اکثر اوقات پاکستان کرکٹ کے متعلق غلط ہاتھ لکھتے رہے ہیں۔ یہ تحریریں ان لوگوں کی ہیں جو پاکستان کو ناپسند کرتے ہیں۔ اسے شک کی نگاہ سے دیکھتے ہیں اور اس کے متعلق بغیر کسی جواز کے پہلے ہی سے رائے قائم کر رکھی ہوتی ہے۔ انگریز کرکٹ کھلاڑیوں کی خودنوشت سوانح عمریوں میں سوائے چند ایک کے پاکستان کی خوب صورتی اور وہاں کے لوگوں کی فراخ دلی اور گرم جوشی کے بارے میں نابیناؤں کا وطیرہ اپنایا گیا ہے۔

انگریز صحافیوں نے بھی یہی طور اپنایا۔ اس کا نتیجہ یہ ہوا کہ پاکستانی کھلاڑیوں کی مسخ شدہ اور مبالغہ آمیز شبیہ ابھر کر سامنے آئی۔ جاوید میاں داد بطور شوہدا، عمران خان رانجی کی روایت میں کسی شاہی ریاست کا چشم و چراغ اور عبدالحفیظ کاردار بطور شدت پسند پیش کیے جاتے رہے۔ ان تمام تشبیہوں کا حقیقت سے دور کا بھی واسطہ نہیں۔ پاکستانی کرکٹ کو ابتدائی طور پر نظرانداز کیا گیا۔ اس کے بعد مہربان حقارت کا رویہ اپنایا گیا اور حالیہ دہائیوں میں خوف، تذلیل اور مذمت کی دلیل سمجھا جاتا ہے۔

ایک اور مشکل یہ ہے کہ برصغیر میں ہندوستان نے کرکٹ کے کھیل کو قوتِ ادراک دی ہے۔ دنیائے کرکٹ میں ہندوستان ایک عمدہ اور تخلیقی طاقت رہا ہے مگر پاکستانی کرکٹ سے اس کے رویے تقسیم کے بعد کی تقریباً سات دہائیوں پر پھیلے ہوئے باہمی جھگڑوں سے یقینی طور پر دوغلے پن پر مبنی رہے ہیں۔

رام چندر گوہا کی شاہکار کتاب A Corner of a Foreign Field کرکٹ پر لکھی جانے والی بہترین کتابوں میں سے ایک ہے۔ ''مگر عبدالحفیظ کاردار مسلمان قوم پرست سے بڑھ کر کہیں زیادہ دلچسپ انسان تھا۔ غالباً مغرب کے باہر پیدا ہونے والا وہ عظیم ترین نظریہ پرست کرکٹ کا کھلاڑی تھا۔'' گوہا نے اپنی چکا چوند کر دینے والی نثر میں یہ نچوڑ بیان کیا ہے۔

آیئے اس پر غور کریں کہ 1960ء میں فضل محمود کی ہندوستان کے دور پر جانے والی ٹیم کے وہاں پہنچنے سے پہلے جو یادگاری کتابچے ہندوستان اور پاکستان کی طرف سے جاری ہوئے، یہ کہ گوہا ان کا موازنہ کس

انداز سے کرتا ہے۔ جائزہ لینے کے بعد پاکستانی کتابچے کے متعلق گوہا لکھتا ہے کہ ''اس کے ابتدائی صفحات میں پاکستانی قومی ترانہ کے علاوہ محمد علی جناح اور ایوب خان کی تصاویر کو شامل کیا گیا ہے''۔ ہندوستانی کتابچے کے متعلق وہ کہتا ہے کہ ''اس میں نہ تو قومی ترانہ اور نہ ہی مہاتما گاندھی کی تصویر کو شامل کیا گیا تھا۔ اس وقت پاکستان کے ممتاز طبقے کے پاس یہ اہم جواز تھا کہ وہ کھیل کو حب الوطنی کے جذبے کے ساتھ یکجا کرے۔''

میں نے دونوں کتابچے تلاش کر لیے۔ ہندوستانی کتابچے کا ایک مکمل صفحہ ہندوستانی وزیراعظم پنڈت جواہر لعل نہرو کے پیغام کے لیے وقف کیا گیا تھا۔ ایک صفحہ ہندوستان کے صدر راجندر پرشاد اور نائب صدر ڈاکٹر ڈی ایس رادھا کرشنا کی تصاویر کے لیے مخصوص تھا۔ ایک اور پورے صفحے پر ہندوستان کے وزیر مواصلات و بار برداری کا پیغام تھا۔ مزید ایک اور صفحہ پر مہاراشٹر کے وزیراعلیٰ کا معلوماتی سرکاری خبرنامہ تھا۔ ان صفحات کے بعد ایک صفحہ پر ہندوستانی ہوائی فوج میں بھرتی کا اشتہار تھا۔ پانچ سال بعد اسی ہوائی فوج نے پاکستان پر بمباری کی۔

ایک سال قبل انتھونی ڈی میلو نے پورٹریٹ آف انڈین سپورٹ شائع کیا تھا جس پر بلے بازی کے لیے نکلتے ہوئے جواہر لعل نہرو کی تصویر تھی۔ اگرچہ گوہا یہ کہنے میں حق بجانب ہے کہ پاکستانی کرکٹ میں حب الوطنی کا عنصر موجود تھا مگر ہندوستان بھی اس میں پیچھے نہ تھا، لہٰذا گوہا کے دعویٰ کے برعکس ہندوستان میں بھی کوئی خاص فرق نہ تھا۔

ہندوستانی ناول نگار اور اقوامِ متحدہ میں عہدے پر مامور ششی تھرور جو مقبولیت میں گوہا سے بدرجہا کم تر ہے، نے ایک لمبا مضمون Shadows Across The Playing Field کے نام سے پاکستانی کرکٹ کے متعلق لکھا ہے جس میں بے شمار غلطیوں کے علاوہ حقائق اور ان کی تشریح بھی درست نہیں۔ تھرور کاہلی سے دعویٰ کرتا ہے کہ 1954ء کے انگلینڈ کے دورہ پر پاکستان کو شکست ہوئی تھی۔ 1961ء میں ہندوستان میں پہلے ٹیسٹ میچ کے پہلے روز حنیف محمد کے رنز کی تعداد کو وہ غلط تحریر کرتا ہے۔ جو کہ 90 نہیں بلکہ 128 ناقابل شکست رنز تھے۔ غلط طور پر کہتا ہے کہ جنرل ضیاالحق کی مادری زبان اردو ہے جبکہ وہ پنجابی تھی۔ کاردار کے متعلق غلط طور پر کہتا ہے کہ اس کا تعلق اشرافیہ طبقے سے تھا۔ 1986ء میں ہونے والے سلسلے میں بنائی گئی سنچریوں کے ذکر میں وہ رمیز راجہ کو مکمل طور پر نظر انداز کر گیا۔

ہوسکتا ہے کہ یہ غلطیاں لاپرواہی کا نتیجہ ہوں مگر اس سے بڑھ کر تشویشناک اس کا وہ انداز ہے جس کے تحت وہ اپنی بحث کو ثابت کرنے کے لیے حقائق کو توڑ مروڑ کر پیش کرتا ہے۔ وہ کہتا ہے کہ ''کسی غیر مسلم کا پاکستان کے لیے ملک میں کھیلنا اب بھی انتہائی کم ہے جہاں پاسپورٹ میں غیر مسلم لکھ کر پاسپورٹ رکھنے والے کو کمتر ظاہر کیا جاتا ہے جبکہ دینوی امور سے بالاتر ہندوستان کے 258 ٹیسٹ کھلاڑیوں میں 30 مسلمان

کھلاڑیوں کو شامل کیا گیا۔'' اس ذیلی اشارہ سے زیادہ تباہ کن کوئی اور بات ہو نہیں سکتی تھی کہ پاکستان کے ٹیسٹ کھلاڑیوں کو منتخب کرنے والے غیر مسلموں کے ساتھ امتیازی سلوک کرتے ہیں۔

ششی تھرور جس نے اقوامِ متحدہ کے لیے 30 سال تک فرائض انجام دیئے ہیں، یقیناً جانتا ہوگا کہ وہ گمراہ کن موازنہ کر رہا ہے۔ ہندوستان میں تقریباً 15 کروڑ مسلمان آباد ہیں جو آبادی کا 15 فیصد سے زیادہ حصہ ہیں۔ اس بنیاد کو سامنے رکھتے ہوئے اس بات پر حیرت زدہ نہیں ہونا چاہیے کہ ہندوستانی ٹیسٹ کھلاڑیوں میں سے تقریباً 12 فیصد مسلمان تھے۔

یہ سچ ہے کہ غیر مسلم کھلاڑی پاکستانی ٹیم میں بہت کم ہیں۔ مگر یہ اس وجہ سے ہوسکتا ہے کہ پاکستان میں غیر مسلم کم ہیں۔ اعداد و شمار پر اختلاف ہے مگر پاکستان میں ہندو اور عیسائی آبادی کُل ملا کر 3 فیصد سے زیادہ نہیں۔ جیسا کہ میں نے کتاب میں پیش کیا ہے کہ پاکستان کے 230 ٹیسٹ کھلاڑیوں میں 6 غیر مسلم ہیں جو کہ 3 فیصد سے کچھ ہی کم ہے۔ ششی تھرور کی بدقسمتی ہے کہ اعداد و شمار سے ظاہر ہوتا ہے کہ پاکستان میں کسی غیر مسلم کے لیے اوسطاً وہی مواقع ہیں جو کسی مسلمان کو ہندوستان میں میسر ہیں۔

ششی تھرور کہتا ہے کہ پاکستان کرکٹ ٹیم کا کبھی کوئی غیر مسلم کپتان مقرر نہیں ہوا۔ جبکہ حقیقت یہ ہے کہ یوسف یوحنا نے یقینی طور پر اپنے ملک کی قومی ٹیم کی کپتانی کی (مسلمان ہونے سے پہلے تین بار اور 2005ء میں اسلام قبول کرنے کے بعد چھ مرتبہ، دونوں حالات میں)۔ ششی تھرور انتہائی اہم حقیقت کو بھی فراموش کر گیا کہ جب 1948ء میں BCCP (بورڈ آف کنٹرول برائے پاکستان کرکٹ) کی بنیاد رکھی گئی تو اس کا نائب صدر اعلیٰ (اے آر کارنیلس) عیسائی تھا اور اس کا سیکریٹری (کے آر کلیکٹر) پارسی تھا۔

اپنا نقطہ ثابت کرنے کے لیے ششی تھرور نے میدان میں ہونے والے واقعات کو بھی توڑ مروڑ کر پیش کیا ہے، مثلاً 1978ء میں پاکستان اور ہندوستان کے مابین کھیلے جانے والے سلسلے کو وہ یوں بیان کرتا ہے، ''ہندوستانی کھلاڑیوں کی پاکستانی امپائروں کے ہاتھوں متواتر حوصلہ شکنی اور مایوسی کی بدولت جذبات ہیجان خیز ہو جاتے تھے۔ ایسے ہی ایک پُر جوش موقع پر دانستہ تعصب رکھنے والے احمق ناپسندیدہ امپائر شکور رانا اور ہندوستانی آغازی بلے باز سنیل گواسکر کے درمیان منہ ماری کا واقعہ پیش آیا جس کی بدولت پہلے ٹیسٹ میچ کے آخری دن کے کھیل کے شروع ہونے میں گیارہ منٹ کی تاخیر ہوئی۔'' لیکن 1980ء کے وزڈن میں مختلف کہانی ہے، ''ہندوستان ٹیم کے نائب کپتان سنیل گواسکر نے متعلقہ امپائر شکور رانا کے خلاف توہین آمیز زبان استعمال کی، شکور رانا اور اس کے ساتھی امپائر نے میدان میں جا کر کھیل شروع کرانے سے انکار کر دیا جب تک سنیل گواسکر کے خلاف کارروائی نہیں کی جاتی۔''

پاکستانی کرکٹ کی تاریخ پر تین اہم کتابیں موجود ہیں۔ عمر نعمان نے Pride and

Passion: An Exhilirating Half Century of Cricket in Pakistan کے نام سے کتاب شائع کی ہے۔ یہ سنجیدہ، معقول اور مخلصانہ انداز میں لکھی گئی عمدہ تحریر ہے، جس میں پیچیدہ امور کو انتہائی ہنرمندی سے سنبھالا گیا ہے۔ اس کے بعد شجاع الدین اور سلیم پرویز کی تصنیف شدہ کتاب Chequered History of Pakistan Cricket 2005ء میں شائع ہوئی۔ شجاع الدین کا تعلق ان ابتدائی کھلاڑیوں کی ٹولی سے ہے جنھوں نے عبدالحفیظ کاردار کی قومی ٹیم کو مرتب کیا تھا۔ سلیم پرویز کرکٹ کے کھیل کا معروف دانشور ہے۔ ان دونوں کی اس کتاب میں واقعات کی معتبری اور اندرونی حقائق کا مرکب نظر آتا ہے۔ اپنی اس کتاب کو لکھتے وقت میں نے بار بار لوٹ کر ان دو کتابوں سے مدد حاصل کی۔

ڈاکٹر نعمان نیاز نے غیر معمولی کام کرتے ہوئے پانچ جلدوں پر مبنی بڑی اور بھاری بھرکم کتابیں تحریر کی ہیں۔ میرا اندازہ ہے کہ ان میں دس لاکھ سے زائد الفاظ ہوں گے جو اس کے پُرجوش شوق اور توانائی کی یادگار ہیں۔ ڈاکٹر نعمان نیاز نے کئی ابتدائی کتابوں کو اپنے اس کام میں مربوط کیا۔ اور کئی کھلاڑیوں کی شخصیت کا انفرادی مشاہدہ شامل ہے۔ اگرچہ بعض اوقات وہ قابل اعتماد نہیں۔ اس کا یہ بڑے پھیلاؤ کا کام جوش بلند حوصلے اور جی داری پر مبنی ہونے کے علاوہ یکطرفہ رائے کا حامی ہے۔

پاکستان کرکٹ پر ایک علمی مشاہدہ کرس ویلی اوٹس (Chris Valiotis) نے کیا ہے۔ وہ کھیل کو برطانوی نوآبادیاتی نظام کے نافذ ہونے کے بعد معاشرے میں نقالی کی ترجمانی کرتے ہوئے دیکھتا ہے۔ وہ اس کے سماجی اور معاشرتی اثرات کے متعلق حساس ہے مگر وہ واقعات اور نمایاں شخصیات کے بارے میں لکھنے پر پس و پیش کا شکار ہے۔ ان چاروں مشاہدات میں خواتین کرکٹ کے بارے میں کچھ نہیں لکھا گیا۔ اگرچہ سابق پی سی بی چیئرمین شہریار خان نے اپنی کتاب Cricket Cauldron میں ذکر کیا۔ 2003ء سے 2006ء تک اپنی چیئرمین شپ کے دنوں کے بارے میں تاریخی اور سماجی تفصیلات تحریر کی ہیں۔

ابتدائی دنوں میں کرکٹ پر لکھنے والے مصنف بہت کم تھے۔ اور ان میں سب سے زیادہ ڈٹے رہنے والا اور پائیداری سے چلنے والا قمرالدین بٹ تھا۔ وہ اوّل درجے کا سابق کرکٹ کھلاڑی تھا جو بعد میں امپائر بن گیا تھا۔ وہ سائیکل پر سوار ہو کر مختلف میچوں پر جایا کرتا تھا۔ وہ باوقار، شریف النفس اور ناگزیر شخصیت کا مالک تھا۔ وہ برطانوی پارلیمنٹ کی لفظ بہ لفظ روئیداد بیان کرنے والے نامہ نگار کی طرح ابتدائی ٹیسٹ میچوں کی کہانی بیان کرتا رہا۔ وہ میچوں کی کارروائی کو سنجیدگی سے مکمل طور پر بیان کرتا۔ مگر اس کا بیان کرکٹ سے اس کی گہری محبت اور سوجھ بوجھ کو کبھی نہ چھپا پایا۔ اکثر اوقات وہ کسی عمدہ محاورے سے پردہ اٹھاتا، مثلاً ''حنیف محمد نے اچانک خوبصورت کور ڈرائیور (Cover Drive) تشکیل دی۔'' قمرالدین بٹ کا 1974ء میں دل کا دورہ پڑنے سے اس وقت انتقال ہوا جب وہ راولپنڈی میں کرکٹ میچ دیکھنے کے بعد سائیکل پر سوار اپنے گھر واپس جا رہا تھا۔ ایم ایچ

مقصود نے پاکستان کرکٹ کے پہلے 25 سالوں کی روئیداد پر قابل تحسین کتاب پیش کی۔ عابد علی قاضی نے پاکستان کرکٹ سے متعلق جو اعداد و شمار مرتب کیے ہیں وہ ابتدائی سالوں کے حوالے سے خاص طور پر بہت اہم ہیں۔

ریڈیو پر کرکٹ کا آنکھوں دیکھا حال بیان کرنے والا اور مصنف عمر قریشی، برطانیہ کے عظیم جان آرلٹ (John Arlott) کا متبادل ہے۔ سلطان محمود نے تقسیم ہند کے کے بعد کے پہلے بیس سالوں میں پاکستانی کرکٹ پر اہم اور ضروری مشاہدات پر مبنی کتاب Cricket After Midnight لکھی ہے۔ تاہم پاکستانی کرکٹ کے ابتدائی دور کی معلومات کا سب سے اہم ذریعہ عبدالحفیظ کاردار ہی ہے۔ وہ کئی کتابوں کا مصنف ہے۔ آکسفورڈ کا تعلیم یافتہ کاردار کرکٹ کا کھلاڑی ہونے کے ساتھ ساتھ وقائع نگار (واقعات لکھنے والا) بھی تھا۔ اس کی کتاب Memoirs of an All Rounder تقریباً اس کی خودنوشت سوانح عمری کے زمرے میں آتی ہے جس میں تقسیم ہند سے پہلے کی کرکٹ کے متعلق بیش قیمت یادداشتیں موجود ہیں۔

کچھ پاکستانی کرکٹ کھلاڑیوں نے اپنی خودنوشت سوانح عمریاں لکھی ہیں اور ابتدائی دور کی اس قسم کی یادداشتوں میں جذباتی طور پر بیان کرتے ہوئے احتیاط برتی گئی ہے۔ کئی عظیم کھلاڑیوں نے جن میں سعید احمد، وقار یونس، انضمام الحق، انتخاب عالم، آصف اقبال اور عبدالقادر نے کبھی کوئی کتاب شائع نہیں کی۔ قمر احمد نے اپنے ابتدائی مہماتی کام کی بدولت حنیف محمد اور وقار حسن کی خودنوشت سوانح عمریاں پس پردہ مصنف کے طور پر تحریر کیں۔ دونوں کتابیں ہی ناگزیر ہیں۔ حالیہ سالوں میں دو خودنوشت سوانح عمریاں ممتاز حیثیت رکھتی ہیں۔ جاوید میاں داد کی Cutting Edge کو کراچی کے ناول نگار اور اعصابی نظام کے جراح سعد شفقت نے پس پردہ مصنف کے طور پر لکھا۔ شعیب اختر کی کتاب Controversially Yours پر ماہر بشریات انشو ڈوگرا نے پس پردہ مصنفہ کے طور پر نہایت ہی عمدہ خدمت سرانجام دی ہے۔

پاکستانی اخبارات اور ذرائع ابلاغ بھی معلومات کا نادر ذریعہ ہیں۔ مگر اکثر اوقات جانبداری ظاہر ہوتی ہے جس میں علاقائی اور ذاتی دشمنیاں نظر آتی ہیں۔ ان میں لاہور اور کراچی کے درمیان طویل ترین تقسیم قائم ہے۔ ڈاکٹر خادم حسین بلوچ اور سلیم پرویز کی کتاب Encyclopedia of Pakistan Cricket زیادہ معتبر ہے۔ اس کتاب کی جتنی بھی تعریف کی جائے کم ہے۔ یہ حوالہ جات کے لحاظ سے اہم کام ہے جسے انتہائی خلوص اور محبت سے ترتیب دیا گیا ہے۔

پاکستانی کرکٹ ابھی تک ایسا موضوع ہے جس کی بغور چھان بین نہیں ہوسکی۔ لارڈز کا کتب خانہ کرکٹ کھیلنے والی ہر اہم قوم کی کتابوں سے بھرپور ہے۔ مگر پاکستان پر کتابیں الماری کے ایک خانے کو بھی مشکل سے پُر کرسکی ہیں۔ میری یہ کتاب چاہے کچھ اور نہ بھی کر سکے لیکن مجھے پھر بھی یہ توقع ضرور ہے کہ یہ کم از کم پاکستانی کرکٹ میں دلچسپی کو متحرک کرنے میں مددگار ہوگی۔

''انسانی زندگی میں کھیل ہی وہ ذریعہ ہے جو اخوت اور اتفاق پیدا کرتا ہے۔ کھیل ہی وہ طاقت ہے جس میں دنیا کو بدلنے کی اہلیت موجود ہے۔ اُس میں اتحاد اور یگانگت پیدا کرنے کی وہ صلاحیت ہے جو کہیں اور ممکن نہیں۔ نوجوان اُس کی زبان آسانی سے سمجھ پاتے ہیں اور کھیل نا اُمیدی کی فضا اور اندھیروں کو بدل کر اُمید کی کرنیں بکھیر دیتا ہے جہاں اُس کا وہم و گمان نہیں ہوتا۔ کھیل کی طاقت حکومتی طاقت سے کہیں زیادہ ہوتی ہے۔ یہ نسلی حدود اور تضادات کی دیوار گرانے کی صلاحیت رکھتی ہے، اِس میں ہر قسم کی نسلی تفریق اور تضادات کو ہوا میں اُڑا دینے کی اہلیت موجود ہے۔''

- نیلسن منڈیلا

''پاکستان، دنیا کی عظیم ترین اقوام میں سے ایک بن سکتا ہے، اگر اس کے تمام انسانی ذرائع کو ڈویلپ کیا جائے۔ کرکٹ کا کھیل پاکستان کو متحد کرتا ہے اور اس کے ٹیلنٹ کو ابھارتا ہے۔ اس میں امیر اور غریب کی کوئی تقسیم نہیں۔ کرکٹ لوگوں کو دنیا میں زندگی گزارنا سکھاتا ہے۔ یہ آپ کو ایک بہتر انسان بناتا ہے۔''

- وسیم باری

سابق ٹیسٹ وکٹ کیپر اور پاکستان کرکٹ ٹیم کے کپتان کی مصنف سے گفتگو

# حرفِ آغاز

19 اگست 1953ء کو اوول گراؤنڈ جہاں انگلستان آسٹریلیا کو شکست دے کر روایتی ایشز جیت لی تھی وہاں بھر پور مجمع کے درمیان چھٹی پر آیا ہوا ایک پاکستانی پولیس افسر موجود تھا جو اپنے لمبے قد، ورزشی جسم، کھلتی رنگت اور نیلی آنکھوں کے باعث وضع قطع کے لحاظ سے انگریزوں میں انگریزوں سے بڑھ کر انگریز لگتا تھا۔ یہ شخص فضل محمود تھا جو دنیا کی ایک نئی تخلیق شدہ ریاست پاکستان سے آیا تھا۔ وہ پاکستان ایگلٹس کی کرکٹ ٹیم کے کپتان کی حیثیت سے برطانیہ کا تربیتی دورہ کر رہا تھا۔

فضل اوول کے اس فیصلہ کُن ٹیسٹ میچ کے تمام دن تماشائیوں میں موجود رہا۔ اُس نے انگلستان کے نو آموز باؤلر فریڈ ٹرومین کی تباہ کن باؤلنگ کا مظاہرہ دیکھا جس نے آسٹریلوی بیٹنگ کے پرخچے اُڑا دیئے تھے۔ اُس نے دیکھا کے کس طرح لنڈوال کی باؤلنگ نے انگلینڈ کے چوٹی کے بلے بازوں کو کہیں جمنے نہ دیا۔ صرف لین ہٹن اور ٹریور بیلی اُس کی راہ میں رکاوٹ بن سکے۔ لنڈوال کے حملوں سے میچ آسٹریلیا کی گرفت میں آچکا تھا مگر دوسری اننگز میں انگریز باؤلرز کا پلہ بھاری تھا۔ ٹونی لاک اور جم لیکر ایک بار پھر آسٹریلیا پر حاوی ہو گئے اور آسٹریلیا کی بیٹنگ بُری طرح سے ناکام رہی۔

میچ کے آخری دن فضل محمود جو متعدد پاکستانیوں کی طرح انگلستان کے لیے خیر سگالی کے جذبات رکھتا تھا، نے ایڈرچ۔ے اور کامپٹن کے لیے بھرپور داد دی۔ یہ بیٹسمین اپنے صبر اور ہمت سے بالآخر انگلستان کو فتح سے ہمکنار کرنے میں کامیاب ہو گئے۔ 1953ء کے سال کا موسم گرما یادگاری تھا۔ صرف دو ماہ قبل ویسٹ منسٹر ایبے میں شہزادی الزبتھ نے ملکہ انگلستان کی حیثیت سے تاج پہنا تھا۔ اُس دن کی ایک اہم خبر یہ تھی کہ دنیا کی بلند ترین چوٹی کوہِ ہمالیہ کو ایڈمنڈ ہلری کی سربراہی میں برطانیہ نے سر کر لیا تھا۔ برطانیہ نے دوسری جنگِ عظیم کے شروع ہونے سے پہلے سے لے کر بعد تک پہلی مرتبہ ایشیز کو جیت لیا تھا۔

جونہی انگلینڈ کی ٹیم فتح سے ہمکنار ہوئی، ایک جم غفیر پویلین کی طرف دوڑا تا کہ فتح یاب ٹیم کو

بالکونی پر قریب سے دیکھ سکے۔ فضل اس ہجوم کا حصہ تھا۔ فضل کی نظر میں یہ آسٹریلوی اور انگلستانی کھلاڑی دیو مالائی جیت کے بعد کہیں اور کی مخلوق کا حصہ ہی لگتے تھے۔ خاص طور پر فتح کپتان انگلستان کے لین ہٹن نے فضل محمود کو خاص طور پر متاثر کیا۔ فضل نے محسوس کیا کے جیسے ہٹن تمام دنیا کا فاتح ہو۔ لوگوں کا ٹھاٹھیں مارتا ہوا سمندر اس کے سامنے سر بسجود تھا۔ حتیٰ کہ خوشی کے عالم میں فضل محمود بھی انگلستان کے حق میں ہپ ہپ ہُرے کے نعرے لگا رہا تھا۔ فضل نے اعتراف کیا کہ ہٹن کو وہاں دیکھتے ہوئے وہ بھی مکمل طور پر اُس کے سحر میں آچکا تھا۔ اور وہ اس کی طرف رشک بھری نظروں سے دیکھ رہا تھا۔

اُس لمحے فضل اردگرد کے لوگوں کی خوشی اور شوروغل سے بے نیاز تھا۔ اچانک اوپر بالکونی کی جانب دیکھتے ہوئے اُس پر ایک الہامی کیفیت طاری ہوگئی اور اس فاتح ہٹن کی بجائے شکست خوردہ ہٹن نظر آیا۔ اُسے یوں محسوس ہوا جیسے ہٹن کی جگہ وہ فاتح کی حیثیت سے اُس بالکونی پر کھڑا لوگوں کے نعروں کا ہاتھ ہلا ہلا کر جواب دے رہا تھا۔ پھر یہی انگلستان کے خلاف 1954ء میں پاکستان کی شاندار جیت بن کر سامنے آیا۔ کہتے ہیں ہر ایک کی تقدیر اُس کے ہاتھ میں ہوتی ہے۔ دوپہر کی ڈھلتی کرنوں میں اوول گراؤنڈ سے جب فضل محمود رخصت ہو رہا تھا تو اُس پر ایک الہامی کیفیت طاری تھی۔ وہ اپنے سامنے ایک زبردست اور عظیم الشان مقصد دیکھ رہا تھا۔ اُس یقین کامل تھا کہ وہ اگلے سال اپنے سابقہ انگریز حکمران کو انگلستان کے پہلے دورہ میں شکست فاش دے گا۔ مگر یہ خواب ایک ناممکن خواب تھا کیوں کہ کے انگلستان کی ٹیم اُس وقت دنیا کی طاقت ورترین ٹیم تھی۔ جبکہ پاکستان کی ٹیم کو سرکاری ٹیسٹ کا درجہ حاصل کیے ابھی صرف بہ مشکل دو سال ہی ہوئے تھے۔ اور اس قلیل عرصہ میں پاکستان نے صرف ایک ٹیسٹ جیتا تھا اور وہ بھی ہندوستان کے کے خلاف جسے اُس وقت دنیائے کرکٹ کی ایک کمزور ٹیم سمجھا جاتا ہے۔ آج تک کسی ملک نے انگلینڈ کی کرکٹ ٹیم کو انگلینڈ میں اپنے پہلے ہی دورہ میں شکست نہیں دی تھی۔ پاکستان ٹیم کے تقریباً تمام کھلاڑی نو وارد تھے اور ٹیسٹ کرکٹ کا زیادہ تجربہ نہیں رکھتے تھے اور انہیں انگلینڈ کی وکٹوں اور موسم کا بھی کوئی خاص تجربہ نہ تھا جو کہ برصغیر کی پچوں سے قطعی طور پر ہر لحاظ سے مختلف تھیں۔ ایسے حالات میں یہ تصور کرنا کہ پاکستان انگلستان کو شکست دے دے گا اور وہ بھی پہلے ہی دورہ پر صرف اور صرف ایک پاگل پن تھا۔

اس کے باوجود فضل محمود کو صرف اُمید ہی نہیں بلکہ یقین تھا کہ وہ یہ کارنامہ سرانجام دے سکے گا۔ اُس کی روح اور دل و دماغ میں اس بات کا پختہ یقین تھا کہ وہ خود لنڈوال اور ٹرومین جیسا عظیم باؤلر ہے اور اس میں دنیا کے مایہ ناز بلے بازوں کو نیچا دکھانے کی بھرپور صلاحیت موجود ہے۔ اپنے باصلاحیت ہم وطنوں کی طرح اُسے بھی صرف ایک موقع کی ضرورت تھی جس کی بدولت وہ دنیا کو اپنی غیر معمولی صلاحیت سے دوچار کر دیتا۔

حصہ اوّل

# کاردار کا عہد

1947ء-1975ء

1

# بانی رہنما...بنیادی تخلیق کار

''اس لمحے اگر میں ذرا بھی ڈگمگا جاتا تو شکست مجھے ہمیشہ ہمیشہ کے لیے گمنامی کے اندھیروں میں دفن کر دیتی۔''

- فضل محمود

حصولِ مقصد کی خاطر فضل محمود کی جرأت مندی کو صرف یوں سمجھا جا سکتا ہے کہ اگر اسے تاریخ، مذہب اور شخصیت کے پس منظر میں جانچا جائے۔ شمالی ہندوستان کے شہر لاہور میں پاکستان کی تخلیق کے 26 سال پہلے جب وہ پیدا ہوا تو اس وقت پاکستان نام کا دنیا میں کوئی ملک نہیں تھا۔ یہاں تک کہ نام ''پاکستان'' تک تجویز نہ ہوا تھا۔ سلطنت برطانیہ اپنے عروج اور اقتدار کے نصف النہار پر پہنچ چکی تھی اور سلطنتِ عثمانیہ کے ٹوٹنے پر مشرقِ وسطیٰ کے نئے علاقے بھی حکومت برطانیہ کے زیر تسلط آ چکے تھے۔ بیشتر لوگوں کا خیال تھا کہ مستقبل قریب میں حکومت برطانیہ کا ہندوستان پر تسلط قائم و دائم رہے گا۔

مگر اس سوچ کے باوجود چند گنے چنے محبّ وطن برطانوی حکومت کے خلاف عملی جدوجہد میں مصروف تھے۔ ان نڈر سپوتوں میں ایک بہادر شخص فضل محمود کے والد پروفیسر غلام حسین تھے۔ وہ اپنی ذہانت اور محنت کے بل بوتے پر ہندوستان کی سول سروس کے انتہائی مشکل مقابلے کے امتحان میں کامیاب ہو چکے تھے۔ اس کامیابی کی بدولت انہیں عمر بھر عزت، آرام اور آسائش میسر ہو سکتے تھے۔ مگر غلام حسین نے برطانوی حکومت کی پیش کردہ آسائشیں اور پائیدار نوکری کی بجائے انقلاب، جدوجہد اور جیل کی سخت زندگی کو ترجیح دی۔ انہوں نے صعوبتیں برداشت کرتے ہوئے برطانوی حکومت کو ہندوستان میں نکالنے کے لیے مسلسل قربانیاں دینے کا سلسلہ جاری رکھا۔ مہاتما گاندھی کی کانگریس پارٹی حصولِ آزادی کے لیے پیش پیش تھی مگر فضل کے والد غلام حسین کبھی اس میں شامل نہ ہوئے۔ وہ کہیں زیادہ نڈر اور باغیانہ خیالات کے مالک تھے۔ جب برطانیہ نے 1914ء میں جرمنی کے خلاف اعلانِ جنگ کیا تو گاندھی اور اس کے کانگریس پارٹی نے برطانیہ اور اس کی اتحادی قوتوں کا ساتھ دیا تا کہ اس کے بدلے میں مراعات حاصل کر سکیں مگر غلام حسین کو

فوری اور بہتر مواقع نظر آئے۔ اس کے خیال میں چوں کہ برطانوی افواج یورپ اور دیگر ممالک میں برسرپیکار ہوں گی، لہٰذا یہی وہ بہترین موقع ہے کہ انگریز حکومت کو ہندوستان سے نکال باہر کیا جائے۔ غلام حسین کا یہ اندازہ اس وقت مزید جذباتی طور پر غالب ہوا جب اتحادی افواج نے ترکی کے خلاف اعلانِ جنگ کر دیا۔ برطانیہ کی نظر میں ترکی ایک پسماندہ، ناکام، عیاش اور بدعنوان ریاست ہونے کے ساتھ ساتھ جرمنی کا دوست اور اس کا اتحادی بھی تھا۔ مگر غلام حسین اور اس کے ساتھیوں کی نظر میں کچھ اور تھا۔ ان کے خیال میں مملکت عثمانیہ کا سلطان محمد پنجم خلافت اسلامیہ کا پاسدار ہونے کے ناتے خلیفہ کی حیثیت رکھتا تھا۔ اور اس منصب کے ذریعے وہ تمام اسلامی ریاستوں کا دینی اور روحانی طور پر سربراہ اور مسلمانوں کے تین اہم ترین مقامات مکہ، مدینہ اور یروشلم کا رکھوالا مانا جاتا تھا۔ مسلمانوں کی نظر میں خلیفہ کا وہی مقام تھا جو رومن کیتھولک عیسائیوں کی نظر میں پوپ کا ہوتا ہے۔ زیادہ لوگوں کا یقین تھا کہ برطانیہ کا ترکی کے خلاف اعلانِ جنگ دراصل عالم اسلام کے خلاف جنگ کرنے کے مترادف ہے۔ لہٰذا تمام مسلمانوں کا فرض ہے کہ وہ متحد ہو کر اسلام دشمن طاقتوں کا مقابلہ کریں۔

غلام حسین نے اس راستے پر چلنے کا انتخاب کیا جس پر مسلمان ماضی میں بھی چلتے رہے تھے اور مستقبل میں بھی چلتے رہے۔ غلام حسین نے فیصلہ کیا کہ افغانستان اس کے مقاصد کو حاصل کرنے کے لیے بہترین مرکز ثابت ہوسکتا ہے جہاں وہ رہ کر برطانوی تسلط کے خلاف آزادی کی جنگ لڑسکیں گے۔ وہ مشہور اسلامی مفکر اور عالم عبید اللہ سندھی [1] کے پیروکار بن گئے جن کی سوچ میں دنیائے اسلام متحد ہو کر برطانوی سامراج سے نجات حاصل کرسکتا تھا۔ اپنے اس ارادے کی پایہ تکمیل کے لیے عبید اللہ سندھی نے افغانستان کا رخ کیا اور غلام حسین کو بھی ساتھیوں سمیت وہاں آنے کے لیے کہا۔ انہیں امید تھی کہ سعودی عرب کی افواج کابل میں مقیم ہندوستان کی آزادی پسند قوتوں سے مل جائیں گی۔ دو جرمن افسران، ورنر آٹو وین ہینٹگ (Werner Otto von Hentig) اور آسکر نائیڈر میئر (Oskar Nieder Mayer) نے منصوبہ کی حوصلہ افزائی کی۔ دسمبر 1915ء (1293 ہجری) تک کابل میں ہندوستان کی ایک عبوری جلاوطن حکومت قائم ہو چکی تھی جس کا مقصد برطانوی حکومت کے خلاف جہاد کرنا تھا۔

مگر یہ منصوبہ عین وقت پر ناکام ہوگیا۔ افغانستان کے حکمران حبیب اللہ سے پُرزور اصرار کیا گیا کہ وہ منصوبہ کو اپنی آشیرباد دیں مگر اس نے انتہائی چالاکی سے اپنے آپ کو کسی طور پابند نہ کیا۔ لیکن اچانک حبیب اللہ کا قتل ہوگیا اور اس کی جگہ برطانوی حکومت کی مرضی کا نیا حکمران افغانستان کے منصب اقتدار پر بیٹھ گیا۔ اور یوں عبید اللہ سندھی اور اس کے ساتھیوں کا منصوبہ ناکام ہوگیا۔ عبید اللہ سندھی نے ہمت نہ ہاری اور دلبرداشتہ ہونے کی بجائے روس کا رخ کیا، جہاں لینن سے ملاقات کی ناکام کوشش کے بعد پہلے ترکی اور پھر

سعودی عرب کا رخ کیا۔ اس کا پیروکار غلام حسین، ہندوستان واپس آ گیا اور لاہور کو اپنا گھر بنا لیا جہاں برطانوی حکومت نے اسے زنداں میں ڈال دیا۔

غلام حسین نے رہا ہونے کے بعد ''انقلاب'' نام کا اپنا اخبار نکالا جس پر برطانوی حکومت نے چھاپہ خانہ پر قبضہ کر کے انہیں ایک بار پھر پابند سلاسل کر دیا۔ انہی حالات کے دوران 18 فروری 1927ء کو اسے زندان میں اپنے بیٹے فضل محمود کی ولادت کی خبر ملی جس نے مستقبل میں پاکستان کرکٹ کی تاریخ کو سنہرے الفاظ میں رقم کرنا تھا۔ زندگی کے اس اہم موڑ پر آ کر غلام حسین نے انقلابی زندگی کو خیر باد کہا اور اپنی تمام توجہ اور صلاحیت اپنی اولاد کی تعلیم اور پرورش کے لیے وقف کر دی۔ اور جب فضل محمود بلوغت کی طرف گامزن تھا تو اس وقت اس کے والد اسلامیہ کالج لاہور کے قابل تعظیم وائس پرنسپل بن چکے تھے۔ اسلامیہ کالج قدیم شہر لاہور سے کچھ دور باہر واقع تھا۔ اس کا آدھا حصہ ہائی سکول اور بقیہ آدھا حصہ بطور یونیورسٹی کالج کام کر رہے تھے لیکن انگریز اس ادارے کو شک وشبہ کے علاوہ اس کے باغیانہ رجحانات کو ناپسندیدگی کی نگاہ سے دیکھتے تھے۔ مگر یہی وہ کالج تھا جس نے اگست 1954ء میں انگلینڈ کے خلاف اوول کی تاریخی فتح کے لیے پاکستان کرکٹ ٹیم کو کم از کم 6 کھلاڑی فراہم کیے۔

فضل محمود نے اپنے والد سے ملنے والی دو باتوں کا ہمیشہ اعتراف کیا۔ ان میں پہلی چیز اسلام سے محبت تھی۔ فضل محمود نے زندگی میں دیرینہ سفر کے بعد انگریزی زبان میں ایک کتاب Urge to Faith لکھی۔ اس کتاب کی بنیاد حضور نبی کریم ﷺ کی فہم و دانش تھی۔ اس کتاب کے ذریعے فضل محمود نے اپنے والد کی رہنمائی اور ہدایت کا اعتراف کیا کہ ان ہی کے کہنے پر اس نے قرآن کریم کی بہترین ہدایات کو حاصل کر کے ربانی فضیلت کو بیان کیا۔

اپنے والد سے دوسری چیز فضل محمود کو وراثت میں کرکٹ کے کھیل سے محبت ملی۔ فضل کے والد نہ صرف اس انگریزی کھیل کے دلدادہ تھے بلکہ وہ اپنے چھ سالہ بیٹے کو کرکٹ کی تربیت بھی دیتے تھے۔ پروفیسر غلام حسین نے جہادی احتجاج کی بجائے اپنے بیٹے فضل محمود کو لیگ کٹر (Leg Cutter) سکھانے کو ترجیح دی۔ بیس سال بعد یہی وہ تباہ کن لیگ کٹر تھا جسے استعمال کرتے ہوئے فضل محمود نے انگلستان کی مایہ ناز ٹیم کے پرخچے اڑا دیئے۔ بعد میں فضل نے اپنے والد کی نصیحت کو دہراتے ہوئے بیان کیا کہ ''وہ کہتے تھے کہ بیٹا اس بات کو مستقل طور پر ذہن نشین کر لو کہ لیگ بریک کھیلنا ہر بلے باز کے لیے انتہائی دشوار ہوتا ہے۔ صرف چند کھلاڑی اسے کھیل پاتے ہیں، لہٰذا تم اپنی تمام تر توجہ اس ایک گیند پر مرکوز کر دو۔'' فضل نے یہ سبق ہمیشہ یاد رکھا۔ اس نے اپنا بچپن اس فن میں مہارت حاصل کرنے کے لیے لاہور کی گلیوں اور خاص طور پر شہر کی فصیل کے باہر میدان منٹو پارک (اقبال پارک) میں سر توڑ محنت کرتے ہوئے لیگ کٹر کے فن کو حاصل کرنے کے

لیے اپنے آپ کو وقف کر دیا۔

لاہور ریلوے سٹیشن کے بالکل قریب واقع کنیئرڈ ہائی سکول میں ہم جماعت ساتھیوں کے ساتھ وکٹوں کی جگہ جھاڑیاں استعمال کرتے ہوئے گراؤنڈ میں فضل کرکٹ کھیلا کرتا تھا۔ بارہ سال کی عمر کو پہنچنے سے پہلے ہی فضل نے لاہور کی اچھی ٹیموں میں سے ایک پنجاب کرکٹ کلب کے نیٹ پر جا کر پریکٹس کرنا شروع کردی تھی۔ فضل محمود نے بتایا کہ اس کلب کے پاس وسائل موجود تھے اور یہ بیبیاں پاکدامن کے قرب میں واقع تھا۔ بیبیاں پاکدامن کا مزار نبی کریم ﷺ کے خانوادہ کی ان چھے خواتین کی قبروں پر مشتمل ہے جنہیں آج بھی انتہائی تقدس اور احترام کے ساتھ مانا جاتا ہے کیوں کہ ان کی بدولت اسلام جنوبی ایشیا تک پہنچا۔ ''میں نیٹ پریکٹس شروع ہونے سے ایک گھنٹہ قبل گراؤنڈ میں پہنچ جاتا۔'' فضل نے بیان جاری رکھا، ''اور گراؤنڈز مین (Groundsmen) کے ساتھ مل کر میٹنگ (Matting) لگواتا اور پھر دوسرے کھلاڑیوں کے آنے تک اکیلے ہی لگاتار باؤلنگ کرتا رہتا۔''

فضل کو توانائی اور صحت کا جنون تھا۔ وہ روزانہ دس میل لمبی دوڑ لگاتا اور ہر صبح پانچ سو مرتبہ رسّی کودتا۔ گرمیوں میں کنگ ایڈورڈ میڈیکل کالج کے تالاب میں وقفہ لیے بغیر ستر اسّی لینگتھ (Lengths) یا چکر تیرتا۔ میری صحت کا راز دراصل تیراکی تھا۔'' فضل محمود نے کہا، ''میرے کرکٹ کھیلنے کے تمام دورانیے میں جسم کے حساس ترین پٹھے جانگھ (Groin) میں کبھی ہلکا سا درد تک نہ ہوا تھا۔'' تیرہ سال کی عمر میں فضل محمود کا اسلامیہ کالج میں داخلہ جہاں اس کے والد پڑھاتے تھے، ایک اہم قدم تھا۔ یہ 1940ء تھا جو پاکستان بننے کے لیے ایک سنگ میل ثابت ہوا۔ گاندھی اور مسلمانوں کے لیڈر محمد علی جناح میں اگر کبھی کوئی قربت رہی تھی تو وہ اب سرد مہری میں تبدیل ہو چکی تھی۔ عرصہ دراز پہلے ان دو بڑے قومی رہنماؤں نے انگریز حکومت کے خلاف مل کر جدوجہد کر رکھی تھی۔ مگر اب جناح کو حالات نے علیحدہ راستہ اختیار کرنے کے لیے تذبذب اور کشمکش میں مبتلا کر کے برطانوی ہندوستان میں علیحدہ مسلمان ریاست کے تصور کی طرف دھکیلنا شروع کر دیا تھا۔ مارچ 1940ء میں جناح نے ہندو مسلم اتحاد کے خواب سے ہٹ کر ایک اہم قدم اٹھایا اور منٹو پارک لاہور میں مسلم لیگ کا ایک خاص اور اہم اجلاس طلب کیا (جس سے غالباً نوعمر فضل کے کھیل میں خلل پیدا ہوا ہوگا)۔ اس جلسہ میں تاریخی قراردادِ لاہور کے تحت ہندوستان میں آزاد مسلمان ریاستوں کے مطالبے کا اعلان کیا گیا۔

بطور طالب علم اسلامیہ کالج نوعمر فضل محمود اس سیاسی خلفشار کا حصہ بن گیا۔ ''میں جلسے جلوسوں میں اپنے کالج کے ساتھی طالب علموں کے ہمراہ شریک ہوتا۔'' فضل نے کہا، ''اکثر ہم پر آنسو گیس چھوڑ گئی اور لاٹھی چارج کیا گیا۔'' مگر ذاتی طور پر فضل کے لیے کرکٹ اس سے کہیں زیادہ اہم معاملہ تھا۔ 1941ء میں

ابھی وہ چودہ سال کا تھا اور سال دوئم کا کالج میں طالب علم تھا کہ اسے اسلامیہ کالج کی فرسٹ الیون میں منتخب کرلیا گیا۔دوسری عالمی جنگ جاری تھی اور ہندوستان میں برطانوی حکومت جان لیوا خطرے سے دوچار تھی مگر فضل کی سوچ کا محور صرف کرکٹ تھی۔ اور پھر جلد ہی اس کے لیگ کٹر (Leg Cutter) کی شہرت ہندوستان کی ہر زبان پر تھی۔1944ء کے اوائل میں جواں سال فضل کو اطلاع موصول ہوئی کہ اسے ناردرن انڈیا کرکٹ ایسوسی ایشن کی طرف سے رانجی ٹرافی کی ملکی چیمپئن شپ کھیلنے کے لیے ٹیم میں شامل کرلیا گیا ہے۔اس کی سترھویں سالگرہ میں کچھ دن ابھی باقی تھے۔

پاکستان میں کرکٹ کے طالب علم کے لیے ناردرن انڈیا کرکٹ ٹیم غیر معمولی اہمیت کی حامل ہے۔ کیوں کہ یہ ٹیم اس قومی ٹیم کا نمونہ تھی جسے دس سال بعد معرضِ وجود میں آنا تھا۔ اس ٹیم کا کپتان اختتام کی طرف گامزن رجواڑی کی ریاستی ٹیموں کا معروف کھلاڑی جہانگیر خان تھا۔نوجوانی میں جہانگیر خان ہندوستان کے ابتدائیہ ٹیسٹ جون 1932ء میں انگلستان کے خلاف لارڈز گراؤنڈ پر کھیل چکا تھا۔ مزید چار سال بعد لارڈز گراؤنڈ میں کیمبرج یونیورسٹی کی طرف سے کھیلتے ہوئے اس نے ایک تاریخی اور مہلک گیند ایم سی سی کے بلے باز ٹام پیرس (Tom Pearce) کو پھینکا۔ وکٹوں کی جانب جاتی ہوئی جہانگیر خان کی اس فاسٹ میڈیم رفتار کی گیند کے راستے میں اتفاقاً ایک چڑیا آگئی جو گیند سے ٹکرا کر پچ پر مردہ گرگئی۔ اس چڑیا کو حنوط کر کے تب سے لارڈز کے عجائب خانہ میں محفوظ کر رکھا ہے۔

جہانگیر خان کا پاکستانی کرکٹ پر بے حد اثر رہا۔ اس کے بیٹے ماجد جہانگیر خان اور پوتا بازید خان دونوں نے پاکستان کی کرکٹ میں نمائندگی کی۔[2] لاہور کے وسط میں واقع زمان پارک میں جہانگیر خان کا گھر آنے والے وقتوں کے لیے کرکٹ کی درسگاہ ثابت ہوا۔ جہانگیر خان کا بھتیجا عمران خان پاکستان کے عظیم ترین کھلاڑی کی حیثیت سے اور ایک اور بھتیجا جاوید برکی جو پاکستان کرکٹ ٹیم کا کپتان بنا، یہیں سے ابھرے۔

صرف فضل ہی جہانگیر خان کی ناردرن انڈیا ٹیم بمقابلہ سدرن پنجاب (Southren Punjab) میں نوآموز نہیں تھا بلکہ عبدالحفیظ کاردار بھی جو مستقبل میں سرکاری ٹیسٹ میچوں میں پاکستان کا پہلا کپتان بنا، اپنا ابتدائی میچ کھیل رہا تھا۔ یہ انتہائی موزوں تھا کہ پرانے اور تجربہ کار استاد کی حیثیت سے جہانگیر خان اس خوش آئند ٹیم کا کپتان تھا جس میں دونوں فضل اور کاردار نے اپنی فرسٹ کلاس کرکٹ کا آغاز کیا۔ یہ نئے اور پرانے دور کا امتزاج تھا۔ دونوں نئے متعارف ہونے والے کھلاڑیوں نے اچھے کھیل کا مظاہرہ کیا۔ کاردار نے بطور اوپننگ بیٹسمین اپنی اننگز کا آغاز کیا مگر بدقسمتی سے 94 رنز بنا کر آؤٹ ہوگیا۔ فضل محمود نے گیارہویں نمبر پر بیٹنگ کرتے ہوئے ٹیم کو سہارا دیا اور اپنی رواں اور برجستہ بیٹنگ کے ذریعے 38 چنگھاڑتے ہوئے رنز

بنا ڈالے۔ فضل کو باؤلنگ کا موقع اس وقت دیا گیا جب لالہ امرناتھ وکٹ پر خطرناک حد تک جم چکا تھا۔ ''میرے ہاتھ کپکپا رہے تھے جب میں نے گیند کو اپنی گرفت میں لیا۔'' فضل نے صحافی شیخ انعام اشرف کو دس سال بعد اپنی شہرت اور طاقت کے عروج کے دور میں بتایا۔

سترہ سال کی عمر میں اپنے ابتدائی اور فرسٹ کلاس میچ میں اپنے دور کے عظیم بیٹسمینوں میں سے ایک کو گیند پھینکنے کی تیاری کرتے ہوئے فضل نے ان جذبات کو یوں بیان کیا، ''میری ٹانگیں لڑکھڑا رہی تھیں، میرا دل خوف زدہ تھا اور میرا ذہن خود اعتمادی سے عاری تھا۔ میرے سامنے دنیا کا مشہور بیٹسمین تھا جو ایک فاتح کی طرح اپنے بلے سے مسلسل زمین کو ٹھوک رہا تھا۔ اسے میرے گیند کرنے کا انتظار تھا جسے وہ وقت ضائع کیے بغیر ایک زوردار ہٹ لگانے کے لیے بے قرار تھا۔ مجھے یہ تسلیم کرنے میں ذرا بھر خلش محسوس نہیں ہوتی کہ میں خوف زدہ ہو گیا تھا۔ مگر میں نے اپنے دل کو حوصلہ دیا اور بھرپور اعتماد سے پہلا گیند پھینکا۔ امرناتھ نے اسے ایک زبردست ہٹ لگائی مگر مشہور ہندوستانی کھلاڑی گل محمد نے اسے انتہائی چابکدستی سے روک لیا۔ میں نے مزید چار گیند اسی قسم کے کیے جنہیں امرناتھ نے انتہائی بے رحمی سے مارا۔ اس وقت اگر شکست کو سامنے دیکھ کر میرے قدم ڈگمگا جاتے تو میں ہمیشہ ہمیشہ کے لیے گمنامی کے اندھیروں میں دفن ہو جاتا۔ پانچواں گیند کرنے سے پہلے میں نے اپنے ارادے کو پختہ کیا اور پھر ایک ناقابل تسخیر عزم کے ساتھ امرناتھ کو گیند پھینکا۔ گیند بلے کو چھوتی ہوئی سیدھی ڈاکٹر جہانگیر خان کے ہاتھوں میں چلی گئی اور میدان تالیوں سے گونج اٹھا۔''

اس کے کچھ دیر بعد دھیمی آواز میں جہانگیر خان نے ''فضل تم نے اپنا کام کر دکھایا'' کہتے ہوئے گیند واپس لے کر نوجوان کو ریسٹ (Rest) دے دیا۔ دو سال بعد 1946ء کے موسم گرما میں نواب افتخار علی پٹودی[3] کی کپتانی میں انگلستان دورہ کرنے والی ٹیم میں فضل محمود کی شمولیت ہوتے ہوتے رہ گئی۔ 1947ء کے بٹوارے اور پاکستان کے معرض وجود میں آنے سے پہلے برطانیہ کے تسلط تلے متحدہ ہندوستان کی کرکٹ ٹیم کا 1946ء کا انگلستان کا دورہ آخری تھا۔

نوجوان فضل محمود نے یقیناً ہندوستان ٹیم کی انگلستان میں کارکردگی کو دور سے دیکھتے ہوئے ملے جلے جذبات محسوس کیے ہوں گے۔ برصغیر واپسی پر پٹودی کی شکست خوردہ ٹیم کو ریسٹ آف انڈیا (Rest of India) کے خلاف دہلی میں ایک چیلنج میچ کھیلنے کی دعوت دی گئی۔ فضل کو اپنا لوہا منوانا تھا اور اس نے سات وکٹ لے کر آل انڈیا ٹیم کو کاٹ کر رکھ دیا۔ ماضی کے دو عظیم کھلاڑی شہزادہ دلیپ سنجی اور نواب پٹوڈی اس زبردست مظاہرے کے عینی شاہد تھے۔ معروف سپورٹس صحافی سلطان ایف حسین کے مطابق، ان دو شخصیات نے فضل محمود کی باؤلنگ کے چند اوورز کا بغور مشاہدہ کیا۔ پٹودی نے شہزادہ دلیپ سے پوچھا، ''کہو شہزادے، آپ کا اس نوجوان باؤلر بارے کیا خیال ہے؟'' دلیپ سنجی نے ایک لمحہ توقف کے بعد اپنی رائے کا

یوں اظہار کیا کہ ''وہ بہت اعلیٰ ہے اور اسے آسانی سے کامیابی ملنی چاہیے۔ میری خواہش ہے کہ میں اسے سڈنی (آسٹریلیا) کی وکٹوں پر باؤلنگ کرتے دیکھ سکوں جہاں وہ انتہائی مہلک ثابت ہوگا۔''

شہزادہ دلیپ سنجی خود بھی مشہور اور ممتاز کھلاڑی ہونے کے علاوہ عظیم کھلاڑی شہزادہ رنجیت سنجی (Ranjit Sinhji) کا بھتیجا تھا۔ اس کی اس تصدیق نے فضل محمود کو نئی بلندیوں سے ہمکنار کر دیا۔ اس لمحہ فضل نے اپنی زندگی کا رخ صرف ایک نقطہ پر مرکوز کر دیا کہ وہ ہندوستانی ٹیم میں آسٹریلیا کے دورہ کے لیے منتخب ہو جائے۔ تقسیم ہند کے بعد بحیثیت آزاد مملکت یہ ہندوستان کی کرکٹ ٹیم کا پہلا دورہ تھا۔ اس مقابلے میں یہ بھی واضح ہوتا تھا کہ کس آسانی سے عام روزمرہ زندگی اور کربناک حالات آسانی سے ایک ساتھ چل سکتے ہیں۔

برطانوی دور کے آخری ہفتوں میں ریاست کے نظام میں نہ کوئی فوجی ادارہ اور نہ ہی کوئی شہری ادارہ نظم ونسق اور جان و مال کی حفاظت کرنے کا اہل تھا۔ تاریخ دان لارنس زیرنگ (Lawrence Ziring) نے لکھا، ''قتل و غارت اور خاک وخون کی بدمست ہولی اپنے منطقی انجام کو پہنچنے سے پہلے بیس لاکھ انسانوں کو بے گھر کر کے پناہ گزین بنا چکی تھی جبکہ غالباً تقریباً تیس لاکھ کے قریب مظلوم اور معصوم لوگ آمرانہ قتل و غارت کا شکار ہو گئے تھے۔''

مگر اس تمام بربریت بھرے حالات کے درمیان کرکٹ کا کھیل بدستور جاری رہا۔ آنے والے تباہی کا پہلا سنجیدہ اشارہ سب سے پہلے اوول ٹیسٹ کے دوران 17 اگست 1946ء کو سامنے آیا۔ جناح کو یقین تھا کہ کانگریس پارٹی اور حکومت برطانیہ مل کر اقلیتی مسلمانوں کے حقوق غصب کرنا چاہتے ہیں۔ مجبور ہو کر جناح نے عملی کارروائی کرتے ہوئے یومِ احتجاج کا حکم دیا۔ ہندوستان کے بیشتر شہروں میں فسادات شروع ہو چکے تھے۔ خاص طور پر ان علاقوں میں جہاں ہندو اور مسلمان اکٹھے رہتے تھے۔ سب سے خراب حالات بنگال کے دارالحکومت کلکتہ میں تھے جہاں دندناتے پُرتشدد ہجوم کے ہاتھوں تقریباً پانچ ہزار شہری مارے جا چکے تھے۔ کلکتہ کی ہولناک قتل و غارت سے برطانوی وائسرائے لارڈ ویول (Lord Wavell) کو یقین ہو گیا کہ اب مزید برطانوی تسلط کو برصغیر ہندوستان میں فوری طور پر ختم ہو جانا چاہیے۔ لارڈ ویول کا اندازہ تھا کہ ہندو مسلم مخالفین کے درمیان برطانوی فوج کے ذریعے امن قائم کرنے کی کوشش بیکار ہو گئی کیوں کہ ایسا کرنے سے خود فوج دونوں مخالف دھڑوں کے نشانے پر آ سکتی ہے۔

لندن میں کرکٹ ٹیم ہندو اور مسلمانوں میں منقسم تھی۔ دورہ کرنے والی ٹیم کا فاسٹ باؤلر شوٹ بینرجی (Shute Bannerjee) کلکتہ سے تھا اور یقیناً اندر ہی اندر سے بے چینی کا شکار ہوگا۔ اخبار ''ٹائمز'' کے 20 اگست 1946ء کے شمارہ میں فسادات کے چار دنوں کا تفصیلی ذکر تھا۔ لاشوں کا سڑکوں پر پڑے ہونا۔

دکانوں پر کی گئی غارت گری۔ تعفن، وبائی امراض کا خوف اور قتل و غارت بند کروانے کے لیے سیاستدانوں کی سرتوڑ اور بے خوف کوششوں کا تفصیلی ذکر تھا۔ اسی اخبار میں کھیلوں کے صفحہ پر اپنے دور کے عظیم ترین ہندوستانی بیٹسمین وجے مرچنٹ کی ماہرانہ سنچری کی دھوم تھی۔

اگلے سال 1947ء کے وزڈن (Wisden Almanack 1947) میں صحافی ریگ ہیٹر (Reg Hayter) کا ہندوستانی کرکٹ ٹیم کے انگلستان کے دورہ پر ایک تجزیاتی مضمون شائع ہوا جس میں کہا گیا کہ جب ہندوستان میں سیاستدان حقوقِ آزادی پر جھگڑ رہے تھے اس وقت بیرون ملک ہندوستانی کھلاڑیوں نے دنیا کو دکھا دیا کہ وہ ذات اور قومیت کے تفرقوں کو ایک طرف رکھ کر کھیل کے میدان میں اور اس کے باہر اکٹھے رہ کر ایک مقصد لے کر ایک ہو کر کام کر رہے ہیں۔ ان کے ذاتی جذبات جو کچھ بھی تھے نواب پٹودی کے کھلاڑی روایتی نظریہ کے تحت چلتے رہے۔ غالباً ان کے لیے حالات سے کامیابی سے نمٹنے کا یہی ایک طریقہ تھا۔

نوعمر فضل محمود کی کرکٹ سے رغبت اور اس کا ناقابل فراموش تصور ہر لحاظ سے قابل تحسین تھا۔ جب اس کے بیشتر ہم وطن ایک دوسرے کو قتل کرنے میں مصروف تھے تو وہ کرکٹ کی پچ پر مذہب اور قومیت سے قطع نظر تکلیف دیئے بغیر اپنے شکار میں مصروف تھا۔ اس کے اعتماد اور قابلیت میں ہر لحہ اضافہ ہوتا چلا جارہا تھا اور اس سے کسی غلطی کی توقع نہیں کی جاسکتی تھی۔ فروری 1947ء میں انیس سالہ فضل نے اپنے ہیرو لالہ امرناتھ کی کپتانی میں نارتھ زون کے لیے ٹورنامنٹ میں حصہ لینے کے لیے لاہور سے بمبئی کا بے چینی سے بھرپور سفر کیا۔ فضل عام طور پر دفاعی بیٹسمین مانا جاتا تھا۔ اس میچ میں اس نے نہ صرف اپنی پہلی فرسٹ کلاس سنچری بناڈالی بلکہ بہت سی وکٹیں بھی حاصل کیں۔

ابھی فضل محمود کرکٹ میں اپنی کارناموں پر مطمئن ہوا ہی تھا کہ آخر کار برطانوی حکومت کو ناگزیر حالات کے سامنے جھکنا پڑ گیا۔ 20 فروری کو ایٹلی (Attlee) حکومت نے اعلان کر دیا کہ برطانوی حکومت، ہندوستان کو ہمیشہ کے لیے چھوڑ دے گی اور اپنے انخلا کی تاریخ کے لیے جون 1948ء کا انتخاب کیا۔ مگر اس خبر نے حالات میں مزید بے یقینی پیدا کر دی۔ گو کہ برطانوی حکومت نے اپنے انخلا کی تاریخ کا اعلان تو کر دیا تھا مگر ہندوستان کا مستقبل اس کے باوجود مکمل طور پر غیر یقینی صورتِ حال کا سامنا کر رہا تھا۔ وزیراعظم ایٹلی نے ہندوستان کے نئے وائسرائے لارڈ ماؤنٹ بیٹن کو ہدایت جاری کی کہ وہ ہندوستان کے لیے ایک متحدہ حکومت بنائیں جس میں ہندوستانی راجوں کی ریاستیں بھی شامل ہوں۔ مگر اس کا امکان روز بروز کے بدلتے حالات میں کم تھا۔

لاہور میں 4 مارچ 1947ء کو ہندو اور سکھوں نے اکٹھے ہو کر متحدہ ہندوستان کے حق میں جلوس

نکالا۔ اس پر مقامی پنجابی پولیس نے گولی چلائی۔ اگلے روز اقلیتی مذہبی رہنماؤں نے ہٹ دھرمی سے یہ ٹھان لیا کہ وہ پاکستان کے خلاف دن منائیں گے۔ مگر اس سے حالات مزید خراب ہوئے اور سکھوں، مسلمانوں اور ہندوؤں پر پنجاب بھر میں حملوں کی لہر دوڑ گئی۔ خاص طور پر کینہ پروری کا وہ ہتھکنڈا سامنے آیا جس کی بدولت عورت کے اجتماعی زنا بالجبر کے ذریعے عوام الناس کی تذلیل کا سلسلہ شروع ہو گیا۔

فضل محمود بظاہر ان پُرتشدد واقعات سے بے خبر بمبئی سے دہلی کی طرف آسٹریلیا کے دورہ پر روانہ ہونے سے پیشتر آخری آزمائشی میچ کے لیے رواں دواں تھا۔ وہ خاص طور پر اس میچ میں بہترین کارکردگی کا خواہشمند تھا کیوں کہ اس کے اختتام پر سلیکٹروں نے ٹیم کا انتخاب کرنا تھا۔ ماضی کی روشنی میں دیکھا جائے تو یہ میچ جو کوئی یادگار نہ تھا، آج اہم معلوم ہوتا ہے۔ مستقبل کے بہت سے عظیم کھلاڑی اس میں موجود تھے۔ وجے مرچنٹ، ونو مینکڈ، روسی موڈی، امتیاز احمد، فضل محمود، لالہ امرناتھ، ملک میں دوسری جانب ابلتے فسادات اور بھاری جانوں کے نقصان کے باوجود اس میچ کی نمایاں بات یہ تھی کہ وہ یہ پیغام دے رہا تھا جیسے مختلف قومیتوں کے آپس میں خوشگوار تعلقات ہوں۔ مسلمانوں میں حیدر آباد کے غلام احمد تھے جو مستقبل کے پاکستانی کھلاڑی آصف اقبال کے ماموں تھے۔ یہ جس علاقے میں رہائش پذیر تھے، وہ جلد ہندوستان کا حصہ بننے والا تھا۔ پھر ایک ہندو تھا، عظیم لالہ امرناتھ جس کی پرورش لاہور جیسے اہم ترین شہر میں ہوئی تھی جو اب پاکستان میں شامل ہونے والا تھا۔ پنجاب کے ایک سکھ کے رائے سنگھ نے 158 رنز بنا کر میچ کی بہترین اننگز کھیلی جو اس کی ٹیم کو پھر بھی شکست سے نہ بچا سکی۔ یہ سب حضرات ایک دوسرے کو بخوبی جانتے تھے اور کرکٹ کی اس ثقافت سے تعلق رکھتے تھے جو برطانوی حکومت کے دو سو سالوں میں بتدریج پورے ہندوستان میں پھیل چکا تھا۔ تمام کرکٹ کے کھلاڑی چاہے وہ سکھ، مسلمان یا ہندو تھے، سب ہی ڈان بریڈمین کی آسٹریلوی ٹیم کے خلاف خزاں میں ہندوستان کی نمائندگی کرنا چاہتے تھے۔ فسادات کے باوجود سادگی کا ایک عنصر بھی موجود تھے۔ کھلاڑیوں نے یہ باور کر رکھا تھا کہ ان کی پُرامن دنیا یوں ہی قائم رہے گی۔

فضل محمود میچ میں تباہ کن تھا۔ اس نے لیگ کٹر کے ذریعے پانچ مخالف وکٹ صرف 45 رن دے کر حاصل کرتے ہوئے فتح کی بنیاد رکھ دی۔ اس کے بعد دورہ کرنے والی ٹیم کا اعلان کر دیا گیا۔ ''جونہی میں نے اپنا نام اعلان ہوتے سنا...'' فضل نے یاد کرتے ہوئے کہا، ''میں فوراً تار گھر کی طرف اپنے والدین کو لاہور تار دینے کے لیے لپکا۔'' فضل محمود سے درخواست کی گئی کہ وہ دورہ سے بیشتر تربیتی کیمپ میں 15 اگست 1947ء کو پونا پہنچ کر شامل ہو۔ فنی معراج کی تکمیل، شہرت، پہچان، عروج اور عالمی کرکٹر کی حیثیت سے زندگی کے انعامات سب چوبیس سالہ فضل محمود کی پہنچ میں تھے۔

ٹیم میں اپنی جگہ مستحکم کرنے کے بعد فضل اپنے آبائی پنجاب لوٹ آیا جہاں ہزاروں اموات کے

بعد فرقہ وارانہ قتل و غارت کو روک دیا گیا تھا۔ اچانک برطانوی حکومت گھبرا گئی۔ جون 1947ء میں جناح، نہرو اور دلیت (اچھوت) نمائندوں اور سکھوں نے اصولی طور پر مذہبی بنیادوں پر گاندھی کی خواہش کے خلاف ہندوستان کی تقسیم پر اتفاق کر لیا۔ اس پر ماؤنٹ بیٹن نے لارڈ ایٹلی کا برطانوی حکومت کا جون 1948ء کے انخلا کا سوچا سمجھا لائحہ عمل ترک کر دیا۔ اس نے اعلان کیا کہ برطانوی حکومت صرف دس ہفتے بعد 15 اگست کو رخصت ہو جائے گی۔ صرف تب جا کر برطانوی حکومت نے تقسیم کی سرحدوں بارے سوچنا شروع کیا۔ 9 جولائی 1947ء کو بیرسٹر سر سرل ریڈ کلف (Barrister Sir Cyril Radcliff) کو دو باؤنڈری کمیشنوں کا سربراہ مقرر کیا گیا جس کا کام ہندو مسلم علاقوں میں غالب مذہبی عنصر کی تعداد کا اندازہ لگانا تھا جس کی روشنی میں آگے چل کر مغرب میں پنجاب اور مشرق میں بنگال کی تقسیم کا تعین کرنا تھا۔ ہند کی تقسیم میں چھ ہفتوں سے بھی کم وقت باقی تھا۔ لارنس زرنگ (Lawrence Ziring) کے مشاہدہ کے مطابق، ریڈ کلف نے کبھی ہندوستان کا سفر نہیں کیا تھا، چہ جائے کہ وہاں کسی حیثیت میں کام کرنا۔ اسے ہندوستان بارے بنیادی اعداد و شمار اور تہذیب و ثقافت کا قطعی علم نہ تھا۔ ماجد خان کے مطابق ان کے والد جہانگیر خان نے ریڈ کلف کمیشن میں کچھ خدمت سرانجام دی مگر زندگی بھر اس واقعہ پر کبھی لب کشائی نہ کی۔

فضل محمود کا لاہور جو ریڈ کلف کی نئی سرحد سے چند میل کے فاصلے پر تھا، نتیجتاً انتشار اور افراتفری کا مرکز بن گیا۔ بیسویں صدی کے پہلے نصف حصے میں یہ مرغوب عقائد و افکار کو اپنانے والا متحمل اور کھلے دل کا شہر تھا جو اپنی طعام گاہوں، قہوہ خانوں، شعراء، فنکاروں اور کھلی فضا میں آرام طلب زندگی کے باعث مشہور تھا۔ مگر اب انہی مذہبی دھڑوں نے جو سالوں سے ایک دوسرے کے ساتھ نسبتاً امن و شانتی سے رہتے تھے، مسلح جتھے تشکیل دے دیئے تھے۔ ہندوؤں نے باہر سے قطع تعلق ہو کر اپنے آپ کو ایک حصار میں بند کر لیا تھا۔ ہر گلی کے آخر میں رکاوٹیں کھڑی کر دی گئیں جن پر بھاری اسلحے سے لیس محافظ مامور کر دیئے گئے تھے۔ باہر نکلنا انتہائی خطرناک تھا۔ جب میں لاہور پہنچا تو اس وقت پرتشدد کارروائیاں اپنے عروج پر تھیں اور کرفیو (لوگوں کی نقل و حرکت پر پابندی) روزمرہ کا حصہ بن چکا تھا۔ فضل محمود نے اپنی 1954ء کی خودنوشت میں تحریر کیا، ''لہٰذا کرکٹ کی پریکٹس کرنا ممکن نہ تھا۔''

فضل محمود ابھی لاہور میں ہی تھے کہ 14 اگست 1947ء کو پاکستان معرضِ وجود میں آ گیا۔ اس کی تشکیل مغرب میں بلوچستان، شمال مغربی سرحدی صوبہ، سندھ اور مغربی پنجاب کے اشتراک سے ہوئی جبکہ کشمیر کا فیصلہ ہونا باقی رہا۔ مشرق میں مغرب سے عداوت سے بھرپور ایک ہزار میل کے فاصلہ پر مشرقی بنگال نئی ریاست کا حصہ بنا جو زبان، تمدن اور معیشت کے فرق سے مختلف تھا۔ دونوں ملکوں کی حکومت بادشاہت کے نظام پر مبنی رہی۔ محمد علی جناح نے بطور پہلے گورنر جنرل نئی ریاست کا اقتدار سنبھالا۔ گو یہ لمحہ انتہائی اہم تھا مگر

اس کا جشن منانے کا یہ قطعی وقت نہ تھا۔ لاہور فسادات سے ابل پڑا تھا اور برطانوی افسران نے لاشوں سے بھرپور شہر کو ہمیشہ کے لیے چھوڑنے میں عافیت جانی۔ پورا پنجاب فسادات کی آگ کی گرفت میں تھا اور اس میں تہذیب و تمدن اور انسانیت دم توڑ چکی تھی۔

فضل محمود کی اہم ترین فکر یہ تھی کہ کس طرح وہ پونا میں ہندوستانی کرکٹ کے ٹریننگ کیمپ میں پہنچ جائے۔ لاہور سے روانہ ہوتے ہوئے وہ جلتے ہوئے تباہ شدہ دیہات سے دھوئیں کے اٹھتے ہوئے بادل دیکھ رہا تھا۔ وہ ساڑھے چھ سو میل کا طویل سفر پنجاب اور سندھ میں کرتے ہوئے بحیرۂ عرب کے کنارے پہنچا جہاں سے بذریعہ ہوائی جہاز بمبئی روانہ ہو گیا۔ ادھر لاکھوں مسلمان دوسری طرف سے اس طرف آنے کے لیے سفر کا ہر طریقہ استعمال کر رہے تھے۔ فضل محمود سیدھا تاریخ کی سب سے بڑی اجتماعی ہجرت کی طوفانی ہواؤں میں سفر کر رہا تھا۔ ایک بیس سالہ مسلمان نوجوان کے لیے یہ سفر کسی دیوانگی سے کم نہ تھا۔ بمبئی سے فضل، پونا پہنچا جہاں وہ اپنی ٹیم کے ساتھ تربیت میں شامل ہو گیا۔

یہ تربیتی کیمپ جو بعد میں پاکستانی ٹیسٹ کرکٹ کے ابتدائی دور کا حصہ رہے، اس بات کا ثبوت تھے کہ دونوں نئی ریاستیں ہندوستان اور پاکستان کتنی گہری سنجیدگی سے اپنے کھیل کو لیتی ہیں۔ مگر پونا میں کوئی خاص تربیت نہ ہوئی بلکہ ہندوستانی ٹیم پرانی روایت کے تحت بدنظمی کا شکار ہو گئی۔ پانچ ماہ قبل جب ٹیم کا انتخاب کیا گیا تھا تو اس وقت سلیکٹر ہندوستان کی تقسیم کے ابتدائی لائحہ عمل کے مطابق کام کر رہے تھے جس کے مطابق 1948ء کی گرمیوں میں آزادی حاصل ہونا تھی، اسی لیے وہ یہ باور کر بیٹھے تھے کہ آل انڈیا کی ٹیم آسٹریلیا کا دورہ کرے گی۔

ٹیم کے وائس کپتان مشتاق علی نے جس کا شمار اپنے دور کے بہترین مسلمان کھلاڑیوں میں ہوتا تھا، اپنے خاندان میں صدمہ پیش آ جانے کی وجہ سے دورہ سے معذوری کر لی۔ 4عین آخری وقت پر نامزد کپتان وجے مرچنٹ نے بھی اپنے آپ کو ٹیم سے باہر نکال لیا۔ اس عمل سے مزید بدحواسی پیدا ہوئی۔ لالہ امرناتھ کو مرچنٹ کی جگہ کپتان بنا دیا گیا۔ لالہ امرناتھ ابھی یہ خبر کہ وہ آزاد ہندوستان کا پہلا کپتان بن گیا ہے، کو اپنے آپ میں محو کر ہی رہا تھا کہ اس کے لڑکپن کے لاہور سے قتل و غارت کی دہشت ناک خبریں آنے لگیں۔ خاص طور پر ہندوؤں کے اس علاقے کی تباہی کی خبر جہاں وہ پال پوس کر بڑا ہوا تھا۔

طوفانی بارشوں کی وجہ سے پریکٹس کا سلسلہ بالکل ناممکن تھا۔ ہندوستانی ٹیم بھارتی اداکارہ اور گلوکارہ شانتا آپٹے کے بنگلہ پر ٹھہری ہوئی تھی۔ وہ کھلاڑیوں کو اپنے گیت سنا کر ان کا سونا پن دور کر دیتی۔ بالآخر تربیت کی تکمیل کے بغیر ہی کیمپ کو ترک کرنا پڑا اور کھلاڑیوں کو کہا گیا کہ وہ اپنے گھروں کو لوٹ کر اپنے سامان کی تیاری کے ساتھ ساتھ اپنے اہل خانہ کو آسٹریلیا کے سخت آزمائشی دورے کے آغاز سے پہلے الوداع

کہہ لیں۔ فضل کے لیے گھر واپس جانا اب ایک مرحلہ تھا کیوں کہ جس علاقے میں سے گزر کر جانا تھا، وہ غیر مانوس اور اجنبی بن چکا تھا۔ فضل نے بعد میں تبصرہ کرتے ہوئے کہا کہ ”برصغیر کے کچھ حصوں میں خونریزی کی وجہ سے یہ مشکل مرحلہ تھا۔“ بذاتِ خود فضل محمود ٹرین میں پونا سے بمبئی سفر کرتا ہوا قتل ہوتا ہوتا رہ گیا۔ ہندو شدت پسندوں نے فضل محمود کو قتل کر دیا ہوتا اگر اس کے ہمسفر ہندوستان کے معروف کھلاڑی سی کے نائیڈو نے مداخلت نہ کی ہوتی۔ اس نے اپنا بلا لہرا کر فضل کی قاتلوں سے جان بچا کر حفاظت کی۔

9 ستمبر کو بمبئی پہنچ کر پہلے فضل محمود نے لاہور براستہ دہلی سفر کرنے کا سوچا۔ مگر اسے خبردار کیا گیا کہ اگر اس نے یہ راستہ اختیار کیا تو عین ممکن ہے کہ دورانِ سفر میں قتل ہو جائے۔ لہٰذا اس کی بجائے فضل بذریعہ ہوائی جہاز کراچی جانے میں کامیاب ہو گیا اور 13 ستمبر کو وہ اپنے گھر لاہور پہنچ گیا۔ وہاں پہنچ کر اس نے اپنے والدین کو سخت مضطرب پایا۔ اس کی وجہ یہ تھی کہ انہیں ایک ماہ سے فضل محمود کی کوئی خبر نہ تھی۔ اس کے لکھے ہوئے خطوط اور تاریں ان تک نہیں پہنچ پائی تھیں۔ انہوں نے اس پر زور دیا کہ وہ ہندوستان میں مزید سفر کر کے کوئی خطرہ مول نہ لے۔ بے حد تذبذب کے عالم میں فضل نے لالہ امرناتھ کو تار بھیجا کہ وہ ہندوستانی ٹیم کے ساتھ دورہ پر نہیں جا سکے گا۔ فضل محمود کی زندگی کے اس اہم ترین فیصلے کا نتیجتاً پاکستان کی کرکٹ پر گہرا اثر پڑا۔ نصف صدی بعد جب فضل کا شمار پاکستانی کرکٹ کے بزرگوں میں سے ایک اہم بزرگ کے طور پر ہونے لگا تو وہ ہندوستانی ٹیم کے ساتھ آسٹریلیا نہ جانے کی وجہ کو حب الوطنی کا اصولی فیصلہ بیان کرتا تھا مگر واقعات اس بات کا اشارہ دیتے ہیں کہ یہ کہانی کچھ اس سے زیادہ پیچیدہ تھی۔

اس بات کو ملحوظِ خاطر رکھنا چاہیے کہ تقسیم ہند کا جون 1947ء تک نہ تو کوئی فیصلہ ہوا تھا اور نہ ہی اس کا کوئی وقت طے تھا۔ یہ بات اس کے بعد سامنے آئی کہ پاکستان کا وجود مستقبل میں آنا یقینی امر ہے۔ اگر قومی وفاداری کا جذبہ ہی فضل کے فیصلہ کے پیچھے ہوتا تو اسے اسی وقت ٹیم سے نکل جانا چاہیے تھا اور پھر اسے ہندوستان میں پرخطر سفر کرنے کی بھی چنداں ضرورت نہ رہتی۔

تو پھر آخر فضل کو کس چیز نے متحرک کر رکھا تھا؟ اس کا جواب مشکل ہے کیوں کہ خود فضل محمود نے دو جگہوں پر اس کا متضاد جواب دیا ہے۔ اس نے 2003ء میں اپنی خودنوشت میں بیان کیا ہے کہ اس نے غیر منقسم ہندوستان میں ہوش سنبھالا جہاں اس نے فرقہ وارانہ تصادم دیکھ رکھے تھے۔ ”مگر جس وحشیانہ درندگی سے تقسیم کے وقت خونریزی ہوئی، اس سے میں ہل گیا۔ مجھے اس بات کا ذرا بھر اندازہ نہیں تھا کہ جو لوگ سالہا سال سے ایک دوسرے کے ساتھ رہ رہے ہوں، ان کے دلوں میں ایک دوسرے کے خلاف اس قدر نفرت اور زہر بھرا تھا اور میں نے فیصلہ کر لیا کہ میں ہندوستانی ٹیم کے ساتھ سفر پر نہیں جاؤں گا۔“

اس بیان میں فضل محمود یہ خیال پیش کر رہا ہے کہ اس کی مسلمان پاکستان کے لیے وفاداری نے

اگست 1947ء کی قتل و غارت کی وجہ سے جوش مارا۔ مگر بہت وقت گزرنے کے بعد 9 ستمبر تک جب قتل وغارت اپنی انتہا پر سب کے سامنے تھی، فضل محمود پونا سے روانہ ہوتے وقت ہندوستان کے ساتھ پوری طرح سے پابند تھا۔ فضل محمود کی ابتدائی خودنوشت جو 1955ء میں شائع ہوئی، ایک دوسری کہانی بیان کرتی ہے۔ وہ کہتا ہے کہ ''ابھی میں غیر یقینی حالات میں الجھا ہوا تھا کہ مجھے پولیس انسپکٹر کی نوکری کی پیشکش ہوئی۔ حالات بگڑے جا رہے تھے اور میرے والدین میرے سفر پر جانے کے لیے رضامند نہ تھے اور پھر مجھے نوکری بھی مل گئی تھی تو ان تمام چیزوں نے مل کر میرے آسٹریلیا سفر پر جانے کے جنون کو ٹھنڈا کر دیا۔'' اس بیان میں زیادہ صداقت معلوم ہوتی ہے۔ سچ تو یہ ہے کہ مختلف عوامل، ہنگامہ آرائی، تیزی سے بدلتے ہوئے حالات اور المیہ کیفیات فضل محمود کے ذہن پر ضرور اثر انداز ہوئے ہوں گے۔ ایک طرف بحیثیت کھلاڑی کامیابی کے لیے اس کی فطری خواہش تھی دوسری طرف یہ خطرہ درپیش تھا کہ اگر وہ ہندوستان کی طرف سفر کرتا تو وہ مارا بھی جاسکتا تھا۔ اور پھر ساتھی مسلمانوں کے قتل عام کا بھی اس پر یقیناً اثر ہوا ہوگا۔ اس کے اندر کی آوازوں نے اسے ایک طرف اکسایا ہوگا کہ اس کا آسٹریلیا نہ جانا پاگل پن ہے اور دوسری طرف یہ خیال تھا کہ اگر وہ دورہ پر جاتا ہے تو وہ اپنے نئے ملک سے بے وفائی کا مرتکب ہوگا۔ غالباً فضل محمود کا ذہن نہ صرف روز بہ روز بلکہ لمحہ بہ لمحہ امرناتھ کو تار بھیجنے سے پہلے بدلتا رہا ہوگا۔

ایک اور نہایت اہم عنصر نے بھی فضل کی سوچ کا رخ موڑا ہوگا اور وہ اس کی منگنی کا طے پانا تھا۔ اس کی منگیتر کھلتی رنگت اور سبز آنکھوں والی ناز پرور تھی جس کے والد نئے پاکستان کے بااثر کرکٹ کے کھلاڑیوں میں سے ایک تھے۔ یہ میاں محمد سعید ہی تھے جن کی بدولت فضل محمود کو پولیس میں ملازمت کی پیشکش ہوئی۔ یہ بات قیاس آرائی سے خالی نہیں کہ میاں سعید نے دانستہ طور پر فضل محمود کے لیے نوکری کا بندوبست کیا ہوگا تاکہ اپنے ہونے والے داماد کو آسٹریلیا کے دورہ سے روکا جا سکے۔ ہندوستان کی کرکٹ ٹیم کی آسٹریلیا روانگی سے دو ہفتے قبل 21 ستمبر کو فضل محمود نے برڈ وڈ بیرکس (Birdwood Barracks) لاہور میں اپنی پولیس کی تربیت کے پہلے دن کا آغاز کیا۔

فضل محمود کو شاید ایسا محسوس ہوا ہو جیسے اس نے کرکٹ سے ہمیشہ کے لیے کنارہ کشی کر لی ہو۔ لاہور سے اسے پولیس کے تربیتی سکول ہنگو بھیج دیا گیا۔ پشاور سے کچھ فاصلے پر افغان سرحد کے نزدیک یہ ایک دور افتادہ دیہاتی چوکی تھی۔ کرکٹ کا اس علاقے میں کوئی وجود نہ تھا۔ فضل محمود نے اپنی 2003ء میں لکھی گئی آپ بیتی میں بیان کیا۔ ''مجھے مایوسی ہوئی اور میری خود اعتمادی کو دھچکا لگا۔ اس کے باوجود میں نے ایک منصوبے کے تحت اپنی باؤلنگ پریکٹس کو جاری رکھنے کا فیصلہ کیا۔ میں نے اپنی رہائش گاہ کے سبزہ زار قطعہ کا انتخاب کیا اور وکٹ کی لمبائی کی پیمائش اس کی پچھلی دیوار سے کر لی۔ میں روزانہ پینتیس (35) اوور دیوار کے مخالف کرتا۔

سکول کا تربیتی معلم میرے روزمرہ کے معمول سے حیران ہوا اور اس نے کھیل کے بارے معلومات کیں۔ میری ایک گھنٹہ لمبی تقریر سننے کے بعد اس نے تبصرہ کیا کہ میں سمجھ گیا ہوں یہ کھیل ہاکی ہے۔''

ہنگو کے دورافتادہ اس علاقے میں جہاں آج طالبان اور پاکستانی افواج کے درمیان شدید جھڑپیں ہو رہی ہیں، وہاں فضل محمود مسلسل دیوار کے ساتھ پریکٹس کرتا رہا اور دوسری طرف امرناتھ کی ٹیم اس کی کمی شدت سے محسوس کر رہی تھی۔ فضل محمود کے بغیر ہندوستان کی باؤلنگ بے ضرر تھی اور آسٹریلیا اس کے خلاف غیر معمولی رنز کا انبار لگا تا رہا۔ اکیلا ڈان بریڈ مین 715 رنز بنا کر 178.75 کی اوسط کو چھو گیا۔ فضل محمود شدید رنج اور تاسف سے دوچار تھا کہ کہیں وہ ناقابل تلافی غلطی تو نہیں کر بیٹھا۔ فضل محمود کی توجہ دوسری آزمائشی کھیلوں کو تلاش کرتے کرتے الٹا مایوسی کے عالم میں ہاکی اور بیڈمنٹن پر مرکوز ہو گئی۔ ''اکثر اوقات میں اتنا زیادہ بددل ہو جاتا کہ میں کرکٹ کو ہمیشہ کے لیے ترک کرنا چاہتا تھا کیوں کہ اس وقت پاکستان میں کرکٹ کا مستقبل اندھیروں میں ڈوبا ہوا تھا۔'' فضل محمود نے انکشاف کیا۔

یہاں ہمیں فضل محمود کو شمال مغربی سرحدی علاقے میں پولیس کی جمعیت میں اپنے فرائض انجام دینے کے لیے چھوڑ دینا چاہیے۔ اس میں کوئی شک نہیں کہ اس نے اپنے آپ کو ہندوستانی کرکٹ ٹیم کا ایک اہم رکن ثابت کر دینا تھا جس کی بدولت عزت اور دنیاوی آسائش اسے مل جاتی لیکن جب پاکستان آخر کار ٹیسٹ کرکٹ کھیلنے والے ممالک میں شامل ہو جاتا تو کیا وہ واپس پاکستان کی طرف لوٹ آتا؟ یا وہ پانچ سال بعد جنوبی ایشیا کے دو بڑے ممالک کے افتتاحی مقابلے میں ہندوستان کی طرف سے پاکستان کے خلاف فیروز شاہ کوٹلہ گراؤنڈ پر باؤلنگ کی مہم کا آغاز کرتا؟

ایسے سوالات جو قیاس آرائی سے زیادہ کچھ حقیقت نہیں رکھتے۔ مگر یہ ضرور ظاہر کرتے ہیں کہ نہ صرف فضل محمود کے لیے بلکہ پاکستان کے لیے کتنا کچھ داؤ پر تھا، جب وہ 1947ء کی گرمیوں میں شمالی ہندوستان میں عازمِ سفر رہا۔ برصغیر، ہندوستان کی کرکٹ کی تاریخ بالکل مختلف ہوتی اگر فضل محمود، ہندوستان کو ترجیح دیتا یا پھر وہ کسی ہندو جتھے کے ہاتھوں قتل ہو جاتا اور ایسا ممکن تھا۔

## آزادی کے وقت پاکستان کرکٹ کا ڈھانچا

آج ہم کرکٹ کو پاکستان کا قومی کھیل مانتے ہیں، مگر 1947ء میں ایسا نہیں تھا۔ حتیٰ کہ کراچی اور لاہور جیسے مرکزی شہروں میں کرکٹ صرف درمیانہ طبقے کے لوگ ہی کھیلتے تھے۔ باقی جگہوں پر یہ برائے نام تھا۔ پاکستان کے دُورافتادہ اور ساحلی علاقوں میں اس کھیل کی کوئی واقفیت نہ تھی۔

شمالی پاکستان کے پشتون علاقے میں اس کھیل کے برطانوی راج سے تعلق کی وجہ سے قبیلوں نے

اسے رد کر رکھا تھا۔ اسی وجہ سے ہنگو میں فضل محمود پر تنہائی کی کیفیت طاری تھی۔ غالباً سستی ہونے اور کم وقت میں کھیلے جانے کی وجہ سے 1947ء میں ہا کی زیادہ مقبول تھی۔

قومی سطح پر کھیل کی تنظیم کی حالت قابل رحم تھی۔ آزادی کے بعد (BCCI) ہندوستان کا کرکٹ بورڈ بدستور بمبئی سے قابل عمل تھا جس کا نتیجہ یہ تھا کہ پاکستان کی کرکٹ کسی بھی مرکزی تنظیمی ڈھانچے کے بغیر تھی۔ پاکستان میں ٹیسٹ میچ کھیلنے کے گراؤنڈ نہیں تھے اور نہ ہی فرسٹ کلاس کرکٹ کے مقابلے میسر تھے۔ واقعتاً ٹرف وکٹیں برائے نام تھیں۔ صرف دو لاہور میں تھیں اور کراچی میں ایک بھی نہ تھی۔ ہندوستان نے امپیریل کرکٹ کانفرنس کی ممبر شپ بدستور اپنے پاس رکھی، جس کی بدولت ٹیسٹ میچ کھیلنے کا درجہ عطا ہوا تھا جبکہ پاکستان اس سے محرومی کی وجہ سے ایک طرف ہو کر رہ گیا تھا۔ تقسیم ہند کے بعد پاکستانی کرکٹ کے کھلاڑی ایک تیسرے درجے کی کرکٹ کھیلنے والی قوم کا حصہ بن کر رہ گئے تھے۔

یہاں آئرش کرکٹ سے موازنہ کیا جا سکتا ہے۔ بیسویں صدی کے آغاز میں یہ ایک پھلتا پھولتا ملک آئرلینڈ تھا۔ 1922ء کی تقسیم کے جبری طور پر دب کر غیر اہم ہو گیا تھا جس کے نتیجے میں اب غیر معمولی آئرش کھلاڑی اپنے کھیل کے پیشہ کی خاطر انگلستان جانے پر مجبور ہو گئے ہیں اور یہی کیفیت پاکستان کے ساتھ ہوتے ہوتے رہ گئی۔ ہم اس سے پہلے بہکانے والے ان جذبات کا مشاہدہ کر چکے ہیں جو فضل محمود نے ہندوستان کی ٹیسٹ ٹیم کے لیے کھیلنے کے لیے محسوس کیے ہوں گے۔ دوسرے کچھ پاکستانی کھلاڑیوں نے تقسیم کے بعد یہی راستہ اختیار کیا تھا۔ مثال کے طور پر کراچی کے پیدائشی وکٹ کیپر جمشید ایرانی نے 48-1947ء میں آسٹریلیا کا دورہ کیا اور پہلے دو ٹیسٹ میچوں میں کھیلا۔[5]

ایسے حالات میں یہ تصور کرنا ممکن ہے کہ پاکستان ایک کرکٹ کھیلنے والی ایسی طفیلی ریاست بن جاتی جس کا انحصار دوسروں پر ہوتا۔ اور شاید ٹیسٹ کرکٹ کھیلنے والے ہمسایہ ملک کو کبھی کبھار کوئی کھلاڑی مہیا کر دیتی۔ اور اگر ایسا ہو جاتا تو پاکستان جنوبی ایشیا کے ملک سیلون جو اب سری لنکا کہلاتا ہے اور جسے 1948ء میں آزادی ملی اور جو 1981ء تک ٹیسٹ کھیلنے کا مرتبہ نہ پا سکا تھا، کے نقش قدم پر چل نکلتا۔

مگر یہ صورتِ حال ٹل گئی کیوں کہ پاکستان کی کرکٹ نے شدید اور طاقتور مخالفت کے باوجود اپنی پہچان حاصل کر لی۔ ہندوستان ذہنی طور پر پاکستان کو لڑائی کے بغیر کرکٹ میں ایک آزاد مقام دینے کے حق میں نہیں تھا۔ ہندوستانی کرکٹ بورڈ کے صدر اے ایس ڈی میلو (A.S. De'Mello) نے ابھرتے ہوئے نئے پاکستان کو ناگواری کی نظر سے دیکھا۔ اس نے آزادی سے چار دن قبل 11 اگست 1947ء کو اعلان کیا کہ ''میں تمام کھلاڑیوں سے مخاطب ہو کر اس بات پر زور دیتا ہوں کہ وہ سب متحد ہو کر ہندوستان کی کھیلوں میں ایک ہو جائیں۔ دوسری سب قومیں ہمیں ہمیشہ ہمیشہ ہندوستانی کے طور پر جانیں گی اس بات سے قطع نظر کہ

ہمارا تعلق نئے ہندوستان یا پاکستان سے ہے۔''

جب ہندوستانی کرکٹ بورڈ (BCCI) نے ایک ہفتہ بعد اپنی سالانہ میٹنگ کے وقت اس کے ایجنڈے سے پاکستان کی علیحدگی کے سوال کو یکسر ختم کر کے معاملے کو اس کے حال پہ چھوڑ دیا۔ ڈی میلو کو شہزادہ دلیپ سنجی سے بڑی موثر حمایت ملی۔ اس نے انتہائی ہنگامہ خیز انداز اپناتے ہوئے تنبیہ کی کہ ''اگر کرکٹ بورڈ (BCCI) کو دولخت کیا گیا تو نقصان کے نتیجے میں کرکٹ کو شدید دھچکا لگ سکتا ہے یا پھر جیسا کہ ہم اس ملک میں جانتے ہیں کھیل مکمل طور پر ہی ختم ہو سکتا ہے۔''

ہندوستانی کرکٹ بورڈ نے پاکستان کو یرغمال بنا رکھا تھا۔ یا تو پاکستان ہندوستان کے حصہ کے طور پر ٹیسٹ کرکٹ اور فرسٹ کلاس کرکٹ کھیلے یا پھر سرے سے وہ کوئی فرسٹ کلاس کرکٹ نہ کھیلے۔ ہندوستان کے انگریزی زبان کا سب سے بڑا اخبار ''ٹائمز آف انڈیا'' (Times of India) نے پاکستان کو دھمکی دیتے ہوئے واضح کیا کہ یا تو وہ ہندوستانی بورڈ کی وحدت کو تسلیم کر لے یا پھر امپیریل کرکٹ کانفرنس سے مذاکرات کے ذریعے فرسٹ کلاس کرکٹ کھیلنے والے ملک کی پہچان اور رتبہ حاصل کرے جس کی بدولت وہ ہندوستان دورہ پہ آنے والی غیر ملکی ٹیموں کو اپنے وقت کی کچھ معیاد بڑھا کر پاکستان میں ایک آدھ میچ کھیلنے کی درخواست کر سکے گا۔ اس عمل سے پاکستان کے لیے ایک بڑی رکاوٹ متوقع تھی۔ لہٰذا ہندوستانی کرکٹ بورڈ کے پاس علیحدہ ہونے والی ریاست کے اقدام آرام سے بیٹھ کر دیکھنے کا بہت وقت تھا۔

ڈی میلو کے ہندوستان سے باہر بھی طاقتور حامی تھے۔ ایم سی سی (MCC) نے واضح اشارے دیئے کہ وہ ہندوستان کو ترجیح دیں گے اور کرکٹ کی خاطر اسے ایک ملک تصور کریں گے۔ ہندوستانی پریس کے مطابق پاکستان کے اندر سندھ کرکٹ ایسوسی ایشن کی پریشان کن خبر یہ تھی کہ وہ ہندوستانی کرکٹ بورڈ سے علیحدگی پر ہراساں تھا۔[6] ہندوستان کے پاس پیسہ تھا بنیادی ڈھانچہ، اثاثے، تنظیم کے علاوہ بہترین پچیں (Pitches) موجود تھیں اور پاکستان کے لیے اکیلے قدم اٹھانا اندھیرے میں کود جانے کے مترادف تھا۔

مگر اکیلے آگے بڑھنے کے لیے پاکستان پکا ارادہ کیے ہوئے تھا۔ پاکستان میں بورڈ آف کنٹرول برائے کرکٹ کے حوالے سے 1947ء کے موسم گرما میں جب لارڈ ماؤنٹ بیٹن آزادی دینے کے وقت کو آگے لے آیا تھا تو معاملہ پر پہلی بار غور کیا گیا۔[7] اسی سال کی سردیوں میں اس پر ابتدائی کام کیا گیا اور پھر یکم مئی 1948ء کو لاہور جمخانہ کرکٹ گراؤنڈ کی پویلین میں ایک اجلاس کے ذریعے بورڈ کو باقاعدہ قائم کر دیا گیا۔ کرکٹ کی اصطلاح میں یہ اتنا ہی اہم واقعہ تھا جتنا کہ پچھلے سال 14 اگست کو محمد علی جناح کا بحیثیت گورنر جنرل پاکستان کا حلف لینا تھا۔ مدتوں سے برطانیہ کے زیر اثر پاکستان بالآخر کرکٹ کی دنیا میں اپنے آزاد حقوق کے مطالبے کے لیے زور دے رہا تھا۔ مگر یوں کرنے سے وہ اپنے آپ کو کرکٹ کی دنیا سے دور کر رہا تھا۔

تین نائب صدر نامزد کیے گئے۔ پنجاب سے [8] اے آر کارنیلیس، شمال مغربی سرحدی صوبہ سے لیفٹینینٹ کرنل بیکر (Lt.Col. Baker) اور سندھ سے [9] مسٹر بریٹو (Mr. Britto) سندھ کرکٹ ایسوسی ایشن کے سیکرٹری کے آر کلیکٹر (K.R. Collector) کو بورڈ کا سیکرٹری اور اسلامیہ کالج لاہور کے پروفیسر محمد اسلم کو اعزازی خزانچی بنایا گیا۔ [10] بی سی سی پی کے پہلے صدر کی حیثیت سے خان افتخار حسین خان ممدوٹ نے قلمدان سنبھالا۔

بورڈ تین کلیدی شخصیات ممدوٹ، کلیکٹر اور جسٹس کارنیلیس ایک ذہین شخص جو مستقبل میں پاکستان کا چیف جسٹس بنا پر مبنی تھا۔ [11] کارنیلیس فہم و دانش کے ساتھ حصول کار کی صلاحیت کے ساتھ موجود تھا۔ اس کے اعزاز میں یہ بات بھی ہے کہ اس نے بی سی سی پی کا آئین ترتیب دیا مگر بصد تلاش کے میں اس دستاویز کو ڈھونڈنے میں ناکام رہا۔ عین ممکن ہے کہ اس کا وجود ہی نہ ہو۔ [12] ممدوٹ سماجی اور سیاسی طاقت رکھتا تھا۔ اس کا شمار پاکستان کے بااثر جاگیرداروں میں ہوتا تھا۔ آزادی کی جدوجہد میں اس نے مسلم لیگ اور جناح کا ساتھ دیا تھا جس کے نتیجے میں تقسیم کے بعد اسے مغربی پنجاب کی وزارتِ اعلیٰ سے نوازا گیا تھا۔ اس کا خاندان ممدوٹ کرکٹ کلب کا ابتدا سے ہی سرپرست تھا۔ کے آر کلیکٹر ایک پارسی تھا جس کی سندھ کرکٹ ایسوسی ایشن کے سیکرٹری کی حیثیت سے بہترین شہرت تھی۔ وہ تمام کاغذی امور سرانجام دیتا تھا اور اپنے تمام کاغذات ایک صندوق میں رکھ کر اپنے ساتھ، ہمسفر رکھتا تھا۔ تقسیم ہند کے کئی سال بعد تک کلیکٹر کا یہ آہنی صندوق ہی بی سی سی پی کا مرکزی دفتر رہا۔

لہٰذا ایک پارسی، ایک عیسائی اور ایک مسلمان کے پاس عنانِ اختیار تھی جو کہ جناح کے اس تصور پاکستان کی آئینہ دار تھی جس میں فرقہ واری عقائد کی بجائے مرغوب عقائد کو اپنانے والی غیر جانبداری موجود تھی۔ جبکہ اور باتوں میں بی سی سی پی کی ابتدائی ساخت میں یہ سوچ اتنی واضح نہیں تھی۔ پنجاب، سندھ اور شمال مغربی سرحدی صوبہ کی بورڈ میں اچھی نمائندگی تھی۔ بلوچستان اور مشرقی پاکستان دوسرے دو صوبے جو قیام پاکستان کے وقت ساتھ ملے تھے، کو بورڈ میں کوئی نمائندگی نہ تھی۔

بلوچستان کے مغربی صوبہ کی کم آبادی کے باعث نظر انداز کیا جانا محض بے حسی کا مظاہرہ تھا مگر مشرقی پاکستان کو باہر رکھنا سراسر توہین تھی۔ عین ابتدا سے ہی اسے پاکستان کی قومی کرکٹ سے علیحدہ رکھا گیا جس سے ایسی ناراضگی پیدا ہوئی جس کے مستقبل میں دوررس اثرات مرتب ہوئے۔

اس اجلاس میں ایک اور اہم فیصلہ کیا گیا جس کے مطابق طے کیا گیا کہ گورنر جنرل محمد علی جناح سے درخواست کی جائے کہ وہ بی سی سی پی (BCCP) کے سرپرست بن جائیں۔ اس طرح پاکستان کرکٹ کے مفادات کو ریاست سے منسلک کر دیا گیا۔ عملی طور پر یہ ممکن نہیں لگتا کہ بانی پاکستان جو اپنی زندگی کے آخری

مہینوں میں سخت مشکلات سے نبرد آزما تھے، یہ علامتی عہدہ قبول کرتے۔[13] اپنے جانشینوں سے مختلف جناح کی کرکٹ سے کوئی خاص دلچسپی نہیں تھی، تاہم انہوں نے غالباً کچھ عرصہ اپنے سکول سندھ مدرسہ میں پڑھنے کے دوران کرکٹ کھیلی ہوگی۔[14]

کرکٹ کو ریاستی سربراہ کی سرپرستی میں رکھنے کا فیصلہ سمجھ میں آتا ہے شاید یہ ضروری بھی تھا مگر اس کی بھاری قیمت ادا کرنا پڑی۔ جناح کے تنگ مزاج جانشینوں نے بی سی سی پی (BCCP) کی صدارت اور اس کے جانشین ادارے پاکستان کرکٹ بورڈ کو ایک کھلونے کی طرح استعمال کرتے ہوئے اپنے قریبی دوستوں کے ہاتھوں میں دے کر افسوسناک نتائج اخذ کیے۔

اور کچھ نہیں تو کم از کم اب پاکستان کرکٹ کو اپنا ایک پتہ حاصل ہوگیا تھا جو بہت شاندار تو نہ تھا مگر یہ کلیکٹر کے گھر کا پتہ 72- گارڈن روڈ کراچی تھا جس کا نمود و نمائش کے لحاظ سے آج کے پاکستان بورڈ کے مرکزی دفتر کی شان اور اس کے بے شمار ملازمین سے کوئی موازنہ نہیں کیا جا سکتا۔ اس وقت سب کچھ غیر یقینی تھا۔ ملک میں کوئی انتظامی ڈھانچہ موجود نہیں تھا۔ فضل محمود نے یاد کرتے ہوئے کہا کہ بی سی سی پی کے مالی حالات انتہائی خراب تھے بلکہ بالکل صفر تھے۔

بی سی سی پی (BCCP) کے سامنے فوری کام فرسٹ کلاس کرکٹ کا قیام تھا۔ تقسیم سے پہلے کے کھلاڑی جو اب اچانک پاکستان کے حصے میں آ گئے تھے، فرسٹ کلاس کرکٹ میں حصہ لیا کرتے تھے۔ جس کی وجہ نارتھ انڈیا کرکٹ ایسوسی ایشن کی طرف سے BCCI سے ممبر شپ کی بدولت رانجی ٹرافی کے میچوں میں کھیلنے کی اہلیت تھی۔ تقسیم کی وجہ سے یہ سلسلہ رک گیا اور پاکستان فرسٹ کلاس سے محروم ہوگیا۔[15]

یقیناً صورتِ حال اس قدر المناک تھی کہ 48-1947ء کے سیزن (برصغیر میں کرکٹ شدید گرمیوں سے بچنے کے لیے سردی کے مہینوں میں کھیلی جاتی ہے) میں پاکستان میں صرف ایک فرسٹ کلاس میچ کھیلا گیا اور یہ پنجاب یونیورسٹی اور مغربی پنجاب گورنر الیون کے درمیان روایتی میچ تھا۔ جو بغیر کسی ہار جیت کے اختتام پذیر ہوا۔[16] یہ میچ شاندار لارنس گارڈن میں لاہور جمخانہ کی گراؤنڈ پر کھیلا گیا۔ اس گراؤنڈ کا شمار دنیا کی خوبصورت ترین گراؤنڈوں میں ہوتا ہے۔ سو سال پرانے شیشم اور پیپل کے درختوں میں گھری ہوئی یہ گراؤنڈ آکسفورڈ کی گراؤنڈ دی پارکس (The Parks) کا کچھ تاثر دیتی ہے۔ یہ 1880ء میں انگریزوں نے بنائی تھی۔ اجازت کے بغیر کوئی مقامی باشندہ انگریز دورِ حکومت میں پویلین (کھلاڑیوں کے لیے بنی عمارت) میں داخل نہیں ہوسکتا تھا۔ یہ عمارت مشرقی طرز کا شاہکار نمونہ ہے۔ زندگی کے بعد کے سالوں میں فضل محمود یاد کرتے ہیں کہ ''لاہور جمخانہ پورے صوبے میں سب سے زیادہ باوقار جگہ تھی۔ ہر کھلاڑی کا یہ خواب تھا کہ وہ وہاں کھیلے مگر یہ کرنے کے لیے انہیں اپنی خودداری کو پس پشت ڈالنا پڑتا تھا۔'' 1947ء سے پہلے نوجوانی کے

دور میں جمخانہ گراؤنڈ پر کھیلنے کی خواہش کے لیے فضل محمود کلب کے دروازہ پر کھڑا ہونے کے لیے مجبور تھا اور وہاں کا چوکیدار بھی اس کی راہ میں حائل ہوتا جبکہ وہ بلند آواز میں کہتا،''اگر کسی ٹیم کے کھلاڑی پورے نہیں تو میں کھیلنے کے لیے حاضر ہوں۔'' آخر کار باغ کا نام بدل کر باغِ جناح کر دیا گیا اور یہ مشہور کرکٹ گراؤنڈ پاکستانیوں کی ملکیت بن گئی۔

تاہم پہلے فرسٹ کلاس میچ کا میزبان انگریز سر فرانسس موڈی (Sir Francis Mudie) گورنر مغربی پنجاب تھا۔ سر فرانسس (Sir Francis) ان گنے چنے فوجی افسروں اور سرکاری عہدہ داروں میں سے ایک تھا جسے آزادی کے بعد پاکستان میں رہنے کے لیے جناح نے بذات خود درخواست کی۔تحریک پاکستان کے مضبوط معاون [17] سر فرانسس نے ملک کے بہت سے عظیم کھلاڑی اپنی ٹیم میں شامل کر رکھے تھے جن میں جہانگیر خان اور فضل محمود شامل تھے۔

سر فرانسس نے جہانگیر خان کی بجائے میاں سعید کو کپتان بننے کے لیے کہا۔ یہ ایک واضح اشارہ تھا جس کے مطابق میاں سعید کو پاکستانی قومی ٹیم کے قائد کی حیثیت کے لیے تربیت دی جا رہی تھی۔ اس کے داماد فضل محمود کو جو بیٹنگ کی تربیت میں خاصے نچلے بے کیف نمبر پر کھیلتا تھا کو ترقی دے کر پہلی اننگز میں نمبر 6 پر کھلایا گیا جس کے نتیجے میں اس نے 78 رنز بنا ڈالے۔ دوسری اننگز میں اسے مزید ترقی دے کر چوتھے نمبر پر بھیجا گیا جہاں اس نے حسب سابق 77 رنز بنا کر اپنے آپ کو ایک آل راؤنڈر کی حیثیت سے اجاگر کر دیا۔

میاں سعید جو تقسیم ہند سے پہلے نارتھ انڈیا کے لیے رانجی ٹرافی کھیل چکا تھا، پاکستان کی کرکٹ کی تاریخ کی ایک بے حد پُرکشش شخصیت ہے۔ اس دور کی تصویروں میں وہ ایک طاقتور ریچھ کی طرح نظر آتا ہے جو اپنے آپ سے اور دنیا سے پُرسکون اور خوش ہے۔ تقسیم کے بعد لاہور میں وہ بحیثیت مجسٹریٹ تعینات تھا۔ قومی ٹیم کی تشکیل میں کاردار کی آمد سے میاں سعید کا کردار غیر واضح نظر آتا ہے۔

اس وقت کے تقریباً تمام عظیم کھلاڑی سر فرانسس موڈی کے میچ میں کھیلے۔ یہ عجیب بات نہ تھی۔ وہ سب کے سب فرسٹ کلاس کرکٹ کھیلنے کے لیے بھوکے تھے۔ آزادی کے پہلے پانچ سالوں میں صرف چار فرسٹ کلاس میچ کھیلے گئے (یا پھر پانچ اگر ماہر شماریات کے مطابق وہ میچ بھی شامل کر لیا جائے جسے بعد میں شامل کیا گیا)۔[18] اس کے مقابلے میں اس دورانیے میں ہندوستان نے 88 رانجی ٹرافی میچوں کی میزبانی کی۔ اور اس کے علاوہ بہت سے فرسٹ کلاس میچ بھی کھیلے گئے۔ پاکستان میں کرکٹ صرف کلب کرکٹ تک محدود ہو کر رہ گئی تھی۔ جو صرف ایک دن پر مبنی تھی۔ اس کے علاوہ کچھ سکول اور انٹر یونیورسٹی میچ تھے۔ گو کہ اس قسم کی کرکٹ نے تقسیم کے بعد کرکٹ کو زندہ رکھنے کے لیے اہم کردار ادا کیا مگر یہ ناکافی تھا۔

بی سی سی پی (BCCP) کے نائب صدر کارنیلیس کے لیے ضروری تھا کہ وہ قوم کے بہترین

کھلاڑیوں کو کھیل سے دور ہونے سے روکنے کے لیے فوری اقدام کرے۔ سنجیدہ مقامی کرکٹ کی عدم موجودگی میں صرف یہی ایک راستہ تھا کہ غیر ملکی ٹیموں کی پاکستان آنے کے لیے توجہ حاصل کی جائے مگر یہاں پھر اس کا سامنا مشکلات سے تھا۔ امپیریل کرکٹ کانفرنس (ICC) کی رکنیت سے باہر مشکلات میں گھرے ہوئے پاکستان کی حیثیت صرف ایک درخواست گزار کی بن کر رہ گئی تھی۔ اس کے لیے یہی امید باقی تھی کہ وہ ٹیسٹ میچ کھیلنے والی ہندوستان آئی ہوئی ٹیموں کو دورہ کے دوران اپنی طرف شمالی علاقوں میں راغب کرے۔ یا پھر یہ کوشش کرے کہ دورہ انگلستان پر جاتے ہوئے یا واپسی پر آسٹریلیا اور نیوزی لینڈ کی ٹیموں کو لاہور اور کراچی رک کر کھیلنے پر قائل کیا جا سکے۔ کاردار نے اس دور کا ذکر مبہم اور غیر واضح کہہ کر کیا۔ ان الفاظ کے مطابق پاکستان غیر یقینی حالات کے تحت الگ تھلگ کھڑا تھا۔ مگر یہ پاکستان کے کھلاڑیوں کے ساتھ ناانصافی تھی اور انہوں نے اپنی عزت نفس کی تذلیل محسوس کی ہوگی اور اس بات کا درد اس حقیقت سے اور بھی شدید ہو جاتا تھا جب وہ اپنے مقامی حریف ہندوستان کو اتنی جلدی کرکٹ کی ممتاز رکنیت حاصل کیے دیکھتے تھے۔

ویسٹ انڈیز کو یہ اعزاز حاصل ہے کہ اس نے پاکستان کا دورہ کرنے والی پہلی بین الاقوامی ٹیم پیش کی۔ پاکستانی کھلاڑیوں کے لیے نومبر 1948ء میں ٹیسٹ میچ کھیلنے والی قوم کا آنا بہت بڑی اہمیت کا واقعہ تھا۔[19] مگر غالباً ویسٹ انڈیز کے لیے اس کی کوئی زیادہ اہمیت نہ تھی جس نے اپنے پانچ ٹیسٹ میچوں کے ہندوستانی دورہ کے دہلی کے پہلے ٹیسٹ کے بعد پاکستان کے لیے وقت نکالا۔ ان کا خیال تھا کہ یہ ایک پرسکون وقفہ ہوگا۔ ادھر ہندوستان میں لالہ امرناتھ نے بھی ان کے اس خیال کی تائید کی۔ پاکستان دورہ پر جانے سے ذرا قبل ویسٹ انڈیز کے کپتان جان گوڈرڈ (John Goddard) نے استفسار کیا کہ پاکستان میں کرکٹ کا ممکنہ معیار کیا ہے؟ اطلاعات کے مطابق لالہ امرناتھ نے جواب دیا کہ ''وہ صرف سکول کے لڑکوں کی ٹیم ہے۔'' یہ تبصرہ پاکستانی کھلاڑیوں کے علم میں آ گیا جس کی بدولت وہ سخت غصے میں آئے۔

ویسٹ انڈیز نے دورہ کی ابتدا صوبہ سندھ کے خلاف کراچی میں ایک پُرسکون میچ کے ذریعے کی جو ہار جیت کے بغیر انجام پذیر ہوا۔ کراچی کا شہر جو جلد ہی کرکٹ کا ایک مضبوط شہر ثابت ہوا مگر اس وقت وہ خصوصی طور پر ایک بہت بڑا تارکین وطن کا پڑاؤ تھا۔ کراچی سے ویسٹ انڈیز نے راولپنڈی کے فوجی شہر کا رخ کیا جہاں انہوں نے کرکٹ کے دیوانے پاکستانی افواج کے سپہ سالار (کمانڈر انچیف) سر ڈگلس گریسی (Sir Douglas Gracey) کی تشکیل کردہ ٹیم کے خلاف میچ کھیلا۔ شمال مغربی صوبے سے کلیدی طور پر نزدیک راولپنڈی میں انگریز تقریباً ایک صدی سے کرکٹ کھیلتے آئے تھے۔ گراؤنڈ میں سائٹ سکرین (Sight Screen) کے بائیں طرف ملکہ وکٹوریہ کا بہت بڑا مجسمہ نصب تھا۔[20] پاکستانی کھلاڑی اپنی پہلی اننگز میں صرف 96 رنز پر ذلت آمیز طور پر مغلوب ہو گئے اور نتیجتاً نو وکٹوں سے میچ ہار گئے۔[21]

اب دو ہفتے کے مختصر دورہ کا اہم مقابلہ سامنے تھا۔ ویسٹ انڈیز ٹیم جنوب کی طرف راولپنڈی سے لاہور کی باغ جناح کرکٹ گراؤنڈ کی طرف عازم سفر ہوئی۔ بین الاقوامی کرکٹ کے اختیار کار اس میچ کو عام میچ کے طور پر دیکھتے ہیں۔ اس میچ کا ذکر وزڈن نے بھی تحقیر آمیز انداز میں کرتے ہوئے اسے پونا میں ویسٹ انڈیز اور ویسٹ زون کے درمیان میچ سے زیادہ اہمیت نہیں دی مگر پاکستانیوں کے لیے اس میچ کی بے انتہا اہمیت تھی۔ چاہے سرکاری طور پر میچ کا وہ درجہ نہیں بھی تھا مگر ان کے نزدیک یہ ایک ٹیسٹ میچ ہی تھا۔قوم کی عزت داؤ پر تھی اور پاکستان کی بین الاقوامی ٹیم کے خدوخال واضح ہوتے نظر آ رہے تھے۔ میاں محمد سعید کو مصدقہ طور پر پاکستان کا کپتان تسلیم کیا جا چکا تھا۔ ابتدائی جوڑے امتیاز احمد اور نذر محمد[22] نے پہلی وکٹ کی شراکت میں 148 رنز بنا دیئے مگر ان کے بعد بقیہ ٹیم 241 مایوس کن رنز پر ڈھیر ہوگئی۔

پاکستان کے ابتدائی باؤلر منور علی خان[23] نے میدان میں اپنی ٹیم کو ایک مسحور کن اور حیرت انگیز آغاز دیا۔ پاکستان کے تیز ترین باؤلر کی حیثیت سے اس نے اپنے پہلے ہی گیند پر ویسٹ انڈیز کے اوپننگ بیٹسمین جارج کیرو (George Carew) کو وکٹ آؤٹ (Bowled) کر دیا اور پھر دوسرے گیند سے ویسٹ انڈیز کے کپتان جان گوڈرڈ (John Goddard) کو فارغ کر دیا، میچ کے عینی شاہد سلطان محمود نے کہا کہ ''اسی گیند سے جان گوڈرڈ کی وکٹ کے دو ٹکڑے ہو گئے۔ میں آج بھی تصور میں وہ منظر دیکھ سکتا ہوں کہ وکٹ کا ایک ٹکڑا ہوا میں لہرا رہا تھا۔'' گوڈرڈ اس بات پر بہت مشتعل ہوا کہ ہندوستانیوں نے اسے گمراہ کیا تھا۔ امرناتھ کا حقارت پر مبنی تبصرہ جھٹلایا جا چکا تھا۔

کلائیڈ والکٹ (Clyde Walcott) اگلے کھلاڑی کے طور پر میدان میں آیا اور پہلے ہی گیند کو گلی (Gully) کی جانب غیر یقینی طور پر کیچ دینے کی صورت میں کھیلا مگر بدقسمتی سے نذر محمد وہ کیچ نہ کر سکا جس کی بدولت منور علی خان ہیٹ ٹرک سے محروم ہو گیا۔ ویسٹ انڈیز نے 308 رنز بنا کر اپنی ابتدائی کمزوری کی تلافی کر لی مگر اس میں عظیم کھلاڑی جارج ہیڈلے جو اب بزرگی کی حدوں کو چھو رہا تھا، نے زخمی حالت میں آؤٹ ہوئے بغیر 57 رنز بنا کر ایک بہترین اننگز کھیلتے ہوئے اہم کردار ادا کیا۔ دوسری اننگز میں امتیاز احمد اور میاں سعید دونوں نے سنچریاں بناتے ہوئے دوسری وکٹ پر 205 رنز کی شراکت کی۔ سلطان محمود کے مطابق دونوں نے ویسٹ انڈیز کے تیز رفتار باؤلروں کی خوب پٹائی کی۔

بالآخر یہ میچ ہار جیت کے بغیر ختم ہو گیا۔ بقول مؤرخ شجاع الدین پاکستان میں اس نتیجہ کو فتح حاصل کرنے کے مترادف کا درجہ دیا گیا، ایسی مضبوط ٹیم کے خلاف پاکستانی کھلاڑی اس اہم میچ میں ڈٹ گئے جس سے پاکستان کو ICC (امپیریل کرکٹ کانفرنس) کی ٹیسٹ کرکٹ کھیلنے والے ممالک میں شمولیت کے لیے توجہ حاصل کرنے کے لیے ایک اچھا آغاز مل گیا۔

شجاع الدین خود اس میچ میں کھیلا۔ وہ پاکستان کا کارآمد کھلاڑی ثابت ہوا جو دائیں ہاتھ سے سپن باؤلنگ کرتا اور بائیں ہاتھ سے نچلے نمبر پر ڈٹ کر کھیلنے والا بیٹسمین تھا۔ وہ پاکستانی فوج کی 26 سالہ ملازمت کرنے کے بعد 1978ء میں بطور لیفٹیننٹ کرنل ریٹائر ہوا۔ ملازمت کے اس دورانیہ میں وہ 1971ء کی بنگلہ دیش کی جنگ کے نتیجے میں اٹھارہ ماہ بطور جنگی قیدی ہندوستان کی قید میں رہا۔

پاکستان کو اگلے اپریل اور اعتماد حاصل ہوا جب پاکستان کے پہلے کپتان کی حیثیت سے میاں محمد سعید کی سربراہی میں ٹیم سیلون کے دورہ پر گئی۔ میاں سعید نے دوسری جنگ عظیم کے دوران برطانوی خفیہ ادارے کے ساتھ قاہرہ میں فرائض سرانجام دیئے تھے۔ اس تربیت کی بدولت اس کے پاس بااختیار سربراہ ہونے اور حکم صادر کرنے کی صلاحیتیں موجود تھیں۔ سیلون بھی رتبہ کے لحاظ سے پاکستان جیسا ہی تھا کیوں کہ اس کی طرح وہ بھی ICC سے باہر تھا۔ لہٰذا ان کے درمیان کرکٹ مقابلوں کا درجہ ناک آؤٹ (Knock Out) میچوں سے زیادہ نہ تھا۔ پاکستان نے سیلون کو پہلے غیر سرکاری ٹیسٹ کو بھی دس وکٹوں سے جیت لیا۔

پاکستانی ٹیم ایک منظم حیثیت سے ابھر کر سامنے آنا شروع ہوگئی تھی۔ نذر محمد اور امتیاز احمد ابتدائی بلے بازوں کی حیثیت سے مضبوط، پراعتماد، جارحانہ ہونے کے ساتھ ساتھ بہترین باؤلروں کے خلاف تباہ کن بیٹنگ کی صلاحیت رکھتے تھے۔ درمیانے حصے میں میاں سعید اپنی مضبوط حیثیت میں موجود تھا۔ اور اس کے ساتھ ابھرتا ہوا بااعتماد علیم دین بھی تھا۔ علیم الدین سرکاری طور پر صرف بارہ سال کا تھا جب اس نے رانجی ٹرافی 24 میں حصہ لیا تھا۔ اس مربوط سلسلہ نے مروت حسین کی جز وقتی طاقت کو بھی پاکستانی کرکٹ میں سامنے آتے دیکھا۔

پاکستان کی باؤلنگ کی مہم جوئی خان محمد کے ہاتھ میں تھی جس کی فضل محمود کی شرکت کی وجہ سے یہ انتہائی طاقتور شراکداری بن گئی تھی۔ فضل محمود کے لیے میچوں کا یہ سلسلہ اس کی خود اعتمادی کے لیے ایک ضروری بڑھاوا تھا۔ پولیس میں اپنی ذمہ داریوں کے سبب کرکٹ کھیلنے کے مواقع اسے کم ہی ملتے تھے جس کی وجہ سے اسے ڈر تھا کہ کہیں اس نے اپنا ہنر کھو نہ دیا ہو۔ فضل محمود کی پچھلے سال ویسٹ انڈیز کے خلاف ناکامی نے اسے ہراساں کر دیا تھا کہ اسے رد کر دیا جائے گا مگر اس کے علاوہ فضل محمود اپنے آپ کو نچلے درمیانے نمبر پر ایک خطرناک بیٹسمین کی حیثیت سے قائم کر رہا تھا۔ مگر عین اسی لمحے جب قومی اعتماد اپنے عروج پر تھا کہ اچانک ایک شدید تباہی سامنے آگئی۔

جدید آنکھ کے تحت نومبر 1949ء میں پاکستان کا دورہ کرنے والی کامن ویلتھ کی ٹیم کسی طور پر دھمکی آمیز نہ تھی۔ اس کی تشکیل میں آسٹریلیا کے جارج ٹرائب (George Tribe) اور بل ایلے (Bill Alley) اور لنکا شائر کا اوپننگ بیٹسمین بڈی اولڈ فیلڈ (Buddy Old-Field) شامل تھے۔ یہ وہ کھلاڑی تھے جن کا

ٹیسٹ کرکٹ میں یا تو ابھی سفر شروع نہیں ہوا تھا یا وہ اپنے اختتام کو پہنچ چکا تھا مگر پاکستان کے لیے میچ کا نتیجہ تحقیر آمیز تھا۔ کامن ویلتھ ٹیم نے ہندوستان کے خلاف پانچ اور پاکستان کے خلاف ایک میچ کھیلا۔[25] باغِ جناح میں کھیلے جانے والے میچ میں پاکستانی بیٹنگ دو بار یعنی دونوں اننگز میں جارج ٹرائب (George Tribe) کی کلائی کے ذریعہ سپن (Wrist Spin) جو وہ دائیں ہاتھ سے کرتا تھا کے سامنے ناکام ہوئی۔ اس ناکامی میں اس کا ساتھ اس کے آسٹریلوی ساتھی سیسل پیپر (Cecil Pepper) نے بھرپور طریقہ سے دیا۔ دوسری اننگز میں میاں سعید کی ٹیم صرف 66 رنز بنا کر آؤٹ ہوگئی۔

کھیل کے اختتام پر غصے سے بھرے ہوئے ہجوم نے پاکستانی کھلاڑیوں کو گالیاں دیں اور ان پر پتھراؤ کیا۔ کھلاڑیوں نے گراؤنڈ میں پویلین میں پناہ لے کر اپنے آپ کو بچایا اور وہاں سے پچھلے دروازے کے ذریعے ایک ایمبولینس کے ذریعے فرار اختیار کی۔ اس واقعہ کے پانچ سال بعد فضل محمود جس نے اس میچ میں صرف ایک وکٹ حاصل کی تھی، اسے دہراتے ہوئے کہا کہ کس طرح اس شکست نے پاکستان کی کرکٹ میں تھوڑی بہت شہرت کو تباہ و برباد کر دیا تھا۔ لوگ اس کھیل سے دلبرداشتہ ہوگئے تھے اور یہ کہنے لگے تھے کہ اس کھیل کو پاکستان سے ختم ہی کر دیا جائے۔ فضل محمود نے لکھا کہ پاکستان میں کرکٹ اپنے آخری دموں پر تھی۔[26] وقت آ گیا تھا کہ اپنا منصوبہ بدلا جائے۔

## حوالہ جات:

1 عبید اللہ سندھی سکھ تھے جو بعد میں مشرف بہ اسلام ہوئے۔ دیوبند میں اپنی تعلیم مکمل کرنے کے بعد سندھ میں اس لیے سکونت اختیار کی تا کہ ان کے خاندان کو ان کے مسلمان ہونے پر اعتراض نہ ہو۔ انہیں ریشمی رومال تحریک 15-1914ء (Silk Letter Conspiracy) کے آغاز کرنے پر بے پناہ شہرت ملی۔ اس تحریک کا مقصد حکومت برطانیہ کو برصغیر ہندوستان سے نکال باہر کرنا تھا۔ تحریک کے شرکاء ایک دوسرے کو ریشمی رومال پر مینا کاروں کے ذریعے پیغامات بھیجتے تھے۔(The Oxford Companion to Pakistani History, ed. Ayesha Jalal (04P2012)

2 صرف ایک اور کرکٹ کا خانوادہ ہیڈلے (Headley) اس بات پر فخر کر سکتا ہے کہ اس کی تین نسلوں نے ٹیسٹ کرکٹ کھیلی۔ دنیائے کرکٹ کے عظیم ترن کھلاڑیوں میں سے ایک جارج ہیڈلے (George Headley) نے ویسٹ انڈیز کے لیے 22 ٹیسٹ کھیلے۔ اس کے بیٹے ران ہیڈلے (Ron Headley) نے 1973ء میں ویسٹ انڈیز کے لیے 2 ٹیسٹ کھیلے۔ پھر ران کے بیٹے ڈین ہیڈلے (Dean Headley) نے انگلستان کے لیے پندرہ ٹیسٹ کھیلے۔ قابل غور چیز یہ ہے کہ دونوں خاندانوں نے صرف ایک ہی ملک کے لیے کھیلنے پر اکتفا نہیں کیا۔

3 نواب افتخار علی خان پٹودی (52-1910) ایک چھوٹی سی ریاست پٹودی میں پیدا ہوئے۔ ایچی سن کالج لاہور سے تعلیم حاصل کی۔ وہ بہ آسانی 1932ء اور 1936ء کے انگلستان کے دونوں ابتدائی دوروں پر ہندوستان کی

کرکٹ ٹیم کی کپتانی کر سکتے تھے۔ مگر انہوں نے ایسا کرنے سے گریز کیا۔ اور اس کی بجائے اپنی ٹیسٹ کرکٹ کا آغاز انگلینڈ کے لیے کھیلتے ہوئے آسٹریلیا کے خلاف سڈنی میں دسمبر 1932ء میں سنچری بنا کر کیا۔ بالآخر 1946ء میں ہندوستان کی کپتانی مل گئی۔ پولو کھیلتے ہوئے دل کا دورہ پڑنے سے 1952ء میں المناک موت کا شکار ہوئے۔

4 اس بات کا کہیں ثبوت نہیں ہے کہ اسکے اس فیصلہ میں پاکستان کے معرض وجود میں آنے کی وجہ تھی۔ بے شک مشتاق علی نے بعد میں دوبارہ ٹیم میں شامل ہونے کے لیے تگ و دو کی مگر ہندوستانی سلیکٹرز کو اب اسکی ضرورت نہ تھی۔

5 جمشید خداداد ایرانی 18 اگست 1923ء کو کراچی میں پیدا ہوا۔ یہ واحد کھلاڑی ہے جو ہندوستان کے لیے کھیلنے کے بعد پاکستان کے لیے نہیں کھیلا۔ ایرانی جو کہ پارسی تھا اس وقت وکٹ کیپنگ کر رہا تھا جب سڈنی میں آسٹریلیا الیون کی طرف سے ہندوستان کے خلاف کھیلتے ہوئے سر ڈان بریڈمین نے اپنی سوویں فرسٹ کلاس سنچری مکمل کی۔ آسٹریلوی دورہ کے بعد ایرانی اپنے آبائی کراچی لوٹ آیا۔ 50-1949ء میں پاکستان اور کامن ویلتھ الیون کے درمیان لاہور میچ میں ایرانی نے ایمپائر کی حیثیت سے حصہ لیا۔ اور پھر صرف چار دن بعد ایرانی نے کراچی کی طرف سے اسی کامن ویلتھ ٹیم کے خلاف کھیل کر پاکستان میں اپنی فرسٹ کلاس کرکٹ کا آغاز کیا۔ کرسٹفر مارٹن جینکن (Christopher Martin Jenkins) نے اپنی کتاب ''ٹیسٹ کھلاڑیوں کی کمپلیٹ ہوز ہو'' (Complete Who's Who) میں جے کے ایرانی کا مکمل نام (J.K. Irani) بطور جہانگیر خان ایرانی (Jahangir Khan Irani) درج کیا ہے جو درست نہیں ہے۔ ایرانی نچلے نمبر پر کھیلنے والا بیٹسمین تھا جو کبھی کبھار اوپن بھی کرتا تھا۔ اس کے علاوہ یہ وکٹ کیپر تھا جس نے لارڈ ٹینی سن (Lord Tennyson) کی ہندوستان سفر پر آنے والی ایم سی سی (MCC) ٹیم کے خلاف سندھ کی طرف سے 38-1937ء میں صرف چودہ سال کی عمر میں کھیلتے ہوئے اپنی فرسٹ کلاس کرکٹ کی ابتدا کی۔

6 ٹائمنز آف انڈیا 24 اگست 1947ء ''مگر جب سندھ حکومت اصل امور کی طرف متوجہ ہوئی تو پاکستان کرکٹ بورڈ تشکیل دینے کیلیے اس کے سامنے بڑی اور مختلف نوعیت کی مشکلات تھیں۔ انہیں معلوم ہوا کہ پاکستان کی ریاست مالی طور پر بے حد کمزور تھا اور پھر فرسٹ کلاس کرکٹ کے کھلاڑیوں کے مطابق پیسے اور ہنرمند کھلاڑیوں کے لیے انہیں صرف تین صوبوں شمال مغربی سرحدی صوبہ، پنجاب اور سندھ پر انحصار کرنا ہوگا۔

7 اپنے انتہائی ابتدائی دنوں میں یہ پاکستان کرکٹ کنٹرول بورڈ کے نام سے پہچانا جاتا تھا۔ آسانی کی غرض سے میں نے ہر حصے میں اس کا بی سی سی پی (BCCP) کے طور پر ذکر کیا جب تک کے نوے کی دہائی کے وسط میں اس کا نام تبدیل ہو کر پاکستان کرکٹ بورڈ (PCB) نہ ہو گیا۔ 14 اگست 1947ء کے ٹائمنز آف انڈیا نے آزادی سے ذرا قبل خبر دی کہ لاہور کے دلچسپی رکھنے والے چند اشخاص نے پاکستان بورڈ آف کنٹرول برائے کرکٹ (BCCP) کی تشکیل کے لیے پیش رفت کی ہے خبر نگار نے مزید لکھا کہ سندھ کرکٹ ایسوسی ایشن کی سوچ کے مطابق ہندوستانی کرکٹ کی تقسیم نہیں ہونی چاہیے۔ سوال یہ ہے کہ ٹائمنز آف انڈیا کے اس خبر بارے کیا ذرائع تھے؟ کیا اخبار شرارت کر رہا تھا؟ یا پھر واقعی سندھ میں علیحدگی پسند عوامل تھے؟ اس کے بارے کچھ کہنا ممکن نہیں۔

8 ایلون رابرٹ کارنیلیس (Alvin Robert Cornelius) پچیس اسلامی ریاستوں کے واحد دو غیر مسلموں میں سے پہلا غیر مسلم تھا جو عدالتی نظام کی چوٹی پر پہنچا۔ اس کے غیر معمولی اور شاندار عدالتی فیصلوں کے ذریعے

اقلیتی فرقوں کو تحفظ ملا۔ آمریت کے راستہ میں رکاوٹ پیدا ہوئی اور انسانی حقوق کو پذیرائی حاصل ہوئی۔ ان ابتدائی تشکیلی سالوں میں کارنیلیس نے پاکستانی کرکٹ کو گمنامی سے نکالنے کے لیے بھی وقت نکالا۔ 1903ء میں آگرہ پیدا ہونے والا کارنیلیس 1924ء میں غیر ملکی تعلیم کا وظیفہ حاصل کر کے سیلون کالج کیمبرج (Selwyn College Cambridge) بھیجا گیا۔ کالج کی دستاویزات میں کارنیلیس کی بطور کرکٹ کھلاڑی کوئی شہادت موجود نہیں ہے۔ وہ ٹینس کھیلتا تھا اور اس کے ساتھ وہ سوسائٹی برائے مباحثہ کا فعال رکن تھا۔ ہندوستان واپسی پر اس نے ہندوستانی سول سروس کا مقابلے کا امتحان پاس کیا اور اسے پنجاب بھیج دیا گیا۔ جلد ہی وہ ہندوستان سول سروس کی قانونی شاخ سے وابستہ ہو گیا۔ اس کی ابتدائی تعیناتی برکی قبیلے کے شہر جالندھر میں ہوئی جہاں وہ جالندھر کلب کے لیے کرکٹ کھیلنے لگا۔ اس کلب میں دوسرا غیر یورپین کھلاڑی احمد رضا خان تھا جو پاکستان کے تین قومی کپتانوں جاوید برکی، ماجد خان اور عمران خان کے ماموں ہونے کی وجہ سے مشہور ہے۔ احمد رضا خاں کی نظر میں کارنیلیس ایک انتہائی ذمہ دار، ایماندار، باوقار اور باعزت اور مکمل طور پر شریف انسان تھا۔ تقریباً ایک ہزار ہندوستانی سول سروس کے افسران نے ہندوستان ہی میں رہنے کو ترجیح دی مگر کارنیلیس ایک سو ستاون افسران میں سے ایک تھا جنھوں نے ہندوستان چھوڑ کر پاکستان آنے کو ترجیح دی۔

9 ڈی ایگو بریٹو (Diego Britto) کا فطری طور پر گوا (Goa) سے تعلق تھا۔ اس کا شمار سندھ کے کھیلوں کے اہم تنظیم کاروں میں ہوتا تھا۔ وہ 48-1947ء میں سندھ کرکٹ ایسوسی ایشن کا صدر تھا۔ اس کا جیک بریٹو (Jack Britto) سے مغالطہ نہیں کرنا چاہیے جس نے 1952ء میں ہاکی میں پاکستان کی ہلسنکی اولمپکس (Helsinki Olympics) میں نمائندگی کی تھی۔

10 کے آر کلکٹر، پاکستان کرکٹ کنٹرول بورڈ (BCCP) کے پہلے سیکرٹری کے مطابق، تنظیم کا قیام یکم مئی 1949ء کو عمل میں آیا۔ (Maqsood op.city p26-27) کلکٹر اصل حقیقت جاننے کی پوزیشن میں تھا۔ مگر دوسرے ذرائع سے واضح ہے کہ بورڈ عمل میں پہلے آ چکا تھا۔ ہندوستان کے بہترین اخبار ''ٹائمز آف انڈیا'' کے مطابق دسمبر 1947ء کے آخر میں ایک خاص اجلاس پاکستان میں منعقد ہوا جس کے مطابق بورڈ آف کنٹرول برائے پاکستان کرکٹ کی ترتیب دینا تھی (یہ اجلاس 2 دسمبر 1947ء کو بمطابق ''ٹائمز آف انڈیا'' ہوا)۔ مارچ 1948ء کے لگ بھگ بورڈ کے آئین پر لاہور میں ایک اجلاس کے دوران گفت وشنید ہوئی۔ (بمطابق ٹائمز آف انڈیا 10 مارچ 1948ء)۔ نومبر 1948ء کے لاہور کے ویسٹ انڈیز کے خلاف پاکستان کے پہلے غیر سرکاری ٹیسٹ کے مطبوعہ یادگاری رسالہ میں واضح طور پر کہا گیا ہے کہ بورڈ آف کنٹرول کی بنیاد یکم مئی 1948ء کو رکھی گئی۔ بدقسمتی سے بی سی سی پی (BCCP) کی تشکیل بارے کوئی بھی واضح بیان دینا خطرے سے خالی نہیں کیوں کہ کوئی بھی دستاویزی ثبوت موجود نہیں۔ میں بی سی سی پی دور یا کسی اور کوئی بھی دستاویزات کسی بھی آرکائیوز میں تلاش کرنے میں ناکام رہا ہوں۔ نتیجتاً دور کی پاکستانی کرکٹ کے تاریخ دان کی یہ مجبوری ہے کہ وہ ابتدائی کرکٹ کے زبانی حوالوں یا پھر ابتدائی روئیداد پر بھروسہ کرے جن کی صداقت کی کوئی تصدیق یا ضمانت نہیں۔ مثال کے طور پر ریٹائرڈ لیفٹیننٹ کرنل شجاع الدین کی لکھی ہوئی کرکٹ کی تاریخ کو معتبر سمجھا جاتا ہے۔ اس پر زور دیتی ہے کہ کارنیلیس بی سی سی پی (BCCP) کا پہلا صدر تھا مگر مجھے ایسا کوئی ثبوت نہیں ملا کہ کارنیلیس پہلا صدر تھا۔ دیکھئے Shuja-ud-Din، Eight Years of Pakistan Cricket صفحہ 3۔ اور، ایم سی سی اور پاکستان کے درمیان پہلا یادگاری میچ، 20 تا 26 جنوری 1956ء۔

11 لیفٹیننٹ کرنل شجاع الدین جس کا تعلق پاکستانی فوج سے تھا، آرمی کیریئر کے ساتھ ساتھ ٹیسٹ میچوں میں پاکستان کی نمائندگی کرتا رہا، ابتدائی برسوں میں اپنی تنظیمی مہارت اور کئی انتظامی عہدے رکھنے کے باعث، خود کو فادر آف پاکستان کرکٹ کہتا تھا۔ دیکھئے Shuja-ud-Din، صفحہ 3۔

12 بی سی پی آئین دو سال بعد بھی مکمل نہ ہو پایا۔ دیکھئے Stephen Menzes کی Future of Cricket in Pakistan، شائع شدہ Cricket in Pakistan 1948-49 ایڈیشن، صفحہ 61۔ ملک میں مستقبل کی کرکٹ کی کنجی پاکستان کرکٹ کنٹرول بورڈ کے ہاتھ میں ہی رہے گی مگر بااختیار حاکمیت رکھنے والے ادارے کا آئین بنانے کا کام ابھی تک مرحلہ آغاز میں نامکمل ہے۔

13 فضل محمود صفحہ 20 کے مطابق ''گورنر جنرل پاکستان محمد علی جناح نہایت عزت افزائی کرتے ہوئے پاکستان کرکٹ کے سرپرست بن گئے۔'' مگر کیا واقعی انہوں نے ایسا کیا؟ مجھے ایسے کوئی ذکر اور شواہد نہیں ملے جن کے مطابق جناح نے یہ اہم مگر علامتی عہدہ سنبھالا ہو۔ مگر ریاست کا سربراہ اس کے باوجود کرکٹ کا بدستور سرپرست بنتا رہا تاوقتیکہ حال ہی میں وزیر اعظم کی حیثیت سے نواز شریف نے یہ عہدہ خود لے لیا۔

14 ایسی کوئی شہادت نہیں جس سے ظاہر ہو کہ 1892ء میں سولہ سال کی عمر میں قانون پڑھنے لندن جانے کے بعد جناح کو کرکٹ سے کوئی دلچسپی رہی ہو۔ پھر بھی جناح کے پہلے سوانح نگار ہیکٹر بولیتھو (Hector Bolitho) کے مطابق ایک صبح جب نان جی جعفر گلی میں کھیل رہا تھا تو چودہ سالہ جناح اس کے پاس آیا اور کہا، ''مٹی میں بنٹے مت کھیلو۔ اس سے تمہارے کپڑے میلے اور ہاتھ گندے ہو جاتے ہیں۔ ہمیں کھڑے ہو کر کرکٹ کھیلنا چاہیے۔'' نیونہم روڈ (Newnham Road) کے لڑکے تابعدار قسم کے تھے۔ انہوں نے بنٹے کھیلنا چھوڑ کر جناح کو اپنا رہبر مانتے ہوئے خاک آلود گلی کو چھوڑ کر ایک صاف ستھرے میدان کا رخ کیا جہاں جناح نے اپنا بلا اور وکٹیں انہیں کھیلنے کے لیے دیں۔ جب سولہ سال کی عمر میں جناح بحری جہاز کے ذریعہ برطانیہ جانے لگا تو اس نے نان جی جعفر کو اپنا بلا دیتے ہوئے کہا، ''میرے باہر رہنے تک تم لڑکوں کو کرکٹ کی تربیت دیتے رہنا۔'' ہیکٹر بولیتھو کی سفید بکھرے بالوں اور مسکراہٹ سے روشن چہرے والے مسلمان نان جی جعفر سے اتفاقاً اس وقت ملاقات ہوئی جب بولیتھو، فاطمہ بائی سے مکالمہ کر رہا تھا جس کی جناح سے رشتہ داری تھی۔ ایسا مشکل ہی نظر آتا ہے کہ جناح نے سندھ مدرسہ ہائی سکول میں اپنی تعلیم کے دوران کرکٹ نہ کھیلی ہو حالاں کہ سکول میں بنائے گئے جناح کے عجائب گھر میں بحیثیت کرکٹ کھلاڑی جناح کا کوئی تذکرہ نہیں ہے۔ البتہ فضل محمود نے اپنی کتاب کے صفحہ 13 پر اس بات کا دعویٰ کیا ہے کہ جناح کرکٹ میں دلچسپی رکھتے تھے اور جناح نے اسلامیہ کالج کے باقاعدہ دوروں میں سے ایک دورہ کے دوران مجھے کرکٹ کھیلنے کی ترغیب دی تھی۔

15 شمالی ہندوستان (Northern India) کا تقسیم سے پہلے آخری رانجی ٹرافی میچ جنوبی پنجاب کے خلاف فروری 1947ء کے شروع میں پٹیالہ میں کھیلا گیا۔ شمالی ہندوستان کی ٹیم مستقبل میں بننے والی پاکستانی ٹیم کے کھلاڑیوں کے بیج سے بھری ہوئی کیاری ثابت ہوئی۔

16 پچاس سال بعد کرکٹ کے ماہر شماریات نے فیصلہ دیا کہ 27 تا 29 دسمبر 1947ء کو پہلے سے کھیلا جانے والا سندھ اور مغربی پنجاب کے درمیان میچ فرسٹ کلاس میچ کی تمام شرائط پوری کرتے ہوئے فرسٹ کلاس کے زمرہ میں آتا ہے۔ یہ امدادی میچ پناہ گزینوں کی آبادکاری کے سلسلے میں قائداعظم فنڈ کے تحت باغ جناح میں کھیلا گیا۔ یہ میچ

مغربی پنجاب نے یقینی طور پر جیت لیا۔ فضل محمود نے جیتنے والی ٹیم کے لیے اپنی ناگزیر باؤلنگ سے 45 رنز کے عوض 6 وکٹ حاصل کیے۔ تاہم سابقہ حالات سے متعلق کرکٹ کے ماہر شماریات کے بعد کے فیصلے کی اس وقت کھیلتے ہوئے کھلاڑیوں کی کوئی پرواہ نہ تھی۔ جہاں تک ان کا خیال تھا وہ میچ فرسٹ کلاس نہیں تھا۔ اسی بنیاد کو لیتے ہوئے میں نے پنجاب یونیورسٹی اور مغربی پنجاب گورنر الیون کے میچ کا انتخاب کیا ہے۔ دونوں میچوں کی مزید معلومات اور سکور کارڈز کے لیے عابد علی قاضی کی فرسٹ کلاس کرکٹ اِن پاکستان پہلی جلد صفحہ 8-7 دیکھیں۔

First Class Cricket in Pakistan Vol 1 Page 7-8

17 سر فرانسس نے 1948ء میں پاکستان کو خبردار کیا کہ ہندوستان جھگڑالو، بے ایمان اور طاقتور ہمسایہ ہے۔ پاکستان بھی کامن ویلتھ کا ممبر ہے اور اسے توقع ہے کہ اس کا ہمسایہ اس کی مدد کرے گا اور سہارا دے گا۔ اس کے برعکس پاکستان دیکھ رہا ہے کہ برطانیہ ہندوستان کی ہر نقطہ پر تائید کر رہا ہے۔ اگر یہی بات ہے تو پھر پاکستان کامن ویلتھ کے ساتھ کیوں رہے؟ پاکستان اپنے دوست کہیں اور تلاش کرے گا جس کے خوفناک اور تباہ کن نتائج تمام ایشیاء اور مشرق وسطیٰ کے لیے ہوں گے۔ MSS Eur F164/48 انڈیا آفس ریکارڈ۔ برٹش لائبریری لندن۔

18 فرسٹ کلاس کرکٹ اونچے درجے کی کرکٹ میں شمار ہوتی ہے۔ یہ اکثر ممالک کے درمیان یا صوبوں کے درمیان خاص فوائد کے تحت کھیلی جاتی ہے۔ جس کی یادداشت کا اندراج باضابطہ پر کیا جاتا ہے۔ 19 مئی 1947ء کی امپیریل کرکٹ کانفرنس کی ایک مجلس میں طے کیا گیا کہ فرسٹ کلاس کرکٹ کی تشریح یوں کی جائے گی کہ تین یا چار دن کے دورانیے کا میچ جس میں حصہ لینے والی دونوں ٹیموں میں گیارہ گیارہ کھلاڑی ہوں اور جسے سرکاری طور پر فرسٹ کلاس مانا جائے تو ایسا میچ فرسٹ کلاس میچ کہلائے گا۔ ایسے میچ جن میں کسی ٹیم میں گیارہ کھلاڑیوں سے زیادہ کھلاڑی ہوں یا پھر اس کا دورانیہ تین دن سے کم کا ہو تو ایسا میچ فرسٹ کلاس نہیں کہلائے گا۔ ہر ملک کی گورننگ باڈی کو ٹیم کی درجہ بندی کا اختیار ہوگا۔ اس تشریح بارے ایک ناقابل قبول چیز گردش میں ہے جس کی رو سے فرسٹ کلاس میچ وہ ہوگا جسے سرکاری طور پر فرسٹ کلاس مانا جائے گا۔ اس کے علاوہ فرسٹ کلاس میچ کرکٹ کے ان قوائد وضوابط کے مطابق کھیلا جائے گا جو ایم سی سی (MCC) کے دائرہ اختیار میں ہیں اور میچ کا دورانیہ دو اننگز سے زیادہ کا ہو۔ ٹیسٹ میچ ہمیشہ فرسٹ کلاس میچ ہوتے ہیں۔ یہ دو ممالک کے درمیان کھیلے جاتے ہیں اور ان کا معیار انٹرنیشنل کرکٹ کانفرنس (ICC) کے مطابق ہو۔ آج کل کے ٹیسٹ میچوں کا دورانیہ عموماً پانچ دن کا ہوتا ہے۔

19 فضل محمود نے 2003ء میں دعویٰ کیا کہ ''یہ دورہ اس کی ذاتی شہہ پر عمل میں آیا۔ ہم مغربی پنجاب کے وزیر اعظم نواب افتخار حسین ممدوٹ کی رہائش گاہ ممدوٹ ولا گئے۔ نواب ممدوٹ بی سی سی پی (BCCP) کے صدر بھی تھے۔ ہم نے ان سے درخواست کی کہ وہ ویسٹ انڈیز ٹیم کو ایک ٹیسٹ میچ کے لیے لاہور مدعو کریں۔ یہ دعوت نامہ BCCI (بورڈ آف کنٹرول فار کرکٹ ان انڈیا) کی وساطت سے ویسٹ انڈیز کو پہنچایا گیا۔'' فضل اس ملاقات کی تاریخ کو ستمبر کے مہینہ میں کہتے ہیں جو ویسٹ انڈیز کے ہندوستانی دورہ شروع ہونے سے صرف چند ہفتے پہلے تھی۔ یقیناً ویسٹ انڈیز کے دورہ میں اتنی بڑی تبدیلی کرنے کے لیے درخواست بہت دیر سے کی گئی۔

20 بعد میں پاکستانیوں نے یہ بت گرا دیا جسے برطانوی ہائی کمیشن نے حاصل کر لیا اور اب یہ اسلام آباد کے سفارتی علاقہ میں واقع برطانوی ہائی کمیشن کے میدان میں نصب ہے۔

21 دوسری طرف ویسٹ انڈیز بھی ابھی تک برطانوی نوآبادیاتی نظام کی سماجی حیثیت سے آزاد نہیں ہوئے تھے۔ ٹیم میں عظیم اور تجربہ کار سیاہ فام کھلاڑی جارج ہیڈلے (George Hedley) کی موجودگی کے باوجود ٹیم کی کپتانی سفید فام جان گوڈرڈ (John Goddard) کر رہا تھا جس کا تعلق اونچے طبقے سے تھا۔

22 وکٹ کیپر بیٹسمین جس نے سوائے ایک کے ابتدائی 42 میچوں میں حصہ لیا۔ بہترین ابتدائی بیٹسمین جس نے پاکستان کے لیے 1952ء میں لکھنو میں پاکستان کی پہلی ٹیسٹ سنچری بنائی۔ 1953ء میں ایک حادثہ میں چوٹ کی بدولت نذر محمد نے کرکٹ سے ریٹائرمنٹ اختیار کر لی جو پاکستانی کرکٹ کے لیے ایک بہت بڑی تباہی تھی۔ نذر محمد کو یہ حادثہ اس وقت پیش آیا جب اس نے اوپر کی منزل سے کھڑکی کے ذریعے چھلانگ لگائی۔ جس کے نتیجے میں اسے اس بری طرح سے چوٹ آئی کہ وہ پھر دوبارہ کرکٹ نہ کھیل سکا۔ عام طور پر خیال کیا جاتا ہے کہ اس نے ایک بدگمان اور حاسد شوہر سے بھاگتے ہوئے ایسا کیا۔ نذر محمد کے بیٹے مدثر نذر نے بھی پاکستان کے لیے ٹیسٹ کرکٹ کھیلی۔

23 تیز رفتار باؤلر جو ممدوٹ کلب کی طرف سے کھیلتا تھا۔ اپنی کرکٹ کا آغاز شمالی ہندوستان (North India) کی طرف سے 45-1944ء میں بمبئی کے خلاف کھیلتے ہوئے کیا۔ اس کا انتخاب ہندوستان جانے والی 53-1952ء کی پاکستان ٹیم میں ہو گیا تھا مگر اس کے ادارے کے ناموافق مالک نے چھٹی دینے سے انکار کر دیا۔

24 خبروں کے مطابق 15 دسمبر 1930ء کو اجمیر میں پیدا ہونے والے علیم الدین کی عمر تقریباً بارہ سال اور 73 دن کی تھی جب وہ پہلی بار راجپوتانہ کے لیے فرسٹ کلاس کرکٹ کھیلا۔ 48-1947ء کا کرکٹ سیزن اس نے گجرات کے لیے رانجی ٹرافی کھیلتے ہوئے گزارا۔ مگر وہ اگلے سال پاکستان منتقل ہو گیا اور کراچی میں رہائش پذیر ہو کر سندھ کے لیے فرسٹ کلاس کرکٹ کھیلنے لگا۔ ابتدائی طور پر ہندوستان جانے والی 53-1952ء کی پاکستانی ٹیم میں اسے شامل نہ کیا گیا۔ علیم الدین کو نذر محمد کی ناگہانی چوٹ کی وجہ سے انگلستان کے 1954ء کے دورہ پر حنیف محمد کے ساتھ اننگز کی ابتداء کرنے کا موقع ملا۔ قمر احمد جو علیم الدین کو بے حد قریب سے جانتے ہیں اس بات کو قطعی نہیں مانتے کہ علیم الدین نے بارہ سال کی عمر میں فرسٹ کلاس کرکٹ کا آغاز کیا (ذاتی مکالمہ کے مطابق)۔

25 یہ تمام میچ وزڈن (Wisden) کے مطابق غیر سرکاری کے زمرے میں آتے ہیں اور پاکستان کی کامن ویلتھ الیون کے خلاف واحد کوشش نے پاکستان کو کسی قسم کی کوئی پہچان نہ دی۔

26 فضل محمود اور کرکٹ کے صفحہ 64 کے مطابق اس نے تلملاہٹ کے احساس کو یوں بیان کیا کہ کامن ویلتھ ٹیم کی روانگی کے فوری بعد سیلون کی ٹیم پاکستان دورہ پر آئی۔ کراچی اور لاہور کے دونوں ٹیسٹ میچوں کے دوران میدان میں کھلاڑیوں کی تعداد تماشائیوں سے زیادہ تھی۔ گو کہ ہم نے دونوں میچ جیت لیے اور میں نے اکیلے نے اٹھارہ وکٹ حاصل کیے مگر عوام اور اخبار دونوں نے نظر انداز کیا۔

2

# کراچی کی یادگار جیت

"کاردار کا اپنی دلکش اور لچکدار چال کے ساتھ کس آن بان کے ساتھ اپنی ٹیم کی رہنمائی کرتے ہوئے میدان میں اترنا۔ اور ایک نہ ختم ہونے والے صوتی توازن اور تناسب کی طرح خط مستقیم میں رواں ایونز (Evans) کا میدان سے واپس آنا۔ فرنک وورل (Frank Worrell) کی ہر حرکت جسمانی سے پُروقار کرنوں کا لہروں پر خوبصورت منظر پیش کرنا کیتھ ملر (Keith Miller) کی عالیشان اور پُرشکوہ اعلیٰ ظرفی..."

- سی ایل آر جیمز (C.L.R James)

میاں سعید جس نے پاکستان کی کرکٹ کو ایک شاندار آغاز دیا۔ یقیناً اسے باغ جناح کی گراؤنڈ پر کامن ویلتھ کی ٹیم سے شکست کا مورد الزام ٹھہرانا مناسب نہیں۔

یہ ممکن تھا کہ یہ الزام اس کے سر نہ آتا اگر پانچ سال کی غیر حاضری کے بعد کاردار واپس پاکستان نہ آیا ہوتا۔ ہم نے اس سے پہلے کاردار کا ذکر اس وقت کیا جب وہ مارچ 1944ء میں شمالی ہندوستان کرکٹ ایسوسی ایشن (Northern India Cricket Association) (NICA) کی طرف سے کھیلتے ہوئے اپنی کرکٹ کا آغاز کر رہا تھا۔ اس وقت وہ ہنس مکھ اور خوش اخلاق کھلاڑی تھا جو اپنے دائیں ہاتھ کی میڈیم فاسٹ باؤلنگ اور جارحانہ بیٹنگ کے لیے مشہور تھا۔ مگر اب وہ بالکل ایک مختلف مسئلہ بن گیا تھا۔ حتیٰ کہ اس کا نام تک بدل چکا تھا۔ انگلستان جانے سے پہلے وہ اپنے دوستوں میں عبدالحفیظ کے نام سے جانا جاتا تھا مگر اب وہ اے ایچ کاردار تھا۔ جو لوگوں سے الگ تھلگ اور دور رہنا پسند کرتا تھا۔ اور اس کی پہچان اب بطور ایک روایتی دائیں ہاتھ سے آہستہ سپن کرنے والے باؤلر کی تھی۔

وہ نواب پٹودی کی انگلستان دورہ کرنے والی 1946ء کی ٹیم کے لیے تین ٹیسٹ کھیلا۔ آکسفورڈ یونیورسٹی کے لیے تین سالوں میں پے در پے تین بلیو (Blue) حاصل کیے اور کرکٹ کے موسم کے دوسال آل

راؤنڈر (ہرفن مولا) کی حیثیت سے وارک شائر (Warwickshire) کی طرف سے کاؤنٹی چیمپئن شپ میں کھیلا۔ سلطان محمود جو اس وقت اپنی نوجوانی کے آغاز میں تھا، یاد کرتے ہوئے کاردار سے پاکستان میں اپنی پہلی ملاقات کا بیان یوں کیا، ''یہ 50-1949ء کی سردیوں کی بات ہے جب کاردار حال ہی میں آکسفورڈ سے آیا ہوا تھا۔ ایک روز ہم مشہور لیگ سپن باؤلر امیر الٰہی [1] کے ساتھ نیٹ پریکٹس میں مشغول تھےکہ ہم نے دیکھا کہ شارک مچھلی کی کھال کی طرح (Shark-skin) سفید چمکیلے سوٹ میں ملبوس ایک شخص دور سے ہماری جانب چلا آرہا تھا، وہ انتہائی گرمی میں مکمل تھری پیس سوٹ مع ٹائی زیب تن کیے ہوئے تھا۔ خدارا، یہ کون ہوسکتا ہے؟ جونہی وہ ذرا نزدیک آیا امیر الٰہی نے ہماری طرف مڑتے ہوئے کہا، ''کیا تم اسے پہچانتے نہیں ہو؟ اکڑی ہوئی گردن والا کاردار ہے۔''

جیسے ہی وہ نیٹ پر پہنچا، سب نے اسے خوش آمدید کہا۔ اپنے بچپن کی وجہ سے میں کاردار کو دیکھ کر بے حد جذباتی ہوگیا کیوں کہ اس کے بارے میں نے اخباروں میں بہت کہانیاں پڑھ رکھی تھیں۔ وہ بہت خوبصورت اور ممتاز نظر آرہا تھا۔

امیر الٰہی نے کاردار سے پوچھا، ''پاکستان کس لیے آئے ہو؟''

کاردار نے جواب دیا کہ وہ زیادہ دیر کے لیے نہیں آیا ہے اور عنقریب اپنے رشتہ کے بھائی فلم ڈائریکٹر اے آر کاردار سے ملنے بمبئی جا رہا ہے۔ کاردار نے فوری طور پر اپنے آپ کو پاکستان کے لیے دستیاب نہ کیا۔ جب 1949ء کے موسم سرما میں کامن ویلتھ کی ٹیم پاکستان آئی تو کاردار کو کھیلنے کی دعوت دی گئی۔ اس نے یہ کہہ کر انکار کر دیا کہ اس کا دایاں کندھا چوٹ کی وجہ سے کھیلنے کے قابل نہیں ہے۔ کاردار کے اس اظہار کا بڑی حد تک کسی کو یقین نہ آیا۔ [2]

کاردار کے بیشتر ہمعصر کرکٹ کے کھلاڑی اس بات پر اتفاق کرتے ہیں کہ وہ میاں سعید کو ہٹانے پر تلا ہوا تھا اور اس کی کپتانی میں کھیلنے سے انکار کر کے اس نے انتہائی عیاری سے میاں سعید کی ساکھ کو نقصان پہنچایا۔ کچھ تو یہاں تک کہتے ہیں کہ کاردار جس نے ایک تماشائی کی حیثیت میں کامن ویلتھ کے ہاتھوں پاکستان کی تضحیک آمیز پسپائی دیکھی میچ کے بعد کے فساد کا ذمہ دار تھا۔ سلطان محمود جو اس وقت وہاں موجود تھا آج یوں بیان کرتا ہے کہ ''بھاٹی دروازہ اور سانده کلاں کے لڑکوں نے میاں سعید کے خلاف مظاہرہ کیا۔'' کاردار کے خاندان کا ان علاقوں میں بے حد اثر تھا (گو کہ اس دعویٰ کا کوئی عملی ثبوت کبھی سامنے نہیں آیا)۔

اس کے بعد کاردار کو مارچ 1950ء میں آنے والی سیلون کے خلاف کھیلنے کی دعوت دی گئی۔ اس بار اس نے کھیلنے کے لیے رضامندی کا اظہار کر دیا اور اسے میاں سعید کا نائب کپتان نامزد کر دیا گیا۔ اگلے ہی روز کاردار نے اچانک اعلان کر دیا کہ وہ زخمی ہے اور اسے واپس انگلستان جانا ہے۔ [3] بقول سلطان محمود اصل

وجہ یہ تھی کہ ''کاردار بطور کپتان کھیلنا چاہتا تھا۔ میں ٹیم میں شامل تھا اور یہ بات کوئی چھپا ہوا راز نہ تھی۔'' سال سے کچھ عرصہ زیادہ ہی گزرا تھا کہ کاردار نے آخر کار میاں سعید کو بے دخل کر کے اس کی جگہ حاصل کر لی۔

گو کہ یہ فطری بات ہوتی کہ اگر کاردار پہلے میاں سعید کے زیر آموز اپنی خدمات سرانجام دیتا۔ مگر کاردار نے اس بات کی ہرگز اجازت نہ دی۔ اس کے لیے کپتانی حاصل کرنا ضروری تھا۔ اور وہ بھی اپنی شرائط پر۔ وہ اس معاملے میں انتہائی بے رحم ثابت ہوا۔ میاں سعید نے پاکستان کرکٹ کی خدمت، وفاداری اور سوجھ بوجھ سے کی تھی۔ وہ جہانگیر خان اور سید فدا حسن 4 کے ساتھ مل کر قومی کرکٹ کو وجود میں لانے والے اہم لوگوں کا حصہ رہ چکا تھا۔ بہت سے اہم اجلاس جہاں بی سی سی پی (BCCP) کی ذہنی تخلیق اس کے گھر جو ایچی سن کالج کی پشت میں وائٹ ہاؤس لین میں واقع تھا۔ میں میز پر بیٹھے اپنے قریبی دوستوں جہانگیر خان اور جسٹس کارنیلیس کے ساتھ ہوئی۔

میاں سعید نے نہ تو کبھی عوامی طور پر اور نہ ہی اپنے خاندان اور قریبی دوستوں کے سامنے اپنے ساتھ ہونے والے سلوک پر کبھی احتجاج کیا۔ میاں سعید کے بیٹے یاور سعید نے یادوں کو دہراتے ہوئے کہا ''میرے والد اپنے بارے یہ خبر ذرائع ابلاغ کے ذریعے موصول ہوئی۔ وہ اپنے کمرے میں بستر پر لیٹ گئے اور کھانے تک کے لیے باہر نہ آئے۔ انہوں نے اڑتالیس گھنٹے تک چپ سادھے رکھی۔ اور قطعاً کچھ نہیں کہا۔'' میاں سعید کی کاردار سے تبدیلی آئندہ پچیس سال تک پاکستان کی کرکٹ کی خاکہ بندی کی۔ یہ مرحلہ خوش اسلوبی اور فراخدلی سے بھی طے کیا جا سکتا تھا۔

## کاردار۔ کارنیلیس خط و کتابت

جسٹس کارنیلیس سلیکشن کمیٹی کے سربراہ کی حیثیت سے میاں سعید کو ہٹا کر کاردار کو فائز کرنے کے فیصلے پر ہرگز لطف اندوز نہیں ہوا ہو گا۔ اس تمام پراسرار واقعہ میں جسٹس کارنیلیس نے اپنی شخصیت اور کردار کے بالکل برعکس ردعمل کا مظاہرہ کیا۔ وہ کسی ناقابل برداشت سیاسی دباؤ کے تحت جو کسی بے حد اونچی حیثیت سے آیا ہو گا جس کی بدولت اسے کاردار کے حق میں فیصلہ دینا پڑا۔ گو کہ ایسا کوئی ثبوت واضح نہیں ہے جس کی بدولت یہ تعین کیا جا سکے کہ یہ دباؤ کہاں سے آیا اور اسے کس نے ڈالا۔

کاردار کو کپتانی کے لیے پیشکش کرنے والا کارنیلیس کا خط اور اس کے جواب میں کاردار کے جواب کے کچھ حصے ابھی تک محفوظ ہیں۔ مگر اصل خط و کتابت کا کوئی وجود نہیں۔ بالکل اسی طرح جیسے پاکستانی کرکٹ کے متعلق ریکارڈ کی عدم دستیابی ہے البتہ جس طرح بھی ہو سکا، کاردار نے اپنی کتاب Memoirs of an All Rounder میں خط کے کچھ حصے شائع کیے ہیں۔ ''کپتانی کے لیے آپ کی مطلوبہ لیاقت کا

اعتراف ان سب نے کیا جو انتخاب کرنے کے لیے اکٹھے ہوئے تھے۔'' کارنیلیس نے لکھا۔ آگے چل کر اس نے تفصیل دہراتے ہوئے ان خوبیوں کا ذکر کیا جن کی بدولت کاردار انتخاب کرنے والوں کی نظروں میں سما گیا۔

''کاؤنٹی کرکٹ میں دو مکمل سیزن کھیلے، اس سے پہلے آکسفورڈ کے لیے کئی پورے سیزن کھیلے۔ کاؤنٹی کھیلنے والے انگریز کھلاڑیوں اور ان کی ماہرانہ چالوں کو نواب پٹودی کے بعد برصغیر میں اپنے وسیع تجربہ کی بنیاد پر آپ کے علاوہ اور کوئی نہیں جانتا۔ اس کے علاوہ آپ کا یہ سب تجربہ ابھی تازہ ہے۔ نوجوانوں کی کامیابی سے رہنمائی کرنا اور کھیل کے ہر شعبہ میں اپنی ممتاز قابلیت سے کھلاڑیوں کو ابھارنے کی صلاحیت کا مکمل اعتراف ہے۔ اس کے ساتھ ہر لمحے چوکسی اور توجہ کی خصوصیات بھی آپ میں ہیں۔ ان سب کے ساتھ اور اپنی ٹیم کی مکمل حمایت کے علاوہ آپ کو تمام پاکستانیوں کی نیک خواہشات کی ضرورت ہوگی۔ اس کے علاوہ آپ کی ٹیم کو فتحیاب ہونے کے لیے خدائی مدد کی ضرورت ہوگی مجھے یقین ہے یہ سب آپ کو مستقبل میں حاصل ہوگا۔''5

کاردار نے خط کا جواب یوں دیا:

''بعض اوقات ایسے لمحے آتے ہیں جب اپنے جذبات کی صحیح ترجمانی کے لیے الفاظ نہیں ملتے اور یہ ایک ایسا ہی موقع ہے۔ اپنے ملک کی کرکٹ ٹیم کا کپتان ہونا ایک بہت بڑا اعزاز ہے۔ مجھے منتخب کر کے آپ نے اور آپ کے ساتھیوں نے مجھے سب سے بڑا اعزاز بخشا ہے۔ اور مجھ میں اپنے اعتماد کی تصدیق کی ہے۔ میں اس اعتماد کو بخوشی قبول کرتا ہوں اور امید کرتا ہوں کہ اس ذمہ داری کو ایمانداری سے نبھاؤں گا۔ مجھے سب سے بڑا اطمینان اسی بات کا ہے کہ مجھے پاکستان کی اعانت کے لیے کہا گیا ہے اور میرا سب سے بڑا فکر یہ ہے کہ میں آئندہ چند مہینوں میں اپنے فرائض باصلاحیت، غور وفکر اور دیانتداری سے سرانجام دے سکوں۔''

کارنیلیس نے کپتانی بارے کاردار کے تجربہ کا مبالغہ آرائی سے کام لیا۔ کاردار نے نہ تو آکسفورڈ اور نہ ہی وارک شائر کی کپتانی کی تھی۔ کپتانی میں اس کا واحد تجربہ وہی تھا جب اس نے 1944-45ء میں پنجاب یونیورسٹی کی کپتانی کی تھی۔ اگر کسی نے نوخیز ٹیموں میں دلچسپی ابھارنے کی صلاحیت کو اجاگر کرنے کا فن ثابت کیا تھا تو وہ میاں سعید تھا۔ ''بڑھا بھی دیتے ہیں کچھ زیب داستان کے لیے'' والی بات قابل معافی ہے۔ جب سچ کو کچھ بڑھا چڑھا کر پیش کیا جائے۔ دونوں افراد کو کام کی طویل القامت جسامت کا علم تھا۔ یعنی پاکستان کو ٹیسٹ کرکٹ کھیلنے والی قوم کے طور پر قائم کرنا۔ کاردار ترقی کی طرف گامزن پاکستان کے ایک بے نظیر لمحہ پر نمودار ہوا۔ وہ ایک ایسی غیر اہم ٹیم کا کپتان بنا جس کا تعلق ایک جذباتی صدمہ سے دوچار قوم سے تھا۔ جو اپنی پہچان کے لیے متشدد اور اپنے مقام کے لیے اعصابی دباؤ میں تھی۔ ایسے بے چینی اور اعصابی دباؤ

کے ماحول میں کاردار کا ظہور پذیر ہونا طرزِ عمل کو نمایاں کرتا ہے جبکہ میاں سعید تن آسان، پرسکون اور دنیادار آدمی کاردار کی طرح بے چین نہیں تھا۔ یہی وجہ ہے کہ کاردار کے نیچے کرکٹ قومی شعور میں داخل ہوئی۔

ہندوستانی تاریخ دان رام چندر گوہا نے مشاہدہ کرتے ہوئے بیان کیا ہے کہ کاردار کرکٹ کا کھلاڑی ہونے کے ساتھ ساتھ نظریاتی بھی تھا جس کی زندگی کے مطالعہ سے پاکستان کی آمد کا اشارہ ملتا ہے۔ اس رائے سے کاردار کی کھلاڑی ہونے کی حیثیت سے شخصیت کا اہم حصہ واضح ہوتا ہے۔ بہت سے کھلاڑیوں کو مختلف نوعیت کی چیزیں کرکٹ کی طرف راغب کرتی ہیں۔ کھیل کا مزہ، ذاتی امنگ، مالی فائدہ اور اپنے ملک کے لیے کھیلنے کا فخر۔ مگر کاردار آخری حد تک پاکستان کی عزت کے لیے جذباتی عقیدہ رکھتا تھا۔ اور اسی وجہ سے وہ کرکٹ کی طرف راغب تھا۔ یہی جذبات جب اپنے مقصد کو حاصل کرنے کے لیے اس پر حاوی ہو کر اسے اندھا کر دیتے تو وہ اپنے ساتھی کھلاڑیوں کے ساتھ سلوک میں یہ بھول جاتا کہ وہ بھی انسان ہیں۔ اور اکثر اوقات جیسا کہ ہم دیکھیں گے وہ ظالم اور ناروا وطیرہ اختیار کر لیتا۔ مگر کاردار نظریاتی ہونے کے علاوہ اور بھی بہت کچھ تھا۔ وہ دعوتوں کا شیدائی تھا۔ وہ فیشن ایبل خواتین کی صحبت میں عیش وعشرت کا دلدادہ تھا۔ اسے اپنے اسلامی مذہب اور شراب نوشی میں لطف اندوز ہونے میں کوئی تضاد محسوس نہیں ہوتا تھا۔ اپنی زندگی کا بہت وقت گزارنے کے بعد جب وہ سیاست میں آیا، تو وہ بطور حقوق انسانی اور ہمہ گیر مساوات کے ان اصولوں کا پاسدار بن کر سامنے آیا جو اس نے قرآن الحکیم کے مشاہدے سے حاصل کیے تھے۔ جس کرکٹ ٹیم کو اس نے تخلیق کیا تھا، وہ بانی پاکستان محمد علی جناح کی بصیرت کے بے حد قریب تھی۔

بعض اوقات یہ سمجھا جاتا ہے کہ کاردار ایک شاندار خاندانی ماحول کا فرد تھا۔ اور اس کی الگ تھلگ رہنے کی عادت کی بدولت اس خیال کی کبھی نفی نہ ہوئی تھی۔ اس کے خاندان کے پاس کوئی آبائی جاگیریں یا بڑی بڑی زمینیں نہ تھیں اور نہ ہی وہ لاہور کے ایچی سن کالج جسے پاکستان کا Eton سمجھا جاتا ہے میں پڑھا تھا جہاں بیسویں صدی کے ہندوستانی جاگیرداری کا ممتاز طبقہ تعلیم حاصل کرتا تھا۔ وہ بینک کی انتظامیہ کے رکن سائیں جلال الدین کا بیٹا تھا۔ اس کی پرورش اسلامی روایت کے مطابق تسلیم شدہ مذہبی عقیدے کے تحت اندرون بھاٹی گیٹ پرانی فصیل کے پیچھے قدیمی لاہور میں ہوئی تھی۔

عبدالحفیظ کی والدہ اس کے والد کی دوسری بیوی تھی۔ عمر رسیدہ پہلی بیوی ام کلثوم انتہائی متقی خاتون تھی۔ اور قریبی رشتہ داروں کے مطابق شادی کے جنسی ناطے کو ناپسند کرتی تھی۔ لہٰذا اس نے اپنے شوہر پر زور دیا کہ وہ دوسری شادی کر لے جس نے سفید رنگت اور فارسی زبان بولنے والی ہرات، افغانستان کی زبیدہ کا انتخاب کیا۔ زبیدہ آج بھی کاردار خاندان میں حسین ترین عورت ہونے کی وجہ سے یاد کی جاتی ہے۔ دونوں بیویاں اکٹھے رہتی تھیں۔ ایک رشتہ دار کے مطابق، ''دو بہنوں کی طرح۔ دونوں ایک دوسرے کے لیے مصیبت

کا باعث نہیں تھیں۔ کہا جاتا ہے کہ دونوں نوعمر عبدالحفیظ کی گرویدہ تھیں۔

کاردار کا بچپن کا گھر سوداگر کی تین منزلہ رہائش گاہ پر مبنی تھا۔ اس کی تعمیر مغلیہ عہد میں اس دور کے حوالے سے چھوٹی اینٹ سے ہوئی تھی۔ یہ عمارت ایک تنگ گلی سے جڑی ہوئی تھی جو ایک چھوٹے سے صحن پر ختم ہوتی تھی۔ اندرون شہر کے ایسے بہت سے صحن ہیں جہاں لاہور کی سماجی سرگرمیاں انجام دی جاتی ہیں مثلاً شادی بیاہ یا پھر گلیوں میں کھیلے جانے والی کرکٹ، سوائے اس کے کہ اب گلیوں میں روشنی لگا دی گئی ہے کاردار کے بچپن کا لاہور جہاں طوائفوں، سازشوں اور افیم کے اڈوں سمیت کچھ نہیں بدلا۔ ایک نوجوان اخبار نویس کی حیثیت سے رڈیارڈ کپلنگ (Rudyard Kipling) رات کے اندھیرے سایوں میں سول ملٹری گزٹ اخبار کے آخری ایڈیشن کی تیاری کے بعد ان گلیوں میں پھرتے ہوئے یہاں کے واقعات کو اپنی لافانی کتاب ''کم'' (Kim) میں امر کر دیا۔ کم کی طرح کاردار بھی اندھیرے گلی کوچوں میں چوری چھپے کے گشت سے واقف ہو گا۔ پانی کے پائپ کے ذریعے اوپر چڑھنا، سپاٹ کوٹھوں پر عورتوں کی آوازیں اور ان کا نظر آنا، پھر گرم رات کی سیاہی میں ایک چھت پر سے دوسرے گھر کی چھت پر پھلانگ جانا۔

کم (Kim) کی طرح کاردار نے بھی دریا کے کنارے درختوں کے نیچے اینٹ کی بنی خانقاہوں پر بیٹھے خاک ملے فقیر دیکھے ہوں گے۔ اس طرح کی ایک خدا رسیدہ ہستی کاردار کے بچپن میں اس کے ماں باپ کے گھر آئی اور انہیں یہ سندیسہ دیا کہ آپ کا یہ لڑکا بہت نامور ہو گا۔ لیکن کم نے اپنے آپ کو جاسوسی کے عظیم کھیل کی طرف کھینچتے ہوئے پایا جبکہ کاردار نے اس وقت کی جوشیلی سیاست اور اس کے گٹھ جوڑ سے اپنے آپ کو دور رکھا۔ اور اپنے وقت کو اپنے مطابق کرکٹ کے عظیم کھیل میں صرف کیا۔

کاردار نے اپنی ابتدائی تعلیم گھر کے نزدیک ایک مدرسہ سے شروع کی۔ اس نے قرآن کی تعلیم امتیازی عالم مولانا غلام مرشد ارائیں سے حاصل کی جو اونچی مسجد میں نماز پڑھاتے تھے۔ یہ مسجد کاردار کے گھر جانے والی چھوٹی سی گلی کے شروع میں واقع تھی۔ کاردار کے اونچی ذات کے ارائیں ہونے کے تعلق کو لیفٹیننٹ کرنل جے ایم وکلے (J.M Wickley) نے یوں بیان کیا کہ ''یہ ایک جنگجو قوم ہے جس نے بہت سے فوجی اور افسر شاہی کے افراد پیدا کیے جنہوں نے قوم کی بے مثال خدمت کی۔'' یہ تعریف کاردار کے لیے ہمیشہ باعث فخر رہی۔ ارائیں اپنی محنت اور اپنے ذاتی نظم کی وجہ سے قابل تحسین سمجھے جاتے تھے۔

کاردار نے اسلامیہ ہائی سکول بھاٹی گیٹ سے تعلیم حاصل کی۔[6] پھر وہاں سے وہ دیال سنگھ کالج میں داخل ہوا۔ تعلیمی اعتبار سے دیال سنگھ کالج کو اس وقت بے حد نچلے درجے کا سمجھا جاتا تھا۔ شاید یہ اس بات کی غمازی کرتا ہو کہ کاردار کو لکھنے پڑھنے سے زیادہ کرکٹ سے زیادہ دلچسپی ہو۔ کاردار نے بعد میں یوں یاد دلایا:

''دوسرے تمام نوعمر مداحوں کی طرح میں بھی انگلش کاؤنٹی اور ٹیسٹ کھلاڑیوں کی شخصیات سے

بے حد متاثر تھا۔ میری پسندیدہ شخصیات میں ڈان بریڈ مین، والی ہیمنڈ (Wally Hammond)، وڈفل (Woodfull)، پونسفرڈ (Ponsford)، رانجی، پٹودی، دلیپ، نثار، امرسنگھ، امرناتھ، وزیرعلی، لاروڈ (Larwood)، جارڈین (Jardine)، گریمٹ (Grimmett)، لے لینڈ (Leyland)، مشتاق علی شامل تھے۔ میرے محبوب لکھاری کرکٹر رانجی، گریمٹ اور جارڈین تھے۔ یہ میری خوش قسمتی تھی کہ بعد کے سالوں میں مجھے کچھ سے کھیلنے اور چند ایک کو ملنے کا موقع ملا۔ میرے لیے یہ سنسنی خیز تجربہ تھا کہ میری نہ صرف ان سے ملاقات ہوئی بلکہ کھیل میں ان کے وسیع تجربہ اور دانش سے سیکھا۔ کرکٹ کے سکور پڑھتے ہوئے یا پھر اپنے پسندیدہ مضمونوں کی کتابیں پڑھتے ہوئے میری ہر وقت یہی خواہش تھی کہ میں بین الاقوامی معیار حاصل کروں اور ٹیسٹ کرکٹ کھیلوں۔ ٹیسٹ کرکٹ کھیلنے کا طبیعت میں اصرار میرے لیے ایک شدید خواہش بن کر رہ گیا۔''

کاردار اپنی پسندیدہ شخصیات میں انگریزوں، آسٹریلوی، مسلمانوں میں عظیم وزیرعلی، ہندوؤں میں امرناتھ، ریاستی شہزادگان میں رانجی اور پٹودی کا ملا جلا امتزاج تھا۔ مگر یہ سب کے سب کرکٹ کے کھلاڑی تھے۔ اور ان کی بدولت اس کی کائنات تھی۔ اپنے لڑکپن میں اس نے اپنے گھر کے باہر صحن میں کرکٹ کھیلی ہوگی۔ پھر وہ اور اس کے دوست مل کر پیدل چلتے ہوئے کھیلنے یا عشق کرنے کی غرض سے منٹو پارک چلے جاتے۔ منٹو پارک کی طرف سب سے سیدھا راستہ لاہور کی طوائفوں کے بازار ہیرا منڈی سے گزرتا تھا۔ مگر اس راستے پر جانے کی ان کے باعزت خاندانوں کی طرف سے اجازت نہیں تھی۔ کاردار کے والد کرکٹ کی صریحاً حوصلہ شکنی کرتے تھے اور ناکامی کے باوجود اس بات پر زور دیتے تھے کہ ان کا بیٹا اپنی تعلیم پر توجہ دے۔

اس کے باوجود یہ کاردار کا کرکٹ میں جنون ہی تھا جس نے اسے گھٹیا دانشوری سے نجات دلوائی۔ دیال سنگھ کالج کے دوسرے سال میں جب اس کی عمر تیرہ سال کے لگ بھگ ہوئی اس دور کے ایک باثر کرکٹ کوچ خواجہ سعید احمد نے اس کی کرکٹ کھیلنے کی صلاحیت کو بھانپ لیا اور اس بات پر زور دیا کہ وہ اسلامیہ کالج میں تبادلہ کرلے۔ (اسلامیہ ہائی سکول بھاٹی گیٹ کو نواز شریف کے وزارت عظمٰی کے دوسرے دور میں اس کے حکم پر گرا دیا گیا تاکہ لاہور کے سب سے بڑے بزرگ علی ہجویری کے مزار کی جگہ کو کشادہ کیا جاسکے)۔ اس عمل کے بعد کاردار لاہور کرکٹ کے ممتاز طبقہ میں داخل ہوگیا۔[7] 1941ء تک 16 سال کی عمر میں وہ پنجاب یونیورسٹی کے لیے کھیل رہا تھا۔ اور دور دراز کے سفروں پر دوسری گراؤنڈوں میں بھی جانے لگا تھا۔ ایسے ہی ایک سفر کے دوران 1942ء میں بمبئی میں ایک ٹورنامنٹ میں کھیلتے ہوئے یہ احساس ہوا کہ اس کی فیلڈنگ کی صلاحیتیں ٹیسٹ کرکٹ میں منتخب ہونے کے لیے اپنے ہمعصر کھلاڑیوں سے کم تر ہیں۔ کاردار کے اس جواب نے مقصد کے حصول کے لیے اس کی سنجیدگی کو واضح کردیا:

''لاہور واپسی پر میں نے اپنے آپ کو ایک ہدف دیا جس کی بدولت انتہائی تیز رفتاری سے مجھے

گیند کی طرف دوڑتا تھا۔ صفائی سے گیند کو اٹھا کر شاندار طریقے سے وکٹ کیپر کو واپس کرتا تھی۔ اپنی جسمانی قوت کو بڑھانے کی خاطر میں علی الصبح 3 بجے میدان میں جا کر سخت محنت طلب کارروائی شروع کر دیتا۔ اس کارروائی کی شروعات 3 تا 4 میل لمبی دوڑ سے ہوتی۔ سڑک پہ دوڑ ختم کرنے کے بعد چالیس یا پچاس گز کے فاصلے تک اچانک دوڑ لگانا جیسا کہ باؤنڈری کی طرف جاتے ہوئے گیند کے پیچھے بھاگا جاتا ہے۔ صبح کی اس مقررہ مدت کا اختتام زوردار ہٹوں کو روکتے ہوئے اور اونچے اونچے کیچ کرتے ہوئے اپنے اختتام کو پہنچتا۔ پھر شام کا وقت نیٹ میں مشق کرتے ہوئے گزرتا۔ تمام دن کی کارروائی کو ختم کرتے ہوئے تقریباً ایک میل لمبی دوڑ لگاتا۔ تمام دن کی اس کارروائی سے میں تھک کر چور ہو جاتا تھا۔''

پرجوش فہم و دانش، مکمل عہد و اقرار اور بہت سی ہنرمندی کے ساتھ کاردار اپنے آپ کو ایک نمایاں اور ممتاز کھلاڑی میں تبدیل کر رہا تھا۔ جیسا کہ ہم نے دیکھا اس نے اپنے پہلے افتتاحی فرسٹ کلاس میچ میں ہی 1944ء کے موسم بہار میں 94 رنز بنا ڈالے۔ اس کے بعد کہیں بڑے سکوروں کا ایک سلسلہ شروع ہوا۔ جبکہ فضل محمود کی نواب پٹودی کی 1946ء کی انگلستان دورہ کرنے والی ٹیم میں شمولیت ہوتے ہوتے رہ گئی۔ اس کے برعکس کاردار کی ٹیم میں شمولیت ایک فطری عمل تھا۔

وہ موسم گرما کاردار کی زندگی میں ایک اہم موڑ ثابت ہوا۔ گو کہ کھیل کے میدان میں اس کی کارکردگی مایوس کن تھی (بلے کے ساتھ کرکٹ میچوں میں اس کی اوسط صرف 16 تھی) مگر نواب پٹودی کے ساتھ اس کی دوستی کا وہ آغاز ہوا جو نواب پٹودی کی پانچ سال بعد بے وقت موت تک قائم رہی۔ ان دونوں کی 1946ء کے دورہ کی ایک تصویر ہے جس میں کاردار نواب پٹودی کا دستانہ پہننے میں مدد دے رہا ہے۔ یہ تصویر ایک شہنشاہ اور اس کے مصاحب یا پھر ایک سرپرست اور اس کے طفیلی ہونے کی غمازی کرتی ہے۔

نواب پٹودی نے اپنے دوست انگلستان کے مشہور غیر پیشہ ور کھلاڑی سی بی فرائے (C.B.Fry) کو کاردار کی آکسفورڈ یونیورسٹی میں داخلہ کے لیے مدد کا کہا۔ 1946ء کے دورہ کے اختتام پر کاردار برطانیہ میں ہی رہا اور موسم خزاں میں یونیورسٹی کالج میں داخل ہو گیا۔ اس عمل سے وہ تقسیم ہند کی خوفناک تباہ کاریوں اور اس کے نتائج سے بچ گیا۔[8] وہ ہندوستان کے 48-1947ء کے آسٹریلوی دورہ کے لیے بھی دستیاب نہیں تھا جس کی بدولت وہ اس تکلیف دہ فیصلہ سے بھی بچ رہا جس سے فضل محمود دوچار تھا۔

ان تمام چیزوں سے بالاتر کاردار آکسفورڈ سے مستقبل میں پاکستان کرکٹ کے یقینی رہنما کے طور پر ابھرا۔ یونیورسٹی کے کالج کے ڈین جائلز ایلنگٹن (Giles Alington) نے نوجوان پاکستانی کو اپنے زیر اثر رکھ لیا۔ ایلنگٹن جس کی نوجوانی میں افسوسناک موت واقع ہو گئی تھی، کا شادی کے ذریعے برک شائر کے معزز ڈگلس ہوم (Douglas Hume) خاندان سے تعلق تھا۔ اپنی چھٹیوں میں کاردار باڈرز (Borders)

میں واقعہ ہوم فیملی کے آبائی گھر میں اسی ناطے سے رہا کرتا تھا۔ ایلک ڈگلس ہوم (Alec Douglas Hume) جاگیر کا وارث تھا۔ اس نے 1920ء میں آکسفورڈ اور مڈل سیکش کے لیے فرسٹ کلاس کرکٹ کھیل رکھی تھی۔[9] وہ اس وقت ابھرتا ہوا سیاستدان تھا جو وقت گزرنے کے ساتھ برطانیہ کا وزیراعظم اور سیکریٹری خارجہ کے عہدوں پر براجمان ہوا۔ کاردار خاندان کے ریکارڈ سے ظاہر ہوتا ہے کہ کاردار پچیس سال بعد تک باقاعدگی سے برطانوی وزارت خارجہ کو آموں کی پیٹیاں بھیجتا رہا۔ سرایلک (Sir Alec) کی طرف سے شکریہ کے خطوط سے ظاہر ہوتا ہے کہ کاردار کے آم شوق و ذوق سے کھائے جاتے تھے۔[10] مگر نوجوان پاکستانی کرکٹر پر سب سے زیادہ طاقتور اثر جائلز ایلنگٹن کا تھا۔ اپنے آکسفورڈ کے دور کے خاتمے پر کاردار کو وارک شائر کرکٹ کلب کے نائب سیکرٹری کے عہدہ کی پیشکش ہوئی۔ ایلنگٹن نے کاردار کو کہا کہ وہ اس عہدہ کو قبول نہ کرے کیوں کہ پاکستان کی نئی ریاست کو ہنرمند نوجوانوں کی اشد ضرورت ہے۔ یوں آکسفورڈ سے فارغ التحصیل جذباتی لگاؤ سے بھرپور، سنجیدہ مگر فخر سے سرشار کاردار نے ستمبر 1951ء کے اواخر میں پاکستان ٹیم کی ایم سی سی کے خلاف رہنمائی، کپتانی قبول کی۔

## پاکستان بمقابلہ ایم سی سی۔ ستمبر 1951ء

کاردار کے پاس تیاری کرنے کے لیے چھ ہفتے کا وقت تھا۔ اور یہ آسان نہیں تھا۔ اس نے پاکستان واپسی پر چاٹگام مشرقی پاکستان میں تیل کی ایک کمپنی میں ملازمت حاصل کر لی تھی۔ سب سے پہلے اسے اپنے آجر سے علیحدہ ہونا تھا جس کا رویہ ناقابل رحم تھا۔ کاردار نے اپنی مایوس کن صورتحال دور کرنے کی غرض سے اپنے آپ کو شدید جسمانی تربیت میں جھونک دیا۔ اس کے ساتھ ہی اس نے کارنیلیس کو ایک خط لکھ بھیجا جس میں ان خوبیوں کا ذکر تھا جو وہ کسی کرکٹر میں توقع کرتا تھا۔ ''مجھے ایسے جارحانہ انداز کے کھلاڑیوں کی ضرورت ہے جو حصول مقصد کے لیے اپنے دل اور حوصلے کی بازی لگا سکیں۔''

نومبر کے شروع میں لاہور پہنچنے پر پاکستان کے نئے کپتان نے فوراً ہی اپنی جابرانہ قوت فیصلہ کا مظاہرہ کیا۔ جس کی بدولت اس کے ساتھ کوئی بھی معاملہ کرنا ہمیشہ مشکل رہا۔ ٹیم میں نمبر 3 پر کھیلنے والے کھلاڑی کا مسئلہ تھا عام خیال تھا کہ اس جگہ پر کھیلنے کے لیے بہترین امیدوار مروت حسین تھا جس نے آزمائشی میچ میں چمک دمک سے بھرپور 36 رنز بنائے تھے۔[11] جس طریقے سے وہ ایک غیر ذمہ دار شارٹ کھیلتے ہوئے آؤٹ ہوا، وہ کاردار کو برا لگا اور اس نے مروت شاہ کو ڈانٹ پلائی۔ مروت شاہ کے گستاخ اور غیر سنجیدہ جواب سے کاردار غضبناک ہوگیا۔ مروت کو ٹیم سے نکال دیا گیا اور پھر وہ پاکستان کے لیے دوبارہ کبھی نہ کھیل سکا۔[12]

مگر اس اقدام سے نمبر 3 پر کھیلنے والے کھلاڑی کے نہ ہونے سے ایک بہت بڑا مرحلہ سامنے

آ گیا۔ اور اس طرح پیدا ہونے والے خلا کو منتخب کرنے والی کمیٹی کے آخری اجلاس میں بھی زیر بحث لایا گیا۔ کارنیلیس نے جہانگیر خان کا نام پیش کیا جو اپنی کلب لاہور جمخانہ کی طرف سے کھیلتے ہوئے کافی رنز بنا رہا تھا۔ کرکٹ کے شائقین کے لیے کارنیلیس کا یہ اقدام قابل معافی ہے کیوں کہ اس نے اپنی جذباتی عقیدت کی بنا پر اپنے پرانے دوست کے لیے کوشش کی تھی کیوں کہ ڈاکٹر جہانگیر اکتالیس سال کی عمر میں ابھی کرکٹ کھیلنے کی صلاحیت اور سکت رکھتا تھا۔ برے سے برے حالات میں بھی کارنیلیس کی یہ رائے بے ضرر خام خیالی سے زیادہ وقعت نہیں رکھتی تھی جسے کمیٹی کے دوسرے ممبروں نے فوری طور پر مسترد کر دیا تھا۔ مگر کاردار کے لیے ایک کمیٹی کے چیئرمین کی یہ بنیادی لاعلمی جس میں اسے کلب کرکٹ اور ٹیسٹ کرکٹ کے فرق کا پتہ نہ ہونا ناقابل معافی تھا۔ اور اس چیز کو کاردار نے کارنیلیس کے خلاف ہمیشہ دل میں رکھا۔

1977ء تک انگلستان کی کرکٹ ٹیمیں غیر ملکی دوروں پر جاتے وقت ایم سی سی کے نام کے تحت جایا کرتی تھیں۔ اور اس وقت یہ ہندوستان میں پانچ ماہ کھیلنے کے لیے دورہ پر آئی ہوئی تھیں جسے شمال میں تین ہفتہ کے دورہ کے لیے راغب کرلیا گیا اور یوں ایک بار پھر پاکستان کو مجبوراً ثانوی کردار ادا کرنا پڑا۔

ایک بار پھر وہ ایم سی سی کا یہ دورہ پاکستانیوں کے لیے انتہائی اہمیت کا تھا۔ جبکہ ان کے مخالفین کی نظر میں یہ صرف شمال میں ایک عارضی تفریحی راہِ فرار تھی۔ پاکستانیوں کا ایم سی سی کے خلاف پہلا مقابلہ لاہور کے باغِ جناح میں چار دن سے زائد نومبر 1951ء کے آخری دنوں میں تھا۔ ایم سی سی نے جاندار پچ پر پہلے بیٹنگ کی اور خان محمد کی تیز رفتار باؤلنگ کے خلاف جس نے پانچ وکٹ حاصل کیے اور امیر الٰہی کی لیگ سپن جس نے چار وکٹ لیے کے خلاف مشکلات کا سامنا کیا۔ ان کے جواب میں ایک سولہ سالہ اوپننگ بیٹسمین نے اپنے پرسکون انداز اور اطلاق سے ٹیسٹ میچ کے معیار کے باؤلروں جن میں برائن سٹیتھم (Brian Statham) سرفہرست تھا کو کھیل کر متاثر کیا۔ اس لڑکے نے ایک سو پینسٹھ منٹ بیٹنگ کر کے 26 رنز بنائے اور نذر محمد جیسے رواں بیٹسمین کی شراکت میں پہلی وکٹ پر 96 رنز کی شراکت داری کی جس میں نذر محمد کے 66 رنز شامل تھے۔ حنیف محمد کا ابھی مزید چرچا مستقبل میں ہونا باقی تھا۔ جارحانہ بیٹنگ کی شہرت رکھنے والے مقصود احمد نے جسے ہمیشہ میری میکس "Merry Max" کے طور پر یاد کیا جاتا ہے نے شراروں سے بھرپور رنز بنائے۔ ایم ای زیڈ غزالی[13] نے 86 رنز بنائے اور کاردار نے اپنے 48 رنز شامل کیے۔ اور بالآخر کاردار نے 428 رنز کے عوض 8 کھلاڑیوں کے آؤٹ ہونے پر اننگز ڈکلیئر (Declare) کی۔ اس طرح اس کی ٹیم کو 174 رنز کی برتری حاصل تھی۔ اب تک پچ بھی پرسکون اور متوازن ہو چکی تھی۔ اور ایم سی سی نے صرف ایک وکٹ کے نقصان پر 368 رنز بنا کر اپنے آپ کو شکست سے بچالیا۔ اس میچ پر وزڈن (Wisden) کا تبصرہ خصوصی توجہ کا حامل ہے، ''ایم سی سی کو پاکستان میں آسانی کی توقع تھی جبکہ اسے وہاں کرکٹ کا معیار اپنی توقعات کے برعکس کہیں زیادہ ملا۔''

اس میچ کے ساتھ ساتھ ہی کاردار کی شادی کا بھی واقعہ پیش آیا۔ کاردار کی یہ شادی ساتھی کھلاڑی ذوالفقار احمد کی بہن شہزادی سے تھی۔ کاردار کی بارات اندرون شہر لاہور میں واقع اپنے آبائی گھر سے نکل کر لاہور کے گرد ونواح میں واقع گاؤں سانده کلاں جہاں ذوالفقار احمد کی خاندانی اراضی تھی، کی طرف روانہ ہوئی۔ ایم سی سی کی ٹیم فلیٹیز ہوٹل میں ٹھہری ہوئی تھی جہاں سے وہ خاص تانگوں میں سوار ہو کر شادی کی تقریب میں سانده کلاں پہنچی۔

ایم سی سی کے خلاف اگلا مقابلہ نومبر کے آخر میں کراچی ہوا۔ مقامی کرکٹ کے کھلاڑیوں اور صحافیوں کی نظر میں یہ ٹیسٹ میچ ہی تھا چاہے اس وقت اسے ٹیسٹ میچ کا درجہ حاصل نہ تھا۔ مگر قوم کی تاریخ میں یہ میچ انتہائی اہمیت کا تھا جس کی تشبیہ صرف 1992ء کے ورلڈ کپ کے میچ کی جیت کے ساتھ دی جاسکتی ہے۔ یہ بے حد شاندار کھیل تھا جس کا پلہ لحمہ بہ لحمہ تبدیل ہوتا رہا اور اس کا نتیجہ آخری لحمہ تک غیر یقینی تھا۔

کاردار، نائیجل ہاورڈ (Nigel Howard) سے ٹاس ہار کر خوش نصیب ثابت ہوا۔ وزڈن کے مطابق یہ گراؤنڈ جاذبِ نظر تھی۔ اس کے کچھ حصہ میں گھاس تھی مگر زیادہ حصہ سخت مٹی کا تھا جس کی پچ پر لمبی کوئیر (Coir) میٹنگ بچھائی گئی تھی جو باؤلر کی دوڑ کی ابتداء کے حصے تک پھیلی ہوئی تھی۔ یہ میٹنگ دوسرے میچوں کی میٹنگ سے مختلف تھی کیوں کہ وہ وکٹوں پر آ کر ختم ہو جاتی تھیں۔ گراؤنڈ میں وکٹ سے باؤنڈری تک دو فٹ سے زیادہ کی ڈھلان تھی۔ گیند دور دور تک خطرناک طریقہ پر اٹھتا رہا۔ ایم سی سی خان محمد اور خاص طور پر فضل محمود کا سامنا کرنے میں ناکام رہی جس نے 40 رنز کے عوض چھ وکٹ حاصل کیے اور ایم سی سی صرف 123 رنز بنا کر آؤٹ ہوگئی۔[14] تاہم اپنی باری لیتے ہوئے پاکستانی ٹیم 130 رنز پر ڈھیر ہوگئی۔ ہوسکتا تھا کہ اس سے بھی کم رنز ہوتے اگر فضل محمود کے اہم 29 رنز اس میں شامل نہ ہوتے۔ اپنی دوسری اننگز میں نوجوان ٹام گریونی (Tom Graveney) کی شاندار سنچری کی بدولت اچھے کھیل کا مظاہرہ کیا۔ آخر کار انگلستانی ٹیم 291 رنز بنا کر آؤٹ ہوگئی اور پاکستان کو جیتنے کے لیے 285 رنز کا مشکل ہدف دیا جو ان کی حیثیت سے باہر تھا۔ اور یہ ہدف اس وقت اور بھی دور ہوگیا جب کاردار کا مایہ ناز اوپننگ بیٹسمین نذر محمد جلد ہی شیکلٹن (Shackleton) کے ہاتھوں آؤٹ ہوگیا۔ اور اب یہ وہ مخدوش لحمہ آن پہنچا تھا جہاں حنیف محمد نے انٹرنیشنل کرکٹ میں اپنی پہچان کروادی۔

5 فٹ 3 انچ کے قد اور مشکل سے نوسٹون وزن (غالباً اس کا یہ وزن اس سے بھی کم تھا جب اس نے اپنی کرکٹ کا آغاز کیا تھا) کے ساتھ حنیف کا شمار انتہائی چھوٹی جسامت رکھنے والے کھلاڑیوں میں ہے جنھوں نے ٹیسٹ کرکٹ کھیلی۔ اس کا بلے کے ساتھ انتہائی جھک کر کھڑے ہونے کا انداز اور پھر کھیلنے کا انتہائی محتاط طریقہ کے ساتھ قد کے بہت چھوٹا ہونے کی وجہ سے وہ دیکھنے میں کبھی بھی جاذب نظر معلوم نہ ہوا۔ اس کے

نزدیک کرکٹ کھیل کا درجہ نہیں رکھتا تھا۔ اور پھر اس سے لطف اندوز ہونا تو دور کی بات تھی۔ حنیف کے لیے یہ ایک سنجیدہ ذمہ داری تھی بلکہ یہ اس کا پیشہ تھا۔ جس کا بنیادی مقصد یہ تھا کہ وہ اس بات کا خیال رکھے کہ اس کے ملک کو شکست نہ ہو۔ تقریباً دو دہائیوں تک وہ بننے والی پاکستانی ٹیموں کا سنگ بنیاد بنا رہا جس میں اس نے حیرت انگیز قوت انہماک اور کئی موقعوں پر زبردست حوصلہ اور جسمانی برداشت کا مظاہرہ کیا۔ ابتدائی طور پر وہ ٹیم کے لیے ایک بھاگوان سمجھا گیا مگر جوں جوں وقت گزرا وہ پاکستان کی کرکٹ کی علامت بن کر ابھرا۔

حنیف صرف سولہ سال کا تھا اور یہ اس کا صرف تیسرا فرسٹ کلاس میچ تھا۔ چار گھنٹے سے زائد اس نے ایم سی سی کے انگلینڈ کے معیاری ٹیسٹ باؤلروں سٹیتھم (Statham) شیکلٹن (Shackleton) اور ٹاٹرسل (Tattersall) کا مقابلہ کیا جونہی 64 رنز بنا کر حنیف آؤٹ ہوا پاکستان فوری طور پر مصیبت میں آن گھرا۔ بورڈ پر صرف 178 رنز کے عوض پاکستان پانچ وکٹ گنوا چکا تھا۔ اس لمحے کاردار نے حنیف کا انداز اپنایا۔ اور گتھم گتھا ہوتے ہوئے آؤٹ ہوئے بغیر نصف سنچری مکمل کر کے اپنی ٹیم کو جیت سے ہمکنار کر دیا۔ کاردار نے بعد میں اس بات کا دعویٰ کیا کہ اس نے وکٹ پر 165 منٹ رہنے کے باوجود ایک بھی جارحانہ شاٹ نہ کھیلا۔ کاردار کی یہ اننگز اس کی زندگی کی اہم ترین اننگز تھی۔ آخری وقت میں وہ اور فضل محمود اکٹھے تھے اور یہ فضل محمود تھا جس نے جیت کے رنز بنائے۔

ہر کوئی اس نتیجہ کی اہمیت کو سمجھ گیا تھا۔ کھیل کے بعد بیس ہزار تماشائیوں کے مجمع میں سے بہت سے تماشائی گراؤنڈ میں جیت کا جشن منانے کے لیے رک گئے۔ ان میں وزیراعظم خواجہ ناظم الدین بھی شامل تھے۔ انہوں نے فضل محمود اور کاردار کے بازو تھام کر ہجوم کی پاکستان زندہ باد کے نعرے لگانے میں رہنمائی کی۔ خواجہ ناظم الدین موٹاپے کی وجہ سے گول مٹول اور پاکستان کے غیر معروف سیاستدانوں میں شمار ہوتے ہیں۔ انہیں لیاقت علی خان کے پراسرار قتل کے بعد ابھی وزارت عظمیٰ سنبھالے صرف چھ ہفتے ہوئے تھے۔ پاکستان کی ریاست کی تخلیق میں طاقتور اور سرگرم 1947ء تا 1951ء تک رہنے والے وزیراعظم لیاقت سے صرف جناح کا کردار بڑا تھا۔ اور ان دونوں عظیم ہستیوں کی موت کا ملک میں کبھی ازالہ نہ ہو سکا۔ یقیناً ناظم الدین میں اپنے دو پیشروؤں جیسی بصیرت نہ تھی جس سے وہ ان کے خواب کی تکمیل کر سکتا۔

سیاسی طور پر پاکستان ایک فیصلہ کن موڑ پر آ چکا تھا۔ ایک طاقتور مرکز بنانے کی کوشش ناکام ہو چکی تھی۔ اور یہاں سے سیاستدانوں نے کمزور مرکز مگر طاقتور اور مختلف مقامی امور میں دلچسپی کے درمیان اپنے سفر کو ہی اپنا نصب العین سمجھنا شروع کیا۔ اس شدید لمحہ میں جب پاکستانی سیاست بحران کا شکار تھی اور مایوسی سے دوچار تھی قومی کرکٹ ٹیم نے کراچی میں اس دن اپنی فتح سے ایک پرولولہ کیفیت پیدا کر دی۔ گو کہ باقی تمام ملک مایوسی کی ادھیڑ بن میں الجھا ہوا تھا صرف کرکٹ ہی ان چند عوامل میں سے ایک تھی جو پاکستان کی

زندگی میں اتحاد اور فتح کی ضمانت کی علمبردار تھی۔ حتیٰ کہ ناظم الدین کی ذہانت کو بھی اس بات کا احساس تھا۔ اس روز جب فتح کا جشن اپنے اختتام کو پہنچا تو فضل محمود بذریعہ فرنٹیئر میل راولپنڈی کی طرف عازم سفر ہوگیا تاکہ وہ پولیس میں اپنی ذمہ داریوں پر حاضر ہو سکے۔ راولپنڈی پہنچنے پر اس نے سپرنٹنڈنٹ سے اجازت چاہی کہ وہ اگلے ہفتے وزیراعظم کے اعلان کردہ کراچی میں کرکٹ ٹیم کی فتح کی ضیافت میں شریک ہو سکے۔ اسے جواب میں کہا گیا کہ ''یہ صرف ایک ضیافت ہی تو ہے تم اپنی ذمہ داریوں کا فرض نبھاؤ۔''

جب ناظم الدین کو اس بات کا علم ہوا تو اس نے فضل محمود کو حکم دیا کہ وہ کراچی پہنچ کر ضیافت میں شرکت کرے۔ کھانے کے بعد ناظم الدین نے تقریر کرتے ہوئے اعلان کیا کہ وہ کھلاڑی جو پاکستان کی خدمت کرتے ہیں وہ تمام قومی اور بین الاقوامی مقابلوں میں حصہ لیتے ہوئے ڈیوٹی پر ہی تصور ہوں گے۔ راتوں رات کرکٹ ریاست کی خدمت گزار بن چکی تھی۔ یہ قومی توقع وقت گزرنے کے ساتھ ساتھ ایک بوجھ میں تبدیل ہوگئی جس کے قابل اعتراض نتائج سامنے آئے۔ مگر فی الوقت کاردار اور اس کی ٹیم میں مشکلات میں توازن، تحمل اور خوش اخلاقی کے خواص موجود تھے۔

## حوالہ جات:

1 امیر الٰہی کا شمار ان گیارہ خاص کھلاڑیوں میں ہوتا ہے جو دوممالک کے لیے کھیلے تھے۔ وہ ہندوستان کے لیے آسٹریلیا کے خلاف سڈنی میں 1947ء میں کھیلا اور پھر پاکستان کے لیے ہندوستان کے خلاف 1952-53ء میں کھیلا۔

2 کاردار اپنے زخمی کندھے کی کہانی کی وضاحت اپنی کتاب میموارز آف این آل راؤنڈر (Memoirs of an All Rounder) کے صفحہ 113 پر یوں کرتا ہے، ''البتہ لمبی مدت تک باؤلنگ کرنے کی وجہ سے میرا کندھا زخمی ہوگیا تھا اور پھر ایک ایسا وقت آیا کہ میں باؤلنگ کرنے کے لیے اپنا بازو تک اٹھا نہیں سکتا تھا۔''

3 21 مارچ 1950ء کے انگریزی اخبار ڈان کے مطابق کاردار نے اپنے نہ کھیلنے کی وجہ دائیں بازو میں کیلسیم، ایک ناقابل تحلیل سفید مادہ کا پیدا ہو جانا تھا۔ اور پھر مزید کہا کہ اسے فوری طور پر علاج کے لیے برطانیہ جانا ہوگا۔ تین دن بعد وہ بی او اے سی (BOAC) کی پرواز سے عازم لندن ہوگیا۔

4 سید فدا حسن (جسے اکثر غلط طور پر فدا حسین کہا جاتا ہے) پاکستان کی ابتدائی کرکٹ کے معماروں میں سے ہیں۔ گورنمنٹ کالج لاہور سے فارغ التحصیل ہوئے۔ انہوں نے بحیثیت 1920ء میں جس پنجاب یونیورسٹی کی ٹیم کی سربراہی کی، اس میں جہانگیر خاں اور محمد نثار شامل تھے۔ بائیں ہاتھ سے اونچے معیار کے بیٹسمین کی حیثیت سے ہندوستان کے 1932ء کے ابتدائی دورہ میں شامل ہوسکتا تھا مگر وہ ہندوستان کی سول سروس (افسر شاہی) کے لیے منتخب ہونے والے مقابلہ کے امتحان میں مصروف تھا۔ امتحان پاس کرنے کے بعد تربیت کے لیے اسے آکسفورڈ بھیجا گیا جہاں وہ اوتھنٹکس (Authentics) کے لیے کھیلتا رہا۔ 1930ء میں وہ شمالی ہندوستان (NICA) کے لیے رانجی ٹرافی

کھیلا۔ رانجی ٹرافی کے پہلے سیمی فائنل میں امرتسر کے مقام پر کھیلتے ہوئے اس نے جارج ایبل (George Abell) کی مشہور شراکت میں 125 رنز کا اضافہ کیا۔ شمالی ہندوستان نے وسطی ہندوستان (Central India) کی ٹیم کو چار وکٹوں سے شکست دی۔ یہ دونوں کھلاڑی انتہائی نازک موڑ پر اس وقت اکٹھے ہوئے جب ان کی ٹیم کے چار کھلاڑی 47 رنز پر آؤٹ ہو چکے تھے اور انہیں جیتنے کے لیے 243 رنز درکار تھے۔ تقسیم ہند کے بعد وہ ایک اونچے مرتبے کا سرکاری افسر بن گیا جس نے پنجاب کے چیف سیکرٹری اور صدر پاکستان ایوب خان کے مشیر کے طور پر خدمات سرانجام دیں۔ چیف سیکرٹری پنجاب کی حیثیت سے پاکستان کرکٹ ٹیم کے 1954ء کے پہلے دورہ انگلستان میں ٹیم کے منیجر کے طور پر سفر کیا سفر پر روانہ ہونے سے پہلے کاردار کو کپتانی سے ہٹانے کی کوشش میں مرکزی کردار ادا کیا۔ کرکٹ سے اس کا ناطہ مضبوط رہا۔ اور وہ بی سی پی (BCCP) کا صدر بن گیا۔ 21 مارچ 1950ء کے اخبار ڈان کے مطابق فدا حسن، جہانگیر خان، میاں سعید اور دلاور حسین اس سلیکشن کمیٹی کا حصہ تھے جس نے سیلون کے خلاف لاہور ٹیسٹ کے لیے ٹیم کا انتخاب کیا تھا۔ یہ وہی ٹیم تھی جس سے کاردار نے اپنی چوٹ کی بنا پر کھیلنے سے معذرت کر لی تھی۔

5 کارنیلیس نے اس بات کا ذکر نہ کیا کہ کاردار عمر میں میاں سعید سے پندرہ سال کم تھا اور زیادہ چاق و چوبند تھا۔

6 میاں نواز شریف کی دوسری وزارتِ عظمیٰ میں ان کے حکم پر داتا گنج بخشؒ کے مزار کی توسیع کے سلسلے میں اس سکول کو گرا دیا گیا۔

7 تاہم بعد کے سالوں میں کاردار نے اس بات پر زور دیا کہ دیال سنگھ کالج میں گزرے ہوئے وقت نے اس کے لیے اچھا کیا۔ اگر میں ان دو مقدم اداروں میں سے کسی ایک میں چلا جاتا تو میں یقیناً اپنے جیسے اچھے یا اپنے سے بہتر کھلاڑیوں کے سامنے ماند پڑ جاتا۔ ہوا یہ کہ میں اپنے کالج کی ٹیم کی ریڑھ کی ہڈی بن گیا۔ اور تکلیف دہ حالات میں مجھے بہت مزہ آتا۔ مجھے کوئی بھی چیز نیچے لگنے کے باوجود لڑنے سے نہیں روک سکتی تھی۔

8 میں 1947ء کی لمبی چھٹیوں میں کاردار کی مکمل نقل و حرکت کی معلومات سے قاصر ہوں۔ وہ یقیناً انگلستان میں آکسفورڈ اور کیمبرج یونیورسٹیوں کے میچ کے لیے جس کا اختتام 8 جولائی 1947ء کو ہوا موجود تھا۔ قیاس ہے کہ وہ اکتوبر میں شروع ہونے والی خزاں کے دور کی تعلیمی ٹرم کے لیے واپس آکسفورڈ پہنچ گیا ہو۔ وہ گرمیاں گزارنے واپس اپنے گھر لاہور بھی جا سکتا تھا۔ مگر کاردار نے کبھی کوئی ایسا ذکر بعد میں نہیں کیا جس سے ظاہر ہوتا ہے کہ وہ اگست، ستمبر 1947ء کے ناقابل فراموش واقعات کے وقت لاہور میں موجود تھا۔ وہ یقیناً اس بات کا اعتراف کرتا اگر وہ اس وقت کے حالات میں لاہور موجود ہوتا۔ ممکن ہے کہ وہ ہاوارڈن (Hawarden) کے گاؤڈ ڈی سائڈ (Deeside) میں تھا۔ اپنی تعلیمی سرگرمیوں کا ساتھ دینے کی خاطر خاص طور پر گرمیوں کے کرکٹ سیزن کے اختتام پر میں ایک رہائشی کتب خانے میں پناہ لے لیا کرتا تھا۔ جسے عظیم برطانوی سیاستدان اور مدبر جناب گلیڈ سٹون (Mr. Gladstone) نے قوم کو عطیہ کے طور پر دیا تھا۔ میں وہاں کمرے حاصل کرنے کے علاوہ پڑھائی کے لیے علیحدہ کمرہ بھی لیتا تا کہ علیحدگی میں بیٹھ کر کرکٹ سیزن کی وجہ سے ضائع کیے ہوئے اپنے تعلیمی اسباق از بر کر سکوں۔ صفحہ نمبر 104 (Memoirs of an Allrounder)

9 شاہد کاردار کے مطابق موجود ارل آف ہوم (Earl of Hume) جو اس وقت چار یا پانچ سال کا ہوگا کو کسی پاکستانی کرکٹ کے کھلاڑی کا ان کے ہاں جانا یاد نہیں۔ اور ہرسل (Hirsel) میں مہمانوں کی کتاب میں بھی اس

کا کوئی اندراج نہیں ملتا۔

10 یہ ایک ایسی ملازمت تھی جو اس وقت کی کاؤنٹی ٹیموں کے زیر استعمال تھی۔ جس کی بدولت معزز کرکٹ کے کھلاڑی اپنی غیر پیشہ ورحیثیت کو برقرار رکھتے ہوئے تنخواہ حاصل کر سکتے تھے۔

11 مروت حسین سیالکوٹ میں 1918ء کو پیدا ہوا۔ اپنی فرسٹ کلاس کرکٹ کا آغاز رانجی ٹرافی سے جنوبی پنجاب کی طرف سے کھیلتے ہوئے شمالی ہندوستان کے خلاف 35-1934ء میں کیا۔ کاردار کی 1952ء کی ہندوستان دورہ کرنے والی ٹیم میں شمولیت حاصل نہ کرنے کی وجہ سے دلبرداشتہ ہوگیا۔ اور اپنی توجہ امپائرنگ کی طرف مبذول کر لی۔ بہت سے فرسٹ کلاس میچوں میں امپائرنگ کے علاوہ پاکستان اور ویسٹ انڈیز کے درمیان 1959ء میں کراچی میں کھیلے جانے والے ایک ٹیسٹ میچ میں بھی امپائرنگ کی۔

12 کئی سال بعد ریٹائر ہو کر بھی کاردار نے مروت حسین کا آؤٹ ہونا نہ بھلایا اور اس پر بدستور تیوری چڑھائے رکھی۔ ''یہاں نوجوان کھلاڑیوں کے لیے ایک مشورہ غیر ضروری نہیں ہوگا یاد رکھیں کہ آپ ایک ٹیم کے لیے کھیل رہے ہوتے ہیں اور آپ کو ٹیم کے لیے آخری حد تک کھیلنا چاہیے۔ جب آپ کھیلتے ہوئے مستحکم ہو جائیں تو پھر آپ کو تب تک آؤٹ نہیں ہونا چاہیے جب تک کہ آپ اپنی ٹیم کو بلندی پر نہ لے جائیں اور تمام باؤلروں کو بددل نہ کر دیں۔'' (Memoirs of an All Rounder) صفحہ 129۔

13 محمد ابراہیم زین الدین غزالی جو عام طور پر ''ایبو'' (Ebbu) کے طور پر جانا جاتا تھا 1924ء میں بمبئی پیدا ہوا۔ جہاں بمبئی پینٹانگولر (Bombay Pentangular) میں مسلمانوں کے لیے کھیلنے کے علاوہ مہاراشٹر کے لیے رانجی ٹرافی بھی کھیلا۔ تقسیم پر پاکستان چلا گیا اور سندھ کے لیے مغربی پنجاب کے ابتدائی فرسٹ کلاس میچ میں۔ اسلامی جمہوریہ پاکستان کی سرزمین پر پہلی بار کھیلا جا رہا تھا میں حصہ لیا۔ مشہور زمانہ سید وزیر علی کی قیادت میں سندھ کو غزالی کی دلیرانہ اور بغیر آؤٹ ہوئے دوسری اننگز کی سنچری کے باوجود اننگز سے شکست ہوئی۔ 1954ء کے دورہ انگلستان کے دوران چار ٹیسٹ میچوں میں غزالی صرف 32 رنز بنا سکا جس میں ٹیسٹ کرکٹ میں دو بار صفر پر آؤٹ ہونے کا تیز ترین ریکارڈ بھی شامل ہے۔ اولڈ ٹرافرڈ (Old Trafford) کے تیسرے ٹیسٹ کے تیسرے دن غزالی دو گھنٹوں کے اندر اندر صفر پر دو بار آؤٹ ہوا۔

14 فضل کا یہ دعویٰ تھا کہ آخری لمحہ تک اس کا ٹیم میں انتخاب غیر یقینی تھا۔ اور منتخب کرنے والوں نے ابتدائی طور پر اسے ٹیم میں شامل نہیں کیا تھا۔ ڈاکٹر دلاور حسین جو سلیکشن کمیٹی کا ممبر تھا کا شکریہ کہ جس کے مدافعانہ رویہ کی وجہ سے اسے ٹیم میں لایا گیا۔ (دیکھئے فضل محمود، صفحہ 22) تاہم کاردار اس واقعہ کا دوسرا رخ بیان کرتا ہے کہ ایک بارھواں کھلاڑی حفظ ماتقدم کے طور پر اس لیے منتخب کیا گیا تھا کیوں کہ فضل کی صحتمندی تحفظات کا شکار تھی۔ جب اس نے اپنے صحت مند ہونے کا اعلان کیا تو مجھ سے ایک بہت بڑا بوجھ اتر گیا (کاردار صفحہ Memoirs of an All Rounder - 146) اتنا زیادہ وقت گزر جانے کے بعد حقیقت اور کہانی کو علیحدہ کر لینا ناممکن ہے۔ تاہم ان متضاد بیانوں سے کاردار اور فضل کے درمیان اسی جذباتی تناؤ کی نشاندہی ہو جاتی ہے جو ان کے درمیان ہمیشہ رہی۔

3

# تقسیم سے پہلے کی کرکٹ

''سادہ مقامی کھیلوں کی جگہ آہستہ آہستہ بہتر اور پرکشش کھیل کرکٹ اور فٹ بال مقبول ہو کر جگہ بنا رہے ہیں اور پھر وہ ٹورنامنٹ جنہیں حالیہ سالوں میں مختلف مقامی فوجی رجمنٹوں اور مختلف اضلاع میں مقیم مختلف قبیلوں اور صوبوں کے سکولوں کے درمیان تشکیل دیئے گئے جن کی بدولت ایک دوستانہ رقابت کا ماحول پیدا کرنے کے لیے بہت کچھ کیا جا رہا ہے۔ اور پھر جستجو کی جا رہی ہے کہ ان سرحدی لوگوں کے درمیان ان کھیلوں کو پرکشش بنایا جائے جن کی بدولت انگلستان اس مقام پر پہنچا ہے جہاں وہ ہے۔''

-ٹی ایل پینل (T.L. Pennell) کی 1909ء کی یادداشت سے لیا گیا اقتباس

Among the Wild Tribes of the Afghan Frontier: A Record of Sixteen Years' Close Intercourse with the Natives of the Indian Marches

ایم سی سی کے خلاف یہ فتح اتنی اہم کیوں تھی؟ تقسیم ہند سے پہلے پاکستان اور ہندوستان کی کرکٹ میں گہرائی سے جانے کے بغیر اس سوال کا جواب نہیں دیا جا سکتا۔ دونوں ممالک کی کرکٹ کی ترقی میں نمایاں بنیادی اور روایتی فرق ہے مگر اس کے ساتھ ساتھ دونوں کی میراث مشترکہ ہے۔

ہندوستان کی کرکٹ کی کہانی کا آغاز ایسٹ انڈیا کمپنی کے تجارتی مراکز سے جو ہندوستان کے ساحلی خطوط پر اٹھارویں اور انیسویں صدی میں واقع تھے سے ہوتا ہے۔ کلکتہ کرکٹ کلب کی بنیاد 1792ء میں رکھی گئی مگر کلکتہ میں کرکٹ کے پائے جانے کے ثبوت اس سے بھی پہلے کے ملتے ہیں۔

ہندوستان کے جنوب مشرقی ساحل پر واقع مدراس میں بھی کرکٹ کا آغاز تقریباً اسی وقت ہوا اور پھر جلد ہی بمبئی بھی ان کے ساتھ شامل ہو گیا۔ ان تمام جگہوں پر کرکٹ انگریزوں کے کھیل کے طور پر شروع

ہوئی۔ مگر وقت گزرنے پر اسے مقامی لوگوں نے بھی اپنا لیا۔ سب سے پہلے بمبئی کے پارسیوں نے اس کھیل کو کھیلنا شروع کیا۔ سماجی اور نسلی طور پر ان میں ہندوؤں سے واضح فرق تھا۔ پارسی آگ کی پرستش کرنے والی قوم تھی جو تقریباً ایک ہزار سال پہلے فارس (ایران) سے بھاگ کر یہاں آئے تھے۔ پارسی پہلے لوگ تھے جنھوں نے سب سے پہلے انگریزوں کو قبول کیا اور ان ملازمتوں کے لیے آمادہ ہوئے جنھیں دوسرے لوگ قبول کرنا نہیں چاہتے تھے۔ یہی وجہ ہے کہ آج بہت سے پارسیوں کے ناموں کے ساتھ ان کے پیشے کا نام بھی منسلک ہے۔ مثال کے طور پر ہندوستانی کرکٹ کے کھلاڑی ناری کنٹریکٹر، فاروق انجینئر پارسی تھے اور پاکستانی کرکٹ بورڈ کے پہلے سیکرٹری کے آر کلیکٹر (K.R. Collector) بھی پارسی تھے جن کے ناموں کے ساتھ ان کا پیشہ واضح ہے۔

پارسیوں نے مغربی لباس کو زیب تن کرنے اور مغربی اطوار کو اپنانے میں پہل کی۔ 1848ء کے یورپی انقلاب تک پارسیوں نے اورئینٹ کرکٹ کلب (Orient Cricket Club) کے نام سے اپنا پہلا کلب تشکیل دے دیا تھا، جسے جلد ہی Young Zorostrian Cricket Club میں بدل دیا گیا، جو آج بھی قائم و دائم ہے۔ رام چندرہ گوہا کے مطابق، 1850ء سے 1860ء تک کم از کم تیس پارسی کلب معرض وجود میں آئے جن کے نام رومی دیوتاؤں اور برطانوی ممتاز سیاستدانوں پر رکھے گئے۔ مثلاً جوپیٹر (Jupiter) مارز (Mars) گلیڈسٹون (Gladstone) اور رپن (Ripon) ہندوستانی کرکٹ ٹیموں کے برطانیہ کے پہلے دو غیر رسمی دوروں کی داغ بیل پارسیوں نے 1886ء اور 1888ء میں ڈالی تھی۔

پارسیوں کے چند سال بعد ہندو بھی اس کھیل میں شامل ہو گئے اور پھر آخر کار مسلمان بھی (پاکستانی کرکٹ کے مورخین کے شوق کے لیے خاص طور پر) اس کھیل کے فوائد جان کر اس میں شامل ہو گئے۔ یہ سمجھنے کے لیے کہ کس تیزی کے ساتھ مختلف مذہبی گروہوں نے کرکٹ کو تسلیم کیا اس میں بمبئی کے فرقہ وارانہ ٹورنامنٹوں کا بہت دخل تھا اور اسکی بدولت جلد ہی بمبئی برصغیر کرکٹ کا سب سے اہم مرکز بن گیا۔ تاہم فرقہ وارانہ کرکٹ کی ابتداء پارسیوں سے ہوئی مثلاً 90-1889ء کے موسم سرما میں مڈل سیکس کا کھلاڑی جی ایف ورنن (G.F. Vernon) ایک سفری ٹیم کو ہندوستان لے کر آیا جنھوں نے تقریباً تمام میچ مقامی انگریزی ٹیموں کے ساتھ کھیلے۔ ورنن کی ٹیم صرف ایک ہندوستانی ٹیم کے خلاف کھیلی جو بمبئی کے پارسی تھے جنھوں نے ورنن کو دو اننگز کے مقابلے کے میچ میں ایک مبہوت کر دینے والا کھیل پیش کر کے چار وکٹوں سے شکست دی۔

1907ء تک بمبئی ٹرائیگلر (Bombay Triangular) قائم ہو چکا تھا اور یہ مقابلہ ہندوؤں، یورپین اور پارسیوں کے درمیان ہوتا تھا۔ 1912ء میں مسلمانوں نے اس میں شامل ہو کر اسے کوآڈرینگولر بنا دیا (Quadrangular) (جو بعد میں 1937ء میں پانچویں ٹیم جو دی ریسٹ (The Rest)

کہلاتی تھی کے شامل ہونے سے پینٹ اینگلر (Pentangular) کہلانے لگا) یہ مقابلہ بمبئی کی سماجی اور کھیلوں کی زندگی میں ایک اہم اور نمایاں واقع بن گیا جسے نقل کے طور پر تمام ہندوستان میں اپنا لیا گیا۔ جو بعد میں کچھ لوگوں کے خیال کے مطابق ایک غیر صحتمند شدت پسندی تھی۔ خاص طور پر کانگرس پارٹی کو اس سے شدید نفرت تھی کیوں کہ ان کے خیال میں یہ انگریزوں کے ہاتھ میں ''تقسیم کر کے راج کرو'' کا آلہ کار تھا۔ مہاتما گاندھی کا خیال تھا کہ Pentangular ہندوستانیوں کی فرقہ واریت کو ہوا دیتا ہے لہٰذا اس نے اسے روکنے کی کوشش کی۔

اسی دوران بیسویں صدی کی شروعات میں کرکٹ کے لیے مقامی شاہی سرپرستی نظر آئی۔ ہندوستانی مہاراجوں جن کی دولت کا کوئی حساب نہ تھا، نے اپنے وسائل کرکٹ کے لیے بروئے کار لانے شروع کر دیئے۔ انہوں نے اپنی اپنی ٹیمیں بنا لیں اور معروف کھلاڑیوں کو اپنی طرف مائل کرنے لگے۔ اور کچھ وقت کے لیے کھیل کی ترقی میں بے انتہا اثر و رسوخ رکھا۔ ان میں سے بہت سے مہاراجوں نے خاص طور پر مہاراجہ پٹیالہ اور مہاراج کمار وزیانگرم نے کرکٹ کو برطانوی سیاست میں گہرائی سے حصہ لینے کے لیے استعمال کیا۔ وزیانگرم جو وزی کے نام سے مشہور تھا اور بدنامی کی حد تک وائسرائے کی خوشنودی کے لیے درباری اور خوشامدی بن گیا تھا کو ان خصوصیات کی وجہ سے 1936ء میں انگلستان کا دورہ کرنے والی ٹیم کا کپتان بنایا گیا جس کا وہ قطعاً اہل نہیں تھا۔ ہندوستانی شہزادوں سے یہ انوکھی جمال پرستی کی مسلک (جو پہلے پہل انگریزی سکولوں کے طالب علموں کے لیے ادبی تصنیفات میں ہری سنگھ، نواب بھائی پور، جو ہیری وھارٹن (Harry Wharton) اور بلی بنٹر (Billy Bunter) کا گرے فرائر سکول (Greyfriar School) میں بچپن کا دوست کے طور پر سامنے آئے تھے) کی حکومتی اداروں نے بے حد حوصلہ افزائی کی۔ اور ہندوستانی کرکٹ پر ضرر رساں حد تک آزادی اور اس کے بعد تک اپنا اثر و رسوخ رکھا۔

لہٰذا ہندوستانی شہزادوں کی سرپرستی اور فرقہ واریت کی تقسیم سے موجودہ ڈھانچے کی مضبوطی اور سیاسی کاہلی کے علاوہ انگریزوں کے خلاف جدوجہد سے قوت اور توجہ ہٹانے کے لیے کرکٹ کارگر ثابت ہوئی۔ تقسیم ہند سے پہلے ہندوستانی کرکٹ ہر اس چیز کو مسترد کرتی تھی جس کے لیے کانگریس پارٹی اور تحریک آزادی میدان میں تھیں۔ برطانوی حکومت اس بات پر خوش تھی کہ کرکٹ اس کی نہ صرف آلہ کار تھی بلکہ تقسیم کرنے کا ذریعہ بھی تھی۔ اور ممتاز طبقے میں رسائی کے لیے اسے استعمال کا ذریعہ بھی بنایا جاتا تھا۔

ہندوستانی شہزادوں میں سب سے عظیم کرکٹر رنجیت سنہجی (Ranjit Sinhji) کا ہندوستانی کرکٹ سے ایک بے دلی کا رشتہ تھا۔ اسے ہندوستان کے لیے ٹیسٹ کرکٹ کھیلنے کا موقع نہ مل سکا۔ رانجی نے نہ صرف ہندوستانی کرکٹ کے منتظم بننے سے انکار کر دیا بلکہ جب ہندوستان 1929ء میں امپیریل کرکٹ کانفرنس

(ICC) میں شامل ہوا تو اس کا بے اختیار سربراہ بننے پر بھی رضامند نہ ہوا۔ رانجی کے زیر اثر اس کے بھتیجے دلیپ سنجی نے بھی ہندوستان کا کپتان بننے کی بجائے انگلینڈ کے لیے کھیلنے کا انتخاب کیا۔ پٹودی کے نواب افتخار علی خان نے بھی ابتدا میں اپنے آبائی ملک کی بجائے انگلینڈ کے لیے کھیلنے کا انتخاب کیا۔ اس نے 1932ء اور 1936ء میں انگلستان کا دورہ کرنے والی ہندوستانی ٹیموں کی کپتانی میں دلچسپی ظاہر کی۔ اور پھر عین اہم موقعوں پر غیر حاضر ہو جاتا۔ اور اس طرح انتخابی سیاست میں دوسروں کی ہوشیاری سے مات کھا جاتا جس کی بدولت یہ عہدہ کمتر صلاحیت رکھنے والوں کے ہاتھوں میں جاتا رہا۔ آخرکار جب 1946ء میں اس نے انگلستان جانے والی ہندوستانی ٹیم کی سربراہی کی تو اس وقت ٹیسٹ کرکٹ کھیلنا اس کی طاقت سے باہر ہو چکا تھا۔

دلیپ سنجی نے اپنے تمام 205 فرسٹ کلاس میچوں میں سے ہندوستان میں صرف دو کھیلے پٹودی نے اپنے 127 فرسٹ کلاس میچوں میں سے ہندوستان میں صرف چھ کھیلے۔ اور رانجی نے ایک بھی نہیں۔ 1897ء میں رانجی نے ''جوبلی بک آف کرکٹ'' (Jubilee Book of Cricket) کے نام سے لکھی جس میں اس نے ملکہ وکٹوریہ کی ڈائمنڈ جوبلی کا جشن منا کر یہ ثابت کیا کہ کرکٹ کی نمود برطانوی شہنشاہیت کی بدولت ہے۔

کرکٹ اب اس علاقے میں تھی جو پاکستان کہلاتا ہے، ان کے پاس موازنہ کرنے کے لیے کوئی متبادل چیز نہیں تھی۔ نواب بہاولپور جیسے جاگیردار حکمران اثر و رسوخ کے حوالہ سے مہاراجہ پٹیالہ اور وزیانگرم کی اطاعت گزاری کے نزدیک نہیں پہنچتے تھے۔ کرکٹ ایک علیحدہ قومی پہچان پیش کرتی تھی۔ خاص طور پر اس وجہ سے کہ وہ نہ صرف انگلینڈ کی بلکہ ہمسایہ ملک ہندوستان کی بھی مخالف تھی۔ اپنے تشکیلی سالوں میں یہ صرف درمیانہ طبقے کا کھیل تھا۔ اس کی جڑیں دیہاتی کاشتکاروں اور شہری غرباء تک نہیں پھیلی تھیں اور نہ ہی ذہن پر زور دے کر یاد کرتے ہوئے چند گنے چنوں کے علاوہ یہ اونچے طبقوں کے امراء اور زمینداروں کے درمیان پہنچی تھی جبکہ ہندوستان میں کرکٹ ان تمام چیزوں کی نفی کر رہی تھی جس کے لیے گاندھی کی کانگریس پارٹی میدان میں تھی۔ پاکستانی کرکٹ کو کھیل کے لحاظ سے جناح کی تحریک پاکستان کا حاصل سمجھا جا سکتا ہے۔

## کرکٹ اور مفتوحہ علاقے

برطانیہ کی ہندوستانی برصغیر کی ابتدائی تاریخ سے وابستگی اور مملکت سمندر پار پھیلاؤ کا آغاز ایک ہی وقت میں تھا۔ ایسٹ انڈیا کمپنی کی 1600ء میں تشکیل سے لے کر انیسویں صدی کے آغاز تک برطانیہ کی دلچسپی صرف تجارت سے تھی۔ بے ترتیب فوجی موجودگی ضرور تھی مگر یہ صرف مقامی ناموافق عناصر اور دوسری یورپین طاقتوں سے اپنے تجارتی مقاصد کی حفاظت کے لیے تھی۔

اس کے برعکس برطانوی آمد پاکستان میں فتح کے نتیجے میں ہوئی۔ صرف مشرق میں بنگال کے علاوہ جو علاقے پاکستان بنے (پنجاب، بلوچستان، سندھ، شمال مغربی سرحدی صوبہ جو اب خیبر پختونخوا ہے) ان پر خودمختار حکمران حکومت کر رہے تھے۔ حکومت برطانیہ اور یہ قوتیں ایک دوسرے پر چوکس نظر رکھے ہوئے تھے۔ بعض اوقات تعلقات دوستانہ ہوتے اور بعض اوقات سرد مہری کا شکار۔ 1840ء تک وہ علاقے جو اب پاکستان کہلاتے ہیں، زیادہ تر انگریزوں اور خاص طور پر مغربی تہذیب کے اثر سے مبرا تھے۔ یقیناً کرکٹ کے وجود کا کوئی ثبوت نہیں ملتا۔

جبکہ مختلف تہذیبیں جنوب کے مراکز بمبئی اور مدراس میں باہم گھل مل رہی تھیں مگر یہ لاہور اور پشاور کے بارے نہیں کہا جا سکتا۔ برطانوی تاجر بعض اوقات دور دراز کا سفر کرتے ہوئے شمال میں کراچی تک چلے جاتے مگر اس وقت تک مستقبل کا بڑا اور دنیائے کرکٹ میں آئندہ بننے والا ہر اول شہر محض ایک مچھیروں کا گاؤں تھا۔ مختصراً برطانوی تاجر ہندوستان میں کرکٹ لے کر آئے اور پھر برطانوی فوجی سپاہی اسے پہلی بار پاکستان لے کر گئے جہاں ابتدائی طور پر اسے مقامی لوگوں کی طرف سے مسترد کر دیا گیا جو اس کھیل کا تعلق وحشی لشکر کشی سے ملاتے تھے۔

جیسے ہی برطانوی فوج نے سندھ، پنجاب اور افغانستان کی طرف فوجی کارروائیوں کے لیے رخ کیا (سندھ کو 1842ء میں سر کر کے بمبئی پریذیڈنسی کا حصہ بنا دیا گیا) وہ یقیناً کرکٹ اپنے ساتھ لے کر گئی۔ جیسا کہ رجمنٹوں کے ریکارڈ اور اس وقت کے اخبارات سے ثابت ہوتا ہے۔ مگر ریکارڈ سے یہ بھی ظاہر ہوتا ہے کہ ان ابتدائی دنوں میں وہ کرکٹ صرف آپس میں کھیلتے تھے۔ اور ان کے ماتحت آبادی کو انگریزوں کی نقل کرتے ہوئے اس کھیل میں کوئی دلچسپی نہ تھی۔

1842ء میں پنجاب کے ایک چھوٹے شہر فیروز پور میں کیمپ کے نامہ نگار نے بمبئی ٹائمز اور جرنل آف کامرس (ٹائمز آف انڈیا کا پیشرو) کو خبر دی کہ پریڈ اور کرکٹ انتہائی مقبول ہیں۔ پھر اگست 1843ء میں اسی اخبار میں ایک جوشیلے نامہ نگار جو سٹمپس (Stumps) کے نام سے لکھتا تھا کی خبر لگی کہ ایک کرکٹ کلب کی کراچی بنیاد رکھ دی گئی ہے اور جہاں 5 تاریخ بروز ہفتہ پچھلے ہفتے سیکنڈ یورپین لائٹ انفنٹری (2nd Euroean Light Infantory) کے افسران اور سپاہیوں نے سٹیشن کے خلاف پہلا میچ کھیلا۔

1844ء تک کراچی میں کرکٹ کے ہفتہ میں ایک یا دو میچوں کا آغاز ہو چکا تھا مگر گراؤنڈ بے حد خراب تھی۔ لکھنؤ میں کرکٹ کی خبریں جنوری 1844ء سے ملتی ہیں جبکہ لاہور سے آرٹلری اور باقی فوج کے درمیان میچ کھیلنے کی نومبر 1846ء میں خبر تھی۔ 13-1850ء سے پہلے الہ آباد اور پشاور میں کرکٹ میچوں کی خبریں بمبئی پہنچ چکی تھیں۔

1849ء کی دوسری برطانوی اور سکھوں کی جنگ کے فوراً بعد درہ خیبر کو بطور سرحد قائم کر دیا گیا تھا اور بمبئی ٹائمز اور جرنل آف کامرس (The Bombay Times- Journal of Commerce) کے مطابق محافظ فوجیوں کے درمیان اسی سال سے کرکٹ کھیلنے کا آغاز ہو گیا تھا۔ خبر میں بیان کیا گیا کہ کرکٹ میچ اکثر اوقات افسران، آرٹلری کے سپاہیوں اور دوسرے فوجی دستوں کے درمیان کھیلے جاتے ہیں۔ فوجیوں کے لیے یہ ایک انتہائی خوشگوار تفریح ہے۔ میچ گرمجوشی کے ساتھ کھیلے جاتے ہیں اور ان کی تعداد میں اضافہ ہوتا جا رہا ہے۔

برطانوی افواج 1839ء اور 1842ء میں افغانستان سے پہلی جنگ کے دوران اس بدقسمت سفر پر کرکٹ کو اپنے ساتھ کابل لے کر آئی۔ پادری جی آر گلیگ (G.R. Glag) نے چار سال بعد لکھتے ہوئے بیان کیا کہ کرکٹ اور گھوڑ دوڑ کابل اور اس کے فوج میں پہنچ چکے تھے اور دونوں میں سردار اور عوام پر جوش دلچسپی لینے لگے۔ گلیگ لکھتا ہے کہ مقامی امراء انگریزوں کے گھوڑوں کے مقابلے میں اپنے گھوڑے دوڑاتے تھے مگر کرکٹ کو افغانوں نے اپنے مزاج کے مطابق نہ پایا۔ گلیگ نے لکھا وہ حیرت سے بیٹنگ، باؤلنگ اور انگریز کھلاڑیوں کو نڈھال ہوتے دیکھتے مگر ایسا نہ ہوا کہ انہوں نے اپنی پگڑیوں اور چادروں کو ایک طرف رکھ کر مقابلے کے لیے باقاعدہ کھیل میں حصہ لیا۔ مگر کرکٹ کے تمام نشان اس وقت مٹ گئے جب 1842ء کو انگریزوں کو افغانستان سے مار بھگایا گیا۔ اور پھر کرکٹ کا کھیل کابل میں اس وقت لوٹ کر آیا جب نیٹو افواج 2001ء میں داخل ہوئیں۔

پیادہ فوج کے زیر تربیت نوجوان گورڈن ڈیوڈسن (Gordan Davidson) نے نومبر 1844ء میں اپنے گھر برطانیہ والدین کو سباتھو ہماچل پردیش (پہاڑی مقام جو لاہور سے مشرق میں 100 میل کے فاصلہ پر اب ہندوستان میں ہے) سے خط لکھا کہ یہاں کا موسم بے حد موافق ہے اور ہم اکثر کرکٹ کھیلتے ہیں۔ کھیلنے کے لیے اچھا گراؤنڈ تو نہیں ہے صرف پریڈ گراؤنڈ میں ہی کھیل سکتے ہیں جو خاصی ناہموار ہے مگر پھر بھی ہم ایک مفید کھیل سے لطف اندوز ہو جاتے ہیں۔ اس نے دوبارہ پھر ایک خط اپنے گھر جنوری 1845ء میں لکھا کہ ہفتے میں دو دن کرکٹ کھیلنے کے لیے مخصوص ہیں۔ اور بہت اچھا کھیل ہوتا ہے مگر ایک اچھا بیٹ حاصل کرنا یہاں خاصا مشکل ہے کیوں کہ یہاں سب سے ناقص بلے بھیجے جاتے ہیں۔ ڈیوڈسن اپنے فوجی دستے کے ساتھ سباتھو میں مزید ایک سال رہا اور باقاعدگی سے کرکٹ کھیلتا رہا۔ آخر کار 2 دسمبر 1845ء میں سکھوں سے جنگ میں فیروز شاہ پر حملہ کرتے ہوئے مارا گیا۔

1852ء میں لاہور کے قلعہ میں تعین افسران کے لیے سخت احکام صادر کیے گئے جن کی بدولت وہ اپنا مورچہ چھوڑ کر کہیں جا نہیں سکتے تھے۔ اخبار بمبئی ٹائمز (The Bombay Times) نے لکھا کہ ایسی

پابندیوں کی وجہ سے نوجوان افسر کرکٹ سے محظوظ ہونے سے قاصر رہتے ہیں۔ لاہور سے دور شمالی علاقے فتوحات کی بدولت انگریز حکومت میں شامل کیے جا رہے تھے۔

جنوری 1853ء میں ایک چھوٹے شہر کی بنیاد رکھی گئی جسے بعد میں ضلع ہزارہ کے پہلے ڈپٹی کمشنر میجر جیمز ایبٹ (Major James Abbott) کے نام پر ایبٹ آباد کا نام دیا گیا۔ جیسا کہ شمال مغربی سرحد کے تاریخ دان پروفیسر عمر ترین نے نمایاں نقطہ اٹھاتے ہوئے بیان کیا کہ جلد ہی کرکٹ اس نئے شہر میں مشہور پنجاب ارریگولر فرنٹیئر فورس (Punjab Irregular Frontier Force) کے آنے سے وارد ہوگئی۔

اس کے برعکس پروفیسر ترین راولپنڈی میں کرکٹ کی ترقی کی شروعات 1870ء سے سمجھتے ہیں کیوں کہ ان کے مطابق درست اور صحیح کرکٹ پچ سب سے پہلے اسی وقت بنی تھی۔ ان کے مطابق عام طور پر کھیل بشمول کرکٹ کبھی کبھار گھوڑ سوار دستہ کی مشقوں کی گراؤنڈ پر پچ بننے سے پہلے کھیلے جاتے تھے۔ آج بھی پرانی پنڈی گراؤنڈ بے حد زیر استعمال ہے۔ داخلی دروازہ پر (جس کی فوجی سپاہی رکھوالی کرتے ہیں) ایک بورڈ نصب ہے جس کے مطابق یہ گراؤنڈ 1849ء میں رائل آرٹلری کمپنی (Royal Artillary Company) نے تیار کی تھی۔ اور ساتھ ہی یہ بھی لکھا ہے کہ لارڈ وینسی ٹارٹ (Lord Vansittart) جو شاہی اولاد میں شمار کیا جاتا تھا، نے 1852ء میں اس گراؤنڈ میں چھکا لگایا یہ کوئی بہت بڑا چھکا ہو سکتا ہے کیوں کہ ان دنوں کھیل کے ابتدائی دور کے چھکے گراؤنڈ سے باہر گرنے پر مانے جاتے تھے۔ نہ کے آج کی طرح صرف باؤنڈری کے پار گرنے پر۔[1] بورڈ پر یہ بھی لکھا گیا کہ ملکہ وکٹوریہ کے پوتے شہزادہ کرسچن وکٹر (Prince Christian Victor) نے کنگز رائل رائفلز (Kings Royal Riffles) کے لیے کھیلتے ہوئے ڈیون شائر رجمنٹ (Devonshire Regiment) کے خلاف 205 رنز بنائے۔ اس ڈبل سنچری کو کہا جا سکتا ہے کہ پاکستانی حصہ میں یہ پہلی ڈبل سنچری تھی۔ وہ برطانوی شاہی خاندان کا واحد فرد ہے جس نے آئی زنگاری (I. Zingari) کے لیے جینٹلمین آف انگلینڈ (Gentlemen of England) کے خلاف فرسٹ کلاس میچ 1887ء میں کھیلا۔

کرکٹ کے حوالے پہاڑی مقام مری میں اس سے بھی پہلے کے ملتے ہیں جب یورپین لوگوں کے لیے 1850ء کے اردگرد کھیل کا گراؤنڈ تعمیر کیا گیا تھا۔ 1860ء تک غریب یورپین لوگوں کے بیٹے بیٹیوں کے لیے لارنس پناہ گاہ اور اس سے منسوب سکول تعمیر ہو چکے تھے جن کے میدانوں میں کرکٹ کی ایک اچھی گراؤنڈ بھی شامل تھی، چاہے اس کی باؤنڈری پہاڑوں کی کھائیوں میں چلی جاتی تھی۔ ان کھائیوں سے گیند کو واپس لانا یقیناً بے حد مشکل ہوگا۔

اس بات کو ذہن نشین کرنا چاہیے کہ ابتدائی سرحدی کرکٹ کے کھلاڑی آج کی اس کرکٹ سے بالکل مختلف کرکٹ کھیلتے ہیں جس سے ہم آج آشنا ہیں۔ 1864ء تک بازو اٹھا کر (جس کی تشریح یہ ہے کہ

ہاتھ کو کندھوں سے اونچا لے جا کر) بال پھینکنا غیر قانونی تھا۔ اور غالباً شمالی ہندوستان میں اسے بتدریج متعارف کرایا گیا ہوگا۔ ایک اوور چار گیندوں پر مشتمل تھا۔ کریز کی حد کو آج کی طرح سفید نشان سے واضح نہیں کیا جاتا تھا بلکہ اس کی نشاندہی کھود کر کی جاتی تھی۔ ایل بی ڈبلیو کا قانون ابھی ابتدائی مراحل میں تھا۔ فیصلے بہت کم دیئے جاتے تھے۔ کچھ تو وجہ یہ تھی کہ کھیل کے قواعد کے مطابق گیند کا اس لکیر پر گرنا ضروری تھا جو دو وکٹوں کے درمیان ہوا کرتی تھی۔ کرکٹ کا سامان بھی اس ابتدائی دور میں ابھی تدریجی ترقی کے مراحل میں تھا۔ کرکٹ کے بال آج کی نسبت بڑے تھے۔ وکٹ کیپنگ کے دستانے جن کا 1850ء تک استعمال شروع نہیں ہوا تھا، ابھی عام استعمال میں نہیں تھے اور سرحدی علاقوں میں ابتدائی دور میں ایک عجوبہ کے طور پر دیکھے جاتے ہوں گے۔ بیٹنگ کے دستانوں کا استعمال شروع ہو چکا تھا۔ مگر یہ بھی ابھی عام نہیں ہوئے تھے۔ غالباً یہ فریڈرک وین سٹارٹ ہوگا جس نے راولپنڈی میں وہ زبردست ہٹ لگائی تھی۔ (اس وقت کی نئی نئی آئی زنگاری (I. Zingari) کرکٹ کلب نیٹ پریکٹس کے دوران امیدواروں کو بیٹنگ کے دستانے مہیا نہیں کرتی تھی)۔ پیڈ اگر استعمال ہوتے تو انہیں رسی سے باندھ دیا جاتا تھا۔ (آئی زنگاری کلب کے ایذا پسند ممتحن امیدواروں کو مجبور کرتے تھے کہ وہ ان کے بغیر ہی گزارا کریں) پہلے ترقی یافتہ بلے جن کا چوڑا حصہ بید کی لکڑی کا بنا ہوا تھا اور جن کے دستے سرکنڈے کے تھے۔ 1850ء کی دہائی میں آہستہ آہستہ انگلینڈ میں متعارف ہو رہے تھے اور جیسا کہ پیادہ فوج کے زیر تربیت ڈیوڈسن نے دیکھا کہ ان کا ہندوستان کے دور دراز کے علاقوں میں پھیلاؤ کی رفتار سست تھی۔

لباس کا سلسلہ آئی چلائی قسم کا تھا۔ رنگین پتلون، قمیص، نکٹائی اور ہر قسم کی ٹوپی کا استعمال عام معمول میں تھا۔ قومی فوجی عجائب گھر (National Army Museum) میں رجمنٹوں کی کرکٹ ٹیموں کی اس دور کی تصاویر امر ہو چکی ہیں جن سے نہ صرف یہ پتہ چلتا ہے کہ کس حیرت انگیز حد تک کرکٹ کھیلی جاتی تھی بلکہ ٹیموں کی ظاہری ہئیت کا بھی پتہ چلتا تھا۔ ان میں سب سے شاندار عملی کارروائی کی وہ تصویر ہے جس میں فرسٹ پنجاب انفنٹری (Ist Punjab Infantary) کوہاٹ کی چھاؤنی جو شمال مغربی سرحدی علاقے میں واقع ہے کو کرکٹ کھیلتے دکھایا گیا ہے۔ انگریزوں کے آنے سے پہلے کوہاٹ ایک چھوٹا سا قصبہ تھا جہاں مٹی کی دیواروں والے قلعے تھے اور ایک میلا کچیلا بازار تھا۔ یہ افغان مملکت کا حصہ رہ چکا تھا جس پر کابل سے حکومت کی جاتی تھی۔ پھر یہ 1836ء میں سکھوں کے ہاتھ آ گیا۔ اور پھر تیرہ سال بعد انگریزوں نے اس پر قبضہ کر لیا۔

کرکٹ کا ذکر ملکہ کے اپنے دستہ گائیڈز (Queen's Own Corps of Guides) جو پنجاب فرنٹیئر فورس (Punjab Frontier Force) کا مشہور اور ممتاز حصہ تھا کی تاریخ میں خاک آلود مردان کی پریڈ گراؤنڈ جسے پولو کھیلنے کے لیے بھی استعمال کیا جاتا تھا کے ساتھ ایک کرکٹ گراؤنڈ تھی جس کا پانی

کے لیے ایک کنویں پر انحصار تھا۔ اور یہ چھاؤنی کے وسط میں واقع تھی۔ یہ گراؤنڈ 1876ء میں نچلے سوات کی نہر سے پانی ملنے پر مستقل بن گئی۔ ہندوستانی سپاہی نوشہرہ میں ہونے والے میچوں میں حصہ لیتے کیوں کہ برطانوی افسر کی زیادہ تعداد نہ ہونے کی وجہ سے دو ٹیمیں نہیں بنائی جا سکتی تھیں۔ نیٹ پریکٹس کرنے کے لیے آفریدی کمپنی (Afridi Company) کے آدمیوں کو ملازمت دی جاتی۔ ان میں سیدھا اور تیز پھینکنے کی صلاحیت تھی جس کی بدولت وہ تیز رفتار باؤلروں کے بہترین متبادل تھے۔

کرکٹ کی داستانوں میں گائیڈز کے میجر وائیگرام بیٹی (Major Wigram Battye) کی شخصیت بے حد دلچسپ کردار تھا۔ اس شخص نے رجمنٹوں (فوجی دستوں) میں کرکٹ متعارف کروائی۔ وہ فتح آباد کی لڑائی میں 1879ء میں دوسری اینگلو افغان (Anglo Afghan) جنگ کے دوران مارا گیا۔ اس کے سپاہی نے بیماروں اور زخمیوں کو Stretcher سٹریچر پر اٹھانے والوں کو اس بات کی اجازت نہ دی کہ وہ اسے میدانِ جنگ سے اٹھاتے بلکہ انہوں نے اس کے مردہ جسم کو انتہائی عزت اور احترام سے خود اٹھایا اور اپنے مرحوم ساتھی کی لاش کو موسم بہار کی گرم رات کے باوجود لے کر اس کے زندگی کے آخری سفر پر مردان کے فوجی قبرستان میں پہنچا کر آئے۔

اس قسم کے واقعات سے ثابت ہوتا ہے کہ انگریز افسران اور ہندوستانی سپاہیوں کے درمیان عزت اور گرمجوشی کا رشتہ تھا۔ مگر جب فوجی شہریوں کے خلاف میچ کھیلتے تو ان کا واسطہ برطانوی زیر اثر جمخانوں اور نجی کلبوں کے ساتھ پڑتا۔ مثال کے طور پر لاہور کے مورخہ 27 دسمبر 1906ء کے سول اینڈ ملٹری اخبار نے خبر دی کہ انگریز فوج اور دنیا (World) کی ٹیم کے درمیان میچ کھیلا گیا۔ بظاہر تو یہ دنیا کے مختلف حصوں سے تعلق رکھنے والوں کی ٹیم کے ساتھ میچ تھا مگر دونوں ٹیموں کے کھلاڑیوں کے نام انگریزوں کے تھے۔ واقعاتی خبروں کے مطابق جب انگریز مقامی ٹیموں کے خلاف میچ کھیلتے تو وہ ان سے دوری اور فاصلہ رکھتے۔ بیسویں صدی کے آغاز میں لائلپور، اب فیصل آباد کی مقامی ٹیموں کے خلاف میچ کھیلتے ہوئے دوپہر کا کھانا انگریز افسران گراؤنڈ میں بنی ہوئی عمارت (Pavilion) میں کھاتے جبکہ ان کی مخالف ٹیم باہر بیٹھتی جسے انگریز چائے سے بھری ایک بالٹی بھیج دیتے۔

ہندوستانی فوج کے دستوں اور شہریوں نے اپنے جوڑی دار انگریزوں کے ساتھ بہت بعد میں کھیلنا شروع کیا۔ پروفیسر ترین کے مطابق ایبٹ آباد میں دو سکولوں 1870ء کی دہائی میں پرنس ایلبرٹ وکٹر میموریل اینگلو ورنیکلر ہائی سکول (Prince Albert Victor Memorial Anglo Vernacular High School) اور 1890ء کی دہائی میں میونسپل ورنیکلر ہائیر سیکنڈری سکول (Muncipal Vernicular Higher Secondary School) کی بدولت مقامی آبادی میں کرکٹ پھیلنا شروع ہوئی۔

نئی صدی کے آغاز تک راولپنڈی میں کرکٹ صرف ان انگریزوں تک محدود رہی جن کی تعیناتی وہاں تھی جبکہ 1870ء کی دہائی میں کھیلوں کو چند سکولوں نے اپنے نصاب میں شامل کر لیا تھا۔ ایک ضلعی سکول کی رپورٹ کے مطابق 1882ء تک نہ تو صحیح گراؤنڈ اور نہ ہی کرکٹ اور ہاکی کھیلنے کا خاطر خواہ سامان میسر تھا جبکہ خاص تقریبات کے موقع پر وقتی انتظامات کبھی کبھار ممکن ہوتے تھے۔ حقیقت میں جیسا کہ راولپنڈی ضلعی گزیٹر (Rawalpindi District Gazetter) میں بیان ہے کہ مقامی طالب علموں نے کیسے 1893ء میں جا کر کھیلوں میں پہلی بار صحیح تربیت حاصل کی۔ اس وقت بھی صرف ایک استاد تھا جو جگہ جگہ گھوم کر تربیت دیتا تھا اور اس کی خدمات حاصل کرنے کے لیے علاقے کے کئی ادارے بھی اس کے حصہ دار تھے۔ بدقسمتی سے اس پیشرو کی شناخت نہیں ہو سکی۔

سکولوں کے اہم کردار کا ابتدائی اشارہ جنہوں نے آئندہ چل کر شمالی ہندوستان میں کرکٹ کو فروغ دیا۔ سرحدی علاقے کے شہر بنوں جہاں خاصی تعداد میں فوجی موجود تھی، کے عیسائی مذہبی مبلغ ٹی ایل پینل (T.L. Penell) کے حوالے سے ملتا ہے مشن سکول (تبلیغی سکول) کی شروعات کے خلاف مقامی ملاؤں نے فتویٰ جاری کیا اور بعد میں انہوں نے اپنی تنقید کو انگریزی زبان کی تعلیم اور نوعمر طالب علموں کے ذہنوں پر عیسائیت کے باغیانہ اثرات کا نشانہ بنایا۔ تاہم سکول دن دوگنی رات چوگنی ترقی کرنے لگا اور مقامی مخالفت خاموش ہوگئی۔ ہندوستانی کنبے مستقبل میں سرکاری حصول روزگار کے لیے انگریزی زبان کی ضرورت سمجھنے لگے۔

پرخطر سرحدی علاقے میں رہائش کے باوجود سکول میں کرکٹ پھلتی پھولتی رہی اور مشن ہائی سکول کے طالب علموں اور تعینات فوجی دستے میں باقاعدگی سے میچ کھیلے جاتے رہے۔ ''پرانے دستور کی جگہ نیا دستور آجاتا ہے۔ گھوڑے پر کھونٹے اکھاڑنے (Tent Pegging) کا کھیل ہمیشہ اپنی خوبصورتی برقرار رکھے گا اور اس میں مردانہ وجاہت دکھانے کے مواقع موجود رہیں گے۔'' پینل (Pennell) نے اپنی تحریر میں لکھا۔ اس نے مزید اضافہ کیا کہ سادہ مقامی کھیل آہستہ آہستہ کرکٹ اور فٹ بال جیسی عمدہ اور جاذب نظر کھیلوں کو جگہ دے رہے ہیں۔ ان نئی کھیلوں کے مقابلے مختلف قبائل اور مقامی فوجی دستوں کے علاوہ صوبوں کے سکولوں کے درمیان ہونے سے ایک صحت مند دوستانہ مخالفت کی فضا قائم ہوئی ہے۔ اس کے علاوہ ان ٹورنامنٹوں کی بدولت یہاں کے سرحدی لوگوں میں یہ کھیل پرکشش بن سکیں جنہوں نے انگلینڈ کو اس مقام پر پہنچا دیا جہاں وہ اب ہے۔

پینل (Pennell) کو وہ میچ یاد ہے جس میں ایک مقامی فوجی دستہ کے افسر نے اپنے مخالف سکول کی ٹیم میں کھیلتے ہوئے اپنے بیٹے کو اپنی باؤلنگ کے دوران جیت کی ہٹ لگانے کا موقع دیا۔ اور اگلے ہی ہفتہ وہ افسر ایک لڑائی میں مارا گیا اور اسی کرکٹ گراؤنڈ کے دروازہ کے بالمقابل فوجی قبرستان میں دفن کر دیا گیا۔

## دورہ کرنے والے انگریز

انیسویں صدی کے اواخر میں انگریز ٹیموں نے دوروں کا آغاز کیا۔ سب سے پہلے جس ٹیم نے اس علاقے کا دورہ کیا جسے آج پاکستان کہا جاتا ہے، وہ جی ایف ورنن (G.F. Vernon) کی 1889-90ء کی امچرز (Amateurs) یعنی غیر پیشہ ور کھلاڑیوں کی ٹیم تھی۔ اس ٹیم نے لاہور میں تین روزہ میچ کھیلے جسے اس نے اننگز سے جیت لیا۔ یارک شائر اور انگلستان لارڈ ہاک (Lord Hawke) ورنن کی اس ٹیم کا رکن تھا۔ وہ 1892-93ء میں اپنی ایک ٹیم لے کر آیا۔ جس نے لاہور میں دو میچ کھیل کر دورہ کا اختتام پشاور میں کیا۔ وہ تین میچ بہ آسانی جیت گئے۔ ان کی مخالف ٹیموں کے رکن انگریز تھے۔ ماسوائے ایک پارسی سی کانٹریکٹر (C. Contracter) کے جس نے لاہور میں سندھ الیون کے لیے صفر اور ایک رن بنایا۔ انگلستان میں ان دوروں نے کوئی خاص توجہ حاصل نہ کی۔

تاہم ٹھیک دس سال بعد آکسفورڈ اتھنٹکس (Oxford Authentics) جو کہ یونیورسٹی کی سیکنڈ الیون تھی نے دورہ کیا۔ ان کے وکٹ کیپر سیسل ہیڈلیم (Cecil Headlam) نے اس دورے پر ایک کتاب لکھی جو پنجاب، شمال مغربی سرحد اور سندھ میں کرکٹ کا انگریزوں کی نظر میں پہلی بار احوال بیان کرتی ہے۔ جینٹلمین آف انڈیا (Gentlemen of India) کو دہلی میں شکست دینے کے فوری بعد اتھنٹکس نے شمال کی طرف سفر کیا۔ مگر دہلی دربار جشن میں کچھ دیر رکنے کے بعد ریل کے ذریعہ انتہائی سردی میں پشاور کی طرف اپنے سفر کا آغاز کیا۔ ہیڈلیم اسے مزید یوں بیان کرتا ہے:

''...شمالی ہندوستان کی ہراول حفاظتی چوکی جہاں کی منڈی میں آدھا ہندوستان لین دین کرتا ہے، برطانوی چھاؤنی سے شام ڈھلے اگر آپ لالٹین کے بغیر چلے جاتے ہیں تو عین ممکن ہے کہ کھائی میں گھات لگائے پہرداروں کی ٹولی آپ پر پہلی گولی چلائے اور بعد میں للکارے۔ یہ پھر ایک نیا ہندوستان لگتا ہے جو ایک نئی سنسنی پیدا کر دیتا ہے۔ باقی ماندہ ہندوستان حیرت کی حد تک خوش اطوار اور محفوظ ہے یہاں کی سرحدی حدود میں آپ کا سامنا ثقافت اور تہذیبی معیار سے عاری وحشیانہ جہالت سے ہے۔ یہ علاقہ خونی لڑائی جھگڑوں اور بندوقیں چوری کرنے والوں کا گھر ہے۔ سورج غروب ہونے کے بعد چھاؤنی کی حدود کے باہر اگر ان میں سے کسی ایک سے سامنا ہو جائے تو موت یقینی ہے۔''

پشاور سے رات کے سفر کے بعد اتھنٹکس (Authentics) کی ٹیم راولپنڈی پہنچی جہاں مکمل طور پر انگریزوں کی ٹیم شمالی پنجاب (Northern Punjab) کے خلاف کھیل کر اسے شکست دی۔ لاہور میں اتھنٹکس نے جمخانہ گراؤنڈ پر میچ کھیلا۔ بقول ہیڈلیم (Headlam) یہ ہندوستان کی عمدہ ترین جگہ اور جاذب نظر گراؤنڈوں میں سے ایک تھی۔ یہاں ان کا مقابلہ پنجاب کی طاقتور ٹیم سے تھا۔ شمالی ہندوستان میں آنے کے

بعد یہ پہلا موقع تھا کہ وہ ایک مسلمان کھلاڑی احسان الحق کے خلاف کھیل رہے تھے۔[2] کم رنز کے اس میچ میں پنجاب کو سو رنز سے شکست ہوئی۔ گو کہ احسان کی اس میچ میں کوئی خاطر خواہ کارکردگی نہ تھی لیکن مسلمانوں کی کرکٹ کے تاریخ دان کے لیے اس کی شخصیت یقیناً پُرکشش ہے۔

احسان الحق جس کی پیدائش جالندھر (برکی قبیلے کا مرکز) میں ہوئی، انگلینڈ میں فرسٹ کلاس کرکٹ کھیلنے والا پہلا مسلمان تھا۔ وہ سیدھے ہاتھ سے کھیلنے والا سخت گیر بیٹسمین اور درمیانی رفتار کا پُراثر باؤلر تھا جو 1900ء میں قانون کی تعلیم کے لیے لندن آیا۔ جہاں اس نے آسٹریلیا کے تباہ کن باؤلر فریڈ سپوفرتھ (Fred Spofforth) کے شانہ بشانہ ہیمپ سٹیڈ (Hampstead) کے لیے کلب کرکٹ کھیلی۔ احسان نے 1901ء میں ایم سی سی کی طرف سے ڈبلیو جی گریس (W.G. Grace) کی ٹیم لندن کاؤنٹی (London County) کے خلاف اپنا پہلا فرسٹ کلاس میچ کھیلا۔ اگلے سال اس نے مڈل سکس (Middlesex)[3] کے لیے تین فرسٹ کلاس میچ کھیلے جن سب میں اسے کوئی خاص کامیابی نہ ملی۔ پھر اسے بار (Bar) کا بلاوا آ گیا اور اپنی تعلیم مکمل کر کے وہ واپس ہندوستان چلا گیا اور کرکٹ کی تاریخ سے آئندہ دو دہائیوں کے لیے غائب ہو گیا۔

1924ء میں پینتالیس سالہ احسان کی کرکٹ میں غیر معمولی واپسی مسلمانوں کی طرف سے سکھوں کے خلاف جن کا کپتان مہاراجہ پٹیالہ تھا، لارنس گارڈن لاہور کی گراؤنڈ پر کھیل کر ہوئی۔ اب وہ جج بن چکا تھا اور اس کی تعیناتی ڈیرہ غازی خان میں تھی جہاں سے وہ میچ کے لیے بذریعہ ریل سفر کر کے آیا۔ ریل کو آنے میں دیر ہو گئی جس کی وجہ سے وہ گراؤنڈ میں نمبر 11 پر کھیلنے کے لیے پہنچ سکا۔ اس نے صرف چالیس منٹ میں ایک زوردار سنچری بنا ڈالی۔[4]

یہ بات معنی خیز ہے کہ بہت سے دوسرے مسلمان کرکٹروں کی طرح ہنرمند اور کرکٹ کی ابتدائی داغ بیل ڈالنے والے احسان نے محمڈن اینگلو اورینٹل کالج علیگڑھ (Mohammadan Anglo Oriental College) سے تعلیم حاصل کی جو اب جدید ہندوستان کا حصہ ہے۔ اس مشہور ادارے نے پاکستان کی بحیثیت ایک کرکٹ کھیلنے والی قوم کے پیدا ہونے میں نمایاں کردار ادا کیا۔

## علی گڑھ مسلم کرکٹ

پاکستانی کرکٹ کی واضح خصوصیات یعنی سماجی اخلاقیات جذباتی ردعمل اور معاشرتی نظام پر اگر غور کریں تو ان کا سلسلہ نسب علیگڑھ سے ہی جا ملتا ہے۔ مسلم لیگ جس کی سیاسی تحریک کی بدولت پاکستان معرض وجود میں آیا کی جڑیں بھی علیگڑھ میں تھیں اور مسلمانوں کی کرکٹ کی بھی۔

علیگڑھ کا آغاز انیسویں صدی کے بدترین اور بھیانک حالات میں سے ایک نام نہاد ہندوستانی

غدر کے نتیجہ میں ہوا۔ 1857ء کے موسم گرما کی یہ بغاوت نے شمالی ہندوستان کو اپنی لپیٹ میں لے لیا تھا اور ایک ایسا مرحلہ آیا کہ لگتا تھا کہ ہندوستان میں برطانیہ کا اقتدار تباہ ہو جائے گا۔ بعد میں بہت سے مسلمانوں نے (بشمول اے ایچ کاردار پاکستان کی سرکاری ٹیسٹ کرکٹ کا پہلا کپتان) بغاوت کو پاکستان کی پہلی جنگ آزادی کا نام دیا ہے۔ تاہم انگریزوں کے لیے یہ بغاوت یا غدر ایک نا قابل معافی دغا بازی اور سرکشی کا جرم تھا جس کی بدولت انہوں نے نسل پرستی کی بنیاد پر صفایا شروع کر دیا۔

یہ جانتے ہوئے کہ باغیوں نے آخری مغل تاجدار بہادر شاہ ظفر کے نام پر جنگ کا اعلان کیا۔ انگریزوں نے برصغیر میں مسلمانوں کی باقی ماندہ طاقت کا خاتمہ کر دیا۔ انہوں نے اسلامی ثقافت کے لکھنؤ اور دہلی میں عظیم مراکز کو تباہ و برباد کر کے غارت گری کا نشانہ بنایا۔ مسلمانوں کو کچھ وقت کے لیے دہلی سے جانا پڑا اور شہر کے عظیم کتب خانے نیست و نابود کر دیئے گئے۔ ہندوستان کے مسلمانوں کے لیے ان واقعات نے ہر وہ شے تباہ کر دی جس سے ان کا تعلق تھا۔ ایک پوری نسل ماتمی کیفیت میں چلی گئی جو نہیں جانتی تھی کہ ان حالات کا کس طرح ردِعمل کیا جائے۔ اسلام پسماندگی اور وحشیانہ جہالت کا حوالہ بن کر رہ گیا۔ مسلمان ہندوستان کی دوسری قومیتوں ہندو، سکھ، پارسی اور عیسائیوں سے ہر میدان میں پیچھے تھے۔ انہیں ایک قوت کے طور پر اپاہج کر دیا گیا تھا۔ اور ان کا غیر موثر ہو جانا انتہائی تکلیف دہ تھا کیوں کہ ایک اسلامی تہذیب نے ہندوستان پر صدیوں حکومت کی تھی۔ کاردار نے ان حالات پر اپنے غم کو اپنی کتاب Soldiers of Fortune کو یوں بیان کیا:۔

''پاکستان کی تخلیق کو سمجھنے اور اس کے لیے شکرگزار ہونے کے لیے برصغیر کے مسلمانوں کی سماجی، معاشی اور سیاسی حالت کو صحیح تناظر میں جاننا ضروری ہے۔ ہندوستان کے حکمرانوں کی حیثیت سے (جس کی ابتداء محمد غوری کی 1192ء میں دہلی فتح کرنے پر ہو کر 1526ء میں بابر کی مغلیہ سلطنت کی شروعات تک رہی) ہٹ کر غدر کے بعد جسے 1857ء کی پہلی جنگ آزادی بھی کہا جاتا ہے مسلمان انگریزوں کی حکومت میں دوسرے درجہ کے شہری بن کر رہ گئے تھے۔''

اس ناگہانی آفت کے بعد کے نتائج میں مسلمانوں میں عقیدے اور جدید حالات بارے ایک بحث و تکرار شروع تھی جو وکٹورین عہد کے انگلینڈ کے متوازی اسی دور میں پنپ رہی تھی جس کی بدولت مذہبی اداروں کی قدیمی اور طے شدہ یقینی باتوں پر چارلس ڈارون (Charles Darwin) اور سر چارلس لائیل (Sir Charles Lyell) جیسے سائنسدانوں کی دریافت کی روشنی میں اعتراضات اٹھائے جا رہے تھے۔

دیوبند کی تربیت گاہ جس کی بدولت اسلام کی دیوبندی شاخ وجود میں آئی، جس کی بنیاد 1867ء میں دہلی سے شمال مشرق کے ایک چھوٹے شہر میں مولانا محمد قاسم نانوتوی نے رکھی۔ انہیں فکر

تھی کہ وہ ایک ایسا راستہ تلاش کریں جس کی وجہ سے طاقت کے بغیر مسلمان مسلمانوں کے طور پر رہ سکیں۔ دیوبندیوں نے اپنے ماننے والوں کی تمام تر توجہ مقدس صحیفوں اور قرآن پر مرتکز کر دی۔ اور درگاہوں پر جا کر سفارش اور شفاعت کے ذریعہ بخشش کی دعا مانگنے والوں کے خیالات کے خلاف صف آراء ہو گئے۔ تب سے اللہ کی رہنمائی اور انفرادی ضمیر کے مطابق مسلمان معاشرے کو اپنے آپ کو ڈھالنا تھا، اہل ایمان کو انگریزوں کی عدالتوں میں جانے کی بجائے دیوبندی قانون سے مشاورت کے لیے حوصلہ افزائی کی جانے لگی۔ آج کے حالات میں طالبانوں نے اسی نظریے کو پشتون ثقافت کے مطابق ڈھال لیا ہے۔

ایک دوسرے نظریے کے مطابق یہ خیال سامنے آیا کہ اسلام اور جدید حالات میں کوئی متضاد چیز نہیں ہے۔ اس لیے اسلام کو جہالت، پسماندگی اور بے بسی سے نجات دلانے کے لیے فاتح انگریزوں سے تعلقات استوار کرنا چاہیے۔ اس نقطہ نظر میں یقین رکھنے والی سب سے اہم شخصیت علی گڑھ کے ادارے کے بانی سرسید احمد خاں کی تھی۔ غدر کے وقت سرسید کی عمر چالیس برس تھی اور انہوں نے انگریز کا ساتھ دیا مگر جب بغاوت کو دبا لیا گیا تو وہ افسردگی اور بے کیفی سے دوچار ہو کر اتنے بددل ہوئے کہ مصر ہجرت کرنے پر غور کرنے لگے۔ لیکن پھر ہندوستان میں ہی رہنے کو ترجیح دی اور اس اہم فریضہ کو لے کر آگے بڑھے جو کہ مسلمانوں کو انگریزی سیکھنی چاہیے اور مغربی فنون لطیفہ اور سائنسی معلومات پر توجہ دینی چاہیے۔ اس کے لیے انہوں نے نہایت ولولے کے ساتھ تگ و دو کی۔ سرسید نے کہا کہ سائنس ہمارے دائیں ہاتھ میں ہوگی اور فلسفہ ہمارے بائیں ہاتھ میں ہوگا، اور ہمارے سر پر کلمہ طیبہ کا تاج ہوگا جس کے مطابق اللہ کے سوا کوئی معبود نہیں ہے اور محمد ﷺ اس کے پیغمبر ہیں۔

سرسید احمد خاں 1875ء میں محمڈن اینگلو اورینٹل سکول علیگڑھ کی بنیاد رکھنے میں پیش پیش تھے۔ اس کے تاریخدان ڈیوڈ لیلی ویلڈ (David Lelyveld) کے مطابق اس کا نقشہ برطانیہ کے پرائیویٹ سکولوں کے مطابق تھا جس میں اسلامی تعلیمات کی کافی گنجائش رکھی گئی تھی۔ لیلی ویلڈ کے مطابق اس کے وجود میں آنے سے برطانوی ہندوستانی سکول، سرکاری اور عیسائیوں کے سکولوں کے علاوہ اسلامی مدرسے جہاں غلط لوگوں کو غیر مناسب تعلیم دی جاتی تھی۔ سب ناخوش تھے۔

اس سکول کا جسے جلد ہی کالج کا درجہ مل گیا اور پھر 1920ء میں یہ یونیورسٹی بن گیا سب سے اہم کارنامہ یہ تھا کہ اس کی بدولت انگریزیت سے بھرپور مسلمانوں کا ایک ممتاز طبقہ پیدا ہو گیا۔ علیگڑھ کے ڈگری یافتہ فارغ التحصیل اور اس کی مختلف شاخوں کے سکولوں سے پڑھے ہوئے لوگوں نے بیسویں صدی کی پہلی نصف صدی میں مسلم لیگ کی رہنمائی کی اور جنہوں نے آزاد پاکستان بنانے میں کلیدی کردار ادا کیے۔ علیگڑھ نے پاکستان کے لیے کئی ممتاز اور بہترین کرکٹ کے کھلاڑی بھی پیدا کیے۔ اسی طرح علیگڑھ نے دانستہ طور پر

مقامی مدرسوں کی روایت کے متبادل سکول پیدا کیے جہاں فارسی کے ساتھ ساتھ نصاب نے کھیلوں کے ذریعہ مغربی جوش و جذبہ اور گہری دلچسپی بھی پیدا کی۔ زبان میں تعلیم دی جاتی تھی اور سائنس کے مضامین ضمنی تعلیم کے حامل تھے۔لہٰذا کھیلوں کے نصاب کے ذریعے مغربی دلچسپی اور جوش و جذبہ پیدا کیا۔ روایتی کھیل پتنگ بازی، کبڈی اور کشتی کی اہمیت کو کم کر کے نظر انداز کیا جانے لگا اور ان کی جگہ فٹ بال اور خاص طور پر کرکٹ علیگڑھ کی ثقافت کا اہم حصہ بن گئے۔

علیگڑھ میں کرکٹ کا آغاز 1878ء میں ہوا جب راما شنکر مشرا نے کرکٹ کلب کی بنیاد رکھی۔ اس کلب کے ممبر توقع کے مطابق لباس زیب تن کرتے تھے جس میں نیلا فلالین کا کوٹ، قمیص، گھٹنا اور ٹوپی شامل تھے۔ ابتدا میں اس کلب کو فوری نشوونما نہ ملی۔ ایک پرانے گمنام طالب علم کے مطابق جس نے 1881ء میں کالج میں داخلہ لیا کرکٹ کے میچ کبھی کبھار کھیلے جاتے تھے۔ اور کرکٹ کلب کی ممبر شپ لازمی نہیں بلکہ اختیاری تھی۔ وہ کہتا ہے کہ جب 1883ء میں مسٹر بیک (Mr. Beck) آئے تو پھر کہیں جا کر کرکٹ اور دوسرے کھیلوں میں سنجیدہ دلچسپی پیدا ہوئی۔

تھیوڈور بیک (Theodore Beck) کیمبرج میں ریاضی دان تھا اور اعلیٰ درجے کی فہم رکھنے والوں کی خفیہ تنظیم اپاسٹلز (Apostles) کا رکن تھا جسے اگلے سال 1884ء میں علیگڑھ کا پرنسپل (منتظم اعلیٰ) مقرر کر دیا گیا۔ اس نے سب سے پہلے آتے ہی کالج کی کرکٹ ٹیم کو لے کر پنجاب کا دورہ کیا جس میں گورنمنٹ کالج لاہور سے بھی ایک میچ شامل تھا۔ ڈیوڈ لیلی ویلڈ (David Lelyveld) کے مطابق جب بھی کھیل نماز کے لیے روکا جاتا تو لوگوں کو احساس ہوتا کہ علیگڑھ کس پائے کا ادارہ ہے۔ بیک (Beck) نے چارلس کنگزلے (Charles Kingsley) کے اس وقت کے برطانیہ میں عیسائیوں کے لیے چونچال کی زندگی کے مقبول تصور کے متبادل مسلمانوں میں بھی اس تحریک کے پیدا ہونے کو فروغ دیا۔ اس کا عقیدہ تھا کہ علیگڑھ کو کرکٹ جیسے مردانہ اور اعلیٰ کردار کے کھیل کو فروغ دینے میں ایک اہم کردار ادا کرنا ہے۔ رڈیارڈ کپلنگ (Rudyard Kipling) لکھتا ہے کہ اس کے ایجاد کردہ کردار کم اوہارا (Kim O'hara) نے سینٹ زیویئر الیون (St. Xavier's XI) کی طرف سے محمڈن کالج[5] علیگڑھ کے خلاف میچ کھیلا مگر کپلنگ (Kipling) نے میچ کے نتیجہ بارے نہیں لکھا۔ ممکن ہے کہ سینٹ زیویئر (St. Xavier's) کی ٹیم کو خوب مار پڑی ہو کیوں کہ جلد ہی علیگڑھ کی ٹیم ایک بے حد طاقتور ٹیم کے طور پر سامنے آگئی۔

جب 1911ء میں ہندوستانی ٹیم نے انگلستان کا دورہ کیا تو اس میں تین کھلاڑی علیگڑھ سے تھے۔[6] تقسیم ہند سے پہلے مسلمانوں کے عظیم کھلاڑیوں میں چند نام ایسے تھے جنھوں نے علیگڑھ سے تعلیم حاصل کی تھی۔ ان میں وزیر علی[7]، نذیر علی[8]، مشتاق علی[9]، غلام محمد اور جہانگیر خان شامل تھے۔ کرکٹ اور علیگڑھ

کے اس شدید رابطے کا مطلب یہ تھا کہ مسلمانوں کی شناخت کا مرکزی حصہ کرکٹ بن چکی تھی جوں جوں پاکستان کا خیال واضح ہو رہا تھا۔

مثال کے طور پر 1890ء کی دہائی میں مشہور صحافی اور مسلم لیگ کے بانی رکن محمد علی جوہر اپنے علیگڑھ کے دور میں کرکٹ کے بہت دلدادہ تھے اور باقی تمام عمر بھی اس کھیل میں ان کی بے انتہا دلچسپی رہی۔ ان کے بڑے بھائی شوکت جنہیں ایک اچھے اندھا دھند ضرب لگانے والے بیٹسمین کے طور پر جانا جاتا تھا، سکول ٹیم کے کپتان تھے۔ جیسے جیسے علیگڑھ کی تحریک سندھ اور پنجاب میں پھیلنے لگی ویسے ویسے کرکٹ بھی پھیلتی رہی۔ صوبے کے بیشتر کرکٹ کے سبب عظیم کالج جو اب پاکستان کا حصہ بن چکے ہیں وہ سر سید احمد خاں کی علیگڑھ تحریک کے ساتھ بالواسطہ یا بلاواسطہ تعلق کی بدولت شاخ کے طور پر معرض وجود میں آئے تھے۔ ان میں سے ایک لاہور کا اسلامیہ کالج تھا جس نے 1954ء کے ابتدائی دورے کے دوران اوول ٹیسٹ میں انگلینڈ پر برتری حاصل کرنے والی ٹیم کو کم از کم چھ کھلاڑی مہیا کیے تھے۔

یہ ایک اچھا لمحہ ہے جس پر رک کر شمالی ہندوستان کی کرکٹ کا بیسویں صدی کے آغاز میں تجزیہ کیا جائے۔ بیشتر لوگوں نے اس وقت کرکٹ کا نام تک نہیں سنا ہوگا اور جن چند لوگوں کو اس کی واقفیت تھی ان کے لیے یہ انگریز قابضوں کا عجیب اور بے مقصد کھیل تھا۔ سوائے فوجی چھاؤنیوں کے یہ پہاڑی قبائلی علاقوں یا وسیع وعریض علاقوں میں جہاں دیہی آبادی کی اکثریت تھی میں برائے نام کھیلی جاتی تھی۔ تاہم اس کھیل نے کراچی اور لاہور میں ایک قلیل ابتدائی مقام حاصل کر لیا تھا۔ اس وقت کا کراچی آج کے ام البلاد اور بڑے شہر جیسا نہیں تھا جہاں اب لاکھوں کروڑوں لوگ آباد ہیں۔ غالباً اس وقت اس کی آبادی صرف ایک لاکھ افراد پر مشتمل تھی۔ اور اس چھوٹے سے شہر کا جنوب کی طرف بحیرۂ عرب یا اس کے ملحقہ تجارتی مرکز بمبئی کی طرف رخ تھا۔ پنجاب کے دارالحکومت لاہور کی نظر شمال پر تھی۔ یہ قدیمی شہر جس کے چاروں طرف دیوار کا حصار ہے، جی ٹی روڈ (Grand Trunk Road) پر آباد ہے جس کی بدولت عہد قدیم سے برصغیر ہندوستان کا ایشیا سے سلسلہ جڑا ہوا ہے۔ یہ شہر حیرت انگیز پیچیدگیوں اور پراسراریت سے بھرپور افسانوی نوعیت کا تھا۔ اور 1900ء میں کرکٹ کا لاہور کی کہانی کا حصہ بننے کا ابھی صرف آغاز تھا۔ غلام محمد نے 1932ء کی ہندوستانی ٹیم کے ساتھ انگلستان کا دورہ کیا جہاں اسے کوئی خاطر خواہ کامیابی نہ ہوئی مگر تقسیم ہند کے بعد ہندوستان کی مقامی کرکٹ میں بائیں ہاتھ (Left Arm) سے درمیانہ رفتار سے گیند کرنے والی عرصہ پندرہ سال تک طاقت کے طور پر مانا گیا۔

## کراچی میں ابتدائی کرکٹ

لاہور اور کراچی عرصہ دراز سے کرکٹ کے متحارب مراکز ہیں۔ مختلف اوقات میں کبھی ایک شہ کا پلہ بھاری رہا اور کبھی دوسرے کا۔ انگریزوں کی حکومت کے ابتدائی دنوں میں کراچی کرکٹ میں آگے تھا۔ سر چارلس نیپئر (Sir Charles Napier) کی سربراہی میں جب سندھ کا الحاق ہوا تو کراچی کو اس کا دارالحکومت بنا دیا گیا۔ سر بارٹیل فریئر (Sir Bartle Frere) کی زیر نگرانی ترقیاتی کام شرع ہوئے وہ نیا کراچی بنا کر اسے مملکت کے بہترین شہروں کے مقابلے میں کھڑا کرنا چاہتا تھا۔ 1932ء کے لگ بھگ کرکٹ کھیلنے والے سکول ماسٹر سی ڈبلیو ہاسکل (C.W. Haskell) نے اپنی یادداشتوں میں لکھا کہ سوائے نئی دہلی کے دیکھنے میں کراچی ہندوستان کے کسی بھی دوسرے شہر کے مقابلہ میں زیادہ انگریزی شہر دکھائی دیتا ہے۔[10]

انگریز، کراچی کو بمبئی کے زیر اختیار لے آئے۔ سامراجی شہر بمبئی پانچ سو میل جنوب میں واقعہ تھا۔ اس کی بدولت پاکستان کے کسی اور حصہ کی بجائے کراچی میں کرکٹ نے تیزی سے ترقی کی۔ اور وہی راستہ اختیار کر لیا جو اس سے پہلے بمبئی اختیار کر چکا تھا۔ اس بات کا ہم مشاہدہ کر چکے ہیں کہ انگریزوں نے 1840ء کی فتوحات کے فوری بعد کراچی میں کرکٹ کھیلنا شروع کر دی تھی جسے بمبئی میں پارسی (کچھ پارسیوں نے افغان جنگوں کے دوران ٹھیکیداری کے ذریعے کافی دولت کمائی تھی) سب سے پہلے غیر برطانوی لوگ تھے جو کرکٹ کھیلنے میں شامل ہوئے۔ کہا جاتا ہے کہ ایک ایسا وقت بھی تھا کہ ڈنشا (Dinshaws) نامی خاندان پوری کی پوری ٹیم اپنے افراد سے بنا لیتا تھا۔ انیسویں صدی کے آخر تک متعدد پارسی کلب وجود میں آ چکے تھے۔ جن میں کراچی رائزنگ سٹار کرکٹ کلب (The Karachi Rising Star C C)، کراچی انڈیپنڈنٹ کرکٹ کلب (Karachi Independent C C) اور کراچی پارسی جمخانہ شامل تھے۔ کراچی کے تین پارسی 1886ء میں انگلستان دورہ کرنے والی ٹیم کے رکن تھے۔ پارسیوں نے اس کھیل میں بھاری طور پر سرمایہ لگایا۔ کراچی کی پارسی انسٹی ٹیوٹ (Karachi Parsi Institute) کی جس گراؤنڈ میں حنیف محمد نے 499 رنز بنائے تھے وہ ایک پارسی تاجر نے بنائی تھی اور آج بھی زیر استعمال ہے۔

ادھر بمبئی میں ہندوؤں نے فوری طور پر کرکٹ کو نہیں اپنایا اور اپنا پہلا کلب سہتا سپورٹس کلب (Sahta Sports Club) کہیں 1889ء میں جا کر بنا پائے۔ مسلمان ان سے بھی کہیں زیادہ سست ثابت ہوئے۔ ان کی پہلی کلب بوہرہ جمخانہ (Bohra Gymkhana) 1898ء میں جا کر بنی تھی۔ اس کے بعد کرکٹ کا شوق اور بخار دونوں تیزی سے پھیلے۔ انیسویں صدی کے پہلے پچاس سالوں میں کراچی میں کھیلی جانے والی کرکٹ کی واضح تصویر ہندو بی ڈی شنکر (B.D. Shankar) کے توسط سے ملتی ہے۔ شنکر 1900ء میں کراچی کے ایک غریب گھرانے میں پیدا ہوا۔ اور سندھ کی کرکٹ سے اسی لمحہ سے وقف ہو گیا، جب اس

نے پندرہ سال کی عمر میں این جے وی (NJV) ہائی سکول کی طرف سے کھیلتے ہوئے چرچ مشن ہائی سکول کے خلاف 47 رنز بنائے تھے۔ ''میری خوشی کی کوئی انتہا نہ تھی'' شنکر نے لکھا، ''اور اس خوش آئند واقعہ نے مجھے ہمیشہ کے لیے کرکٹ کے راستہ پر گامزن کر دیا۔'' اگلی تین دہائیوں تک شنکر کراچی کی کرکٹ کی روح رواں کے طور پر رہا۔ وہ لکھتا ہے کہ کس طرح 1914ء کی پہلی جنگ عظیم کے چھڑنے سے پہلے مقامی جمخانہ کلبوں سمیت کل آٹھ ٹیمیں تھیں۔ ہر ہفتہ کے روز یہ آپس میں مستقل طور پر میچ کھیلتیں۔ اور اتوار کا دن دوسرے درجہ کے میچوں کے لیے ہوتا جو ینگ کرکٹ ایسوسی ایشن کے ممبر کھیلتے۔

1916ء سندھ کی کرکٹ کی تنظیم کے لیے فیصلہ کن سال تھا۔ اس سال ایک ٹورنامنٹ ''جنگی کوآڈرینگلر'' (Quadrangular) کے نام سے خیراتی مقاصد کے لیے رقوم اکٹھا کرنے کے لیے کھیلا گیا۔ یہ مقابلہ قومیتی بنیادوں کے نمونہ پر تھا جو کہ بمبئی میں پہلے ہی انہی چاروں ٹیموں پارسی، یورپین، ہندو اور مسلمان کے ساتھ منظّم طور پر کھیلا جا رہا تھا۔ یہ ٹورنامنٹ پارسیوں نے جیت لیا۔

یہی کوآڈرینگلر (Quadrangular) بہت جلد سالانہ ٹورنامنٹ کی شکل اختیار کر گیا۔ اس ٹورنامنٹ کا انتظام سندھ کرکٹ ایسوسی ایشن کے ذمہ تھا۔ سندھ کرکٹ ایسوسی ایشن غالباً 24-1923ء کے موسم سرما میں معرض وجود میں آ گئی تھی۔ اس لمحہ سی بی روبی (C.B. Rubie)[11] نمودار ہوا جو ان چند انگریزوں میں سے ایک تھا جنہوں نے تقسیم ہند سے پہلے کے پاکستان میں کرکٹ کے تنظیمی ڈھانچہ کو مرتب کیا۔ (اس خاص فہرست میں لاہور میں جارج ایبل اور راولپنڈی میں بریگیڈیئر راڈھم شامل تھے)۔

کراچی آنے سے پہلے روبی، سیلون (اب سری لنکا) میں رہ چکا تھا۔ وہاں اس نے سیلون کرکٹ ایسوسی ایشن (Ceylon Cricket Association) کی آئین سازی میں مدد کی تھی۔ اسی آئین کا نمونہ سندھ کرکٹ ایسوسی ایشن کے لیے استعمال ہوا۔ (اور چند سال بعد اسی آئین کا نمونہ انڈین کرکٹ بورڈ کے لیے استعمال میں آیا)۔ شنکر بیان کرتا ہے کہ شروع میں چودہ کلبوں نے ایسوسی ایشن میں شمولیت کی۔ تقسیم ہند کے موقع پر چوالیس (44) کلبوں سے زائد ممبر بن چکی تھیں۔ سندھ کرکٹ ایسوسی ایشن نے ہمسایہ صوبوں میں ٹیموں کو بھیجنے کا نمایاں کردار ادا کیا۔ اس کے علاوہ باہر سے آنے والی ٹیموں کا انتظام کرنا اور ٹورنامنٹ مرتب کرنے کی ذمہ داری نبھائی۔ ان تمام میں سب سے اہم غالباً سالانہ کوآڈرینگلر ٹورنامنٹ کا انعقاد تھا۔ 1922ء سے یہ پینٹنگلر (Pentangular) میں تبدیل ہو گیا جب یورپینوں نے اپنی علیحدہ ٹیم بنا لی۔ اس سے پہلے وہ باقی ماندہ (The Rest) کی طرف سے کھیلتے تھے۔ اکثر اس ٹیم میں یہودی، گوا کے رہنے والے اور اینگلو انڈین شامل ہوتے تھے۔ اس ٹورنامنٹ کے متعلق شنکر کی کتاب میں کئی صفحات ہیں۔ ''ہم نے بعد کے سالوں میں بیشتر اخبارات اور کتابوں میں پڑھا ہے کہ کرکٹ کے کئی شیدائی اس قسم کے قومیتی مقابلوں کے

خلاف تھے۔'' شنکر نے لکھا، ''ان کے مطابق ایسے مقابلے نفرت اور دشمنی کو جنم دیتے ہیں۔'' اگر وہ اس وقت سندھ کی کرکٹ اور اس کے پینٹا گلر (Pentangular) کے مقابلے دیکھتے جو کہ قومیتی بنیادوں پر ہی تھے شنکر اس پر زور دیتے ہوئے لکھتا ہے کہ وہ یقیناً اپنی رائے بدل دیتے۔ اگر ایسے مقابلوں کو صحیح اور منظم طریقے سے تشکیل دیا جائے تو پھر کسی نسلی تعصب کا ڈر خوف نہیں ہونا چاہیے۔

پارسیوں کی 1916ء کی جیت ان کے لیے ان کا آخری کارنامہ ثابت ہوئی۔ اس کے بعد ہندو اور مسلمان حاوی ہوگئے۔ کرکٹ کا معیار اونچا تھا۔ اکتوبر 1926ء میں آرتھر گلیگن (Arther Gilligan) کی کپتانی میں ایم سی سی کی طاقتور ٹیم کراچی پہنچی۔ مقامی ٹیموں نے اس کا ڈٹ کر مقابلہ کیا۔ جب سندھ کرکٹ ایسوسی ایشن نے روبی کی کپتانی میں ایک ٹیم میچ کھیلنے کے لیے نئے سال کی ابتدا میں کوئٹہ بھیجی تو مخالف ٹیم کے کپتان نے کہا کہ سندھ ٹیم کا معیار انگلینڈ کی کسی بھی بہترین کاؤنٹی ٹیم کے معیار سے کم نہیں ہے۔

پھر ہندوستان تقسیم ہوگیا۔ 15 اگست 1947ء کو شنکر کوئٹہ میں کام کر رہا تھا۔ اور پاکستان ہی میں رہنے کے اپنے فیصلے کو وہ یوں بیان کرتا ہے، ''لوگوں نے اپنے کام چھوڑ کر واپس ہندوستان جانے کو ترجیح دی کیوں کہ ان کے خیال میں ہندوؤں کے لیے مسلمانوں کے ملک میں رہنا غیر محفوظ تھا۔ شنکر نے پچیس سالہ لمبی ملازمت کے بعد اپنی کمپنی سے پنشن حاصل کرنا تھی جسے وہ ضائع نہیں کر سکتا تھا۔ تاہم جب کوئٹہ میں فسادات شروع ہوگئے تو وہ مجبوراً کراچی کی طرف لوٹ آیا۔ نئی مملکت کے دارالحکومت ہونے کے ناطے اسے فسادات اور لوٹ مار سے کچھ محفوظ سمجھا جاتا تھا مگر ایسا نہ ہوا۔ شنکر انتہائی دکھ کے ساتھ لکھتا ہے کہ جدید کراچی کے مسافر خانے، سستی آرام گاہیں، ریلوے پلیٹ فارم، فٹ پاتھ مہاجر خاندانوں، ان کے بچوں اور پوتوں پوتیوں سے اٹے پڑے تھے۔ کراچی کی سڑکیں اور گلیاں آلودگی اور غلاظت سے بھر گئیں اور یوں کراچی ہندوستان کا صاف ستھرا ترین شہر نہ رہا۔ اور پھر قتل و غارت شروع ہوگئی:

''ہندوؤں کے اخراج سے کراچی کی کشش ختم ہوگئی۔ کھلے میدانوں اور فٹ پاتھوں پہ رہنے والے مہاجروں نے رات کے اندھیرے میں ہندوؤں پر چاقوؤں سے حملے شروع کر دیئے تاکہ وہ اپنے گھر بار چھوڑ کر ہندوستان چلے جائیں اور وہ ان پر قابض ہو جائیں۔ کراچی میں بیشتر ہندوؤں کے گھروں میں زبردستی گھس کر ان پر قبضہ کر لیا۔ حالات قابو سے باہر تھے۔ شام کے وقت ہندوؤں کا اپنے گھر کے افراد کے ساتھ باہر نکلنا بے حد خطرناک اور محال ہوگیا۔ ہندوؤں کے ہوٹل بھی بند ہونے لگے اور ہندوؤں کے لیے اپنی خوراک تک حاصل کرنا مشکل ہوگیا۔''

شنکر بیان کرتا ہے کہ اس موقع پر اس نے اپنے خانوادہ کو ہندوستان بھیج دیا۔ مگر وہ خود پاکستان رہنے کے لیے پُرعزم تھا کیوں کہ وہ اپنی ملازمت کسی طور چھوڑنے پر راضی نہ تھا۔ مگر یہ بے حاصل ہی رہا۔

جنوری 1948ء میں بلوائیوں نے اس کے گھر کو لوٹ لیا اور اس کی تمام اشیاء کو تباہ کر دیا جن میں اس کی کرکٹ کی تمام یادگاریں بھی شامل تھیں۔ شنکر کو ناگزیر حالات کے سامنے جھکنا پڑا اور اسے اپنا پیدائشی شہر چھوڑ کر ہندوستان بھاگنا پڑا۔ جہاں کانپور پہنچ کر اس نے نئی زندگی شروع کی۔

## لاہور میں کرکٹ کا نقطۂ آغاز

جیسا کہ پہلے بیان کیا جا چکا ہے لاہور میں کرکٹ 1840ء کی دہائی میں برطانوی راج کے ذریعے وارد ہوئی۔ یہ انگریز ہی تھے جنہوں نے لاہور کی کرکٹ کے اہم اور نمایاں نشان دیئے جن میں نہایت حسین لاہور جمخانہ کرکٹ گراؤنڈ اور منٹو پارک شامل ہیں جہاں نوجوان کاردار شہر کی فصیل کے باہر جا کر مشق کیا کرتا تھا مگر اصول کے مطابق برطانوی فوجی قابضین اپنے اس کھیل کو صرف آپس میں کھیلنے تک محدود رکھتے تھے۔ انہیں وہاں پر محیط آبادی کی نہ تو کوئی فکر تھی اور نہ ہی اس میں کوئی دلچسپی۔

لاہور کی کرکٹ کی جڑوں کو تلاش کرنے کے لیے ضروری ہے کہ وہاں کے عظیم سکولوں اور کالجوں پر توجہ مرکوز کی جائے جو ہندوستانی غدر کے بعد معرض وجود میں آئے تھے۔ ان تمام اداروں میں سب سے مشہور ایچیسن کالج ہے جس کے بے مثال میدان اور عمارات آج بھی شہر پر حاوی ہیں۔ بقول اس کے بانی سر چارلس ایچیسن (Sir Charles Aitchison) ''یہ سکول پنجاب کی نوعمر اشرافیہ کو تعلیم دینے کی غرض سے بنایا گیا تھا۔'' ابتدائی طور پر صرف بارہ طالب علموں کو 1886ء میں داخلہ ملا جن میں افتخار علی خاں جس نے 1946ء میں انگلستان دورہ کرنے والی ہندوستانی ٹیم کی کپتانی کی کے دادا نواب پٹودی بھی شامل تھے۔ کرکٹ سے والہانہ دلچسپی رکھنے والا بھوپندر سنگھ مہاراجہ پٹیالہ دوسرا مقامی سردار تھا جس نے یہاں تعلیم حاصل کی۔ اس کے جانشین یوراج یدوندرہ سنگھ نے اپنے باپ کے نقش قدم پر چلتے ہوئے یہیں سے تعلیم حاصل کی۔ بالکل ابتدائی دور سے ہی ایچیسن کالج کی ٹرف وکٹیں پاکستان کی بہترین وکٹیں تھیں۔ اور کرکٹ کھیلوں کے نصاب کا اہم ترین جزو تھا۔

نتیجتاً یہ اکثر باور کیا جاتا ہے کہ ایچیسن کالج نے پاکستان میں کرکٹ کی شروعات میں انتہائی اہم کردار سرانجام دیا۔ مگر حقیقت یہ ہے کہ اس تعلیمی ادارے نے ابتدائی قومی کرکٹ ٹیموں کو کوئی کھلاڑی مہیا نہ کیا اور بعد میں بھی صرف چند ایک قومی ٹیم میں آئے۔ ان میں سے جو پاکستان کے لیے کھیلے وہ انتہائی نمایاں تھے جن میں ماجد خان اور ان کے بیٹے بازد، عمران خان، رمیز راجہ اور وہاب ریاض شامل ہیں۔[12] یہ تمام کھلاڑی آزادی کے بعد کے دور کی پیداوار ہیں تب ایچیسن کالج صرف ہندوستان کی اشرافیہ کے لیے وقف نہ رہا تھا۔ اسے بلاامتیاز درمیانہ طبقہ کے امیر لوگوں کے بچوں کے لیے کھول دیا گیا تھا۔

پاکستان کے ابتدائی سالوں میں پاکستان کرکٹ سے آتچیسن کالج کی بے تعلقی کی آسانی سے وضاحت کی جا سکتی ہے۔ اس کی ابتدائی کرکٹ میں دلچسپی رکھنے والے ہندوستان کے رؤسا کے طبقے سے تعلق رکھتے تھے جو مسلم لیگ یا کانگریس کی عظیم جنگ آزادی کی بجائے بنیادی طور پر انگریزوں کے ساتھ وفاداری رکھتے تھے۔ مقامی رؤسا کرکٹ کے تمدن سے الگ رہتے تھے اور یہ روایت جنگ عظیم اوّل کے بعد کے دور میں لاہور پر حاوی رہی۔ بنیادی طور پر کرکٹ کی تخلیق میں دو مخالف اداروں کا بڑا ہاتھ ہے جن کی سماجی حیثیت سے نیچے جگہ بنتی تھی۔

## گورنمنٹ کالج بمقابلہ اسلامیہ کالج

گورنمنٹ کالج کا وجود پہلے سے تھا، اس کی بنیاد جنوری 1864ء میں کلکتہ یونیورسٹی کی توسیع کے طور پر رکھی گئی۔ علیگڑھ یونیورسٹی کی طرح اس کی بنیاد بھی ہندوستانی غدر کے نتیجہ میں سامنے آئی۔ دہلی کا سٹی کالج بند کر دیا گیا تھا۔ 1864ء میں اسے لاہور میں دوبارہ نئی طرز سے قائم کر دیا گیا۔ اسے ڈاکٹر جی ڈبلیو لائیٹنر (Dr, W.G. Leitner) جو تعلیمی سفارتکار تھے کی نگرانی میں بطور مرکز زیادہ اعتماد حاصل تھا۔

ایسے لگتا ہے کہ کرکٹ سب سے پہلے 68-1867ء کے موسم سرما میں کھیلی گئی جب ایک ٹیم نے امرتسر کا دورہ کیا۔ تاہم آر بی چنی لعل جس نے کالج میں 75-1874ء میں داخلہ لیا، نے یاد کرتے ہوئے بیان کیا کہ ''کالج میں میرے زمانے میں بیرونی کھیلوں اور جسمانی ورزش کے لیے کوئی مستقل انتظام نہ تھا بلکہ ان کا نام ونشان تک نہ تھا۔'' کالج میں کرکٹ کلب اپنے طور پر آزاد حیثیت رکھتی تھی اور اپنے اخراجات خود چلانے کی پابند تھی۔

انیسویں صدی کے آخر تک کالج میں کرکٹ کے لیے کوئی گراؤنڈ تفویض نہ کی گئی تھی۔ 1880ء سے آگے البتہ کالج پنجاب کے دوسرے سکولوں کے ساتھ کھیلنا شروع ہو گیا تھا۔ اس دور کے سب سے عظیم مقابلے علیگڑھ کے بے قاعدہ میچوں میں ہوئے۔ 1884ء میں علیگڑھ کی ٹیم کو پرنسپل مسٹر بیک (Mr. Beck) کی سربراہی میں لاہور بھیجا گیا۔ اس ٹیم نے گورنمنٹ کالج کی ٹیم کا بھرکس نکال دیا۔ شکست سے تلملاتے ہوئے گورنمنٹ کالج نے کافی چندہ اکٹھا کر لیا جس کی بدولت بدلہ میچ کھیلنے کا بندوبست کر لیا گیا۔ علیگڑھ پہنچنے پر گورنمنٹ کالج کے طالب علموں کو پتہ چلا کہ ان کے مخالفوں نے نرم وکٹ تیار کر رکھی ہے تا کہ گورنمنٹ کالج کے کرشماتی تیز رفتار باؤلر فیض رحمان کو روکا جا سکے۔ گورنمنٹ کالج کو دوبارہ بھاری شکست کا سامنا تماشائیوں سے بھری گراؤنڈ میں کرنا پڑا جس میں سرسید احمد خان بھی موجود تھے۔

عین ابتدا سے ہی گورنمنٹ کالج (جیسا کہ اس کے نام سے ظاہر ہے) قابل تعظیم تھا۔ کالج کا

رسالہ ''راوی'' اچھے کھیل اور کھلے دل کے کھلاڑیوں کا علمبردار رہا۔ 1911ء کے ایک ٹورنامنٹ میں فتح حاصل کرنے پر راوی نے اعلان کیا ''ہمیں خوشی ہے کہ جیت ہماری ہوئی۔ مگر بغیر کسی غیر ضروری اور نامخلصانہ رویہ کے ہمیں افسوس ہے کہ ہمارے مخالفوں کو شکست ہوئی اور ہم امید کرتے ہیں کہ آئندہ سال بھی ایسے ہی ہو۔'' یہ استقلال بھرا رویہ گورنمنٹ کالج کی خاصیت تھا۔ دو سال قبل پنجاب یونیورسٹی کرکٹ ٹورنامنٹ میں شکست کے بعد راوی نے خبر دی ''انعامی تختی کو دہلی سے لاہور لے آیا گیا ہے مگر جس طریقے سے ہمیں توقع تھی اور چاہتے تھے ویسے نہیں لایا گیا۔ لہٰذا اس موقع سے فائدہ اٹھاتے ہوئے ہم اپنے ابدی حریف فارمن کرسچن کالج کو ٹورنامنٹ میں ان کی شاندار کارکردگی پر مبارکباد پیش کرتے ہیں۔''

مگر نہ ہی علی گڑھ اور نہ ہی فارمن کرسچن کالج کی مخالفت گورنمنٹ کالج کے اعصاب پر اس بری طرح سے سوار تھی جس طرح کہ اسلامیہ کالج کی بطور حریف سوار تھی۔ دونوں جنگ عظیم کے دوران لاہور کی ان دو عظیم درسگاہوں کے مقابلوں میں تماشائیوں کی بڑی تعداد شرکت کرتی تھی۔ اسلامیہ کالج جن اصولوں پر عمل پیرا تھا گورنمنٹ کالج ان سے بالکل برعکس تھا۔ اس کی عمارات کلاسیکی روایت کی تجدید اور نوک دار محرابوں کا عالیشان امتزاج ہے جو بہت حد تک اس دور کے برطانوی پبلک سکولوں کی عمارات سے مشابہت رکھتی ہیں۔ اسلامیہ کالج کی سفیدی شدہ عمارت چوڑے اور پختہ محرابوں اور مغلیہ دور کے روایتی آراستہ باغات پر مشتمل ہے۔

گورنمنٹ کالج پر (کسی حد تک) انگریزوں کو اعتماد تھا مگر اسلامیہ کالج کو مفسدانہ ماحول اور انقلابی آماجگاہ کے طور پر دیکھا جاتا تھا۔[13] گورنمنٹ کالج کے برعکس اسلامیہ کالج کی بنیاد علیگڑھ کی مثال پر رکھی گئی تھی جس کے تحت اسے اپنی مدد آپ اور اسلامی ادارے انجمن حمایت اسلام[14] کی حمایت حاصل تھی۔ انگریزوں کے اسلامیہ کالج بارے شکوک درست تھے۔ پہلی جنگ عظیم کے دوران کالج کے طالب علموں کا ایک گروہ پنجاب سے خفیہ طور پر بھاگ کر افغانستان سے ہوتے ہوئے وسطی ایشیاء پہنچ گیا جہاں برطانوی افواج کے خلاف مزاحمت کی تحریک پیدا کی گئی۔ قائداعظم محمد علی جناح نے کھلے عام اسلامیہ کالج کی حمایت کی جہاں وہ 1941ء سے 1947ء کے درمیان کئی بار گئے اور وہاں طالب علموں اور عام شہریوں سے کالج کی عمارت کے پیچھے کھیل کے میدان میں مخاطب ہوتے رہے۔ کہا جاتا ہے کہ انہوں نے گورنمنٹ کالج کو نظر انداز کیے رکھا۔ اسلامیہ کالج کے علاوہ جس دوسرے تعلیمی ادارے میں اسلامیہ کالج سے زیادہ بار جناح گئے، وہ بذاتِ خود علیگڑھ یونیورسٹی تھا۔

یہ فطری عمل تھا کہ فضل محمود کے والد غلام حسین اپنے انقلابی اور احتجاجی سفر کو ترک کرنے کے بعد اسلامیہ کالج کے پروفیسر بنتے۔ اب جبکہ وہ برطانوی حکومت کی تباہی کے پابند نہ رہے تھے وہ اب اس کی

بجائے گورنمنٹ کالج کرکٹ ٹیم کے زوال پر خوش ہوتے۔ فضل محمود کی ابتدائی سوانح (طباعت 1954ء) میں بتایا گیا ہے کہ ان کے والد کا یہ جنون کس قدر گہرا تھا۔ ''تقریباً اٹھائیس برس پہلے فروری کی ایک خوشگوار صبح میں نے اس دنیا میں آنکھ کھولی۔ جب مجھے اپنے گردوپیش کا ہوش آیا تو مجھے معلوم ہوا کہ اسلامیہ کالج جہاں میرے والد بطور پروفیسر تدریس کا کام کرتے تھے، ہمارے گھر کے بالکل نزدیک واقع تھا۔'' فضل محمود نے یاد کرتے ہوئے بیان کیا۔ پھر اس نے یہ غیر معمولی روئیداد بیان کی:۔

''میرے والد کا بڑا عجیب انداز تھا۔ سال میں ایک دو مرتبہ آدھی رات کو سوتے سے جاگ پڑتے اور چلانا شروع کر دیتے۔ ''جہانگیر وہ کیچ پکڑ لو اور بقا جیلانی کو آوٹ کر دو...... لو وہ آوٹ ہو گیا۔ آوٹ ہو گیا۔'' پھر وہ اچانک کروٹ لیتے اور بلند آواز میں بڑبڑاتے ''ہم نے میچ جیت لیا!!''

جہانگیر خان اور بقا جیلانی[15] جو رات کی اس بے خوابی کا موضوع بنتے، وہ دو جنگوں کے درمیانی عرصہ کے مشہور و معروف کھلاڑی تھے۔ دونوں نے ہندوستان کے لیے کھیلا اور دونوں کا تعلق حیرت انگیز بر کی قبیلے سے تھا۔ تاہم 1920ء کی دہائی کے دوران جب گورنمنٹ کالج لاہور اور اسلامیہ کالج لاہور کے درمیان جذباتی میچ کھیلے جاتے تو جہانگیر خان شلوار پہن کر اسلامیہ کالج کی طرف سے گورنمنٹ کالج کی مخالف ٹیم میں شامل بقا جیلانی کے خلاف کھیلتے۔[16] فضل محمود مزید بیان کرتا ہے:۔

''اس کے بعد میرے والد کا سانس معمول پر آ جاتا اور ان کا چہرہ پرسکون ہو جاتا۔ اور وہ گہری نیند میں چلے جاتے۔ اگلی صبح جب ہم انہیں رات کا حال سناتے اور ان سے ان کے پچھلی رات کے غیض و غضب کے اظہار بارے پوچھتے تو ہمیں پتہ چلتا کہ عنقریب اسلامیہ کالج اور گورنمنٹ کالج کے درمیان ٹورنامنٹ کا حتمی میچ ہونے والا ہے۔ اس بات کا پس منظر یہ ہے کہ اسلامیہ کالج اور گورنمنٹ کالج مستقل طور پر ایک دوسرے کے کرکٹ کے میدان میں شدید حریف تھے۔ اور دونوں ٹیمیں ایک دوسرے کو نیچا دکھانے کے لیے فکر مند رہتیں۔ میرے والد چوں کہ اسلامیہ کالج کرکٹ ٹیم کے صدر بھی تھے اس لیے یہ ان کا فرض بھی بنتا تھا کہ وہ اپنی ٹیم میں احساس برتری قائم کریں اور اسے متحرک رکھیں۔ اپنے ذاتی شوق کی وجہ سے وہ اپنی ٹیم پر دن رات کام کرتے۔ اپنے والد کی اس کیفیت کا مجھ پر اس وقت اثر ہونا شروع ہوا جب میری عمر چھ سال کے قریب تھی۔ حالاں کہ ان کی گفتگو میری سوچ اور سمجھ سے بالا تھی پھر بھی میرے والد نے مجھے تربیت دینے کا عمل شروع کر دیا تھا۔ وہ مجھے زور دے کر نصیحت کرتے ''محمود جب تم بڑے ہو جاؤ تو باؤلر بننا اور پھر ایک دن گورنمنٹ کالج کو ایسی شکست دینا کہ وہ میدان چھوڑ کر بھاگ کھڑے ہوں۔''

یوں گورنمنٹ کالج اور اسلامیہ کالج کی رقابت پاکستان کی ابتدائی کرکٹ کا عظیم ترین کھلاڑی پیدا کرنے کا وسیلہ بنی۔ فضل محمود نے ہمیشہ اسلامیہ کالج کے اوصاف اپنے ساتھ رکھے۔ طالب علمی کے دوران

1940ء کے اوائل میں قائداعظم محمد علی جناح کے لاہور کے دوروں کے دوران فضل محمود ان کا محافظ بن کر فرائض سرانجام دیتا رہا اور بطور پاکستانی کھلاڑی کے اسے انگریز ٹیموں کو تباہ کر کے خاص قسم کی خوشی محسوس ہوتی۔ وہ ایماندار تھا اور اسے پاکستان کا جنون تھا (جیسا کہ ہم دیکھیں گے) مگر بیشتر زندگی گزارنے کے بعد وہ یہ دیکھ کر انتہائی مایوس ہوا کہ آزادی کے وقت قائداعظم کے سکھائے ہوئے اصول پاش پاش ہو چکے ہیں۔

ابتدا میں گورنمنٹ کالج کی ٹیم زیادہ طاقتور تھی اور اس نے باغی اسلامیہ کالج کی ٹیم پر شکست کے کئی زخم لگائے۔ مگر جیسے جیسے برطانوی حکومت ڈگمگانے لگی اور مسلم لیگ میں اعتماد آنے لگا تو اسلامیہ کالج نے پھی پانسہ پلٹا۔ 1940ء کی دہائی میں گورنمنٹ کالج کی قسمت انگریز حکومت کی آئینہ دار تھی۔ جب اسے اسلامیہ کالج کے ہاتھوں مسلسل نو بار یونیورسٹی چیمپئن شپ میں شکست ہوئی۔ 1947ء تک جو آزادی کا سال تھا گورنمنٹ کالج کی خوفزدہ ٹیم پہلے سے ہی اپنی سالانہ تذلیل کے لیے تیار تھی۔ جیسا کہ فروری 1947ء کے راوی کے شمارے سے ظاہر ہوتا ہے اس کے کھیلوں کے مدیر کے ٹورنامنٹ کے شروع ہونے سے قبل لکھے گئے تبصرے میں اسلامیہ کالج کو بالکل ہی اپنے مقابلے میں حقیر سمجھا۔ اور بیان کیا کہ ''معمول کے مطابق ہمیں امید ہے کہ اس بار بھی ہمارا مقابلہ اسلامیہ کالج سے ہوگا اور معمول کے مطابق ہمیں توقع ہے کہ ہم اسے پھر...... چلیں رہنے دیں!!''

مگر جب خلافِ توقع نتیجہ ان کے خلاف گیا تو راوی نے اپنی خفت مٹاتے ہوئے لکھا کہ ''ہم گزشتہ سالوں کے اپنے نتائج کی تصدیق کرتے ہیں۔'' گورنمنٹ کالج کے لیے شرمندہ ہونے کی کوئی وجہ نہیں۔ 1940ء کی دہائی کے ابتدائی سالوں میں اسلامیہ کالج نے ایک ایسی ٹیم تشکیل دے ڈالی جو غالباً سکول کالجوں کی ٹیموں کی تاریخ میں سب سے عظیم ٹیم تھی۔ جیسا کہ ہم نے دیکھا تیرہ سال کی عمر میں فضل محمود نے اسلامیہ کالج میں شمولیت اختیار کی (یہ وہ سال تھا جب مسلم لیگ نے قرارداد لاہور منظور کی جس کے مطابق علیحدہ مسلمان ریاستوں کا تصور اور مطالبہ کیا گیا تھا۔ یہ پاکستان کے وجود میں آنے کے حوالے سے فیصلہ کن لمحہ تھا) اگلے سال کالج کی اوّل ٹیم کے لیے کھیلتے ہوئے انٹر کالج کے حتمی میچ میں فضل محمود نے گورنمنٹ کالج کی ٹیم کو کاٹ کر رکھ دیا۔ اس نے صرف تیرہ رنز کے عوض پانچ وکٹ لیے۔ جس ٹیم میں وہ شامل ہوا اس میں پاکستان کی مستقبل کی ٹیم کے درخشاں ستارے گل محمد، نذر محمد، عبدالحفیظ (جس نے بعد میں اپنا نام بدل کرا ے ایچ کاردار رکھ لیا) مقصود احمد، امتیاز احمد، شجاع الدین، ذوالفقار احمد موجود تھے۔

1940ء کی دہائی میں یہ کھلاڑی فضل محمود کے مطابق ایسے کالج کے طالب علم تھے جس نے علیحدہ اسلامی مملکت کے قیام کے لیے مسلم لیگ کی جدوجہد میں ہراول دستے کا کردار ادا کیا۔ فضل محمود، امتیاز، نذر محمد اور دوسرے مسلم لیگ کے جلسے جلوسوں میں حصہ لیتے۔ بعض اوقات ان پر لاٹھی چارج ہوتا اور آنسو گیس پھینکا

جاتا۔ پھر چند سال بعد ہی یہ پاکستان کی کرکٹ ٹیم کے مرکزی کردار تھے، جس نے ہندوستان اور انگلینڈ کی ٹیموں کو شکست دی۔

یہ حیرت انگیز اور باصلاحیت ٹولہ اسلامیہ کالج کے پرنسپل پروفیسر شیخ محمد اسلم کی ذاتی کاوش کا نتیجہ تھا۔ کرکٹ کے کھلاڑیوں نے کالج ہی میں سورماؤں کا مرتبہ حاصل کر لیا تھا اور انہیں شاہی دستہ کے نام سے جانا جاتا تھا۔ جو کھلاڑی اسلم کے نشانے پر ہوتے وہ انہیں حاصل کرنے کے لیے ان کے خاندانوں کے پاس بہ نفس نفیس خود جاتے جیسا کہ آج کے جدید دور میں فٹ بال کے منیجر کرتے ہیں اور انہیں اپنے مصمم ارادے کے تحت اپنے کالج میں داخل کرتے اور اپنے حریفوں کے ہاتھوں میں آنے سے دور رکھتے۔ فضل محمود نے بیان کیا کہ اسے ایک مرتبہ اسلامیہ کالج کو ترک کر کے گورنمنٹ کالج جانے کے خیالات نے آن گھیرا۔ اس کی بھنک کرنل اسلم کو پڑ گئی۔ وہ سائیکل پر سوار ہو کر ہمارے گھر آئے اور مجھے اپنے ساتھ واپس کالج لے کر گئے اور اس بات کو یقینی بنایا کہ میں ہر صورت اسلامیہ کالج میں رہوں۔"

جونہی 1940ء کی دہائی کے اسلامیہ کالج کے کرکٹ کے ستاروں نے پاکستانی قومی ٹیم کے اعلیٰ مرتبے میں قدم رکھا ساتھ ہی پروفیسر اسلم بھی اعلیٰ درجے پر پہنچ گئے۔ ان کھلاڑیوں کی پہلی نسل پروفیسر اسلم کی شاگرد اور پیروکار تھی۔ انہوں نے بطور خزانچی پاکستان کرکٹ بورڈ کے ابتدائی سالوں میں کام کیا۔ پروفیسر اسلم کو کام کرنے کے لیے زرخیز مٹی میسر ہوئی۔ جنگوں کے درمیانی عرصہ میں لاہور کی فضاؤں میں جیسے کچھ خاص بات تھی۔ میں نے پرانے لاہور کی گلیوں میں گرد آوری کرتے ہوئے پرانے کرکٹ کے کھلاڑیوں کے گھروں کو تلاش کیا۔ یوں لگتا ہے کہ پرانے شہر کے ہر کوچے نے کسی نہ کسی ٹیسٹ کھلاڑی کو جنم دیا۔ گل محمد، نذر محمد، امتیاز احمد اور عبدالحفیظ کاردار سبھی بھاٹی دروازہ کے نزدیک ایک دوسرے سے تقریباً سو گز کے فاصلہ پر رہتے تھے۔ (ان سب کی روایت آج بھی جاری وساری ہے۔ میں نے دیکھا کہ چھوٹے لڑکے ہر دیوار کے ساتھ اور گلی کے نکڑ پر کرکٹ کھیل رہے تھے) 1920ء کی دہائی تک لاہور میں کرکٹ کی ثقافت مرتب ہو چکی تھی۔ اور تب سے اب تک اس میں پھلنے پھولنے کی وسعت اور گہرائی کا سلسلہ جاری ہے اور اس سلسلے کو کاردار کے سب سے بڑے حریف لالہ امرناتھ کی کہانی سے مزید تقویت ملتی ہے۔

## لالہ امرناتھ کی دوہری شناخت

لالہ امرناتھ، ہندوستان کی کرکٹ کے ابتدائی دور کا سب سے زیادہ رومانوی کردار ہے۔ ایک خودسر نوجوان کی حیثیت سے اس نے ہندوستان کے لیے انگلینڈ کے خلاف اپنے پہلے ہی ابتدائی میچ میں بمبئی میں 1933ء میں سنچری بنا ڈالی۔ مگر بعد میں اس کے ہراساں کرنے والے کپتان مہاراج کمار وزیانگرم نے

اسے 1936ء میں انگلستان کا دورہ کرنے والی ہندوستانی ٹیم سے نظم وضبط میں خرابی پیدا کرنے کے الزام میں نکال کر واپس گھر بھیج دیا تھا۔ بالآخر دوسری جنگ عظیم کے بعد امرناتھ کو اس کا مقام دیا گیا اور اسے ہندوستان کی کرکٹ ٹیم کا کپتان بنا دیا گیا۔ بعد میں اس کے دو بیٹے مہندر اور سریندر نے اپنے باپ کے نقش قدم پر چلتے ہوئے ہندوستانی قومی ٹیم میں شرکت کی۔ اور اس طرح کرکٹ کے مشہور خاندان نے جنم لیا۔

ایک اور تیسرے بیٹے راجندر نے اپنے باپ کی سوانح عمری میکنگ آف اے لیجنڈ (The Making of a Legend) لکھی ہے۔ یہ داستان ایک بیٹے کی طرف سے اپنے باپ کے کارناموں کو سراہنے کے انداز میں لکھی گئی ہے جس میں پاکستان اور اس کے کھلاڑیوں بارے کہانیاں موجود ہیں۔ خاص طور پر کاردار کو ناگوار روشنی میں پرکھا گیا ہے۔ مثال کے طور پر راجندر امرناتھ اس بات پر زور دیتا ہے کہ کاردار نے لاہور کے ایک ہوٹل کی ڈیوڑھی میں امرناتھ پر اس وقت جسمانی حملہ کیا جب جنوری 1955ء میں لاہور میں ہندوستان اور پاکستان کا ٹیسٹ میچ جاری تھا۔ مجھے اس کہانی کی کہیں سے بھی کوئی گواہی یا تصدیق نہیں ملی۔ پاکستان کے اس وقت کے ان تمام کھلاڑیوں نے جو ابھی بقید حیات ہیں نے مجھے یقین دلایا کہ انہوں نے اس وقت اس قسم کے واقعہ کے بارے میں کبھی ایک حرف تک نہ سنا تھا۔[17]

مزید برآں راجندر امرناتھ کی کتاب ایک انتہائی اہم پہلو جس کا تعلق اس کے باپ کی زندگی کے ابتدائی تشکیلی دور سے ہے جس میں لاہور کے ایک مسلمان کرکٹ کھیلنے والے خاندان کا امرناتھ کو گود لے لینا شامل ہے پر بالکل خاموش ہے۔ یہ مسلمان رانا خانوادہ وہ تھا جس کا دور کا رشتہ متنازع امپائر شکور رانا اور کرکٹ کے کھلاڑیوں شفقت رانا اور عظمت رانا[18] سے ہے۔ 1920ء کی دہائی میں رانا خانوادہ کا فائق کھلاڑی توکل مجید تھا جو کریسنٹ کلب میں روشنی کے مینار کی حیثیت رکھتا تھا۔ اس کلب کا شمار لاہور کی بڑی کلبوں میں ہوتا تھا۔ میں نے توکل مجید کے بیٹے ستر سالہ جمی رانا سے ملنے کا لاہور جمخانہ کلب میں کافی پراہتمام کیا۔ جمیل یا جمی رانا اپنے وقت کا اچھا کھلاڑی رہا ہے۔ اس نے پنجاب کے لیے فرسٹ کلاس کرکٹ کھیلی ہے۔ جمیل رانا نے مجھے مندرجہ ذیل کہانی بیان کی:۔

''کرکٹ میچ سے گھر واپس آتے ہوئے میرے والد کا چند لڑکوں کے پاس سے گزرا ہوا جو گلی میں کرکٹ کھیل رہے تھے۔ ان میں سے ایک نے انتہائی خوبصورت کور ڈرائیو کا مظاہرہ کیا۔ میرے والد نے رک کر اسے دیکھا اور کہا کہ وہی شارٹ دوبارہ کھیلے، اس نے پھر وہ شاٹ بالکل اسی طرح دہرا دیا۔ اس کی آنکھ بلا کا دیکھ سکتی تھی۔ یہ لڑکا امرناتھ تھا۔ میرے والد نے اسے کہا کہ وہ انہیں اپنے والدین کے پاس لے چلے۔ ان کے پاس جا کر معلوم ہوا کہ وہ انتہائی غریب اور مفلس ہیں۔ میرے والد نے انہیں کہا کہ وہ امرناتھ کو اپنے گھر رکھنا چاہتے ہیں۔ اس پر امرناتھ کے والدین بے حد خوش ہوئے۔ نتیجہ یہ ہوا کہ امرناتھ کی ہمارے

گھر میں بالکل ہمارے اپنے رشتہ دار کی طرح پرورش ہوئی۔''[19]

لٰہذا میں نے جمی رانا کو مجھے ساتھ لے کر پرانے شہر کے ہندوؤں کے اس علاقے میں چلنے کو کہا جہاں امرناتھ کے بچپن کا وہ گھر واقع تھا جہاں وہ اپنے والدین اور دادا دادی کے ساتھ رہا کرتا تھا اور پھر وہاں سے اس کی وہ نئی رہائش گاہ جہاں وہ رانا خاندان کے ساتھ موچی دروازہ کے محلّہ کی ایک گلی میں رہائش پذیر ہوا۔ ان دونوں جگہوں میں بہ مشکل دوسو گز کا فاصلہ تھا اور پرہجوم گلیوں میں یہ فاصلہ طے کرتے ہوئے ہمیں صرف پانچ منٹ لگے۔

امرناتھ کے گھر (جو آج کا کامیاب اور پھلتا پھولتا شاہ عالم مارکیٹ کا علاقہ ہے) کا اب وہاں کوئی وجود نہیں ہے۔ ہندو علاقے کی تقریباً تمام عمارات کی طرح اسے بھی تقسیم کے وقت جلا دیا گیا تھا۔ جمی رانا نے مجھے بتایا کہ ہندو اس وقت اسلحہ سے لیس تھے اور انہوں نے گھیراؤ کرتے ہوئے مسلمانوں کا کئی روز تک دفاع کیا مگر بالآخر قاتلوں نے ان کا حصار توڑ کر ان پر خونریزی کی کاری ضرب لگائی۔ انہوں نے مٹی کے تیل سے بھرے ہوئے کنستروں کی مدد سے تمام علاقے کو نذرِ آتش کر دیا جس میں امرناتھ کا وہ گھر بھی شامل تھا جس میں اس کی نوعمری کے دور میں پرورش ہوئی تھی۔ اس وقت امرناتھ پونا میں آسٹریلوی دورہ پر 1947-48ء میں جانے والی ٹیم کے نامزد کپتان کی حیثیت سے زیر تربیت تھا۔

1920ء کی دہائی میں جب امرناتھ نے اپنے نئے سرپرست کے گھر رہنا شروع کیا تو مستقبل میں آنے والے ان دلخراش حالات کا سوچا بھی نہیں جا سکتا تھا۔ اس کے سرپرست کا خاندان جس کا امرناتھ اب حصہ تھا اپنے علاقے کے ایک امتیازی جدید طرز کے دومنزلہ مکان میں رہائش پذیر تھا۔ یہ مکان اب بھی وہاں موجود ہے۔ مگر اب خستہ حالت میں ہے۔ اور اسے گرائے جانے کا منصوبہ ہے۔ جمی رانا نے مجھے گھر کی پہلی منزل پر وہ کمرہ دکھایا جہاں ان کا مشہور رہائش پذیر مہمان اپنے وقت میں لاہور کے کرکٹ کے کھلاڑیوں سے ملا کرتا تھا۔ اور جہاں وہ بے شمار کرکٹ میں جیتے ہوئے چمکتے کپ اور ٹرافیاں دکھایا کرتا تھا۔ گو کہ ہم ایک مسلمان خاندان تھے اور ایک ہندو کی پرورش کر رہے تھے مگر اس کے باوجود ہم نے ایک بار بھی اسے مسلمان ہونے پر مجبور نہ کیا۔ جمی نے اس بات کو فخریہ انداز میں بیان کیا۔ اس نے مزید بتایا کہ جب امرناتھ ان کے گھر رہنے لگا تو میرے دادا نے اس وقت حال ہی میں گھر میں بجلی لگوائی تھی۔ اور یوں ہمارا گھر لاہور کے ان چند ابتدائی گھروں میں سے تھا جہاں پہلے پہل بجلی پہنچی۔ کئی سالوں تک نوجوان طلبہ ہمارے گھر کی کھڑکیوں کے باہر اکٹھے ہو جاتے اور رات کے اندھیرے میں کھڑکی سے باہر آنے والی روشنی میں پڑھائی کا سلسلہ جاری رکھتے۔ غالباً اس وقت لاہور کی آبادی چھ لاکھ کی تھی اور زیادہ لوگ اندرون شہر رہتے تھے۔ اس وقت شہر میں نہ تو موٹر کاریں تھیں نہ ہی ٹیلیفون تھے اور نہ ہی کوئی راز داری تھی۔ امرا تانگوں میں سفر کرتے تھے۔ اور دوسرے

سب لوگ پیدل چلتے تھے۔ اگر آپ نے کوئی پیغام پہنچانا ہوتا تو اپنے مقامی حجام (نائی) کو بتا دیا جاتا تھا جو اسے آگے پہنچا دیتا۔ (یہ حجام یا نائی ختنوں کا کام بھی سرانجام دیتے تھے)۔

صرف عظیم امرناتھ ہی ایسا کھلاڑی نہ تھا جس کی سرپرستی رانا خاندان نے کی۔ جمی رانا نے مجھے بتایا کہ اس کے علاوہ اور بھی بہت سے کھلاڑی تھے جن میں جنگ عظیم کے دور کا صف اوّل کا لیگ بریک گگلی باؤلر امیر الٰہی بھی شامل تھا جو امرناتھ کے ساتھ انگلستان کے 1936ء کے آفت زدہ دورہ پر گیا تھا اور پھر دس سال بعد امرناتھ کی ٹیم میں آسٹریلیا کے دورہ پر شامل تھا۔ 1952ء میں چوالیس سال کی عمر میں اس نے امرناتھ کی ہندوستانی ٹیم کے خلاف بھارت کا دورہ کرنے والی پاکستانی ٹیم کی طرف سے کاردار کی کپتانی میں پانچ ٹیسٹ میچ کھیلے۔

فطری طور پر امرناتھ نے رانا خاندان کی کریسنٹ کلب کی طرف سے کھیلنا شروع کیا۔ یہ لاہور کی سب سے فعال اور زوردار ٹیم تھی۔ یہ شہر کے ہنگامہ خیز درمیانے طبقے کی تخلیق تھی۔ اس کی بدترین حریف ممدوٹ کلب تھی۔ جس کا محور جاگیرداروں کی پشت پناہی کے گرد گھومتا تھا۔ اس کلب میں جہانگیر خان جیسے عظیم کھلاڑی شامل تھے۔ ممدوٹ کلب اس جاگیرداری کی آئینہ دار تھی جو بیسویں صدی کی پہلی دہائی کے ابتدائی دور میں لاہوری کرکٹ پر حاوی تھی۔[20] کہا جاتا ہے کہ دوسری جنگ عظیم کے اختتامی دور میں مستقبل کے پاکستانی صدر ذوالفقار علی بھٹو نے بھی ممدوٹ کلب کے لیے کھیلا۔ کریسنٹ کلب میں شہری اثر موجود تھا اور اس کا جھکاؤ چھلتی پھیلتی مسلم لیگ کی طرف تھا۔ اس کے بہت سے کھلاڑی اسلامیہ کالج کے تعلیم یافتہ تھے۔ یقیناً لاہور کی ان دو عظیم کلبوں کے درمیان مقابلے گورنمنٹ کالج لاہور اور اسلامیہ کالج لاہور کے زبردست اور بہادرانہ مقابلوں کے آئینہ دار تھے۔

بہت سی دوسری کلبوں کی طرح کریسنٹ کلب بھی منٹو پارک میں کھیلتی تھی جو شہر کی فصیل سے ذرا باہر واقع تھی۔ اس کے کھلاڑی مقررہ وقت سے بہت پہلے آکر کھیلنے کے لیے پچ کی تیاری کرتے۔ جمی رانا نے مجھے بتایا کہ اس کے والد کو امرناتھ پر بڑا فخر تھا کہ غیر معمولی صلاحیتوں کے مالک نوجوان ہندو کھلاڑی نے ان کی کلب کے لیے کتنی ہی ٹرافیاں جیتی تھیں اور امرناتھ کا برتاؤ دوسرے کھلاڑیوں کے ساتھ کتنا دوستانہ تھا۔ دوستی کے رشتے بارے وضاحت کرتے ہوئے اس نے مجھے بتایا کہ کریسنٹ کلب اور ممدوٹ کلب کے مابین باغ جناح (لارنس گارڈن) میں ایک اہم میچ کھیلے جانے سے ایک رات قبل ممدوٹ کلب والوں نے امرناتھ سے مارپیٹ کرنے کے لیے غنڈوں کے ایک گروہ کو بھیجنے کا منصوبہ بنایا۔ ان کے مطابق امرناتھ کو بلوں سے اتنا مارنا تھا کہ وہ زخمی ہو کر ان کے خلاف کھیل نہ سکے۔ کریسنٹ کلب والوں کو اس خبر کی بھنک پڑ گئی تو انہوں نے امرناتھ کو محافظ فراہم کر دیا۔ جب اس پر حملہ ہوا تو کھلاڑیوں نے اپنے جسموں سے اس پر ڈھال کا کام کیا

تا کہ وہ زخمی نہ ہو جائے۔ جمیل رانا نے مجھے بتایا۔

اس کہانی کا مختلف نقطہ نظر راجندر امرناتھ کی سوانح عمری میں ملتا ہے۔ راجندر کے مطابق اس کے والد نے شکایتاً بتایا کہ ''مجھے تمام دوسرے کھلاڑیوں سے بہتر کھیل پیش کرنا پڑتا تھا کیوں کہ میں واحد ہندو تھا جو مسلمانوں سے حاوی کلب میں کھیلتا تھا۔'' راجندر نے تفصیل سے بیان کیا کہ امرناتھ پر حملہ ہندوؤں اور مسلمانوں کے مابین میچ سے ایک رات قبل ہوا۔ اس شام امرناتھ انارکلی بازار میں اپنے دوستوں کے ساتھ چہل قدمی کر رہا تھا۔ کہ اچانک مسلمانوں کی ٹیم کے حامیوں کے ایک گروہ نے چلاتے ہوئے کہ ''امرناتھ کی ہڈیاں توڑ دو'' ان پر لاٹھیوں سے حملہ کر دیا۔ کیوں کہ وہ محور خاص تھا اس وجہ سے اس کے دوست ڈھال بن کر اس پر گر پڑے اور تمام ضربات اپنے جسموں پر اس وقت تک لیتے رہے جب تک انہیں ہندو حامیوں کی مزید کمک نے آ کر بچا نہ لیا۔[21]

کریسنٹ کلب امرناتھ جیسے غیر معمولی کھلاڑی کو اپنے پاس زیادہ دیر تک نہ رکھ سکی۔ آسٹریلوی کوچ فرینک ٹیرنٹ (Frank Tarrant) جو کہ مہاراجہ پٹیالہ کی بحیثیت کرکٹ کوچ ملازمت میں تھا نے امرناتھ کو کھیلتے ہوئے دیکھا اور مہاراجہ کو صلاح دی کہ اسے اپنے پاس رکھ لیا جائے۔ اور یوں امرناتھ کا تعارف پرکشش اور شاہانہ کرکٹ سے ہوا جہاں بہتر اجرت کا سامان بھی ہو گیا۔ جمی رانا کا تاہم اصرار ہے کہ امرناتھ مہربانی کا برتاؤ کبھی نہ بھول سکا جو اسے ہمارے گھر سے نصیب ہوا۔ اپنے آبائی گھر کے ہلکے نیلے رنگ کے مرکزی دروازے کے باہر کھڑے جمیل رانا نے مجھے بتایا:

''جب بھی وہ کبھی تقسیم کے بعد پاکستان آیا وہ ہمیشہ ہمارے خاندان سے ملنے آتا، ایک بار وہ اپنے دو بیٹوں کے ساتھ بھی آیا۔ اور اس گھر کی دہلیز پر احتراماً سرنگوں ہوا۔ اور اس نے اپنے دونوں بیٹوں کو حکم دیا کہ وہ بھی سرنگوں ہوں۔ ماتھا ٹیکتے ہوئے ایک کے ماتھے پر مٹی لگ گئی۔ اسے صاف کرنے کے لیے اس نے جب رومال نکالا تو امرناتھ نے اسے کہا کہ ''دور کرو رومال کو اور یہ مٹی اپنے باقی چہرے پر بھی مل لو۔ اگر یہ گھر نہ ہوتا تو تم دونوں بھی آج گلیوں میں رل رہے ہوتے۔''

لہٰذا جب 1952ء میں پاکستان ٹیسٹ کرکٹ میں ہندوستان کے سامنے پہلی بار آیا تو مدمقابل دونوں کپتان لالہ امرناتھ اور عبدالحفیظ کاردار ایک دوسرے کو خوب سمجھتے ہوں گے کیوں کہ دونوں کی بود و باش ایک ہی شہر میں ہوئی تھی اور بچپن میں ایک ہی گلیوں میں کھیل کود کر دیکھا تھا۔ پھر ایک ہی کلب کی نمائندگی کر رکھی تھی اور اپنے اپنے ہنر کو انہیں سب کھلاڑیوں کے خلاف آزما رکھا تھا۔ دونوں ایک ہی زبان بولتے تھے۔ ایک ہی قسم کی خوراک کھاتے تھے اور ایک ہی قسم کا لباس زیب تن کرتے تھے۔ لیکن اگر وہ حادثاتی طور پر مذہب اور تاریخ کی وجہ سے علیحدہ نہ ہو جاتے تو کاردار اور امرناتھ ایک ہی ٹیم میں اکٹھے کھیل رہے ہوتے۔

ہندوستان میں امرناتھ کو اس ہندو کی حیثیت سے دیکھا جاتا ہے جو مسلمانوں کے تعصب اور عداوت کے باوجود ہندوستان کے عظیم کرکٹ کھلاڑی کی حیثیت سے نام پیدا کرنے میں کامیاب ہوا۔ لیکن پاکستان میں اسے دونوں عظیم جنگوں کے درمیانی وقفہ کے لاہور کی شاندار کرکٹ کے تمدن کی اس پیداوار کے لحاظ سے یاد کیا جاتا ہے وہ یقیناً اپنے کھیل کی حیرت انگیز صلاحیت کو مسلمانوں سے دوستی کے بغیر کبھی حاصل نہ کر پاتا۔ اپنی شناخت کے اس دوہرے پن کے بھاری وزن کو اس نے عمر بھر اٹھائے رکھا اور یوں کسی نہ کسی طور اس المناک کشمکش کا نقطہ نظر ہندوستان اور پاکستان کی کرکٹ پر شروع سے ہی غالب رہا۔

## پاکستانی قومی ٹیم کا آغاز

انیسویں صدی کے اختتام پر شمالی ہندوستان میں کرکٹ کی موجودگی معمولی طور پر صرف برائے نام تھی۔ مگر اس کے بعد یہ تیزی کے ساتھ پھیلتی گئی۔ آزادی کے وقت لاہور اور کراچی کرکٹ کے مرکز کے طور پر پہچانے جاتے تھے۔ جہاں یہ کھیل نہ صرف رواں دواں تھا بلکہ اسے سنجیدگی سے کھیلا جاتا تھا۔ کھیل کے نئے ڈھانچے کے نمودار ہونے کے ساتھ ساتھ طلسماتی کھلاڑی بھی سامنے آ چکے تھے۔ اسی اثناء میں پارسی کرکٹ میں اپنا اثر ورسوخ کھو چکے تھے۔ اس کی کچھ وجہ یہ بھی تھی کہ کراچی جو کہ صدی کی ابتداء میں کرکٹ کا اصل مرکز تھا اس کی جگہ آہستہ آہستہ لاہور لے چکا تھا۔[22]

1930ء کی دہائی میں کرکٹ سے آگاہی ہونا شروع ہو چکی تھی جو آہستہ آہستہ قومی آگاہی کے ابتدائی مرحلے میں داخل ہو رہی تھی، تاہم اس پہلو کو انتہائی احتیاط سے دیکھنا چاہیے کیوں کہ کرکٹ کا یہ شوق اور آگاہی بلوچستان، شمال مغربی سرحدی صوبہ اور بنگال کے علاقوں میں بہ مشکل پہنچ پایا تھا جبکہ لاہور اور کراچی میں کرکٹ کا بالکل مختلف متاثر کن ادراک تھا۔ کراچی ہر طرف سے کھلے ذہن کا غیر جانبدار شہر تھا جبکہ لاہور میں پارسی برائے نام تھے۔ اور ہندوؤں کے پاس زیادہ اثر ورسوخ نہ تھا۔

پھر سب سے بڑھ کر جب بھی قومی شعور کی بات کی جاتی ہے تو اس میں یہ خطرہ لاحق ہوتا ہے کہ کہیں یہ غلط طور پر منسوب نہ کر لی جائے۔ اس بات کو ذہن میں رکھنا چاہیے کہ جب پاکستان کا خواب حقیقت بننے کی طرف بڑھ رہا تھا تو اس وقت ہندوستان میں برطانوی حکومت اپنے آخری سانسوں پر تھی۔ بلکہ پاکستان کا نام 1933ء تک ایجاد نہیں ہوا تھا۔ یہ نام کیمبرج یونیورسٹی کے ایک ذہین شخص چوہدری رحمت علی کے ذہن کی پیداوار تھا جس نے وہ مشہور کتابچہ لکھا جس میں پہلی بار پاکستان کا نام لیا گیا۔ اور جس کی ابتداء ایک گونجدار اعلان سے یوں کی گئی:۔

''ہندوستان کی تاریخ کے اس سنجیدہ لمحہ میں جب برطانوی اور ہندوستانی معتبر سیاستدان اس

سرزمین کے وفاقی آئین کی بنیاد رکھ رہے ہیں ہم آپ سے اپنی درخواست کے ذریعے مخاطب ہوتے ہیں کہ ہماری مشترکہ تہذیبی میراث اور تین کروڑ مسلمان بھائی جو پاکستان میں رہتے ہیں جس سے ہماری مراد ہندوستان کے پانچ شمالی حصے جن میں پنجاب، شمال مغربی سرحدی صوبہ (افغان صوبہ) کشمیر، سندھ اور بلوچستان ہے، میں ہمارے خلاف سیاسی اذیت کے ذریعے ہمیں مٹا دینے کی سازش کے خلاف ہماری تلخ اور فیصلہ کن جدوجہد میں ہمیں آپ کی ہمدردی اور حمایت کی ضرورت ہے۔''

مگر پاکستان کی ریاست 1933ء میں ایک دور افتادہ لاحاصل خواب سے زیادہ کچھ نہیں تھی۔ اور اس کے واضح خدوخال قرارداد لاہور تک سامنے نہیں آئے تھے جہاں آزاد مسلمان ریاستوں کا مطالبہ کیا گیا تھا۔ اور مسلم لیگ نے مارچ 1940ء میں اسے اپنے منشور میں شامل کرلیا۔ یہ نظریہ تقسیم ہند کے آخری مہینوں تک قومی مطالبے کی صورت میں سامنے نہیں آیا تھا۔

لہٰذا اس بات کا خدشہ ہے کہ حالات کو ایسا رنگ نہ دے دیا جائے کہ جس کی بدولت بگڑے اور الجھے ہوئے حالات کی حقیقت بدل جائے۔ 1930ء کی دہائی میں لاہور اور کراچی کے کرکٹ کے کھلاڑی حب الوطنی کے جذبے کے تحت نہیں کھیلتے تھے۔ اور برطانوی تسلط کے خلاف کوئی قدورت نہیں رکھتے تھے۔ ان میں زیادہ تر وہ تھے جنہیں اس بات کا ذرہ بھر خیال تک نہ تھا کہ آنے والے وقت میں بڑی طاقتیں ان کی دنیا کو اجاڑ کر رکھ دینگی اور حالات ہمیشہ ہمیشہ کے لیے تبدیل ہوجائیں گے۔ کرکٹ کے کھلاڑی شاذونادر ہی سیاسی طور پر متحرک یا سوچ بچار رکھنے والے ہوتے ہیں۔

پھر بھی ماضی کے حالات کو دیکھتے ہوئے اس بات کا ادراک کیا جاسکتا ہے کہ 1930ء کی دہائی کے دوران ایسے ڈھانچے مرتب ہوئے جن کی بدولت ایک ایسی قومی ٹیم کی نشاندہی ہورہی تھی جو تقسیم کے بعد پاکستان بننے پر سامنے آئی۔ اس حوالے سے دو نشاندہیاں موجود ہیں۔ پہلی یہ کہ شمالی ہندوستان کی وہ ٹیم جس نے 1934ء میں افتتاحی رانجی ٹرافی کھیلی اور وقفے وقفے کے بعد تقسیم ہند تک کھیلتی رہی۔ رانجی ٹرافی کے مقابلے جغرافیائی بنیادوں پر کھیلے جاتے تھے اور حصہ لینے والی ٹیموں میں مختلف قومیتوں کے کھلاڑی ہوا کرتے تھے جن میں ہندو، مسلمان، پارسی او دوسرے مذاہب سے تعلق رکھنے والے کھلاڑیوں کے علاوہ انگریزوں کی بھی کافی تعداد شامل تھی (گوکہ یہ بات غور طلب ہے کہ شمالی ہندوستان کی ٹیم میں بتدریج مسلمانوں کا اثرورسوخ بڑھتا گیا)۔

## شمالی ہندوستان اور مختلف قومیتوں کی تقسیم ہند سے پہلے کی کرکٹ

شمالی ہندوستان کی کرکٹ ٹیم نے مسلمانوں کی ٹیموں کے مقابلے میں تاریخ دانوں کی کم توجہ حاصل کی کیوں کہ مسلمانوں کی ان ٹیموں نے عظیم قومیتی ٹورنامنٹوں میں تقسیم سے پہلے حصہ لے رکھا تھا اور جن کی

اہمیت کو رام چندر گوہا نے انتہائی خوبصورتی سے قلمبند کیا ہے۔ ان ٹیموں کے مقابلوں نے روایتی قصوں کی صورت اختیار کر لی اور پاکستانی کرکٹ کے مجموعی حافظے پر اپنا تسلط جمائے رکھا۔ اپنے وقتوں میں رانجی ٹرافی میچوں کی نسبت قومیتی میچوں میں لوگوں کا زیادہ دھیان تھا۔ ان مقابلوں کو دیکھنے والے تماشایوں کی بہت تعداد ہوتی تھی اور اخبارات میں بھی ان کا ذکر زیادہ اہمیت سے کیا جاتا تھا۔

جیسا کہ ہم نے دیکھا کہ مسلمانوں کی پہلی ٹیم نے فرسٹ کلاس کرکٹ کھیلتے ہوئے 1913-1912ء کے بمبئی ٹورنامنٹ میں حصہ لے کر اسے پارسیوں، ہندوؤں اور انگریزوں سمیت چار ٹیموں کے درمیان چوگوشیا (Quadrangular) شکل دے دی۔ مسلمانوں نے 1912ء میں اپنے میچوں کی ابتداء کی اور پہلے ہی میچ میں یورپین (انگریزی) ٹیم کو سات وکٹوں سے شکست دی۔[23] تاہم اس کے بعد پارسیوں کی تجربہ کار ٹیم کے ہاتھوں انہیں منہ توڑ شکست کا سامنا کرنا پڑا۔ مسلمانوں نے پہلی بار اس چوگوشیا (Quadrangular) ٹورنامنٹ کو 24-1923ء میں اس وقت جیتا جب پہلی مرتبہ بمبئی سے باہر کے کھلاڑیوں کی نمائندہ ٹیم میں شمولیت کے لیے آزمائش کی گئی۔ ان کا کپتانی عبدالسلام علی گڑھ کا منجھا ہوا کھلاڑی تھا جس نے 33 میچوں میں 150 فرسٹ کلاس وکٹیں حاصل کیں جن میں 24-1923ء کے لاہور ٹورنامنٹ کے فائنل میں ہندوؤں کے خلاف بارہ وکٹیں بھی شامل ہیں۔ مسلم سٹوڈنٹ یونین (Muslim Students Union) نے فاتح ٹیم کے اعزاز میں ضیافت کا اہتمام کیا جس میں محمد علی جناح نے فاتح ٹیم کے لیے اعزازی کلمے کہے۔ انہوں نے کہا کہ ''مجھے یقین ہے کہ ہمارے ہندو بھائیوں نے بھی محمدی بھائیوں (Mahommedans) کی فتح پر خوشی محسوس کی ہوگی کیوں کہ یہی اصل کھلاڑیوں کا خاصہ ہے۔ کھیل کے میدان سے بہت سے سبق حاصل ہوتے ہیں جو زندگی کی دوسری راہوں پر بھی کام آتے ہیں۔ کرکٹ کے میدان میں جس بھائی چارے کا مظاہرہ کیا گیا ہے وہ قابل ستائش ہے۔''

ابھی تک چوگوشیا (Quadrangular) مقابلوں کی اہمیت صرف سماجی تہواروں کی سی تھی۔ اور یہی کیفیت کراچی، لاہور (جن کا مقام فرسٹ کلاس کرکٹ میں شمار ہوتا تھا) اور ناگپور میں منعقدہ وسطی صوبوں کے میچوں کی تھی۔ مگر 1920ء کے اواخر میں کانگریس پارٹی اور مسلم لیگ نے ہندوستان کے مستقبل بارے ایک دوسرے سے ٹکراؤ کی کیفیت پیدا کر لی تھی جس کی بدولت ہندوستان کے بہت سے شہروں میں قومیتی فسادات نے جنم لیا۔ ہندوؤں نے بمبئی کے چوگوشیا (Quadrangular) مقابلوں سے اپنے آپ کو سماجی طور پر علیحدہ کر لیا جس کے نتیجے میں یہ ٹورنامنٹ چار سال کے لیے غائب ہو گیا۔ تاہم کراچی، حیدر آباد اور ناگپور میں قومیتی ٹورنامنٹ بغیر کسی دقت کے بدستور جاری رہے۔

مسلسل سیاسی اور قومیتی مشکلات کے باوجود کھلاڑیوں اور ان کے چاہنے والوں کے اصرار پر

1934-35ء میں چوگوشیا بمبئی (Quadrangular Bombay) ٹورنامنٹ کو بحال کرنا پڑا۔ مسلمانوں نے فائنل میں ہندوؤں کو شکست دی۔ اس میچ کا خصوصی پہلو ہندوؤں کے عظیم تیز رفتار باؤلر امر سنگھ اور مسلمانوں کے تیز رفتار باؤلر محمد نثار کے درمیان مقابلہ تھا۔ یہ ٹورنامنٹ پھر سے فوری طور پر ایک تہوار کی صورت اختیار کر گیا اور پھر جب اگلے سال پھر مسلمانوں اور ہندوؤں کے درمیان فائنل میچ ہوا تو دونوں ٹیموں کے حمایتیوں نے باقاعدہ شامیانے نصب کر رکھے تھے جن میں تل دھرنے کو جگہ نہ تھی اور فضا جوش سے بھرپور تھی۔ شہر کے تمام ہوٹلوں اور پبلک جگہوں پر جہاں کہیں بھی ریڈیو موجود تھے وہاں لوگوں کی ایک بھیڑ تھی۔ مسلمانوں کو فتح نصیب ہوئی۔ جس میں دو بھائی وزیر علی اور نذیر علی اپنی کارکردگی کی بدولت جگمگاتے ستارے بن چکے تھے نے سنچریاں بنائیں اور تیز رفتار باؤلر مبارک علی کی شاندار کارکردگی شامل تھی۔

بمبئی کا یہ چوگوشیا (Quadrangular) ٹورنامنٹ 38-1937ء میں پینٹنگلر (Pentangular) میں اس وقت تبدیل ہو گیا جب اس میں (The Rest) دی ریسٹ (باقی ماندہ) جس میں بدھ مت، سکھ، یہودی اور غیر یورپی عیسائی شامل تھے کو شریک کر لیا گیا۔ مسلمانوں کو فائنل میں متحدہ حمایت حاصل تھی جب انہوں نے اپنے پرکشش اوپننگ بیٹسمین سید مشتاق علی کی شاندار سنچری کی بدولت یورپین ٹیم کو ایک اننگز سے شکست دی۔

اس ٹورنامنٹ کو دوسری جنگ عظیم کے دوران بھی قومیتوں کے درمیان بڑھتی ہوئی نفرت اور مہاتما گاندھی کے ٹورنامنٹ کو بند کرنے کے مطالبے کے باوجود زبردست حمایت حاصل رہی جس کی بدولت یہ جاری رہا۔ بمبئی پینٹنگلر (Bombay Pentengular) کا سب سے ڈرامائی میچ 46-1945ء کا فائنل تھا جسے دو لاکھ تماشائیوں نے دیکھا۔ مسلمانوں کو پہلی اننگز میں بہت معمولی برتری حاصل تھی۔ باؤلنگ کریز میں کافی گڑھے پڑ چکے تھے۔ ہندوؤں کے کپتان وجے مرچنٹ نے ان گڑھوں کو بھرنے کے لیے کہا۔ مسلمان چاہتے تھے کہ ان کا کپتان مشتاق علی اس درخواست کو مسترد کر دے مگر مشتاق علی نے یہ کہتے ہوئے ان کی بات ماننے سے انکار کر دیا کہ کھیل کو انصاف، کھلے دل اور فیاضانہ انداز میں کھیلنا چاہیے۔'' دوسری اننگز کے دوران خود مشتاق علی اس بری طرح سے زخمی ہوا کہ ڈاکٹر نے اسے مزید کھیلنے سے منع کر دیا۔ اب یہاں سی کے نائیڈو (C.K. Nayudu) جو خود ایک ہندو تھا، نے اس پر زور دیا کہ وہ کھیلے۔ مشتاق علی نے نائیڈو کا حکم مان لیا۔ اور دھواں دار تیس رنز بنا کر سنچری بنانے والے کے سی ابراہیم (K.C.Ibrahim) کا ساتھ دیا اور یوں مسلمان یہ میچ ایک وکٹ سے جیت گئے۔ اس میچ کا کاردار پر بے حد اثر ہوا۔ (کاردار نے یہ میچ عبدالحفیظ کے نام سے کھیلا) اس نے بعد میں لکھا کہ '' کپتان کی حیثیت سے جب بھی حالات میرے خلاف ہوئے میں نے ہمیشہ اس عظیم میچ کو سرچشمہ فیض سمجھتے ہوئے اس سے رہنمائی حاصل کی۔ مجھے اس سے وہ ولولہ حاصل ہوتا ہے

کہ میں آخری گیند کے پھینکے جانے تک پوری طاقت سے مقابلہ کرتا۔''

پاکستان کرکٹ بورڈ کے سابق چیئرمین اور سابق سیکرٹری خارجہ شہر یار خان کے مطابق پینٹنگلر (Pentengular) میچ اور خاص طور پر وہ میچ جو ہندوؤں اور مسلمانوں کے مابین کھیلے جاتے تھے ان میں وہی شدت تھی جو آسٹریلیا اور انگلستان کے درمیان ایشز (Ashes) ٹیسٹ میچوں کی ہوتی ہے۔'' آسٹریلیا اور انگلستان کی طرح کرکٹ ہندوستان کے عوام میں بھی مقبول ہو چکی تھی۔ وہاں سے ہندوستان اور پاکستان کے درمیان میچوں کا سلسلہ صرف چند قدم کے فاصلہ پر رہ گیا تھا جو تقسیم کے کچھ عرصہ بعد شروع ہو گیا۔

شہر یار خان کا اس نقطہ پر اصرار درست ہے کہ قومیتی کرکٹ کے مقابلے جذبات اور ہیجان خیزی سے بھرپور ہوا کرتے تھے۔ تاہم پاکستان کرکٹ کے تاریخ دان کے لیے اور بھی بہت سے شواہد ہیں جو اسے شمالی ہندوستان کی قومیتی تقسیم سے بالاتر اس ٹیم میں نظر آتے ہیں جس نے رانجی ٹرافی میں حصہ لیا۔ ٹیم میں سات مسلمان دو ہندو اور دو یورپین (انگریز) شامل تھے جنہوں نے رانجی ٹرافی کے ابتدائی پہلے سال شمالی ہندوستان کی ٹیم کی کارروائی میں دسمبر 1934ء میں ہندوستانی فوج کی ٹیم کے خلاف لارنس گارڈن لاہور میں میچ کھیل کر کیا۔ سوائے چند کھلاڑیوں کے جن میں غیر معروف انگریز کھلاڑی چارلس لے کنڈرسلے (Charles Leigh Kindersley)[24] شامل تھا اس ٹیم میں اسوقت کے لاہور کی کرکٹ کے مانے ہوئے کھلاڑی شامل تھے، اس سال شمالی ہندوستان کی کرکٹ ٹیم فائنل میں پہنچی جہاں بمبئی سے اسے شکست ہوئی۔

شمالی ہندوستان ٹیم پانچ سالوں میں چار مرتبہ سیمی فائنل تک پہنچی مگر سب کے سب ہار گئی۔[25] 1941ء سے 1947ء تک اس ٹیم نے رانجی ٹرافی کے بارہ میچ کھیلے دو ایچیسن کالج میں دو لارنس گارڈن میں اور ایک منٹو پارک میں۔ باقی میچ لاہور سے دور کھیلے۔ اس عرصہ میں ٹیم کی کپتانی مسلمان کھلاڑی جہانگیر خاں نے کی پھر رام پرکاش مہرہ جو اس ٹیم کا واحد ہندو تھا، کپتان بنا اور پھر میاں محمد سعید جو مسلمان کھلاڑی تھا کپتان بنا (جو جلد ہی پاکستان کی قومی ٹیم کا مستقبل میں کپتان بننے والا تھا) فروری 1947ء رانجی ٹرافی میں شمالی ہندوستان کی ٹیم کا اختتامی سال ثابت ہوا۔ اس کا مقابلہ سیمی فائنل میں ہولکر (Holkar) کی ٹیم سے ہونے والا تھا۔ مگر قومیتی فسادات، مار دھاڑ اور افراتفری کی بدولت شمالی ہندوستان کی ٹیم کے لیے ممکن نہ تھا کہ وہ میچ کے لیے اندور پہنچ سکتی۔ اور اس وجہ سے کسی کھیل کے بغیر اس کی مخالف ٹیم کو فتحیاب قرار دے دیا گیا۔

دو سال سے کم کا عرصہ ہی گزرا تھا کہ پاکستان کی پہلی کرکٹ ٹیم نے نومبر 1948ء میں لاہور میں ویسٹ انڈیز کی ٹیم کے خلاف نمائندہ میچ میں میدان سنبھال لیا۔ پاکستانی ٹیم کے نو کھلاڑیوں کو تقسیم سے پہلے شمالی ہندوستان کی ٹیم کی طرف سے رانجی ٹرافی میں حصہ لے کر فرسٹ کلاس کرکٹ کا تجربہ تھا۔ صاف ظاہر ہے کہ شمالی ہندوستان کا پاکستان کی مستقبل کی ٹیم کو کھلاڑی دستیاب کرنے میں اہم کردار تھا۔ شمال مغربی سرحدی

صوبہ کی ٹیم نے 38-1937ء سے 47-1946ء تک رانجی ٹرافی کے آٹھ میچوں میں حصہ لیا۔ اس ٹیم نے ان مقابلوں میں صرف ایک میچ جیتا اور نہ ہی پاکستان کے لیے اور نہ ہی ہندوستان کے لیے کوئی ٹیسٹ کھلاڑی مہیا کیا۔[26] سندھ نے آئندہ مستقبل میں ہندوستان کو چار ٹیسٹ کھلاڑی مہیا کیے (جن میں مستقبل کا ہندوستان کا کپتان جی ایس رامچند (G.S. Ramchand) شامل ہے) مگر سندھ سے پاکستان کے لیے کھلاڑی نہ ملا۔[27] جنوبی پنجاب سے پاکستانی ٹیم کو حاصل ہونے والے کھلاڑیوں میں صرف مقصود احمد اور اسرار علی تھے۔ تاہم میاں محمد سعید نے اپنی بیشتر رانجی ٹرافی کرکٹ اسی علاقے کی ٹیم کے لیے کھیل رکھی تھی۔ بنگال کی ٹیم تمام کی تمام بنگالی کھلاڑیوں سے ہی بنائی گئی تھی اور یہ اپنے تمام گھریلو میچ کلکتہ میں کھیلتی تھی۔ یہاں سے پاکستان کو کوئی کھلاڑی میسر نہ ہوا۔

اعداد و شمار بہ مشکل اس دعویٰ کی توسیع کرتے ہیں کہ جن مسلمان ٹیموں نے بمبئی کے سحرزدہ تماشایوں کے سامنے بمبئی پینٹنگلر (Bombay Pentengular) میں کھیل پیش کیا، وہی تقسیم کے بعد بننے والی پاکستانی ٹیم کی پیش رو تھیں۔ یہ دعویٰ اس زیر بحث قضیہ کا اہم حصہ ہے جس کی بدولت کھولتی ہوئی عداوت اور قومیتی ناراضگی پاکستان اور ہندوستان کی کرکٹ کی بنیاد ہے۔ سچ تو یہ ہے کہ پاکستان کی افتتاحیہ ٹیم کے صرف پانچ کھلاڑیوں نے مسلمانوں کے لیے کھیل رکھا تھا۔[28] یہ کاردار، غزالی، محمد اسلم اور نیا ابتدائی بیٹسمین علیم الدین تھے۔ اس ٹیم کے جن چھ کھلاڑیوں نے شمالی ہندوستان (Northern India) کے لیے کھیلا ہوا تھا، وہ کاردار، امتیاز احمد، فضل محمود، خان محمود، بحال کردہ محمد اسلم اور بائیں ہاتھ سے آہستہ باؤلنگ کرنے والا شجاع الدین تھے۔ دوسرے رانجی ٹرافی کے سابقہ کھلاڑی مقصود احمد، مہاراشٹر کی طرف سے کھیلنے والا غزالی اور راجپوتانہ اور گجرات کی طرف سے کھیلنے والا علیم الدین شامل تھے۔ اٹھارہ کھلاڑیوں پر مشتمل ٹیم میں سے نو کھلاڑیوں نے نہ تو رانجی ٹرافی کھیل رکھی تھی اور نہ ہی پینٹنگلر (Pentengular) کرکٹ۔

## حوالہ جات:

1 یہ کہنا مشکل ہے کہ یہ کون سا وین سیٹارٹ (Vansittart) تھا اور واقعی یہ اس کا چھکا تھا۔ اس سے کافی پہلے کلکتہ میں 1804ء میں رابرٹ وین سیٹارٹ (Robert Vansittart) نے ہندوستان کی سرزمین پر پہلی سنچری بنائی تھی۔ وہ اولڈ ایٹونینز (Old Etonians) کی طرف سے ریسٹ آف کلکتہ (Rest of Calcutta) کے خلاف کھیل رہا تھا۔ (دیکھیے وزڈن 2967ء میں رولینڈ بوئن (Roland Bowen) صفحہ 148 اور بیری سار بادیکری (Berry Sarbadhikary) کا مائی ورلڈ آف کرکٹ۔ ایک صدی کے ٹیسٹ میچ (My World of Cricket- A Company of Tests 1964) صفحے 308 تا 309 - وین سٹارٹ (Vansittarts) ایک بااثر خاندان تھا۔ ان کے کچھ افراد نے انیسویں صدی میں ہندوستان میں خدمات سرانجام دیں مگر کسی میں شاہی خون نہیں تھا اور نہ ہی کوئی برطانوی نواب بن سکا حتیٰ کہ یہ

رتبہ 1941ء میں پہلے لارڈ وین سٹارٹ (Vansittart) کو نواب (Peer) بنا کر دیا گیا جس وین سٹارٹ کی ہم بات کر رہے ہیں وہ غالباً چودہ ہسارز (14th (King's) Hussars) کا افسر فریڈریک وین سٹارٹ (Fredrick Vansittart) ہوسکتا ہے جس نے 1852ء میں راولپنڈی کا دورہ کیا تھا۔ اس کا فوجی دستہ 1852ء کے تمام عرصہ میں میرٹھ مقیم تھا۔ (دیکھئے کرنل ہنری بلیک برن ہیملٹن کی کتاب چودھویں شاہی ہسار کا تاریخی ریکارڈ 1715ء سے 1900ء تک)۔

(Col. Henry Balckburne Hamilton, Historical Record of the 14th (King's) Hussars from 1715 to 1900, London, Greene & Co, 1901)

2 اس بات پر منصفانہ طور پر زور دیا جا سکتا ہے کہ اتھنٹکس نے اپنے آپ کو صرف انگریزوں سے ہی کھیلنے تک ہندوستانی دورہ کے دوران محدود نہیں رکھا۔ بمبئی میں انہوں نے ہندوؤں اور پارسیوں کی ٹیموں کے خلاف میچ کھیلے۔ جہاں انہیں خاطر خواہ شکست کا سامنا کرنا پڑا۔ اس کے علاوہ وہ علیگڑھ میں مسلمانوں کی ٹیم کے خلاف بھی کھیلے۔

3 1902ء کے کرکٹ سیزن کے دوران احسان نے پانچ اننگز مکمل طور پر کھیلے جن کی اوسط 10.80 تھی۔ اس نے باؤلنگ نہیں کی۔ اس سال کی وزڈن میں اس کی کارکردگی اس لیے شامل نہ کی گئی کیوں کہ اس نے آٹھ لازمی اننگز مکمل نہیں کیے تھے۔

4 احسان الحق نے یہ سفر اپنے بیٹے بارہ سالہ منظور الحق کے ساتھ کیا جس نے اسے یوں بیان کیا: ''جب ہم گراؤنڈ میں پہنچے تو آخری کھلاڑی کھیلنے کے لیے اندر جانے ہی والا تھا اسے روک لیا گیا اور اس کی جگہ میرے والد (والد کو مسلمانوں کا کپتان نامزد کیا گیا تھا) کھیلنے گئے۔ دوسری طرف 75 رنز بنا کر عبدالسلام کھیل رہا تھا۔ میرے والد نے ٹھیک چالیس منٹ میں 100 رنز بنا ڈالے۔ حریف ٹیم کے کپتان عزت مآب بھوپندر سنگھ ریاست پٹیالہ کے حکمران اور کھیلوں کے سب سے بڑے سرپرست تھے نے میرے والد کو انکی کارکردگی پر عزت افزائی کرتے ہوئے سونے کے تاروں سے بنا ہوا چوغہ پیش کیا۔ (خطوط بنام ماہر شماریات۔ تاریخدان رسالہ نمبر 58 موسم گرما 1987ء) (Letters to Association of Cricket Statistician's and Historians Journal, 58 Summer 1987) اپنی سنچری مکمل کرنے پر احسان الحق نے 9 وکٹوں کے عوض 559 رنز پر مسلمانوں کی اننگز کو ڈکلیئر کر دیا۔ اس کا چھوٹا بیٹا منور الحق (جس کی پہچان عام طور پر ایم یو حق (M.U. Haq) کے طور پر ہے) بھی اچھا کھلاڑی نکلا جس نے 1950ء کی دہائی میں پنجاب کی طرف سے قائداعظم ٹرافی میں حصہ لیا اور 1954ء کی انگلستان کے دورہ پر جانے والی پاکستانی ٹیم میں منتخب ہوتے ہوتے رہ گیا۔ 1976ء میں کاردار کے خلاف کھلاڑیوں کی بغاوت میں اہم کردار ادا کیا۔ ایک اور بیٹے انعام الحق نے ہندوستان میں مسلمانوں کی طرف سے کرکٹ کھیلی۔ انکی بہن سعدیہ کی شادی بھٹو دور کے وزیر عبدالحفیظ پیرزادہ سے ہوئی جو کرکٹ کی سیاست میں کاردار کے زوال کا وسیلہ بنا۔

5 مصنف رڈیارڈ کپلنگ (Rudyard Kipling) کی کتاب کم (Kim) (لندن پینگوئن کلاسکس 2011) صفحہ 166۔ ''چونکہ کم کی عمر چودہ سال کے لگ بھگ تھی جب وہ یہ کرکٹ میچ کھیلا تو لگتا ہے کہ یہ میچ 1879ء میں ہوا ہوگا۔ غالباً کم کی پیدائش 1865ء میں ہوئی ہوگی اسی مفروضہ کو دانشور مانتے ہیں۔ مگر 1879ء میں تو علیگڑھ میں ابھی کرکٹ کی شروعات ہی ہوئی تھی اور اس میں تیزی اور ترقی 1884ء کے بعد آنا شروع ہوئی تھی۔ لہٰذا پیٹر ہاپ کرک (Peter Hopkirk) اور کئی اوروں کے نظریہ کے مطابق کم (Kim) کے علیگڑھ سے اس میچ کے حوالے تقویت ملتی ہے کہ کپلنگ

(Kipling) کے ہیرو کی پیدائش 1875ء کے اردگرد ہوئی ہوگی۔ اور اگر ایسا ہے تو پھر یہ پر لطف قیاس پیدا ہوتا ہے کہ مستقبل کے انگریزوں کے جاسوس کم اوہاوہ (Kim O'hawa) نے مسلم لیگ کے حوصلہ مند لیڈر شوکت علی کے خلاف بھی کرکٹ کھیلی ہوگی۔ علیگڑھ سے بذریعہ ریل گاڑی چار گھنٹے کی مسافت پر لکھنو تھا جہاں خیالی سینٹ زیوئیر (St. Xavier's) واقع تھا۔

6 یہ سلام الدین خان، سید حسن اور ایک آنکھ کے بغیر شفقت حسین تھے۔ ایک مشاہدے کے مطابق علیگڑھ سے تعلق رکھنے والے یہ تینوں سب سے کم عمر تہذیب یافتہ اور باعلم ہونے کے ساتھ ساتھ برطانوی سیاست بارے حیران کن معلومات رکھتے تھے۔ سیاحت کے میدان میں یہ ابھی نووارد تھے مگر پھر بھی ہر چیز کو جاننا اور پرکھنا چاہتے تھے تاکہ واپسی پر تجربات کو بروئے کار لایا جا سکے۔ (دیکھئے پرشانت کدمبی (Prashant Kidambi) کا وزڈن کے ایک سو اڑتالیسویں شمارے 2011ء کے صفحات 84-74 پر The most extra ordinary cricket tour (سب سے غیر معمولی کرکٹ ٹیم کا دورہ) پر مضمون۔

7 وزیر علی کا شمار ہندوستان کے ان عظیم کھلاڑیوں میں ہوتا ہے جن کا عہد دو عظیم جنگوں کے درمیان تھا۔ اس نے ہندوستان کے لیے تمام ابتدائی ٹیسٹ میچوں میں حصہ لیا۔ رانجی ٹرافی میں جنوبی پنجاب کی طرف سے حصہ لیا اور بمبئی پنٹنگلر (Bombay Pentangular) میں مسلمانوں کی طرف سے ایک اہم اور بڑی شخصیت تھا۔ تقسیم ہند پر پاکستان ہجرت کی اور اطلاع ہے کہ غربت و افلاس میں جلد ہی وفات پا لی۔

8 نذیر علی وزیر علی کا چھوٹا بھائی تھا جس نے باؤلر کی حیثیت سے ہندوستان کے ابتدائی ٹیسٹ جو لارڈز پر 1932ء میں کھیلا گیا میں حصہ لیا تھا۔ اس سے پہلے وہ سسکس (Sussex) اور لندن کے گردونواح کی کلبوں میں کھیل چکا تھا۔ 1930ء میں کلب کرکٹ کانفرنس کی طرف سے آسٹریلوی ٹیم کے خلاف کھیلتے ہوئے اس نے ایک یکتا اور نمایاں امتیاز حاصل کیا جس کے مطابق وہ واحد مسلمان ہے جس نے کبھی ڈان بریڈمین کو آؤٹ کیا۔ تقسیم ہند کے بعد پاکستان ہجرت کی جہاں 1952ء سے لے کر 1968ء تک بحیثیت ٹیسٹ سلیکٹر کے فرائض انجام دیئے۔ 1953-54ء کے دوران بی سی سی پی (BCCP) کے سیکرٹری کے طور پر بھی کام کیا۔

9 مشتاق علی ہندوستان کے ابتدائی عظیم ٹیسٹ کھلاڑیوں میں سے ایک تھا۔ جس نے ہندوستان کے لیے سمندر پار ملک سے باہر پہلی ٹیسٹ سنچری بنائی۔

10 سی ڈبلیو ہاسکل (C.W. Haskell) کی تحریر شدہ کتاب (A Sinner in Sind) (Wellington, NZ; Wright of Carman Ltd 1959) کے صفحہ 39 کے مطابق ''کراچی کرکٹ کی ابتدائی ترقی اس وقت تک ممکن نہیں تھی جب تک کہ کرکٹ کھیلنے والے سکول نہ بنائے جاتے۔ چرچ مشن سکول (Church Mission School) جس کی 1844ء میں بنیاد رکھی گئی، کراچی گرامر سکول (Karachi Grammar School) 1854ء اور سینٹ پیٹرکس (St. Patricks) 1861ء میں بنے۔ سی ڈبلیو ہاسکل نے دونوں سکول چرچ مشن سکول اور کراچی گرامر سکول میں بطور ہیڈ ماسٹر خدمات سرانجام دیں۔ اس نے قلمبند کیا کہ جب چرچ مشن سکول کے طالبعلموں کو معلوم ہوا کہ وہ کرکٹ میں گہری دلچسپی رکھتا ہے تو ان کی نظروں میں اس کی قدر و منزلت بڑھ گئی جو اس کے بغیر ممکن نہیں تھی۔ ایک بڑی اہمیت کا حامل سندھ مدرسہ تھا جو 1884ء میں وجود میں آیا۔ یہ علیگڑھ کی نقل پر بنا تھا۔ اس کے طالب علموں میں پاکستان کے بانی محمد علی

جناح اور پاکستانی کرکٹ کا بانی رکن حنیف محمد شامل ہیں۔ (Baloch and Baluch, Pakistan Cricket P.14)

11 کلاڈ بلیک روبی (Claude Black Rubie) 1888ء میں لوئیس (Lewes) کے مقام پر پیدا ہوا اور لانسنگ (Lansing) میں تعلیم حاصل کی۔ پہلی جنگ عظیم میں لنکا شائر فیوسلیز (Lancashire Fusiliers) کی طرف سے جنگ میں خدمات سرانجام دیں جن کا ذکر 1917ء کی فوجی دستاویزات میں کیا گیا۔ شمالی ہندوستان (Northern India) کی طرف سے 27-1926ء میں اے ای آر گلیگن (A.E.R. Gilligan) کی ایم سی سی ٹیم کے خلاف کھیلا۔ کراچی میں بطور منیجر فپسن اینڈ کو (Phipson & Co) میں ہندوستان کا دورہ کرنا تھا مگر وہ دوسری جنگ عظیم کے شروع ہونے سے نہ ہوسکا۔ سکولوں کے مابین ہونے والے میچوں کے مقابلے کی ٹرافی کو روبی شیلڈ (The Rubie Sheild) روبی کے نام پر رکھا گیا۔ 51-1950ء میں سندھ مدرسہ کے لیے کھیلتے ہوئے حنیف محمد نے سی ایم ایس (CMS) سکول کے خلاف روبی شیلڈ فائنل میں 305 رنز بنائے تھے۔ انتھونی ڈی میلو (Anthony de Mello) نے اپنی کتاب پورٹریٹ آف انڈین سپورٹ (Portrait of Indian Sport) میں لکھا کہ ہندوستان میں سندھ پہلا مرکز تھا جہاں کرکٹ بے حد منظم تھی اور جو انیسویں صدی کی بیسویں دہائی میں دنیا کے ساتھ مہم جوئی کے آغاز کے لیے تیاری میں تھی۔ اور اس تنظیم کا بیشتر سہرا روبی کے سر تھا۔ پہلی جنگ عظیم کے فوراً بعد سندھ میں کرکٹ کا بہت زور تھا۔ جس کی خاص وجہ میسوپوٹیمیا (Mesopotamia) سے برطانوی افواج کا وہاں مسلسل آنا تھا۔ روبی اس وقت سندھ یورپین کرکٹ کلب کا صدر تھا۔ وہ ایک سرگرم اور دوررس نگاہ کا حامل تھا۔ جس کے خیال میں کرکٹ کا کھیل کسی طور بھی زندگی کے طور طریقوں سے کم نہ تھا۔ آپ اسے جنونی سمجھیں مگر اس میں کوئی شک نہیں ہے کہ اس کی مدد اور جذبے نے بعد میں بننے والے بورڈ آف کنٹرول (Board of Control) کی تشکیل میں اہم کردار ادا کیا۔ لانسنگ کالج میگزین (The Lancing College Magazine) میں بیان کیا گیا ہے کہ ''ہم ہمیشہ روبی کے قیمتی، حقیقت پسندانہ اور مخلص مشوروں کی قدر کرتے رہے ہیں۔'' رسالے کے مطابق لیفٹیننٹ کرنل سی بی روبی، سی بی ای۔ ٹی ڈی (Lt. Col. C.B. Rubie CBE,TD) ہوو (Hove) کے ایک ہسپتال میں آپریشن کے بعد اچانک 3 نومبر 1939ء کو انتقال کر گیا۔

12 عمران خان نے ذاتی انٹرویو میں بیان کیا کہ سکول اپنے بیشتر کھلاڑیوں کو کرکٹ کے شدید مقابلوں کے لیے تیار کرنے میں ناکام رہا۔

13 اسلامیہ کالج کے پرنسپل پروفیسر اے اے شاکر (پروفیسر امجد علی شاکر) کے مشاہدے کے مطابق برطانوی نوآبادیاتی نظام کے تحت دونوں اداروں نے سامراجی افسر شاہی کی ضرورت کو پورا کیا۔ تاہم گورنمنٹ کالج نے سرکاری افسران پیدا کیے جبکہ اسلامیہ کالج نے نچلے درجے کے کلرک یا منشی فراہم کیے۔ پروفیسر شاکر بحث کرتے ہوئے کہتے ہیں کہ اس کی وجہ سے اسلامیہ کالج کے طلبہ کو مختلف قسم کے نصاب پڑھنے کا موقع ملا۔ نتیجہ یہ ہوا کہ گورنمنٹ کالج کے مقابلے میں یہاں کے طلبہ میں زیادہ شعراء اور صحافی نکلے۔ پروفیسر شاکر کا دعویٰ ہے کہ کرکٹ نے تہذیب ثقافت کو پروان چڑھانے کی بجائے نہ صرف رکاوٹ پیدا کی بلکہ اختلاف رائے کا ماحول پیدا کیا۔ (پروفیسر امجد علی شاکر کے ساتھ لاہور میں 12 جولائی 2012ء کا انٹرویو)

14 ''اسلامیہ کالج لاہور کے چھپن سال'' 1992-1892ء (لاہور: اظہار سنز 1992ء) حسین۔ ڈاکٹر سید سلطان محمود صفحہ نمبر 2۔ اس طریقے کی بنیاد واضح طور پر سرسید احمد خان کی وکالت کی ترجمان ہے جو ان کی اس کمیٹی کی

تیسری دریافت ہے جو مسلمانوں کی تعلیمی ترقی کی 1870ء میں کوشاں تھی۔ اور اس بات کی حامی تھی کہ گورنمنٹ کے قائم شدہ سکولوں کی ناکامی پر مسلمان لڑکوں کے لیے قابل قبول نصاب فراہم کیا جائے گا۔ ''نوجوان مسلمانوں کو تعلیم دینے کی ذمہ داری بذات خود اسلامی معاشرے اور ان کے لوگوں پر ہونی چاہیے۔'' ڈاکٹر محمد علی شیخ کی ''حسن علی آفندی'' صفحہ 21 تا 23 بھی دیکھیں۔

15 بقا جیلانی ایک باصلاحیت بلے باز اور سیدھے ہاتھ سے کرنے والا تیز رفتار باؤلر تھا جس کی نوجوانی میں افسوسناک موت واقع ہوگئی۔ کہا جاتا ہے کہ عمر قریباً تیس سال تھی۔ جب اسے مرگی کا جان لیوا دورہ 1941ء میں پڑا۔ اس نے اپنا نام شمالی ہندوستان کی طرف سے جنوبی پنجاب کے خلاف 35-1934ء کے رانجی ٹرافی ٹورنامنٹ میں کھیلتے ہوئے ہیٹ ٹرک (Hat Trick) کرکے پیدا کیا۔ جنوبی پنجاب صرف بائیس رنز پر ڈھیر ہوگیای۔ اس نے ہندوستان کے لیے انگلستان کے خلاف 1936ء میں ایک ٹیسٹ کھیلا۔

16 ذاتی انٹرویو میں جمیل رانا نے بتایا کہ جہانگیر خاں کو ان کے لباس بارے چھیڑا جاتا تھا۔ دیکھئے رسالہ کرکٹر (پاکستان) شمارہ جولائی 1981ء جس میں ڈاکٹر جہانگیر خاں کا انٹرویو ہے۔ جب ان سے پوچھا گیا کہ وہ فرسٹ کلاس کرکٹ میں کس طرح آئے تو انہوں نے جواب دیا ''میں جالندھر چھوڑ کر 1927ء میں لاہور آیا اور یہاں آکر میں نے مشہور اسلامیہ کالج میں داخلہ لیا۔ میرے ماموں اسلامیہ کالج میں رہ چکے تھے اور بائیس برس تک لاہور کی ممدوٹ کلب کے کپتان رہ چکے تھے۔ ان کے چھوٹے بھائی نے علی گڑھ کے ایم اے او کالج کے لیے بہت سی کرکٹ کھیلی تھی۔ یہ میری اسلامیہ کالج میں کرکٹ کارکردگی تھی جس کے باعث 1932ء میں انگلستان کا دورہ کرنے والی ہندوستانی ٹیم میں میرا انتخاب ہوا۔ جہانگیر خاں کے خاندان کا اسلامیہ کالج اور ممدوٹ کرکٹ کلب کے ساتھ ناطہ غیر معمولی ہے کیوں کہ اسلامیہ کالج والے زیادہ تر کریسنٹ کلب کے لیے کھیلتے تھے۔ بقا جیلانی پہلے گورنمنٹ کالج کے لیے کھیلا۔ پھر بدحواسی میں اسلامیہ کالج کا رخ کر لیا (دیکھیں ایس کے رائے کی انڈین کرکٹرز 1947) اور ان کے علاوہ جنہوں نے دونوں کالجوں میں داخلہ لیا وہ یہ تھے۔ دلاور حسین، محمد نثار، سعید احمد، سلطان محمود، ایس ایف رحمان، اور شجاع الدین، گورنمنٹ کالج کے ڈگری یافتہ میں شامل جمیل رانا، سعید حمد، محمد الیاس، وقار احمد، آفتاب گل، سلیم الطاف، شفقت رانا، پرویز سجاد، ظفر الطاف، جاوید برکی، دلاور حسین، محمد نثار، سید فدا حسن، بقا جیلانی، آغا احمد رضا رضا خان، میاں محمد سعید، خالد عزیز، محمود حسین، وقار حسن، سلیم ملک، عامر سہیل، انضمام الحق، ماجد خان، آغا زاہد، سرفراز نواز، شفیق احمد ہیں۔ جبکہ اسلامیہ کالج کی طرف سے محمد نثار، امیر الٰہی، بقا جیلانی، جہانگیر خاں، گل محمد، عبدالحفیظ کاردار، فضل محمود، امتیاز احمد، انور حسین، مروت حسین، نذر محمد، خان محمد، مقصود احمد، آغا سعادت علی، ذوالفقار احمد، اسرار علی، دلاور حسین، منور علی خاں تھے۔ میں سلطان محمود، ایس ایف رحمان، جمیل رانا اور خاص طور پر نجم لطیف کا شکر گزار ہوں کہ انہوں نے یہ فہرست مرتب کی۔

17 میں نے حنیف محمد، وقار حسن، وزیر محمد اور امتیاز احمد جنہوں نے ہندوستان کے خلاف وہ ٹیسٹ کھیلا تھا، سے اس واقعہ کی معلومات کیں۔ ہر ایک نے یہی کہا کہ انہوں نے ایسے جھگڑے بارے کبھی نہیں سنا۔ یقیناً انہوں نے سن رکھا ہوتا اگر کبھی ایسا واقعہ پیش آیا ہوتا۔

18 جمی رانا کی والدہ کی رشتہ کی ایک بہن شفقت رانا کے والد کی پہلی بیوی تھی۔ یہ بات غور طلب ہے کہ تقسیم ہند سے قبل آبائی نام رکھنے کا رواج نہیں تھا۔

19 جمیل رانا سے جولائی 2012ء کے انٹرویو کے مطابق: رؤف ملک جن کی عمر اب اسی کی دہائی میں ہے پیپلز پبلشنگ ہاؤس لاہور کے منتظم ہوا کرتے تھے۔ انہیں یاد ہے کہ جب وہ موچی دروازہ میں رہا کرتے تھے تو وہ دوپہر کے وقت توکل مجید کے گھر سے امرناتھ کو کرکٹ کے سفید کپڑوں میں ملبوس کھیلنے کے لیے جاتے وقت نکلتے ہوئے اکثر دیکھا کرتے تھے۔ انہوں نے مزید کہا کہ امرناتھ توکل مجید کے گھر کے چوبارہ (اوپر کی منزل کا کمرہ) جو پہلی منزل پر تھا میں رہائش پذیر تھا۔ راجندر امرناتھ نے مجھے کہا کہ وہ اپنے والد کے رانا خاندان سے تعلق بارے کوئی رائے نہیں دے سکتا کیوں کہ اس کے والد نے اس تعلق بارے کبھی ذکر نہیں کیا تھا۔ فضل محمود نے اپنی سوانح عمری (From Dusk to Dawn) صفحہ 105 پر لکھا کہ امرناتھ لاہور کی ریلوے ورکشاپ میں کام کیا کرتا تھا۔ اور اس کی روزانہ تنخواہ صرف روپے کا آدھا حصہ ہوا کرتی تھی۔ اگرچہ فضل محمود عمر میں امرناتھ سے پندرہ سال چھوٹا تھا مگر وہ لاہور کی کلب کرکٹ میں امرناتھ کے خلاف باقاعدگی کے ساتھ کھیلا کرتا تھا۔ جمیل رانا نے مزید نجم لطیف کو بتایا کہ اس کے والد توکل مجید نے اسے رازداری میں بتایا کہ امرناتھ کا باپ لاہور کے دریائے راوی کے کنارے شمشان گھاٹ پر مردوں کو جلانے کا کام کرتا تھا۔ توکل مجید نے اس راز کو اپنی اور امرناتھ کی زندگی میں فاش نہ کرنے کی ہدایت کی۔

20 عام طور پر یہ تسلیم کیا جاتا ہے کہ انیسویں صدی کے آخر میں پنجاب میں واقع فیروز پور کے نزدیک ایک چھوٹی جاگیر کے حکمراں نواب شاہنواز خان ممدوٹ نے ممدوٹ کلب کو قائم کیا۔ نواب شاہنواز نے کبھی یہ اجازت نہ دی کہ کھلاڑی کھیلنے کے لیے ماہوار چندہ دیں۔ بلکہ غریب کھلاڑیوں کو کھیلنے کا سامان اور کھیل کا خاص لباس تک مفت دیا جاتا تھا۔ کلب کا تربیتی نیٹ اندرون شہر کے موچی دروازہ کے باہر لگا کرتا تھا مگر 1940ء کی دہائی کے اوائل میں تربیتی نیٹ کو منٹو پارک منتقل کر دیا گیا۔ فضل محمود 1943ء میں ممدوٹ کلب میں شامل ہوا۔ ممدوٹ کلب کے کھلاڑیوں کو اجازت تھی کہ وہ بیچنے والوں سے خورد ونوش کی اشیاء حاصل کر سکیں جن کی ادائیگی نواب شاہنواز ممدوٹ کی طرف سے ہوا کرتی تھی۔ نمایاں کھلاڑی دلاور حسین، بقا جیلانی، جہانگیر خان، محمد نثار، گل محمد، میاں محمد سعید، سید وزیر علی، سید نذیر علی، خواجہ سعید احمد، انور حسین، عبدالحفیظ کاردار، نذر محمد، فضل محمود اور نواب شاہنواز کا رشتے کا بھائی تیز رفتار باؤلر منور علی خان تھے۔ میاں صلاح الدین اور نواب اسلم ممدوٹ جنہوں نے بی سی سی پی (BCCP) بورڈ آف کرکٹ کنٹرول آف پاکستان کو اس کے ابتدائی دور میں پانچ پانچ ہزار روپے سے معاونت کی تھی بھی ممدوٹ کلب کی طرف سے کھیلتے تھے۔ رقابت نے آخر کار ممدوٹ کلب کا خاتمہ کر دیا۔ کہا جاتا ہے کہ پنجاب کرکٹ ایسوسی ایشن نے سالانہ فیس جمع نہ کرانے کے الزام میں اس کی رکنیت منسوخ کر دی۔ ممدوٹ کلب نے نہ صرف اس بات پر زور دیا کہ اس نے نہ صرف رکنیت کی اپنے ذمہ واجب الادا فیس جمع کرا رکھی ہے بلکہ ادا شدہ رقم کی رسید تک مہیا کر دی۔ کریسنٹ کلب نے اس حقیقت کو ماننے سے انکار کر دیا اور ایک مشہور جسمانی ورزش کے ماہر (پہلوان) کو رقم مہیا کر دی کہ وہ ممدوٹ کلب کے کھلاڑیوں کو اجلاس سے جسمانی طور پر اٹھا کر باہر پھینک دے۔ نواب اسلم ممدوٹ نے صدر پاکستان ایوب خان سے ممدوٹ کلب کی دوبارہ تجدید کرنے میں مدد مانگی۔ مگر اس سے کچھ حاصل نہ ہو سکا۔ ممدوٹ کلب کے خاتمے کے بعد اس کے کچھ کھلاڑی یونیورسل کرکٹ کلب منتقل ہو گئے اور باقی ماندہ کھلاڑی کریسنٹ کلب اور راوی جمخانہ جا کر کھیلنے لگے۔ لاہور کی کرکٹ کلبوں بارے مندرجہ بالا اور آخری از ذکر کریسنٹ کلب کے احوال کے لیے میں جمیل رانا، جاوید زمان، سلطان محمود، افضال احمد اور سب سے بڑھ کر نجم لطیف کا مرہون منت ہوں۔

21 امرناتھ۔ صفحہ 8 جمی رانا کی اس بات کے احوال کی تصدیق سابقہ ٹیسٹ امپائر منور حسین نے امرناتھ کی موت کے بعد لکھے گئے اپنے ذاتی یادوں پر مشتمل ایک مضمون میں کی جو 8 اگست 2000ء کو چھپا۔ منور حسین نے یاد کرتے ہوئے بیان کیا کہ ''کس طرح امرناتھ دونوں گیند اور بلے کے ساتھ کارگزاری کی وجہ سے لاہور کی کرکٹ پر اس قدر حاوی تھا کہ دوسرے کلب اس سے خوفزدہ تھے۔ ایک ٹورنامنٹ یوسف شاہ رام چرن داس کے نام سے ہر سال دسمبر کے مہینے میں کھیلا جاتا تھا۔ ایک مرتبہ کریسنٹ کلب اور ممدوٹ کلب کا فائنل میں آمنا سامنا ہوگیا۔ امرناتھ کی اکیلے ہی میچ جیت لینے کی خوبی سے خوفزدہ ہوکر مخالف گروہ کے کچھ بدمعاشوں نے میچ سے پہلے اس سے مار پیٹ کی تاکہ وہ میچ نہ کھیل سکے۔ کریسنٹ کلب کے کھلاڑیوں نے اس کی جان خلاصی کروائی اور میچ میں مقابلے کے لیے تیار کیا۔ اگلی صبح امرناتھ نے اپنے زمانے کے تیز ترین باؤلر محمد نثار کے خلاف پچاس رنز بنا ڈالے اور کریسنٹ کلب کو جیت سے ہمکنار کر دیا۔'' منور حسین کی تفصیل جمی رانا کی چند باتوں سے مختلف ہے مثلاً یہ کہ منور حسین کے مطابق 1930ء کی دہائی کے ابتدا کے دور کے ایک تیز رفتار باؤلر استاد گل کے ورغلانے پر امرناتھ کریسنٹ کلب سے رابطہ ہوا تھا دیکھئے حوالہ کے لیے (www.espncricinfo.com/allrounder/content/story/84898.html)

22 لاہور کی کرکٹ کا کراچی کی کرکٹ پر بڑھتے ہوئے بتدریج اثر و رسوخ کا اندازہ موجودہ پاکستان کے ان کھلاڑیوں کی تفصیل سے لگایا جا سکتا ہے جو 1932ء سے 1936ء کے عرصہ میں ہندوستان کے لیے ٹیسٹ میچ کھیلے۔ ان میں لاہور کے چار پیدائشی کھلاڑی محمد نثار، لالہ امرناتھ، دلاور حسین اور امیر الٰہی تھے۔ صرف جیومل ناؤمل نے کراچی سے ہندوستان کے لیے کھیلا۔ اس کے علاوہ برکی خاندان کی قلعہ بند بستیوں کے شہر لاہور کے چار مسلمان کھلاڑی سید وزیر علی اور اس کا بھائی سید نذیر علی، جہانگیر خان اور بقا جیلانی بھی اس عرصہ میں کھیلے۔ (ان میں سے تین کھلاڑیوں نے تقسیم ہند کے وقت پاکستان ہجرت کر لی۔ ان میں بقا جیلانی بھی شامل ہوتا اگر اس کی جالندھر میں 1941ء میں بے وقت موت نہ ہو جاتی) انیسویں صدی میں کراچی کے کھلاڑیوں نے انگلستان جانے والی ٹیموں میں زیادہ نمائندگی کی جبکہ لاہور سے کوئی نمائندگی نہ ہوئی۔

23 مسلمانوں کی ٹیم کی کپتانی داؤد نینسے (Dawood Nensey) نے کی۔ اس کا انتخاب اس وجہ سے ہوا کہ وہ چھری کانٹے کا استعمال کھاتے وقت بہ آسانی کر سکتا تھا اس وقت انگریز صاحب بہادروں کے ساتھ دوپہر کا کھانا کھانا ایک عظیم لمحے کے طور پر جانا جاتا تھا (اے ایف ایس تلیار خان نے Official Souvenir of the Silver Jubilee of the Bombay Cricket Association 1930-1954 (Bombay 1954) میں بیان کیا جس کی مثال رام چندر گوہا نے A Corner of a Foreign Field (Picador 2002) میں صفحہ 124 پر دی۔ دسویں نمبر پر بیٹنگ کرتے ہوئے اس نے دو میچوں میں تین رنز بنائے۔ اس نے نہ تو باؤلنگ کی اور نہ ہی کوئی کیچ پکڑا۔ البتہ بعد میں آنے والے کھلاڑیوں کے لیے یہ مثال قائم کر دی کہ وہ سماجی شان کی بنیاد پر ٹیم میں منتخب ہوسکیں جیسا کہ بعد میں پاکستان کے فرسٹ کلاس کرکٹ کے کھلاڑیوں کے ساتھ ہوا۔

24 اس کا فرسٹ کلاس کرکٹ میں چار اننگز میں صرف 33 رنز بنانے کا ریکارڈ تھا۔

25 شمالی ہندوستان کی ٹیم 40-1939ء اور 43-1942ء کے سالوں میں رانجی ٹرافی مقابلوں میں شریک نہیں ہوئی۔

26 اس ٹیم کا واحد سنچری بنانے والا کھلاڑی انگریز آر۔ آئی۔ ہولڈز ورتھ (R.I.Holdsworth) تھا جو 1919ء میں آکسفورڈ بلیو حاصل کر چکا تھا۔

27 معلومات رکھنے کے شائقین کے لیے: سندھ کی طرف سے دوسری جنگ عظیم میں فوجی خدمات کے دوران انگلینڈ کی ٹیم کے مستقبل کا ٹیسٹ کھیلاری ریگ سمپسن (Reg Simpson) کھیلا جبکہ اسی دوران ہولکر کی طرف سے ڈینس کامپٹن (Denis Compton) کھیلا۔

28 پاکستان نے ہندوستان کے خلاف 53-1952ء میں جب اپنی پہلی ٹیسٹ سیریز کھیلی تو اس نے چار ایسے کھلاڑی استعمال کیے جو مسلمانوں کی طرف سے کھیل چکے تھے۔ یہ کھلاڑی کپتان اے۔ ایچ۔ کاردار، ابتدائی کھلاڑی نذر محمد، انور حسین اور عمر رسیدہ لیگ سپنر امیر الٰہی تھے۔ اور ان سب نے شمالی ہندوستان کی طرف سے رانجی ٹرافی بھی کھیل رکھی تھی۔ اور یہ امتیاز احمد، فضل محمود اور خان محمد نے بھی کھیلی ہوئی تھی۔ مقصود احمد اور اسرار علی نے بھی جنوبی پنجاب کی طرف سے رانجی ٹرافی میں حصہ لے رکھا تھا۔ چار نو وارد کھلاڑیوں حنیف محمد، وقار حسن، محمود حسین اور ذوالفقار احمد نے تقسیم سے پہلے نہ تو رانجی ٹرافی کھیل رکھی تھی اور نہ ہی پینٹنگر (Pentangular) کرکٹ۔ 1954ء میں برطانیہ کا دورہ کرنے والی پاکستانی ٹیم میں چار مسلمان سابقہ کھلاڑی تھے۔

4

# دریائے گومتی کے کنارے میدان

''لکھنؤ سے روانہ ہونے سے قبل میں مونکی برج (Monkey Bridge) اور اس کے پار پھیلے ہوئے اس میدان کو آخری بار دیکھنے گیا جہاں پاکستان نے اپنے افتتاحی ٹیسٹ میچوں میں پہلی فتح حاصل کی تھی۔''

- عبدالحفیظ کاردار، پاکستان کی ٹیسٹ میچوں میں پہلی جیت کو یاد کرتے ہوئے

کسی کو بھی ایم سی سی کی ٹیم کو پاکستانی ٹیم کے ہاتھوں کراچی میں شکست ہونے کی اہمیت پر کوئی شک نہ تھا۔ چھ ماہ سے کچھ عرصہ اوپر ہی گزرا تھا کہ 28 جولائی 1952ء کو پاکستان کو امپیریل کرکٹ کانفرنس (ICC) کا رکن منتخب کر لیا گیا۔ ہندوستان نے ہر مزاحمت کو ترک کر کے اپنے شمالی ہمسایہ کو رکنیت کے لیے نامزد کیا اور اس تجویز کی ایم سی سی (انگلستان کی نمائندگی کرتے ہوئے) نے تائید کی۔ اب پاکستان ٹیسٹ کرکٹ کھیلنے کی اہلیت حاصل کر چکا تھا۔ ہندوستان نے ایک بار پھر پاکستان کے لیے راستہ ہموار کیا جب اس نے اپنے شمالی ہمسایہ کو اسی اکتوبر میں کھیلنے کے لیے پانچ ٹیسٹ میچوں کی دعوت دے ڈالی۔ کرکٹ کی تاریخ کے ان اہم ترین میچوں کی اہمیت کو اس وقت صحیح طور پر سمجھا نہ جا سکا اس کی ایک خاص وجہ یہ بھی تھی کہ ہندوستان اور پاکستان دونوں کا کرکٹ کے سلسلہ مراتب میں انتہائی نچلا درجہ تھا۔

تنظیم کا نام ہی امپیریل کرکٹ کانفرنس (Imperial Cricket Conference) جو اس وقت عالمی کرکٹ پر تمام اختیار رکھتی تھی، ایک بنیادی سچ سے انحراف کی نشاندہی کرتا تھا۔ دنیائے کرکٹ کا تمام تر نظام اس وقت تک سفید فام قوموں کے ہاتھ میں تھا جو پچھتر سال قبل ٹیسٹ میچوں کو ایجاد کر چکے تھے۔ آسٹریلیا اور انگلینڈ دونوں نقطہ عروج پر تھے۔ ان کے اتحادیوں میں نیوزی لینڈ اور جنوبی افریقہ شامل تھے۔ جبکہ جنوبی افریقہ نسلی امتیاز کے نظام کو خصوصی طور پر رائج کرنے کے ابتدائی مراحل میں تھا۔

وزڈن کرکٹرز ایلمناک (Wisden Crickter's Almanaak) دنیائے کرکٹ کے سالانہ

مستند احوال محفوظ کرنے والے جریدے نے طاقت کے اس توازن کی ترجمانی کی۔ اس نے 1953ء میں آئی سی سی (ICC) کے اس اجلاس بارے اطلاع دی جس میں پاکستان کو اس کی رکنیت ملی تھی مگر زیادہ توجہ ICC کی اس کوشش پر تھی کہ ٹیسٹ میچ کے اختتام پر کھلاڑیوں کو بری طرح سے جھپٹ کر وکٹ اکھاڑ کر لے جانے سے کس طرح روکا جا سکے۔ اسی اشاعت کے آخر میں ہندوستان اور پاکستان کے مابین 1952ء کے ٹیسٹ میچوں کے سلسلہ کو گیارہ صفحات تفویض کیے گئے۔ اس کے برعکس انتیس نمایاں صفحات سفید فام پرست جنوبی افریقہ کے دورہ آسٹریلیا اور نیوزی لینڈ کو اگلے سال دیئے گئے۔[1]

پاکستان ایسی گمنامی کا مستحق نہیں تھا۔ کیوں کہ نہ صرف وہ اپنی تاریخ کے پہلے ٹیسٹ میچ کھیل رہا تھا بلکہ صرف پانچ سال قبل ہی وہ اندوہناک حالات کے تحت اس ملک سے علیحدہ ہوا تھا بلکہ کشمیر پر ہندوستان کے ساتھ ایک جنگ بھی لڑ چکا تھا۔ اس کے مقابلے میں انگریزوں کو برلن کی 1945ء کی فتح کے بعد جرمنوں کے ساتھ فٹ بال کھیلنے میں نو سال لگے اور پہلی جنگ عظیم کے 1918ء کے اختتام کے بعد برطانیہ اور جرمنی کو آپس میں بین الاقوامی فٹ بال کے 1930ء کے مقابلے کو بارہ سال لگے۔

لارڈ ماؤنٹ بیٹن نے بعد میں یہ دعویٰ کیا تھا کہ ہندوستان کی اس کی چیر پھاڑ ایک کامیاب عمل تھا کیوں کہ بہ مشکل تین فیصدی آبادی تقسیم ہند کی مار دھاڑ اور قتل و غارت کا شکار ہوئی تھی۔ مگر سابق وائسرائے کا تین فیصد قانون ہندوستان اور پاکستان کی مخالف ٹیموں پر لاگو نہیں ہوتا۔ کیوں کہ 1947ء میں تمام کے تمام پاکستانی ٹیم کے کھلاڑی بالواسطہ یا بلاواسطہ قتل و غارت سے دوچار رہے۔ ان میں بہت سے ایسے تھے جنہوں نے نہ صرف اپنی جائیدادیں کھو دیں بلکہ تقسیم کے وقت اپنے دوست احباب بھی کھوئے۔

## سرحد پار کرتے وقت

بیشتر ٹیموں کو سفر کا آغاز کرتے وقت ہزاروں میل کے فاصلوں کو طے کرنے کی عادت ہوتی ہے۔ ہوائی سفر کے شروع ہونے سے پہلے ایسے سفروں کو کئی کئی ہفتے یا مہینے لگ جاتے تھے۔ مگر عبدالحفیظ کاردار کی پاکستانی ٹیم کے کھلاڑیوں کے سامنے صرف دو گھنٹے کے بس کے لاہور سے سکھوں کے مذہبی مرکز امرتسر تک 1952ء کے ٹیسٹ میچوں کے سلسلے کے تکلیف دہ سفر کے علاوہ کچھ بھی نہ تھا۔

تاہم دونوں شہروں کے درمیان 35 میل کا یہ فاصلہ تاریخ کے اوراق سے بھرپور تھا۔ صرف پانچ سال قبل تک امرتسر اور لاہور شمالی ہندوستان کے سادہ اور متحمل تمدن کا حصہ تھے۔ مسلمان، سکھ اور ہندو دونوں ہی شہروں میں ایک دوسرے کے ساتھ ساتھ رہتے تھے۔ اور دونوں شہروں کے درمیان سفر سے خوب آشنا تھے۔ مگر اب امرتسر میں مسلمان نہیں تھے اور نہ ہی لاہور میں ہندو سکھ تھے۔ دونوں شہروں کے درمیان واہگہ کی

سرحدی چوکی اٹھارہ سومیل لمبی مغربی پاکستان اور ہندوستان کی سرحد پر داخلے کا واحد ذریعہ تھی۔ اس علاقے نے بھی اپنے حصے میں آنے والی خاصی خونریزی دیکھ رکھی تھی۔ اگست 1947ء میں لاشوں سے اٹی ہندوستان سے جو ریل گاڑیاں آتی تھیں ان کے ہر ڈبے سے مسلمانوں کی تازہ لاشوں سے خون ٹپک رہا ہوتا تھا اور یہ ڈبے ہندوستان سے آتے وقت واہگہ سے ہی گزر کر آتے تھے۔ پھر اٹھارہ سال بعد 1965ء میں اسی جگہ پر ہندوستان اور پاکستان کے درمیان جنگ میں ٹینکوں کا ایک زبردست معرکہ ہوا۔

سفر کرتی ہوئی پاکستان کی قومی کرکٹ ٹیم کے ساتھ ٹیکسیوں، ٹانگوں اور سائیکلوں پر سوار شور مچاتے ہوئے ان کے مداح سرحد پر جاتے وقت تمام راستہ الوداع کہنے ساتھ آئے۔ خود کاردار نے علیحدہ سفر کیا۔ اسے حکم دیا گیا تھا کہ وہ جالندھر میں تعینات پاکستان کے ڈپٹی ہائی کمشنر میجر جنرل عبدالرحمٰن کے ساتھ بذریعہ کار سفر کرے جس کے دوران عبدالرحمٰن نے کاردار کو ہندوستان کے ساتھ تعلقات کے حساس پہلوؤں بارے آگاہی دی جن کا تعلق اسی موجودہ دورے سے تھا۔

ان کھلاڑیوں کے روانہ ہوتے ہی اخبارات کے مطالعہ سے یہ بات عیاں تھی کہ کشمیر کے متعلق پاکستان اور ہندوستان کے درمیان مسئلہ موجود تھا۔ 11 اکتوبر کے اخبار انبالہ ٹریبون (Ambala Tribune) میں ہندوستان کے وزیراعظم پنڈت نہرو نے دانستہ طور پر ایک دلآزار بیان (خلاف حقیقت) میں زور دیتے ہوئے کہا کہ ''ہمارا موقف ہر نقطہ اور زاویہ سے قانونی، آئینی اور اخلاقی طور پر جس طرح بھی پرکھیں درست ہے۔'' ادھر دوسری طرف کراچی سے ڈان (Dawn) اخبار پاکستان کی اقوام متحدہ سے تصفیہ کے تقاضے کی خبریں شائع کر رہا تھا۔ اگلے روز کی اشاعت میں اقوام متحدہ کے سفیر ڈاکٹر فرینک گراہم (Dr. Frank Graham) کی ہندوستان اور پاکستان کے درمیان کوئی سمجھوتہ کروانے میں ناکامی کی خبر کو خاص طور پر شائع کیا۔ 1952ء کا تمام سال افواج کی سرحدوں پر نقل وحرکت کی فشارزدہ خبروں میں گھرا رہا۔

کرکٹ ٹیم کے اس دورہ کا مطلب شک وشبہ اور عداوت کی فضا کو دور کرنا تھا۔ اکتوبر 1952ء میں جب پاکستانی ٹیم اپنے دورہ کے آغاز کی تیاری میں مصروف تھی تو اخبار ''ڈان'' نے اخبار ''پاکستان ٹائمز'' (Pakistan Times) کے ایک مضمون کا حوالہ دیا جس سے سرکاری نقطہ نظر کی وضاحت ہوتی تھی۔

''ہمارے کرکٹ کے کھلاڑی ہندوستان صرف کھیل کے بہترین نمائندوں کی حیثیت سے نہیں جارہے بلکہ وہ امن اور شانتی کے سفیروں کی حیثیت سے جا رہے ہیں۔ ہمیں امید ہے کہ اس دورہ سے حالات (موجودہ) مختلف نظر آنے لگیں گے۔ اور کرکٹ کے میدان کے ذریعے دوستی کے نئے رشتے قائم ہوں گے جن کی بدولت دونوں ناراض ہمسائے ایک دوسرے کے قریب تر ہو جائیں گے۔''

اگلے روز اخبار ڈان (Dawn) نے ٹیم کے امرتسر میں استقبال کی خبر دی جہاں تقاریر میں اس بات

پر زور دیا گیا کہ کھیل کے دوران حق و انصاف اور کھلے دل کے مظاہر ہے تمام حدود سے بالاتر ہوتے ہیں اور ان کی بدولت ملکوں میں دوستی کے رشتے مضبوط ہوتے ہیں۔ پاکستانی ٹیم جہاں کہیں بھی پہنچی اس کا ہر جگہ ایسا ہی استقبال ایسی ہی تقریروں کے ساتھ کیا گیا۔ اکثر اوقات ایسا ہوتا ہوگا کہ کھلاڑی ایسے استقبالوں اور تقاریر سے عاجز آ جاتے ہوں گے کیوں کہ بعض دفعہ انہیں دن میں چار چار پانچ پانچ دفعہ تقریبات میں جانا پڑتا تھا۔ کھلاڑیوں کے کیا جذبات ہوں گے یا پھر وہ کیا محسوس کرتے ہوں گے؟ یہ کہنا ناممکن ہے۔ میں نے کاردار کے ساتھ جانے والی اس ٹیم کے چار حیات کھلاڑیوں سے معلومات حاصل کیں۔ ان کے مطابق وہ دورہ بھی سب دوروں کی طرح کا ہی تھا۔ امتیاز احمد نے 1947ء کی تمام گرمیاں لاہور میں گزاریں۔ اور اس نے بلوائیوں کی مار دھاڑ کو اپنی آنکھوں سے دیکھا۔ امرتسر میں وقار حسن کے نانا کا گھر نذر آتش کر دیا گیا تھا جس میں اس کے نانا نانی زندہ جل مرے تھے۔ دس سال قبل وقار حسن نے اپنی یادداشتوں کو قلمبند کرتے ہوئے اپنے حالات زندگی بیان کیے ہیں۔ یہ کتاب بے حد دلچسپ ہے کیوں کہ ٹیسٹ کرکٹ سے فارغ ہونے کے بعد اپنی محنت کے بل بوتے پر وہ پاکستان کے عظیم ترین صنعت کاروں کی صف میں شامل ہوگیا۔ کتاب کے دوسرے حصے میں وہ ہندوستان کے دورہ بابت بیان کرتا ہے:

''لاہور سے ہم بذریعہ بس ہندوستان کے گیارہ ہفتے کے دورہ پر روانہ ہوئے۔ ہر ایک کے چہرے سے بچوں جیسا اشتیاق چھلک رہا تھا کہ وہ پاکستان کی پہلی ٹیم کے ہمراہ بحیثیت ٹیسٹ کرکٹ کھیلنے والے ملک کی نمائندگی کر رہے تھے۔ واہگہ سرحد پر مقامی افسران اور ہندوستان کرکٹ بورڈ کے نمائندوں نے ہمارا پرجوش استقبال کیا اور ہمیں پھولوں کے ہاروں سے لاد دیا۔ اس کے بعد ہمیں امرتسر کے مقدس شہر جہاں گرو نانک اور گرو گوبند سنگھ کی تعلیمات پر عمل پیرا سکھ رہتے ہیں، لیجایا گیا۔ پاکستان کے دورہ کی ابتدا یہاں سے نارتھ زون کے خلاف تین روزہ میچ سے ہوئی۔ تمام ہندستان اور سمندر پار ممالک سے سکھ یاتری خراج عقیدت پیش کرنے امرتسر آتے ہیں اور سنہرے ہرمندر صاحب کا دیدار کرتے ہیں۔ یہ مقدس عبادت گاہ ایک بہت بڑے تالاب کے وسط میں واقع ہے۔ یاتری گھنٹوں قطاروں میں کھڑے ہو کر عبادت گاہ کے خاص کمرے میں داخل ہونے کے لیے انتظار کرتے ہیں۔ پھر وہاں پہنچ کر سکھوں کی مقدس مذہبی کتاب گرو گرنتھ صاحب کا دیدار کرتے ہیں جس میں گرو نانک کے قول محفوظ ہیں۔ ہم نے بھی یہاں کا دورہ کیا اور ہمیں ہرمندر صاحب بہت پُرکشش معلوم ہوا۔ میرے لیے امرتسر میں اپنی آمد قطعی طور پر ولولہ انگیز تھی کیوں کہ اسی شہر میں میری 12 ستمبر 1932ء کو پیدائش ہوئی تھی۔''[2]

یہی وہ سکھ تھے یا ان کے پیروکار جنھوں نے وقار حسن کے نانا نانی کو قتل کیا تھا۔ جب میں کراچی کے وسط میں واقعہ وقار حسن کے شاندار دفتر میں اس سے ملنے گیا تو میں نے پوچھا کہ کیا وہ اپنے نانا نانی کا گھر

دیکھنے گیا تھا؟ تو اس نے جواب دیا کہ ''نہیں'' مگر آج ایک بین الاقوامی کھلاڑی سے آنسوؤں کی توقع کی جاتی ہے۔ غالباً جنہوں نے واقعتاً کسی ناخوشگوار المیہ کو سہہ رکھا ہو وہ جذبات کے اظہار میں خاصے نازک طبع ہوتے ہیں۔ کچھ اس لیے بھی کہ وہ جانتے ہیں کہ یہ کتنا خطرناک ثابت ہوسکتا ہے۔

امرتسر پہنچنے پر پاکستانی کھلاڑیوں نے اور خاص طور پر وہ جو شہر سے خوب واقفیت رکھتے تھے، نے دیکھا کہ امرتسر میں کوئی خاص تبدیلی نہیں آئی تھی۔ میچ گاندھی گراؤنڈ پر کھیلا گیا۔ تقسیم ہند سے پہلے اس کا نام الیگزنڈرا پارک (Alexandra Park) ہوا کرتا تھا۔ ہر طرف محافظوں کا پہرہ تھا اور کسی کو بھی ہوٹل کی حدود کے باہر قدم رکھنے کی اجازت نہ تھی۔[3] خاص طور پر پاکستانی کھلاڑیوں مقصود احمد، وقار حسن اور خورشید احمد کے لیے خاصی مشکل تھی کیوں کہ ان کی پرورش اپنے اسی شہر میں ہوئی تھی جہاں اب وہ کھلے عام کہیں آ جا نہ سکتے تھے۔ پاکستانی ٹیم پر ہندوستان کے حفاظتی اداروں کی مداخلت کی حد تک نظر تھی۔ کاردار کو شکایت تھی کہ وہ اس پر ہوٹل کے کمرہ میں بھی جاسوسی کرتے ہیں۔[4] ہندوستان کی فوج کے سربراہ (کمانڈر ان چیف) جنرل کری آپا (Gen. Cariappa) نے دورے کے پہلے میچ کا آغاز نارتھ زون کی ٹیم کے کپتان کی طرف گیند اچھال کر کیا۔ یہ میچ رینگتے ہوئے برابر ہوا مگر اس تین روزہ میچ میں خصوصی بات حنیف محمد کی دونوں اننگز میں سنچریاں تھیں جن کی بدولت وہ اس وقت کا سب سے کم عمر کھلاڑی تھا جس نے یہ اعزاز حاصل کیا۔ میچ کے اختتام پر ایک نوجوان سکھ نے کاردار کو قرآن مجید پیش کیا جو تقسیم کے وقت جان بچا کر بھاگتے ہوئے مسلمان پیچھے چھوڑ گئے تھے۔

دورہ ہندوستان کا لائحہ عمل جلد بازی میں تیار کیا گیا تھا جس کا پاکستان کو کوئی خاص فائدہ حاصل نہ ہوا۔ دوسری جنگ عظیم کے بعد دورہ کرنے والی ٹیموں کو توقع تھی کہ پہلے ٹیسٹ میچ کے کھیلے جانے سے پہلے کم از کم تین چار صوبائی درجہ کی ٹیموں سے میچ کھیلیں تاکہ کھلاڑی آب و ہوا اور حالات سے مانوس ہوسکیں مگر یہاں صرف امرتسر کے ایک ہی میچ کے فوراً بعد پاکستان کو سیدھا اس کی تاریخ کے پہلے افتتاحی ٹیسٹ میچ کے لیے فیروز شاہ کوٹلہ گراؤنڈ نئی دہلی میں دھکیل دیا گیا۔

ایک بار پھر سرکاری پروٹوکول جس نے اس میچ کو گھیر رکھا تھا، بری طرح سے حالات پر حاوی تھیں۔ ہندوستان کا کپتان لالہ امرناتھ اس وفد کا حصہ تھا جس نے کاردار کی ٹیم کا ریلوے اسٹیشن پر استقبال کیا۔ اس کے بعد ٹیم جمنا کے کنارے راج گھاٹ میں سنگ مرمر سے بنی مہاتما گاندھی کی سمادھی پر پھول چڑھانے گئی۔ اس کے بعد ٹیم نے مسلمان صوفی نظام الدین اولیاء کی درگاہ پر فاتحہ کے لیے حاضری دی۔

بالآخر جب کاردار نے ٹیسٹ میچ کھیلنے والی پچ کا جائزہ لیا تو وہ چکرا کے رہ گیا۔ یوں لگتا تھا جیسے پچ کی بیرونی سطح پر گیلی مٹی کی چادر بچھا دی گئی ہو۔ اور ظاہر تھا کہ چند گھنٹوں بعد یہ خراب ہوجائے گی۔ اس کا

خیال تھا کہ یہ پچ خاص طور پر ہندوستان کے سپن (Spin) باؤلروں کی مدد کے لیے بنائی گئی تھی۔ کاردار نے افسردہ ہو کر کہا کہ ''ٹاس جیتنا کتنا اہم تھا یہ امرناتھ کی حرکات اور سکنات سے اسی وقت ظاہر ہو گیا تھا جب اس نے انتہائی خوشی کے عالم میں اپنے اوپننگ بیٹسمینوں کو پویلین کی طرف دیکھتے ہوئے اشارہ کیا کہ وہ پیڈ باندھ کر کھیلنے کے لیے تیار ہو جائیں۔''

میچ شروع ہونے سے بیشتر دونوں ٹیموں کا تعارف ہندوستان کے صدر راجندر پرشاد سے کروایا گیا۔ اور پھر بالآخر ٹیسٹ میچ شروع ہوا۔ خان محمد نے سرکاری ٹیسٹ میچوں میں پاکستان کی طرف سے پہلا گیند کیا۔ جلد ہی خان کو اپنے انداز میں ہم آہنگی مل گئی اور اس نے ہندوستان کے دونوں اوپننگ بیٹسمینوں کو آؤٹ کر دیا اور پھر جب امیر الٰہی کی گیند پر وجے منجریکر سلپ میں نذر محمد نے کیچ پکڑا تو ہندوستان کے 67 رنز پر تین کھلاڑی آؤٹ ہو چکے تھے۔ اور پھر فضل محمود کی باری تھی اس نے شارٹ لیگ پر کیچ کے ذریعے وکٹ حاصل کر لی۔ اس کا شکار وہی لالہ امرناتھ تھا جو فرسٹ کلاس کرکٹ میں بھی اس کی پہلی وکٹ بنا تھا۔

دوپہر کے کھانے کے وقفے تک ہندوستان کے وزیراعظم پنڈت جواہر لعل نہرو اور ان بیٹی اندرا گاندھی 5 کی بھی تشریف آوری ہو چکی تھی۔ اس وقت ہندوستان کی چار وکٹیں گر چکی تھیں مگر میزبان ٹیم کے وجے ہزارے کے آہستہ اور تھکا دینے والے کھیل کی بدولت ہندوستانی ٹیم آہستہ آہستہ پستی سے باہر نکل آئی۔ پھر بھی اختتام کے وقت ہندوستان 210 رنز پر سات وکٹیں کھو چکا تھا۔ اور پاکستان کے لیے یہ باور کرنا کہ اس روز اس کا کھیل حاوی رہا درست تھا۔ اس رات جب پاکستانی ٹیم ایک اور دعوت میں شریک ہونے ہندوستانی صدر کی سرکاری رہائش گاہ راشٹر پتی بھون جا رہی تھی تو کاردار کو ایک پریشانی لاحق تھی۔ اور وہ یہ تھی کہ حنیف محمد کی ناقص وکٹ کیپنگ کی وجہ سے دو آسان کیچ چھوٹ گئے تھے۔

دوسرے روز پاکستانی ٹیم کے لیے حالات زیادہ خراب نہ تھے۔ مگر ناگہانی طور پر خان محمد اچانک اس بری طرح سے زخمی ہوا کہ پھر وہ تمام دورہ میں دوبارہ باؤلنگ کرنے کے قابل نہ رہا۔ دوسری بدقسمتی یہ ہوئی کہ ہندوستانی ٹیم نے اپنے آپ کو سنبھالا دیتے ہوئے دسویں وکٹ کی شراکت میں 109 رنز بنا ڈالے۔ کاردار کی باؤلنگ پر حنیف محمد نے ہندوستان کے گیارہویں بیٹسمین غلام احمد کو ایک آسان سٹمپ کرنے کا موقع ضائع کر دیا۔ غلام احمد جس نے مسلمان ہونے کے باوجود تقسیم کے بعد ہندوستان میں رہنے کو ترجیح دی نے ہندوستان کے کل 372 رنز میں پچاس رنز اپنے بھی بنا ڈالے۔

ہندوستان کے جواب میں جب نذر محمد اور حنیف محمد نے پہلی وکٹ کی شراکت میں 64 رنز بنا دیئے تو لگتا تھا کہ حالات قابو میں ہیں پھر اچانک نذر محمد رن آؤٹ ہو گیا اور باقی ونو منکڈ کی روایتی سپن باؤلنگ نے کام تمام کیا۔ ایسی پچ جو بظاہر منکڈ کے لیے ہی تیار کی گئی تھی اس پر اس نے پہلی اننگز میں آٹھ پاکستانی وکٹیں

حاصل کیں اور دوسری اننگز میں پانچ ۔منکڈ کے گیند کی ہوا میں اڑان اور گیند کے گرنے کا نقطہ درجہ کمال کے عروج پر تھے۔اس کی گیند کاٹ اور اٹھان سے بھرپور تھی۔ وہ اپنے باؤلنگ اوور اتنی تیزی سے کرتا کہ شاید ہی ایک منٹ سے زیادہ کا وقت لگتا ہوگا۔ وہ بیٹسمین کو سانس لینے تک کی مہلت نہیں دیتا تھا۔فضل محمود نے کہا کہ ''ہمارے کھلاڑی اس کی باؤلنگ سے خوفزدہ ہو کر پگھل کر رہ گئے۔ وہ منکڈ ے سے اتنا ڈر گئے کہ انہوں نے اپنے حواس تک کھو دیئے۔'' ایک اننگز اور 70 رنز کی شکست کے ساتھ ہی پاکستانی ٹیسٹ کرکٹ کی تاریخ کا انتہائی ذلت سے آغاز ہو گیا۔

اس میچ کی باضابطہ روئیداد اور کاردار کی اپنی کتاب Inaugural Test Matches کے مطابق پاکستانی ٹیم نے اس شکست کو غیر جذباتی طور پر قبول کیا مگر اردو میں لکھی گئی فضل محمود کی 1954ء کی خودنوشت سوانح عمری میں واقعات کا ایسا احوال ملتا ہے جو کہیں اور نظر نہیں آتا۔ فضل محمود کے مطابق:

''سینکڑوں تماشائی مجھ پہ طنز کر رہے تھے، کسی نے کہا کہ ''کیوں میاں پھر کیا تم نے میچ جیت لیا؟'' دوسرے نے جملہ کسا،''لو بیٹا اسی طرح ہم کشمیر لے لیں گے۔'' یہ سنتے ہی میں غصے میں آ گیا۔ میں کود کر جنگلے کی طرف لپکا اور چلا کر کہا کہ ''اگر میں نے لکھنو میں اس شکست کا بدلہ نہ لیا تو میرا نام فضل محمود نہیں۔'' یہ سننے پر بہت سے تماشائی مجھ پر ہنسنے لگے۔ اور بہت سی لڑکیوں نے یکجا ہو کر چلایا،''ہماری نیک تمنائیں تمہارے ساتھ ہیں نوجوان مگر تم میچ کبھی جیت نہیں سکتے۔''

''اس موقع پر میں غصے سے خون کے گھونٹ پی کر رہ گیا۔'' فضل محمود نے کہا۔ پاکستان کی یہ ٹیم مکمل طور پر ناتجربہ کار تھی اور اس کے بڑی آسانی سے ٹکڑے ہو سکتے تھے۔میچوں کے اس سلسلہ سے پہلے پاکستانی ٹیم کے صرف دو کھلاڑیوں نے ٹیسٹ کرکٹ کھیل رکھی تھی۔ ایک کاردار تھا اور دوسرا عمر رسیدہ لیگ سپنر امیر الٰہی تھا۔ ان دونوں نے ہندوستان کی نمائندگی کر رکھی تھی۔ [6] اور ان کا مشترکہ تجربہ بھی صرف چار ٹیسٹ میچوں تک محدود تھا۔ کاردار نے بعد میں غور کرتے ہوئے کہا،''ہم جانتے تھے کہ ہمیں دوبارہ اپنے حوصلوں کو ہمت دے کر مقابلے میں واپس آ کر لڑنا ہے اور اگر ہم اپنا اعتماد کھو دیتے تو نہ صرف یہ ان میچوں کے سلسلے پہ نظر انداز ہوتا بلکہ آئندہ تمام دوروں پر بھی اس کا بری طرح سے اثر پڑتا۔ اور پاکستانی کرکٹ کے مستقبل قریب پر بھی اثر انداز ہو جاتا۔''

لکھنؤ میں کھیلے جانے والے دوسرے ٹیسٹ میچ میں پاکستان کے حق میں کئی عوامل تھے۔ لکھنؤ مسلمانوں کی عمدہ ثقافت اور تہذیب و تمدن کا مرکز تھا۔ جس کی بدولت ہماری دورہ کرنے والی ٹیم کے یقیناً حوصلے بلند ہوئے سب سے پہلے تو منکڈ جسے کھیلنا انتہائی دشوار تھا میچ میں شریک نہیں تھا۔ [7] دوسرا یہ کہ میچ پٹ سن سے بنی میٹنگ پر کھیلا گیا گو کہ فضل محمود اس سے پہلے ایسی پچ پر نہیں کھیلا ہوا تھا مگر پھر بھی یہ اس کے لیے

انتہائی موافق ثابت ہوئی۔ دہلی میں اس پر کیے گئے طنز و مزاح نے اس میں وہ جذبہ بیدار کر دیا تھا جس کی بدولت اس نے پاکستان کی کرکٹ کی تاریخ کی ہمیشہ یاد رکھنے والی سحر انگیز اور تباہ کن باؤلنگ کا مظاہرہ کیا۔ امرناتھ ایک بار پھر ٹاس جیتا اور اس نے ایک بار پھر وہی فیصلہ کیا کہ ہندوستانی ٹیم پہلے بیٹنگ کرے۔ اور فضل محمود نے اپنی اردو خودنوشت سرگزشت میں اپنے چاہنے والوں کے لیے ان واقعات کو یوں بیان کیا:۔

''جب میں نے اپنی باؤلنگ کا آغاز کیا تو مجھے بے حد دقت محسوس ہوئی کیوں کہ پچ پر ناریل کے خول (Coir) سے بنی مٹینگ کی بجائے پٹ سن (Jute) سے بنی میٹنگ بچھائی گئی تھی۔ اس سے بیشتر مجھے کسی ایسی پچ پر کھیلنے کا کوئی تجربہ نہ تھا۔ میں دونوں قسم کی میٹنگ کے فرق سے بھی ناآشنا تھا۔ نتیجتاً جب میں نے پہلا گیند کیا تو یوں لگا کہ جیسے گیند کسی سخت اور مردہ زمین پر گرا ہو۔ گیند میں نہ تو کسی قسم کی حرکت (Movement) ہوئی اور نہ ہی وہ ہوا میں جھول (Swing) سکا۔ زمین پر گرنے کے بعد گیند بالکل سیدھا رہا اور بہت آہستہ رفتار سے رائے (Roy) کے بلے کی طرف بڑھا[8] جس نے اسے آسانی سے روک لیا۔ میں نے حیران ہو کر رائے کی طرف دیکھا۔ پھر اسی الجھن کے ساتھ میں نے اسے کئی گیند کیے مگر رائے کو متاثر کیے بغیر ہی رہا۔ میں نے اسے رنز بنانے کا موقع نہ دیا مگر میرا ہر گیند وہ آسانی سے روک لیتا تھا حالاں کہ میرے گیندوں کی سمت (Direction) اور گرنے کا نقطہ (Length) اور زاویے سو فیصدی درست تھے۔ میں نے تین اوور اسی انداز میں کیے مگر متاثر کرنے سے مسلسل طور پر قاصر رہا۔ تب میں نے سوچا کہ مجھے اب کچھ مختلف کرنا ہوگا۔ میں نے فیصلہ کیا کہ مجھے گیند کی سیون (Seam) کا استعمال کرنا چاہیے۔ لہٰذا جب چوتھے اوور میں منجریکر[9] میرے سامنے کھیلنے آیا تو میں نے اپنا نیا حربہ استعمال کرنا شروع کیا۔ میری خوشی کی اس وقت انتہا نہ رہی جب گیند ہوا میں میری خواہش کے مطابق جھولی (Swung) اور منجریکر کی طرف دھیمی رفتار سے بڑھی اور اسے واپس پویلین کا راستہ دکھا گئی۔ منجریکر کے بعد میں نے اسی طور دوسرے بیٹسمینوں کو باؤلنگ کی اور انہیں شکست دیتا گیا۔''

چائے کے وقفہ تک پاکستان نے ہندوستان کی ٹیم کو صرف 106 رنز پر ڈھیر کر دیا تھا۔ فضل محمود نے بے پناہ قوت اور انتہائی دلآویز انداز سے باؤلنگ کی۔ کاردار نے تحریر کیا کہ وہ ہندوستانی کھلاڑیوں کو نیست و نابود کرنے کے جذبے سے سرشار تھا۔ کاردار سمجھ چکا تھا کہ پاکستان کی ٹیسٹ کرکٹ میں پہلی جیت کا موقع اس کے ہاتھ میں آ گیا ہے۔ اس نے اپنی ٹیم سے اپنی صلاحیتوں کو جیت کے لیے وقف کر دینے کا مطالبہ کیا۔ اور جواب میں اس کی ٹیم نے بھرپور کارکردگی دکھائی۔ سب سے نمایاں اننگز نذر محمد نے کھیلی۔ وہ ساڑھے آٹھ گھنٹے تک وکٹ پر رہا اور آؤٹ نہیں ہوا۔ پاکستان کے کُل سکور 331 رنز میں اکیلے نذر محمد کے 124 رنز شامل تھے۔

دوسری اننگز میں فضل محمود نے مزید سات وکٹ اور حاصل کیے اور ہندوستان کو ایک اننگز سے

شکست کا منہ دیکھنا پڑا۔ اس مرتبہ ہندوستانی ٹیم کو تماشایوں کا غیض و غضب برداشت کرنا پڑا۔ فضل محمود کے مطابق، ''میچ کے اختتام پر تماشایوں نے اس بری طرح کا مظاہرہ کیا کہ میں آج بھی اس کا سوچ کر خوفزدہ ہو جاتا ہوں۔ انہوں نے ہندوستانی کھلاڑیوں کے پڑاؤ پر حملہ کر دیا اور اسے آگ لگا دی۔ انہوں نے اس بس کی کھڑکیوں کے شیشے توڑ ڈالے جس میں بیٹھ کر ہندوستانی کھلاڑی واپس ہوٹل جا رہے تھے اور ان پر پتھراؤ کیا۔ کھلاڑی بہ مشکل اپنی جانیں بچا سکے۔''

بہت بعد میں کاردار نے اپنی یادیں تازہ کرتے ہوئے بیان کیا:

''لکھنو سے روانہ ہوتے وقت میں مونکی پل (Monkey Bridge) اور اس سے پرے پھیلی ہوئی اس کرکٹ گراؤنڈ کو نظر بھر کر آخری بار دیکھنے گیا جہاں اپنے افتتاحی ٹیسٹ میچوں کے سلسلے میں پاکستان نے پہلی فتح حاصل کی۔ اس وقت وہ تماشایوں کی چاروں طرف لگی کرسیوں کے وسط میں نظر آ رہی تھی۔ قریب ہی ہندوستان کی عظیم سماجی کارکن سروجنی نائیڈو کی آخری آرام گاہ تھی اور دریائے گومتی میں آہستہ بہاؤ کے ساتھ پانی چل رہا تھا۔ جس کے کنارے پر پاکستانی کھلاڑی ہندوستان کو شکست دینے اور ہندوستانی ترنگا سرنگوں کرنے میں کامیاب ہوئے تھے اور ابھی ہمارے کرکٹ بورڈ کو امپیریل کرکٹ کانفرنس کا رکن بنے صرف چھ ماہ ہی ہوئے تھے۔ میں لکھنؤ اور دریائے گومتی کنارے کرکٹ گراؤنڈ کو کبھی نہیں بھول سکتا۔''

یوں محسوس ہوتا ہے کہ عبدالحفیظ کاردار کو مونکی پل (Monkey Bridge) دریائے گومتی کے دھیمے دھیمے بہتے ہوئے پانی اور اس کی اپنی اتنی بڑی کامیابی پر غور کرنے کے عمل کو اس سے علیحدہ کرنا بے انصافی ہوگی۔ کارنیلیس کے خط کو جس میں اس نے کاردار کو پاکستان کرکٹ ٹیم کی کپتانی کی دعوت دی تھی ابھی صرف چودہ ماہ ہی گزرے تھے کہ کاردار نے اپنے ملک کو ٹیسٹ میچ میں جیت سے ہمکنار کر دیا تھا۔ پاکستان اور کاردار کے لمبے ساتھ کا آغاز ہو چکا تھا۔ مگر اب پاکستانی ٹیم کا کارواں بمبئی کے برابرون (Brabourne Stadium) سٹیڈیم کی طرف چل پڑا تھا۔ یہ گراؤنڈ برصغیر کی کرکٹ کی کئی سال سے انتظامی مرکز کی حیثیت رکھتی تھی جہاں اب ہندوستانی ٹیم ہم سے بدلہ لینے کے لیے بیتاب تھی اور منکڈ اپنی خوفزدہ کر دینے والی باؤلنگ سمیت ٹیم میں واپس آ چکا تھا۔

کئی پاکستانی مداح جو لکھنو کی فتح سے سرشار تھے کراچی سے سفر کر کے بمبئی آن پہنچے تھے۔ ماحول انتہائی سنجیدہ اور کشیدہ تھا جب امرناتھ اور کاردار گراؤنڈ میں ٹاس کرنے نکلے۔ غالباً کاردار کی بدقسمتی تھی کہ وہ ٹاس جیت گیا۔ وزڈن کے مطابق اسے ناقابل رشک آزمائش کا سامنا تھا کہ کیا اسے ایسی پچ پر بیٹنگ کرنی چاہیے جس پر صبح کی شبنم کی نمی کے بعد اب دھوپ کے اثرات تھے۔ اس نے پہلے بیٹنگ کرنے کا فیصلہ کیا اور پاکستان نے برے انداز سے آغاز کیا جہاں سے پھر اسے دوبارہ اپنی صورتحال کو بحال کرنے کا موقع نہ ملا۔''

صرف وقار حسن امرتسر میں بیٹنگ میں ناکامی کے بعد اب اپنے درست اور اصل انداز میں آ کر پاکستان کو یکساں پسپائی سے بچا سکا۔ اس نے 81 رنز بنائے اور سب سے آخر میں منکڈ کی گیند پر اسٹمپ آؤٹ ہوا۔ پاکستان کل 186 رنز بنا سکا۔

جواب میں ہندوستانی ٹیم نے تباہی مچا دی۔ ہزارے اور امر یگر دونوں نے سنچریاں بنائیں اور امیر الٰہی کی لیگ سپن باؤلنگ کی دھجیاں بکھیر دیں۔ یہاں تک کہ ان دونوں نے فضل محمود کی باؤلنگ کی بھی پرواہ نہ کی۔ جب ہندوستان کی ٹیم پاکستان کی ٹیم سے 201 رنز زیادہ کر چکی تو امرناتھ نے ایک دلیرانہ فیصلہ کرتے ہوئے دوسرے دن کے آخری وقفہ میں ہندوستان کی اننگز ڈکلیئر کر کے پاکستان کو دوبارہ کھلا دیا۔ اسے اپنے فیصلے کا جلد ثمر مل گیا جب نذر محمد فوری طور پر آؤٹ ہو گیا۔

تیسرے دن کے کھیل پر البتہ پاکستان چھایا رہا۔ میں آج بھی اس کشیدہ ماحول اور موت کی سی خاموشی کو محسوس کر سکتا ہوں جو اس وقت برابورن سٹیڈیم پر چھائی ہوئی تھی جب نوعمر سکول کا طالبعلم حنیف اور وقار ہندوستان کی باؤلنگ کا مقابلہ کرنے باہر نکلے۔'' کاردار نے یاد کرتے ہوئے کہا ان دو بلے بازاوں جن میں حنیف جس کی عمر بہ مشکل اٹھارہ سال اور پچیس سالہ وقار نے مل کر ایک غیر معمولی شراکت تعمیر کر ڈالی۔ یہ تھا پاکستان میں لڑنے کا جذبہ کاردار نے پُرجوش انداز میں بیان کیا۔ یہ تھا ٹیسٹ میچ میں اصل امتحان جس کا جواب پاکستان کے ''شیر خوار'' کھلاڑیوں نے ہنرمندی، دلکشی اور پختگی سے دیا۔ برابورن سٹیڈیم میں اس وقت تماشائی یہ نعرہ بلند کرتے رہے کہ کرکٹ کے یہ بلونگڑے بمبئی پر چھا گئے ہیں۔''

صرف پچیس منٹ باقی رہ گئے تھے جب منکڈ کی گیند پر وقار کا شارٹ لیگ پہ کیچ ہو گیا۔ کچھ ہی دیر بعد 96 رنز بنا کر حنیف بھی منکڈ کا شکار بن گیا۔ پھر بھی کاردار کا یہ خیال تھا کہ ہندوستان سے صرف 25 رنز پیچھے اور سات وکٹیں باقی ہوتے ہوئے پاکستان کے پاس زبردست مقابلہ کے بعد میچ کو بچانے کا موقع ہے۔ مگر ایسا نہ ہو سکا۔ کاردار کو اس وقت انتہائی شرمندگی ہوئی جب اس کی تمام ٹیم اس کے سامنے مرجھا گئی۔ وہ خود بھی صرف 3 رنز بنا کر منکڈ کے ہاتھوں آؤٹ ہوا۔ اور ہندوستان ہنستے کھیلتے ہوئے دس وکٹوں سے میچ جیت گیا۔ ''اس دن کے پاکستانی ٹیم کے کھیل کو فراموش نہیں کر دینا چاہیے بلکہ اسے ہمیشہ یاد رکھنا چاہیے۔ 16 نومبر کو پاکستانی بلے بازوں کی ناکامی جس کی بدولت میچ کا پانسا پلٹ گیا پاکستانی مداحوں اور خود کھلاڑیوں کے لیے بے حد اذیت ناک تھی۔ میں انتہائی نیک نیتی سے امید کرتا ہوں کہ آئندہ پھر کبھی ہمارے کھلاڑی اس قدر گھٹیا کھیل کا مظاہرہ نہیں کریں گے۔ اس کے علاوہ مزید اور کچھ نہیں کہا جا سکتا۔'' کاردار نے دلآزاری سے کہا، ''بیٹنگ میں ہماری پسپائی بارے یہی کہہ سکتا ہوں۔''

تاہم پاکستانی ٹیم جواب مدراس جا رہی تھی ابھی میدان میں تھی۔ پاکستان نے وہاں پہلے کھیلتے

ہوئے کھیل ختم ہونے سے نصف گھنٹہ پہلے تک نو وکٹوں پر 240 رنز بنا لیے۔ یہاں امرناتھ سے غلطی ہوگئی وہ نہیں چاہتا تھا کہ اس کے بلے باز ڈھلتی روشنی میں آ کر چند اوور کھیلیں لہٰذا اس نے پاکستان کے آخری بلے بازوں ذوالفقار احمد اور امیر الٰہی کو آؤٹ نہ کرنے کے لیے اپنے خاص باؤلروں کا استعمال نہ کیا۔ اور انہیں دن کے اختتام تک کھیلنے دیا۔ ان دونوں نے اس کا بھرپور فائدہ اٹھایا اور آخری وکٹ پر 85 منٹ میں 104 رنز بنا دیئے۔ پھر کھیل پاکستان کے قابو آ گیا جب 175 رنز کے عوض ہندوستان کی چھ وکٹیں گر گئیں۔ مگر بدقسمتی سے کھیل کے آخری دو دن بارش کی نظر ہو گئے۔ 'گراؤنڈ میں موجود ہر کسی کو یقین تھا کہ چوتھا ٹیسٹ پاکستان جیت لے گا۔'' فضل محمود نے دہرایا کہ'' اچانک موسلا دھار بارش شروع ہوگئی اور دیکھتے ہی دیکھتے میدان تالاب بن گیا۔ بہت سے لوگ گھٹنوں تک پانی میں پھنس گئے۔ خدا کے اس عمل سے میں بہت دل آزردہ ہوا۔'' اگر موسم مداخلت نہ کرتا اور کھیل کا طور گزشتہ میچوں جیسا رہتا تو غالباً کاردار کی ٹیم یہ میچ جیت لیتی۔

میچ کے بارش سے تھم جانے کے دوران کاردار نے منکڈ کو چاندی کی تحریر شدہ طشتری پیش کی جو ٹیسٹ کرکٹ میں 1000 رنز مکمل کرنے اور 100 وکٹ حاصل کرنے کے اعتراف میں تھی۔ منکڈ نے یہ اعزاز بمبئی ٹیسٹ کے دوران حاصل کیا تھا۔ منکڈ نے یہ کارنامہ صرف 23 ٹیسٹ میچوں میں سرانجام دیا۔ اس ٹیسٹ ڈبل کا ریکارڈ 1979ء تک برقرار رہا جب آئن بوتھم (Ian Botham) نے یہ کارنامہ صرف 21 ٹیسٹ میچوں میں سرانجام دے دیا۔ طشتری پر تحریر تھا،'' ونو کے لیے اس کے عظیم کارنامے پر۔ اس کے مداحوں کی طرف سے۔ ارکان پاکستان کرکٹ ٹیم۔ دعا گو ہیں کہ آپ کو ہر کامیابی اور خوش آئند مستقبل حاصل ہو۔'' اس فراخ دلی کے ثبوت سے ظاہر ہے کہ اس دورہ کے دوران کرکٹ کس اچھے ماحول اور جذبے سے کھیلی گئی۔

کلکتہ میں کھیلے جانے والے آخری ٹیسٹ میچ میں ایک موڑ پر پاکستان کو شکست کا خطرہ تھا۔ مگر وقار کے جرأت مندانہ 97 رنز اور سرکش فضل محمود کے آؤٹ ہوئے بغیر 28 دلیر اور دفاعی رنز کی بدولت پاکستان بچ گیا۔ گو پاکستان میچوں کا سلسلہ ہار گیا مگر اسے ایسا محسوس نہیں ہوا۔ ''اس بات سے کوئی انکار نہیں کہ ہماری ٹیم نے ہندوستان میں شاندار کارکردگی کا مظاہرہ کیا ہے۔'' یہ جسٹس کارنیلیس کا فیصلہ تھا۔ مزید برآں'' کاردار جو خود بھی ابھی اٹھائیس سال کا نہیں ہوا، اس کی ذہین کپتانی میں ٹیم کے بہت سے نوعمر کھلاڑی شامل تھے جنہوں نے عظیم الشان ہمت کا مظاہرہ کیا ہے۔ ان کی جتنی بھی تعریف کی جائے وہ کم ہے۔''

21 جنوری 1953ء کو جب کراچی کے ہوائی اڈہ پر جہاز اترا تو پاکستانی ٹیم کے استقبال کے لیے ایک ہجوم اکٹھا تھا۔ دورہ سے سرحد کے دونوں طرف خلوص کا جذبہ ابھرا تھا اور پاکستان کو ایک ٹیسٹ کرکٹ کھیلنے والی قوم کی حیثیت سے تسلیم کر لیا گیا۔ اس بات پر کوئی حیرت نہ ہوئی جب کاردار نے وطن لوٹنے پر مشورہ دیا کہ پاکستان اور ہندوستان کے درمیان ہر سال ٹیسٹ میچ ہونے چاہئیں۔ اسی اثناء میں مسرور و شادمان کپتان

کے سامنے ایک اور اہم چیز منتظر تھی۔ ایم سی سی (MCC) نے پاکستان کو اگلی گرمیوں میں چار ٹیسٹ میچ کھیلنے کے لیے کرکٹ کے مرکز انگلستان کی دعوت دیدی۔ آگے جانے کے لیے یہ ایک اور اہم جست تھی۔ کاردار جو پاکستان میں انگلستان میں کرکٹ کھیلنے کے کوائف کو سب سے زیادہ جانتا تھا، نے اپنی تمام صلاحیتیں اس سوال پر مرکوز کر دیں کہ انگریزوں کو کس طرح ان ہی کے کھیل میں اور ان ہی کے ملک میں شکست دی جا سکے۔

## حوالہ جات:

1 وزڈن کی اس اشاعت کے شروع میں پاکستان کی بطور ٹیسٹ کرکٹ کھیلنے والے ملک کی حیثیت سے مدیر نے صرف ایک فقرے میں یوں خبر دی: ''امپیریل کرکٹ کانفرنس میں نو منتخب ملک پاکستان نے اپنی ٹیسٹ کرکٹ کے دور کا آغاز ہندوستان جا کر کیا۔ اس کے بعد ہندوستان کی ٹیم ویسٹ انڈیز کے دورہ پر چلی گئی۔'' یہ غیر جانبدار اور غیر دلچسپ لہجہ اس وقت بدل گیا جب سفید فام جنوبی افریقہ کا اسی مضمون میں ذکر آیا ''آسٹریلیا کے ساتھ میچوں کو ہار جیت بغیر ختم کرنے پر جے۔ ای۔ چیتھم (J.E.Cheetham) کی ٹیم نے نہ صرف جنوبی افریقہ کی شہرت کی دوبارہ دھاک بٹھا دی بلکہ یہ بھی ثابت کر دیا کہ جب حصول مقصد کی امید نہ رہے تو بھی دلجمعی اور حوصلہ سے مقابلہ جاری رکھنا چاہیے۔'' مدیر کے تبصرے ''گروتھ آف ورلڈ کرکٹ'' (Growth of World Cricket) وزڈن (Wisden) 1953ء صفحہ 83 نمائشی طور پر وزڈن کے 1948ء تا 1952ء کی تصنیفات میں جلی حروف میں خبر دی کہ ایم سی سی اور کامن ویلتھ ٹیموں نے بھارت کا دورہ کیا حالانکہ اس دورہ میں پاکستان اور سیلون (سری لنکا) بھی شامل تھے۔

2 اسی طرح کی کہانی حنیف محمد کی بھی ہے۔ جس نے بتایا کہ وہ ہندوستان دورہ پر آکر بہت پر جوش تھا۔ مجھے یقین ہے کہ دوسروں کے جذبات بھی مجھ جیسے ہی تھے۔ (حنیف محمد صفحہ 39)۔

3 فضل محمود اور کرکٹ صفحہ 78 ''ذاتی تعارف اور گرمجوشی سے بھرپور استقبال کے بعد ہمیں امپیریل ہوٹل (Imperial Hotel) لے جایا گیا۔ ہوٹل میں حفاظتی انتظامات تھے اور ایک مسلح فوجی ہر وقت گیٹ پر موجود رہتا۔ میں تسلیم کرتا ہوں کہ انہوں نے ہماری بہت دیکھ بھال اور خاطر تواضع کی مگر چونکہ ہم ان کی انتہائی جانچ پڑتال میں تھے اس لیے امرتسر دیکھنے نہ جا سکے۔ ہمیں ہوٹل سے باہر تک قدم رکھنے کی اجازت نہ تھی اور چند لمحوں کے لیے سڑک پر بھی چہل قدمی نہیں کر سکتے تھے۔''

4 کاردار نے دعویٰ کیا کہ ہندوستانی جاسوس اس کا پیچھا کرتے تھے۔ میں ابھی ہوٹل میں اپنے کمرے میں داخل ہو کر کوٹ اتار ہی رہا تھا کہ دروازے پر دستک ہوئی۔ میں نے اندر آ جانے کو کہا تو دستک دینے والا اندر آ گیا۔ جب میں نے اس کی طرف سوالیہ نظروں سے دیکھا تو اس نے کہا کہ وہ خفیہ ادارے سے ہے اور میری آمد و رفت کے بارے معلومات کرنے آیا ہے۔ یہ واقعہ لکھنؤ ٹیسٹ شروع ہونے سے ایک رات پہلے کا ہے۔ (Memoirs of an All Rounder 157) اس کا یہ ریکارڈ اس سے ایک دوسرے پاکستانی نے 80-1979ء میں حاصل کر لیا۔ یہ عامر ملک تھا جس نے یہ اعزاز 03-2002ء میں بھارت کے اے۔ ٹی۔ رائے ڈو (A.T.Rayudu) کے پاس کھو دیا۔

5 اندرا گاندھی کے شوہر کا نام فیروز گاندھی (Feroze Gandhi) پیدائشی طور پر ان ہجوں سے لکھا

جاتا تھا مگر بعد میں ان ہجوں کو تبدیل کر کے ہندوستان کے بانی مہاتما گاندھی (Gandhi) کے انداز میں کر لیا گیا۔

6 امیر الٰہی نے اپنی فرسٹ کلاس کرکٹ کا آغاز 35-1934ء میں شمالی ہندوستان کی طرف سے رانجی ٹرافی میں کیا۔ بمبئی پینٹنگلر (Bombay Pentangular) میں مسلمانوں کی طرف سے کھیل کر نمایاں کارکردگی دکھائی۔ 1936ء میں انگلستان کا دورہ کرنے والی ٹیم میں شامل ہوا مگر کوئی ٹیسٹ نہ کھیل پایا۔ پھر اسے 48-1947ء میں آسٹریلیا کا دورہ کرنے والی ہندوستانی ٹیم میں شامل کیا گیا جہاں وہ ایک ٹیسٹ میچ کھیلا گو کہ ٹیم میں اسے بحیثیت باؤلر شامل کیا گیا تھا مگر اس سے باؤلنگ نہ کروائی گئی۔ 1952ء میں امیر الٰہی کی عمر چوالیس سال تھی جب وہ پاکستان کی طرف سے پہلی بار کھیلا۔ وفات پانے والا وہ پہلا پاکستانی کرکٹر تھا۔ اس کا انتقال 1980ء میں ہوا۔ امیر الٰہی فطرتاً تفریح مہیا کرنے والا کھلاڑی تھا اور وہ لطف اندوز ہونے کے لیے کرکٹ کھیلتا تھا۔ لیکن جب کھیل میں گھمبیر صورتحال ہو جاتی تو امیر الٰہی بڑے آرام سے چلتا ہوا پچ پر آ جاتا اور یوں مخاطب ہوتا ''حضرات آج میں سنجیدہ ہوں اور اب کسی کا لحاظ نہیں۔''

7 ہزارے اور ادھیکاری نے بھی یہی کچھ کیا۔ جس کی پہلے ٹیسٹ میں بیٹنگ پاکستان کے لیے انتہائی تکلیف دہ تھی۔ مگر نمایاں فرق منکڈ کی غیر حاضری سے پڑا۔

8 پنکج رائے ہندوستان کا اوپننگ بیٹسمین تھا اس نے ہندوستان کی اس اننگز میں 30 رنز بنا کر سب سے زیادہ سکور کیا اور فضل محمود کی گیند پر ایل بی ڈبلیو (LBW) ہو کر آؤٹ ہوا۔

9 وجے لکشمن منجریکر کا شمار ہندوستان کے بہترین بلے بازوں میں ہوتا تھا۔ وہ صرف 3 رنز بنا کر پہلی اننگز میں فضل محمود کے ہاتھوں بولڈ ہو کر آؤٹ ہوا۔ پھر دوسری اننگز میں بھی 3 رنز بنا کر فضل محمود سے ایل بی ڈبلیو (LBW) ہوا۔

5

# اوول کی فتح

''اس پاکستان میں تازگی کا تاثر تھا۔ تھکاوٹ اور بے زاری کا نام ونشان تک نہ تھا۔ اس وقت زندہ دلی اور ابھرنے کی صلاحیت سے ملک سرشار تھا۔ کسی اندرونی خلفشار کا نشان تک نہ تھا۔ وہ ایک معصوم پاکستان تھا جو مجموعی احساس جرم سے آزاد تھا۔ اس دور کی کرکٹ میں جو شادمانی تھی وہ یوں محسوس ہوتی تھی جیسے وہ قوم کی ترقی کے فریضہ سے منسلک ہے۔ پاکستان نے ایک نئی قوم کی صورت میں بہت کم کارنامے سرانجام دیئے تھے۔ کرکٹ میں کامیابی حاصل ہونے سے پاکستانی ابتدائی طور پر قوم کے رشتے میں جکڑے گئے۔''

۔ عمر قریشی، پاکستانی کرکٹ کمنٹیٹر اور ادیب

تقسیم ہند کے وقت جسٹس کارنیلیس اور (BCCP) بورڈ آف کنٹرل آف کرکٹ اِن پاکستان کے سامنے دو بے حد پیچیدہ مشکلات تھیں۔ ایک یہ کہ کس طرح اس بات کو یقینی بنایا جائے کہ پاکستان کی بین الاقوامی کرکٹ میں شمولیت ہو سکے اور دوسرا یہ کہ ملک کے اندر کرکٹ کے لیے کس طرح کوئی مضبوط اور با اثر ڈھانچہ بنایا جا سکے۔ مگر تمام تر توقعات کے برعکس ٹیسٹ میچ میں عظمت پہلے حاصل ہوگئی۔ کاردار کی ٹیم نے تمام دلائل کو رد کر دیا جب کاردار نے ایک کامیاب کرکٹ ٹیم تیار کر دی جبکہ ابھی کرکٹ کے وہ اندرونی ڈھانچے جو اس کی معاونت کرتے ہیں تیار نہیں ہوئے تھے۔ پاکستان میں فرسٹ کلاس کے معیار کی کرکٹ کا وجود نہیں تھا اور نہ ہی کھلاڑیوں کے لیے کوئی قابل ذکر حمایت موجود تھی۔

کارنیلیس اور کاردار کے بنیادی فیصلے کا مطلب یہ تھا کہ اس سے کرکٹ کی ترقی کے رائج شدہ نظام سے نفی ہوئی ہے۔ کاردار کے اقتصادی اور سیاسی عقائد اسلامی اشتراکیت پر مبنی تھے۔ اس کے مطابق حکومت میں یہ قابلیت ہونی چاہیے کہ وہ معاشرے کو ایک سانچے میں ڈھال کر اسے معاشی انصاف دے سکے۔

کاردار اور کارنیلیس کے کارنامے کا اہم پہلو یہ تھا کہ وہ کرکٹ کے ذریعے پاکستان کی قومی پہچان کو اجاگر کرنے میں کامیاب ہوئے۔ لہٰذا کرکٹ حکومت یا قومی اداروں کی سرپرستی کے لائق تھی۔ مگر یہ صرف بین الاقوامی کامیابی کے ذریعے حاصل ہوسکتا تھا۔ اگر ایسا ہو جاتا تو قومی وقار داؤ پر لگ جاتا اور پھر ریاست کے وسائل بروئے کار لائے جاسکتے تھے۔

موجودہ نظام دونوں طرح ذاتی اور کلب کے معیار کے مطابق چل رہا تھا۔ ہم پہلے ہی دیکھ چکے ہیں کہ کس طرح وزیراعظم خواجہ ناظم الدین کے حکم پر فضل محمود کو پولیس کے فرائض سے چھٹی دلا کر کرکٹ کی ایک اہم ضیافت میں شریک کیا گیا۔ اس قسم کی مداخلت نے اہم مثال قائم کردی کہ کرکٹ کے کھلاڑی دراصل پاکستان کی ملازمت میں ہیں۔ کاردار کو بھی اس عمل سے فائدہ پہنچا۔ وہ مشرقی پاکستان میں تیل کی ایک کمپنی میں ملازمت کر رہا تھا جب اسے پاکستان ٹیم کی کپتانی کے لیے دعوت دی گئی۔ یوں لگتا ہے کہ اس کمپنی نے کاردار کو بہ آسانی چھٹی نہیں دی تھی۔ کاردار نے یہ صورتحال جلد ہی بھانپ لی کہ قومی ٹیم کے کپتان کی حیثیت سے اس کے فرائض اور اس کی نجی ادارے میں نوکری ساتھ ساتھ نہیں چل سکتے۔ لہٰذا اس نے نجی ادارے کی نوکری کو ترک کر کے پاکستانی فضائیہ میں بحیثیت معلم (Instructor) کراچی شامل ہو گیا۔

گروپ کیپٹن چیمہ نے جو بعد میں 1954ء میں بی سی پی (BCCP) کا سیکرٹری بنے، غالباً کاردار کو پاکستانی فضائیہ میں شامل ہونے کی طرف راغب کیا تھا۔ 1952ء کے ہندوستان کے دورہ پر آنے والے نئے متعارف ہونے والے کھلاڑیوں میں سے ایک وقار حسن کو بھی چیمہ نے پاکستانی فضائیہ میں بطور جنگجو ہوا باز تربیت حاصل کرنے کی دعوت دی مگر وقار حسن اپنی تربیت مکمل نہ کرسکا۔ ''کھیل کے ساتھ میری پابندی اور پھر اس میں نمایاں کامیابی حاصل کر کے سب سے اونچا مقام حاصل کرنے کے لیے مسلسل کوشش اور ٹیم کے ساتھ دوروں پر رہنے کی وجہ سے میں پاکستانی فضائیہ میں پائلٹ بننے کی تربیت پر توجہ نہ دے سکا۔'' وقار نے گفتگو کرتے ہوئے کہا، ''تقدیر کے اپنے راستے نرالے ہیں۔ اور اس کی بجائے میں تجارت سے منسلک ہو گیا۔ اور مجھے اس کا کبھی افسوس نہیں ہوا۔'' اس کے برعکس امتیاز احمد جسے پاکستانی فضائیہ کی انتظامی شاخ میں بھرتی کیا گیا تھا کئی سال تک وہاں رہا۔ ایم ای زیڈ غزالی (M.E.Z. Ghazali) نے 1951ء میں ایم سی سی (MCC) کے خلاف اس مشہور میچ میں حصہ لیا تھا جس میں پاکستان نے تاریخی فتح حاصل کی تھی۔ بھی پاکستانی فضائیہ سے منسلک تھا۔ پاکستان کی تمام مسلح افواج کرکٹ کے کھلاڑیوں کی فارغ البالی کی طرز زندگی کو پسندیدگی کی نظر سے نہیں دیکھتی تھی۔ خاص طور پر بری فوج جس نے کرکٹ کی کبھی حوصلہ افزائی نہیں کی۔ صرف ایک لیفٹیننٹ کرنل شجاع الدین تھا جس نے فوج میں اپنی نوکری کے دوران پاکستان کے لیے ٹیسٹ کرکٹ کھیلی۔ جب اس کی ملاقات پاکستانی افواج کے کمانڈر انچیف جنرل محمد ایوب خاں سے ہوئی تو جنرل ایوب

نے اسے فضول اور نکما کہہ کر مخاطب کیا۔ کرکٹ فوجی کھیلوں کے نصاب میں دوسرے کھیلوں خاص طور پر ہاکی کی طرح کبھی شامل نہیں تھی۔ تاہم رجمنٹوں کے مابین غیر رسمی میچ کھیلے جاتے تھے۔

صرف فوج اور پولیس کے ادارے ہی نہیں تھے جو ہونہار کھلاڑیوں کو ملازمتیں مہیا کرتے تھے۔ پاکستان پبلک ورکس ڈیپارٹمنٹ (PWD) نے حنیف محمد کو سڑکوں کا معائنہ کرنے والے انسپکٹر (Road Inspector) کی ملازمت دی، تاہم اسے سڑکوں کا کبھی معائنہ کرنا نہیں پڑا۔ حنیف پر چیف انجینئر کفیل الدین کی وجہ سے مہربانی ہوئی جو پاکستان کی ابتدائی کرکٹ میں ایک اہم شخصیت تھا۔ ''میری مالی پریشانیاں اب سرپرستی اور اعانت سے دور ہو چکی تھیں۔'' حنیف نے اپنی خودنوشت سوانح عمری میں تحریر کیا، ''اس سے میں غیر منقسم توجہ کے ساتھ کرکٹ کھیلنے کے قابل ہو گیا۔''

شروع شروع میں پاکستان کا اپنے کھلاڑیوں کو فرسٹ کلاس کرکٹ (اعلیٰ کرکٹ) کا تجربہ دینے کے لیے غیر ملکی ٹیموں کے دوروں یا پھر اپنے بیرونی دوروں پر انحصار کرنا پڑتا تھا۔ بالآخر اس میں اس وقت تبدیلی آئی جب 54-1953ء میں کارنیلیس نے کرکٹ بورڈ کو مجبور کیا کہ وہ قومی چیمپئن شپ کا انعقاد کرے لہٰذا محمد علی جناح کے اعزاز میں اس کا نام قائداعظم ٹرافی رکھا گیا۔ عارضی وقفوں، رکنیت کے اتار چڑھاؤ اور اکثر بدلتے قواعد کے باوجود یہ بدستور پاکستان کے اہم ترین فرسٹ کلاس ٹورنامنٹ کی حیثیت سے کھیلا جا رہا ہے۔

کارنیلیس کے دباؤ کی وجہ سے قوانین کی جلد بازی میں اختراع کی گئی۔ یہ قوانین کچھ زیادہ نہ تھے۔ خاص طور پر کھلاڑیوں کی استثنائی بارے آغاز میں نو ٹیموں کو دعوت دی گئی جن میں مشرقی پاکستان، بلوچستان، کراچی، بہاولپور، پنجاب، سندھ، شمال مغربی سرحدی صوبہ، سروسز اور ریلوے شامل تھیں۔ پہلی دو ٹیموں نے شمولیت سے معذرت کر لی (اور یوں مشرقی پاکستان سے حصہ لینے والی ٹیموں کا کبھی حصہ لینے اور کبھی نہ لینے کا سلسلہ شروع ہوا) اس طرح بقایا سات ٹیمیں ناک آؤٹ طرز پر تین تمہیدی مقابلوں، دو سیمی فائنل اور ایک فائنل کے لیے میدان میں رہ گئیں۔

رہائشی استثنائی کی عدم موجودگی نے دو غیر معمولی سرپرستوں کو اپنی ٹیمیں اکٹھی کرنے کا موقع دیا۔ بہاولپور اس وقت تک پاکستان کے اندر خودمختار شہزادوں کی ریاست تھی۔ وہاں کا امیر[1] (سربراہ) کرکٹ کا دیوانہ تھا۔ اور اس سے بھی زیادہ وہاں کا موروثی وزیراعلیٰ مخدوم زادہ حسن محمود[2] کرکٹ کا شیدائی تھا جس نے امیر کو کرکٹ اور اس کے کھلاڑیوں پر ریاست کی آمدنی کا کچھ حصہ لگانے کی طرف مائل کیا۔ مخدوم زادہ نے اعلیٰ نمونے کا جدید سٹیڈیم تعمیر کیا اور اس کا نام اپنے انگریز پیشرو پر اس کی مقبولیت کے پیش نظر رکھا جس نے تقسیم کے بعد ریاست بہاولپور کے وزیراعظم کی حیثیت سے خدمات سرانجام دے رکھی تھیں۔ ڈرنگ سٹیڈیم کے غیر معمولی ہونے کی ایک وجہ یہ بھی تھی کہ اس میں ٹرف وکٹیں تھیں۔ اس موقع پر پورے پاکستان میں

ڈرنگ سٹیڈیم سمیت کل تین جگہوں پر ایسی ٹرف وکٹیں میسر تھیں۔[3]

مخدوم زادہ حسن محمود نے پاکستان کے ایسے بہت سے بہترین کھلاڑیوں کو اپنے پاس ملازمتیں دیں جن کا بہاولپور سے پیدائشی یا کوئی اور رشتہ نہ تھا۔ ان کھلاڑیوں میں دونوں بھائی حنیف محمد اور وزیر محمد کے علاوہ پاکستان کا تیز رفتار باؤلر خان محمد، علیم الدین، امیر الٰہی، امتیاز احمد اور ذوالفقار احمد شامل تھے۔ حنیف محمد لکھتا ہے کہ وزیراعلیٰ کی ہدایت پر بہاولپور بینک کے جناب خواجہ کراچی کے کھلاڑیوں کی دیکھ بھال کرتے تھے۔

پیر پگاڑا جو اتفاقاً مخدوم زادہ کے برادر نسبتی تھے، کرکٹ کے اور بھی چونکا دینے والی حد تک سرپرست تھے۔ ان کا تعلق سندھ کے حر قبیلے سے تھا اور وہ اس کے روحانی پیشوا بھی تھے۔ ان کے والد پیر صبغت اللہ شاہ کو انگریز حکومت کے خلاف احتجاج کرنے پر 1943ء میں انگریزوں نے حیدرآباد سینٹرل جیل میں پھانسی دے دی تھی۔ پیر پگاڑا اور ان کے بھائی کو پڑھنے کے لیے انگلستان سکول بھیج دیا گیا تھا۔ نوجوان لڑکے کو ایسے تجربہ سے ہر برطانوی چیز سے نفرت ہوسکتی تھی مگر نوجوان پیر کو مڈل سیکس (Middlesex) میں پنر (Pinner) کے مضافاتی سکول میں کرکٹ کا جنون ہوگیا۔

تقسیم کے بعد پاکستان واپسی پر پیر پگاڑا نے کراچی جمخانہ کے بالمقابل اپنے گھر میں کرکٹ کھیلنے کے نیٹ (Net) نصب کردیئے جن میں محمد برادران اور شہر کے دوسرے آرزومند لڑکوں کو آکر کھیلنے کی کھلے عام اجازت تھی۔ مگر مہمان نواز پیر خطرناک حریف بھی بن جاتے تھے۔ نیٹ میں کھیلتے ہوئے وہ مستقبل کے ٹیسٹ کے تیز رفتار ابتدائی باؤلر محمد مناف کو ایک پیچھے پھینکے گئے اٹھتے ہوئے تیز بال کے لگنے سے گر پڑے۔ پیر صاحب کے حر پیروکار جو ہر وقت ان کے ساتھ رہتے تھے یہ سمجھ بیٹھے کہ ان کے پیر پر حملہ کیا گیا ہے۔ وہ فوراً بدقسمت باؤلر اور دوسرے لڑکوں جن میں حنیف محمد بھی شامل تھا، پر حملہ آور ہوتے ہوئے کود پڑے۔ وہ تو خیر ہوئی کہ پیر صاحب کے سیکرٹری نے بروقت ان سب کو مذہبی انتقام سے بچالیا۔ چند سال بعد دورہ پر آئی ہوئی ایم سی سی (MCC) کی ٹیم کو بھی کچھ اسی طرح کے تجربہ سے دوچار ہونا پڑا۔ جب ان کے خلاف ایک روزہ میچ میں کھیلتے ہوئے پیر پگاڑا پھر گر پڑے مگر اس مرتبہ پیر صاحب اٹھ کر خود ہی کھڑے ہوگئے اور اپنی بیٹنگ کو جاری رکھتے ہوئے ایم سی سی کی جان خلاصی کرادی۔

پیر پگاڑا نے قائداعظم ٹرافی کے پہلے ہی میچ میں سندھ کی ٹیم کی کپتانی کرتے ہوئے اسے بہاولپور کے خلاف ڈرنگ سٹیڈیم میں لے کر نکلے۔ ان کے کھلاڑیوں والے کھلے دل کی بدولت انہوں نے محمد مناف کو اپنی ٹیم میں شامل کرلیا یہ وہی باؤلر تھا جس نے پیر صاحب کے نیٹ میں انہیں گیند مار کر گرادیا تھا۔ انکی ٹیم میں مستقبل کا ایک اور شاندار ٹیسٹ کھلاڑی والس متھائس (پاکستان کی طرف سے کھیلنے والے چند عیسائیوں میں سے ایک) بھی شامل تھا۔ تاہم بہاولپور کے ستاروں نے پیر پگاڑا کی ٹیم کو بہ آسانی شکست دے ڈالی۔

اس ابتدائی قائداعظم ٹرافی میچوں نے مستقبل کے لیے کچھ نقوش مرتب کیے۔ ایک جس کا پہلے ہی مشاہدہ کرلیا گیا ہے کہ ٹیموں کا مقابلوں سے پھر جانے کا دانستہ عمل۔ آئندہ سالوں میں آخری لمحہ پر ٹیمیں میچ کھیلنے سے پھر جاتی تھیں جب انہیں پتہ چلتا تھا کہ ان کے مقابلے میں ان کا حریف کون ہے۔ اس طرح وہ اپنے آپ کو سفری اخراجات اور میچ میں ممکنہ بھاری مار سے بچا لیتیں۔ نظام کے تحت دوسرا یہ کہ جب کبھی دوسری اننگز کھیلنے کی وقت کی کمی ہوتی تو پہلی اننگز میں زیادہ رنز بنانے کی بنیاد پر ٹیم کو فتحیاب قرار دے دیا جاتا۔

اس کے ساتھ ہی نمایاں خصوصیت یہ بھی تھی کہ کھلاڑی آزادی سے ان ٹیموں کے لیے کھیل سکتے تھے جو ان کی مالی امداد اور اعانت کر سکے اور اس طرح علاقائی اور اداروں کی ٹیموں کا اشتراک بھی ممکن تھا۔ سروسز (مسلح افواج کی ٹیم) اور ریلوے دونوں میدان میں اعلیٰ ٹیمیں اتارنے کی اہلیت رکھتے تھے جو کہ بیشتر علاقائی مراکز کے لیے ممکن نہ تھا۔ ان کے لیے لازمی تھا کہ وہ صحیح ٹورنامنٹ کے لیے اپنی نفری پوری کرسکیں (ریلوے اور ہوائی فوج (ائیرفورس) جن کی بدولت زیادہ تر سروسز الیون (Services XI) بنا کرتی تھی) اپنے کھلاڑیوں کے ساتھ نرم رویہ رکھتے اور انہیں تین روزہ میچ کھیلنے کے لیے چھٹی بہ آسانی فراہم کر دیتے تھے۔ علاقائی ٹیموں کا انحصار بھی اسی طرح کے آجروں پر ہوتا تھا۔ وزیر محمد نے بتایا کہ ''ہمیں قائداعظم ٹرافی کھیلنے کا کوئی معاوضہ نہیں ملتا تھا۔ ہمیں اپنے اداروں سے چھٹی حاصل کر کے ان میچوں میں یا تربیتی کیمپوں میں حصہ لینے کی اجازت ہوا کرتی تھی۔''

قائداعظم ٹرافی بھی مکمل طور پر اطمینان بخش نہ تھی مگر پھر بھی وہ چل رہی تھی۔ برطانیہ سے آزادی کے چھ سال بعد پاکستان نے فرسٹ کلاس کرکٹ کا اپنا نظام وضع کر لیا تھا۔ آنے والے سالوں میں قائداعظم ٹرافی میچوں کی آزمائش (Trials) ہنرمند نئے کھلاڑیوں کے لیے سلیکٹروں کی نظروں میں آنے کا بنیادی راستہ تھا۔ جو انہیں فرسٹ کلاس کرکٹ کی طرف لے جانے کا موقع مہیا کرتا تھا۔ اس نظام نے اپنا فوری اثر دکھایا اور سلیکٹروں کو 1954ء میں انگلستان جانے والی ٹیم کے انتخاب میں رہنمائی کی۔ دورے پر جانے والی ٹیم کا ہر کھلاڑی قائداعظم ٹرافی کھیل چکا تھا۔

## شاہین

قائداعظم ٹرافی کے علاوہ جسٹس کارنیلیس کا ایک اور عمل بھی قابل توجہ ہے۔ یہ جانتے ہوئے کہ پاکستانی کھلاڑیوں کے پاس حریف ممالک کی طرح تربیتی ذرائع اور مواقع نہیں ہیں، انہوں نے پاکستان ایگلٹس سوسائٹی کے ادارے (Pakistan Eaglets Society) کی تشکیل کی۔ یہ سوسائٹی پاکستانی کھلاڑیوں کو تربیت کی غرض سے انگلستان بھیجنے کا انتظام کرتی تھی۔ 1950ء میں کارنیلیس نے آغاز کے طور پر

چار کھلاڑیوں امتیاز احمد، خان محمد، آغا سعادت علی اور روسی ڈنشا (Rusi Dinshaw) کو ایڈوانس پارٹی کے طور پر روانہ کیا۔[4]

دو سال بعد، کارنیلئیس نے چودہ کھلاڑیوں پر مشتمل مکمل ٹیم کو میاں محمد سعید کی کپتانی میں انگلستان کا دورہ کرنے کے لیے بھیجا۔ ایک بار پھر میاں محمد سعید کی نیک نیتی اور اچھائی سامنے آتی ہے کہ وہ پاکستان کی قومی ٹیم کی کپتانی سے محروم ہونے کے باوجود وہ اس ٹیم کی رہنمائی کرنے پر خوش تھا کیوں کہ یہ ٹیم کسی درسگاہ کی ٹیم جیسے تھی جو برطانیہ کے تعلیمی دورے پر تھی۔ حیرت ہے کہ کاردار جواب قومی ٹیم کا کپتان بن چکا تھا، نے اس ٹیم کی خود رہنمائی کرنے پر زور نہیں دیا۔ اس ٹیم کا منیجر ایم جے موبیڈ (M.J. Mobed) تھا۔[5]

میاں سعید کی ایگلٹس ٹیم نے گور سینڈھم (Gover- Sandham) سکول میں ایک ماہ تک کارآمد تربیت حاصل کی اور پھر جنوب مغرب میں سمرسیٹ (Somerset) ڈیون (Devon) گلوسٹر شائر (Gloucestershire) اور ڈورسیٹ (Dorset) کی ٹیموں کے خلاف متعدد میچ کھیلے۔ انہیں ایک بھی میچ میں شکست نہ ہوئی اور انہوں نے اپنے انگریز میزبانوں کے درمیان ہزاروں لوگوں سے پاکستان کو متعارف کروایا۔

عظیم تربیتی استاد ایلف گوور (Alf Gover) جس نے 1938ء میں لارڈ ٹینی سن کی ٹیم کے ساتھ ہندوستان کا دورہ کیا تھا، ایک نایاب اور غیر معمولی انگریز تھا۔ اس نے پاکستانی کرکٹ کو قطعی طور پر متعصب اور جہالت کی نظر سے نہ دیکھا۔ وہ فوری طور پر جانچ گیا کہ پاکستان کے پاس لاتعداد ہنرمندی کا خزانہ ہے۔ اس کے تربیتی کھلاڑیوں کے لیے مشورہ کم مگر دانائی پر مبنی ہوتے تھے۔ حنیف محمد کو تین روز تک نیٹ میں دیکھنے کے بعد گوور نے اسے بلایا اور کہا کہ وہ ایک ''قدرتی کھلاڑی'' ہے۔ ''اور میرے پاس اسے سکھانے یا بتانے کے لیے کچھ نہیں ہے۔'' اس نے میاں سعید کو بتایا کہ ''اس نوخیز بچے کے کھیل میں ہر چیز درست ہے بلکہ ہر چیز پہلے سے ہی عمدہ ترین ہے۔'' حنیف کے ساتھی سلطان محمود کو یاد ہے کہ اس دورے میں اس نے دیکھا کہ حنیف نے اپنے ذہن کو صرف کرکٹ کے لیے وقف کر رکھا تھا۔

''ہمارا ٹارکوئے (Torquay) میں ڈیون شائر (Devonshire) کے خلاف میچ ہو رہا تھا اور صبح کے وقت ہم جب بیٹنگ کر رہے تھے تو سمندری ہوا کی بدولت گیند میں کافی حرکت تھی۔ دن کے پہلے ہی اوور میں اس نے فارورڈ (آگے) جا کر کھیلنے کی کوشش کی مگر گیند اس کے دفاع سے نکل کر سیدھی وکٹوں کو جا لگی اور وہ آؤٹ ہو گیا۔ حنیف دوپہر کے کھانے پر خاموش رہا اور پھر چائے کے وقفہ پر بھی چپ چپ ہی رہا۔ رات کے وقت ہم ایک رقص و سرور کی محفل میں جا پہنچے مگر حنیف کہیں دکھائی نہ دے رہا تھا۔

میں ان دنوں حنیف کے ساتھ ایک ہی کمرے میں رہتا تھا۔ جب میں آدھی رات کے بعد واپس

پہنچا تو میرا خیال تھا کہ حنیف سو چکا ہو گا، لہٰذا میں نہایت آہستگی سے کمرے کی طرف بڑھا۔ میں نے دیکھا کہ کمرے کی بتی روشن ہے اور حنیف اب تک جاگ رہا تھا۔ وہ پوری طرح سے کرکٹ کے لباس میں ملبوس تھا۔ اس نے کرکٹ کے بوٹ پہنے ہوئے تھے۔ پیڈ باندھ رکھے تھے اور ہاتھوں میں بیٹنگ دستانے تک پہن رکھے تھے۔ اور وہ شیشے کے سامنے بلا لے کر اس شاٹ کی مشق کر رہا تھا جسے کھیلتے ہوئے وہ اس صبح آؤٹ ہو گیا تھا۔

مجھے دیکھتے ہی وہ بولا، ''میں بے حد پریشان ہوں۔ میری سمجھ میں نہیں آتا کہ وہ گیند مجھ سے کس طرح بچ کر نکل گیا۔'' میں نے اسے بتایا کہ سمندری ہوا کی وجہ سے گیند کا رخ بدل گیا تھا۔ یہ تھا وہ حنیف محمد جو اس وقت تکمیل کے مراحل میں تھا۔''

فضل محمود نے 1952ء میں ایگلٹس کے ساتھ دورہ نہیں کیا، مگر اگلے سال وہ ان کے ساتھ تھا۔ اس نے ہمیشہ اس بات کا اعادہ کیا کہ تین ماہ کے بعد انگلستان کے اس دورے سے اسے وہاں کھیلنے سے متعلق حالات سے اہم واقفیت اور تجربہ حاصل ہوا۔ گوور نے بعد میں فضل محمود کے بارے اپنے تاثرات یوں لکھے:۔

''اس کا انداز غیر روایتی تھا۔ جب اس کا گیند پھینکنے والا بازو پیچھے سے نمودار ہو کر بلند ہونا شروع ہوتا تو وہ اپنے ہاتھ اور کلائی کو گھماتے ہوئے اپنا بازو گیند کو پھینکنے کے لیے اوپر لے جاتا۔ اس کے اس انداز میں کوئی بھی تبدیلی اسے تباہ کر سکتی تھی لہٰذا میں نے فیصلہ کیا کہ اس کے موجودہ فن کو بہتر بنانے کے لیے گیند کو باہر کی طرف جھولانے کا حربہ سکھانا چاہیے۔''

انگلستان سے روانہ ہونے سے قبل وہ اپنی آخری تربیت کے لیے اوول کے میدان میں لین ہٹن کی سربراہی میں انگریز ٹیم کو آسٹریلیا سے ایشز (Ashes) جیتنے کی مشہور فتح دیکھنے گیا۔ فضل محمود میدان سے باہر نکلا تو وہ پاکستان کو انگلستان کے خلاف ٹیسٹ میچ میں فتح دلانے کے عوض ہر ممکن قربانی دینے کے لیے ذہنی طور پر تیار ہو چکا تھا۔ اس کے سوانح نگار شیخ انعام اشرف نے لکھا کہ ''یہ ایک ایسا خیال تھا جو تیر کی طرح فضل محمود کے دل میں اتر گیا۔'' 26 اگست 1953ء کو وہ اپنی ایگلٹس کی ٹیم کے ہمراہ کراچی کی طرف بحری جہاز میں لمبے سفر پر روانہ ہو گیا۔ اپنی منزل پر پہنچنے کے فوری بعد اس نے ایلف گوور (Alf Gover) کی بتائی ہوئی ہدایت کو ذہن میں رکھ کر مشق کا آغاز کر دیا۔

## انگلینڈ بمقابلہ پاکستان 1954ء

12 اپریل 1954ء کو بحری جہاز ایس ایس بٹوری (S.S.Batory) پر سوار ہو کر اپنے لمبے سفر کا آغاز کرنے جب ٹیم کراچی اکٹھی ہوئی تو کاردار نے اپنی ذاتی صلاحیتوں، مہارت بارے خوف اور خدشات محسوس کیے۔ سفر کی ابتداء سے کچھ عرصہ پہلے میاں محمد سعید کے حامیوں نے پنجاب کرکٹ ایسوسی ایشن کے

صدر سید فدا حسن کی سربراہی میں کاردار کو کپتانی سے ہٹانے کے لیے ایک بھرپور کوشش کی تھی۔ ابتداء میں تو کاردار نے ایسی کوشش کا کوئی خاطر خواہ اثر نہ لیا مگر جب اس نے دیکھا کہ اس کے حریف کو بی سی پی (BCCP) میں اکثریت حاصل ہوگئی ہے تو اس کے ہاتھوں کے طوطے اڑ گئے۔ اسے مشورہ دیا گیا کہ وہ سیکرٹری دفاع سکندر مرزا سے ملاقات کرے۔ اس نے کاردار سے ملاقات کرکے ایک دھمکی کے ذریعے بڑا آسان حل نکال لیا کہ سفر پر جانے والی ٹیم کو تب تک نہ تو پاسپورٹوں کا اجراء کیا جائے گا اور نہ ہی زرمبادلہ دیا جائے گا جب تک کہ کاردار کو اس ٹیم کا کپتان نہیں بنایا جاتا۔

دنیا کی عظیم ترین کرکٹ ٹیم انگلستان کی تھی۔ پچھلے ہی سال اس نے آسٹریلیا سے ایشز (Ashes) اپنے قبضے میں کی تھی۔ بیٹنگ کے حوالے سے جنگ عظیم دوئم کے بعد کے چار بہترین بلے باز لین ہٹن (Len Hutton)، ڈینس کامپٹن (Denis Compton)، پیٹر مے (Peter May) اور ٹام گریونی (Tom Graveney) انگلستان کی ٹیم میں شامل تھے۔ کپتان کی حیثیت سے لین ہٹن کے پاس خوفناک باؤلر ایلک بیڈسر (Alec Bedser)، فریڈ ٹرومین (Fred Trueman)، برائن سٹیتھم (Brian Statham)، جم لیکر (Jim Laker)، ٹونی لاک (Tony Lock) اور جانی وارڈل (Johnny Wardle) موجود تھے۔ اسی موسم گرما میں انگلستان کو انتہائی تیز ترین باؤلر فرینک ٹائیسن (Frank Tyson) کی تیز رفتاری اور باب ایپل یارڈ (Bob Appleyard) کی باؤلنگ کی متعدد بدلتی تدبیریں بھی میسر آ گئیں۔ گاڈفرے ایونز کے وکٹ کیپر ہونے سے اور آل راؤنڈر ٹریور بیلی (Trevor Bailey) کی موجودگی سے اس ٹیم کا انگلینڈ کی ان ٹیموں میں شمار ہوتا تھا جو ہر دور میں اپنا ثانی نہیں رکھتی تھیں۔

اس کے مقابلے میں کاردار کے پاس بہت معمولی وسائل تھے۔ خان محمد اچھا تیز رفتار باؤلر تھا۔ مگر وہ برطانیہ کی لیگ کرکٹ (League Cricket) میں بری طرح سے مصروف تھا۔ لہٰذا ٹیم کا وہ واحد کھلاڑی تھا جو اپنے آپ کو پیشہ ور کھلاڑی کہتا تھا۔ اسی وجہ سے لین دین پر اس کے کئی جھگڑے ہوئے جس کی بدولت غالباً وہ دو ٹیسٹ میچ نہ کھیل سکا۔ خود کاردار نے ایک اعلیٰ تیز رفتار باؤلر یاور سعید جو میاں محمد سعید کا بیٹا تھا کو ٹیم میں شامل نہیں کیا تھا۔ یاور سعید غیر پیشہ ور کھلاڑی کے طور پر سمرسیٹ (Somerset) کی طرف سے اس دورہ کے دوران پاکستان کے خلاف کھیلا۔ فضل محمود جس نے میٹنگ پر بہترین باؤلر ہونے کا ثبوت دے رکھا تھا۔

ناگوار طور پر کاردار اور کچھ اور لوگوں کی نظر میں فضل محمود ٹرف وکٹوں پر خصوصی طور پر صرف باؤلر کی تبدیلی کے وقت استعمال کے لائق تھا۔ سوائے حنیف اور وقار حسن کے جنھوں نے ہندوستان کے دورہ کے دوران اچھے کھیل کا مظاہرہ کر رکھا تھا باقی ٹیم بیٹنگ کے لحاظ سے غیر تسلی بخش تھی۔ خاص طور پر پاکستان کی طرف سے پہلی سنچری بنانے والے نذر محمد کا ٹیم میں نہ ہونا پاکستان کے لیے ایک شدید ضرب تھی۔

پاکستانی ٹیم کی فرسٹ کلاس کرکٹ میں ناتجربہ کاری اور ٹیسٹ کرکٹ کے معیار کے مطابق نہ ہونا حواس باختہ کرنے کے لیے کافی تھا۔ مثال کے طور پر خالد وزیر جس نے فرسٹ کلاس کرکٹ تک میں کبھی پچاس رنز نہیں بنائے تھے، وہ دو ٹیسٹ میچوں میں بطور بیٹسمین کھیلا اور تین اننگز میں صرف 14 رنز بنا سکا۔[6] ٹیم کے ساتھ سرکاری طور پر کوئی سکورر (Scorer) تک نہ تھا۔ اس فرض کو نبھانے کے لیے کھلاڑی باری باری یہ کام خود ہی کرتے۔ پاکستانی ٹیم کے ساتھ ایک بھی تسلیم شدہ اخبار کا نامہ نگار اور ریڈیو تبصرہ نگار نہیں آئے تھے۔ اپنے دوسرے فرائض کے علاوہ ٹیم کے کپتان کو کھلاڑیوں کو بالکل بنیادی معاملات پر بھی ہدایت دینا پڑتی تھی۔ جیسے چھری کانٹے کا استعمال کس طرح کیا جاتا ہے۔ یہ شگفتہ اور سادہ مزاج نوجوان کا ایک ٹولہ تھا جن کے دلوں میں کھیل کی محبت اور حب الوطنی کا جذبہ سرشار تھا۔ ان کی رہائش سستے ہوٹلوں یا پھر بستر اور ناشتہ (Bed and Breakfast) مہیا کرنے والی جگہوں پر رہی۔ اپنے کپڑے تک خود دھوتے تھے کیوں کہ صرف دس روپے یومیہ پر وہ اس قسم کے پرتکلف شوق پورے نہیں کر سکتے تھے۔ میچوں پر جانے آنے کے سفر کے دوران وہ مقبول گانے گاتے۔ شعر و شاعری کرتے اور لوک دھنوں سے دل بہلاتے۔ انہیں یہ جان کر انتہائی حیرت ہوئی کہ بہت سے برطانوی لوگ یہ تک نہیں جانتے تھے کہ پاکستان نام کے کسی ملک کا وجود بھی ہے۔ دورے کے بیشتر حصے میں پاکستانی سفارت خانے کا ایک افسر ٹیم کے ساتھ ساتھ ہوتا جس کی یہ ذمہ داری ہوتی کہ وہ برطانوی عوام کو پاکستان سے روشناس کروائے۔

زیادہ تر تجزیہ نگاروں کی نظر میں پاکستانی ٹیم کا انگریزی ٹیم کے ساتھ کوئی مقابلہ نہ تھا۔ ہندوستان کے اعلیٰ بیٹسمین وجے مرچنٹ جس نے 1946ء کی ہندوستانی ٹیم کے ساتھ انگلینڈ کا دورہ کیا تھا، نے پیغام بھجوایا کہ اگر پاکستانی ٹیم دس کاؤنٹی میچ برابر کر لے اور چار پانچ جیت لے تو دورہ کو کامیاب سمجھنا چاہیے۔ اس پیغام سے پاکستانی کھلاڑیوں کو سخت کوفت ہوئی مگر اس پیغام میں وہی کچھ تھا جو عام رائے تھی۔ وفادار ایلف گوور (Alf Gover) ان چند لوگوں میں سے تھا جنہیں ایسی رائے سے اتفاق نہیں تھا۔ میچوں کا سلسلہ شروع ہونے سے پہلے ہی اس دانش مند انسان نے اخبار کے ذریعے خبردار کیا کہ پاکستان چار ٹیسٹ میچوں میں سے کم از کم ایک ٹیسٹ میچ جیت لے گا۔

خوش قسمتی سے کرکٹ کا عظیم ترین مصنف سی۔ ایل۔ آر۔ جیمز (C.L.R.James) پاکستان کے ورسسٹر (Worcester) کے پہلے ابتدائی میچ میں موجود تھا۔ جیمز (James) جس کی شہرت کرکٹ کے نامہ نگار کے طور پر 1930ء کی دہائی میں مستحکم ہوئی۔ پندرہ سال سے نیویارک میں رہائش پذیر تھا۔ جہاں وہ اپنا وقت کتابیں لکھنے اور مفکر کارل مارکس (Karl Marx) کے معاشی اور سیاسی نظریات کے فلسفہ کو اجاگر کرنے میں مصروف رہتا۔ تاہم 1953ء میں اسے جزیرہ ایلس (Ellis Island) میں نظر بند کر دیا گیا اور پھر کچھ وقت

گزرنے کے بعد اسے امریکہ سے ملک بدر کر دیا گیا اور وہ مانچسٹر گارڈین (Manchester Guardian) کے ساتھ کرکٹ کے مصنف کے طور پر منسلک ہوگیا۔

جیمز جس کی پیدائش ٹرنی ڈاڈ (Trinidad) کی تھی اس وقت اپنی شہرہ آفاق کتاب Beyond A Boundary لکھنے پر غور کر رہا تھا جس کی بدولت اسے لافانی شہرت ملی۔ یہ کتاب نہ صرف کرکٹ بارے غور وخوض پر مبنی تھی بلکہ ویسٹ انڈیز میں قومی شناخت کے حوالے سے بھی تھی۔ اس کے علاوہ جیمز نے اپنی نشو ونما کے دوران کرکٹ اور انگریزی ادب سے محبت کا بھی ذکر کیا ہے۔ اس نے مزید لکھا کہ ''جہاں تک اس کا حافظہ کام کرتا ہے اس نے یہی دیکھا کہ اصل چیز خود بخود اپنے آپ کو تلاش کر لیتی ہے اور پھر اس نظام میں رہتے ہوئے جسے کسی اور ملک میں منظم کرتے کرتے صدیاں گزر گئی ہوں پختگی اختیار کر لیتی ہے۔ پھر موسم کی شدت سے محفوظ رہنے والے شیشے کے گھر میں پیدا ہونے والے پھول کی طرح جب اسے ایک جگہ سے اکھاڑ کر دوسری جگہ لے جا کر لگایا جاتا ہے تو پھر اس سے پیدا ہونے والا پھل عجیب وغریب ہوتا ہے۔'' یہ مشاہدہ پاکستانی کرکٹ پر بالکل ٹھیک بیٹھا تھا۔

جیمز نے پاکستانی کھلاڑیوں کو ایک خوشگوار ماحول میں دیکھا جب انہوں نے دورہ کی پہلی اننگز میں 8 وکٹوں کے نقصان پر 374 رنز بنائے تھے۔ کاردار نے ٹاس جیت کر بیٹنگ کا فیصلہ کیا۔ جس کا نتیجہ یہ ہوا کہ جیمز کو حنیف محمد کو توجہ سے دیکھنے کا موقع ملا۔ ''وہ بریڈ مین (Bradman) اور ہیڈلے (Headley) کی طرح قد میں چھوٹا ہے اور اس کے کندھے چوڑے ہیں۔ اس کا بیٹنگ کرتے وقت کھڑے ہونے کا انداز (Stance) آسان نہیں ہے مگر تمام ذہنی توجہ سے بھرپور ہے۔ وہ ٹانگیں کھول کر کھڑا ہوتا ہے اور اس کا بایاں کندھا براہ راست سیدھا باؤلر کی طرف ہوتا ہے۔ وہ پیچھے ہٹ کر زوردار طریقہ سے کھیلتا ہے مگر وہ اپنے بائیں پاؤں کو حرکت میں لا کر آنے والی گیند کی گرنے کی جگہ پر لے آتا ہے اور پھر آرام سے اپنے بلے کو حرکت میں لا کر اس پر زوردار چوکا لگا کر باؤلر کے دونوں طرف کھڑے فیلڈروں کو مات کرتے ہوئے گیند کو باؤنڈری پر پہنچا دیتا ہے۔ اس کی ضرب مکمل طور پر اس کے اختیار میں ہونے کے ساتھ ساتھ خوبصورتی سے بروقت بھی ہوتی ہے۔ اس کے اس انداز کے ساتھ ملی ہوئی پچھلے پاؤں پر جا کر زوردار طریقے سے کھیلنے کی خصوصیت بے شمار رنز بنانے کی بنیاد ہے۔'' مگر جیمز کے مضمون میں زیادہ جگہ پاکستانی بلے بازوں علیم الدین اور مقصود احمد کی لمبی شراکت نے لی۔ دونوں نے سنچریاں بنائیں اور جیمز نے یہ کہہ کر مضمون کا اختتام کیا کہ ''اچھے موسم گرما کے دوران پاکستانی ٹیم بے شمار رنز کرے گی۔''

بقیہ میچ کے دوران جس میں پاکستانی ٹیم نے ورسسٹر شائر (Worcestershire) کو دو مرتبہ چلتا کیا جیمز کو پاکستانی باؤلروں کا اندازہ لگانے کا بھی موقع ملا۔ وہ سولہ سالہ لیگ سپنر خالد حسن بارے بہت

پُر امید تھا۔ مگر افسوس کہ خالد حسن نے اپنے ایک ہی ٹیسٹ میں کوئی خاطر خواہ جوہر نہ دکھایا۔ اور اس کے بعد وہ دوبارہ اپنے ملک کے لیے کبھی نہ کھیل پایا۔ (اس بدولت اپنی ٹیسٹ کرکٹ کے اختتام پر وہ سب سے کم عمر کھلاڑی ہے) خالد حسن کی دورہ کرنے والی ٹیم میں شمولیت کو کاردار کی بے جا ترجیح کی بدولت کہا جاتا ہے۔[7]

فضل محمود اکثر اوقات ہیرو کی حیثیت سے نمایاں رہا۔ ساڑھے تین بجے سہ پہر یہ طاقتور اور متناسب جسم رکھنے والا شخص جس کے دوڑتے ہوئے گیند کرتے وقت یا پھر گیند کرنے کے لیے واپس جاتے ہوئے قدم ہر وقت عزم اور توانائی سے بھرپور ہوتے ہیں۔ وہ اسی طاقت اور تندہی سے باؤلنگ کر رہا تھا جس طرح وہ صبح گیارہ بجے کر رہا تھا۔ ایسی آسان وکٹ جس پر تیز رفتاری بھی ماند پڑ جائے اس پر 102 رنز کے عوض گیارہ وکٹیں حاصل کر لینا فضل محمود کی غیر معمولی کامیابی ہے۔''

بدقسمتی سے ورسسٹر شائر (Worcestershire) کے میچ جیسا پرلطف اور سازگار موسم دوبارہ نصیب نہ ہوا۔ کاردار کی پاکستانی ٹیم جہاں کہیں بھی گئی خاص طور پر اہم میچوں کے دوران بارش نے اس کا پیچھا کیا اور اس کے کھلاڑی بارش کے پانی میں شرابور ہوتے رہے۔ نتیجہ یہ ہوا کہ انہیں باامر مجبوری ایسے حالات میں کھیلنا پڑا جن کے متعلق انہیں قطعی تجربہ نہ تھا۔ اور سب سے بڑی وجہ بھی غالباً یہی تھی جس کی بدولت بہت سے اہم کھلاڑی اپنے جوہر دکھانے سے ناکام رہے۔ یہاں تک کہ آخری ٹیسٹ میچ کے قریب پہنچتے پہنچتے پاکستانی ٹیم عموماً شکست کے کنارے کھڑی نظر آئی۔

لارڈز (Lords) پہ کھیلے جانے والے پہلے ٹیسٹ میچ کے دوران پہلے تین دن بارش کی نذر ہوگئے۔[8] میچ کے چوتھے روز پیر کے دن کھیل دوپہر پونے چار بجے جا کر کہیں شروع ہوسکا۔ پاکستانی بیٹسمین اس سے پیشتر ان ڈھکی وکٹوں پر کھیلنے کے نتائج سے ناآشنا تھے۔ اور صرف 87 رنز بنا کر پاکستانی ٹیم فوری طور پر آؤٹ ہوگئی۔ وہ تو اگر حنیف محمد نہ ہوتا تو صورتحال اس سے بھی کہیں بدتر ہوتی۔ اس کے رنز تو اپنی جگہ پر مگر ان سے کہیں زیادہ اہمیت اس بات کی تھی کہ کس طرح وہ غیر معمولی حالات میں میدان میں ڈٹ کر مقابلہ کرتا رہا۔ اور وقت گزارتا رہا۔ اس نے تین گھنٹے کھیل کر 20 رنز ایسی وکٹ پر بنا ڈالے جس پر کھیلنا مشکل ہی نہیں بلکہ ناممکن تھا۔ اس تمام وقت میں شاید ہی رنز بنانے کے لیے اس نے کوئی ہٹ لگانے کی کوشش کی ہو۔ کاردار کی رائے میں دورے کے دوران حنیف محمد کی یہ بہترین اننگز تھی۔ حنیف نے یہ اننگز شدید اور گہری توجہ سے کھیلی۔ اس نے ہر گیند کو انتہائی احتیاط سے دیکھ بھال کر کھیلا۔ اور اس بات کا خاص دھیان رکھا کہ اس کا جسم عین گیند کی سیدھ میں رہے۔ ایسے موقعوں پر حنیف محمد کو اپنے چھوٹے قد کا خوب فائدہ ملتا تھا۔ جس کی وجہ سے وہ گیند کو گرتے ہوئے بھانپ کر اس پر بدستور نظر رکھتے ہوئے اپنے بلے پر لے آتا تھا۔

جب بیٹنگ کرنے کی انگلینڈ کی باری آئی تو انہوں نے جلد رنز بنا کر پاکستان کو دوبارہ آؤٹ کرنے

کی ٹھان لی۔ مگر فضل محمود اور خان محمد کی بھرپور کوشش نے انگریز ٹیم کو نہ صرف اس موقع سے فائدہ اٹھانے سے روک دیا بلکہ انہیں روک کر خوب قابو کیا۔ اور مل کر نو وکٹیں لے ڈالیں۔ فضل محمود نے 55 رنز کے عوض چار وکٹ لیے جبکہ خان محمد نے 61 رنز کے عوض پانچ کھلاڑی آؤٹ کیے۔ جن میں لین ہٹن کو صفر پر اننگز کے پہلے ہی گیند پر ہوا میں جھولتے ہوئے اندر آنے والی یارکر (Yorker) گیند پر کلین بولڈ (Clean Bowled) کر دیا۔ (وہ ایسی گیند پر آؤٹ ہوا جو پاکستانی باؤلروں کا مستقبل میں شکار کرنے کا خصوصی ہتھیار بن گیا) ایک سو منٹ کی بیٹنگ کرنے کے بعد انگلینڈ نے 9 وکٹوں پر 117 رنز بنا کر اپنی اننگز ڈکلیئر (Declare) کر دی۔ پھر جب پاکستان کی دوسری اننگز کے آٹھویں گیند پر ٹریور بیلی (Trevor Bailey) نے علیم الدین کو بولڈ کر کے آؤٹ کر دیا تو یوں لگا جیسے انگلینڈ میچ اپنے قابو میں کر لے گا مگر ایک بار پھر حنیف محمد نے صورتحال کو سنبھالا دیا اور جب وہ دن کے آخری گیند پر لیکر (Laker) کے ہاتھوں ایل بی ڈبلیو (LBW) ہو کر آؤٹ ہوا تو اس وقت تک وہ پانچ گھنٹے اور چالیس منٹ تک کھیل چکا تھا اور اس نے 59 رنز بنائے تھے۔ مگر یہ انتہائی قیمتی رنز تھے یوں لگتا تھا جیسے اس نے وہ رنز کسی سنگلاخ چٹان سے آہستہ آہستہ کسی سنگتراش کی طرح تیشہ کی مدد سے کھرچتے، کاٹتے اور چھیلتے ہوئے ایک شاہکار کو تخلیق کرتے ہوئے بنائے ہوں۔ کئی بار اس نے ایسی اننگز کھیل کر اپنے ملک کو بچایا۔

پاکستانی ٹیم اپنی مہارت، پختہ مزاج کی بدولت پر اعتماد تھی کہ وہ اپنی حریف انگریز ٹیم کو روکنے کی صلاحیت رکھتی ہے۔ مگر یہ اعتماد ٹرینٹ برج (Trent Bridge) کھیلے جانے والے دوسرے ٹیسٹ میچ میں ریزہ ریزہ ہو گیا اور کاردار اس میچ کے نتیجہ سے مایوسی کا شکار ہو گیا۔ دورہ کے آغاز کے وقت جن عوامل کا اسے خدشہ تھا، وہ سب سامنے آ گئے تھے۔ آج بھی ان تاریک حالات کا سوچ کر جن سے اس وقت پاکستانی کپتان کی حیثیت سے کاردار دل گرفتہ ہو گیا تھا۔

کاردار نے ٹاس جیت کر آسان وکٹ پر پہلے کھیلنے کا فیصلہ کیا۔ کھیل کے پہلے ایک گھنٹہ تک تقریباً سب ٹھیک رہا۔ گو علیم الدین سٹیتھم (Statham) کے ہاتھوں بولڈ (Bowled) ہو کر آؤٹ ہو گیا تھا تاہم حنیف اور وقار دونوں پر عظم اور بہادر کھلاڑیوں نے بیڈسر (Bedser) کا خوب مقابلہ کر کے اس کے اوورز (Overs) کو تمام کیا۔ ایک گھنٹہ بعد مشکلات اس وقت پیدا ہوئیں جب اپنی زندگی کا پہلا ٹیسٹ کھیلتے ہوئے باب ایپل یارڈ (Bob Appleyard) نے باؤلنگ کا آغاز کیا۔[9] حنیف جس نے اطمینان اور آرام سے بیڈسر (Bedser) اور سٹیتھم (Statham) کا سامنا کرتے ہوئے 19 رنز بنا لیے تھے وہ ایپل یار (Appleyard) کی دوسری ہی گیند پر ایل بی ڈبلیو (LBW) ہو گیا۔ حنیف اس گیند کو آف بریک سمجھ کر کھیلنے گیا مگر گیند سیدھی رہی۔ وقار ایپل یارڈ (Appleyard) کے ان کٹر (In Cutter) کو پیچھے ہٹ کر کھیلنے کی کوشش میں بولڈ ہو گیا۔

مقصود اور امتیاز بھی دونوں جلد فارغ ہو گئے اور دیکھتے ہی دیکھتے پاکستان کے 5 کھلاڑی 55 رنز کے عوض آؤٹ ہو چکے تھے۔ ایپل یارڈ (Appleyard) نے ٹیسٹ کرکٹ میں اپنے ابتدائی پلے میں 6 رنز کے عوض 4 وکٹ حاصل کر لیے تھے۔ وزڈن (Wisden) کے مطابق، ''اس کی ان سونگرز (In Swingers) آف سپنرز (Off Spinners) اور لیگ کٹرز (Leg Cutters) کی آمیزش کے ساتھ رفتار میں تبدیلی اور گیند کی اڑان کے انداز سے صاف ظاہر تھا کہ وہ ایک انتہائی ہنرمند دستکار ہے۔'' مگر یہ سب پاکستان کے لیے کسی طور بھی باعث سکون نہ تھا۔ کاردار کی سربراہی میں چھوٹے سے مقابلے کے باوجود ٹیم چائے کے وقفہ سے پہلے آؤٹ ہوگئی۔

اس کے بعد انگلینڈ کی ٹیم نے اس آسان وکٹ کا بھرپور فائدہ اٹھایا جسے پاکستانی ٹیم نے حقیر انداز میں استعمال کیا تھا۔ کامپٹن (Compton) جسکا 20 رنز بنانے پر امتیاز نے فضل محمود کی گیند پر کیچ چھوڑ دیا تھا، نے 278 رنز بنا کر ٹیسٹ میچوں میں اپنا سب سے زیادہ ذاتی سکور کیا۔ پاکستانی فیلڈنگ مکمل طور پر ڈھیر ہوگئی۔ نزدیک فیلڈنگ کرنے والوں میں حنیف اور وقار نے جزوی طور پر کچھ سہارا دیا مگر باقی کھلاڑی ایک رن لینے والے کو روکنے کے لیے بھی بہت سست تھے۔ دوسرے جو باؤنڈری پر تھے وہ بھاگ کر دو رنز لینے والوں کو روکنے میں بھی ناکام تھے۔ اور یوں صرف ایک دن میں 496 رنز بنا لیے گئے جن میں 192 رنز بیلی (Bailey) اور کامپٹن (Compton) کی شراکت میں 105 منٹ میں بنائے گئے۔ بیٹسمین چلاتے، ''دو رنز کے لیے بھاگو، وہ گیند پھینک نہیں سکتا۔''[10] فضل محمود اپنی مخصوص رفتار سے صرف دس اوور کرنے کے بعد ناکارہ ہوگیا اور اس کے بعد اپنی دوڑ کو مختصر کر کے گیند کیے۔ بالآخر عزت مآب پادری ڈیوڈ شیپرڈ (Revd David Sheppard) جو لین ہٹن کی عدم موجودگی میں انگلینڈ کی کپتانی کر رہا تھا، نے زبردست مقابلے کے بعد 558 رنز پر 6 کھلاڑی آؤٹ کر کے بھاری بھر کم سکور پر درگت کو روک کر اننگز ڈکلیئر کر دی۔ پھر بارش شروع ہوگئی جس نے پچ کی صورتحال کو یکسر تبدیل کر کے اسے دشوار ترین بنا دیا۔ پاکستانی کھلاڑیوں کے لیے اس پر ٹھہرنا ناممکن ہوگیا اور وہ ایک اننگز اور 129 رنز کی شکست میں تحلیل ہوگئے۔ یہ وہ موقع تھا جب کاردار کے لیے انتہائی تکلیف دہ چہ مگویوں اور سرگوشیوں نے سر اٹھایا کہ پاکستان کو ٹیسٹ کرکٹ میں قبل از وقت متعارف کروا دیا گیا ہے۔ کھیل کے اختتام پر کاردار کا فضل محمود سے جھگڑا ہوگیا جس میں اس نے فضل محمود پر الزام لگایا کہ اس نے چوٹ سے صحت مند ہوئے بغیر ہی اپنے آپ کو صحت مند قرار دے دیا تھا۔

وہ سرگوشیاں اور چہ مگوئیاں اس وقت اور زیادہ بلند آواز میں سنائی دینے لگیں جب اولڈ ٹریفرڈ (Old Trafford) پر تیسرے ٹیسٹ میچ میں انگلینڈ کی ٹیم نے پہلے بیٹنگ کرتے ہوئے 8 وکٹوں کے عوض 359 رنز بنا لیے۔ پھر پورے دن کی بارش نے حالات کو یکسر بدل کر رکھ دیا۔ وزڈن میں بیان ہے کہ ''کبھی گیند لینگتھ (Length) پر گر کر تیزی سے اونچی اٹھتی اور کبھی بالکل بیٹھ جاتی۔ اور سپن باؤلر (Spin Bowler)

گیند کو بااثر طریقے سے ہر وقت گھما پاتے تھے۔'' پاکستانی ٹیم صرف 90 رنز بنا کر پویلین واپس پہنچ گئی۔ فالوآن کے طور پر جب اسے دوبارہ بیٹنگ دی گئی تو پھر 25 رنز کے عوض اس کے 4 کھلاڑی آؤٹ ہو گئے اور تب بارش دوبارہ شروع ہو گئی۔ تیسرے دن کے دوپہر کے کھانے سے شام کو کھیل کے اختتام تک پاکستان نے 14 وکٹ کھو کر 155 رنز بنائے تھے۔ اس دوران ایم ای زیڈ غزالی (M.E.Z. Ghazali) تقریباً دو گھنٹے کے اندر اندر دو بار بیٹنگ کرنے آیا اور ہر بار صفر پر آؤٹ ہوا اور یوں ٹیسٹ کرکٹ کی تاریخ میں انتہائی تیزی سے دو بار صفر پر آؤٹ ہونے کا ریکارڈ قائم کیا۔ میچ کے بقیہ وقت میں پاکستانی کھلاڑی پویلین میں بیٹھے بارش برسنے کی آمد سے متعلق پنجابی گیت گاتے رہے۔ ان کے گانے کامیاب رہے اور میچ کے آخری دو دن بارش کی نذر ہو گئے۔ ''سنگدل وکٹوں پر پاکستانی بیٹنگ کی داستان انتہائی کربناک ہے۔'' کاردار نے تحریر کیا۔

وہ آوازیں جو پاکستان کے ٹیسٹ میچ کھیلنے کی صلاحیت پر سوالیہ نشان بنی ہوئی تھیں دوبارہ سے بلند ہونے لگیں۔ کرکٹ ادیبوں میں منفرد مقام رکھنے والے نیول کارڈس (Neville Cardus) نے لکھا، ''مجھے یہ ضرور کہنا ہے کہ میری رائے میں ان بااختیار لوگوں سے غلطی سرزد ہوئی جن کے خیال میں پاکستان اور انگلینڈ کے درمیان ٹیسٹ میچ کھیلنے کا موزوں وقت آن پہنچا تھا۔'' کارڈس (Cardus) نے اختتام کرتے ہوئے انتہائی درشت انداز میں لکھا، ''سچ تو یہ ہے کہ پاکستانی ٹیم بہ مشکل انگلش کاؤنٹی ٹیموں یارک شائر (Yorkshire)، ناٹنگھم شائر (Nottinghamshire)، مڈل سیکس (Middlesex) یا نارتھ ہیمپٹن شائر (Northamptonshire) کے خلاف حتیٰ کہ بہترین موسم گرما میں بھی چیمپئن شپ میچوں میں نہیں ٹھہر سکتی۔''

یہ تھے وہ تاریک اور مایوس کن حالات جن میں پاکستان اوول کے چوتھے ٹیسٹ کی طرف بڑھا۔ کاردار کی کپتانی داؤ پر تھی۔ کھلاڑیوں میں اختلاف تھا۔ اخبارات میں تمسخر اڑایا جا رہا تھا اور پاکستان کی ٹیسٹ کرکٹ کھیلنے والی قوم کی حیثیت کو سوالیہ انداز سے دیکھا جا رہا تھا۔ کوئی اور ٹیم ہوتی تو وہ ٹوٹ پھوٹ کر بکھر چکی ہوتی مگر کاردار کی پاکستانی ٹیم ایسی نہ تھی۔ ''یہ بات ناقابل یقین معلوم ہوتی ہے بلکہ اسے نڈر گستاخی کہا جائے تو بے جا نہ ہو گا کہ اس موقع پر ہمارے درمیان عظیم پُر امید ماحول قائم تھا۔'' کاردار نے بعد میں قلمبند کیا۔ اوول ٹیسٹ شروع ہونے سے پہلے فضل محمود نے کاردار پر دباؤ ڈالا کہ وہ اخباری بیان دے کہ پاکستان یہ ٹیسٹ جیتے گا۔ ''میں نے فیصلہ کر لیا تھا کہ میں اپنے ملک کی عزت اور قوم کے وقار کے لیے لڑوں گا، چاہے اس میں میری جان کو خطرہ لاحق ہی کیوں نہ ہو۔'' فضل محمود نے کہا۔

کاردار نے ٹاس جیت کر جرأت مندی سے بیٹنگ کرنے کا فیصلہ کیا۔ پہلے ہی اوور میں سٹیتھم (Statham) کے ہاتھوں حنیف ایل بی ڈبلیو (LBW) ہو گیا۔ ''پاکستانی ٹیم کے لیے یہ کاری ضرب تھی۔'' فضل محمود نے لکھا۔ ''مجھے یوں لگا جیسے میرے دل پر بجلی گری ہو اور چند لمحوں کے لیے جس بالکونی پر ہم سب

بیٹھے تھے اس پر سکوت طاری ہو گیا۔'' اس کے بعد پھر وہی مانوس واقعات ابھر کر سامنے آ گئے۔ سٹیتھم (Statham)، ٹائیسن (Tyson) اور لوڈر (Loader) نے پاکستانی ٹیم کو ملیا میٹ کر دیا۔ صرف کاردار نے 36 رنز بنا کر دل و جان سے مدافعت کی مگر باقی ماندہ اوپر کھیلنے والے کھلاڑی سب ناکام ہوئے اور پاکستان 133 رسوا کن رنز بنا کر آؤٹ ہو گیا۔

اگلی صبح مون سون (Monsoon) جیسی بارش کی بوچھاڑ نے اوول گراؤنڈ کو جھیل کی طرح پانی سے بھر دیا جس کی وجہ سے پورے دن کا کھیل ضائع ہو گیا۔ پاکستان کے لیے نہ صرف موسم کی طرف سے یہ خوش بختی کا پہلا پیغام تھا بلکہ بارش میں وکٹوں کو نہ ڈھانپنے کے اس خاص دور میں میچ کا پانسہ پلٹنے کے اسباب میں سے ایک تھا۔ فضل محمود کے لیے حالات اچانک سازگار بن گئے۔ لین ہٹن کی سمجھ میں کچھ نہیں آ رہا تھا۔ پہلے تو فضل محمود کی ایک گیند اس کے بلے کو لگ کر سلپس (Slips) سے نکل کر باؤنڈری پر پہنچ گئی اور چار رنز ہو گئے۔ پھر اس نے ایکسٹرا کور (Extra Cover) کی طرف کھل کر ایک اور باؤنڈری لگا لی۔ اگلے اوور میں ہٹن نے فضل محمود کو ایک گیند کو ان سونگر (In Swinger) سمجھ کر لیگ (Leg) کی طرف کھیلنے کی کوشش کی۔ مگر حقیقت میں وہ گیند اندر آنے کی بجائے باہر کی طرف نکلی اور وکٹ کیپر نے اس کا کیچ پکڑ لیا۔ اس گیند کو دیکھ کر ایلف گوور کو میچ دیکھتے ہوئے بھرپور مسرت اور اطمینان حاصل ہوا کیوں کہ یہی وہ گیند یا تیر تھا جو اس نے صرف پچھلے ہی سال اپنے اندرون خانہ سکول (Indoor) میں تربیت کے دوران فضل محمود کی آزمودہ فنی صلاحیتوں سے بھرے ترکش میں شامل کیا تھا۔ ''میری وفاداریاں اس وقت اس طرح سے بٹی ہوئی تھیں کہ مجھے سمجھ نہیں آ رہی تھی کہ میں ہنسوں یا روؤں۔'' انگلینڈ اور سرے (Surrey) کے سابق باؤلر ایلف گوور نے لکھا۔

فضل محمود نے مسلسل 30 اوور کر کے 53 رنز کے بدلے 6 وکٹ حاصل کیے۔ اس کے شکار ہونے والوں میں ہٹن (Hutton)، مے (May)، کامپٹن (Compton) اور گریونے (Graveney) جو فضل محمود کی مسلسل پانچ گیند کھیلنے میں ناکام رہ کر حنیف کے ہاتھوں سلپ (Slip) میں کیچ ہو گیا۔ کامپٹن (Compton) فضل محمود کی گیند پر دوبار کیچ گر جانے سے بچ کر بالآخر 53 رنز بنا کر آؤٹ ہوا۔ دوسری طرف سے محمود حسین نے کامیاب معاون کی حیثیت سے کھیلتے ہوئے 4 وکٹ حاصل کیے۔

یوں پاکستان دوبارہ کھیل میں جت گیا۔ اسے 3 رنز کی اکثریت حاصل تھی مگر کھیل کے میدان کے حالات بدستور انتہائی خطرناک تھے۔ حنیف 19 رنز پر آؤٹ ہو گیا اور کاردار کی طرف سے 17 قیمتی رنز کا اضافہ ہوا۔ پاکستانی کپتان حالات کی سنگینی سے سخت پریشان تھا۔ اس نے ارادہ کر رکھا تھا کہ وہ آؤٹ نہیں ہو گا اور فرض شناسی میں دبے رہ کر وہ 70 منٹ تک میدان میں ڈٹا رہا۔ آخرکار وارڈل (Wardle) کی فل ٹاس (Full Toss) گیند پر کمزور ہٹ مارتے ہوئے باؤلر کے ہاتھوں کیچ ہو کر آؤٹ ہو گیا۔ کاردار جو انتہائی

باغیرت اور باوقار انسان تھا اس بات پر قوی یقین رکھتا تھا کہ کپتان کو اپنی مثال قائم کرنا چاہیے۔ اور اس کی بھرپور کوشش تھی کہ وہ اپنی انتہائی مایوسی کسی پر ظاہر نہ ہونے دے۔ اس وقت پاکستان 76 رنز بنا چکا تھا اور اس کے 7 کھلاڑی آؤٹ ہو گئے تھے۔ لگتا تھا کہ میچ ختم ہو چکا ہے اور اس کے ساتھ ساتھ کاردار کی کپتانی بھی۔ اور پاکستان کی ٹیسٹ کرکٹ کھیلنے والی قوم کے رتبے کی حیثیت کو سنجیدگی سے دیکھنے پر بھی سوالیہ نشان نظر آ رہا تھا۔

اس کے بعد جو کچھ ہوا وہ غیر متوقع معجزہ تھا۔ دو بیٹسمین جنہیں اس سے قبل سنجیدگی سے نہیں دیکھا جاتا تھا ان کے درمیان شراکت کی وجہ سے سکور تقریباً دوگنا ہو گیا اس میں نمایاں کردار حنیف کے بڑے بھائی وزیر محمد کا تھا۔ سات سال قبل محمد خانوادہ نے وزیر کے ذمہ ایک پُرخطر فریضہ سونپا تھا۔ جونہی ان کے آبائی شہر جونا گڑھ میں ہندوستانی ٹینک داخل ہوئے سترہ سالہ وزیر کو کراچی کے لمبے سفر پر روانہ کر دیا گیا تا کہ وہ اس بات کا اندازہ کر سکے کہ کیا اس کے خاندان کا وہاں منتقل کر جانا محفوظ ہو گا۔

ایسے حالات میں جہاں ٹھیک قوت فیصلہ اور دھیمے انداز کی ضرورت تھی وزیر نے پہلا رن بنانے کے لیے آدھا گھنٹہ لگایا۔ وزیر کے پرعزم کھیل میں اس کی کچھ تخلیقی اور غیر پیشہ ورانہ اداکاری کا بھی اہم حصہ تھا جسے پچاس سال بعد دہراتے ہوئے اس نے کہا، ''سٹیتھم (Statham) کا اندر کی طرف آنے والا ہوا میں جھولتا ہوا فل ٹاس گیند سیدھا میرے اگلے پاؤں پر آن کر گرا۔ اس سے مجھے شدید درد ہوا۔ مگر میں اٹھ کر کھیل سکتا تھا۔ مگر میں نے کچھ وقت زمین پہ بیٹھے رہنے کا فیصلہ کیا اور بہانہ کیا کہ جیسے میں اٹھ ہی نہیں سکتا۔ میرا علاج معالجہ کیا گیا جس کی بدولت کھیل کچھ وقت کے لیے رک گیا۔ میں نے کن اکھیوں سے وکٹ کیپر گاڈفرے ایونز (Godfrey Evans) کی طرف دیکھا اور سمجھ گیا کہ وہ میری اداکاری کا شکار ہو گیا ہے۔ اس نے سٹیتھم (Statham) سے کہا کہ وہ گیند مجھے اگلے پاؤں پہ جا کر کھیلنے کے لیے پھینکے کیوں کہ اس کے خیال میں میں تکلیف کے باعث آگے بڑھ کر کھیل نہیں سکوں گا۔ درحقیقت میں تو یہی چاہتا تھا کہ گیند مجھے آگے بڑھ کر کھیلنے کے لیے پھینکی جائے کیوں کہ پیچھے پھینکے جانے والے گیند کو اس پچ پر کھیلنا خاصا دشوار تھا۔ کچھ گیند بیٹھ جاتے تھے اور کچھ تیزی سے اوپر کی طرف اٹھتے تھے۔ سٹیتھم اور دوسرے باؤلروں نے مجھے گیند آگے کر کے کھلایا۔ اور ہر بار جب میں ان کے گیند کو بڑھ کر اگلے پاؤں پر کھیلتا تو درد سے کراہنے کی آواز کو نکالنا ہرگز نہ بھولتا۔''

وزیر نے تین گھنٹے کھیل کر 42 رنز بنائے اور آخر تک آؤٹ نہ ہوا۔ اسے آف سپنر ذوالفقار احمد اور تیز رفتار باؤلر محمود حسین کی شراکت رہی جس کی بدولت 82 رنز کے اضافے کے ساتھ سکور دوگنا ہو گیا۔ شجاع الدین جس نے خود میچ میں دلیرانہ کردار ادا کیا تھا کے مطابق ''جو رنز ان تین جرات مند کھلاڑیوں نے اکٹھے کیے انہیں بغیر کسی توقف کے پاکستانی کرکٹ کے سب سے قیمتی رنز کہا جا سکتا ہے۔ کرکٹ میں ایک نئی قوم کے

لیے ان بیش قیمت رنز نے بنیادی کام کیا۔

پھر بھی ان بیٹسمینوں کی وجہ سے زیادہ تو نہیں مگر پاکستان کے لیے کچھ موقع مہیا ہو گیا۔ انگلینڈ کو جیتنے کے لیے 168 رنز درکار تھے اور اس کے پاس بہت وقت تھا۔ ہٹن (Hutton) ایک بار پھر فضل محمود کے سامنے کھیلتے ہوئے مشکلات سے دوچار رہا اور جلد ہی آؤٹ ہو گیا۔ مگر مے (May) اور کامپٹن (Compton) نے اچھی بیٹنگ کی۔ چوتھے دن کے کھیل کے اختتام سے کچھ دیر پہلے انگلینڈ کا سکور 109 تھا اور اس کے صرف دو کھلاڑی آؤٹ ہوئے تھے۔ بعد میں فضل محمود نے دعویٰ کیا کہ اس موقع پر کاردار مجھے باؤلنگ سے ہٹانا چاہتا تھا مگر مجھے اس کے ہاتھ سے گیند کو یہ کہتے ہوئے چھیننا پڑا کہ کیا تم میچ ہارنا چاہتے ہو؟[11]

فضل محمود نے فوراً ہی ایک سست رفتار گیند پھینکی جس پر مے (May) نے تیزی سے کھیلنے کی کوشش میں کاردار کو گلی (Gully) پر کیچ دیا جو کاردار نے عمدگی سے پکڑ لیا۔ یہ ایک اہم وکٹ تھی۔ پھر ہٹن نے ایونز (Evans) کو گریونی (Graveney) سے پہلے بھیج دیا کہ وہ کھیل کے آخری گھنٹہ میں مار دھاڑ سے رنز پورے کر کے میچ جیت لے گا۔ مگر ایونز کو فضل محمود نے فوری طور پر بولڈ کر دیا۔ اور ساتھ ہی گریونی بائیں ہاتھ سے سپن باؤلنگ کرنے والے شجاع الدین کا شکار ہو گیا۔ کھیل ختم ہونے سے پہلے کچھ دیر پہلے فضل محمود نے کامپٹن کو بھی آؤٹ کر دیا۔ اگلے روز انگلینڈ کو میچ جیتنے کے لیے 43 رنز درکار تھے اور ابھی اس کے ہاتھ میں چار وکٹ باقی تھے۔

فضل محمود کو یقین تھا کہ پاکستان میچ جیت لے گا۔ ''مجھے محسوس ہو رہا تھا کہ ہم میچ جیت لیں گے، میری قوت ارادی، دل جمعی، محنت، قوت انہاک اور مقصد حاصل کرنے کے لیے ارادے کی بدولت میں جانتا تھا کہ ہم پانسہ پلٹ سکتے ہیں۔'' انگلینڈ کی امید وارڈل (Wardle) تھا مگر محمود حسین کی گیند پر سیکنڈ سلپ میں علیم الدین نے اس کا کیچ چھوڑ دیا۔ اور اس کے بعد علیم الدین اس قدر پریشان ہوا کہ کچھ وقت کے لیے وہ ایک لفظ بھی نہ بول سکا۔ حتیٰ کو اپنے کپتان سے معذرت کرنے کی ہمت بھی نہ کر سکا۔ وارڈل اور ٹائیسن (Tyson) آدھ گھنٹے تک اکٹھے رہے۔ اور لگ رہا تھا کہ کھیل آہستگی کے ساتھ انگلینڈ کے حق میں جا رہا ہے۔ وارڈل کا کیچ تین لگاتار گیندوں پر نکلا مگر ہر بار گرا دیا گیا۔ یہ اعصاب شکن الٹا ہیٹ ٹرک تھا۔ گراؤنڈ میں موجود کھلاڑی اور ان کے مداح[12] ہر رن بننے پر ایک آہ بھرتے، پھر فضل محمود نے ٹائیسن کو امتیاز کے ہاتھوں کیچ کروا کر آؤٹ کر دیا۔ میچ میں یہ امتیاز کا ساتواں کیچ تھا۔[13] اگلے اوور میں کاردار نے فضل محمود سے مشاورت کے بعد باؤنڈری پر ڈیپ مڈ وکٹ (Deep Mid-wicket) پر فیلڈر کو ہٹا کر شارٹ لیگ (Short log) پر لے آیا وارڈل جو پاکستان کی جیت کی راہ میں سب سے بڑی رکاوٹ بنا ہوا تھا، نے فضل محمود کی اگلی گیند کو مڑ کر شارٹ لیگ کی طرف کھیلا جہاں کھڑے ہوئے شجاع الدین نے اس کا کیچ پکڑ لیا۔[14]

(جیسا کہ عام طور ہوتا ہے کہ ایک کہانی کے دو زاویئے ہوتے ہیں فضل محمود کا اصرار ہے کہ فیلڈنگ میں یہ تبدیلی اس کی بدولت ہوئی (فضل محمود صفحہ 47) جبکہ کاردار نے TSOT کے صفحہ 83 پر بیان کیا ہے کہ فیلڈنگ کی تبدیلی فضل محمود کے ساتھ مشورہ کرنے کے بعد کی گئی۔) یہاں ہمیں فضل محمود کو موقع دینا چاہیے کہ وہ اوول کے تاریخی میچ کے آخری لمحات بارے خود بیان کریں:

''دوسری جانب سے میں نے میکونن (McConnon) کو باؤلنگ شروع کی۔ میں نے اسے پانچ گیند کیے مگر اس خدا کے بندے نے ہر بار دفاعی انداز میں گیند روکی۔ میں اس کے اس ردِعمل سے سخت سٹپٹا گیا اور پریشان ہوا۔ میں اس کھیل کے اختتام کے آخری انجام کو دیکھنے کے لیے بے قرار تھا۔ میں نے محسوس کیا کہ اب صرف میکونن (McConnan) اور فتح کی بالکونی کے درمیان حائل ہے اس آخری رکاوٹ سے نجات حاصل کرنے کے لیے میں نے پوری قوت سے اپنا چھٹا گیند پھینکا۔ غالباً میکونن بھی اپنے بے جان کھیل سے تنگ آچکا تھا۔ یا پھر وہ بھی مجھے چراغ کی طرح ایک بار اپنی بھڑک دکھانا چاہتا تھا۔ لہٰذا اس نے ہٹ مار کر رن بنانے کی کوشش کی۔ گیند سیدھی حنیف کی طرف گئی جس نے انتہائی سرعت سے گیند کو پکڑا اور وکٹوں میں دے مارا۔ اور میکونن رن آؤٹ ہوگیا۔ یہ دیکھتے ہی میں حنیف کی طرف دوڑا اور ایک جنون کے عالم میں اسے اپنی بانہوں میں لے کر ناچنے لگا۔ میرے خوابوں کی تعبیر پوری ہوگئی تھی۔ میری خواہشات کو تسکین مل چکی تھی۔ انگلینڈ کو 24 رنز کے ساتھ شکست ہو چکی تھی۔ اور کرکٹ کے عالمی نقشہ پر پاکستان نمایاں طور پر واضح ہوگیا تھا۔ گراؤنڈ میں پاکستانیوں کے بیٹھنے کے حصہ میں ایک ہلچل مچ رہی تھی اور سب خوشی کے مارے اچھل کود کر رہے تھے۔''

جب فضل محمود واپس پویلین میں پہنچا تو اس نے دیکھا کہ ایلف گووک (Alf Gover) اچھل رہا تھا اور چلا چلا کر کہہ رہا تھا کہ ''ہم جیت گئے۔ ہم جیت گئے''۔ پاکستانی افواج کے کمانڈر انچیف جنرل محمد ایوب خان بھی بے معنی طور پر موجود تھے مگر وہ فوجی مزاح سے بھرپور تھے۔ انہوں نے بعد میں فوج کے ذریعے حکومت کا تختہ الٹ دیا۔ اس کے ساتھ لیفٹیننٹ جنرل اعظم خان بھی تھا جس نے 1958ء میں ایوب خاں کی اقتدار میں آنے کی معاونت کی۔ اسے پنجاب میں فسادات کے دوران صرف ایک سال پہلے مارشل لاء لگانے کا تجربہ ہو چکا تھا۔

ایک افسوس ناک پہلو یہ بھی تھا کہ میاں سعید جو آسانی سے پاکستانی ٹیم کا کپتان بن سکتا تھا، بھی اپنے بیٹے یاور کے ساتھ گراؤنڈ میں موجود تھا مگر بقول یاور میچ ختم ہونے کے بعد جیت کی خوشی مناتے وقت کاردار نے انہیں اپنے ساتھ شامل نہ کیا۔ (یاور سعید سے انٹریو کے دوران اس نے بتایا کہ کاردار نے دوبارہ انتقامی رویہ اختیار کیا جب ٹیم سمرسیٹ (Somerset) کے خلاف کھیلنے کے لیے گئی اور جہاں سے وہ کھیلتا تھا۔

''میں ٹیم کے استقبال کے لیے پہنچا۔'' یاور نے یادوں کو دہراتے ہوئے کہا، ''مگر مجھ سے کسی نے بات تک نہ کی۔ کاردار نے بات کرنے سے کھلاڑیوں کو منع کر رکھا تھا۔'') 15 جسٹس کارنیلیس پر ہیجانی کیفیت طاری تھی وہ جذباتی انداز میں یہ کہتے ہوئے اِدھر اُدھر گھوم رہا تھا کہ ''بلاؤ ہٹن کو۔ بلاؤ کاپٹن کو اور انہیں کہو کہ وہ فضل محمود سے کرکٹ کھیلنا سیکھیں۔'' باہر کھڑے ہوئے ہجوم سے نعرہ بلند ہو رہا تھا ''نعرہ حیدری''، ''پاکستان زندہ باد''، ''فضل محمود باہر آؤ''۔ ہجوم کے نعروں کے جواب میں فضل محمود نکل کر باہر بالکونی پر آ گیا۔ جب اس نے بالکونی میں اپنے آپ کو اسی جگہ کھڑے پایا جہاں ایک سال قبل لین ہٹن کھڑا تھا تو جذبات سے اس کے آنسو ٹپک پڑے اور اس کی ریڑھ کی ہڈی سے اٹھتی ہوئی ایک جھرجھری اس کے پورے بدن میں پھیل گئی۔ دورہ ختم ہونے پر سولہ کھلاڑی بحری جہاز کے ذریعہ عازم کراچی روانہ ہوئے۔ مگر فضل محمود (بقول اس کے ساتھی کھلاڑیوں کے) زندگی بھر اوول سے نہ لوٹ سکا۔

## حوالہ جات:

1 صادق محمد خان عباسی پنجم نے 1907ء سے لے کر 1966ء تک پہلے بحیثیت نواب اور پھر بحیثیت امیر بہاولپور کی ریاست پر حکومت کی۔ بہاولپور کبھی بھی انگریزوں کی ملکیت نہ تھا اور 1947ء میں آزادی تک اس پر اس کے اپنے نوابوں کی حکومت رہی۔ آخر 1955 میں ریاست کو باضابطہ طور پر پاکستان میں ضم کر لیا گیا۔

2 1922ء میں بہاولپور میں پیدا ہونے والے مخدوم زادہ حسن محمود، مرحوم پیر پگاڑا کے برادر نسبتی تھے۔ یہ پاکستان کی ابتدائی کرکٹ کے عظیم سرپرستوں میں مقام رکھتے ہیں۔ ایچی سن کالج میں تعلیم حاصل کی۔ تعلیم سے فارغ التحصیل ہونے کے بعد انہیں ریاست بہاولپور کے وزیرِاعلیٰ کے عہدے پر مامور کیا گیا۔ انہوں نے اپنی فرسٹ کلاس کرکٹ کا آغاز اس وقت کیا جب نومبر 1951ء میں بہاولپور اور کراچی کی مشترکہ ٹیم کی نائجل ہاورڈ (Nigel Howard) کی دورہ کرنے والی ایم سی سی (MCC) ٹیم کے خلاف کپتانی کی۔ نویں نمبر پر بیٹنگ کرتے ہوئے وہ صرف 4 رنز بنا سکے۔ مگر ایم سی سی کی دوسری اننگز میں وہ ٹام گریونی (Tom Graveney) کی وکٹ حاصل کرنے میں کامیاب ہو گئے۔ اس کے بعد دوبارہ کسی فرسٹ کلاس میچ میں حصہ نہ لیا۔ مخدوم زادہ نے ڈرنگ سٹیڈیم (Dring Stadium) کی تعمیر کی نہ صرف نگرانی کی بلکہ اس کے لیے رقوم کے ذریعے سرپرستی اور انتظامی معاونت بھی فراہم کی۔ اس کی بدولت ایک وقت میں بہاولپور کی ٹیم کا پاکستان کی بہترین علاقائی ٹیم کی حیثیت سے شمار ہونے لگا۔ 1954ء میں وہ اس سلیکشن کمیٹی کے چیئرمین تھے جس نے پاکستان کی انگلینڈ دورہ کرنے والی ٹیم کو منتخب کیا۔ 1950ء کی دہائی میں انہوں نے کئی سال تک بورڈ کے چیئرمین کی حیثیت سے خدمات سرانجام دیں کاردار نے اپنی کتاب Memoirs of An All Rounder (صفحہ 194-190) میں انہیں دلی طور پر خراج تحسین پیش کیا ہے۔ ان کا بیٹا احمد محمود دسمبر 2012ء تا اگست 2013ء پنجاب کا گورنر رہا۔

3 پاکستان کرکٹ کی ابتدائی تاریخ میں میٹنگ وکٹوں کی اہمیت کو پرکھنے کے لیے مبالغہ آرائی نہیں

ہونا چاہیے۔ اس کھیل کو سیکھتے ہوئے سکولوں اور کلبوں میں کھلاڑی ایسی سطح پر کھیلتے تھے جو خصوصی طور پر گھاس (Turf) کے قطعہ سے بالکل مختلف ہوتی تھی اور خاص طور پر جب موسم گیلا ہوتا تھا۔ میٹنگ پر کھیلتے ہوئے فضل محمود جیسے عظیم باؤلروں کو گیند کو گھمانے اور اس کا رخ بدلتے ہوئے معمول سے زیادہ حرکت میسر ہوتی تھی۔ میٹنگ لگاتے وقت اس کے مختلف تناؤ دیکھنے سے بھی باؤلروں کو فائدہ پہنچتا ہے۔ ڈھیلی میٹنگ پر گرنے کے بعد بہتر پکڑ کرتا ہے اور زیادہ تیزی سے رخ بدلتا ہے۔ جبکہ زیادہ تنی ہوئی میٹنگ وکٹ پر گیند زیادہ اچھلتی ہے۔ تاہم حالات کیسے بھی ہوں میٹنگ پر گیند ٹرف کی نسبت زیادہ مطابقت سے اچھلتی ہے اور ایک دفعہ بیٹسمین اس پر سنبھل جائے تو پھر وہ زیادہ اعتماد اور جارحیت سے کھیل پاتا ہے۔ اس کے علاوہ اگر بیٹسمین کا پاؤں سے کام لینے کا ہنر کمزور ہے اور شاٹ کھیلنے کا انتخاب بھی محدود ہے اور ٹرف پر کھیلتے ہوئے یہ دونوں پہلو زہر قاتل ہیں مگر میٹنگ پر کام چل جاتا ہے۔ 1950ء کی تمام دہائی میں پاکستان بھر میں میٹنگ وکٹیں عام استعمال کی جاتی تھیں۔ مقامی اور باہر کے ملکوں سے آنے والے تجربہ نگاروں نے پاکستانی کرکٹ کے کھلاڑیوں کی ترقی کی راہ میں رکاوٹ کا باعث بڑی حد تک میٹنگ وکٹوں کو گردانا۔ جیسا کہ ہم بعد میں دیکھیں گے کہ رچی بنیو (Richie Benaud) نے میٹنگ وکٹوں کی تبدیلی میں اہم کردار ادا کیا۔

4 ماسوائے روسی ڈنشا (Rusi Dinshaw) کے جس نے 1952ء میں کاردار کی کپتانی میں ہندوستان کا دورہ کیا، کوئی بھی دوسرا پارسی کھلاڑی پاکستان کے لیے ٹیسٹ کرکٹ کھیلنے کے نزدیک بھی نہ آسکا۔ اس دورہ پر وہ صرف دو فرسٹ کلاس میچوں میں تین اننگز کھیل سکا جن میں اس نے صرف اٹھارہ رنز کیے۔ اس کے والد نادر ڈنشا (Nadir Dinshaw) بھی عمدہ فرسٹ کلاس کرکٹر تھے۔

5 منوچہر جمشید جی موبیڈ (Minocher Jamshedji Mobed) کراچی کا فرسٹ کلاس کرکٹر تھا جس نے پارسیوں کی سندھ اور بمبئی کے پنٹنگلر میچوں میں 1919ء سے 1947ء تک نمائندگی کی۔ وہ گلی گن (Gilligan) کی 27-1926ء کی ایم سی سی اور جارڈین (Jardine) کی 35-1934ء کی ٹیموں کے خلاف بھی کھیلا تھا۔ اپنی بڑی بڑی لمبی ہٹوں کی شہرت کی بدولت اسے سندھ کا جیسپ (Jessop) کہا جاتا تھا۔ کرکٹ سے ریٹائر ہونے کے بعد موبیڈ امپائر بن گیا اور داؤد خاں کے ہمراہ 1951ء میں اس میچ کی امپائری کی جس نے پاکستان کے لیے ایم سی سی کو چار وکٹوں سے شکست دینے کے بعد ٹیسٹ کرکٹ کے دروازے کھول دیئے۔ جب اس سے امپائرنگ کے متنازعہ فیصلوں بارے سوال کیا گیا تو اس نے جواب دیا "میں پارسی ہوں۔" کے۔ ایچ بلوچ (K.H. Baloch) اور ایم۔ ایچ بلوچ (M.H. Baloch) کی A Century of Karachi Cricket کے صفحہ 17 کے مطابق "اس سادہ جواب کا مطلب یہ تھا کہ اس کی اخلاقی بلندی اور ایمانداری ہر چیز سے بالاتر ہے۔"

6 خالد وزیر معروف مسلمان کرکٹر سید وزیر علی جس نے ہندوستانی کرکٹ ٹیم کے ساتھ 1932ء اور 1936ء میں انگلینڈ کا دورہ کیا کا بیٹا تھا۔ خالد وزیر دوبارہ پاکستان کے لیے نہ تو کبھی کھیلا اور نہ ہی واپس پاکستان لوٹا بلکہ انگلستان میں ہی مستقل رہائش اختیار کر لی۔

7 خالد قریشی آہستہ رفتار سے باؤلنگ کرنے والا باؤلر خالد حسن سے بدرجہا بہتر تھا۔ مگر اس کی بائیں ہاتھ سے کرنے والی سپن باؤلنگ کاردار کی باؤلنگ سے مماثلت رکھتی تھی۔ بیشتر لوگوں کا خیال تھا کہ خالد قریشی کو ٹیم سے باہر اس لیے رکھا گیا کیوں کہ کاردار نہیں چاہتا تھا کہ اس کا کوئی طاقتور اور باصلاحیت مدمقابل ہو۔

8 موسم کی وجہ سے معمول کے مطابق ہونے والی ملکہ الزبتھ اور کھلاڑیوں کے مابین لارڈز پر ملاقات منسوخ کر دی گئی اور اسے دوبارہ شاہی محل بکھنگم پیلس (Buckingham Palace) کے لیے طے کیا گیا۔ جب ملکہ الزبتھ نے فضل محمود سے ملاقات کی تو اس کی آنکھوں کو بغور دیکھا مگر کچھ کہے بغیر آگے نکل گئی۔ اور قطار میں کھڑے تمام کھلاڑیوں سے ہاتھ ملانے کے بعد وہ پھر فضل کی طرف دوبارہ لوٹی۔ ''تم پاکستانی ہو اور تمہاری آنکھیں نیلی کیوں ہیں جبکہ دوسرے کسی اور کی نہیں ہیں؟'' ملکہ نے پوچھا۔ فضل نے جواب دیا ''ملکہ عالیہ پاکستان کے شمالی علاقوں سے تعلق رکھنے والوں کی آنکھیں نیلی ہوا کرتی ہیں۔'' (فضل محمود صفحہ 37)

9 کاردار اور اس کے ساتھیوں کے ساتھ انصاف کے طور پر یہ کہنا پڑتا ہے کہ یہ تیز رفتار آف سپنر اس وقت اپنے عروج پر تھا۔ موسم سرما میں آسٹریلیا کے دورہ پر باؤلنگ کی اوسط میں وہ سب سے اوپر تھا۔ اپنے کرکٹ کھیلنے کے دورانیہ میں جو اس کی تپ دق کی بیماری کے باعث مختصر ہو گیا، اس نے فرسٹ کلاس میچوں میں 700 وکٹ صرف 15.48 رنز کی اوسط پر حاصل کیں۔

10 کاردار نے اپنی کتاب (Test Status On Trial) کے صفحات 3-40 پر بحثیت کپتان اس اننگز کے دوران اپنی کوفت کا ذکر کیا ہے۔ ماجد خان نے مجھے بتایا کہ جب تک پاکستانی کھلاڑی کاؤنٹی کرکٹ نہیں کھیلے تھے، ان کی عام فیلڈنگ کا معیار انتہائی خراب رہا۔ بلکہ کھلاڑیوں کو زور سے گیند پھینکنے سے روکا جاتا تھا کہ کہیں وہ زخمی نہ ہو جائیں۔ (ماجد خان سے ذاتی گفتگو کے دوران)

11 فضل محمود صفحہ 45 پر فضل محمود کا بیان ہے کہ اس موقع پر کاردار نے میچ جیتنے کی تمام امیدیں توڑ دی تھیں اور وہ میچ بچانے کے لیے بارش کی آرزو کر رہا تھا۔

12 میدان میں کتنے لوگ تھے؟ فضل کے مطابق صرف چند سو تھے (فضل محمود صفحہ 46) جو آخری روز میچ دیکھنے کے لیے آئے۔ مگر شجاع الدین کے مطابق تعداد 4000 تھی۔ وزڈن (Wisden) کے مطابق 25000 تماشائی ہفتے کے دن موجود تھے اور آخری دن سے پہلے 24000 تماشائی میچ دیکھنے آئے تھے۔

13 امتیاز کے ہاتھوں دورہ کے دوران 86 کھلاڑی آؤٹ ہوئے۔ وکٹوں کے پیچھے کھڑے ہو کر 81 آؤٹ کیے۔ دورہ پر آنے والی ٹیموں کے وکٹ کیپروں کے لیے یہ آج بھی ریکارڈ بدستور موجود ہے۔

14 دو متضاد ورژن ہیں۔ فضل کا اصرار ہے کہ فیلڈنگ انہوں نے بدلی تھی (فضل محمود، صفحہ 47) جبکہ کاردار (TSOT، صفحہ 83) کا کہنا ہے کہ فضل کی ''مشاورت'' سے فیصلہ کیا گیا۔

15 یاور سعید سے انٹرویو۔ یاور سعید کے مطابق کاردار نے پھر منتقمانہ رویہ اختیار کیا جب پاکستانی ٹیم نے سمرسیٹ کا دورہ کیا جس کے لیے یاور سعید بھی کھیل رہا تھا۔ سعید کا کہنا ہے کہ میں ٹیم کے استقبال کے لیے گیا لیکن انہوں نے مجھ سے بات نہ کی۔ اس کا کہنا ہے کہ کاردار نے کھلاڑیوں کو مجھ سے بات نہ کرنے کا کہا تھا۔

6

# ہندوستان کا دورۂ پاکستان 55-1954ء

''اگر پاکستان اور ہندوستان کے درمیان ہر میچ گولیوں کی گونج کے بغیر کھیلا جا سکے اور فوج تماشائیوں کو دنگا فساد سے روکے رکھے تو میں کہہ سکتا ہوں کہ اس کھیل سے منسلک عزت واقعی عظیم ہے۔''

- والٹر ہیمنڈ (Walter Hammond)

بہت کم ٹیسٹ کرکٹ سیریز ایسی ہوں گی جن کا اس شدت سے انتظار ہوا ہو۔ جیسا کہ پاکستان کی اوول ٹیسٹ کی 1954ء کی فتح کے بعد ہندوستان کے ساتھ کھیلے جانی والی سیریز کا ہوا تھا۔ اور اس کے علاوہ صرف چند اور ہوں گی جنہوں نے اس بری طرح سے مایوس کیا ہو۔ اس سیریز کے سلسلہ نے کاردار کی بدترین شخصیت کو اجاگر کیا۔ پاکستان کپتان کے میدان کے اندر انتہائی دفاعی انداز اپنا لیا اور میدان کے باہر جابرانہ اور ناگوار رویہ اختیار کیے رکھا۔ ہندوستانی کپتان ویو منکڑ نے بھی ان منفی ہتھکنڈوں کا جواب اسی انداز میں دیا۔

رن بنانے کی رفتار بے حد سست رہی اور بہ مشکل ایک اوور میں دو رن بن پاتے اور کئی بار یہ اوسط اور بھی گر جاتی۔ پانچ میچوں کے سلسلے کے اختتام پر نتیجہ صفر رہا اور تاریخ میں اس طرح کا نتیجہ پہلی بار سامنے آیا۔ یہ غیر معمولی نتیجہ پھر دوبارہ سامنے اس وقت آیا جب 1960ء میں ہندوستان اور پاکستان کا دوبارہ آمنا سامنا ہوا۔ 55-1954ء کے پشاور کے چوتھے ٹیسٹ کے برابر رہنے کے نتیجے پر امبالہ ٹریبون (Ambala Tribune) نے خبر شائع کی جس کا عنوان تھا، Match Saved But Cricket Killed۔ مضمون نگار نے لکھا: ''مصیبت یہ ہے کہ ان چار روزہ ٹیسٹ کرکٹ میچوں کے نتیجوں سے کہیں زیادہ اور عناصر داؤ پر ہیں۔ دونوں حریف ایک دوسرے کو جیتتے نہیں دیکھ سکتے تھے۔'' پھر بھی تماشایوں کا جم غفیر تمام میچوں میں موجود رہا۔ اور یقیناً عوام کا دونوں ٹیموں کے لیے خلوص اور کھلاڑیوں کی پژمردہ ہمت سے میچوں میں حصہ لینے

کے انداز میں نمایاں فرق واضح تھا۔

پاکستان کی سرزمین پر کھیلا جانے والا پہلا ٹیسٹ میچ مشرقی پاکستان کے دارالحکومت ڈھاکہ میں ایسی گراؤنڈ پر کھیلا گیا جسے صرف سات ہفتوں میں تیار کیا گیا تھا۔کاردار نے ٹاس جیت کر بیٹنگ کرنے کا فیصلہ کیا۔ پھر جب ونومنکڈ اپنی ٹیم کو لے کر میدان میں اترا تو لوگوں سے اٹی ہوئی گراؤنڈ میں اس کا والہانہ استقبال ہوا۔

گو کھیل ست روی سے کھیلا گیا مگر گہری سوچ میں ڈوبا ہوا نظر آیا۔ دوسرے دن کے نصف حصہ تک پاکستانی ٹیم 257 رنز بنا کر آؤٹ ہوگئی۔ پھر ہندوستانی ٹیم 148 رنز پر ڈھیر ہوگئی۔ پاکستان کے پاس بہترین موقع تھا کہ وہ اپنی اننگز میں زیادہ رنز کیے جانے کے فرق کو جیتنے کے لیے استعمال کرتا۔مگر کاردار کی ٹیم نے ایسی کوئی کوشش نہ کی۔تقریباً 73 اوور تیسرے دن کے بقیہ وقت میں کیے گئے جس میں پاکستانی ٹیم نے ایک وکٹ کے نقصان پر 97 رنز بنائے۔اگلی صبح یکدم سب کچھ بدل گیا۔جونہی منکڈ نے اپنے لیگ سپنر (Leg Spinner) سبھاش گپتے (Subhash Guple) کو باؤلنگ دی اس کے سامنے تمام پاکستانی بیٹسمین مشکل کا شکار ہوگئے۔گپتے صرف چھ اووروں میں پانچ وکٹ لے گیا اور پاکستان کی بقیہ نو وکٹیں 42 رنز بنا کر گر گئیں۔ ہندوستان کو اب جیتنے کے لیے صرف 267 رنز درکار تھے اور ابھی پورا ایک دن باقی تھا مگر اس بار ہندوستانی ٹیم نے احتیاط سے کھیلنا شروع کیا۔ دن کے اختتام پر دو کھلاڑی آؤٹ ہونے پر سکور 147 تھا اور میچ ہار جیت کے فیصلے کے بغیر ختم ہوگیا۔میچ کے چار دنوں میں صرف 710 رنز بنائے گئے تھے۔

یہ تو تھا میدان کا ذکر مگر میدان سے باہر کاردار نے ایسی تقریر کی جو غالباً ناقابل معافی تھی۔اس بارے ہندوستانی ذرائع سے سب سے زیادہ تباہ کن خبریں ملیں جن میں سچائی کا عنصر موجود ہے اس کے علاوہ پاکستان سے بھی ایسی شہادتیں سامنے آئی ہیں جن سے ان خبروں کی تصدیق ہوتی ہے اس واقعہ کی مکمل خبر بیس سال بعد ہندوستانی کمنٹیٹر، بیری سربھادیکری (Berry Sarbadhikary) نے اپنے ایک مضمون میں اس شہ سرخی سے دی، ''جب کاردار نے ٹیسٹ سیریز کو تقریباً برباد کر دیا'' سربھادیکری کے مطابق پاکستانی کپتان نے ایک تقریب میں تقریر کرتے ہوئے گزشتہ گرمیوں کے موسم میں انگلستان میں پاکستانی میچوں میں اپنے کھلاڑیوں کی کارگزاری کا موزانہ 1952 کے ہندوستانی دورہ کے دوران انگلینڈ کے تیز رفتار باؤلروں کے سامنے ہندوستانی بیٹسمینوں کے ناکام ہو جانے کے نمایاں فرق کے طور پر کیا۔جب ہندوستان کے اوپر کھیلنے والے معروف کھلاڑی بدنامی کی حد تک فریڈ ٹرومین (Fred Trueman) کی تندوتیز باؤلنگ سے نبرد آزما ہونے میں ناکام رہے تھے۔سر یدھیکری نے مزید لکھا کہ کاردار نے تقریر میں لفظ ''ہندوستانی'' پر آزادانہ طور پر بار بار اس طرح زور دیا جس طرح 1962ء میں ہندوستان کے ساتھ چینی لڑائی کے دوران ریڈیو پیکنگ

سے خبریں پڑھنے والی خواتین زہر اگلتی تھیں۔ اس نے دعویٰ کیا کہ تقریر سنتے ہوئے ونو منکڈ طیش میں آتا چلا گیا۔ ''اچانک ہم نے دیکھا کہ دونوں حریف کپتان کاردار اور منکڈ طعام گاہ کے بڑے کمرے کے ایک ویران کونے میں ایک دوسرے کے ساتھ بدکلامی میں مصروف دست و گریباں ہونے سے دور نہ تھے۔''

اس بدمزگی کی تصدیق پاکستانی ٹیسٹ کھلاڑی شجاع الدین جس نے تمام ٹیسٹ کھیلے تھے، نے اس طرح کی:۔

''یہ وہ دن تھے جب 1947ء کی تقسیم کے دوران کی جانے والی قتل و غارت کے اثرات سرحد کے دونوں طرف ذہنوں میں تازہ تھے۔ یہی وجہ تھی جس کی بدولت روایتی کرکٹ کے مقابلوں کی رقابت کے پیچھے یہ نفرت بھی کارگر تھی جس کی وجہ سے تعلقات کشیدہ اور ذہنی دباؤ میں رہے اور یہ قطعی حیرت انگیز بات نہ تھی کہ سولہ ہفتے کے لمبے دورے کے دوران دونوں ٹیموں کے کھلاڑیوں کے درمیان سماجی طور پر کوئی گرمجوشی یا میل جول پیدا نہ ہو سکا۔''

اس تقریر کا احوال ہندوستانی اور پاکستانی خبر رساں اداروں نے شائع نہیں کیا۔ غالباً انہیں سرکاری طور پر ہدایات کی گئی تھی کہ پرخلوص ماحول کو خراب نہیں کرنا کیوں کہ حالات کی کیفیت اب بھی نازک تھی اور ڈر تھا کہ کہیں کرکٹ کی وجہ سے دوبارہ فرقہ وارانہ گڑبڑ شروع نہ ہو جائے۔

دوسرا ٹیسٹ بہاولپور میں ڈرنگ سٹیڈیم میں کھیلا گیا۔ یہ اس گراؤنڈ پر پہلا اور آخری ٹیسٹ میچ ثابت ہوا:۔ ہندوستان نے سخت جدوجہد کے بعد 235 رنز بنائے۔ جبکہ فضل محمود نے زبردست طور پر 62 اوور کیے جن میں صرف 86 رنز کے عوض 4 وکٹ حاصل کیے۔ جواب میں پاکستان نے 9 وکٹوں پر 312 رنز بنا کر ڈیکلیئر کر کے اپنی اننگز ختم کر دی۔ غیر معمولی صلاحیتوں سے بھرپور کم عمر حنیف نے 142 رنز بنا کر اپنی پہلی ٹیسٹ سنچری مکمل کی۔ اس کو حاصل کرنے کے لیے اسے 468 منٹ لگے (آٹھ گھنٹے سے کچھ کم) اور اس طرح میچ کا کام تمام ہوا۔ ہندوستان کے ابتدائی باؤلر امریگر نے پاکستانی اننگز کے دوران 59 اوور کیے اور 74 رنز کے عوض 6 وکٹ حاصل کیے۔ اختتام سے پہلے ہندوستان نے اپنی دوسری اننگز میں بہ مشکل 205 رنز بنائے اور اس کے 5 کھلاڑی آؤٹ تھے۔

پہلے دو ٹیسٹ میچوں کے بے لطف ہونے کے باوجود تیسرے ٹیسٹ کے لیے لوگ لاہور کے باغ جناح میں جوق در جوق اکٹھے ہوئے۔ ہزاروں تماشائی سرحد عبور کر کے میچ دیکھنے کے لیے ہندوستان سے آئے۔ ساڑھے سات سال پہلے ہندوستان کی ہونے والی تقسیم کے بعد یہ پہلا موقع تھا کہ اتنی زیادہ تعداد میں لوگ اُدھر سے اِدھر آئے ہزاروں آنے والے ہندوستانیوں کے لیے سرحد کو کھول دیا گیا اور ویزا کے متعلق تمام سرکاری رکاوٹوں کو ترک کر کے نرم رویہ اختیار کیا گیا۔ دو اسپیشل ریل گاڑیاں ہر روز سرحد سے پار مسافروں کو

لے کر آتی رہیں اور موٹر کاروں کے ذریعے آنے والوں کے لیے خاص اجازت نامے (پرمٹ) بھی جاری کیے گئے۔ پاکستانیوں نے ہندوستانیوں کے لیے اپنے گھروں کے دروازے کھول دیئے اور انہیں رہائش مہیا کی۔ جبکہ سکولوں اور ہاسٹلوں میں ہندوستان سے آنے والوں کے لیے رہائش مختص کر دی گئی۔ ہندو اخبار ٹریبون جو تقسیم سے پہلے لاہور سے نکلتا تھا اور جس نے تقسیم کے بعد امبالہ میں پناہ حاصل کی تھی، یہ دیکھ کر حیران رہ گیا کہ لاہور کا مال روڈ اور انارکلی ہندوستانیوں کے ساتھ بھرے پڑے ہیں اور پاکستانیوں کے ساتھ گلے مل کر ایک دوسرے سے خوشی کا اظہار کر رہے ہیں۔ ان کی آنکھوں میں آنسو تھے اور وہ اپنی پرانی یادوں کو تازہ کر رہے تھے جب وہ ایک ساتھ رہتے تھے۔ ٹریبون کے مطابق بہت سے ہندوستانیوں کو اپنے ان گھروں کو دیکھنے کا اشتیاق تھا جنہیں وہ اگست 1947 کے فسادات کے دوران انتہائی جلدی میں چھوڑ گئے تھے۔ تقسیم کے بعد ابتدائی کوششوں کے برعکس اس دفعہ ہندوستانی متروکہ املاک کے رہائشیوں نے مہمانوں کا نہ صرف استقبال کیا بلکہ انہیں چائے اور کھانے بھی پیش کیے۔ ہندوستان سے آنے والے ایک مہمان کے لیے یہ سب بے حد خوش آئند تھا۔

''ایک نابینا اندرون لاہور میں اپنا آبائی گھر دیکھنے گیا اور دروازے اور دیواروں کو ٹٹولتے ہوئے زاروقطار رو رہا تھا۔ اس گھر کے رہائشیوں نے اسے دلاسہ دیا اور اس کی خاطر تواضع کرتے ہوئے کہا کہ اگر وہ دوبارہ لاہور میں رہنا چاہتا ہے تو وہ اسے بخوشی اس کا مکان واپس کر دیں گے۔ مگر دونوں ممالک کے قوانین اس کے راستے میں حائل تھے اور وہ بادل نخواستہ واپس لوٹ گیا۔''

ایک بار پھر حیرت انگیز طور پر کرکٹ بے کیف تھی۔ نتیجہ نکلنے کا کوئی موقع نظر نہیں آ رہا تھا خاص طور پر جب پاکستانی ٹیم نے 187 اووروں میں سست رفتار 328 رنز بنائے (گپتے (Gupte) نے 73 اوور کیے جن میں 33 میں کوئی رن نہ ہوا اور 133 رنز کے عوض اس نے پانچ وکٹ حاصل کیے۔ پاکستانی انتخاب کرنے والوں نے آف سپنر (Off spinner) میراں بخش کا انتخاب کیا جس کی عمر 47 سال اور 284 دن تھی۔ وہ اتنی زیادہ عمر میں اپنا پہلا ٹیسٹ کھیلنے والا دنیا میں دوسرا کھلاڑی تھا۔[1] عمر رسیدہ میراں بخش نے صفائی سے باؤلنگ کی اور 48 اووروں میں 82 رنز کے عوض 2 وکٹ حاصل کیے۔ اس ٹیسٹ کے بعد وہ اگلا ٹیسٹ بھی کھیلا جس میں اسے صرف 10 اوور کرنے کا موقع ملا اور وہ کوئی وکٹ نہ لے سکا۔ اس کے ساتھ ہی اس کی ٹیسٹ کرکٹ کا اختتام ہو گیا۔ اس میچ کی نمایاں خصوصیت مقصود احمد کے 99 رنز تھے۔ وہ ایسے سکور پر آؤٹ ہونے والا پہلا پاکستانی کھلاڑی تھا اور اس کے آؤٹ ہونے کا طریقہ کار مخصوص انداز میں ہوا (وہ لیگ سپنر گپتے کی گیند پر وکٹ کیپر کے ہاتھوں اسٹمپ آؤٹ ہوا)۔ انگریزی زبان میں عمر قریشی کی کمنٹری سنتے ہوئے ایک کرکٹ کا دلدادہ اِس خبر کی تاب نہ لاتے ہوئے دل کا دورہ پڑ جانے سے انتقال کر گیا۔

پشاور میں کھیلے جانے والا چوتھا ٹیسٹ بھی سست روی کا ایسا شکار ہوا کہ یوں لگتا تھا جیسے کرکٹ کا جنازہ نکل رہا ہے۔ یہ تمام میچوں میں سب سے بے کیف تھا۔ کاردار نے جب ٹاس جیت کر پہلے بیٹنگ کی تو اس کی ٹیم 146.3 اووروں میں 188 رنز بنا سکی۔ ایک بار پھر پاکستانی بیٹسمین گپتے کی باؤلنگ کے سامنے بے حد مشکل کا شکار تھے، اس نے 41.3 اووروں میں 63 رنز کے عوض 5 وکٹ حاصل کیے تھے۔ پھر ہندوستان کے معروف بیٹسمین امریگر نے میچ کو گردن سے پکڑ لیا اور اپنی ٹیم کے سکور میں نمایاں اضافہ کر کے پاکستانی ٹیم سے زیادہ سکور کر دیا۔ مگر کاردار جس نے دورہ کی ابتدا ہی سے منفی حربوں کی مخالفت کی تھی، اب خود منفی ہتھکنڈوں پر اتر آیا تھا۔ اس نے آٹھ فیلڈر لیگ کی طرف لے کر اپنے تیز رفتار باؤلروں کو حکم دیا کہ وہ گیند کو لیگ اسٹمپ کے باہر پھینکیں۔ شجاع الدین جس نے اس تکلیف دہ میچ میں حصہ لیا تھا، نے اسے یوں بیان کیا کہ ''یہ قطعی طور پر کرکٹ نہیں تھی مگر اس سے کوئی فرق نہیں پڑتا تھا۔ جب تک کہ آپ میچ کو ہار نہ جائیں''۔

پاکستان ٹیم 70 رنز کے عوض 4 کھلاڑی آؤٹ ہونے پر لڑکھڑا گئی جس میں حنیف کے 21 رنز بھی شامل تھے جو اس نے 195 منٹ میں کیے تھے۔ ''ماحول بے حد پر اثر تھا اور صورتحال انتہائی گمبھیر ہونے کے ساتھ ساتھ سخت تکلیف دہ تھی۔'' صحافی قمر الدین بٹ نے خبر دی۔ پاکستان کی خوش قسمتی تھی کہ امتیاز احمد نے شاندار کھیل کا مظاہرہ کیا۔ کاردار نے امتیاز کو حکم دیا کہ وہ تحمل اور آرام سے کھیلے۔ مگر اس کے برعکس امتیاز وکٹ پر پہنچا اور جاتے ہی ہندوستانی باؤلنگ پر پل پڑا۔ اس کے باوجود ہندوستان کو جیتنے کے لیے صرف 126 رنز کی ضرورت تھی اور پاکستانی ٹیم کو آؤٹ کرنے کے بعد ابھی اس کے پاس ایک گھنٹہ باقی تھا۔ آج کے نئے دور کی ٹیم کے لیے ان رنز کو بنا ڈالنے کی کاوش روکنا مشکل ہوتی لیکن دفاعی سوچ اس حد تک حاوی ہو چکی تھی کہ ونو منکڈ کی ٹیم نے جیتنے کے لیے رنز بنانے کی کوئی کوشش نہ کی۔ پشاور میچ کے آخری مراحل میں ہندوستان نے 19 اووروں کا سامنا کیا جس میں ان کا سکور 23 تک پہنچ پایا۔ اب صرف کراچی کا ٹیسٹ میچ باقی تھا۔ پاکستان نے جرأت دکھاتے ہوئے یہ آخری میچ وقت کی قید سے آزاد کر کے نتیجہ نکلنے تک کھیلنے کی دعوت دی مگر ہندوستان یہ دعوت قبول کرنے انکار کر دیا۔

## ہندوستان بمقابلہ پاکستان کرکٹ کی خاص امراضیات

صاف ظاہر ہو رہا تھا کہ پاکستان اور ہندوستان کی کرکٹ سے منفرد جذبہ پیدا ہو رہا ہے۔ جو ذہنی خرابی سے پاک تھے، وہ نیم پاگل بن رہے تھے اور جو پہلے ہی سے اذیت میں مبتلا تھے، وہ پاگل پن سے عارضی طور پر اندھے ہو رہے تھے۔

تاریخ کی روشنی میں، نتائج کے خوف کی وجہ سے یہ ٹیسٹ میچ دباؤ کا شکار تھے اور اس دباؤ نے

انہیں پچھاڑ رکھا تھا۔ کرکٹ کے کسی بھی مقابلے میں بشمول انگلینڈ اور آسٹریلیا کے مابین ایشز (Ashes) کے اتنی زیادہ شدت نہیں پائی جاتی۔ کسی نہ کسی طور پر 1947ء کے واقعات یقیناً صرف یادداشت کے طور پر نہیں بلکہ عملاً اثر انداز ہو ہی جاتے ہیں۔

دونوں ملکوں کے درمیان تنازعہ ختم ہونے کی بجائے بدستور رہا۔ نہ ہی پاکستان اور نہ ہی ہندوستان اپنے ماضی سے پیچھا چھڑا سکے ہیں کہ آئندہ مستقبل کے حالات کی بہتری کے لیے راہ میں کوئی دشواری نہ آسکے۔ 1952ء میں جب دونوں ملکوں کے درمیان پہلی ٹیسٹ سیریز ہوئی تو اس وقت تک مسئلہ کشمیر پر ہندوستان اور پاکستان کے درمیان ایک جنگ ہو چکی تھی۔ 53-1952ء اور 55-1954 کی دونوں ٹیسٹ سیریز کھیلتے وقت ان کے پس منظر میں سیاسی رہنماؤں کی دھمکی آمیز تقاریر اور تلواروں کی چھنک موجود رہی۔ ہندوستانی اور پاکستانی فوجی کشمیر کے پہاڑوں میں ایک دوسرے کے سامنے مقابلے کے لیے تیار کھڑے تھے لہٰذا ہندوستان اور پاکستان کے مابین ٹیسٹ میچوں کو ہمیشہ ماضی اور مستقبل کی جنگوں کے تناظر میں دیکھنا چاہیے۔ اس کی بدولت وہ تضاد بھی سمجھ آ جاتا ہے جو شگفتہ مزاج سے عاری ناقابل معافی طریقے سے کھیلے جانے والی کرکٹ اور تماشائیوں کے خوشی سے بھرپور طرز عمل کے درمیان ہوتا ہے اگرچہ کرکٹ کے کھلاڑیوں کو تاریخ کے ادراک نے مفلوج کر رکھا تھا۔ مگر تماشائیوں میں سکھوں مسلمانوں اور ہندوؤں کا سب ہی کا عقیدہ تھا کہ کرکٹ کے ذریعے مفاہمت حاصل کر کے نفرت اور جنگ کو ختم کیا جا سکتا ہے۔

## حوالہ جات:

1 جمیز ساوتھرٹن (James Southerton) نے 49 سال 119 دن کی عمر میں انگلینڈ کے لیے آسٹریلیا کے خلاف سب سے پہلے ٹیسٹ میچ میں 77-1876ء میں کھیل کر ریکارڈ قائم کیا۔ میراں بخش نے راولپنڈی میں کرکٹ کا آغاز کیا۔ جہاں تقسیم سے پہلے نیٹ فیس انگریزوں کو باؤلنگ کرتے ہوئے اس نے اپنے فن کو سیکھا۔ اس کا والد پنڈی کرکٹ گراؤنڈ کا سربراہ گراؤنڈ مین (Groundsman) تھا جہاں میراں بخش اپنے والد کے ساتھ وکٹیں بنانے میں گھنٹوں لگا رہتا اور گراؤنڈ کی دیکھ بھال کے ساتھ ساتھ اپنے سپن باؤلنگ کے فن کو نکھارنے میں بھی لگا رہتا جب وہ 51 سال کی عمر میں کھلاڑی کے طور پر ریٹائر ہوا تو اس نے پنڈی کلب میں گراؤنڈز مین کی حیثیت سے اپنے والد کی جگہ لے لی۔ اور اس کے ساتھ ساتھ وہ تربیتی فرائض بھی انجام دینے لگا۔ بیسویں صدی کے عمر رسیدہ ترین کھلاڑی کی حیثیت میں پہلا ٹیسٹ کھیلنے والے کھلاڑی میراں بخش کا 84 سال کی عمر میں اس وقت انتقال ہوا جب وہ اپنی صبح کی سیر کے لیے نکلا تھا۔

7

# ایک پاکستان امپائر کی تضحیک

ایک چھوٹا جام اور لاؤ لڑکو
آؤ بیگ پر ہلہ بولیں لڑکو
خدا کی لعنت اس گرمی پہ یارو
عجب موسم پشاور کا ہے لڑکو
کیا سمجھتے ہو بیگ خطرناک ہے لڑکو
وہ ہمیں تنگ کرتا ہے لڑکو
نہانا پسند کرے گا وہ لڑکو
کہ گرمی پشاور کی عذاب ہے لڑکو
آؤ ڈھونڈ نکالیں بیگ کو لڑکو
اور اب بڑا جام لاؤ لڑکو!

- ایلن راس (Allan Ross) 11 مارچ 1956ء

ایم سی سی کے خلاف کرکٹ کھیلتے ہوئے اور قسم کی مشکلات تھیں انگلینڈ کرکٹ ٹیم کے موسم سرما کے اس دورے کے دوران انگریز کھلاڑیوں نے ایک پاکستانی امپائر کو اغوا کر لیا تھا۔ اس کی بدولت کئی شبہات غلط فہمیوں شکوک اور مشکلات نے جنم لیا۔ اور آج تک انگریزوں اور پاکستانیوں کے تعلقات میدان پر اور اس کے باہر بدگمانیوں کی بدولت نقصان کا شکار ہو رہے ہیں۔

غیر معمولی طور پر 56-1955ء کے موسم سرما میں پاکستان نے سفر پہ آنے والی دو ٹیموں کا سامنا کیا۔ پہلی ٹیم نیوزی لینڈ کی تھی جو ایسے ملک سے آئی جسے پاکستان میں ہمیشہ قدر کی نگاہ سے دیکھا جاتا ہے۔ تین ٹیسٹ میچوں کے اس سلسلے میں پاکستان کو 2 کے مقابلے میں صفر سے برتری حاصل رہی۔ اور ساتھ ساتھ یہ

بات بھی سامنے آئی کہ پاکستان خوبصورتی اور روانی سے کرکٹ کھیلنے کی اہلیت رکھتا ہے۔ صرف چھ ہفتے بعد ایم سی سی کی بھیجی ہوئی ٹیم کے ساتھ ہونے والے میچوں میں اس سلسلے کو نہ صرف نقصان پہنچا بلکہ ماحول میں نمایاں فرق عیاں تھا۔

ایم سی سی کے اس دورہ کی مکمل کہانی کبھی بیان نہیں کی گئی۔ مگر اب جبکہ ایم سی سی کی دستاویزات جن میں لارڈز کی لائبریری میں پانچ جلد موجود ہیں جنھیں اب آخر کار مہیا کر دیا گیا ہے۔ انکی بدولت اب ممکن ہے کہ وہ راز افشا کیا جا سکے کہ کس نے کس سے کیا کیا تھا اب یقینی طور پر وہ نام لیے جا سکتے ہیں جو اس وقت ملوث تھے۔ اور ان کا کیا کردار تھا اور بے گناہوں کے نام سے دھبہ ہٹایا جا سکے اور دورہ منسوخ ہونے سے بچاتے بچاتے ایم سی سی کے عہدیدار کس اذیت سے گزرے۔

ایم سی سی کی پہلی غلطی یہ تھی کہ اس نے اس سال سردیوں میں ایک اے (A) ٹیم کے نام سے ٹیم کو بھیجا جس سے ظاہر ہوتا تھا کہ انگلینڈ کی نظر میں پاکستانی ٹیم ابھی صرف دوسرے درجہ کی تھی۔[1] صرف چار سال قبل 52-1951ء میں ہندوستان کو پانچ ٹیسٹ میچوں کا مکمل انگلستان کا دورہ دیا گیا تھا۔ 1954ء کی اوول کے میدان میں پاکستان کی زبردست فتح کے بعد پاکستان کی توقع تھی کہ اس کے ساتھ بھی ویسا ہی برابری کا سلوک کیا جائے گا۔ مگر ایم سی سی کو اس سے اختلاف تھا۔

انگلینڈ کی ٹیم کے کپتان ڈی بی کار (D-B-Carr) نے پاکستان پہنچتے ہی یہ بیان جاری کیا کہ "میں انگلینڈ کی سرزمین پر تب تک پاؤں نہیں رکھوں گا جب تک میں اوول کی شکست کا بدلہ نہیں لے لیتا۔ اچھے سکول اور آکسفورڈ یونیورسٹی سے فارغ التحصیل ہونے والے کار (Carr) کے یہ خیالات دوسری جنگ عظیم کے بعد کے برطانیہ سادھی سماجی اور سیاسی سوچ پر مبنی تھے اس کا مدمقابل عبدالحفیظ کاردار بھی آکسفورڈ یونیورسٹی کا ڈگری یافتہ تھا اور وہ جناح کے پاکستان پر فخر اور اخلاقی جرأت کا سرگرم علم بردار تھا۔ بہت کم لوگوں کو یہ احساس تھا کہ ان دونوں کی اخلاقیات میں زمین آسمان کا فرق تھا۔

پہلا سنجیدہ مقابلہ کراچی میں گورنر جنرل الیون کی ٹیم سے چار روزہ میچ تھا۔ گورنر جنرل کی ٹیم میں گیارہ میں سے دس کھلاڑی وہ تھے جنہوں نے انگلینڈ کو اوول کے میدان میں شکست دی تھی۔ یہ سخت مقابلہ تھا جس میں کوئی بھی ٹیم 200 رنز سے زیادہ نہ کر سکی۔ ٹونی لاک (Tony Lock) کی باؤلنگ نے ایم سی سی کو فتح سے ہمکنار کر دیا۔ میٹنگ (Matting) وکٹ پر اسے کھیلنا تقریباً ناممکن تھا۔ اس نے میچ میں 78 اوور کیے جن میں 50 میں کوئی رن نہ ہوا۔ اس نے میچ میں یادگار اعداد شمار اس طرح حاصل کیے کہ 78 اوورں میں 88 رنز کے عوض 11 وکٹ حاصل کر لیے۔[2] ایک موقع پر لاک (Lock) نے لگا تار سترہ اوور کیے جن میں کوئی رن نہ بن سکا۔[3]

بہر حال، مخاصمت کے جذبات تمام دورے کے درمیان موجود رہے ان کی ابتدا میچ کے بعد ایک رسمی ضیافت کے دوران ہوئی۔ مزاح کی کوشش میں کار (Carr) نے اس دور کا حوالہ دیا جب وہ کاردار کے شانہ بشانہ آکسفورڈ یونیورسٹی میں کھیلتا تھا۔ کار نے انکشاف کیا کہ اس وقت کاردار کو ''مشرقی صوفی'' کے نام سے وہاں پہچانا جاتا تھا۔ اس کا کوئی ثبوت نہیں ملتا کہ کاردار جیسے اپنی عزتِ نفس بارے ہمیشہ بے حد احساس رہا، نے اپنے آکسفورڈ میں طالب علمی کے دور میں بھی ایسے جملوں کا خیر مقدم کیا ہو۔ اور اب سات سال گزرنے پر جب وہ یونیورسٹی میں ڈگری حاصل کرنے والا طالب علم بھی نہ تھا اور زبردست کوشش اور شدید جھگڑوں کے نتیجے میں وہ پاکستان ٹیم کا کپتان بنا تھا وہ ایسے فقروں کو ہرگز پسند کرنے والا نہیں تھا۔ کار کا یہ تک کہہ دینا کہ ''بعض اوقات کاردار کو مشرق کی غلطی کا نام بھی دیا جاتا تھا۔'' اور ان کلمات صفت کو یوں دہرانا بے حسی اور بیوقوفی کے علاوہ کچھ نہ تھا۔ مگر مقامی اخبار میں اس بات کی خبر لگ گئی۔ کار کے نزدیک پرانے دو ساتھی کھلاڑیوں کے درمیان یہ ایک معصوم مذاق تھا۔ جبکہ کاردار نے اسے اپنی سخت توہین سمجھا۔ اس کے الٹ اگر دورہ انگلستان کے دوران کسی ضیافت کے دوران کاردار انگلینڈ کے کپتان کا مذاق اڑاتا تو اسے بھی اچھا نہ سمجھا جاتا۔

اس کے بعد ایم سی سی ٹیم شمال کی طرف روانہ ہوئی۔ اور حیدر آباد میں پیر پگاڑا کی ٹیم کے خلاف میچ کھیلا[4] اور بہاولپور میں امیر بہاولپور کی ٹیم کے خلاف مقابلہ ہوا۔ اور کراچی میں کاردار سے کیے گئے مذاق کو بھول گئے۔ مگر کاردار یہ بات بھولنے والا نہ تھا۔ اس نے فلیٹیز (Falettis) ہوٹل میں جہاں دونوں ٹیمیں ٹھہری ہوئی تھیں۔ اور اگلے روز لاہور کا غیر سرکاری ٹیسٹ میچ شروع ہونے والا تھا کھانے کے دوران کار سے ملتے ہی اسے خوب آڑے ہاتھوں لیا۔ اگلے روز ٹاس کرنے جاتے وقت کار نے کاردار سے پچھلی رات کے اس کے برتاؤ بارے وضاحت چاہی تو کاردار نے اس سے اس کی کراچی والی تقریر کی شکایت کی اور کہا کہ ''میں نے اپنی تمام عمر میں اس قدر بیزار کر دینے والی تقریر نہیں سنی تھی۔'' کار نے یہ سن کر کوئی معذرت نہ کی۔ کار نے یہ سن کر جواب دیا کہ ''اگر تم اس تقریر کو ایسا سمجھتے ہو تو سمجھتے رہو۔''

کار کی ٹیم اور بعد میں انگلینڈ سے آنے والی ٹیمیں پاکستان کی محدود سماجی اور اخلاقی اقدار میں پھنس کر صحیح طور پر جواب دینے سے قاصر رہیں۔ انہیں مقامی لوگوں کی گرمجوشی اور مہمان نوازی اچھی نہ لگی اور جب ریلوے اسٹیشنوں پر ان کے مداحوں نے انہیں ہار پہنانے کی کوشش کی تو کھلاڑیوں کا رویہ غیر مہذب تھا۔ برائن کلوز (Brian Close) نے اپنی یادداشتوں میں ایم سی سی کے کھلاڑیوں کا پاکستان مہمان نوازی بارے طرزِ عمل یوں بیان کیا: ''انہوں نے ہمیں اپنے نئے ڈیم دکھائے اور اپنے مقامی محبوب ہیروز جناح اور لیاقت علی خاں کے مقبرے دکھائے۔ وہ ہمیں شکار پر بھی لے کر گئے۔ لیکن ہوٹل ابھی تک مغربی معیار کے نہ تھے اور کھانا ہم سب میں اکثریت کے لیے نامانوس تھا۔''

پاکستان اور ایم سی سی کے درمیان ہونے والے پہلے ٹیسٹ میچ کا یہ پس منظر تھا۔ باغ جناح گراؤنڈ تیس ہزار تماشائیوں سے کھچا کھچ بھرا ہوا تھا مگر چوں کہ دونوں ٹیموں کے کھلاڑی آپس میں بات تک کرنے کے روادار نہیں تھے جس کے نتیجے میں انہیں بے کیف اور تنگ مزاج کرکٹ دیکھنے کو ملی۔ گو کہ ایم سی سی کی ٹیم ٹیسٹ ٹیم کے معیار کی تو نہ تھی مگر اس میں آنے والی دہائی کے مقبول ستارے موجود تھے جن میں برائن کلوز (Brian Close) کین بیرنگٹن (Ken Barrington) فریڈ ٹسٹمس (Fred Titmus) اور ٹونی لاک (Tony Lock) شامل تھے پہلے بیٹنگ کرتے ہوئے ایم سی سی نے رینگتے ہوئے 130 اووروں میں 200 رنز کیے۔ فضل محمود نے 46 اوور کر کے 55 رنز کے عوض 3 وکٹ لیے۔ پاکستانی ٹیم کا سکور اس سے بھی کم رفتار تھا۔ شجاع الدین کے مطابق جو لاہور کا میچ وہ کھیل رہا تھا، ''لاک کی اثر اندازی کو روکنے کے لیے کاردار نے اپنے بیٹسمینوں کو ہدایت کر رکھی تھی کہ وہ اس کے اعتماد کو خراب کرنے کے لیے صرف گیند کو روک کر کھیلتے رہیں۔ لاک کی باؤلنگ کے اعداد و شمار اپنی کہانی خود بیان کرتے ہیں۔ اس نے 77 اوور کیے جن میں 44 میں کوئی رن نہ ہو سکا اور 99 رنز دے کر صرف 3 اہم وکٹ حاصل کیے۔

وزڈن نے اپنے تجزیہ میں بیان کیا کہ ''یہ کرکٹ کی تاریخ کے بدمزہ ترین دنوں میں سے یہ بھی ایک دن تھا۔'' حنیف محمد نے سنچری بنانے میں 525 منٹ صرف کر کے ٹیسٹ میچوں میں سست روی سے سنچری بنانے کا اپنا ہی حالیہ ریکارڈ توڑ ڈالا۔[5] بالآخر حنیف 142 رنز بنا کر آؤٹ ہوا۔ وہ ساڑھے دس گھنٹے سے زیادہ کھیلا تھا اور جب وہ آؤٹ ہوا تو اس کی ٹیم کا سکور 264 تھا۔ یقیناً یہ ایک مشکل صورتِ حال تھی۔ حنیف نے بعد میں اعتراف کرتے ہوئے اپنے کھیل اور اپنے فلسفہ کے بارے ایک بیان میں کہا:۔

''حالات کا تقاضا یہی تھا کہ میں اپنے شاٹ محدود رکھ کر وکٹ پر جما رہوں۔ میرے کپتان کاردار کی بھی مجھے یہی ہدایت تھی کہ میں لاک کی سپن کو کند بنا دوں اور اس کے پر اثر انداز کو ختم کر دوں جس کی بدولت وہ دورہ کے دوران وکٹوں کی لوٹ مار کر رہا تھا۔ لگتا ہے میرے انداز کی یہیں سے ابتدا ہوئی کہ مجھے دیوار بن کر ہر قسم کے باؤلروں کے سامنے کھڑے رہ کر ایک طرف سنبھالے رکھنا ہے۔ باوجود اس کے کہ میرے پاس کھیلنے کے لیے ہر کتابی سڑوک (Stroke) موجود تھا میں صرف دفاعی کھیل پر اپنی مہارت دکھا سکا۔ میرے ملک کو مجھ سے اسی چیز کی ضرورت تھی۔ اور جہاں تک میرا تعلق ہے میری بھی ہمیشہ پہلی ترجیح یہی تھی۔''

وقار جس نے آزادانہ طور پر نیوزی لینڈ کے خلاف رنز بنائے تھے، نے پہلے گیند پر ایک چوکا لگایا مگر اس کے بعد وہ پچاس منٹ تک ایک بھی رن نہ بنا پایا۔ اس نے کُل 62 رنز بنانے میں ساڑھے چھ گھنٹے صرف کیے۔ ایک موقع پر لاک نے دس مسلسل بغیر کوئی رن دیئے اوور کیے جسے تماشائیوں نے انتہائی توجہ اور حیرت سے دیکھا۔ یہ میچ ہار جیت کے بغیر تمام ہوا۔ مگر پاکستان نے پھر ڈھاکہ میں دوسرا ٹیسٹ ایک اننگز اور

دس رنز سے جیت لیا۔ایم سی سی کے کھلاڑی فضل محمود اور خان محمد کے سامنے ٹھہر نہ سکے۔دونوں باؤلروں نے آپس میں 20 وکٹ حاصل کیے فضل محمود نے آٹھ اور خان نے بارہ وکٹ لیے تھے۔

دونوں ٹیمیں اب پشاور پہنچیں۔ ابھی سیریز کا نتیجہ نہیں نکلا تھا۔ پاکستان ایک میچ جیت چکا تھا مگر ابھی دو میچ باقی تھے۔ایم سی سی کی ٹیم جدوجہد کے بعد اپنی پہلی اننگز میں 188 رنز بنا پائی ۔وہ کاردار کی سست فار سپن باؤلنگ کے سامنے نہ ٹھہر سکی۔ کاردار اس وقت اپنے بین الاقوامی کرکٹ کے دور کی بہترین باؤلنگ کر رہا تھا۔ اس نے 40 رنز دے کر 6 وکٹ حاصل کیے تھے۔مگر اس کے باوجود انگلینڈ کی ٹیم امپائرنگ پر ناراض تھی۔امپائر ادریس بیگ اس طرف کھڑا تھا جس طرف سے کاردار باؤلنگ کر رہا تھا اس نے تین ایل بی ڈبلیو کی اپیلوں پر کھلاڑیوں کو آؤٹ قرار دیا جو انگلینڈ کی نظر میں ناجائز فیصلے تھے۔ دن کے آخری لمحات میں ناانصافی کا احساس اس وقت اور بھی محسوس ہوا جب پاکستان کے اوپننگ بیٹسمین علیم الدین کے پیڈوں پر لاک کا گیند اس وقت لگا جب وہ پیچھے ہٹ کر عین وکٹوں کے سامنے تھا۔اخبار ڈیلی مرر (Daily Mirror) میں برائن چپ مین (Brian Chapman) کے مطابق، ''انگریزوں کی زوردار اپیل ہاؤزیٹ (Howzat) کی گونج سے درۂ خیبر کے پہاڑ بھی گونج اٹھے تھے مگر ادریس بیگ کے چہرے پہ اتنی زوردار اپیلوں جن سے کان کے پردے پھٹ جاتے، کوئی اثر نہ ہوا۔ وہ بدستور پرسکون تاثر کے ساتھ کھڑا رہا۔

لیکن ابھی سب کچھ ختم نہیں ہوا تھا۔لاک کی شاندار باؤلنگ کی بدولت پاکستان 152 رنز پر آؤٹ ہو گیا تھا۔انگلینڈ کو 36 رنز کی برتری حاصل تھی۔ لاک نے 33 اوور کیے جن میں 23 اووروں میں کوئی رن نہ ہوا۔اس نے 44 رنز کے عوض 5 وکٹ حاصل کیے تھے۔اس کے بعد کاردار کی باؤلنگ کے سامنے ایم سی سی ٹیم دوبارہ پھر ٹھہر نہ سکی۔اور 111 رنز بنا کر آؤٹ ہوگئی۔کاردار نے 31 اوور کیے جن میں 22 میں کوئی رن نہ ہوا اور اس نے 26 رنز کے عوض 5 وکٹ لیے تھے۔ پاکستان کو اب میچ جیتنے کے لیے 148 رنز درکار تھے جو کوئی لاحاصل مرحلہ نہیں تھا۔حنیف اور علیم الدین نے پاکستان کی طرف سے آغاز کرتے ہوئے 67 رنز بنائے۔

تیسرے دن کے کھیل کا وقت ختم ہونے تک پاکستان کو جیتنے کے لیے صرف 8 رنز کی ضرورت تھی اور اس کے ابھی صرف دو کھلاڑی آؤٹ ہوئے تھے۔کھیل ختم ہونے کے بعد کھلاڑی گراؤنڈ سے تھوڑے فاصلے پر واقع ڈینز ہوٹل (Dean's Hotel) آگئے۔ یہ وہی ہوٹل تھا جو 30 سال بعد مغربی صحافیوں کے لیے افغانستان پر روسی حملے کے دوران مرکز بنا رہا۔اب ہوٹل کو گرا کر وہاں مارکیٹ بنا دی گئی ہے۔

کھلاڑیوں نے ہوٹل کے سبزہ زار پر دوپہر کی چائے پی اور پھر وہ پشاور کرکٹ ایسوسی ایشن کی طرف سے دیئے جانے والے عشائیے میں شرکت کے لیے تیار ہونے اپنے اپنے کمروں میں چلے گئے۔اس عشائیے میں یہ سب مہمان خصوصی تھے۔ یہ عشائیے سہولت کے طور پر ڈینز ہوٹل میں ہی منعقد ہو رہا تھا۔مگر

عشائیے میں شراب کا انتظام نہیں تھا لہٰذا جنہیں شراب پی کر اپنی پیاس بجھانا تھی، انہیں یہ کام عشائیے پر جانے سے پہلے کر لینا تھا۔ تقریباً پونے سات بجے سے ایم سی سی کے کھلاڑی ضیافت میں جانے کے کوٹ پہنے یارک شائر (Yorkshire) سے تعلق رکھنے والے بلی سٹکلف (Billy Sutcliffe) جو ٹیم کا نائب کپتان اور انگلینڈ کے عظیم بیٹسمین ہربرٹ سٹکلف (Herbert Sutcliffe) کا بیٹا تھا، کے کمرے میں جمع ہونا شروع ہو گئے تھے۔[6] شراب کے دور کے دوران حوصلے بلند تھے اور سٹکلف کے کمرے میں بیئر (Beer) کے جام پیتے ہوئے ادریس بیگ کو پانی میں شرابور کرنے کا منصوبہ بنایا گیا۔

ضرورت ہے کہ اس منصوبے کے پیچھے جو محرکات تھے ان کا صحیح طور پر جائزہ لیا جائے۔ میچوں کے درمیان ایم سی سی کے کھلاڑیوں کے لیے وقت گزارنا دشوار تھا۔ انہوں نے شرارتاً ایک دوسرے پر پانی پھینکنے کا عمل شروع کر دیا جسے وہ ''پانی سے علاج'' کہنے لگے۔ بعض اوقات وہ ایک دوسرے پہ پانی والے پستولوں کے ذریعے پانی پھینکتے مگر زیادہ تر پانی بالٹیوں سے پھینکا جاتا۔ آج یہ بچگانہ حرکت معلوم ہوتی ہے مگر وہ 1950ء کی دہائی تھی جو طلبہ کی شرارتوں کے دَور کے ساتھ ساتھ معصومیت کا زمانہ تھا۔

کیا وجہ تھی کہ بیگ ان کے نشانے کی زد میں آ گیا؟ صرف یہی نہیں تھا کہ ایم سی سی ٹیم کو اس کے فیصلے ناپسند تھے۔ مرزا ادریس بیگ کی شخصیت اس قسم کی تھی کہ وہ کھیل کے میدان میں اپنے آپ کو نمایاں کرنے کا شوقین تھا۔ ایک دفعہ وہ کراچی کے کسی عوامی میدان میں کرکٹ میچ کی امپائری کر رہا تھا کہ ایک یونہی کھڑے ہوئے تماشائی جس کا بعد میں علم ہوا کہ اس کا تعلق پٹھان قبیلے سے تھا، نے پچ پر چلنے کی جسارت کر ڈالی۔ بیگ نے اسے فوراً حکم دیا کہ وہ میدان سے نکل جائے۔ اس پر راہگیر تماشائی نے اپنا کوٹ کھول کر چاقو نکالا اور خوفزدہ امپائر کے پیچھے میدان میں دوڑنے لگا یوں لگتا تھا جیسے یہ سین کسی چارلی چیپلن فلم کا تھا۔ بیگ نے ایک مرتبہ جیفری ہاورڈ (Geoffrey Howard) سے کہا کہ ''تمہیں یہ بات سمجھ لینی چاہیے کہ بہت سے تماشائی صرف مجھے امپائرنگ کرتے دیکھنے آتے ہیں۔''

تین ہفتے قبل ڈھاکہ میں اپنی رہائش کے دوران اچانک ادریس بیگ کا گزر اس طرف سے ہوا جہاں ایم سی سی کے کھلاڑی ایک دوسرے پر پانی پھینکنے میں پورے زور شور سے لگے ہوئے تھے۔ اسے کہا گیا کہ ''تمہیں بھی ایک روز اسی طرح پانی کا مزہ چکھایا جائے گا۔'' اسی لمحہ سے یہ خیال کئی انگریز کھلاڑیوں کے ذہن پر سوار ہو گیا تھا۔ اس بات سے قطع نظر کہ ای سی سی کے کھلاڑی ادریس بیگ کی امپائرنگ کو متعصب سمجھتے تھے مگر اس کے علاوہ اس کی شخصیت اور انداز میں کچھ ایسی بات تھی کہ خواہ مخواہ اسے چھیڑنے اور تنگ کرنے کو جی چاہتا تھا۔ جیسے جیسے کھلاڑی بلی سٹکلف (Billy Sutcliffe) کے کمرے میں بیئر (Beer) پی رہے تھے۔ انہیں فکر ہوتی جا رہی تھی کہ اگر ادریس بیگ کراچی کے آخری ٹیسٹ میچ میں امپائر نہ بنا تو کہیں یہ نہ ہو کہ وہ

اسے دوبارہ نہ دیکھ پائیں۔ اس لیے ان کے پاس غالباً اب یہی ایک آخری موقع تھا اس لمحہ تک ایم سی سی کے کھلاڑیوں کے ذہن میں ادریس بیگ کو اغوا کرنے کا خیال نہیں آیا تھا۔ اب تک انہیں صرف یہ امید تھی کہ وہ ضیافت کے بعد پاکستان امپائر کو دوستانہ ماحول میں سٹکلف کے کمرے میں گپ شب اور کچھ پینے پلانے کے لیے مدعو کریں گے اور پھر وہیں اس پر پانی ڈال کر اسے شرابور کر دیا جائے گا۔ پانی میں بھگو ڈالنے کی تیاری کے لیے برائن کلوز (Brian Close) کہتا ہے، ''دو بڑے بڑے دیگچہ نما برتن سے پانی سے بھرے گئے اور انہیں چھت کے برابر رکھ دیا گیا۔''

مگر ضیافت کے اختتام پر بیگ کو دعوت دی گئی تو اس نے یہ کہہ کر انکار کر دیا کہ وہ واپس اپنے ہوٹل جانے کو ترجیح دے گا۔ اس وجہ سے منصوبہ تبدیل کرنا پڑا۔ ایک جنگی مجلس کی طرح کیے گئے اجلاس میں فیصلہ کیا گیا کہ کھلاڑیوں کا ایک وفد ادریس بیگ کے پاس بھیجا جائے جو اسے اٹھا کر لے آئیں۔ کوئی سات کھلاڑی گھوڑا تانگوں پر سوار ہو کر گراؤنڈ کے قریب ہی سروسز ہوٹل پہنچے جہاں ادریس بیگ اور پاکستان ٹیم ٹھہرے ہوئے تھے۔

اس مہماتی گروہ کے سردار انگلینڈ کا کپتان ڈونلڈ کار (Donald Carr) اور اس کے ساتھیوں میں نائب کپتان بلی سٹکلف برائن کلوز۔ ہیرلڈ سٹیفنز (Harold Stephenson) کین برنگٹن (Ken Barrington) اور رائے سویٹمین (Roy Swetman) شامل تھے۔[7] بیرنگٹن اور سویٹمین دونوں کو پہلی اننگز میں ایل بی ڈبلیو (LBW) دے کر ادریس بیگ نے آؤٹ کر رکھا تھا۔ انگریز کھلاڑی جنہوں نے چہروں کو نقاب کے ذریعے چھپا رکھا تھا، نے ادریس بیگ کو آ کر ڈھونڈ نکالا جو اب بھی ضیافت کے لباس میں ملبوس تھا اور اسے دبوچ کر منہ بند کر دیا۔ ایک چشم دید گواہ کے مطابق انگریز کھلاڑیوں نے بلا مبالغہ اسے اٹھا کر سیڑھیوں کے ذریعے نیچے سڑک پر لایا اور اسے تانگے پر لاد کر خود تانگہ دوڑاتے ہوئے ڈینز ہوٹل لے گئے۔ بیچارے بیگ کی تانگے سے لٹکتی ہوئی ٹانگیں تمام راستہ گھسٹتی رہیں۔

سروسز ہوٹل سے ڈینز ہوٹل تک کا سفر زیادہ نہ تھا۔ پیدل چلتے تو مسافت پندرہ منٹ کی تھی اور تانگے پر شاید یہ مسافت صرف پانچ منٹ کی تھی۔ برائن کلوز کے مطابق ڈینز ہوٹل پہنچنے پر بیگ نے فرار ہونے کی کوشش کی۔ ''اچانک اس نے دوڑ لگا دی اور میں اور کپتان کار اس کے پیچھے لپکے۔ کپتان کار نے رگبی کی روایتی جست سے باغ میں ادریس بیگ کو قابو کر لیا۔'' گو یہ بیان منظر کی خوب تصویر کشی کرتا ہے۔ مگر اسے جھوٹ کے طور پر فراموش کر دینا چاہیے۔ کسی اور بیان میں اس کا ذکر نہیں ملتا کہ ادریس بیگ نے اس رات فرار ہونے کی کوشش کی تھی۔ اور مجھ سے ڈونلڈ کار نے پرزور الفاظ میں اس بات کی تردید کی کہ اس نے بیگ پر کوئی جست لگا کر اسے قابو کیا تھا۔

ہوٹل پہنچنے پر بیگ کو بلی سٹکلف کے کمرہ میں لے جایا گیا[8] جہاں ابتدائی طور پر شراب نوشی ہوئی تھی اور اسے اس کرسی پر بیٹھ جانے کو کہا جو چھت سے لگی روشنی کے اس حصہ کے نیچے تھی جہاں پانی سے بھرے برتن منتظر تھے۔ دورہ پہ آنے والی ٹیم کے تقریباً نصف کھلاڑی اکٹھے ہو چکے تھے۔

اپنی سوانح عمری میں کین برنگٹن دو کھلاڑیوں کو اس واقعہ سے ملوث ہونے سے بری الذمہ قرار دیتا ہے۔ ایک ٹونی لاک (Tony Lock) تھا جو اپنے کمرے میں سو رہا تھا اور دوسرا موریس ٹامپکن (Maurice Tompkin) تھا جو غالباً اپنی بیماری کی ابتدائی تکلیف سے دوچار تھا جس نے بالآخر ایک سال سے کم عرصے بعد 37 سال کی عمر میں اس کی جان لے لی۔ جیفری ہاورڈ کی طرف سے رانی ائیرڈ (Ronnie Aird) کو 5 مارچ کو بھیجی جانے والی تار سے کچھ مزید سراغ سامنے آتے ہیں۔ تار کا مضمون یوں تھا، ''سوائے پیٹر ہینٹس (Peter Hants) ٹونی، اے موس (A.Moss) ایلن ویلش (Allan Welsh)، فریڈ، آئن، باقی تمام کم و بیش طور پر ملوث ہیں۔ موسم کافی بہتر ہو گیا تھا اور اشاروں سے آج لگتا ہے کہ آئندہ سکون رہے گا۔''

تار کے اس دیدہ دانستہ مبہم مضمون سے اخذ کیا جا سکتا ہے کہ پٹر سپنز بری (Peter Sainsbury) جو ہمپشائر (Hampshire) کا کھلاڑی تھا۔ ٹونی لاک، ایلن موس، ایلن واٹکنز، گلیمورگن سے کھیلنے والا فریڈ ٹٹمس (Fred Titmus) اور آئن تھامس (Ian Thomas) جو سکس (Sussex) کا تیز رفتار باؤلر بذریعہ ہوائی جہاز مائیک کوون (Mike Cowan) کے زخمی ہونے پر متبادل کے طور پر بلایا گیا تھا، پندرہ کھلاڑیوں کی ٹیم میں بے گناہ تھے اور اگر بیرنگٹن کے بیان پر ٹامپکن کو بھی بری الذمہ قرار دے دیا جائے تو پھر آٹھ قصوروار رہ جاتے ہیں۔ کار (کپتان) سٹکلف (نائب کپتان) رچرڈسن، کلوز، سویٹ مین، سٹیفنس، پارکس اور بیرنگٹن۔

یہاں انگلینڈ کے کپتان ڈونلڈ کار سے قصہ سنتے ہیں کیوں کہ وہ نہ صرف واقعہ کا گواہ ہے بلکہ اس میں شریک بھی تھا:۔

''ہم نے اسے خاص اس کرسی پر بیٹھنے کے لیے کہا تا کہ کلوز اور سویٹ مین اس سے نظر بچا کر دیوار کے پیچھے چھپ جاتے۔ میں نے اس سے کہا ''ادریس تم شراب پینا پسند کرو گے؟ ''نہیں'' اس نے جواب دیا، ''میں شراب نہیں پیتا''۔ دیوار میں دو سوراخ تھے اور دونوں میں پانی سے بھرے برتن رکھے تھے۔ اس نے کہا، ''میں پانی کے سوا اور کچھ نہیں لوں گا۔'' اس پر میں نے کہا کہ ''لو پھر یہ آیا پانی۔'' میں کہے بغیر رہ نہیں سکتا کہ کیا شاندار نشانہ تھا۔ برتنوں میں سے پانی سیدھا اس پر گرا اور وہ شرابور ہو گیا۔''

کار کے مطابق یہ سب جو وہاں موجود تھے، ان کے لیے بے حد مزاحیہ ماحول تھا۔ کار دعویٰ کرتا ہے کہ بیگ جلد ہی صدمہ سے باہر نکل آیا اور مزاح کو سمجھ گیا۔

امپائر کو اغوا ہوتے وقت ایک پاکستانی کھلاڑی نے دیکھ لیا تھا، لہٰذا خبر پھیل گئی۔ خان محمد سمیت

تلاش کنندگان کی ایک جماعت ڈینز ہوٹل پہنچی اور سٹکلف کے کمرے اندر گھس گئی۔ [9] کار نے بعد میں اپنے دفاع میں بیان دیا کہ "بیگ جو ابتدائی طور پر مزاح کی حس سمجھ رہا تھا اچانک اس کے لیے یہ مذاق بے معنی اور بے محل بن گیا۔ پاکستانی کھلاڑیوں نے اس کی تذلیل ہوتے دیکھ لی تھی اور وہ اس پر قہقہے لگا رہے تھے۔ بیگ طیش میں ڈینز ہوٹل سے نکل کر بی سی سی پی (BCCP) کے سیکرٹری گروپ کیپٹن چیمہ کی تلاش میں چلا گیا۔

وہ اسے ڈھونڈتے ڈھونڈتے ہوائی فوج کے افسران کے میس (Mess) میں جا پہنچا جہاں چیمہ، کاردار، جمشید مارکر [10] اور عمر قریشی [11] مے نوشی میں منہمک تھے۔ آخری الذکر دونوں اس دور کے پاکستان کے ریڈیو پر مشہور ترین کرکٹ کمنٹیٹر تھے۔ چیمہ اور کاردار دونوں باہر نکل کر بیگ سے ملے جو اس وقت بے حد پریشان اور غصے کے عالم میں تھا اس کی کہانی سننے کے فوراً بعد وہ ڈینز ہوٹل کی طرف روانہ ہو گئے۔ ان کے ساتھ پاکستانی ٹیم کے منیجر محمد حسین [12] بھی تھا، دونوں کمنٹیٹر اور ہوائی فوج کے کچھ افسران جو اس وقت وہاں میس کے شراب خانہ میں موجود تھے بھی ساتھ چل پڑے۔

ڈینز ہوٹل میں ایم سی سی کھلاڑی اپنے جشن میں مشغول تھے۔ یہاں اب کاردار بیان کرتا ہے:

"مجھے گروپ کیپٹن چیمہ نے کار کو اس کے پاس لانے کے لیے کہا کیوں کہ وہ اس سے بات کرنا چاہتا تھا۔ میں چوں کہ کار کو اپنے آکسفورڈ کے دنوں سے جانتا تھا تو میں اس کے کمرے میں چلا گیا اور اس سے مخاطب ہوا کہ ڈونلڈ باہر آؤ میں نے تم سے کوئی بات کرنی ہے۔ ڈونلڈ کار نے مجھے تلخی سے جواب دیا کہ کس لیے بات کرنی ہے؟ جو کہنا ہے یہیں کہو۔" جیسے ہم باہر آئے تو میں نے اس سے کہا" میں نے تم سے جو کہنا ہے اس کا تعلق تم سے ہے اور تم جانتے ہو کہ تم مصیبت میں پھنس گئے ہو۔ بہتر ہے کہ تم ہم سے اس بارے میں بات کر لو۔" اس وقت بھی ڈونلڈ کار صورتحال کی سنجیدگی کو سمجھ نہیں پایا تھا اور اس نے احساس برتری سے جواب دیا، "میرے مینیجر سے بات کرو۔" چیمہ نے جواب دیا،" ہاں ہم منیجر سے بات کریں گے مگر تمہارے لیے بہتر ہوگا کہ تم بھی وہاں موجود ہو کیوں کہ تم نہ صرف ٹیم کے کپتان ہو بلکہ تم بھی واقعہ میں ملوث ہو۔"

اس کے بعد جیفری ہاورڈ کے ہوٹل کے کمرہ میں ایک نجی اجلاس ہوا۔ ایم سی سی کی نمائندگی ہاورڈ، کار اور سٹکلف نے کی اور پاکستان کی نمائندگی کاردار فضل محمود اور محمد حسین نے کی۔ کار اور سٹکلف کا کچھ دیر تک یہی موقوف تھا کہ واقعہ میں کوئی زیادہ خرابی نہیں ہوئی۔ بلکہ انہوں نے یہ بھی کہہ دیا کہ ادریس بیگ تو اس چھیڑ چھاڑ سے محظوظ ہوا تھا۔ چیمہ کا موقف ان سے مختلف تھا۔ اس کے خیال میں جب ایم سی سی نے ادریس بیگ کی آواز بند کر کے جب اسے اغوا کیا اور پھر اس سے بدسلوکی کی تو انہوں نے نہ صرف شرافت کی حدود کو پامال کیا بلکہ انہوں نے کرکٹ کی مجوزہ روایت کو بھی توڑا ہے جس کی رو سے ہمیشہ امپائر کی عزت کی جاتی ہے۔ جب ادریس بیگ کو بلا کر اسے اپنی کہانی بیان کرنے کا کہا گیا تو اس نے یہ دھمکی دے کر

کہ وہ ''ایم سی سی کھلاڑیوں کے خلاف اس سے مار پیٹ کرنے کا مقدمہ کرے گا۔'' ماحول کو اور زیادہ الجھن میں ڈال دیا۔ اس کشمکش میں آدھی سے زیادہ رات گزر گئی تھی۔

جب چیمہ کا صبر اور تحمل لبریز ہوگیا تو اس نے ایم سی سی کو دھمکی دی۔ ''حضرات میرا خیال ہے کہ آپ کو اس کا احساس نہیں ہے کہ آپ نے کیا کر دیا ہے۔ ادریس بیگ کے بیان کے سامنے آپ یہی کہے جا رہے ہیں کہ آپ نے کچھ غلط نہیں کیا۔ چوں کہ آپ اپنی اتنی بڑی غلطی ماننے کے لیے تیار نہیں ہیں۔ تو میرا مشورہ یہ ہے کہ آپ اپنا سامان باندھیں اور گھر لوٹ جائیں۔'' جیفری ہاورڈ نے جواب دیا کہ ''آپ ہم سے ایسا نہیں کر سکتے۔'' اس پر چیمہ کا مہلک جواب تھا کہ ''ہم نے دعوت دے کر آپ کو بلایا تھا مگر جب آپ پاکستان کے کرکٹ بورڈ کے افسر کے ساتھ مار پیٹ کر کے بدتمیزی کریں گے تو ہم آپ کو واپس بھی بھیج سکتے ہیں۔'' آخرکار کار (Carr) ادریس بیگ اور پاکستان کرکٹ بورڈ کے نام معافی نامہ کے خطوط لکھنے پر رضا مند ہوگیا۔ کار کا 26 فروری کا بنام بی سی سی پی (BCCP) خط جو ہاورڈ کے کمرے میں ہونے والے اجلاس کے فوری بعد لکھا گیا تھا یوں صفائی پیش کرتا ہے:۔

''میرے سمیت ایم سی سی کے کچھ کھلاڑیوں کو اپنے ہوٹل میں ایک تفریحی محفل کے دوران سوجھا کہ ہمیں مذاق کے طور پر جناب ادریس بیگ کے غیر معمولی مہمانداری کرنا چاہیے۔ اس کا انداز یہ تھا کہ ہم نے کچھ چھیڑ چھاڑ کرنا تھی مگر بدقسمتی یہ معاملہ ہاتھوں سے نکل گیا جس کی وجہ سے اس سے کسی حد تک دھینگا مشتی ہوئی جس کے نتیجے میں وہ یہ سمجھ نہ پایا کہ اس تمام معاملے کے پیچھے کیا جذبہ تھا۔''

جب صبح کے 3 بجے کے قریب ہاورڈ اور کاردار اجلاس سے باہر نکلے تو باہر صحافی ان کے منتظر تھے۔ تین برطانوی صحافی میچ کی خبروں کے لیے پشاور میں موجود تھے News Chronicle[13] کا کرافورڈ وہائیٹ (Crawford White) ڈیلی مرر کا برائن چیپمین (Brian Chapman) اور ڈیلی ٹیلی گراف[14] کا ران رابرٹس (Ron Roberts) اور ایک پاکستانی صحافی عمر قریشی بھی موجود تھا۔

پھر جو ہوا سے پریس کانفرنس تو نہیں کہا جا سکتا بلکہ دورے کی انتظامیہ اور پریس کے درمیان ایک غیر رسمی گفت وشنید ہوئی کہ بیگ کے واقعہ کو کس طرح پیش کرنا چاہیے۔ کرکٹ کے دوروں کا احوال اس دور میں اخبارات اور دوسرے ذرائع کے ذریعہ آج کے مقابلے میں کہیں زیادہ آگاہی دیتا تھا۔ اس کے علاوہ ایک اور رواج بھی تھا کہ میدان کے باہر کے انداز اور اخلاقی عادات ہر ایک کا ذاتی معاملہ تصور ہوتے تھے۔

ران رابرٹس (Ron Roberts) جس پر بعد میں پاکستانیوں نے یہ الزام لگایا کہ بیگ پر کیے گئے حملہ میں وہ بھی شامل تھا، نے دراصل اس بات کی وکالت کی تھی کہ واقعہ کی کہانی کو دبا دیا جائے۔ چیپمین (Chapman) کا جواب تھا کہ صحافیوں کا اپنے اخبارات کے لیے فرض بنتا ہے۔ اس موقف کو عمر قریشی

کی حمایت بھی حاصل تھی۔ اس کا خیال تھا کہ ہوٹل میں بہت سے لوگ موجود تھے اور کہانی کا افشا ہو جانا یقینی تھا اس لیے بہتر ہے کہ ہم واقعہ کی محتاط روائیداد خود لکھ دیں اور پھر دوسرے صحافی اس کی جو کہانی چاہیں بنالیں۔

یہ دانشمندانہ سوچ تھی۔ اردو اخبارات میں یہ خبر تیزی سے گردش کر رہی تھی کہ ادریس بیگ کو اغوا کر لیا گیا تھا۔ زیادہ فروخت ہونے والے اردو اخبار نوائے وقت نے خبر دی کہ ''گزشتہ شب ایک افسوناک واقعہ رونما ہوا جس سے نہ صرف پوری دنیا سکتہ میں آجائے گی بلکہ کرکٹ کے باوقار کھیل کو بھی دھچکا لگے گا۔'' خبر نے مزید بیان کیا کہ انگلینڈ کی ٹیم نے ادریس بیگ کو سروسز ہوٹل سے اغوا کر کے اپنے ہوٹل لے جا کر تشدد کا نشانہ بنایا۔ کہا جاتا ہے کہ ایم سی سی کے کھلاڑیوں ادریس بیگ کو زبردستی شراب پلائی جس لعنت سے وہ تمام عمر دور رہا تھا۔ اس کے بعد پانی ڈال کر اسے شرابور کر دیا گیا۔ آنے والے دنوں میں ایم سی سی کے کھلاڑیوں کے اور بھی بدتمیزی واقعات سے پردہ اٹھا جنہیں ابھی تک مخفی رکھا ہوا تھا۔ رسالہ ٹائم نے اگلے ہفتے کے شمارے میں ''Just Banter, Old Boy'' کے عنوان میں چند واقعات کا حوالہ دیا:

''برطانوی تمدن کی اسی زور شور سے برآمد کی گئی جس طرح انگریزی حکومت کے دور میں ہوا کرتی تھی۔ متانت کی علم بردار قدیم میری لیبون کرکٹ کلب کے کھلاڑیوں نے اس موسم سرما میں پاکستان کے دورے کے دوران کراچی کے ہوٹل کے کچھ ملازمین سے دست درازی کی۔ ہوٹل کے مینیجر نے مصلحت سے کام لیتے ہوئے صرف یہ کہنے پہ اکتفا کیا کہ وہ صرف چھیڑ چھاڑ تھی اس کے بعد خلوص کے یہ سفیر ڈھاکہ پہنچے جہاں انہوں نے ہوٹل کے مہمانوں پر سوڈا واٹر کی بارش کی۔ جسے مہذب اور شائستہ پاکستانیوں نے ہنس کر ٹال دیا کہ یہ صرف نوجوانوں کی شرارتیں ہیں۔ پچھلے ہفتے پاکستانیوں نے ہنسنا بند کر دیا۔''[15]

جیفری ہاورڈ اور ایم سی سی نے ان داستانوں کی حقیقت سے انکار کیا[16] مگر دنیا کی کوئی طاقت ان خبروں کو پھیلنے سے نہ روک سکی۔ جلد ہی پاکستانیوں کے مزاج میں انگریزوں کے لیے تناؤ پیدا ہو گیا۔ پشاور میں سرکاری طور پر انگریز کھلاڑیوں کو محافظ مہیا کر دیئے گئے۔ چھ اسلحہ بردار محافظ برائن کلوز اور دوسرے کھلاڑیوں کے ساتھ ساتھ رہے جب وہ گاف کھیل رہے تھے۔

لاہور میں نوائے وقت نے لکھا کہ ادریس بیگ کے ''واقعہ نے نہ صرف لاہوریوں کے خون کو کھولا دیا ہے بلکہ تمام دن شہر میں اسی واقعہ پر قیاس آرایاں ہوتی رہیں۔'' ایک پر احتجاج جلوس نکالا گیا جس میں مطالبہ کیا گیا کہ ادریس بیگ کو اذیت پہنچانے اور بے عزت کرنے کے بدلے انگریز کھلاڑیوں کے خلاف اقدام کیے جائیں۔ مظاہرین نے کتبے اٹھا رکھے تھے جن پر لکھا تھا، ''ایم سی سی واپس جاؤ' اور ''پاکستان کرکٹ ٹیم زندہ باد''۔ برطانوی ڈپٹی ہائی کمشنر نے اپنے دفتر کی اس خوف سے تالہ بندی کر دی کہ کہیں اس پر حملہ نہ ہو جائے۔[17]

ادھر پشاور میں غصے سے بھرے طلبا ''شرم شرم'' کے نعرے لگا رہے تھے، جب آرام کے دن کے بعد کھیل شروع ہوا۔ جونہی پاکستان نے میچ جیتا تماشائی گراؤنڈ کے باہر اکٹھے ہو کر نعرے بلند کرنے لگے ''ایم سی سی واپس جاؤ''۔ پولیس کے ایک دستہ نے ایم سی سی ٹیم کو بحفاظت ہوٹل پہنچا دیا۔ ادھر ادریس بیگ بازو کو پٹی میں لٹکائے قومی ہیرو بن چکا تھا۔

کینٹ (Kent) کے بیل مونٹ پارک (Belmont Park) سے لارڈ ہیرس (Lord Harris) نے ایک غصے سے بھرپور خط لکھا۔ یہ اسی لارڈ ہیرس کا بیٹا تھا جو بمبئی کا گورنر رہ چکا تھا اور جس کے بارے میں عام طور پر (گو کہ غلط طور پر) مشہور ہے کہ اس نے برصغیر ہند میں کرکٹ کو متعارف کروایا تھا۔ لارڈ ہیرس نے خط میں لکھا کہ ''میں یہ سوچ کر کانپ جاتا ہوں کہ میرے والد کا اس پر کیا ردعمل ہوتا۔ مگر مجھے ذرا بھر شک نہیں کہ وہ کیا کرتے۔ وہ ایم سی سی ٹیم کو فوری طور پر واپس گھر جانے کا حکم صادر کر دیتے۔''[18]

دوسرے خطوط لکھنے والوں نے زیادہ بیباکی اور سچائی سے لکھا، ''کیا یہ انگریزوں کی تہذیب وتمدن کے منہ پر ایک بدنما داغ بن کر نہیں رہے گا؟'' یہ شکایت مرزا ساجد علی بیگ نے حیدر آباد سے کی۔ ''پچھلی صدی میں بننے والی انگریزوں کی برداشت۔ اخلاقی اصول پرستی اور مخلصانہ شہرت کو چند برائے نام تہذیب رکھنے والے کھلاڑیوں کی وجہ سے سخت نقصان ہوا ہے۔ بہت سے پاکستانی ایم سی سی کے نقطہ نظر سے سخت ناراض تھے جیسے ڈیلی ٹیلی گراف کا اخبار نویس ران رابرٹس انتہائی تندہی سے اجاگر کر رہا تھا کہ ''ادریس بیگ صرف ایک معمولی سے معصوم مذاق کا نشانہ بنا تھا۔'' اخبار نوائے وقت کے لیے لندن سے لکھی جانے والی خبر نے انگریزوں کی منافقت کو یوں واضح کیا۔

''اخبارات نے ایم سی سی کے کھلاڑیوں کے ڈرانے دھمکانے کے اقدام کو محض چھیڑ خانی کے طور پر پیش کر کے غلط کیا ہے۔ میں انگریزوں کو کھلاڑی نہیں سمجھتا۔ جب وہ کوئی میچ جیت لیتے ہیں تو اپنے آپ کو اونچا سمجھنے لگتے ہیں مگر اگر میچ یا مقابلہ ہار جاتے ہیں تو لڑنا شروع کر دیتے ہیں۔ اور کبھی موسم کو مورد الزام ٹھہراتے ہیں تو کبھی امپائر کو۔ انہیں جب آسٹریلیا سے شکست ہوئی تو تب بھی وہ امپائروں سے لڑے تھے اور یہی قصہ ویسٹ انڈیز میں بھی ہوا تھا۔''[19]

اس تنقید میں وہ سچائی تھی جسے اکثر انگریز ماننے کو تیار نہ تھے۔ تاہم دورہ پر جانے والا مینیجر جیفری ہاورڈ ہمدردی کا مستحق ہے۔ اس کے روزانہ لکھے گئے خطوط بنام ایم سی سی سیکرٹری رونی ایئرڈ (Ronnie Aird) محفوظ کر لیے گئے ہیں۔ ان خطوط کو عام ڈاک کی بجائے برطانوی ہائی کمیشن کے سفارتی تھیلے کے ذریعے بھیجا جاتا تھا۔ ان خطوط میں تنہائی اور اکیلے پن کا انتہائی احساس ملتا ہے ہاورڈ کا پہلا خط بنام ایئرڈ کیم مارچ کو واقعہ کے تین دن بعد لکھا گیا۔ خط یوں شروع ہوتا ہے کہ ''میری سمجھ میں نہیں آ رہا کہ میں کس طرح

لکھنا شروع کروں۔ میرا دماغ ماؤف ہو چکا ہے۔ ہر وہ نیا راستہ میں جو اختیار کرتا ہوں، کچھ پیش رفت کے بعد اس پر پانی پھر جاتا ہے۔'' پشاور میں ٹیلی فون کا نظام نہ ہونے کے برابر تھا۔ تار رسانی کا سلسلہ کچھ بہتر تھا ۔اسے کچھ علم نہ تھا کہ لندن اور پاکستان کے دارلحکومت کراچی میں اس واقعہ کی کہانی پر کیا ردِعمل ہوا۔ پاکستانی حکام سے رابطہ کرنا بے حد مشکل تھا۔ کیوں کہ وہ کہیں مل نہیں رہے تھے۔ اور وہ میٹنگ (مجلس) پر جانے کے لیے ایک ٹانگہ کے رحم وکرم پر تھا۔ اس سے ظاہر ہوتا ہے کہ اگر چہ انگریزی ٹیم ایک بین الاقوامی طوفان میں گھری ہوئی تھی مگر واقعات کی ڈوری کہیں اور سے ہلائی جا رہی تھی۔

## لارڈ الیگزنڈر اور اسکندر مرزا

تاہم انگریزوں کو کچھ خوش نصیبی میسر ہوئی۔ دونوں عظیم جنگوں کا ہیرو فیلڈ مارشل لارڈ الیگزنڈر آف ٹیونس (Field Marshal Lord Alexander of Tunis) اس وقت ایم سی سی کا صدر تھا۔[20] 1930ء کی دہائی میں الیگزنڈر نے شمال مغربی صوبے میں فوجی مہمات کر رکھی تھیں جبکہ گورنر جنرل پاکستان اور بی سی سی پی کے صدر اسکندر مرزا اس وقت وہاں ضلعی افسر کے طور پر تعینات تھا۔ دونوں حضرات دوستی اور عزت واحترام کے رشتے میں بندھے ہوئے تھے۔

لارڈ الیگزینڈر بحیثیت ایم سی سی کے صدر اپنے فرائض سنجیدگی سے لیتے تھے۔ تین ماہ قبل انہوں نے لیور پول (Liverpool) جا کر بحری سفر پر پاکستان جانے والی اسی ایم سی سی ٹیم کو الوداع کیا تھا۔ انہوں نے ٹیم کو الوداع کہنے سے پہلے پاکستان کے متعلق ایک معلوماتی تقریر کی اور ساتھ ہی یہ سمجھایا کہ انہیں وہاں کس طرح برتاؤ کرنا ہے۔ یہ ان کی غلطی نہیں تھی کہ ان کی باتوں پر کسی نے کان نہ دھرا اور نصیحت کو نظرانداز کیا۔ کرکٹ انتظامیہ کی بہت سی شخصیات جو ادریس بیگ کے واقعہ کو بنیادی طور پر تفریحی سمجھتے تھے ان کی بالکل برعکس فیلڈ مارشل واقعہ کی نوعیت اروا س کی اہمیت کو فوری طور پر سمجھ گئے تھے۔ انہوں نے فوراً ہی معاملہ کو اپنے ہاتھ میں لیتے ہوئے فوری طور پر پاکستان دو تار ارسال کیے۔ پہلے پیغام میں انہوں نے اسکندر مرزا سے سرکاری طور پر معذرت اور واقعہ پر افسوس کا اظہار کیا۔

لارڈ الیگزنڈر کا دوسرا پیغام ذاتی نوعیت کا تھا جس میں کہا گیا تھا کہ ''میں اپنی ٹیم ممبران کے پشاور میں رویہ کی خبر پا کر بے حد مضطرب ہوں۔ آپ کو لکھنے سے پیشتر مجھے اپنی ٹیم کے مینجر کی رپورٹ کا انتظار تھا۔ مگر چوں کہ مجھے ابھی تک رپورٹ نہیں ملی، لہٰذا میں نے اس کا انتظار کیے بغیر آپ کو فوری طور پر لکھنے کی جسارت کی۔ میں اس بدقسمت واقعہ کی مذمت کرتا ہوں اور آپ کو پرانا اور قابل احترام دوست سمجھتے ہوئے ذاتی افسوس کا اظہار کرتا ہوں۔'' پھر انہوں نے ٹیلی فون اٹھایا اور گورنر جنرل مرزا سے بات کرتے ہوئے کہا

کہ اگر وہ چاہیں تو میں ٹیم کو واپس انگلینڈ آنے کا حکم دے دوں گا اور پاکستان کو مالی نقصان کا بھی ازالہ کردیا جائے گا۔ ایم سی سی کے کھلاڑیوں کو اس صورتحال کا علم نہیں تھا۔ انہیں پہلی بار اس وقت معلوم ہوا جب انہوں نے وائرلیس کی چڑ پڑ کرتی ہوئی لہروں کے ذریعے سنا۔

اس مداخلت کو ایم سی سی کے اندرونی حلقے میں جھلاہٹ بھرے انداز سے دیکھا گیا۔ اس چیز کا انکشاف انگلینڈ کے آل راؤنڈر ٹریور بیلی (Trevor Bailey) نے کیا۔ جب لارڈ الیگزینڈر نے اعلان کیا کہ اس نے انگلینڈ کی ٹیم کو واپس بلانے کی پیش کش کی ہے تو وہاں ٹریور بیلی موجود تھا۔ وہ اور انگلینڈ کی منتخب کرنے والی کمیٹی کے سربراہ گبی ایلن (Gubby Allen) دونوں یہ سن کر ہراساں ہوگئے۔ ''میں اگر اس دورے پہ ہوتا تو اس لمحے سے ضرور لطف اندوز ہوتا۔ وہ تو محض ہیجان خیز کمسن نوجوانوں کا ہنسی مذاق تھا یا پھر اسے پانی پھینکنے کا کھیل کہہ لیں۔'' بیلی نے مزید کہا، ''یہ ایسا موقع تھا جب میں اور گبی ایلن دونوں مکمل طور پر متفق تھے بلکہ اس نظریے کی حمایت میں تھے کہ ''سپاہی کبھی بہترین سفارتکار نہیں ہوتے۔''

مگر بیلی کی رائے اور منطق بیکار تھی۔ الیگزنڈر کا ایم سی سی کی نمائندگی کرتے ہوئے فوری اظہار ندامت ماہرانہ اقدام تھا اور اس کی وجہ سے اسکندر مرزا کے لیے فراخدلی کا انداز اپنانے میں آسانی پیدا ہوگئی۔[21] مرزا نے اصرار کیا کہ دورہ جاری رہے۔

یہ ایم سی سی کی خوش قسمتی تھی کہ اسکندر مرزا بی سی سی پی (BCCP) کے سربراہ تھے۔ لیکن اگر عوام کے جذبات سے کھیلنے والے ذوالفقار علی بھٹو جیسا کوئی ہوتا تو وہ زیادہ سے زیادہ شورش برپا کردینے والے جذبے کو کبھی قابو میں نہ رکھ پاتا مگر اسکندر مرزا نہ تو اس سے بڑھ کر برطانیہ نواز ہوسکتا تھا اور نہ ہی وہ شر پھیلانے والا انسان بن سکتا تھا۔ پینتیس برس قبل وہ رائل اکیڈمی سینڈ ہرسٹ سے فارغ التحصیل ہونے والا پہلا ہندوستانی تھا۔ اس نے وہاں نہ صرف یہ ثابت کیا تھا کہ وہ ایک ہونہار سپاہی ہے بلکہ ایک غیر معمولی کرکٹ کا کھلاڑی بھی ہے۔[22] ہندوستان کے سرکاری نظام میں ملازمت کے لیے شامل ہونے سے پہلے اسے ہندوستانی فوج میں بطور افسر بھرتی کیا گیا تھا۔ تقسیم ہند کے بعد اس نے تیزی سے ترقی کی منزلوں کو طے کیا۔ پہلے وزیر داخلہ بنا اور پھر تیزی سے بڑھتی ہوئی ہلچل سے بھرپور مشرقی پاکستان کا گورنر بن گیا۔ 1955ء میں اس نے غلام محمد کے بعد گورنر جنرل کا منصب سنبھالا۔ (یہ وہی منصب تھا جسے پاکستان کے بانی محمد علی جناح نے 1947ء کی تقسیم ہند سے لے کر اپنی موت تک سنبھالے رکھا تھا) اور جب ادریس بیگ کا واقعہ بھڑک اٹھا تو اس وقت بھی اسکندر مرزا اسی عہدے پر فائز تھا۔

لہٰذا الیگزنڈر اور اسکندر مرزا شکریہ کے مستحق ہیں کہ ان کی وجہ سے ایم سی سی کا دورہ بچ گیا۔ بظاہر انگلینڈ کے کھلاڑی نادم تھے مگر اندرونی طور پر ان کا یہی خیال تھا کہ انہوں نے کچھ غلط نہیں کیا۔

برطانیہ واپس پہنچنے پر تمام کھلاڑی لارڈز میں فیلڈ مارشل الیگزنڈر اور ایم سی سی کمیٹی کے روبرو پیش ہوئے۔ اس مجلس میں بیگ کے معاملہ کا ذکر نہ ہوا۔[23] یوں ظاہر ہوتا ہے کہ اس مجلس کا بنیادی مقصد یہ تھا کہ اس میں الیگزنڈر نے ہر کھلاڑی کو تنبیہ کی کہ ''وہ کسی صحافی سے دورے کے بارے میں کوئی گفتگو نہ کرے کہ وہ اس کا ذکر اپنے دوستوں اور اپنے خاندانوں تک نہ کریں جس کی بدولت پاکستان کی بدنامی ہو۔'' یہ ایک دانشمندانہ مشورہ تھا جسے بعد میں چند ایم سی سی کھلاڑیوں نے نظرانداز کیا۔

ڈونلڈ کار (Donald Carr) اور جیفری ہاورڈ (Geoffrey Howard) مجلس کے اختتام کے بعد رک گئے اور انہوں نے تفصیل سے جوابات دیئے۔ کار نے کہا کہ ''ٹیسٹ میچ تناؤ اور عداوت کے ماحول میں کھیلے گئے تھے۔'' تاہم اس نے مزید اضافہ کیا، ''کھیل کے میدان کے باہر عموماً تعلقات اچھے رہے سوائے پاکستانی کپتان کے۔'' تحریر شدہ یادداشت کے مطابق کار نے جاتے وقت لارڈز کمیٹی سے یہ الفاظ ادا کیے: ''ایمانداری کی بات یہ ہے کہ جب میں پشاور کے واقعہ پر غور کرتا ہوں تو میرے خیال میں وہ میری زندگی کا سب سے زیادہ مزاحیہ واقعہ تھا۔''

## ادریس بیگ...... ماحاصل

ایم سی سی کمیٹی سے ملاقات کے بعد ڈونلڈ کار نے رونی ایرڈ (Ronnie Aird) سے ٹیلی فون پر رابطہ کیا اور کہا کہ وہ پشاور میں ہونے والے واقعہ کی تمام تر ذمہ داری بخوشی قبول کرتا ہے۔ اس معقول اقدام سے نہ صرف ایم سی سی کے کھلاڑیوں کو بلکہ کار کے اوپر ایم سی سی کے اقتدار پر فائز افسر شاہی کو بھی تحفظ ملا۔ اس طرح ایم سی سی نے اس اعلان کے ساتھ کہ ''واقعہ کی تمام ذمہ اری کپتان پر عائد ہوتی ہے اور اسے اس بات سے مطلع کر دیا گیا ہے۔'' معاملہ کو ختم کر دیا۔

جھگڑے کے بعد کے ابتدائی ہفتوں میں ایم سی سی نے اس بات پر غور کیا تھا کہ کھلاڑیوں پر جرمانہ عائد کرنا چاہیے مگر کار کی ذمہ داری قبول کر لینے پر جرمانہ کا ارادہ ختم ہو گیا۔ آخر میں ان تمام کھلاڑیوں کو جو واقعہ میں ملوث تھے۔ سفر کے معاوضہ کے ساتھ ساتھ اضافی اعزازیہ بھی ادا کر دیا گیا۔ رونی ایرڈ نے یارک شائر کو بتایا کہ ایم سی سی اے ٹیم کے ساتھ پاکستان جانے والے یارک شائر کے تین کھلاڑیوں کے متعلق کپتان اور منیجر کی طرف سے اعلیٰ کارکردگی کی خبر دی گئی تھی۔ ان کھلاڑیوں میں برائن کلوز (Brian Close) جس نے بیگ پر پانی سے بھری بالٹی انڈیلی تھی اور بلی سٹکلف (Billy Sutcliffe) جس کے کمرے میں پانی سے علاج کا اہتمام ہوا تھا، شامل تھے۔ ایرڈ نے رائے سویٹ مین (Roy Swetman) کے بارے میں جس نے پانی سے بھری دوسری بالٹی پھینکی تھی، کی تعریف کرتے ہوئے بڑی تقریبات میں اس کی اعلیٰ مزاجی کو سراہا۔

ایرڈ نے مزید اضافہ کرتے ہوئے کہا کہ ''میدان سے باہر اس کا کردار اچھا تھا اور اسے مزاح کا شعور تھا۔''

ٹیم کے واپس انگلینڈ پہنچنے کے تین دن بعد یعنی 20 مارچ تک ایم سی سی نے پاکستانی دورہ پر اپنی تحقیقات مکمل کر لی تھی۔ رپورٹ کا کلیدی حصہ یوں تھا:

''کپتان جو موقع پر موجود تھا اسے فوری طور پر یہ سمجھ لینا چاہیے تھا کہ یہ چھیڑ خانی اگرچہ اونچی ترنگ کی وجہ سے شروع ہوئی اور مکمل طور پر بے ضرر تھی مگر اسے جیسا کہ بہت سے دوسروں کا خیال بھی ہے امپائر پر حملہ کے مترادف سمجھنا چاہیے۔ کمیٹی مطمئن ہے کہ ایسا نہیں تھا۔''

یہ محض ایک چشم پوشی تھی۔ کسی بھی طور دیکھا جائے ادریس بیگ یہ شدید حملہ ایک سوچی سمجھی سازش کا نتیجہ تھا۔[24] اگر ادریس بیگ الزامات کو لے کر کسی بھی عدالت میں چلا جاتا جیسا کہ اس نے ابتدائی طور پر دھمکی دی تھی تو فیصلہ اس کے حق میں ہوتا۔

ایم سی سی نے اس بات کی تردید کی کہ جن کھلاڑیوں نے ادریس بیگ کو اغوا کیا، وہ شراب کے نشہ میں تھے۔[25] ایک بار پھر ایم سی سی کا بیان جھوٹ پر مبنی تھا۔ پشاور کرکٹ ایسوسی ایشن کی ضیافت میں شراب شامل نہیں تھی۔ لہٰذا ایک معقول اندازے کے مطابق رات کے آٹھ بجے سے لے کر رات کے ساڑھے دس بجے ضیافت کے ختم ہونے تک کھلاڑیوں نے کوئی مے نوشی نہیں کی تھی۔ مگر انہوں نے ضیافت شروع ہونے سے پیشتر کتنی پی رکھی تھی؟ یہاں ہمیں جیفری ہاورڈ کے اس ذاتی رقعہ سے مدد ملتی ہے جو اس نے اغوا کے واقعہ کے دو دن بعد گروپ کیپٹن چیمہ کو لکھا تھا۔ وہ لکھتا ہے کہ ''کمرے میں تقریباً سات یا آٹھ کھلاڑی موجود تھے اور بیئر کی اٹھارہ بوتلیں کمرے میں پہنچائی گئی تھیں۔'' جیفری ہاورڈ اس سے یہ نتیجہ اخذ کرتا ہے کہ ''کسی بھی کھلاڑی نے دو سے زائد بیئر کی بوتلیں نہیں پی ہوں گی۔'' یعنی جیسے کسی کھلاڑی نے دو سے زائد گلاس نہ پیئے ہوں۔'' تاہم یہ بوتلیں ان بوتلوں سے بڑی تھیں جو عام طور پر پاکستان میں چھ شلنگ فی بوتل کے حساب سے دستیاب تھیں۔ اس کا مطلب یہ ہے کہ ہر کھلاڑی نے چار گلاس یا کچھ نے اس سے بھی زیادہ پیئے ہوں گے۔

اس دعویٰ سے کیا اخذ کیا جا سکتا ہے کہ یہ واقعہ صرف اونچی ترنگ کی وجہ سے وقوع پذیر ہوا؟ یہاں اب ڈونلڈ کار اپنے ذاتی خط میں رونی ایرڈ کو پانی واقعہ کے دور دراز بعد 28 فروری کو اپنی کارروائی بارے یوں بیان کرتا ہے، ''میں آپ کی توجہ اس نقطہ کی طرف مبذول کرواتا ہوں کہ امپائر پر یہ حملہ کسی بدزنی پر مبنی نہیں تھا کہ اس نے ہماری ٹیم کے خلاف کچھ برے فیصلے کیے تھے۔ مگر یہاں کے صحافتی حلقوں نے غالباً ظاہری طور پر اسی کہانی کو آگے بڑھایا ہے اور میرے خیال میں یہی کہانی اخباروں میں انگلستان میں بھی شائع ہوئی ہے۔ ہم جانتے ہیں کہ ادریس بیگ کا معیار بطور امپائر ناقص ہے مگر دوسرے بھی اسی معیار کے ہیں جنہوں نے پاکستان میں ہمارے میچوں میں امپائری کی مگر یہ حقیقت ہے کہ وہ امپائر کی حیثیت میں انتہائی مضحکہ خیز شخصیت

کا مالک ہے۔ وہ رعب اور تصنع سے بھرپور اپنی شخصیت کی اہمیت میں گم ہے اور یہی وجہ تھی کہ وہ ہمارے مقصد کے لیے بہترین کردار تھا۔'' دوسرے لفظوں میں بیگ پر غنڈہ گردی سے بھرپور حملہ محض اس وجہ سے تھا کیوں کہ وہ لوگوں میں نمایاں نظر آتا تھا۔ مزید برآں ایم سی سی کا اہم دعویٰ کہ اس حملے کا ادریس بیگ کے میچوں میں فیصلوں سے کوئی تعلق نہ تھا، بھی چھان بین کرنے کے لائق ہے۔

ایم سی سی نے لاہور کھیلے جانے والے پہلے ٹیسٹ میچ سے ہی ادریس بیگ کے فیصلوں پر شکوہ کرنا شروع کررکھا تھا۔ جیفری ہاورڈ کی دورہ پر روئیداد کے مطابق ''بیگ نے نہ صرف غلط فیصلے دیئے بلکہ اس نے اپنے فرائض انتہائی غیر معمولی طریقے سے سرانجام دیئے۔'' ہاورڈ نے چیمہ کو خط لکھا کہ وہ ''ڈھاکہ میں ہونے والے ٹیسٹ میچ سے پہلے اس میچ کے امپائروں بارے انہیں آگاہ کرے۔'' خط کا کوئی جواب نہ دیا گیا مگر ہاورڈ کو بی سی سی پی کے سابق سیکرٹری کے آر کلیکٹر (K.R.Collector) نے نجی طور پر یقین دہانی کرائی کہ وہاں بیگ امپائر نہیں ہوگا۔ مگر اگر کہیں بیگ دوبارہ امپائری کرتا ہے تو انگلستان کی ٹیم کے خیال میں وہ کوئی اور نمایاں غلط فیصلے کرے گا۔

لہٰذا ہاورڈ نے مزید ایک اور خط لکھا اور ایک بار پھر اصرار کیا کہ پشاور کے ٹیسٹ میچ کے لیے امپائر تبدیل کیے جائیں۔ اس خط کا کوئی جواب موصول نہ ہوا۔ انگلینڈ کی ٹیم کو پشاور میں شروع ہونے والے ٹیسٹ کی پہلی صبح گراؤنڈ میں کھیل شروع ہونے پر معلوم ہوا کہ بیگ نگران ہے۔ پہلے دن کے اختتام پر انگلینڈ کے تین کھلاڑی آؤٹ ہوچکے تھے اور ایم سی سی کی رائے میں فیصلے ناجائز تھے۔ کاردار کی گیند پر بیگ نے کھلاڑیوں کو ایل بی ڈبلیو دے کر آؤٹ کیا تھا۔ اس شام جیفری ہاورڈ نے ایم سی سی کے اسسٹنٹ سیکرٹری بلی گرفتھ (Billy Griffith) کے ساتھ اپنے ذاتی خط میں غصے کا اظہار کرتے ہوئے لکھا کہ ''گاؤں کے باہر کھیلے جانے والی دو مخالف ٹیموں کے درمیان میچ میں جن کے اپنے اپنے امپائر ہوں کے مقابلے میں میں نے یہ بدترین امپائری دیکھی ہے۔'' اس پر ہاورڈ انتہائی برافروختہ ہوچکا تھا اور اس نے گرفتھ سے رازداری میں کہا کہ اس کا دل چاہتا ہے کہ وہ تمام احتیاطی تدابیر کو خیرباد کہہ دے۔ ''میچ کا کچھ بھی نتیجہ نکلے مگر ہمیں یہ کہنا پڑے گا کہ آخری ٹیسٹ میں ان دو امپائروں میں سے ایک ہمیں قابل قبول نہیں ہوگا۔'' اس نے یہ بیگ کے حوالے سے لکھا۔

26 فروری کو اتوار کی شام تک یہ واضح ہوچکا تھا کہ پاکستان میچ جیت لے گا۔ انگلینڈ ٹیم کے ساتھ دورہ کرنے والے منیجر جیفری ہاورڈ نے اپنی بیوی کے نام برطانیہ خط لکھا جس میں اس نے شکایت کرتے ہوئے کہا، ''کچھ انتہائی افسوس ناک امپائرنگ دیکھنے میں آئی۔ یہ بہت افسوس کی بات ہے کہ یہاں اس طرح کے نااہل لوگوں کو یہ فرائض سونپے جاتے ہیں۔ یہ لوگ بغیر کسی شک وشبہ کے اپنی مقامی ٹیم کو مدد پہنچانے کے لیے موجود

ہوتے ہیں۔ مگر یہ ٹیم پھر بھی اتنی طاقتور ہے کہ وہ ان لوگوں کی مدد کے بغیر بھی ہم سے ہارنے سے بچ سکتی ہے۔ غالباً جیفری یہ خط عین اس وقت لکھ رہا ہوگا جب کپتان ڈونلڈ کار اور انگلینڈ کے کھلاڑیوں کا ایک گروہ ادریس بیگ کو اٹھانے کے لیے ڈینز (Dean's) ہوٹل سے روانہ ہو رہا تھا۔ جیفری ہاورڈ نے بعد میں یاد کرتے ہوئے کہا کہ اس نے انہیں جاتے ہوئے دیکھا اور سوچا کہ ''یہ کیا کرنے جا رہے ہیں؟'' ایم سی سی کا موقف کہ بیگ پر حملے اور انگلش ٹیم کے اس کے جانبدار فیصلوں کے خلاف مجموعی غصے کے درمیان کوئی تعلق نہیں، مصنوعی اور غیر معتبر معلوم ہوتا ہے۔

## امپائر بیگ کے دفاع میں

خود ادریس بیگ کے کیا حالات تھے؟ وہ 1911ء میں دہلی میں پیدا ہوا۔ اپنے عروج میں وہ دائیں ہاتھ سے کھیلنے والا شائستہ بیٹسمین تھا۔ اس کے ساتھ وہ درمیانی تیز رفتار کا خطرناک باؤلر تھا اور گلی (Gully) پوزیشن کا باصلاحیت فیلڈر تھا۔ اس نے دہلی کی طرف سے رانجی ٹرافی میں 36-1935ء کے سیزن میں کھیل کر کرکٹ کا آغاز کیا اور دس سال بعد وہ آخری مرتبہ کھیلا۔ یہ وہ دور تھا جب فرسٹ کلاس میچ بہت کم ہوا کرتے تھے اور کافی وقفے کے بعد منعقد ہوا کرتے تھے۔ بیگ نے صرف سات ایسے میچوں میں حصہ لیا تھا۔ اس نے 23 وکٹ 13:60 کی اوسط سے حاصل کیے تھے اور بطور بیٹسمین اس کی کارآمد اوسط 22.46 تھی۔ بیگ کا بحیثیت کھلاڑی ہونا اور کھیل میں صرف کیے ہوئے وقت کے لحاظ سے انگلینڈ ٹیم کے ان دعووں میں کوئی مناسبت نہیں ہے کہ وہ کھیل کے قواعد سے نابلد تھا۔

کھیلنے کے دور کے اختتام پر بیگ نے کرکٹ امپائرنگ کی طرف اپنا رخ موڑ لیا۔ اسے اس میں ایسی کامیابی ملی کہ اسے پاکستان کی سرزمین پر کھیلے جانے والے پہلے ٹیسٹ میچ میں داؤد خان[26] کے ہمراہ امپائر کھڑے ہونے کے لیے ڈھاکہ کے میدان پر 1955ء میں دورہ کرنے والی ہندوستانی ٹیم کے میچ میں منتخب کر لیا گیا۔ قائداعظم ٹرافی میں حصہ لینے والے کھلاڑی قمر احمد نے یاد کرتے ہوئے دہرایا کہ بیگ کی شخصیت بڑی رعب دار تھی۔ وہ تنے ہوئے لمبے قد کے مالک تھے اور عمدہ اور خوش مزاج طبیعت رکھتے تھے۔ وہ پان اور چھالیہ کھانے کے شوقین تھے اور ان کی جیب میں ایک چھوٹی سی تھیلی ہوا کرتی تھی جس میں پان، چھالیہ اور قوام رکھا کرتے تھے۔ 1950ء کی دہائی کے آخر میں بیگ کو پاکستان کے بہترین امپائر کے طور پر مانا جاتا تھا۔

ان کے ناقدین کی طرف سے لگائے گئے الزام کہ وہ متعصب تھے، کا کوئی واضح ثبوت نہیں ملتا اور یہ چیز آسانی سے دیکھی جاسکتی ہے کہ بیگ پر لگائے جانے والے الزامات اور عام طور پر پاکستانی امپائروں پہ

لگائے جانے والے الزامات کی کوئی بنیاد نہیں ہے۔ ایم سی سی کی دستاویزات کے ذخیرے میں جیفری ہاورڈ اور ونومنکڈ جس نے 55-1954ء کے موسم سرما میں پاکستان جانے والی ٹیم کی کپتانی کی تھی، کی گفتگو کی روئیداد موجود ہے۔ یہ آنے والے ایم سی سی اے کے دورہ پاکستان کے لیے ہاورڈ کی تیاری کا حصہ تھی اور ہاورڈ ونومنکڈ کے تبصرہ کو مختصراً یوں بیان کرتا ہے:

''اس بات کو ذہن نشین کرلینا چاہیے کہ پاکستان بورڈ آف کنٹرول کو نہ صرف سرکاری سرپرستی حاصل ہے بلکہ اس پر مکمل طور پر اختیار بھی حکومت کا ہے اور ہر حکومت کی یہ حکمت عملی ہرگز نہیں ہے کہ ٹیسٹ میچوں میں شکست ہو۔ ظاہر ہے کہ تمام امپائر سرکاری ملازم ہیں اور ان کے ایسے فیصلوں سے جن سے پاکستان کو ٹیسٹ میچ میں شکست ہوجائے تو انہیں نوکری سے الگ کیے جانے کا خطرہ لاحق ہوتا ہے۔ ونو یہ نقطہ اٹھاتے ہوئے کہتا ہے کہ خصوصاً بیٹسمین کو ایل بی ڈبلیو (LBW) کے طور پر آؤٹ کرنا ناممکن ہے۔ پھر رن آؤٹ یا اسٹمپنگ کے ذریعے آؤٹ کرنا تو بالکل ہی ناممکن ہے۔ یہ کلیہ دونوں ٹیموں پر لاگو ہے۔ مقصد یہ ہوتا ہے کہ اس چیز کو یقینی بنایا جائے کہ پاکستان جیتنے کے لیے اوچھے ہتھکنڈے استعمال کیے بغیر شکست سے دوچار نہ ہو۔ انہیں ٹیسٹ میچوں میں ٹیسٹ میچوں میں تجربہ ہوا کہ یا تو مخالف ٹیم کو کیچ کرکے یا بولڈ کرکے ہی آؤٹ کیا جاسکتا تھا اور خاص طور پر یہ اتنا آسان کام نہ تھا کہ ان لوگوں کو بولڈ کیا جاتا کیوں کہ وہ اعتماد اور مکمل تحفظ کے ساتھ عین وکٹوں کے سامنے کھڑا ہوجاتے۔''

ہاورڈ نے کسی عذر کے بغیر منکڈ کے بیان کو مان لیا۔ مگر ونومنکڈ ایک غیر جانبدار اور بے غرض گواہ نہ تھا اور یہ ثابت کرنا آسان ہے کہ اس نے جو کچھ بھی کہا، وہ جھوٹ تھا۔ سب سے پہلے منکڈ کی یہ بات غلط تھی کہ امپائر سرکاری ملازم تھے۔ داؤد (جو دوسری طرف کھڑے ہوکر ہندوستان کے میچوں میں امپائری کرتا رہا) پیشہ ور نقشہ نویس تھا۔ خاص طور پر یہ دعویٰ انتہائی احمقانہ تھا کہ بیٹسمینوں کو ایل بی ڈبلیو کے ذریعے آؤٹ کرنا ناممکن تھا۔ منکڈ کی ہندوستانی ٹیم جس نے پاکستان کا دورہ کیا۔ ان کے میچوں میں پانچ پاکستانی کھلاڑی ایل بی ڈبلیو کے ذریعہ آؤٹ ہوئے تھے اور اتنے ہی ہندوستان کے کھلاڑی ایل بی ڈبلیو ہوکر آؤٹ ہوئے تھے۔ تاہم ادریس بیگ نے صرف پہلے چار ٹیسٹ میچوں میں امپائری کے فرائض ادا کیے تھے جن کے دوران ہندوستان کے صرف دو کھلاڑی ایل بی ڈبلیو کا شکار ہوئے جبکہ ان کے مقابلے میں چار پاکستانی کھلاڑی اس طریقہ سے آؤٹ ہوئے تھے۔ لہٰذا بیگ کے وقت کے دوران عین ممکن تھا کہ پاکستانی کھلاڑی کے ہندوستانی کھلاڑی کے مقابلے میں ایل بی ڈبلیو کے ذریعے آؤٹ ہونے کے امکان دوگنے ہوتے۔

منکڈ کا رن آؤٹ اور اسٹمپ کے ذریعے آؤٹ ہونے کا دعویٰ بھی غلط تھا۔ لاعلمی سے کہیں دور ہندوستان اور پاکستان کے 55-1954ء کے میچوں کے سلسلے کے دوران غیر معمولی طور پر بہت سے کھلاڑی ان

طریقوں سے فارغ ہوئے تھے۔ مزید برآں بہت سے ایسے فیصلے پاکستان کے خلاف دیئے گئے تھے۔ پاکستان کو آٹھ کھلاڑیوں کے رن آؤٹ اور سات کھلاڑیوں کے اسٹمپ آؤٹ ہونے کے صدمات کو سہنا پڑا جبکہ ان کے مقابلے میں صرف چار ہندوستانی کھلاڑی رن آؤٹ ہوئے اور ان کا کوئی کھلاڑی اسٹمپ آؤٹ نہ ہوا۔ ان اعداد و شمار کی منکڈ کے ان دعوؤں سے کوئی مناسبت نہیں ہے کہ مخالف ٹیم کو ''کیچ کے ذریعے یا پھر بولڈ کر کے ہی آؤٹ کیا جا سکتا تھا۔'' ہاورڈ ان تمام باتوں کی تصدیق اس دورے کے نتائج دیکھ کر کر سکتا تھا۔ مگر اس کی بجائے ''اس نے بغیر کسی چھان بین کیے منکڈ جیسے ناموافق اور منحرف گواہ پر اکتفا کر لیا۔''

قابل غور طور پر ایم سی سی نے 1955ء کے موسم خزاں کے نیوزی لینڈ کے تین ٹیسٹ میچوں کے سلسلہ پر مشتمل دورہ کے منیجر ہنری کوپر (Henry Cooper) کو خط لکھ کر اس سے مشورہ مانگا۔ کوپر نے جواب میں پاکستان میں حالات کا مجموعی جائزہ پیش کرتے ہوئے خط کے آخر میں یہ اضافی جملہ تحریر کیا ''ہمیں وہاں جو امپائر ملے وہ خاصے معقول تھے۔ ادریس بیگ گو کہ گھمنڈی تھا مگر وہ اعلیٰ امپائر ہے۔ دوسرے بھی خاصے غیر جانبدار تھے مگر میں نے محسوس کیا کہ قومی وقار کو جہاں تک ممکن تھا برقرار رکھنے کی ضرورت اہم تھی۔'' اسے رونی ایئرڈ کا شک پر مبنی جواب موصول ہوا۔ ''ہمیں امپائروں کے بارے میں خبردار کر دیا گیا تھا مگر تمہاری رائے زنی میری توقعات سے زیادہ امید افزا ہے۔''

ان سب چیزوں کی روشنی میں آیئے اب بیگ پر ایم سی سی اے ٹیم کے دورہ کے دوران لگائے گئے جانبداری کے الزامات کے کوائف پر توجہ دیں۔ ایک بار پھر الزامات کے ثبوت دستیاب نہیں ہیں۔ ہم نے دیکھا کہ ایم سی سی کے کھلاڑیوں نے شدت سے محسوس کیا کہ بیگ جانبدار تھا۔ مگر اعداد و شمار اس کے برعکس گواہی دیتے ہیں۔ چار میچوں کے سلسلے کے دوران ایم سی سی کی 75 وکٹیں گریں، جن میں 16 ایل بی ڈبلیو تھے۔ گرنے والی 51 پاکستانی وکٹوں میں دس ایل بی ڈبلیو تھے۔ تقریباً گرنے والی پانچ وکٹوں میں سے ایک ایل بی ڈبلیو کے نتیجہ میں تھی۔ یہی وہ تناسب ہے جس کی تقریباً امید کی جا سکتی ہے۔ قطعی طور پر ایل بی ڈبلیو کے فیصلے جس تناسب سے ہر ٹیم کے خلاف دیئے گئے (20 فیصد) وہ بالکل مماثلت رکھتے تھے۔ اس کے علاوہ ایم سی سی کے صرف ایک کھلاڑی کے مقابلے میں دو پاکستانی کھلاڑیوں کو رن آؤٹ یا اسٹمپ کے ذریعے آؤٹ دیا گیا۔

پانی پھینکنے والے واقعہ کے ایک سال بعد 1957ء میں بیگ کو انگلستان دورہ کرنے والی ایگلٹس (Eaglets) کی ٹیم کا منیجر مقرر کیا گیا۔ یہ دورہ خوش اسلوبی کے ساتھ انتہائی کامیاب رہا۔ حنیف محمد کی موجودگی کے سہارے ایگلٹس نے 35 میں سے 23 میچ جیت لیے اور صرف ایک میں ہار ہوئی۔ اس میں کوئی شک نہیں کہ ایم سی سی کی شکایات کے نتیجے میں بیگ کے امپائرنگ کے پیشہ کو اذیت پہنچی۔ پانی پھینکے جانے والے بدنام زمانہ ایم سی سی میچوں کے سلسلے کے بعد ایم سی سی کی مزید تین ٹیموں نے پاکستان کا دورہ کیا مگر ادریس بیگ کو

ان میچوں میں امپائرنگ کے لیے نہیں بلایا گیا۔اسے نہ تو ٹیڈ ڈیکسٹر (Ted Dexter) کے 62-1961ء کے دورہ میں، نہ ہی 1967ء میں مائیک بریرلی (Mike Brearley) کی 25 سال سے کم عمر (Under 25) ٹیم کے لیے اور نہ ہی 1969ء میں کولن کاوڈرے (Colin Cowdrey) کی ٹیم کے مقابلوں میں امپائری کے لیے رکھا گیا۔اس کے باوجود اس کے دل میں کوئی رنجش نہ تھی۔ 1970ء میں ڈونلڈ کار بطور منیجر انٹرنیشنل ٹیم کے ساتھ مشرقی پاکستان میں طوفانی آندھی سے ہونے والے نقصان کے امدادی میچ کے لیے کراچی آیا۔ کھیل شروع ہونے سے پہلے کار لباس تبدیل کرنے والے کمرے میں تھا جب ادریس بیگ نے یہ کہہ کر اپنا تعارف کروایا کہ وہ میچ ترتیب دینے والے منتظمین کا سربراہ ہے اور گرمجوشی سے کار سے بغلگیر ہوگیا۔ جونہی دونوں آہستہ آہستہ چلتے ہوئے پچ کی طرف بڑھے تو کار نے محسوس کیا کہ کسی نے اس کے کندھے کو چھیڑا ہے۔اس نے مڑ کر دیکھا تو ایک کھلاڑی تھا جس کے ہاتھ میں پانی سے بھری بالٹی تھی۔اس نے مخاطب کرتے ہوئے پوچھا: ''کیا آپ کو اس کی ضرورت ہے؟'' یہ سن کر ادریس بیگ بھی دوسروں کے ساتھ دل کھول کر ہنسا۔اس طرح وہ شخص جسے بے حد برا بھلا کہا گیا، پشاور میں ہونے والے واقعہ میں ملوث لوگوں میں سے کہیں بہتر انسان ثابت ہوا۔

## حوالہ جات:

1 ایم سی سی کی بجائے ایم سی سی A ٹیم کو بھیجنے کے فیصلے بارے وزڈن میں میچ کی رپورٹ کے ساتھ وضاحت کی گئی ہے: ''ایسے ملک جہاں ایم سی سی کی مکمل طاقتور ٹیموں کا شاذو نادر جانا ہوتا ہے وہاں درمیانی سالوں میں کھیل میں دلچسپی زندہ رکھنے کے لیے اے (A) ٹیموں کے دوروں کا آغاز کیا گیا تھا۔انگلینڈ کو ان دوروں کی بدولت ہونہار نوجوان کھلاڑیوں کو آزمانے کا موقع ملتا تھا اور اس کے علاوہ کاونٹی کرکٹ (County) میں لمبی خدمات کے صلے میں کھلاڑیوں کو نوازا بھی جاتا ہے (وزڈن 1957 صفحہ 791)

2 لاک (Lock) دورے کا سب سے زیادہ کامیاب باؤلر تھا۔اس کے اعداد وشمار یہ تھے 557 اوور کیے جن میں 296 میڈن (Maiden) رہے اور 869 رنز کے عوض 81 وکٹ حاصل کیے۔اس کی باؤلنگ کی اوسط 10.72 فی وکٹ تھی اور پر اوور میں اس نے دو رنز سے کم بننے دیئے۔ یہ بات قابل غور ہے کہ لاک (Lock) جو گیند تیزی سے کرتا تھا وہ یقینی طور پر غیر قانونی ہوتا تھا مگر اس کے باوجود کبھی کبھار ہی امپائر نے تنبع کی ہوگی۔

3 لاک کے لگاتار سترہ میڈن (Maiden) اووروں کا ریکارڈ اس وقت ٹوٹا جب انگلینڈ اور ہندوستان کے درمیان مدراس میں جنوری 1964ء میں کھیلے جانے والے ٹیسٹ کے دوران آر جی ''باپو'' ندکرنی (R.G.Bapu Nadkami) نے 21.5 اوور (131 گیند) کوئی رن دیئے بغیر کیے۔اس کے حتمی اعداد وشمار 32 اوور۔ 27 میڈن اور پانچ رنز دے کر کوئی وکٹ نہ لی تھے۔ ایف جے ٹٹمس (F.J.Titmus) اور جے ایم پارکس (J.M.Parks)

نے دونوں میچوں میں حصہ لیا تھا۔ چالیس سال بعد جب ایک تقریب کے دوران میری نہ کرنی سے ملاقات ہوئی تو وہ اس وقت بھی ناراض تھا کہ اس کی باؤلنگ کی مسلسل ترتیب بری فیلڈنگ سے خراب ہوگئی۔

4 پیر پگاڑا نے یہ ٹیم 1953ء میں تشکیل دی تھی۔ ہونہار کھلاڑیوں کو معاوضہ دیا جاتا تھا پیر صاحب نے کہا کہ معاوضہ دینے کا مقصد نوجوان لڑکوں کو ان کے فن میں حوصلہ افزائی تھا۔

5 525 منٹ میں بننے والی حنیف کی سنچری کی چند سال بعد سست روی میں 545 منٹ میں 58-1957 میں جنوبی افریقہ کی طرف سے آسٹریلیا کے خلاف کھیلتے ہوئے جیکی مکیگلیو (Jackie Mcglew) نے سنچری بنا کر مات دی۔ پھر یہ اعزاز ایک اور پاکستانی آغازی بیٹسمین مدثر نذر نے اس وقت چھین لیا جب 78-1977 میں اس نے انگلینڈ کے خلاف 557 منٹ میں لاہور میں سنچری بنا کر لاہوریوں کے دل موہ لیے۔

6 سٹکلف (Sutcliff) نے غیر پیشہ ورانہ کھلاڑی کے طور پر 1956 اور 1957ء میں دو سال کے لیے یارک شائر (Yorkshire) کی کپتانی کی۔ اس کے نام کا دوسرا حصہ ہابز (Hobbs) تھا جو سرے (Surrey) کے عظیم بیٹسمین جیک ہابز (Jack Hobbs) کے اعزاز میں رکھا گیا تھا کیوں کہ سٹکلف کے والد ہربرٹ (Herbert) اور ہابز (Hobbs) 1924 سے 1930 تک انگلینڈ کی مشہور اور مایہ ناز اوپننگ بیٹسمین جوڑی ہوا کرتے تھے۔

7 ایم سی سی نے اس وقت کھلاڑیوں کے نام مخفی رکھے۔ مگر لاوڈز کمیٹ کے ایک خفیہ اجلاس میں ڈونلڈ کار نے تمام نام ظاہر کر دیئے تھے۔ اس اجلاس کے ریکارڈ کے مطابق گبی ایلن (Gubby Allen) نے کار کو سوال کیا کہ ''کون کون ملوث تھا؟'' کار نے جوابدیا'' وہ سب جو ادریس بیگ کو اس کے ہوٹل سے لانے کے لیے گئے تھے ان میں میں سٹکلف ۔کلوز ۔سویٹ مین ۔سٹیفنسن ۔اور بیرنگٹن تھے۔'' اجلاس کے ریکارڈ کے مطابق جو لارڈز میں 17 مارچ 1956 کو سوا بارہ بجے دوپہر کو ہوا۔ (ایم سی سی لائبریری آرکائیو۔ Mcc/cri/5/1/62(20f2

8 اس وقت بیگ ہر پانی پھینکنے کے عمل کے میزبان کا نام نہیں بتایا گیا تھا۔ مگر ہاورڈ کے ایک تحریری بیان کے مطابق جو 28 فروری کو چیمہ کو دیا گیا سے صاف ظاہر ہوگیا کہ وہ بلی سٹکلف تھا۔''انہوں نے فیصلہ کیا کہ وہ ادریس بیگ سے ان کے ساتھ کسی کمرے میں مشروب پینے کی فرمائش کرینگے۔ یعنی سٹکلف کے کمرے میں جہاں وہ اس سے چھیڑ خوانی کرینگے۔ ان سب نے احمقانہ طور پر سمجھ لیا تھا کہ وہ اس کا برا نہیں مانے گا۔ جی ہاورڈ بنام گروپ کیپٹن چیمہ 26 فروری 1956 ایم سی سی لائبریری آرکائیو بی. Mcc/cri/5/1/63.

9 لاک نے اپنی کتاب For Surrey and England کے صفحہ 109 پر یوں لکھا: عین اسی لمحہ پاکستانی کھلاڑیوں خان محمد۔ شجاع الدین اور محمود حسین نے کمرے کے اندر جھانکا۔ بیگ کی حالت دیکھتے ہی وہ ہنسنے لگے۔ بس یہیں سے کام خراب ہوا۔ اس کے اپنے لوگوں نے اس کی بے عزتی ہوتے دیکھ لی تھی۔ خاں محمد اور شجاع دونوں پشاور کے ٹیسٹ میچ میں کھیل رہے تھے مگر محمود حسین وہ میچ تو نہیں کھیل رہا تھا البتہ کراچی کے اگلے میچ میں کھیلا تھا۔ اس کی یوں موجودگی کچھ پر اسرار تھی۔ غالباً وہ بارھواں کھلاڑی تھا'' ہوسکتا ہے کہ لاک پاکستانی مینیجر محمد حسین کے بارے میں لکھ رہا ہو اور غلطی سے محمود حسین لکھ گیا ہو۔

10 ، پاکستان کے ابتدائی اور اعلیٰ کمنٹیٹروں اور اعلیٰ کمنٹیٹروں میں شمار ہوتا تھا۔ اس کے بعد بطور سفارتکار امتیازی خدمات سرانجام دیں جن کا اختتام امریکہ میں پاکستانی سفیر کی حیثیت سے ہوا۔

11 بعد میں معروف ادیب۔ اخباری صحافی اور ایڈیٹر کے طور پر پہچان ہوئی۔

12 میر محمد حسین ہندوستان کی معروف ہاکی ٹیم میں فل بیک کھلاڑی تھا۔ یہ وہ ٹیم تھی جس نے 1936 ء میں برلن اولمپکس میں ہٹلر کی جرمن ٹیم کو فائنل میں ایک کے مقابلے میں آٹھ گول کر کے شکست دے کر طلائی تمغہ حاصل کیا تھا۔ تقسیم ہند کے بعد محمد حسین پاکستان کے ہندوستان کے افتتاحی کرکٹ دورہ کے دوران 53-1952ء میں منیجر کی حیثیت سے ٹیم کے ساتھ تھے۔ 65-1964ء میں پاکستان ٹیم کے آسٹریلیا اور نیوزی لینڈ کے دورہ پر وہ نائب مینیجر کی حیثیت سے گئے۔ وہ کارآمد کرکٹ پلیئر بھی تھے جنہوں نے 54-1953 کے دوران سندھ کی طرف سے بہاولپور کے کے خلاف قائداعظم ٹرافی میں حصہ لے کر فرسٹ کلاس کرکٹ کھیلی۔ ادریس بیگ کے واقعہ میں محمد حسین کا کردار کہیں نظر نہیں آتا کیوں کہ تمام معاملہ میں چیمہ اور کاردار دوڑ دھوپ کر رہے تھے۔

13 وہ کرکٹ پر Daily Mirror -News Chronicle اور Daily Express کے لیے لکھتا تھا وہ ڈینس کامپٹن (Denis Compton) کا کالم بھی اس کے لیے لکھتا تھا۔ وہ اچھا کھلاڑی تھا اور لنکا شائر کی سیکنڈ الیو کے لیے کھیلتے ہوئے دائیں ہاتھ سے باؤلنگ کرتا تھا۔ پھر عالمی جنگ کے دوران بمبار جہاز میں افسر فراہمی اطلاعات کے طور پر کام کیا۔ آخر میں کرکٹ کی صحافت کی طرف آ گیا۔

14 ران رابرٹس (Ron Roberts) ڈیلی ٹیلی گراف اخبار کی انتظامیہ کے حق میں رہنے والا کرکٹ کا ادیب تھا جو بعد میں کرکٹ کے بین القوامی دوروں کے انتظامات کے پیشے سے منسلک ہو گیا۔ 1962ء کے انٹرنیشنل ورلڈ ٹور کی ٹیم اسی کی تھی جس نے تقریباً غیر معروف لنکا شائر کے پیشہ ور کھلاڑی باسِسل ڈولیویرا (Basil D'Oliveira) کو فرسٹ کلاس کرکٹ کھیلنے کا پہلا موقع فراہم کیا۔ رابرٹس کی افسوسناک موت جوانی میں ہی 39 سال کی عمر میں دماغی رسولی کی وجہ سے ہوگئی تھی۔

15 Just Banter old Boy ٹائم میگزین شمارہ 12 مارچ 1956 جو لارڈز لائبریری میں Mcc/cr1 /5/1/62 پر موجود ہے۔ اس مضمون نے برطانوی کونسل جنرل آر ایچ ہیڈو (R.H.Hadow) کو ایم سی سی کو خط لکھنے پر اکسایا جس میں اس نے امریکی دوستوں کے تحفظات بارے اپنی فکرمندی کا اظہار کیا ان دوستوں میں بہت سے برطانیہ نواز روڈ (Rhodes) وظیفہ پر تعلیم حاصل کر رہے تھے۔ اور خاص طور پر مطالبہ کر رہے تھے کہ یہ کیا واقعہ ہوا ہے۔ عمر قریشی کی تحریر جو ٹائمنز آف کراچی کے 3 جنوری 1957 کے شمارہ میں شائع ہوئی کو بھی ملاحظہ کریں۔ ''کراچی میں ہوٹل کے بفند ملازموں سے اکثر مار پیٹ کی گئی۔ پھر ہوٹل شاہ باغ ڈھاکہ میں شرارتاً پانی پھینکنے کے واقعات ہوئے۔ جہاں ہوٹل کی انتظامیہ نے پولیس بلانے کی دھمکی دے ڈالی۔ ٹولی کے دو افراد سٹکلف اور ران رابرٹس ڈھاکہ میں ایک رکشا لے کر بھاگ کھڑے ہوئے اور پھر اس کی توڑ پھوڑ کر دی سفر کرنے والی ٹولی کے ایک شخص نے لالہ موسےٰ کے اسٹیشن ماسٹر پر بھی پانی پھینکا تھا۔ پھر لاہور اور پشاور میں وحشی انداز سے ٹانگے دوڑا کر مقابلے کیے گئے۔ ایم سی سی نے ان تمام الزامات سے انکار کیا۔

16 ڈی بی کار (D.B.Carr) کا اصرار تھا کہ یہ الزمات جھوٹ ہیں جب وہ انگلستان واپسی پر ایم سی سی کمیٹی کے سامنے پیش ہوا۔ لارڈز میں ہونے والے اس اجلاس کی باقاعدہ کاروائی 17 مارچ 1956 کو سوا بارہ بجے دوپہر منعقد ہوئی۔ ایم سی سی لائبریری کے ریکارڈ (Mcc/cri /5/1/62(20f2 پر موجود ہے۔

17 ڈی۔ ڈبلیو۔ ایس۔ ہنٹ (D.W.S.Hunt) جو لاہور میں بطور ڈپٹی ہائی کمشنر برطانیہ تعینات

تھا نے سرے کاونٹی کرکٹ کلب کے برائن کاسٹر (Brian Caster) سے شکایت کرتے ہوئے کہا کہ تقریباً دو سال کی وہ محنت جسے برطانیہ اور پاکستان کے تعلقات کی بہتری میں صرف کیا گیا ہو اسے اس قسم کے واقعہ سے سخت دھچکا لگا ہے۔ حقیقت میں جب 28 تاریخ کو اخبارات میں اس دن یہ کہانی مکمل طور پر سامنے آئی تو ہمیں اسی وقت احتجاجی جلوسوں کا خطرہ محسوس ہو رہا تھا۔ پولیس نے آٹھ جوان ہماری حفاظت کے لیے بھیج دیئے تھے۔ حسن اتفاق سے اسی دن موسلا دھار بارش کی وجہ سے لوگوں نے احتجاجی جلوس نہ نکالا۔ وگرنہ مجھے یقین ہے کہ ہماری کچھ کھڑکیوں کو اس دن توڑا جاتا۔ مجھے یہ کہنا پڑتا ہے کہ یہاں پر مقیم برطانوی باشندے متفقہ طور پر اس حرکت پر ناراض ہیں اور اس کی مزمت کرتے ہیں۔ اس واقعہ کو فراموش ہونے میں یقیناً وقت لگے گا۔ ٹیم نے لاہور آنے پر تقریباً اچھے اخلاق کا مظاہرہ کیا تھا مگر میں نے کراچی اور ڈھاکہ سے آنے والی خبروں سے یہ نتیجہ اخذ کیا کہ ان کی انتظامیہ کو ان پر کڑی نظر رکھنا چاہیے تھی۔ لارڈز لائبریری کے Mcc/cri/5/1/62 نمبری ریکارڈ پر موجود ہے۔

18 لارڈ ہیرس کا ائیرڈ (Aird) کے نام 28 فروری 1956ء کا خط ایم سی سی لائبریری کے ریکارڈ نمبر Mcc/cri/5/1/62 پر موجود ہے۔ ائیرڈ نے جواب ڈاک میں لکھا ''میرے خیال میں تمہارے والد پاکستان میں ہونے والے واقعے پر کوئی ردعمل نہ کرتے جب تک کہ منیجر کی طرف سے واقعہ کی مکمل رپورٹ موصول نہ ہو جاتی۔ اور اب ہم اسی کا انتظار کر رہے ہیں۔'' اس جواب نے لاوڈ ہیرس کو ٹھنڈا کیا اور اس نے لکھا ''میں صورتحال سمجھ رہا ہوں۔ ظاہر ہے تم اس وقت تک کچھ نہیں کر سکتے جب تک تمہیں دوسری طرف سے رپورٹ موصول نہیں ہو جاتی۔'' لارڈ ہیرس کے ہندوستانی کرکٹ پر اثر کے احوال جاننے کے لیے گوہا (Guha) کی " A Corner of a Foreign Field " کے صفحات 53 تا 55 ملاحظہ کریں۔

19 ''پشاور ٹیسٹ میچ کا واقعہ اور برطانوی صحافت'' نوائے وقت صفحہ 2 مورخہ 8 مارچ 1956 مجید نظامی کی طرف سے خاص خبر تاہم یہاں جناب نور الٰہی ملک کے الفاظ میں بیان ہے'' آسٹریلیا کا حوالہ دینا پراسرار ہے۔ 1954-55 کی انگلستان کی آسٹریلیا میں میچوں کے سلسلے میں امپائروں کے حوالے سے کوی تنازعہ نہیں تھا (جسے انگلستانی ٹیم نے 3-1 سے جیت لیا تھا) یہی صورتحال 1959-51 کی تھی البتہ انگلینڈ کی ٹیم 1946-47 میں ناخوش تھی خاص طور پر جب پہلے ٹیسٹ میچ میں سلپ میں کیچ ہو جانے پر امپائر نے بریڈ مین (Bradman) کو ناٹ آؤٹ دیا تھا۔ مگر اس کی سرعام کوئی شکایت نہ کی گئی۔ انگلینڈ کی ٹیم نے ویسٹ انڈیز میں 1953-54ء کی ٹیسٹ سیریز کے دوران مقامی امپائروں کے فیصلوں سے اختلاف کیا تھا۔ اس کے لیے 1955ء کے وزڈن کا صفحہ 762 ملاخطہ کریں۔

20 فیلڈ مارشل لارڈ الیگزنڈر آف تیونس اپنے تدبر اور پرکشش شخصیت کی بدولت جانے جاتے تھے۔ (دیکھیئے ان کی سوانح عمری)(Alex by Niger Nicholson Wiedenfeld 1973)۔ پہلی جنگ عظیم میں انہوں نے مغربی لحاظ سے پر لڑائی میں حصہ لیا اور ملٹری کراس، امتیازی سروس آرڈر اور فرینچ لیجن ڈی آنر حاصل کیے۔ وہ 1940ء میں ڈنکرک (Dunkirk) سے آخری بحری جنگی جہاز سے اس وقت روانہ ہوئے جب انہوں نے اس بات کی تسلی کر لی کہ تمام برطانوی دستوں کو وہاں سے نکال لیا گیا ہے۔ ہیرو (Harrow) سکول کے طالب علم کی حیثیت سے 8-9 جولائی 1910ء کو انہوں نے لارڈز میں ہونے والے فاؤلرز (Fowlers) کے روایتی میچ میں حصہ لیا تھا۔ یہ میچ ایٹن سکول (Eaton) کے کپتان رابرٹ سینٹ لیجر فاؤلر (Robert St.Leger Fowler) کے نام کر دیا گیا تھا کیوں کہ اس نے اپنے

عمدہ کھیل کی بدولت اپنی ٹیم کو ایک ناممکن صورتحال سے نکال لیا تھا۔ جب دوسری اننگز کے دوران ان کی نویں وکٹ گری تو ائین سکول جسے فالو آن پر کھیلایا گیا تھا، چار رنز یادہ کر چکا تھا۔ وہ میچ ایٹن نے جیت لیا۔ مستقبل کے فیلڈ مارشل نے قابل غور کردار ادا کرتے ہوئے اپنی لیگ سپن کے ذریعے مقابلے کے دن کے دوران چالیس رنز کے عوض پانچ وکٹ حاصل کر کے میچ کو اس کے شاندار اختتام پر پہنچا دیا۔ الیگزنڈر نمبر 11 پر بیٹنگ کرنے اس وقت آئے جب ایٹن کو جیتنے کے لیے 23 رنز درکار تھے اور اس کی صرف ایک وکٹ باقی تھی۔ وہ میدان میں جمے رہے اور تیرہ رنز کے اضافے کے بعد سلپ میں کیچ آؤٹ ہوئے۔ کہا جاتا ہے کہ الیگزنڈر کے آؤٹ ہونے پر اس کے سکول ایٹن کے لڑکوں نے نعرے لگائے ان کی گونج دور پیڈانگٹن (Paddington) سٹیشن تک سی جا سکتی تھی۔ میرے اپنے اندازے کے مطابق اس لافانی میچ میں کھیلنے والے بائیس لڑکوں میں سے کم از کم آٹھ 18-1914ء کی جنگ عظیم میں مقابلے کے دوران مارے گئے تھے۔

21 اسکندر مرزا 1955ء سے لے کر اکتوبر 1958ء تک بی سی سی پی (BCCP) کے صدر کے عہدے پر فائز رہے۔ انہیں ایوب خان نے بی سی سی پی (BCCP) کے صدر اور صدر پاکستان کے دونوں عہدوں سے سبکدوش کر دیا تھا۔

22 آر ایم اے (رائیل ملٹری اکیڈمی) کرکٹ کے کوائف میں درج ہے کہ "سکندر نے اپنی منطق سے کھیلتے ہوئے آؤٹ ہوئے بغیر اوول کے میدان میں 163 بغیر کسی غلطی کے رنز بنائے۔ ان میں سے تقریباً 30 رنز وکٹ کے سامنے کھیلتے ہوئے کیے۔ اس نے اس قسم کی کئی اور اچھی اننگز بھی کھیلیں۔ خاص طور پر آؤٹ ہوئے بغیر تقریباً 80 رنز کی یادگار اننگز جو اس نے گرین جیکٹس (Green Jackets) کے خلاف کھیلی۔ اگر وہ یونہی کرکٹ کھیلتا رہا جس کی ہم سب کو امید ہے تو پھر ایک دن وہ کرکٹ کا مشہور کھلاڑی بن جائے گا۔" ہمایوں مرزا کی کتاب فرام بالاسی ٹو پاکستان

(From Plassey to Pakistan: The Family History of Iskander Mirza, the First President of Pakistan (Lanhan Md:University Press of America, 1999). Appendix III

مگر افسوس کہ مرزا کی کمر اپنی پہلی ہی فوجی مشق میں زخمی ہوگئی اور اس کی کرکٹ کا بھی خاتمہ ہوگیا۔

23 سرکاری طور پر اس کا اشارہ نہیں ملتا کہ اس معاملہ کو اٹھایا گیا تھا جبکہ ٹونی لاک (Tony Look) واضح طور پر بیان کرتا ہے کہ "صدر نے امپائرنگ کے واقعہ کے بارے میں ایک لفظ تک نہ کہا۔" لاک کی کتاب صفحہ 129 (For Surrey and England)

24 اندرون خانہ ایم سی سی نے اس کا اعتراف کیا جیسا کہ جیفری ہاورڈ کے خط بنام گروپ کیپٹن چیمہ 28 فروری میں بیان ہے۔ "وہ اس کے ہوٹل گئے اور وہاں سے اسے اس کی مرضی کے خلاف بذریعہ تانگہ اپنے ہوٹل لے آئے۔ میرا خیال ہے مگر میں یقین سے نہیں کہہ سکتا کہ اس کے بازو پر تب چوٹ آئی جب اس نے تانگہ سے نکل کر فرار ہونے کی کوشش کی تھی۔" ایم سی سی لائبریری آرکائیو۔ MCC/CR/5/1/63۔

25 جیفری ہاورڈ کے 17 مارچ 1956ء کے بیان میں زور دیا گیا کہ "چند حلقوں کی طرف سے یہ رائے دی جا رہی ہے کہ واقع میں ملوث ٹیم کے ارکان شراب کے نشہ میں تھے مگر یہ الزام نہ صرف بے بنیاد ہے بلکہ بالکل جھوٹ ہے۔ حقیقت یہ ہے کہ ٹیم کے بیشتر ارکان شراب سے پرہیز کرتے ہیں اور اگر کچھ پیتے ہیں تو وہ برائے نام شراب

نوشی کرتے ہیں۔'' وزڈن 1957ء صفحہ 793 سے ماخوذ۔

26 داؤد خان نے اپنی فرسٹ کلاس کرکٹ کا آغاز 37-1936ء میں سندھ کی طرف سے کھیلتے ہوئے ناردرن انڈیا فری لانسرز (Northren India Freelancers) کے خلاف کراچی میں کیا۔ اس نے سندھ کی طرف سے لارڈ ٹینی سن (Lord Tennyson) کی ایم سی سی کے خلاف 38-1937ء میں دونوں نے آؤٹ ہوئے بغیر 49 رنز اور 10 رنز بنائے۔ تقسیم ہند کے بعد پاکستان کی سرزمین پر ہونے والے پہلے فرسٹ کلاس میچ میں وہ لاہور کے مقام پر سندھ کی طرف سے مغربی پنجاب کے خلاف کھیلے۔ بعد میں انہوں نے امپائرنگ شروع کردی اور ایم جے موبڈ (M.J.Mobed) کے ہمراہ نائیجل ہاورڈ (Nigel Howard) کی 52-1951ء میں دورہ کرنے والی ایم سی سی ٹیم کے کراچی میں ہونے والے دوسرے غیر سرکاری ٹیسٹ میچ میں امپائرنگ کے فرائض ادا کیے۔ پھر 1954ء سے 1973ء کے دوران انہوں نے چودہ ٹیسٹ میچوں میں امپائرنگ کی۔ وہ 56-1955ء میں دورہ کرنے والی ایم سی سی اے (MCC "A") ٹیم کے ساتھ رابطہ افسر کے طور پر منسلک تھے۔

8

# غیر معمولی صلاحیتوں کے افراد کا سال

''پاکستان کو بچانے کی تم واحد امید ہو۔''

- عبدالحفیظ کاردار بنام حنیف محمد

1956ء کے موسم گرما تک عبدالحفیظ کاردار عین اپنے عروج پر پہنچ چکا تھا۔ اس کی کپتانی کو پہلی بار کسی کی طرف سے کوئی خطرہ نہیں تھا۔ میاں محمد سعید (جو اپنی عمر کی چالیسویں دہائی کے آخر میں تھا) کی طرف سے بھی کپتانی کے خدشات تحلیل ہو چکے تھے۔ اکتیس سال کی عمر میں اب کاردار اپنی زندگی کی بہترین کرکٹ کھیل رہا تھا۔ بیشتر اوقات میچ کا پانسہ پلٹنے کے لیے نچلے درجہ پر بیٹنگ کرتے ہوئے اعلیٰ کھیل کا مظاہرہ کرتا جبکہ اس کی بائیں ہاتھ سے سست رفتار کی سپن باؤلنگ مددگار پچوں پر بیٹنگ میں اچھی قوت رکھنے والی ٹیموں کو تباہ کرنے کی صلاحیت رکھتی تھی۔ وہ ایک اعلیٰ اور جاندار فیلڈر تھا اور گلی کی پوزیشن میں فیلڈنگ میں اپنا ثانی نہیں رکھتا تھا اور ان سب باتوں سے بڑھ کر اس کا حوصلہ اور جوانمردی پر شک وشبہ سے بالاتر تھے۔ مثال کے طور پر اوول کے میدان میں وہ فرینک ٹائیسن (Frank Tyson) کے تیز رفتار گیندوں کی بوچھاڑ اپنے جسم پر ڈٹ کر سہہ رہا اور بعد میں یہی کچھ اس نے ویسٹ انڈیز میں رائے گلکرائسٹ (Roy Gilchrist) کی پرتشدد اور طوفانی باؤلنگ کے سامنے بہادری سے کھڑے ہو کر کیا۔

کسی حد تک ان وجوہات کے بل بوتے پر ٹیم پر کاردار کا مکمل تسلط تھا۔ کپتان کی حیثیت سے میدان میں فیلڈنگ پر معمور کھلاڑیوں کی جگہ تبدیل کرنے میں اس کے پاس طبعی لیاقت موجود تھی۔ جیسا کہ اس نے شجاع الدین کو شارٹ لیگ پر کھڑا کر کے اوول کے ٹیسٹ میچ کی آخری صبح وارڈل (Wardle) کی فیصلہ کن وکٹ حاصل کر لی۔ کاردار میں کھیل کو سمجھ لینے کی غیر معمولی صلاحیت تھی۔ جمشید مارکر کو یاد ہے کہ جب وہ کاردار کے ساتھ نیٹ میں ریگ سمپسن (Reg Simpson) کو کھیلتے دیکھنے گیا جسے اس نے پہلے نہیں دیکھ رکھا تھا۔ کاردار نے سمپسن کو چار یا پانچ گیندوں سے نبرد آزما ہوتے بغور دیکھا اور وہاں سے مڑتے ہوئے فیصلہ

صادر کیا کہ ''دوسلپ اور دوگلی'' کی مار ہے۔

کاردار نے اپنا ایک انداز اور اسلوب بنالیا تھا۔ غالباً وہ نواب پٹودی سے مرعوب تھا۔ وہ پہننے کے لیے قمیص اور سوٹ لندن کے ویسٹ اینڈ میں واقع جرمین سٹریٹ (Jermyn Street) سے حاصل کرتا تھا۔ تصاویر میں کاردار کے خوبصورت چہرے اور اس پر غمگین تیور اسے اس دور کی اہم ہالی وڈ کی فلموں کے نمایاں اداکاروں سے بے حد مشابہت دیتے تھے۔ اس کے دوستوں میں سے ایک کیتھ ملر (Keith Miller) تھا۔ یہ آسٹریلیا کا جنگ عظیم کا سورما تھا۔ اس کے علاوہ کرکٹ کا مقبول کھلاڑی اور 1950ء کی دہائی کے دلفریب مردوں میں اس کا شمار ہوتا تھا۔ کاردار جو اپنے ذاتی تعلقات میں ہمیشہ ادب و آداب کوملحوظ خاطر رکھتا تھا، نے مرتے دم تک ملر (Miller) کے ساتھ خط وکتابت کے ذریعہ تعلق برقرار رکھا۔

کاردار متضاد شخصیت کا مالک تھا۔ بعض اوقات وہ اپنے آپ پر فخر کرنے کی عادت کو غیر معقول حد تک لے جاتا۔ اسے آکسفورڈ میں حاصل کی گئی تعلیم پر ناز تھا اور وہ انگریزوں کی طرح لباس زیب تن کرتا تھا۔ وہ اپنے کھلاڑیوں کو کھانے کی میز پر بیٹھنے کے انگریزی طور طریقوں اور سماجی آداب واخلاق کا درس دیتا تھا۔ مثلاً جب کبھی وہ اس کے ہاں بطور مہمان ٹھہرتے تو وہ انہیں رقم مہیا کرتا تاکہ وہ ملازموں کے لیے پلنگ کے ساتھ بطور بخشش رکھ سکیں۔ اس کا پابندی وقت اور اچھے آداب پر اصرار رہتا اور جوان دونوں خوبیوں میں ناکام رہتا، اسے پاکستانی کرکٹ سے خارج کردیا جاتا۔

تاہم ایک ہی وقت میں ایک طرف تو وہ انگریزوں کے آداب کا دلدادہ تھا اور دوسری طرف ایم سی سی کے ساتھ اس کی کشمکش بڑھتی جارہی تھی۔ ادریس بیگ کے واقعہ کے بعد انگریز انتظامیہ کاردار کو شک کی نگاہ سے دیکھنے لگی تھی۔ جوں جوں کاردار میں خوداعتمادی بڑھی اور پختگی آئی توں توں اس میں انگریزوں کے دور کے خلاف جذبہ پیدا ہوتا چلا گیا۔ اسے انگلستان اور دوسری کرکٹ کھیلنے والی سفید اقوام کے پوری دنیا میں کھیل پر حاکمانہ رویہ سے سخت نفرت تھی۔

اب وہ ایک جانی مانی شخصیت کے طور پر پہچانا جاتا تھا۔ ''میں یہ بیان کرنے سے قاصر ہوں کہ محبوب ومقبول شخصیت بن کر کیا محسوس ہوتا ہے۔'' اس نے چند سال بعد لکھتے ہوئے بیان کیا: ''میں تمام تعریف وتوصیف وصول کرتا رہا کیوں کہ میں بے حد شرمیلا تھا۔ سب سے پسندیدہ ستائش یہ تھی کہ سڑکوں پر لڑکے بازاروں میں بزرگ حضرات، دکانوں میں برقعہ پوش خواتین ریلوے سٹیشنوں پر مسافر اور دورافتادہ علاقوں میں جیسا کہ ان تمام ریلوے سٹیشنوں پر جو میمن سنگھ اور راجشاہی کے درمیان واقع تھے، مجھے پہچان لیا جاتا تھا۔ ایسے ہی ایک سفر کے دوران مجھے سپاہیوں نے سلامی پیش کی اور مشرقی پاکستان میں میرے اعزاز میں شہریوں کی طرف سے دی گئی دعوتیں، جنہیں میں نے عاجزی اور تشکر کے ساتھ قبول کیا۔''

کاردار کے لیے اپنے آبائی پاکستان کے طول وعرض میں شاہانہ انداز میں سفر کرنا اتنا ہی آسان تھا جتنا اس کے لیے آکسفورڈ میں مرکزی میز پر بیٹھنا۔ نیویارک اور لندن کی شاندار ضیافتوں میں شامل ہونا۔ سیاستدانوں، تاجروں، فلمی اداکاروں اور اداکاراؤں سے ملنا جلنا تھا۔ وہ زندگی کی ان تمام نعمتوں کو قدر اور پسندیدگی کی نگاہ سے دیکھتا تھا۔ مگر اس کے باوجود اس میں بڑھتے ہوئے سیاسی عقائد بدستور اتم موجود رہے جن کا وجود اس کے اسلامی ایمان پر مبنی تھا۔ کاردار دھیرے دھیرے اپنے آپ کو ایک سیاسی آواز کے طور پر مستحکم کررہا تھا۔ اس نے لندن کے اخبار ٹائمز میں خطوط لکھ کر متنازع معاملات میں دخل اندازی شروع کردی۔ وہ خطوط عموماً دقیق صورتحال پر ہوتے جیسا کہ پاکستانی روپیہ کی قدر۔ اس کے دوستوں میں دو مستقبل کے وزرائے اعظم پاکستان کے ذوالفقار علی بھٹو اور برطانیہ کے ایلک ڈگلس ہوم (Alec Douglas Hume) شامل تھے۔

کاردار کو اب اکثر سکپر (Skipper) کہہ کر مخاطب کیا جاتا یا اردو میں کپتان کہا جاتا مگر کھیل کے میدان کے تبدیلی لباس کے کمرہ میں اس کا ایک حریف موجود تھا۔ وہ اور فضل محمود ایک دوسرے سے محتاط اور مشکوک رہتے۔ فضل محمود دوستوں سے شکایت کرتے کہ کاردار کی تمام عظیم کامیابیاں اُس کی صلاحیتوں کی مرہون منت تھیں۔ 1940ء کے عشرے میں جب وہ دونوں کرکٹ کے نوجوان کھلاڑی تھے تو دونوں میں بے حد قرب تھا۔ وہ اکٹھے قدیمی لاہور کی گلیوں میں سے ہوتے ہوئے نیٹ پریکٹس کے لیے منٹو پارک آتے اور سائیکل پر سوار ہوکر میچوں میں جاتے۔

فضل محمود نے کہا کہ کاردار جب آکسفورڈ سے واپس آیا تو وہ بدلا ہوا انسان تھا۔ خوشگوار دنوں کا عبدالحفیظ جسے دوست فیجا کہہ کر بلایا کرتے تھے، اب غائب ہوچکا تھا اور اس کی جگہ تنی ہوئی گردن والے اے ایچ کاردار نے لے لی تھی۔ تاہم اس میں کوئی شک نہیں کہ کاردار اور فضل محمود کا مرکب کامیابی کی ضمانت تھا۔ حنیف محمد جس نے اس تعلق کا قریب سے مشاہدہ کیا، آج کہتا ہے کہ ''کاردار کو کھلاڑی کی مہارت کو اجاگر کرنے کا فن آتا تھا۔ فضل محمود سے ان کا کوئی خاص دوستانہ تعلق نہیں تھا مگر یہ تو نہیں جانتا کہ وہ فضل محمود کو کیا کہتے تھے مگر انہیں فضل محمود کی بہترین صلاحیتوں سے کام لینا آتا تھا۔ ان کی شراکت چاہے کتنی ہی غیر یقینی تھی مگر ان دونوں شخصیتوں نے مل کر پاکستان کو اس کی ابتدائی حیرت انگیز اور زبردست کامیابیوں سے ہمکنار کیا۔

آج بھی پاکستانی ان کامیابیوں کو دہراتے ہوئے فخر محسوس کرتے۔ انگلینڈ کو ان کی اپنی سرزمین پر شکست دینا۔ ہندوستان کے خلاف لکھنو میں فتح حاصل کرنا مہمان ٹیم نیوزی کو تباہ کردینا اور اب آسٹریلیا آن پہنچا تھا۔

## کراچی 1956ء

ایشز (Ashes) کے مقابلے میں جم لیکر (Jim Laker) کے ہاتھوں تہہ و بالا ہونے کے بعد واپس گھر جاتے ہوئے آسٹریلوی ٹیم برصغیر رکی۔ ہندوستان کے خلاف تین ٹیسٹ میچ اور پاکستان کے خلاف ان کے لیے ایک ٹیسٹ میچ مرتب کیا گیا۔ پاکستان نے دو ٹیسٹ میچوں کی مہمانداری کی درخواست کی تھی۔ مگر یہ درخواست ٹھکرا دی گئی۔ مگر یہ ایک ہی ٹیسٹ میچ ملک کی تاریخ کا سب سے توجہ طلب میچ بن گیا۔

آسٹریلوی ٹیم میں مشہور و معروف نام موجود تھے۔ نیل ہاروے (Neil Harvey)، رچی بینو (Richie Benaud)، ایلن ڈیوڈسن (Alan Davidson)، رے لنڈوال (Ray Lindwall) اور کیتھ ملر (Keith Miller) جس کے لیے یہ ٹیسٹ میچ آخری ثابت ہوا۔[1] ٹاس جیت کر پہلے باری لیتے ہوئے وہ فضل محمود کی مخصوص شناخت میٹنگ (Matting) پر اس کے لیگ کٹرز (Leg Cutter) اور بریک بیکس (Break Backs) کا سامنا نہ کر سکے۔ فضل محمود نے آسٹریلیا کی ٹیم کے آنے سے پہلے تیاری کر رکھی تھی۔ وہ اسلام آباد کے شمال میں واقع مری کی پہاڑیوں میں جو انگریزی دور حکومت میں موسم گرما میں انتظامی مرکز کے طور پر استعمال کیا جاتا تھا، کے ہوٹل سیمز (Sam's) میں ایک ماہ تک مقیم رہا۔[2] ہر روز وہ پہاڑوں کے نشیب و فراز میں تیز رفتاری سے چلتا اور واپس آ کر تازہ پھل اور سبزیاں نوش کرتا۔

اس تدبیر سے حاصل کی ہوئی تقویت سے اس نے اوپر کے درجے پر کھیلنے والے چھ کھلاڑیوں میں سے پانچ کو آؤٹ کر کے واپس پویلین بھیج دیا۔ اس نے پہلی اننگز میں چھ وکٹ حاصل کیے اور اس کی باؤلنگ کی سمت اور گیند گرنے کے فاصلہ میں ذرا بھر بھی لڑکھڑاہٹ نہ آئی۔ بقیہ چار وکٹیں خان محمد کے حصے میں آئیں۔ مری میں رہائش کے دوران فضل محمود نے ہوٹل کے منیجر کے سامنے یہ بڑ ماری تھی کہ وہ آسٹریلیا کی ٹیم کو 100 رنز سے کم میں آؤٹ کر دے گا اور یہی ہوا وہ 80 پر ڈھیر ہو گئے۔ خان محمد اور میں نے تبدیل ہوئے بغیر لگاتار چار گھنٹے تک باؤلنگ کی۔ فضل محمود نے تحریر کیا "ہماری یہ ایک قسم کی مشترکہ کارروائی تھی جس میں ہم نے بیٹسمین کو قطعی موقع نہ دیا کہ وہ اطمینان کا سانس لیتا انہیں ہر گیند کھیلنے پر مجبور رکھا۔" فضل محمود نے خاص طور پر ملر کو تضحیک کا نشانہ بنایا۔ کھیلنے کی کوشش میں فضل محمود کے پانچ لگاتار لیگ کٹر گیندوں سے معذور رہا۔ اور پھر وہ فضل محمود کے بریک بیک (Break Back) سے ہڑبڑا گیا۔ یہ باؤلنگ کا شاہکار نمونہ تھا۔

اپنی باری آنے پر پاکستان بھی ناکام ہو گیا۔ "ہماری بیٹنگ قابل رحم تھی۔" فضل محمود نے کرب سے اظہار کرتے ہوئے لکھا، "یوں لگتا تھا کہ پہلے روز کا کارنامہ ضائع ہو رہا تھا۔" ملر نے حنیف کو بغیر کسی رن کے صفر پر آؤٹ کر دیا۔ اور پہلے رن کے اختتام پر پاکستان ایک غیر یقینی صورتحال سے دوچار تھا۔ اس کے 15 رنز کے عوض دو کھلاڑی آؤٹ ہو چکے تھے۔ دن بھر میں صرف 95 رنز بنائے جا سکے تھے۔ مگر کرکٹ کے ادیب

جیک پولارڈ (Jack Pollard) کے مطابق ''جن آسٹریلوی کھلاڑیوں نے اس میچ میں حصہ لیا ان کے نزدیک آج بھی وہ پہلے دن کا کھیل ان کی زندگیوں کا پرکشش ترین تھا۔'' وہ دن وقت طلب اور تھکا دینے والے کھیل پر مبنی تھا جس میں 20 فی گھنٹہ کے حساب سے رن بنائے گئے اور یہ اس بات کا ثبوت ہے کہ ضروری نہیں کہ صرف دیوانہ وار تیز رفتاری سے کھیلنے سے ہی میچ دیکھنے میں دلچسپی پیدا ہوتی ہے۔

اگلے روز کاردار نے اپنے مدافعانہ انداز میں آہستہ آہستہ سلگتے ہوئے شعلے کی طرح کھیل پیش کیا۔ جب وہ 70 رنز پر پانچ کھلاڑیوں کے آؤٹ ہونے کے بعد کھیلنے کے لیے آیا تو آسٹریلوی ٹیم کی کھیل پر گرفت مضبوط ہو چکی تھی۔ اس نے 69 رنز بنائے جس میں وزیر محمد کے ساتھ 104 رنز کی شراکت تھی۔ وزیر محمد جس نے 67 رنز بنائے جسے اپنے چھوٹے بھائیوں کے مقابلے میں آسانی سے فراموش کر دیا جاتا ہے۔ مگر بار بار وزیر نے آکر ٹیم کو مشکلات سے نجات دلوائی۔ جیسا کہ اس نے 1954ء کے اوول ٹیسٹ میں دوسری اننگز میں 42 رنز بنئے اور بعد میں اس نے اپنے بھائی حنیف محمد کا ویسٹ انڈیز میں ساتھ دیا جہاں حنیف نے پاکستان کو شکست سے بچانے کے لیے 337 رنز کی بہادرانہ اننگز کھیلی۔

اس شراکت نے پاکستان کو 119 رنز کی برتری حاصل کر دی اور اس کے ساتھ ہی پاکستان میچ جیتنے کے مقام پر آن پہنچا۔ گو آسٹریلیا نے دوسری اننگز میں اچھے کھیل کا مظاہرہ کیا مگر وہ فضل محمود سے نبرد آزما ہونے میں ناکام رہے۔ اڑتالیس اووروں میں فضل محمود نے 80 رنز کے عوض سات وکٹ حاصل کیے اور میچ میں 114 رنز کے عوض کل تیرہ وکٹ لیے۔ رچی بینڈ کے جارحانہ 56 رنز کے باوجود آسٹریلیا پاکستان کو جیتنے کا صرف 69 رنز کا ہدف دے پایا۔ حنیف کو جلد کھو دینے کے صدمہ سے دوچار ہونے کے بعد پاکستان نے انتہائی سست روی سے حصول مقصد کی طرف پیش قدمی شروع کی۔ تیسرے دن کے اختتام تک علیم الدین اور گل محمد نے بیس ہزار کے مجمع کی موجودگی میں 45.5 اووروں میں صرف 63 رنز بنائے۔ اس کے بعد کھیل کو پاکستان کے پہلے وزیراعظم لیاقت علی خان کی شہادت کی پانچویں برسی کی وجہ سے چوبیس گھنٹوں کے لیے موخر کر دیا گیا۔ پھر بھی آسٹریلوی کھلاڑی حیرت زدہ ہو گئے۔ جب چھ ہزار تماشائی میدان میں پاکستان کو جیت کے لیے بقیہ صرف چھ رنز بناتے دیکھنے امڈ آئے۔ مجموعی طور پر 535 رنز بنائے گئے تھے جن کی ہر سو گیندوں پر 29.41 کی اوسط رہی تھی۔ اس مقابلے کے سورما فضل محمود نے بعد میں لکھتے ہوئے بیان کیا:

''آسٹریلیا کے خلاف فتح حاصل کرنے کے بعد پاکستان کرکٹ کی تاریخ کا پہلا باب تمام ہوا۔ یہ اس کے بچپن کا اختتام تھا۔ کرکٹ کی دنیا کے دو دیوقامت حریفوں انگلینڈ اور آسٹریلیا کو شکست دینے کے بعد پاکستان نے وقت سے پہلے دانت نکالنے والے بچہ کی طرح اپنا کام مکمل کر لیا تھا۔ چار سال قبل تک یہ دنیائے کرکٹ کے چھوٹے بچے جو چلنا سیکھ رہے تھے حیرت زدہ بزرگ کو اوول کے میدان میں قلابازیاں کھلانے

کے بعد ابمکمل طور پر بالغ ہو چکے تھے گہ یہ کرکٹ میں سب سے کم عمر قوم کے طور پر نمودار ہوئی تھی مگر اس نے اپنی جگہ طاقتور قوموں کے درمیان حاصل کر لی تھی۔''

یہاں قابل معافی مبالغہ آرائی سے کام لیا گیا تھا۔ یقیناً پاکستان نے دنیا کی بہترین ٹیموں کے مقابلے میں ناقابل یقین فتوحات کا سلسلہ حاصل کر لیا تھا اور یہ بھی سچ ہے کہ اس کے پاس حنیف اور فضل محمود کی شکل میں دنیا کے عظیم کھلاڑی موجود تھے مگر مستقبل میں مشکل وقت ابھی آنا باقی تھا۔ اکتوبر 1956ء کے کراچی کے ایک ٹیسٹ کے ایک سال سے زائد عرصہ گزرنے پر 1958ء کے شروع میں پاکستان کا اگلا سلسلہ ویسٹ انڈیز کے خلاف آ پہنچا۔ پندرہ ماہ کے اس درمیانی وقفہ میں پاکستانی ٹیسٹ کھلاڑیوں کو بین الاقوامی طور پر مایوس کن صورتحال کو برداشت کرنا پڑا۔

## قائداعظم ٹرافی 58-1954ء اور ملکی کرکٹ

جس دور میں پاکستان کی بین الاقوامی ٹیم غیر فعال تھی اس کی اندرون ملک کرکٹ صحتمند طریقے سے ترقی کی راہ پر گازمزن تھی اور نوجوان کھلاڑیوں کے لیے نئے مواقع پیدا کر رہی تھی۔ ایسی ہی ایک دریافت سولہ سالہ نسیم الغنی کی شکل میں سامنے آئی جس نے قائداعظم ٹرافی کے میچ میں کراچی بلیوز کی طرف سے کھیلتے ہوئے کراچی وہائٹس کے خلاف 79 اوورز کیے اور 184 رنز دے کر تین کھلاڑی آؤٹ کیے تھے۔ اس دشوار مہم کے نتیجے میں اسے ویسٹ انڈیز کا دورہ حاصل ہوا۔ تاہم ہونہار بروا کے طور پر اسے مشتاق محمد (معروف بھائیوں میں سے چوتھا) نے اپنی چودھویں سالگرہ سے کئی ہفتے پہلے کراچی وہائٹس (Krachi Whites) کی طرف سے کھیل کر اپنی فرسٹ کلاس رکٹ کا آغاز کرتے ہوئے نسیم الغنی کو پیچھے چھوڑ دیا تھا۔ اس نے 87 رنز بنا کر سب سے زیادہ سکور کیا اور اس کے ساتھ پانچ وکٹ حاصل کر کے سندھ کی ٹیم کو تباہ کر دیا۔

یوں فرسٹ کلاس کرکٹ درمیانی طبقہ کے پس منظر سے تعلق رکھنے والے پاکستانی لڑکوں کے لیے پرکشش پیشہ بن گئی۔ خاص طور پر کراچی اور لاہور جیسے اہم مراکز میں۔ حالاں کہ قائداعظم ٹرافی میچوں میں کھیلنے والوں کو ابھی کوئی رقوم ادا نہیں کی جاتی تھیں۔ فرسٹ کلاس کرکٹ کھیلنے سے نوجوان کھلاڑیوں کے اہم لوگوں سے تعلقات پیدا ہو جاتے تھے جو ان کے لیے نوکریوں کا اچھا وسیلہ بن جاتے تھے جبکہ ٹیسٹ ٹیم میں شمولیت کا موقع یا اس کے کہیں نزدیک پہنچ جانے پر کھلاڑیوں کو سماجی طور پر اونچا مقام حاصل ہو جاتا تھا۔ عمر قریشی نے یاد کرتے ہوئے بیان کیا کہ ''شروع سے ہی کرکٹ کے ذریعے سماجی مقام ملنے شروع ہو جاتے تھے۔ مجھے یاد ہے کہ کس طرح اچانک حنیف اور فضل محمود معاشرے میں مقام حاصل کر کے سماج کے اعلیٰ ترین اشخاص سے ملنے جلنے لگے تھے۔ جو کہ کسی اور کھیل کے کھلاڑی اس طرح کے رابطے کے بارے میں سوچ تک

نہیں سکتے تھے۔ کرکٹ سے متعلق ہمیشہ سے یہ جاذبیت موجود تھی۔'' وزیر محمد نے 1950ء کی دہائی کے دوران کراچی شہر کے عین وسط میں واقع جہانگیر پارک کا نقشہ یوں بیان کیا: ''تقریباً آٹھ سے دس ٹیمیں وہاں یا تو نیٹ میں پریکٹس کررہی ہوتیں یا پھر میچ ہورہے ہوتے۔ ہر طرف سے لڑکے وہاں اس امید پر آتے کہ وہ کسی کو دکھا سکیں کہ وہ کیا کرنے کی اہلیت رکھتے ہیں۔''

معروف صحافی اردو ادیب قمر احمد نے مجھے اس دور کے قائداعظم ٹرافی میچ میں اپنے کھیلنے کی تصویر کشی کی۔ اس نے 57-1956ء کے دوران سندھ کی طرف سے کراچی وائٹس کے خلاف فرسٹ کلاس کرکٹ کا آغاز کیا۔ اسی میچ سے مشتاق محمد نے بھی شروعات کی تھی۔ قمر نے کھیلنے کا یہ سلسلہ سات سال تک جاری رکھا۔ مگر صرف سترہ فرسٹ کلاس میچ کھیل پایا۔ اس کے باوجود قومی شناخت اس کے حصہ میں آئی۔ وہ واحد شخص ہے جس نے پانچوں محمد برادران کو فرسٹ کلاس کرکٹ میں آؤٹ کررکھا ہے۔ ''چاہے بڑا نام رکھنے والے کھلاڑی جیسے حنیف، مشتاق یا سعید احمد بھی میچ کھیل رہے ہوتے تو اگر چند سو تماشائی آجاتے تو یہ ہماری خوش بختی ہوا کرتی تھی۔'' ہمیں فی میچ دس روپیہ معاوضہ ملا کرتا تھا اور جب دوسرے شہروں میں کھیلنے جاتے تو بے حد نچلے اور معمولی درجہ کے ہوٹلوں میں ٹھہرتے۔ میچوں کے بارے ریڈیو پر کوئی نشریات نہ ہوتیں مگر اخبارات میں خاص طور پر کراچی ڈان اور لاہور کے پاکستان ٹائمز اور اردو زبان کے اخبار جنگ میں تفصیلی خبریں شائع ہوتی تھیں۔ ان سے کھلاڑیوں کو مقبولیت ملتی۔''

قائداعظم ٹرافی کے کھلاڑیوں کو کرکٹ کھیلنے کے علاوہ بھی مقبولیت مل جاتی تھی۔ ایسے کھلاڑیوں میں سے ایک بائیں ہاتھ سے سپن کرنے والا غیر معمولی صلاحیت کا مالک شہزادہ اسلم تھا جو مانا ودر کے نواب کا وارث تھا جنہیں ہاکی اور کرکٹ کے سرپرست کے طور پر پہچانا جاتا ہے۔ کئی ہم عصروں نے اس غیر معمولی قد کاٹھ والی شخصیت کی یادوں کو رضاکارانہ طور پر پیش کیا۔ جن میں اس کی عملی چھیڑ چھاڑ، فلمی اداکاراؤں سے روابط، شاندار کیڈلک (Cadillac) کار میں سوار ہوکر اکثر میچوں میں دیر سے پہنچنے، امپائر کے فیصلے کے خلاف احتجاجاً پستول سے ہوا میں گولیاں چلانے کے قصے شامل ہیں۔ سب کو اس کی ہنرمندی پر اتفاق تھا۔ کیتھ ملر کے خیال میں وہ پاکستان میں اپنی طرز کا بہترین کھلاڑی تھا۔ مشتاق محمد کی یادوں کے مطابق وہ ''دوسرا'' کا اصل موجد تھا۔ کاردار اور ٹیسٹ کھلاڑیوں کو منتخب کرنے والوں کو اس کا زندگی کا یہ طرزِ انداز پسند نہیں تھا۔[3]

## پاکستان کرکٹ کے ریڈیو صداکار

تقسیم کے وقت وراثت میں پاکستان کو ملنے والا ریڈیو کا نظام برائے نام تھا۔ محدود فاصلے کے تین میڈیم ویو (Medium Wave) کے لاہور، پشاور اور ڈھاکہ سٹیشن تھے۔ سب ہی میں سازوسامان کی کمی تھی

اور عملہ بے حد کم تھا۔ تاہم جولائی 1951ء میں ریڈیو پاکستان کراچی کے جدید اور تکنیکی لحاظ سے ترقی یافتہ مرکز میں منتقل ہوگیا۔ 1960ء کے عشرہ تک اس کی نشریات راولپنڈی، حیدرآباد، کوئٹہ اور ملتان سے بھی جاری ہوگئیں۔ 1960ء کی دہائی میں سستے ٹرانسسٹر ریڈیو کی آمد سے دولت اور تعلیم سے عاری لاکھوں کرکٹ کی آنکھوں دیکھی روئیداد کے ذریعے کرکٹ سے متعارف ہوگئے۔ اس کام میں دکانداروں نے مزید مدد کی جنہوں نے لوگوں کے لیے کرکٹ کا حال سننے کے لیے جگہیں مختص کردیں اور سیاہ رنگ کے بورڈ آویزاں کردیئے جن پر میچوں کے سکور اور اہم خبریں لکھی جاتیں۔ ہمایوں شہزاد جو بذات خود کرکٹ کا کمنٹیٹر تھا، نے ریڈیو کے اثر کو یوں بیان کیا۔ ''دیہاتی علاقوں میں ہمیشہ ریڈیو تک رسائی ہوتی تھی۔ ان کے پاس وہاں زیادہ تعداد میں ریڈیو تو نہیں ہوا کرتے تھے مگر پھر بھی دیہاتی علاقوں میں کرکٹ کی رسائی ہوجاتی تھی۔ شہری علاقوں میں مجھے یاد ہے کہ جب میں کم عمر تھا تو کمنٹری سنتے ہوئے لاہور کی گلیوں میں گھوما کرتا تو مجھے دکانوں پر سکور کارڈ اور سیاہ بورڈ نظر آتے جن پر تازہ سکور لکھا ہوا ہوتا تھا۔'' مجھے کہنا پڑتا ہے کہ اگر ریڈیو کمنٹری نہ ہوتی تو پاکستانی کرکٹ وہاں نہ پہنچ پاتی جہاں آج وہ کھڑی ہے۔''

پاکستانی سامعین ریڈیو پر دو آوازوں کو آگے پیچھے ایک ساتھ سنا کرتے تھے۔ یہ آوازیں عمر قریشی اور جمشید مارکر کی ہوا کرتی تھیں۔ دونوں انگریزی زبان میں نشریات کرتے اور ان کا علم صرف کرکٹ تک محدود نہیں تھا۔ انہیں زبان پر عبور حاصل تھا۔ ان میں شائستگی تھی اور وہ مہذب اور باذوق ہونے کی وجہ سے پاکستان کے زیادہ تر اَن پڑھ معاشرے سے علیحدہ نظر آتے تھے۔ حنیف محمد نے تبصرہ کرتے ہوئے کہا کہ وہ ''بہت اعلیٰ تھے۔ وہ کرکٹ کے چاہنے والوں کی آنکھیں اور کان بن کر خدمت کررہے تھے۔''

عمر قریشی کی پرورش بمبئی میں ہوئی تھی۔ وہ ذوالفقار علی بھٹو کا بچپن کا دوست تھا اور بعد میں دونوں یونیورسٹی آف کیلی فورنیا میں تعلیم کے لیے اکٹھے تھے۔ وہیں پر عمر نے انگریزی زبان میں ریڈیو سے نشریات کا فن سیکھا۔ نشری پروگرام میں وہ باقاعدگی سے ایک رکن کی حیثیت سے شامل ہوتا جس میں یونیورسٹی کے ڈگری یافتہ طلباء شریک ہوکر دنیاوی مسائل پر اپنی رائے کا اظہار کرتے۔ دوسری طرف جمشید مارکر پاکستانی سفارت کاری کے محکمے میں ترقی پذیر پیشہ سے وابستہ تھا اور بالآخر امریکہ اور اقوام متحدہ میں پاکستان کے سفیر کی حیثیت سے مقام بنایا۔ پھر اقوام متحدہ میں خصوصی نمائندہ کے طور پر کام کیا۔ بعد میں ان دونوں کے ساتھ دوسرے دو تہذیب یافتہ افراد افتخار احمد اور چشتی مجاہد نشریات میں شامل ہوگئے۔

یہ کمنٹیٹر صرف ٹیسٹ میچوں اور دوسرے اہم میچوں کا آنکھوں دیکھا حال نشر کرتے۔ ان میں مقابلے کے فائنل، دورہ کرنے والی ٹیموں کے میچ یا پھر باوقار خیراتی تقریبات شامل ہوتے۔ یہ قائداعظم ٹرافی کے دستور کے میچوں پر عدم توجہی رکھتے اور اسی لیے جب حنیف نے بہاولپور کے خلاف 499 رنز بنائے تو اس

میچ کی کوئی ریڈیو کمنٹری نہیں تھی۔ مزید برآں پاکستان کی کرکٹ کے پہلے تیس سالوں میں ریڈیو پر تمام کمنٹری انگریزی زبان میں ہوا کرتی تھی۔ جو سننے والوں کے لیے دوسری یا تیسری زبان کا درجہ رکھتی تھی۔ صحافی منیر حسین نے اردو کمنٹری کو متعارف کروانے یا شاید پھر حقیقت میں دوبارہ متعارف کروانے کی سعی کی۔ حسین کی پہلی اردو کمنٹری (محکمانہ طور پر ابتدائی مزاحمت کے بعد) اس سال کے جنگ گولڈ کپ کے فائنل میں کی گئی۔ اس ٹورنامنٹ کو اردو کے سرکردہ اخبار کی سرپرستی حاصل تھی۔ اردو کمنٹری پاکستانی ٹیسٹ میچوں میں 1978-79ء کی ہندوستانی کے خلاف سیریز تک نہ کی گئی۔ اور وہ بھی ہر گھنٹہ میں صرف دس منٹ کے لیے محدود رہی۔ منیر حسین کو کمنٹری کے خانہ سے باہر تب تک بٹھائے رکھا جاتا جب تک کہ انگریزی زبان میں کمنٹری کرنے والے عمر قریشی جیسے اسے خالی نہ کردیتے۔ قریشی نے بذات خود اردو کمنٹری کی پرزور مزاحمت کرتے ہوئے بیان دیا کہ ''میرا یقین ہے کہ جس طرح انگریزی زبان کرکٹ کا حال بیان کرسکتی ہے دوسری کوئی اور زبان ویسا کرنے سے قاصر ہے'' اس کا یہ نقطہ درست تھا کیوں کہ اردو میں ابتدائی کمنٹری کرنے والوں کے لیے کرکٹ سے متعلق الفاظ تلاش کرنے میں دقت اور جدوجہد رہی۔ گگلی (Googly) انداز کے گیند کی وضاحت کرنے کے لیے مشکل تفصیل کا سہارا لینا پڑا ہے ''دھوکے باز گیند'' مگر ایل بی ڈبلیو کے لفظ کی اردو میں کبھی وضاحت نہ ہوسکی۔ آخر کار انہیں انگریزی الفاظ میں کرکٹ کی اصطلاحات کا سہارا لینا پڑا۔

اردو کمنٹری کی حیثیت کو اٹھانے کے لیے منیر حسین کو پاکستان کے فوجی حکمران کی حمایت حاصل کرنا پڑی۔ ''جنرل ضیا اردو زبان میں زیادہ تسکین محسوس کرتے تھے اور وہ باتیں کرتے ہوئے اس بات کی ضرورت پر زور دیتے رہے کہ اردو زبان کی ہمت افزائی کرنا چاہیے۔ میری عرضداشت قبول ہوئی۔ اور آٹھ سال تک میں اکیلا میدان میں رہا مگر اب ہمارے یہاں اردو میں کمنٹری کرنے والوں کی خاصی تعداد ہے۔'' منیر حسین کے علاوہ حنیف محمد نے اردو میں آنکھوں دیکھا حال بیان کرنے والے حسن جلیل اور محمد ادریس کی تعریف کی۔ ''ان کے ذریعے لوگوں میں کھیل کا احوال سننے کے لیے دلچسپی پیدا ہوئی۔''

## پاکستانی کرکٹ میں خاندان کی اہمیت

اب تک اس کتاب میں پاکستان کی ملکی کرکٹ کے ڈھانچہ، کلبوں، سکولوں، یونیورسٹیوں اور آجر اداروں کے تجزیوں پر توجہ دی گئی ہے۔ گو یہ اہم ہے مگر کھیل کی ترقی کا کوئی بھی احوال تب تک نامکمل رہتا ہے جب تک خاندان کے اہم کردار کا جائزہ نہ لے لیا جائے۔ پروفیسر اناطول لائیون (Professor Anatol Lieven) نے حالیہ ماہرانہ مطالعہ میں قابل توجہ بحث کرتے ہوئے کہا ہے کہ باہر کے تجزیہ نگاروں کو اس بات کا احساس نہیں ہے کہ پاکستان اندر سے کتنا مستحکم ہے۔ لہٰذا اس کا صومالیہ اور کانگو جیسی ناکام ریاستوں سے

موازنہ نہیں کیا جاسکتا۔

اس کی اس بحث کا مرکز اس کی یہ سوچ کہ برطانیہ نے آزادی سے پہلے جو ادارے نافذ کیے تھے جیسے پارلیمانی جمہوریت اور قانون کی بالادستی وہ یقیناً ناکام ہو چکے ہیں۔ مگر وہ یقینی طور پر سمجھتا ہے کہ پاکستان کے سب سے طاقتور اور روایتی ادارے خاندان اور قبیلے کا دستور ہمیشہ کی طرح آج بھی طاقتور ہے۔

مثلاً لائیون (Lieven) عملی مثال کے طور پر دکھاتا ہے کہ سرکاری وزراء اپنے خاندان اور دوستوں کی طرف ذمہ داری نبھانے سے کبھی دور نہیں ہوسکتے۔ جس کا مطلب یہ ہے کہ طاقت اور عہدہ حاصل کرنے پر وہ اپنے دست نگر اور جن سے ان کے تعلقات ہوں کو فائدے پہنچانے پر مجبور ہوتے ہیں۔ جدید مغرب کی نظر میں خاندانی اثر ورسوخ اخلاقی بگاڑ کا سبب تو ہوسکتا ہے مگر اس سے دیرپا استحکام بھی ملتا ہے۔

مماثلت کے طور پر اس بحث کو کرکٹ سے بھی منسوب کیا جاسکتا ہے کرکٹ تاریخ دان کو سب سے پہلا چونکا دینے والا نقطہ جو نظر آتا ہے وہ غیر معمولی طور پر لاتعداد خاندان اور پشت در پشت سلسلے کے افراد کا کرکٹ میں موجود ہونا ہے۔ پاکستان کی پہلی کرکٹ ٹیم جس نے دہلی میں اکتوبر 1952ء میں ہندوستان کے خلاف میچ کھیلا قابل غور ہے۔

ابتدائی بیٹسمین نذر محمد (جس نے ٹیسٹ میچ میں پہلے پاکستانی کی حیثیت سے پہلے گیند کا سامنا کیا) آل راؤنڈر مدثر نذر کا باپ تھا جس نے اپنے ملک کے لیے 76 ٹیسٹ میچ کھیلے۔ نذر کا سب سے بڑا بیٹا مبشر نذر بھی فرسٹ کلاس کرکٹ کھیلا۔ اس کے علاوہ نذر محمد کا بڑا بھائی محمد شریف رانجی ٹرافی کا کارآمد کھلاڑی ہوا کرتا تھا۔ (اور شریف کا بیٹا عظمت حسین بھی پاکستان میں فرسٹ کلاس کرکٹ کھیلا)۔[4]

نذر محمد کا دوسرا ابتدائی ساتھی حنیف محمد مشہور پانچ محمد برادران میں سے ایک تھا۔ ان میں سے چار نے بے حد ممتاز طریقے سے ٹیسٹ کرکٹ کھیلی۔ اس کے علاوہ حنیف محمد مستقبل کے ٹیسٹ کھلاڑی شعیب محمد کا باپ تھا۔ ایک بھائی وزیر محمد ہندوستان جانے والی ٹیم کا رکن تو تھا مگر اسے پہلے ٹیسٹ میں شامل نہیں کیا گیا تھا۔

ٹیم کا کپتان اے ایچ کاردار دورہ کرنے والی ٹیم میں شامل ایک اور کھلاڑی ذوالفقار احمد کا برادر نسبتی (بہنوئی) تھا۔ بعد میں وقار حسین کے چھوٹے بھائی پرویز سجاد نے پاکستان کے لیے 19 ٹیسٹ کھیلے۔ اسے آج بھی پاکستان کے بہترین سپن باؤلروں میں شمار کیا جاتا ہے۔[5] فضل محمود جیسا کہ ہم نے دیکھا پاکستان کے پہلے بین الاقوامی کپتان میاں سعید کا داماد تھا۔ فضل محمود کا برادر نسبتی یاور سعید (میاں سعید کا بیٹا) تیز رفتار باؤلر تھا جو سمرسیٹ (Samerset) کاؤنٹی کے لیے کھیلا مگر بدقسمتی سے پاکستان کے لیے نہ کھیل پایا۔ بہت بعد میں وہ قومی ٹیم کا مینیجر مقرر رہا۔

کاردار کا نائب کپتان انور حسین کھوکھر محمد اسلم کھوکھر کا رشتے کا بھائی تھا، اسلم کھوکھر نے 1954ء

کی پاکستان ٹیم کے ساتھ برطانیہ کا دورہ کیا اور ایک ٹیسٹ میچ کھیلا۔[6] آخر میں غلام محمد جو کہ مسلمان تھا، ہندوستان کے لیے اس میچ میں کھیلا۔ وہ آصف اقبال کا ماموں تھا جس نے 1961ء میں پاکستان ہجرت کی اور وقت کے ساتھ ملک کے بہترین کھلاڑیوں میں شمار ہوا۔

اس دور کی کسی بھی پاکستانی ٹیم کا اگر اس قسم کا تجزیہ کیا جائے تو نتیجہ بالکل ملتا جلتا نکلے گا۔ یہ تجزیاتی مشق اس لیے اہم ہے کہ اس سے پتہ چلتا ہے کہ قومی ٹیم مختلف کیے ہوئے افراد کے اکٹھے ہونے سے نہیں بنی ہوئی تھی بلکہ اس بات کو جانچ لینا چاہیے کہ ان اشخاص کے درمیان ہم آہنگی پر مبنی خاندانی تعلقات اور دوستوں کا جال بچھا ہوا تھا، جن کی جڑیں کرکٹ کے میدان سے باہر تک پھیلی ہوئیں تھی۔ مقامی کرکٹ کلبوں کو بھی اسی تناظر میں جانچنا چاہیے۔ چوں کہ بیشتر اوقات بھائی اور دوسرے رشتے کے بھائی سب مل کر ایک ہی ٹیم میں کھیلا کرتے تھے، لہٰذا خاندان اور قبیلہ اپنے تعلق اور اعانت کی بدولت غیر رسمی اور مربوط نظام کے تحت پاکستان میں کرکٹ کے منبع کی حیثیت رکھتے تھے۔

## محمد برادران

ان عظیم خاندانوں میں سے دو کراچی کے محمد برادران اور لاہور کے برکی ہیں۔ دونوں نے تقسیم کے وقت پاکستان ہجرت کی۔ محمد برادران نے جوناگڑھ جو اب ہندوستان کا صوبہ گجرات ہے سے کراچی کا پُرخطر اور دشوار سفر زمین اور سمندر کے ذریعے طے کیا۔ برکیوں نے جالندھر سے ہجرت کرتے ہوئے جرنیلی سڑک کے ذریعے لاہور کی طرف براہِ راست سفر کیا۔ جیسا کہ ہم بعد میں مشاہدہ کریں گے کہ برکی خاندان (آپس میں ملا ہوا تھا چھوٹا سا قبیلہ ہے جس نے پاکستان میں تقریباً چالیس فرسٹ کلاس کرکٹ کے کھلاڑی میسر کیے ہیں جن میں تین قومی ٹیم کے کپتان شامل ہیں) اور کرکٹ کی عظمت میں ان کی غیر معمولی ترقی 1960ء کی دہائی میں شروع ہو کر بڑھتی چلی گئی اور یہ ایک ساتھ اس وقت ہوا جب پاکستان کرکٹ کی دنیا میں بین الاقوامی میدان میں ایک اوّل درجہ کی قوت کے طور پر نمودار ہو رہا تھا۔

دوسری طرف محمد برادران کا زیادہ تر تعلق (گو مکمل طور پر نہیں) پاکستان کی کرکٹ کے ابتدائی دور سے ہے۔ کم از کم ایک بھائی پاکستان کے پہلے 89 ٹیسٹ میچوں میں شامل رہا۔ نوے میں ٹیسٹ میں آ کر یہ سلسلہ منقطع ہوا اور پھر دوبارہ گیارہ ٹیسٹ میچوں کے لیے بحال ہو گیا۔ اس طرح محمد برادران نے 27 سالہ عرصہ پر پھیلے ہوئے پاکستان کے پہلے 101 ٹیسٹ میچوں میں سے ایک سو ٹیسٹ میچوں میں ملک کی نمائندگی کی۔[7]

ان کی والدہ امیر بی بی خود بھی اچھی کھلاڑی تھیں۔ انہیں بیڈ منٹن اور کیرم جس کا موازنہ بلیرڈز (Billiards) سے کیا جاتا ہے، میں ممتاز حیثیت حاصل تھی۔ ان کے کھیل میں مہارت کا یہ عالم تھا کہ عین ممکن

ہے کہ آج کے نئے دور میں اپنے طور پر خود مشہور و معروف ہوتیں۔ ان کی تاریخی اہمیت کرکٹ کے قبیلے کی بڑے مرتبے کی سربراہ کی حیثیت سے ہے۔ وہ اس سخت مقابلے میں مارتھا گریس (Martha Grace) (جسے یہ شہرت حاصل ہے کہ اس نے اپنے بیٹے ڈبلیو جی گریس (W G Grace) کو سیدھے بلے سے کھیلنا سکھایا اور ڈبلیو جی کے مزید دو اور بھائی ایڈورڈ (Edward) اور فریڈ (Fred) کو ٹیسٹ کھلاڑیوں کے طور پر مہیا کیا) اور آسٹریلیا کی غیر معمولی خاتون جین رچرڈسن (Jeanne Richardson) جس کے بیٹے آئن (Ian) گریگ (Greg) اور ٹریور چیپل (Trevor Chappell) ہیں، سے کہیں آگے ہیں۔[8]

امیر بی کے چار بیٹوں وزیر، حنیف، مشتاق اور صادق نے پاکستان کے لیے ٹیسٹ کرکٹ کھیلی۔ پانچواں بیٹا بدقسمتی سے یہ نہ کر پایا۔ البتہ صرف ایک بار قومی ٹیم میں بارہویں کھلاڑی کے طور پر خدمات سرانجام دیں۔[9] ان کا پوتا شعیب جس کے والد حنیف محمد ہیں، مضبوط کھلاڑی تھا۔ ٹیسٹ کھلاڑی کی حیثیت سے کم تر گردانا گیا حالاں کہ اس کی ٹیسٹ میچوں میں بیٹنگ اوسط 44.34 اپنے والد اور ان کے بھائیوں سے زیادہ تھی۔ محمد خانوادہ کے کل گیارہ افراد نے پاکستان میں فرسٹ کلاس کرکٹ کھیلی ہے۔[10]

ان کی کہانی کا آغاز جونا گڑھ سے ہوتا ہے۔ یہ شاہی ریاست جو اب ہندوستان میں ہے، کے ایس رنجیت سن جی (K S Ranjitsinjhi) کی بیسویں صدی کی ابتدا کی جائے پیدائش سرودر (Sarodar) جب انگریزی حکومت اپنے عروج پر تھی، سے زیادہ فاصلے پر نہیں۔ کرکٹ میں غیر معمولی صلاحیتوں سے بھرپور ان پانچ بھائیوں کے والد شیخ اسمٰعیل کرکٹ کے سرگرم کھلاڑی تھے۔ ان سے پیشتر ان کے والد بھی کرکٹ کے شوقین تھے۔ امیر بی کے چار بھائی تھے۔ بشیر، دلاور، حمید اور شاکر جو کلب کرکٹ کے مقبول کھلاڑی تھے۔

لہٰذا کرکٹ محمد خاندان کی ثقافت میں شامل تھی۔ حنیف کو اب تک یاد ہے کہ تقسیم سے پہلے جونا گڑھ میں کس طرح کلب اور ریاستی میچوں میں بھرپور تماشائی شامل ہوتے تھے۔ یہ وہ مواقع ہوتے تھے کہ پورا پورا خاندان میدان میں جا کر کھلاڑیوں کی نعروں کے ذریعے حوصلہ افزائی کیا کرتے تھے۔ میرے بڑے بھائی وزیر اور رئیس ریاستی ٹیم میں تھے اور ان کے ساتھ میرے ماموں شاکر جو بہت اچھی سوئنگ (Swing) باؤلنگ کر کے بہت سے وکٹیں لیا کرتے تھے، بھی ٹیم میں ہوا کرتے تھے۔ حنیف نے یاد کرتے ہوئے بتایا کہ ''میں اپنے بڑے بھائیوں کے ساتھ نواب جونا گڑھ کے نیٹ پر جایا کرتا تھا۔ نواب جونا گڑھ جب بھی برطانیہ میں کیمبرج سے گھر لوٹتے تو وہ اپنے وقت کے صف اوّل کے کھلاڑیوں کو مشق کے لیے مدعو کرتے۔'' آج حنیف کو یاد ہے کہ ''میرے بچپن کی یادوں میں وہ تمام گفتگو شامل ہے جو کرکٹ کے حوالے سے میرے والد، بھائیوں، ہمارے رشتہ داروں اور دوستوں کے درمیان ہوا کرتی تھی۔''

اسے یاد ہے کہ ''تمام فارغ وقت کرکٹ کے لیے وقف تھا۔ ہم جب تک تھک کے چور نہ ہو جاتے کرکٹ کھیلتے رہتے۔ ہفتے کے دوران دوپہر اور شام کو کرکٹ کھیلتے۔ ہم ٹینس کے گیند سے اپنے گھر کے بالائی چبوترے پر انگریزی کاؤنٹی کرکٹ کو فرضی طور پر کھیلتے۔ یہ گھر اچھے حدود درجہ کی وجہ سے جونا گڑھ کی مرکزی سڑک اسٹیشن روڈ پر واقع تھا۔ ٹینس کی گیند سے بیٹنگ کرتے ہوئے سوئنگ باؤلنگ کھیلنے کی مشق کی جاتی۔ اتوار کے روز صبح دس بجے سے شام ڈھلے تک ہم فرضی ٹیسٹ میچ کھیلتے۔ حنیف اپنی کامیابی کی بنیاد ابتدائی کھیل کے ان دنوں کو گردانتے ہیں۔ ہمارے کھیلنے کی شرائط میں یہ تھا کہ اگر بیٹسمین اونچی ہٹ لگاتا اور گیند کسی درخت سے ٹکرا کر آتے ہوئے کیچ کرلیا جاتا تو اسے آؤٹ مانا جاتا۔ لہٰذا اس لیے ہم سب کوشش کرتے کہ گیند زمین کے ساتھ نیچا رکھ کر کھیلیں۔ ٹینس گیند بے حد اچھلتی ہے اور اسے قابو میں لانا بے حد مشکل ہے مگر کوشش اور مشق سے میں نے اسے نیچا رکھنا سیکھ لیا تھا۔ ٹیسٹ کرکٹ کی تمام زندگی میں گیند کو نیچا کھیلنے میں میری وہ ابتدائی مشق بہت کام آئی۔ تیز رفتار گیند کھیلنے کی مشق کرنے کی غرض سے ہم کارک (Cork) کے گیند کا استعمال کرتے، جسے پانی میں بھگو کر سیمنٹ کے پکے فرش پر سامنا کرتے۔ وہ تیزی سے پھسلتا اور جھپٹتے ہوئے بلے کے پاس سے تیز رفتاری سے گزر جاتا۔''

یہ پُرامن اور معصوم زندگی 1947ء میں ہمیشہ کے لیے تبدیل ہوگئی۔ سب سے پہلے خاندان کے سربراہ شیخ اسمٰعیل سرطان کی بیماری میں مبتلا ہوگئے۔ ہندوستانی فوج کی ملازمت سے کپتان بن کر سبکدوش ہونے کے بعد وہ مینیجر کے طور پر ایک نمک فیکٹری میں ملازم ہوگئے تھے۔ اس کے علاوہ وہ ایک پٹرول پمپ اور مسافر خانے کے بھی مالک تھے۔ تقسیم کے فوراً بعد ستمبر 1947ء میں کرکٹ کے شوقین نواب جونا گڑھ نے پاکستان میں شامل ہونے کا فیصلہ کرلیا۔

نواب کو یہ حق حاصل تھا کہ وہ آزادی کے تصفیہ کے مطابق جو بھی فیصلہ کرنا چاہے وہ اس کا اہل تھا۔ مگر عملی طور پر یہ فیصلہ ناقابل عمل تھا کیوں کہ ریاست جونا گڑھ کی پاکستان کے ساتھ کوئی سرحد نہیں ملتی تھی۔ اس کے علاوہ یہ فیصلہ غیر مقبول بھی تھا کیوں کہ وہاں کی آبادی تقریباً نوے فیصد ہندوؤں کی تھی۔ ہندوستان نے ہوائی اور ڈاک کے روابط منقطع کر کے سرحدوں پر افواج بھجوادی۔ حالات میں تناؤ پیدا ہو کر ابال آنا شروع ہوگیا اور نومبر کی ابتدا میں جونا گڑھ کے دیوان (سر شاہنواز بھٹو جو پاکستان کے مستقبل کے صدر ذوالفقار علی بھٹو کے والد تھے) نے ناگزیر حالات کے سامنے جھکتے ہوئے ہندوستان کو ریاست پر قبضہ کرلینے کی دعوت دے دی۔ نواب جونا گڑھ اور ان کے دربار کے مصاحبین نے پاکستان میں جلاوطنی طلب کرلی۔

محمد خاندان کے لیے یہ انتہائی کڑا وقت تھا۔ ان کا تعلق وہاں کی مسلمان اقلیت سے تھا جو خطرناک وقت میں قتل و غارت اور فرقہ وارانہ فسادات سے دوچار تھی۔ کرکٹ کا کھیل بند ہو چکا تھا۔ ''بطور سکول طالبعلم

مجھے اپنے شہر میں فوجوں کا داخل ہونا یاد ہے۔ ہمارے گھر کے سامنے ٹینک اور بندوقوں سے لیس فوجی گشت کر رہے تھے۔'' حنیف نے یاد کرتے ہوئے دہرایا: ''ہم سب بے حد خوفزدہ تھے سب بچوں کو سمجھا دیا گیا تھا کہ وہ گھر کے اندر رہیں اور کھڑکیاں تک نہ کھولیں۔''

محمد خاندان نے بھی نواب جونا گڑھ کی مثال پر چلنے میں عافیت سمجھی۔ سب سے بڑے بھائی وزیر محمد نے اپنے دو ماموں کے ہمراہ کراچی کا سفر کیا تاکہ وہاں رہائش کا بندوست ہو سکے۔ اس نتیجے پر پہنچنے کے بعد کہ پاکستان میں نئی زندگی کا آغاز کرنا ممکن ہے انہوں نے باقی ماندہ خاندان کے افراد کو بھی وہاں آنے کے لیے کہا۔ حنیف جس کی عمر اس وقت تقریباً چودہ برس کی تھی اس سفر کو یاد کرتے ہوئے یوں بیان کرتے ہیں:

''ہم اپنے گھر سے آدھی رات کے وقت اس لیے روانہ ہوئے تاکہ ہم اندھیرے میں لوگوں کی نظروں سے بچ سکیں۔ بحیرۂ عرب کے جنوب مغرب میں واقعہ ایک چھوٹی سی بندرگاہ وراول (Veraval) سے ہم ایک بحری جہاز میں سوار ہوئے۔ اس بندرگاہ کا شمار پور بندر کی طرح دوسری کئی اور چھوٹی بندرگاہوں میں ہوتا تھا جو کاٹھیاوار میں تین اطراف سے پانی میں گھری ہوئی تھیں اپنی بیشتر ملکیتی اشیاء کو پیچھے چھوڑ کر ہم ایک چھوٹے سے بحری جہاز پر سوار ہو کر ایک نامعلوم منزل کراچی کی طرف روانہ ہوگئے۔ جونہی بحری جہاز بندرگاہ سے روانہ ہوا تو ایک اطمینان احساس ہوا کہ اب ہمیں نہ تو کوئی پکڑ سکے اور نہ ہی مار سکے گا۔ جہاز پر ہجرت کرنے والے اور بھی مسافر موجود تھے۔ ہم سب بھٹکے ہوئے لوگ نظر آرہے تھے بچہ ہونے کی وجہ سے مجھے یہ تک معلوم نہ تھا کہ اس مسافرت کے بعد ہماری منزل کیا ہوگی۔ میں نے تو کراچی کا نام تک نہیں سن رکھا تھا۔ مجھ سے چھوٹے بھائی مشتاق اور صادق اتنے چھوٹے تھے کہ انہیں کسی بات کا ہوش نہیں تھا۔ ساڑھے چار دن کے سفر کے بعد ہم نئے ملک میں نئی زندگی شروع کرنے کے لیے لنگر انداز ہوگئے۔''

محمد خاندان کے کُل تیس افراد نے یہ سفر طے کیا۔ کراچی پہنچ کر انہوں نے دو اونٹ گاڑیاں کرایہ پر حاصل کیں اور ان پر اپنا سامان لاد کر حاجی کیمپ کی طرف چل پڑے۔ حاجی کیمپ حج پر جانے والے زائرین کے لیے عارضی ٹھکانے کے طور پر کام کرتا تھا جو اب پناہ گزینوں کے کیمپ میں تبدیل ہو چکا تھا۔

جونا گڑھ میں محمد خاندان درمیانے طبقے سے تعلق رکھتے ہوئے محفوظ اور خوشحال زندگی گزار رہا تھا۔ مگر کراچی پہنچ کر وہ بالکل خالی ہاتھ تھے اور نہ ہی اُن کے پاس اتنی رقم تھی کہ وہ اپنے لیے کوئی نیا گھر خرید سکتے۔ حالاں کہ ہندوؤں کے ہندوستان چلے جانے کے نتیجے میں بہت سے خالی گھر بازار میں موجود تھے۔ بالآخر محمد خاندان کو ہندوؤں کا ایک خالی مندر مل گیا۔ ''ہمارا منتخب گھر...'' مشتاق نے یاد کرتے ہوئے بتایا، ''ایک بہت بڑا دالان تھا جس میں سیاہ رنگ کا کالی ماتا کا ایک بہت بڑا بت رکھا ہوا تھا جس کا بہت بڑا پیٹ تھا اور منہ سے خوفناک زبان لٹکی ہوتی تھی۔''

مندر کا یہ دالان رات کے وقت سب کے لیے سونے کا مشترکہ کمرہ ہوتا جبکہ دن کے وقت یہ کمرہ کرکٹ کی پچ کے طور پر استعمال ہوتا۔ مشتاق کو یاد ہے کہ جب رئیس اپنے دفتر سے واپس آتے (وزیر اور رئیس نے حبیب بینک میں ملازمت تلاش کر لی تھی) ''تو ہم انہیں ایک کرسی دے دیتے جس پر بیٹھ کر وہ گھنٹوں پندرہ گز کے فاصلے سے ہماری طرف ٹینس کی گیند پھینک کر کھیلاتے رہتے اور گیند کو پہلو سے گھما کر پھینکتے۔ وہ کھیلنے والوں کو ترتیب سے کھڑا کر دیتے اور ہمیں سوچنے پر مجبور کرتے کہ ہمیں گیند کو کس طرف کھیلنا چاہیے۔'' اور اس طرح مستقبل کے ٹیسٹ کھلاڑیوں کی تشکیل ہوئی۔

محمد خاندان کے لیے یہ سال اندوہناک، تکلیف، سختی اور نقصان سے بھرپور تھے۔ 1949ء میں شیخ اسمٰعیل وفات پا گئے۔ ''اس کے باوجود ہم نے اللہ پر بھروسہ قائم رکھا۔'' حنیف نے یاد تازہ کرتے ہوئے بتایا، ''اور ایمانداری اور ذمہ داری سے محنت کرتے رہے۔ میرا یقین کامل ہے کہ اللہ تعالیٰ نے مجھ پر اور میرے بھائیوں پر جو رحمتیں اور عنایات کیں، وہ اسی صبر اور اس پر ایمان کے نتیجہ میں تھیں۔'' اس کے بعد امیر بی نے بیٹوں کی پرورش کی جنہیں حنیف یوں یاد کرتے ہیں۔ ''جب تک زندہ رہیں وہ ہمیں ابھارنے اور ولولہ دینے والی زندگی کی سب سے اہم ہستی تھیں۔''

سب سے پہلے حنیف نظروں میں آئے۔ انہیں یاد ہے کہ سکول کے لیے اچھی بیٹنگ کرنے کے بعد ان کے پاس ایک اجنبی آیا۔ ''اس نے مجھ سے میرا نام پوچھا اور یہ معلوم کیا کہ ہم کہاں رہتے ہیں اور میرے والدین کون ہیں۔'' ''میں نے اسے اپنے متعلق بتایا تو اس نے مجھ سے کہا، ''تم فطری طور پر کرکٹ کے کھلاڑی ہو۔ تمہیں کوئی دوسرا کھیل نہیں کھیلنا چاہیے۔ اور اگر تم صرف کرکٹ کھیلتے رہے تو شہرت حاصل کر لو گے۔'' یہ اجنبی عبدالعزیز درّانی تھا۔ ماسٹر عزیز کے نام سے پہچانے جانے والے شخص نے کراچی کے کئی کرکٹ کھلاڑیوں کے مستقبل بنانے میں ان کی مدد کی۔ پیدائشی طور پر عزیز افغان تھا۔ قابل نوجوان کھلاڑی کی حیثیت سے وہ ہندوستان کی طرف سے 1936ء میں جیک رائیڈر (Jack Ryder) کی آسٹریلوی ٹیم کے خلاف غیر سرکاری ٹیسٹ میچ میں کھیلا۔ تقسیم کے بعد وہ ہندوستان سے پاکستان بھاگ کر آ گیا اور خاندان وہیں پیچھے چھوڑ آیا۔ اس علیحدگی نے اسے بے حد اذیت پہنچائی۔ اس کے بیٹے سلیم عزیز درانی نے ہندوستان کے لیے ٹیسٹ کرکٹ میں درخشاں خدمات انجام دیں۔[11]

ماسٹر عزیز لگن اور قربانی کی حد تک کرکٹ سکھاتے۔ حنیف کو یاد ہے، ''وہ اپنی تمام تنخواہ اپنے شاگردوں پر خرچ کر ڈالتے۔ وہ ہمیں جوتے، دستانے، بلے، غرض یہ کہ ہم میں سے کسی کو کچھ بھی لینا ہوتا وہ خرید کر دیتے۔ بعض اوقات جب ان کی جیب خالی ہو جاتی تو وہ ہم سے کہتے کہ کچھ کھانے کے لیے لا دو۔ ہمارے لیے وہ باپ کا درجہ رکھتے تھے اور فرشتہ سیرت تھے۔ مجھے آج تک ان جیسا کوئی دوسرا نہیں ملا۔''

ماسٹر عزیز مسلمانوں کے مشہور دسویں جماعت تک کے سکول سندھ مدرسہ میں کرکٹ سکھانے پر مامور تھے۔ بانی پاکستان قائداعظم محمد علی جناح بھی اسی سکول سے فارغ التحصیل ہوئے تھے۔ حنیف کے بارے پیش گوئی کرتے ہوئے ماسٹر عزیز نے کہا کہ یہ لڑکا بہت اونچے درجے کا کھلاڑی نکلے گا۔ اس کے لیے وظیفے کا انتظام کردیا۔ ماسٹر عزیز کی رہنمائی میں حنیف جوبن کی طرف گامزن ہوا۔ کراچی کے وسط میں واقعہ میدان پولوگراؤنڈ میں وہ رئیس اور وزیر کے ساتھ کرکٹ کھیلتا۔ ''سینکڑوں لوگ عموماً نوجوان وہاں پورا ہفتہ کرکٹ کھیلتے نظر آتے۔ جو پہلے پہنچتا وہ اپنی جگہ منتخب کر کے وکٹیں گاڑ دیتا اور میچ یا مشق شروع ہو جاتی۔ حتیٰ کہ قریبی مسجدوں کے مولوی بھی آ کر کھیل میں شامل ہو جاتے۔'' جلد ہی محمد خاندان کے سب سے کم عمر مشتاق اور صادق بھی اپنے بھائیوں کے ساتھ شامل ہو گئے۔

مشتاق کو یاد ہے کہ ''وہ ابھی خاصے چھوٹے تھے، صادق سب سے چھوٹا کزن اقبال اور بڑا کزن نثار اور میں ہر اتوار کی صبح ساڑھے سات بجے صرف دو دو آنے جیبوں میں لے کر (سکے کی قدر میں کمی کے آج کے دور میں اس رقم کا موازنہ کرنا ناممکن ہے) شہر کے وسط میں پولوگراؤنڈ کی طرف روانہ ہو جاتے، جہاں کئی ٹیمیں میچ کھیل رہی ہوتیں جن کے میدان میں کھڑے کھلاڑی اپنی اپنی جگہوں پر ملے جلے کھڑے ہوتے تھے۔'' شروع شروع میں ان کی حوصلہ افزائی کی بجائے انہیں صرف برداشت کیا جاتا تھا۔'' مشتاق نے بعد میں لکھتے ہوئے بیان کیا کہ وہ کبھی ''یہ بات نہ تو بھول سکتا ہے اور نہ ہی معاف کرسکتا ہے کہ اتوار کے ہر میچ میں اسے مستقل طور پر بارہویں کھلاڑی کی حیثیت سے شامل کیا جاتا تھا۔''

دریں اثنا سکولوں کے درمیان ٹورنامنٹوں میں حنیف ایک زبردست قوت کے طور پر نمودار ہو رہا تھا۔ سندھ مدرسہ سکول کے دورہ لاہور کے دوران اس نے ایسا اعلیٰ تاثر دیا کہ اسے اس وقت کے پاکستانی کرکٹ ٹیم کے کپتان میاں سعید کے ساتھ رات کے کھانے پر مدعو کیا گیا۔ میاں سعید نے حنیف کو نصیحت کرتے ہوئے کہا، ''ایک بات ہمیشہ یاد رکھنا جب تم رنز بنا رہے ہو تو کبھی اس پر شیخی نہ بگھارنا۔ کبھی اپنے کالر کھڑے نہ کرنا اور اپنے آپ کو عطیہ خداوندی نہ سمجھ بیٹھنا۔ ہمیشہ عاجز رہنا۔ لوگوں کی عزت کرنا۔ کھیل کی عزت کرنا اور اپنے کھیل کو مزید محنت اور دلجمعی سے کھیلتے رہنا۔'' اس مشورے پر حنیف تمام عمر عمل پیرا رہا۔

ابھی زیادہ عرصہ نہیں گزرا تھا کہ پبلک ورکس ڈیپارٹمنٹ کراچی کے چیف انجینئر کفیل الدین جو کرکٹ کے نوجوان کھلاڑیوں کے سرپرست ہونے کی شہرت رکھتے تھے، نے حنیف کو ملازمت کی پیشکش کردی اور حنیف کو بطور سڑک نگران (Road Inspector) نوکری مل گئی۔ تاہم اس کا اصل کام کرکٹ کھیلنا تھا۔ ''میری مالی مشکلات اب دور ہوگئی تھیں۔ ان کی سرپرستی اور حمایت کی وجہ سے میں کرکٹ پوری توجہ سے کھیل سکا اور 52-1951ء کی دورہ کرنے والی ایم سی سی کے خلاف کھیلنے کے لیے ٹیم میں شامل کرلیا گیا۔[12]

اس سرپرستی کی وجہ سے حنیف کے کنبہ کو وہ ذرائع میسر ہوئے جن کی بدولت انہیں ہندو مندر سے نکلنے کا موقع ملا۔ پبلک ورکس ڈیپارٹمنٹ نے اپنے زیر تربیت سڑک نگران کو گارڈن روڈ پر واقع افسران کے محلے (Officiers Colony) میں ایک باوقار مکان مختص کردیا۔

پبلک ورکس ڈیپارٹمنٹ نے بارہ سالہ مشتاق محمد کو بھی بطور سیمنٹ کلرک نوکری دے دی۔ایک سال بعد تیرہ سال اکتالیس دن کے عمر میں مشتاق نے اپنی فرسٹ کلاس کرکٹ کا آغاز حیدرآباد میں سندھ کے خلاف کراچی وائیٹس کی طرف سے کردیا۔سکول کے اس طالب علم نے پانچ وکٹ حاصل کیے اور 87 رنز بھی بنائے جس کے نتیجہ میں اس کی ٹیم میچ جیت گئی۔حنیف (جو کراچی وائیٹس کا کپتان تھا) نے فوری طور پر مشتاق کو ٹیم سے علیحدہ کردیا جس پر ان کے کنبے میں خاصی ناراضگی پیدا ہوئی۔ اس کے باوجود دو سال کے اندر مشتاق پاکستان کے لیے ویسٹ انڈیز کے خلاف پندرہ سال اور ایک سو چوبیس دن کی عمر میں کھیلتے ہوئے دنیا کا سب سے کم عمر ٹیسٹ کھلاڑی بن گیا۔[13]

جلد ہی صادق بھی اس کے ساتھ شامل ہوگیا جب اس نے چودہ سال نو ماہ کی عمر میں 60-1959ء میں فرسٹ کلاس کرکٹ کا آغاز کیا۔محمد برادران میں وہ اکیلا بائیں ہاتھ سے کھیلنے والا بیٹسمین تھا۔[14] اسے دس سال کے طویل انتظار کے بعد کراچی میں نیوزی لینڈ کے خلاف 1969ء میں پاکستان کی طرف سے ٹیسٹ کھیلنے کے لیے منتخب کیا گیا۔ اس کے بعد اس نے اپنے آپ کو ٹیسٹ کرکٹ میں قابل بھروسہ آغازی بیٹسمین کی حیثیت سے مستقل طور پر قائم کیا۔ ساتھ ساتھ انگلش کاؤنٹی چمپئن شپ میں وہ گلوسٹرشائر کے لیے کاؤنٹی کرکٹ بھی کامیابی سے کھیلتا رہا۔

## پاکستان کا دورہ ویسٹ انڈیز 58-1957ء

کاردار کی رائے میں ملکی کرکٹ اتنی کم تھی جس کی وجہ سے ٹیسٹ ٹیم منتخب کرتے وقت زیادہ معلومات میسر نہیں ہوتی تھیں۔ ''گو صوبوں کے درمیان لیگ کی بنیاد پر میچ کھیلے جاتے تھے جس سے کافی کھلاڑیوں کو فرسٹ کلاس کرکٹر کہلانے کا موقع مل جاتا تھا مگر بیشتر ایسے میچ فرسٹ کلاس کہلانے کے لائق نہیں تھے۔'' لہٰذا ویسٹ انڈیز کے دورہ سے قبل کاردار نے نمایاں متوقع کھلاڑیوں کو قومی تربیتی کیمپ میں اپنی صلاحیتیں دکھانے کے لیے طلب کیا۔

دوروں پر جانے سے قبل لگائے جانے والے ایسے کیمپ ہندوستان اور پاکستان کی انتظامیہ میں بے حد مقبول تھے۔ عام طور پر یہ کیمپ کرکٹ کے نمایاں قومی مراکز میں سے کسی ایک پر لگائے جاتے۔ جہاں کھلاڑیوں کو میدان کے باہر خیموں میں رکھا جاتا۔ کھلاڑیوں سے صبح پانچ بجے بیدار ہونے کی توقع کی جاتی

جس کے بعد وہ سخت اور کڑی جسمانی ورزش کا سلسلہ شروع کرتے۔ بعد میں دن کے دوران فیلڈنگ کی پریکٹس کی جاتی اور حکمت عملی کے متعلق آپس میں اظہارِ خیال کیا جاتا۔ آخر میں کچھ کرکٹ کھیلی جاتی۔

کاردار ہمیشہ میدان میں سب سے پہلے پہنچتا اور دیر سے جو کوئی بھی آتا، اسے سزا دیتا۔ اس کے نزدیک کیمپ لگانے سے اور بھی مقاصد حاصل ہوتے تھے جیسا کہ اس کے سادہ لوح کھلاڑیوں کو مغربی تہذیب سکھانے کا فرض بھی ادا ہوتا تھا۔ نسیم الغنی کو یاد ہے کہ ''وہ ہمیں کھانا کھانے کی تربیت دیتا کیوں کہ ہمیں چھری کانٹے کا استعمال نہیں آتا تھا اور نہ ہی ہم میں میز پر بیٹھنے کا سلیقہ تھا۔''

جلد ہی کاردار انتظامات سے ناخوش ہوگیا۔ بی سی پی (BCCP) نے اس کی مرضی کے خلاف ڈرنگ سٹیڈیم بہاولپور میں کیمپ لگانے پر اصرار کیا تھا مگر پاکستانی کپتان کی نظر میں ایک مشکل تھی۔ ویسٹ انڈیز کی وکٹیں چمکدار، تیز اور درجہ کمال کی تھیں اور یہاں وکٹ سست رفتار تھی جس پر گیند بالکل نیچا رہ جاتا تھا۔ حتیٰ کہ برے سے برا باؤلر بھی اس پر گیند کو خاصا گھما لیتا تھا۔ کاردار کو شکایت تھی کہ چوں کہ باؤلر آسانی سے کافی زیادہ گیند گھما لیتے ہیں جس کی بدولت انہیں اپنی صلاحیت بارے غلط فہمی ہو جاتی ہے اور ٹیم منتخب کرنے والے بھی گمراہ ہو جاتے ہیں اور بیٹسمین وہ ضروری اعتماد حاصل کرنے سے قاصر رہتے ہیں جس کے لیے کیمپ منعقد کیا گیا تھا۔ آخر کار کاردار نے کیمپ کو اپنے آبائی شہر لاہور منتقل کرلیا۔

بالآخر نیا ٹیلنٹ سامنے نظر آنا شروع ہوگیا۔ اعجاز بٹ جس کی بعد میں پی سی بی کے مصیبت زدہ سربراہ کے طور پر شہرت ہوئی، اس وقت ایک ہونہار وکٹ کیپر بیٹسمین کے طور پر سامنے آیا۔ دو نئے سپن باؤلر حسیب احسن اور نسیم الغنی کو بھی آزمایا جا رہا تھا اور سب سے بڑھ کر بیس سالہ سعید احمد کی آمد تھی جو گزشتہ پانچ سال پہلے پاکستان میں ہونے والے ہندوستان کے خلاف پہلے میچوں کے سلسلے کے بعد پاکستانی ٹیسٹ ٹیم میں آنے والی پہلی اہم دریافت تھا۔ سعید احمد اس وقت داخل ہوا جب مقصود احمد کی کرکٹ کا خاتمہ ہوا۔ مقصود کے ذہنی رویہ اور طرز عمل سے بہتری کی توقع تھی مگر اس کا ردعمل اس کے برعکس تھا۔ ''مقصود کو ٹیم سے اس وجہ سے نکالا گیا کیوں کہ وہ علی الصبح جسمانی تربیت کرنے کے لیے بالکل گریزاں رہا اور پھر چند دن بعد اس نے پریکٹس کے لیے نیٹ پر آنا بھی ترک کر دیا۔'' کاردار نے لکھا۔ ہر دلعزیز شخصیت کے مالک مقصود نے بعد میں صحافت کا پیشہ اختیار کرلیا۔ یہ زندگی کا طور اسے زیادہ خوشگوار لگا۔ وہ کراچی کے 1951ء کے ایم سی سی کے خلاف میچ میں موجود تھا جس میں ایم سی سی کو مشہور و معروف شکست ہوئی۔ پھر وہ دہلی میں ہونے والے ہندوستان کے خلاف پاکستان کے اوّلین میچ میں بھی موجود تھا اور پھر فضل محمود کے اوول کے مشہور میچ میں بھی شریک تھا۔ اس کی روانگی اس بات کا ابتدائی اشارہ تھا کہ کاردار کے مقبول سورماؤں کا ٹولا بکھر رہا تھا۔

آج اس بات کا اعادہ کرنا مشکل ہے جس کی بدولت پاکستانی کرکٹ ٹیم دسمبر 1957ء میں جزائر

غرب الہند کے بڑے دورے پر روانہ ہوئی۔تمام دورے کے دوران کھلاڑیوں کو ان کی خدمات کے صلے میں کوئی رقوم ادا نہ کی جاتیں انہیں صرف روزانہ کا جیب خرچ ملتا جو ایک برطانوی پونڈ کے برابر ہوتا۔اور ان سے توقع کی جاتی کہ وہ اس جیب خرچ میں سے اپنے کھانے پینے کپڑے دھلوانے اور دوسری ضرورت کی اشیاء خرید کا خرچہ کریں۔

انہوں نے ہوائی جہاز کے ذریعے سفر کا آغاز کیا اور چند ہوائی اڈوں پر اترنے کے بعد لندن پہنچ گئے جہاں سے ایک چھوٹے بحری جہاز ایس ایس گولفٹو (S S Golfito) میں سوار ہو کر سمندری راستے کے ذریعے باربیڈوس (Barbados) روانہ ہوگئے۔ وہاں پہنچنے پر کھلاڑیوں نے نیٹ پریکٹس کی۔''سولہ دن کے ہوائی اور سمندری سفر کے بعد جس میں ہم نے تیرہ ہزار میل کی مسافت طے کی کرکٹ سے یہ ہمارا پہلا رابطہ تھا۔'' حنیف نے تحریر کیا۔

کرکٹ کھیلنے کے لیے پاکستان کے اس ویسٹ انڈیز کے دورے کو اس وقت تک سمجھا نہیں جاسکتا جب تک کہ وہاں کے سیاسی اور سماجی حالات کو گہرائی سے نہ دیکھا جائے۔پاکستان کو دس سال قبل آزادی حاصل ہو چکی تھی جبکہ غرب الہند کے جزائر میں آزادی کے لیے ابھی جدوجہد جاری تھی۔ مثال کے طور پر باربیڈوس (Barbados) کو کہیں 1966ء میں جا کر خودمختاری نصیب ہوئی جبکہ ویسٹ انڈیز کا کپتان روایتاً سفید فام ہوا کرتا تھا۔اس سیریز کے لیے جیری الیگزنڈر (Gerry Alexander) کو چنا گیا۔[15] اس انتیس سالہ وکٹ کیپر بیٹسمین نے جو کیمبرج یونیورسٹی سے فارغ التحصیل ہوا تھا، نے اپنے آبائی ملک میں مارچ 1957ء یعنی نو ماہ پہلے تک کوئی فرسٹ کلاس کرکٹ میچ نہیں کھیل رکھا تھا اور وہ بھی صرف جمیکا (Jamaica) کی طرف سے دورہ کرنے والی ڈیوک آف نارفوک الیون (Duke of Norfolk XI) کے خلاف تھا۔ اس نے گزشتہ موسم گرما میں انگلینڈ کے دورہ کے دوران صرف دو ٹیسٹ میچ کھیل رکھے تھے۔جس میں اس کی بیٹنگ کی کارکردگی صفر ناٹ آؤٹ۔ گیارہ ۔صفر اور صفر تھی۔ اس سے کہیں عظیم تر کھلاڑیوں ایورٹن ویکس (Everton Weekes) اور کلائیڈ والکوٹ (Clyde Walcott) کو کپتانی کے لیے نظرانداز کیا گیا۔

کپتانی کا یہ معاملہ اعلیٰ کرکٹ کھیلنے کے حوالے سے ویسٹ انڈیز کے راستے میں حائل نہ ہوا۔17 جنوری تا 23 جنوری 1958ء کو برج ٹاؤن (Bridgetown) میں کھیلے جانے والے باربیڈوس ٹیسٹ کے پہلے نصف دورانیہ میں پاکستانی ٹیم تباہ ہو کر رہ گئی۔ ویسٹ انڈیز ٹیم کرکٹ تاریخ کی اعلیٰ ترین ٹیم کے طور پر نمایاں ہونا شروع ہو رہی تھی۔اور یہ بات پہلے پانچ بیٹسمینوں کے نام لینے سے ہی عیاں ہو جاتی تھی جن میں کانرڈ ہنٹ (Conrad Hunte)، روہن کنہائی (Rohan Kanhai)۔ گیری سوبرز (Garry

(Sobers) ایورٹن ویکس (Everton Weekes) اور کلائیڈ والکوٹ (Clyde Walcott) شامل تھے۔ صرف عظیم فرینک وورل (Frank Worrel) جو اقتصادیات میں ڈگری حاصل کرنے کے لیے مانچسٹر یونیورسٹی میں مصروفیت کی وجہ سے غیر حاضر تھا۔

کاردار کے ٹاس ہار جانے پر اس ہیبت ناک بیٹنگ کی لڑی نے پاکستانی باؤلنگ کے جارحانہ حملوں سے دل بہلانے کے انداز میں کھیلنا شروع کیا۔ ہنٹ (Hunte) نے اپنے ٹیسٹ کرکٹ کا آغاز کرتے ہوئے 142 دھماکہ خیز رنز بنا ڈالے۔ ویکیس نے جو اس وقت اپنی شاندار کرکٹ کے اختتامی دور میں تھا، 197 رنز بنا کر ہنٹ سے زیادہ رنز کیے تھے۔ سوبرز (Sobers) نے مار دھاڑ کرتے ہوئے 52 رنز کیے اور والکوٹ (Walcott) نے 43 رنز بنائے۔ قابل اعتماد فضل محمود نے غالباً بڑھتی ہوئی عمر کے پہلی بار آثار دکھاتے ہوئے 145 رنز کے عوض صرف تین وکٹ حاصل کیے۔

کرکٹ کے میدان میں نمودار ہونے والے بدمزاج، جھگڑالو اور بدترین عادات والوں میں شمار ہونے والے ابتدائی تیز رفتار باؤلر رائے گل کرائیسٹ (Roy Gilchrist) نے تیسرے روز پاکستانی بیٹنگ کے پرخچے اڑا دیئے۔ وہ مسلسل محض اپنی تیز رفتاری کی بدولت پاکستانی بلے بازوں کے بلوں کا گیند سے ملاپ خطا کرواتا رہا۔ دوپہر کے کھانے کے وقفہ کے بعد ہونے والے کھیل میں کچھ دیر بعد ہی پاکستان کی تمام ٹیم 106 رنز پر آؤٹ ہوگئی۔

جب فالو آن کرواتے ہوئے الیگزنڈر نے پاکستان ٹیم کو دوبارہ بیٹنگ کرنے کے لیے کہا تو اس وقت پاکستان ویسٹ انڈیز کے پہلی اننگز کے سکور سے 473 رنز پیچھے تھا اور کھیل کا ابھی ساڑھے تین دن سے زیادہ وقت باقی تھا۔ حنیف نے کہا کہ ''سب کا یہی خیال تھا کہ پاکستان کو اب صرف رسمی طور پر آؤٹ کرنا ہی باقی تھا۔'' مجھے اس بات کا اعتراف ہے کہ ہم بھی یہ محسوس کر رہے تھے کہ شکست سے بچنے کے لیے ہم ساڑھے تین دن نہیں گزار سکیں گے۔'' صرف 142 اووروں میں پاکستانی ٹیم کو پہلی اننگز میں لڑھکا دینے کے بعد ویسٹ انڈیز کی باؤلنگ ابھی تازہ دم دی تھی اور تھی بھی بہت طاقتور اور مضبوط۔ کینہ پرور اور ہلاکت خیز گل کرائیسٹ (Gilchrist) کے علاوہ سمتھ (Smith) اپنی آف سپن (Off Spin) باؤلنگ کے ساتھ اس قابل تھا کہ وہ بھی اس وکٹ پر تنگ کرتا جو کچھ دیر بعد ٹوٹ پھوٹ کر خراب ہونے والی تھی۔[16] اس کا ساتھی بائیں ہاتھ سے آہستہ رفتار سے باؤلنگ کرنے والا ایلف ولینٹائن (Alf Valentine) جس کی 1950ء میں انگلینڈ کی بیٹنگ کو تباہ کردینے کے حوالہ سے شہرت تھی۔ گلکرسٹ (Gilchrist) کا ساتھی آغازی باؤلر ایرک ایٹکنسن (Eric Atkinson) بھی کارآمد تھا جبکہ اس کا بڑھا بھائی ڈینس (Denis) آف بریک کرنے والا مفید باؤلر تھا۔ اور آخر میں گیری سوبرز (Garry Sobers) بھی موجود تھا جو بائیں ہاتھ سے ہر قسم کی سپن

کرسکتا تھا اور پھر جلد ہی اس نے ثابت کر دیا کہ وہ آغازی باؤلنگ کرنے کے بھی اہل ہے۔

جب 20 جنوری کی دوپہر کو حنیف اور امتیاز بیٹنگ کرنے کے لیے نکلے تو ان کا سامنا معمولی اور کمزور حملہ آور باؤلروں سے نہیں تھا۔ بظاہر کرکٹ کی تاریخ میں بہت سے نمایاں کارنامے اپنے سے کم تر ٹیموں کے خلاف حاصل کیے گئے مگر حنیف کے معاملے میں ایسا نہیں تھا۔ امتیاز آخر کار 91 رنز بنا کر ایک مشتبہ فیصلے کے نتیجے میں آؤٹ ہو گیا۔ گیند لیگ کی طرف سے وائیڈ (Wide) ہو کر جا رہی تھی اور امتیاز پچ پر کئی قدم آگے بڑھا ہوا تھا۔ ویسٹ انڈیز کے باخبر ہونے کی شہرت رکھنے والے تماشائیوں نے جو پاکستانی کھلاڑیوں کی مدافعت سے لطف اندوز ہو رہے تھے نے امپائر کے فیصلے کے خلاف ناپسندیدگی کے اظہار میں شور کرتے ہوئے آوازے لگائے۔

چوتھے روز پاکستانی ٹیم نے پانچ گھنٹوں میں 178 رنز بنائے اور صرف علیم الدین کی ایک وکٹ کا نقصان اٹھایا۔ گلکرسٹ (Gilchrist) انتہائی تند و تیز باؤلنگ کرتے ہوئے گیند کو پیچھے ٹپہ دے رہا تھا۔ حنیف اس قسم کے گیند کھیلنے کا عادی تھا اور عام طور پر اپنے چھوٹے قد کی بدولت ان کے نیچے جھک کر بے ضرر رہتا۔ تاہم گلکرسٹ برائے راست حنیف کے سر کو نشانہ بنائے ہوئے تھا۔ حنیف نے اس کا جواب یوں دیا کہ وہ انتظار کرتا کہ گیند گرنے کے بعد کس زاویے سے نکلتی ہے اور پھر وہ آخری لمحے پر ڈول کر گیند کے راستے سے ہٹ کر اپنا بچاؤ کر لیتا۔ اس نے ان گیندوں میں سے ایک کو ہک (Hook) کرنے کی کوشش کی مگر نشانہ خطا ہوا۔ اوور ختم ہونے پر کلائیڈ والکوٹ (Clyde Walcott) چل کر حنیف کے پاس گیا اور اسے مشورہ دیا کہ ''گلکرسٹ کو ہک (Hook) کرنے کی کوشش مت کرو وہ تمہارے لیے بہت تیز رفتار ہے۔''

شام کو کھیل ختم ہونے تک پاکستانی ٹیم کا سکور دو کھلاڑیوں کے آؤٹ ہونے پر 339 تھا۔ اس رات جب حنیف سونے کے لیے اپنے کمرے میں گیا جس میں وہ اپنے بھائی وزیر کے ساتھ ٹھہرا ہوا تھا تو اسے کپتان کی طرف سے حوصلہ افزائی کا ایک رقعہ ملا۔ کاردار جو مردوں کو ترغیب دینے کا پیدائشی گر جانتا تھا، ہر رات حنیف کے کمرے میں اس قسم کے رقعے رکھنے لگا۔ ''تم پاکستان کو بچانے والی واحد امید ہو۔'' ایک رقعے میں تحریر تھا۔ ''حنیف تم بچا سکتے ہو۔ صرف وہاں جمے رہو۔'' دوسرے میں تحریر تھا۔

پانچویں روز کے شروع ہونے پر حنیف گراؤنڈ میں نیٹ پریکٹس کے لیے وقت سے پہلے پہنچ گیا۔ اس روز مزید 186 رنز کا اضافہ ہوا جس میں سعید احمد 65 رنز بنا کر آؤٹ ہوا۔ ان کا ساتھی کھلاڑی نسیم الغنی یاد کرتے ہوئے بتاتا ہے کہ ''دوپہر کے کھانے کے وقفہ کے دوران حنیف کمرے کے ایک کونے میں چلا جاتا اور مرغی کا ایک چھوٹا ٹکڑا کھا کر سکون سے بیٹھ جاتا اور پھر جا کر غسل کرتا۔''

حنیف شدید تھکن کا شکار تھا اور مسلسل درد میں مبتلا تھا مگر پھر بھی اس نے اپنی قوت ارادی کے ساتھ

اپنے آپ کو جتے رکھا۔ ان دنوں بیٹسمین اپنے رانوں کو محفوظ رکھنے کے لیے حفاظتی پیڈ (Thigh Pad) کا استعمال نہیں کیا کرتے تھے۔ تیز رفتار گیند مسلسل حنیف کی تقریباً غیر محفوظ رانوں کے اوپر کے حصوں سے آ آ کر ٹکراتے رہے۔ (حنیف نے اپنے آپ کو محفوظ کرنے کی کوشش کرتے ہوئے ہوٹل کے تولیوں کو اپنی رانوں پر لپیٹا تھا) اسّی یا نوے میل فی گھنٹہ کی رفتار سے متواتر لگنے والے گیند حنیف کے پہلے ہی سے زخم خوردہ جسم پر گہرا نشان بنا رہے تھے۔

حنیف کی گالوں کے اوپر کے حصے جھلس کر سیاہ ہو چکے تھے۔ اور چہرے کی کھال تہہ در تہہ اتر رہی تھی۔ ویسٹ انڈیز کے سورج کی تیز شعاؤں کو کم کرنے کے لیے حنیف نے ٹوپی پہن رکھی تھی مگر شیشے کی طرح چمکتی ہوئی وکٹ پر پڑتی ہوئی ان شعاؤں کی منعکس حرارت کو روکنے میں ناکام تھا۔ زمانہ حاضر کے کھلاڑی سورج سے جھلسنے سے بچنے کے لیے اپنے چہرے پہ سفید رنگ کی کریم مل لیتے ہیں۔ مگر 1950ء کی دہائی میں کسی کو اس کا خیال نہیں آیا تھا۔

اس موقع پر پہنچ کر حنیف نے بیان کیا: ''مجھے یوں لگا کہ وکٹ پر ہر ذرے اور میدان میں بیٹھے ہر چہرے سے میں آشنا ہو چکا ہوں۔ میں نے دیکھا کہ وکٹ میں دراڑیں پڑنا شروع ہو گئی ہیں اور بعض دراڑیں اتنی بڑی تھیں کہ ان میں سے بہ آسانی پنسل گزر سکتی تھی۔ چند ایک ایسی گیندیں پڑیں کہ مجھے نہیں معلوم کہ میں انہیں روکنے میں کس طرح کامیاب ہوا۔'' پانچویں روز کے اختتام پر تین کھلاڑی آؤٹ ہونے پر سکور 525 رنز تھا۔ حنیف اس وقت 270 رنز بنا کر ابھی کھیل رہا تھا۔ جب رات کو حنیف اپنے کمرے میں پہنچا تو سنگھار میز پر رکھا کاردار کا رقعہ اس کا منتظر تھا۔ اس پر لکھا تھا، ''تمہیں ہر حالت میں چائے کے وقفہ تک جمے رہنا ہے اور پھر ہم میچ بچانے میں کامیاب ہو جائیں گے۔''

چائے کا وقفہ ہونے تک حنیف 334 رنز بنانے میں کامیاب ہو چکا تھا اور اب پاکستان میچ ہارنے سے بچ گیا تھا۔ مگر حنیف کا یہ خواب تھا کہ 1938ء میں اوول کے میدان پر ٹیسٹ کرکٹ میں سب سے زیادہ بنائے جانے والے رنز کا لین ہٹن (Len Hutton) کے 364 انفرادی رنز کا تاریخی ریکارڈ توڑ دے۔ ایک گیند کو آہستگی سے دھکیلنے (Glide) کی کوشش کی مگر گیند بلے کو چھو کر سلپس (Slips) سے گزرتا ہوا وکٹ کیپر کے ہاتھ آ گیا اور حنیف آؤٹ ہو گیا۔

اس کی یہ اننگز 16 گھنٹے اور 39 منٹ پر محیط تھی یعنی کل 999 منٹ تک حنیف کھیلا۔ اس وقت فرسٹ کلاس کرکٹ میں یہ طویل ترین عرصے کی اننگز تھی۔[17] لکھنے کے وقت تک ٹیسٹ کرکٹ میں ستائیس مرتبہ تین سو یا تین سو سے زیادہ انفرادی رنز بنائے جا چکے ہیں۔ مگر ان میں سے صرف دو بار دوسری اننگز میں کیے گئے۔[18] حنیف کی یہ اننگز بے شک دفاعی کھیل اور جوانمردی کا عظیم ترین نمونہ ہے۔

پورٹ آف سپین میں کھیلے جانے والے دوسرے ٹیسٹ میچ میں پاکستان ٹیم نے ڈٹ کر مقابلہ کیا مگر بدقسمتی سے اہم لمحات میں امپائروں کے ناخوشگوار فیصلوں کے سلسلے کی وجہ سے شکست ہوگئی۔ تاہم پاکستانی بیٹنگ گلکرائیسٹ کے سامنے بری طرح سے ڈھیر ہوگئی۔ کھیل کا اہم موڑ اس وقت آیا جب پاکستان کی دوسری اننگز میں سوبرز (Sobers) نے گلی میں (Gully) میں گلکرائیسٹ کے گیند پر حنیف کا 81 رنز کرنے پر کیچ پکڑلیا۔ مگر حنیف خود اعتمادی کھو چکا تھا۔ وہ تیز رفتار ویسٹ انڈین باؤلر کے سامنے وکٹوں سے لیگ (Leg) کی جانب پیچھے ہٹنے لگا تھا۔ چالیس سال بعد حنیف نے اپنی اس ذاتی مصیبت کا یوں اعتراف کیا:

''گلکرائیسٹ (Gilchrist) کی دہشتناک اور دھمکی آمیز تیز رفتاری نے میرے اعتماد کو مکمل طور پر چکنا چور کردیا تھا۔ خدا کا شکر ہے کہ میں نے اس کے گیندوں کو ہک (Hook) کرنا ترک کردیا تھا۔ اس کا میری طرف آتا ہوا ایک گیند مجھے ہمیشہ یاد رہے گا۔ اس کا ٹپہ پیچھے پڑا مگر وہ بدستور میری طرف بڑھتا ہوا آیا۔ میں نے ڈولتے ہوئے اپنے مختصر جثہ کو پیچھے کی طرف جھکا لیا مگر غلط پاؤں پر آجانے کی وجہ سے میری سمجھ میں نہیں آیا کہ کس طرف جاؤں۔ وہ گیند میرے نزدیک سے گولی کی طرح گزرا اور میں اس کی زد میں سے بہ مشکل بچ سکا۔ میں نہیں جانتا کہ میں اس گیند سے کس طرح بچ گیا۔ اگر وہ گیند میرے چہرے یا سر پر لگ جاتی تو یقیناً میری موت واقع ہو جاتی۔ وہ گیند آج بھی میرے ڈراونے خوابوں میں آکر مجھ پر اثر انداز ہوتی ہے۔''

یہ اپنے ذاتی ڈراؤنے خواب کی وہ ایماندار وضاحت ہے جو اکثر تیز رفتار باؤلروں کا سامنا کرتے ہوئے آتا ہے۔ بیٹسمین 1970ء کی دہائی کے آخر تک سروں پر ہیلمٹ نہیں پہنا کرتے تھے۔[19] ہر بار جب حنیف کو گلکرائیسٹ کے اٹھتے ہوئے گیند کا سامنا ہوتا تو اسے مجبوراً فوری طور پر لمحے بھر سے بھی کم وقت میں فیصلہ کرنا پڑتا کہ وہ گیند کا کیا کرے۔ ایک ہی غلط فیصلے سے یا تو حنیف کو شدید چوٹ آسکتی تھی یا اس کا سر پھٹ سکتا تھا یا پھر شاید اس کی موت بھی واقع ہوسکتی تھی۔ کچھ کا خیال ہے کہ گلکرائیسٹ کے خوفناک سامنے کے واضح ہونے کے بعد حنیف دوبارہ پہلے کی طرح پراعتماد بیٹسمین نہیں رہا تھا۔

تیسرے ٹیسٹ میچ میں پاکستان کو پہلے بیٹنگ کرتے ہوئے چکنا چور شکست کا سامنا ہوا۔ حنیف جواب ناکارہ آغازی بیٹسمین ہوکر رہ گیا تھا گلکرائیسٹ کے ہاتھوں فوری طور پر آؤٹ ہوگیا۔ مگر اس کے ساتھ آغاز کرنے والے ساتھی امتیاز نے اعلیٰ سنچری بناڈالی۔ اور اس طرح پاکستان ٹیم نے 328 رنز بنالیے۔

بعد میں جو کچھ ہوا وہ ایک ایسا ناقابل رحم قتل عام تھا جو اونچے پایہ کی کرکٹ میں شاذ و نادر ہی دیکھا جاتا ہے۔ اس کی سربراہی غیر معمولی صلاحیت کا اکیس سالہ مالک گیری سوبرز (Garry Sobers) کر رہا تھا۔ گیری سوبرز نے سال کے ہر دن کے متبادل رن بنا کر 365 رنز کا ہدف حاصل کر کے اپنی آمد کا اعلان

کردیا۔ اس نے اور کونرڈ ہنٹ (Conrad Hunte) جس نے 260 رنز کیے، نے مل کر دوسری وکٹ کی شراکت میں 446 رنز بنائے ۔ گو اعداد و شمار کے لحاظ سے سوبرز نے یادگار رنز بنا لیے تھے مگر اس کی اننگز کا مقابلہ حنیف کی شجاعت سے بھرپور افسانوی 337 رنز کی اننگز سے اطلاق، جسمانی برداشت، ہنرمندی، انفرادیت اور میچ کے فیصلے میں اہمیت کے لحاظ سے ہرگز نہیں کیا جاسکتا۔

پاکستانی ٹیم کے حملہ اور باؤلر ابتدا ہی میں بربادی کا شکار ہوگئے۔ صرف پانچ گیند کرنے کے بعد تیز رفتار باؤلر محمود حسین ران کا پٹھا چڑھ جانے کے باعث ناکارہ ہوگیا۔ نسیم الغنی کے انگوٹھے کی ہڈی ٹوٹ گئی۔ لہٰذا پاکستانی ٹیم اپنے چار اہم باؤلروں میں سے دو کے بغیر ہوگئی تھی۔ فضل محمود نے اس دراڑ کو پُر کرتے ہوئے 85 اوور کیے اور 247 رنز کے عوض 2 وکٹ حاصل کیے۔[20] کاردار کو مجبوراً آٹھ باؤلر استعمال کرنا پڑے۔ حنیف جس کا باؤلر کی حیثیت میں کوئی حوالہ نہ تھا سوبرز کو بائیں ہاتھ سے اس وقت باؤلنگ کر رہا تھا جب سوبرز نے وہ رن لیا جس کی بدولت وہ لین ہٹن (Len Hutton) کے 364 رنز کے عالمی ریکارڈ کو توڑ کر آگے نکل گیا۔ اس کے فوراً بعد کپتان جیری الیگزنڈر (Gerry Alexander) نے 3 کھلاڑی آؤٹ ہونے پر 790 رنز کے سکور پر ویسٹ انڈیز کی اننگز کا اختتام کردیا۔

میچ میں پاکستان کو ایک اننگز سے شکست ہوگئی ۔ حنیف بقیہ تمام دورے کے دوران نچلے درجہ پر کھیلنے لگا۔ یہ ذلت اس پر گلکرائیسٹ سے چھپنے اور بچنے کے لیے مسلط ہوئی۔ چوتھے ٹیسٹ میچ میں پاکستان نے اچھا کھیل پیش کیا۔ سعید احمد نے پہلی اننگز میں عظیم الشان 150 رنز بنا کر پاکستانی کرکٹ میں آنے والی طاقت کے حوالے سے اپنی آمد کا اعلان کیا۔ مگر ویسٹ انڈیز نے پھر بھی یہ میچ آسانی سے جیت لیا۔

آخری ٹیسٹ میچ میں فضل محمود نے اپنا پرانا جادو جگاتے ہوئے ویسٹ انڈیز ٹیم کو معمولی رنز کے عوض آؤٹ کردیا۔ اور پاکستان ایک اننگز اور ایک رن سے میچ جیت گیا۔ جب کاردار نے اپنی دستبرداری کا اعلان کیا تو فضل محمود اس کا فطری جانشین تھا۔

## حوالہ جات:

1 یہ ٹیسٹ میچ دوسرے سنگ میلوں اور خاص واقعات کی بدولت توجہ طلب ہے۔ رے لنڈوال (Ray Lindwall) نے اپنی دوسوویں وکٹ حاصل کی۔ کوئینز لینڈ (Queensland) کے 24 سالہ درخشاں تیز رفتار باؤلر رون آرچر (Ron Archer) کا کھیل کے اختتام پر پٹھا بری طرح سے زخمی ہوگیا جس کی بدولت افسوس کہ وہ دوبارہ ٹیسٹ کرکٹ نہ کھیل سکا۔ لیاقت علی خان کی شہادت کے دن کی بدولت اس روز کھیل نہ ہوسکا۔ اس وجہ سے یہ تاریخ کا واحد ٹیسٹ میچ ہے جس میں مقررہ طور پر دو دن آرام کے لیے مختص تھے۔ گل محمد جس نے ہندوستان کی طرف سے پہلے کھیل رکھا تھا کو

پاکستان کی طرف سے منتخب کیا گیا جس کی بدولت وہ کھلاڑیوں کے اس محدود ٹولے میں شامل ہو گیا جنھوں نے ایک سے زائد ملکوں کی نمائندگی کر رکھی ہے۔ ٹیسٹ میچوں کی تاریخ میں یہ ٹیسٹ اس وجہ سے غیر معمولی ہے کہ مقامی ٹیم کے جیتنے کے باوجود اس کے خلاف تماشائیوں نے نہ صرف آوازے کسے بلکہ نعرہ بازی بھی کی۔ اس ہنگامہ آرائی کے لیے دیکھیے فضل محمود کی کتاب کے صفحات نمبر 59 تا 60۔

2 فضل کو پاکستان ٹیم کے ساتھ کینیا کا دورہ کرنے کی دعوت دی گئی مگر اس نے حقارت سے یہ کہہ کر انکار کر دیا کہ "یہ دورہ صرف رقص و سرود اور ضیافتوں کا ہے۔" کاردار نے مجھے قائل کرنے کی کوشش کی مگر میں آسٹریلوی ٹیم سے مقابلے کے لیے تیاری کرنا چاہتا تھا۔" فضل نے بعد میں لکھا، دیکھیے فضل محمود کی کتاب کا صفحہ 60۔

3 ماجد خان، مشتاق محمد، آفتاب گل، قمر احمد اور شہزادہ اسلم کے کزن عبدالخالق ناصر الدین سے گفتگو کے حوالے سے۔

4 محمد شریف نے 36-1935 سے لے کر 42-1941ء تک رانجی ٹرافی میں شمالی ہندوستان کی نمائندگی کرتے ہوئے سات فرسٹ کلاس میچ کھیلے۔ اس نے 395 رنز بنا کر 50-39 کی اوسط حاصل کی۔ اس کا سب سے زیادہ ذاتی سکور 118 تھا۔ شریف کے بیٹے عظمت حسین نے لاہور کی نمائندگی کرتے ہوئے صرف ایک فرسٹ کلاس میچ کھیلا۔

5 تیسرا بھائی اقبال شہزاد، پاکستان کے بہترین فلم ڈائریکٹروں میں شمار ہوتا تھا۔ اس نے اپنے پیشے کا آغاز بطور صوتیات نگراں کار کیا۔ ہندوستانی اداکارہ ریحانہ سے شادی کی اور پھر نئے فلمی ادارے مونٹینا فلمز (Montana Films) کی پہلی فلم 'رات کے راہی' کے لیے ریحانہ کے ساتھ کام کیا۔ فلم کی کامیابی نے اقبال شہزاد کو 1966ء میں فلم بنجاروں کے ڈائریکٹر کے طور پر کام کرنے کا موقع فراہم کیا۔ اس فلم کو تماشائیوں سے بے حد پذیرائی ملی، وہ غیر معمولی اداکاری، جراتمند کیمرے کے زاویوں، باصلاحیت ترتیب اور عمدہ تخلیقی اقدار سے ششدہ ہو گئے تھے۔ اقبال نے اس کے بعد اور بھی فلمیں بنائیں جن میں بیٹی، بدنام، بازی، شامل تھیں۔ سب ہی شاہکار فلمیں تھی۔ اے ایچ کاردار کے دو بھائی اہم فلمساز تھے۔ ان میں ایک اے جے کاردار اور دوسرا اور بھی زیادہ معروف اے آر کاردار تھا جس نے لاہور کی فلم انڈسٹری کی داغ بیل ڈالی تھی۔

6 اسلم کھوکھر نے 42-1941ء سے 47-1946ء تک شمالی ہندوستان کی رانجی ٹرافی میں نمائندگی کی۔ تقسیم کے بعد اس نے پاکستان کی سرزمین پر پہلے فرسٹ کلاس میچ میں جو مغربی پنجاب اور سندھ کے درمیان باغ جناح لاہور کی گراؤنڈ میں 48-1947ء میں کھیلا گیا میں پہلی سن چری بنائی۔ بعد میں اسلم کھوکھر امپائرنگ کرنے لگا اور تین ٹیسٹ میچوں میں امپائر کے فرائض ادا کیے۔

7 78-1977ء کی انگلینڈ اور پاکستان کے درمیان کھیلی جانے والی سیریز کے کراچی میں کھیلے جانے والے تیسرے اور آخری ٹیسٹ میں جو پاکستان کا نوے واں ٹیسٹ تھا، میں پہلی بار ایسا ہوا کہ محمد برادران میں سے کوئی نہ کھیلا۔ صادق محمد کو ناقص کھیل کی وجہ سے ٹیم سے علیحدہ کیا گیا تھا جبکہ مشتاق محمد کیری پیکر (Kerry Packer) کی کرکٹ میں پابند ہونے کی وجہ سے دستیاب نہیں تھا۔

8 جین رچرڈسن (Jeanne Richardson) تین چیپل برادران کی والدہ ہونے کے علاوہ مشہور

آل راؤنڈر (All Rounder) کھلاڑی وک رچرڈسن (Vic Richardson) کی بیٹی تھی جس نے اپنے 19 ٹیسٹ میچوں کے دور کے آخر میں آسٹریلیا کی کپتانی کی۔

9 وزیر محمد کی تاریخ پیدائش 22 دسمبر 1929ء۔ رئیس محمد کی تاریخ پیدائش 25 دسمبر 1932ء۔ حنیف محمد کی تاریخ پیدائش 21 دسمبر 1934ء۔ مشتاق محمد کی تاریخ پیدائش 22 نومبر 1943۔ صادق محمد کی تاریخ پیدائش 3 مئی 1945 ہے۔ اس کے علاوہ امیر بی کا ایک اور بیٹا اور بیٹی بھی تھے جو ابتدائی نوجوانی میں وفات پا گئے۔ دیکھئے Cricket,s Great Families by Kersi Meher Homji صفحہ 131۔ رئیس، ہندوستان کے خلاف یکم جنوری 1955ء کو ڈھاکہ میں ہونے والے ٹیسٹ میں کھیلتے کھیلتے رہ گیا۔ میچ شروع ہونے سے ایک رات قبل نئے سال کی آمد کے موقع پر ٹیم کے کپتان کاردار نے اس کو مطلع کیا کہ وہ ٹیسٹ میچ کھیل رہا ہے مگر اگلی ہی صبح اس نے اپنا فیصلہ تبدیل کردیا اور رئیس کی بارویں کھلاڑی کے طور پر تنزلی کردی۔ اپنے بھائیوں میں رئیس محمد سب سے پہلا تھا جس نے 1949-50ء میں کراچی، سندھ کی طرف سے دورہ کرنے والی کامن ویلتھ ٹیم کے خلاف اپنی فرسٹ کلاس کرکٹ کا آغاز کیا۔ اس نے فرسٹ کلاس کرکٹ میں 32.78 کی اوسط سے 1344 رنز بنائے اور 31.27 کی اوسط سے 33 وکٹ حاصل کیے۔ مشتاق محمد نے اپنی خودنوشت سرگزشت کے صفحہ 266 پر رئیس کو یوں خراج تحسین پیش کیا ہے: ''یہ رئیس تھے جنہوں نے مجھے لیگ بریک کرنا سکھایا۔ وہ میری باؤلنگ کے نقطہ آغاز اور رستہ پر نشان لگادیتے اور بائیس گز کی بجائے اٹھارہ گز کے فاصلے سے باؤلنگ کرواتے کیوں کہ میں چھوٹا ہونے کی وجہ سے پورے فاصلے سے گیند پھینک نہیں سکتا تھا۔ وہ اصلی اور خالص لیگ سپن اور گگلی باؤلر تھے اور گیند گھمانے میں ان کا ثانی نہیں تھا۔ اتنے سالوں بعد جب میں مڑ کر سوچتا ہوں تو ہم پانچوں بھائیوں میں سے رئیس محمد ٹیسٹ کرکٹ کھیلنے کے سب سے زیادہ حقدار تھے۔ رئیس کے پاس درمیانے حصہ میں بیٹنگ کرنے کی قدرتی صلاحیت تھی اور اس کے ساتھ وہ اعلیٰ لیگ سپنر بھی تھے۔''

10 اپنے پانچ بیٹوں کے علاوہ حنیف کا بیٹا شعیب، رئیس کے بیٹے آصف، شاہد اور طارق، صادق کا بیٹا عمران اور موجودہ نسل میں امیر بی کی نمائندگی ان کا پڑپوتا شہزاد (حنیف کا پوتا اور شعیب کا بیٹا) کرتا ہے۔

11 کرسٹفر مارٹن جینکنز (Christopher Martin Jenkins) کے مطابق ''وہ بائیں ہاتھ سے کھیلنے والا متذبذب مگر شاندار بیٹسمین تھا جو بہادری اور تند مزاجی سے دفاع کرنا جانتا تھا۔ درانی بائیں ہاتھ سے آہستہ رفتار کا باؤلر بھی تھا۔ وہ ظاہراً سست انداز کے باوجود پچ سے تیزی حاصل کرلیتا اور چالاکی سے گیند کی سمت اور اڑان میں تبدیلی لے آتا تھا۔'' وہ انتیس ٹیسٹ میچ کھیلا اور بلے کے ساتھ اس کی اوسط 25.04 رنز تھی جبکہ وکٹیں حاصل کرنے میں اس کی اوسط 35.42 تھی۔ بعد میں اس نے فلموں میں اداکاری کی بھی کوشش کی۔ حنیف کی خودنوشتہ سوانح عمری جسے قمر احمد اور عافیہ سلیم نے تحریر کیا میں ماسٹر عزیز کے حالات کا رقت آمیز انداز میں ذکر ہے۔ دیکھئے صفحات 22-19۔

12 حنیف کی خودنوشت سوانح عمری صفحہ 25۔ کفیل الدین کا شمار پاکستان کی ابتدائی کرکٹ کے روح رواں اور معماروں میں ہوتا ہے اور نیشنل سٹیڈیم کراچی کی تعمیر ان کی کارگزاری ہے۔ حنیف کو یاد ہے کہ وہ کفیل الدین تھے جنہوں نے اسے اور اس کے بھائیوں کو باخبر کیا کہ اس وقت کا دنیائے کرکٹ کا سب سے مشہور کھلاڑی ڈینس کامپٹن (Denis Comptin) کراچی آرہا ہے۔ کامپٹن جس جہاز پر سفر کررہا تھا اسے ہنگامی حالات میں اترنا پڑا تھا جس کے نتیجے میں کامپٹن کئی روز تک کراچی میں پھنسا رہا۔ اس دوران وہ نیٹ پر نوجوان محمد برادران کے ساتھ بیٹنگ کرتا رہا اور

انہیں تربیتی مشورے دیتا رہا۔ دیکھئے حنیف کی کتاب کا صفحہ 26۔

13 مگر مشتاق کیا واقعی پندرہ سال کا اتنا کم عمر کھلاڑی تھا؟ ہجرت کے اتفاقی امر اور دہشت انگیز تبدیلی کی بدولت اہم دستاویزات اور سامان اسباب گم ہوگئے تھے۔''تاہم مجھے یقین ہے کہ میں نومبر 1943ء میں پیدا ہوا تھا۔ یہ بھی ممکن ہے کہ وہ نومبر 1942ء ہو۔'' مشتاق نے اپنی خودنوشت سوانح عمری میں لکھا اور مزید اضافہ کرتے ہوئے بیان کیا''اگرچہ یہ عین ممکن ہے کہ وہ دستاویزات قانونی طور پر درست ہوں مگر یہ بھی ہوسکتا ہے کہ وہ درست نہ ہوں۔ میری والدہ کے پاس میری پیدائش کا سٹوفکیٹ کبھی نہیں تھا۔ میری عمر کا قانونی طور پر اندراج اس وقت ہوا جب حنیف نے مجھے اور صادق کو سکول میں داخل کیا۔ حنیف نے سکول کے منتظم کو بتایا کہ میری تاریخ پیدائش 22 نومبر 1943ء ہے اور تب سے پہلی تاریخ پیدائش مانی جاتی ہے۔'' مشتاق کی کتاب کا صفحہ 26 دیکھئے۔ مشتاق کم عمر ترین ٹیسٹ کھلاڑی ہونے کی سند مختصر مدت کے لیے ایک اور پاکستانی حسن رضا کے ہاتھ آگئی۔ مشتاق نے خوشی کا اظہار کرتے ہوئے مجھے بتایا کہ میرا ریکارڈ مجھے دوبارہ واپس مل گیا کیوں کہ پی سی بی (PCB) نے حسن رضا کی عمر کو ماننے کی بجائے اسے مسترد کردیا۔ صفحہ 385 کے نیچے دیکھیں بحوالہ اقتباس The Fountain of Youth۔

14 صادق نے مجھے بتایا کہ''بائیں ہاتھ سے کھیلنے والا بیٹسمین بننے کے لیے اس کے بڑے بھائیوں نے اسے مجبور کیا۔ کیوں کہ ان کے خیال کے مطابق اس طرح میرے لیے کھیلنے کے زیادہ مواقع پیدا ہوں گے۔'' صادق محمد سے ذاتی گفت وشنید کے دوران

15 جیری الیگزنڈر (Gerry Alexander) آخری سفید فام تھا جس نے ویسٹ انڈیز کرکٹ ٹیم کی کپتان کی۔ الیگزنڈر کے آبائی جزیرہ جمکیا (Jamaica) کو برطانوی حکومت سے آزادی 1962ء میں نصیب ہوئی۔ سی ایل آر جیمز (C L R James) کی قیادت میں چلنے والی مہم کے نتیجے میں فرینک وورل (Frank Worrell) ویسٹ انڈیز کرکٹ ٹیم کا پہلا سیاہ فام کپتان بنا۔ جس کی راہنمائی میں ویسٹ انڈیز ٹیم نے 61-1960ء میں آسٹریلیا کا مشہور دورہ کیا۔

16 یہ اعلیٰ آل راونڈر اگلے ہی سال کار کے حادثہ میں انتقال کرگیا جس میں اس کا دوست گیری سوبرز (Garry Sobers) بھی شریک تھا اس کے آبائی وطن جمیکا میں تقریباً ساٹھ ہزار لوگوں نے اس کے جنازے میں شرکت کی۔ 1958ء میں پاکستان کے خلاف اس کی شاندار کارکردگی تھی۔ اس نے بلے کے ساتھ 47 کی اوسط حاصل کی تھی اور تیرہ وکٹیں بھی لی تھیں۔ اس نے بھی اپنا عروج حاصل کرنا تھا کہ اچانک موت واقع ہوگئی۔

17 نومبر 1999ء حنیف کا ریکارڈ راجیو تیز کے ہاتھوں ٹوٹ گیا۔ جس نے رانجی ٹرافی میں چمبرا (Chambra) کے مقام پر ہماچل پردیش اور جموں کشمیر کے درمیان میچ میں 16 گھنٹے 55 منٹ بیٹنگ کر کے 271 رنز کیے۔ تیز 1015 منٹ تک وکٹ پر رہا۔ اس نے 728 گیندوں کا سامنا کیا اور 26 چوکے اور ایک چھکا لگایا۔ حنیف کے 999 منٹ (16 گھنٹے اور 39 منٹ) کا ٹیسٹ کرکٹ میں طویل ترین دورانیئے کی اننگز کا ریکارڈ بدستور قائم ہے۔

18 برینڈن میکلم (Brendon Macullum) نے فروری 2014ء میں نیوزی لینڈ کی طرف سے ہندوستان کے خلاف دوسری اننگز میں 302 رنز کیے تھے۔

19 حنیف کا بھائی صادق پاکستان کی طرف سے 1978ء میں انگلینڈ کا دورہ کرتے ہوئے ہیلمٹ (Helmet) کا استعمال کرنے والا پہلا کھلاڑی تھا۔ اسے چند سال پہلے شارٹ لیگ (Short Leg) پر فیلڈنگ

کرتے ہوئے سر پر شدید چوٹ آچکی تھی۔(اسے ہیلمٹ بنانے والی کمپنی سینٹ پیٹر(St.Peter) کی طرف سے اشتہاری سرپرستی کرنے کی پیشکش بھی ہوئی تھی) صادق محمد سے ذاتی گفتگو کے حوالے سے۔

20 دیکھئے وزڈن 1959ء صفحہ 814 ''فضل محمود جس نے غیر معمولی تعداد کے اوور کیے جو اس کی رفتار کے باؤلر کے لیے بہت زیادہ ہوتے ہیں اور خان محمد صرف یہی دو پاکستان کے باقاعدہ باؤلروں میں درست حالت میں بچے تھے۔خان محمد کو 54 اوور کر کے 259 رنز کے عوض کوئی وکٹ حاصل نہ ہوئی۔ پاکستان کی شکستہ باؤلنگ کے معیار کے سامنے سوبرز(Sobers) کا کارنامہ اس کے ہم وطن برائن لارا(Brain Lara) کے سامنے ہے جس نے 1994ء میں 375 رنز اور 2004ء میں آؤٹ ہوئے بغیر 400 رنز کیے۔ یہ دونوں اننگز اس نے انگلینڈ کے طاقتور اور تروتازہ باؤلروں کے خلاف کھیلی تھیں۔آسٹریلیا کے آغازی بیٹسمین میتھیو ہیڈن (Matthew Hayden) نے 2003ء میں زمبابوے کی کمزور ٹیم کے خلاف 380 رنز بنا کر عارضی طور پر عالمی ریکارڈ تو حاصل کر لیا تھا مگر وہ بے معنی تھا۔

9

# کاردار کے متبادل فضل محمود کا دَور

''جب زمانہ جنگ نہ ہو تو مل جل کر کام کرنے کے جذبے کی پیروی کے لیے کھیل کا میدان ہی بہترین جگہ ہوتا ہے۔''

- فیلڈ مارشل محمد ایوب خان، حکمران پاکستان 69-1958ء

اے ایچ کاردار کی عمر بہ مشکل تینتیس (33) سال تھی جب وہ کرکٹ سے از خود دستبردار ہوا۔ اس نے صرف تئیس (23) ٹیسٹ میچ کھیلے تھے اور وہ 1960ء کی دہائی کے دوران ابھی مزید کھیلنے کے قابل تھا اور ڈٹ سکتا تھا۔ فراوانی سے لکھنے والے ادیب ہونے کے باوجود کاردار نے اس بات کی کبھی وضاحت نہیں کی کہ اس نے اپنے آپ کو کرکٹ کھیلنے سے اتنی عجلت میں کیوں سبکدوش کر لیا؟

شجاع الدین اس بارے لکھتا ہے کہ ''کرکٹ کے معاملات میں مہارت رکھنے والے چند استادوں کے خیال کے مطابق کاردار نے یہ قدم ایک سوچے سمجھے منصوبے کے تحت اٹھایا تھا جس کی بدولت وہ لوگوں کے پُرزور اصرار کے نتیجے میں دوبارہ پلٹ کر آ سکتا۔'' مگر اندازہ معقول لگتا ہے۔ کاردار نے اپنے کھیل کے تمام تر دور میں کرکٹ سے دستبرداری کے خیالات کو ہمیشہ اپنے ذہن میں رکھا۔ یہاں تک کہ بہت پہلے 1953ء میں پاکستانی ٹیم کے پہلے ہندوستانی دورے پر جانے سے ذرا پہلے کاردار نے کچھ عرصہ کے لیے کرکٹ کھیلنا چھوڑ دی اور اس عمل کی اطلاع رائٹرز خبر رساں ایجنسی کو ایک بیان کے ذریعے پہنچا دی۔ یہ پہلا استعفیٰ کاردار کے مطابق، ''میرے لیے نہ صرف سنجیدہ فیصلہ تھا بلکہ دل پر بہت بڑا دھچکا تھا۔'' مگر یہ کاردار کی طرف سے پاکستان کی دیرینہ طور پر کرکٹ کی ناقص انتظامیہ کے خلاف احتجاج تھا۔ اس پہلے استعفیٰ کی تفصیلات سرسری ہیں اور غالباً کاردار کو جلد ہی قائل کر لیا گیا جس کی بدولت اس نے اپنا استعفیٰ واپس لے لیا۔

پاکستانی کپتان کے دوست خالد قریشی جو 1952ء کی ہندوستان دورہ کرنے والی پاکستانی ٹیم میں شامل تھا، کے مطابق کاردار نے ایک بار پھر 1954ء کے دورہ انگلستان کے دوران کرکٹ سے دستبردار کے

خیال پر غور کیا تھا۔ اوول ٹیسٹ کے دوران بیئر اور سگریٹ پیتے ہوئے کارکردار نے اچانک خالد قریشی سے کہا کہ یہ ایک لمبا دورہ تھا جس کے اختتام پر وہ کرکٹ سے علیحدگی اختیار کرلے گا۔ اس موقع پر میچ میں فتح کی نسبت شکست کا امکان زیادہ واضح نظر آرہا تھا۔

کاردار کو فطری طور پر اپنی امیدوں پر پانی پھرتا ہوا نظر آرہا تھا اور آنے والی مایوسی کا اسے احساس ہو چکا تھا۔ اس پر یہ خوف طاری ہوا ہوگا کہ 1954ء کے دورہ کو قطعی طور پر ناکام سمجھ کر اسے مورد الزام ٹھہرایا جائے گا۔ مگر یہ فضل محمود کا پانسہ پلٹ کر پاکستان کو فتح حاصل ہونے سے پہلے کی سوچ تھی۔ جب میچ میں فتح کے بعد کاردار نے صحافیوں سے بات چیت کرتے ہوئے پاکستانی ٹیم کی مزید رہنمائی کرنے کے اپنے عظیم کا اعلان کیا۔[1]

کاردار کی استعفیٰ کے خیال سے مسلسل دل لگی سے ظاہر ہوتا ہے کہ پاکستانی کرکٹ ٹیم کی کپتانی کا اس کے اعصاب پر کتنا بھاری بوجھ تھا جس کا اس نے لوگوں کے سامنے کبھی اعتراف نہیں کیا تھا۔ اس کے محرکات جو کچھ بھی تھے مگر ویسٹ انڈیز کے دورہ کے بعد فضل محمود نے اپنی دیرینہ خواہش کہ اس کا بھی اپنا ایک مقام ہے کی تکمیل کے موقع کو حاصل کرنے کا ارادہ کرلیا۔ اور اپنا حق سمجھتے ہوئے عزم مصمم کرلیا کہ کپتان بننے کی شدید خواہش جو اس کے دل میں عرصہ دراز سے تھی کو حاصل کرنے کے لیے جدوجہد کے بغیر ہاتھ سے نہیں جانے دے گا۔

## فوجی بغاوت اور اس کے نتائج

کاردار کا بین الاقوامی کرکٹ کو خیر باد کہنا اور پاکستانی شہری انتظامیہ کا ناکام ہو جانا دونوں باتیں ایک ہی وقت میں ہوئیں۔ اکتوبر کے مہینے میں صدر اسکندر مرزا نے ملک میں مارشل لاء کا نفاذ کر دیا مگر صرف چند ہفتوں بعد ہی اس کا تختہ جنرل ایوب خاں کے ہاتھوں الٹ گیا جسے اس نے خود مارشل لاء انتظامیہ کا سربراہ اعلیٰ مقرر کیا تھا۔[2]

اسکندر مرزا کو لندن جلاوطن کرنے کے بعد[3] ایوب خاں نے سرعت سے صوبوں سے اختیارات لے کر مقامی سطح پر چھوٹے یونٹوں کو دے دیئے۔ کرکٹ کی انتظامیہ بھی اسی صورتحال کی آئینہ دار تھی۔ پنجاب کرکٹ ایسوسی ایشن کو توڑ کر لاہور، ملتان اور راولپنڈی ایسوسی ایشن بنا دی گئیں اور سندھ ایسوسی ایشن کو خیر پور اور حیدر آباد کی صورت میں دولخت کر دیا گیا۔

1958-59ء میں مشرقی پاکستان قائداعظم ٹرافی سے الگ ہوگیا (بظاہر اخراجات کی بنیاد پر) مگر کمبائنڈ سروسز (Combined Services) (مسلح افواج کی مشترکہ ٹیم) مقابلے میں دوبارہ شامل ہوگئی

چوں کہ فوجی بغاوت کے بعد زمینی فوج خاص طور پر مصروف ہوچکی تھی لہٰذا یہ ٹیم زیادہ تر فضائی فوج کے کھلاڑیوں پر مبنی تھی۔ اس سال کے مقابلوں میں سب سے نمایاں مقابلہ کراچی اور دفاعی فاتح ٹیم بہاولپور کے مابین سیمی فائنل میچ میں تھا۔ جس میں بیٹنگ کا غیر معمولی کارنامہ نمایاں تھا۔ کراچی پارسی انسٹی ٹیوٹ کی گراؤنڈ پر ٹاس جیت کر کراچی نے بہاولپور کو پہلے کھلا کر 185 رنز پر آؤٹ کردیا۔ پہلے دن کے اختتام پر کراچی نے جواب میں ایک وکٹ کھو کر 59 رنز بنائے تھے۔ حنیف احتیاط سے 25 رنز بنا کر ابھی کھیل رہا تھا۔ اگلے روز کے اختتام پر حنیف 255 رنز بنا چکا تھا اور ابھی کھیل رہا تھا۔ اس نے وقار حسن کے ساتھ جس نے 37 رنز بنائے تھے، 172 رنز کا اضافہ کیا اور پھر اپنے بھائی وزیر محمد جس نے 31 رنز کیے، کے ساتھ مل کر مزید 103 رنز کیے۔ حنیف کی پہلی کو 160 منٹ درکار ہوئے جبکہ دوسری کو صرف 102 منٹ لگے۔ حنیف نے 94 رنز پر ایک مشکل موقع دیا۔ مگر پوائنٹ پر کھڑے فیلڈر نے جست مار کر کیچ کرنے سے گریز کیا (پاکستانی کھلاڑی قابل فہم طور پر اپنے کھردرے اور غیر ہموار میدانوں میں جست لگانے سے جھجکتے تھے)۔

اپنی تیسری سنچری بنا کر حنیف بے حد تھک چکا تھا اور اس کی بجائے اس کا بھائی وزیر جو اس کا کپتان بھی تھا، اسے ریکارڈ بنانے پر اکسا رہا تھا۔ تیسرے روز چائے کے وقفہ تک حنیف ڈان بریڈمین کے 452 رنز کے مقابلے میں صرف 17 رنز پیچھے تھا۔ (وکٹ کے دوسرے سرے پر بے غرض ویلس متھائس (Wallis Mathias) تقریباً توجہ میں آئے بغیر 259 رنز کی شراکت میں اپنی بھی سنچری بنا چکا تھا) مرجھائے ہوئے حملہ آور باؤلروں کو کھیلتے ہوئے حنیف اپنے آپ کو رنز بنانے والے دونئے انداز سکھا چکا تھا۔ یہ پیچھے ہٹ کر وکٹ کے دونوں طرف کھیلے جانے والے سٹروک تھے۔ بریڈمین کا ریکارڈ بجا طور پر ٹوٹ گیا اور شام کو کھیل ختم ہونے سے پہلے وکٹ کیپر عبدالعزیز کے ساتھ کھیلتے ہوئے حنیف کو 500 رنز کا اپنا ذاتی ہدف نظر آرہا تھا۔ دن کے آخری اوور کے دو گیند ابھی باقی تھے اور یہ جانتے ہوئے کہ اوور کے اختتام پر اس کا بھائی اننگز ختم کرنے کا اعلان کردے گا۔ حنیف نے سکور بورڈ کی طرف دیکھا تو اس کے نام کے ساتھ 496 رنز درج تھے۔

''میں نے ریاض محمود کے گیند پر ہٹ لگائی تو گیند پوائنٹ کی طرف سے آگے نکلی اور میں نے بھاگ کر ایک رن لیا۔ فیلڈر محمد اقبال گیند کو اچھی طرح روک نہیں پایا تھا اور میں آخری گیند کا سامنا کرتے دوسرے رن کے لیے دوڑا تاکہ میں مزید دو رن اور کرسکوں۔ اگلے ہی لمحے میں نے اقبال کی پھینکی ہوئی گیند وکٹ کیپر تنویر حسین کی طرف پہنچ رہی ہے۔ اس وقت میں کریز سے ڈیڑھ گز باہر تھا اور آؤٹ ہوگیا۔ میں سمجھا کہ میں نے 497 رنز بنائے ہیں۔ پویلین کی طرف واپس آتے ہوئے سکور کو بورڈ پر 499 رنز لگاتے ہوئے دیکھا۔ تو مجھے پتہ چلا کہ سکور بوڈ کو سنبھالنے والوں لڑکوں نے غلطی کردی تھی۔ انہوں نے جب میں رن لینے کے لیے دوڑا تھا تو 498 رنز کی بجائے بورڈ پر 496 رنز لگادیئے تھے۔ مجھے بے حد غصہ آیا۔ اگر مجھے پتہ ہوتا تو

میں ضرورت کے رنز حاصل کرنے کے لیے آخری گیند کا انتظار کرتا۔"[4]

اس وقت سے اب تک ناقدین نے بہاولپور کے باؤلروں کے معیار پر ہمیشہ نکتہ چینی کی ہے۔ ان کے پاس ابتدائی تیز رفتار باؤلر نہیں تھے اور انہوں نے آغاز کے طور پر آف سپنر اور ایک لیگ بریک باؤلر سے شروعات کیں۔ تاہم آف سپنر ٹیسٹ میچ کا تجربہ کار باؤلر ذوالفقار احمد تھا۔ حنیف نے جو دو سو اوور کھیلے ان میں سوائے 28 اووروں کے باقی تمام اوور جانے پہچانے باؤلروں نے کیے۔ بہاولپور کی ٹیم بہرحال اس وقت ٹیموں میں اپنی برتری کی حیثیت کا دفاع کر رہی تھی۔ بریڈمین نے بذات خود اپنی انتیس سالہ ریکارڈ ٹوٹنے پر حنیف کو مبارکباد کا پرتپاک تار بھیجا۔ صدر ایوب خاں نے اعلیٰ کارکردگی پر حنیف کو خاص طور پر تمغہ سے نوازا۔ کراچی کے بلدیاتی ادارے نے دس ہزار روپے حنیف کی نذر کی۔ (1959ء میں یہ رقم 750 برطانوی پونڈ کے برابر تھی)۔

حنیف اس بار 640 منٹ تک کھیلا تھا۔ ایک سال قبل ویسٹ انڈیز میں میچ بچانے والی 337 رنز کی اننگز سے موجودہ اننگز چار گھنٹے کم کے عرصہ کی تھی۔ اگلے روز جب بہاولپور کو ایک اننگز سے شکست ہوئی تو حنیف اس کے ساتھ ہی اس مخصوص ٹولے میں شامل ہو گیا جس میں کوئی کھلاڑی فرسٹ کلاس میچ کے دوران تمام وقت میدان میں رہا ہو۔ حنیف کے اس کارنامے کو تقریباً ایک ہزار تماشائیوں نے دیکھا تھا۔ حنیف کا یہ ریکارڈ پینتیس سال تک قائم رہا۔ اور آخر یہ ریکارڈ ویسٹ انڈیز کے عظیم بیٹسمین برائن لارا (Brian Lara) نے واروک شائر کی طرف سے ڈرھم کے خلاف کھیلتے ہوئے 6 جون 1994ء کو توڑا۔ انگلینڈ کا بیٹسمین اور مستقبل کا پاکستانی کرکٹ ٹیم کا کوچ باب وولمر (Bob Woolmer) ان دونوں موقعوں پر موجود تھا۔[5]

حنیف نے فائنل میچ میں ایک اور سنچری بنا ڈالی جب کراچی نے سروسز کو 279 رنز سے شکست دی۔ تاہم اس میچ کا سب سے توجہ طلب اور اہم واقعہ عبدالعزیز کی موت تھا (جب حنیف 499 رنز پر رن آؤٹ ہوا تھا تو اس وقت یہ بے قصور کھلاڑی وکٹ پر اس کے ساتھ تھا) بیٹنگ کے دوران ایک گیند اس کے دل پر آ لگا مگر وہ راستے میں ہی دم توڑ گیا۔[6] گیند کرنے والا باؤلر سست رفتار آف سپنر (Off Spinner) دلدار اعوان تھا۔ ممکن ہے کہ مسلمان مولوی کے بیٹے عبدالعزیز نے اپنے دل کے عارضے کو کرکٹ کا کھلاڑی بننے کے خواب کے پورا ہونے کی امید پر چھپا رکھا ہو۔

## ویسٹ انڈیز کا دورہ پاکستان 59-1958ء

فضل محمود نے کپتان بنتے ہی فوراً اپنے اختیار کا مظاہرہ کیا۔ اس نے براہ راست کاردار کے خلاف قدم اٹھایا جسے سبکدوش ہونے کے بعد ٹیم منتخب کرنے والی کمیٹی کے ارکان کا چیئرمین بنا دیا گیا تھا۔ فضل محمود

نے پرزور اصرار کیا کہ ٹیم منتخب کرتے وقت وہ اپنے فیصلے خود کرے گا۔اس کے تربیتی کیمپ کاردار سے بھی زیادہ سخت تھے۔ان میں سب سے پہلا تربیتی کیمپ کراچی کے نیشنل سٹیڈیم میں آنے والی ویسٹ انڈیز ٹیم کے خلاف تیاری کے لیے لگایا گیا تھا۔فضل محمود کو معلوم ہوا کہ شہری کے وسطی علاقے کے نزدیک ہونے کی وجہ سے کچھ کھلاڑیوں کا وہاں جانے کو بہت جی چاہتا ہے اور وہ نقل وحرکت پر بندش کے اوقات میں غائب ہو کر رات کو دیر سے آکر ترپال سے بنے اپنے خیموں میں سوجاتے ہیں۔اس پر وہ سخت برہم ہوااوراس نے تربیت کی ترتیب میں اور سختی کا اضافہ کردیا۔ وہ کھلاڑیوں کو بیس بیس میل لمبی ناقابل فہم دوڑیں لگواتے ہوئے ان کی سربراہی کرنے لگا۔صدر ایوب خاں کے کان میں جب اس کیمپ کی خبر پڑی تو وہ اس کا دورہ کرنے پہنچ گیا۔اس سے پہلے ایوب خاں نے کرکٹ میں زیادہ دلچسپی کا مظاہرہ نہیں کیا تھا۔مگر غالباً اسے یہ محسوس ہوا ہو کہ اسے اپنا جابر فوجی آمر کا تاثر بدلنے کے لیے ایسی تشہیر کی ضرورت ہے جس سے اس کے تاثر میں نرمی پیدا ہوسکے۔ایوب نے کچھ وقت کھلاڑیوں کو مشق کرتے دیکھنے میں صرف کیااور پھر سب کی حوصلہ افزائی کرنے انہیں اپنے پاس بلایا۔''جب جنگ کا زمانہ ہو...''جنرل نے توجہ دلاتے ہوئے کہا کہ جوعنقریب اپنا تقرر فیلڈ مارشل کے عہدہ پر کرنے والا تھا،''تو مل جل کر کام کرنے کے جذبے کی پیروی کے لیے کھیل کا میدان ہی بہترین جگہ ہوتا ہے۔''

ہندوستان کو پانچ ٹیسٹ میچوں کے سلسلے میں 0-3 سے شکست دینے کے بعد ویسٹ انڈیز ٹیم فروری کے وسط میں پاکستان پہنچی۔ایک بار پھر ان کی طرف سے خوفناک گلکرائیسٹ تباہ کرنے میں سب سے پیش پیش۔اس نے سولہ رنز سے کچھ زیادہ فی وکٹ کی اوسط سے 26 وکٹیں حاصل کررکھی تھیں ۔ مگر فضل محمود کو خوش بختی سے یہ فائدہ ہوا کہ ہندوستانی دورہ کے اختتام پر کپتان جیری الیگزنڈر (Gerry Alexander) نے گلکرائیسٹ کو خطرناک اور جان لیوا باؤلنگ کرنے کی پاداش میں واپس گھر بھیج دیا۔

یہ خبر حنیف کے لیے باعث راحت تھی۔ وہ گلکرائیسٹ کی تیز رفتار اور پیچھے پڑ کر اٹھتی ہوئی گیندوں کا مقابلہ کرنے کے لیے نیٹ میں شدت سے تیاری کررہا تھا۔حنیف فوری طور پر آغازی بیٹسمین کی اپنی سابقہ روایتی جگہ پر واپس آگیا اور کرچی کے ٹیسٹ میچ میں ساڑھے چھ گھنٹے تک بیٹنگ کرکے 103 رنز بناڈالے۔ یہ شاندار بلے بازی اور فضل محمود کی حاصل کردہ سات وکٹیں پاکستان کی فتح کو یقینی بنانے کے لیے کافی تھیں۔ پاکستان کی دوسری اننگز میں حنیف نے جوانمردی اور حوصلے کی ایک اور مثال قائم کی۔ دن کے اختتام کے نزدیک اس کی انگلی ٹوٹ گئی اور وہ کربناک درد کے باوجود صرف اس لیے کھیلتا رہا تاکہ آنے والے نئے بیٹسمین کو دن کے اس ناموزوں وقت میں باؤلنگ کا سامنا نہ کرنا پڑے۔اس چوٹ کے باعث حنیف بقیہ میچوں کے سلسلے میں نہ کھیل سکا۔

مشرقی پاکستان کے دارالحکومت ڈھاکہ میں کھیلے جانے والا دوسرا ٹیسٹ میچ یادگار کھیل ثابت ہوا۔ الیگزنڈر نے ٹاس جیت کر پاکستان کو پہلے کھلا دیا۔ ویسلے ہال (Wesley Hall) بھی تیز رفتار باولنگ میں گلکرائیسٹ (Gilchrist) سے کم نہیں تھا مگر نحوست میں اس سے کم تھا۔ حنیف زخمی ہونے کی وجہ سے کھیل نہیں رہا تھا۔ ہال نے بائیس مایوس کن رنز پر پاکستان کے پانچ کھلاڑی آوٹ کر کے اسی بری حالت تک پہنچا دیا تھا۔ ویلس متھائس جس نے 64 رنز بنائے اور شجاع الدین کے درمیان بہادرانہ رفاقت نے پاکستانی ٹیم کو خطرے سے نکالا۔ پھر بھی تمام پاکستانی ٹیم 145 رنز بنا کر آوٹ ہوگئی۔ ویسٹ انڈیز کا حشر پاکستان سے بھی برا ہوا۔ ان کے آخری چھ بیٹسمین صفر پر آوٹ ہوئے تو ان کی ٹیم جس نے گو کہ ڈگمگاتے ہوئے ابتدا کی تھی 3 کھلاڑی آوٹ ہونے پر 65 خاطر خواہ رنز بنا لیے تھے۔ تمام کی تمام صرف 76 ناگوار رنز بنا کر آوٹ ہوگئی۔[7] تباہی کا مرکزی کردار ایک بار پھر فضل محمود تھا جس نے ویسٹ انڈیز کی چھ وکٹیں 34 رنز کے عوض حاصل کی تھیں۔

دوسری اننگز میں پاکستانی بیٹسمین پھر بری طرح سے ناکام رہے۔ اور ویلس متھائس ( Wallis Mathias) کے مرہون منت ہوئے جس نے 45 رنز بنا کر دوسری مرتبہ پھر پاکستان کی طرف سے سب سے زیادہ رنز بنائے۔ ویسٹ انڈیز کو جیتنے کے لیے 214 رنز درکار تھے مگر وہ 41 رنز کم پر پھر آوٹ ہوگئے۔ اس بار فضل محمود نے 66 رنز کے عوض چھ وکٹ حاصل کیے۔ ٹیسٹ میچوں کی جیت میں یہ اس کی آخری کارکردگی تھی۔[8] ''یکے بعد دیگر دو ٹیسٹ میچ جیتنے پر...''، فضل محمود نے اس نتیجے پر پہنچتے ہوئے کہا کہ ''میں مطمئن ہو چکا تھا۔'' اور یہ اس کا قطعی حق بھی تھا، گلکرائیسٹ چاہے ساتھ تھا یا نہیں الیگزنڈر کی ٹیم پھر بھی ایک طاقتور ٹیم تھی۔ جیسا کہ آخر کار اس نے تیسرے ٹیسٹ میچ میں کر دکھایا، پہلے دو ٹیسٹ میچوں کے برعکس یہ ٹیسٹ میچ میٹنگ کی بجائے ٹرف (Turf) وکٹ پر کھیلا گیا۔ ویسٹ انڈیز نے آسانی سے 469 رنز بنائے اور پھر پاکستانی ٹیم کو دوبارہ آوٹ کر کے ٹیسٹ میچ کو ایک اننگز اور 156 رنز سے جیت لیا۔ ویسلے ہال (Wesley Hall) اور ابھرتے ہوئے آف سپنر لانس گبز (Lance Gibbs) وکٹ حاصل کرنے والوں میں نمایاں تھے۔ پاکستان کی اپنی سرزمین پر یہ پہلی شکست تھی۔ ٹیسٹ میچوں کا یہ سلسلہ جسے پاکستان جیت چکا تھا یہ اس کا تیسرا میچ تھا۔ پاکستان کا مستقبل کا کپتان عمران خان بھی میچ دیکھنے والوں میں تھا اور یہ اس کی زندگی کا اوّلین ٹیسٹ میچ تھا جو اس نے دیکھا۔ اس ٹیسٹ میچ کی نمایاں خصوصیت ویسٹ انڈیز کے ایک اور ابھرتے ہوئے ستارے رہن کینھائی (Rohan Kanhai) کا کھیل تھا جس نے صرف گھنٹوں میں 217 رنز بنائے تھے۔

یہ مشتاق محمد کے لیے بھی ٹیسٹ کرکٹ میں نمودار ہونے کا پہلا موقع تھا۔ پندرہ سال اور 124 دن (اگر اس کی عمر قابل یقین ہو) کی عمر میں وہ ٹیسٹ کھیلنے والا دنیا کا نوعمر ترین کھلاڑی بن گیا اور اپنے مشہور خاندان کا وہ ٹیسٹ کھیلنے والا تیسرا فرد تھا۔ مشتاق کی کارکردگی میں کوئی خاص قابل توجہ بات تو نہ تھی مگر یہ

اس کی ٹیسٹ کرکٹ کی زندگی کا آغاز تھا جو دو دہائیوں پر محیط رہی جس کی کڑیاں فضل محمود سے عمران تک اور لنڈوال (Lindwall) سے للّی (Lillee) تک ملتی تھیں۔[9]

## آسٹریلیا کا دورہ پاکستان 60-1959ء

فضل محمود کا اگلا مقابلہ آسٹریلیا کی ٹیم کے ساتھ تھا جس کی کپتان رچی بینو (Richie Benaud) کررہا تھا۔ اس نے پاکستانی ماحول کا واضح طور پر تجزیہ کررکھا تھا اور بغیر کسی بغض کے سامنا کرنے کے لیے تیاری میں تھا۔ 1956ء میں پاکستان کے ہاتھوں آسٹریلیا کی شکست سے سبق سیکھنے کا اس نے عظم کررکھا تھا اس لیے سفر پر روانہ ہونے سے پہلے اس نے اپنی ٹیم کو حکم دیا کہ وہ میٹنگ (Matting) پر کھیلنے کی مشق کرے۔ شجاع الدین جو ان ٹیسٹ میچوں میں کھیلا تھا کے بیان سے واضح ثبوت ملتا ہے کہ رچی بینو کو میٹنگ میں خرابی پیدا کرنے کا اتنا خدشہ تھا کہ اس نے اپنے کھلاڑیوں کو علی الصبح میدان میں آکر اس کی کیفیت کا معائنہ کرنے کا حکم دے رکھا تھا۔[10]

ڈھاکہ میں کھیلے جانے والے پہلے ٹیسٹ میچ میں رچی بینو (Richie Benaud) نے ٹاس جیتا اور اس نے پہلے فیلڈنگ کرنے کا فیصلہ کیا۔ غالباً اسے اس بات کا احساس تھا کہ تین سال قبل آئن جانسن (Ian Johnson) کی ٹیم نے پہلے بیٹنگ کی تھی اور اس کے نتیجے میں ناکام ہوگئی تھی۔ ابتدائی طور پر یہ چال الٹی پڑی۔ حنیف محمد نے ایک اور شاندار قسم کے دفاعی کھیل کا مظاہرہ کرتے ہوئے 66 رنز بنائے۔ پہلے دن کے کھیل کے اختتام میں ابھی پندرہ منٹ باقی تھے اور پاکستان ٹیم 3 وکٹوں کے نقصان پر 145 رنز بنا چکی تھی کہ ''سلیشر'' میکائے (Slasher Mackay) کے ہاتھوں حنیف بولڈ ہوگیا۔ اور پھر پاکستان کی تمام ٹیم 200 رنز پر آؤٹ ہوگئی۔

جوابی طور پر آسٹریلیا نے 255 رنز بنائے (فضل محمود نے 71 رنز کے عوض پانچ وکٹ لیے) جس میں نیل ہاروے (Neil Harvey) کے دفاعی مورچہ بند 96 رنز شامل تھے۔ دوسری اننگز میں پاکستانی ٹیم میکائے (Mackay) کی درمیانی رفتار کی عیار باؤلنگ کا مقابلہ نہ کرسکی۔ اس نے 45 اوور کر کے 42 رنز کے عوض 6 وکٹ لیے جن میں 27 اوور میڈن (Maiden) تھے۔ آسٹریلیا نے بہت آسانی سے میچ آٹھ وکٹوں سے جیت لیا۔ پاکستان دو اننگز کے دوران 206.2 اوور کھیل کر 334 رنز بنا پایا تھا۔

دوسرے ٹیسٹ میں فضل محمود زخمی ہونے کی وجہ سے نہیں کھیلا اور کپتان کے فرائض امتیاز احمد نے سنبھالے۔ شجاع الدین کے مطابق امتیاز ناقص سربراہ تھا، ''اس نے اندرون ملک چمپئن شپ میچوں میں سروسز ٹیم کی کپتانی کررکھی تھی مگر اپنے دستوں میں ولولہ اور جوش پیدا کرنے میں ناکام رہا تھا۔'' غالباً شجاع بری افواج

سے تعلق رکھنے کی وجہ سے ہوائی فوج کے امتیاز کے ماتحت کھیلنا پسند نہیں کرتا تھا۔فضل محمود کی باؤلنگ کی کمی بری طرح سے محسوس ہوئی۔شجاع کے مطابق (جو اس وقت کے نمایاں حملہ آور باؤلروں میں شمولیت کی وجہ سے صورتِ حال کو سمجھتا تھا) امتیاز پاکستان کرکٹ کی تاریخ کی کمزور ترین جارحانہ باؤلنگ کی سربراہی کر رہا تھا۔

1959ء میں خصوصی طور پر ٹیسٹ میچوں کے لیے مکمل ہونے والے نئے لاہور سٹیڈیم میں کھیلا جانے والا یہ پہلا ٹیسٹ تھا۔ٹیسٹ کرکٹ کھیلنے میں استعمال ہونے والی غالباً سب سے خوبصورت باغ جناح کی گراؤنڈ میں مزید ٹیسٹ میچ کھیلنے کے دن پورے ہو چکے تھے۔ پاکستانی ٹیم نے نئی ٹرف وکٹ پر پہلے بیٹنگ کرتے ہوئے اس کے استعمال کا آغاز کیا مگر وہ آسٹریلیا کے افتتاحی باؤلنگ جوڑے ایلن ڈیوڈسن (Alan Davidson) اور آئین میکف (Ian Meckiff) کے سامنے 146 رنز بنا کر ڈھیر ہو گئی۔ فالوآن کروانے پر پاکستان کی طرف سے سعید احمد نے ایک عظیم اور یادگار اننگز کھیل کر 166 رنز بنائے جس کی بدولت آسٹریلیا کو دوبارہ بیٹنگ کرنا پڑی، آسٹریلیا کو جیتنے کے لیے 122 رنز درکار تھے اور اس کے پاس تقریباً دو گھنٹے کا وقت تھا۔آسٹریلیا نے یہ ہدف آسانی سے پورا کر لیا اور ابھی اس کے پاس بارہ منٹ باقی تھے۔

کراچی میں تیسرا ٹیسٹ امریکہ کے صدر ڈوائیٹ آئزن ہاور (Dwight Eisenhower) کی موجودگی سے نمایاں تھا۔[11] دورہ کرنے والے امریکی صدر کو کرکٹ میچ کی صدر ایوب کی طرف سے دعوت کا فیصلہ اس امر کی غمازی کرتا ہے کہ تقسیم ہند کے بعد پاکستان میں کوئی خاص متبادل تفریحات نہیں تھیں۔مگر اس کے پیچھے ایک گہری کہانی بھی تھی۔ایوب خاں نے صرف چند ماہ پہلے سی آئی اے (CIA) کی حمایت سے گیارہ سالہ عوامی حکومت کے دور کو ختم کیا تھا جس کے دوران کسی امریکی صدر نے پاکستان کا دورہ نہیں کیا تھا۔امریکی صدر کے دورہ سے دنیا کو یہ اشارہ ملا کہ اس کی اہم ترین جمہوریت ایوب خاں کی فوجی آمریت کی حمایت میں ہے۔اب تک صرف چار امریکی صدور آئزن ہاور، رچرڈ نکسن، بل کلنٹن اور جارج بش جونیئر نے پاکستان کا دورہ کیا ہے اور وہ بھی کبھی عوامی حکومت کے دور میں نہیں۔

صدر امریکہ کی میچ کے چوتھے دن تشریف آوری ہوئی اور وہاں سے روانگی بھی جلدی کی گئی۔اس دوران صدر نے شاید ہی کرکٹ میں کبھی ایسا اکتاہٹ سے بھرپور اور غیر دلچسپ کھیل کبھی دیکھا ہوگا۔صرف 104 رنز بنائے گئے۔ حنیف محمد آڑے ترچھے طریقے سے اپنی بے مقصد سنچری کی طرف بڑھتا رہا۔صدر نے اعجاز بٹ کو بھی آنکھ بھر کر دیکھا۔ بعد میں پاکستان کرکٹ بورڈ کے نااہل چیئرمین کی حیثیت سے بدنام ہوا۔وہ میچ کے دوران اپنے 64 رنز کی خاطر وکٹ پر 483 منٹ تک رہا۔کھیل کے بعد رچی بینو نے صدر ایوب کو ترغیب دیتے ہوئے اصرار کیا کہ وہ پاکستانی کرکٹ کی بہتری کے لیے میٹنگ (Matting) وکٹوں کا خاتمہ کر دے۔ نئے صدر اور بی سی سی پی (BCCP) کے سرپرست ہونے کی حیثیت میں صدر ایوب نے بینو کے

مشورے کو غور سے سنا اور حکم جاری کیا کہ تمام فرسٹ کلاس گراؤنڈ ٹرف وکٹیں بنائیں۔ ''لہٰذا پاکستان کو بینو کا شکریہ ادا کرنا چاہیے جس کی بدولت کرکٹ کے وسائل میں بہتری آئی۔'' حنیف نے تمسخرانہ انداز میں کہا۔[12]

کاردار کی ماتحتی میں پاکستانی ٹیم کے ساتھ بیرون ملک کبھی کبھار جو کوئی بھی بدقسمتی ہوئی ہو گی مگر اندرون ملک ٹیم ناقابل تسخیر ہے اور اب وہ یکے بعد دیگرے تین متواتر میچ اندرون ملک ہار چکی تھی۔ یہ دیکھتے ہوئے کاردار کے ذہن میں کرکٹ میں واپسی کی سوچ نے بھی انگڑائی لینا شروع کر دی۔ پاکستان کی روم اولمپکس میں ہندوستان پر 1960ء کی ایک صفر (1-0) کی فتح نے ہندوستان کا اولمپک ہاکی میں سونے کے تمغات جیتنے کے 32 سالہ دور کا اختتام کر دیا۔ اس فتح نے بھی کاردار کے خون کو گرما دیا جس کی بدولت کرکٹ میں واپسی کے خیال نے اسے اکسایا۔ 1960ء کی گرمیوں کے آخری حصے میں وہ انگلستان میں اپنے گھٹنے کی بذریعہ آپریشن ہڈی نکلوانے کے لیے موجود تھا۔[13] ہسپتال سے فارغ ہونے کے بعد وہ پریکٹس (مشق) کرنے گوور (Gover) کے سکول جانے لگا۔ اور پھر ایک معنی خیز منطق کے تحت کاردار نے آنے والے دورہ کے لیے ٹیم منتخب کرنے والی کمیٹی میں سلیکٹر (انتخاب کنندہ) بننے کی دعوت کو قبول کرنے سے معذرت کر لی۔ مزید دو ہفتے بعد اس نے اپنے مکمل طور پر صحت مند ہونے کا اعلان کر دیا۔ لندن سے مخاطب ہوتے ہوئے اس نے کہا، ''ہندوستان پر کرکٹ میں فتح ہماری کرکٹ میں وہ تحریک اور شوق پیدا کر دے گی جس طرح روم اولمپکس میں ہماری ہاکی ٹیم نے ہندوستان پر فتح حاصل کر کے پاکستان میں ہاکی کے کھیل میں رجحان پیدا کر دیا ہے۔'' بڑھتی ہوئی قیاس آرائیوں میں کاردار کو آنے والے ہندوستانی دورے کی تیاری میں باغ جناح گراؤنڈ لاہور آ کر آزمائشی میچ میں حصہ لینے کی دعوت دی گئی۔

میچ سے ایک روز قبل 21 اکتوبر کو کاردار انگلینڈ سے کراچی تک کا آٹھ ہزار میل کا سفر طے کر کے پہنچا۔ میچ کی تشہیر کاردار الیون بہ مقابلہ فضل محمود الیون کے طور پر کی جا چکی تھی۔ عام حالات میں بھی یہ لمبا ہوائی سفر تھکا دینے والا تھا مگر اس سفر میں تو سات گھنٹے کی تاخیر بھی شامل تھی۔ اس پر کاردار کی تیاری بھی ناقص تھی جس نے دو سال قبل ویسٹ انڈیز کے دورہ کے اختتام کے بعد مشکل سے ہی کرکٹ کھیلی تھی۔ تنگ آئے ہوئے اور تھکن سے چور کاردار نے اگلے روز لاہور کے لیے بذریعہ جہاز سفر کیا اور ہوائی اڈے سے گراؤنڈ پہنچ کر تماشائیوں کی تالیوں کی گونج میں فوراً ہی بیٹنگ کرنے میدان میں آ گیا۔

کوئی بھی کاردار کو کسی طور کامیاب ہوتے دیکھنا نہیں چاہتا تھا۔ اس کے تین سب سے بڑے ناقد اس وقت وہاں موجود تھے۔ فدا حسن جس نے 1954ء کے انگلینڈ دورہ پہ جانے سے پہلے کاردار کو نکال باہر کرنے کی ناکام سازش کی سربراہی کر رکھی تھی۔[14] میاں محمد سعید جس نے 1951ء میں کاردار کے ہاتھوں اپنی کپتانی کھو رکھی تھی اور میاں سعید کا داماد فضل محمود جو یہ سمجھتا تھا کہ کاردار کے سائے تلے رہتے ہوئے اس کے

ساتھ بہت ہوچکی ہے۔ وہ اپنے سابق کپتان کی طبیعت سے بھی خوب واقف تھا اور اسے یقین تھا کہ وہ ماتحت کے طور پر بھی ناقابل برداشت ہوگا۔[15]

کاردار کا کھیل مضمحل نظر آ گیا۔ ایک عظیم کھلاڑی وقت، تھکاوٹ اور مدت سے چھوڑی ہوئی پریکس کے خلاف لڑائی لڑ رہا تھا۔ دوسری طرف اس کے سامنے شفقت رانا بیٹنگ کر رہا تھا۔[16] فضل محمود نے چنداں رحمدلی کا مظاہرہ نہیں کیا۔ وہ فوراً ہی جمخانہ کلب کی سمت سے محمد فاروق کو باؤلنگ کے لیے لے آیا۔[17] فاروق ہونہار نوجوان تھا اور مدلل طور پر اس وقت کا پاکستان کا بہترین تیز رفتار باؤلر تھا۔ مگر اپنے عروج پر کاردار اسے اطمینان کے ساتھ سنبھال سکتا تھا۔ مگر اس وقت کاردار کو گیند نظر آنے میں جدوجہد کرنا پڑ رہی تھی۔ کاردار نے سلپس (Slips) کے درمیان سے نکلتی ہوئی ایک زوردار ہٹ لگائی اور گیند تھرڈ مین (Third Man) کی طرف باؤنڈری پار کر گیا۔ پھر وہ اچانک آگے کی طرف جھپٹا مگر مایوس کن انداز سے گیند کا بلے سے ملاپ نہ ہوسکا اور نتیجے میں گیند سیدھا وکٹوں کو لگا جس سے اس کی وکٹیں گر پڑیں۔ وہ صرف تیرہ منٹ تک وکٹ پر رہا تھا۔ تماشائیوں کو یاد ہے کہ کاردار میدان سے سست قدم لیتے ہوئے واپس چلا۔ اس نے سر جھکا رکھا تھا اور رنجیدہ نظر آ رہا تھا۔ اس نے کسی سے نظریں نہ ملائیں۔ وہ جان چکا تھا اس کی عالمی کرکٹ کے دن تمام ہوگئے تھے۔

کافی روز بعد ایوب خاں جس نے اپنے آپ کو فیلڈ مارشل کے عہدے پر ترقی دینے کا اہتمام کرلیا تھا، نے راولپنڈی میں اعزازات دینے کی تقریب منعقد کی۔ اس میں کاردار کو تمغہ پاکستان دیا گیا جس کا شمار پاکستان کے اعلیٰ ترین اعزازات میں ہوتا ہے۔ اسی تقریب میں فضل محمود کو اعلیٰ کارکردگی پر صدارتی تمغہ دیا گیا۔ سب کو علم تھا کہ فضل محمود نے وہ انعام حاصل کرلیا ہے۔ جس کے لیے دونوں حضرات خواہشمند تھے یعنی ہندوستان دورہ پر جانے والی پاکستانی ٹیم کی کپتان۔

## پاکستان کا دورۂ بھارت 61-1960ء

کرکٹ کی تاریخ میں ان میچوں کے سلسلے کا شمار بدمزہ ترین سلسلوں میں ہوتا ہے۔ لہٰذا ان میچوں بارے گھٹن سے بھرپور انفرادی تفصیلات دینے کی کوشش نہیں کی جائے گی۔[18] تماشائیوں کی توقعات اور جذبہ کھیل کی بدمزاجی اور بے زاری کے برعکس تھے۔ شجاع الدین نے پانچ ٹیسٹ میچوں کے اس سلسلے کو کرکٹ سے سچی محبت رکھنے والوں کے لیے حتمی اذیت گردانا۔

پاکستان اور ہندوستان نے پیشگی اتفاق کرلیا تھا کہ ٹیسٹ میچوں کو چار دن کی بجائے پانچ دن کھیلا جائے گا۔ یہ کوشش میچوں میں نتیجہ حاصل کرنے کے لیے کی گئی تھی۔ مگر احتیاط سے کیے جانے والے اس معقول

فیصلے سے کوئی فرق نہ پڑا۔ دونوں ٹیموں نے تسلسل کے ساتھ دوسری بار ٹیسٹ میچوں کے سلسلے کو بغیر کسی ہار جیت کے 0-0 اختتام پذیر کیا۔ پاکستانی ٹیم کے تیرہ ہفتوں پر محیط دورے کے دوران کھیلے جانے والے پندرہ فرسٹ کلاس میچ بھی تعطل کا شکار رہے۔وزڈن 1962ء کے مطابق دونوں حریفوں کا اوّلین مقصد یہ تھا کہ وہ اپنے قومی وقار کو محفوظ رکھے اور فیصلہ کن نتائج کے فیصلے کے خطرہ کو مول لینے کی بجائے شکست سے ہر حالت میں گریز کریں۔ کرکٹ میں دلچسپی ثانوی ہوکر رہ گئی تھی ۔ مرتے دم تک فضل محمود ان میچوں کے (0-0) نتائج اور اپنے دفاعی اقدام کے حق میں وکالت کرتے رہے۔ فضل محمود یہ میچ فٹ بال کے اس منیجر کے حوصلے سے کھیلے تھے جو مقام میچوں میں صرف برابر دینے کے لیے کسی بھی حد تک جانے کو تیار رہتا ہو۔

وہ کپتان کے طور پر تخیل کے مادے سے عاری نظر آئے۔ دورہ پر روانہ ہونے سے قبل منعقد ہونے والے تربیتی کیمپ کے امور کے سربراہان کا یہ تقاضا تھا کہ اگر کوئی فیلڈر کیچ گرا دے تو اسے دوڑ کر میدان کا چکر لگانے پہ مجبور کیا جاتا۔ ''ہمارے کپتان فضل محمود لاہور میں پولیس کے سپرنٹنڈنٹ تھے، وہ ہمیں چاق و چوبند رکھنے کی ورزشوں کو برداشت کی حد سے آگے لے جاتے۔'' مشتاق محمد جس کی عمر اس وقت اٹھارہ برس تھی ، نے یاد کرتے ہوئے بیان کیا: ''ہر روز علی الصبح ساڑھے پانچ بجے اٹھ کر فوجی تربیت کار کی نگرانی اور حکم پر دوڑ لگانے جاتے۔ مشتاق کو یاد ہے کہ ایسی ہی ایک 25 میل کی دوڑ کے دوران ہم میں سے کئی زخمی ہوکر علاج کے لیے راستے ہی میں رہ گئے۔ ہم میں سے چند کی ایڑھیوں پر نیل پڑ چکے تھے۔ کچھ اور کے گھٹنوں کے پٹھے یا چڈے زخمی تھے۔ میری رانوں پہ چھالے پڑ گئے تھے جن میں شدید درد تھا۔'' اس نے کہا کہ فضل محمود ایک پاگل آدمی تھا جس نے ٹیم کو بہت سے بڑے ارکان کو برگشتہ کر رکھا تھا۔ تلخ اور منفی کھیل جس کی بدولت دورے میں بگاڑ پیدا ہوا اس کی جڑیں تربیتی کیمپ سے ملتی تھیں جس میں کھیل کی فطری تفریح کی بجائے محنت شاقہ اور نظم وضبط پر زیادہ زور دیا گیا۔

پاکستان نے سوگیندوں پر 35 کے حساب سے رنز بنائے جبکہ ہندوستان نے سوگیندوں پر 9 کے حساب سے رنز کیے۔ 25 میں سے صرف گیارہ دن ایسے تھے جن میں کسی بھی ٹیم نے 200 سے زائد رنز بنائے۔ ان میں کبھی آدھے مواقع ایسے تھے جب آخری دن میچ مردہ ہو جانے کے بعد تیزی سے رنز بنائے گئے۔ ان میچوں میں ہندوستان کی طرف سے بہترین باؤلر آر جی ندکرنی (R.G.Nadkarni) نے 191 اوور کیے جن میں 119 میں کوئی رن نہ ہوا۔ باقی میں اس نے 219 رنز دیئے۔

دورہ ختم ہونے کے کئی ماہ بعد بھارتی اخبارات کے ہاتھ ٹیم منیجر ڈاکٹر جہانگیر خاں کی دورے پر لکھی گئی خفیہ روئیداد کے ہاتھ آ گئی۔ اس روئیداد میں پاکستانی ٹیم کی ایسی تصویر کشی کی گئی جس کے مطابق گھٹیا اور نظم وضبط کے فقدان سے چھلنی تھی اور ان خرافات کا آغاز اوپر کی سطح سے ہوا تھا۔ جہانگیر خاں کے مطابق: ''حنیف

نے دیر سے اٹھنے کی بری عادت ڈال لی تھی۔ ہر بار گراؤنڈ یا کہیں اور جاتے وقت کئی پیغام ہر خاص طور پر اسے بلانے کے لیے بھیجے جاتے تاکہ وہ ساتھ چل سکے۔ کپتان بھی شدید تنقید کا نشانہ بنا۔ دن کا کھیل ختم ہونے کے بعد فضل محمود ہوٹل کے کمرے میں کبھی موجود نہیں ہوتا تھا۔ شام کے ساڑھے پانچ بجے کے بعد اسے اپنی ٹیم کے ساتھ کوئی دلچسپی نہیں ہوتی تھی۔ وہ تیار ہوتا اور پھر غائب ہو جاتا۔" ایوب خاں کو اس پر پھر غصہ آیا اور اس نے کھلاڑیوں کو غنڈے کہتے ہوئے اس بات پر اصرار کیا کہ آئندہ دوروں پر جانے والی ٹیموں کے ساتھ معاونت اور انتظام کے لیے فوجی افسران بطور منیجر جائیں تاکہ نظم وضبط کو یقینی بنایا جا سکے۔ دورے کے اختتام پر حنیف اور فضل محمود دونوں کو پانچ پانچ سو روپے جرمانہ کیا گیا۔ یہ رقم ان کی تنخواہ کے علاوہ رقم کا نصف حصہ تھی اور فضل محمود کو کپتانی سے برطرف کر دیا گیا۔

## کاردار اور فضل محمود ایک جائزہ

اٹھارہ ماہ بعد بحران کے ایک لمحہ میں مدد کے لیے قومی استدعا کے جواب میں فضل محمود نے آخری بار قومی ٹیم میں واپسی کی۔ عملی لحاظ سے فضل محمود اور کاردار کا دور اب ختم ہو چکا تھا اور اس کے ساتھ ہی پاکستانی کرکٹ کا پہلا بہادرانہ عہد بھی اپنے اختتام پر پہنچ چکا تھا۔ دونوں عظیم کھلاڑی ایک ہی تہذیب وتمدن سے تعلق رکھتے تھے اور ان میں بہت ہی اقدار مشترک تھیں۔ سکولوں کے طالب علموں کی حیثیت سے دونوں سائیکلوں پر میچوں کے لیے جاتے اور دونوں نے ایک ہی وقت میں 1944ء کے شروع میں ایک ہی میچ میں اکٹھے شمالی ہندوستان کی طرف سے کھیلتے ہوئے فرسٹ کلاس کرکٹ کا آغاز کیا تھا۔

فضل محمود دوسروں کی نسبت بہت عظیم کھلاڑی تھا۔ پاکستانی تیز رفتار باؤلروں میں صرف وقار یونس، وسیم اکرم اور عمران خان کے نام اس کے ساتھ لیے جا سکتے ہیں۔ اپنے ملک کی ابتدائی فتوحات میں فضل محمود یقینی اور فیصلہ کن طور پر ہر میچ میں جیت کا سبب تھا۔ 1951ء میں ایم سی سی کے خلاف کراچی کے انتہائی اہم میچ میں، 1952ء میں ہندوستان کے خلاف لکھنؤ میں، انگلینڈ کے خلاف 1954ء میں اوول کے میدان میں آسٹریلیا کے خلاف 1956ء میں، کراچی اور ویسٹ انڈیز کے خلاف 1957ء میں، پورٹ آف سپین (Port of Spain) میں۔ مگر وہ صرف تباہ کار ہی نہیں تھا۔ فضل محمود بے غرض اور بے لوث تھا۔ نامساعد حالات میں ہمیشہ آگے بڑھ کر بھرپور ذخیرے سے لیس باؤلر کے طور پر باؤلنگ کا بوجھ اس وقت اٹھا لیتا تھا جب اس کے وطن کو اس کی ضرورت ہوا کرتی تھی۔ مگر یہ بات انتہائی ناخوشگوار تھی کہ انگریز ادیب کرسٹفر مارٹن جینکنز (Christopher Martin Jenkins) نے جب دنیا کے سو عظیم ترین کرکٹ کے کھلاڑیوں کی فہرست ترتیب دی تو فضل محمود کا اس میں نام تک نہ تھا۔ یہ کتاب اس پرانے انگریز اور جرمن

تعصب کی آئینہ دار ہے جس کے بہت عرصے سے کرکٹ کی تحریروں پر عالمی طور پر تسلط ہے۔

فضل محمود کے برعکس کاردار کے کھیل کے اعداد وشمار اس بات کی غمازی کرتے ہیں کہ وہ درمیانے درجے کا کھلاڑی تھا۔ پاکستان کے لیے کھیلے جانے والے 23 ٹیسٹ میچوں میں اس کی بیٹنگ کی اوسط 24.91 رنز ہے۔اس نے 21 ٹیسٹ وکٹ حاصل کیے جن کی اوسط 45.42 رنز فی وکٹ تھی مگر ان اعداد سے کاردار کی کارکردگی کا اندازہ نہیں لگایا جا سکتا۔سوائے چند میچوں کے پاکستان کے ابتدائی میچ تند وتیز اور بہت کم رنز کے حامل ہوا کرتے تھے۔حنیف کے علاوہ اور اپنی آخری ٹیسٹ سیریز میں سعید احمد کے سوائے پاکستانی بیٹنگ کے اوپر کے چھ کاردار کے بیٹنگ کرنے والے ساتھیوں کی اوسط یا تو ملتی جلتی تھی یا اس سے بدتر تھی۔اسی نقطہ میں اس بات سے مزید وزن پیدا ہوتا ہے کہ کاردار کا تقریباً ہر دن پاکستان کے لیے اہمیت رکھتا تھا۔وہ رکھوالی کے طور پر انتہائی مشکل حالات میں بیٹنگ کرنے وکٹ پر آتا اور پھر وہ لمبے عرصے تک وہاں جما رہتا۔اور کبھی اپنی ٹیم کو شکست کے پنجوں سے نکال رہا ہوتا اور کبھی زور لگا کے اسے جیتنے کی حالت میں لے آتا۔اس کی باؤلنگ توازن دینے کے علاوہ حملہ آور کے طور پر اضافی عمل پیدا کرتی۔

فضل محمود کی طرح ضرورت کے لمحات میں وہ لاتعداد باؤلنگ کرنے کے لیے بخوشی تیار رہتا مگر اس کی منفرد کارکردگی اس کی کپتانی تھی۔ پاکستان کی ابتدائی ٹیسٹ ٹیموں کو اس کی سربراہی نے امنگ، نظم وضبط اور مقصد حیات دیا۔ان مقاصد کی ضروت کی شدت کا اندازہ اس طرح لگایا جا سکتا ہے کہ اس کے جانے کے بعد حالات فوری طور پر تنزلی اور انحطاط کی طرف چل پڑے۔لہٰذا کاردار اور فضل محمود کو کرکٹ کھلاڑیوں کے اس محدود گروہ میں شامل کیا جا سکتا ہے جو نہ صرف کھلاڑی تھے بلکہ قوم کے معمار بھی تھے۔اس گروہ کے دوسرے چیدہ اشخاص میں ویسٹ انڈیز کے فرینگ وورل (Frank Worrell)[19] اور لیری کانسٹنٹائن (Learie Constantine) اور آسٹریلیا کا ڈان بریڈمین شامل ہیں۔ یہ محض اتفاق نہیں ہے کہ نواب افتخار علی پٹودی کے علاوہ کاردار نے صرف کانسٹنٹائن (Constantine) کو پسندیدہ شخصیت کے طور پر قبول کیا۔[20] دو عظیم ہستیاں میدان سے رخصت ہوئیں۔ کرکٹ میں اپنے خوابوں کی تعبیر دوبارہ حاصل کرنے کے لیے پاکستان کو مزید بیس سال تک انتظار کرنا پڑا۔

## حوالہ جات:

1 اے اے قریشی ٹیسٹ کرکٹ امپائر اور لاہور میں ابتدائی کرکٹ کی افزائش میں نمایاں اور فعال کردار ادا کرنے والے کے بیٹے خالد قریشی سے ذاتی گفت وشنید کی بدولت خالد 1949ء میں دورہ کرنے والی کامن ویلتھ ٹیم کے خلاف پاکستان کی طرف سے لاہور کے آفت زدہ میچ میں کھیلا۔پھر اس نے 1952ء میں پاکستانی ٹیم کے ساتھ

ہندوستان کا دورہ کیا جہاں وہ علاقائی ٹیموں کے خلاف کھیلا مگر اسے کسی بھی ٹیسٹ میچ میں نہ کھلایا گیا۔ 1962ء میں لاہور جمخانہ اور پنجاب کلب (نام کے حوالے سے اسے لاہور کی اسی نام کی معززین کی کلب نہ سمجھا جائے) کے ایک میچ میں جس کا معیار فرسٹ کلاس میچ کا تو نہ تھا مگر مقابلہ انتہائی کانٹے دار تھا۔ خالد قریشی نے بغیر کوئی رن دیئے نو وکٹ حاصل کیے۔ پنجاب کلب کی تمام ٹیم صرف تین خفت آمیز رن بنا کر آؤٹ ہوگئی۔ 1952ء کے ہندوستانی دورہ کے بعد خالد قریشی الیکٹریکل انجینئر بننے کی تربیت کے لیے انگلینڈ منتقل ہوگیا۔ جہاں اس نے تمام ٹیسٹ میچ دیکھنے کے ساتھ ساتھ کاردار کے ساتھ اپنے تعلق کا اعادہ بھی کیا۔ جب خالد قریشی نے کاردار سے سوال کیا کہ اس نے اتنی جلد اپنا فیصلہ کیوں بدل لیا ہے؟ تو کاردار نے ہنستے ہوئے اسے جواب دیا کہ ''قریشی۔ میرے بچے۔ یہ سیاست ہے اس میں ہمیشہ حیرت انگیزی کا عنصر زندہ رکھنا چاہیے کیوں کہ اس کی بدولت انسان خبروں کی زینت بنا دیتا ہے۔''

2 ایوب خاں کا اقتدا میں رتبہ حاصل کرنے کا کاردار یوں تجزیہ کرتا ہے: ''وہ انتہائی خاموشی سے کابینہ میں وزیر دفاع کے طور پر شامل ہوا اور بین الاقوامی سطح پر تعلقات بنائیے۔ اس پر طرہ یہ تھا کہ اس نے اس بات کو یقینی بنالیا کہ وہ اپنے پرانے دوست اسکندر مرزا کو اپنی ترقی کا زینہ بنائے گا۔ دونوں میں دو باتیں مشترک تھیں۔ ایک یہ کہ دونوں سینڈ ہرسٹ (Sandhurst) کے پس منظر سے تعلق رکھتے تھے اور دوسرا یہ کہ دونوں کا عقیدہ تھا کہ پاکستانی عوام جمہوریت کے لیے تیار نہیں ہیں۔ دونوں نے طاقت حاصل کرنے کے لیے اپنی اپنی چالیں چلیں مگر آخر میں وردی میں ملبوس پیشہ ور سپاہی نے بندوق اٹھانے میں پہل کی۔'' اے ایچ کاردار کی کتاب Pakistan's Soldiers of Fortune کے صفحہ 27 پر۔

3 اسکندر مرزا خالی جیب جان بچا کر انگلینڈ پہنچے کہا جاتا ہے کہ وہ مغربی لندن کے علاقے میں ایک چھوٹے سے فلیٹ میں رہائش پذیر تھے اور پکاڈلی (Piccadilly) کے علاقے میں سوالو سٹریٹ (Swallow Street) کی ویرا سوامی نامی ہندوستانی طعام گاہ میں بطور اکاؤنٹنٹ ملازمت کرتے تھے۔ انہوں نے کچھ وقت بطور جنرل مینیجر لندن کے معروف ہوٹل ڈور چسٹر (Dorchester) میں بھی گزارا تھا۔ ویرا سوامی اور ڈور چیسٹر دونوں ادارے ان خبروں پر روشنی ڈالنے سے قاصر ہیں۔ سابق صدر پاکستان کو ایک مرتبہ کندھے پہ ستہ لٹکائے لندن کی زمین دوز ریل پر قائداعظم ٹرافی کے کرکٹ کھلاڑیوں اور صحافی قمر احمد نے دیکھا تھا۔ قمر نے انہیں اپنی نشست پیش کی جسے لینے میں انہوں نے پہلے انکار کی کوشش کی۔ 1969ء میں اسکندر مرزا کی وفات کے بعد خبر ہے کہ صدر یحیٰی خان نے اس کی میت کو پاکستان لانے کی اجازت نہیں دی تھی۔ اسکندر مرزا جن کا شیعہ مسلک سے تعلق تھا ان کی میت کو بذریعہ طیارہ تہران لے جا کر وہاں دفن کیا گیا۔ بعد میں آنے والے سیاسی جانشینوں سے اسکندر مرزا کا موازنہ کیا جائے تو یہ بات سامنے آتی ہے کہ انہوں نے اپنی سرکاری حیثیت کے دوران ایک بھی غیر قانونی پیسہ نہیں لیا۔

4 Playing for Pakistan صفحات 118-114 خودنوشت سرگزشت حنیف محمد حیرت انگیز بات یہ ہے کہ ایک سکور لگانے والے کی غلطی سے ایک اور عالمی ریکرڈ بھی خراب ہوا تھا۔ یہ یارکشائر کے آغازی بیٹسمینوں پرسی ہولمز (Percy Holmes) اور ہربرٹ سٹکلف (Herbert Sutcliff) کا 555 رنز کا 1932ء میں ایسیکس (Essex) کے خلاف ریکارڈ تھا۔ ہربرٹ سٹکلف نے یہ سمجھتے ہوئے کہ ریکارڈ ٹوٹ چکا ہے اپنی وکٹ گنوالی۔ بعد میں اسے معلوم ہوا کہ ایسیکس (Essex) کے سکور بورڈ پر تو 554 رنز درج ہیں۔ ایک نوبال (No ball) گیند جسے پہلے نہیں لکھا گیا تھا اس کے

ایک رن کو واقعہ کے بعد شامل کر کے رنز کی تعداد میں اضافے کے طور پر لکھا گیا تھا۔ دیکھئے وزڈن 1994ء میں ایسیکس (Essex) کے کپتان چارلس برے (Charles Bray) پر تعزیتی مضمون۔ اس پر خیال پیدا ہوتا ہے کہ اسی طرز پر حنیف کو اضافی طور پر ایک رن یہ سمجھ کر دے دینا چاہیے تھا کہ اسے پہلے لکھنا بھول گئے تھے۔

5 وولمر (Woolmer) 1994ء میں واروکشائر (Warwickshire) کا کوچ تھا اور اس لحاظ سے اس نے اہم کردار ادا کرتے ہوئے وارکشائر (Warisckshirr) کی اننگز کو ختم (Declare) کرنے کے فیصلے میں تاخیر کروائی تا کہ لارا حنیف کا ریکارڈ توڑ سکے۔ 1959ء میں وولمر کی عمر دس سال تھی اور وہ ابتدائی سکول کا طالب علم تھا اور ابھی کراچی پہنچا ہی تھا۔ (جس بی او اے سی (B.O.A.C) کے کامٹ (Comet) ہوائی جہاز سے اس نے سفر کیا تھا اسے راستے میں جنگی ہوائی جہازوں نے بغداد اتار لیا تھا جہاں اس کے والد کی ملازمت تھی) مشتاق محمد جس نے کراچی والے میچ میں حصہ لے رکھا تھا اس وقت برمنگھم (Birmingham) میں موجود تھا جب لارا نے رنز بنا کر اپنا ریکارڈ قائم کیا۔ جب لارا 450 رنز سے آگے بڑھا تو مشتاق کو ٹیلی فون پر اس کی اطلاع ملی۔ وہ فوراً (ایجبیسٹن (Edgbaston) گراؤنڈ کی طرف لپکا۔ مگر وقت پر نہ پہنچنے کے سبب لارا کو ریکارڈ توڑتے نہ دیکھ سکا۔

6 1960ء کی وزڈن کے وفات کی اطلاعات کے حصہ کے مطابق وہ کرکٹ میں چوٹ لگنے کے باعث مرنے والا دوسرا کھلاڑی تھا۔ پہلا اس طرح مرنے والا کھلاڑی ناٹنگھم شائیر (Nottinghamshire) کا جارج سمرز (George Summers) تھا جو 1870ء میں لارڈز کی گراؤنڈ پر ایم سی سی کے خلاف ناقص پچ پر کھیل رہا تھا۔ اسے تیز رفتار باؤلر جان پلاٹس (John Platts) کا پیچھے گر کر اٹھتا ہوا گیند لگا۔ چند روز بعد ناٹنگھم (Nottingham) میں اس کا انتقال ہو گیا۔ پلاٹس (Platts) اس واقعہ سے اتنا دل آزردہ ہوا کہ اس نے تیز رفتار باؤلنگ ترک کر کے آہستہ رفتار سے اسپین باؤلنگ کرنا شروع کر دی۔ 1993ء میں لنکا شائیر (Lancashire) کے سابق کھلاڑی آئین فولے (Ian Folley) کو وہائٹ ہیون (Whitehaven) میں فیلڈنگ کرتے ہوئے چہرے پہ گیند لگا۔ ہسپتال میں ناکام آپریشن کے بعد دل کا دورہ پڑنے سے اس کی موت واقع ہو گئی۔ 1998ء میں بنگلہ دیش میں ہندوستان کا ٹیسٹ میچوں میں آغازی بیٹسمین رامن لامبا (Raman Lamba) کو ہیلمٹ کے بغیر شارٹ لیگ (Short Leg) پر فیلڈنگ کرتے ہوئے ایک زوردار پل (Pull) کے نتیجے میں سر پر گیند لگا جس کے نتیجے میں دماغی نس پھٹ جانے سے اس کی موت ہو گئی۔

7 ویسٹ انڈیز کا یہ سکور اس کی تاریخ کا سب سے کم سکور 1986ء تک رہا جب ان کی ٹیم پاکستان کے خلاف فیصل آباد میں کھیلے جانے والے پہلے ٹیسٹ میچ میں صرف 53 رنز پر آؤٹ ہو گئی۔ عبدالقادر نے سولہ رنز دے کر چھ وکٹ لیے تھے۔

8 فضل محمود ٹیسٹ کرکٹ کا پہلا باؤلر تھا جس نے ٹیسٹ میچ میں بارہ یا اس سے زیادہ وکٹیں چار مختلف ٹیموں کے خلاف لی تھیں۔ کئی سال بعد متیا مرلی تھرن بھی فضل کے ساتھ شامل ہو گیا (مرلی تھرن کو نو دوسرے ممالک کے خلاف باؤلنگ کے بعد یہ اعزاز حاصل ہوا جبکہ فضل نے اس کے برعکس صرف پانچ ممالک کے خلاف یہ منفرد اعزاز حاصل کیا تھا)۔

9 مشتاق محمد نے اپنی کرکٹ کے اختتام پر توجہ دلاتے ہوئے بیان کیا کہ ”میں نے جب کرکٹ کھیلنے کا آغاز کیا تو میں اتنا کم عمر تھا کہ تقریباً 1980ء کی دہائی تک کھیلتے ہوئے پہنچ گیا۔ 1940ء کی دہائی کے نامور ستارے

رے لنڈوال(Ray Lindwall) کے خلاف بھی کھیل پایا۔'' مشتاق محمد کی خودنوشت صفحہ 39۔ مشتاق محمد پریذیڈنٹ الیون کی طرف سے نومبر 1959ء میں راولپنڈی کے مقام پر لنڈوال کے خلاف کھیلا تھا۔

10 شجاع الدین کی کتاب کے صفحہ 6-55 کے مطابق بینو مقامی ٹیم کی ان چالاکیوں سے واقف تھا جو میٹنگ لگاتے وقت کی جاتیں۔ یعنی جب مہمان ٹیم بیٹنگ کرنے لگتی تو میٹنگ کو ڈھیلی چھوڑ کر کیل نصب کیے جاتے اور جب اپنی ٹیم کھیلتی تو میٹنگ کو خوب کس کر لگایا جاتا تاکہ بیٹنگ کرتے ہوئے حنیف محمد اور دوسرے پاکستانی بیٹسمینوں کو کھیلنے میں دشواری نہ ہو۔ ٹیسٹ میچوں کے دوران رچی بینو یقینی طور پر اپنی ٹیم کے ایک رکن کو گراؤنڈ میں رات بسر کرنے پر مامور کرتا تاکہ بیٹنگ کرنے کے وقت پچ میں کسی قسم کی کوئی خرابی نہ پیدا کی جا سکے۔ حفظ ماتقدم کے اصول کو اس طرح کچھ ضرورت زیادہ سے ہی استعمال کیا گیا۔ بائیں ہاتھ سے گیند کرنے والے سپنر لنڈ سے کلائین (Lindsay Kline) جسے صرف لاہور کی ٹرف وکٹ پر کھلا کر خدمات پیش کرنے کا موقع دیا گیا۔ دوسرے دو ٹیسٹ میچوں میں بارہویں کھلاڑی کی حیثیت سے شامل تھا۔ اسے یہ فرض سونپا گیا تھا کہ وہ کھیل شروع ہونے سے کم از کم دو گھنٹے پہلے گراؤنڈ میں پہنچ جائے اور اس بات کو یقینی بنائے، میٹنگ اس کے سامنے بچھائی جائے اور اس پر کیل نصب کیے جائیں۔ اور توجہ دلائے اگر ایک یا دو کیل گراؤنڈ میں ڈھیلے لگنے کی وجہ سے اپنی گرفت کھو چکے ہوں۔ یہ عمل ہر روز کھیل شروع ہونے سے پیشتر جاری رہا۔

11 اس میچ میں انتخاب عالم نے بھی پہلی بار ٹیسٹ کرکٹ میں قدم رکھا۔ اس نے ٹیسٹ کرکٹ میں اپنی باؤلنگ کے اوّلین گیند پر آسٹریلیا کے افتتاحی بیٹسمین کولن میکڈونلڈ (Colin Mcdonald) کی وکٹ اڑا دی۔ شجاع الدین کے مطابق میکڈونلڈ کٹ شاٹ (Cut Shot) کھیلتے ہوئے ٹاپ سپنر (Top Spinner) گیند جسے خوبصورتی سے مخفی رکھا گیا تھا سے مکمل طور پر دھوکا کھا گیا۔ (شجاع کی کتاب کا صفحہ 58 دیکھیے۔) تاہم انتخاب نے مجھے خود مظاہرہ کرتے ہوئے بتایا کہ وہ گیند تیز رفتار لیگ بریک تھی نے گر کر میٹنگ کی مضبوطی سے پکڑ کرتے ہوئے میکڈونلڈ کی آف اسٹمپ (off stump) کو جا لگی۔ (انتخاب عالم سے ذاتی مکالمہ)۔

12 حنیف محمد کی کتاب کے صفحہ 131۔ شجاع اس گفتگو کا حوالہ لاہور میں کھیلے جانے والے دوسرے ٹیسٹ کی نسبت سے دیتا ہے اور حنیف اسی گفتگو کا حوالہ کراچی میں کھیلے جانے والے تیسرے ٹیسٹ میچ سے دیتا ہے۔ مگر کیا ٹرف (Truf) کے ذریعے واقعی کرکٹ میں ترقی آئی؟ اس کے ابتدائی اثرات پاکستان کے زرخیز دیہی علاقوں میں کاروباری ترقی لے آئے۔ جہاں سے منوں زرخیز مٹی کراچی اور دوسرے مراکز کو برآمد کی گئی۔ مگر یہ عمل دیرپا ثابت نہ ہوا۔ کسی نے نہ تو آسٹریلوی ترغیب کے خلاف اور نہ ہی صدر کے فوری حکم کی مخالفت میں کوئی آواز اٹھائی۔ کسی نے یہ مشورہ نہ دیا کہ میٹنگ (Matting) جس کی دیکھ بھال میں بہت کم لاگت آتی اور نہ ہی اسے پانی کی ضرورت ہوتی ہے) پاکستان میں ٹرف پچوں کی نسبت کھیلنے کے لیے غالباً بہتر ذریعہ تھی۔ سب نے بلا تامل کرکٹ کی سفید فام انتظامیہ کے بنائے ہوئے معیار کے مطابق پاکستان کو چلانے کا اقرار کرلیا۔ جلد بازی میں بنائی گئی نئی ٹرف پچوں پر گیند میں زیادہ اچھل نہ تھی اور وہ نیچے رہ جاتا تھا۔ مگر گیند ضرورت سے زیادہ سپن (Spin) کرتا تھا۔ اور نتیجتاً سست اور کم سکور کے پچ ہونے لگے۔ بہتری ہوئی یا نہیں مگر پاکستانی کرکٹ میں ٹرف وکٹوں کا وجود ہمیشہ ایوب خاں کے عطیے کے طور پر یاد رکھا جائے گا۔

13 سرجن جے این ولسن (Surgen J.N.Wilson) نے رائل نیشنل آرتھوپیڈک ہسپتال (Royal National Orthopedic Hospital) میں 19 ستمبر 1960ء کو کاردار کے گھٹنے کی ہڈی نکالنے کے لیے آپریشن

کیا۔ (دیکھئے روزنامہ ڈان مورخہ 20 ستمبر 1960ء صفحہ 14)۔1928ء سے 1956ء کے درمیانی عرصہ میں ہندوستان نے چھ طلائی تمغے جیتے اور اولمپکس میں ناقابل شکست رہا۔

14 سید فدا حسین کے صاحب زادے سید عظمت حسن نے انگریزی کتاب کے صفحات 165, 197,527 پر اپنی رائے کا اظہار کرتے ہوئے بیان کیا کہ ''غالباً سید فدا حسن کو عبدالحفیظ کاردار کا مخالف ثابت کرنے کی کوشش میں پیٹر اوبورن نے خود ہی متضاد بات کہہ دی اور صفحہ نمبر 95 کے آخر میں چھپے حاشیے میں کاردار کی کتاب سے لیے گئے حوالے کو یک طرفہ اور غیر واضح قرار دے دیا۔ میرے خیال میں ایسا نہیں ہونا چاہیے کیوں کہ صحافتی انصاف کے مطابق غیر مصدقہ حوالہ نہیں دینا چاہیے۔ سید فدا حسن کو بطور منفی شخصیت ثابت کرنے کے لیے اس نے دوبارہ کہانی دہرائی کہ کاردار کو انگلینڈ کے دورہ پر جانے والی 1954ء کی ٹیم کی کپتانی سے ہٹانے کی سازش کا وہ مرکزی کردار تھے۔ پیٹر اوبورن کا یہ نقطہ نظر یک طرفہ ہے اور درست نہیں، مثلاً وہ یہ بیان نہیں کرتا کہ بی سی سی پی میں کاردار کے مخالفین کون کون تھے، جنھوں نے اُس ادارے میں اکثریت حاصل کر رکھی تھی۔ کیا اوبورن کے پاس اِس الزام کا کوئی حوالہ ہے؟ اس کے علاوہ سید فدا حسن کے بی سی سی پی میں موجود مبینہ حواری کون تھے؟ اسی طرح اوبورن کا یہ کہنا کہ پاکستانی سیکریٹری دفاع اسکندر مرزا کی یہ دھمکی کہ ''اگر کاردار ٹیم کا کپتان نہ ہوگا تو پاکستانی ٹیم کو پاسپورٹ اور زرمبادلہ جاری نہیں کیا جائے گا۔'' جبکہ پاسپورٹ اور زرمبادلہ کا اجرا وزارتِ دفاع کے زمرے میں آتا ہی نہیں۔

یہ دونوں فرائض وزارتِ داخلہ اور وزارتِ خزانہ کے ماتحت ہیں۔ زرمبادلہ وزارتِ خزانہ کی مشاورت سے سٹیٹ بینک آف پاکستان جاری کرتا ہے۔ اس کے علاوہ 1954ء میں اسکندر مرزا کا بی سی سی پی کے معاملات سے کوئی تعلق نہیں تھا کیوں کہ اُس وقت یہاں امین الدین، آئی سی ایس گورنر پنجاب ہونے کے علاوہ پی سی بی کے سربراہ تھے۔

پیٹر اوبورن کا یہ بھی بیان ہے کہ سید فدا حسن بی سی سی پی کے دفتر کبھی کبھار ہی جایا کرتے تھے۔ غالباً اُس کے علم میں نہیں کہ پاکستان کے اُن ابتدائی دنوں میں اہم عہدوں پر فائز افسران کو بی سی سی پی کی سربراہی کی اضافی ذمہ داری سونپ دی جاتی تھی۔ جو کہ کُل وقتی نہیں ہوا کرتی تھی۔ پیٹر اوبورن گو کہ پاکستانی نہیں مگر وہ تجربہ کار اور معروف صحافی ہیں، لہٰذا غیر مصدقہ نقطہ چینی کو لکھنے سے گریز کر سکتے تھے۔ ایک اور غیر مصدقہ بات جو انھوں نے بیان کی کہ بی سی سی پی کے دفاتر جی ایچ کیو راولپنڈی میں واقع تھے۔ میرے نزدیک یہ بھی غالباً درست نہیں۔ میرا نہیں خیال کہ جی ایچ کیو اُن عام شہریوں کو جن کا تعلق بی سی سی پی سے ہوتا، اپنے درمیان دفتر قائم کرنے کی اجازت دیتا۔ ان آراء کی مزید وضاحت بی سی سی پی کی دستاویزات سے ہوسکتی ہے۔'' 1954ء میں بی سی سی پی کا صدر گورنر پنجاب میاں امین الدین، نائب صدور مخدوم زادہ سید حسن محمود اور سید فدا حسن سی ایس پی اور اے ٹی نقوی سی ایس پی تھے۔ اعزازی سیکریٹری سید نذیر علی شاہ اور اعزازی جوائنٹ سیکریٹری ایم آئی مرچنٹ تھے۔ اعزازی خزانچی پروفیسر محمد اسلم اسلامیہ کالج لاہور تھے۔ (مترجم)

15 اس مقام تک کاردار سمجھ چکا تھا کہ وہ اصولی طور پر ٹیم میں جگہ حاصل کرنے کے لیے کھیل رہا ہے۔ میچ کے شروع ہوتے وقت فضل محمود کی ہندوستان دورہ پر جانے والی ٹیم کے کپتان کی حیثیت سے تصدیق کر دی گئی تھی۔

16 شفقت رانا سے ذاتی گفتگو کے حوالہ سے اس نے میچ کو یاد کرتے ہوئے یوں بیان کیا: ''جب میچ شروع ہوا تو کاردار کا دور دور تک پتہ نہ تھا۔ امتیاز احمد اور شکور احمد نے اننگز کا آغاز کیا۔ 54 رنز بنانے پر امتیاز کی باری ختم

کردی گئی اور اس کی جگہ جاوید برکی کھیلنے گیا۔ شکور احمد کی 37 رنز پر نسیم الغنی نے وکٹ اڑا دی۔ اس کے بعد چوتھے نمبر پر میں کھیلنے کے لیے نکلا۔ اسی اثناء میں جاوید برکی 51 رنز بنانے پر واپس بلا لیا گیا۔ میں اس وقت قطعی طور پر حیران رہ گیا جب میں نے ڈنکن شارپ (Duncon Sharpe) کی بجائے کاردار کو بیٹنگ کرنے آتے ہوئے دیکھا۔ اس کا وزن کچھ بڑھا ہوا دکھائی دے رہا تھا۔ وہ اپنی اکڑی ہوئی گردن جو کچھ ترچھے زاویے پہ تھی لیے تنی ہوئی چال میں مگن چلا آ رہا تھا۔ وہ کریز (Crease) پر پہنچا۔ میں بیٹنگ کرتے ہوئے دوسرے کنارے پر کھڑا تھا مگر اس نے میری طرف آنکھ اٹھا کر بھی نہ دیکھا۔ کاردار گراؤنڈ میں وقت کے اس درمیانی حصہ میں پہنچا ہوگا جب میں پچ پر بیٹنگ کر رہا تھا۔ میں نے سنا کہ شجاع الدین اور فضل دونوں جڑ کر ایک کونے پر بیٹھے ہوئے تھے اور دونوں افسردہ نظر آ رہے تھے۔ شجاع کو افسوس تھا کہ اگر کاردار کپتان بن جاتا ہے تو وہ یقیناً اسے ٹیم میں شامل نہیں کرے گا۔ فضل بھی اپنی کپتانی کے لیے بے حد پریشان اور مضطرب تھا۔''

17 محمد فاروق نے افتتاحی باؤلر کی حیثیت سے پاکستان کے لیے سات ٹیسٹ میچ کھیلے۔ جن میں اس نے 32 رنز سے کچھ زیادہ فی وکٹ کے حساب سے 21 وکٹ حاصل کیے۔ وہ 1962ء میں لارڈز ٹیسٹ میں 70 رنز کے عوض چار وکٹ لینے کے بعد جسمانی طور پر ناکارہ ہو گیا۔

18 تاہم بمبئی ٹیسٹ میں حنیف کا دیوانگی کی حد تک بہادرانہ کھیل ذکر کیے بغیر نہیں چھوڑا جا سکتا۔ ٹیسٹ شروع ہونے سے دو ہفتے بیشتر حنیف کے پاؤں زہر آلود ہو گئے۔ حنیف کے الفاظ میں نعمان نے اپنی کتاب کے صفحہ 110 پر یوں بیان کیا ہے۔ ''میرا آپریشن کرنے کے بعد پاؤں کے انگوٹھوں کے ناخن نکال دیئے گئے تھے۔ قدرتی طور پر میں نے سوچا کہ میچوں کے اس سلسلے میں یہ شریک نہیں ہوسکوں گا۔ مگر ہندوستان اور پاکستان کے مقابلوں کی شدت کا یہ عالم تھا کہ کپتان فضل خاص طور پر چاہتے تھے کہ میں کھیلوں۔ میں نے انہیں بتایا کہ میں تو پاؤں میں جوتے تک نہیں پہن سکتا۔ لہٰذا ہمیں صلاح دی کہ اگر کپتان مجھے کھلانے کے لیے اتنا مصر ہے تو پھر وہ میرے لیے خاص جوتا تیار کروائیں یا پھر بوٹ میں پاؤں کی انگلیوں والے حصے کو کاٹ کر الگ کر دیا جائے۔ ڈاکٹر نے کہا کہ ہم سب پاگل ہیں اور مجھے خاص طور پر کھیلنے سے منع کیا کہ اگر یارکر (Yorker) گیند کسی بھی پاؤں کو جا لگے تو وہ اسے ہمیشہ کے لیے ناکارہ کر دے گا۔ مگر کپتان مجھے کھلانے پر بضد رہا اور یہ مانتے ہوئے کہ میں اپنی والدہ کو انکار نہیں کر سکتا۔ اس نے میری والدہ کو قائل کرنے کی کوشش شروع کر دی۔ میری پاؤں پر پٹیاں باندھ دی گئیں اور میں نے والس متھائس جس کے پاؤں مجھ سے بڑے تھے کا جوتا پہن لیا۔ میں نے ٹیسٹ میچ سے قبل نیٹ میں 45 منٹ تک کھیلا جس کے اختتام پر میری جرابیں خون میں بھیگ کر سرخ ہو چکی تھیں۔ مگر اس کے باوجود میں اپنے پاؤں کے انگوٹھے کے ناخنوں کے بغیر بمبئی میں ہونے والے پہلے ٹیسٹ میچ میں کھیلا۔ میری والدہ اور مجھے پاکستان کا یہ حق ادا کرنا تھا جب یہ دو ہمسایہ ملک مقابلے میں آمنے سامنے آتے تھے تو ایسے ہی جنونی جذبات ابھر آتے تھے۔ ٹیم کے منیجر ڈاکٹر جہانگیر خان نہیں چاہتے تھے کہ میں کھیلوں مگر اس کے باوجود میں کھیلا۔ اس میچ میں میرے کھیل کی وہ بہترین اننگز تھی جسے عام طور پر بہت یاد رکھا گیا۔ بیٹنگ کرتے ہوئے درد کا یہ عالم تھا جیسے میرے پاؤں کے ناخن پیروں میں گڑ رہے ہوں۔ یہ کرکٹ کی وہ سولی تھی جس پر مجھے چڑھا دیا گیا تھا مگر جب 90 رنز بنا چکا تو مزید کھیلنے سے قاصر ہو گیا۔ ہندوستانی کپتان کنٹریکٹر (Contractor) نے رنر (Runner) کے لیے میری درخواست کو مسترد کر دیا کیوں کہ اس کے خیال میں میں بہانہ کر رہا تھا اور میچ سے پہلے زخمی ہو چکا تھا۔ اصولی طور پر اس کا رنر (Runner) کے لیے انکار درست تھا۔ اس کے سبب میں انوکھی صورتحال سے دوچار ہو گیا کہ نہ تو دوڑ کر ایک رن لے سکتا تھا

ارو نہ ہی مجھ میں باؤنڈری لگانے کی طاقت تھی مگر میں نے پورا دن نکال دیا۔ کھیل کے اختتام پر مجھے ہسپتال لے جایا گیا جہاں میرے پاؤں اور تشنج کا علاج کیا گیا۔ اگلے روز میں نے اپنے کھیل کا دوبارہ سلسلہ شروع کیا اور 160 رنز بنا کر رن آؤٹ ہوا۔'' حنیف نے تمام میچ پاؤں کے ناخنوں کے بغیر کھیلے جو پانچویں اور آخری ٹیسٹ میں پہنچ کر دوبارہ اُگنے شروع ہوئے تھے۔

19 سر فرینک وورل (Sir Frank Worrell) ویسٹ انڈیز کا پہلا سیاہ فام کپتان تھا جس نے ایک پوری سیریز میں کپتانی کی اور ٹیم کو سمندر پار دورہ پر بھی لے کر گیا۔

20 لیری کانسٹنٹائن ویسٹ انڈیز کا کرکٹ کھلاڑی اور سیاستدان تھا۔ دونوں عظیم جنگوں کے درمیانی حصے میں اس کا شمار ویسٹ انڈیز کے بہترین کھلاڑیوں میں ہوتا تھا۔ اس نے ٹرینی ڈاد (Trinidad) کی تحریک آزادی میں اہم کردار ادا کیا۔ وہ ویسٹ انڈیز کے لیے سیاہ فام کپتان بنائے جانے والی تحریک کا زبردست حامی تھا۔ وہ برطنیہ میں نسلی برابری کے لیے بھی کوشاں رہا۔ 1962ء میں اسے سر کے خطاب سے نوازا گیا اور 1969ء میں اسے برطانیہ کے پہلے سیاہ فام نواب کے رتبے پر فائز کیا گیا۔

10

# 1960ء کی ضائع دہائی

''کرکٹ پر سرکاری طور پر پابندی عائد کردینی چاہیے اور ملک کو مزید بدنامی سے بچانا چاہیے۔''

- ملک فتح خان کی پاکستان کے 1962ء کے دورۂ انگلینڈ کی قطعی ناکام کارکردگی پر نوائے وقت میں تحریر

پاکستانی کرکٹ پر اچانک زوال کا دور شروع ہوچکا تھا۔ 1950ء کی دہائی میں پاکستان نے 29 ٹیسٹ میچ کھیلے تھے جن میں سے آٹھ میں جیت ہوئی تھی، نو ہار گئے اور بارہ برابر رہے تھے۔ 1960ء کی دہائی میں کھیلے جانے والے 30 ٹیسٹ میچوں میں سے پاکستان صرف دو ٹیسٹ میچ جیت سکا تھا اور وہ دونوں نیوزی لینڈ کے خلاف کھیلے گئے تھے۔ آٹھ میں شکست ہوئی جبکہ بیس بغیر کسی ہار جیت کے برابر رہے۔ پاکستانی کرکٹ افسردہ طور پر دفاعی کھیل کھیلنے پر مجبور ہوگئی تھی۔ ہار سے بچنا قومی سطح پر مطلوبہ مقصد کی انتہا بن چکا تھا۔

کاردار کی ٹیم امید اور اعتماد سے بھرپور تھی بلکہ وہ وجود میں آنے والے جناح کے لیے پاکستان کے جوش اور ولولہ کی بھی آئینہ دار تھی۔ مگر اب یہ جذبہ دھندلا پڑ چکا تھا۔ ایوب خان کی فوجی آمریت نے پاکستانی معاشرے پر رواج کی پیروی کا ایسا نقشہ مرتب کیا جو کرکٹ کے میدانوں تک اثرانداز ہوا اور یہ طریقہ تب تک رائج رہا جب تک 1970ء کے آغاز میں زیڈ اے بھٹو اور اس کی پاکستان پیپلز پارٹی نمودار نہ ہوگئی۔

پاکستان کرکٹ ٹیم کی 1950ء کی دہائیوں میں فتوحات کی کنجی اس کے تیز رفتار باؤلروں کے ہاتھوں میں تھی۔ خان محمد اور فضل محمود کے نعم البدل نہ حاصل ہونے کی وجہ سے پاکستان میچ جیتنے والوں کے بغیر رہ گیا تھا۔ 1960ء کی دہائی میں پاکستان کے بہترین باؤلر سپنر ہوا کرتے تھے جن میں مشتاق محمد، پرویز سجاد[1] اور انتخاب عالم تھے۔

مگر پاکستان کی وکٹیں تیار کرنے والے گراؤنڈز مین (Groundsmen) اپنے بے ایمان ہونے

کے عالمی تاثر کی پرواہ کیے بغیر ایسی پچیں تیار کرتے جو مقامی ٹیم کے لیے سازگار ہوا کرتی تھیں اور وہ ایسی وکٹیں یا پچیں بناتے جو تیز رفتار باؤلروں کے لیے فائدہ مند ہوتیں۔

پاکستان کی اندرون ملک کرکٹ کے مالی حالات مستقل طور پر مشکلات میں گھرے رہتے تھے۔ کارنیلس اور کاردار نے اس ضمن میں بہت محنت کی کہ پاکستانی تجارتی ادارے اور سرکاری محکمے فرسٹ کلاس کرکٹ کھلاڑیوں کو روزگار مہیا کریں۔ مگر کامیابی حاصل کرنے کے خواہاں کھلاڑی پاکستان سے باہر چلے گئے۔ مشتاق محمد جس کا پاکستان کے بہترین کھلاڑیوں میں شمار ہوتا تھا 1962ء سے 1967ء کے عرصہ میں پاکستان اس کی خدمات کے بغیر رہا کیوں کہ اس نے نارتھ ہیمپٹن شائر کی طرف سے بطور کاؤنٹی کرکٹ کھلاڑی کھیل کر اپنے پیشے کو منظم کرنے کا فیصلہ کر رکھا تھا۔ خالد عباداللہ (وہ بیٹنگ کے ساتھ درمیانی رفتار کا باؤلر بھی تھا اور وکٹ کیپری بھی کر لیتا تھا اور وارکشائر کے لیے کھیلتا تھا۔) اس طرح کی دوسری مثال تھا۔ عباداللہ کو سترہ سال کی عمر میں کاردار کی 1952ء میں ہندوستان کا دورہ کرنے والی ٹیم کو مزید تقویت دینے کے لیے بعد میں شامل ہونے کو کہا گیا تھا مگر وہ اکتوبر 1964ء تک پاکستان کے لیے نہ کھیل پایا تھا جب بالآخر اس نے آسٹریلیا کے خلاف کراچی میں ٹیسٹ کھیلتے ہوئے فوری طور پر 166 رنز بنا کر اپنے ضائع کیے گئے بارہ سالوں کا نقصان پورا کر دکھایا۔

پاکستان کے لیے کھیلنے کے لیے بین الاقوامی مخالف ٹیموں کو حاصل کرنا بے حد مشکل بن گیا تھا۔ مثال کے طور پر ویسٹ انڈیز مارچ 1959ء سے فروری 1975ء کے تقریباً سولہ سالہ وقفہ میں پاکستان کے خلاف نہیں کھیلے۔ 1960ء کی دہائی میں آسٹریلیا نے پاکستان کے خلاف صرف دو ٹیسٹ کھیلے۔ ایک اپنی سرزمین پر اور دوسرا پاکستان میں۔ 1960ء کی دہائی کے دوران پاکستان نے 30 ٹیسٹ میچ کھیلے جن میں چودہ ٹیسٹ انگلینڈ کے خلاف تھے۔ مگر آپس میں تعلقات پریشان کن رہے۔ کیوں کہ ڈونلڈ کار (Donald Carr) کے آفت زدہ دورے کے بعد سے ایم سی سی کی ٹیمیں پاکستان کا دورہ کرتے ہوئے ہچکچانے لگی تھیں۔ فضل محمود کی 61-1960ء کی سیریز سے لے کر 79-1978ء تک پاکستان اور ہندوستان کے درمیان کوئی ٹیسٹ میچ نہ کھیلے گئے۔ اب صرف نیوزی لینڈ ہی رہ گیا تھا جس نے 1960ء کی دہائی میں پاکستان سے کھیلے جانے والے 30 ٹیسٹ میچوں میں سے 9 ٹیسٹ کھیلے تھے۔ اور آخر میں نسلی تعصب کی وجہ سے جنوبی افریقہ نے پاکستان کا اس سے کھیلنا ناممکن بنا دیا تھا۔

مزید مشکل یہ تھی کہ حکومت کی طرف سے کوئی حمایت حاصل نہیں تھی۔ آج کرکٹ کو قومی کھیل مانا جاتا ہے مگر پاکستان کی ابتدائی دہائیوں میں ایسا نہیں تھا۔ قومی اسمبلی میں وزراء کے بیانات سے کسی حد تک حکومت کرکٹ کے متعلق ترجیحات کا اندازہ لگانا ممکن ہے۔ پاگل پن کی حد تک یہ بیانات متذبذب تھے مگر ان سے یہ پتہ چل جاتا ہے کہ کرکٹ سے تعلق کتنا ناقص تھا۔

1950-51ء میں ہاکی اور ٹینس دونوں حکومت کی طرف سے پندرہ ہزار روپے (اس وقت کے 1600 برطانوی پونڈ کے برابر) کا عطیہ دیا گیا جبکہ کرکٹ کو سرے سے کچھ بھی نہ دیا گیا۔ اگلے سال کرکٹ نے پندرہ ہزار روپے وصول کیے (یہ رقم بی سی سی پی BCCP کو ادا کی گئی۔ اور اس کھیل کو دی جانے والی یہ پہلی رقم تھی جو مجھے مل سکی) مگر پاکستان اولمپک ایسوسی ایشن اور ٹینس کو زیادہ رقوم دی گئیں۔ 1960ء کی دہائی کے آخر میں وزیر تعلیم قاضی انوار الحق نے لمبی اور تفصیلی فہرستیں شائع کیں جن میں کھیلوں کو دیئے جانے والے عطیات کے کوائف درج تھے۔ اس اہم فہرست مشمولات کے ذریعے حکومت کی طرف سے تمام کھیلوں کو دیئے جانے والے 1958-59ء تا 1967-68ء کے دورانیے کے عطیات کی یادداشت مل جاتی ہے۔ ہاکی اور کسرتی کھیلوں (پاکستان اولمپک ایسوسی ایشن) فہرست میں اعلیٰ ترین مقام پر ہیں جبکہ کرکٹ تیسرے نمبر پر۔ پہلوانی اور فٹ بال سے پہلے ہے۔ کئی سال بعد انوار الحق کے جانشین عبدالحفیظ پیرزادہ نے پرانے طور کی تصدیق کرتے ہوئے کرکٹ اور ہاکی کے تمام ٹیسٹ کھلاڑیوں کی فہرست مہیا کی جو سابقہ یا حاضر سرکاری ملازمت میں قیام پاکستان کے وقت سے تھے۔ ان میں 57 ہاکی کے کھلاڑی تھے اور صرف 16 کرکٹ کے کھلاڑی تھے۔[2]

اوسطاً پاکستانی ٹیم سالانہ تین ٹیسٹ میچ کھیلا کرتی تھی مگر 1963ء اور 1966ء دونوں سالوں میں کوئی ٹیسٹ میچ نہ ہوا۔ پاکستان دوبارہ 1960ء کے آخری حصے میں لوٹ گیا جب وہ بین الاقوامی کرکٹ کھیلنے کی قلت سے دوچار تھا اور اسے گھومنے پھرنے والی ٹیموں یا پھر سیلون اور کینیا جیسے ممالک جو ٹیسٹ کرکٹ نہیں کھیلے تھے، پر انحصار کرنا پڑتا تھا۔ یہ کوئی حیرت کی بات نہیں کہ اس وجہ سے پاکستان کے بہت سے نمایاں کھلاڑی اس قومی کھیل کو چھوڑ گئے۔ بے شک اس المناک دہائی میں ایسے لمحات بھی آئے جب یہ سوچنا پڑا کہ کیا کرکٹ آنے والے وقتوں میں تماشائیوں کے کھیل کے طور پر بچ پائے گی؟

ہندوستان کے دورہ کے بعد ٹیم منتخب کرنے والوں نے فضل محمود کو مکمل طور پر رد کر دیا تھا۔ اس کے بعد کاردار کی 1952ء کی ٹیم کے سورماؤں میں سے قومی ٹیم میں صرف دو باقی رہ گئے تھے یعنی حنیف اور امتیاز جسے کپتان بنا دیا گیا۔ وکٹ کیپری کرنے، بیٹنگ کا آغاز کرنے اور کپتانی کے فرائض نبھانے کے عمل نے امتیاز کو جذباتی طور پر بھاری بوجھ تلے دبا دیا۔ اس کی کپتانی میں اکتوبر 1961ء میں سلسلے کے پہلے ٹیسٹ میچ میں لاہور کے مقام پر ٹیڈ ڈیکسٹر (Tad Dexter) کی انگریزی ٹیم کے ہاتھوں پاکستان کو شکست ہوئی۔[3] پاکستان جو عرصہ دراز تک اپنی سرزمین پر ناقابل شکست رہ چکا تھا، اب پاکستان میں کھیلے جانے والے پانچ ٹیسٹ میچوں میں سے چار ٹیسٹ ہار چکا تھا۔ اس صورتحال کو پاکستان میں سخت مایوسی کی نگاہ سے دیکھا جا رہا تھا۔

انگلینڈ کے خلاف تین ٹیسٹ میچوں کے اس سلسلہ کے بقیہ دو میچوں میں پاکستان نے اس بات کو یقینی بنائے رکھا کہ کسی طرح شکست سے بچا جا سکے۔ ڈھاکہ میں ہونے والے دوسرے ٹیسٹ میچ میں حنیف

نے دونوں اننگز میں سنچریاں بنائیں۔ پہلی اننگز میں اس کے 111 رنز آٹھ گھنٹے اور بیس منٹ پر محیط تھے۔ جبکہ دوسری اننگز میں 104 رنز بنانے کے لیے اس نے چھ گھنٹے اور 35 منٹ لیے۔ مجموعی طور پر اس نے میچ میں تقریباً پندرہ گھنٹے بیٹنگ کی۔ کھیل کے کل دورانیے کے نصف وقت سے زیادہ حنیف کھیلا تھا۔

ڈھاکہ ٹیسٹ کے بعد انگلینڈ کی ٹیم عازم کراچی ہوئی۔ چھ گھنٹے کے ہوائی سفر اور چودہ گھنٹے کے بذریعہ ریل سفر کے بعد ان کا مقابلہ بہاولپور سے اور فضل محمود سے سامنا ہوا۔ فضل محمود جسے پاکستان کی ٹیسٹ ٹیم سے خارج کر دیا گیا تھا، نے 28 رنز کے عوض چھ وکٹ حاصل کر کے انگلینڈ کی تمام ٹیم کو 114 رنز پر آؤٹ کر دیا۔ اس کارکردگی کے بل بوتے پر فضل محمود کو تیسرا اور آخری ٹیسٹ میچ کھیلنے کے لیے پاکستانی ٹیم میں واپس بلا لیا گیا۔ پرانے پرعظم اور بہادر باؤلر نے 63 اوورز کیے جن میں 98 رنز کے عوض کوئی وکٹ حاصل نہ ہوئی۔ انگلینڈ نے ایک ہی ریلے میں 507 رنز بنا لیے جن میں ڈیکسٹر (Dexter) کے 205 شاندار رنز شامل تھے۔ مگر پاکستان کی مستقل مزاج بیٹنگ جو حنیف کی دو اعلیٰ ترین دفاعی اننگز سے مزید مضبوط تر ہو گئی تھی نے میچ کا ہار جیت کے بغیر ختم ہونا یقینی بنا دیا گیا۔

## جاوید برکی اور دورۂ انگلستان 1962ء

اب پاکستانی ٹیم نے 1962ء کے دورۂ انگلستان کی تیاریاں شروع کر دی تھیں۔ میچوں کا یہ وہ سلسلہ تھا جس کے متعلق پاکستانی محبِّ وطن سوچتے وقت ناامیدی اور جذباتی صدمے سے ٹھنڈا پڑ جاتا ہے۔ شجاع الدین نے اسے پاکستان کرکٹ کا افسردہ اور بدترین نقطہ زوال کہا ہے۔ 1962ء کی خفت آمیز ذلت کے بعد آئندہ پچیس سال تک (صدی کے چوتھائی حصہ تک) لارڈز کی انتظامیہ نے پاکستان کو انگلینڈ میں پورے پانچ ٹیسٹ میچ کھیلنے کے دورہ کی اجازت نہ دی۔

پہلی دشواری کپتانی کی تھی کیوں کہ امتیاز احمد کو ناکام سمجھا جا رہا تھا۔ کوئی واضح جانشین سامنے نہیں تھا۔[4] کارنیلس کی صدارت میں منتخب کرنے والے 23 سالہ جاوید برکی پر متفق ہو گئے۔ اگرچہ یہ تعیناتی تباہ کن ثابت ہوئی مگر اس وقت کارنیلس کا یہ انتخاب معقول لگتا تھا۔ برکی نے فضل محمود کی ٹیم میں 61-1960ء کا بھارتی دورہ کر رکھا تھا جہاں اس کی اچھی کارکردگی تھی۔ اس نے 46.42 کی اوسط کے ساتھ 325 رنز بنائے تھے اور اچھے مزاج کے ساتھ متاثر کیا تھا۔ ڈیکسٹر (Dexter) کی ٹیم کے خلاف 62-1961ء میں اس کی کارکردگی پہلے سے بھی بہتر تھی۔ اس نے تین ٹیسٹ میچوں میں دو اہم سنچریاں بنائی تھیں۔

برکی اس وقت حال ہی میں آکسفورڈ یونیورسٹی سے فارغ التحصیل ہوا تھا جہاں 1958ء سے 1960ء میں یونیورسٹی کی کرکٹ میں نمائندگی کر کے کلر (Colour) یعنی بلیو اعزاز حاصل کر رکھا تھا۔ اپنے آخری سال

میں انگلش فرسٹ کلاس کرکٹ میں اوسطاً وہ دوسرے نمبر پر تھا۔ اس نے 961 رنز بنا کر 53.38 کی اوسط حاصل کی تھی۔ آکسفورڈ یونیورسٹی میں گزرے ہوئے وقت نے اسے انگلستان میں کیفیات کا خاصا تجربہ دے رکھا تھا جس کی بدولت وہ کاردار کی روایت کے قریب تر تھا۔ جس کے آکسفورڈ میں گزرے ہوئے وقت نے قومی ٹیم کی کپتان حاصل کرنے میں ابتدائی کارروائی سرانجام دی تھی۔ کاردار نے برکی کے انتخاب کی تائید کرتے ہوئے کہا :''میری نظر میں ایسی کوئی وجہ نہیں ہے۔ کہ اگر خوش قسمتی ساتھ دے تو ٹیم وہ بلند معیار حاصل کرنے میں کامیاب ہو جائے گی جو اس سے قبل 1954ء کے دورہ پر حاصل ہوا تھا۔'' آخر میں برکی کے والد تھے جو فوج میں جنرل کے عہدہ پر فائز تھے، ان تین افسران میں سے ایک تھے جنہوں نے شام کے دھندلکے میں اسکندر مرزا کے روبرو جا کر اس بات پر اصرار کیا کہ وہ صدارت کے عہدہ سے دستبردار ہو کر ایوب خاں کو راستہ دے۔ آنے والی نئی فوجی حکومت میں لیفٹیننٹ جنرل واجد برکی کو محکمہ صحت کا وزیر بنا دیا گیا تھا۔

آج بھی بہت سے لوگ یہ الزام عائد کرتے ہیں کہ ایک جنرل کے بیٹے کو پاکستانی کرکٹ ٹیم کے کپتان کے عہدے پر فائز کرنا شکرگزار ایوب خان کی طرف سے ایک اور انعام تھا۔ یہ بات قابل فہم ہو سکتی ہے۔ تاہم اس نظریے کو ثابت کرنے کے لیے کوئی ٹھوس ثبوت پیش نہیں کیا جا سکا۔ برکی کی اپنی صورتحال اتنی مضبوط تھی کہ اسے خاص دباؤ ڈلوانے کی ضرورت نہیں تھی۔ [5] البتہ ایوب خان کا اثرورسوخ واضح طور پر اس وقت نظر آیا جب دورہ پہ جانے والی ٹیم کے مینیجر بریگیڈیئر حیدر (اکثر حایدر کے طور پر لکھا جاتا ہے) اور اس کے نائب میجر رحمان کا انتخاب ہوا۔ حیدر نے فوجی افسر کی حیثیت سے دوسری عالمی جنگ کے دوران عراق، اٹلی، لیبیا اور یونان میں خدمات سرانجام دیں۔ [6] ایوب خاں کے اس حکم کے تحت ٹیم کا مینیجر بننے کا فائدہ حاصل ہوا۔ جس میں کہا گیا تھا کہ نظم وضبط نافذ کرنے کے لیے فوجی افسران کی تعیناتی کی جائے۔ آئندہ پچاس سال میں کافی تعداد میں فوجی شخصیات نے پاکستانی کرکٹ انتظامیہ میں طاقتور کردار ادا کیا مگر بریگیڈیئر حیدر اس عمل کی ابتدائی خیال تھا۔ حنیف محمد کے مطابق، ''حیدر کو نہ تو کھیل کے متعلق کوئی علم تھا اور نہ ہی اسے سیکھنے میں دلچسپی تھی۔ [7] وہ پولو کا بامہارت کھلاڑی تھا۔ کھیل شروع ہونے سے پہلے وہ پوچھتا تھا کہ اگلا چھکا کب شروع ہوگا؟'' پھر بھی حیدر اچھائیوں کا علم بردار تھا۔ اس کی خوش مزاج اور خوش اخلاق شخصیت کی موجودگی کی وجہ سے دورے کے دوران پیش آنے والی کئی سفارتی مشکلات آسانی سے حل ہو جاتیں۔

1962ء کے دورہ کے دوران برکی کی ٹیم کسی وقت بھی مقابلے کے لائق نہیں تھی۔ ایجبسٹن (Edgbaston) کے آغاز میں پہلے ٹیسٹ میچ میں انگلینڈ نے پانچ وکٹوں کے نقصان پر بڑے آرام سے 544 رنز بنا لیے اور پھر پاکستانی ٹیم کو دوبار آؤٹ کر کے میچ کو ایک اننگز سے جیت لیا۔ اس کے بعد کچھ تسکین اس وقت میسر آئی جب پاکستان نے سرے (Surrey) کو اوول کے میدان پر ہرایا۔ دورے کے دوران کسی

بھی کاؤنٹی کے خلاف یہ واحد جیت ثابت ہوئی اور پھر برکی کی ٹیم کو جلد ہی گلیمورگن (Glamorgan) اور سمرسٹ (Somerset) کے ہاتھوں شکست ہوگئی اور اس طرح ٹام گریونی (Tom Graveney) کے ناگوار کلمات کہ ''اگر پاکستانی ٹیم انگلش کاؤنٹی چیمپئن شپ میں شریک ہوجاتی ہے تو کسی نمایاں مقام پر نہیں دیکھا جاسکے گا'' کا بھرم رہ گیا۔

دوسرا ٹیسٹ میچ پہلے سے بھی زیادہ تباہی خیز ثابت ہوا۔ پہلے دن کے کھیل کے نصف حصے تک پاکستانی ٹیم 100 رنز بنا کر آؤٹ ہوچکی تھی۔ ٹرومین نے 31 رنز دے کر چھ وکٹ حاصل کیے تھے۔ دوسری اننگز میں پانچویں وکٹ کی شراکت میں برکی اور نسیم الغنی نے 197 رنز کا اضافہ کرتے ہوئے دونوں نے سنچریاں بنائیں۔ نسیم کی سنچری کسی بھی پاکستانی کی طرف سے انگلستان کی سرزمین پر بنائی گئی پہلی سنچری تھی۔ تاہم پاکستان کو آسانی سے شکست ہوگئی۔ لیڈز (Leeds) میں کھیلے جانے والے تیسرے ٹیسٹ میچ میں پاکستانی ٹیم ایک بار پھر ڈھیر ہوگئی اور اسے اننگز سے شکست ہوئی۔

ادھر پاکستان میں اسے قومی ہنگامی صورتحال کے طور پر دیکھا جارہا تھا۔ رفیع الشان نے نوائے وقت میں لکھتے ہوئے بیان کیا کہ ''تاریخ اسے کبھی معاف نہیں کرے گی کیوں کہ ٹیم کے اندر نہ تو ولولہ ہے اور نہ ہی اس میں جیتنے کی خواہش ہے۔'' مایوسی کے عالم میں ٹھنڈی سانس بھرتے ہوئے سلطان عارف نے کہا کہ ''جس غیر ذمہ داری اور غیر دلچسپی سے ہمارے کھلاڑیوں نے لیڈز میں کھیلا ہے وہ انتہائی شرمناک ہے۔ اس انداز کا کوئی عذر پیش نہیں کیا جاسکتا۔'' ہیڈنگلے ٹیسٹ کے تیسرے روز جب پاکستان سترہ وکٹیں کھو کر میچ ہار گیا تو عارف نے پھر مایوسی سے کہا، ''پاکستان کرکٹ کی تاریخ کا یہ سیاہ ترین دن ہے۔ پاکستان نے ایسے کھیل کا مظاہرہ کیا ہے جس کے بارے میں پہلے کبھی سنا گیا اور نہ ہی کبھی دیکھا گیا۔'' نوائے وقت میں لکھتے ہوئے ایک صحافی نے مطالبہ کیا کہ ٹیم کو انگلستان سے فوری طور پر واپس بلایا جائے اور کرکٹ پر سرکاری طور پر پابندی عائد ہونی چاہیے تاکہ ملک کو مزید بدنامی سے بچایا جاسکے۔

نوائے وقت نے دعویٰ کیا کہ کھلاڑیوں کو کوئی پرواہ نہیں ہے کہ وہ جیتیں یا ہاریں۔ پاکستانی ٹیم کا ہر رکن نئی کار حاصل کرنے کی کوشش میں ہے اور کوئی بہترین کار حاصل کرنے میں ایک دوسرے سے سبقت لے جانے کی کوشش میں ہے۔ جونہی ہمارے کھلاڑی لندن پہنچے۔ انہوں نے فوری طور پر کاروں کے بیوپاریوں کے پیچھے پھرنا شروع کردیا۔ اور اس طرح اب یہ تاثر سامنے آنے لگا کہ برکی کو کپتانی کا عہدہ اقربا پروری کے نتیجے میں حاصل ہوا ہے۔ اسی اثنا میں پاکستان میں یہ شور اٹھا کہ ''فضل محمود کو واپس لایا جائے۔''

اخبارات کے اداریوں میں یہ مطالبہ ہونے لگا کہ اس کی فوری بحالی کی جائے اور اخبارات کے دفاتر میں خطوط کا ایک لامتناہی سلسلہ شروع ہوگیا جن میں فضل محمود کی واپسی کے لیے کہا جارہا تھا۔ کارنیلس

نے فضل محمود کو سپریم کورٹ کی عدالت میں اپنے کمرے میں طلب کیا۔ فضل محمود جو ابھی تک ٹیم میں شامل نہ کیے جانے پر کھول رہا تھا۔ اتنی آسانی سے رضامند ہونے پر تیار نہیں تھا۔ ایک لمبی گفتگو کے نتیجے میں اپنے آپ کو گراتے ہوئے کارنیلس نے کہا، ''فضل محمود کیا تم پاکستان کو ذلت کے منہ سے نکال سکتے ہو؟'' فضل محمود نے اپنا سامان باندھا اور سیدھا ہوائی اڈے کی طرف روانہ ہو گیا۔ لندن پہنچنے پر خوشی سے پھولے نہ سمائے ۔ بریگیڈیئر حیدر نے فضل محمود کا خیر مقدم کیا اور کہا کہ ''فضل محمود آ گیا ہے اب ہر چیز ٹھیک ہو جائے گی۔'' جاوید برکی نے کچھ خاص گرمجوشی کا مظاہرہ نہیں کیا۔ فضل محمود کے مطابق اسے انگلینڈ میں میری موجودگی پسند نہ آئی۔''

1954ء کی اوول پر پاکستان کی شاندار فتح دوبارہ دہرائی نہیں جاسکی۔ فضل محمود کرکٹ کی زبان کے مطابق اب بوڑھا ہو چکا تھا اور پھر اس نے بہت عرصہ سے مشق بھی نہیں کر رکھی تھی۔ ''میری انگلیاں کسی پیانو نواز کی انگلیوں کی طرح نرم پڑ چکی تھیں ،'' فضل محمود نے لکھتے ہوئے بیان کیا،''میں گیند کو گھما نہیں سکتا تھا۔'' پھر بھی فضل محمود ہونے کے ناتے اس نے اپنے آپ کو مہم کے اندر جھونک دیا۔ چوتھا ٹیسٹ اس کی آمد کے صرف 48 گھنٹے بعد شروع ہوا۔ باؤلنگ کی ابتدا کرتے ہوئے فضل محمود نے مسلسل سولہ اوور کیے جن میں صرف 17 رنز بنائے جاسکے۔ جب تک انگلینڈ کی ٹیم نے پانچ وکٹ کھو کر 428 رنز بنا کر اپنی اننگز کا اختتام کیا۔ پاکستان کی طرف سے کیے جانے والے 134 اووروں میں فضل محمود 60 اوور کر چکا تھا۔ اس کی باؤلنگ کی تفصیل یوں تھی ، 60 اوور، 15 میڈن، 130 رنز۔ 3 وکٹ۔ سرلین ہٹن (Sir Len Hutton) نے اپنے اخباری کالم میں لکھتے ہوئے بیان کیا ''مجھے یوں محسوس ہوتا ہے کہ جب بھی برکی نے اپنے اردگرد کھڑے باؤلروں کو دیکھ کر یہ سوچا ہوگا کہ آئندہ کسی باؤلر سے باؤلنگ کرواؤں؟ تو اسے یہی جواب ملتا ہوگا کہ فضل محمود ،فضل محمود اور مزید فضل محمود۔''

کچھ تو فضل محمود اور بارش کی مہربانی تھی اور کچھ مشتاق محمد کی سنچری کی کہ پاکستان ایک اور شکست سے بچ گیا۔ تاہم اوول کے میدان پر کھیلے جانے والے آخری ٹیسٹ میں پاکستانی ٹیم تباہ ہو کر ذلت آمیز شکست سے دوچار ہوئی۔ کاؤڈرے (Cowdrey) کے 182 رنز اور ڈیکسٹر (Dexter) کے 172 رنز نے مل کر انگلینڈ کی ٹیم کو پہلے دن کے کھیل ختم ہونے پر 406 رنز کے عوض صرف دو کھلاڑیوں کے آؤٹ ہونے پر ناقابل تسخیر حالت پر لاکھڑا کیا۔ پاکستانی بیٹنگ پھر دو مرتبہ ڈھیر ہو گئی۔ اور یوں ناخوشگوار دورہ اپنے اختتام کو پہنچا۔ مارچ 1959ء میں ویسٹ انڈیز کے خلاف پاکستان کی آخری جیت کے بعد اب تک سترہ میچ گزر چکے تھے۔

پاکستانی ٹیم عوام کے غم و غصہ کا سامنا کرنے واپس لوٹی تو زیادہ تر برکی کو ہدف بنایا گیا۔ صرف میدان میں ناقص اور بزدلانہ کھیل ہی مسئلہ نہ بنا بلکہ میدان کے باہر نوجوان کپتان آزادروی اور لاابالی پن کا الزام بھی لگا۔ فضل محمود نے لندن پہنچ کر اپنی پہلی نیٹ پریکٹس کو یوں بیان کیا:''یہ ٹیم یکے بعد دیگرے تین

ٹیسٹ میچ ہار چکی تھی۔ مگر اسے کوئی پریشانی یا فکر نہ تھی۔ وہ اتراتی ہوئی چال کے ساتھ میدان میں آتا۔ سیٹیاں بجاتا اور چند منٹ بعد ہی وہاں سے چلا جاتا ہے۔ جیسے اسے کوئی پرواہ نہ ہو۔'' حنیف محمد کے مطابق، ''وہ بدتہذیب، ناپختہ اور بددماغ تھا۔''

جاوید برکی اور اس کی ٹیم کے خلاف قومی نفرت اس قدر بڑھی کہ ایوب خان کو اٹارنی جنرل کی سربراہی میں قومی تحقیقات کا آغاز کرنا پڑا۔ جب میں نے اس کتاب کے سلسلے میں جاوید برکی سے گفتگو کی تو اس نے رائے کا اظہار کرتے ہوئے کہا کہ ایوب خان کے درو میں صحافت پر سخت کڑی نظر اور پابندی تھی۔ اس کے بعد اس کے والد کا خیال تھا کہ اس کے ذریعے اس کی کپتانی پر حملے دراصل حکومت پر حملے کرنے کا ایک بہانہ تھے۔ اس کے والد ایوب خان کے قریبی ساتھی ہونے کے طور پر مشہور تھے۔

تحقیقاتی کمیشن کے جائزے کو دبا لیا گیا مگر باور کیا جاتا ہے کہ برکی کی سخت طور پر سرزنش کی گئی۔
20 اس کی ٹیم کے نو کھلاڑی پاکستان کے لیے دوبارہ نہ کھیل سکے۔ 1962ء کا دورہ جن کھلاڑیوں کے لیے آخری سنگ میل ثابت ہوا وہ: انٹاوڈی سوزا، اعجاز بٹ، امتیاز احمد، علیم الدین، ویلس متھائس، محمود حسین، منیر ملک، جاوید اختر، شاہد محمود اور فضل محمود تھے۔ جاوید برکی کی پاکستان کی نمائندگی کرتا رہا مگر دوبارہ بطور کپتان کبھی نہیں۔

## اپریل 1965ء: ٹیسٹ میچ میں آخرکار کامیابی

1964-65ء کے کرکٹ سیزن کے آغاز میں کپتان نے ایک اے (A) ٹیم سیلون کے دورہ پر بھیجی۔ یہ وہ ملک تھا جس پر میاں سعید کی ٹیم کا پسینہ بہائے بغیر آسان فتوحات حاصل کرنے کا دارومدار رہا تھا۔ امتیاز احمد کی سربراہی میں پاکستانی ٹیم تین دن کے اندر اندر کولمبو کی اوول گراؤنڈ پر غیر سرکاری ٹیسٹ ہار گئی۔ غالباً پچھلی ایک دہائی میں سیلون کرکٹ بہتر ہو چکی تھی جبکہ پاکستانی کرکٹ نہایت خراب ہو چکی تھی۔ امتیاز جسے برکی کی آفت زدہ کپتانی کے نتیجے میں دوبارہ واپس بلایا گیا تھا، اسے اب برطرف کر دیا گیا۔ کپتانی کے لیے تین مدمقابل سعید احمد، انتخاب عالم اور 1952ء میں پاکستان کی ہندوستان کے خلاف اوّلین ٹیسٹ سیریز کا آخری باقی کھلاڑی حنیف محمد آمنے سامنے موجود تھے۔

انتخاب کنندگان نے حنیف کو منتخب کیا جس کا اوّلین فریضہ دورہ پہ آنے والی آسٹریلوی ٹیم کے خلاف پاکستانی ٹیم کی سربراہی کرنا تھا۔ ہمیشہ کی طرح حالات ذلت آمیز تھے۔ آسٹریلوی ٹیم گرمیوں کے اپنے انگلینڈ کے دورہ سے واپس جاتے ہوئے پاکستان کے خلاف صرف ایک میچ کھیلی اور روانہ ہو گئی۔ پاکستان اور آسٹریلیا کے مابین تقسیم ہند سے صدی کے چوتھے حصے تک سربستہ راز رہا ہے۔ دونوں ممالک نے 1950ء کی

دہائی میں ایک دوسرے کا مقابلہ صرف چار ٹیسٹ میچوں میں کیا۔ ان میں سے ہر ایک پاکستان کی سرزمین پر کھیلا گیا۔ 1960ء کی تمام دہائی میں یہ تعداد سکڑ کر صرف دو رہ گئی۔ دونوں ٹیسٹ میچ 1964ء میں کھیلے گئے۔

حنیف کی ٹیم میں چھ کھلاڑی پہلی بار شامل ہو رہے تھے۔ ان میں سے دو آصف اقبال اور ماجد جہانگیر (جاوید برکی کا خالہ زاد بھائی) جو بعد میں ماجد خان کے نام سے زیادہ جانا جاتا رہا، نے باؤلنگ کی ابتدا کی۔[8] یہ جوڑی کسی طور پر بھی پاکستان کی خطرناک حملہ آور باؤلنگ کروانے والی نہیں تھی۔ مگر وقت گزرنے کے ساتھ ان دونوں کی کارکردگی نے پاکستانی کرکٹ کو دوبارہ جنم دینے میں اہم کردار ادا کیا۔ ماجد کے والد جہانگیر خان منتخب کنندان میں اپنی شرکت سے اس وقت علیحدہ ہو گئے جب یہ بات واضح ہو گئی کہ ان کا بیٹا پاکستانی قومی ٹیم میں شرکت کا متمنی ہے۔

پاکستانی ٹیم نے اپنی پہلی اننگز میں 414 رنز بنائے جس میں ٹیسٹ کرکٹ میں پہلی بار شرکت کرتے ہوئے خالد عباد اللہ کی 166 رنز کا قابل تشکر حصہ تھا۔ ابتدائی 249 رنز کی شراکت میں اس کے ساتھ ایک اور نیا کھلاڑی عبدالقادر تھا جو بدقسمتی سے 95 رنز بنا کر رن آؤٹ ہو گیا۔[9] چوتھے روز پاکستان کو چاہیے تھا کہ وہ دباؤ ڈالتے ہوئے اپنے آپ کو آسٹریلیا کو آؤٹ کرنے کا موقع دیتے مگر اس کی بجائے حنیف اور برکی دونوں نے وقت ضائع کیا۔ حنیف کی زیر کپتانی پاکستان ناقابل تبدیل حد تک ضرورت سے زیادہ چوکس رہا جس کی بدولت جیت کا صحیح موقع نہ پیدا ہو سکا۔ حتیٰ کہ حنیف کے بھائی مشتاق نے بھی یہی محسوس کیا کہ ''حنیف بے حد دفاعی تھا اور وہ تخلیقی صلاحیت اور ذہنی صلاحیت کا استعمال نہیں کرتا تھا۔ اور اکثر اوقات وہ کھیل کی رو میں بہہ جاتا تھا۔''

کراچی کے ہار جیت کے بغیر ختم ہونے والے ٹیسٹ کے تقریباً فوراً بعد حنیف نے آسٹریلیا اور نیوزی لینڈ کے دورہ پر جانے والی پاکستانی ٹیم کی سربراہی کی۔ تین میچ نیوزی لینڈ کے خلاف تھے جسے اس وقت دنیائے کرکٹ میں سب سے کمترین سمجھا جاتا تھا۔ اور ایک ٹیسٹ آسٹریلیا کے خلاف کھیلنا تھا۔ حنیف کی ٹیم جس کے مینجر میاں سعید تھے میں دو اہم غیر حاضریاں تھیں۔ ایک کراچی کے میچ کا سورما عباد اللہ تھا جو نیوزی لینڈ کی فرسٹ کلاس ٹیم اوٹاگو (Otago) کی طرف سے پلنکٹ شیلڈ (Plunket Shield) میں کھیلنے کے لیے منتخب ہو چکا تھا۔ دوسرا ماجد خان تھا جو دورہ پر اس لیے نہ گیا کیوں کہ آسٹریلوی کھلاڑیوں کا اصرار تھا کہ ''وہ باؤلنگ کے دوران گیند کروانے کی بجائے پتھر کی طرح پھینکتا ہے۔''

1964-65ء کے آسٹریلوی دورے میں پاکستان کو صرف ایک ٹیسٹ میچ کھیلنے کے لیے دے کر ایک بار پھر توہین کی گئی۔ اگرچہ اس وقت آسٹریلیا ٹیم کی کوئی اور بین الاقوامی مصروفیت نہیں تھی۔ اس سے بھی بدتر یہ ہوا کہ میلبورن ٹیسٹ کو کھیلنے کے لیے صرف چار دن دیئے گئے۔ پاکستانی ٹیم میچ برابر کرنے میں کامیاب

رہی۔اس کا سہرا حنیف کے سر ہے جس نے دو عمدہ اننگز کھیلیں۔ پہلی اننگز میں 104 رنز کیے جبکہ دوسری اننگز میں 93 پر اسٹمپ آؤٹ ہوا۔ اس کا یوں آؤٹ ہونا بعید از امکان اور مشتبہ تھا۔ محمد الیاس نے پہلی بار افتتاحی بیٹسمین کی حیثیت سے اپنی ٹیسٹ کرکٹ کا آغاز کیا مگر ناکام رہا اس کی کرکٹ کا ڈرامائی انجام بھی آسٹریلیا میں ہی ہوا۔

اب ٹیم کارروائی کو آگے بڑھاتے ہوئے بحیرہ ٹاسمن (Tasman Sea) کے اس پار نیوزی لینڈ جا پہنچی جہاں تین ٹیسٹ میچوں کا ایک غیر معروف سلسلہ دنیا کی دو کمزور ترین ٹیموں کے مابین کھیلا گیا۔ایک طرف تو دونوں ٹیموں میں زیادہ رنز بنانے کی قابلیت نہیں تھی۔ دوسری طرف دونوں ہی ٹیموں میں ایک دوسرے کو آؤٹ کرنے کی بھی صلاحیت نہیں تھی۔ اس کے نتیجے میں آک لینڈ (Auckland) میں ہونے والے دوسرے ٹیسٹ میں بقول وزڈن ''تمام کرکٹ تاریخ میں کارکردگی سے لحاظ سے بدترین کھیل ہوا۔'' پہلے روز پاکستانی بلے بازوں نے 71 ایسے اوور کھیلے جن میں کوئی رن نہ بنایا جا سکا۔[10] آہستہ رفتار سے بائیں ہاتھ سے باؤلنگ کرنے والے باؤلر برائن یویل (Brian Yuile) نے 47 اوور کر کے 33 رنز دے کر چار وکٹ حاصل کیے۔بالآخر میچ بارش کے ہاتھوں برباد ہو گیا اور سب کے سب تینوں ٹیسٹ میچ بغیر کسی ہار جیت کے ختم ہوئے۔

دو ماہ بعد نیوزی لینڈ ٹیم پاکستان کے دورہ پر آ پہنچی اور بغیر کسی تمہیدی مقابلوں کے سیدھا ایوب خان کے فوجی مرکز راولپنڈی میں ٹیسٹ میچ میں مدمقابل آ گئی۔ پاکستان نے یہ میچ ایک اننگز اور 64 رنز سے جیت لیا۔ماجد جہانگیر اپنی باؤلنگ کی مشکلات کو حل کر کے دوبارہ ٹیم میں آ چکا تھا۔مگر پاکستان کے لیے میچ جیتنے والا بائیں ہاتھ سے آہستہ رفتار کی باؤلنگ کرنے والا پرویز سجاد تھا۔جس نے دوسری اننگز میں نیوزی لینڈ ٹیم کو تباہ کر دیا۔ اس کی باؤلنگ کے اعداد و شمار یہ تھے۔ 12 اوورز، 8 میڈن، پانچ رنز کے عوض 4 وکٹ۔ اسی کی بدولت نیوزی لینڈ جس کے 57 رنز پر دو کھلاڑی آؤٹ تھے اس کی حالت 59 رنز پر 9 کھلاڑی آؤٹ ہونے پر پہنچ گئی۔ پورا میچ 12 گھنٹے اور 40 منٹ کی مدت میں ختم ہو گیا جس میں 1319 گیند کیے گئے۔[11]

نیوزی لینڈ نے جوابی کارروائی کرتے ہوئے لاہور میں ہونے والے دوسرے ٹیسٹ میچ میں پاکستان کی آدھی ٹیم کو 121 رنز کے عوض واپس پویلین بھیج دیا مگر پھر حنیف کے ساتھ ماجد جہانگیر آ شامل ہوا اور ٹیسٹ کی دنیا میں اپنا نام پیدا کرتے ہوئے چھٹی وکٹ کی شراکت میں 217 رنز بنائے۔ حنیف نے آؤٹ ہوئے بغیر 203 رنز بنائے جبکہ ماجد نے 80 رنز کیے۔ یہ میچ ہار جیت کے فیصلے کے بغیر ختم ہو گیا۔مگر پاکستان کو نیشنل سٹیڈیم کراچی میں ہونے والے تیسرے ٹیسٹ میچ میں عمدہ جیت حاصل ہوئی۔ سعید احمد نے عظیم الشان 172 رنز بنائے جبکہ کل سکور 307 تھا۔محمد الیاس نے دوسری اننگز میں عمدہ سنچری بنائی اور انتخاب عالم نے میچ میں 92 رنز کے عوض 7 وکٹ حاصل کیے۔

یوں 1960ء کی دہائی میں پاکستان کی دونوں ٹیسٹ میچوں میں فتح پندرہ دنوں کے اندر اندر اپریل 1965ء کے آغاز میں ہوئی مگر اس کارنامے سے ترقی کا موقع نہ ملا۔ حتیٰ کہ سعید احمد اور جاوید برکی نے بھی نیوزی لینڈ کے معتدل حملہ آور باؤلروں کے خلاف تیسرے ٹیسٹ میچ کے آخر میں جا کر کہیں جیتنے کے لیے رنز بنائے۔ کشمیر کی دوسری جنگ کی پیش خیمہ جنگی جھڑپیں حرکت میں آ چکی تھیں۔

یہ جنگ سنجیدگی سے اس وقت شروع ہوئی جب ایوب خان نے فوجی سپاہ کو کشمیر میں خفیہ طور پر داخل کرنے کی کوشش کی تا کہ وہاں ہندوستانی قبضہ کے خلاف بغاوت کو بھڑکایا جا سکے۔ یہ نقل و حرکت جلد ہی ہندوستان کی نظر میں آ گئی جس نے سخت جوابی کارروائی کی اور کافی پاکستانی مورچوں پر قبضہ کرلیا۔ اس پر ایوب خان نے پوری فوجی طاقت سے حملے کا حکم دے دیا۔ اس اقدام نے ہندوستان کو حواس باختہ کردیا۔ اور اس نے جوابی طور پر جنگ کو وسیع تر کرتے ہوئے پنجاب کے راستے پاکستان پر حملہ کردیا۔ ہندوستانی افواج شہر لاہور کے مضافاتی علاقوں تک پہنچ گئی تھیں۔ زمان پارک میں گولیوں کی آواز اور توپوں کی گونج سنی جاسکتی تھی اور سرحد کے ساتھ ساتھ شہر کو بڑھتی ہوئی بھارتی فوج کے گولا بارود کے شعلے تک دیکھے جا سکتے تھے۔ تیرہ سالہ عمران خان اس بات پر مغموم تھا کہ اس کی نوجوانوں کی مقامی ہنگامی فوج میں رضا کار کے طور پر شمولیت پر پابندی تھی۔ آخر کار تاشقند میں جنگ بندی کا فیصلہ ہوگیا۔ دونوں ممالک کے درمیان ہونے والے حالیہ کرکٹ مقابلوں کی طرح فوجی مقابلہ کا نتیجہ بھی تعطل کا شکار ہوگیا۔ دونوں اطراف کو بھاری نقصان اٹھانا پڑا۔ دونوں فریقین کا خیال تھا کہ اگر کچھ وقت اور مل جاتا (پاکستان کو غلط فہمی تھی) تو جنگ جیتی جاسکتی تھی۔ عمران خان کو یاد ہے کہ ''ملک میں ہر کوئی دشمن کو شکست دینے کی خواہش میں متحد ہوگیا تھا۔ میرا نہیں خیال کہ پاکستان نے کبھی اس قسم کا عوام میں اتحاد دیکھا ہوگا۔ اس قسم کے جذبے کے قریب ترین مثال غالباً وہ ہے جب ہم نے 1992ء میں عالمی کرکٹ کپ جیتا تھا۔''

اس غیر ضروری جنگ کے نتیجے میں دونوں حریفوں نے کرکٹ سے پھر ایک لمبا پردہ اختیار کیا۔ 23 ستمبر 1965ء کو جنگ کے اختتام کو پہنچنے اور دہائی کے اختتام کے درمیانی وقت میں پاکستان صرف 9 ٹیسٹ میچ کھیل سکا جن میں چھ انگلینڈ کے خلاف تھے۔ مزید تین سال سے زیادہ مدت گزر جانے کے بعد پاکستان نے ملک میں ایک اور ٹیسٹ کی مہمانداری کی۔ جو آسٹریلیا سے دوبارہ کھیلنے سے سات سال قبل ویسٹ انڈیز سے دوبارہ کھیلنے سے دس سال پہلے اور ہندوستان کے خلاف ٹیسٹ کھیلنے سے تیرہ سال قبل تھا۔ جیسے جیسے ایوب خان نے اپنی آمریت کی گرفت سخت تر کی ویسے ویسے پاکستان کو ایک بار پھر اندرون ملک وسائل پر انحصار کرنا پڑ رہا تھا۔

## حوالہ جات:

1 پرویز سجاد، وقار حسن کا بھائی ہے جو 1950ء کی دہائی میں کاردار کی ٹیم کا باقاعدہ کھلاڑی ہوا کرتا تھا۔

2 قومی اسمبلی پاکستان (قانون سازی) تقاریر سرکاری خبر ہفتہ مورخہ 26 مئی 1973ء کے مطابق فہرست میں کرکٹ کے کھلاڑیوں کے نام جاوید اختر، انور حسین کھوکھر، فضل محمود، جاوید برکی، گل محمد، امتیاز احمد، اے ایچ کاردار، منیر ملک، نوشاد علی، نذر محمد، علیم الدین، وقار حسن، شجاع الدین، مقصود احمد، میراں بخش، سکواڈرن لیڈر ایم ای زیڈ غزالی۔

3 کپتان کی حیثیت سے پہلی بار انگلینڈ ٹیم کی اعلیٰ سربراہی کرتے ہوئے ٹیڈ ڈیکسٹر (Ted Dexter) نے میچ پانچ وکٹوں سے جیت لیا اس کے بعد انگلینڈ کی ٹیم کو دسمبر 2000ء تک پاکستان میں جیت نصیب نہ ہوئی جب نیم تاریکی کے عالم میں ناصر حسین کی ٹیم نے کراچی میں مشہور فتح حاصل کی۔

4 پانچ افراد پر مشتمل منتخب کرنے والی کمیٹی کے ارکان میں اے آر کارنیلس (سربراہ)، آغا احمد رضا خان، مسعود صلاح الدین، آئی اے خان اور خان محمد شامل تھے۔ (دیکھئے پاکستان ٹائمز مورخہ 19 مارچ 1962ء)

5 جاوید برکی نے مجھے خود بتایا کہ وہ کپتان بننے میں متذبذب تھا اور وہ امتیاز احمد کے کپتان بننے کو ترجیح دیتا۔ اس سے پیشتر وہ آکسفورڈ یونیورسٹی کی کپتان سے معذرت کر چکا تھا۔ (لہٰذا اے سی سمتھ (A.C.Smith) نے مسلسل دو سال تک آکسفورڈ کی کپتانی کی)۔ جاوید برکی اس وقت انتظام حکومت کی درسگاہ میں زیر تربیت تھا۔ اسے وہ مشق یاد دلائی کہ وہ سرکاری افسران جو کھیلوں میں پاکستان کی نمائندگی کرتے ہیں انہیں فرائض کی ادائیگی پر تصور کیا جاتا ہے لہٰذا اسے حکم دیا گیا کہ وہ پاکستان ٹیم کی کپتانی سنبھالے۔

6 عالمی جنگ کے اختتام پر اسے آکن لیک (Auchinleck) کے حکم پر خاص طور پر شادی کرنے کی غرض سے بذریعہ ہوائی جہاز ہندوستان بھیجا گیا تھا۔ حیدر کا تعلق ایک فوجی خاندان سے تھا۔ دوسری جنگ عظیم سے قبل اس نے فوجی درسگاہ میرٹھ سے تربیت حاصل کی تھی۔ 1960ء میں اسے بریگیڈیئر کے عہدے پہ ترقی دے کر پانچویں دستے (5th Armoured Brigade) کی کمان سونپ دی گئی جہاں سے پاکستانی کرکٹ ٹیم کا انتظام سنبھالنے کے لیے اس کی عارضی تعیناتی کی گئی۔ 1966ء میں اسے مغربی پاکستان رینجرز کا ڈائریکٹر جنرل بنا دیا گیا اور وہ 1971ء میں اپنی سبکدوشی تک اس منصب پر فائز رہا۔ میجر رحمان (1962ء کے دورہ پر ٹیم کا نائب منیجر تھا) بھی سپرنٹنڈنٹ کے عہدے پر اس کے ساتھ منسلک ہوگیا۔ ابتدائی طور پر اس کے نام کو Haider کے ہجوں سے لکھا جاتا تھا مگر برطانوی افسران اسے حایدر کہہ کر مخاطب کرتے اور پھر اسی وجہ سے Hyder کے ہجوں کو اپنا کر اسے اپنا خاندانی نام بنا لیا گیا۔ اپنے ناقدین کے مطابق وہ بے شک پولو کا ممتاز کھلاڑی تھا۔ وہ آٹھ سال تک لگاتار فوج کے لیے پولو کھیلتا رہا اور پھر 1966ء سے 1971ء تک پاکستان پولو کے صدر کے طور پر خدمات انجام دیں۔ وہ اطالوی زبان روانی سے بولتا تھا۔ اس کا اوّلین نام غازی الدین تھا مگر برطانوی اس نام کے تلفظ کو ادا نہ کر پاتے لہٰذا یہ نام گسی (Gussy) بن گیا اور پھر یہ نام تمام عمر اس کے ساتھ چپکا رہا۔ گسی حیدر پاکستان کرکٹ کی ان ہستیوں میں شمار ہوتا ہے جنہیں انتہائی بے جا طور پر بدنام کیا گیا۔ حتیٰ کہ شہریار خاں جسے اس

بات کا بخوبی علم بھی ہے اس کے دفاع میں ناکام رہتے ہوئے اپنی کتاب میں کھلے طور پر مخالفت میں لکھتے ہوئے کہتا ہے کہ ''وہ پولو کھیلنے والا اور ہشکاری (Tally Ho) کی آوازیں لگانے والا گھڑسوار شخص تھا جسے کرکٹ بارے قطعی علم نہ تھا۔'' (دیکھئے Cricket Golden صفحہ 5 اور 130) بریگیڈیئر حیدر کے بیٹوں عرفان اور انیس حیدر کے ساتھ مکالمے اور سپورٹ ٹائمنز کی 1962ء کے دورے پر خصوصی اشاعت کے مطابق۔

7 حنیف اور فضل دونوں کی خودنوشت سوانح عمریوں میں حیدر کی کرکٹ کے بنیادی اصولوں میں ناسمجھی کے متعلق کئی مضحکہ خیز کہانیاں درج کی گئی ہیں۔ جن میں نائٹ واچ مین (Night Watchman) کے کردار اور باؤنسر اور گگلی (Googly) کے فرق سے لاعلمی شامل ہے۔''اس قسم کے افسر کو کرکٹ کے سفر پر بھیجنا صریحاً جرم ہے۔ ایسے مینجر ٹیم کی کوئی معاونت نہیں کرپاتے۔'' حنیف نے حتمی طور پر بیان کیا۔ (دیکھئے حنیف کی کتاب کا صفحہ نمبر 153)۔

8 پاکستانی ٹیم کے نئے شرکاء میں خالد عباداللہ، شفقت رانا، عبدالقادر اور پرویز سجاد شامل تھے۔

9 عبدالقادر اس عبدالعزیز کا بھائی تھا جو قائداعظم ٹرافی کے 59-1958ء، فائنل میچ میں دل پر گیند لگنے کی وجہ سے المناک موت کا شکار ہوا تھا اور ایک اور بھائی عبدالرشید نے بھی فرسٹ کلاس کرکٹ کھیلی۔ ان تینوں کا والد ایک مسجد کا پیش امام تھا۔

10 دن کے اختتام پر 8 کھلاڑی آؤٹ ہو چکے تھے اور 152 رنز بنائے گئے تھے۔ اس کارروائی میں 127 اوور کیے گئے تھے۔

11 موازنہ کے طور پر سب سے کم عرصہ میں مکمل ہونے والا ٹیسٹ میچ آسٹریلیا کی جنوبی افریقہ پر 32-1931ء میں میلبورن ٹیسٹ کی بارش زدہ دشوار پچ پر فتح تھی۔ یہ ٹیسٹ 5 گھنٹے اور 53 منٹ میں تمام ہوا اور اس میں 656 گیند کیے گئے اس ٹیسٹ کو لازوال سمجھا جاتا ہے۔ میلبورن کے بریڈمین (Bradman) تک کو بیٹنگ کرتے نہ دیکھ سکے کیوں کہ آسٹریلوی ٹیم کے فیلڈنگ کے لیے میدان میں اترنے سے پہلے تیاری کے کمرے میں اسے انجانے میں ایک غیر معمولی چوٹ لگ گئی تھی۔ تاہم جنوبی افریقہ کی دوسری اننگز کے دوران اس نے بھاگتے ہوئے باؤنڈری پر ایک شاندار کیچ کیا تھا۔

11

# جنگ کے سائے میں کرکٹ

''کسی بھی انگریزی ٹیم نے کرکٹ میچ کبھی چائے کی پیالی پیئے بغیر شروع نہیں کیا۔''

- کولن کاوڈرے (Colin Cowdrey)

پاکستانی کرکٹ یہاں سے مسلح کشمکش کے سامنے ماند پڑ جاتی ہے۔ صدر ایوب خان مزید مطلق العنان حاکم بن گیا اور وہ ہنگامی قوانین کے ذریعے حکومت کرتا رہا۔ اس نے وزیر خارجہ ذوالفقار علی بھٹو (نمایاں سیاسی وارث) کو 1966ء میں رخصت کر دیا۔ اس نے مشرقی پاکستان میں نمایاں متحرک سیاسی پارٹی عوامی لیگ کے نئے سربراہ شیخ مجیب الرحمٰن کو ہندوستان سے ساز باز کرنے کے الزام میں گرفتار کرنے کا حکم دے دیا۔

ایوب خان کی آمریت مشرقی پاکستان میں خصوصی طور پر ناپسند کی جاتی تھی کیوں کہ وہاں کے لمبے عرصے سے چلنے والے سیاسی، لسانی اور معاشی شکوہ اور بکھیڑوں نے وہاں کے لوگوں کو برہم کر رکھا تھا۔ مشرقی پاکستان کو ایوب کی حکومت میں مغربی پاکستان جیسی دھماکہ خیز پیداوار اور ترقی میں حصہ نہیں ملا تھا۔ خطے میں نسبتاً غربت آئی تھی حالاں کہ وہ چائے اور پٹ سن کی برآمد سے پاکستان کی آمدنی میں بڑا اہم حصہ ڈال رہا تھا۔ بنگالیوں کو اپنی زبان بنگلہ کی بجائے ان پر اردو زبان کے تھوپے جانے کا سخت رنج تھا۔ ''اردو وہاں بہت کم اقلیتی لوگوں کی زبان تھی۔ بنگالیوں میں یہ تاثر زور پکڑتا جا رہا تھا کہ جیسے وہ نوآبادیاتی نظام کا شکار ہو کر مفتوحہ قوم بن کر رہ گئے ہوں۔''[1]

یہی شکوہ شکایت مشرقی پاکستان کی کرکٹ میں بھی نمایاں تھیں۔ جیسا کہ ہم پہلے دیکھ چکے ہیں پاکستان کے فرسٹ کلاس ٹورنامنٹوں میں مشرقی پاکستان کی ٹیموں کو کبھی شریک کر لیا جاتا اور کبھی باہر رکھا جاتا۔ 1966ء تک مشرقی پاکستان کا ایک بھی کھلاڑی پاکستان کے لیے کھیل نہیں سکا تھا۔ ایم ایچ مقصود جس کے مشاہدے عام طور پر پرامید ہوتے ہیں کی کتاب (Twenty Years of Pakistan Cricket

(67-1947) میں بادشاہ شیرازی کا لکھا ہوا ایک حوصلہ شکن اقتباس ہے کہ: مشرقی پاکستان کی 20 سالہ کرکٹ کا جائزہ لینے کے بعد ایک افسوسناک تصویر سامنے آئی جس کے مطابق ناقص منصوبہ بندی اور صوبے میں پچھلی دو دہائیوں سے کھیلوں کے معاملات پر عمل دخل رکھنے والوں کی عدم دلچسپی کی بدولت یہ صورتحال پیدا ہوئی۔''

1966ء کے بعد مشرقی پاکستان کی کرکٹ پر بااختیار اشخاص کی طرف سے زیادہ توجہ دی گئی۔ خصوصاً جب سیاسی حالات میں مزید بگاڑ پیدا ہوا۔ ان کے بہت سے کھلاڑیوں کو پی ڈبلیو ڈی (PWD) کی طاقتور ٹیم میں بھرتی کرلیا گیا۔ ایک کھلاڑی کو پاکستانی قومی ٹیم میں منتخب کرلیا گیا۔ اور مزید کچھ باوقار میچوں کا رخ مشرقی پاکستان کی طرف موڑ دیا گیا۔ خاص طور پر 1969ء میں کھیلا جانے والا ڈھاکہ میں ٹیسٹ میچ۔ مگر یہ چند منتشر اقدام سیاسی بحران اور جنگی حالات میں گھرے ہوئے تھے اور آخرکار مشرقی پاکستان مکمل طور پر پاکستان سے علیحدہ ہوگیا۔

## پاکستان کا تین سربراہوں پر مشتمل نیا نظام

1965ء کی جنگ کو ختم ہوئے تقریباً دو سال کا عرصہ بیت چکا تھا کہ پاکستان کو ٹیسٹ میدان میں متاثر کرنے کا ایک اور موقع فراہم کیا گیا۔ اب تک یہ ٹیم بین الاقوامی کرکٹ سے فراموش ہوچکی تھی۔ برطانیہ میں جہاں جاوید برکی کی ٹیم کی یادیں ابھی ذہنوں سے مٹی نہیں تھیں وہاں حنیف کی دورہ کرنے والی ٹیم کا بہ مشکل کسی مہذب دلچسپی کے ساتھ ایک سرگوشی میں استقبال کیا گیا۔

دورہ پہ آنے والی ٹیم میں تاہم چند اہمیت کے حامل کھلاڑی شامل تھے۔ سعید احمد درمیانے نمبر پر کھیلنے والے نہایت ذی اثر کھلاڑی کے طور پر اب بھی چھایا ہوا تھا۔ جاوید برکی جس کی حیثیت گھٹ کر اب عام کھلاڑی جیسی تھی ابھی صرف 28 سال کی عمر کا تھا اور اس کے بارے اب بھی یہی سمجھا جاتا تھا کہ اس میں اہلیت موجود ہے۔ حنیف بذات خود بلا مقابلہ طور پر عظیم کرکٹر تھا۔ مشتاق محمد اور انتخاب عالم دو اعلیٰ آل راؤنڈر تھے مگر ابھی تک دونوں اپنے عروج پہ نہیں پہنچ پائے تھے۔

اس سے بھی اہم بات یہ تھی کہ دورہ کرنے والی ٹیم میں تین نوجوان کھلاڑی بھی تھے جو مستقبل میں بے شمار توقعات کے حامل تھے۔ ان کھلاڑیوں کے آئندہ پندرہ سالوں میں پاکستانی کرکٹ پر زبردست اثرات ہونے تھے۔ جیسا کہ پاکستان ٹیم تیسرے درجے کی فدویانہ ساکھ سے نکل کر دنیا کی خوفناک ٹیموں میں شامل ہوگئی۔

کراچی کا 19 سالہ وسیم باری اگلے سترہ سال تک قومی ٹیم کے وکٹ کیپر کی حیثیت سے قدرتی طور پر منتخب ہوتا رہا۔ [2] اس کی کہانی واشگاف الفاظ میں اس کی ان قربانیوں کا ذکر کرتی ہے جو کامیابی کی آخری

سیڑھی تک پہنچنے کے لیے کسی بھی کھیل کے لیے ضروری ہوا کرتی ہیں۔ کراچی سے اس کا تعلق پرانا تھا جہاں تقسیم ہند سے قبل اس کے دادا قالینوں کی برآمد کے کاروبار سے منسلک تھے۔ اس کے والد نے جالندھر کے نزدیک لدھیانہ کالج سے تعلیم حاصل کی تھی جہاں ڈاکٹر جہانگیر خان پرنسپل تھے۔ 1948ء میں پیدا ہونے والے وسیم باری نے سینٹ پیٹرک سکول کراچی سے تعلیم حاصل کی (یہ درس گاہ پاکستان کے دو عیسائی کرکٹ کے کھلاڑیوں ویلس متھائس (Wallis Mathias) اور انٹاو ڈی سوزا (Antao D'Souza) کی بھی تھی۔) سکول کے بعد نوعمر وسیم اپنی بہن بھائیوں کے ساتھ نیٹ پریکٹس کرتے ہوئے ٹیسٹ کھلاڑیوں کو دیکھنے جاتا اور بڑھکتے ہوئے گیندوں کو اٹھا کر باؤلروں کو دیتا وراس طرح اسے کاردار، حنیف، مشتاق، محمود حسین اور ٹیسٹ وکٹ کیپر امتیاز احمد کو دیکھنے کا موقع ملا۔

سینٹ پیٹرک سکول کا کرکٹ کا استاد جیکب ہیرس (Jacob Harris) تھا۔ ''جب میں چھٹی جماعت میں تھا (بارہ تیرہ سال کی عمر) تو میں نے کہا کہ میں کرکٹ کا کھلاڑی بنوں گا۔'' وسیم باری نے کراچی نیشنل سٹیڈیم میں اپنے دفتر میں میرے ساتھ گفتگو کے دوران بتایا ''میرے ہم جماعت مجھ پر ہنسے کیوں کہ میں تو سکول ٹیم تک منتخب نہیں ہوسکا تھا۔ امتیاز احمد میرے لیے موزوں ترین نمونہ تھے۔ میں بغیر ہر وقت کیچ پکڑنے کی مشق جاری رکھتا۔ میں نے اپنے لیے خود ہزاروں گیند پھینک کر کیچ کیے اور پھر گلیوں سے لڑکوں کو اکٹھا کر کے مقامی ٹینس کورٹ (Tennis Court) پر لے جا کر ان سے اپنی طرف گیند پھنکواتا تا کہ کیچ کی مشق کرتا یا پھر وہ میری طرف باؤلنگ کرتے اور میں گیند پکڑتا۔ میں ان سے دونوں طرف یعنی اندر اور باہر کی طرف گیند کو سوئنگ (جھلانے) کرانے کو کہتا۔ میں سکواش بھی کھیلتا تھا اس لیے سکواش کے گیند کیساتھ بھی مشق کرتا۔ میں نے دستانے پہن کر مشق کو ترجیح دی۔ بعد میں میرے دوست ایلن ناٹ (Alan Knott) نے مجھے بتایا کہ وکٹ کیپر کے معیار کا تعین اس کے دستانوں کے استعمال کے طریقے سے کیا جاتا ہے۔ جان مرے (John Murray) نے مجھے کہا کہ تمہارے ہاتھ پیانو بجانے والے کی طرح نرم و نازک ہیں۔ ماسٹر عزیز کے مشورے پر میں رسی بھی کودا کرتا تھا۔ انہوں نے مجھے بتایا کہ وکٹ کیپر کو ایک باکسر کی طرح مضبوط ٹانگوں کی ضرورت ہوتی ہے۔ میں ہر رات اپنے کرکٹ بیگ اور دستانوں کے ساتھ سویا کرتا تھا۔ میے پاس کرکٹ کے کیلوں والے جوتے نہیں تھے۔ لہٰذا میں میٹنگ پر ربر کے جوتے پہن کر کھیلا کرتا تھا۔ اس زمانے میں ناریل کے خول (Coir) کے ریشے سے مشرقی پاکستان اور سیلون میں میٹنگ بنتی تھی۔ یہ نئے ابھرتے باؤلروں کے لیے اچھی ہوتی ہے کیوں کہ اس پر انہیں گیند کو پھیرنے (Cut) میں مدد ملتی ہے اور یہ نوعمر بیٹسمینوں کے لیے بھی مفید ہوتی ہے۔''

باری آخر کار سولہ سال کی عمر میں وزیر محمد کی نظروں میں آ گیا۔ وہ انٹر کالجیٹ کرکٹ کے

کھلاڑیوں کے ٹرائل کررہے تھے۔ وزیر نے کراچی کرکٹ ایسوسی ایشن کے صدر سے کہا کہ انہیں ''پاکستان کا بہترین وکٹ کیپر مل گیا ہے۔'' اور پھر جلد ہی وسیم باری نے ایوب ٹرافی میں کراچی اور کراچی یونیورسٹی کے درمیان ہونے والے میچ میں کھیل کر اپنی فرسٹ کلاس کرکٹ کا آغاز وقار حسن کی کپتانی میں کیا۔ پھر اسی سیزن کے دوران قائداعظم ٹرافی کے فائنل میں کراچی بلیوز کی طرف سے لاہور گرینز کے خلاف اس نے میچ میں سات شکار حاصل کیے۔ اس کی عمر اس وقت سترہ سال اور ایک ماہ تھی۔ وکٹ کیپری کا اندرون پاکستان کھیلے جانے والے فائنل میچ میں یہ ریکارڈ ہے۔

دوسرا ابھرتا ہوا نوجوان کھلاڑی آصف اقبال تھا۔ وہ قدرتی طور پر انتہائی اعلیٰ قسم کا میدانی کھیلوں کا کھلاڑی تھا اور کرکٹ کے کھیل میں وہ اعلیٰ آل راؤنڈر تھا۔ وہ اور ماجد خان نئی نسل کے اوّلین کھلاڑی تھے جنھوں نے عدم تحفظ سے آزادی حاصل کرنے کی کوشش کی جس نے اعصابی خرابی اور خوداعتمادی کے انتہائی فقدان کی بدولت 1960ء کی دہائی میں پاکستانی کرکٹ کی صورت کو بگاڑ رکھا تھا۔[3] اس کا تعلق کرکٹ کھلاڑیوں کی ستائش کے اس عمدہ ترین درجات سے تھا جن میں اپنے کپتان کے لیے اس کی خدمات بیش قیمت تھیں اور اس کے مداح اور حمایتی اس کی پوجا کرتے تھے۔ اور وہ ہر بار مشکل وقت میں جب سخت ضرورت ہوتی تو اپنی بہترین کوشش سے بہترین کھیل پیش کرتا۔ بار بار جب اس کی ٹیم کو شکست کا سامنا ہوتا یہ وہ ڈھیر ہو چکی ہوتی تو آصف اسے ہمیشہ بچانے آتا۔

اس سے بھی کہیں بڑھ کے آصف نے کھیل میں کاروباری اصولوں کو آگے بڑھاتے ہوئے کھلاڑیوں کے لیے بہتر انعامات اور مالی فوائد حاصل کیے اور کاردار کی بالآخر تباہی میں اہم کردار ادا کیا۔ اور پھر اس کے بعد شارجہ میں کرکٹ کی ترقی کے لیے کلیدی کردار ادا کیا۔ یہ کرکٹ کا نوآبادیاتی نظام کے باہر پہلا پھیلاؤ تھا۔

آصف کی ذاتی کہانی پاکستان کی کرکٹ تاریخ میں انتہائی پرکشش ہے۔ وہ تقسیم ہند سے چار سال پہلے 1943ء میں جنوبی ہند کے شہر حیدرآباد میں پیدا ہوا۔ اس کے ماموں غلام احمد بذات خود ایک اعلیٰ پایہ کے کرکٹ کے کھلاڑی تھے۔ ان کا تعلق مسلمان کرکٹ کھلاڑیوں کے اس چھوٹے سے گروہ سے تھا جو تقسیم ہند کے بعد ہندوستان میں ہی رہے اور اسی کے لیے کھیلے۔ غلام احمد نے ٹیسٹ کرکٹ میں 30.17 رنز فی وکٹ کی اوسط سے 68 وکٹ حاصل کیے۔ اور ہندوتانی قومی ٹیم کی کپتانی بھی کی۔ بعد میں وہ ہندوستانی بورڈ آف کنٹرول برائے کرکٹ کے سیکرٹری بھی رہے۔

آزادی کے بعد آصف کا خاندان بدستور حیدرآباد میں رہا۔ نظام حیدرآباد کی آزاد رہنے کی کوشش کو بھی ناکام بنا دیا گیا۔ آصف کا تعلق درمیانے طبقے سے تھا، لہٰذا اسے گلیوں میں کھیلنے کی کبھی اجازت نہیں

تھی۔ پھر بھی اس کے ماموں غلام احمد نے ایک مقامی سکول کے پرنسپل کو خط لکھا کہ آصف ایک بے مثال کرکٹر ہے اور مجھے ذرا بھر شبہ نہیں ہے کہ وہ چاہے کبھی بھی ہو وہ ہندوستان کی نمائندگی کرے گا۔ اس کا داخلہ کروا دیا۔ 1959ء تک وہ سولہ سال کا ہو کر حیدر آباد کی طرف سے رانجی ٹرافی کھیل رہا تھا۔

آج آصف کے بقول کہ ''اسے حیدر آباد میں مسلمانوں کے خلاف کبھی تعصب کا سامنا نہیں کرنا پڑا۔'' وہ ایک گھلا ملا معاشرہ تھا۔ مسلمان ہندوؤں کے تہوار منانے میں شرکت کرتے اور ہندو مسلمانوں کے تہواروں میں شریک ہوتے۔ تاہم 1950ء کی دہائی کے آخری حصے تک اس کے خاندان کے بیشتر افراد پاکستان ہجرت کر چکے تھے۔ اور وہ بھی ان سے کراچی آن ملا۔ وہاں پہنچنے پر دنوں کے اندر اندر امپائر ادریس بیگ نے اس سے رابطہ کر کے پبلک ورکس ڈیپارٹمنٹ کی طرف سے 120 روپے ماہوار معاوضے پر کھیلنے کے لیے ایک اقرارنامے پر دستخط کروا لیے۔ آج آصف اس تعاون اور حمایت کا شکر گزار ہے جو اسے بیگ کی طرف سے ملی۔'' وہ نوجوان کرکٹ کے کھلاڑیوں کی بہت حوصلہ افزائی کرتے تھے۔ انہوں نے مجھے اعتماد دیا اور کہتے تھے کہ ٹیسٹ کھلاڑی بننے سے تمہیں کوئی روک نہیں سکتا۔'' 1963ء میں آصف کو ایگلٹس (Eaglets) کی ٹیم کے ساتھ انگلستان کے دورے پہ بھیجا گیا۔ ٹیم کے مینجر میاں سعید تھے۔ دورے کے اختتام پر میاں سعید نے بیگ کا پیغام دہرایا، ''پاکستان کے لیے کھیلنے سے تمہیں کوئی نہیں روک سکتا۔'' اور اگلے سال دورہ کرنے والی آسٹریلوی ٹیم کے خلاف کراچی میں اس نے اپنی ٹیسٹ کرکٹ کا آغاز کیا۔ تاہم حنیف کی 1967ء کی دورہ پہ جانے والی ٹیم تک وہ دنیائے کرکٹ میں اپنے آپ کو عظیم کھلاڑی کے طور پر نہیں دکھا پایا تھا۔

تین سربراہوں پر مشتمل شاندار نئے نظام کا تیسرا فرد ماجد خان تھا۔ اس کے جسم کی ہر حرکت میں قدرتی آن بان تھی۔ وسیم باری نے بعد میں تبصرہ کرتے ہوئے کہا، ''اس میں شہزادوں جیسی کاہلی کا گمان ہوتا تھا۔'' ماجد خان ایچی سن کالج کی پیداوار تھا جبکہ پندرہ سال کی عمر میں اپنے پہلے فرسٹ کلاس میچ میں اس کی آمد سنسنی خیز تھی۔ لاہور کی طرف سے خیر پور کے خلاف کھیلتے ہوئے اس نے سنچری بنائی اور پھر اپنے مخالفوں کی چھ وکٹیں حاصل کر کے انہیں کاٹ کر پھینک دیا۔

ماجد معروف کھلاڑی جہانگیر خان کا بیٹا تھا جبکہ اس کا ہم نژاد جاوید برکی بھی 1967ء میں دورہ پہ جانے والی ٹیم کا رکن تھا۔ آج ماجد خان تخمینہ لگاتے ہوئے بیان کرتا ہے کہ برکی خاندان کے چالیس افراد نے ہندوستان اور پاکستان میں فرسٹ کلاس کرکٹ کھیل رکھی ہے۔ جاوید اور ماجد دونوں کی ٹیسٹ ٹیم میں آمد سے برکی خاندان کی داستان نے مرکزی توجہ حاصل کر لی۔ ان کے خاندان کے اثر و رسوخ کی اصلیت جاننے کے لیے یہ ضروری ہے کہ ہم پرانے وقتوں کی تاریخ اور اونچے پہاڑوں میں گھرے پاکستان کے دور افتادہ قبائلی علاقوں میں جائیں۔

## برکی خاندان اور پاکستانی کرکٹ پر اس کا اثر

بہت سے دوسرے پاکستانی خاندانوں اور قبیلوں کی طرح برکی خاندان کی بھی کم از کم ایک ہزار سال پرانی تاریخ کا سراغ لگایا جا سکتا ہے۔ ان کے خیال میں آٹھ سو سال قبل ان کا قبیلہ ترکی کے کردستان علاقے سے ہجرت کر کے کرم کی ناقابل تسخیر وادی جو سات ہزار فٹ کی بلندی پر حالیہ افغانستان اور وزیرستان کی سرحد پر پہاڑوں کے درمیان واقع ہے۔[4]

بظاہر معقول بیان کے مطابق، برکی قبیلہ کے افراد سلطان محمود غزنوی کے محافظ تھے جس نے جدید افغانستان کے علاقہ جات اور شمالی ہندوستان کو گیارہویں صدی میں فتوحات کے ذریعے حاصل کیا تھا۔ انہیں انعام کے طور پر زمینیں عطا کی گئی تھیں۔ آباد ہونے کے بعد برکی قبیلہ نے تجارت کا پیشہ اختیار کیا۔ اور ریشم ارو گھوڑوں کو ہندوستان میں بیچنے کے لیے جانے لگے۔

تقریباً 1600ء (یا 978 ہجری اسلامی نظام کے مطابق) کرم میں زبردست خشک سالی آئی۔ قبیلے کے بڑوں نے فیصلہ کیا کہ کچھ لوگوں کو وہاں سے جانا پڑے گا تاکہ بقایا دوسرے زندہ رہ سکیں۔ برکی خاندان کے تاریخ دان کے حسن ضیا نے بیان کیا، ''لہٰذا اس طرح چالیس کنبوں نے کنی کرم کو الوداع کہا۔ پوری آبادی ان کے ہمراہ کچھ میل پیدل چل کر گئی اور پہاڑ کی چوٹی پر کھڑے ہو کر جانے والوں کو اس وقت تک دیکھتی رہی جب تک وہ آنکھوں سے اوجھل نہ ہو گئے۔[5]

چالیس کارواں جالندھر کی طرف گئے۔ اس علاقے سے وہ پہلے واقف تھے۔ گھوڑوں کی تجارت کے دوران دہلی کی طرف جرنیلی سڑک (Grand Trunk Road) پر سفر کرتے ہوئے وہ جالندھر اور ملتان کے درمیان سے گزرتے رہے تھے۔ جالندھر پہنچ کر ان قبائلی پٹھانوں نے حصار بندی کرتے ہوئے گاؤں اور چھوٹے شہر بنا کر ایک گروہ کی شکل میں اپنے آپ کو آباد کر لیا۔ ان کے یہ علاقے بستیاں کہلانے لگے۔ وہاں وہ تقریباً ساڑھے تین سو سال تک رہے اور آخر کار مجبوراً تقسیم ہند کے وقت انہیں وہاں سے جانا پڑا۔ اس تمام عرصہ میں برکی قبیلے کے افراد قبیلہ سے باہر شادیاں نہیں کرتے تھے جس کی بدولت انہوں نے اپنی یکجہتی اور اتحاد قائم رکھ کے حسن ضیا کے مطابق ''یہ ایک یکتا قسم کی جماعت کے لوگ تھے جنہوں نے اپنی پرانی تہذیب و ثقافت کا ایک علیحدہ جزیرہ، ہندوستان کے مختلف اور مقامی تہذیبوں کے سمندر میں بڑی احتیاط سے بچا رکھا تھا۔ کئی سالوں تک جالندھر کے برکی قبیلے نے کنی کرم کے ساتھ اپنے تجارتی تعلقات قائم رکھے۔

اٹھارویں صدی کے آخر میں سکھوں کے ہاتھوں مغلیہ سلطنت کی تباہی کے بعد یہ تعلقات منقطع ہو گئے۔ اور اس نہج پر پہنچ کر جالندھر کے پٹھانوں نے اپنی قبائلی زبان آرمری کو ترک کر کے پنجابی زبان اختیار کر لی۔ کنی کرم سے تعلق مکمل طور پر ختم نہیں ہوا۔ بلکہ اب تک زمانہ حال میں کئی برکی (جن میں ماجد خان

اورعمران خان شامل ہیں) اپنے آبائی گھروں کو وہاں دیکھنے جاتے ہیں۔

برکی قبیلے کے افراد چوکس ہوشمند اور جسمانی طور پر طاقتور تھے۔ وہ کشتی کے روایتی کھیل میں طاق تھے۔انیسویں صدی کے نصف میں اس قبیلے کے مشہور پہلوان گل محمد خان کے نام سے مشہور تھا کہ ''زمین جنبد نہ جنبد گل محمد'' (ترجمہ: زمین اپنی جگہ سے ہل سکتی ہے مگر محمد نہیں)۔ انیسویں صدی کے آخر میں جب شمالی ہندوستان میں برطانوی کھیل پھیلنے لگے تو یہ لوگ فٹ بال، ہاکی[6] اور کرکٹ میں عمدگی حاصل کرنے کے ساتھ بہترین نشانچی بھی بن گئے۔

کرکٹ کے ابتدائی فرسٹ کلاس کھلاڑیوں میں برکی خاندان سے مشہور پہلوان گل محمد خان کا بیٹا خان محمد خان تھا۔ وہ درمیانی تیز رفتار کا باؤلر تھا۔ اس نے چھ فرسٹ کلاس میچ کھیلے جن میں 22.16 رنز کی کارآمد اوسط سے 24 وکٹ حاصل کیے۔ اس کا ہم قبیلہ سلام الدین خان زیادہ نمایاں تھا۔علی گڑھ کا فارغ التحصیل تھا اور صرف ان تین مسلمانوں میں سے ایک تھا جو مہاراجہ پٹیالہ کی 1911ء میں انگلستان دورہ پہ جانے والی ٹیم کے رکن تھے۔[7] جہانگیر خان اسے چچا کہہ کر بلاتے۔مگر یہ لفظ (عموماً مسلمان ممالک میں) عزت کے طور پر استعمال کیا جاتا ہے۔ مجھے کوئی نزدیکی خونی رشتہ نظر نہیں آیا۔

سلام الدین کا بیٹا مسعود بھی عمدہ کھلاڑی تھا اور اس قابل تھا کہ اس نے جیک رائیڈر (Jack Ryder) کی 1935ء میں دورہ کرنے والی آسٹریلوی ٹیم کے خلاف ہندوستان کی ٹیم کی نمائندگی کی۔[8] تاہم سلام الدین (عارف عباسی کے دادا تھے جس نے 1980ء اور 1990ء کی دہائیوں میں پاکستانی کرکٹ کے مالی معاملات کو سلجھانے کے لیے بہت محنت کی) نے جالندھر سے بھوپال جاکر سکونت اور ملازمت اختیار کرلی۔ اور یوں برکی قبیلے کی کرکٹ کی داستان کے ابتدائی مراحل میں ہی دور چلے گئے۔

برکی قبیلے میں کرکٹ کے رجحان کو پہلے ہندوستان میں اور تقسیم کے بعد پاکستان میں زندہ رکھنے والی اہم شخصیت احمد حسن خان کی تھی۔ان کے والد سرکاری ملازم تھے۔ وہ 1883ء میں پیدا ہوئے اور 1900ء میں گورنمنٹ کالج لاہور میں داخل ہوئے۔ جہاں وہ تین سال کے غیر معمولی عرصے تک کرکٹ ٹیم کے کپتان رہے۔ پھر سرکاری ملازمت اختیار کرلی اور پھر جہاں کہیں بھی تعیناتی ہوئی اپنی نوکری کے لمبے گردشی عرصے میں وہ کرکٹ ٹیم بنالیتے۔ ان کی سرکاری ملازمت کا اختتام بحیثیت ضلعی کمشنر میانوالی ہوا۔ (یہ علاقہ اتفاقی طور پر نیازی قبیلہ کا مرکز تھا اور عمران خان کی قبائلی بنیاد)۔

احمد حسن خان کی چار بیٹیاں اور صرف ایک بیٹا تھا۔ ان میں سے ایک بیٹی کم عمری میں ہی وفات پاگئی تھی۔ ان کے بیٹے احمد رضا خان کی پیدائش 1910ء میں ہوئی جسے پیار سے خاندان اور دوستوں میں آغا جان کہہ کر بلایا جاتا۔ احمد رضا خان نے اپنے دادا اور والد کے نقش قدم پر چلتے ہوئے سرکاری ملازمت اختیار کی۔ یہ

نئے ارکان کی وہی تازہ کھیپ تھی جس میں پاکستانی قومی کرکٹ ٹیم کا پہلا کپتان میاں محمد سعید بھی شامل تھا۔

آغا جان نے اوّل درجہ کی کرکٹ دونوں ممالک ہندوستان اور پاکستان میں کھیلی۔ دائیں ہاتھ سے کھیلنے والے بلے باز کے طور پر پندرہ فرسٹ کلاس میچ کھیلے۔ پہلے شمالی ہندوستان کی طرف سے اور پھر پنجاب کی طرف سے۔ بشمول ایک سنچری 28.42 رنز کے اوسط سے 597 رنز بنائے۔[9]

1930ء کے وسط میں انگریزوں کے زیر اثر جالندھر کرکٹ کلب میں دو غیر یورپی ہونے کی حیثیت سے اے آر کارنیلس کے شانہ بشانہ کرکٹ کھیلی۔ آغا جان نے اپنی میراث میں اپنے سفر حیات کی ایک ڈائری چھوڑی ہے جو پاکستان کی کرکٹ کے مورخ کے لیے ایک انتہائی اہم دستاویز ہے۔[10] اس میں درج ہے کہ کس طرح اپنے والد کی طرح اپنے دوستوں کی ٹیم اکٹھے کر کے انہیں کرکٹ کھیلنے سے کتنی محبت تھی۔ چاہے کہیں بھی ان کی تعیناتی ہوتی اور یوں کرکٹ کے کھیل کو بنیادی عقیدہ بنا لیا۔ مثلاً 1930ء کی دہائی کے آخر میں وہ پنجاب کے شہر گجرات میں تعینات تھے (جو اب جدید ہندوستان پاکستان کی سرحد پر واقع ہے) جہاں انہوں نے ایک ٹیم کی داغ بیل ڈالی۔ پہلا میچ گجرات سے پانچ میل دور ایک چھوٹے شہر کنجاہ میں کھیلا گیا۔ آغا جان نے ڈائری میں تحریر کیا:

''کنجاہ کی ٹیم کا کپتان پیشہ ور ڈاکٹر تھا جس نے پچ پر میٹنگ بچھانے پر اعتراض اٹھایا۔ ہم نے انہیں قائل کیا کہ میٹنگ کو رہنے دیا جائے کیوں کہ اس سے کھیل میں بہتری پیدا ہوگی اور خالی پچ سے زیادہ عمدہ کھیل ہوگا۔ میں نے ٹاس جیت کر پہلے بیٹنگ کرنے کا فیصلہ کیا اور حسب معمول ہیڈ پہن کر بیٹنگ کرنے چلا گیا۔ کنجاہ کی ٹیم نے میرے پیڈوں کی طرف تجسس سے دیکھا اور پھر انہیں پہننے پر اعتراض کر دیا۔ خاصی مشکل سے وہ میرے پیڈ پہنے رکھنے پر رضامند ہوئے اور پھر یہ اعلان کیا کہ وہ بھی پیڈ استعمال کریں گے۔ جب ہم نے اپنی اننگز کا اختتام کیا اور کٹھن جا کے افتتاحی بلے باز کھیلنے کے لیے آئے تو ہم یہ دیکھ کر ششدر رہ گئے کہ انہوں نے پیڈ الٹے پہن رکھے تھے۔ ہم نے پھر ان کی پیڈوں کو درست طریقے سے پہننے میں مدد کی۔''

تاہم آغا رضا سے زیادہ اہم ان کی بہنیں تھیں۔ ان میں سے تین ٹیسٹ کپتانوں کی مائیں بنیں۔ پاکستان یا کسی اور قوم کے لیے یہ ایک سنگ میل ہے۔ سب سے بڑی بہن اقبال بانو کی شادی اپنے قبیلے کے ایک فوجی افسر واجد علی برکی سے ہوئی۔ ان کا پیدا ہونے والا دوسرا بیٹا جاوید برکی تھا۔ دوسری بہن مبارک (انہیں نعیمہ بھی کہا جاتا تھا) کی شادی بھی قبیلے میں ہی جہانگیر خان سے ہوئی۔ ان کے بڑے بیٹے اسد جہانگیر خان نے آکسفورڈ یونیورسٹی میں کرکٹ کا نمایاں بلیو (Blue) حاصل کیا۔ ان کا دوسرا بیٹا عظیم ٹیسٹ بیٹسمین ماجد خان تھا۔ تیسری بہن شوکت کی شادی قبیلے سے باہر ایک سرکاری افسر اکرام اللہ خان سے ہوئی۔ اس شادی سے چار بیٹیاں اور ایک بیٹا عمران خان پیدا ہوئے۔ جیسے جیسے آزادی قریب آ رہی تھی ویسے

ویسے جالندھر کے پٹھانوں کے لیے زندگی غیر یقینی بنتی جا رہی تھی۔ ہندوؤں اور سکھوں میں گھرے ہوئے ان کی پر وقار اور الگ تھلگ زندگی ناممکن بنتی جا رہی تھی۔ کے حسن ضیا کے مطابق:

''بستیوں پر ایک ساکت سی بے چینی چھائی ہوئی تھی۔ ہر کوئی سانس روکے 14 اگست کے انتظار میں تھا۔ وہ تاریخ آئی اور چلی گئی۔ پاکستان ایک آزاد مملکت کے طور پر قیام میں آ چکا تھا مگر ہمیں پھر بھی علم نہیں تھا کہ کون سے ضلعے اس میں شامل ہوں گے۔ ماؤنٹ بیٹن کا بھی آخری لمحہ پر تبدیلیاں کرنا باقی تھا۔ آخری اعلان 18 اگست 1947ء کی عید سے ایک روز پہلے ہوا۔ وہ یکا یک تباہی خیز تھا۔ کسی نے اس سال عید نہیں منائی۔ سکھ دیوانہ وار قتل وغارت، لوٹ مار اور آتش زدگی کے واقعات میں ملوث ہو گئے مگر وہ بستیوں سے دور رہے کیوں کہ وہ پٹھانوں سے خوفزدہ تھے۔ شہر اور قریبی دیہاتوں سے مسلمان پناہ گزینوں کی بھرمار بستیوں میں تحفظ کے لیے آنے لگیں۔ انہوں نے آ کر مرد عورتوں اور بچوں سب ہی کے قتل و غارت کی لرزہ خیز داستانیں بیان کیں۔ عورتوں کے اعضا اور ان کی چھاتیوں کے کاٹے جانے کے المناک واقعات تھے۔ نومولود بچوں کو نیزوں پر لہرایا گیا اور ایسے جرائم سرزد کیے گئے جن کا بیان مشکل ہے۔ حملہ آوروں کا مرکزی حصہ مقامی سکھ ریاستوں پٹیالہ، نابھہ اور کپورتھلہ کے فوجیوں کا تھا جو سادہ اور عام لباس میں ملبوس تھے۔ وہ رات کی تاریکی میں مسلمانوں کے کسی الگ تھلگ واقع گاؤں پر حملہ کر کے اسے آگ لگا دیتے پھر خوف سے بھاگتے ہوئے جانیں بچانے والے نہتے رہائشیوں پر حملہ آور ہو کر رونگٹے کھڑے کر دینے والے سفاکی سے بھرپور ہولناک جنسی مظالم ڈھاتے۔ وہ علاقے جن سے پرعزم اور بھرپور مدافعت کا خدشہ تھا جن میں بستیاں بھی شامل تھیں سے حملہ آور وقتی طور پر دور رہے۔ انسانیت پستی اور بزدلی کی عمیق گہرائیوں میں اتر چکی تھی۔''

کے حسن ضیا یوں بیان کرتے ہیں: ''دور سے شہر کے مختلف حصوں میں لگی آگ کے شعلے نظر آتے تھے اور یہ سوچ کر کہ وہاں کے انسانوں پر کیا بیت رہی ہوگی، ایک کپکپاہٹ سی محسوس ہوتی تھی۔'' ان کا مزید بیان ہے کہ ''فوجی چھاؤنی میں ایک مہاجر کیمپ قائم کر دیا گیا تھا مگر وہاں جانے والی سڑکوں پر حفاظت کا کوئی انتظام نہیں تھا جہاں کیمپوں میں تحفظ کی خاطر جانے والوں کے انتظار میں قاتلانہ حملوں کے لیے سکھ انتظار میں بیٹھے تھے۔ جہاں تک مسلمانوں کا سوال ہے ان کے لیے سرکار نام کی کوئی چیز موجود نہیں تھی۔ وہ اچانک اپنے حقوق سے محروم ہو چکے تھے جن میں زندہ رہنے کا حق بھی شامل تھا۔'' اس بات کی تصدیق اس وقت ہوئی جب ہندوستانی وزیراعظم پنڈت نہرو نے جالندھر آ کر مسلمانوں کی آبادی سے کہا کہ ان کے لیے اب پاکستان بھاگ کر جان بچانے کے سوا اور کوئی راستہ نہیں ہے۔

کافی پس و پیش کے بعد صدیوں سے آباد اپنی زندگیوں، گھروں اور تقریباً تمام اثاثہ جات بر کیوں کو مجبوراً چھوڑنا پڑے۔ ضیا کے بیان کے مطابق:

''ٹرک کے ذریعے پاکستان کے سفر کے نقوش آج بھی میرے ذہن میں تازہ ہیں۔ راستے بھر بیل گاڑیوں، مویشیوں اور انسانوں کی تھکاوٹ سے چور، گرمی اور گھٹن سے ماری لمبی قطاریں پاکستان کی طرف گامزن تھیں۔ جہاں تک ممکن تھا یہ قافلے ایک دوسرے کے ساتھ جڑ کر سفر کر رہے تھے۔ پیچھے رہ جانے والں اور...... ہو کر سفر کرنے والوں کو سکھ تیزی سے موت کے گھاٹ اتار دیتے۔ ان کا ہراساں کرنے والا یہ خطرہ کہ مسلسل سروں پر منڈلاتا رہا۔ بعض اوقات مردوں کو دفنایا تک نہیں جا سکتا تھا۔ مردہ جانوروں اور مویشیوں کے ڈھانچے سڑک کی ہر جانب بکھرے پڑے تھے۔ دریائے بیاس کے پل کے قرب میں خون کی ندیاں بہاتے ہوئے سکھوں نے بہت سے مسلمانوں کی جانیں لے لی تھیں۔ کھا کھا کر پھولے ہوئے کتے اور گدھ ٹوٹی پھوٹی کاروں اور پھیلے ہوئے مال اسباب کے درمیان اب بھی چلتے پھرتے نظر آ رہے تھے۔ زندگی کی کچھ بھی قیمت یا اوقات نہیں رہی تھی۔ پیچش اور ہیضے جیسی موذی بیماریوں کے پھیلنے سے بھی جانوں کا جو نقصان ہوا وہ بھی قاتل سکھوں کی مار دھاڑ سے کسی طور کم نہ تھا۔''

تمام برکیوں کو اس قسم کی بھیانک صورتحال کا سامنا نہیں کرنا پڑا۔ تقسیم ہند کے وقت ہونے والی قتل و غارت کے دوران آغا جان کا کنبہ گرمی سے بچنے کے لیے کشمیر کے پہاڑوں میں چھٹیاں گزار رہا تھا۔ وہ امن چین سے لاہور پہنچنے میں کامیاب ہو گئے (جہاں آغا جان پہلے ہی پہنچ چکے تھے اور سکھوں اور ہندوؤں کے انخلا کی نگرانی کر رہے تھے۔) دریں اثنا جہانگیر خان اور ان کا کنبہ جس میں نومولود ماجد خان بھی شامل تھا، منٹگمری (جس کا نام بدل کر ساہیوال کیا گیا) میں رہائش پذیر تھا جہاں وہ مقامی کالج میں پرنسپل کی حیثیت سے تعینات تھے۔ منٹگمری جواب پاکستان کا حصہ بن چکا ہے اس وقت کافی محفوظ تھا۔ عمران کی والدہ شوکت خانم تقسیم کے وقت پہلے سے ہی لاہور میں تھیں۔

برکی خاندان، ہندوستان سے آنے والے ایک کروڑ مہاجروں کے ساتھ، اب بری حالت میں تھا۔ قبیلے کے افراد نے اپنی سی بہترین کوشش کی کہ پاکستان میں پہلے سے موجود رشتے داروں کی تلاش کی جائے، اور ہندوؤں اور سکھوں کے خالی چھوڑے گھروں میں رہائش پذیر ہو گئے یا پھر کیمپوں میں عارضی رہائش اختیار کی۔ انہیں اپنے پیاروں کی غارت گری کرنے والے سکھوں کے ہاتھوں اموات اور صدیوں پرانے انداز زندگی کو کھو دینے کا انتہائی دکھ اور صدمہ تھا۔ ''پٹھانوں نے بستیوں کو اپنی مرضی سے نہیں چھوڑا تھا۔'' کے حسن ضیا کی تحریر کے مطابق: ''حالات ہی ایسے تھے کہ ان کے پاس وہاں سے چلے جانے کے علاوہ اور کوئی راستہ نہ تھا۔ وہ سب اتنا اچانک ہوا کہ وہ نہ تو اپنے آپ کو اس صدمے کو برداشت کرنے کے لیے تیار کر سکے اور نہ ہی ذہنی اور مالی طور پر اس کے لیے تیار ہو سکے۔ اچانک اور فوری ہجرت ان کے لیے بے حد پریشان کن اور اذیتناک تھی جس کی بدولت وہ الٹ پلٹ ہو کر رہ گئے۔''

کچھ عرصہ تک افراتفری کا عالم رہا۔ معاملات اس وقت سلجھنا شروع ہوئے جب پاکستانی اور ہندوستانی حکومتوں کے درمیان تلافی کے لیے ایک نظام طے پایا جس کے تحت اس بات کو یقینی بنایا گیا کہ جو مسلمان، سکھ اور ہندو زندگی کو دوبارہ نئے سرے سے شروع کرنے پر مجبور ہوئے انہیں معاوضہ کے طور پر زمینیں اور جائیدادیں اس مطابقت میں دی جائیں جو وہ تقسیم ہند کے وقت پیچھے چھوڑ کر آئے۔ برکیوں کو اپنی چھوڑی ہوئی جائیدادوں کی اچھی تلافی ملی۔ کہا جاتا رہا کہ ''لاہور دو بار لٹا، ایک بار سکھوں کے ہاتھ اور دوسری بار جالندھر کے پشتونوں کے ہاتھ۔'' اس کا جو کچھ بھی مطلب ہو، پاکستان کی کرکٹ کی تاریخ پر اس کے گہرے اثرات مرتب ہوئے۔

1930ء کی دہائی میں احمد رضا خان کے چچا زمان خان،[11] لاہور آباد ہوگئے تھے جہاں ان کی تعیناتی بطور پوسٹ ماسٹر جنرل پنجاب ہوئی تھی۔ اس وقت ابھی پنجاب کی تقسیم نہیں ہوئی تھی اور صوبے کا رقبہ آج کے فن لینڈ کے مطابق تھا۔ اس کا علاقہ شمال مغربی سرحدی صوبے سے لے کر دہلی تک پھیلا ہوا تھا۔ اپنے کنبے کے ساتھ رہائش پذیر ہوکر انہوں نے پرانے شہر لاہور سے دو میل کے فاصلے پر ایچی سن کالج سے ملحقہ ایک آرام دہ گھر تعمیر کیا۔ اس وقت یہ علاقہ جنگل کی طرح درختوں سے بھرا پڑا تھا اور یہاں صرف چند بڑے بڑے گھر ہوا کرتے تھے جن میں مالدار ہندو رہا کرتے تھے۔ ان دنوں میں اور پھر آنے والی کئی دہائیوں تک یہ ممکن تھا کہ زمان خان کے گھر سے نکل کر سیدھا گردونواح میں پھیلے ہوئے میدانوں اور جنگلوں میں پہنچا جا سکتا تھا۔

تقسیم ہند کے وقت زمان خان کے بڑے کنبے کے رشتہ دار ان کے گھر پناہ لینے کے لیے آگئے۔ ان سب کے آنے سے ان کا گھر بھر گیا جہاں وہ باغ میں خیمہ زن تھے اور پھر پڑوس میں ہندوؤں کے جانے سے خالی گھروں میں انہوں نے رہائش اختیار کر لی۔ جہانگیر خان، ان کی بیگم مبارک اور نوزائیدہ بیٹا ماجد ایک ہندو جج کے خالی شدہ قریبی گھر میں منتقل ہوگئے۔ ماجد خان آج تک وہیں رہائش پذیر ہیں۔ کچھ عرصے بعد احمد رضا خان، ایک ہندو کے سابقہ گھر میں منتقل ہوئے جو اس قدر عجلت میں مکان چھوڑ گیا تھا کہ اس کا آدھا سامان وہیں موجود تھا۔

کرکٹ خاندان کے سرکردہ، احمد حسن خان جو تقسیم کے کچھ عرصے بعد اپنے بھائی زمان سے آن ملے تھے، انہیں ہارٹ اٹیک ہوا۔ وہ اپنے خاندان کے ہمراہ عمران کی والدہ شوکت کو بھی لے آئے تھے۔ پہلے وہ زمان کے ساتھ ہی رہتے رہے۔ شوکت کی شادی کے بعد، ان کے شوہر نے اپنے سسر کے مکان کے سامنے گھر بنالیا۔ یہ بڑا اور آرام دہ گھر اب عمران کی ملکیت ہے اور آج بھی جب وہ لاہور میں ہو تو وہیں ٹھہرتا ہے۔

مستقبل کے تین ٹیسٹ کپتانوں میں عمر میں سب سے بڑا جاوید برکی اس علاقے میں مستقل طور پر کبھی نہیں رہا۔ اس کے والد فوج میں طبی امور کے دستہ سے منسلک تھے۔ جنگ عظیم کے دوران انہوں نے شمالی

افریقہ، عراق اور آخر میں برما کی وحشت ناک مہم میں خدمات سرانجام دیں۔ جاوید کی پیدائش میرٹھ میں ہوئی جو اب شمالی ہندوستان میں ہے مگر اس کے کنبے کی رہائش راولپنڈی کے فوجی شہر میں تھی۔ تاہم نوعمر جاوید اکثر پہلے جالندھر کی بستیوں میں اپنے ننہال جاتا اور پھر تقسیم کے بعد اپنے کزنز کے پاس لاہور آتا۔

عظیم شہر لاہور کے دیہی پچھواڑے میں واقع بچوں کی نشوونما کے لیے ایسی پرسکون جگہ کا تصور کرنا بھی ناممکن ہے۔ جونہی تقسیم کی اندوہناک یادیں اور جذباتی صدمات کم ہونا شروع ہوئے۔ برکی قبیلے کے افراد لاہور کے سست رو لمبے دنوں میں اپنے گھروں کے باغات اور میدانوں میں اپنے قوانین ایجاد کر کے کرکٹ کھیلنے لگے۔ 1950ء کی دہائی کے آخر میں جب آبادی کے پھیلاؤ سے یہ علاقہ جذب ہونے لگا تو یہاں کے کھیت اور میدان ایک مرکزی باغیچہ کے گرد شہری آبادی میں منتقل ہو گئے۔ زمان خان کے اعزاز میں اس کا نام زمان پارک رکھ دیا گیا۔ (وہ اس علاقے میں آنے والے پہلے برکی تھے)۔ یہ باغیچہ تمام منظم کھیلوں کے لیے اور سب سے بڑھ کر کرکٹ کے لیے موزوں ترین تھا۔ جاوید زمان (زمان خان کا دوسرا بیٹا) یہاں کی متحرک شخصیت تھا۔ وہ ایچی سن کالج کا کپتان رہنے کے ساتھ ساتھ عمدہ کرکٹ کا کھلاڑی بھی تھا۔ وہ برکیوں کی دو ٹیموں کو منظم کرتا۔

یہ پاکستانی کرکٹ کی عظیم تربیت گاہ بن گئی۔ اہمیت میں کم از کم اس کا موازنہ پرانے لاہور میں بھاٹی دروازہ کے علاقے سے کیا جا سکتا ہے جہاں 1940ء کی دہائی میں فضل محمود اور کاردار مشق کے لیے کھیلا کرتے تھے یا پھر چھوڑے ہوئے ہندوؤں کے اس مندر سے جہاں محمد برادران تقسیم ہند کے بعد کے کراچی میں کھیل کی مسلسل مشق کیا کرتے تھے۔ ایک محتاط اندازے کے مطابق، فی مربع فٹ کے حساب سے دنیا کے سب سے زیادہ فرسٹ کلاس کرکٹ کے کھلاڑی لاہور کے اس مخصوص نواحی علاقے میں مرتکز ہیں۔

## پاکستان کا دورۂ انگلستان 1967ء

حنیف محمد کی کپتانی میں 1967ء کا دورۂ انگلستان کرنے والی پاکستانی کرکٹ ٹیم میں غالباً برکی خاندان کے دو افراد تھے۔ ان کے ساتھ ملک کا اعلیٰ ترین وکٹ کیپر اور بہترین آل راؤنڈروں میں شمار ہونے والا کھلاڑی بھی شامل تھا۔ مگر اب تک پاکستان کو فضل محمود کا متبادل نہیں مل سکا تھا۔ ایسی شخصیت کے بغیر پاکستان کی جارحانہ باؤلنگ مکمل طور پر غیر اثر تھی۔

حنیف کی دورہ پہ آنے والی ٹیم کی شروعات اسی مقام سے ہوئیں جہاں پر جاوید برکی چھوڑ کر گیا تھا۔ لارڈز کے پہلے ٹیسٹ میچ میں انگلینڈ نے اپنی پہلی اننگز میں 369 مضبوط رنز بنائے جن میں کین بیرنگٹن (Ken Barrington) کے 148 رنز کی شاندار اننگز شامل تھی۔ جلد ہی میچ میں پاکستان کو شکست ناگزیر نظر آنے

لگی۔ وقت حالات اور بھی دگرگوں ہوگئے۔ جب پہلی وکٹ گرنے پر سعید احمد کو کھیلنے جانا تھا مگر اس نے اپنے آپ کو غسل خانے میں بند کرلیا اور باہر آنے سے انکار کردیا۔ سعید کے اس رویے سے اس کی غیر مستحکم مزاجی کے ابتدائی آثار نمودار ہونے شروع ہوچکے تھے جس کی بدولت بالآخر اس کی کرکٹ کا قبل از وقت اختتام ہوا۔ مگر جب 139 رنز پر سات کھلاڑی آؤٹ ہوگئے تو حنیف محمد اور آصف اقبال کی رفاقت نے 130 رنز کا اضافہ کردیا۔ آصف 76 رنز بنا کر النگ ورتھ (Illing-Worth) کے ہاتھوں آؤٹ ہوگیا۔ مگر حنیف ڈٹا رہا اور اس نے آؤٹ ہوئے بغیر 187 رنز کی ظالم اننگز کھیلی۔ جس میں پاکستان کے کل 354 رنز بنے تھے۔ حنیف نے یہ اننگز نو گھنٹے سے زیادہ عرصہ میں کھیلی جس کے دوران اس نے 556 گیندوں کا سامنا کیا۔ قوتِ ارادی سے بھرپور اس شاہکار اننگز میں حنیف، جسے مہم جو اور نئی اختراع کرنے والے کی نظر سے نہیں دیکھا جاتا تھا، کی ریورس سویپ (Reverse Sweep) کا سٹروک بھی شامل تھا جس کی مثال ابھی ٹیسٹ میچوں میں نئی نئی تھی۔ انگلستان کی دوسری اننگز میں اس کے آزمودہ بیٹسمین ناکام ہوگئے اور صرف ڈولی ویرا (D'Oliveira) اور کلوز (Close) کے ساتھ نے اسے خطرے سے نکالا۔ پاکستان کو جیتنے کے لیے 257 رنز کا ہدف ملا اور لگتا تھا کہ نتیجہ سخت مقابلے کے بعد حاصل ہوگا مگر آخری دن کا بیشتر حصہ بارش کی نذر ہوگیا۔

لارڈز پہ کھیلے جانے والا یہ میچ پاکستان کی شہرت کے حق میں گیا۔ مگر اس کارنامے کے پیچھے حنیف اور آصف کی شاندار کارگزاری تھی۔ ان کی یہ رفاقت پاکستان کے ماضی اور مستقبل کے درمیان تھی۔ یہ رفاقت ماہرانہ دفاع اور شاندار جارحانہ بیٹنگ کے درمیان تھی۔ یہ رفاقت تجربہ اور سادگی کے مابین تھی یہ رفاقت پاس پسندی اور پرامید رہنے کے رویے کے درمیان تھی اور یہ رفاقت خودی اور دمدار ستارے میں تھی۔ ابھی برے دن آنا باقی تھے مگر پاکستانی کرکٹ میں کچھ بدل رہا تھا۔

ٹرینٹ برج (Trent Bridge) میں کھیلا جانے والا دوسرا ٹیسٹ میچ زیادہ خوش آئند نہیں تھا۔ پاکستانی ٹیم کین ہگز (Ken Higges)، جیوف آرنلڈ (Geoff Arnold) اور ڈیرک انڈروُڈ (Derek Underwood) کی باؤلنگ کے سامنے ٹھہر نہ سکی جن کے لیے ماحول سازگار تھا اور پاکستان کو ایک اننگز کے ساتھ شکست ہوگئی۔ تیسرا ٹیسٹ میچ آصف اقبال کی بدولت قابل تعریف ہے جب وہ پاکستان کی دوسری اننگز میں کھیلنے کے لیے وکٹ پر پہنچا تو پاکستان ٹیم کا سکور 7 وکٹ کے نقصان پر 53 تھا اور انگلینڈ کو دوبارہ کھیلانے کے لیے ابھی 167 رنز درکار تھے۔ ''میں نے لاؤڈ سپیکر پر اعلان سنا کہ وہ پاکستان ٹیم سے مخاطب ہے کہ وہ بعد دوپہر چالیس اوور کا میچ کھیلنے کے لیے رضامند ہوجائے۔'' آصف کو اب تک یاد ہے کہ ''مجھے اس اعلان سے سخت غصہ آیا۔ میرے ذہن کے کسی گوشے نے مجھے للکارا اور مجھے مقابلہ کرنے کے لیے اکسایا۔''[12] اس نے اور انتخاب عالم نے شاندار رفاقت کا آغاز کرتے ہوئے 190 رنز بنا کر دنیائے ٹیسٹ کرکٹ میں نویں وکٹ کا

زریکارڈ قائم کردیا۔ جب آصف نے اپنی سنچری مکمل کی سینکڑوں پاکستانی مداح بھاگ کر میدان میں آ گئے اور انہوں نے اسے کندھوں پر اٹھالیا۔ آخرکار جب وہ 146 رنز بنا کر آؤٹ ہوا تو آصف نے ٹیسٹ میچوں میں نویں نمبر پر کھیلنے پر بیٹسمین کے لیے سب سے زیادہ رنز بنانے کا ریکارڈ قائم کردیا تھا۔[13] کھیل کے بعد کالن کاوڈرے (Colin Cowdrey) نے آصف اقبال سے جا کر کہا کہ ''تم نے ابھی میرے خیال میں ان تمام اننگز میں سے ایک عظیم اننگز کھیلی ہے جو میں نے دیکھ رکھی ہیں۔'' یہ کہہ کر اس نے آصف کو کینٹ (Kent) کی طرف سے کھیلنے کا معاہدہ کرنے کی دعوت دی۔ اس کے باوجود پاکستان یہ ٹیسٹ میچ ہار گیا۔ مگر اپنے پیچھے نمایاں جذبے اور جرأت کی خوشبو چھوڑ گیا۔

## مزید تنہائی

مرکزی مشکل برقرار رہی۔ پاکستان کے ساتھ کھیلنے کے لیے ٹیمیں مل نہیں رہی تھیں۔ خاص مقدار میں نمودار ہونے والے نئے ستاروں کے ساتھ حنیف کی ٹیم واپس لوٹی۔ مگر مستقبل میں ٹیسٹ میچ کھیلنے کا ملک میں کوئی پروگرام طے نہیں تھا جہاں صدر ایوب خان اپنا اختیار برقرار رکھنے کے لیے ہاتھ پاؤں مار رہا تھا۔ ایوب خان کی حکومت سرکاری اور فوجی طریق حکومت کے اس نظام کو دوبارہ نافذ کرنے کی کوشش میں جس نے انگریزوں کو اقتدار میں رکھا تھا انتہائی پستی میں پہنچ چکی تھی۔ انگریزوں کی طرح ایوب خان اور سینڈہرسٹ سے تربیت شدہ جرنیلوں کو اس بات کا قطعی یقین نہیں تھا کہ پاکستان کے اَن پڑھ اور جاہل عوام جمہوریت کے لیے تیار ہیں۔

1960ء کی دہائی کے آخر تک پاکستان بیک وقت نظام کی تبدیلی کے لیے دو انقلابی تحریکوں کے نرغے میں آ چکا تھا۔ مغربی پاکستان میں ذوالفقار علی بھٹو نے اپنی پاکستان پیپلز پارٹی کا آغاز کردیا تھا۔ جس کے پرعزم منشور میں اہم اراضی اصلاحات کا وعدہ تھا۔ یہ دراصل ایوب خان کی لڑکھڑاتی ہوئی فوجی آمریت سے بڑھتی ہوئی عوامی نفرت کے جذبے سے فائدہ حاصل کرنے کے لیے تھا۔ ایک ہزار میل کے فاصلے پر مشرقی پاکستان میں شیخ مجیب الرحمٰن کی عوامی لیگ سیاسی منظر پر حاوی تھی اور اپنے مطالبات کے لیے آواز بلند کر رہی تھی۔ اس نے اپنا ایک چھ نکاتی پروگرام مرتب کر رکھا تھا جس میں یہ مطالبے تھے کہ مکمل طور پر معاشی، مالی، قانون سازی اور فوجی امور میں علیحدگی ہونے پر احتجاجی مظاہرین اور پولیس اور فوج کے درمیان شدید تصادم ہوئے۔

ایم سی سی کا 1969ء کا دورۂ پاکستان ایسے ماحول کے درمیان ہوا جس میں ملک قومی عدم استحکام، انتہائی پرخطر حالات اور آنے والے سانحے کے امکانات سے دوچار تھا۔ پاکستان اپنی مختصر تاریخ کے سب سے شدید بحران میں گھرا ہوا تھا اور یہ کسی طور یقینی نہیں تھا کہ ملک بچ سکے گا۔ ایم سی سی کھلاڑیوں کی اکثریت کے

لیے دورہ نے ان کی زندگیوں کے انتہائی دہشت ناک اور ناقابل فراموش دن دکھائے۔

یہ باعث حیرت ہے کہ ایسے حالات میں دورہ کیا گیا۔ ایم سی سی کی انتظامیہ انگلینڈ کی ٹیم کو اس انتباہ کے باوجود نسلی عصبیت کے ملک جنوبی افریقہ بھیجنے کے لیے تیار تھی کہ وہاں پر انگلینڈ ٹیم کی موجودگی کو وزیراعظم جان وورسٹر (John Vorster) کی نسلی عصبیت کی حامی حکومت بے رحم تشہیر کے ذریعے اپنے حق میں استعمال کرے گی۔ لہٰذا اس کے خلاف قومی غیظ وغضب اور نفرت کے اظہار کے نتیجے میں بالآخر دورے کو ملتوی کرنا پڑا۔ پاکستان میں بھی ایم سی سی صدر ایوب خان کو تشہیر کا بیش قیمت تحفہ مہیا کر رہی تھی۔ ایم سی سی انتظامیہ کی نظر میں پاکستانی دورہ کی اہمیت اس سے زیادہ نہیں تھی کہ موسم سرما میں جن کھلاڑیوں کے ساتھ معاہدے کیے گئے تھے انہیں روزگار مہیا ہو سکے۔ مشکلات میں گھرے ہوئے صدر پاکستان کی نظر میں یہ دورہ اس کی افلاس زدہ حکومت کو اشد طور پر استحقاق دے سکتا تھا۔

فرق کئی تھے۔ جنوبی افریقہ کے معاملے میں ایم سی سی ہیرلڈ ولسن (Harold Wilson) کی لیبر حکومت کی اس خواہش کا جس کا کھلے عام اظہار کیا گیا تھا، کی جرأت آمیز مدافعت کر رہی تھی۔ مگر پاکستان کے لیے برطانوی دفتر خارجہ نے حقیقتاً حوصلہ افزائی کرتے ہوئے دورہ کی منظوری دی۔ پاکستان کی فوجی حکومت ریاستہائے متحدہ امریکہ اور برطانیہ کی حمایت سے قائم ہوئی تھی اور اب یہ دونوں مغربی ساتھی ایوب خان کی حکومت کو بچانے کے لیے ایڑھی چوٹی کا زور لگا رہے تھے۔ واشنگٹن اور لندن میں لڑکھڑاتے ہوئے فیلڈ مارشل کو سرد جنگ میں ایک انتہائی اہم ساتھی کے طور پر دیکھا جاتا تھا جبکہ اس کے جمہوری مخالف ذوالفقار علی بھٹو کو اس کے روس اور چین سے تعلقات کی وجہ سے شک وشبہ کے ساتھ دیکھا جاتا تھا۔ اس طرح لندن اور واشنگٹن میں مشرقی پاکستان کی تحریک آزادی کو بھی پسند نہیں کیا جاتا تھا کیوں کہ اس سے پاکستان کمزور اور ہندوستان مضبوط ہوتا تھا مگر روس اس کی حمایت میں تھا۔

ایک اور فرق یہ تھا کہ جنوبی افریقہ کا دورہ اخلاقی طور پر چاہے کتنا ہی قابل نفرت کیوں نہ تھا مگر وہاں ایم سی سی کے کھلاڑیوں کی جانوں کو کسی خطرہ کی توقع نہیں تھی۔ جنوبی افریقہ کے باصلاحیت ریاستی تحفظاتی ادارے پر یہ انحصار کیا جا سکتا تھا کہ وہ احتجاج کرنے والوں کو دور رکھے گی۔ مگر پاکستان کے معاملے میں ایسا نہیں تھا۔ جہاں ملک کے کئی حصے ریاست کے دائرہ اختیار سے تیزی سے نکل رہے تھے۔ دنیا میں ایسا کوئی طریقہ نہیں تھا جس کی بدولت کوئی بھی مطمئن ہو سکتا تھا کہ ٹیم بحفاظت رہ سکے گی۔''

یہ اس کہانی کا سیاسی پس منظر ہے کہ کس طرح ایم سی سی انتظامیہ کے ایک نادان، نااہل اور کام بگاڑنے والے ٹولے نے برطانوی دفتر خارجہ کی اجازت سے ایک غیر معمولی فیصلہ کرتے ہوئے انگلستان کی کرکٹ ٹیم کو جنگی حدوں میں جھونک دیا۔[14]

دورہ کے ابتدائی ہفتے کافی محفوظ تھے۔ ایم سی سی ٹیم سفر کر کے سیلون (اب سری لنکا) پہنچی جہاں اس نے تیاری کے طور پر چند میچ کھیلے۔ کھلاڑی گالف سے محفوظ ہوتے رہے اور جزیرے کے خوبصورت ساحلوں پر تفریح کے ساتھ ساتھ پرسکون طور پر کرکٹ کھیلتے رہے۔ ہر روز پاکستان سے تشدد اور دہشت ناک واقعات کی خبر موصول ہوجاتی۔ سیلون میں دورہ پہ آنے والی انتظامیہ، لارڈز میں ایم سی سی، بی سی پی (BCCP) اور برطانوی ہائی کمیشن کے مابین آخری لمحہ تک مذاکرات جاری رہے۔ ان مذاکرات میں اس وقت رکاوٹ پیدا ہوئی جب لندن میں محکمہ تار نے ہڑتال کردی جس کی بدولت کولمبو میں دورہ پہ آنے والی ٹیم اور پاکستان میں بی سی سی پی (BCCP) کا لارڈز سلسلہ منقطع ہوگیا۔

ایک غیر یقینی صورتحال کا سامنا تھا کہ ٹیسٹ میچ کہاں کھیلے جائیں گے۔ ملک کے کن اندرونی علاقوں کے میچ شامل ہوں گے اور کھلاڑیوں کی رہائش کا انتظام کہاں ہوگا۔ ابتدائی منصوبے کے مطابق پہلا فرسٹ کلاس میچ مشرقی پاکستان میں چٹا گانگ کے مقام پر کھیلا جانا تھا۔ اور پھر اندرون ملک پرواز کے ذریعے علاقے کے دارالحکومت ڈھاکہ میں پہلا ٹیسٹ میچ ہونا تھا مگر جیسے ہی ڈھاکہ میں مار دھاڑ کی خبروں میں تیزی آئی ایم سی سی نے آگے بڑھنے سے انکار کردیا۔ دورہ شروع ہونے سے صرف چند روز پہلے بی سی پی (BCCP) نے مشرقی حصہ کے دورہ کو ترک کرنا تسلیم کرلیا تھا۔

بی سی سی پی (BCCP) کی یقین دہانی کو مدنظر رکھتے ہوئے ایم سی سی کی ٹیم سری لنکا سے ہوائی سفر کے ذریعے کراچی آن پہنچی۔ جہاں شہر میں رات سے صبح تک کا کرفیو نافذ تھا۔ ٹیم ہوائی اڈے کے نزدیک ہی ہوٹل میں ٹھہر گئی تاکہ اگر حالات قابو سے بہت زیادہ باہر خطرناک ہوجائیں تو وہ وہاں سے فوراً ہوائی جہاز میں سوار ہوکر ملک سے باہر نکل سکیں۔ اس نہج پر ٹیم کے نائب کپتان ٹام گریونے (Tom Graveney) نے حتمی طور پر کہا کہ ''انہیں وہاں آکر کرکٹ کھیلنے کا کوئی حق نہیں ہے۔ حقیقت میں نہ تو یہ وقت ہے اور نہ کرکٹ کھیلنے کی جگہ۔'' گریونے (Graveney) کے مطابق ''لمحہ بہ لمحہ صورتحال بدل رہی تھی۔ کسی وقت یہ یقینی طور پر نہیں کہا جاسکتا تھا کہ ہم ملک میں اگلے چوبیس گھنٹوں میں کہاں ہوں گے۔''

دورے کی سفری تفصیل بدستور غیر واضح تھی۔ دورہ کرنے والی ٹیم کے مرتبے میں بڑے تین ارکان منیجر لیس ایمز (Les Ames)، کپتان کالن کاوڈر (Colin Cowdrey) اور گریونے (Graveney) کو ملاقات کے لیے بی سی پی (BCCP) کی طرف سے دعوت دی گئی۔ اس کا مطلب یہ تھا کہ انہیں بذریعہ ہوائی جہاز راولپنڈی جانا ہوگا جسے فوجی بغاوت کے بعد ایوب خان نے پاکستان کا دارالحکومت بنالیا تھا۔ جنوبی حصہ میں واقع ملک کا سب سے بڑا شہر کراچی دارالحکومت کے طور پر محمد علی جناح کا منتخب شدہ تھا مگر ایوب خان کا اسے تبدیل کر کے خاک آلودہ فوجی شہر راولپنڈی میں دارالحکومت لے جانے میں اس کی منطق آسانی سے

سمجھی جا سکتی ہے۔ وہ اپنے ملک کی شہری حکومت کو فوجی نگہداشت میں لانا چاہتا تھا۔ اس نئی ترتیب کی بدولت بی سی سی پی کو بھی شمال کی طرف گھسیٹ لیا گیا جہاں اسے فوج کے جنرل ہیڈکوارٹر میں ایک چھوٹا سا کمرہ دے دیا گیا۔

افسر شاہی کا عہدیدار فدا حسن جس کا تعلق پنجاب سے تھا، اب بی سی سی پی کا صدر تھا۔ پندرہ سال قبل اس نے کاردار کی بحیثیت کپتان تنزلی کی ناکام کوشش کی تھی۔ وہ اس دفتر میں شاذونادر ہی دیکھا جاتا تھا۔ وہ دو ذمہ داریاں نبھا رہا تھا۔ وہ ایوب خان کے مشیر کے طور پر بھی کام کر رہا تھا۔ اس منصب کی وجہ سے وہ پاکستانی فوج اور شہری حکومت کے درمیان ایک اشد ضروری رابطہ تھا۔ فدا حسن کی کرکٹ کے سربراہ کی حیثیت سے موجودگی اور کرکٹ بورڈ کے دفتر کا پاکستانی فوج کے ہیڈکوارٹر کے اندر محل وقوع اس بات کا واضح ثبوت تھے کے جہاں تک ایوب خان کا تعلق تھا اس کے لیے کرکٹ کا صرف ایک ہی مقصد تھا کہ وہ اس کی فوجی آمریت کی خدمت کرے۔

اسی لیے ایوب خان کو مشرقی پاکستان میں ایک ٹیسٹ میچ کھیلے جانے کی ضرورت تھی۔ دورہ پہ آنے والی ایم سی سی کی ٹیم نے دورہ جاری رکھنے کے لیے ڈھاکہ میں ٹیسٹ میچ کی منسوخی کی شرط رکھی تھی۔ مگر ڈھاکہ میں اس خبر سے تلخی پیدا ہوئی۔ کیوں کہ اس سے یہ مزید تاثر لیا گیا کہ مشرقی پاکستان کی سماجی حیثیت کو کمتر سمجھنے کا یہ ایک نیا ثبوت تھا۔ اس سے غضبناک احتجاج اور مظاہرے ہوئے۔ پاکستان کے عذر بہ مائل مشرقی حصہ میں صورتحال کو امن سکون دینے کے لیے ایوب چاہتا تھا کہ ڈھاکہ میں ٹیسٹ میچ کو بحال کیا جائے۔ ''فدا حسن کے دفتر میں ہماری مشاورت ہوئی۔'' حیرت زدہ ٹام گریونے (Tom Graveney) نے یاد کرتے ہوئے بیان کیا، ''اور جب مشاورت اختتام کو پہنچی تو ہمارا ڈھاکہ جانا ٹھہر چکا تھا حالاں کہ ہمیں سب نے یہ یقین دہانی کروا رکھی تھی کہ ہمیں وہاں نہیں جانا پڑے گا۔ اور یوں ہم اپنے پہلے پروگرام پر ہی آ پہنچے۔ اس سے ظاہر ہوتا ہے کہ وہاں کتنی تیزی سے صورتحال بدل جاتی ہے۔'' یہ صرف ایوب خان اور اس کا قائم مقام فدا حسن ہی ن ہیں تھے جو دورہ پہ آنے والی ایم سی سی ٹیم کا ڈھاکہ جانا چاہتے تھے۔ برطانوی ہائی کمیشن بھی جتنا ممکن تھا ایوب کی حمایت میں کوشاں ہوتے ہوئے شدید آرزومند ہونے کے ساتھ ساتھ عزم رکھتا تھا کہ ایم سی سی ڈھاکہ ضرور جائے۔ انگریز کھلاڑی جانے سے گریزاں تھے۔ جیسا کہ ٹام گریونے (Tom Graveney) نے تصدیق کی کہ ''یہ درست ہے کہ پچھلے چند دنوں سے صورتحال قدرے پرسکون ہوگئی تھی۔ مگر اس سے پیشتر ہونے والی لاتعداد اموات کو ذہن سے بہ آسانی فراموش نہیں کیا جا سکتا تھا۔ لہٰذا ٹیسٹ میچ کھیلنے کے لیے وہ جگہ موزوں نہیں تھی۔'' کیتھ فلیچر (Keith Fletcher) نے بعد میں دعویٰ کرتے ہوئے کہا ''ہم اس وقت کرکٹ کے کھلاڑی نہیں رہے تھے بلکہ ہم وہ سفیر بن گئے تھے جنہیں امن رکھنے کے لیے دورہ کے اخراجات

دیئے جارہے تھے۔ ''انگریز کھلاڑی ایک بڑی سیاسی کھیل میں مہرے بن کر رہ گئے تھے۔ جس سے ان کا کوئی تعلق یا واسطہ نہیں تھا۔ وہ وہاں اس شرط پر جانے کے لیے رضامند ہوئے کہ انہیں مستقل طور پر پولیس اور فوج کی حفاظتی نفری دی جائے وہ جو ہر وقت ان کے نزدیک آس پاس میں ہوگی۔ فدا حسن کے نزدیک یہ سادہ یقین دہانیاں کرانا نہایت آسان تھا اور جلد ہی ثابت ہوگیا کہ ان سے منحرف ہونا بھی کتنا آسان تھا۔

دورہ پہ آنے والی ٹیم کے ابتدائی میچ ایوب خان کے محفوظ مراکز بہاولپور، لائل پور اور ساہیوال میں کھیلے گئے۔ ان کا انتظام بڑی عجلت میں کیا گیا جس کی وجہ سے نقل وحرکت اور قیام میں مشکلات کا سامنا ہوا۔ لائل پور کے میچ کے اختتام کے اگلے روز ہی بہاولپور میں میچ شروع ہونا تھا۔ جس کے لیے ایم سی سی کے کھلاڑیوں کو مجبوراً علی الصبح ساڑھے پانچ بجے اٹھ کر خصوصی پرواز سے سفر کرنا پڑا تاکہ وہ میدان میں بروقت پہنچ سکیں۔ ٹیم ڈیڑھ گھنٹہ دیر سے پہنچی جس پر کولن کاوڈرے (Colin Cowdrey) نے دوڑتے ہوئے انگریزوں کی ہیجان انگیز حالات میں پرسکون رہنے کی صلاحیت کو بروئے کار لانا مناسب سمجھا۔ کپتان نے گھبراہٹ میں مبتلا مقامی سرکاری انتظامیہ سے مخاطب ہوتے ہوئے کہا کہ ''کوئی انگریز ٹیم پہلے چائے کا کپ پیئے بغیر کرکٹ کا کھیل شروع نہیں کرتی۔'' ٹیم تیاری کے کمرے میں اپنے اس موقف پر ڈٹ گئی۔ بے صبرے تماشائیوں کی پرواہ کیے بغیر انہوں نے اس وقت تک میدان میں نکلنے کی زحمت نہ کی جب تک آرام اور تسلی سے چائے نہ پی لی۔

ان مقابلوں کی بدولت کھلاڑی سیاحوں کو مقامی حالات اور آب و ہوا سے مانوس ہونے کا موقع ملتا تھا۔ اگرچہ ان کا اہم اور معنی خیز فریضہ ایوب خان کے حامیوں کے لیے ان کی موجودگی کسی انعام سے کم نہ تھی۔ پاکستان آمد کے تین ہفتے بعد انگلینڈ ٹیم پہلے ٹیسٹ میچ کے لیے لاہور پہنچی۔ ممکنہ طور پر حالات بھڑک اٹھنے کا یہ پہلا مقام تھا۔

دریں اثنا پاکستانی کھلاڑی اپنی مشکلات سے دوچار تھے۔ حنیف محمد کو کپتانی سے فارغ کرکے اس کی جگہ سعید احمد کو کپتان بنا دیا گیا تھا۔ وہ سماجی طور پر حنیف سے زیادہ پراعتماد تھا۔ حتیٰ کہ جب وہ نائب کپتان تھا تو وہ کرکٹ سے متعلق تقریبات میں رہنما کا کردار اختیار کرلیتا۔[15] اپنی طبیعت کے عین مطابق حنیف نے قطعاً بدمزاجی کا مظاہرہ نہیں کیا اور بدستور ٹیم میں ایک رکن کی حیثیت میں شامل رہا۔ کراچی میں حنیف کے حامیوں نے لاہوری سعید احمد کے کپتان بنائے جانے کو پسند کیا اور یہی چیز بعد میں ہونے والے فساد اور بدامنی کا بہانہ بن گئی۔[16]

دوسرا مسئلہ سیاسی تھا۔ ایوب خان ایم سی سی ٹیم کو خوش آمدید کہتے وقت ان کی آمد کو سیاسی طور پر فائدہ مند سمجھ رہا تھا مگر وہ یہ بھی بخوبی جانتا تھا کہ آنے والے ٹیسٹ میچ اس کے مخالفین کو شرارت کرنے کے

لیے ایک جلسہ گاہ مہیا کر دیں گے۔ یوں تو وہ چاہتا تھا کہ میچ کھیلے جائیں مگر اس کی شدید آرزو تھی کہ وہ کم سے کم وقت میں اختتام پذیر ہوں۔ اس کے ذاتی حکم پر پانچ روزہ ٹیسٹ میچوں کا وقت کم کر کے چار روزہ ٹیسٹ میچوں میں تبدیل کر دیا گیا۔[17]

ایوب خاں ٹیم کے انتخاب میں بھی رخنہ اندازی کرتا تھا۔ مغربی پاکستان میں اہم شخصیت پنجاب یونیورسٹی کے طلباء کی تنظیم کو ترتیب دینے والے رہنما ور ایوب خان کے دشمن ذوالفقار علی بھٹو کے جیالے آفتاب گل کی تھی۔ لاہور ٹیسٹ شروع ہونے کے دو روز پہلے ایک استقبالیہ میں آفتاب گل نے انگلینڈ ٹیم سے ملاقات کی جہاں بیسل ڈولیویرا (Basil D'Oliveira) نے گل سے پوچھا کہ کیا پاکستانی ٹیم منتخب کر لی گئی ہے۔ ''نہیں...'' گل نے جواب دیا، ''مگر میں یہ جانتا ہوں کہ میں کھیل رہا ہوں کیوں کہ اگر مجھے نہ کھلایا گیا تو پھر ٹیسٹ میچ نہیں ہو سکے گا۔''

اگر ایوب خاں نے ٹیسٹ میچوں میں صرف چار دن کے کھیلنے کا فرمان جاری نہ کیا ہوتا تو لاہور کا ٹیسٹ میچ ایک یادگار مقابلہ ہوتا۔ جہاں شور وغل سے کان پڑی آواز سنائی نہ دے رہی تھی۔ وہاں کاؤڈرے نے نہایت اطمینان سے اور بغیر کسی پریشانی کے سنچری بنا ڈالی اور انگلینڈ نے اپنی پہلی اننگز میں ایک جدوجہد کے بعد 306 رنز بنا لیے۔ پھر پاکستانی ٹیم پانچ کھلاڑیوں کے آؤٹ ہونے پر 52 رنز بنا کر غرق ہونا شروع ہوگئی۔ مگر آصف اقبال کی 70 رنز کی شاندار اننگز پاکستان کا سکور 209 پر لے گئی۔ انگلینڈ نے پاکستان کو جیتنے کے لیے 323 رنگز کا ہدف دیا۔ میچ ایک بے چین کیفیت میں متوازن صورتحال میں ختم ہوگیا۔ جب پاکستان کو جیتنے کے لیے 120 رنز درکار تھے اور ابھی اس کے پانچ کھلاڑی باقی تھے۔ آفتاب گل کی وجہ سے بلوائیوں نے میچ میں زیادہ ہنگامہ آرائی نہ کی۔ ''وہ قدیم روم کے ایک تیغ زن کی طرح صرف اپنے ہاتھ اٹھاتا اور سب خاموشی سے بیٹھ جاتے۔'' ڈولیویرا (D'Oliveira) نے یاد کرتے ہوئے بیان کیا۔ پاکستان کی دونوں اننگز میں آفتاب گل افتتاحی بلے باز کے طور پر کھیلا اور اس نے 12 اور 29 رنز کیے۔

ڈھاکہ میں ہونے والے دوسرے ٹیسٹ میچ میں آفتاب گل کو نہ کھلایا گیا۔ وہاں طالب علموں کے جمہوریت کے نفاذ کے لیے احتجاج کی بجائے علیحدگی کی تحریک زوروں پر تھی۔ اس کی جگہ نیاز احمد کو کھلایا گیا جو بنگال سے پاکستان کے لیے کھیلنے والا واحد کھلاڑی ثابت ہوا۔ نیاز جس نے تیز رفتار افتتاحی باؤلر کی حیثیت سے آصف مسعود کی جگہ لی، کرکٹ ٹیم میں شمولیت کے لیے اس کی کوئی خاطر خواہ کارگزاری نہیں تھی۔

انگلینڈ کی ٹیم ڈھاکہ جانے کے لیے متذبذب تھی۔ مگر ٹیم کے منیجر لیس ایمز (Les Ames) کی پاکستانی حکام اور برطانوی دفتر خارجہ نے یقین دہانی کر دی تھی کہ وہاں امن بحال ہوگیا ہے۔ تاہم ڈھاکہ پہنچنے پر یہ صاف ظاہر ہوگیا کہ پاکستانی پولیس اور فوج دونوں ہی دارالحکومت سے انخلا کر چکی ہیں اور شہر بلوائیوں کی

گرفت میں تھا۔ تیز رفتار افتتاحی باؤلر جان سنو (John Snow) کے مطابق ٹیم نے وہاں سے نکل جانے کی خواہش کا اظہار کیا جس پر انہیں مطلع کیا گیا۔ ''صاف الفاظ میں آپ پر واضح کیا جاتا ہے کہ آپ کی بس ہوائی اڈہ تک نہیں پہنچ پائے گی۔'' جان سنو دیہاتی علاقے کے کلیسا کے پادری کا بیٹا تھا۔ وہ کہتا ہے کہ ''آنے والا وہ ہفتہ اس کے اعصاب کے لیے غالباً زندگی کا مشکل ترین ہفتہ تھا۔ دن اور رات کے دوران ہمیں گولیاں چلنے کی آوازیں آتیں ان میں سے کچھ آوازیں ہمارے ہوٹل سے چند گز کے فاصلے سے آرہی تھیں۔ طلباء بندوقوں سے لیس سڑکوں اور گلیوں میں گشت کر رہے تھے اور ان لوگوں کو ڈھونڈ رہے تھے جنہیں وہ بدعنوان سمجھتے تھے۔ جب وہ انہیں مل جاتے وہ ان کے ہتھ پاؤں رسیوں میں جکڑ دیتے اور منہ میں کپڑا ٹھونس کر ان کی آواز بند کر دیتے اور پھر انہیں ڈوبنے کے لیے دریا میں پھینک دیتے۔'' ایوب خاں کے پاکستان میں اس کی حکومت مشرقی پاکستان میں تمام ریاستی اختیار کھو چکی تھی۔ سڑکیں اور گلی کوچے مسلح گروہوں کے قبضے اور اختیار میں تھے۔ جونہی ایم سی سی کھلاڑی بذریعہ پرواز ڈھاکہ اترے، اسی لمحہ سے وہ وہاں کے طلبا کے یرغمال بن چکے تھے۔

ایم سی سی کے افراد نے محسوس کیا کہ ان سے بڑا دھوکا کیا گیا ہے۔ ڈھاکہ پہنچنے پر انہوں نے اپنے اس احساس کا اظہار برطانوی ڈپٹی ہائی کمشنر رے فاکس (Ray Fox) سے ملنے پر کیا۔ ٹام گریونے (Tom Graveney) اس مشاورتی اجلاس کے ماحول کو یوں بیان کرتا ہے:

''فوری طور پر، ہم برطانوی ہائی کمیشن کے نمائندوں کے ساتھ مشاورت کے لیے بند کمرے کے اجلاس میں چلے گئے۔ جہاں بحث شدت اختیار کر گئی۔ ہمیں اس بات سے کوئی دلچسپی نہیں تھی کہ ہم پلویس اور فوج کی غیر موجودگی میں محفوظ تھے کیوں کہ انہیں دیکھتے ہی طلباء تشدد کے لیے طیش میں آجاتے۔ ہمیں راولپنڈی میں کہا گیا تھا کہ ہمیں تحفظ حاصل ہوگا لیکن شہر میں وردی میں ملبوس صرف چند ٹریفک پولیس کے افراد تھے جن کے پاس کوئی اختیار نہ تھا۔ ہمارے لیے بھی یہ ممکن نہ رہا تھا کہ ہم الٹے پاؤں واپس جا سکتے اور اگر ہم ایسا کرنے کی کوشش کرتے تو خدا ہی بہتر جانتا ہے کہ ہم پر کیا بیتتی اور کیا ہوتا۔ ہمیں محسوس ہوا کہ ہم جھانسے میں آگئے ہیں۔''

ٹام گریونے (Tom Graveney) مزید اضافہ کرتے ہوئے کہتا ہے: ''ایم سی سی ٹیم کو ڈھاکہ میں مایوس کیا گیا۔ اس وقت اور بعد میں جو کچھ بھی اس کی وضاحت میں کہا گیا اس سے وہ صورتحال تبدیل نہیں ہوسکتی تھی۔'' کیتھ فلیچر (Keith Fletcher) کو وہ صورتحال صاف صاف نظر آرہی تھی۔ ''ہماری ترجیحات ذرہ بھر اہمیت نہیں تھی۔ ہم وہاں صرف اور صرف ایسے دفتر خارجہ کے اصرار پر گئے تھے جسے بظاہر یہ خوف تھا کہ اگر ہم نے وہاں جانے انکار کیا تو ڈھاکہ میں مقیم انگریزوں کی آبادی الزام تراشی کا شکار ہو جائے گی۔'' فلیچر (Fletcher) وضاحت کرتے ہوئے بیان کرتا ہے کہ ''ٹیسٹ میچ شروع ہونے سے ایک رات

پہلے رے فوکس (Rey Fox) نے ٹیم کی موجودگی کی خوشی میں روایتی شراب نوشی کی محفل سجائی اور اس کا وقت شام کے ساڑھے چھ بجے کے لیے رکھا گیا۔ مگر سات بجے کے فوراً بعد ہی ہمیں بغیر کوئی وجہ بتائے رخصت کردیا گیا۔ ہم میں سے اکثریت حیران تھی کیوں کہ اس قسم کی محفلیں ہمیشہ چند گھنٹوں میں محیط ہوتی تھیں مگر اس کے باوجود ہم میں سے کوئی بھی ناراض نہ وہتا اگر ہم نکلتے وقت سفید فام لوگوں کا ایک گروہ عمارت میں داخل ہوتے نہ دیکھ لیتے۔ معلوم ہوا کہ وہ برطانوی اور یورپین اقوام کی آبادی کے نمائندے تھے اور ان کے وہاں آنے کا مقصد وہاں سے اخراج کے طریق کار پر گفت وشنید تھا۔ تمام شہر پر طالب علموں کا قانون نافذ تھا۔ پولیس اور فوج کی موجودگی کے کوئی شواہد نہیں ملتے تھے۔''

میچ کا تعلق بذات خود بیسل ڈولیویرہ (Basil D'Oliveira) سے تھا۔ یہ ٹیم کا واحد فرد تھا جو ڈھاکہ کے تشدد اور لاقانونیت سے نبرد آزما ہونے کے لیے تیار تھا۔ کیوں کہ وہ کیپ ٹاؤن (Cape Town) میں پلا بڑھا تھا جہاں نسلی عصبیت کا معاملہ اس وقت اپنے عروج پر تھا۔ وہ اپنے ذاتی تجربہ کی وجہ سے جانتا تھا کہ فسادات اور پولیس کی یلغار سے نپٹنا کیسا ہوتا ہے۔ ڈولی ویرا (D'Oliveira) بیٹنگ کرنے میدان میں اس وقت آیا جب انگلینڈ کی ٹیم شدید مشکلات سے دوچار تھی۔ اسے آئے ہوئے ابھی زیادہ دیر نہیں ہوئی تھی کہ انگلینڈ ٹیم کے ساتھ کھلاڑی 130 رنز پر پاکستان کے 246 رنز کے جواب میں مٹی کی سخت وکٹ پر غرق ہو چکے تھے۔ جب انگلینڈ نے اپنی اننگز کا آغاز کیا تھا تو اس وقت پچ کے بالائی حصے میں ٹوٹ پھوٹ شروع ہو چکی تھی۔ ایسے حالات میں انگلستان کے بیسٹ مینوں کے لیے پاکستان کے چار حملہ آور سپن باؤلروں انتخاب عالم ،سعید احمد، پرویز سجاد اور مشتاق محمد کے سامنے ٹھہرنا مشکل ہوگیا۔ ڈولی ویرا (D'Oliveira) جس نے اپنا فن ایسی ہی سخت اور کھردری بچوں پر سیکھا تھا، نے میچ بچانے کے لیے شاندار اننگز کھیلی۔ پاکستانی فیلڈر اس کے گرد کھڑے ہوکر کہتے رہے کہ ''تم انگریز نہیں ہو۔ تم تو ہم میں سے ہو اور اگر تم آؤٹ ہوجاؤ تو ہم انہیں شکست دے سکتے ہیں۔'' ڈولی ویرا (D'Oliveira) جو اپنے اس کھیل کو اپنی زندگی کی بہترین اور یادگار اننگز مانتا ہے نے انگلینڈ ٹیم کے لیے پہلی اننگز میں معمولی اضافی رنز کا فرق کردکھایا اور پھر جیسا کہ لاہور میں ہوا کہ ایوب خان کی ہدایت پر ٹیسٹ میچ کی مدت کو چار دن پر محدود کردیا گیا جس کی بدولت انہاک اور جدوجہد سے بھرپور میچ نتیجہ سے باہر رہا۔

بالآخر ہائی کمشنر کا اندازہ درست ثابت ہوا۔ تماشائیوں کی نشستوں میں مسلسل افراتفری اور پرتشدد کاروائیوں کے باوجود بنگالی طالب علموں نے امن وامان خوش اسلوبی سے قائم رکھا۔ نیاز احمد نے میچ میں صرف بارہ اوور باؤلنگ کی اور پھر دوبارہ پاکستان کے لیے نہ کھیل سکا۔[18] انگلستان کی ٹیم ڈھاکہ سے بحفاظت روانہ ہونے میں کامیاب ہوگئی۔

آخری ٹیسٹ میچ میعاد پانچ دن کردی گئی تھی کیوں کہ پچھلے دو ٹیسٹ میچوں میں ہار جیت کا فیصلہ نہیں ہوسکا تھا۔ گل اس آخری ٹیسٹ کے لیے دوبارہ ٹیم میں شامل کرلیا گیا تھا۔ مگر کراچی کے تماشائیوں کو قابو میں رکھنے کے لیے اس کا اثرورسوخ بھی تھا۔ تیسرے دن کا کھیل شروع ہونے پر انگلینڈ کی ٹیم کھلاڑی آؤٹ ہونے پر 502 رنز بنا رکھے تھے کہ میدان پر ایک ہجوم نے دھاوا بول دیا۔ انگلینڈ کی ٹیم نے بھاگ کر اپنے آپ کو بچایا اور پھر اسی شب وہ پاکستان سے روانہ ہوگئی۔

اصل کارروائی کرکٹ کے میدان سے اب باہر شروع ہوچکی تھی۔ گرتی صحت اور ناکام قاتلانہ حملے سے گھبراہٹ کا شکار ہوکر "سیاستدان سور بن چکے ہیں" کہتے ہوئے ایوب خان نے بطور صدر اپنے آخری احکام جاری کردیئے۔ بیمار اور عمر رسیدہ ایوب خان جس نے پاکستان پر سب سے زیادہ عرصہ تک حکومت کی، نے اپنی فوج کے سربراہ جنرل یحییٰ خان کو آگے بڑھ کر اقتدار حاصل کرنے اور مارشل لاء کے نفاذ کے لیے مجبور کیا۔

## خانہ جنگی کا آغاز

یحییٰ خان بے تحاشا شراب کا عادی تھا۔ مگر سنجیدگی اور متانت کے لمحات میں وہ ایک حقیقت پسند انسان تھا جس نے پاکستان کے سیاسی بحران کو حل کرنے کے لیے دل و جان سے ایماندارانہ کوشش کی۔ واشنگٹن میں نکسن انتظامیہ کی حمایت سے یحییٰ نے ابتدائی طور پر احتجاج کرن والوں پر سختی سے نمٹنے کی کوشش کی مگر اسے مجبوراً اعتراف کرنا پڑا کہ پاکستان پر فوج کے ذریعے حکومت نہیں کی جاسکتی۔ اس نے انتخابات کروانے کے انتظامات کیے اور فی الفور پاکستان کے سیاستدانوں کے اپنے درمیان اور خود اپنے ساتھ تصفیہ کی کوشش کی۔ 1970ء میں اس نے بڑے طور پر زمین کی اصلاحات کا آغاز کیا اور مغربی پاکستان کے صوبوں کی ون یونٹ حیثیت جسے ایوب خان نے مسلط کیا تھا، کو ختم کردیا۔ چاروں صوبے سندھ، پنجاب، بلوچستان، شمال مغربی سرحدی صوبہ (جس کا نام تبدیل ہوکر خیبر پختونخوا ہوچکا ہے) جن کی حیثیت ایوب خان نے ختم کردی تھی، کی علاقائی اسمبلیاں، عدالتیں اور دوسرے ادارے بحال ہوگئے تھے۔ تاہم مغربی پاکستان میں اس قسم کے کوئی اقدامات نہ تھے جن کی بدولت سکون نصیب ہوتا۔

یحییٰ خان کے الیکشن کروانے کے وعدے کے نتیجے میں مشرقی اور مغربی پاکستان کے دونوں حصوں میں سیاست کی بیداری کا بڑھ چڑھ کر عمل شروع ہوا جس پر شیخ مجیب الرحمٰن اور ذوالفقار علی بھٹو حاوی تھے۔ اس اثنا میں یحییٰ اپنے فوجی ساتھیوں کے ذریعے ملک پر حکومت کرتا رہا۔ کم از کم پاکستانی کرکٹ اس قسم کے برتاؤ سے محفوظ رہی۔ فدا حسن کی جگہ یحییٰ خان نے آئی اے خان کو بی سی سی پی (BCCP) کا نیا صدر بنادیا۔[19]

ممکن ہے کہ اس کی تعیناتی مشرقی پاکستان کی طرف غیر سگالی کا اشارہ ہو کیوں کہ وہ وہاں کرکٹ کی ترقی کے لیے بے حد کوشاں رہا تھا اور ڈھاکہ سٹیڈیم کو منظم کیا تھا۔ تاہم وہ جزوی طور پر صدر تھا کیوں کہ اس کی اصل ملازمت پانی اور بجلی کے محکمہ میں تھی۔ (یہ باہم غیر یقینی کردار اس کے بعد بھی دو مرتبہ میجر جنرل صفدر بٹ 88-1984ء اور لیفٹیننٹ جنرل زاہد علی اکبر خان 92-1988ء کے ذریعے دہرایا گیا)۔

پاکستان کے ملکی کرکٹ سیزن میں قائداعظم ٹرافی میں میچوں کی بھی بہتات تھی جس میں بتیس میچ تھے اور ایم اے لطیف کی کپتانی میں مشرقی پاکستان نے تین میچ کھیلے تھے۔ مشرقی پاکستان کی کشیدہ صورتحال کی عکاسی کرتے ہوئے یہ تمام میچ مغربی پاکستان میں کھیلے گئے۔ جہاں ٹیم نے اچھے کھیل کا مظاہرہ کرتے ہوئے حیدرآباد کو شکست دی۔ (ایم اے لطیف نے میچ میں سنچری بنائی) اور پھر خیر پور کو بھی ہرا دیا۔ فائنل میچ میں دو آجر ٹیمیں آمنے سامنے تھیں اور پاکستان کرکٹ میں طاقت کے نئے توازن کی آئینہ دار تھیں۔ پی آئی اے نے پبلک ورکس ڈیپارٹمنٹ (PWD) کی ٹیم کو 195 رنز سے ہرا دیا۔ پی آئی اے نے اپنی ٹیم میں مصروف کھلاڑیوں کی لمبی فہرست کو شامل کر رکھا تھا جن میں حنیف محمد، مشتاق محمد، آصف اقبال، وسیم باری اور پرویز سجاد شامل تھے۔ مگر سب سے عمدہ کھیل کا مظاہرہ 95 رنز کے ساتھ ظہیر عباس نے کیا جس نے اس وقت تک ٹیسٹ میچ نہیں کھیل رکھا تھا۔

حیران کن طور پر ایوب ٹرافی کو بحال کر دیا گیا اور اس کا وہی نام رہا۔ نتیجتاً سات ٹیموں نے جن میں مشرقی پاکستان کی تمام چار ٹیمیں شامل تھیں، معلوم ہوتا ہے کہ کھیلنے سے انکار کر دیا تھا۔ فائنل میچ پی آئی اے نے کراچی بلیوز کو ہرا دیا جس میں انہوں نے اپنے مدمقابل کو پہلی اننگز کی نسبت سے ہلکان کر کے مات دی۔ پی آئی اے کے لیے حنیف نے 190 اور مشتاق نے 123 رنز بنائے اور کُل 240 اوورں میں 524 رنز بنائے۔ کراچی بلیوز بہ مشکل فالو آن سے بچ سکی جس میں محمد برادران کے سب سے چھوٹے بھائی صادق محمد کے 96 رنز اور ٹیم کے کپتان انتخاب عالم کے 75 رنز بڑی وجہ تھے۔

دونوں مقابلوں میں ظہیر عباس نمایاں بیٹسمین رہا۔ باوجود اس کے کہ وہ ایوب ٹرافی کے فائنل میں بھول چوک کی وجہ سے رنز بنائے بغیر آؤٹ ہو گیا تھا۔ وہ کرکٹ کی تاریخ کا دسواں بیٹسمین بن گیا جنہیں گیند کو دوبارہ ضرب لگانے پر آؤٹ دیا گیا ہو۔

اس سال نیوزی لینڈ کی ٹیم جو کرکٹ دنیا کی کمترین ٹیم تھی اور جس نے پاکستان کو کبھی نہیں ہرایا تھا اور جس کے جیتنے کے بہت کم امکان تھے، مہمان کے طور پر پاکستان آئی۔ تاہم میچوں کا یہ سلسلہ انتہائی پر جوش اور ہنگامہ خیز ثابت ہوا۔ یہ حیران کن طور پر مشکل میں گھری ہوئی سیاسی صورتحال کی وجہ سے نہیں تھا بلکہ اس کی وجہ کاردار تھا جسے آئی اے خان نے منتخب کرنے والی کمیٹی کا چیئرمین بنایا تھا۔ اس کا پختہ ارادہ تھا کہ وہ نوجوان

کھلاڑیوں کو فوقیت دے اور انگلینڈ میں کھیلنے والے منجھے ہوئے اور تسلیم شدہ کھلاڑیوں کو سفری اخراجات نہ دینے کے لیے سخت رویہ اختیار کرے۔ کاردار کے بااختیار کمیٹی نے سعید احمد کو کپتانی سے فارغ کر دیا اور اس کی جگہ انتخاب عالم کو کپتان بنا دیا۔ یہ فیصلہ کرکٹ کے لحاظ سے معیاری تھا۔ انتخاب ایک اچھا آل راؤنڈر تھا اور اچھی کپتانی کرنے کے گر سے واقف تھا۔ سرے (Surrey) کی طرف سے انگلش کاؤنٹی کھیلتے ہوئے اس کے اس فن میں پختگی آ چکی تھی۔ اس کے علاوہ وہ ایک بہت زیادہ تابعدار قسم کا انسان تھا جبکہ سعید احمد جھگڑالو اور کھردری شخصیت رکھتا تھا۔ اس نے کھلے طور پر سرعام کپتانی سے ہٹائے جانے پر احتجاج کیا جس میں اسے اپنے حمایتیوں کی حمایت بھی حاصل تھی۔ اس نے معاملات کو اور بھی بگاڑ دیا جب بندر روڈ کے ایک ہسپتال سیونتھ ڈے ایڈوونٹسٹ (Seventh Day Adventist) میں جہاں سعید کی بیوی زیر علاج تھی کی ڈیوڑھی میں اچانک اور اتفاقیہ طور پر آئی اے خاں سے آمنا سامنا ہوگیا۔ سعید نے برا بھلا کہتے ہوئے آئی اے خاں پر جھپٹنے کی کوشش کی۔ اس واقعہ کی روشنی میں پی سی پی (BCCP) نے فوری طور پر سعید پر غیر معینہ مدت کی ممانعت لگا دی۔ سعید نے تحریری طور پر معافی مانگ لی اور بی سی پی نے ممانعت کے احکام واپس لے لیے مگر پھر بھی اسے نیوزی لینڈ کے خلاف نہ کھلانے کا فیصلہ کیا گیا۔

کراچی میں کھیلے جانے والے پہلے ٹیسٹ میچ میں تین محمد برادران حنیف، مشتاق اور صادق اکٹھے پاکستان کے لیے کھیلنے کے لیے نمودار ہوئے۔ جس طرح تین گریس (Grace) برادران انگلینڈ کی سرزمین پر کھیلے جانے والے پہلے ٹیسٹ میچ میں کھیلے تھے۔ یہ واقعہ اب تک دوبارہ نہیں ہوا۔ ناکارہ پچ پر نئے آف سپنر محمد نذیر جونیئر نے 99 رنز کے عوض سات وکٹ حاصل کیے۔ اس وقت تک پاکستان کی طرف سے اپنے ابتدائی ٹیسٹ میں کسی بھی کھلاڑی کی طرف سے یہ بہترین کارکردگی تھی۔ ٹیسٹ کرکٹ میں وارد ہونے والا دوسرا کھلاڑی چشمہ پوش ظہیر عباس تھا جو دونوں اننگز میں ناکام ہو کر ٹیم سے فوری طور پر باہر کر دیا گیا۔ مگر ظہیر کی واپسی ہوگی۔ انتخاب عالم نے دوسری اننگز میں مقابلے کی دعوت دیتے ہوئے دلیرانہ طور پر اننگز ڈیکلیئر کر دی۔ پرویز سجاد نے پانچ وکٹ انتہائی کم رنز کے عوض حاصل کر لیے مگر نیوزی لینڈ ٹیم میچ برابر کرنے کے لیے چمٹی رہی۔

پاکستان کی نئی اوپننگ جوڑی حنیف اور صادق محمد کامیاب ثابت ہوئے۔ دونوں اننگز میں دونوں بھائیوں نے اپنا کام خوش اسلوبی سے کیا اور جب تک نئے گیند کی چمک ختم نہ کر دی وہ کھیلتے رہے۔ پہلی اننگز میں انہوں نے مل کر 55 رنز کیے۔ (حنیف نے دو گھنٹے بیس منٹ کھیل کر 22 رنز کیے) دوسری اننگز میں دونوں نے مل کر 75 رنز بنائے۔ (حنیف نے ڈھائی گھنٹے میں 35 رنز کیے) مگر اب حنیف نشانے پر تھا۔ ماضی میں کپتانی کی حیثیت سے کاردار 1951ء میں سترہ سالہ حنیف کو قومی ٹیم میں لے کر آیا تھا۔ اب اٹھارہ سال بعد منتخب کرنے والی کمیٹی کے چیئرمین کے طور پر کاردار حنیف کو اگل کر ٹیم سے باہر کر رہا تھا۔

یہ واقعہ کاردار کی بے حسی کو ظاہر کرتا ہے اور حنیف کی تمام تر بے دست و پائی عیاں ہوتی ہے۔ اپنی جوانمردی اور قوت ارادی کے ذریعے حنیف کھیل کے میدان میں اپنے ملک کے سخت دل پختہ ارادے کی علامت بن چکا تھا جسے ہر طور پر خطرناک دنیا میں جینا تھا۔ ان تمام اٹھارہ سالوں میں جب حنیف نے قومی ٹیم کی نمائندگی کی وہ باآسانی ملک کا بہترین بلے باز تھا۔ کم از کم یہ اس کا حق تھا کہ اس سے عزت اور خوش اخلاقی سے پیش آیا جاتا۔

1969-70ء کے کرکٹ سیزن کے آغاز میں کاردار نے حنیف کو لاہور میں باغ جناح کی کرکٹ گراؤنڈ میں مدعو کیا تاکہ کرکٹ کی تربیت کے لیے فلم بنائی جا سکے۔ فلم بنانے کے دوران مستقبل کے بارے میں دونوں کے درمیان لمبی گفت وشنید ہوئی۔ حنیف نے یاد کرتے ہوئے بتایا کہ کاردار نے اس سے کہا کہ ابھی تم کم از کم تین چار سال اور کرکٹ کھیل سکتے ہو اور تمہیں ابھی مزید کھیل جاری رکھنا چاہیے۔" حنیف نے کاردار کو جواباً کہا کہ "جس دن میں یہ سمجھ لوں گا کہ مجھ میں اب سب سے اوپر رہنے کی صلاحیت باقی نہیں رہی میں اسی روز کرکٹ کو خیرباد کہہ دوں گا۔" حنیف نے کاردار سے مزید کہا کہ "میں اس بات کو ترجیح دوں گا کہ منتخب کرنے والے مجھے پہلے سے بتا دیں تاکہ میں ذہنی طور پر اپنے آپ کو تیار کر کے اپنے چاہنے والوں کے سامنے عزت سے کرکٹ کو خدا حافظ کہہ سکوں۔"

حنیف کے مطابق کاردار نے اسے ایسا کوئی مشورہ نہ دیا کہ میں فوری طور پر ریٹائر ہو جاؤں۔ قائداعظم ٹرافی میں اپنی پی آئی اے کی ٹیم کے لیے حنیف محمد عمدہ طور پر کھیل رہا تھا۔ تاہم صرف چند ہفتے اور کراچی ٹیسٹ کے اختتام پر منتخب کرنے والی کمیٹی کے چیئرمین نے زوردار اشارے دینے شروع کر دیئے۔ یہ چیز قابل غور ہے کہ کاروبار کی منتخب کرنے والی کمیٹی کے ساتھیاس نے بذات خود چن رکھے تھے۔ وہ سب حنیف اور کاردار کی طرح انگلینڈ کے خلاف 1954ء کی اوول کی یادگار فتح کے سپوت تھے۔ امتیاز احمد، محمود حسین اور وزیر محمد[20] کاردار ان سب کو اپنی نفسیاتی گرفت میں رکھتا تھا۔

سب سے پہلے کاردار، وزیر محمد کے پاس پہنچا کہ وہ حنیف سے کہے کہ وہ کھیل سے سبکدوش ہونے کا اعلان کرے۔ "میرے بھائی ہونے کے ناتے..." حنیف نے یاد تازہ کرتے ہوئے بتایا، "اس نے ایسا کرنے سے انکار کر دیا کیوں کہ اسے معلوم تھا کہ کاردار ناانصافی اور بے رحمی کر رہا تھا۔" حنیف نے مزید بیان کیا کہ اس کے بعد میچ کے آخری دن کھیل کے اختتام پر اس نے میرے پاس صحافیوں کا ایک ٹولہ بھیج دیا کہ وہ مجھ سے پوچھیں کہ آیا میں کوئی اعلان کرنے والا ہوں؟ حنیف نے انہیں جواب دیا کہ انہیں کچھ کہنے کے لیے اس کے پاس کچھ نہیں ہے۔

حنیف نے مزید وضاحت کرتے ہوئے بیان کیا کہ پھر کاردار اخلاقی دھمکیوں کے ذریعے ڈرانے

دھمکانے پر اتر آیا۔ حنیف کو یاد ہے کہ ''بعد میں وہ میرے پاس خود آیا اور کہنے لگا کہ ہر ایک کو کھیل سے ایک نہ ایک دن دستبردار ہونا پڑتا ہے میرے خیال میں تمہیں اپنی سبکدوشی کا اعلان کر دینا چاہیے۔ تمہارے چھوٹے بھائی بھی اب ٹیم میں ہیں تمہیں ان کا خیال ہی کر لینا چاہیے۔ میں تم سے وعدہ کرتا ہوں کہ میں تمہیں آمدنی والے میچ (Benefit Match) کا مفاد دوں گا۔ یہ ایک قسم کی بالواسطہ دھمکی تھی کہ اگر میں سبکدوش نہیں ہوتا تو میرے بھائیوں کے کھیل کو مستقبل متاثر ہوگا۔ مجھے یہ سن کر اس قدر صدمہ اور پریشانی ہوئی کہ میں نے کاردار سے ایک لفظ تک نہ کہا۔ میں نے اس شخص کی بے حد قدر کی تھی اور اس کا ہمیشہ احترام کیا تھا۔ وہ اچانک میری قدر و منزلت کے اندازے سے کہیں بری طرح نیچے آ گرا کیوں کہ اس نے مجھ سے وعدہ خلافی کی تھی۔ اس نے اپنا وہ وعدہ نہ نبھایا کہ اگر منتخب کرنے والی کمیٹی نے مجھے ٹیم میں نہ رکھنے کا فیصلہ کیا تو وہ مجھے اس کی پیشگی اطلاع دے گا۔ میری آنکھوں میں آنسو تھے اور انہیں چھپانے کی خاطر میں بس کی پچھلی نشست پر جا بیٹھا جب وہ بس لگژری ہوٹل کے لیے روانہ ہوئی جہاں ہم ٹھہرے ہوئے تھے۔ میرے بہت سے دوست احباب اور نیک تمنائیں رکھنے والوں کو یقین تھا کہ میں ابھی مزید تین چار سال تک کھیل کو جاری رکھ سکتا تھا۔ ان سب کو کاردار پر بے حد غصہ تھا۔ ان سب نے مجھے مشورہ دیا کہ میں کاردار کی دھمکی کو نظر انداز کر دوں۔ سب نے کہا، اسے تمہیں ٹیم سے نکالنے دو۔''

حنیف ابھی صرف چونتیس برس کا تھا اور اس وقت تک پاکستان کے ستاون ٹیسٹ میچوں میں سے وہ پچپن ٹیسٹ میچوں میں کھیل چکا تھا۔ گو کہ وہ فیلڈنگ کرتے ہوئے اپنی کچھ تیز رفتاری کھو چکا تھا مگر وہ کسی طور بھی بلے کے ساتھ قصہ ماضی نہیں تھا۔[21] آخر کار بامر مجبوری اسے دستبردار ہونا پڑا۔ ''مجھے یوں محسوس ہوا کہ جیسے میں ایک بھٹکی ہوئی روح کی طرح گم ہوں۔'' حنیف نے تحریر کیا ''سبکدوشی کے اعلان کے بعد میں حواس باختہ ہو کر ادھر ادھر گھوم رہا تھا۔ میرے دوستوں اور چاہنے والوں نے مجھ سے ہمدردی کا اظہار کیا اور مجھ پر تھوپے گئے زبردستی کے فیصلے کے خلاف غصے کا ردِعمل دکھایا۔ میرے گھر کا ماحول غم و اندوہ کے بوجھ تلے دبا ہوا تھا۔ میری والدہ جو اس غیر معمولی وقار پر بے انتہا خوش تھیں کہ ان کے تین بیٹے ملک کے لیے کھیل رہے تھے کو محسوس ہوا کہ جیسے ان کی خوشیوں کو ان سے قبل از وقت چرا لیا گیا ہو۔'' پی آئی اے کے ساتھ معاہدہ کے تحت حنیف نے اندرون ملک کھیلے جانے والی کرکٹ بدستور کئی سال تک ولولے کے بغیر مگر کامیابی کے ساتھ جاری رکھی۔ عالمی کرکٹ میں واپسی کی گفت و شنید کا کچھ نتیجہ نہ نکلا کیوں کہ حنیف چاہتا تھا کہ کاردار اسے عوامی طور پر واپسی کا کہے، مگر کاردار نے انکار کر دیا۔ اور اس طرح پاکستان کے عظیم ترین کھلاڑیوں میں شمار ہونے والے حنیف کی کرکٹ کا خاتمہ ہوا۔ جب تک دنیا میں ٹیسٹ کرکٹ کھیلی جاتی رہے گی حنیف کا صبر، تحمل، یکسوئی، انتساب، بے مثال حوصلہ، توجہ اور غیر معمولی قوت استغراق کے ہمیشہ گن گائے جاتے رہیں گے اور اس کی ان

خصوصیات کو ہمیشہ یاد رکھا جائے گا۔

پاکستانی ٹیم حنیف کے بغیر لاہور روانہ ہوئی۔ جہاں ایک انتہائی درمیانے درجے کی باؤلنگ کے سامنے پاکستانی ٹیم نے افسوسناک بیٹنگ کرتے ہوئے نیوزی لینڈ کو میچ جیتنے کے لیے 66 رنز کا ہدف دے دیا جسے پانچ وکٹوں کے نقصان پر حاصل کرلیا گیا۔ شفقت رانا 95 رنز بنا کر منتخب کرنے والی کمیٹی کے سامنے اپنا نقطہ نظر ثابت کردکھایا۔ پرویز سجاد نے 74 رنز کے عوض سات وکٹ لے کر ٹیسٹ کرکٹ میں اپنی بہترین کارکردگی دکھائی۔ جو چند سال بعد عروج سے زوال پذیر ہوکر اپنے اختتام کو پہنچی۔ نئے باصلاحیت کھلاڑی یونس احمد کو امپائر کے کئی لرزہ خیز فیصلوں میں سے ایک کا سامنا کرنا پڑا جس کے بعد وہ پاکستان ٹیسٹ کرکٹ کی صفوں سے اگلے سترہ سال کے لیے غائب ہوگیا۔ جنوبی افریقہ میں کرکٹ کھیل کر اس نے اپنے لیے اچھا نہ کیا جس کی بدولت اس پر پابندی لگادی گئی۔

ڈھاکہ میں ہونے والے آخری ٹیسٹ میچ میں جسے ناکارہ پچ پر کھیلا گیا، گلین ٹرنر (Glenn Turner) نے دونوں اننگز ملا کر کل 681 منٹ تک بیٹنگ کی۔ دوسری اننگز میں مارک برجس (Mark Burgess) نے آؤٹ ہوئے بغیر سنچری بنا کر اسے سہارا دیا جس کی وجہ سے نیوزی لینڈ میچ برابر کرنے میں کامیاب ہوگیا اور اس طرح ان کا ملک پہلی بار کسی بھی ملک کے خلاف میچوں کے سلسلے کو جیتنے میں کمیاب ہوا۔ متحدہ پاکستان کے لیے ڈھاکہ میں کھیلا جانے والا یہ ٹیسٹ میچ آخری ثابت ہوا۔ آب وتاب والے نوجوان کھلاڑی آفتاب بلوچ نے اپنے اوّلین ٹیسٹ میچ میں سست روی سے 25 رنز بنائے اور پھر وہ سال ہا سال کے لیے منتخب کرنے والوں کے ذہنوں سے فراموش ہوگیا۔ شفقت رانا نے سابقہ پچھلے ٹیسٹ میں 95 رنز کے علاوہ اس ٹیسٹ میں آؤٹ ہوئے بغیر 65 رنز بنائے۔ مگر اس کے بعد وہ بھی دوبارہ کوئی ٹیسٹ سے کھیل پایا۔

## پاکستانی کرکٹ منظر سے مشرقی حصے مشرقی پاکستان کا کٹ جانا

یحیٰی خان کے لائحہ عمل کے مطابق دسمبر 1970ء کے عام انتخابات سے کچھ دیر پہلے مشرقی پاکستان میں زبردست طوفانی آندھی آئی جس کے نتیجے میں تقریباً پانچ لاکھ افراد موت کا فوری شکار ہوگئے۔ ہزار ہا گھر تباہ وبرباد ہوئے۔ آمدورفت کا تمام نظام اور ضروری اروا ہم خدمات کے اداروں کا مکمل ڈھانچہ نیست ونابود ہوگیا۔ مشرقی پاکستان میں عام طور پر مرکزی حکومت کو موردِ الزام ٹھہرایا گیا کہ اس کی طرف سے بروقت نہ ہی امداد ملی اور نہ ہی کوئی کاروائی ہوئی بلکہ اس کا ناکافی رویہ رہا۔ اس کے علاوہ عالمی سطح سے آنے والی امداد کو ضائع اور غلط طور پر استعمال کرنے کا الزام بھی لگایا گیا۔

اس ناراضگی نے مشرقی پاکستان میں تقریباً مکمل طور پر عوامی لیگ کے لیے کامیابی کی ہمت افزائی

فضل محمود کے والد وائس پرنسپل پروفیسر غلام حسین کی انتہائی نایاب تصویر۔ وہ کرسی پر بائیں سے دائیں طرف دوسرے ہیں۔ ان کے پیچھے کھڑے (بائیں سے دائیں) چوتھے جہانگیر خان، اسلامیہ کالج ٹیم میں

برطانوی فوجی پشاور کے نزدیک کوہاٹ میں شمال مغربی سرحدی صوبہ کے علاقے میں کرکٹ کھیلتے ہوئے۔ یہ عمدہ تصویر 1860ء کی دہائی کی ابتدا میں بنائی گئی تھی

جالندھر کا برکی خاندان۔ کھیلوں کے لحاظ سے یہ دنیا کا عظیم ترین قبیلہ ہے

جہانگیر خان (ماجد خان کے والد اور عمران خان، جاوید برکی کے چچا)
لارڈز گراؤنڈ پر ہندوستان اور انگلینڈ کے ٹیسٹ میچ میں شہنشاہ جارج پنجم
سے ہاتھ ملاتے ہوئے

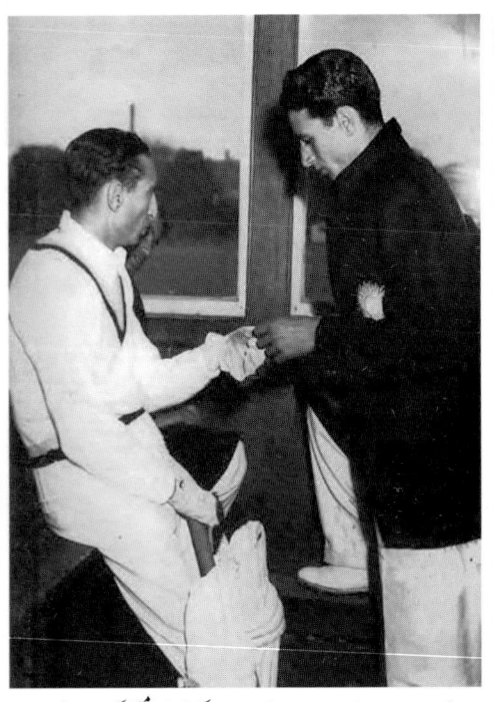

بادشاہ اور مصاحب۔1946ء میں ووسٹر کے خلاف میچ کے دوران کاردار،
کپتان نواب پٹودی کی دستانے پہننے میں مدد کرتے ہوئے

1954ء کپتان کاردار اور اوول ہیرو فضل محمود پاکستانی ٹیم کے ساتھ انگلینڈ کے خلاف لارڈز کے میدان میں

1951ء میں ایم سی سی ٹیم کو شکست دینے کے بعد سرکاری عشائیہ کے دوران وزیراعظم پاکستان خواجہ ناظم الدین پاکستانی کھلاڑیوں فضل، امتیاز اور نذر محمد سے ملاقات کرتے ہوئے۔ فضل محمود کی موجودگی وزیراعظم کے خصوصی حکم پر تھی

پاکستان کرکٹ کی بیشتر عظیم شخصیات لاہور جمخانہ کی اس تصویر میں موجود ہیں۔ فدا حسن تقریر کرتے ہوئے جبکہ جسٹس کارنیلیس اس کی دائیں طرف کرسی پر جھکے ہوئے ہیں۔ پیچھے نظر آنے والے دولڑکے ماجد خان اور اس کا بھائی اسد جس نے مستقبل میں آکسفورڈ بلیو حاصل کرنا تھا۔ بائیں طرف آغا احمد رضا خان جبکہ ڈاکٹر جہانگیر خان آگے کی جانب بیٹھے ہوئے ہیں

پرانے دوست اور کھلاڑی، تقسیمِ ہند کے بعد ملاقات کرتے ہوئے (بائیں سے دائیں) ڈاکٹر جہانگیر خان، ڈاکٹر دلاور حسین، سی کے نائیڈو

پاکستان کرکٹ ٹیم کے پہلے کپتان میاں محمد سعید (دائیں طرف) اپنے مدِمقابل ویسٹ انڈیز کے کپتان جان گوڈرڈ کے ساتھ 1948ء میں لاہور کے غیر سرکاری ٹیسٹ میچ کے دوران

کرکٹ کی دنیا کی سب سے عظیم ماں، کھیلوں میں جیتے ہوئے اپنے انعامات کے ساتھ۔ اس کے چار بیٹوں وزیر، حنیف، مشتاق اور صادق نے ٹیسٹ کرکٹ کھیلی۔ صرف رئیس بدقسمتی کی وجہ سے منتخب نہ ہوسکا

ایک منفرد تصویر: تین بہنیں جو پاکستان کرکٹ ٹیم کے تین کپتانوں کی مائیں بھی ہیں، (بائیں سے دائیں) شوکت خانم (عمران خان کی والدہ)، اقبال بانو (جاوید برکی کی والدہ کرسی پر)، نعیمہ (ماجد خان کی والدہ) اپنے بھائی آغا احمد کے ساتھ

پاکستان کے لیے پہلی دو ٹیسٹ وکٹیں 1952ء میں خان محمد نے دہلی میں حاصل کیں۔ پہلے پنکج رائے کو آؤٹ کیا اور یہاں منکڈ کو بولڈ کرتے ہوئے

1952ء میں ہندوستان کے خلاف لکھنؤ ٹیسٹ جیت کر پاکستان نے ٹیسٹ کرکٹ میں پہلی فتح حاصل کی۔ کوئیر (Coir) میٹنگ پر کھیلے گئے ٹیسٹ میں پنکج رائے، فضل محمود کی گیند پر ایل بی ڈبلیو ہوتے ہوئے

1954ء میں انگلینڈ کا دورہ کرنے والی ٹیم۔ پچھلی قطار (بائیں سے دائیں) مسعود صلاح الدین اسسٹنٹ مینیجر ذوالفقار احمد، علیم الدین، خالد حسن، شکور احمد، ابراہیم غزالی، محمود حسین، اکرام الٰہی، محمد اسلم، وزیر محمد، شجاع الدین۔ کرسیوں پر (بائیں سے دائیں) خان محمد، امتیاز احمد، فضل محمود، عبدالحفیظ کاردار (کپتان)، سید فدا حسن (مینیجر) مقصود احمد، وقار حسن، حنیف محمد

ساڑھے تین بجے بعداز دوپہر یہ طاقتور اور عمدہ جسامت کا شخص جس کا ہر قدم باؤلنگ کرتے اور واپس جاتے ہوئے جذبہ سے بھرپور تھا۔ اسی ولولے سے باؤلنگ کر رہا تھا جیسے صبح گیارہ بجے تھا۔ (سی ایل آر جیمز) کا 1954ء میں ووسٹر کے خلاف پاکستانی جارحانہ حملوں کی رہنمائی کرتے ہوئے فضل محمود پر تبصرہ

لارڈز ٹیسٹ 1954ء میں انگلینڈ کے خلاف پاکستان کی پہلی وکٹ۔ عظیم بلے باز اور کپتان ماسٹر لین ہٹن اننگز کی پہلی ہی گیند پر خان محمد کے ہاتھوں اندر آتے ہوئے یارکر پر بولڈ ہو گیا

اوول ٹیسٹ 1954ء انگلینڈ کا کپتان لین ہٹن دوسری اننگز میں فضل محمود کی گیند پر امتیاز احمد کے ہاتھوں کیچ آؤٹ ہوتے ہوئے۔ اس میچ کی جیت نے پاکستان کو دنیا بھر میں روشناس کروایا

حنیف محمد اور علیم الدین، ہندوستان کے خلاف 1955ء میں لاہور کے باغِ جناح میں ہونے والے تیسرے ٹیسٹ میچ میں کھیلنے جا رہے ہیں

فضل محمود، پاکستان ٹیم کی قیادت کرتے ہوئے 1954ء میں اوول کے میدان میں انگلینڈ کے خلاف تاریخی فتح حاصل کرنے کے بعد میدان سے واپس آتے ہوئے

1956ء میں پاکستان کا دورہ کرنے والی ایم سی سی اے

کرسیوں پر (بائیں سے دائیں) پیٹر رچرڈسن، ایلین واٹکنز، سٹکلف، ڈی بی کار (کپتان) جیفری ہاورڈ (منیجر) ٹونی لاک، موریس ٹامپکسن

کھڑے ہوئے (بائیں سے دائیں) رائے سوئٹمین، ہیرلڈ سٹیفنسن، فریڈ ٹٹمس، مائیکل کووان، ایلین ماس، برائین کلوز، جم پارکس، کین بیرنگٹن پیٹر سینز بری

گرم اوور کوٹوں میں ملبوس دو شخصیات: پاکستانی کپتان عبدالحفیظ کاردار اور انگلینڈ کا کپتان ماسٹر لین ہٹن

پاکستان اور ویسٹ انڈیز کے درمیان لاہور میں کھیلے جانے والے 1948ء کے واحد ٹیسٹ میچ کے دوران (بائیں سے دائیں)
جسٹس اے آر کارنیلیس، ''بلیک بریڈ مین''، جارج ہیڈلے، میاں محمد سعید پاکستان ٹیم کے پہلے کپتان

ویسٹ انڈیز کے 58-1957ء دورہ کے بعد پاکستانی ٹیم برمُوڈا چند میچ کھیلنے کے بعد پہلی بار امریکہ کے دورے پہ آئی۔ تصویر میں کپتان عبدالحفیظ کاردار ٹیم کی موجودگی میں نیویارک کے میئر ویگنر کو تحفہ میں بلا پیش کرتے ہوئے

صدرِ پاکستان اسکندر مرزا، اکتوبر1956ء میں آسٹریلیا کی ٹیم کو پاکستان کے ہاتھوں شکست ہوتے دیکھتے ہوئے۔ (فضل محمود نے 13 وکٹیں حاصل کیں)۔
صدر مرزا سرمئی رنگ کے سوٹ میں ملبوس اپنے وزیراعظم حسین شہید سہروردی کے ساتھ بیٹھے ہیں۔ دونوں شخصیات کی وفات جلاوطنی میں ہوئی

امریکی صدر آئزن ہاور اور صدرِ پاکستان ایوب خان، کراچی میں آسٹریلیا اور پاکستان کے درمیان 1959ء کے ٹیسٹ میچ سے لطف
اندوز ہوتے ہوئے۔ اُس روز صرف 104 رنز بنائے گئے جو کرکٹ تاریخ میں سست ترین رنز بنانے کا دوسرا واقعہ تھا

فیشن کی انتہا، ماجد خان، عبدالقادر اور عمران خان

سعید احمد 1960-61ء میں ہندوستان کے دورے کے دوران
اپنی مشہورِ زمانہ کور ڈرائیو شاٹ کی مشق کرتے ہوئے

بریگیڈیئر گسی حیدر 1962 کی انگلینڈ کا دورہ کرنے والی ٹیم پر اپنے قد کاٹھ سے نمایاں نظر آتے ہوئے۔ شرمناک شکستوں کے سلسلے کے بعد یہ ٹیم بے عزت ہو کر واپس لوٹی (بائیں سے دائیں) جاوید اختر، منیر ملک، امتیاز احمد، جاوید برکی (کپتان)، سامان کا انچارج۔ بریگیڈیئر حیدر، فضل محمود، علیم الدین، مشتاق محمد، نسیم الغنی سامنے زمین پر (بائیں سے دائیں) والس میتھائس، آفاق حسین، آصف احمد، انتخاب عالم

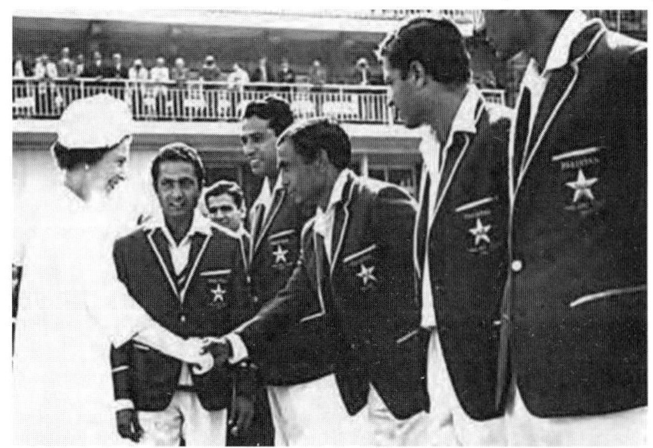

کپتان حنیف محمد 1967ء کے دورۂ انگلینڈ کے دوران لارڈز گراؤنڈ پر خالد عباداللہ کا ملکہ الزبتھ سے تعارف کرواتے ہوئے

قذافی سٹیڈیم میں ابتدائی پاکستانی خواتین کرکٹ کھلاڑی، شلوار قمیص میں ملبوس کھیلنے کے لیے جاتے ہوئے

دو عظیم کھلاڑی، ماجد خان اور آصف اقبال پیڈ باندھتے ہوئے

عبدالحفیظ کاردار ہمیشہ کی طرح عمدہ لباس میں ملبوس مگر بے آرام حالت میں ۔ 1970ء میں اپنے انتخابی دورہ کے دوران

ماجد خان، واکر کی گیند پر مارش کے ہاتھوں 158 رنز بنا کر میلبورن کے میدان میں 1972ء میں آؤٹ ہوتے ہوئے۔ دوسری طرف کھڑا بلے باز مشتاق محمد ہے۔

1974ء کے دورۂ انگلینڈ کے دوران (بائیں سے دائیں) صادق محمد، وسیم باری، آفتاب بلوچ، ظہیر عباس، آصف مسعود اور ماجد خان۔ خانے دار پتلون میں ملبوس آصف مسعود جس کی باؤلنگ کی دوڑ کے انداز کو جان آرلٹ نے یوں بیان کیا کہ "جیسے گراچو مارکس کسی ریسٹورنٹ کی خوب صورت ملازمہ کے پیچھے بھاگ رہا ہو۔"

رشتے کے تین پٹھان بھائی: ماجد خان، ڈاکٹر فرخ خان (ٹیم کا ڈاکٹر) اور عمران خان۔ 80-1979ء کے پاکستان کرکٹ ٹیم کے دورۂ ہندوستان کے دوران

2013ء میں لاہور جم خانہ کی گراؤنڈ میں خواتین کرکٹ میچ کھیلتی ہوئیں

پاکستان کا اوّلین آغازی جوڑا: نذر محمد اور امتیاز احمد (دائیں طرف) 1948ء میں ویسٹ انڈیز کے خلاف لاہور کے غیر سرکاری ٹیسٹ میں اننگز کی ابتدا کرتے ہوئے

ذوالفقار علی بھٹو اور عبدالحفیظ کاردار، قذافی سٹیڈیم میں انتظامی امور پر گفتگو کرتے ہوئے

عبدالقادر۔ کرکٹ تاریخ کے اہم باؤلروں میں شمار۔ اُس نے کلائی کے ذریعے سپن باؤلنگ دوبارہ متعارف کروا کے ثابت کیا کہ اُس کے ذریعے ایک روزہ میچ جیتے جا سکتے ہیں۔

پاکستان کا ٹیسٹ میچوں میں سب سے زیادہ رنز بنانے والا بلے باز جاوید میاں داد، جس نے اگست 1987ء میں انگلینڈ کے خلاف اوول کے میدان میں 260 رنز بنائے

وسیم اکرم: ایک اور ریورس سوئنگ کا جھانسہ دیتے ہوئے

سابق پاکستانی وزیر اعظم نواز شریف کرکٹ کھیلتے ہوئے۔ وہ سیاست دان ہونے کے علاوہ کرکٹ کے بھی شوقین ہیں

کپتان عمران خان 1992ء میں اپنے جھلّائے ہوئے شیروں کے ساتھ انگلینڈ کو فائنل میں شکست دے کر عالمی کپ کی جیت کی خوشی مناتے ہوئے

خطرناک تیز رفتار باؤلر وقار یونس، دنیا میں منفرد شہرت کا حامل

انضمام الحق، مقبول پاکستانی کوچ باب وولمر کے ساتھ جس کا ویسٹ انڈیز میں مارچ 2007ء میں عالمی کپ کے دوران اچانک انتقال ہوگیا

اسلام آباد کے نواح میں شام ڈھلے کرکٹ کھیلتے بچے

شاہد ''بوم بوم'' آفریدی پاکستان کرکٹ کے لاکھوں شائقین کا ہردلعزیز کھلاڑی

نومبر 2011ء میں کرکٹ کے شائقین نے سابق کپتان سلمان بٹ، محمد عامر اور محمد آصف کی تصاویر کو نذرِ آتش کیا۔ تینوں کو کرکٹ میں جوئے بازی پر قید کی سزا ہوئی تھی

30 اکتوبر 2011ء کو لاہور کے مینار پاکستان کے میدان میں
عمران خان عظیم الشان تاریخی جلسہ کرتے ہوئے

سعید احمد کرکٹ سے خیر باد کے بعد۔ اسلام کا پُرجوش تبلیغی

شعیب اختر اپنے دَور کا دنیا کا تیز ترین باؤلر

پاکستانی کپتان مصباح الحق کا شمار پاکستان کے بہترین کپتانوں میں ہوتا ہے
جس نے اپنی بیشتر کرکٹ بیرون ملک کھیلی

پاکستانی خواتین قذافی سٹیڈیم میں میچ دیکھتے ہوئے

کی۔ شیخ مجیب الرحمٰن کی پارٹی نے مشرقی پاکستان میں 169 میں سے 167 نشستیں جیت لیں اگرچہ وہ پارٹی مغربی پاکستان میں ایک بھی نشست نہ جیت سکی، پھر بھی 300 ممبران کی اسمبلی میں اسے جملہ طور پر اکثریت حاصل تھی۔ مغربی پاکستان میں ذوالفقار علی بھٹو کی پاکستان پیپلز پارٹی نے روٹی کپڑا اور مکان کے سماجی بہبود کے نعرے کے ذریعے 85 نشستیں جیت کر سب کو حیران کر دیا تھا۔ بھٹو اور مغربی پاکستان میں دوسری سیاسی پارٹیوں کا دعویٰ تھا کہ وہ متحدہ پاکستان سے وابستہ اور پابند ہیں۔[22] اس کے باوجود اس وابستگی نے قومی انتخابات میں شیخ مجیب الرحمٰن کو واضح طور پر جیتنے کے باوجود وزیراعظم بننے کی اجازت نہ دی جس کا وہ ووٹوں کے ڈبوں کی بدولت جیت حاصل کر کے مکمل طور پر حقدار تھا۔

اگرچہ سیاسی طور پر کسی تصفیہ کے امکانات کمزور تھے مگر یحییٰ خان نے اس کے لیے بھی کوشش کی۔ اس نے منتخب ہونے والی نئی اسمبلی کو سو دن کی مہلت دی کہ وہ ایک نیا آئین بنا کر پیش کرے اور اپنی امید اس اعتقاد پر مرکوز کر دی جس میں اقتدار میں حصہ داری کے سمجھوتے کے تحت بھٹو اور مجیب بزرگ بنگالی سیاستدان نورالامین جو متحدہ پاکستان مسلم لیگ کا چیئرمین تھا، کے لیے خدمات سرانجام دیتے۔ یحییٰ خان نے مجیب الرحمٰن کو اس منصوبہ پر قائل کرنے کے لیے ڈھاکہ کا سفر اختیار کیا۔ مگر مجیب الرحمٰن اور اس کی عوامی لیگ تقریباً مکمل آزادی کے لیے بضد رہے کہ مشرقی پاکستان اپنے تمام معاملات خود چلائے گا جس میں تجارت اور دفاع شامل ہوں گے۔ صرف امورِ خارجہ مستثنیٰ ہوں گے۔ بھٹو نے اس تجویز کو یکسر مسترد کرتے ہوئے یحییٰ خان کو مشورہ دیا کہ وہ ان مذاکرات کو بند کر دے۔

مارچ 1971ء میں یحییٰ خان نے قومی اسمبلی معطل کر دی اور اس کی بحالی کی کوئی تاریخ نہ دی۔ شیخ مجیب الرحمٰن نے سول نافرمانی اور ہڑتالوں کا اعلان کر دیا جسے مشرقی پاکستان کے بیشتر سرکاری ملازمین کی حمایت حاصل تھی اور یوں زندگی مفلوج ہو کر رہ گئی۔ یحییٰ خان، مجیب الرحمٰن اور ذوالفقار علی بھٹو کے مابین مشاورت کا ایک نیا دور ہوا مگر بغیر کسی نتیجہ کے ختم ہو گیا۔ یحییٰ خان نے کھلے عام مذمت کرتے ہوئے مجیب الرحمٰن کو غدار قرار دیا اور پاکستانی افواج کو مشرقی پاکستان کو دوبارہ قبضہ میں لینے کا حکم صادر کیا۔ یحییٰ خان نے فیصلہ کن غلطی کرتے ہوئے عوامی لیگ کی مزاحمت کے لیے قوتِ ارادی اور آبادی کے زیادہ حصے کی طرف سے اس کی حمایت کا اندازہ لگانے میں ناکام رہا۔ آپریشن سرچ لائٹ کے آغاز سے (جس کے بعد پاکستان نیوی نے آپریشن ''باری سال'' شروع کر دیا) مشرقی پاکستان خانہ جنگی کا شکار ہو گیا۔ مجیب اور اس کے چند قائم مقام گرفتار کر لیے گئے اور انہیں مغربی پاکستان میں نظر بند کر دیا گیا۔ دوسرے ساتھی لاکھوں غیر سیاسی پناہ گزینوں کے ہمراہ ہندوستان فرار ہو گئے۔ مکتی باہنی کے مزاحمتی چھاپہ مار جنگجو دستے پاکستانی فوج پر حملہ آور ہونے لگے جس نے انتہائی سختی اور تشدد سے جوابی کارروائی کرتے ہوئے بلاامتیاز عام شہریوں کے خلاف بھی

قدم اٹھایا۔ بھارتی وزیراعظم اندرا گاندھی نے بنگالیوں کی مزاحمت کی کھلے عام حمایت کی اور میجر ضیاالرحمٰن (وہ طنزآمیز طور پر ہندوستان کے خلاف پاکستان کی طرف سے 1965ء کی جنگ کا پرانا فوجی تھا) نے مشرقی پاکستان کی آزادی کا بنگلہ دیش کے نام سے نئی قوم اور ملک کے طور پر علانیہ جاری کردیا۔

اس انتہائی اہم لمحہ کے پس منظر میں پنجاب گورنر الیون نے پنجاب یونیورسٹی کے خلاف اپنا روایتی میچ کھیلا۔ یہ میچ معاشرتی طور پر نقطہ کمال کا درجہ رکھتا تھا مگر جانے والے فرسٹ کلاس میچوں کی فہرست سے اس آخری میچ کے بعد غائب ہوگیا اور ایک دور کا اختتام اپنے منطقی انجام کو پہنچنے پر اس کے ساتھ جن اقدار کا خاتمہ ہوا اس پر ڈاکٹر نعمان نیاز افسردہ رہا اور بعد میں اس نے لکھا کہ پاکستان کرکٹ کے منتظمین کے پاس کھیل کی پرانی روایت اور اخلاقیات کے لیے وقت نہیں تھا۔ ملک میں کرکٹ کی زیادہ شناخت فرسودہ معاشرتی تقسیم سے کی جاتی تھی۔ جس میں مالی طور پر مستحکم مگر طاقت سے عاری طبقہ بھی شامل تھا جو ملک میں آئندہ امکانات کے رویوں کی ترجمانی نہیں کرتا تھا جس میں درست طور طریقوں، اچھی شناخت اور ایسی کئی اور چیزوں کے لیے مستقل طور پر گھٹی گھٹی سی درخواست کی جاتی تھی۔ یہ غم کسی انگریز کا بھی ہوسکتا ہے جو اس نے 1963ء میں غیر پیشہ ور کھلاڑیوں کے نظروں سے اوجھل ہونے پر کیا ہو۔

گورنر الیون نے کم سکور کے اس میچ کو جیت لیا۔ لاہور کے سکول کے ایک طالبعلم جس کا اعلیٰ خاندانی پس منظر تھا، نے اس میچ میں حصہ لیا جو اس کا تیسرا فرسٹ کلاس میچ تھا۔ باؤلنگ کا آغاز کرتے ہوئے اس نے پانچ وکٹ انتہائی کم رنز کے عوض حاصل کرلی۔ یہ عمران خان تھا جس کے آگے چل کر چرچے ہونا ابھی باقی تھے۔[23]

ایوب ٹرافی کو بحال کرتے ہوئے اس کا نام تبدیل کر کے ایک حساس نام بی سی سی پی (BCCP) ٹرافی رکھ دیا گیا جس میں مشرقی پاکستان کی ٹیموں نے آخری مرتبہ حصہ لیا۔ وہ ڈھاکہ میں کھیلتے ہوئے ایسٹ پاکستان گرینز (East Pakistan Greens) کو پی آئی اے کی اے الیون نے ایک اننگز سے شکست دی۔ اسی گراوٗڈ پر پی آئی اے الیون کے خلاف وائٹس اور بھی بری طرح سے ناکام ہوئی۔ ظہیر عباس کے 196 رنز سے ہمت افزائی حاصل کرتے ہوئے پی آئی اے الیون نے 94 اووروں میں چار وکٹوں پر 513 رنز بنا کر اپنی اننگز ختم کرنے کا اعلان کردیا۔ (اس وقت اس قسم کے کھیل اور رنز کو پاکستان میں برق رفتاری کے طور پر دیکھا جاتا تھا) جواب میں ایسٹ پاکستان وائٹس کی تمام ٹیم صرف 34 رنز بنا کرنا کام ہوگئی۔ یہ میچ جنوری 1971ء کے آخر میں کھیلا گیا۔ مشرقی پاکستان کی کسی بھی ٹیم کی فرسٹ کلاس میچ میں یہ آخری باعث رسوائی شمولیت تھی جس میں ایم اے لطیف بھی شامل تھا (وہ صرف 4 رنز بنا کر آوٗٹ ہوا)۔ انتخابات سے صرف چند دن پہلے یہ میچ 27 تا 29 نومبر 1970ء کو کھیلا گیا جس میں عمران خان نے دونوں اننگز میں پانچ پانچ

وکٹ حاصل کیے۔ 24

جیسے جیسے پاکستان خانہ جنگی میں مبتلا ہوا۔ بی سی پی نے کرکٹ کے میدان میں مشرقی پاکستان سے آخری لمحات میں موافقت پیدا کرنے کے لیے کوششوں کا سلسلہ شروع کیا۔ اس نے انیس سال سے کم عمر کھلاڑیوں کے ایک نئے ٹورنامنٹ کا اہتمام کیا جس میں مشرقی پاکستان کی تین ٹیمیں شامل تھیں۔ جنگ کی وجہ سے اس میں پیش رفت روک دی گئی۔ اٹھارہ سالہ عمران خان مشرقی پاکستان سے اڑنے والی آخری پرواز کا مسافر تھا جس کے بعد فوج نے جنگ میں پیش قدمی شروع کردی۔ انتہائی اہمیت کا حامل تین میچوں کا وہ خاص سلسلہ تھا جو سرے (Surrey) اور انگلینڈ کے کھلاڑی مکی سٹیورٹ کی کپتانی میں دورہ کرنے والی انٹرنیشنل الیون کے خلاف کھیلا گیا۔

ان میچوں میں سے پہلا میچ کراچی کھیلا گیا جہاں انٹرنیشنل الیون انتخاب عالم کی لیگ سپن کے سامنے ڈھیر ہوگئی۔ انتخاب نے 30 رنز کے عوض 6 وکٹ حاصل کیے اور پاکستان میچ جیت گیا۔ دوسرا میچ ڈھاکہ میں کھیلا گیا جہاں مشرقی پاکستان کو مطمئن کرنے کے لیے بی سی پی نے ڈھاکہ یونیورسٹی کے ایک طالب علم رقیب الحسن کو ڈھونڈ نکالا۔ وہ لطیف اور نیاز احمد کے برعکس بنگالی تھا۔ ممکن ہے کہ بی سی پی کا اس کی تشہیر کرکے اسے استعمال کرنے کا ارادہ ہو۔ ایک سال قبل گنتی کے چند اوّل درجے کے میچوں میں حصہ لینے کے ثبوت پر منتخب کرنے والی کمیٹی نے نیوزی لینڈ کے خلاف آخری ٹیسٹ میچ میں اسے بارہویں کھلاڑی کے طور پر شامل کرلیا تھا۔ ان کے ارادے جو کچھ بھی تھے مگر رقیب نے تعمیل کرنے سے انکار کردیا۔ وہ اننگز کا آغاز کرتے ہوئے اپنے بلے کی پیشانی پر بنگلہ دیش کا نقشہ بنا کر میدان میں اترا اور ٹیم کے ساتھی کھلاڑیوں کو مطلع کیا کہ اگلی بار جب وہ ڈھاکہ آئیں گے تو انہیں ویزا لے کر آنا ہوگا۔

رقیب الحسن میچ میں ناکام رہا (دونوں اننگز میں صرف ایک ایک رن بنا سکا) اور پاکستانی ٹیم کی بیٹنگ بری طرح سے آؤٹ ہوگئی۔ چوتھے روز پاکستانی ٹیم مشکلات میں گھری ہوئی تھی۔ آٹھ کھلاڑی آؤٹ ہوچکے تھے۔ میدان میں سرفراز نواز اور وسیم باری کھیل رہے تھے اور ٹیم کو صرف 128 رنز کی برتری حاصل تھی کہ ریڈیو پر خبر آئی کہ مذاکرات ناکام ہوگئے ہیں اور یحییٰ خان نے قومی اسمبلی کا اجلاس ملتوی کردیا ہے۔

یہ وہ لمحہ تھا کہ جب تصفیہ کی تمام امیدوں پر پانی پھر گیا۔ حکومت کا مشرقی پاکستان پر اختیار ختم ہوگیا۔ خانہ جنگی شروع ہوگئی اور قومی آزادی کے حق میں بغاوت اپنے آخری مرحلے کی طرف بڑھنے لگی۔

فسادی طلبا نے فوری طور پر وکٹ پر حملہ کردیا اور یہ مکالمہ ہوا:

طالب علم رہنما: ''تمہیں اور تمہارے کھلاڑیوں کو کوئی خطرہ نہیں ہے مگر ہماری خواہش ہے کہ میچ کو ختم کردیا جائے۔ ہم احتجاج کر رہے ہیں کیوں کہ بھٹو نے ہمارے قائد سے ملاقات منسوخ کردی ہے۔''

مکی سٹیورٹ (Mickey Stewart): ''کیا تم تھوڑا انتظار نہیں کر سکتے ؟ تا کہ ہم یہ دو بقایا وکٹیں حاصل کر کے تھوڑے سے رنز بنا کر میچ جیت لیں؟''

انٹرنیشنل الیون کی ٹیم کے کپتان کو جواب ملا کہ یہ ممکن نہیں ہے۔اس پر اس کی ٹیم پویلین میں جا کر ڈریسنگ روم میں بیٹھ گئی جہاں انہیں لڑائی میں بندوقوں سے چلنے والی گولیوں کی آوازیں سنائی دے رہی تھیں۔ دو گھنٹے کے وقفہ کے بعد انہیں ایک فوجی گاڑی کے ذریعے فوجی کیمپ میں پہنچا دیا گیا۔ راستے میں انہیں بکھری لاشوں کے درمیان سے گزرنا پڑا تھا اور پھر اسی شب وہاں سے روانگی کے لیے ہوائی اڈہ پہنچا دیا گیا۔

پاکستانی ٹیم کے لیے حالات اور بھی زیادہ خوفناک تھے۔ سرفراز نواز نے یاد کرتے ہوئے دہرایا کہ جس وقت ہجوم نے میدان پر دھاوا بولا تو وہ اس وقت آسٹریلوی نژاد سیم باؤلر، نیل ہاک (Neil Hawke) کا سامنا کر رہا تھا۔ اس نے ایک سپاہی کو آگے بڑھنے پر مجبور کرتے ہوئے کہا کہ اس سے پہلے کہ ہجوم پاکستانی ٹیم کے کھلاڑیوں کو قتل کر دے، وہ ہجوم پر گولی چلا دے۔ سپاہی نے اس کی بجائے بندوق کا رخ سرفراز نواز کی طرف موڑ دیا۔

ایک دوسرے کے ساتھ سمٹے ہوئے کھلاڑی اپنی جانیں بچانے کے لیے کئی گھنٹے ڈریسنگ روم میں پناہ لینے کے لیے رکے رہے۔ انٹرنیشنل ٹیم کے کھلاڑیوں کو جب وہاں سے تیزی سے نکالا گیا تو پاکستانی کھلاڑیوں کو اس سے لاعلم رکھا گیا۔[25] آخر کار پاکستانی ٹیم کو ایک فوجی ٹرک کے ذریعے شہر کے وسط میں واقع پوربانی ہوٹل لے جایا گیا۔ ''ہمیں کہا گیا کہ آپ کو کسی بھی قسم کی نقل وحرکت سے گریز کرتے ہوئے ہوٹل سے باہر نہیں جانا۔'' انتخاب عالم نے یاد کرتے ہوئے بتایا: ''صرف اپنے کمروں تک محدود کر دیا گیا اور کسی قسم کے رابطہ اور رسل ورسائل کا کوئی ذریعہ نہ تھا۔''

مدد کے لیے کئی بے اثر کوششوں کے بعد انتخاب ایک خوش مزاج اور مہربان بڑے مرتبے کے فوجی افسر کو ڈھونڈنے میں کامیاب ہو گیا۔ انتخاب کے مطابق، پولو کھیلنے والا وہ بریگیڈیئر حیدر 1962ء میں انگلستان کا دورہ کرنے والی جاوید برکی کی ٹیم کا منیجر رہ چکا تھا۔ اگرچہ کرکٹ سے اس کی ناواقفیت کی وجہ سے اس کا تمسخر اڑایا جاتا رہا ہے مگر اس کے باوجود وہ 1962ء کے اسی زبردست مقابلے میں جس کی بدولت پاکستانی ٹیم کی پے در پے شکستوں کے حوالے سے شکل بگڑ کر رہ گئی تھی، نمایاں طور پر پُرسکون رہا اور اسی انداز میں 1971ء کی خوفناک جنگ کے دوران جب ہر طرف ہلاکت ہی ہلاکت تھی، صورتحال کو حل کرنے کے لیے اٹھ کھڑا ہوا۔ اس نے کہا، ''ٹھیک ہے۔ گھبرانے کی قطعی ضرورت نہیں۔ مجھے بتاؤ کہ وہاں تم سب کی کتنی تعداد ہے۔''[26]

انتخاب عالم کے مطابق پوربانی ہوٹل سے ہوائی اڈہ کا سفر عام حالات میں صرف پندرہ منٹ کا تھا۔ ''ہمیں یہ فاصلہ طے کرتے ہوئے تین گھنٹے لگے کیوں کہ جلتے درخت سڑک پر جا بجا گرے ہوئے تھے۔''

انتخاب یاد کرتے ہوئے بیان کرتا ہے کہ وہ کس طرح ہاتھوں میں مشین گن تھامے فوجی جیپ کی اگلی نشست پر بیٹھا تھا اور ہر چند گز کا فاصلہ طے کرنے کے بعد رک کر سڑک پر رکاوٹوں کو دور کیا جاتا رہا۔ ''ہوائی اڈے کا منظر میں کبھی بھی بیان نہیں کرسکتا۔'' انتخاب نے کلام جاری رکھتے ہوئے کہا: ''لاکھوں لوگ وہاں اس پرواز پر سوار ہونے کے لیے کوشاں تھے۔ میرے پاس جہاز کے پندرہ ٹکٹ موجود تھے اور ہر طرف فوج کا دور دورہ تھا۔'' کسی نہ کسی طرح وہاں سے وہ فرار ہونے میں کامیاب ہوگئے۔

اب ٹیم وقت کے مقابلے میں دوڑ رہی تھی۔ تیسرا میچ 4 مارچ کو لاہور میں شرع ہونے کو تھا۔ پاکستانی پروازوں پر بھارتی فضاؤں میں سفر کرتے ہوئے اڑنے پر پابندی عائد ہوچکی تھی۔ اس لیے مجبوراً اسے براستہ کولمبو سری لنکا سفر کرنا پڑا۔ جیسے ہی جہاز زمین پر اترا، اس کا اگلا ٹائر پھٹ گیا۔ اس کے نتیجے میں ٹیم کوکئی گھنٹے تک وہاں رکنا پڑا۔ انتخاب کو یاد ہے کہ وہاں سے لاہور کے ٹیسٹ کے لیے پہنچانے کے لیے جہاز کو غیر معمولی تیز رفتاری سے اڑایا گیا۔

بی سی پی باور کرچکی تھی کہ ٹیم دیر سے پہنچ پائے گی۔ لہٰذا اس نے انٹرنیشنل الیون کے خلاف کھیلنے کے لیے ایک متبادل ٹیم کا انتظام کرلیا تھا۔ تاہم اس صبح لاہور میں بارش ہوگئی اور انتخاب عالم کی ٹیم دیر سے ڈھائی بجے شروع کیے جانے والے میچ کے لیے عین وقت پر آ پہنچی۔ سرفراز نواز کو اب تک یاد ہے کہ انہیں دیکھ کر متبادل ٹیم کے کھلاڑیوں کے منہ لٹک گئے۔

پہلے بیٹنگ کرتے ہوئے حیرت کے بغیر پاکستانی ٹیم ناکام ہوگئی۔ اپنے ملک کی پہلی بار نمائندگی کرتے ہوئے عمران خان کھیلنے کے لیے اس وقت آیا جب 80 رنز پر سات کھلاڑی آؤٹ ہوچکے تھے۔ اس نے 51 رنز کیے اور ٹیم کے سکور کو 153 رنز تک پہنچا دیا۔ پھر سرفراز نواز کے ساتھ باؤلنگ کا آغاز کرتے ہوئے تین وکٹ حاصل کرلیے۔ یہ پہلا موقع تھا کہ پاکستان کے ان دو عظیم باؤلروں نے پہلی مرتبہ باؤلنگ کا آغاز کیا تھا۔ عمران کی اس کارکردگی کی بدولت گرمیوں میں دورہ کرنے والی پاکستانی ٹیم میں اسے شامل کرلیا گیا۔ اس کے علاوہ کاؤنٹی (County) کھیلنے کے لیے اسے ورسٹر (Worcester) کی طرف سے پیشکش بھی مل گئی۔

دوسرے نوجوان کھلاڑی رقیب الحسن کے لیے سترہ سال کی عمر میں ڈھاکہ ٹیسٹ اس کے لیے آخری ثابت ہوا۔ کئی سال بعد ایک گفت وشنید کے دوران بی سی پی الیون کے لیے اپنی نمائندگی کے بارے میں بتایا کہ ''میچ کے آخری روز دوپہر کے کھانے کے وقفہ کے بعد طلباء کے جلوس آن وارد ہوئے۔ جگہ جگہ الاؤ جل رہے تھے اور میدان پر چڑھائی کردی گئی تھی۔'' اس نے مزید کہا کہ ''میں اسی وقت سمجھ گیا کہ میری ٹیسٹ کرکٹ کا خاتمہ ہوگیا ہے۔ اس دور میں میں آزادی کی جنگ میں شریک تھا۔ بنگلہ دیش کی جلاوطن حکومت نے مجھے کہا کہ میں ایک ایسی ٹیم بناؤں جو ہماری فٹ بال ٹیم جیسی ہو جس نے پورے بھارت میں

کھیل کھیل کے ہمارے مقصد کے متعلق آ گاہ کیا تھا۔

جب مارچ 1971ء میں قائداعظم ٹرافی کو دوبارہ شروع کیا گیا تو مشرقی پاکستان کی تمام ٹیمیں دستبردار ہوگئیں اور اپنے مخالفین کو کھیلے بغیر جیت کا موقع (Walkover) فراہم کردیا۔[27] اب توجہ موسم گرما میں شروع ہونے والے انگلستان کے دورہ کی طرف مبذول ہوگئی۔

برطانوی نشریات اور اخبارات پاکستانی افواج کی مشرقی پاکستان میں ناگوار استیصال کی چالوں کی خبریں دے رہے تھے۔ تعداد میں بڑھتے ہوئے پناہ گزین علیحدگی پسند عناصر سے ہمدردی رکھنے والوں کے دانستہ قتل و غارت کی داستانیں سنا رہے تھے۔ برطانوی رائے عامہ پاکستان کے خلاف ہوگئی۔ لندن میں مقیم پاکستانی ہائی کمیشن ٹیم کے استقبال اور حتیٰ کہ اس کی حفاظت کے لیے بھی پریشانی کا شکار تھا اور زور دے رہا تھا کہ دورہ منسوخ کردیا جائے مگر یحییٰ خان کے منتخب کردہ صدر بی سی سی پی آئی اے خان کو یہ بات سننا بھی گوارا نہ تھی۔ اس نے ایم سی سی انتظامیہ کے ساتھ کامیاب منظم کوششیں جاری رکھتے ہوئے انہیں اس بات پر رضامند کرلیا کہ منصوبہ کے تحت دورہ جاری رہے۔ ٹیم منتخب کرنے والوں نے رقیب الحسن، نیاز احمد (مشرقی پاکستان سے کھلاڑی جس نے 1967ء کے نسبتاً پرسکون دنوں میں انگلستان کا دورہ کیا تھا) اور ایم اے لطیف سے دلبرداشتہ ہوکر انہیں چھوڑ دیا۔ خیرسگالی کا ایک یہ اشارہ ضرور تھا کہ منتخب کرنے والی کمیٹی میں مشرقی پاکستان کی کرکٹ انتظامیہ کے دو رکن شامل کرلیے گئے تھے۔ اس نہج پر سنجیدگی سے یہ باور کرنا مشکل ہے کہ اس اقدام سے مشرقی پاکستان میں اس شمولیت کی وجہ سے رائے عامہ پاکستان کے حق میں ہوگئی ہو۔ دونوں حضرات شرکت کے لیے نہ آئے۔

سلیکشن کمیٹی نے کئی متنازع فیصلے کیے۔ خاص طور پر مشتاق محمد اور ماجد خان کو نظرانداز کیا جانا۔ غالباً یہ اقدام ان کی نارتھ ہیٹمپٹن شائر اور کیمبرج یونیورسٹی اور گلیمورگن کے ساتھ مصروفیات کی وجہ سے لیے گئے تھے۔ آئی اے خان نے دعویٰ کیا کہ مشتاق محمد نے پاکستانی کرکٹ بورڈ سے زیادہ معاوضہ کا مطالبہ کیا تھا۔ ذرائع ابلاغ اور عوام نے کھلاڑیوں کی طرفداری کی جس پر انہیں فوری طور پر بحال کردیا گیا۔ منتخب کرنے والوں پر اس الزام کے ذریعے بھی حملہ کیا گیا کہ انہوں نے محمد نذیر کو ٹیم میں نہیں رکھا لیکن بعد میں اسے زخمی پرویز سجاد کے متبادل کے طور پر واپس ٹیم میں لے لیا گیا اور یوں دونوں کو ٹیم میں لینے سے رائے عامہ مطمئن ہوگئی۔ اس طرح کے حالات کی بدولت ایک مختصر دورے کے لیے انیس کھلاڑیوں کی ٹولی کو اکٹھا کرلیا گیا۔ یہ ضرورت سے زیادہ انتظامات کی مثال بن گئی جسے آئندہ سالوں میں بھی دہرایا جاتا رہا۔

دورہ بالآخر چند معمولی نوعیت کی سیاسی مشکلات کے باوجود اپنے اختتام کو پہنچا۔ اگرچہ ٹیم کو ایج بیسٹن گراؤنڈ کے باہر دیر تک احتجاج کا سامنا کرنا پڑا۔[28] ایک واقعہ مضحکہ خیز تھا۔ ٹیم کے سب سے جھگڑالو

کھلاڑی سعید احمد اور آفتاب گل پورٹس متھ (Portsmiouh) میں محمد نذیر کے ساتھ ایک ہندوستانی طعام گاہ میں گئے۔ اس طعام گاہ کا مالک بنگالی تھا جس نے ان کھلاڑیوں کو کھانا دینے سے انکار کردیا۔ سعید احمد نے اپنے ردِعمل کا اظہار غیرمہذب زبان استعمال کرتے ہوئے کیا جس پر آزادانہ طور پر دونوں طرف سے بلند اور اونچی آوازوں میں لوگوں کی موجودگی میں شورشرابا کیا گیا۔ دورہ پر آنے والی پاکستانی انتظامیہ نے جواباً بنگالی ملکیت کی طعام گاہوں میں کھلاڑیوں کے جانے پر پابندی عائد کردی۔ حالاں کہ یہ بات قطعی واضح نہیں تھی کہ کھلاڑی اس بات کا قبل از وقت کس طرح یقین کرسکیں گے کہ طعام گاہ کا مالک بنگالی ہے۔[29]

ایک اور واقعہ امکانی طور پر زیادہ سنجیدہ تھا۔ پہلے ٹیسٹ میچ کے دوران اعلان کیا گیا کہ مشرقی پاکستان کے ہیضہ زدہ پناہ گزینوں کی مدد کی خاطر امدادی Oxfam ادارے کی اپیل پر پاکستانی ٹیم کے کھلاڑی برمنگھم کے لارڈ میئر کے لیے ایک بلے پر دستخط کریں گے۔ کھلاڑیوں کے ساتھ اس کے لیے پہلے سے کوئی صلاح مشورہ نہیں کیا گیا تھا۔ کھلاڑیوں میں سیاسی طور پر سب سے زیادہ متحرک اور بارابطہ کھلاڑی آفتاب گل تھا جس نے دستخط کرنے سے انکار کردیا۔ ٹیلی ویژن چینل آئی ٹی این (ITN) نے 19 جون کو آفتاب گل کے جارحانہ دعویٰ کی خبر دیتے ہوئے یوں بیان کیا کہ اس کے خیال میں ہندوستان نے ہیضے کے نامعقول بہانے سے پاکستان کی شہرت کو داغدار کرنے کی کوشش کی تھی اور امداد کے لیے کی گئی استدعا ہندوستان کو مالی فائدہ پہنچانے کا ایک بہانہ تھا۔ اس پر دوسرے کھلاڑی بھی دستخط کرنے سے انکاری ہوگئے۔ لیورپول کا بشپ انگلینڈ کرکٹ ٹیم کا سابقہ کپتان ڈیوڈ شیفرڈ تھا جو جنوبی افریقہ کے ساتھ کرکٹ تعلقات کو ختم کرنے کی تحریک کا قائد بھی تھا، اس نے دھمکی دی کہ وہ پاکستانی ٹیم کے دورہ کے خلاف سماجی مظاہرہ کے ذریعے تعلق منقطع کرے گا۔ پاکستانی ٹیم کے منیجر مسعود صلاح الدین نے کھلاڑیوں کو حکم صادر کیا کہ وہ بلے پر دستخط کریں۔ آفتاب گل مسلسل زبانی طور پر انکار کرتے ہوئے اپنی ضد پر قائم رہا۔ نظم وضبط کا پابند کیا گیا۔ دوسرے کھلاڑیوں نے منیجر کے حکم کی تعمیل کی۔ اگرچہ آفتاب گل کا دعویٰ تھا کہ بیشتر کھلاڑی اس کی حمایت کررہے تھے۔

میدان سے ہٹ کر کئی اور واقعات بھی ہوئے جو سیاسی تو تھے مگر انہیں مستقبل میں کئی بار دہرایا گیا۔ دورے کے اوّلین میچ میں جو ورسٹر (Worcester) کے خلاف کھیلا گیا سعید احمد نے تیسرے نمبر کی پوزیشن پر کھیلنے سے انکار کردیا۔ بظاہر وہ گھاس والی وکٹ پر ووسٹر کے تیز رفتار ویسٹ انڈین باؤلر وینبرن ہولڈر (Vanburn Holder) کا سامنا نہیں کرنا چاہتا تھا۔ اس صورتحال میں ظہیر عباس نے آکر بچاتے ہوئے سنچری بنا ڈالی۔ یہ وہ لمحہ تھا جب پاکستانی بیٹنگ کی اعلیٰ درمیانے درجہ کی ترتیب ہمیشہ کے لیے تبدیل ہوگئی۔ سعید احمد نے ٹیسٹ ٹیم میں نچلے درجہ پر کھیلنے کے لیے جگہ کی کوشش کی مگر اسے انکار ہوگیا۔ اس نے بغیر اطلاع چھٹی کرتے ہوئے اپنی بیوی کے ہمراہ اشیاء کی خریداری میں سرگرم ہوگیا۔ جبکہ اس سے بیشتر وہ نوعمر کھلاڑیوں

کو رات کے وقت نائٹ کلبوں میں جانے کی ترغیب دیتا رہا تھا اور بعد میں گا ان کے خلاف شکایت کرتا کہ ان کے دیر سے آنے کے باعث اس کی نیند میں خلل پڑتا ہے۔ اسی اثنا سعید احمد کے بہنوئی سرفراز نواز نے اعلان کیا وہ پہلے ٹیسٹ میں مکمل طور پر صحت مند نہ ہونے کی وجہ سے نہیں کھیل سکتا جبکہ وہ انتہائی تندہی سے اپنی کاؤنٹی نارتھ ہمپٹن شائر کی دوسرے درجہ کی ٹیم اور اتوار کو کھیلے جانے والی لیگ میں متواتر کھیلتا رہا۔ ادھر پاکستان اس کے بغیر تیسرا ٹیسٹ میچ کھیل رہا تھا۔ تمام کھلاڑیوں کو دوہ کے دوران ملنے والے خرچہ پر اعتراض تھا۔ (خاص طور پر کھانے پینے کی مد میں ملنے والی 75 پینی کی رقم پر)[30] عمر اور مرتبے میں کم کھلاڑیوں میں اس بات پر ناراضگی پائی جاتی تھی کہ عمر اور مرتبے میں بڑے کھلاڑیوں کو ان سے زیادہ مراعات اور اخراجات ملتے ہیں۔

ان تمام پریشان کن حالات میں پہلے ٹیسٹ کی ابتدا ہوئی جس میں پاکستانی کرکٹ کی تاریخ کی ایک شاندار کارکردگی دکھائی گئی۔ برطانوی کرکٹ کے اخباری نمائندوں کی نظر میں پاکستان ٹیم کا انگلینڈ کی ٹیم کے ساتھ کوئی مقابلہ نہ تھا جس نے حال ہی میں آسٹریلیا سے ایشز (Ashes) جیتی تھی۔ خاص طور پر ان کی رائے تھی کہ پاکستان ٹیم کے اوپر کی گنتی پر کھیلنے والے کھلاڑی انگلینڈ کے تیز رفتار باؤلر ایلن وارڈ (Alan Ward) کے سامنے نہیں ٹھہر سکیں گے۔ اس کے باوجود ایجبٹین (Edgbaston) پر انتخاب عالم کو ٹاس جیت کر پہلے بیٹنگ کرنے میں کوئی ہچکچاہٹ محسوس نہیں ہوئی۔ وارڈ (Ward) نے بہت جلد ہی لفظی نوعیت میں نشانہ بنا لیا۔ جب آفتاب گُل اس کے اوور کے تیسرے گیند پر چُوک گیا اور وہ سیدھی اس کے چہرے پہ لگی۔ اسے میدان سے باہر لے جانا پڑا[31] اور پاکستان کے لیے نمبر تین پر کھیلنے والے کو میدان میں آنا پڑا۔ نظر کی عینک پہنے، غیر معروف، جھجکتا ہوا یہ کھلاڑی ظہیر عباس تھا۔ یہ اس کا دوسرا ٹیسٹ میچ تھا۔ اس سے پہلے اس نے نیوزی لینڈ کی کمزور ٹیم کے خلاف اندرون ملک کھیلتے ہوئے اپنے پہلے ٹیسٹ میچ کی دونوں اننگز میں 12 اور 27 رنز بنا رکھے تھے۔ ابتدائی طور پر وہ غیر یقینی طور پر کھیلنے کے بعد ظہیر عباس کا کھیل بہتر سے بہتر ہوتا چلا گیا۔ صادق محمد کو 68 رنز پر کھونے کے بعد اس نے مشتاق محمد سے مل کر 293 رنز کا اضافہ کیا۔ وہ بغیر زحمت بے تکان گیند کو میدان میں ہر طرف دوڑاتا رہا۔ مشتاق پورے سو رنز بنا کر رخصت ہوا، مگر ظہیر نے ماجد خان سے مل کر مزید 82 رنز کا اضافہ کیا۔ آخر کار اپنی غلطی پر شدید غصہ کا اظہار کرتے ہوئے ظہیر اپنے سب سے کم جاذبِ نظر سٹروک سویپ (Sweep) کو کھیلنے کی کوشش میں رے النگ ورتھ (Ray Illingworth) کا شکار ہو گیا۔ اس نے 550 منٹ میں 274 رنز بنائے تھے۔ جس میں 38 چوکے شامل تھے۔ اس کے بعد آصف اقبال میدان میں آ گیا اور دوسرے روز کے اختتام پر وہ ٹوٹے ہوئے جبڑے کے باوجود 98 رنز بنا کر آؤٹ نہیں ہوا تھا۔ اپنی سنچری مکمل کرنے کی کوشش میں اس نے نووارد عمران خان کو رن آؤٹ کروا دیا۔ انتخاب عالم تیسرے دن تک کھیل کو لے گیا تا کہ آصف اقبال کی سنچری مکمل ہو سکے ارو پھر اس نے سات وکٹوں کے نقصان پر 608 رنز پر اننگز کا اختتام

کر دیا۔ اس وقت تک انگلینڈ کے خلاف یہ پاکستان کا سب سے زیادہ سکور تھا۔

جب انگلینڈ کے کھیلنے کی باری آئی تو ایک اور غیر معروف پاکستانی کھلاڑی نمایاں طور پر سامنے آیا۔ یہ پاکستان کا ابتدائی تیز رفتار باؤلر آصف مسعود تھا جسے گیند کرنے سے پہلے ایک دو قدم پیچھے کی طرف جانے کی عادت تھی۔ اس انداز کی جان آرلٹ (John Arlott) نے یوں تشبیہ دی کہ جیسے امریکی مزاحیہ اداکار گراچو مارکس (Graucho Marx) ہوٹل کی ویٹرس خوبصورت دوشیزہ کے پیچھے بھاگ رہا ہو۔ اس دن گیند کو سوئنگ اور کٹ کرنے میں اسے حیرت انگیز طور پر مدد ملی۔ اس نے اپنے دوسرے ہی گیند پر جان ایڈرچ (John Edrich) کو آؤٹ کر دیا اور اننگز میں 111 رنز دے کر پانچ وکٹ حاصل کر لیے۔ انگلینڈ کی ٹیم 6 وکٹوں پر 148 رنز بنا کر رہ گئی۔ اس کارکردگی میں پرویز سجاد اور انتخاب عالم نے اہم کردار ادا کیا۔ ایلن ناٹ (Allan Knott) کے 116 اور باسل ڈی اولیورا کے 73 سکور کے باوجود انگلینڈ کو پاکستان کے خلاف پہلی بار فالو آن کا سامنا ہوا۔ آصف محمود نے پھر چار مزید کھلاڑی آؤٹ کیے۔ پاکستان اس عظیم فتح کو حاصل کرنے کو تھا کہ بارش اور کم روشنی کی نے آخری دو دن میں مداخلت کی اور انگلینڈ جب 26 سکور پیچھے تھا اور اس کے پانچ کھلاڑی آؤٹ ہو چکے تھے، میچ روک دیا گیا۔

لارڈز میں دوسرا ٹیسٹ میچ بارش کی وجہ سے برباد ہوا لیکن لیڈز میں تیسرا ٹیسٹ خوب رہا۔ پاکستان نے ایک تبدیلی کی کہ سعید احمد کو دوبارہ ٹیم میں شامل کر لیا کیوں کہ ماجد خان لارڈز میں Varsity میچ میں کیمرج کی کپتانی کر رہا تھا۔[32] انگلینڈ نے ٹاس جیت کر سازگار حالات میں بیٹنگ کی۔ وسیم باری نے تین کیچ پکڑے اور انگلینڈ کا سکور تب 74 پر تین آؤٹ تھا۔ لیکن بائیکاٹ کی ایک اور سنچری اور ڈولیویرا کے 74 سکور کے ساتھ انگلینڈ نے 316 سکور کیا۔ پاکستان نے 209 اوور کھیل کر 34 سکور کی لیڈ لی۔ ظہیر عباس نے 42 سے زیادہ اوورز میں 72 سکور کیا، مشتاق محمد نے تقریباً اتنے ہی اوورز میں 57 سکور کیا۔ پاکستان یوں لگتا کہ ہار جائے گا لیکن وسیم باری نے آخری تین وکٹوں کی شراکت میں 94 سکور بڑھایا جس میں سے وسیم باری کا سکور 63 رہا۔ اس کے بعد اس نے آصف مسعود کی پہلی گیند پر برائن لک ہرسٹ (Brian Luckhurst) کا کیچ پکڑ کر چار گیندوں میں لک ہرسٹ (Luck-Hurst) کو دوبارہ صفر کے سکور پر آؤٹ کروایا۔ دوسرے ابتدا پر باؤلر سلیم الطاف نے دوسری طرف سے باؤلنگ کرتے ہوئے 143 اووروں میں گیارہ رنز کے عوض چار وکٹ حاصل کرنے کے اعداد و شمار مہیا کر دیئے۔ اس کے ہاتھوں آؤٹ ہونے والوں میں بائیکاٹ جس کا شارٹ لیگ پر مشتاق محد نے عمدہ کیچ لیا بھی شامل تھا۔ ہمیشہ کی طرح ڈولیویرا نے مشکل میں پھنسی ہوئی انگلش ٹیم کو بچاتے ہوئے دیر تک مشکل وکٹ پر کھیل کر 72 رنز کیے۔ ڈینس ایمس (Dennis Amiss) کے پچاس رنز اور النگ ورتھ کے 45 رنز کی مدد سے اس نے انگلینڈ سے جیتنے کا 231 رنز کا ہدف مہیا کر دیا۔ وسیم باری نے

ٹیسٹ میں آٹھ کیچ پکڑ کر جن میں تین کیچ نہایت شاندار تھے، اس وقت کے ٹیسٹ میچوں کا ریکارڈ برابر کر دیا۔ آفتاب گل اور صادق محمد نے کسی خطرہ اور وکٹ کے نقصان کے بغیر دن کے اختتام پر 25 رنز بنا لیے تھے۔

تاہم اگلی صبح آفتاب گل، النگ ورتھ کے خلاف ایک احمقانہ شاٹ کھیلتے ہوئے اپنے سابقہ رنز میں اضافہ کیے بغیر آؤٹ ہوگیا۔ ظہیر عباس پہلی ہی گینڈ پر آؤٹ ہوگیا اور پھر اس کے پیچھے مشتاق محمد اور سعید احمد بھی جلد ہی آؤٹ ہوگئے، جنہیں صادق محمد تحمل اور اطمینان سے دیکھتا رہا۔ 65 رنز پر جب 4 کھلاڑی آؤٹ ہو چکے تھے تو آصف اقبال کھیلنے کے لیے اندر آیا اور صادق محمد کو وہ سہارا دیا جس کی اسے ضرورت تھی۔ دونوں نے بغیر کسی پریشانی کے 93 رنز کا اضافہ کیا جبکہ النگ ورتھ بدل بدل کر چھ باؤلروں کو استعمال کرتا رہا۔ پھر اچانک غیر ذمہ داری کا ثبوت دیتے ہوئے آصف اقبال نے سست رفتار بائیں ہاتھ سے باؤلنگ کرنے والے باؤلر نارمن گفرڈ (Norman Gifford) کو کھل کر کھیلنے کا فیصلہ کیا۔ جس کے نتیجے میں وہ گیند سے مات کھا گیا اور اسٹمپ (Stump) ہوکر آؤٹ ہوگیا۔ صادق بالکل پرسکون تھا اس نے اور انتخاب عالم نے مل کر سست رفتاری سے 24 رنز کیے جس میں وقت کا کوئی عنصر نہیں تھا۔ آخر کار اِلنگ ورتھ کو انگلستان کی طرف سے باقاعدگی سے شراکتیں توڑنے والے باؤلر ڈولیویرا (D'Oliveira) کو میدان میں لانا پڑا۔ اس کے پہلے ہی اوور میں دونوں بیٹسمین آؤٹ ہوگئے۔ پاکستان کو اپنی باقی تین وکٹوں سے 46 رنز درکار تھے۔ پہلی اننگز میں ان ہی تین وکٹوں نے اس سے دوگنے رنز کیے تھے۔ وسیم باری اور سلیم الطاف نے مل کر 16 رنز کا اضافہ کیا۔ اب اِلنگ ورتھ نے اپنا دوسرا تخلیقی فیصلہ کیا اور اپنے واحد تیز رفتار باؤلر پیٹر لیور (Peter Lever) کو باؤلنگ دی۔ زخمی ہونے کی وجہ سے اس نے اب تک اس اننگز میں باؤلنگ نہیں کی تھی۔ اس نے پوری طرح سے حسب ہدایت عمل کرتے ہوئے آخری تین وکٹوں کو چار گیندوں میں اڑا دیا۔ پاکستان میچ 25 رنز سے ہار گیا۔ اس نتیجہ پر آج چالیس سال سے زیادہ عرصہ گزرنے کے باوجود اس وقت کے لوگ جو ابھی زندہ ہیں، رنجیدہ ہیں۔

شکست اور میدان سے باہر کی مشکلات کے باوجود یہ مختصر دورہ پاکستانی ٹیم کا بلوغت کو پہنچنے کا اعلان تھا۔ انتخاب نے عقل و دانش اور ہوشیاری سے کپتانی کے فرائض نبھائے۔ اس نے ٹیم کے تنک مزاج کھلاڑیوں کو اکٹھے کیے رکھا جس میں ٹیم کی سرکاری انتظامیہ کی طرف سے اسے کوئی مدد حاصل نہ تھی۔ اس نے محنت سے اپنے آپ کو باؤلر کے طور پر استعمال کیا اور مختصر دورہ میں 72 فرسٹ کلاس وکٹ حاصل کر لیے۔ 1972ء کے وزڈن (Wisden) نے تجزیہ کرتے ہوئے لکھا ہے کہ ''یہ ایسا دورہ تھا جس نے کرکٹ کی دنیا میں پاکستان کی طاقت کا لوہا منوا دیا ہے۔'' اس کے علاوہ انتخاب عالم کا مہذب اور معتدل بیان بھی شامل کیا گیا ہے جس میں اس نے کہا تھا کہ ''میں نے شروع ہی میں کہا تھا کہ ہم میں کم از کم ایک ٹیسٹ میچ جیتنے کی صلاحیت ہے۔ اگر آخری روز برمنگھم میں بارش نہ ہوتی تو مجھے یقین ہے کہ ہم وہ کر دکھاتے۔ یقیناً مجھے مایوسی

ہوئی کہ ہم انگلینڈ کو شکست نہ دے سکے۔ لیکن مجھے یقین ہے کہ ہم نے اپنے آپ کو پورے اور مکمل دورے کا اہل ثابت کر دیا ہے۔'' بہت سے برطانوی حمایتیوں نے اس سے اتفاق کیا مگر یہ کہیں 1987ء میں جا کر ہو سکا۔

## عہد ساز دور کا خاتمہ

پاکستانی ٹیسٹ کھلاڑی اپنی قوم کی طرف لوٹے جو جان لیوا دھمکی کا سامنا کر رہی تھی۔ جیسے جیسے ہندوستانی افواج نے پہلے خفیہ طور پر اور پھر کھلے عام مکتی باہنی کے جنگجوؤں کی حمایت کرنا شروع کی، یحییٰ خان کی فوج نے مشرقی پاکستان پر اپنا اثر و رسوخ اور انتظام کھونا شروع کر دیا۔ بہت سی افواج کی طرف جنہیں ماضی اور مستقبل میں ایسے حالات کا سامنا تھا پاکستانی فوج نے سختی کو تیز تر کر دیا جس کا کوئی خاطر خواہ نتیجہ نہ نکلا بلکہ اس سے مزاحمت میں اور تیزی آئی۔ ہندوستان نے جنگ کا اعلان کر دیا اور اس کی افواج مشرقی پاکستان میں داخل ہوگئیں جہاں صرف دو ہفتے کے اندر پہلے سے تھکی ماندی پاکستانی افواج کو مغلوب کر لیا۔ 17 دسمبر 1971ء کو پاکستانی افواج نے دشمن کی اطاعت قبول کرتے ہوئے ہتھیار پھینک دیئے۔ تقریباً نوے ہزار فوجی جنگی قیدی بن گئے جن میں 1954ء میں اوول گراؤنڈ پر پاکستانی فاتح ٹیم کا کھلاڑی لیفٹیننٹ کرنل شجاع الدین بھی شامل تھا۔ اپنی قید کے دوران شجاع اپنے ساتھیوں کے مابین کرکٹ میچ ترتیب دینے لگا اور ایم سی سی (MCC) سے استدعا کی کہ وہ انہیں کرکٹ کھیلنے کا سامان بھیجے۔

مقامی اور عالمی سطح پر خوشیوں کے جشن مناتے ہوئے جن میں کئی معروف گلوکاروں کے اعلیٰ تماشے بھی شامل تھے، بنگلہ دیش کی ریاست معرض وجود میں آئی اور شیخ مجیب الرحمٰن اس کا پہلا وزیراعظم بن گیا۔ نئی ریاست وسائل سے عاری اور جنگ کی وجہ سے بری طرح سے داغدار ہو چکی تھی۔ آج بھی اس بات کا صحیح اندازہ نہیں لگایا جا سکا کہ اس لڑائی میں کتنے بنگالی شہری مارے گئے تھے۔ پاکستان کے ایک سرکاری ادارے کے مطابق یہ تعداد 26000 تھی۔ بھارتی اور بنگالی ذرائع اس تعداد کو تیس لاکھ کہتے ہیں۔ اس وقت کے موجود امریکی ذرائع کے مطابق یہ تعداد تین لاکھ تھی۔ یہ بات قطعی طور پر باعث حیرت نہیں کہ جنگ کہ اس سال میں سمندر پار سے کوئی کرکٹ ٹیمیں پاکستان نہیں آئیں اور کھیل کو زندہ رکھنے کے لیے بی سی سی پی کا انحصار مقامی مقابلوں پر رہا۔ غالباً یہ عمل حالات کا معمول پر ہونے کا تاثر بھی تھا۔ کرکٹ کا نیا دور ستمبر 1971ء میں شروع ہوا جس میں ہار جیت کی بنیاد پر چھ مقامی ٹیموں کے درمیان پنجاب گورنر کے طلائی کپ کے لیے مقابلے ہوئے۔ پنجاب یونیورسٹی نے اختتامی میچ میں راولپنڈی کی طرف سے بائیں بازو سے سست رفتار گیند کرنے والے عبدالوہاب کی دلیرانہ باؤلنگ کے باوجود جس میں اس نے 64 اووروں میں 140 رنز کے عوض آٹھ کھلاڑی آؤٹ کیے تھے، راولپنڈی کو ایک اننگز سے ہرا دیا۔ یونیورسٹی کی طرف سے وسیم راجہ نے 150 رنز کیے

اور مقام پر پہنچتے پہنچتے رہ جانے والوں میں سے ایک اور کھلاڑی شفیق احمد جس نے وقفہ وقفہ کے ساتھ چھ ٹیسٹ کھیلے تھے، نے بھی 150 رنز کیے۔

پاکستان الیون اور پنجاب کے مابین کھیلا جانے والا واحد میچ پاکستان الیون نے یونیورسٹی کے لیے وسیم راجہ کی دو نصف سنچریوں کے باوجود ہنگامہ خیز طور پر آٹھ رنز سے جیت لیا۔ پرویز سجاد اور محمد نذیر نے پاکستان الیون کی طرف سے آپس میں چودہ وکٹوں کو بانٹ دیا۔ قائداعظم ٹرافی کو منعقد نہ کیا جا سکا مگر بی سی سی پی ٹرافی کی طرف کراچی اور لاہور سے دو دو ٹیمیں کراچی، لاہور، پبلک ورکس ڈیپارٹمنٹ، نیشنل بینک، پنجاب یونیورسٹی اور مغربی پاکستان کے دوسرے شہروں سے سات ٹیمیں راغب ہوگئیں اور سالوں کی نسبت اس سال ٹیموں کے بہت سے غلط جوڑ ملائے گئے تھے۔ اگرچہ ملتان کی ٹیم ریلوے اے کے خلاف صرف 59 رنز پر آؤٹ ہوگئی۔ تاہم اختتامی میچ دو طاقتور ترین ٹیموں کراچی بلیوز اور پی آئی اے کے مابین کھیلا گیا۔ اس میچ میں جانی پہچانی کارکردگی دیکھی گئی۔ حنیف محمد نے پی آئی اے کی طرف سے 186 رنز بنائے جس کی 162 اوورں میں کل میزان 402 رنز تھی۔ پرویز سجاد نے کراچی بلیوز کی دونوں اننگز میں ان کے خلاف 77 اوور کیے۔ پانچ دنوں کے دورانیہ میں میچ کا نتیجہ نکلنے کی کوئی امید نہ تھی، اس لیے یہ میچ پی آئی اے ٹیم نے پہلی اننگز میں برتری کی بنیاد پر جیت کر ٹرافی حاصل کر لی۔

کرکٹ کے دورہ کا تقریباً نصف سال گزر جانے پر یحییٰ خان نے آخر کار استعفیٰ دے کر پاکستانی افواج کے سربراہ کے رتبہ سے علیحدگی اختیار کر لی۔ اس نے مغربی پاکستان میں باقی ماندہ بچا ہوا پاکستان غیر فوجی سیاستدان ذوالفقار علی بھٹو جسے لوگوں کی سب سے زیادہ حمایت حاصل تھی، کے سپرد کر دیا۔ بھٹو نے فوری طور پر یحییٰ خاں کی گرفتاری کا حکم صادر کیا اور اس کے تمام تمغات سے محروم کرتے ہوئے اس کی پنشن (وظیفہ) بھی بند کر دی۔ پاکستان ایک نئے دور میں داخل ہو چکا تھا۔ آئندہ چھ سالوں میں ملکی اور کرکٹ کے معاملات کو طاقتور شخصیات اور باشعور ذہنوں نے چلانا تھا جس میں اندرون ملک اور بیرون ملک اصلاحات کا لائحہ عمل شامل تھا مگر ان شخصیات کو دشمن بنانے کا ملکہ بھی حاصل تھا۔ یہ شخصیات ذوالفقار علی بھٹو اور اس کا پرانا دوست اور نیا سیاسی مطیع عبدالحفیظ کاردار تھا۔

## حوالہ جات:

1 بہت سال پہلے 1955ء میں عمر قریشی نے تبصرہ کرتے ہوئے ڈھاکہ میں ہندوستان اور پاکستان کے درمیان ہونے والے ٹیسٹ کے دوران توجہ دلائی کہ ''مشرقی پاکستان مغربی پاکستان کا نوآبادیاتی علاقہ نہیں تھا مگر مجھے وہاں سے روانہ ہوتے وقت پھر ایسا کیوں محسوس ہوا کہ اس کے ساتھ وہی سلوک کیا جا رہا ہے؟'' (عمر قریشی کی کتاب

Home to Pakistan کے صفحہ 59 پر)

2 لارڈز گراؤنڈ میں کھیلے جانے والے اپنے پہلے ٹیسٹ میچ میں اس کے پاس اچھی حالت کے دستانے نہیں تھے۔ فاضل وکٹ کیپر فصیح الدین نے اسے اپنے دستانے ادھار دے دیئے۔ وسیم باری نے ان سے تین کیچ لیے اور پھر وقت کے ساتھ مزید 225 کیچ اور لیے۔ (خیال آتا ہے کہ کیا کبھی فصیح الدین کو اپنے دستانے ادھار دینے کا کبھی افسوس ہوا۔ وسیم باری سے ذاتی گفتگو کے دوران)

3 ماجد خان: ''ہماری نسل کے کرکٹ کے کھلاڑی تعطل کی کیفیت سے دوچار تھے۔ ہم نے اپنی کرکٹ وراثت میں ملنے والے دفاعی انداز میں شروع کی۔ ہم میدان میں اس وقت آئے جب پاکستان کی جارحانہ اور اوپننگ باؤلنگ کمزور تھی۔ اور کپتان ذہنی طور پر محاصرہ آرائی کی طرف مائل تھے۔ مگر آصف اور میری طرح کے کھلاڑی قدرتی طور پر جارحانہ تھے اور وراثت میں ملنے والی ذہنیت کی تبدیلی کے حامی تھے۔ ہم چاہتے تھے کہ ایک دفاعی اور عدم تحفظ کا شکار ٹیم کو کھلے مزاج کی جارحانہ ٹیم میں تبدیل کر دیں۔ وقت تو بہت لگا لیکن آخر کار ہمیں بھی اس تصور پر یقین ہونے لگا کہ ہم جیت سکتے ہیں۔'' (نعمان کی کتاب کے صفحہ 125 پر اقتباس)۔

4 برکی قبیلے کے کے حسن ضیا نے تحریر میں لکھا ہے کہ اپنے والد کے آباؤ اجداد اور بستیوں کے کئی اور پٹھانوں کی تاریخ کا رشتہ دانشور اور عالم ابراہیم دانشمند سے جا ملتا ہے۔ مقبول اور مشہور روایت یہ ہے کہ ان کی تعلیم و تربیت بغداد یا دمشق میں ہوئی تھی (کچھ کا خیال ہے کہ نیشاپور ایران میں ہوئی) ان کی قابلیت اور کارناموں کے اعتراف میں انہیں دانشمند کے خطاب سے نوازا گیا۔ یعنی عقل و فراست رکھنے والا۔ واپسی پر انہوں نے اپنے وقت کے دانا شیخ بہاؤالدین زکریا سے ملتان میں ملاقات کی جنہوں نے مشورہ دیا کہ وہ پٹھانوں میں نصیحت و فصیحت کا کام شروع کریں کیوں کہ انہیں راہنمائی اور ہدایت کی ضرورت ہے (کے حسن ضیا کی کتاب The Pashtuns of Jullunder لاہور 1994ء کے مطابق)۔

5 کے حسن ضیا کی کتاب کے صفحہ 24 کے مطابق: برکی قبیلہ کی تہذیب و ثقافت کو آج جو خطرات درپیش ہیں وہ اب سے پہلے کبھی ایسے نہیں تھے۔ اس کی وجہ قبائلی علاقوں میں پاکستانی افواج اور طالبان کے درمیان ہونے والی جنگ ہے۔ خبروں کے مطابق کنی گرم کے زیادہ ترمکین وہاں سے بھاگ کر کراچی، اسلام آباد اور دوسرے بڑے شہروں میں پناہ لینے پر مجبور ہوئے جبکہ باقی ماندہ افراد معذور افراد کے خیموں میں بدحال اور خستہ زندگی گزارنے پر مجبور ہیں۔ خان زین برکی کے مطابق ''بے گھر ہونے سے پہلے یہ لوگ اکٹھے رہتے تھے۔ اگر اب یہ مختلف علاقوں میں منتشر ہونے کی وجہ سے رابطہ نہ ہونے کی وجہ سے سخت بدحال ہیں۔ برکی قبیلے کی زبان آرمری اپنے آخری دموں پر ہے اور اگر اس پر توجہ نہ دی گئی تو یہ صفحہ ہستی سے مٹ جائے گی۔'' دیکھئے خان زیب برکی کا مضمون "Blemished Gem of Pakistsn's Tribal Regions" (ایشیا ٹائمز کا شمارہ 7 جولائی 2012ء)۔

6 ہاکی کے کھیل میں انہوں نے کئی نامور کھلاڑی پیدا کیے ہیں جن میں 1928ء میں ہونے والی ایمسٹرڈیم اولمپکس (Amsterdam Olympics) میں ہندوستان کی نمائندگی کرنے والے فیروز خان بھی شامل ہیں۔ نیاز خان اور حمید اللہ خان برکی دونوں نے بین الاقوامی ہاکی میں پاکستان کی نمائندگی اور کپتانی کی۔

7 مہاراجہ پٹیالہ کی انگلستان دورہ کرنے والی وہ پہلی ٹیم تھی جس نے پارسیوں، ہندوؤں اور

مسلمانوں کو یکجا کیا۔ جو غیر یورپین کرکٹ کے باہر تین اہم قوتیں تھیں۔ سلام الدین کی پیدائش جالندھر میں 1888ء میں ہوئی۔ وہ آل راؤنڈر تھے اور 1914ء میں پہلی عالمی جنگ شروع ہونے سے پہلے کے سالوں میں کرکٹ میں خوب نمایاں تھے۔ انگلستان کے دورہ پر 14 فرسٹ کلاس میچوں میں سے وہ 13 میں کھیلے اور 32.81 رنز فی وکٹ کے اوسط سے 33 وکٹ حاصل کیں۔ وہ تیز رفتار باؤلر زوردار بیٹسمین اور شاندار سلپ فیلڈر تھے۔

8 مسعود صلاح الدین، میرٹھ میں 1915ء میں پیدا ہوئے۔ اپنے والد کی طرح وہ بھی تیز رفتار باؤلر اور زوردار بیٹسمین تھے۔ انہوں نے اپنی فرسٹ کلاس کرکٹ کا آغاز 35-1934ء میں متحدہ صوبے (United Provinces) کی طرف سے دہلی کے خلاف کیا۔ اگلے سال وہ ہندوستان کی طرف سے رائیڈر (Ryder) کی آسٹریلوی ٹیم کے خلاف کھیلے۔ تقسیم ہند کے وقت انہوں نے پاکستان کا انتخاب کیا اور 54-1953ء میں قائداعظم ٹرافی کے افتتاحی میچوں میں پاکستان ریلوے کی کپتان کی۔ وہ پاکستانی ٹیم کے 1954ء کے انگلستان کے دورہ پر نائب منیجر تھے اور 1971ء کے پاکستانی ٹیم کے دورہ انگلستان پر وہ منیجر تھے۔ جہاں (عمران خان کے بقول) انہوں نے ایم سی سی کی طرف سے پاکستانی ٹیم کے اعزاز میں لارڈز پر دیئے گئے عشائیہ میں ایک کالے صاحب کی طرح کا طرزِ عمل اپنایا۔ ہم وہاں بیٹھے شرمندگی سے پیچ وتاب کھا رہے تھے جب ہمارا منیجر شرکاء سے مخاطب تھا کہ ''انگریزوں کی کرکٹ نے ہمیں اچھے طور طریقے سکھائے ہیں۔'' پھر اس نے حد سے بڑھتے ہوئے ایم سی سی کے ممبران سے کہا کہ ہم ایم سی سی اور کرکٹ کے شکرگزار ہیں کیوں کہ ان کی بدولت ہمیں چھری کانٹے کو صحیح طور پر پکڑنا آیا۔''

9 احمد رضا خان نے اپنی فرسٹ کلاس کرکٹ کا آغاز 29-1928ء میں مسلمانوں کی طرف سے کھیلتے ہوئے پنجاب گورنر الیون کے خلاف لاہور میں کیا۔ انہوں نے راجی ٹرافی میں شمالی ہندوستان کی بھی نمائندگی کی۔ انہوں نے 34-1933ء میں جارڈین (Jardine) کی کپتان میں آنے والی ایم سی سی کے خلاف شمالی ہندوستان کی طرف سے لاہور کے میچ میں حصہ لیا۔ ایم سی سی کی ٹیم دونوں اننگز میں 53 اور 58 رنز بنا کر آؤٹ ہوگئی۔ آغا رضا نے 15 اور صفر رنز کیے مگر باؤلنگ نہیں کروائی۔ تقسیم ہند کے بعد وہ پنجاب کی طرف سے کپتان نائیجل ہاورڈ (Nigel Howard) کی ایم سی سی کے خلاف 82-1981ء میں کھیلے اور 52 اور 24 رنز کیے۔ انہوں نے اپنا آخری فرسٹ کلاس میچ دسمبر 1960ء میں پنجاب گورنر الیون کی کپتانی کرتے ہوئے پنجاب یونیورسٹی کے خلاف کھیلا۔

10 "Remininiscences of An Officer, Aghajan's Service Diary" یہ ڈائری ان کے بیٹے پروفیسر فرخ احمد خان نے ترتیب دی اور فروری 2010ء میں ذاتی طور پر اس کی اشاعت کی۔ میری اس کتاب کی اشاعت سے کچھ عرصہ پہلے پروفیسر فرخ انتقال کر گئے۔ میں پروفیسر فرخ کا بے حد ممنون ہوں کہ انہوں نے مجھے یہ ڈائری پڑھنے کی اجازت دی۔ ڈائری میں (بہت سی اور چیزوں کے علاوہ) آغا رضا کا پنجاب کی سرکاری ملازمت کے حصول کو یقینی بنانے میں کرکٹ نے کیا اہم کردار ادا کیا بھی تحریر ہے۔'' فروری 1934ء میں میں بورڈ کے سامنے پیش ہوا جس کے ارکان مندرجہ ذیل تھے:

1- جناب پینی کمشنر مالی امور (صدر)۔

2- جناب پکل (Mr.Puckle) چیف سیکرٹری۔

3- ڈاکٹر وولنر (Dr.Woolner) وائس چانسلر پنجاب یونیورسٹی۔

جب میں سوال و جواب کی غرض سے بورڈ کے سامنے پیش ہونے کے لیے کمرے میں داخل ہوا تو جناب پکل (Mr.Puckle) نے بلند آواز سے کہا: ''صبح بخیر رضا۔ میں نے تمہیں پچھلے دنوں ایم سی سی کے خلاف کھیلتے دیکھا تھا۔'' غالباً اس نے مجھے تسلی دینے کے لیے یہ کہا تھا۔ پھر جناب پکل نے مجھے سوالات کرنا شروع کر دیئے۔

جناب پکل: ''تمہارے خیال میں ہندوستان کا بہترین باؤلر کون ہے؟''

میں: ''جناب میرے خیال میں نثار (جو ہندوستان کی ٹیم میں کھیلتا تھا) بہترین باؤلر ہے۔''

11 زمان خان کے تینوں بیٹوں نے فرسٹ کلاس کرکٹ کھیلی۔ لاہور کے لیے کھیلنے سے پہلے ہمایوں خان نے ایچی سن کالج اور گورنمنٹ کالج کی کپتانی کی۔ دوسرے بیٹے جاوید خان نے ہاکی اور کرکٹ میں ایچی سن کالج کے کلر کا اعزاز حاصل کیا اور گورنمنٹ کالج کرکٹ ٹیم کی نائب کپتان کی۔ وہ لاہور کے لیے کھیلنے کے علاوہ لاہور جم خانہ کا 16 سال تک کپتان رہا۔ تیسرے بیٹے احمد فواد خان نے کرکٹ میں ایچی سن کالج کی کپتانی کی اور یونیورسٹیوں کی مشترکہ ٹیم (Combined Universities) کے لیے قائداعظم ٹرافیم ییں کھیلا۔ اس کے بعد اس نے فوج کو اپنا پیشہ بنایا اور بریگیڈیئر کے عہدے سے ریٹائر ہوا۔

12 یہ ریکارڈ 98-1997ء تک قائم رہا جب اسے پیٹ سم کوکس (Pat Symcox) اور مارک باؤچر (Mark Boucher) نے جنوبی افریقہ کی طرف سے کھیلتے ہوئے جوہانس برگ میں پاکستان کے خلاف توڑ ڈالا۔

13 آسٹریلیا کے لیے اس نمبر پر کھیلتے ہوئے 08-1908ء میں کلیم ہل (Clem Hill) نے 160 رنز بنائے تھے مگر ہل (Hill) عام طور پر تیسرے نمبر پر کھیلتا تھا۔ آصف اقبال کا ریکارڈ نیوزی لینڈ کے وکٹ کیپر بیٹسمین آئن سمتھ (Ian Smith) نے ہندوستان کے خلاف کھیلتے ہوئے 90-1989ء میں توڑ ڈالا۔

14 انگلینڈ ٹیم کے دورہ پاکستان کی کہانی مکمل اعتماد کے ساتھ بیان نہیں کی جا سکتی کیوں کہ اس سے متعلق دستاویزات یا تو سرے سے ہی موجود نہیں ہیں یا پھر وہ تلاش نہ ہو سکیں۔ پاکستان کرکٹ بورڈ میں حسب معمول کوئی یادداشت موجود نہیں ہے۔ لارڈز میں ایم سی سی کی دستاویزات کے محافظ خانے میں بھی کوئی روئیداد نہیں مل سکی۔ سنجیدہ اور سرگرم کوششوں کے باوجود میں کیو (Kew) کے قومی دستاویزات کے محافظ خانہ میں بھی دفتر خارجہ کے تار نہیں ڈھونڈ سکا۔ لہٰذا مجھے مجبوراً اس دورے کے پاکستانی اور انگلینڈ کے کھلاڑیوں کی شہادتوں اور اخبارات کی خبروں پر انحصار کرنا پڑا۔ اس پوری کہانی کا بیان کرنا ابھی باقی ہے۔

15 جیسا کہ حنیف نے تسلیم کیا۔ دیکھئے نعمان کی کتاب کا صفحہ 127۔ بقول خود سعید احمد 1967ء کے لارڈز ٹیسٹ کے دوران ملکہ انگلستان سے ایک نجی ملاقات سے وہ بے حد لطف اندوز ہوا۔ اس نے پراعتماد طریقے سے ملکہ سے سوال کیا کہ پاکستان کے متعلق اس کا کیا تاثر ہے اور ملکہ نے جواب دیا ''کرکٹ اور گھوڑے۔'' سعید نے یہ بھی دعویٰ کیا کہ اس نے ملکہ سے پوچھا کہ کیا وہ ملاقات کے لیے بکنگھم محل (Buckingham Palace) آ سکتا ہے، اس کے جواب میں ملکہ نے اسے کھلی دعوت دے دی کہ وہ جب چاہے آ سکتا ہے۔

16 تاہم مشتاق محمد نے چڑھائی کرتے ہوئے سعید کے بارے کہا کہ بحیثیت کپتان اس کے کمزور اعصاب ٹوٹ پھوٹ کا شکار تھے۔ جو فیلڈنگ کو ترتیب دیتے اور باؤلروں کو تبدیل کرتے شدید آزاد اور بے یقینی میں مبتلا ہو جاتا۔ (مشتاق محمد کی کتاب صفحہ 85)

17 دیکھیئے شجاع الدین کی کتاب کا صفحہ 111۔ ''لاہور کے ٹیسٹ میچ کا دورانیہ صدر ایوب خاں کے براہ راست حکم پر پانچ دن سے گھٹا کر چار دن کر دیا گیا تھا۔ وہ سربراہ مملکت کی حیثیت سے ایک دہائی تک حکمرانی کر چکا تھا اور اب عوام میں ہر دلعزیز نہیں رہا تھا۔ وہ اپنی سیاسی ساکھ بچانے کے لیے شدید طور پر کوشاں تھا۔'' نعمان نے تحریر کیا کہ ''لاہور میں ہونے والے پہلے ٹیسٹ میچ کا دورانیہ پانچ سے کم کر کے چار دن کر دیا گیا تھا کیوں کہ ملک کے مغربی حصے میں طالب علموں کی تحریک کے تسلسل میں رکاوٹ پیدا کرنے کا یہ ایک طریقہ تھا۔'' حنیف محمد کی کتاب کا صفحہ 194 بھی دیکھیئے۔

18 نیاز احمد 1967ء میں کراچی منتقل ہو گیا تھا۔ ڈھاکہ ٹیسٹ کے لیے سعید احمد نے میچ شروع ہونے سے ایک رات قبل اسے یہ صلاح دی کہ وہ اپنے آپ کو بیماری کا بہانہ کر کے ناموزوں ہونے کا اعلان کر دے تاکہ وہ اس کی بجائے آصف مسعود کو ٹیم میں شامل کر لے۔ نیاز نے یہ بات مان لی مگر پھر سعید نے اپنا ارادہ بدل کر آخر کار نیاز احمد کو شامل کر لیا۔ نیاز نے کرکٹ چھوڑ کر انجینئرنگ کی تعلیم حاصل کرنے کو ترجیح دی۔ (معلومات بشکریہ نجم لطیف)

19 آئی اے خاں نواب اسماعیل خان کے بیٹے تھے جو مسلم لیگ کے انتہائی اہم اور طاقتور شخصیات میں شمار ہوتے تھے۔ وہ ٹوپی پہنتے تھے جسے قائداعظم نے پسند کیا اور جو بعد میں جناح کیپ کے نام سے اپنی پہچان کروانے لگی۔ آئی اے خاں نے علی گڑھ سے تعلیم حاصل کی جہاں کرکٹ میں نمایاں مقام حاصل کرتے ہوئے آئی سی ایس (ICS) کے امتحان میں کامیابی حاصل کر کے ملازمت حاصل کی۔ 1967ء میں انگلینڈ کے دورہ پر جانے والی پاکستانی کرکٹ ٹیم کے ساتھ بطور منیجر گئے۔ وہ یحییٰ خان کے نامزد صدر بی سی سی پی 1969ء تا 1972ء رہے۔ ان کا بطور بی سی سی پی (BCCP) صدر پہلا عمل قومی کرکٹ میں کاردار کو چناؤ کرنے والی کمیٹی کے چیئرمین کی حیثیت سے واپس لانا تھا۔

20 یہ نام حنیف نے اپنی کتاب کے صفحہ 198 پر دیئے ہیں۔ تاہم بلوچ کے انسائیکلوپیڈیا آف پاکستان کرکٹ میں ناموں کی فہرست مختلف ہے: فضل محمود، امتیاز احمد، شجاع الدین اور وزیر محمد۔ ان کے نام لاہور میں ہونے والے نیوزی لینڈ کے خلاف دوسرے ٹیسٹ میچ کے یادگاری شمارے میں بھی ہیں مگر اصل نقطہ بدستور قائم رہتا ہے کہ منتخب کرنے والی کمیٹی کے تمام ارکان کاردار کی کپتانی میں کھیل چکے تھے اور وزیر محمد کے علاوہ عین ممکن ہے کہ باقی تمام کاردار کے احکام بجالاتے۔

21 پی آئی اے کی طرف سے کھیلتے ہوئے کراچی ٹیسٹ سے عین قبل پانچ میچوں میں حنیف نے یوں رنز بنائے تھے۔ 109، 154، 1، 0، 114، 4، 59۔ اس سال کی قائداعظم ٹرافی میں اس کی اوسط رنز 63 تھی۔

22 بھٹو کے اس مرحلے کے دوران طرزِ عمل اور مقاصد آج بھی کافی زیر بحث ہیں۔ سینیٹ جونز (Sennet Jones) کے نظریہ کے مطابق بھٹو کا سب سے اہم مقصد مغربی پاکستان میں اپنے لیے اور اپنی پارٹی کے لیے اقتدار حاصل کرنا تھا اور وہ مشرقی حصے کے مقدر اور انجام سے لاتعلق تھا۔ (صفحہ 142) سر موریس جیمز (Sir Morrice James) بھٹو کا خاصا موافق جائزہ لیتے ہوئے اسے ایسی شخصیت قرار دیتا ہے جس نے شیخ مجیب الرحمٰن کے ناممکن مطالبات سے تعاون میں گریز کیا۔ (صفحہ 6-173)

23 انتخابات سے صرف چند دن پہلے یہ میچ نومبر 27 تا 29 نومبر 1970ء کو کھیلا گیا۔ جس میں عمران خان نے دونوں اننگز میں پانچ پانچ وکٹ حاصل کیے۔

24 مشرقی پاکستان سے ٹیسٹ میچوں میں نمائندگی کرنے والے نیاز احمد نے مغربی پاکستان میں کئی کرکٹ سیزنوں میں اپنا کھیل پبلک ورکس ٹیم کی طرف سے جاری رکھا اور اس ٹیم کی کئی بار کپتانی بھی کی۔ پی آئی اے الیون نے بالآخر فائنل میں کراچی بلیوز کو ہرا کر ٹرافی جیت لی۔

25 سرفراز نواز اور شفقت رانا دونوں کے مطابق مکی سٹیورٹ (Mickey Stewart) جو سرے (Surrey) ٹیم میں انتخاب عالم کا ساتھی تھا، نے اسے دعوت دی کہ وہ انٹرنیشنل الیون کی ٹیم کے ساتھ ان کے جہاز میں وہاں سے نکل آئے مگر انتخاب نے انکار کر دیا۔

26 مگر کیا وہ واقعی بریگیڈیئر حیدر تھا؟ مجھے اس بات کا کوئی ثبوت نہیں ملا کہ حیدر 1971ء میں مشرقی پاکستان میں تھا۔ اس کے خاندانی ذرائع کے مطابق جن میں نجم لطیف نے بریگیڈیئر حیدر کے بیٹے انیس حیدر سے ملاقات کے دوران معلومات حاصل کیں کہ بریگیڈیئر حیدر بطور ڈائریکٹر جنرل مغربی پاکستان رینجرز 1971ء کے آخری حصہ میں لاہور کے مقام پر ریٹائر ہو گئے تھے۔ ہوسکتا ہے کہ اس نے وہیں بیٹھ کر مشرقی پاکستان سے ٹیم کے انخلا کا منصوبہ تیار کیا ہو۔ مگر زیادہ ممکنہ بات یہ ہوسکتی ہے کہ کسی اور فوجی افسر نے مشرقی پاکستان میں ٹیم کی امداد کی ہو۔

27 ٹورنامنٹ کو ایک بار پھر نئے ڈھانچے کے تحت نئی شکل دی گئی جس کے مطابق اسے زیر کر کے جیتنے (Knock Out) کے علاوہ پہلی اننگز کو ایک سو اوورز پر محدود کر دیا گیا تھا۔ پی آئی اے ٹیم غیر متوقع طور پر پنجاب یونیورسٹی سے ہار گئی۔ جو فائنل میچ میں پہلی اننگز میں برتری کی وجہ سے کراچی بلیوز سے شکست کھا گئی۔

28 اس دور میں جب تعلیمی اداروں میں باقاعدگی سے احتجاج کیے جاتے تھے بیشتر برطانوی طالب علموں نے مشرقی پاکستان میں جنگ کو نظر انداز کیا جب تک کہ کسی کا کوئی ذاتی تعلق نہ تھا۔ جنوبی افریقہ کے حمایتی جو ابھی پچھلے سال کے جنوبی افریقہ کے دورہ کے خلاف کامیاب احتجاج کے زخم خوردہ تھے نے اکثر اس دوہرے معیار کی الزام تراشی کی۔

29 ذاکر حسین کی کتاب دی ینگ ونز (The Young Ones) مطبوعہ 1971ء کے صفحات نمبر 5، 6۔

30 یہ رقم پندرہ شلنگ کی طے شدہ رقم کے متبادل تھی جو رات کا معقول کھانا خریدنے کے لیے ناکافی تھی۔ برطانیہ میں 1971ء میں پہلی بار ملکی سکہ اعشاری نظام کے تحت جاری ہوا تھا اس قسموں میں اضافہ ہوا اور 75 پینی کی قوت خرید اعشاری نظام کے نافذ ہونے سے پہلے کی متبادل رقم کی قوت خرید سے کم پڑ گئی۔

31 بی بی سی (BBC) کے ٹیسٹ میچ اسپیشل کے نام سے پروگرام میں کمنٹری کرنے والے برائن جانسٹن (Brian Johnston) نے اپنے سامعین کو اگلے روز یقین دلاتے ہوئے بیان کیا کہ "ڈاکٹر نے آفتاب گل کے سر کا معائنہ کیا مگر اسے اس میں کچھ نہیں ملا۔ وہ خالی تھا۔"

32 اگرچہ کیمرج یونیورسٹی میں اس کی لیڈر شپ میں بحالی ہو رہی تھی، روایتی میچ کا معیار پچھلی ایک دہائی میں بری طرح سے گرا تھا۔ اس نے انگریزوں اور اس سے بھی بڑھ کر پاکستانیوں کے سماجی رویوں سے پردہ ہٹایا جس کے مطابق اس میچ کو پاکستان کرکٹ ٹیم کی ٹیسٹ میچ میں ہار جیت سے بڑھ کر فوقیت دی گئی تھی۔

12

# کردار کا تصور

''اگر بھٹو، امریکہ کی برکلے یونیورسٹی میں تین سال گزارنے کی بجائے سیدھا آکسفورڈ چلا جاتا تو وہ نہ صرف انگلینڈ میں فرسٹ کلاس کرکٹ کھیلتا بلکہ بعد میں پاکستان میں بھی کھیلتا۔ مگر کیلی فورنیا میں گزارے ہوئے ان تین سالوں نے اسے سیاستدان میں تبدیل کردیا۔''

- اے ایچ کاردار

تقسیم ہند پر پاکستان کے پرامید لمحہ کے بعد قومی تذلیل کے لحاظ سے یہ بدترین لمحہ تھا۔ اب ذوالفقار علی بھٹو پاکستان کی پہلی منتخب جمہوری حکومت کے سربراہ تھے اور انہوں نے قوم کو حیاتِ نو کا خواب دکھایا۔ وہ اور اس کی پاکستان پیپلز پارٹی اندرون ملک فوج کے خلاف بغاوت سے کہیں زیادہ کی نمائندگی کا نشان تھے۔ وہ ایک ایسی مقامی تحریک کے ظہور کے داعی تھے، جو دنیا کو جھنجھوڑ رہی تھی۔

بھٹو کی عمر صرف 43 سال تھی جب انہوں نے اقتدار سنبھالا۔ وہ ان چند نوجوان سربراہوں اور مفاہمت کرنے والے رہنماؤں میں شمار ہوتے تھے جنہوں نے دوسری جنگ عظیم کے بعد انتظامیہ سے ٹکر لے کر 1960ء کی دہائی میں ایک نئی دنیا کی داغ بیل ڈالنے کی سعی کی۔ چی گویرا، جان ایف کینیڈی اور بھٹو کا دوست کرنل قذافی، ان سب نے اس راہ کو روشن کیا تھا۔ اور اب 1970ء کی دہائی کے ابتدا میں بھٹو اس کرہ ارض کا سب سے زیادہ برق انگیز رہنما تھا۔ ان کے پاس بصیرت، صلاحیت، ذہانت اور ذاتی کشش جیسی خصوصیات موجود تھیں۔ وہ پاکستان کے پہلے غیر فوجی رہنما تھے جس میں وہ خوداعتمادی تھی جس کی بدولت انہوں نے فوجی سربراہان کا سامنا کیا۔ بھٹو نے افواجِ پاکستان کے سربراہان کو نوکریوں سے نکالا اور کئی افسران پر جنگی جرائم اور نااہلی کے الزامات کے تحت فوجی عدالتوں میں مقدمات چلائے۔

بھٹو کا ناپسندیدہ عناصر کو خارج کرنے کا عمل متوقع طور پر ایوب خان اور یحییٰ خان کے مامور کردہ

افسران جن کا تعلق حکومتی شعبوں، سرکاری اداروں جن میں کھیلوں کی تنظیمیں بھی شامل تھیں، تک پھیلا دیا گیا۔ بھٹو اس بات پر تلے ہوئے تھے کہ ان کی انتظامیہ کے دروازے کھلے ہوں، یہ کسی حد تک اس لیے تھا کہ ایک تو اس سے ذاتی وفاداری کو بڑھاوا ملے اور دوسرے اس سے حقیقی اور نئے باصلاحیت افراد کی صحیح تلاش کو تقویت ملے۔ 1973ء میں ایک نیا آئین منظور ہوا جس کی بدولت پاکستان میں پہلی بار جمہوری پارلیمانی نظام قائم ہوا۔ بھٹو وزیراعظم بن گئے۔ ان کی حکمرانی کا انداز آمرانہ طور اختیار کر کے بڑھنے لگا۔ مگر اس کے باوجود اس میں ایک ایسا پرامید لمحے کا نشہ بھی تھا جس میں جمہوریت کے کامیاب ہونے کی بے انتہا امید ہوگئی تھی۔

ابتدا ہی سے بھٹو بین الاقوامی طور پر سنگین مشکلات سے دوچار ہوگئے تھے۔ پاکستانیوں کی اکثریت کے خیال میں، امریکی اتحاد نے پاکستان کے لیے ضرورت کی گھڑی میں کچھ نہیں کیا تھا۔ اگرچہ متحدہ ریاستہائے امریکہ ایوب خان اور یحییٰ خان کی فوجی آمریت کا انتہائی وفادار ساتھی رہا تھا مگر اس نے جمہوری طور پر منتخب ہونے والے بھٹو سے دوستی کا ہاتھ کھینچے رکھا۔ ایوب خان کا امریکہ کی بھرپور امداد پر انحصار رہا تھا جو اپنے عروج پر پچاس ڈالر سے زیادہ فی کس تھی۔ بھٹو کے پاکستان میں امریکی امداد دس ڈالر فی کس تک بھی نہ پہنچ پائی۔[1] حکومت چلانے کے لیے بھٹو کو سرمائے کے لیے نئے ذرائع تلاش کرنے کی ضرورت تھی۔ یہی ضرورت اداروں کو قومی تحویل میں لینے کی لہر کی بڑی وجہ بنی جس میں خاص طور پر بینک اور تعمیراتی ادارے شامل تھے۔ ادارے اس وجہ سے بھی قومیائے گئے تاکہ پاکستان معاشی طور پر حاوی ممتاز خاندانوں سے طاقت لے کر عوام کو دی جا سکے (اور خاص طور پر بھٹو کے حمایتیوں کو)۔

امریکیوں سے امید چھوڑنے کے بعد بھٹو نے برطانیہ سے بھی کچھ رسمی تعلقات توڑنے کا فیصلہ کیا۔ جنوری 1972ء میں بھٹو نے پاکستان کو برطانوی دولت مشترکہ سے باہر نکال لیا۔ کرکٹ کے پرانے بین الاقوامی قوانین کے مطابق اس اقدام سے پاکستان کی آئی سی سی کی ممبر شپ خود بخود ختم ہوجاتی اور اس کے ساتھ ہی اس کی ٹیسٹ کرکٹ کھیلنے والے ملک کی حیثیت بھی ختم ہوجاتی تھی۔ مگر خوش قسمتی سے پاکستان کو جنوبی افریقہ کی اس مثال کا فائدہ پہنچا۔ جب وہ برطانوی دولت مشترکہ سے 1961ء میں علیحدہ ہوا تھا۔ قوانین کے مطابق جنوبی افریقہ پر ہمیشہ کے لیے پابندی لگ جاتی مگر انگلینڈ، نیوزی لینڈ اور آسٹریلیا کی بدولت وہ سفید فام ٹیسٹ کرکٹ کھیلنے والے ممالک کے ساتھ مسلسل کھیلتا رہا۔[2]

بھٹو نے اپنی حکومت کے لیے عملی اور فعال طور پر نئے دوست اور مالی امداد کے لیے کوششیں شروع کیں۔ خاص طور پر عرب اور اسلامی ممالک پر توجہ دی۔ انہوں نے خاص طور پر کرنل قذافی سے گرمجوشی کا رشتہ استوار کر لیا جس نے پاکستانی کرکٹ پر مشتمل میراث چھوڑی اور جس کی بدولت لاہور سٹیڈیم کا نام تبدیل کر کے لیبیا کے حکمران کے نام پر رکھ دیا گیا۔ اس نئے نام کا اعلان فروری 1972ء میں ایک عوامی جلسے میں کیا

گیا۔ 1974ء میں بھٹو نے لاہو میں اسلامی ممالک کی کانفرنس منعقد کی۔ اس سے بھٹو کی حکومت کو بین الاقوامی اور اندرون ملک تقویت ملی اور بنگلہ دیش کو تسلیم کرنے اور پاکستانی قیدیوں کو رہائی دلوانے کے لیے دی گئیں مراعات کو قومی اتفاقِ رائے میسر ہوئی۔

سربراہان اسلامی ممالک کے مذاکرات کے دوران قذافی نے اپنے نام سے موسوم ہونے والے سٹیڈیم کا دورہ کیا اور وہاں بھٹو کے چند خاص چنے ہوئے وفاداروں سے گفتگو کی۔[3] لیبیا کے نوجوان خوش شکل رہنما نے تقریباً ایک لاکھ افراد کو خطاب کرتے ہوئے کہا کہ پاکستان ایشیا میں اسلام کا قلعہ ہے اور وعدہ کیا کہ اگر پاکستان کو کسی خطرہ کا سامنا ہوا تو لیبیا اس کے لیے اپنا خون بہا دینے کے لیے تیار ہے۔ قذافی سٹیڈیم کا نیا نام 2011ء کے انقلاب لیبیا کے بعد کرنل قذافی کے اقتدار سے علیحدہ ہونے اور حتیٰ کہ اس کی موت کے بعد بھی قائم رہا کیوں کہ اس کی تبدیلی پر اتفاقِ رائے نہ ہو سکا۔

اوپر بیان کیے جانے والے تمام حالات کا پاکستانی کھیلوں پر گہرا اثر ہوا جس نے بھٹو کے اندرون اور بیرون ملک سیاسی مقاصد حاصل کرنے کے لیے اہم کردار ادا کیا۔ اس نے زیڈ اے بھٹو سپورٹس اور کلچر انسٹی ٹیوٹ کا انعقاد یقینی طور پر سیاسی بنیادوں پر کیا۔ تجزیہ نگار شاہد جاوید برکی کے مطابق یہ عمل عوام اور اپنے درمیان سیاسی رابطے قائم رکھنے کے لیے کیا گیا تھا۔

بھٹو نے اپنے قابل اعتماد ساتھی اور پیشہ ور سیاستدان عبدالحفیظ پیرزادہ کو کھیلوں کا مجموعی طور پر اختیار دے دیا۔ بھٹو کو امید تھی کہ وہ تیسری دنیا جو سفارت کاری کا اہم مشاورتی مرکز بن چکی تھی (جیسا کہ صدر نکسن کا چین سے ریاستی تعلقات کی بحالی سے پہلے مسلسل آنے جانے والی سفارتکاری سے ظاہر ہوتا ہے) میں بین الاقوامی کھیلوں کے ذریعے نئے دوست حاصل کر سکے گا۔ بھٹو خاص طور پر کھیلوں میں نسلی امتیاز کے خلاف تعلقات منقطع کرنے کا عملی طور پر حامی تھا۔

اپنے فوجی پیشروؤں سے وراثت میں ملنے والے کرکٹ کی سرپرستی کے عہدے کو بھٹو احسن طریقے سے چلانے کے لیے پکا ارادہ رکھتا تھا۔ یحییٰ خان کے منتخب کردہ آئی اے خان کو کرکٹ کنٹرول بورڈ کی صدارت کے عہدہ سے ہٹانے کے بعد اس کی جگہ پر کرنے کے لیے بھٹو نے اے ایچ کاردار کی طرف اپنا ہاتھ بڑھایا۔ اس تعیناتی میں دونوں چیزیں خوبی اور سیاسی فائدہ ایک ساتھ موجود تھیں۔

(سر مورس جیمز کی کتاب کے صفحہ 192 کے مطابق قذافی پاکستان کے دورہ سے اس قدر خوش ہوا کہ اسلامی اجلاس کے ختم ہونے کے بعد بھی وہ چار دن تک وہاں رکا رہا۔ ذاتی طور پر بھٹو ہمیشہ قذافی کا احترام کرتا تھا اور اپنے آخری دنوں میں انہیں امید تھی کہ لیبیا کا قائد انہیں قید خانے سے نکال لے جائے گا۔ میں بھٹو کے معتمد آفتاب گل کا ان معلومات کے لیے شکر گزار ہوں۔)

کاردار پہلے ہی کھلے ذہن، ایمانداری اور انتظامی قابلیت کے حوالے سے شہرت رکھتا تھا۔ وہ اب بھی اپنے مداحوں میں زبردست طور پر ہردلعزیز تھا۔ بھٹو کو امید تھی کہ سابق قومی کپتان اپنے ملک کی کرکٹ کے حوالے سے عظمت کو بحال کرسکے گا اور 1960ء کی دہائی کی ناکامیوں سے فرار کی توقعات پر پورا اترے گا۔ جیسا کہ بین الاقوامی سیاسی میدان میں بھٹو خود کرنے کا ارادہ رکھتا تھا مگر کاردار کی تعیناتی میں اس دوستی کا بھی اعتراف تھا جو لڑکپن سے شروع ہوتی تھی۔

ذوالفقار علی بھٹو اور عبدالحفیظ (جس نام سے کاردار اس وقت پہچانا جاتا تھا) کی پہلی ملاقات تیس سال قبل دوسری جنگ عظیم کے دوران ہوئی تھی جب حفیظ لاہور سے بمبئی کا سفر کیا کرتا تھا۔ بھٹو کرکٹ کے نوعمری سے دیوانے ہوا کرتے تھے جو کرکٹ کے نامور ستاروں کی قربت پسند کرتے تھے جن میں ہردلعزیز مسلمان کھلاڑی مشتاق علی جس نے ہندوستان کی طرف سے بیرون ملک پہلی ٹیسٹ سنچری بنائی تھی اور قبل از وقت پختہ کھلاڑی علیم الدین شامل تھے۔ کرکٹ کھیلنے میں بھٹو نے مشتاق علی اور عمدہ کھلاڑی ونو منکڈ سے تربیت حاصل کی تھی۔

مگر بھٹو صرف شخصیات کے ہی دلدادہ نہیں تھے بلکہ وہ دائیں ہاتھ سے کھیلنے والے اچھے بیٹسمین بھی تھے جو بمبئی کی سندر کرکٹ کلب کی طرف سے کھیلا کرتے تھے جہاں کبھی کبھار انہیں اوپننگ بیٹسمین کے طور پر بھی بلایا جاتا تھا۔ کاردار نے اپنی خودنوشت سوانح عمری میں لکھتے ہوئے اس بات پر زور دیا ہے کہ مستقبل کا صدر ایک قابل کھلاڑی تھا اور اگر وہ کیلی فورنیا کی برکلے یونیورسٹی کی بجائے پہلے آکسفورڈ میں داخلہ لیتا تو باآسانی کرکٹ کا اعزاز بلیو (Blue) حاصل کرلیتا۔ مگر ہوا اس کے برعکس۔ جو کچھ بھی ہوا بھٹو یقینی طور پر عمدہ کھلاڑی تھے اور پاکستانی صدور میں کرکٹ میں مہارت کے حوالے سے غالباً اسکندر مرزا کے بعد وہ دوسرے نمبر پر ہیں۔ کاردار کے مطابق بھٹو کا کرکٹ میں شوق ایک دانشور کے طور پر تھا۔ وہ کرکٹ کی تاریخ سے بخوبی واقف تھے حتیٰ کہ انہیں افزائش سے متعلق تکنیکی اور وکٹ کی سیدھ میں لگے سفید کپڑے اور تھرڈ وکٹ تک کی معلومات تھیں۔

کاردار کا بھٹو سے تعلق 1950ء کی دہائی کے آغاز میں اس وقت مضبوط تر ہوا جب اس کی ملاقات بھٹو کے دوست اور اخباری کالم نگار، مصنف، ریڈیو پر آنکھوں دیکھا حال بیان کرنے والے عمر قریشی سے ہوئی۔ جس کی کتاب ونس اپان اے ٹائم (Once Upon a Time) دوسری جنگ عظیم کے دورن بچپن سے جڑی کرکٹ کی اہم یادیں بیان کرتی ہے۔ یہ ایک پرکشش کتاب ہے (خاص طور پر مسلمانوں کی کرکٹ کے تاریخ دان کے لیے) قریشی نے یاد کرتے ہوئے کہا۔ 1979ء میں بیان کیا کہ ''میں اور بھٹو کیتھڈرل سکول بمبئی میں اکٹھے طالب علم تھے۔ ہم نے ایک ساتھ کرکٹ کھیلی تھی اور یقیناً یہی ہمارا بندھن تھا۔ ہم سکول سے

بھاگ کر پینٹگلر (Pentangular) میں مسلمانوں کی ٹیم کو کھیلتے دیکھنے جاتے۔ ان کی جیت پر شادمان ہوتے اور ان کی شکست پر دل آزردہ ہوتے۔ میرا خیال ہے کہ ہماری اس وقت یہی ایک لگن تھی کہ ہم اوّل درجے کے کرکٹ کے کھلاڑی بن جائیں۔

عمر قریشی بعد میں تعلیم کی غرض سے یونیورسٹی آف کیلی فورنیا چلا گیا جہاں جلد ہی بھٹو بھی اس سے آن ملا۔ وہ اکٹھے رہائش پذیر ہوگئے اور گرفتھ پارک (Griffith Park) کی ایک کلب کارنیھز (Carnithians) میں اکٹھے کرکٹ کھیلنے لگے جن کے لیے بھٹو اوپننگ بیٹسمین کی حیثیت میں کھیلتے تھے۔ وطن واپسی پر عمر قریشی پاکستان کے ابتدایہ کرکٹ کے آنکھوں دیکھے حال بیان کرنے والوں میں شامل ہوگیا۔[4] جیسا کہ ہم نے دیکھا کہ وہ اپنی اس حیثیت سے فرائض کی انجام دہی کے دوران 1955ء میں ہونے والے ایم سی سی اور پاکستان کے مابین ہونے والے پشاور کے ٹیسٹ میچ کے دوران وقوع پذیر ہونے والے واقعہ کا چشم دید گواہ بن گیا تھا۔ 1950ء اور 1960ء کی دہائیوں کے تمام عرصہ میں غالباً وہ کاردار اور بھٹو کے درمیان تعلقات کی کڑی بنا رہا۔[5]

ابتدائی طور پر پاکستان کی قومی کرکٹ ٹیم کے کپتان کی حیثیت سے کاردار کی ترقی کی پُر پیچ راہوں پر ڈگمگاتی چال سے بھرپور شخصیت مستقبل کے وزیراعظم اور صدر سے کہیں زیادہ جاذب نظر اور دلکش تھی۔ کاردار پاکستانی کرکٹ ٹیم کی کپتانی سے اس وقت دستبردار ہوا جب اس وقت میں بھٹو 1958ء کے فوجی انقلاب کے بعد جنرل ایوب خان کی کابینہ میں سب سے کم عمر رکن کی حیثیت سے شامل ہوا تھا۔ اس کے فرائض میں پانی اور بجلی کی ذمہ داری آئی تھی (یہ وہ فرائض تھے جیسا کہ ہمارے مشاہدے میں آیا کہ پیشتر اوقات قومی کرکٹ بورڈ کی صدارت سے منسلک ہوتے تھے مگر بھٹو کے معاملہ میں ایسا نہیں ہوا)۔ پھر کاردار نے اپنے لیے ایک نئے کردار کی شکل میں جدوجہد شروع کردی۔ (وہ اپنے آپ کو پٹ سن کے کاروبار میں قائم کرنے کے لیے مشرقی پاکستان منتقل ہوگیا (جہاں اس کا یہ کاروبار ناکام رہا) جبکہ بھٹو کامیابی اور ترقی کے آسمانوں پر اونچی اڑان کر رہا تھا۔ 1963ء میں صرف پینتیس برس کی عمر میں وہ ایوب خان کے وزیر خارجہ بن چکے تھے جو کہ برطانوی سیکرٹری خارجہ کے ہم پلہ ہوتا ہے۔ بھٹو نے اپنی اس حیثیت کو استعمال کرتے ہوئے حکومت میں اور بیرون ملک کے اجتماعوں میں اپنی شخصیت کو نہایت ذی اثر طور پر منوا لیا تھا۔ انہوں نے محتاط ایوب خان کو اس کے اپنے بہتر فیصلے کے برعکس ہندوستان سے جنگ میں دھکیل دیا۔ پھر جب 1965ء میں معاہدہ امن پر تاشقند میں سمجھوتہ ہوا تو بھٹو نے کھلے عام اپنے غصے اور مایوسی کا اظہار کیا اور اس صورتحال سے فائدہ اٹھا کر ایوب خان کی حکومت سے کچھ دیر بعد ہی علیحدہ ہوگئے اور پھر 1967ء میں اپنی سیاسی جماعت پاکستان پیپلز پارٹی کے نام سے بنائی۔

اسی لمحہ سے بھٹو نے کاردار پر شدید دباؤ ڈالنا شروع کردیا کہ وہ ان کی جماعت میں شامل ہوجائے۔ کاردار کی ہمدردیاں بھٹو کے لیے تھیں۔ جناح کے بعد بھٹو کسی بھی سیاسی قاصد سے زیادہ ان چیزوں کی نمائندگی کرتا تھا جن میں کاردار یقین رکھتا تھا۔ کاردار کی سیاسی پہچان کو غلط سمجھا گیا ہے۔ اس کی کچھ وجہ تو یہ تھی کہ اس کا ظاہری انداز الگ تھلگ رہنے کا تھا جس کی بدولت اس غیر حقیقی مفروضہ کو تقویت ملی کہ غالباً اس کا تعلق اشرافیہ سے ہو یا پھر وہ کوئی جاگیردار ہو۔ اس کی ایک وجہ یہ بھی تھی کہ ایم سی سی کو اس سے عداوت تھی اور پھر ہندوستان کی کرکٹ کے تاریخ دان اسے مسلمان شدت پسند کے طور پر لکھنا پسند کرتے تھے۔

اس نے کبھی بھی پاکستان کے کٹر اور مذہبی انتہاپسندوں کی حمایت نہیں کی تھی۔ وہ ایک دنیا شناس انسان اور پرمسرت تفریحات کا دلدادہ تھا۔ تاہم ایک ہی وقت میں وہ اشتراکی ذہن بھی رکھتا تھا جس کے مطابق دولت کی مساوی تقسیم اور برابری کے اصولوں کو مانتا تھا۔ انگریزوں کی اقدار اور روایات رومانوی رغبت رکھتا تھا۔ اپنی آکسفورڈ کی تعلیم کے احساسِ برتری کے خبط میں مبتلا تھا جو اس کی خود پرستی اور اس کے فخر سے جھلکتی تھی۔ اس کے باوجود ہی ساتھ وہ پاکستان کا پرجوش حمایتی بھی تھا جسے برطانوی رعونت اور خودسری کے ساتھ ساتھ ان کی افسرشاہی سے سخت نفرت تھی۔ اس کی سیاسی تشکیل میں جس چیز نے اہم کردار کیا وہ اس کا ذاتی تجربہ تھا جس میں مغرب کی خودسری اور حقائق سے چشم پوشی انگریز کرکٹ انتظامیہ کے ہاتھوں اسے آزار پہنچائی گئی تھی۔ اگر کاردار برطانوی ہوتا تو وہ ہیمسٹڈ لیبر پارٹی (Hampstead Labour Party) کے ذہین وفطین افراد کے درمیان اپنے متضاد عقائد اور ذہنی خبط کا حل پالیتا۔

کوئی بھی سیاسی رہنما کاردار کی کسی ایک خامی، ترجیح اور کامیابی حاصل کرنے کی امنگ کو قبول نہ کرتا مگر بھٹو جس میں خود کاردار جیسی کئی کمزوریاں موجود تھیں نے اس کا دنیا کے بارے نقطہ نظر کو مربوط اور واضح طریقہ سے بہت حد تک قبول کیا۔ بہت عرصہ بعد کاردار نے پاکستان پیپلز پارٹی میں اپنی شمولیت کے فیصلے کی وضاحت کرتے ہوئے یوں بیان کیا:

''پاکستان پیپلز پارٹی میں شمولیت کی پہلی حقیقی وجہ یہ تھی کہ میں بھٹو کو 1942ء سے جانتا تھا۔ حقیقت تو یہ ہے کہ مجھے یقین ہے کہ میں واحد پاکستانی سیاستدان ہوں جس کی بھٹو کے ساتھ اتنی پرانی واقفیت تھی۔ میں اس کی ذہانت استعمال کرنے کی صلاحیت کی قدر کرتا تھا اور مکمل یقین رکھتا تھا کہ ہماری سیاست میں سوائے شاید شمالی مغربی سرحدی صوبے کے ولی خان کے علاوہ کوئی اور اس کے مقابلے کا نہیں تھا۔ دوسری وجہ پاکستان پیپلز پارٹی کا ترقی پسند منشور تھا۔ سوائے خفیہ کمیونسٹ پارٹی کے اس سے پہلے کسی سیاسی جماعت نے غربت، جہالت، بھوک، بیماری اور زندگی کی آسائشوں سے محرومی کے معاملات جس سے کروڑوں پاکستانی متاثر تھے انہیں اٹھائے تھے۔ ان سب نے جو غریب اور عام آدمی کی زندگی کو بہتر بنانے کے متمنی تھے

پاکستان پیپلز پارٹی میں شمولیت اختیار کر لی۔ ان سب میں ایک میں بھی تھا۔"

مندرجہ بالا اقتباس 1988ء میں تقریباً بیس برس بعد لکھا گیا تھا۔ اس میں پاکستان پیپلز پارٹی میں کاردار کی شمولیت کی نظریاتی وجوہات بیان کی گئی ہیں۔ دوسری وجہات پر کاردار کو ٹال مٹول کرنا پڑی۔ پاکستان پیپلز پارٹی کے وجود میں آنے کے دو سال بعد 1969ء میں اس نے ٹیم سلیکشن کمیٹی کے چیئرمین کا عہدہ قبول کر لیا۔ اگر اس وقت کی فوجی حکومت کی اسے خوشنودی حاصل نہ ہوتی تو یہ عہدہ کبھی نہ ملتا۔

کاردار کو اس فیصلے کی قیمت ادا کرنا پڑی۔ تمام سیاسی تحریکوں کے ابتدائی حمائتیوں کو ہمیشہ اہمیت دی جاتی ہے۔ روایتی اصول کے مطابق اس مثال کا تعلق فرانس کے جنرل ڈیگال کے ان ساتھیوں جیسا ہے جو ابتدائی لمحات میں اس کی امداد کو آئے جب ڈیگال 1940ء میں آزاد فرانس کے لیے کوشاں تھا جنہوں نے خطرات سے بے پرواہ ہو کر شمولیت اختیار کی جبکہ باہر کے بہت سے لوگوں کو وہ ایک خطرناک اور تباہ کن نتائج کا حامل عمل دکھائی دیتا تھا۔ کاردار نے 1970ء کے موسم بہار میں جست لگا کر پاکستان پیپلز پارٹی میں اس وقت شمولیت اختیار کی جب اس کی تحریک کی کامیابی یقینی تھی اور وہ اپنی منزل کی طرف رواں دواں تھی۔ بھٹو بے حد خوش ہوئے۔ وہ کاردار کی صورت میں حاصل کردہ ایک مفید چیز کو فخریہ طور پر دکھاوے کے لیے اپنے ساتھ کراچی کے معروف کلبوں کے دورے پر لے گیا۔ تاہم نجی طور پر بھٹو نے کاردار کے محتاط رویئے کو اپنے خلاف جانا۔[6]

بھٹو نے پاکستان پیپلز پارٹی کے ٹکٹ پر دسمبر 1970ء کے الیکشن میں پنجاب کی صوبائی اسمبلی کی نشست کے لیے کاردار کو انتخاب میں حصہ لینے کی اجازت دے دی۔ کاردار نے نشست کو اس علاقے سے جیت لیا جہاں اس کی آرائیں برادری کا زور تھا۔ اس کے بعد تقریباً ایک سال تک کے لیے خاموشی چھا گئی۔ ملک پر یحیٰی خان کی فوجی حکومت کا راج رہا اور مشرقی پاکستان کے مستقبل کے مسئلہ کا حل طے ہوتا رہا۔

انتخاب کے بعد کے اس غیر واضح دور میں کاردار نے عوامی طور پر جو پہلا قدم اٹھایا وہ اس کی بھوک ہڑتال تھی۔ یہ اقدام اس نے لاہور کے ان ہڑتالی صحافیوں سے ہمدردی کے طور پر کیا جن کا اپنے مالکان سے تنازعہ تھا۔ اس بات نے جلد ہی کاردار کی سیاسی ناسمجھی کی مثال کو آشکار کر دیا۔ اسے تقریباً یقین تھا کہ کارکنوں کے حق میں لیے گئے اس کے موقف سے بھٹو خوش ہوگا۔ مگر حقیقت میں پاکستان پیپلز پارٹی کے سربراہ کو اس بات پر بے حد غصہ تھا۔ بھٹو نے اشتراکی نظریہ کو استعمال کرتے ہوئے اپنی انتخابی مہم میں صرف ووٹ حاصل کرنے کے لیے مبالغہ آمیز تقاریر کیں تھیں۔ اب جبکہ اقتدار اس کی گرفت میں آنے والا تھا تو وہ اخبارات کے مالکان سے لڑائی کیسے مول لے سکتا تھا۔ اس قسم کی پیچیدگیاں الفاظ کو اصل متن میں سمجھنے والے قابل تعظیم سابق کپتان پاکستان کرکٹ ٹیم کی سمجھ سے باہر تھیں۔

بھٹو اس بات سے باخبر تھا کہ کاردار کئی سال تک مشرقی پاکستان میں رہ چکا تھا۔ بھٹو نے اسے پاکستان پیپلز پارٹی کے خصوصی نمائندے کے طور پر استعمال کرتے ہوئے تین بار مشرقی پاکستان بھیجا جو اس وقت تک عداوت سے بھرپور علاقہ بن چکا تھا۔ کاردار کو وہاں بھیجنے کا مقصد یہ تھا کہ وہ وہاں زمینی حقائق معلوم کرنے کی کوشش کرتے ہوئے امن کے امکانات جان سکے۔ کاردار نے مشرقی پاکستان کے بیشتر علاقوں میں بلاخوف سفر کیا۔ کاردار کو اپنے ہوٹل کے کمرہ میں جنونی ٹیلی فون کے ذریعے جن سے مار ڈالنے کی کم از کم ایک دھمکی موصول ہوئی اور یوں اسے وہاں کے المیہ کا براہ راست تجربہ ہوا۔

ڈھاکہ یونیورسٹی میں طلباء اور اساتذہ کی بلاامتیاز قتل و غارت جس کے بعد قانون شکن افراد کے خلاف فوجی کارروائی کی گئی۔ کاردار نے ایک فوجی واقف کار کو ٹیلی فون کر کے اپنے ایک دوست کی حفاظت کے لیے درخواست کی جس کے جواب میں اسے کہا گیا کہ ''حفیظ کیا تم کسی کو مروانا چاہتے ہو؟'' کاردار نے غصے سے اسے جواب دیتے ہوئے کہا کہ ''میرا وہاں آنے کا مقصد امن قائم کرنے کے لیے معلومات حاصل کرنا تھا، نہ کہ لوگوں کو قتل کروانا۔'' اس نرالے ہولناک، پرہیبت فوجی دور اور سیاسی تشنج کا اس وقت اختتام ہوا جب 16 دسمبر 1971ء کو یحییٰ خان نے پاکستانی افواج کی قابل نفرت شکست اور تذلیل کے بعد ہتھیار ڈالنے پر استعفیٰ دیا۔

## کاردار اقتدار میں

کاردار کا حکومت میں شامل ہو جانا کوئی آسان مرحلہ نہ تھا۔ اخبارات میں اس کی تعیناتی کی خبر بطور وزیر صحت پنجاب شائع ہو چکی تھی۔ مگر اس نے یہ کہہ کر اس عہدہ کو قبول کرنے سے انکار کر دیا کہ ''گو میرے نزدیک صحت کا شعبہ انتہائی اہم ہے مگر اس موضوع میں ناتجربہ کاری رکھنے کی وجہ سے میں محسوس کرتا ہوں کہ میں انصاف نہیں کر سکوں گا۔''

احتجاجاً کاردار تین روز تک غائب ہو گیا۔ جبکہ ''محکمہ صحت کا تمام عملہ بشمول سیکرٹری صحت ٹیلی فون کرتے رہے اور مجھے تلاش کرتے رہے۔''[7] بعد میں اس نے لکھتے ہوئے بیان کیا کہ کابینہ کے دوسرے رکن حیرت سے سٹپٹائے ہوئے اپنے ساتھی کی طرف دیکھ رہے تھے جو وزیر بننے سے انکار کر رہا تھا جبکہ وہ ایسی حیثیت حاصل کرنے کے لیے دن رات منت سماجت کرتے رہے تھے۔ آخر کار وہ اور امداد باہمی کا بطور وزیر منصب سنبھالنے پر آمادہ ہو گیا۔ پنجاب کو فوری طور پر گندم کی چالیس فیصد زیادہ درآمد کی ضرورت تھی اس نے اس مشکل مہم کو خوشدلی سے قبول کیا۔ امداد باہمی کے محکمہ کی ثانوی ذمہ داری کاردار کا اپنے والد کو فرزندانہ خراج عقیدت تھا جنہوں نے پنجاب میں امداد باہمی کی تحریک میں نمایاں کردار ادا کیا تھا۔

کاردار نے خود بیان کیا ہے کہ وہ انتہائی مصروف تھا اور کسی نئی ذمہ داری کو قبول کرنے کے لیے پس و پیش کے عالم میں تھا جب عبدالحفیظ پیرزادہ نے بی سی پی کی صدارت کی نئی ذمہ داری کے لیے اس سے رابطہ کیا۔ پیرزادہ نے وضاحت کرتے ہوئے کہا کہ بھٹو کا اصرار ہے کہ وہ یہ عہدہ قبول کرلے اور اگر اس نے ایسا نہ کیا تو ہم دونوں کے لیے مصیبت بن جائے گی۔ کاردار نے سرتسلیم خم کرتے ہوئے بات مان لی۔

پاکستان کے نئے صدر کا اصرار دانشمندانہ تھا۔ کاردار نے پاکستانی کرکٹ کے نگران کے طور پر اپنا وقت پرجوش طریقے سے یقینی تبدیلی لانے میں صرف کیا۔ اس سے پہلے اس عہدہ پر براجمان ہونے والے تقریباً تمام افراد کا تعلق سیاست سے تھا۔ (بشمول اسکندر مرزا اور ایوب خان کے دور حکومت کے پہلے پانچ سال) مگر ان حضرات کے پاس کرکٹ انتظامیہ کے لیے نہ تو وقت تھا اور نہ ہی قوت اور توانائی تھی۔ کاردار پہلا سنجیدہ کرکٹ کا کھلاڑی اور پہلا شخص تھا جو اس عہدے کے لیے توانائی اور بصیرت لے کر آیا۔ وہ ان چند میں سے ایک تھا جن کی ذاتی ایمانداری ہر طرح سے مبرا تھی۔ غلام مصطفیٰ خاں جس نے چالیس سال کے طویل عرصہ تک پاکستان کرکٹ بورڈ کے مرکزی دفتر میں اہم عہدہ پر کام کیا آج اس بات کا اظہار کرتا ہے کہ ''کاردار کرکٹ بورڈ کے تمام صدور میں سے سب سے بہترین تھا۔'' اس فیصلہ سے اختلاف کرنا مشکل ہے۔ انگلستان میں یارک شائیر اور انگلینڈ کا کپتان لارڈ ہیرس جو سیاستدان اور نوآبادیاتی نظام میں گورنر رہ چکا تھا کو آج بھی انگلستان کی کرکٹ کی انتظامیہ کا سب سے طاقتور منتظم سمجھا جاتا ہے۔ کاردار جس میں ہیرس کی طرح مطلق العنان اور تنہا رہنے کی کئی عادات مشترک تھیں، پاکستان میں اس کا نعم البدل تھا۔

غلام مصطفیٰ نے یادوں کو دہراتے ہوئے کہا کہ ''ایوب خان کبھی دفتر میں نہیں آیا تھا بلکہ اس کا جانشین سید فدا حسین بھی بہت بڑا افسری مزاج رکھتا تھا اور ہمیں اس کے پاس جانا پڑتا تھا۔ کاردار اس کے برعکس خود بہ نفس نفیس آتا۔ ہمیشہ عمدہ ترین لباس زیب تن کیے وقت پر پہنچتا۔ عموماً دوپہر کے کھانے کے بعد اپنی وزارت کے دفتر سے سیدھا کرکٹ کے مرکزی دفتر پہنچ جاتا۔'' غلام مصطفیٰ کو یاد ہے کہ ''وہ تمام فائیلیں پڑھتا اور ان پر احکامات جاری کرتا اور لوگوں سے ٹیلیفون پر رابطہ کرتا۔ وہ ہر چیز پر مکمل طور پر بااختیار تھا۔'' جیسا اس نے 1951ء میں کیا تھا کاردار نے پاکستانی کرکٹ کو گردن سے دبوچ لیا۔ اس نے مکمل طور پر ایک بااختیار مگر مخیّر شہنشاہ کی طرح حکومت کی۔ وہ آمرانہ اور مطلق العنان مزاج کا حامل تھا۔ قطعاً کسی کو معاف نہیں کرتا تھا اور جو کوئی اس کے راستے میں حائل ہونے کی کوشش کرتا اسے بے رحمی اور جابرانہ طریقے سے روند ڈالتا۔ اس نے پاکستانی کرکٹ بورڈ کو ایک نئے دور میں داخل کردیا۔

اس کی پہلی ترجیح بورڈ کو مستقل دفتر مہیا کرنا تھا جس میں کام کرنے کے لیے موثر عملہ ہو۔ بورڈ بیس سال تک سیلانی کیفیت میں کراچی، لاہور اور بعد میں راولپنڈی کے درمیان سربراہوں کی آسانی کے لیے

گردش کرتا رہا تھا۔ 8 حسابات اور کاغذات مختلف افسران کے گھروں اور دفاتر میں رکھے جاتے تھے۔ حتیٰ کہ موٹر کاروں میں بھی رکھے گئے۔ یہاں تک کہ بورڈ کے ایک ابتدائی رکن پروفیسر اسلم کی بائیسکل تک پر رکھے گئے۔ دور رس نتائج کی تیاری تو دور کی بات ہے اکثر اوقات تو خصوصی عملہ تک دستیاب نہیں ہوتا تھا جو اجلاس کی تیاری میں معاونت کرتے ہوئے یادداشتیں محفوظ کر کے فیصلوں کو عملی جامہ پہنا سکتا۔

کاردار راولپنڈی سے بورڈ کو نکال کر نوتعمیر شدہ سٹیڈیم لاہور میں لے آیا۔ 9 ذوالفقار علی بھٹو نے 23 اکتوبر 1972ء کو بی سی پی کے نئے دفتر کا لاہور میں افتتاح کرتے ہوئے تقریر میں کہا کہ "کرکٹ کے کھیل اور سیاست کے عظیم کھیل اور فن میں بے حد مماثلت ہے۔" بھٹو نے کاردار پر سختی سے الزام تراشی کرتے ہوئے اس پر زمین چرانے کا الزام عائد کیا اور پھر خود ہی اضافے کے طور پر یہ کہہ دیا کہ "کسی اچھے مقصد کے لیے زمین کو چرا لینا بری بات نہیں ہے۔" کاردار کے آسٹریلوی کرکٹ بورڈ کے ساتھ بہت اچھے تعلقات تھے اور اسے امید تھی کہ وہ ان کی طرح آسٹریلیا کرکٹ بورڈ کے نقش قدم پر چلتے ہوئے کرکٹ ہاؤس بنا لے گیا جس میں نیٹ پریکٹس کے علاوہ طعام اور رہائش کی آسائشیں کرکٹ کے کھلاڑیوں کو میسر ہوں گی۔ اس طرح پاکستان میں کرکٹ کی تمام ترقی کے لیے یہ مرکزی ذریعہ ثابت ہو سکے گا۔ بے عملی کے جمود اور رقابت نے اس امنگ کے لیے کی گئی محنت پر پانی پھیر کر رکھ دیا۔ 1997ء میں نام کی تبدیلی کے بعد ماجد خان جب پاکستان کرکٹ بورڈ کا افسر اعلیٰ بنا تو اس نے اس امنگ کو چکی کے بھاری پاٹ کا نام دیا۔ کاردار نے کرکٹ کے نئے مرکزی دفتر کے لیے کرکٹ سے محبت رکھنے والے مشتمول دوستوں کی منت سماجت کر کر کے کرسیاں میز اور کمرے گرم کرنے کو ہیٹر حاصل کیے۔

اعزازی سیکرٹری کے لیے اس نے پسندیدہ نوجوان کرکٹ کے کھلاڑیوں میں سے ظفر الطاف کا انتخاب کیا۔ جس نے اپنی انتظامی صلاحیتوں کو پنجاب کی حکومت انتظامیہ میں ثابت کر رکھا تھا۔ ظفر نے اندرون ملک اور بیرون ملک بہت عزت حاصل کی۔ کاردار نے ایک نئی حکمت عملی وضع کرتے ہوئے نوجوان کرکٹ کے کھلاڑیوں اور کرکٹ سے لگاؤ رکھنے والوں کو تربیت دینے کی غرض سے کرکٹ کے نئے انتظامی محکمے میں مختلف عہدوں پر فائض کیا۔ ان میں بہت سی کامیابی حاصل کرنے والوں میں سے ایک خالد محمود بھی تھا جس نے پاکستان کے لیے (کافی مصروفیت کا) اگلے دس سال کے لیے ایک بین الاقوامی لائحہ عمل تیار کیا تاہم اس میں ملی جلی کامیابی حاصل ہو سکی۔

بالآخر کاردار نے خدمات کے اعتراف میں ایک رقم وقف کر دی جو انعام کے طور پر کرکٹ سے سبکدوش ہونے والے کھلاڑیوں کے لیے تھی۔ قومی ٹیم کے ان سابقہ کھلاڑیوں کی خدمات کا گو اعتراف تو تھا مگر انہیں ان کا کوئی قابل ذکر مالی صلہ نہ ملا تھا۔ فضل محمود، خان محمد، مقصود احمد، امتیاز احمد، محمود حسین، حنیف محمد، علیم

الدین اور انتخاب عالم سکو بیس بیس ہزار روپے (جو اس وقت 725.w برطانوی پونڈ کے مساوی تھے) ملے۔ اس اعلیٰ اقدام کے ذریعے کاردار نے ان اہم کھلاڑیوں کو انعام پہنچایا۔ پچھلی دو دہائیوں میں وفاداری سے اس کے ہم قدم رہے تھے۔

دوسرے کھلاڑیوں کو قدر کم ملی۔ وقار حسن جو اس وقت تک پاکستان کے نمایاں صنعتکاروں میں شمار ہونے لگا تھا، نے اپنی یہ رقم مستحق سیلاب زدگان کو امدادی طور پر دے دی۔ کاردار کے بردار نسبتی ذوالفقار احمد نے بی سی پیسے درخواست کی کہ اس کی رقم کو میراں بخش اور امیر الٰہی میں تقسیم کر دیا جائے۔ اس کے خیال کے مطابق ان کا حق (شاید وہ زیادہ ضرورت مند تھے) اس سے زیادہ بنتا تھا۔

ظفر الطاف کاردار کی یادوں کی بھرپور منظر کشی کرتے ہوئے اس کی عادات اور اطوار کے بارے میں بیان کرتا ہے ''میں نے بطور سرکاری ملازم اپنا کام جاری رکھا اور دفتری اوقات کے بعد بورڈ کے دفتر جاتا۔ کاردار دوپہر کے کھانے کے بعد پہنچتا اور شام ساڑھے سات بجے تک کام کرتا۔ پھر اہم ایک سستی سی طعام گاہ پر جا کر کھانا کھاتے (وہ کام کے وقت دفتر میں کبھی کھانا نہیں کھاتا تھا۔ صرف چائے پیتا تھا) تاہم وہ نماز کے لیے علی الصبح اٹھنے کا عادی تھا اور باقاعدگی کے ساتھ صبح ساڑھے پانچ بجے میرے ٹیلیفون کی گھنٹی بجنے لگی۔ مجھے ہمیشہ معلوم ہوتا تھا کہ اس وقت ٹیلیفون کرنے والا کون ہوسکتا ہے اور میں جواباً بے اختیار مخاطب کرتے ہوئے ہیلو سکپر (Hello Skipper) کہہ کر خوش آمدید کہتا۔ بہت کم لوگوں میں ایسا پاگل پن ہوتا ہوگا کہ وہ کام کی خاطر صبح ساڑھے پانچ بجے ٹیلیفون کریں۔

ظفر الطاف نے زور دے کر کہا کہ کاردار ایک ہی وقت میں پاکستانی، پنجابی اور اوکسفورڈ کا رکن تھا۔ ''اس کے ساتھ کام کرنے کے لیے اس کے ان تینوں پہلوؤں کو سمجھنا پڑتا تھا۔'' وہ اپنی ایمانداری کے معیار کا سختی سے پابند تھا۔ وہ کبھی ایسا موقع نہ دیتا کہ جس سے لوگ شک کرتے کہ وہ دوسرے کے مقابلے میں کسی کو ترجیح دے رہا ہے۔ جب اس کے بیٹے شاہد نے فرسٹ کلاس کرکٹ کھیلنا چاہی تو کاردار نے کہا کہ ''اسے بی سی پی کی صدارت سے مستعفی ہونا پڑے گا۔ اس نے فرسٹ کلاس کرکٹ کھیلنے کے متبادل اپنے بیٹے کو آکسفورڈ میں پانچ سال تعلیم حاصل کرنے کی پیشکش کی۔''

کاردار کا اصل مقصد پاکستانی کرکٹ کے لیے نئے مالی وسائل کو تلاش کرنا تھا۔ اس کے ساتھ ساتھ نئے سٹیڈیم تعمیر کرنا، کھیل کے مشق کی سہولت مہیا کرنا۔ پرانے اور فرسودہ میدانوں کو از سر نو کھیلنے کے قابل بنانا اور گزر اوقات کے لیے کھلاڑیوں اور کوچ حضرات کو معقول تنخواہ دینے کے علاوہ ان کو پیسہ دستیاب کرنا کاردار کی ترجیحات میں شامل تھے۔ کاردار نے پاکستانی بینکوں اور دوسری اہم تجارتی کمپنیوں اور محدود ہوئے بغیر خاص طور پر ان اداروں کی طرف جو بھٹو نے قومی ملکیت میں لے لیے تھے توجہ مرکوز کی۔ اس نے

فرسٹ کلاس کرکٹ کے نئے اور بعد میں ایک روز مقابلوں کا انعقاد اس شرط پر کیا کہ یہ ادارے اپنی ٹیمیں بنائیں گے۔ ہونہار کھلاڑیوں کو روزگار مہیا کریں گے اور کھیل کے میدانوں میں سرمایہ کاری کریں گے۔ اس نے کرکٹ بورڈ میں ان اداروں کی نمائندگی کی بھی ہمت افزائی کی اور اس کے ساتھ ساتھ ان کی قائداعظم ٹرافی میں بھی شمولیت کی۔

یہاں آ کر پاکستانی کرکٹ کا تاریخ دان مشکل سے دو چار ہو جاتا ہے۔ کسی ایک نے بھی یہ کوشش نہیں کی کہ کاردار کے دور کے ان نئے مقابلوں کی مکمل تحریری طور پر کوئی یادداشت محفوظ کی جاتی۔ اس موقع پر میں یہ نہیں کہتا کہ میں وہ یادداشت مہیا کروں گا مگر میں کچھ خصوصیات اور ذاتی نمایاں کارکردگیوں کے حوالے دوں گا جس سے پاکستان کرکٹ میں ترقی کا نیا عمل اجاگر ہوگا۔

سب سے پہلی بات تو صرف کچھ نئی ٹیموں کے ناموں سے ہی واضح ہو جاتی ہے جیسے کامرس بینک، نیشنل بینک آف پاکستان، پاکستان کسٹمز، حبیب بینک، داؤد انڈسٹریز، انکم ٹیکس ڈیپارٹمنٹ پانی اور بجلی کا محکمہ (واپڈا)، یونائیڈڈ بینک، سروس انڈسٹریز۔ ویسے تو پاکستان میں آجرون کی ٹیمیں کافی عرصہ سے موجود تھیں مگر کاردار پاکستان کے کھلاڑیوں اور ان کے سرپرستوں کے درمیان زیادہ گہرے رشتے کا خواہشمند تھا۔ اس کی توقعات میں کرکٹ کے کھلاڑیوں کے حقیقی ملازمتیں جن کے ساتھ پیشہ وارانہ مستقبل کی ممکنات بھی ہوں۔ صرف آرام دہ اور بے فکری کے عہدے نہ ہوں شامل تھیں جواباً کاردار کو توقع تھی کہ کرکٹ کے کھلاڑی ان ملازمتوں کو سنجیدگی سے لیں گے۔ جب کاردار کو معاوضوں پر کھلاڑیوں کی بغاوت کا سامنا کرنا پڑا تو اس نے تلخی سے لکھا کہ ''بینکوں نے اعانت کرتے ہوئے ہونہار اور معروف کھلاڑیوں کو ملازمتیں مہیا کیں۔ میرا مقصد پورا ہو گیا تھا۔ کھلاڑیوں کو اچھی ملازمتیں ملیں جن کے ساتھ اچھی تنخواہیں اور دیگر مراعات شامل تھیں۔ بعد میں مجھے افسوس ہوا کہ سوائے چند باعزت کھلاڑیوں کے باقی کے کھلاڑی نہ تو دفتر جا کر بینک کے پیشہ کو سیکھنے میں دلچسپی رکھتے تھے اور نہ ہی چند ایک بینک کی ٹیم کے لیے اپنے آپ کو حاضر رکھتے ہیں۔

کاردار کے پانچ سالہ دور میں مقامی کرکٹ نے بے انتہا ترقی اور وسعت پائی۔ اس کے کرکٹ کے پہلے ابتدائی موسم میں انکساری سے ایک نئے سکندر علی بھٹو کپ کا آغاز کیا گیا (یہ ٹورنامنٹ بھٹو کے سوتیلے بھائی کے نام پر رکھا گیا جو صرف سات سال کی عمر میں المناک موت کا شکار ہو گیا تھا) اس سے اگلے سال نیشنل بینک آف پاکستان چیلنج کپ کاردار سمر شیلڈ اور پنجاب ٹورنامنٹ کا آغاز ہو گیا۔ اس کے علاوہ یونیورسٹیوں کی چمپیئن شپ کے میچوں کو بھی دوبارہ بحال کر دیا گیا اور سب سے اہم بی سی پی پیٹرن ٹرافی شروع کی گئی۔ (یہ پرانی ایوب ٹرافی اور اس کی سیاسی طور پر غیر جانبدار جانشین بی سی بی ٹرافی کا نعم البدل تھی)۔ اس کا انتساب سرپرستوں (آجروں) کی ٹیموں سے کیا گیا۔ اور یہ ٹورنامنٹ ایسے وقت میں رکھے

گئے کہ کھلاڑیوں کو مقامی، علاقائی اور دوسری ٹیموں میں شامل ہونے کا موقع مل سکے تاکہ وہ باقاعدہ قائداعظم ٹرافی میں بھی حصہ لے سکیں۔ جو بعد میں ہونا تھی اور آخر میں پیٹرن ٹرافی اور قائداعظم ٹرافی کی سب سے زیادہ کامیاب ٹیمیں پینٹنگلر (Pentangnlar) کپ میں ایک دوسرے کا مقابلہ کرتی تھیں۔ اس ٹورنامنٹ کے نام سے قومیتوں کے ان میچوں کی یادیں تازہ ہوگئیں جن میں تقسیم ہند سے پہلے تماشائیوں سے میدان بھرے پڑے ہوتے تھے۔

1974-75ء میں پاکستان میں پہلی بار سروس کپ کے نام سے ایک روزہ میچوں کے مقابلے منعقد ہوئے۔ جس میں چھ میچ کھیلے گئے۔ اس کے علاوہ صرف ایک بار نیا ٹورنامنٹ عبدالستار پیرزادہ میموریل ٹرافی کے نام سے کھیلا گیا۔ یہ کھیلوں کے وزیر کے والد کے نام سے منسوب تھا۔ تاہم خود کاردار نے اپنی خودنوشت سوانح عمری میں ان نئے مقابلوں اور فرسٹ کلاس میچوں کی بہتات بارے یہ مشکل لکھا ہے۔ اس نے زیادہ توجہ اپنی توانائی سے بھرپور کرکٹ سے متعلق سفارتکاری پر دی ہے۔[10]

کاردار پہلا پاکستانی تھا جس نے انٹرنیشنل کرکٹ کانفرنس (1965ء امپریل کرکٹ کانفرنس کا نام تبدیل کر دیا گیا تھا) میں ایک متحرک کردار ادا کیا تھا۔ اس کا دعویٰ تھا کہ اس کے پیشروؤں میں سے ایک اس وقت سو رہا تھا جب سر ڈونلڈ بریڈمین غیر قانونی باؤلنگ کرنے کے عمل کے اہم معاملے پر تقریر کر رہا تھا۔ کاردار ایک نئے انداز کے ساتھ آیا تھا۔ ''خراٹے لینے کا وقت ختم ہو چکا تھا اور اب دہاڑنے کا وقت آن پہنچا تھا۔''

اس نے آئی سی سی کے مختلف پھیلے ہوئے معاملات کی پیشوائی کی۔ کچھ معاملات تو صرف کرکٹ کے متعلق تھے جبکہ دوسرے کئی عالمی اہمیت کے تھے۔ کاردار کا ہمیشہ گبی ایلن (Gubby Allen) سے مقابلہ ہوجاتا جو ایم سی سی (MCC) کے اعلیٰ ترین منصب کا رئیس تھا (اور روحانی طور پر لارڈ ہیرس سے نسبت تھی) اور جس نے جنگ عظیم کے بعد کے زیادہ عرصہ میں کرکٹ پر مکمل حکمرانی کی تھی۔ کاردار اور ایلن دونوں کی بنتی نہیں تھی۔ مگر دونوں میں بے انتہا مشابہت تھی جسے دونوں ماننے کو تیار نہیں تھے۔

کاردار نے ابتدائی طور پر نمایاں لائحہ عمل پیش کیا جس میں ٹیسٹ میچوں میں غیر جانبدار امپائروں کی تجویز رکھی گئی تھی۔ اس کی یہ تجویز ایلن (Allen) نے حقارت آمیز بدلحاظی سے برخاست کر دی۔[11] ظفر الطاف کی مدد سے وہ کلائیڈ والکوٹ (Clyde Walcott) کی حمایت حاصل کرنے میں کامیاب ہوگیا جس کے مطابق 1975ء کے ورلڈ کپ میں باؤنسروں پر حد بندی ہونی چاہیے تھی۔[12]

اس کے علاوہ دوسرے معاملات پر کاردار کے اہم مقاصد میں جنوبی افریقہ پر پابندی کا برقرار رہنا اور آئی سی سی ایشیائی نمائندگی کو مزید بڑھانا شامل تھے۔ اس نے جنوبی افریقہ کی دوبارہ آئی سی سی میں شمولیت کی کوشش کو ناکام بنا دیا (اس کے اپنے پرجوش الفاظ کے مطابق یہ ایشیائی سازش پر مبنی تھی) جس کے

مطابق وہ 1975ء کے عالمی کپ میں بھی داخل ہو جاتے۔ کاردار کی ان پر دوبارہ شمولیت کی یہ شرط تھی کہ وہ اپنی ٹیم میں ہر نسل کے فرد کو نمائندگی دیں۔ یہ تجویز بھٹو کی خارجہ پالیسی کے عین مخالف تھی مگر کاردار کے لیے ایسے ہی تھی جیسے جنگلی بھینسے کو سرخ رومال دکھانے کے مترادف ہو کیوں کہ وہ عرصہ دراز سے نسلی امتیاز کی مخالفت میں برسرپیکار رہا تھا۔ اس نے بعد میں لکھا کہ سازشی عناصر کو یہ سمجھ نہیں آئی کہ یہ مسئلہ خالص کھیلوں کے تبادلے سے نکل کر بہت اونچے پیمانے کے سیاسی میدان میں پہنچ چکا تھا۔ اور یہ کہ تیسری دنیا سے تعلق رکھنے والے ممالک نے جنوبی افریقہ کی نسلی امتیاز کی حکمت عملی کے خلاف قطعی طور پر ناقابل تنسیخ موقف اختیار کرلیا تھا۔

اس نے آئی سی سی کے ایما پر جنوبی افریقہ جا کر سفید فام اور رنگدار کھلاڑیوں کے درمیان مفاہمت کی بتدریج پیش رفت کی طرف اقدام کی خبرگیری سے صاف صاف انکار کر دیا۔ جب انگلستان کے فریڈی براؤن (Freddie Brown) نے اس سے آگے بڑھنے کی تاکید کرتے ہوئے فرسودہ اور گھسے پٹے الفاظ میں استدعا کی کہ ''سیاست کو کرکٹ سے علیحدہ رکھو'' تو کاردار نے اس کا چبھتا ہوا اور اطمینان بخش جواب دیا کہ ''یہ وہ جنوبی افریقہ میں سفید فام ہیں جو نسلی تعصب کی سیاست کو کرکٹ میں لے کر آئیں۔ ہم نے ایسا نہیں کیا۔'' ظفر الطاف اس وقت وہاں موجود تھا جب کاردار نے آئی سی سی کے تمام ممبران کی موجودگی میں کہا کہ ''رنگ، نسل اور عقائد چاہے کچھ بھی ہوں اگر وہ ان سے بالاتر ہو کر انسانوں کی قدر نہیں کر سکتے تو ان کا عالمی کرکٹ میں رہنے کا کوئی مقصد نہیں۔''

آئی سی سی میں ایشیائی نمائندگی پر کاردار کو مایوسیوں کا سامنا تھا جس کے نتیجے ویسٹ انڈیز نے اس نکتے کی حمایت کی اور انگریزوں کی شفیق غیر جانبداری سے یہ تجویز مان لی گئی۔ اسے ایک اہم بنیادی مسئلہ پر دو دو ہاتھ کرنا پڑا۔ وہ کسی قرارداد کو مسترد کرنے کا آئینی حق تھا جو صرف بنیادی ارکان (سفید فام) انگلینڈ اور آسٹریلیا کے پاس تھا۔ اُس نے سری لنکا کے لیے مکمل رکنیت کے لیے زور لگایا۔ جہاں آج بھی کاردار کی بے پناہ عزت کی جاتی ہے اور بنگلہ دیش کے لیے اس نے اسے ملحق رکن بنانے کے لیے کوشش کی۔ یہ رکنیت اسے 1977ء میں اس وقت حاصل ہوئی جب پاکستانی کرکٹ کے عہدہ سے تلخی میں مبتلا کاردار ابھی افسردہ طور پر مستعفی ہوا ہی تھا۔ سرلنکا کو مکمل رکنیت حاصل کرنے کے لیے 1981ء تک انتظار کرنا پڑا۔

تاہم کاردار سنگاپور کے لیے ملحق رکنیت حاصل کرنے میں کامیاب ہوا۔ اور اس نے سنگاپور کو اپنی بنائی ہوئی نئی ایشین کرکٹ کانفرنس میں شرکت کے لیے دسمبر 1974ء میں اس کے مرکزی دفتر قذافی سٹیڈیم لاہور میں مدعو کرلیا۔[13] اس پیش قدمی سے آئی سی سی سخت پریشان ہوئی۔ اس کے سیکرٹری جیک بیلی (Jack Bailey) جو ایم سی سی کا بھی سیکرٹری تھا، نے کاردار کو اس کا نام تبدیل کر کے ایشین کرکٹ کونسل رکھنے کے

لیے، تا کہ یہ تاثر نہ ہو کہ مرتبہ کی حیثیت سے یہ آئی سی سی کی برابری کر رہی ہے۔ بیلی (Bailey) اور اس کے آقا گبی ایلن (Gubby Allen) کو خاص طور پر یہ پریشانی تھی کہ پاکستان کا ایشیائی نمائندگی کے حق میں پرزور طریق کار سے اس سال کے آئی سی سی کے چیئرمین ڈیوک آف ایڈنبرا (Duke of Edinburgh) کی خفت نہ ہو۔ مگر یہ احمقانہ سوچ تھی۔ ڈیوک کو پہلے ہی سے کھیلوں میں سیاست کا خاصا تجربہ تھا اور اس کے علاوہ بے لاگ گفتگو میں بھی وہ خاصا ہنرمند تھا۔

کاردار نے فیصلہ کیا کہ ایسا وقت آن پہنچا ہے کہ انگلینڈ اور آسٹریلیا کو مسترد کرنے کے حق پر مکمل طور پر حملہ آور ہوا جائے۔ آئی سی سی میں سفید فاموں کے لیے بچاؤ کا یہ آخری حربہ ہوا کرتا تھا۔ ظفر الطاف کے مطابق ڈیوک کو کاردار سے کچھ ہمدردی تھی۔ اس نے مسترد کرنے کے حق کو ''انتہائی برطانوی سامراجی منصوبہ'' کا نام دیا۔ کاردار نے تجویز پیش کی کہ آئی سی سی کے آئین کی بنیادی اصلاح کرتے ہوئے اس شک کو مکمل طور پر ختم ہونا چاہیے۔ ابتدائی گفت وشنید کے کئی دور ہونے کے بعد کاردار مکمل طور پر سمجھ چکا تھا کہ آئی سی سی اس معاملے کو لائحہ عمل کی فہرست میں کہیں دور دفن کر دے گی۔ لہٰذا اس نے فیصلہ کیا کہ اس اقدام کی پیشگی روک تھام کے لیے اسے یہ معاملہ باضابطہ طور پر لائحہ عمل کی فہرست پر گفت وشنید شروع ہونے سے پیشتر نقطہ اعتراض کے ذریعے اٹھا دینا چاہیے۔ اس کا نتیجہ حسب توقع نکلا۔ آئی سی سی نے ایک خاص کمیٹی کی تشکیل کر دی جسے آئین پر نظرثانی کرنے کے ساتھ ساتھ آئندہ سال کے لیے مختلف تجاویز پیش کرنے کا کام سونپا گیا۔ آئی سی سی میں کسی جانب سے حمایت نہ ہونے کی صورت میں کاردار نے یہ سمجھتے ہوئے اسے قبول کر لیا کہ اس سے مزید بہتر وہ کچھ اور حاصل نہیں کر سکتا۔

جب اس معاملے کو رائے شماری کے لیے پیش کیا گیا تو ظفر الطاف کے مطابق کاردار اپنے آپ پر قابو نہ رکھ سکا اور اس نے ڈیوک سے پوچھا کہ اس کی پشت پر وہ چالیس انگریز کون بیٹھے ہیں؟ کاردار کو بتایا گیا کہ وہ کارروائی کی تفصیل قلمبند کرنے آئے ہیں۔ کاردار نے جواب دیا: ''جنابِ صدر میرا معاون سیکرٹری میرے ساتھ یہاں موجود ہے یہ کارروائی کی تفصیل قلمبند کر کے کل آپ کو بھیج دے گا۔'' وہ چالیس انگریز وہاں سے چلے گئے مگر جاتے جاتے ان میں سے ایک نے کاردار کے آکسفورڈ اور کیمبرج کے درمیان کھیلے جانے والے میچ میں شرکت کے دوران اس پر کی گئی نفرت انگیز رائے زنی کو دہراتے ہوئے اسے ''مشرق کا روحانی صوفی'' کہا۔ بعد میں سری لنکا کے ہائی کمیشن کی طرف سے دیئے جانے والے استقبالیہ میں کاردار نے آسٹریلیا کے نمائندے ٹم کالڈویل (Tim Caldwell) جس نے اپنی بے عقلی سے کاردار کے مخالف پرانی صورتحال کی حمایت کی تھی، کو آڑے ہاتھوں لیتے ہوئے کہا، ''جناب کالڈویل ڈان (بریڈمین) کو بھیجو اس میں ایک کی بجائے دو بار مسترد کرنے کا حق دوں گا۔ وہ عظیم ہے اور کھیل کا ماہر ہے مگر یہاں اگر میں اپنی

کرکٹ کے پس منظر کا مقابلہ تم سے (کالڈویل نے آسٹریلیا میں صرف تین ریاستی میچ کھیل رکھے تھے) کروں تو بات بنتی نہیں ہے۔ میں میدان تمہیں نہیں دے سکتا اور میں کسی کمتر سے شکست نہیں کھا سکتا۔''

یہ بے عزتی کرنے سے کاردار کو قدرے اطمینان ملا۔ پاس کھڑے ہوئے گبی ایلن (Gubby Allen) پر یہ اثر ہوا کہ وہ ایک گھونٹ میں ہی اپنی شراب پی گیا۔ مگر اس سے کاردار کے مقصد کو کچھ خاص حاصل نہ ہوا۔ اور مسترد کرنے کا حق 1993ء تک برقرار رہا۔ تاہم کاردار نے معاملے کو لائحہ عمل کی فہرست میں شامل کروا دیا جس سے ایک لمبی مدت کا عمل شروع ہوگیا۔ اور بالآخر بین الاقوامی کرکٹ کی طرزِ حکومت میں مستقل تبدیلی آگئی۔ اس پر ایم سی سی اور برطانوی انتظامیہ نے کاردار کو کبھی معاف نہ کیا۔ پاکستان کے کئی معروف کھلاڑیوں کے برعکس، اس نے صرف ایم سی سی کی اعزازی رکنیت کی پیشکش نہ کی گئی بلکہ ان اعزازات سے بھی محروم رکھا گیا جو برطانوی نوآبادیاتی اور دولت مشترکہ کے سابقہ زیر اثر رہنے والے ممالک کے کھلاڑیوں کو دیئے گئے جن میں لارڈ کانسٹنٹائین (Lord Constantine) اور سر ڈونلڈ بریڈمین (Sir Donald Bradman) شامل تھے۔

## ٹیسٹ کرکٹ کا دوبارہ آغاز

ہم نے دیکھا کہ کس طرح 1960ء کی دہائی میں پاکستان کرکٹ کی دنیا میں غیراہم حیثیت اختیار کرگیا تھا۔ ایوب کے دور سے وابستہ یہ محض تنگ نظری تھی۔ جس طرح 1970ء کی دہائی میں بھٹو نے ملک کی بین الاقوامی شہرت کو دوبارہ استوار کیا اس طرح کاردار نے پاکستان کو ٹیسٹ کرکٹ کھیلنے والی اہم قوم کے طور پر دوبارہ بحال کیا۔

بین الاقوامی سطح پر پاکستان کا دوبارہ نمودار ہونا ترقی کی ایسی کہانی ہے جس میں طاقت کے لیے مسلسل کشمکش جاری رہی اور ساتھ خوشگوار واقعے بھی جاری رہے۔ کہانی میں بار بار رونما ہونے والے اجزا میں ترقی کی راہ میں ناقابل فہم ٹوٹ پھوٹ، مصیبت کے وقت میں بہادرانہ طور پر اکٹھے ہو جانا۔ مربوط عناصر سے بھرپور لمبے وقفے اور کپتانی اور نائب کپتانی کے لیے کوششیں اور چالیں۔ من موجی منتخب کرنے والے اور ان کی بھینٹ چڑھنے والے حقیقی یا خیالی شکار۔ منتظمین اور ذرائع ابلاغ کا غضبناک ہونا، تماشائیوں کی ہنگامہ آرائی۔ ناپسندیدہ لڑکے جنہیں سزا دینا ضروری ہوتا مگر بعض اوقات عمدہ اور بڑی کارکردگی کے زور پر اچھی نظروں سے دیکھے جانے لگتے۔ نئے اور ممکنات میں رہنے والی کھلاڑی جنہوں نے اعلیٰ کارکردگی سے راتوں رات سنسنی پھیلا دی۔ بعض اوقات پچ کی حالت مرکزی کہانی بن گئی یعنی میدان بذات خود مرکزی کردار بن جاتا۔ ان سب باتوں پر کاردار کی آمرانہ، سخت وتند اور ناقابل معافی شخصیت حاوی نظر آتی ہے۔

کہانی کا آغاز 73-1972ء کے موسم سرما کے آسٹریلیا کے دورے سے ہوتا ہے۔ یہ دورہ پاکستان اور آسٹریلیا کے مابین آٹھ سال قبل آخری ٹیسٹ کھیلے جانے کے بعد ہوا۔ دورے کی شروعات منتخب کرنے والوں کی آپس میں لڑائی جھگڑے سے ہوئی۔ جس میں انہوں نے حنیف محمد کو خارج کر دیا حالاں کہ اطلاعات کے مطابق وہ کوشش کر کے انگلینڈ سے بروقت واپس آ گیا تھا اور حصہ لینے کا خواہشمند تھا۔ آسٹریلوی کرکٹ بورڈ بھی پاکستانیوں کی مدد نہیں کر رہا تھا۔ وہ اکثر اوقات پاکستان سے حقارت بھرا رویہ رکھتا تھا۔ اس نے دورہ کی پیشکش ناقص قسم کی تفصیلات مہیا کی تھیں جس کے لیے تیاری کرنا تھی۔ ٹیم میں صرف چند ایک ہی تھے جنہوں نے آسٹریلوی پچوں پر کھیل رکھا تھا۔ خاص طور پر باؤلروں کو موافقت پیدا کرنے میں بہت زیادہ وقت لگا۔

کسی حد تک انہی وجوہات کی بدولت پاکستان ایڈیلیڈ میں کھیلے جانے والا پہلا ٹیسٹ میچ ایک اننگز سے ہار گیا۔ میلبورن میں دوسرا ٹیسٹ میچ بھی اس بری طرح سے ہی شروع ہوا۔ آسٹریلیا نے پہلے بیٹنگ کی اور تیزی سے کھیلتے ہوئے پانی کھلاڑیوں کے آؤٹ ہونے پر 441 رنز بنا ڈالے۔ اور آئین چیپل (Ian Chappell) نے مقابلے کی دعوت دیتے ہوئے ڈیکلئیر (Declare) کر دیا۔ پھر پاکستان کی بیٹنگ عمدہ ثابت ہوئی۔ صادق محمد اور ماجد خان نے روانی سے کھیلتے ہوئے سنچریاں بنائیں۔ ان کے علاوہ چار بیٹمینوں نے پچاس پچاس رنز کیے جن میں سعید احمد بھی شامل تھا جو بطور ابتدائی بیٹسمین انتہائی متذب تھا۔ پاکستانی کھلاڑی خاص طور پر آسٹریلیا کے نئے تیز رفتار باؤلر جس نے منتخب کرنے والوں کو یہ نہیں بتا رکھا تھا کہ اس کے پاؤں کی ایک ہڈی ٹوٹی ہوئی ہے کے خلاف بہت تندو تیز تھے۔ انگلستان کی ٹیم کی بدقسمتی تھی کہ کوئی وکٹ حاصل نہ کرنے والے جیف تھامسن (Jeff Thomson) کو دو سال بعد ان کے خلاف دوسرا موقع دیا گیا۔ انتخاب عالم نے 8 کھلاڑی ہونے پر 574 رنز کر کے ڈینس للّی (Dennis Lillee) کے اچھلتے گیندوں کی بوچھاڑ کے خلاف احتجاجاً پاکستانی اننگز کو ختم کر دیا۔ للّی نے یہ گیند انتہائی غصہ اور اشتعال کی حالت میں پھینکے تھے جس کی بدولت اس نے پاکستانی کھلاڑیوں سے دیرینہ ذاتی دشمنی کا آغاز کر دیا تھا۔

آسٹریلیا نے اپنی دوسری اننگز میں مزید 400 رنز کر دیئے۔ رچی بینو (Richie Benad) کے بھائی جان (John) نے منتخب کرنے والوں کی جانب سے خارج کیے جانے کے اگلے روز ہی ایک تیز رفتار سنچری بنا ڈالی۔ اس کے بعد وہ آسٹریلا میں کبھی دوبارہ ٹیسٹ میچ نہ کھیل پایا۔ اس سے ثابت ہوا کہ منتخب کرنے والوں کے لیے ربطے رویئے صرف پاکستان تک ہی نہیں محدود تھے۔ آئین چیپل کے ڈیکلئیر (Declare) کرنے سے پاکستان کے لیے 325 منٹ میں 293 رنز بنا کر میچ کو جیتنے کی ممکنات نظر آنے لگی تھیں۔ مگر پاکستان کے تمام خصوصی بیٹسمین للّی (Lillee) اور ایک نئے آسٹریلوی باؤلر میکس واکر (Max Walker) جس کے دوڑنے کے انداز میں اس کے پاؤں ایک دوسرے کے ساتھ الجھے ہوئے معلوم ہوتے تھے کے دباؤ

کے سامنے ڈھیر ہو گئے۔ احمقانہ طور پر رن آؤٹ ہونے والوں میں ظہیر عباس اور مشتاق محمد تھے۔ پاکستان 7 کھلاڑی آؤٹ ہونے پر 138 رنز بنا لیے مگر اس کے ساتھ کوئی اور بیٹسمین ٹھہر نہ سکا۔ اور پاکستانی ٹیم 200 رنز پر آؤٹ ہو گئی۔

سڈنی میں تیسرا ٹیسٹ میچ شروع ہونے سے قبل پاکستانی ٹیم کو کسی اوپننگ بیٹسمین کی تلاش تھی جو للّی کے مقابل کھڑا ہو سکتا۔ سعید احمد نے واضح طور پر کہہ دیا کہ وہ یہ ذمہ داری قبول کرنے سے عاری ہے اور یہ بھی دعویٰ کیا کہ وہ زخمی ہے۔ دورہ کرنے والی ٹیم کی انتظامیہ ایم۔ای۔ زیڈ غزالی اور ظفر الطاف نے سعید کی ان باتوں کا یقین نہ کرتے ہوئے اسے باقیماندہ دورہ سے خارج کر دیا۔ انہوں نے سعید کی پاکستان میں کھیلوں کے سربراہ حفیظ پیرزادہ کو آخری لمحے میں کی گئی درخواست کو بھی نظر انداز کر دیا۔ یہ درخواست سرخ رنگ کی سیاہی سے تحریر کی گئی تھی اور سعید نے پیرازہ کو یہ تصور کرنے کے لیے کہا تھا کہ جیسے یہ درخواست اس نے اپنے خون سے لکھی تھی۔

انتظامیہ نے ایک دوسرے متذبذب اوپننگ بلے باز کو اس سے بھی کڑی سزا دی۔ دورے کے آغاز میں ہی محمد الیاس کے چہرے پر گیند لگ گئی تھی۔ ظفر الطاف کے مطابق یہ چوٹ اسے اس وقت لگی جب وہ تمام رات باہر رہنے کے بعد سویا نہیں تھا۔ ایک ماہ تک وہ ٹیم کے ساتھ صرف ایک مسافر کی حیثیت میں تھا اور اسے گیند نظر نہیں آتا تھا۔ اور جب ٹیم نیوزی لینڈ روانہ ہونے لگی تو دورہ کرنے والی انتظامیہ نے فیصلہ کیا کہ وہ اب بھی کھیلنے کے قابل نہیں ہے۔ اسے بھی ٹیم سے خارج کر دیا گیا۔ ظفر الطاف کا آج بھی یہ اصرار ہے کہ ان دونوں فیصلوں میں کاردار کا کوئی کردار نہیں تھا۔ مگر میرا خیال ہے کہ یہ دونوں فیصلے کاردار سے مشاورت کیے بغیر نہیں لیے جا سکتے تھے۔ پاکستانی کرکٹ کھلاڑی کے لیے سمندر پار سفر پر آئے ہوئے ایک تلخ تجربہ تھا۔

آخرکار اوپننگ کھلاڑی کے لیے ادھیڑ عمر نسیم الغنی کا انتخاب کیا گیا جس کا بنیادی کام بائیں ہاتھ سے سست رفتار باؤلنگ کرنا تھا۔ اس نے اس میچ میں باؤلنگ تو نہ کی مگر پاکستان کی پہلی اننگز میں 64 رنز بنا ڈالے۔ آصف اقبال نے 65 اور مشتاق محمد نے سنچری بنا کر پاکستان کے لیے 26 رنز کی قلیل برتری حاصل کر لی۔ سلیم الطاف اور سرفراز نواز آسٹریلیا کے ماحول میں باؤلنگ کرنا سیکھ چکے تھے۔ آسٹریلیا کو پہلی اننگز میں 334 رنز پر آؤٹ کرنے کے بعد ان کی کارکردگی دوسری اننگز میں اور بھی بہتر رہی جب دونوں باؤلروں نے چار چار وکٹ لیتے ہوئے آسٹریلیا کے 8 کھلاڑی 101 رنز کے عوض آؤٹ کر دیئے۔ مگر پاکستان آخری دو کھلاڑیوں باب میسی (Bob Massie) اور صرف ایک ٹیسٹ کھیلا ہوا سپین (Spin) باؤلر جان واٹکنز (John Watkins) کو آؤٹ کرنے میں ناکام رہا۔

آسٹریلیا نے پاکستان کو جیتنے کا بالآخر 159 رنز کا ہدف دے دیا۔ پاکستان کے دونوں ابتدائی

بیٹسمین آؤٹ ہوگئے مگر 48 رنز پر دو کھلاڑی آؤٹ ہونے پر روشنی کی کمی کی وجہ سے کھیل بند کرنا پڑا۔ کھیل کے آخری روز ڈینس للّی اور میکس واکر دونوں باؤلروں نے پاکستانی بلے بازوں کو دبوچ کر ان کے گلے دبا دیئے۔ وہ سب کے سب کمزور کھیل کے امتزاج یا بے خوف انداز سے کھیلے ہوئے ایک عمدہ کیچ اور ایک متنازع ایل بی ڈبلیو کے ہاتھوں کل 106 رنز بنا کر آؤٹ ہوگئے۔

## سعید احمد اور محمد الیاس کا خروج

اب کاردار نے کھلاڑیوں کو سزا دینے کے لیے مداخلت کی۔ اس کے خیال میں پاکستان کی تین کے مقابلے میں صفر سے شرمناک مار رکھنے کی انہیں ذمہ داری قبول کرنا چاہیے۔ نشانے کی زد میں سب سے پہلے سعید احمد تھا۔ کاردار سعید احمد کے کھیل میں ناکام رکھنے کی تمام دلیلوں کو ماننے کے لیے تیار نہیں تھا۔ اس نے اعلان کیا کہ سعید احمد کو واپس پاکستان بھیجا جا رہا ہے۔ اس کے ساتھ اس نے دورہ پر سعید کے مسلسل غیر ذمہ دارانہ رویے اور ناقص کارکردگی کا حوالہ دیا۔ واپسی پر کاردار نے بی سی سی پی کی انتظامیہ کمیٹی کے اجلاس کے بعد سعید احمد پر کرکٹ کھیلنے پر عمر بھر کے لیے بندش لگادی۔

اس اقدام سے پاکستان کے ایک عمدہ بیٹسمین کی کرکٹ کا خاتمہ ہوگیا۔ جو پندرہ سال تک پاکستانی ٹیم میں اوپر کے نمبر پر کھیلنے والے کھلاڑیوں میں نمایاں رہا تھا۔ یہ واحد بیٹسمین تھا جس نے حنیف کی طرح 1950ء کی دہائی میں اپنے کھیل کا آغاز کیا تھا۔ اور جس کی اوسط 40 سے زیادہ رہی تھی۔ (وہ اچھا آف بریک باؤلر بھی تھا) فضل محمود کے مطابق، ''پاکستان میں اس جیسا دلیر بیٹسمین کبھی نہیں آیا''۔ عمر نعمان کے عمدہ الفاظ کے مطابق، ''کرکٹ کی عمدہ یادوں میں سعید احمد ہمیشہ یاد رہے گا۔ وہ نمبر تین پر کھیلنے والا جوشیلا اور تیز بیٹسمین تھا جس نے پاکستانی ٹیم کی قدرے بے لطف بیٹنگ میں حسین رنگ اور خوشی کی لہر دوڑا دی۔''

کرکٹ سے بوریا بستر گول ہونے کے بعد سعید احمد کی شادی اور کاروبار ناکام ہوگئے۔ اس نے سیاست میں آنے پر بھی غور کیا اور ایک چھوٹے سے گروہ میں شامل ہوکر پنجاب کے گورنر غلام مصطفیٰ کھر کی حمایت کی جس کے بھٹو کے ساتھ اختلافات ہوگئے تھے۔ کچھ وقت کے لیے وہ کھر کی کوٹھی کے اندر راستے کے آخری حصہ پر رکھی گئی اس ٹریلر میں بھی رہائش پذیر رہا جس میں سونے کا انتظام تھا۔ ستمبر 1975ء میں اسے کھر کے حق میں لاہور میں سیاسی مظاہرہ کرنے کی پاداش میں گرفتار کرلیا گیا اور اسے دو راتیں حوالات میں گزارنا پڑیں۔ سعید نے بی سی سی پی کے خلاف لمبے عرصے تک مقدمہ بازی کی تاکہ اپنے نام کی عزت اور کرکٹ کے مشغلے کو بحال کر سکے۔ چالیس کی عمر میں پہنچنے پر 78-1977ء میں اسے شمال مغربی سرحدی صوبہ کے گورنر کی ٹیم کی طرف سے مائیک بریرلی (Mike Brearley) کی دورہ کرنے والی انگریز ٹیم کے خلاف پشاور میں کھیلنے

کے لیے منتخب کیا گیا۔ وہ بہ مشکل صفر اور تین رنز بنا سکا۔ مگر فرسٹ کلاس کرکٹ میں اپنے آخری گیند سے ڈیرک رینڈل (Derek Randall) کی وکٹ لے کر وہ مطمئن ہوا۔

وقت گزرنے کے ساتھ کرکٹ سے روانگی نے اس کے لیے ایک طاقتور مذہبی رجحان اور مقصد پیدا کر دیا۔ 1982ء میں وہ پہلا سابق ٹیسٹ کھلاڑی تھا جس نے تبلیغی جماعت میں شمولیت اختیار کی۔ یہ وہ مذہبی تحریک ہے جس کے سالانہ اجتماع میں دس لاکھ سے زائد لوگ شرکت کرتے ہیں۔ آج سعید احمد شلوار قمیص (پاکستانیوں کا روایتی لباس) میں ملبوس رہتا ہے۔ اس نے ڈاڑھی رکھی ہوئی ہے اور کٹر مذہبی زندگی گزار رہا ہے اور واعظ بن چکا ہے۔ اس نے تبلیغی جماعت میں شمولیت کے لیے دوسرے ٹیسٹ کھلاڑیوں کی بھی مدد کی جن میں سعید انور قابل ذکر ہے۔ وہ اب ان گہری روحانی سچائیوں کا مسافر ہے جنہیں کرکٹ کا کھیل بیان کرنے کا اہل نہیں۔

اس کے بعد کاردار نے اپنی توجہ خطا کار محمد الیاس کی طرف مبذول کی۔ جو ابھی صرف 27 برس کا تھا اور پاکستانی ٹیسٹ ٹیم میں اپنی جگہ پکی کرنے کی کوشش میں لگا ہوا تھا۔ اب جب اس سے 30 سال پرانے واقعے پر گفتگو ہوئی تو الیاس کہتا ہے کہ اس دورہ کے شروع ہونے سے قبل ہی اس کے اور کاردار کے درمیان تناؤ تھا۔ دورہ کے دوران دونوں کے درمیان تو تکار ہوئی۔ اور الیاس کہتا ہے کہ اس نے کاردار کو ایک زوردار مکا رسید کیا۔ اس کا جوابی عمل انتہائی خوفناک تھا۔ ''جب دورہ کرنے والی ٹیم نیوزی لینڈ روانہ ہوئی تو مجھے وہیں پیچھے چھوڑ دیا گیا۔'' الیاس نے یاد کو تازہ کرتے ہوئے بیان کیا، ''وہ میرا بٹوا پاسپورٹ اور سامان تک ساتھ لے گئے۔ میرے پاس صرف وہی کپڑے بچے تھے جو میں نے پہن رکھے تھے۔'' کئی روز تک الیاس سڈنی کے ایک باغیچہ کی بنچ پر سوتا رہا۔ پھر خوش قسمتی سے اچانک اس کی ملاقات سیلون کے کرکٹ کے کھلاڑی گامنی گونیسیا (Gamini Goonesena) سے ہوگئی جو ایک عمدہ آل راؤنڈر تھا اور 1950ء کی دہائی میں کیمبرج یونیورسٹی اور ناٹنگھم شائر کی طرف سے کھیل چکا تھا۔ الیاس کہتا ہے، ''اس نے مجھے کھانا اور رہنے کو جگہ دی۔ میں اس کا بے حد شکر گزار ہوں۔'' اس وقت گونیسیا (Goonesena) ویورلے ڈسٹرکٹ کرکٹ کلب (Waverlay District CC) جو اب سڈنی میں مشرقی نواحی علاقہ ہے۔ گونیسیا نے الیاس سے اس کی کہانی سنی اور حکام کو مطلع کیا۔ الیاس کہتا ہے کہ کچھ ہی دیر بعد آسٹریلوی وزیراعظم گاف وہٹ لیم (Gough Whitlam) نے ذاتی طور پر مداخلت کرتے ہوئے حکم دیا کہ مجھے چار ہزار ڈالر اور آسٹریلوی پاسپورٹ دیا جائے۔ کرکٹ کے سال کے اختتام سے پہلے الیاس، گونیسیا (Goonesena) کے ساتھ شامل ہو کر ویورلے (Waverlay) کے لیے کھیل رہا تھا۔ بعد میں وہاں سے اپنے آسٹریلوی پاسپورٹ کے ذریعہ انگلینڈ منتقل ہو گیا۔

تاہم وہ اپنے آبائی ملک پاکستان نہ جا سکا۔ ''میرے نانا فوت ہوئے تو میں ان کے جنازہ میں بھی

شامل نہ ہو سکا۔ میری بہن کی شادی ہوئی تو انہوں نے مجھے پاکستان کا ویزا نہ دیا۔'' یہ یاد کرتے ہوئے اس کی آنکھیں بھر آئیں۔ صرف جب جنرل ضیا نے فوجی بغاوت کے ذریعے بھٹو کی حکومت کا تختہ الٹا تو الیاس واپس پاکستان آسکا۔ اس نے جنرل ضیا کو ایک خط لکھا جس کے نتیجہ میں پاکستان ہائی کمیشن لندن کی طرف سے اسے فوری جواب موصول ہوا جنہوں نے اسے ایک بار پھر پاکستانی پاسپورٹ جاری کر دیا۔ جب میری الیاس سے گفتگو ہوئی تو اس وقت وہ ٹیم سلیکشن کمیٹی کا چیئرمین بن چکا تھا۔ اس نے کاردار کے بارے کہا، ''وہ عظیم کپتان تھا اور وہ قوم کا بہترین سفیر تھا۔ وہ بہت عمدہ انسان تھا۔ جو کچھ ہوا، وہ تقدیر میں لکھا تھا۔ میں مذہبی نہیں ہوں مگر مجھے میرے خدا نے پیدا کیا ہے اور وہی مجھے رزق مہیا کرے گا۔''

## کپتانی کی افراتفری

اپنی مصیبتوں کے باوجود نیوزی لینڈ کے مقابلے میں 73-1972ء میں پاکستان اس سے بہت زیادہ طاقتور تھا۔ گو پاکستان نے صرف ایک ہی ٹیسٹ میچ جیتا تھا (یہ ٹیسٹ دنیا کے جنوب ترین علاقہ کی عالمی گراؤنڈ پر ڈن ایڈن (Dunedin) پر کھیلا گیا تھا) مگر عمومی طور پر پاکستانی ٹیم اپنے میزبانوں پر حاوی تھی۔ ڈن ایڈن کی اس جیت میں آصف اقبال نے 175 رنز اور مشتاق محمد نے 201 رنز بنا کر چوتھی وکٹ کی تاریخی رفاقت میں 350 رنز بنائے۔ پھر مشتاق اپنی کلائی گھما کر سست رفتار باؤلنگ کراتے ہوئے انتخاب کی مدد کو آن پہنچا۔ (انتخاب عالم اس وقت غالباً دنیا کا بہترین لیگ سپنر تھا) اور نیوزی لینڈ کی ٹیم کو مکمل طور پر چکرا دیا۔ اس کی ٹیسٹ کرکٹ کی زندگی جو تقریباً تیرہ سال سے اوپر تھی میں پہلی بار ہوا کہ اس بار مشتاق جیتنے والی ٹیم میں تھا۔ موزوں طور پر مشتاق نے خود اس جیت میں بہت بڑا کردار ادا کیا تھا۔ وہ ٹیسٹ کرکٹ کی دنیا میں دوسرا کھلاڑی تھا جس نے ایک ہی ٹیسٹ میں ڈبل سنچری کی اور پانچ وکٹ بھی حاصل کیے۔

برابر رہنے والے ٹیسٹ میچوں میں صادق محمد اور ماجد خان نے سنچریاں بنائی تھیں۔ وسیم راجہ نے بائیں ہاتھ سے اپنی جارحانہ بیٹنگ اور دائیں ہاتھ کی کلائی سے سپن باؤلنگ کر کے متاثر کیا۔ وسیم باری نے عمدہ وکٹ کیپری کی۔ تقریباً ہر ایک نے اس خوشگوار دورہ پر کچھ نہ کچھ کر کے دکھایا۔ تاہم متذبذب ابتدائی بیٹسمین ہونے کی وجہ سے ظہیر عباس اپنا مقصد حاصل نہ کر سکا۔

پھر کاردار کی طرف سے ایک اور دھچکا ہوا۔ جیسے ہی تیسرے اور آخری ٹیسٹ میچ کے آخری دن کا آغاز ہوا۔ کاردار نے انتخاب عالم کو بذریعہ تار مطلع کیا کہ اسے مزید کپتانی سے ہٹا دیا گیا ہے۔ نیا کپتان ماجد خان بھی اس پر اتنا ہی حیرت زدہ تھا جس طرح باقی سب تھے۔ اس نے پوچھا، ''کیا یہ مذاق ہے؟'' ماجد (مرحوم کرسٹوفر مارٹن جینکنز (Christopher Martin Jenkins) کے مطابق ماجد باعزت، عقلمند، خوش

مزاج اور نیند سے بھرپور کھلاڑی ہے) ابھی اپنے آپ کو ٹیسٹ بیٹسمین کی حیثیت سے مستحکم کرنے کے دور سے گزر رہا تھا۔ فارغ التحصیل ہونے سے قبل وہ کیمبرج یونیورسٹی کا کامیاب کپتان رہ چکا تھا۔ اور اس چیز نے کاردار کی سوچ کو ڈگمگا دیا تھا۔ جبکہ دوسرے کھلاڑی جن میں سب سے اہم آصف اقبال (انتخاب کا نائب کپتان) اور مشتاق تجربہ کے لحاظ سے زیادہ برتری رکھتے تھے۔ ماجد کی اچانک ترقی نے پرانی یادوں کو دہرا دیا جب دس سال قبل اس کے خالہ زاد بھائی جاوید برکی کو کپتان تعینات کیا گیا تھا۔ اس کے علاوہ فیصلہ اقربا پروری اور اجارہ داری سے بھرپور تھا۔ جس کے اضافی بوجھ سے پاکستان کے ہونہار بیٹسمینوں میں سے اس ایک بیٹسمین پر مزید ذمہ داری آ گئی تھی۔ یہ فیصلہ انتخاب عالم کے لیے بھی ظلم کا نشان تھا جس نے دوسروں کی طرح اچھے کھیل کا مظاہرہ کر دکھا تھا اور آسٹریلیا کے ہاتھوں سیریز کی شکست کا اسے ذمہ دار ٹھہرانا درست نہیں تھا۔ اس نے ٹیم کی سربراہی کرتے ہوئے نیوزی لینڈ میں پہلی بار فتح سے ہمکنار کیا تھا۔ زاہد ضیا چیمہ نے یہ صورتحال اپنے شاعرانہ انداز میں یوں بیان کی کہ انتخاب کو یوں علیحدہ کیا گیا جیسے اناج سے غیر ضروری بھس کو علیحدہ کیا جاتا ہے۔ غالباً کاردار کا بظاہر یہ غیر منطقی طرزِ عمل اس پر دوسرے کئی دباؤ کا نتیجہ تھا۔ پنجاب میں حکومت پنجاب کے وزیر کی حیثیت اس کی صورتحال غیر یقینی تھی اور بھٹو سے اس کے تعلقات دباؤ کا شکار تھے۔

اس اثنا میں ماجد کو انگلینڈ کے خلاف اندرون ملک کپتانی کرنا تھی۔ وہ اور انگلینڈ کا کپتان ٹونی لوئیس (Tony Lewis) دونوں کیمبرج یونیورسٹی میں کرکٹ کا اعزاز حاصل کر چکے تھے اور 1968ء تک گلیمروگن (Glamorgan) کی کاؤنٹی ٹیم میں اکٹھے کھیل چکے تھے۔ سست وکٹوں پر کھیلے جانے والے یہ تینوں ٹیسٹ نتیجہ میں برابر رہے۔ ماہر شماریات کی دلچسپی اور خوشی کی انتہا نہ رہی جب تین بیٹسمین (ماجد خان۔ مشتاق محمد اور ڈینس المس (Dennis Amiss) ہر ایک تیسرے ٹیسٹ میچ میں ننانوے پر آؤٹ ہوا۔ ان شماریات کے علاوہ یہ ٹیسٹ اس لیے یادگار تھا کہ اس میں تماشائیوں نے اس وقت فساد برپا کر دیا جب سکول کے طلبا اور دیگر طلبا نے بلاٹکٹ گراؤنڈ میں داخل ہو کر پچ پر اس وقت دھاوا بول دیا جب ماجد خاں کو پچاس رنز مکمل کرنے پر وہ مبارکباد دینے اس کے پاس پہنچ گئے۔ وہ وہاں سے بھاگ کھڑا ہوا اور کراچی کی پولیس لڑکوں پر حملہ آور ہو گئی اور بہت سے سروں پر کاری زخم آنے کی وجہ سے گھائل ہوئے۔ اس عمل نے تماشائیوں کو مشتعل کر دیا جنہوں نے پتھر پھینکے اور توڑ پھوڑ کی۔

ماجد خان کو کپتانی سے سبکدوش کر دیا گیا۔ امتیاز احمد، جاوید برکی اور سعید احمد کے بعد یہ چوتھا کپتان تھا جسے کپتانی کے عہدہ سے صرف ایک ہی سیریز کے بعد ہٹا دیا گیا تھا۔ انتخاب جس کی صرف ایک سال پہلے ہی ناقابل توضیح وجوہات پر تنزلی کی گئی تھی اسے دوبارہ بحال کر دیا گیا۔ نہ صرف یہ بلکہ بغیر کسی وضاحت کے اسے 1974ء میں ہونے والے انگلینڈ کے دورہ کا بھی کپتان بنا دیا گیا۔ بھٹو اور کاردار دونوں

کے دوست عمر قریشی جس کا پاکستان کے نامی گرامی صحافیوں میں شمار ہوتا تھا کو ٹیم کا مینیجر بنا دیا گیا۔

لیڈز (Leeds) میں ہونے والے پہلے ٹیسٹ میچ میں پھرتے گیند نے برتری کا مظاہرہ کیا۔ پاکستان کے ابتدائی باؤلنگ کی جوڑی آصف مسعود اور سرفراز نے پہلی اننگز میں انگلینڈ سے بہتر باؤلنگ کا مظاہرہ کیا اور 102 رنز کی برتری حاصل کر لی۔ مگر دوسری اننگز میں پاکستانی بیٹسمینوں کی سانس بند کر دی گئی اور انہوں نے انگلینڈ کو 282 رنز کا ہدف دے دیا۔ جان ایڈرچ (John Edrich) مائیک ڈینس (Mike Denness) اور کیتھ فلیچر (Keith Fletcher) کو ہدف کے نزدیک لے آئے جبکہ ابھی ان کی چار وکٹیں باقی تھیں۔ مگر پھر بارش نے آ کر میچ کا خاتمہ کر دیا۔ بارش نے لارڈز کے ٹیسٹ میں بھی اہم کردار ادا کر دکھایا جو وکٹوں کو ڈھانپنے میں ناکامی کی وجہ سے بھی بدنام ہوا۔ صادق محمد اور ماجد خان[14] پاکستان کو عمدہ ترین آغاز دیا جس کے بعد طوفان کے آجانے سے انہیں جانا پڑا۔ پانی رس رِس کر پچ پر آ گیا۔ اس کی بدولت ڈیرک انڈرووڈ (Derek Under-wood) کے لیے یہ کرسمس جیسی خوشی کا سماں بن گیا۔ اسے کھیلنا ناممکن ہو گیا اور اس نے جلد ہی 20 رنز کے عوض پانچ کھلاڑی آؤٹ کر دیئے۔ انتخاب نے نو کھلاڑی آؤٹ ہونے پر 130 رنز بنا کر اپنی اننگز کو ختم کر دیا تا کہ ناکارہ پچ کو استعمال کر کے اپنی ٹیم کو فائدہ پہنچا سکے۔ یہ تو شکر تھا کہ آخر میں ایلن ناٹ (Allan Knott) اور کرس اولڈ (Chris Old) کی رفاقت سے انگلینڈ کو 140 رنز کی برتری حاصل ہوگئی۔ پاکستان نے تین وکٹیں بہت جلد کھو دیں۔ مشتاق محمد اور بحال کیے گئے وسیم راجہ نے جواب حملہ کا سلسلہ شروع کر دیا۔ وسیم راجہ کا انڈرووڈ (Underwood) کی گیند پر لگایا گیا ایک سیدھا چھکا آج بھی دوست اور دشمن پسندیدگی سے یاد کرتے ہیں۔ دونوں کی شراکت میں 96 رنز کا اضافہ ہوا۔ اور پاکستان نے چوتھے روز کے اختتام پر انگلینڈ سے 33 رنز زیادہ کر لیے تھے۔

تمام رات تیز بارش ہوتی رہے اور پانی رس رس کر ڈھانپی ہوئی پچ پر گرتا رہا۔ پچھلے روز کے دونوں کھلاڑیوں نے کھیل کا آغاز اس انداز سے کیا کہ جیسے کچھ ہوا ہی نہ ہو۔ وسیم راجہ نے ایک اور زوردار سیدھی ہٹ ماری مگر ٹونی گریگ (Tony Grieg) نے سنسنی طور پر اچھل کر لانگ آف (Longoff) کی پوزیشن میں کیچ پکڑ لیا (یہ کیچ بھی پسندیدگی سے یاد کیا جاتا ہے) اس کے بعد انڈرووڈ (Underwood) نے مزید تین کھلاڑی بغیر کسی رن کے اضافے کے آؤٹ کر دیئے۔ مشتاق 74 رنز پر ٹکا رہا اور پاکستانی ٹیم آخرکار 226 رنز پر تمام آؤٹ ہوگئی۔ انڈرووڈ (Underwood) نے 51 رنز کے عوض آٹھ وکٹ حاصل کیے تھے۔ میچ میں کل تیرہ وکٹ صرف 71 رنز کے عوض حاصل کرنے پر یہ اس کے بہترین اعداد و شمار تھے۔

پاکستان کے لیے بارش نے خوش قسمتی سے انگلینڈ کے لیے جیتنے کے لیے 65 منٹ میں 87 رنز کا ہدف دیا تھا۔ آج یہ رنز حاصل کرنا آسان معلوم ہوتا ہے۔ خاص طور پر ایسی ٹیم کے لیے جو ہارا نہیں کرتی تھی۔

مگر ماضی کی داستان بھی عجیب ہوتی ہے۔ انگلینڈ ٹیم کے ابتدائی بیٹسمین ڈینس امیس (Dennis Amiss) اور ڈیوڈ لائیڈ (David Lloyd) نے قطعاً کوشش نہ کی۔ پاکستان کا میچ میں نتیجہ برابر رہا جو بیشتر ناظرین کے مطابق پاکستانیوں کا حق تھا۔ حتیٰ کہ عمر قریشی کو ایم سی سی کے خلاف ایک سخت شکایت جاری کرنا پڑی جس میں اس پر الزام لگایا گیا تھا کہ یہ ان کی غفلت اور نااہلی تھی جس کی بدولت انہوں نے وکٹوں کو اطمینان بخش طریقہ سے نہیں ڈھانپا تھا۔ ایم سی سی کے سیکرٹری جیک بیلی (Jack Bailey) نے ایک لمبا جواز دیتے ہوئے اپنی ناکامی کے جواز دیئے اور ساتھ یہ بھی کہا کہ یہ تماشائیوں اور دورہ پر آنے والی ٹیم کے ساتھ ناانصافی تھی۔

جیسے اس کی تلافی ہوئی ہو کہ اُوول گراؤنڈ میں کھیلے جانے والے تیسرے ٹیسٹ میچ میں موافق وکٹ مل گئی جس پر پاکستان نے 600 رنز کر دیئے۔ ماجد خان نے بری طرح سے مارتے ہوئے 98 رنز کیے اور پھر ڈیریک انڈرووڈ (Derek Underwood) کے ایک گیند پر نشانہ خطا ہونے سے آؤٹ ہو گیا۔ جبکہ مشتاق محمد نے آرام دہ طریقہ سے 76 رنز بنائیں۔ تاہم ظہیر عباس نے پچھلے ٹیسٹ میچوں میں ناکام رہنے کے بعد یہاں میدان سنبھال لیا تھا۔ اوول کی آسان وکٹ پر اس نے 240 رنز کر دیئے۔ جس پر ان سوالات نے جنم لیا جو اس کی کرکٹ کے تمام دور میں عمر بھر پیچھا کرتے رہے کہ جب رنز بنانے کی اشد ضرورت تھی تو وہ کیوں رنز نہ بنا پایا؟

اس کی تمام اننگز اس دور کی برق رفتاری سے کھیلی گئی جس میں فی اوور اوسطاً 3.64 رنز بنائے گئے۔ لیکن یہ رفتار پھر بھی ناکافی تھی۔ ایمس (Amiss) اور فلیچر (Fletcher) دونوں کی سنچریوں کی بدولت انگلینڈ نے 545 رنز سے جواب دیا۔ مگر ان کی 2.41 رنز فی اوور کی اوسطاً رفتار پرسکون چال پر رہی۔ انتخاب نے پانچ بیٹسمینوں کی وکٹیں ہتھیا لیں جبکہ عمران خان نے مسلسل مشقت کرتے ہوئے 44 اوور کیے جن میں 100 رنز دیئے اور کوئی وکٹ حاصل نہ کر سکتا۔ اس کے بعد دوبارہ کبھی عمران کی زندگی میں ایسا نہ ہو سکا کہ اس نے 100 رنز دینے کے بعد کوئی وکٹ حاصل نہ کی ہو۔ ان حالات میں کھیل کا تفریحی پہلو ختم ہو گیا۔ اگرچہ پاکستان نے لاپرواہی اور بے تدبیری سے چار وکٹ کھو دیئے تھے پھر بھی میچ کھوکھلے پن کا شکار ہو کر ختم ہو گیا۔

پاکستان اب انگلینڈ کے ساتھ لگاتار چھ ٹیسٹ میچ بغیر کسی نتیجے کے کھیل چکا تھا۔ مگر زیادہ اہم بات یہ تھی کہ پاکستان نے ہر شعبہ میں اپنی برابری کا مظاہرہ کیا تھا۔ انہوں نے 1948ء کی ڈان بریڈمین کی ناقابل تسخیر ٹیم کی تقلید کی تھی۔ جو دورے پر فرسٹ کلاس میچوں میں ناقابل شکست رہی تھی۔ یہ موزانہ بے جا تعریف نہیں ہے۔ کیوں کہ بریڈمین کی ٹیم کا دورہ لمبی مدت کا دورہ تھا۔ لیکن پاکستان وہ پہلا ملک تھا جس نے اس کے بعد یہ اعزاز کسی بھی لمبی یا کم مدت کے دوروں کے حوالے سے حاصل کیا تھا۔

انہیں یہ تسکین بھی حاصل تھی کہ انہوں نے اپنے پہلے ایک روزہ بین الاقوامی میچوں کے سلسلے میں

انگلینڈ کو شکست دی تھی۔ ٹرینٹ برج (Trent Bridge) پر کھیلے جانے والے میچ میں ماجد خان کی سنچری میں رنز بنانے کی شرح 117-2 تھی۔ اعداد و شمار وضع کرنے کا یہ طریقہ نئی قسم کی کرکٹ کے لیے ایجاد کیا گیا تھا۔ پاکستان نے انگلینڈ کے 244 رنز کا ہدف اس وقت حاصل کر لیا جب ابھی چھ اوور باقی تھے۔ دوسرے میچ میں پاکستان نے انگلینڈ 244 رنز کا ہدف اس وقت حاصل کر لیا جب ابھی چھ اوور باقی تھے۔ دوسرے میچ میں پاکستان نے انگلینڈ کی ٹیم کو صرف 81 رنز پر آؤٹ کر لیا۔ ظہیر عباس نے آؤٹ ہوئے بغیر نصف سنچری مہیا کر کے انگلینڈ کی ٹیم کی مرمت کر دی۔ اپنی اس کارکردگی سے اگلے سال ہونے والے پہلے عالمی کپ میں شرکت کے لیے پاکستانی ٹیم میں اپنی توقعات کے لیے احساسِ اعتماد پیدا ہوا۔

## صادق محمد اور وسیم راجہ کے جرأت مندانہ کارنامے

اس سے پیشتر انہیں پاکستان میں ویسٹ انڈیز کے خلاف 75-1974ء میں دو ٹیسٹ میچ کھیلنا تھے۔ پاکستان 1950ء کی دہائی کے بعد ان کے خلاف کوئی ٹیسٹ نہ کھیلا تھا۔ اس وقت ویسٹ انڈیز ابھی اپنے 1970ء کے آخر اور 1980ء کی دہائیوں کے تیز ترین باؤلروں کا برق رفتار بیڑہ اکٹھا نہیں کر پایا تھا۔ مگر کلایولائیڈ (Clive Lloyd) اینڈی رابرٹس (Andy Roberts) کی سربراہی میں حملہ آور باؤلروں کا ٹولہ لایا جس کی پشت پناہی کے لیے کتھ بوئیس (Keith Boyce) برناڈر جولین (Bernard Julien) بشمول عمر رسیدہ آف سپنر لانس گیبز (Lance Gibbs) عنقریب فریڈ ٹرومین (Fred Trueman) کا اس وقت کا 307 وکٹ حاصل کرنے کا ریکارڈ توکر اسے ستانے والا تھا بھی موجود تھے۔ کلایولائیڈ (Clive Lloyd) کے علاوہ ان کی بیٹنگ کی قطار بندی میں رائے فریڈ ریکس (Roy Fredricks) گورڈن گرینج (Gordon Greenidge) ایلون کالی چرن (Alvin Kallicharan) اور پر شباب وویون رچرڈز (Vivian Richards) شامل تھے۔ قصہ مختصر وہ ایک عمدہ ٹیم تھی جس نے حال ہی میں ہندوستان سے 2-3 کی نسبت سے سنسنی خیز سیریز جیتی تھی جس میں آخری ٹیسٹ میچ میں واضح کامیابی شامل تھی۔

انتخاب عالم کو دوبارہ پاکستانی ٹیم کا کپتان نامزد کیا گیا اور انگلینڈ کا دورہ کرنے والی ٹیم کے بیشتر کھلاڑی دوبارہ نمودار ہو گئے، سوائے عمران خان کے جو انگلینڈ میں ہی ٹکا رہا۔ اور صادق محمد کے جو آسٹریلیا میں گریڈ کرکٹ (اس قسم کی کرکٹ پاکستانیوں کھلاڑیوں کے لیے ایک نیا راستہ بن رہی تھی) کھیلنے کی وجہ سے بروقت واپس نہیں پہنچ سکا تھا۔ ایک نئے اوپننگ بیٹسمین آغا زاہد نے اس کی جگہ لے لی اور آفتاب بلوچ کی ایک لمبے عرصے کے بعد ٹیسٹ کرکٹ میں واپسی ہوئی۔ جس کی ملکی کرکٹ میں حیرت انگیز کارگزاری رہی تھی۔

لاہور کے پہلے ٹیسٹ میچ میں پہلی دو اننگز کا ایک ہی انداز رہا۔ اینڈی رابرٹس (Andy Roberts)

بیشتر پاکستانی بیٹسمینوں کے لیے ہوّا بنا رہا اور تمام ٹیم 199 رنز پر آؤٹ ہوگئی۔ جواباً سرفراز نواز ویسٹ انڈیز کے لیے بے حد خطرناک ثابت ہوا۔ سوائے کالی چرن کے جو 92 رنز بنا کر اکیلا ہی کھڑا رہا۔ ویسٹ انڈیز کو یوں صرف 15 رنز کی برتری حاصل ہوسکی۔ آغا زاہد نے اپنا یہ واحد تکلیف دہ ٹیسٹ مکمل کیا۔ برتری کے 15 رنز کا ہدف حاصل کرنے سے پہلے ہی وہ رابرٹس (Roberts) کے ہاتھوں ایل بی ڈبلیو ہوگیا۔ تاہم پچ میں آسانی پیدا ہوگئی ور مشتاق محمد نے تحمل سے اپنی سنچری مکمل کی۔ اسے دوسرے تمام بیٹسمینوں کی حمایت حاصل رہی۔ خاص طور پر آفتاب بلوچ سے جس نے آؤٹ ہوئے بغیر 60 رنز کیے جنہیں ہر کسی نے پسند کیا سوائے کاردار کے۔ انتخاب نے انتہائی احتیاط کے تحت اننگز کو ختم کر دیا جس کی وجہ سے میچ کا نتیجہ نکلنا ممکن نہ رہا۔ تاہم اتنا وقت ضرور بچا کہ جس میں بائیں ہاتھ سے کھیلنے والے اوپننگ بیٹسمین لیونارڈ بائی چن (Leonard Baichan) نے اپنے پہلے ٹیس میں سنچری مکمل کر لی اور وون رچرڈز صفر پر آؤٹ ہوگیا۔[15] ایک موقع پر چائے کے وقفے کے فوراً بعد یوں لگتا تھا جیسے ویسٹ انڈیز کو شاید جیتنے کا موقع مل جائے۔ پاکستان نے جوابی طور پر آٹھ گیندوں کے اوور میں 7.5 گیند فی اور فی گھنٹہ کے حساب سے کیے۔

کراچی میں ہونے والے دوسرے ٹیسٹ میچ میں صادق محمد[16] بطور اوپننگ بیٹسمین کے ٹیم میں دوبارہ شامل ہو چکا تھا۔ اور آفتاب بلوچ کی جگہ بائیں بازو سے کرنے والے تیز رفتار باؤلر لیاقت علی کو شامل کرلیا گیا تھا۔ پاکستان نے بیٹنگ کی۔ ماجد خان نے پورے 100 رنز بنائے۔ اس کی بیٹنگ تابناک تھی۔ مگر ٹیم میں اوپر کھیلنے والے بیشتر بیٹسمین ناکام رہے۔ اور پاکستانی 6 کھلاڑی آؤٹ ہونے پر 246 رنز کر کے مشکل میں آ پھنسا تھا۔ وسیم راجہ نے اپنے مخصوص انداز میں کھیل کر ویسٹ انڈیز پر جوابی حملہ کرتے ہوئے اپنی پہلی سنچری مکمل کی۔ اس نے وسیم باری کے ساتھ مل کر 128 رنز کا اضافہ کیا۔ جس میں وسیم باری کے بہادرانہ 50 رنز شامل تھے۔ وسیم راجہ کی سنچری مکمل ہوتے ہی میدان میں لوگوں کا ہجوم امڈ آیا جس کی وجہ سے کیل میں ڈھائی گھنٹہ کی تاخیر پیدا ہوگئی۔

انتخاب عالم نے گزشتہ شام کے 406 رنز کے سکور پر بروقت اپنی اننگز کا اختتام کر دیا تاکہ پچ پر صبح کی نمی سے فائدہ اٹھایا جا سکے۔ مگر لگتا تھا کہ ویسٹ انڈیز کے کچھ کھلاڑیوں نے اس سوچ کو بھانپ لیا۔ کالی چرن اور جولین (Julien) کی سنچریوں اور فریڈریکس (Fredricks) اور لائیڈ (Lloyd) کے ستر ستر رنز نے ان کی 493 رنز سے ہمت افزائی کی۔ حقیقت تو یہ ہے کہ پچ کا شکار صرف وسیم راجہ ہوسکا جس کے پاؤں میں باؤلنگ کرتے ہوئے موچ آ گئی۔

دوسرا بڑا نقصان صادق محمد کا ہوا۔ ویسٹ انڈیز کی اننگز کے اختتام کے نزدیک انتخاب نے صادق سے شارٹ لیگ پر کھڑے ہونے کو کہا۔ اس پر صادق نے کہا، ''اس جگہ میری ضرورت نہیں ہے کیوں کہ ویسٹ

انڈیز اپنی اننگز کو ختم کرنے کا اعلان کرنے والے ہیں۔'' مگر انتخاب نے اس پر اصرار جاری رکھا۔ صادق شارٹ لیگ پر کھڑا ہو گیا۔ اور انتخاب نے فوری طور پر فل ٹاس گیند پھینکی جسے آخری بلے باز وین برن ہولڈر (Vanburn Holder) نے ایک زوردار ضرب لگائی اور گیند سیدھی صادق کے کان کے پیچھے جا کر لگی۔ ''میں پچ پر گر پڑا اور مجھے ہسپتال لے جایا گیا۔ دماغی امراض کے سرجن ڈاکٹر جمعہ نے میرا آپریشن کیا۔ اس نے مجھے بتایا کہ اگر گیند صرف دو سینٹی میٹر آگے لگتی تو میری موت واقع ہو جاتی۔ مجھے ہسپتال سے چھٹی کے ساتھ درد کی گولیاں دے دی گئیں۔ چوں کہ مجھے کوئی درد محسوس نہیں ہو رہا تھا میں اپنی منگیتر اور اس کی والدہ کو کار چلا کر اپنی آنے والی شادی کے لیے زیورات کی خریداری کے لیے گیا۔ مگر جب درد کی گولیوں کا اثر زائل ہوا تو میں بمشکل کار چلا کر گھر پہنچ سکا۔ گھر آتے ہی بستر پر گرا پڑا اور پھر میری آنکھ اگلی صبح اذان کی آواز سن کر کھلی۔''

جس وقت صادق ہسپتال میں تھا اس وقت پاکستان کی پانچ وکٹیں گر چکی تھیں اور میچ بچانے کی جدوجہد جاری تھی۔ شدید درد میں مبتلا صادق وکٹ پر آصف اقبال کا ساتھ دینے آن پہنچا۔ دونوں کی شراکت نے استحکام دیا۔ مگر جب آصف اقبال 77 رنز بنا کر سٹمپ (Stump) آؤٹ ہوا تو اس وقت پاکستان کے ویسٹ انڈیز سے صرف 61 رنز زیادہ ہوئے تھے اور تین وکٹ ابھی باقی تھیں۔ اب جبکہ وسیم راجہ کے پاؤں پر پلاسٹر چڑھا دیا گیا تھا اور اس سے بیٹنگ کی توقع نہیں کی جا سکتی تھی لہٰذا اب آخری بلے بازوں کو بچانے کی تیمارداری صادق کے کندھوں پر آن پڑی تھی۔ اس صورتحال کا اس نے مردانہ وار سامنا کیا اور اوور میں سے چار گیند کھیلنے لگا۔ جن میں خاص طور ویسٹ انڈیز کے تیز ترین باؤلر بوئیس (Boyce) اور رابرٹس (Roberts) شامل تھے۔ سرفراز نواز اس کے ساتھ دو گھنٹے تک رہا جس میں 64 رنز کی شراکت میں اس نے 15 رنز بنائے۔ لیاقت علی کا بیٹسمین کی حیثیت سے کوئی مقام نہ تھا مگر وہ بھی 40 رنز کی شراکت میں کسی نہ کسی طرح چپکا رہا اور بالآخر پاکستان محفوظ پوزیشن تک پہنچ گیا۔ اب وسیم راجہ کی کھیلنے کے لیے آنے کی ضرورت نہ رہی تھی مگر وہ پھر بھی آ گیا۔ اس کے ایک پاؤں پر پلاسٹر چڑھا تھا اور وہ صادق جو اس وقت 98 رنز بنا چکا تھا کو سنچری مکمل کرنے کا موقع حاصل کرنے کے لیے پہنچا تھا۔ ظہیر عباس اس کا رنر (Runner) بن کر ساتھ آیا تھا۔ ''مگر میں نے گیندوں کی گنتی کرتے ہوئے غلطی کر دی اور ظہیر کو رن لینے سے واپس کر دیا۔ اس غلطی کے نتیجہ میں وسیم راجہ کو لانس گبز (Lance Gibbs) کے پورے اوور کا سامنا کرنا پڑا۔ وہ عمرہ لینتھ پر گر کر مڑتی ہوئی گیند پر بولڈ ہو گیا۔'' بے چارہ صادق دیکھتا رہ گیا۔

کئی سال گزرنے پر بھی اس مختصر شراکت کا بچوں کو اب بھی بتایا جاتا ہے کہ یہ پاکستانی کرکٹ کی تاریخ کا ایک بہادرانہ باب ہے۔

## عالمی کپ 1975ء پر اشکباری

ماجد خان کی جگہ پر انتخاب عالم کی بحالی کے بعد پاکستان نے دو طاقتور ٹیموں انگلینڈ اور ویسٹ انڈیز کے خلاف جم کر مقابلہ کیا۔ انتخاب کی سربراہی میں پاکستان نے انگلینڈ کو دو ایک روزہ عالمی میچوں میں بری طرح ہرایا۔ انتخاب کو انگلستان میں اپنی کاؤنٹی سرے کی طرف سے کھیلتے ہوئے وہاں کی صورتحال کا خاصا وسیع تجربہ تھا۔ مگر پھر بھی منتخب کرنے والے ارکان کی کمیٹی نے اسے پروڈنشل عالمی کپ میں کپتانی سے ہٹا دیا۔ اور یہاں تک کہ اسے کھلاڑیوں کی چودہ رکنی ٹیم تک میں شامل نہ کیا گیا۔

آصف اقبال کپتان اس کا نائب کپتان ماجد خان، مشتاق محمد اور صادق محمد، ظہیر عباس اور وسیم راجہ سامنا کرنے والے بیٹسمین تھے اور غیر معمولی صلاحیتوں سے بھرپور نوعمر جاوید میاں داد اکیلے ایک جگہ موجود تھی۔ باؤلنگ کی حالت پریشان کن تھی۔ آصف اقبال اب ہراول دستہ کا باؤلر نہیں رہا تھا۔ عمران خان کو دوبارہ ٹیم میں بحال کیا گیا مگر ابھی اسے عظمت حاصل نہیں ہوئی تھی۔ آصف مسعود جس کا باؤلنگ کرتے وقت دوڑ میں ایک انوکھا پن تھا، بھی اب فارغ ہو چکا تھا۔ اب صرف سرفراز نواز تھا جو بظاہر لگتا تھا کہ اس قابل ہے کہ متحارب ٹیم کی کھلاڑیوں کو پسپا کر سکتا۔ پھر بھی پاکستانی ٹیم پر اعتماد تھی اور بہت سے جواریوں نے انہیں منتخب کر رکھا تھا کیوں کہ ان کی نظر میں وہ اس گمنام گھوڑے کی طرح تھے جو اچانک نمایاں ہونے کی صلاحیت رکھتا ہو۔ نہ صرف یہ بلکہ جب وہ آسٹریلیا اور ویسٹ انڈیز اور قیاس کے مطابق پنچ بیگ سری لنکا کی ٹیم کے ساتھ زندگی اور موت کی سنجیدگی سے کھیل میں جتے ہوتے تب بھی۔

ان کا پہلا میچ لیڈز میں آسٹریلیا کے خلاف اس غیر مانوس گرمی میں تھا جو دو سال کی چلچلاتی گرمیوں میں سے پہلی تھی۔ آغاز تو اچھا ہوا۔ نصیر ملک جو انگلستان کے 1974ء کے دورہ کا ایک غیر اہم فرد تھا، نے دو وکٹ کفایت شعاری سے حاصل کر لیے اور آسٹریلیا کے 124 رنز پر 4 کھلاڑی آؤٹ ہونے میں مددگار ثابت ہوا۔ تاہم راس ایڈورڈ (Ross Edward) کے آؤٹ ہوئے بغیر 80 رنز اور آخری کھلاڑیوں کے جارحانہ کھیل سے آسٹریلیا نے ساٹھ اووروں میں 278 رنز بنا لیے۔ پاکستان کے لیے صرف ماجد خان 65 رنز بنا کر رنز کی ضرورت کی رفتار کے نزدیک پہنچ سکا۔ آصف اقبال نے 50 اور وسیم راجہ نے 31 رنز کیے۔ ان کے علاوہ کوئی اور دوہرے اداد تک نہ پہنچ سکا۔ حملہ آور باؤلروں کی میکس واکر (Max Walker) اور ڈینس للّی (Dennis Lillee) جس نے 34 رنز کے عوض 5 وکٹ لیے رہنمائی کر رہے تھے۔

یہ کوئی اتنی بڑی تباہی نہیں تھی اگر ایجبسٹن (Edgbaston) کے میدان پر پاکستان ویسٹ انڈیز کو شکست دے دیتا۔ آصف اقبال کو ہسپتال داخل ہو کر آپریشن کروانا پڑا۔[17] اور عمران خان کو آکسفورڈ میں اپنے تعلیمی امتحان میں بیٹھنے کے لیے جانا پڑا۔ ان کی جگہ جاوید میاں داد اور محنت کش قسم کے سیم باؤلر (Seam

پرویز میر پر کی گئی۔ متبادل کپتان ماجد خان نے ویسٹ انڈیز کے خصوصی باؤلروں کے خلاف (Bowler) 60 رنز بنائے۔ اور صرف وقت باؤلر کلایولائیڈ (Clive Lloyd) کی گیند پر بدقسمتی سے وکٹ کیپر کے ہاتھ کیچ آؤٹ ہوگیا۔ مشتاق محمد نے پرسکون پچاس رنز کیے۔ وسیم راجہ نے فی اوور ایک سے زیادہ رن بنانے کی رفتار رکھی جسے اس وقت برق رفتار تصور کیا جاتا تھا۔ پاکستان نے مناسب 266 رنز بنالیں مگر یہ مرعوب کرنے والے رنز نہ تھے۔

اس کے بعد سرفراز نواز نے ویسٹ انڈیز کے پہلے تین بیٹسمینوں کو پویلین واپس بھیج دیا، جب ان کا ابھی کُل سکور صرف 36 رنز تھا۔ نصیر ملک نے پھر دو وکٹ کفایت شعاری سے حاصل کر لیے۔ پھر پاکستان کو ایک غیر متوقع فائدہ ہوا جب کبھی کبھار باؤلنگ کرنے والے جاوید میاں داد نے انتہائی کم رنز کے عوض بارہ اوور کرتے ہوئے کلایولائیڈ (Clive Lloyd) کو آؤٹ کر دیا جس نے تیز رفتاری سے پچاس رنز کیے تھے۔[18] پاکستان نے ویسٹ انڈیز کے 8 کھلاڑی 166 رنز پر آؤٹ کر دیئے تھے۔ وکٹ کیپر ڈیرک مرے (Deryck Murray) باصلاحیت بیٹسمین تھا مگر اب اس کے پاس ٹیم کی دم باقی تھی جس میں اس کا ساتھ دینے کے لیے وین برن ہولڈر (Vanburan Holder) اور اینڈی رابرٹس (Andy Roberts) باقی بچے تھے اور ابھی 101 رنز مزید کرنا تھے۔ سرفراز کے ابھی چند اوور باقی تھے۔ مگر ماجد خان نے اسے روکے رکھا۔ اور ہولڈر (Holder) اور مرے (Murray) نے نہایت آرام سے 35 رنز کا اضافہ کرلیا۔ بالآخر سرفراز کو گیند دی گئی تو اس نے ہولڈر کو آؤٹ کر دیا۔ پھر اینڈی رابرٹس کھیلنے کے لیے آیا۔ آخری وکٹ کے ان دو کھلاڑیوں کو ابھی 64 رنز درکار تھے۔ اننگز کی 14 اووروں میں یہ سب سے بڑی ممکنہ شراکت تھی۔ سرفراز ان کے خاتمے کے لیے بدستور موجود رہا۔ مگر مرے (Murray) اور رابرٹس (Roberts) قطعی پریشان نہ ہوئے۔ مرے (Murray) نے شاندار باونڈریاں لگائیں اور رابرٹس (Boberts) نے ہر اس گیند کو زوردار ہٹ لگائی جو اس کے نزدیک آیا۔ سرفراز کے اووروں کی تعداد ختم ہوگئی اور ابھی 6 اووروں میں 29 رنز بنانا باقی تھے۔ گمنام پرویز میر نے ایک اوور بغیر کوئی رن دیئے مکمل کیا۔ مگر آصف مسعود کی باؤلنگ منچلے انداز میں رہی اور سکور آگے بڑھا۔ ابھی 10 رنز بنانا باقی تھے کہ مرے (Murray) رن آؤٹ ہوتے ہوتے رہ گیا۔ اچانک ماجد فرسٹ کلاس باؤلروں سے فارغ ہوگیا۔ وہ ان کے اووروں کی گنتی بھول گیا تھا۔ جیتنے کے لیے ابھی جب پانچ رنز باقی تھے تو اسے آخری اوور کی باؤلنگ کے لیے وسیم راجہ کو لانا پڑا۔ اور حالات مزید یوں خراب تر ہوئے کہ وسیم راجہ معمول کے مطابق اپنی کلائی سے گیند کو سپن (Spin) کرنے کی بجائے جو اکثر اوقات تیز چبھن رکھتی تھی درمیانی رفتار سے باؤلنگ کرنے لگا۔ غالباً اسے ایسا کرنے کی ہدایت کی گئی تھی۔ بیٹسمینوں نے لیگ بائی (Leg Bye) کے ذریعے ایک پرخطر رن لیا۔ ہونا تو یہ چاہیے تھا کہ کھلاڑی رن آؤٹ ہوتا مگر اس کی

بجائے گیند اوپر سے بہت دور پھینکی گئی (Overthrow) پھر رابرٹس نے اپنے بلے کے زور پر و رنز بنا ڈالے۔ چوتھے گیند پر دونوں ٹیموں کے رن مساوی ہو گئے۔ اگلی گیند کو رابرٹس (Roberts) نے بڑے سکون سے مڈوکٹ (Mid Wicket) کی طرف دھکیل دیا اور پاکستان کی شکست ہوگئی۔ جاوید میاں داد اور اس کے پرانے ساتھی چکرا کر رہ گئے۔ یہ بدترین اور تباہ کن شکست تھی۔ ہماری ٹیم کو شدید صدمہ پہنچا اور میں غم کے بوجھ تلے اس بری طرح سے آ گیا کہ گھنٹوں روتا رہا۔"

کاردار جو میچ دیکھ رہا تھا کہ ماجد کی مہمل اور سوچ سے مرحوم کپتانی پر سخت غصہ آیا۔ لیکن نعمان نیاز نے بعد میں دعویٰ کیا کہ کاردار بذات خود ماجد کو ہدایات بھیج رہا تھا۔ اس بدترین شکست کا آج تک تجزیہ کیا جاتا ہے۔ اس کے بعد پاکستان کو سری لنکا کے خلاف بے معنی میچ کھیلنا پڑا۔ اس میں صادق نے 74، ماجد نے 84 اور ظہیر نے 97 آسان رنز بنائے۔ اور پاکستان نے 6 وکٹوں پر 330 رنز بنا ڈالے۔ اس کے بعد سات مختلف باؤلروں نے آسان ترین وکٹیں حاصل کرتے ہوئے سری لنکا کی ٹیم کو 138 رنز پر آؤٹ کر دیا۔ اس پر ستم ظریفی یہ کہ پاکستان سری لنکا کا ٹیسٹ کرکٹ میں شمولیت کا سب سے بڑا حمایتی تھا مگر اس نتیجے سے سری لنکا نے خود ہی اپنی ٹیسٹ کرکٹ میں شمولیت کا حق دعویٰ کو سخت نقصان پہنچایا۔

گو کہ پاکستان کو پہلے عالمی کپ سے ایک اندوہناک غم سے نکلنا پڑا مگر اندرون ملک اس کے بعد کے سیزن میں مقامی پرستاروں کو دلاسہ دینے کے لیے کافی کرکٹ باقی تھی۔ 76-1975ء کا سیزن کاردار کے نظام کا بالاترین نقطہ تھا جس کے تحت 63 فرسٹ کلاس میچ اندرونِ ملک کھیلے گئے۔ قائداعظم ٹرافی جو کبھی پاکستان کا اعلیٰ ترین ٹورنامنٹ مانا جاتا تھا وقتی طور پر ماند پڑ گیا تھا۔ 31 فرسٹ کلاس ٹیموں میں سے 17 ٹیمیں علاقائی 5 ٹیموں کا تعلق کمپنیوں یا پبلک کارپوریشنوں سے تھا، چار ٹیموں کا تعلق بینکوں سے۔ چار ٹیمیں مسلح افواج اور سرکاری اداروں سے جبکہ ایک ٹیم مشترکہ یونیورسٹیوں کی تھی۔

کاردار کے نظام سے فرسٹ کلاس کرکٹ کے کھلاڑیوں کی تعداد میں ضمنی طور پر اضافہ ہوا۔ مگر وہ نظام ٹیسٹ کرکٹ کی تربیت گاہ کے طور پر بالکل ناکام رہا۔ جن کھلاڑیوں نے اوسط کے حساب سے اونچے مقام حاصل کیے تھے، ان میں سے بہت کم کھلاڑی کاردار کے دور میں پاکستانی ٹیم میں شمولیت اختیار کر سکے کیوں کہ ٹیم کا زیادہ تر انحصار ان نامور ستاروں پر ہی رہا جو انگلینڈ میں کاؤنٹی کرکٹ کھیلتے تھے۔

## مشتاق محمد: ایک نئے انداز کا کپتان

کاردار کی کامیابی حاصل کرنے کی امنگ کو 1975ء کے عالمی کپ میں شکست کی وجہ سے ایک تازہ دھچکا لگا۔ اسے امید تھی کہ پاکستان اور ہندوستان کے درمیان کرکٹ کے روابط پندرہ سال کی خاموشی کے بعد

موسم سرما میں دوبارہ بحال ہو جائیں گے۔ دونوں ممالک کو تین تین ٹیسٹ میچ کھلانے کا انتظام کرنا تھا۔ کاردار کی بصیرت کے خیالوں میں یہ اس کے ذہن میں آخری خیال تھا۔ اگر ایسا ہو جاتا تو یہ مقابلے تاریخی اہمیت کے ہوتے۔ جس سے دونوں ممالک میں دلچسپی اور ولولہ انگیزی پیدا ہوتی۔ لیکن ابھی 1971ء کی جنگ کو زیادہ عرصہ نہیں گزرا تھا لہٰذا یہ ممکن نہ تھا۔ اور یوں پاکستان عالمی سطح پر کھیلے جانی والی کرکٹ کے لائحہ عمل سے خالی ہاتھ رہا۔

اس خلا کو سری لنکا کے دورے سے پُر کیا گیا اور انتخاب عالم کو دوبارہ کپتان بنا دیا گیا۔ پاکستان کو دونوں ایک روزہ بین الاقوامی میچوں اور پہلے ٹیسٹ میچ میں شکست ہوئی۔ جبکہ سرفراز نواز نے وکٹوں کو لات مار کر گرا کر اپنی جھگڑالو شہرت کو مزید مستحکم کیا۔ بظاہر اس نے یہ عمل امپائر کے فیصلوں کے خلاف بطور احتجاج کیا تھا۔ اسے واپس گھر بھیج دیا گیا۔ بقول شجاع الدین، ''انتخاب عالم اور عمران خان خوش قسمت تھے کہ ان کے ساتھ یہ سلوک نہ کیا گیا۔'' اس نے مزید کیا کہ ''ایک وقت ایسا تھا کہ جس میں یہ تصور کرنا مشکل تھا کہ آیا اس دورے کو جاری رکھنے کا کوئی مقصد ہے بھی یا نہیں۔'' پاکستان میں شرمندگی سے دوچار کرکٹ انتظامیہ کو وزیراعظم ذوالفقار علی بھٹو سے بذریعہ تار مجبور ہو کر بدقسمت واقعہ پر افسوس کا اظہار کرتے ہوئے وعدہ کرنا پڑا کہ وہ واقعہ کی چھان بین کرے گی۔

پاکستان نے دوسرا میچ جیت کر میچوں کے سلسلے کو برابر کر لیا۔ لہٰذا تمام دورہ ناکام نہیں ہوا۔ اس سے آئندہ آنے والی پود حاصل ہوئی۔ جاوید میانداد، مدثر نذر، ہارون رشید اور عمران خاں (جس نے دو ٹیسٹ میچوں میں 15.61 رنز فی وکٹ کے حساب سے تیرہ وکٹ حاصل کیں) اور انہیں بین الاقوامی کرکٹ کے میدان کے ماحول سے آشنا ہونے کا موقع ملا۔ تاہم سب سے اہم نتیجہ یہ حاصل ہوا کہ اس سے سری لنکا کے کافی دیر سے انٹرنیشنل کرکٹ کانفرنس کا مکمل رکن بننے کے عمل میں تیزی آئی اور یوں وہ ٹیسٹ کرکٹ کھیلنے والی قوم بن گئی۔ (سری لنکا نے اپنا پہلا ٹیسٹ میچ 1982ء میں کھیلا۔)[19]

مختصراً دورے نے انتخاب عالم کا تاہم کام تمام کیا۔ جب 1976ء کے موسم خزاں میں نیوزی لینڈ کی ٹیم پاکستان پہنچی تو مشتاق محمد کو انتخاب عالم کی جگہ پر لے آیا گیا۔ اس عمل سے بڑے نتائج سامنے آئے۔

1956ء سے مشتاق محمد فرسٹ کرکٹ کا کھلاڑی تھا۔ اس نے مارچ 1959ء میں اپنی ٹیسٹ کرکٹ کا آغاز کیا تھا۔ اس کے باوجود سرکاری طور پر اس کی عمر ابھی 33 سال کی ہی بتائی جا رہی تھی۔ اور جیسا کہ حالات سے جلد واضح ہوا کہ اس نے بحیثیت ٹیسٹ کرکٹر ابھی اپنا عروج حاصل نہیں کیا تھا۔ اس نے جلد ہی اپنے آپ کو ایک خودرائی پر مائل کپتان کی حیثیت سے مستحکم کر لیا۔ انتخاب عالم نے ہمیشہ نتائج کو ملحوظ خاطر رکھتے ہوئے شاید ہی کبھی پاکستانی کرکٹ کے کرتا دھرتا افراد کو کبھی للکارا ہو۔ مگر مشتاق محمد جن کھلاڑیوں کو کھلانا

چاہتا ان کے لیے اصرار کرتا اور پھر ان کے لیے کمر ٹھونک کر یوں کھڑا ہو جاتا۔ جسے اس سے قبل کبھی سوچا تک نہیں جا سکتا تھا۔ مشتاق کی سربراہی میں پاکستان جلد ہی دوسرے درجے کی ٹیم کی حیثیت سے نکل کر دنیا کی بہترین ٹیموں میں سے ایک بن گیا۔ مشتاق محمد کے کردار کو کمتر گردانا گیا۔ عمران خان کی قیادت میں پاکستان کو حاصل ہونے والی بعد کی کامیابیوں کا مطلب یہ نکلا کہ مشتاق محمد کی خدمات نظر انداز ہو گئیں۔ دنیا کو یہ جان لینا چاہیے کہ مشتاق محمد کی ایک پہچان ہے اور کاردار اور عمران کے ساتھ اپنے ملک کے تین عظیم ترین قومی کپتانوں میں سے ایک ہے۔

سلیکٹرز نے مشتاق کو کپتان بنانے کے فیصلہ کا اکتوبر 1976 میں اعلان اس وقت کیا جب لاہور میں کھیلے جانے والے پہلے ٹیسٹ میچ میں ایک ہفتے سے بھی کم وقت رہ گیا تھا۔ اگر چہ تیاری کرنے کے لیے کوئی وقت نہ تھا پھر بھی مشتاق نے منتخب کرنے والی کمیٹی جس کا سربراہ امتیاز احمد تھا، کا فوری طور پر بہادرانہ انداز سے سامنا کرتے ہوئے ٹیسٹ میچ کے شروع ہونے سے ایک روز قبل اپنی ہٹ دھرمی کا مظاہرہ کیا۔

امتیاز، آصف اقبال کی جگہ انتخاب عالم کو رکھنا چاہتا تھا مگر مشتاق نے اصرار کیا کہ وہ آصف اقبال کو رکھنا چاہتا ہے اور انتخاب کو جگہ سکندر بخت کو لایا جائے۔ جب ٹیم کا اعلان ہوا اور مشتاق کو علم ہوا کہ اس کی مرضی کے مطابق عمل درآمد نہیں ہوا تو اس کا درعمل قابل توجہ تھا۔

''میں نے قذافی سٹیڈیم میں ٹاس جیت کر پہلے بیٹنگ کرنے کو ترجیح دی۔ مگر جب ہم بیٹنگ کر رہے تھے تو میں نے اپنا استعفیٰ لکھا اور دوپہر کے کھانے ے دوران اس کمرے میں جا پہنچا جہاں منتخب کرنے والی کمیٹی کے ارکان تشریف فرما تھے۔ میں نے وہاں پہنچ کر کپتانی سے استعفیٰ دے ڈالا کیوں کہ جس ٹیم کو لے کر میں کھیلنا چاہتا تھا وہ مجھے نہیں دی گئی تھی۔ میچ کے بعد میرا ارادہ تھا کہ میں خیر باد کہہ دوں۔ انہوں نے آصف اقبال کو تو ٹیم میں رکھ لیا تھا بلکہ اس کا مسئلہ تو ابتدا ہی سے گفتگو میں نہیں آنا چاہیے تھا مگر انہوں نے انتخاب عالم کو بھی ٹیم میں میری سکندر بخت پر ترجیح کے برعکس شامل کر دیا تھا۔ انہوں نے عمران اور سرفراز کی مدد کے لیے آصف کو تیسرے سیم (Seam) باؤلر کے طور پر شامل کر لیا تھا۔ اگر چہ زیادہ تر تو وہی ٹیم تھی جسے میں چاہتا تھا مگر میں ٹیم کے توازن سے مطمئن نہیں تھا۔ اور میرے لیے یہ بہت اہم تھا۔ میں اس بات پر ناخوش تھا کہ منتخب کرنے والے ارکان کپتان کو میدان میں ایسے حملہ آور باؤلروں کے ساتھ بھیجیں جن کی اسے ضرورت نہ ہو۔ میرا ہمیشہ سے یہ نظریہ تھا کہ انتخاب کرتے وقت ٹیم کے کپتان کا فیصلہ حرفِ آخر ہونا چاہیے اور اگر حالات سازگار نہیں رہتے تو ان کے لیے اسے جوابدہ ہونا چاہیے۔''

کاردار کے بعد سے کسی کپتان نے اس طرح کی مصیبت کھڑی نہیں کی تھی۔ چائے کے وقفہ کے دوران مشتاق کو منتخب کرنے والے ارکان نے طلب کیا، ''انہوں نے مجھ سے کہا کہ انہیں میرا کپتان کی حیثیت

سے اپنے پہلے ٹیسٹ میچ کے پہلے ہی روز استعفیٰ دینے کا یہ انداز پسند نہیں آیا۔ میں نے اس پر ان سے معذرت کرتے ہوئے مزید کہا کہ ''مجھے بھی ان کا مجھے انہیں پتلی بنانے کا یہ طریقہ اچھا نہیں لگا کہ جس طرح انتخاب عالم ایک لمبے عرصے کے لیے پتلی بنا رہا تھا۔''

تاہم یہ ٹیسٹ کرکٹ کے جینئس کی آمد کی وجہ سے یادگار تھا۔ پاکستان نے پہلے بیٹنگ کی اور 55 سکور پر 4 آؤٹ کی مشکل صورت حال سے دوچار ہوئی۔ ٹاپ آرڈر کو رچرڈ ہیڈلی نے آؤٹ کر دیا۔ تب میاں داد، جس کی عمر صرف 19 سال تھی اور وہ اپنا پہلا ٹیسٹ کھیل رہا تھا، نے آصف کے ساتھ مل کر چوتھی وکٹ کی شراکت میں 281 سکور بنائے۔ میاں داد نے تین سے کم گھنٹے میں اپنی سنچری کی اور 163 سکور پر آؤٹ ہوا۔ اس کے بعد نیوزی لینڈ کی بیٹنگ نہ چلی اور پاکستان چھ وکٹ سے میچ جیت گیا۔

اگرچہ یہ میچ امید اور نتائج کے ساتھ اہم تھا، ایکشن اب میدان سے باہر تھا۔ اس کے بعد واقعات کا ایک ایسا سلسلہ شروع ہوا جس نے پاکستان میں کرکٹ کو ہمیشہ کے لیے تبدیل کر دیا۔

## کھلاڑیوں کی بغاوت

کاردار کو ہمیشہ اپنے ملک کے کرکٹرز کے لیے ایک باضمیر رہنما ہونے پر فخر رہا تھا۔ کپتان کی حیثیت سے وہ بورڈ سے پاکستان کے بین الاقوامی کھلاڑیوں کی میچ فیس، رہائش اور ٹرانسپورٹ کے انتظامات پر احتجاج کرتا رہا تھا۔ جیسا کہ ہم نے دیکھا، اس کا ماننا تھا کہ پاکستان کرکٹ کے لیے وہ جو نئے سرپرست لایا تھا، انہوں نے مقامی کھلاڑیوں کی کیریئر کے امکانات کو ڈرامائی طور پر بہتر کر دیا تھا۔

لیکن اس کا یہ موقف بھی تھا کہ پاکستانی کھلاڑیوں کو ٹیم کے لیے منتخب ہونے کے بعد اپنے ذاتی مفادات سے بالاتر ہو کر ملک کے لیے کھیلنے کے اعزاز کو ماننا چاہیے۔ اسے ان سے توقع تھی کہ وہ پاکستانی ٹیم کی خاطر اپنے ذاتی عزائم، اپنے رویے اور طور طریقوں کو پس پشت ڈال دیں گے، اتھارٹی کے فیصلوں کو مانیں گے اور میدان میں اور میدان سے باہر پاکستان کے اچھے نمائندوں کی طرح رویہ دکھائیں گے۔ کپتان، سلیکٹر اور منتظم کے طور پر اس نے اس معیار کی خلاف ورزی کرنے والوں کے خلاف سخت کارروائی کی۔

کاردار کو کبھی ادراک نہ ہوا کہ سرکردہ کھلاڑیوں کی خصوصاً فنانس سے متعلق توقعات کس قدر تبدیل ہو چکی ہیں۔ وہ کھلاڑی جو انگلینڈ میں پیشہ ورانہ کرکٹ کھیلتے رہے تھے، ٹیسٹ کھلاڑیوں کی کاردار کی نسل سے کہیں زیادہ پیسہ بنا چکے تھے اور بالکل مختلف اقدار رکھتے تھے۔ وہ دوسرے سمندر پار کھلاڑیوں کے ساتھ کھیلتے رہے تھے جن کے پیشہ ور کیریئر کی نگہداشت ان کے ایجنٹ کیا کرتے تھے، جس سے کہ پاکستانی نامانوس تھے۔ حتیٰ کہ کم صلاحیت والے انگلش کاؤنٹی کھلاڑی بھی کاردار جیسوں سے زیادہ کماتے تھے۔ حنیف محمد نے اس سے

کاردار کو متنبہ کیا تھا جب اسے اپنے چھوٹے بھائی مشتاق کو کچھ تمیز اور عقل سکھانے کا کہا گیا۔ ''تمہیں یاد رکھنا چاہیے کہ ان میں سے بیشتر کھلاڑی کاؤنٹی معاہدے رکھتے ہیں اور پیشہ ورانہ سیٹ اَپ میں کھیلتے ہیں۔ تمہیں ان کی بات سننی چاہیے۔''

کھلاڑیوں کے رقوم کے مطالبہ پر کاردار سماجی اور نفسیاتی طور پر تیار نہ تھا۔ وہ ذرائع ابلاغ اور کرکٹ کے شیدائیوں سے کھلاڑیوں کو ملنے والی حمایت کے لیے بھی تیار نہ تھا۔

نیوزی لینڈ کے خلاف پاکستان میں ہونے والے ٹیسٹ میچوں سے پیشتر ہی رقومات کا معاملہ کھلنا شروع ہو چکا تھا۔ میں نے ان کھلاڑیوں سے مختلف رقومات کی یادداشتیں سنی ہیں جو اس کام میں ملوث تھے۔ وسیم باری نے صرف اتنا کہا کہ نسبتاً بڑے کھلاڑی چاہتے تھے کہ ان کی اجرت پر نظر ثانی کی جائے۔ صادق محمد نے مجھے بتایا کہ نمایاں کھلاڑی چاہتے تھے کہ انہیں پندرہ ڈالر یومیہ کے علاوہ کپڑوں کی دھلائی کا بھی خرچہ دیا جائے۔ مشتاق محمد نے تصدیق کرتے ہوئے کہا کہ اصل مطالبہ کپڑوں کی دھلائی کی معمولی رقم کا تھا۔ ''آسٹریلیا کے پچھلے دورے کے دوران ہمیں ہر شام اندر رہ کر اپنا کرکٹ کا لباس دھونا پڑتا تھا۔''

ماجد خان نے تصویر کا تفصیلی رخ دکھایا۔ ''1976ء میں یہاں نیوزی لینڈ کی ٹیم کو آنا تھا جس کے بعد آسٹریلیا اور ویسٹ انڈیز کا دورہ تھا۔ 75-1974ء میں پاکستان میں ہونے والے ویسٹ انڈیز کے ٹیسٹ میچوں میں کھلاڑیوں کو پندرہ سو روپے فی ٹیسٹ کے حساب سے اجرت ادا کی گئی تھی۔ (جو اس وقت 83 برطانوی پونڈ کے مساوی تھی) نیوزی لینڈ ٹیم کی آمد پر اس رقم کو کم کر کے ایک ہزار روپیہ کر دیا گیا تھا۔ (سرسری طور پر یہ رقم 56 برطانوی پونڈ کے لگ بھگ بنتی تھی جبکہ اس کے مقابلے میں 1976ء میں انگریز کھلاڑیوں کی ٹیسٹ میچوں کی اجرت کو 180 پونڈ سے بڑھا کر 200 پونڈ کر دیا گیا تھا۔) اجرت کم کر دیئے جانے پر کھلاڑیوں نے شکایت کی مگر کاردار نے ہمیں بتایا کہ ''کرکٹ بورڈ کھلاڑیوں کو انگلینڈ سے واپس لانے کے لیے چار ہزار روپے ماہوار خرچ کر رہا ہے۔''

ابھی گفت و شنید جاری ہی تھی کہ کاردار نے کوشش کی کہ آسٹریلیا اور ویسٹ انڈیز کے متوقع دوروں کے لیے کھلاڑی معاہدوں پر دستخط کر دیں جس میں 35 ڈالر فی ہفتہ کی اجرت جو 73-1972ء کے آسٹریلیا کے پچھلے دورے میں مقرر کی گئی تھی کو کم کر کے 25 ڈالر فی ہفتہ کو دیا گیا تھا۔ کھلاڑیوں نے 50 ڈالر فی ہفتہ طلب کیے۔ ماجد خان نے کاردار کے اگلے اقدام کو حقارت کی نگاہ سے دیکھا، اور خالد محمود کو جو اس وقت ایک معمولی ٹیکس افسر تھا، پاکستان کرکٹ بورڈ کی طرف سے پہلی بار حقائق جاننے کے فریضہ پر بھیجا جس میں اس نے کھلاڑیوں کے سفر کی تفصیل معلوم کرنا تھی جس کے مطابق 25 ڈالر فی ہفتہ کی اجرت کو برحق ثابت کیا جاسکتا۔ اس میں کھلاڑیوں کا سمندر پار امریکہ کا سفر بھی شامل تھا۔ ''وہ یقیناً بسوں کے اڈوں پر رہائش پذیر ہوا

ہوگا۔'' ماجد نے کہا۔

ماجد ان چھ نمایاں کھلاڑیوں میں سے ایک تھا جو بہتر اجرت اور مراعات کے متمنی تھے۔ اس کے دوسرے ساتھیوں میں مشتاق، صادق محمد، آصف اقبال، عمران خان اور وسیم باری شامل تھے۔ ابتدائی طور پر مشتاق ان کا سربراہ تھا مگر لندن میں اس کی غیر موجودگی کے دوران اس کی جگہ آصف اقبال سربراہ بن گیا۔ آصف نے دانشمندی سے کاردار کے پرانے دوست کیتھ ملر (Keith Miller) جس کی اس وقت عمر ستاون برس کی تھی اور وہ پاکستان ایک بے جوڑ قسم کی بین الاقوامی کرکٹ ٹیم کا سربراہ بن کر آیا ہوا تھا) کے ثالث بننے کی پیشکش کو ماننے سے انکار کر دیا۔ اس نے دوسرے کھلاڑیوں کو بتایا کہ اس نے ایک پیشہ ور گفت وشنید کرنے والے کی خدمات حاصل کر لی ہیں جو ان کی جگہ مذاکرات کرے گا۔ یہ شخص کراچی کرکٹ ایسوسی ایشن کا موجودہ صدر ایم۔ یو۔ حق تھا۔ اس کے والد احسان الحق تھے جنہوں نے 1924ء میں لاہور جم خانہ گراؤنڈ پر گیارویں نمبر پر کھیلتے ہوئے مسلمانوں اور سکھوں کے درمیان ہونے والے میچ میں صرف چالیس منٹ میں سنچری بنائی تھی۔ خاص طور پر ایم یو حق کے دل میں کاردار کے خلاف عرصہ دراز سے ناراضگی تھی کیوں کہ اسے 1954ء کے انگلینڈ کے دورہ کے لیے منتخب نہیں کیا گیا تھا۔

جیسا کہ مشتاق وضاحت کرتا ہے۔ اجرت کا معاملہ حیدرآباد میں شروع ہونے والے ٹیسٹ میچ کے عین موقع پر سامنے آ گیا۔

''تیسرے ٹیسٹ میچ کے اختتام کے تین دن بعد ہمیں ہوائی جہاز سے ملک کے باہر آسٹریلیا کی طرف عازم سفر ہونا تھا۔ لہٰذا دورہ پر جانے سے پیشتر معاہدوں پر دستخط ہونا تھے۔ تاہم کھلاڑیوں نے کئی وجوہات کی بنا پر ان معاہدوں کو رد کر دیا۔ ان میں ایک تکلیف دہ معاملہ کھلاڑیوں کا کرکٹ کے اپنے لباس کو خود دھونے کا تھا۔ کرکٹ بورڈ ہمیں کپڑے دھونے کے لیے صرف 10 ڈالر کی مراعات دینے کے لیے راضی نہ تھا اور یہ رویہ پرانے اور نمایاں کھلاڑیوں نے پسندیدگی کی نگاہ سے نہ دیکھا۔ کاردار نے دعویٰ کیا کہ کرکٹ بورڈ 10 ڈالر فی کس کے حساب سے اپنے مروی سٹیٹ بینک آف پاکستان سے حاصل کرنے میں ناکام رہا۔''

حیدرآباد میں نیوزی لینڈ کے خلاف دوسرے ٹیسٹ میچ سے ایک رات قبل ان چھ کھلاڑیوں نے یہ کہہ کر سب کو ہلا کر رکھ دیا کہ وہ اس میچ میں حصہ نہیں لیں گے۔ کاردار کا ابتدائی ردِعمل انتہائی غصے کا تھا۔ اس نے انہیں طالب زر کہہ کر مطعون کیا اور پھر ان کے متبادل کھلاڑیوں کو طلب کر لیا۔ انتخاب عالم کو ہنگامی طور پر کپتان بننے کے لیے تیار کر لیا گیا۔ رات کو دیر گئے تک ہوٹل میں کپتان کے کمرے میں کاردار اور مشتاق کے مابین گفت وشنید ہوئی جس میں کاردار نے وعدہ کیا کہ وہ کھلاڑیوں کے مطالبات پورے کرنے کی ہر طرح سے کوشش کرے گا۔ اور یوں کھلاڑیوں کو اپنی دھمکی واپس لینے کے لیے رام کیا گیا۔ 20 حتمی فیصلہ صبح نو بج کر بیس

منٹ پر میچ شروع ہونے سے چالیس منٹ پہلے طے ہوسکا۔

ٹیسٹ میچ شروع ہونے کی صبح پاکستان کی دو ٹیمیں موجود تھیں (دونوں ٹیمیں پاکستانی ٹیم کے کمرے میں اکٹھی تھیں جو ان کی موجودگی سے بے تحاشا بھرا پڑا تھا) اور دو ہی کپتان موجود تھے۔ نیوزی لینڈ کے کپتان گلین ٹرنر (Glenn Turner) نے آواز لگا کر پوچھا، ''میرے ساتھ ٹاس کرنے کون آئے گا، مشی یا انتی؟'' جب میچ کا آغاز ہوا تو مشتاق نے سکھ کا سانس لیتے ہوئے اپنے آپ کو بحال کیا۔ وہ خاصے دباؤ میں رہ چکا تھا اور پھر سنچری بنا ڈالی۔ صادق بھی سنچری بنانے میں کامیاب رہا۔ یہ دوسری مثال تھی کہ ایک ہی ٹیسٹ اننگز میں دو بھائیوں نے سنچریاں بنائی تھیں۔[21] پاکستان نے نیوزی لینڈ کو ادھیڑ کر رکھ دیا اور میچ میں دس وکٹوں سے فتح حاصل کر لی۔

مشتاق اپنی خودنوشت داستان میں لکھتا ہے کہ ''دو ٹیسٹ میچوں میں کامیابی کے باوجود بورڈ کی طرف سے کسی مبارکباد یا مراعت کا شائبہ تک نہ تھا۔ یوں محسوس ہوتا تھا جیسے انہیں ہماری ناکامی کی تمنا تھی۔ تاکہ وہ ہم سب کو ٹیم سے نکال کر نئی ٹیم کو تشکیل دیں جیسے انہوں نے حیدرآباد میں دھمکی دی تھی۔''

معاہدوں کی یہ تلخ لڑائی پاکستانی کھلاڑیوں کی میدان کارکردگی پر اثرانداز نہ ہوئی۔ کراچی میں ہونے والے تیسرے ٹیسٹ میچ کے پہلے ہی روز ماجد نے دوپہر کے کھانے کے وقفہ سے پہلے ہی ایک دھواں دار سنچری بنا ڈالی۔ وہ پہلا پاکستانی تھا جس نے یہ کارنامہ انجام دیا۔ وہ 46 سال میں پہلا کھلاڑی تھا جس نے ٹیسٹ میچ کی پہلی صبح ہی یہ کام سرانجام دیا تھا۔[22] جب ماجد ایک اننگز کے بعد آؤٹ ہوا اننگز جو وزڈن کے مطابق، بلاوجہ ہک اور کور ڈرائیوز (Cover Drives) سے بھرپور تھی۔ پھر جاوید میانداد نے نمایاں کارکردگی سے 206 رنز بنائے۔ مشتاق نے بھی مار دھاڑ سے سنچری بنائی اور پاکستان نے 9 کھلاڑی آؤٹ ہونے پر 565 رنز کیے۔

اگرچہ اس بار نیوزی لینڈ نے سخت دفاع کرتے ہوئے بمشکل میچ برابر کر لیا مگر اس میں ان کی مدد وکٹ کیپر شاہد اسرار نے کی تھی جس نے لاتعداد کیچ چھوڑے تھے۔ یہ اس کا پہلا ٹیسٹ میچ تھا جو آخری ثابت ہوا۔[23] ٹیسٹ میچ کے ختم ہوتے ہی ایک بار پھر توجہ آسٹریلیا کے دورے کی طرف مبذول ہوگئی جس میں چھ ہفتے سے کم عرصہ کا وقت رہ گیا تھا۔ ماجد خان اب کہانی بیان کرتا ہے:

''کرکٹ بورڈ کا سیکرٹری ظفر الطاف میچ کے بعد ہوٹل پہنچا جہاں ٹیم ٹھہری ہوئی تھی۔ اس نے مشتاق کے کمرے میں کھلاڑیوں سے ملاقات کی اور سرکاری کاغذ پر لکھے گئے معاہدے کھلاڑیوں کو ان کے دستخط کے لیے دیئے۔ اوروں نے انہیں کوئی خاص توجہ سے پڑھا کیوں کہ وہ دورے کی اجرت بارے کاردار کی زبان پر بھروسہ کیے ہوئے تھے۔ مگر آصف اقبال نے معاہدے کو تمام کا تمام پڑھا۔ اس نے دریافت کیا کہ

جب کاردار 50 ڈالر دینے پر آمادہ تھا تو پھر معاہدے میں 25 ڈالر فی ہفتہ کی رقم کیوں لکھی گئی ہے؟ ظفر الطاف نے جواب دیا کہ اسے معلوم نہیں۔ آصف نے پھر سادہ کاغذ پر (سرکاری کاغذ پر نہیں) دستخط کرنے کی پیشکش کی مگر اس کی وجہ صرف غیر سگالی کا جذبہ تھا۔ کیوں کہ ان کے خیال میں کاردار اعتماد کو ٹھیس پہنچانے کا مجرم تھا۔''

کاردار نے معاہدوں پر دستخطوں سے انکار کو اعلانِ جنگ کی نظر سے دیکھا۔ اس نے ہڑتالیوں کو کرکٹ بورڈ پر دباؤ ڈالنے سے باز رہنے کی تنبیہ کی۔ اور مزید کہا کہ اگر وہ باز نہ آئے اور اپنے موقف پر ڈٹے رہے تو نہ صرف ان کی ٹیسٹ کرکٹ ختم ہو جائے گی بلکہ انہیں بینکوں اور محکموں کی نوکریوں سے بھی نکال دیا جائے گا۔ ذرائع ابلاغ سے گفتگو کے دوران اس نے کھلاڑیوں پر الزام تراشی کرتے ہوئے کہا کہ وہ محبِّ وطن نہیں بلکہ کرائے کے ٹٹو بن گئے ہیں۔ پھر اس نے مشتاق کو کپتانی سے ہٹا دیا جبکہ اس کی جگہ پر ہمیشہ حلیم الطبع اور نرم انتخاب عالم کو دوبارہ کپتان بنا دیا گیا۔ اور اس کا نائب کپتان ظہیر عباس کو بنا دیا گیا۔

## کاردار کی ذِلت

ایک چوتھائی صدی تک پاکستان کی کرکٹ میں کاردار سب سے زیادہ طاقتور شخص رہا تھا۔ اسے اپنی بات منوانے کی عادت تھی۔ اس نے یقیناً یہ حساب لگا رکھا ہوگا کہ اس بار بھی اس کا وہی عمل جاری رہے گا۔ مگر اس سے ایک جان لیوا غلطی سرزد ہوگئی۔ اس کی وزیراعظم پاکستان اور پاکستان کی کرکٹ کے سرپرست ذوالفقار علی بھٹو سے اَن بن ہوگئی تھی۔

ایک سال قبل کاردار سے ایک ناقابل معافی کام ہوا تھا۔ یعنی اس نے اصولوں کی بنیاد پر پنجاب حکومت کو اپنے استعفیٰ دے دیا تھا۔ اگرچہ یہ ناعاقبت اندیش فیصلہ تھا مگر یہ عین اس کے مزاج کے مطابق تھا۔ وہ غیر معمولی طور پر قاعدے کا پابند تھا کہ اسے اپنے دفتر میں کس طرح کا طرزِ عمل رکھنا ہے۔ وہ کبھی اس بات کی اجازت نہیں دیتا تھا کہ بطور وزیر اس کی سرکاری کار (سلیٹی رنگ کی فیئٹ FIAT) کو سرکاری کام کے علاوہ استعمال کیا جائے۔ ان تمام سالوں میں جب وہ وزیر تھا قومی کرکٹ کے سابق کپتان نے چاہے حالات کچھ بھی ہوں ہمیشہ اپنی جیب میں استعفیٰ کا خط رکھا۔ جس پر دستخط تک ثبت تھے، صرف تاریخ نہیں ڈالی گئی تھی۔ لندن کی معروف جرمین سٹریٹ (Jermyn Street) کی اس کی قمیص، سوٹ اور ٹائیاں تو روز تبدیل ہوتے مگر جیب میں استعفیٰ کا وہ خط ہمیشہ موجود رہتا۔

کاردار کی یہ عادت ایسی ہی تھی جیسے کوئی بھرا ہوا پستول جیب میں رکھے۔ اس خط کو استعمال کرنے کی شدید خواہش اس وقت پیدا ہوئی جب وزیر اعلیٰ پنجاب حنیف رامے نے اسے ایک ملاقات کے لیے بلایا۔ کاردار کے نزدیک وقت کی پابندی بے حد اہم تھی اور وہ پابندی وقت کے لیے ہمیشہ خصوصیت سے کوشاں

رہتا۔ اس کی کوشش ہوتی کہ وہ کسی بھی ملاقات کے لیے عین وقت پر پہنچے۔ اس موقع پر حنیف رامے (جو قلیل عرصہ کے لیے وزیر اعلیٰ تھا اور جس کے جلد ہی بھٹو سے اختلافات ہو گئے تھے اور جسے جنرل ضیا کے دور میں جلاوطنی کاٹنا پڑی) نے کاردار کو انتظار کروایا۔ ایک گھنٹہ کے انتظار کے بعد کاردار نے اپنے دستخط شدہ استعفیٰ پر تاریخ ڈالی اور وہاں دے کر چلا گیا۔ بلاشبہ اس فیصلے میں اور بھی اجزا شامل تھے۔ کاردار کی بھٹو سے کئی وجوہات کے نتیجے میں بڑھتی ہوئی بیزاری بھی تھی۔ مگر استعفیٰ دینے کے عمل کے پیچھے فوری وجہ حنیف رامے کی وقت کی پابندی نہ کرنا تھی۔

اس عمل نے مطلق العنان بھٹو میں شدید غصہ پیدا کر دیا کیوں کہ وہ استعفیٰ دینے کی اجازت کی بجائے انہیں برخاست کرنا پسند کرتا تھا۔ ایسے وقت میں جب اندرون ملک سیاسی مخالفت بڑھ رہی تھی وزیراعظم کے پاس کوئی جواز باقی نہ تھا کہ وہ ذرائع ابلاغ اور کرکٹ کے شیدائیوں کے خلاف کاردار کی حمایت کرتا۔ جو کھلاڑیوں کی حمایت میں تھے۔ ایسے میں بھٹو نے کاردار سے منقطع ہوتے ہوئے وزیر تعلیم اور (زیادہ متعلقہ) صدر پاکستان سپورٹس بورڈ عبدالحفیظ پیرزادہ کو حکم دیا کہ وہ کھلاڑیوں کی طرفداری کرے۔[24] صادق محمد کے مطابق پیرزادہ چھ باغی کھلاڑیوں کو راولپنڈی میں بھٹو کی رہائش گاہ پر لے کر گیا۔ وزیراعظم نے کھلاڑیوں کے مطالبات سنے اور پیرزادہ کو حکم دیا کہ وہ ان کے معاملات کو طے کرے۔ صادق کہتا ہے کہ ''تمام مسئلہ پانچ منٹ میں ختم ہو گیا۔''

حفیظ پیرزادہ، پاکستان پیپلز پارٹی کا بانی رکن تھا اور اس کا شمار بھٹو کے خاص بااعتماد ساتھیوں میں ہوتا تھا۔ اور اگلے سال فوجی بغاوت کے تحت حکومت کا تختہ الٹنے کے بعد وہ بھی اپنے آقا کی طرح جیل پہنچ گیا (اور بھٹو کی موت کے بعد جلاوطن ہو گیا) پیرزادہ کے لیے (جو آج بھی اس بات کا اصرار کرتا ہے کہ اس کے ذاتی تعلقات خوشگوار رہے) کاردار لڑکپن کے دور کا اس کا محبوب کردار تھا۔[25] اس نے 1951ء میں کاردار کی شکست کھائے بغیر حوصلہ مند وہ اننگز جس میں اس نے ایم سی سی کے خلاف کراچی جمخانہ گراؤنڈ پر 50 رنز کیے تھے دیکھ رہی تھی جس کی بدولت پاکستان کو ٹیسٹ کرکٹ کا درجہ ملا تھا۔ 1954ء میں جب وہ ایک نوجوان کی حیثیت سے انگلستان میں وکالت کی تعلیم حاصل کر رہا تھا تو اس نے اپنے کام سے خاص طور پر وقت نکال کر عظیم فضل محمود کے ہاتھوں اوول کے میدان پر پاکستان کی فتح دیکھی تھی۔ ''میرے نزدیک یہ نوجوان کھلاڑی دیوتاؤں کی حیثیت رکھتے تھے۔'' وہ آج بھی یاد کرتے ہوئے کہتا ہے، ''وہ عظیم نام تھے۔''

اب اس کے سامنے اپنے بچپن کے دیوتا کو گرا دینے کی ذمہ داری آن پہنچی تھی۔ ''میرے خیال میں کاردار ضرورت سے زیادہ آمر بن کر کھلاڑیوں پر اثر انداز ہو رہا تھا۔ وزیراعظم سرپرست اعلیٰ تھا اور اس کے مشورے کو نظر انداز نہیں کیا جا سکتا تھا۔'' پیرزادہ نے کاردار پر آسٹریلیا کے دورے کے لیے منتخب کرنے

والی نئی کمیٹی کو تسلیم کرنے کے لیے زور ڈال کر مجبور کیا۔ اس کمیٹی کا چیئرمین حنیف محمد (جسے سات سال قبل کاردار نے برخاست کیا تھا) کو بنایا گیا تھا۔ پیرزادہ نے مزید یہ کیا کہ اس نے کاردار کے حمایتی امتیاز احمد کو دورے پر جانے والے ٹیم مینیجر کے عہدہ سے ہٹا کر اس کی جگہ شجاع الدین کو مقرر کر دیا۔ انتخاب عالم جس نے انتظامیہ کا ساتھ دے رکھا تھا اور وہ کپتان کی حیثیت سے کاردار کا انتخاب تھا، اس کو بھی ہٹا کر اس کی جگہ مشتاق محمد کو لایا گیا۔ کاردار کو اس سے پہلے اس قسم کی عوامی تذلیل کا کبھی تجربہ نہیں ہوا تھا۔

پاکستان کی کرکٹ کی تاریخ کی کہانی میں کاردار کا خصوصی کردار اب تقریباً ختم ہو چکا تھا۔ گو کہ 1976ء میں ابھی وہ بمشکل پچاس سال کی عمر کو پہنچا تھا مگر وقت کے لحاظ سے اس کی افادیت پوری ہو چکی تھی۔ صدی کے چوتھائی حصہ تک وہ عوام کی آواز اور الگ تھلگ ضمیر کے ساتھ پاکستانی کرکٹ کو شعور کی ہدایت دے چکا تھا۔ ایک کھلاڑی اور منتظم کی حیثیت سے کرکٹ کے قومی کھیل کو جس سے اسے دیوانہ وار عشق تھا، کو ان بلندیوں پر لے آیا تھا جو ہر سوچ سے بالاتر تھیں۔ اس لمحے سے آگے اب اس کا کردار ایک بڑھتے ہوئے عضو معطل کے طور پر صرف تماشائی بن کر رہ گیا تھا جس میں آئندہ عظیم واقعات میں اس کا کوئی تعمیراتی کردار باقی نہیں رہا تھا۔

## حوالہ جات:

1 1962ء میں اپنے عروج پر ایوب خان کے دور میں امریکی امداد پچیس ڈالر فی کس تھی۔ بھٹو کے بہترین سال 1976ء میں کل امریکی امداد فی کس ساڑھے آٹھ ڈالر (افراط زر کی وجہ سے ترمیم کی گئی تھی۔
www.ips.org.pk/security-and-foreign-policy/1080-us-aid-to-pakistan. کے ذرائع سے۔

2 نظریاتی طور پر 1961ء کے بعد جنوبی افریقہ کے کھیلے گئے ٹیسٹ میچ کوئی حیثیت نہیں رکھتے۔ عملی طور پر انگلینڈ، آسٹریلیا اور نیوزی لینڈ نے آئی سی سی (ICC) کے قوانین کو نظر انداز کیے رکھا۔ کرکٹ کے اعداد و شمار سے وابستہ حضرات جنوبی افریقہ کے 1961ء کے بعد کے کھیلے جانے والے ٹیسٹ میچوں کو مکمل طور پر ٹیسٹ مانتے ہیں اور ان کے اعداد و شمار کی اوسط کو مسلسل معلومات میں شامل رکھتے ہیں۔ مگر ایک مثالی بحث جاری ہے کہ ان ٹیسٹ میچوں کو سرکاری معلومات سے حذف کر دینا چاہیے۔ 1965ء میں آئی سی سی (جس کا نام تبدیل کر کے انٹرنیشنل کرکٹ کانفرنس کر دیا گیا) نے دولت مشترکہ کی رکنیت کے ناطہ کو ٹیسٹ کھیلنے کی حیثیت سے ختم کر دیا۔

3 سر مورس جیمز (Sir Morrice James) کی کتاب کے صفحہ 192 کے مطابق قذافی پاکستان کے دورہ سے اس قدر خوش ہوا کہ اسلامی اجلاس کے ختم ہونے کے بعد بھی وہ چار دن تک وہاں رکا رہا۔ ذاتی طور پر بھٹو ہمیشہ قذافی کا بیمہ احترام کرتا تھا اور اپنے آخری دنوں میں ایسے امید تھی کہ لیبیا کا قائد اپنے قید خانے سے نکال لے جائے گا۔ میں بھٹو کے معتمد آفتاب گل کا ان معلومات کے لیے شکر گزار ہوں۔

4 عمر قریشی نے اتوار کے ان دنوں کو یاد کیا۔ ''اتوار کے روز گرفتھ پارک میں کرکٹ کھیلا کرتے تھے۔ معیار تو کچھ خاص نہ تھا مگر میں اور بھٹو دونوں اپنی ٹیم کارنتھنز (Cornithians) کے درخشاں ستارے تھے۔ یہ بڑی پرلطف کرکٹ تھی اور ہم کیلی فورنیا میں مختلف جگہوں پر جاتے۔ بحوالہ www.bhutto.org/article55.php

5 کاردار کے مطابق بھٹو سے پہلی بار 1942ء میں ملنے کے بعد اس نے بھٹو کے ساتھ خط و کتابت تب بھی جاری رکھی جب وہ برکلے میں زیر تعلیم تھا اور میں آکسفورڈ میں۔ ایوب خان کی کابینہ میں شمولیت سے پہلے بھی۔ میری بھٹو سے کراچی میں ملاقات ہوئی تھی۔ حوالہ (Soldiers of Fortune Page 142 by A.H.Kardar)۔

6 طویل صدارتی مایوسی کے ثبوت میں کاردار کے نام رفیع رضا کا خط مورخہ 24 اگست 1972ء دیکھیں۔ رضا، بھٹو کا خصوصی نائب تھا۔ اس نے نقطہ اٹھاتے ہوئے واضح طور پر کاردار کو لکھتے ہیۓ یاددہانی کروائی کہ تم نے ستمبر 1970ء میں جماعت میں شمولیت اختیار کی تھی۔ عام انتخابات سے ذرا قبل اور اس سے پہلے تم سیاسی میدان میں نہیں تھے۔ تمہاری قطعی معاونت کس حد تک تھی صدر اس سے لاعلم نہیں۔'' بحوالہ کاردار کی تصنیف "Soldiers of Fortune" صفحہ 159۔

7 برطانوی نظام کے تحت یہ تقریباً محکمہ صحت کے مستقل سیکرٹری کے عہدہ کے برابر ہوتا ہے۔

8 مرکزی دفاتر جب 84-1960ء میں ائیر مارشل نور خان کرکٹ کا سربراہ تھا واپس کراچی منتقل ہوگئے تھے۔

9 ذوالفقار علی بھٹو نے 23 اکتوبر 1972ء کو بی سی پی کے نئے دفتر کا لاہور میں افتتاح کرتے ہوئے تقریر میں کہا کہ ''کرکٹ کے کھیل اور سیاست کے عظیم کھیل اور فن میں بے حد مماثلت ہے۔''

10 عمران خان اس وقت بھی اور آج بھی کاردار کے کرکٹ ٹیموں کے تجارتی اور محکمانہ پھیلاؤ پر سخت تنقید کرتا ہے۔ اس کے خیال میں اس کے کھلاڑیوں اور تماشائیوں کے درمیان وفاداری کا عنصر ختم ہوگیا۔ کھیل کا معیار بھی متاثر ہوا اور خاص طور پر کھیل کے میدان اور سہولتیں بھی بری طرح خراب ہوئیں۔ اس کے مطابق 75-1974ء کا کرکٹ موسم جب پاکستان کی پانچ بہترین ٹیمیں مقامی فرسٹ کلاس کرکٹ پر چھائی ہوئی تھیں۔ پاکستان کی مقامی کرکٹ کا آخری اطمینان بخش سال تھا۔ عمران نے خود بھی 1981ء میں مقامی میچ کھیلنا ترک کر دیئے تھے۔ جس اس نے دیکھا کہ غیر تسلی بخش طور پر تیار کی گئی۔ پچ پر باؤلنگ کے لیے دوڑتے ہوئے اسے محسوس ہوتا کہ وہ ریت میں دھنس رہا ہے۔ (عمران سے ذاتی گفتگو)۔

11 کاردار کے بیٹے شاہد کاردار کو یاد ہے جب اپنے والد کے ساتھ لارڈز غیر جانبدار امپائروں کی حمایت میں زور ڈالنے کے مقصد کے لیے گیا تھا۔ اس وقت گبی ایلن (Gubby Allen) پر کوئی اثر نہ ہوا تھا (مصنف سے گفتگو کے دوران) تاہم غیر جانبدار امپائر پاکستان میں پہلی بار نمودار ہوئے جب 87-1986ء میں ویسٹ انڈیز کے خلاف پاکستان کے اندرونی ملک میچ ہوئے۔ یہ عمران خان کی ذاتی کوشش سے پہلے بار ہوا۔ (دیکھیے کادرار کی خودنوشت سوانح عمری صفحات 29-227)۔

12 کاردار کی کتاب کے صفحہ 206 کے مطابق کاردار نے تسلیم کیا کہ اس اصول سے پاکستان کو عالمی کپ میں فائدہ پہنچنا تھا مگر اسے ماجد خان کی کپتانی پر شدید غصہ تھا کہ اس نے فائدہ مند موقع گنوا دیا۔

13 حقیقی طور پر یہ تو اس پرانی چیز کی تجرید تھی جسے ایشین کرکٹ کانفرنس کے نام سے ہندوستان کے انتھونی ڈی میلو (Anthony de Mello) نے جنوری 1949ء میں ہندوستان، پاکستان، سیلون، برما اور ملایا کی رکنیت سے آغاز کیا تھا۔ یہ تمام ممبران دوبارہ 1950ء میں مشاورت کے لیے اکٹھے ہوئے اور پھر اس کے بعد غائب ہو گئے۔

14 یہ وہ میچ تھا جس میں ماجد خان بطور ابتدائی بیٹسمین نمودار ہوا۔ اس نئے انداز نے ماجد کی بیٹنگ کا طریقہ بدل دیا اور آل راؤنڈر وسیم راجہ کے لیے بھی ٹیم میں جگہ بن جانے سے ٹیم کے توازن کی کایا پلٹ گئی۔ ماجد اور صادق محمد کی اوپننگ بیٹسمینوں کی جوڑی بن گئی جو ملکی تاریخ کی بہترین جوڑیوں میں شمار ہوتی ہے۔ ماجد خان کو ترقی دے کر اوپر کھلانے کا خیال عمر قریشی کی سوچ کا نتیجہ تھا۔ اس موضوع پر تفسیری مباحثہ اور اس پس منظر پر غور کرنے کے لیے نعمان کی ایک کتاب کا صفحہ 151 دیکھیں۔ جس کی بدولت ماجد کو بیٹنگ ترتیب دینے میں اوپر کھلایا گیا اور کے کیا نتائج نکلے۔

15 اس سے کوئی فرق نہ پڑا۔ بائی چن (Baichan) مزید دور اور ٹیسٹ کھیل سکا جبکہ رچرڈز (Richards) نے 115 مزید ٹیسٹ کھیلے۔

16 صادق اس وقت تحتانی (Grade) کرکٹ Tasmania میں کھیل رہا تھا۔ اسے کاردار نے ویسٹ انڈیز کے خلاف واپس آ کر دو ٹیسٹ کھیلنے کے لیے کہا تھا۔ صادق نے یہ نکتہ اٹھایا کہ یوں کرنے سے اس آٹھ ہزار ڈالر کا نقصان ہو گا۔ اس نے اس رقم کی بطور تلافی کاردار سے واپسی ٹکٹ سمت درخواست کی۔ کاردار نے انکار کرتے ہوئے اسے جواب دیا کہ ترجیحات میں اوّلین درجہ پاکستان کا ہونا چاہیے اور اسے پہلے ٹیسٹ کے لیے منتخب نہ کیا گیا۔ دو روز بعد کاردار نے صادق کو ٹیلیفون کیا اور اسے کہا کہ پاکستان کو اس کی ضرورت ہے۔ صادق نے تلافی رقم کا مطالبہ چھوڑتے ہوئے صرف واپسی ٹکٹ پر رضامندی کا اظہار کر دیا۔ وہ دوسرے ٹیسٹ کے شروع ہونے کے عید وقت پر پہنچ پایا۔ اور آسٹریلیا کے ہوائی سفر سے پہنچ کر اسے آرام کا یہ مشکل وقت مل سکا۔ (صادق محمد سے ذاتی گفتگو سے لیا گیا)

17 کاردار کے مطابق اسے بواسیر تھی (کاردار کی کتاب صفحہ 206) مگر نعمان نیاز کے مطابق اسے ہرنیا تھا۔ (نعمان نیاز کی کتاب کے حصہ دوم کے صفحہ 144 کے مطابق) دونوں بیماریوں کو فوری آپریشن کی ضرورت نہیں تھی۔ اور دورہ پر آنے والی انتظامیہ کو اس کی پیشگی اطلاع ہونا چاہیے تھی۔

18 لائیڈ (Lloyd) وکٹ کے پیچھے کیچ آؤٹ (Caught Behind) دیئے جانے پر سخت مشتعل تھا۔ اور اس نے جاوید میاں داد اور وسیم باری پر بے ایمانی کا الزام عائد کیا اور یوں ایک لمبا جھگڑا شروع ہوا۔

19 سری لنکا نے اپنا پہلا ٹیسٹ میچ 1982ء میں کھیلا۔

20 مگر فیصلہ کیا ہوا؟ کاردار کا دعویٰ ہے کہ کھلاڑی صرف کرکٹ بورڈ کی طرف سے یہ تسلی چاہتے تھے کہ وہ ان کے مطالبات پر غور کا وعدہ کرے (Cricket Conspiracy صفحہ 14) مگر آصف اقبال کو یقین تھا کہ کاردار نے خصوصی طور پر یہ وعدہ کیا تھا کہ 25 ڈالر فی ہفتہ کی ان کی اجرت کو بڑھا کر ان کے مطالبے کے مطابق 50 ڈالر فی ہفتہ کر دی جائے گی۔ (صفحہ 55 Cricket Conspiracy) ماجد یہ بات تسلیم کرتا ہے۔ ”کاردار بہت نرم ہو گیا تھا“ وہ یاد کرتے ہوئے بیان کرتا ہے ”اس نے کہا کہ اس نے کھلاڑیوں کا 50 ڈالر فی ہفتہ کا مطالبہ مان لیا گیا۔ انہیں کہو کہ وہ اب جا کر کھیلیں“ (ماجد خان سے ذاتی گفتگو کے مطابق) مگر اس غلط فہمی نے بعد میں بے حد مصیبت کھڑی کی۔

21 بھائیوں کی پہلی جوڑی آئین (Ian) اور گریگ چیپل (Greg Chappell) جس نے ڈبل سنچری

کی تھی۔ یہ کارکردگی بھی نیوزی لینڈ کے خلاف تھی۔

22 دوسرے کھلاڑی 1902ء میں وکٹر ٹرمپر (Victor Trumper) 1926ء میں چارلی میکارٹنے (Charlie Macartnay) اور 930 میں ڈونلڈ بریڈمین (Donald Bradman)۔

23 اسرار کا انتخاب کیوں کیا گیا؟ وہ وکٹ کیپر کی صلاحیت میں وسیم باری کے قریب بھی نہیں پھٹکتا تھا۔ وسیم باری کا خیال ہے کہ اسے باغیوں کے ساتھ مل جانے کی سزا دی گئی تھی۔ دو لمبی گفتگوؤں کے دوران متین مزاج وکٹ کیپر کو صرف ایک یاد پر غصہ آیا ''اس سے میرے مسلسل 50 ٹیسٹ میچ کھیلنے کے ریکارڈ میں رکاوٹ آئی۔ میرے پچھلے دو ٹیسٹ میچوں کی کارکردگی سے اس بات کا کوئی تعلق نہ تھا۔ مجھ سے کوئی وضاحت نہ کی گئی۔ میرا خیال ہے کہ میری چونکہ کاردار سے قربت تھی اس لیے اس نے سوچا ہوگا کہ پی آئی اے (PIA) کے اس لڑکے کو باغیوں کے ساتھ نہیں کھڑا ہونا چاہیے تھا۔ میرے متبادل شاہد اسرار نے آٹھ کیچ گرائے تھے۔''

24 پیرزادہ کا والد عبدالستار پیرزادہ سندھ کا سابق وزیراعلیٰ رہ چکا تھا۔ وہ بی سی پی (BCCP) کے ابتدائی دور میں 1951ء تا 1953ء میں اس کا صدر بھی رہ چکا تھا۔ بھٹو اور پیرزادہ کے خاندان ایک دوسرے کے ساتھ ایک صدی سے زیادہ عرصہ سے وابستہ تھے۔

25 ان جذبات کا باہم تبادلہ نہیں تھا۔ کاردار نے بعد میں پیرزادہ پر الزام عائد کیا کہ اس نے کرکٹ کے معاملات پر کلہاڑا چلایا تھا۔ اس نے کہا کہ پیرزادہ نے پرانی دشمنی کا بدلہ لیا تھا۔ اس سے حاصل یہ ہوا کہ ادارہ کمزور اور بے جان ہوگیا جو بڑھتے ہوئے بے جہاد نظم وضبط کی کمی کا شکار ہو کر رہ گیا۔

حوالہ (Memoirs of an All Rounder , Pg189)۔

حصہ دوم

# خان کا عہد

1976ء-1992ء

# تعارف

پاکستانی کرکٹ کے مؤرخ عمر نعمان نے کرکٹ کے کھیل کے تدریجی ترقی کے پانچ مراحل کی نشاندہی کی ہے۔ پہلا مرحلہ جوانیسویں صدی کے ابتدائی دور تک تھا میں یہ کھیل دیہی گلہ بانوں میں کھیلا جاتا تھا۔بعض اوقات یہ پرتشدد بھی ہو جاتا اور اسے ممتاز طبقہ کی سرپرستی حاصل تھی۔ اگر کچھ تھے تو قومی طور پر اس کے طرف چند اصول تھے۔

دوسرا مرحلہ معیار کے تعین اور باقاعدہ شکل میں قوانین مرتب کرنے کے ساتھ یکساں ہوگیا۔ جس کی وجہ سے کھیل میں تکنیکی لحاظ سے زبردست جدت پیدا ہوئی۔ کرکٹ لازمی طور پر انگریزوں کا کھیل رہا جس پر ڈبلیو۔جی۔گریس (W.G.Grace) کی بارعب شخصیت کا تسلط رہا۔

تیسرا مرحلہ بیسویں صدی کے پہلے نصف حصہ پر محیط ہے جو اس وجہ سے قابل توجہ ہے کہ اس میں کرکٹ کا کھیل مسلسل طریقے سے عالمی طور پر پھیلا۔ تاہم اس کا مقصد صرف دو ممالک کے درمیان منہمک رہا۔ اس تمام دور میں عالمی طور پر دنیا کا سب سے اہم مقابلہ آسٹریلیا اور انگلینڈ کے درمیان ایشز (Ashes) کی دشمنی پر مبنی تھا۔ عظیم کھلاڑی سرڈونلڈ بریڈمین (Sir Donald Bradman) نے ٹیسٹ میچوں میں بنائے گئے اپنے رنز کا 75 فیصد حصہ صرف ایک ہی ٹیم کے خلاف کیا تھا جو انگلینڈ کی تھی۔

کرکٹ کا چوتھا مرحلہ عمر نعمان کے خیال میں اس کی تدریجی ترقی کا ہے جو 1950ء اور 1960ء کی دہائیوں میں پیش آیا۔ وہ اس عرصہ کو عبوری دور کہتا ہے کیوں کہ وہ ممالک جنہیں نئی نئی آزادی ملی تھی اب ابھرتی ہی اہم طاقت کے طور پر سامنے آ رہے تھے۔ سامنے آنے والی نئی اقوام میں ان سب میں زیادہ کامیاب ویسٹ انڈیز کی فرصت بخش ٹیمیں فرینک وورل (Frank Worrell) اور گیری سوبرز (Garry Sobers) کی کپتانی میں تھیں جنہوں نے بین الاقوامی طور پر اپنا لوہا منوا کر اپنے آپ کو عالمی طور پر کرکٹ کی دنیا کی عظیم ترین اور شاندار ٹیم ثابت کر دکھایا۔

تاہم دوسری عالمی جنگ کے بعد کے ابتدائی دور میں کرکٹ اپنی غیر پیشہ ورانہ جڑوں کے ساتھ منسلک رہی۔ کھلاڑیوں کے لیے مالی منفعت صرف معمولی نوعیت کی تھی۔ کرکٹ کی سفید فام اقوام کا کھیل پر بدستور تسلط تھا جبکہ کسی کو زیادہ تعداد کے تماشائیوں کی بھی پرواہ نہ تھی۔ آخر کچھ نہ کچھ تو ہونا تھا جو ہو کر رہا۔ ''کرکٹ 1970ء کی دہائی میں پانچویں مرحلہ میں داخل ہوگئی اور اپنے ساتھ جدت اور توسیع کا ایک سنہری دور لے کر آئی۔'' نعمان نے بیان کیا۔ ''بین الاقوامی کھیل نے غیر پیشہ ورانہ سماجی اخلاقیات اور طرزِ عمل کو ترک کر کے اس کی جگہ پیشہ ورانہ انتظام، بین الاقوامی نگرانی، غیر جانبدار امپائر اور ٹیلی ویژن پر دوبارہ ٹیسٹ دکھانے کا عمل متعارف کر دیا گیا تاکہ تعصب سے پیدا ہونے والی نظم و ضبط کی بگڑتی صورتحال کو روکا جا سکے۔ عالمی کپ مقابلہ بین الاقوامی شکل اختیار کر گیا اور شارجہ جیسے علاقوں کے کھیل کے میدان دائرہ کرکٹ میں کامیابی سے نمودار ہو گئے۔

نعمان کے مطابق 1970ء کی دہائی کے بعد کا دور سنہری عہد تھا۔ اور یوں ایک موزوں محاورہ استعمال کیا جو اب تک کرکٹ کے مصنف پہلی جنگ عظیم سے پہلے دور کے لیے کیا کرتے تھے جب انگلینڈ اور آسٹریلیا کے کرکٹ کے کھلاڑی اعلیٰ ترین کارنامے سرانجام دے کر کھیل میں نئی جدت پیدا کیا کرتے تھے۔

اس دلیرانہ اور گستاخ محاورے کا یوں استعمال کرنا ہر لحاظ سے حق بجانب تھا۔ پچھلی صدی کے آخری چوتھائی حصہ میں کرکٹ کھیلنے والے نئے ممالک بین الاقوامی سطح پر ایک دھماکے سے نمودار ہوئے اور اپنے ساتھ غیر معمولی اور شاندار ہنرمندی کا بے شمار سمندر لے کر آئے۔ کھیل کے نئے اسلوب مرتب ہوئے جبکہ روایتی پانچ روزہ ٹیسٹ میچوں کو وہ عمدگی حاصل ہوئی جو اس سے قبل دیکھنے میں نہیں آئی تھی۔ اور اس کے ساتھ ساتھ دنیائے کرکٹ کچھ بدصورت رخ بھی غائب ہو گئے۔ صرف سفید فام جنوبی افریقہ جسے عرصہ دراز سے انگلستان کے تنظیمی ادارے کی حمایت حاصل تھی کو عالمی کرکٹ سے باہر نکال پھینکا گیا اور دو دہائی تک کرکٹ سے جلاوطنی کے بعد نیلسن منڈیلا کے خواب کے قوس قزح کے رنگوں سے بھرپور کامیاب ٹیم دوبارہ کرکٹ میں داخل ہوئی۔

عالمی کرکٹ میں برپا ہونے والے اس انقلاب کے پس پردہ پاکستان تھا۔ 1960ء کی دہائی میں پاکستان کی قومی کرکٹ کی پہچان سرکشی۔ اکتاہٹ، فدویانہ رویے اور دفاعی انداز سے ہونے لگی تھی۔ مگر 1970ء کی دہائی میں یہ کھیل عظیم کھلاڑیوں کے اضافے اور جوشیلی شخصیات کی آمد سے جاگ اٹھا۔ پاکستان بھی عالمی طور پر شامل ہو گیا اور اپنے اظہار کی تازگی، تجربات سے محبت، حیران کن ولولے اور منفرد قومی ہٹ دھرمی لے کر آیا۔

پاکستان کی اس تبدیلی کو درست طور پر بیان کیا جا سکتا ہے جادو ٹوٹنے کی یہ وہ گھڑی تھی جب

1976ء میں تاریخ نے اچانک اپنے آپ کو نئے سرے سے شروع کیا۔قومی ٹیم جو ایک لمبے عرصہ سے شکست کھا کھا کر جمود کا شکار ہو چکی تھی اچانک دنیا کی کسی بھی ٹیم کو شکست دینے کے قابل بن گئی۔ اس میں کوئی شک نہیں کہ کھلاڑیوں کی بغاوت اور عبدالحفیظ کاردار کے آمرانہ انداز کو للکارے جانے کی وجہ سے آئی۔ اگرچہ کاردار کی پیشہ ورانہ کھیل کے خلاف اصولی مخالفت قابل احترام تھی مگر اس کا یہ بھی مطلب تھا کہ وہ تبدیلی اور بہتری کی راہ میں نا قابل عبور مزاحمت بھی تھا۔

حتیٰ کہ کاردار کے مداحوں کو بھی یہ تسلیم کرنا پڑے گا کہ پاکستانی کرکٹ ٹیم کرکٹ کھیلنے والی اقوام کی صف اوّل میں صرف اس وقت شریک ہو سکی جب کاردار کو نکال کر تاریکی میں پس پشت کر دیا گیا۔ مگر ابھرتی ہوئی نئی نسل اس کی میراث کا فائدہ اٹھا سکتی تھی کہ پاکستانی کرکٹ پہلے سے کہیں زیادہ مقبول ہو گئی تھی۔ فرسٹ کلاس کرکٹ زیادہ کھیلی جا رہی تھی۔ کھیل کے میدانوں اور تربیتی سہولتوں میں بدرجہا بہتری آ گئی تھی اور کرکٹ لاہور اور کراچی کے جڑواں مراکز سے نکل کر ہر طرف پھیلنا شروع ہو کر پورے ملک میں میں عوامی کھیل کی صورت اختیار کرنے لگی تھی۔ قومی ٹیم اچانک طاقتور اور بھری ہوئی نظر آنے لگی اور پہلے سے کہیں زیادہ مقصد کی طرف عمل پیرا تھی۔

13

# پاکستان عالمی سطح پر

''پیکر جو کچھ بھی کر رہا ہے، وہ کرکٹ کو طوائف بنا رہا ہے۔''

۔ صدر ضیا کا مشتاق محمد سے مکالمہ

اب ہمیں اپنی توجہ اس ٹیم کی طرف مبذول کرنا چاہیے جس کی 77-1976ء میں مشتاق محمد نے آسٹریلیا میں سربراہی کی۔ اس کا سب سے واضح پہلو یہ ہے کہ ٹیم کے کپتان اور بیشتر کھلاڑیوں کا تعلق کراچی سے تھا۔ تقسیم ہند سے اب تک پاکستانی کرکٹ کے معاملات لاہور سے مرتب ہوتے تھے مگر اب ایسا نہیں رہا تھا۔ کراچی بطور جواں سال اور توانائی سے متحرک شہر ایک نئی طاقت کے طور پر سامنے آ رہا تھا۔

دوسرا اہم نقطہ نوجوان اور عمر رسیدہ کھلاڑیوں میں عمر کا توازن تھا۔ 1960ء کی دہائی کے بہت سے نمایاں کھلاڑیوں کو مشتاق کو ٹیم میں بدستور رکھا گیا جن میں ماجد خان، آصف اقبال، وسیم باری، ظہیر عباس اور سرفراز نواز شامل تھے۔ مگر اب ان کے ساتھ نئی نسل شامل ہو رہی تھی جن میں سے جاوید میانداد اور عمران خان نے جلد ہی غیر معمولی مقام کر لینا تھا۔

ایڈیلیڈ میں کھیلے جانے والے پہلے ٹیسٹ میچ میں پاکستانی ٹیم 157 رنز پر 6 کھلاڑیوں کے آؤٹ ہو جانے سے لڑکھڑا گئی۔ اور یوں لگتا تھا کہ جیسے کچھ نہیں بدلا۔ ظہیر عباس جسے اب تک اس بات پر تنقید کا نشانہ بنایا جاتا رہا تھا کہ وہ صرف آسان حالات میں رنز بنا سکتا ہے نے ڈینس للی اور جیف تھامسن کے خلاف 85 رنز بنا ڈالے جس سے ٹیم کی حالت میں بہتری آ گئی۔ اس میں عمران خان کے 48 رنز بھی شامل تھے۔ اس کے بعد پاکستان آسٹریلا کی پہلی اننگز میں رنز کے لمبے خسارے کا شکار ہو گیا جس میں آئین ڈیوس (Ian Davis) اور ڈگ والٹرز (Doug Walters) کی سنچریاں شامل تھیں۔

مگر پاکستان نے جوابی جنگ لڑی۔ اس شاندار کارکردگی میں ظہر عباس کی سنچری اور آصف اقبال کے شاندار ناقابل شکست 152 رنز (جس میں آدھے رنز آخری وکٹ کی 87 رنز کی شراکت داری میں بنائی

گئے تھے جس میں اقبال قاسم کے 4 رنز شامل ) تھے۔ دونوں کھلاڑی شکریہ کے حقدار تھے۔ جیتنے کے لیے آسٹریلیا کو 285 رنز کا ہدف دیا گیا۔ جب 3 کھلاڑی آؤٹ ہونے پر آسٹریلیا نے 201 رنز بنا ڈالے تو جیت ان کی دسترس میں آ چکی تھی۔ پھر قاسم نے ان کی ایسی سانس دبائی کہ اس نے آٹھ گیند فی اوور کے 10 اوور کرتے ہوئے 84 رنز کے عوض 4 کھلاڑی آؤٹ کر دیئے۔ آسٹریلیا کے پاس 24 رنز کرنے کے لیے صرف 4 وکٹ باقی بچے تھے۔ ان کے آؤٹ نہ ہونے والے بیٹسمینوں گیری کوزئیر (Gary Cosier) اور راڈنی مارش (Rodney Marsh) کو مقامی ذرائع ابلاغ نے بری طرح سے آڑے ہاتھوں لیا کہ انہوں نے آخری گھنٹے میں کیوں مار دھاڑ نہ کی۔

میلبورن میں آسٹریلیا نے 8 کھلاڑی آؤٹ ہونے پر 517 رنز بنا کر اپنی اننگز کا خاتمہ کر دیا۔ ان کی رنز بنانے کی رفتار 4 رنز فی اوور سے زیادہ رہی تھی۔ پاکستان کی طرف سے کسی بھی سیم (Seam) باؤلر نے بروقت وکٹ حاصل نہ کی۔ جواباً ماجد خان نے 76، صادق محمد نے تحمل سے بھرپور 105 اور ظہیر عباس نے 90 رنز بنائے۔ ایک کھلاڑی آؤٹ ہونے پر 241 رنز کرنے کے بعد پاکستان محفوظ مقام پر تھا مگر صادق کے آؤٹ ہوتے ہی ڈینس للّی نے باقی ماندہ ٹیم کو ہوا میں اڑا کر رکھ دیا۔

آسٹریلیا جو پاکستان سے 184 رنز کی برتری میں تھا، نے اپنی دوسری اننگز میں تیز رفتاری سے 315 رنز کر ڈالے (عمران خان نے 5 وکٹ لے کر پہلی مرتبہ کسی ٹیسٹ میچ میں پانچ وکٹ حاصل کیے)۔

عمران خان کی کارکردگی آنے والے وقت کی پیشین گوئی کر رہی تھی۔ اس نے تیز رفتار باؤلنگ کرتے ہوئے سڈنی میں ایک یادگاری حملہ آور باؤلنگ کا مظاہرہ کیا۔ اس نے اپنے باؤلنگ کے انداز کو تبدیل کر لیا تھا۔ پہلے وہ چھاتی کو سامنے لا کر گیند پھینکتا تھا مگر اب تبدیلی کی وجہ سے اس کا انداز جارحانہ، خوفناک اور کلاسیکی اسلوب اختیار کر چکا تھا۔ اس نے 6 آسٹریلوی بیٹسمینوں کو بری طرح سے آؤٹ کیا اور سرفراز نواز نے اس کی معاونت کرتے ہوئے 3 کھلاڑی آؤٹ کیے۔ اور یوں آسٹریلیا کی تمام ٹیم 211 رنز بنا کر ڈھیر ہو گئی۔ پاکستان اپنی باری لیتے ہوئے جلد ہی مصیبت میں پھنس گیا۔ جب 111 رنز پر اس کے 4 کھلاڑی آؤٹ ہو گئے۔ میچ متوازن صورتحال میں تھا جب آصف اقبال کھیلنے کے لیے آیا۔ عمر نعمان کے مطابق میچ جیتنے کے لیے یہ اس کی زندگی کی سب سے اہم اننگز تھی اور یقیناً اس اننگز کا شمار ان اننگز میں ہوتا ہے جنہوں نے پاکستانی کرکٹ کی تدریجی ترقی میں اہم کردار ادا کیا۔ نووارد ہارون رشید جس نے 57 رنز کیے اور جاوید میانداد نے 64 رنز بنا کر آصف اقبال کو 120 رنز کرنے میں سہارا دیا۔[1]

اس طرح پاکستان کو 149 رنز کی برتری حاصل ہو گئی اور عمران خان نے مزید 6 وکٹ حاصل کرتے ہوئے میچ جیت لیا۔ 1950ء کی دہائی میں فضل محمود کے بعد پاکستان کے کسی بھی سیم باؤلر نے ٹیسٹ میچ میں

اب تک 10 وکٹ حاصل نہیں کیے تھے۔ آسٹریلیا میں یہ پاکستان کی پہلی فتح تھی۔ عمر نعمان کے دوبارہ حوالے کے مطابق، ''عمران خان کے نمودار ہونے سے کرکٹ کے معیار میں وہ عمدہ تبدیلی پیدا ہوئی جس کی بدولت پاکستانی ٹیم میں ٹیسٹ میچ جیتنے کی اہلیت پیدا ہوئی۔'' وہ ایک غیر معمولی باؤلر بن چکا تھا جس کے گرد حملہ آور ہونے کے لیے ایک پورے عمل کو ترتیب دیا جاسکتا تھا۔ یہ پہلی بار ہوا تھا کہ جاوید میانداد اور عمران خان نے مل کر کسی جیت میں نمایاں کردار ادا کیا۔ ان دونوں کا یہ عمل آئندہ ڈیڑھ دہائی تک بار بار دہرایا جاتا رہا۔''[2]

قومی ٹیم اب ویسٹ انڈیز کی دہشت انگیز ٹیم سے مقابلے کے لیے عازم سفر ہوئی۔ 58-1957ء کے دورہ پر حنیف محمد کے عظیم کارناموں کے بعد یہ پہلا موقع تھا کہ پاکستانی ٹیم جزائر غرب الہند کا دورہ کر رہی تھی۔ ٹیم کے موجودہ کھلاڑیوں میں سے کسی ایک کو بھی وہاں کی مقامی کیفیات کا تجربہ نہیں تھا۔ آسٹریلیا ہی کی طرح یہاں بھی پاکستانیوں نے اپنے مدمقابلوں پر ثابت کر دیا کہ وہ زور آزمائی میں ان کے ہم پلہ ہیں۔

برج ٹاؤن میں کھیلے جانے والا پہلا ٹیسٹ میچ پاکستان کے لحاظ سے اس کے لیے کھیلے جانے والے عظیم ٹیسٹ میچوں میں سے ایک تھا۔ ماجد کے شاندار 88 رنز کے طفیل اور وسیم راجہ کی مہم جو سنچری کی وجہ سے وہ 435 رنز بنانے میں ایسے حملہ آور باؤلروں کے خلاف کامیاب ہوئے جن میں دو نئے اور خاص طور پر عداوت پسند تیز رفتار باؤلر جوایل گارنر (Joel Garner) اور کولن کروفٹ (Colin Croft) شامل تھے۔ کلایو لائیڈ (Clive Lloyd) کے 157 رنز (ٹیم عملاً 183 رنز پر 5 کھلاڑی آؤٹ ہونے کی وجہ سے ہاتھ پاؤں مار رہی تھی) ویسٹ انڈیز کو عملی طور پر برابری کی سطح پر لے آئے۔[3]

پاکستان کی دوسری اننگز میں اینڈی رابرٹس (Andy Roberts) تباہ کرنے میں پیش پیش تھا جس کی بدولت پاکستانی ٹیم 9 کھلاڑی آؤٹ ہونے پر صرف 158 رنز بنا کر ڈھیر ہوگئی۔ وسیم راجہ کا ساتھ دینے وسیم باری میدان میں اترا۔ اور ان دونوں وسیموں نے مل کر دسویں وکٹ کی شراکت داری میں 133 رنز بنا ڈالے۔ وسیم راجہ نے پانچ چوکوں اور دو چھکوں کی مدد سے 71 رنز کیے جبکہ وسیم باری ن ے دس چوکوں کی مدد سے 60 رنز بنائے۔ اس شراکت نے ویسٹ انڈیز پر دباؤ ڈالا جس کی بدولت اس نے متفرق رنز دینے کا عالمی ریکارڈ قائم کرتے ہوئے ٹیسٹ میچ کی ایک اننگز میں 68 رنز دے ڈالے۔ (پہلی اننگز میں ویسٹ انڈیز نے اسی مد میں 35 رنز دیئے تھے)۔

ویسٹ انڈیز کو جیتنے کے لیے 306 رنز درکار تھے اور عمران خان، سرفراز نواز اور سلیم الطاف نے 237 رنز کے عوض ان کی 9 وکیٹ حاصل کر لی تھیں۔ مگر بدقسمتی سے آخری کھلاڑیوں کے ہاتھوں ان کی محنت پر پانی پھر گیا۔ ہولڈر (Holder) اور کروفٹ (Croft) 90 منٹ تک بچتے رہے اور ویسٹ انڈیز آخری دم تک 9 کھلاڑی آؤٹ ہونے پر 251 رنز بنا کر لٹکی رہی۔

پورٹ آف سپین میں کھیلے جانے والے دوسرے ٹیسٹ میچ میں پاکستانی ٹیم صرف 180 رنز بنا کر آؤٹ ہوگئی۔ وہ کروفٹ (Croft) کا سامنا نہ کر سکی جس نے صرف 29 رنز کے عوض 8 کھلاڑی آؤٹ کیے تھے۔ وسیم راجہ نے ایک بار پھر آخری کھلاڑیوں کی تیمارداری کے طور پر 65 رنز بنائے تھے۔ ویسٹ انڈیز نے 136 رنز کی برتری حاصل کی جس میں رائے فریڈرکس کی سنچری شامل تھی۔ مشتاق محمد نے چار وکٹ حاصل کیے اور انتخاب عالم نے دو۔ جس کا یہ ٹیسٹ میچ آخری ثابت ہوا۔ پاکستانی ٹیم نے اپنی دوسری اننگز میں بہتر مظاہرہ کیا۔ ماجد خان نے 54 اور صادق محمد نے 81 رنز بنا کر ابتدائی طور پر 136 رنز کی شراکت کی۔ وسیم راجہ نے سات چوکے اور مزید دو چوکے مارتے ہوئے عمران خان سے مل کر 76 رنز کا اضافہ کیا۔ تاہم ویسٹ انڈیز کو 205 رنز کا ہدف حاصل کرنے میں کوئی خاص دقت پیش نہ آئی۔

جارج ٹاؤن میں ہونے والے تیسرے ٹیسٹ میچ میں پاکستان نے ایک بار پھر رابرٹ، گارنر اور کروفٹ سے نبرد آزما ہونے میں ناکام رہا اور تمام ٹیم 194 رنز پر آؤٹ ہوگئی۔ ویسٹ انڈیز نے جواب میں 448 رنز کیے بلکہ اس سے بھی زیادہ برا ہوتا اگر کمک کے طور پر باؤلنگ کرتے ہوئے ماجد خان کم رنز کے عوض چار وکٹیں حاصل نہ کر لیتا۔ لگتا تھا کہ پاکستان یقینی طور پر بالترتیب یہ دوسرا ٹیسٹ بھی ہار جائے گا۔ ماجد خان نے پھر رہنمائی کرتے ہوئے 167 رنز بنائے اور پاکستان نے دوسری اننگز میں مقابلہ کرتے ہوئے 540 رنز کیے۔ ماجد خان کی یہ ٹیسٹ اننگز اس کی زندگی کی عظیم ترین اننگز تھی۔ ظہیر عباس جو دو میچوں میں حصہ نہیں لے سکا تھا، نے اپنی دوبارہ واپسی پر 80 رنز کیے۔ ہارون رشید نے 60 رنز کیے۔ ویسٹ انڈیز کو جیتنے کے لیے 287 رنز درکار تھے۔ مگر اب وقت صرف گورڈن گرینج (Gordon Greenidge) کے لیے بچا تھا جس نے مار لگاتے ہوئے 96 رنز بنائے جن کی رفتار فی گیند ایک رن سے زیادہ تھی۔ میچ بچا لیا گیا جس کی وجہ سے مشتاق محمد کی ٹیم میں مقابلہ کرنے کے عزم کی پھونکی گئی روح کی مثال ایک بار پھر زندہ ہوگئی۔

تاہم اب تک مشتاق خود ابھی تک کوئی خاص اپنا اثر نہیں دکھا سکا تھا۔ مگر یہ صورتحال پورٹ آف سپین میں چوتھے ٹیسٹ میچ کے دوران بدل گئی۔ 51 رنز کے عوض 3 کھلاڑیوں کے آؤٹ ہونے پر مشتاق محمد کھیلنے کے لیے وارد ہوا اور چھ گھنٹے اور گیارہ منٹ کھیل کر 121 رنز بنانے میں کامیاب ہوا۔ اس نے ماجد کے ساتھ شراکت میں 158 رنز کا اضافہ کیا جس میں ماجد کے 92 رنز تھے۔ اس کے علاوہ وسیم راجہ کے ساتھ مل کر 55 رنز کا اضافہ کیا۔ وہ خود آؤٹ ہونے والا نواں کھلاڑی ثابت ہوا۔ اس کے بعد اس نے 28 رنز کے عوض پانچ وکٹ حاصل کر لیے۔ عمران خان نے اس کی معاونت کرتے ہوئے 64 رنز کے عوض 4 کھلاڑی آؤٹ کیے اور یوں ویسٹ انڈیز کی ٹیم 154 رنز بنا کر پسپا ہوگئی۔

پاکستان نے اپنی دوسری اننگز میں 301 رنز بنائے۔ مشتاق محمد نے 50، وسیم راجہ نے 70 جن میں

تین چھکے شامل تھے اور خلاف قاعدہ سرفراز نواز نے اس وقت کا انتخاب کرتے ہوئے ٹیسٹ میچوں میں اپنی دوسری نصف سنچری بنا ڈالی۔ ان ہی تینوں نے آپس میں 9 وکٹیں برابر بانٹتے ہوئے ویسٹ انڈیز کو 266 رنز سے شکست فاش دے ڈالی۔ میچوں کا سلسلہ برابر ہو چکا تھا اور ابھی ایک ٹیسٹ میچ کھیلنا باقی تھا۔

فیصلہ کن ٹیسٹ میچ کی پہلی اننگز میں عمران نے دوبارہ چھ وکٹوں کا ہلہ مارا۔ مگر گورڈن گرینج (Gordon Greenidge) نے پورے ایک سو رنز کیے اور اس طرح ویسٹ انڈیز نے کل 280 رنز کیے۔ جوابی طور پر پاکستان کی طرف سے اکیلے ہارون نے 72 رنز بنا کر اپنا اثر دکھایا۔ وسیم راجہ نے لیگ سپنر ڈیوڈ ہولفرڈ (David Holford) کی گیندوں پر دوز برداست چھے داغے۔ اور پھر دوپہر کے کھانے کے وقفہ سے پہلے آخری گیند پر تیسرے چھکے کی کوشش میں آؤٹ ہو گیا۔ اس قسم کے طریقہ سے آؤٹ ہونا منتخب کرنے والوں پر اس کے خلاف اثر انداز ہوتا رہا۔[4] کولن کروفٹ کی گیند وسیم باری کے چہرے پر لگی۔ ابھی ہیلمٹ کے استعمال میں مزید کچھ سال باقی تھے۔ اس لیے وہ بری طرح سے زخمی ہوا۔

پہلے مشتاق نے اور پھر ماجد نے ویسٹ انڈیز کی دوسری اننگز میں وکٹوں کے پیچھے متبادل وکٹ کیپر کے طور پر فرائض انجام دیئے۔ گرینج (Greenidge) اور فریڈریکس (Fredricks) دونوں نے 80، 80 رنز بنا کر ابتدائی حیثیت میں پہلی وکٹ کی شراکت میں 182 رنز کیے۔ متبادل وکٹ کیپر ماجد نے دو عمدہ کیچ پکڑ کر دونوں سے جان چھڑوائی۔ پاکستان کے دو سب سے کم توجہ کے لائق باؤلر سکندر بخت اور وسیم راجہ نے تین تین وکٹ حاصل کر لیے مگر ویسٹ انڈیز نے جیتنے کے لیے 442 رنز کا ہدف مہیا کر دیا۔ پاکستانی ٹیم 5 کھلاڑی آؤٹ ہونے پر 138 رنز بنا کر ٹھنڈی پڑ رہی تھی کہ آصف اقبال نے سنچری کر دی اور وسیم راجہ نے اس سیریز میں اپنا آخری کردار نبھاتے ہوئے 64 رنز کیے جس میں دو مزید چھکے شامل تھے۔[5] یوں عزت تو بحال ہوئی مگر پاکستان کو 140 رنز سے شکست ہو گئی۔

اس شکست کے باوجود پاکستانی ٹیم کی تشکیل ہو چکی تھی اور اس کا شمار دنیا کی بہترین ٹیموں میں ہونے لگا تھا۔ اور جنہیں دیکھنے کے لیے تماشائیوں کا جم غفیر ہونے لگا تھا۔ آئندہ مستقبل میں اہمیت کے حوالے سے ان کی سمندر پار آسٹریلیا اور ویسٹ انڈیز کے خلاف فتوحات کو پاکستان میں دیکھنے والوں سے سیٹلائیٹ ٹیلی ویژن کے ذریعے پہلی بار دیکھا۔

انتخاب عالم مرجھا چکا تھا۔ (وہ تب سے اکیلا ہو گیا تھا، جب اجرت کے معاملہ پر وہ مشتاق محمد سے علیحدہ ہوا تھا)۔ مگر باقی ٹیم عمران خان جو عالمی طور پر ایک عمدہ پیشکار کے طور پر وارد ہوا تھا، کی بدولت اکٹھی اور مضبوط تھی۔ جاوید میانداد آسٹریلیا اور ویسٹ انڈیز میں گہنا گیا تھا مگر پھر بھی ابھی وہ ویسٹ انڈیز کے دورہ کے اختتام پر نوعمر ہی تھا اور مستقبل میں وہ یقیناً ایک طاقت بن کر سامنے آنے والا تھا۔ سلیکٹرز کے لیے کافی

ہنر مند کھلاڑی نظر میں آ چکے تھے جس کی بدولت وہ بہ آسانی وسیم راجہ کو نکال سکے۔ وسیم باری دنیا کا بہترین وکٹ کیپر بن چکا تھا۔

اگرچہ اس ٹیم کے بیشتر حصے کے کاردار سے اختلاف رہے تھے اور جس کی وجہ سے اسے اپنے عہدہ سے ہٹنا پڑا تھا مگر اس ٹیم نے جو معیار اور مقام حاصل کر لیا تھا اس سے کاردار کو یقیناً تسکین ملی ہوگی۔ کیری پیکر (Kery Packer) کا معاملہ اب اس کے جانشین کو طے کرنا تھا۔

## پیکر انقلاب

آسٹریلیا اور ویسٹ انڈیز کی باکمال ٹیسٹ سیریز کے فوراً بعد پاکستانی کرکٹ کے سامنے دو گھمبیر مشکلات نے جنم لیا۔ 5 جولائی 1977ء کو چیف آف جنرل سٹاف جنرل محمد ضیاالحق نے وزیراعظم ذوالفقار علی بھٹو اور اس کی کابینہ کے ارکان کی گرفتاری کا حکم دے دیا اور پاکستان میں مارشل لا نافذ کرتے ہوئے نوے دن میں قومی انتخابات کا اعلان کر دیا۔ ہمیشہ کی طرح حکومت بدلنے کے ساتھ اس نئے عمل کی وجہ سے وقت گزرنے کے ساتھ ساتھ پاکستانی کرکٹ کی انتظامیہ اور سوچ میں شدید تبدیلی آئی۔

اسلام آباد میں فوجی انقلاب سے حکومت کا تختہ الٹنے کے اقدام کے ساتھ ساتھ عالمی کرکٹ میں بھی انقلاب رونما ہوا۔ مئی 1977ء میں خبر آئی کہ آسٹریلوی تاجر کیری پیکر اپنے قومی بااختیار ادارے کے مقابلے میں سرکشی کے طور پر علیحدہ مقابلے کروانے والا ہے۔ اگرچہ اس نے پہل کی مگر یہ کارروائی دیرپا ثابت نہ ہوسکی۔ مگر پیکر نے کرکٹ کو ہمیشہ کے لیے بدل کر رکھ دیا۔

اس نے عملاً ادارے کے ہر ایک مفروضے کو للکارا۔ ادارے کے لیے کرکٹ ایک کھیل تھا جبکہ پیکر کے لیے یہ تجارت تھی۔ ادارے کے لیے کرکٹ کے حوالے سے صرف ٹیم تھی جبکہ پیکر کے لیے یہ کھیل انفرادی طور پر کھلاڑی کے لیے تھا۔ ادارے کے لیے کرکٹ ایک طرز زندگی تھی جبکہ پیکر کے نزدیک یہ تفریح کی ایک مزید قسم تھی۔

یہ بات آسانی سے بھولی جاسکتی ہے کہ آج کی جدید کرکٹ کے کئی پہلو جنہیں اب قابل توجہ نہیں سمجھا جاتا، پیکر ہی ایجاد کردہ ہیں۔ صبح رات کے میچ سفید گیند، رنگین لباس، تیز روشنیاں یہ سب اسی کے مرہون منت ہیں۔ پیکر کی شاندار اور عمدہ مراعات نے ٹی پر دکھائی جانے والی کرکٹ اور عوام کو کھیل کے بیچنے کے انداز کو مستقل طور پر بدل دیا۔ پیکر کی سوچ جو عام عقیدے سے بالکل ہٹ کر تھی کہ خرچ کرنے والا گاہک سب سے اہم ہے۔

پاکستان کا پہلا کھلاڑی جس کے ساتھ اس نے رابطہ کیا، آصف اقبال تھا۔ آصف اقبال قطعاً نہیں

جھجکا۔ اس نے کہا کہ ''اس چیز کے لیے تو میں تمام عمر جدوجہد کرتا رہا ہوں۔ اور جب میں نے یہ خیال باقی ٹیم کے سامنے رکھا تو کسی ایک کھلاڑی نے بھی یہ نہ کہا کہ اسے اس کی ضرورت نہیں۔''

آصف کے لیے پیکر کی اس پیشکش کی بدولت وہی معاملات سامنے آ کھڑے ہوئے جو پچھلے سال کھلاڑیوں کی بغاوت کے دوران اٹھے تھے۔ آج وہ کہتا ہے کہ ''کرکٹ کھیلنا ہمارا جنون تھا اور کرکٹ کھیلنے کے لیے اگر ہمیں پیسہ بھی خرچ کرنا پڑتا تو ہم کرتے۔ لیکن اگر کھیل کے ساتھ کمائی بھی ہو رہی تھی تو پھر ہم اس کا حصہ کیوں نہ بنتے؟ ہم کھیل کو کھیلنے کی وجہ سے پاکستانی کھلاڑیوں کے نظریات بدل چکے ہیں اور اسی وجہ سے انہیں پیکر کی پیشکش پرکشش نظر آتی ہے۔ ہمیں احساس ہوا کہ ہم تو تماشا گر ہیں۔ جنہیں بہت سے تماشائی دیکھنے آتے ہیں۔ مگر ہمیں دوسرے ملکوں کے کھلاڑیوں جیسی اجرت نہیں ملتی تھی۔ انگریز کھلاڑیوں کو سب سے زیادہ اجرت ملتی تھی۔ اور اس کے بعد آسٹریلوی کھلاڑیوں کو۔ باقی ماندہ ممالک کے کھلاڑیوں کو ان کے مقابلے میں نہ ہونے کے برابر ملتا تھا۔ انہیں غیر پیشہ ور شوقین تصور کیا جاتا تھا۔[6]

پیکر کے اقدام کا ایک فوری نتیجہ یہ نکلا کہ عالمی کرکٹ اداروں اور پاکستان کے مابین صلح صفائی ہو گئی۔ 1970ء کی تمام دہائی میں بی سی سی پی اور انٹرنیشنل کرکٹ کانفرنس کے درمیان اختلافات رہے۔ مگر اب اچانک پیکر کی پیدا کردہ آفت پر سب کو اتفاق تھا۔ پیکر کے اعلان کے بعد بی سی سی پی کا پہلا اقدام یہ تھا کہ اس نے جدید کرکٹ کی مخالفت کرتے ہوئے پاکستانی کرکٹ میں پیشہ ورانہ طور پر پابندی عائد کر دی۔ اس روایت پسند ضد سے بھرپور چبھتے ہوئے فیصلے کا اعلان چھ گھنٹے کی مشاورت کے بعد 14 جولائی کو کیا گیا۔ تاریخ میں یہ دن فرانس کے بیسٹیل ڈے (Bastille Day) کے حوالے سے مشہور ہے۔ قدیم نظام حکومت ابھی لاہور میں برقرار تھا۔

بی سی سی پی کا نیا صدر چوہدری محمد حسین کاردار کے دور میں ادارے کا خزانچی رہ چکا تھا۔ وہ اپنے سابق سربراہ کو ادب کی نگاہ سے دیکھتا تھا۔ اس سے بھی زیادہ اہم یہ تھا کہ کاردار کی تنزلی کا حیلہ عبدالحفیظ پیرزادہ بھی وزیراعظم بھٹو کی گرفتاری کے وقت گرفتار کر لیا گیا تھا۔ پیرزادہ کے قید میں ڈالے جانے کی وجہ سے کاردار دوبارہ ایک موثر طاقت کے طور پر نمودار ہوا۔ اس نے بھرپور سعی کرتے ہوئے موجودہ صورتحال کو بحال رکھنے کی کوشش کی۔ اس نے بغیر وقت ضائع کیے اپنے پرانے معاون چوہدری محمد حسین کے ذریعے حفیظ پیرزادہ کی گئی تبدیلیوں کو یکسر پلٹ دیا۔ حنیف محمد کو بحیثیت منتخب کرنے والی کمیٹی کے سربراہ کی حیثیت سے برخاست کر دیا گیا۔ کاردار کے شرکا میں سے اکثر کو جنہوں نے کھلاڑیوں کی بغاوت کے دور میں کاردار کا ساتھ دیا تھا، کو بحال کر دیا گیا۔ ان میں امتیاز بحیثیت سلیکشن کمیٹی کے سربراہ، محمود حسین اور ظفر الطاف شامل تھے۔ مشتاق محمد کو کپتانی سے ہٹا دیا گیا اور اس کی جگہ وسیم باری کو کپتان بنا دیا گیا۔

اگلا مسئلہ یہ درپیش تھا کہ پیکر کھلاڑیوں کے ساتھ کس طرح معاملات طے ہوں۔ اگرچہ لندن کے ہائی کورٹ نے حال ہی میں فیصلہ صادر کرتے ہوئے پیکر کھلاڑیوں پر آئی سی سی کی پابندی کی غیر قانونی قرار دیا تھا۔ امتیاز احمد نے اس بات کا خاص خیال رکھا کہ آنے والے آئندہ دورہ انگلستان سے قبل تربیتی کیمپ کے لیے ان کھلاڑیوں میں سے کسی کو بھی منتخب نہ کیا جائے۔ [7]

تاہم کاردار کو مکمل طور پر اپنی من مانی کرنے کا موقع نہ مل سکا۔ پیکر کھلاڑیوں کے کئی بااثر مددگار تھے جن میں عمر قریشی سرفہرست تھا۔ پاکستانی کرکٹ کے ابتدائی ایام میں عمر قریشی اور عبدالحفیظ کاردار جگری دوست رہے تھے جن کے خیالات اور سوچ ایک جیسی ہوا کرتی تھی اور جنہوں نے کئی جھگڑوں کا اکٹھے سامنا کر رکھا تھا۔ مگر حالیہ وقت میں ان کے بیچ ایک دراڑ پڑ چکی تھی۔ [8] عمر قریشی نے پیکر کھلاڑیوں کا ساتھ دیا اور اس کا اثر رسوخ آئندہ دنوں میں آنے والے اختلافات میں مستقل طور پر اثر انگیز عامل رہا۔

## انگلینڈ بمقابلہ پیکر کھلاڑیوں سے عاری پاکستان 78-1977ء

جیسا کہ اکثر ہوا، دورہ کرنے والی ٹیم (پہلی بار دورہ کرنے والی انگلستان کی ٹیم ایم سی سی کی بجائے انگلینڈ ٹیم کے طور پر کھیلی) ایک نازک مرحلہ پر پاکستان پہنچی۔ جنرل ضیاالحق ملک پر اپنی گرفت مضبوط کرنے کے عمل سے گزر رہا تھا۔ اور سب سے اہم اور فوجی مسئلہ یہ درپیش تھا کہ معزول وزیراعظم ذوالفقار علی بھٹو کے ساتھ کیا کیا جائے۔

بھٹو کی فوجی انقلاب کے تین ہفتے بعد رِہا کر دیا گیا۔ مگر انہوں نے یہ موقع غنیمت جان کر رہا ہوتے ہی بڑے بڑے عوامی جلسوں کو خطاب کرنا شروع کر دیا جس سے جرنیلوں کو واضح طور پر یہ تاثر دینا شروع کر دیا کہ وہ سیاست میں دوبارہ اپنی واپسی کا اہتمام کر رہے ہیں۔ ستمبر 1977ء کے اوائل میں اسے ایک بار پھر گرفتار کر لیا گیا اور دو ہفتے بعد رِہا کیا گیا۔ پھر آخرکار اسے 16 ستمبر کو حتمی طور پر گرفتار کر کے جیل میں ڈال دیا گیا اور اگلے ہی ماہ اس پر اپنے سیاسی مخالف احمد رضا قصوری کو قتل کرنے کی سازش میں ملوث ہونے کی وجہ سے مقدمہ قائم کر دیا گیا۔ احمد رضا قصوری کے والد گھات لگائے حملہ آوروں کی گولیوں کا نشانہ بن کر مارے جا چکے تھے۔ بھٹو کی عدم موجودگی میں اس کی اہلیہ نصرت بھٹو پیپلز پارٹی کی صدر مقرر ہو گئی اور اپنے شوہر کے دفاع اور رہائی کے عمل پر اپنی توجہ مربوط کر دی۔

اہمیت کے حامل ان واقعات کا براہِ راست اثر دورہ کرنے والی انگلینڈ کی کرکٹ ٹیم پر ہوا۔ پاکستان پر اس وقت فوجی آمریت مسلط تھی جس کا مطلب یہ تھا کہ عوامی جلسے اور اجتماع ممنوع ہو چکے تھے مگر سیاسی اظہار کے لیے کرکٹ میچوں کے میدان ان کا بہترین نعم البدل بن چکے تھے۔ لٰہذا انگلینڈ کی دورہ کرنے

والی کرکٹ ٹیم نے کئی جگہ پر بدامنی اور فساد کا سامنا کیا۔ ان میں سب سے خطرناک بدامنی پاکستان پیپلز پارٹی کی طرف سے ضیاالحق کی فوجی حکومت کو متزلزل کرنے کی کوشش میں کی گئی۔

تمام وقت افراتفری کا بے ربط ماحول برقرار رہا (تاہم پیکر کھلاڑیوں سے عاری کٹر اصول پرست انگریزوں کی کرکٹ ٹیم میں ایسا ماحول نہیں تھا گو کہ مدلل طور پر برطانیہ کے ساحلوں سے سفر پر روانہ ہونے والی ٹیموں میں سے یہ بے کیف ترین ٹیم تھی) شجاع الدین نے اس بات کا خاص طور پر جائزہ لیا کہ پیکر کھلاڑیوں کی عدم موجودگی میں دورہ پر آنے والی ٹیم کا درخشاں ستارہ جیفری بائیکاٹ تھا اور یہ بات مبالغہ آمیز نہیں تھی کیوں کہ اوپر کے حصے میں بیٹنگ کرنے والے بلے بازوں کی قطار بندی کچھ یوں تھی: بائیکاٹ، مائیک بریرلے (کپتان) (Mike Brearley)، برائن روز (Brian Rose)، ڈیرک رینڈل (Derek Randall) گراہم روپ (Graham Roope) اور جیوف ملر (Geoff Miller)۔[9]

پاکستانی کرکٹ کے نئے سربراہ چوہدری محمد حسین کے لیے تاہم پیکر کے اثر و رسوخ کے سامنے اپنے موقف پر کھڑے رہنا دشوار تھا۔ پیکر کھلاڑیوں (ماجد خان، ظہیر عباس، عمران خان، مشتاق محمد، آصف اقبال کرکٹ سے اپنی سبکدوشی کا اعلان کر چکا تھا) کی واپسی اور حمایت میں ایک مہم کا آغاز ہو گیا تھا۔ وزڈن کے مطابق، پہلی اطلاع یہ آئی کہ پیکر کھلاڑیوں کی شمولیت کے لیے عملی اقدام لیے جا چکے ہیں۔ اور انہیں Packerstanis کے موزوں نام سے پکارا گیا۔ یہ مختصر خبر ریڈیو سے اس وقت نشر ہوئی جب دورہ پہ آنے والی ٹیم دور دراز کے علاقے پشاور میں تھی اور لاہور میں ابھی پہلا ٹیسٹ میچ کھیلا جانا تھا۔

مشتاق محمد سے رابطہ کیا گیا اور تقریباً تئیس (23) ناموں کا پہلے ٹیسٹ میچ کے لیے اعلان کیا گیا۔ پیکر کے باغی کھلاڑیوں کی واپسی کا خوف پہلے ٹیسٹ میچ کے آغاز کے پہلے دن کہیں جا کر دور ہوا۔ ان کی عدم موجودگی کی وجہ سے جو کچھ بھی ہوا وہ انتہائی گھمبیر طور پر اکتاہٹ اور بے کیفی سے بھرپور تھا۔ پاکستان کی طرف سے پہلی ٹیسٹ سنچری بنانے والے نذر محمد کے بیٹے مدثر نذر نے اپنے دوسرے ہی ٹیسٹ میچ میں سنچری بنا ڈالی۔ اس نے سنچری بنانے میں 557 منٹ صرف کیے اور یوں یہ دنیائے ٹیسٹ کرکٹ کی سست رفتار ترین سنچری ثابت ہوئی۔ اس سنچری نے جنوبی افریقہ کے جیکی میکگلیو (Jackie Mcglew) کی 1958ء کی آسٹریلیا کے خلاف ڈربن (Durban) کے مقام پر سست رفتار ترین سنچری سے بارہ منٹ زیادہ لیے تھے۔

مدثر کی سنچری دوسرے دن دوپہر کے بعد کافی دیر سے مکمل ہوئی۔ جب ابھی وہ 99 رنز پر تھا تو تماشائی وقت سے پہلے ہی اس کی سنچری کی خوشی میں پچ پر چڑھ دوڑے جس کی وجہ سے بدامنی پھیل گئی۔ ہنری بلوفیلڈ (Henry Blofeld) جو اس وقت کمنٹری کر رہا تھا، نے دعویٰ کیا کہ ان حالات کی بدولت انگلستان میں سننے والوں کے لیے کمنٹری اور بھی زیادہ دلچسپ اور عمدہ ہو گئی ہے۔ پولیس سے بچنے کے لیے چار بلوایوں

نے بھاگ کر انگلینڈ کی ٹیم کے کمرہ میں پناہ حاصل کی۔ وزڈن میں بیان ہے کہ جب بدامنی پر قابو پا لیا گیا تو فسادیوں نے میدان سے توڑ پھوڑ سے بکھرا ملبہ رضا کارانہ طور پر خود اٹھایا۔

اگلے روز اس سے بھی زیادہ شدید بدامنی ہوئی جب نصرت بھٹو اور ان کی بیٹی بے نظیر بھٹو جو ابھی حال ہی میں آکسفورڈ یونین کی صدارت سے دستبردار ہوئی تھی، نے کھیل کے میدان میں حاضری دی۔ دونوں کرکٹ کے کھیل کی شوقین ہونے کی شہرت رکھنے کے حوالے سے نہیں جانی جاتی تھیں۔ اور ان کی اس حاضری سے یہ ثاثر ملتا تھا کہ وہ تماشائیوں کو متحرک کرنے اور انتشار پیدا کرنے کی غرض سے وہاں آئی تھیں۔ بلوفیلڈ (Blofeld) نے بیان کرتے ہوئے کہا کہ خرابی کی ابتدا سکوئیر لیگ (Square Leg) کی طرف واقع اس حصہ سے ہوئی جہاں خواتین اپنے رنگا رنگ پنجابی لباس میں ملبوس اکٹھی بیٹھی تھیں۔ پولیس نے ہنگامہ آراؤں کو منتشر کرنے کے لیے آنسو گیس کے شیل چلائے جس کی بدولت کھیل کا خاتمہ مقررہ وقت سے پچیس منٹ پہلے ہو گیا۔ میدان سے جاتے ہوئے نصرت بھٹو کے ماتھے سے خون بہہ رہا تھا۔ ان کا دعویٰ تھا کہ انہیں یہ زخم پولیس کا ڈنڈا لگنے سے پیش آیا ہے۔ بائیکاٹ نے اپنی نصف سنچری بنانے میں مدثر نذر سے بیس منٹ زیادہ لگائے۔ یوں لگتا تھا کہ وہ مدثر نذر کا سست ترین رتار سے بنائی گئی سنچری کا ریکارڈ توڑ ڈالے گا۔ تاہم وہ اقبال قاسم کے ہاتھوں بولڈ ہو گیا۔ اس نے 322 منٹ لے کر 63 رنز بنائے تھے۔

اس مقابلے کی دو مثبت یادیں ہیں۔ پہلی یہ تھی کہ اس میں انگریز اور پاکستانی کھلاڑیوں نے کھیل میں خیرسگالی کی بہترین جذبے کا غیر معمولی مظاہرہ کیا۔ مائیک بریرلے (Mike Brearley) نے اقبال قاسم کو اس وقت دوبارہ کھیلنے کے لیے واپس بلا لیا جب اسے کیچ ہونے پر آؤٹ قرار دے دیا گیا تھا۔ اس نے اشرے کے ذریعے پیغام دیا کہ کیچ درست طور پر نہیں پکڑا گیا۔ اس کے اس عمل سے انگلینڈ کا سپنر (Spinner) جیوف کوپ (Geoff Cope) جو اپنی زندگی کا پہلا ٹیسٹ میچ کھیل رہا تھا، اپنا ہیٹ ٹرک مکمل کرنے میں ناکام ہو گیا۔

دوسری یاد یہ کہ اس ٹیسٹ میچ میں عبدالقادر نے اپنی ٹیسٹ کرکٹ کا آغاز کیا تھا۔ بلوفیلڈ (Blofeld) نے اس کے بارے میں کہا کہ وہ ایک خوبصورت باؤلر ہے جو گیند کو خوب گھماتا ہے۔ گو کہ اس کے اعداد و شمار کوئی خاص متاثر کن نہ تھے (32 اووروں میں 87 رنز کے عوض ایک وکٹ حاصل کی) مگر جلد ہی وہ ٹیسٹ کرکٹ کے عظیم اور بااثر کھلاڑیوں میں شامل ہو گیا۔ پھر ٹیم ایک روزہ بین الاقوامی میچ کھیلنے ساہیوال روانہ ہو گئی۔ جہاں ایک سنسنی خیز مقابلے کے بعد انگلینڈ نے میچ کی آخری گیند پر فتح حاصل کر لی۔ یہ نتیجہ اس وقت کے غیر معروف آئن بوتھم نے ایک چوکا لگا کر حاصل کیا تھا۔

عبدالقادر نے حیدرآباد میں ہونے والے دوسرے ٹیسٹ میچ میں اپنا نمایاں اثر دکھاتے ہوئے

44 رنز کے عوض 6 وکٹ حاصل کر کے بوتھم کے بغیر کھیلنے والی انگلینڈ کی ٹیم کو 191 رنز پر پسپا کرتے ہوئے جیتنے کے لیے پاکستان ٹیم کو موقع مہیا کرتے ہوئے 191 رنز کا ہدف دے ڈالا۔ اعداد وشمار کی روشنی میں پاکستان کی طرف سے انگلینڈ کے خلاف کسی بھی باؤلر کے مقابلے میں یہ بہترین کارکردگی تھی جس کے مطابق 1954ء کے اوول ٹیسٹ میں فضل محمود کی 46 رنز کے عوض 6 وکٹ حاصل کرنے کی کارکردگی سے بھی بہتر ثابت ہوئی۔ وسیم باری کے دیر سے آنے والے اننگز کو ختم کرنے کے اعلان نے انگلینڈ کو موقع فراہم کر دیا جس کی بدولت میچ ہار جیت کے فیصلے کے بغیر ختم ہو گیا۔ اس میں بائیکاٹ کی دوسری اننگز میں ناقابل شکست سنچری شامل تھی۔

اسی اثنا میں میدان سے باہر حالات قابو سے باہر تھے۔ سرفراز نواز، آفتاب گل کے ساتھ مل گیا تھا جو کرکٹ سے سبکدوش ہونے کے بعد اب قانون دان کی حیثیت سے اپنا کام کر رہا تھا۔ اپنی اپنی جگہ پر دونوں ہی ایک بزم تھے مگر ان دونوں نے پاکستان کرکٹ کی تاریخ کے سب سے زیادہ باغیانہ اور خودسر کردار ہونے کی وجہ سے انتہائی بدنظمی پیدا کر دی۔ یہ گڑبڑ لاہور میں کھیلے جانے والے ٹیسٹ کے بعد شروع ہوئی۔

سرفراز نواز جو وسیم باری کا نائب کپتان تھا، بذریعہ ہوائی جہاز واپس انگلینڈ یہ شکایت کرتے ہوئے عازم سفر ہو گیا کہ اسے اس کی اُجرت ادا نہیں کی گئی۔ اس کی دوسری شکایت یہ تھی کہ وسیم باری اس کے مشوروں پر برائے نام توجہ دیتا ہے۔ انگلینڈ پہنچتے ہوئے اس نے واپس آنے سے انکار کر دیا اور کہا کہ جب تک کرکٹ بورڈ اس کے مالی مطالبے پوری نہیں کرتا، وہ لوٹ کر نہیں آئے گا۔ بالآخر سرفراز نواز کو بورڈ نے یقین دہانی کر دی کہ وہ جتنی رقم چاہتا ہے، اسے مل جائے گی۔ اس پر اوپننگ حملہ آور باؤلر تیسرا ٹیسٹ شروع پر بروقت پاکستان لوٹ آیا۔

سرفراز نواز کا یہ معاملہ اگرچہ ڈرامائی ضرور تھا مگر اصلیت میں اس کی حیثیت ثانوی تھی۔ عمر قریشی، حنیف محمد اور بہت سے اور اس بات پر زور دے رہے تھے کہ پیکر کھلاڑیوں کو واپس لایا جائے۔ ان کی اس مہم نے اتنا زور پکڑا کہ جنرل ضیاالحق کو کرکٹ میں مداخلت کرنا پڑی۔ غالباً اسے اس مداخلت سے اچھا تاثر ملا۔ کیوں کہ بھٹو کی حکومت کا تختہ الٹنے کے چند ماہ کے اندر اندر اس نے کرکٹ کو اپنے اہم معاملات میں شامل کر لیا۔ مشکل لمحات میں اکثر اوقات اس میں دخل اندازی کرنے لگا اور اندرون ملک اور اپنی خارجہ پالیسی میں اسے بطور ہتھیار استعمال کرنے لگا۔

جنرل ضیاالحق کو کوئی دلچسپی 1977ء کے فوجی انقلاب کے بعد چیف مارشل لاء ایڈمنسٹریٹر بننے سے پہلے میرے سامنے نہیں آئی۔ اس کا اگر کسی کھیل سے تعلق تھا تو وہ گالف تھی جسے وہ کھیلنا پسند کرتا تھا۔ مگر پھر بھی کرکٹ کے کھلاڑیوں میں جنرل ضیاالحق مقبول تھا۔ بی بی سی کی ٹیسٹ میچ کے لیے مخصوص ٹیم خاص طور پر جنرل ضیا کا خوش دلی سے ذکر کرتی جس میں اس کی گھنی مونچھوں اور کھرے پن کا ضرور حوالہ دیا جاتا۔ ہنری بلوفیلڈ

کے مطابق ان کا خیال تھا کہ جنرل ضیاالحق کی مشابہت برطانوی اداکار ٹیری تھامس سے تھی۔ جنرل ضیا کے ظاہری انداز میں یقیناً ایسی کوئی بات ضرور تھی جو 1950ء کی دہائی کے اس غیر معمولی کردار ادا کرنے والے اداکار سے ملتی تھی جس کی خصوصیت یہ تھی کہ وہ برطانیہ کے درمیانے درجے کے بدنام امرا کے کردار ادا کرنے میں شہرت رکھتا تھا اور تکیہ کلام کے طور پر ''dirty rotter'' اور ''a complete shower'' کے الفاظ عمومی طور پر استعمال کرتا تھا۔

جنرل ضیا نے لاہور میں ہونے والے دوسرے ٹیسٹ میچ کے دوران آرام کے دن کرکٹ سے متعلق تمام اہم انتظامیہ کو طلب کر لیا تاکہ پیکر سے پیدا ہونے والی مشکلات پر گفتگو ہو سکے۔ یہ بات کبھی واضح نہیں ہو سکی کہ اس مجلس میں جو راولپنڈی کے جنرل ہیڈ کوارٹر میں جس کی بذریعہ سڑک لاہور سے پانچ گھنٹے کی مسافت ہے، میں منعقد ہوئی اور اس میں کیا فیصلے ہوئے۔ ان تمام شرکا میں سوائے عمر قریشی اور حنیف محمد کے سب نے پیکر کی مخالفت کی۔

تاہم راولپنڈی کی اس اہم مجلس کے بعد عمر قریشی میں اتنا اعتماد پیدا ہوا کہ اس نے آسٹریلیا میں رابطہ کرتے ہوئے یہ معلوم کیا کہ پیکر کھلاڑی کب سے دستیاب ہو سکتے ہیں۔ کئی روز بعد ظہیر عباس، عمران خان اور مشتاق محمد بذریعہ ہوائی جہاز کراچی آن پہنچے۔ سنگاپور تک کیری پیکر نے بذات خود ان کے ساتھ سفر کیا تھا۔ کراچی پہنچنے پر یہ باغی کھلاڑی مشق کی غرض سے دوسرے پاکستانی کھلاڑیوں کے ساتھ نیٹ پریکٹس میں شامل ہو گئے۔ اس موقع پر یقینی طور پر لگتا تھا کہ یہ اب ضرور کھیلیں گے۔

ابھی ٹیسٹ میچ شروع ہونے میں دو روز باقی تھے کہ جنرل ضیاالحق نے ایک اور مجلس طلب کر لی۔ یہ گفت وشنید کراچی کے ریاستی مہمان خانے میں منعقد ہوئی۔ جہاں تیسرا ٹیسٹ میچ کھیلا جانا تھا۔ کاردار (جس کی سرکاری طور پر کوئی حیثیت نہ تھی) اس کا پیروکار چوہدری محمد حسین (کرکٹ بورڈ کا صدر) اور امتیاز احمد (منتخب کرنے والی کمیٹی کا صدر) اس مجلس کے شرکا میں شامل تھے۔ کاردار نے اپنا تمام اثر و رسوخ استعمال کرتے ہوئے پیکر کھلاڑیوں کا خوب منہ کالا کیا۔ اس نے صدر پاکستان کا آگاہ کیا کہ اگر پیکر کھلاڑیوں کو منتخب کیا گیا تو پاکستانی کرکٹ کی تباہ کن بدنامی ہو گی۔ اور عین ممکن ہو سکتا ہے کہ انگلینڈ جو کہ پیکر کا کٹر مخالف ہے، پاکستان کے ساتھ کھیلنے سے ہی انکار کر دے۔ جنرل ضیاالحق مکمل طور پر قائل ہو گیا۔ پاکستانی کرکٹ کی سیاست میں کاردار کی یہ آخری مداخلت تھی۔ اس میں طنز آمیز پہلو یہ تھا کہ اس میں اور انگریزوں کی کرکٹ کی انتظامیہ میں اس کے پرانے دشمنوں کا اس نقطہ پر مکمل اتفاق تھا۔ مشتاق محمد، عمران خان اور ظہیر عباس کو واپس آسٹریلیا بھیجنے کے لیے ہوائی جہاز پر سوار کروا دیا گیا۔

روانہ ہونے سے پہلے مشتاق نے جنرل ضیاالحق سے ملاقات کی درخواست کی۔ اس ملاقات کا گواہ

ہنری بلوفیلڈ (Henry Blofeld) تھا جس نے اسے یوں رقم کیا:

جنرل نے پہلے بولتے ہوئے کہا، ''تم مجھ سے کیوں ملنا چاہتے ہو؟''

مشتاق نے جواب دیا، ''ہمیں ٹیسٹ میچ میں کھلانے کے لیے واپس لایا گیا تھا۔ ہمیں کیوں کھلایا نہیں جا رہا؟''

جنرل ضیاالحق نے جواب دیا، ''یہ تمہاری بدقسمتی ہے۔ تم ٹیسٹ کرکٹ کھیلنے کے لیے پاکستان کے لیے ہر وقت دستیاب کیوں نہیں ہو؟ میں نے ٹیسٹ کھلاڑیوں کے معاوضے میں اضافہ کر دیا ہے اور میں تمہیں اس بات کی ضمانت دیتا ہوں کہ تم سب کو تنخواہ دار اچھے منصب مل جائیں گے۔''

مشتاق نے جواب دیا، ''ہم پیشہ ور کھلاڑی ہیں اور عرصہ دراز سے ملک سے باہر ہیں۔ اور پیکر کرکٹ کو ترقی دے کر اس کا رتبہ بڑھا رہا ہے۔''

جنرل ضیاالحق نے آہستگی سے جواب دیتے ہوئے کہا، ''کرکٹ کے ساتھ پیکر جو کچھ کر رہا ہے۔ وہ اسے طوائف بنا رہا ہے۔''

کراچی کے اس ٹیسٹ میچ کو مقامی طور پر پیکر کے جنازے سے تشبیہ دی گئی۔ انگلینڈ نے پہلے بیٹنگ کرتے ہوئے (اس ٹیسٹ میچ میں کپتان مائیک بریرلے (Mike Brearley) جو بازو ٹوٹ جانے کی وجہ سے نہیں کھیل رہا تھا اس کی جگہ جیف بائیکاٹ (Geoff Boycott) نے کپتانی کی) آٹھ گیند فی اوور کے 124.1 اووروں میں رینگ رینگ کر 266 رنز بنائے۔ یہ پاکستان اور انگلینڈ کے درمیان پاکستان میں کھیلا جانے والا تسلسل سے گیارھواں ٹیسٹ میچ تھا جو ہار جیت کے فیصلے کے بغیر ختم ہوا۔ دوسری اننگز کے دوران ایک موقع پر بائیکاٹ (Boycott) نے آٹھ گیند فی اوور والے 18.7 اوور کھیلے جن میں صرف ایک شاٹ کھیل کر دو رنز بنائے تھے۔

صادق محمد کو 90 ٹیسٹ میچ مسلسل کھیلنے کے بعد پہلی مرتبہ ٹیم سے باہر کر دیا گیا۔ لہٰذا اب پاکستانی ٹیم میں محمد برادران میں سے کوئی ایک بھی نہ تھا۔ ٹیسٹ میچ کے تیسرے روز دوپہر کے کھانے کے وقت صدر ضیاالحق نے آ کر میچ دیکھا اور دونوں ٹیموں کے کھلاڑیوں میں طلائی تمغے تقسیم کیے۔ انگلینڈ کے کھیل کے اس اکتاہٹ سے بھرپور انداز نے پاکستانی ٹیم میں غصہ کے عنصر کو مزید تقویت دی۔ جاوید میاں داد نے مختصر مگر جامع طور پر وضاحت کرتے ہوئے کہا کہ ''کھیل کی عام تہذیب کے مطابق انگلینڈ کو ہماری تیار کردہ بہترین ٹیم کا سامنا کرنے کے لیے تیار رہنا چاہیے تھا مگر انگلش ٹیم اور اس کی انتظامیہ نے اس بات کو اس نظر سے نہ دیکھا اور بالآخر میچ پیکر ستاروں کے بغیر ہی کھیلا گیا۔ میرے خیال میں انگریز ٹیم اور خاص طور پر ان کے کپتان مائیک بریرلے کا ردِعمل بچگانہ تھا۔''

ابھی مزید خرابی آنا باقی تھی۔ وسیم باری کی کپتانی میں 1978ء کے موسم گرما میں پیکر کھلاڑیوں کے بغیر انگلستان کا جواب دورہ کرنے والی پاکستانی ٹیم بے عزت ہوئی۔ وہ آئین بوتھم کا سامنا کرنے سے ناکام رہی جس نے 34 رنز کے عوض 8 وکٹ حاصل کر کے کرکٹ میں اپنی زندگی کے بہترین اعداد حاصل کر لیے۔ لیکن بعد میں یہی آئین بوتھم پاکستان کی مکمل طاقتور ٹیموں کے سامنے زیادہ اثر انداز ہونے سے ناکام رہا۔ پہلے دو ٹیسٹ میچوں میں پاکستانی ٹیم کو اننگز سے شکست ہوئی۔ ان شکستوں کا موزانہ جاوید برکی کی کپتانی میں انگلستان آنے والی 1962ء کی ٹیم کی پسپائی سے کیا گیا۔ پاکستان کی طرف سے اس سیریز میں صرف صادق محمد 50 رنز سے زیادہ کا ہندسہ عبور کر سکا۔ جاوید میانداد کی ناکامی غیر متوقع اور قابل افسوس تھی۔ (اس نے 13 رنز کی اوسط حاصل کرتے ہوئے صرف 57 رنز بنائے تھے) ٹیم کا بہترین باؤلر سرفراز نواز زخمی ہو گیا تھا۔ پہلے ٹیسٹ میچ میں وہ صرف چھ اوور کر پایا اور دوسرا ٹیسٹ میچ کھیل نہ سکا۔ آخرکار بارش زدہ لیڈز (Leeds) میں کھیلے جانے والے ٹیسٹ میچ میں اس نے انتہائی ارزاں پانچ وکٹ حاصل کر لیے جس کی بدولت انگلش ٹیم پاکستانی ٹیم کے 201 رنز کے جواب میں 7 کھلاڑی آؤٹ ہونے پر 119 رنز بنا کر بیٹھ گئی۔ تمام سیریز کے دوران وسیم باری مسلسل مگر ناکام احتجاج کرتا رہا کہ انگریز کھلاڑی دوڑتے وقت پچ پر بھاگتے ہیں یہ الزام اس وقت سے اب تک پاکستانی کھلاڑیوں پر بھی لگ رہا ہے۔ کپتان کے طور پر وسیم باری کے لیے یہ دورہ انتہائی مایوس کن تھا۔ مگر بحیثیت وکٹ کیپر وہ بہترین رہا۔ اس نے تینوں ٹیسٹ میچوں کے دوران ایک بھی بائی (Bye) نہ دی۔

دورہ پر جانے والی ٹیم رسوا ہو کر واپس وطن پہنچی۔ انتظامیہ کراچی کی بجائے اسلام آباد بذریعہ ہوائی جہاز پہنچی تاکہ وہ کسی پر اشتعال استقبال سے بچ سکے۔[10] ٹیسٹ سیریز ختم ہونے کے اگلے روز ہی چوہدری محمد حسین نے کرکٹ بورڈ کی صدارت سے استعفیٰ دے دیا۔ اس کی جگہ پر ایک فوجی کو لایا گیا۔ پاکستان میں کسی بھی دشواری کا یہ ناگزیر اور متوقع حل ہوتا ہے۔ یہ شخص لیفٹیننٹ جنرل کے ایم اظہر تھا۔[11] وقار حسن اور جاوید برکی کی اس کی امداد کے لیے شامل کر لیا گیا۔

جنرل ضیاالحق نے اپنا سبق سیکھ لیا تھا اور سامنے مقصد صاف ظاہر تھا کہ طاقتور قومی ٹیم کو بحال کیا جائے۔ چاہے اس کے لیے پیکر کھلاڑیوں کو بھی واپس کیوں نہ لینا پڑے۔ لہٰذا یہ انتہائی اہم مسئلہ بن گیا تھا کیوں کہ وہ ہندوستان کے ساتھ کرکٹ کے روابط بحال کرنے کی منصوبہ بندی کر رہا تھا۔ جنرل اظہر نے عارف عباسی سے کہا کہ وہ پیکر کے خاص آدمی لنٹن ٹیلر (Linton Taylor) سے گفت وشنید کرے۔ مستقبل کے پاکستان کرکٹ بورڈ کے صدر ایئر مارشل نور خان کی زیر حمایت بننے والے قابل عارف عباسی نے اپنے اس طویل سفر کا یوں آغاز کیا جو کبھی متنازع رہا اور اکثر پاکستانی کرکٹ کی خدمت کے دوران یہ سلسلہ ٹوٹتا بھی رہا۔ آنے والوں سالوں میں عباسی نے ملک کی کرکٹ کو بدل کر رکھ دیا۔ اس نے شراکتی اداروں کی سرپرستی

اور کاروباری اصولوں کو اپنا لیا۔ عباسی نے فوری طور پر واضح کر دیا کہ پاکستان کرکٹ بورڈ کو اب پیکر کھلاڑیوں پر پابندی لگانے میں مزید کوئی دلچسپی نہیں ہے۔ اس نے وضاحت کے طور پر کہا کہ پیکر کے لیے کھیلنے یا انگلش کاؤنٹی اور لیگ کی کسی ٹیم میں کھیلنے میں کوئی فرق نہیں ہے۔ کیوں کہ بہت سے پاکستانیوں نے یہ کئی سال سے کر رکھا ہے۔ جب تک پاکستان کے اندرون ملک کھیلے جانے والی کرکٹ کے لائحہ عمل یا بین الاقوامی کرکٹ کے متعلق طے سدہ پروگرام میں کوئی تصادم نہ ہو پاکستانی کھلاڑیوں کو پیکر کے لیے کھیلنے کی آزادی ہے۔

اس کے جواب میں ٹیلر نہ صرف ضرورت کے وقت پاکستانی مطالبے پر کھلاڑیوں کو مہیا کرنے پر راضی ہو گیا بلکہ اس نے ایسا منصوبہ بھی پیش کیا جس کے تحت تین سے چھ نوجوان پاکستانی کھلاڑیوں کو آسٹریلوی گریڈ کرکٹ میں بھی کھیلنے کا موقع میسر ہونا تھا۔ اس منصوبے سے کئی پاکستانی کھلاڑیوں کو فائدہ پہنچا جن میں مستقبل کے ٹیسٹ کھلاڑی محسن کمال، عامر ملک، سلیم ملک، شعیب محمد اور اقبال سکندر شامل تھے۔ بعد میں یہ منصوبہ پاکستان کرکٹ بورڈ کی ایک مخصوص ہنگامی انتظامیہ کے ہاتھوں شکار ہو کر اپنے اختتام کو پہنچا۔

## ہندوستان سے کرکٹ کے تعلقات کی بحالی

سترہ سال سے بھی زیادہ عرصہ پاکستان اور ہندوستان کے درمیان کرکٹ کھیلے بغیر گزر چکا تھا۔ اس عرصہ کے دوران برصغیر میں دو جنگیں 1965ء اور 1971ء میں لڑی جا چکی تھیں۔ دوسری جنگ کے نتیجے میں مشرقی پاکستان کی علیحدگی کا واقعہ پیش آیا تھا۔ بھٹو کا ان اندوہناک واقعات سے گہرا تعلق رہا تھا جس کی بدولت وہ ہندوستان سے تعلقات کی تعمیر نہ کر سکا۔ امریکہ نے جنرل ضیا کی اس سمت میں حوصلہ افزائی کی جو حسب دستور بھٹو کی منتخب حکومت کی بنائی فوجی حکومت کو زیادہ پسندیدگی کی نگاہ سے دیکھ رہا تھا۔ چنانچہ جنرل ضیاالحق نے فوری طور پر اس طرف توجہ دی۔ اندرا گاندھی کی کانگرس حکومت کا 1977ء میں خاتمہ اور اس کی جگہ مرارجی ڈیسائی کی جنتا پارٹی کی حکومت کا آ جانا جس کے نتیجے میں ہندوستان میں ہنگامی حالات نے نفاذ کا خاتمہ ہونا۔ ان تمام حالات سے بھی ضیاالحق کا غالباً مدد ملی تھی۔

ستمبر 1978ء کے آخری حصہ میں ٹیم مینیجر سابق مہاراجہ برودا کے زیر انتظام ہندوستانی کرکٹ ٹیم دو ماہ کے دورہ پر پاکستان پہنچی۔[12] بھارتی کھلاڑیوں کا کراچی کے ہوائی اڈہ پر دھوم دھام سے استقبال کیا گیا۔ دونوں ٹیموں نے اکٹھے کئی ایک عوامی اور نجی سماجی دعوتوں اور تقریبات میں حصہ لیا۔ پاکستانی عوام نے کرکٹ کے رشتوں کی بحالی پر خوشی کا اظہار کیا اور غالباً ہندوستان کے ساتھ امن کی خواہش بھی سامنے آئی۔ وزڈن نے تبصرہ کرتے ہوئے لکھا، جس گرمجوشی اور اشتیاق سے ہندوستانی کھلاڑیوں کا استقبال ہوا تھا اور اس کے علاوہ کھلاڑیوں کے درمیان جو پُر خلوص تعلقات نظر آ رہے تھے، ان سے صاف ظاہر تھا کہ کرکٹ میں

رقابت کے مقابلے بہت دیر سے زائد المیعاد ہو چکے تھے۔

اس بات میں بھی کوئی شک نہ تھا کہ دونوں کپتانوں مشتاق محمد اور بشن سنگھ بیدی جو انگلینڈ کی کاؤنٹی میں نارتھ ہیمپٹن شایئر کی طرف سے کھیلتے ہوئے ساتھی رہ چکے تھے، میں ذاتی دوستانہ مراسم تھے۔ تاہم بیدی کو بعد میں یاد آیا کہ عوام اور ذرائع ابلاغ کی طرف سے انہیں بے حد عداوت کا سامنا کرنا پڑا تھا جن میں امپائر بھی شامل تھے۔ ممکن ہے کہ کپتان اور باؤلر کی حیثیت سے جو اسے مار پڑی تھی، اس کی بدولت اس کی یادداشت میں مختلف رنگ بھر گئے ہوں۔ ظہیر عباس نے ہندوستان کے عمدہ اسپین باؤلروں پرسنا (Prasanna) چندراشیکھر اور خود بیدی کی خوب مرمت کرتے ہوئے 583 رنز اکٹھے کر لیے جس میں وہ صرف تین بار آؤٹ ہو سکا۔ تاہم ہندوستان کو تیز رفتار باؤلر اور آل راؤنڈر کپل دیو کی تلاش ہو گئی۔ ہندوستانی بیٹسمینوں میں سے صرف سنیل گواسکر پاکستان کے تیز رفتار باؤلروں عمران خان اور سرفراز کو کامیابی سے نمٹ سکا۔ دونوں باؤلروں نے بے اثر وکٹوں پر بالترتیب چودہ اور سترہ وکٹیں حاصل کی تھیں۔

فیصل آباد میں کھیلا جانے پہلا ٹیسٹ میچ بے کیفی کے عالم میں بغیر کسی نتیجے کے برابر رہا۔ دونوں ممالک کے مابین یہ تیرواں سلسلہ وار میچ تھا جو اس طرح بغیر کسی ہار جیت کے ختم ہوا تھا۔ جب دونوں ٹیمیں لاہور پہنچیں تو معاملات کچھ بہتر نظر آنے لگے۔ لالہ امرناتھ جسے پاکستان ٹیلی ویژن نے بطور تبصرہ نگار مدعو کر رکھا تھا کا اپنے آبائی شہر لاہور پہنچنے پر پرجوش اور شاندار استقبال کیا گیا۔ ہوائی اڈہ پر اسے بڑی سی مرسڈیز موٹر کار لینے کے لیے آئی ہوئی تھی۔ اور جب دورہ پر آنے والی ہندوستانی ٹیم کے مینیجر عزت مآب مہاراجہ برودا نے اس کار میں بیٹھنا چاہا تو اسے لالہ صاحب کی کار میں بیٹھنے سے سختی سے روک دیا گیا اور ٹیم کی بس میں بیٹھنے کا حکم دیا گیا۔

کرکٹ کے میدان میں یہ خوش اخلاقی ختم ہو جاتی تھی۔ لاہور میں کھیلے جانے والے دوسرے ٹیسٹ میچ سے قبل مشتاق محمد اور اس کے بھائی حنیف محمد جس کے سپرد پچ کی تیاری کی ذمہ داری سپرد کی گئی تھی، نے مل کر ایک انتہائی چالاک قسم کا لائحہ عمل تیار کیا۔ ان کے حکم پر ٹیسٹ میچ کے پہلے روز وکٹ گھاس کی بدولت سبز تھی اور پاکستان کے تیز رفتار باؤلروں کے حق میں مددگار رہی۔ مشتاق محمد کا منصوبہ تھا کہ اس نے ٹاس جیت لیا تو ہندوستانی ٹیم کو پہلے کھلائے گا اور اسے یہ بھی امید تھی کہ اگر وہ ٹاس ہار جاتا ہے تو ہندوستانی ٹیم پہلے باری لے۔ حقیقت میں اس نے ٹاس جیت لیا اور سرفراز نواز اور عمران خان نے چار چار وکٹ حاصل کرتے ہوئے ہندوستانی بیٹنگ کو 199 رنز پر تباہ کر دیا۔ ظہیر عباس کی دوہری سنچری کی مدد سے پاکستانی ٹیم نے 9 وکٹ کے نقصان پر 539 رنز بنا لیے۔ جب ہندوستانی ٹیم نے اپنی دوسری اننگز کا آغاز گواسکر اور چوہان کے ساتھ کیا تو دونوں نے پہلی وکٹ کی شراکت میں 192 رنز بنا کر ایسی فضا پیدا کر دی جس سے لگتا تھا کہ یہ میچ ہار جیت کے

بغیر ختم ہونے والا چودھواں متواتر ٹیسٹ میچ ثابت ہو جائے گا۔

پھر وہ دونوں آؤٹ ہو گئے (بھارتی مصنف ششی تھرور کے مطابق) اور امپائرنگ کے ایسے فیصلوں کی بھینٹ چڑھے جو نا قابل فہم تھے۔ ہندوستانی ٹیم نے پاکستانی ٹیم کو جیتنے کے لیے 126 رنز کا معمولی ہدف دے دیا جسے بہ آسانی حاصل کر لیا گیا۔ ظہیر عباس نے ایک چھکا لگا کر جیت حاصل کی۔ یہ عمل قذافی سٹیڈیم کے مخصوص حصے میں بیٹھے پاکستانی مشترکہ فاتحین نذر محمد اور فضل محمود دیکھ رہے تھے جنہوں نے ابتک ہندوستانی ٹیم کے خلاف اکتوبر 1952ء میں لکھنؤ میں کھیلے جانے والے ٹیسٹ میچ واحد فتح میں حصہ لیا تھا۔ جنرل ضیا نے جیت کی خوشی میں قومی تعطیل کا اعلان کر دیا اور خاص طور پر ٹیم سے ملاقات کی۔[13] ششی تھرور نے اظہار تحقیر کرتے ہوئے لکھا کہ ''یہ تقریباً ایسا ہی ہوا جیسے میدانِ جنگ کے نتائج کو کرکٹ کی پچ پر یکسر الٹ دیا گیا ہو۔'' کراچی میں کھیلے جانے والے تیسرے ٹیسٹ میچ کی چوتھی انگز میں جیتنے کا ہدف خاصا حوصلہ شکن تھا۔ 164 رنز کو چھ سے زائد رنز فی اور کی اوسط پر حاصل کرنا تھا۔ آج کل تو یہ معمول کے مطابق سمجھا جاتا ہے مگر اس وقت یہ بالکل خلافِ معمول تھا۔ آصف اقبال اور جاوید میاں داد نے پٹائی کرتے ہوئے ہندوستانی باؤلروں کو مذاق بنا کر رکھ دیا۔ ان کے بعد عمران خان جسے مار دھاڑ کرنے کے لیے اوپر کے نمبر پر بھیجا گیا، نے بیدی کے ایک ہی اوور میں 19 رنز بنا ڈالے۔

پاکستان نے ٹیسٹ میچوں کے اس سلسلے کو 0-2 سے جیت لیا تھا۔ پاکستان نے تین میں سے دو ایک روزہ بین الاقوامی میچ بھی جیت لیے تھے۔ تیسرے ایک روزہ میں ہندوستانی ٹیم کی پوزیشن بہتر تھی مگر سرفراز نواز نے ان کی پہنچ سے باہر باؤنسر کروا کروا کر ان کی یہ خواہش بھی پوری نہ ہونے دی۔ کسی ایک گیند کو بھی امپائر نے وائیڈ نہ کیا اور بیدی نے احتجاج کرتے ہوئے پچ سے چلے جانا بہتر سمجھا۔ ایک اور موقع پر گیند مہندر امرناتھ کے سر پر لگا۔ جب وہ ہسپتال سے علاج کروا کر بہادرانہ طور پر دوبارہ کھیلنے کے لیے میدان میں اترا تو سرفراز نواز نے ایک مزید باؤنسر سے اس کا استقبال کیا۔ ٹیسٹ میچوں کے اس سلسلے نے پاکستان کی کرکٹ کو بدل کر دکھا دیا۔ عمر نعمان نے تحریر کرتے ہوئے بیان کیا کہ قومی سامعین جواب تک صرف بے معنی اور پُرسکون میچ دیکھنے کے عادی تھے، انہیں پہلی بار کھیل میں جوش اور تفریح کے عنصر کو پیدا کرنے کی صلاحیت کا تجربہ حاصل ہوا۔

ہندوستان پر فتح حاصل کرنے کے بعد مشتاق محمد نے سمندر پار نیوزی لیڈ اور آسٹریلیا کے دوروں پر پاکستانی ٹیم کی سربراہی کی۔ نیوزی لینڈ کی ٹیم اپنی مکمل طاقت میں تھی (پیکر نے اس کے کسی کھلاڑی کو مدعو نہیں کیا تھا) مگر رچرڈ ہیڈلی کو ابھی اپنا مقام حاصل کرنا باقی تھا۔ نیوزی لینڈ باقی ماندہ حملہ آور باؤلر عمران خان اور سرفراز نواز اور تیسرے سیم باؤلر (Seam Bowler) سکندر بخت کے مقابلے کے نہ تھے۔ پاکستان نے میچوں کا یہ سلسلہ 0-1 سے جیت لیا جبکہ دو ٹیسٹ میچ ہار جیت کے بغیر ختم ہوئے تھے۔ مشتاق محمد نے تعلقات

عامہ کی بھرپور باذوق صلاحیت کا مظاہرہ کرتے ہوئے نوجوان شائقین کی میچوں کے وقفے میں حوصلہ افزائی کرتے ہوئے اپنی ٹیم کے ساتھ باؤلنگ اور بیٹنگ کر کے کھیلنے کا موقع فراہم کیا۔ مگر حیرت انگیز طور پر کپتانی کے انداز میں وہ بے حد محتاط تھا جس کی بدولت دوسرے ٹیسٹ میچ میں اس نے نیوزی لینڈ کی ٹیم کو میچ برابر کر کے فرار کا موقع مہیا کیا۔ دونوں ٹیموں نے امپائرنگ کے معیار پر نکتہ چینی کی۔ (امپائرنگ اس وقت تک میزبان ملک کے سپرد ہی تھی)۔

آسٹریلیا کے ساتھ کھیلے جانے والا ٹیسٹ میچوں کا سلسلہ مختصر مگر شاندار اور متنازعہ تھا۔ میلبورن کے مقام پر آسٹریلوی ٹیم جیت کی طرف گامزن تھی (3 کھلاڑی آؤٹ ہونے پر 303 رنز بنا کر لگتا تھا کہ ہدف کے 382 رنز بنانے کے راستہ پر رواں دواں تھے) کہ اچانک سرفراز نواز نے مختصر وقت میں سنسنی خیز باؤلنگ کرتے ہوئے پرانے گیند سے صرف ایک رن کے عوض سات وکٹ حاصل کر لیے۔ اس وقت تک یہ پاکستان کی طرف سے کسی بھی باؤلر کی ٹیسٹ میچوں میں بہترین کارکردگی تھی اور سمندر پار آج بھی بہترین کارکردگی ہے۔[14] بعد میں اس کارکردگی کی کامیابی کو پاکستانی شیطانی ایجاد ریورس سوئنگ کی مرہون منت کہا گیا۔ مگر سرفراز نواز خود اس پر اصرار کرتا ہے کہ اس نے صرف سیدھے سیدھے گیند گئے اور صرف گیند کی بے ربط اچھل سے فائدہ اٹھایا۔

میلبورن کے اس اعلیٰ ٹیسٹ میچ سے ان کئی واقعات کا آغاز ہوا جسے وزڈن نے بیان کرتے ہوئے لکھا کہ ''یہ کھیل کے صحیح جذبے اور بہترین روایات کے منافی تھا، چاہے طریق کار کرکٹ کے قوانین کے مطابق ہی کیوں نہ ہو۔'' آسٹریلیا کی پہلی اننگز کے دوران روڈنی ہوگ (Rodney Hogg) ایک کامیاب دفاعی ضرب لگانے کے بعد کریز سے باہر نکل کر پچ کا معائنہ کرنے لگا۔ جاوید میاں داد شارٹ لیگ (Short Leg) کی پوزیشن سے نکل کر گیند اٹھانے سلی پوائنٹ (Silly Point) پر آیا اور پھر اچانک مڑ کر وکٹوں سے بیلز (Bails) اتارتے ہوئے رن آؤٹ کی کامیاب اپیل کر دی۔ مشتاق محمد نے دوراندیشی سے کام لیتے ہوئے بیٹسمین کو دوبارہ کھیلنے کے لیے بلانے کی کوشش کی مگر امپائر اپنے فیصلے پر قائم رہا اور ہوگ (Hogg) نے پویلین کی طرف واپس جاتے جاتے وکٹیں گرا دیں۔

جاوید میاں داد نے تندہی سے اپنا دفاع کرتے ہوئے کہا کہ ''میری تصویر کشی اس طرح سے کی گئی جیسے میں نے کوئی بے ایمان سے عیارانہ چال چلی ہو۔ جہاں تک میرا خیال ہے ہوگ (Hogg) اپنی کریز سے باہر تھا اور یہی معاملے کا درست اختتام تھا۔''[15] ٹیلی ویژن پر دوبارہ دکھائی جانے والی فلم نے جاوید میاں داد کے موقف کی حمایت کی۔ اس کی سمجھ سے باہر تھا کہ ہوگ (Hogg) نے اپنی کریز سے باہر جانے کی ضرورت کیوں سمجھی۔ اس کے خیال میں اس نے اپنی اچھی فیلڈنگ کا فائدہ اٹھایا تھا۔ اس نے تاریخی لحاظ سے بھی مثال

قائم کر کے اپنی ٹیم کا نمایاں کیا تھا۔ 1882ء میں اوول گراؤنڈ میں کھیلے جانے والے ٹیسٹ میچ میں جس کی بدولت ایشز (Ashes) کا روایتی قصہ شروع ہوا میں ڈبلیو۔ جی۔ گریس (W.G.Grace) نے ایک بیٹسمین کو اس وقت رن آؤٹ کر دیا جب وہ اپنی حد کی لکیر سے نکل کر گھاس کے ایک ٹکڑے کو دبا رہا تھا۔ پھر بھی اس واقعے سے جاوید میانداد آسٹریلوی اور مداحوں کی نظروں میں آ گیا تھا جس کے نتیجے میں میچوں کے ایک آئندہ سلسلے میں ڈینس للّی کے ساتھ ایک سخت اور سنگین تصادم ہوا۔

پرتھ میں کھیلے جانے والے ٹیسٹ میچ میں جیسے کو تیسا کے مصداق بدلے کی صورت میں واقعہ یوں پیش آیا جب تکلیف دہ آخری وکٹ کی شراکت میں بیٹنگ کرنے والے کھلاڑی کی مقابل سمت میں کھڑے سکندر بخت کو اس وقت رن آؤٹ کر دیا گیا جب وہ رن لینے کے لیے دوڑنے کی تیاری میں اپنی کریز سے باہر بہت دور تک چلا گیا تھا۔ اس کے آؤٹ نہ ہونے والے ساتھی آصف اقبال جس نے 134 رنز بنا رکھے تھے، نے جواباً وکٹوں کو بلا مار کر اکھاڑ پھینکا۔ آسٹریلیا کی دوسری اننگز کے دوران باری نہ لینے والے دوسری طرف کھڑے ہوئے بیٹسمین اینڈریو ہل ڈچ (Anderw Hilditch) نے جب گیند اس کے قریب آ کر رک گئی تو اس نے اسے اٹھا کر باادب طریقے سے باؤلر سرفراز نواز کے ہاتھ میں دی تو سرفراز نے گیند کو چھیڑنے کی غلطی کے خلاف آؤٹ کرنے کی کامیاب اپیل کر دی۔ اس کے بعد صرف دو اور وکٹیں گریں (دونوں غیر متنازع طور پر رن آؤٹ تھے) اور آسٹریلیا نے باآسانی 236 رنز کے ہدف کا تعاقب کر کے میچ جیت کر میچوں کے سلسلے کو برابر کر دیا۔

## عالمی کپ 1979: ویسٹ انڈیز کی طرف سے مزید پریشانی

پاکستان کی اگلی مہم 1979ء کا انگلینڈ میں ہونے والا عالمی کپ کا مقابلہ تھا جس کے لیے مشتاق محمد کو تبدیل کر کے آصف اقبال کو کپتان بنا دیا گیا۔ جاوید میانداد کے مطابق مشتاق بڑا درجہ رکھنے والے کھلاڑیوں کی سازش کا شکار ہوا جو اسے بے دخل کر کے اس کی جگہ قبضہ جمانا چاہتے تھے۔ سرکاری طور پر یہ بہانہ پیش کیا گیا کہ ایک روزہ کرکٹ میچوں کے لیے مشتاق میں وہ پھرتی باقی نہ رہی تھی اور یوں مشتاق کی کپتانی کا ناقابل فراموش اور اعلیٰ دور اپنے اختتام کو پہنچا۔ اس نے اپنی ٹیم کی ٹیسٹ میچوں کے چھ مختلف سلسلوں میں کپتانی کی جن میں سے تین میں فتح حاصل کی اور جن میں ایک سیریز ایسی تھی جسے اب تک کی بہترین سیریز میں سے ایک مانا جاتا ہے۔ اس نے آسٹریلیا کے خلاف سخت مقابلے کے بعد دو سیریز برابر کی تھیں اور ویسٹ انڈیز میں اس کی ٹیم صرف ایک وکٹ کی وجہ سے سیریز برابر کرتے کرتے رہ گئی۔ اس وقت ویسٹ انڈیز دنیا کی عظیم ترین ٹیم تھی۔

انگلینڈ میں پاکستان نے آسان فتوحات سے سلسلے کا آغاز کیا۔ ان میں سے ایک تو عین پیشین گوئی کے مطابق کینیڈا کے خلاف تھی جس کی ٹیم مختلف میٹھے پانیوں کی کاپورنسل کی چھوٹی مچھلیوں جیسی تھی۔ مگر دوسری جیت کی پیشین گوئی کے بغیر آسٹریلیا کے خلاف تھی جو ابھی پیکر کھلاڑیوں کے بغیر کھیل رہی تھی۔ ماجد خان نے آسٹریلوی باؤلنگ کی پہلی وکٹ پر تیز ترین 99 رنز کی شراکت میں بری طرح سے پٹائی کی۔ آصف اقبال نے کھیل کے اختتام کے وقت مار دھاڑ سے بھرپور 61 رنز کیے جس میں آخری پانچ اووروں میں پاکستان نے 47 رنز کا اضافہ کیا۔ اگرچہ اس وقت آصف اقبال ٹیسٹ میچوں میں شاذ و نادر ہی باؤلنگ کرتا تھا مگر اس نے نہ صرف عمدہ باؤلنگ کی بلکہ زیرک کپتانی کا بھی مظاہرہ کیا۔ جس کی بدولت آسٹریلیا اپنے 288 رنز کے مقررہ ہدف تک نہ پہنچ پایا۔

تاہم اپنی جماعت کے تیسرے میچ میں انگلینڈ کی ٹیم کے 8 کھلاڑی 118 رنز کے عوض آؤٹ کرنے کے بعد پاکستان خود ہی دم بخود ہو کر رہ گیا جب اس نے ایک معمولی بیٹسمین باب ٹیلر (Bob Taylor) اور باب ولس (Bob Willis) جو اس سے بھی زیادہ گیا گزرا بیٹسمین تھا کو 43 رنز کے اضافے کا موقع دے ڈالا۔ جواباً پاکستان نے بغیر کسی نقصان کے 27 رنز بنا لیے اور اس کے بعد اچانک مائیک ہینڈرک (Mike Hendrick) دیر سے جھولنے والی گیندوں کے سامنے ڈھیر ہو کر 34 رنز کے عوض 6 کھلاڑی آؤٹ ہو گئے۔ ہیڈ نگلے (Headingley) کا ماحول ہینڈرک (Hendrick) کے لیے انتہائی سازگار ثابت ہوا۔ عمر نعمان نے بتایا کہ یہ میچ براہ راست دکھایا جا رہا تھا اور جب پاکستان کا سکور 27 رنز بغیر کسی نقصان کے تھا تو نشریات کو وقفہ دے کر گھوڑوں کی ایک دوڑ کو براہ راست دکھایا گیا مگر گھوڑ دوڑ کے جب دوبارہ کرکٹ کے سلسلہ کو بحال کیا گیا تو پاکستان اپنی چھ وکٹیں کھو چکا تھا۔

آصف اقبال، وسیم راجہ اور عمران خان نے جم کر کھیلتے ہوئے ٹیم کو گڑھے سے باہر نکالا اور جب 51 رنز بنا کر آصف اقبال کی آٹھویں وکٹ گری تو پاکستان اپنے 166 رنز کے ہدف سے ابھی 41 رنز پیچھے تھا۔ مگر وسیم باری عمران خان کے لیے قابل بھروسہ ساتھی ثابت ہوا۔ اور دونوں نے بغیر کسی مشکل کے 30 رنز کا اضافہ کیا۔ اس موقع پر مائیک بریرلے (Mike Brearley) نے عمدہ چال چلتے ہوئے گیند جیف بائیکاٹ (Geaff Boycott) کو دی۔ عرصہ دراز پہلے بائیکاٹ انگلینڈ کی طرف سے صف اوّل کا سیم باؤلر ہوا کرتا تھا۔ مگر اس نے اپنے مقامی تماشائیوں کا اس وقت دل خوش کر دیا جب اس نے اور آخری کھلاڑی سکندر بخت کو مہلک اور جان لیوا شاٹ کھیلنے پر اکسایا۔ سکندر بخت ایک بڑی ہٹ مارنے کی کوشش میں مڈ آف پر ہینڈرک (Hendrick) کے ہاتھوں ایک شاندار کیچ کے ذریعے آؤٹ ہوا۔ دوسری جانب سے یہ کارروائی دیکھتے ہوئے عمران خان غصے سے تلملا کر رہ گیا۔

پھر بھی پاکستان سیمی فائنل تک پہنچ ہی گیا۔ مگر یہ مقابلہ بدقسمتی سے ویسٹ انڈیز کے ساتھ تھا۔ اوول میدان میں بیٹنگ کرنے کے عمدہ حالات باوجود آصف اقبال نے حیران کن طور پر پہلے فیلڈنگ کرنے کا فیصلہ کیا۔ گورڈن گرینج (Gordon Greenidge) اور ڈیمنڈ ہینز (Desmond Haynes) نے اننگز کا آغاز کرتے ہوئے 107 گیندوں پر 132 رنز کی شراکت کی۔ عمران خان نے تقریباً 5 رنز فی اوور کے حساب سے رن دیئے اور سرفراز نے تقریباً 6 رنز فی اوور دیئے۔ (یہ وہ زمانہ تھا جب ابھی فیلڈنگ پر بندش نہیں آئی تھی) آصف اقبال نے یوں تو چار وکٹ حاصل کر لیے مگر وہ بھی 5 رنز سے زیادہ فی اوور دینے کے بعد۔ صرف ماجد خان کی شائستہ مگر نایاب آف سپن (Off Spin) ویسٹ انڈیز کو 293 رنز بناتے ہوئے کسی حد تک رکاوٹ بنی۔

پاکستان کی طرف سے جوابی اننگز میں صادق محمد جلد ہی آؤٹ ہو گیا مگر ماجد خاں (جس نے پھٹی پرانی ہیٹ پہن رکھی تھی جو کبھی اس کے والد کی ہوا کرتی تھی) اور ظہیر عباس نے دنیا کے بہترین تیز رفتار حملہ آور باؤلروں اینڈی رابرٹس (Andy Roberts) مائیکل ہولڈنگ (Mickael Holding) کولن کروفٹ (Colin Croft) اور جیول گارنر (Joel Garner) کے خلاف 36 اووروں میں 166 رنز کا اضافہ کیا۔ مگر پھر دونوں ہی کروفٹ (Croft) کا شکار بنے۔ جاوید میانداد بھی اس کی پہلی گیند پر آؤٹ ہوا۔ پھر ویو رچرڈز (Viv Richards) جو وقتی طور پر اسپین باؤلنگ کرتا تھا، نے ایک کے بعد ایک آصف اقبال، مدثر نذر اور عمران خان کو جلد ہی آؤٹ کر دیا۔ ابھی چار اوور باقی ہی تھے کہ پاکستانی ٹیم 250 رنز بنا کر آؤٹ ہو گئی۔

## انڈیا میں شکست اور اضطراب

پاکستان کی طرف سے آصف اقبال عالمی کپ میں سب سے زیادہ مستقل مزاج کھلاڑی ثابت ہوا۔ اور یہ کوئی حیرانی کی بات نہیں تھی کہ اسے مستقبل کے ہندوستانی دورہ کے لیے کپتانی کے لیے بدستور رکھا گیا جس کی بدولت مشتاق محمد کی دوبارہ واپسی کی کوشش ناکام ہوئی۔ دلیل یہ دی گئی کہ اگر مشتاق محمد ایک روزہ کرکٹ میچوں کے لیے پھرتیلا اور چست نہیں ہے تو وہ پانچ روزہ ٹیسٹ میچوں کو بھی کھیلنے کے قابل نہیں ہو گا۔ منتخب کرنے والوں نے اس کی یہ درخواست بھی کہ وہ عام کھلاڑی کے طور پر بھی ہندوستان کے دورہ پر جانے کے لیے تیار ہے کو ظالمانہ طریقہ سے رد کر دیا۔ بقول جاوید میانداد اس فیصلے نے مشتاق کو رلا دیا۔ آصف اقبال آج کہتا ہے کہ پاکستانی ٹیم کے کپتان کی حیثیت سے اس کا اپنے آبائی ہندوستان کے دورہ کرنا اس کے لیے اس کے خواب کی تعبیر تھی۔

دوسرا غیر حاضر ہونے والا اہم کھلاڑی سرفراز نواز تھا۔ گو کہ وہ زخمی تو نہیں تھا مگر اسے ساتھ لے کر

نہ جانے کا حتمی فیصلے کی بنیاد وژڈن کے مطابق شخصیات کا تصادم تھا۔ آصف اقبال نے بی سی پی چیئرمین سے کہا کہ اگر ٹیم کے ساتھ سرفراز نواز کا بھیجنا ہے تو پھر میری جگہ کسی اور کو کپتان نامزد کیا جائے۔ سرفراز کے متبادل کے طور پر احتشام الدین کو چنا گیا جس کی اندرون ملک کرکٹ میں قابل تحسین کارکردگی تھی۔ مگر اس کی عمر 29 برس ہو چکی تھی۔ اس نے پاکستان کی توقعات پر پورا پورا اترتے ہوئے چھ ٹیسٹ میچوں کے سلسلے میں 19 رنز فی وکٹ کی اوسط پر 14 وکٹیں حاصل کر دکھائیں۔ جبکہ بناوٹ سے عاری حلیم الطبع سکندر بخت نے 24 وکٹیں حاصل کیے جن میں دوسرے ٹیسٹ میچ میں 69 رنز کے عوض 8 وکٹوں کی شاندار کارکردگی بھی شامل تھی۔ اگرچہ عمران خان پسلیوں کی مسلسل درد کا شکار ہو کر ناکارہ ہو گیا تھا مگر اس کی واپسی شاندار طریقے سے ہوئی۔[16] عبدالقادر کسی پر بھی اپنا جادو جگانے میں ناکام رہا اور صرف 2 وکٹ حاصل کر سکا۔

چھ ٹیسٹ میچوں کا یہ سلسلہ پاکستان کی ہار سے 0-2 کے نتیجہ پر ختم ہوا۔ پاکستانی کمزور حملہ آور باؤلر ہندوستانی ٹیم کو ٹیسٹ میچ میں دو بار آؤٹ کرنے میں ناکام رہے۔ مگر ہندوستانی ٹیم بھی کئی بار ہار کا شکار ہوتے ہوتے بچ گئی۔ پاکستانی ٹیم کی اصل کمزوری اس کی بیٹنگ تھی۔ مدثر نذر نے بنگلور میں کھیلے جانے والے پہلے ٹیسٹ میچ میں سنچری بنائی جو پاکستان کی طرف سے واحد سنچری ثابت ہوئی۔ صرف وسیم راجہ اور جاوید میانداد جن کی ٹیسٹ میچوں میں بالالترتیب 156.25 اور 42.50 کی بیٹنگ اوسط رہی نے کسی قسم کا مستقل مزاج دفاع کیا مگر وہ اکثر اوقات اس وقت آؤٹ ہوتے جب وہ جم کر کھیل رہے ہوتے۔ پاکستانی ٹیم امپائروں کے فیصلوں پر رنجیدہ اور مایوسی کا شکار تھی۔ خاص طور پر ایل بی ڈبلیو (LBW) کے فیصلوں پر بہت افسردہ تھی۔ جاوید ان فیصلوں کے خلاف اتنا پرعزم ہوا کہ اس نے نیٹ میں پیڈوں کے بغیر کھیلنے کی مشق شروع کر دی تاکہ وہ پیڈ پہن کر بھی گیند کو پیڈوں پر نہ لگنے دے۔ بمبئی میں کھیلے جانے والے تیسرے ٹیسٹ میچ میں پاکستانی ٹیم نے ہندوستانی انتظامیہ پر الزام عائد کیا کہ انہوں نے پچ بنانے میں ہیرا پھیری سے کام لیا ہے اور کانپور میں کھیلے جانے والے ٹیسٹ میچ کے دوران آصف اقبال نے دھمکی دے کہ امپائروں کے خلاف احتجاجاً دورہ منقطع کر دے گا۔

مگر اس وقت تک آصف اقبال ایک لڑتی جھگڑتی اور غیر معیاری کھیل کا مظاہرہ کرنے والی ٹیم کا تنہا سربراہ ہو کر رہ گیا تھا۔ اور یہ بات حرفاً اس وقت ثابت ہوئی جب پاکستانی ٹیم سے کہا گیا کہ ہندوستانی میں انتخابات کی وجہ سے وہ دس روز کے لیے ملک میں باہر چلے جائیں۔[17] ٹیم نے بنگلہ دیش کا دورہ کرنے کا انتظام کر لیا۔ یہ بنگلہ دیش کی آزادی کے بعد پاکستانی کرکٹ ٹیم کا پہلا دورہ تھا مگر آصف اقبال ٹیم کے ساتھ نہیں گیا۔ ٹیم کے نائب کپتان ماجد خان کو معلوم ہوا کہ بنگلہ دیش جانے کی بجائے آصف اقبال نے بنگلور اور حیدر آباد میں اپنے خاندان سے ملاقات کرنے کے لیے جانے کا فیصلہ کر لیا ہے۔ ماجد خان نے کافی کوشش کی

کہ وہ اپنے اس ارادے کو بدل دے۔ ایک لمبی گفتگو کرتے ہوئے اس نے آصف اقبال کو مشورہ دیا کہ ٹیم کو بنگلہ دیش میں اس کی ضرورت ہے جہاں پہنچ کر وہ ٹیم کے حوصلہ اور اعتماد کو بحال کرنے میں مدد دیتے ہوئے دوبارہ تنظیم پیدا کر سکے گا۔ ماجد کا خیال تھا کہ آصف اقبال کو قائل کرنے میں کامیاب ہوگیا ہے مگر جب ٹیم ڈھاکہ کے لیے روانہ ہوئی تو آصف اقبال غائب تھا۔

ماجد خاں کی سربراہی میں پاکستانی ٹیم کا ڈھاکہ کے ہوائی اڈہ پہنچنے پر گرمجوشی سے استقبال کیا گیا۔ مگر جب وہ بنگلہ دیش کے خلاف ایک روزہ میچ کھیلنے کے لیے چٹا گانگ پہنچے تو وہاں کی مقامی سیاست کا شکار ہوگئے۔ چٹا گانگ بنگلہ دیش کے بانی شیخ مجیب الرحمٰن جس کی حکومت کا 1975ء میں تختہ الٹ کر فوج نے اسے قتل کر دیا تھا کے حامیوں کا اہم گڑھ تھا۔ جیسا کہ پہلے پاکستان میں ہو چکا تھا یہاں بھی فوجی حکومت کے مخالفین نے احتجاج کے لیے اس اہم کرکٹ میچ کو غنیمت موقع جانا۔

میدان میں پاکستانی ٹیم کو احساس ہوا کہ پویلین کے متبادل عام لوگوں کے بیٹھنے کے حصہ میں احتجاج کرنے والوں کا ایک گروہ موجود ہے۔ وہ بنگالی زبان میں نعرہ بازی کر رہے تھے جسے پاکستانی ٹیم کے کھلاڑی سمجھ نہیں پا رہے تھے۔ ماجد خان نے پوچھا کہ وہ نعروں میں کیا کہہ رہے ہیں تو وہاں کے ڈپٹی کمشنر نے اسے بڑے آرام سے جواب دیا کہ وہ طلبا کی کوٹیوں کے خلاف احتجاج کر رہے ہیں۔

جب پاکستانی ٹیم فیلڈنگ کرنے میدان میں اتری تو صورتحال مزید گمبھیر ہوگئی۔ بہت سے احتجاجی مظاہرین نے ڈنڈوں اور لوہے کی سلاخوں سے لیس ہو کر میدان پر حملہ کر دیا۔ یہ دیکھتے ہوئے ماجد خان نے چلاتے ہوئے ٹیم سے کہا، ''نکلو یہاں سے۔'' اور وہ مکمل فساد کے عین شروع ہوتے ٹیم کو اپنی سربراہی میں واپس پویلین لے آیا۔ جب پولیس آنسو گیس کا استعمال کر رہی تھی اور گولیاں برسا رہی تھی تو پاکستانی کھلاڑی تمام دوپہر اور شام تک پویلین کے کمرے میں دبکے بیٹھے رہے۔ آخرکار چند ایک کو پولیس کی بھاری نفری کے ساتھ واپس ہوٹل بھیجا گیا تاکہ وہ باقی سب کے سامان کی بھی تیاری کر سکیں۔ عام طور پر چٹا گانگ میں پروازوں کا سلسلہ نہیں تھا مگر پاکستانی ٹیم کو وہاں سے نکال کر ڈھاکہ واپس لانے کے لیے خصوصی طیارہ بھیجا گیا۔ جہاں واپسی پر ڈھاکہ میں کھیلا جانے والا میچ بھی منسوخ کر دیا گیا۔ ان سب حالات نے 1971ء کے اس بھیانک فساد کی یاد تازہ کر دی جب پاکستانی ٹیم مکی سٹیورٹ (Mickey Stewart) کی انٹرنیشنل الیون کے خلاف وہاں کھیل رہی تھی۔

اس ناشاد اور ناکام دورے کے دوران پہلی بار اس مسئلہ کی افواہیں سنی گئیں جن کی بدولت پاکستان کرکٹ آج تک اس مرض میں مبتلا ہے۔ جسے جواریوں کے ساتھ غیر قانونی تعلقات کا نام دیا جا سکتا ہے۔ ماجد خان اور اس کے خالہ زاد بھائی فرخ خان جو بطور ڈاکٹر دورہ کے ابتدائی حصہ میں ٹیم کے ساتھ تھا

دونوں نے مجھے اپنے اس وقت چوکنے ہونے کے بارے میں بتایا جب ایک موٹا سا خفیہ اجنبی ٹیم کی بس پر متواتر آنا شروع ہوا۔ ماجد اسے نہیں جانتا تھا مگر ڈاکٹر فرخ نے اسے بمبئی کے جواری کے طور پر پہچان لیا تھا۔ پریکٹس کے لیے جاتے ہوئے ماجد خاں نے اس شخص کی موجودگی پر اعتراض اٹھایا مگر آصف اقبال نے اس کے اعتراض کو تسلیم نہ کرتے ہوئے اس بتایا کہ وہ شخص انگلش کاونٹی کرکٹ میں کینٹ کاؤنٹی کی طرف سے اس کے لیے کھیلے جانے والے مالی امدادی میچ کے لیے اس کا مددگار رہے۔ تاہم ماجد نے ایک دوسرے جواری کی پہچان لیا تھا۔ یہ وہ نوجوان تھا جو دہلی کے ہوائی اڈہ پر پاکستانی ٹیم کے استقبال کے لیے موجود تھا۔ ماجد کا خیال تھا کہ اس کا تعلق دہلی سے تھا مگر بمبئی میں وہ پاکستانی ٹیم کی سب کے پیچھے اپنی قیمتی موٹر کار بی ایم ڈبلیو میں سائے کی طرح چمٹا رہا اور پرتپاک طریقے سے استقبال کے طور پر اپنی موٹر کار کا ہارن بھی بجاتا تھا۔ ماجد کے خیال میں وہ عمران خان اور ظہیر عباس کا دوست تھا مگر اس نے بتایا کہ بعد میں وہ آصف اقبال کے ساتھ نتھی ہوگیا۔ ماجد کی بے چینی میں اس وقت مزید اضافہ ہوا جب جاوید میانداد نے مطلع کیا (اسے یہ خبر احمد آباد سے اس کے رشتہ داروں نے دی تھی) کہ کلکتہ میں کھیلے جانے والے آخری ٹیسٹ میچ میں بے تحاشا جوا لگایا گیا تھا۔ یہ وہ موقع تھا جب سکہ ٹاس کرنے کے حوالے سے بہت سی بازگشت سنی جا رہی تھی۔ گنڈا پا وشوا ناتھ (Gundappa Vishwanath) اپنے سالے سنیل گواسکر (Sunil Gavaskar) کی جگہ ہندوستانی ٹیم کی کپتانی کرتے ہوئے آصف اقبال کے ساتھ ٹاس کرنے گیا۔ ان دنوں ٹاس کرتے وقت کوئی میچ ریفری ساتھ نہیں ہوتا تھا اور نہ ہی ٹیلی ویژن کیمرے اور خبر رساں ساتھ ہوتے تھے۔ وشواناتھ نے سکے کو ہوا میں اچھالا۔ آصف نے بوجھتے ہوئے آواز دی اور سکہ زمین پر آ گرا۔ کہا جاتا ہے کہ اس سے پہلے وشواناتھ سکہ دیکھ کر نتیجہ اخذ کرتا آصف اقبال نے آگے بڑھ کر فوراً سکہ اٹھا کر اس سے کہا کہ تم ٹاس جیت گئے ہو۔ اگر یہ سچ ہے تو اس سے شبہ پیدا ہوتا ہے کیوں کہ کرکٹ کے مروجہ آداب کے مطابق دورے پر آنے والے کپتان عام طور پر سکے کو ہاتھ نہیں لگاتے۔

بہرکیف جو بھی ہوا مگر بے کیف ٹیسٹ میچوں کے سلسلے میں اس ٹیسٹ میچ میں بہترین کرکٹ کا مظاہرہ ہوا۔ اور اس کے ساتھ آصف اقبال کی مثبت کپتانی بھی دیکھنے میں آئی۔ وشواناتھ نے پہلے بیٹنگ کرنے کا فیصلہ کیا اور ہندوستانی ٹیم 331 رنز بنا کر آؤٹ ہوگئی۔ عمران خان جواب مکمل طور پر صحت مند تھا، نے 4 وکٹ لیے اور لگاتار محنت کرتے ہوئے احتشام الدین نے بھی 4 وکٹ حاصل کیے۔ پانچ روزہ ٹیسٹ میچ کے چوتھے دن کی صبح پاکستان نے چار کھلاڑی آؤٹ ہونے پر 272 رنز بنا لیے تھے۔ ابھی پاکستان کے ہندوستانی ٹیم سے 59 رنز کم تھے کہ آصف اقبال نے اننگز کے خاتمے کا اعلان کر دیا۔ عمران خان نے فوری طور پر ہندوستان کے دو بیٹسمینوں کو آؤٹ کر دیا۔ احتشام الدین اور اقبال قاسم اس کی معاونت کر رہے تھے۔ اس

کے بعد عمران نے 92 رنز پر ہندوستانی ٹیم کے چھ کھلاڑی آؤٹ کر کے اسے سخت مصیبت سے دوچار کر دیا تھا مگر ہندوستانی ٹیم کے آخری کھلاڑیوں کی سربراہی کرتے ہوئے کپل دیو اور بائیں ہاتھ سے کھیلنے والے پھٹکل کھلاڑی کارسان گھاوری نے کافی وقت صرف کر کے مزید 113 رنز بنا لیے۔ اس کے نتیجے میں 280 منٹ میں سست رفتار اور بوسیدہ وکٹ پر جیتنے کے لیے پاکستان کو 265 رنز کا ہدف ملا جو اوور ریٹ کی رفتار کے لحاظ سے آسان کام نہ تھا۔ جاوید میاں داد اور آصف اقبال نے کچھ وقت کے لیے آٹھ اووروں میں 43 رنز بنا کر امیدوں کو سہارا دیا۔ مگر ان دونوں کے آؤٹ ہونے پر عمران اور وسیم باری نے مل کر ٹیم کو بچایا۔ باری نے 43 گیند کھیل کر کوئی رن نہ بنایا اور آؤٹ نہیں ہوا۔

آصف اقبال کا خوشی کا یہ آخری نعرہ تھا۔ اس نے عالمی کرکٹ سے اپنی سبکدوشی کا اعلان کر کے جلد ہی شارجہ میں کرکٹ قائم کرنے کی نئی مہم کی ذمہ داری قبول کر لی۔ اس عمل سے پاکستانی کرکٹ کو نہ صرف دولت اور شان وشوکت ملی بلکہ اس کے ساتھ ساتھ بدعنوانی اور رسوائی بھی حصہ میں آئی۔

## حوالہ جات:

1 ہارون ان سات بھائیوں میں سے ایک تھا جنہوں نے اوّل درجہ کی کرکٹ کھیل کر مڈل سیکس کے واکر (Walker) برادران اور ووسٹر شائیر کے فاسٹر (Foster) برادران کے ریکارڈ کی برابری کی۔

2 آسٹریلیا اور ویسٹ انڈیز کے دوروں کے درمیان پاکستانی ٹیم نے فی جی (Fiji) کا دورہ کیا۔ اصولی طور پر یہ دورہ پرسکون ہونا چاہیے تھا مگر یہ مضحکہ خیز ناکامی کا شکار ہو گیا۔ صرف چند کھلاڑیوں کو ہوٹل کی رہائش میسر ہوئی جبکہ باقی ماندہ کھلاڑیوں کو مقامی لوگوں کے گھروں میں گزارہ کرنا پڑا۔ اس خفت کا الزام خالد محمود پر عائد ہوا۔ (دیکھئے شجاع الدین کی کتاب کا صفحہ 161) جو کہ اس دورہ کرنے والی ٹیم کا مینیجر تھا۔ اس نے وضاحت کرتے ہوئے تحریر کیا کہ کچھ نمایاں کھلاڑیوں نے تو کھلم کھلا شور شرابا کرتے ہوئے یہاں تک کہہ ڈالا کہ یہ دو ہفتے کا دورہ تو صرف سروس کمپنی کے جوتوں کی اشتہاری مہم اور فروختگی کے مواقع تلاش کرنے کا بہانہ تھا۔ سروس جوتوں کا ادارہ پاکستان میں اندرون ملک کرکٹ کا اہم حمایتی تھا۔

3 عمران خان کے مطابق مشتاق محمد نے نیا گیند لے کر فاش غلطی کی تھی۔ پرانا گیند اس کے اور سرفراز نواز کے لیے کامیابی سے ریورس سوئنگ کر رہا تھا۔ اور انہوں نے مشتاق کی منت سماجت کرتے ہوئے اسے نیا گیند لینے سے باز رہنے کا مشورہ دیا تھا۔ مگر مشتاق اس نئے اور غیر معمولی امر سے لاعلم تھا۔ (اس کے لیے باب 19 دیکھئے) اور اس نے باور کر لیا تھا کہ نیا گیند حملہ آوری کے لیے زیادہ موزوں اور کارگر ہتھیار ثابت ہو گیا جبکہ کلایولائیڈ نے عین اس کے برعکس اس گراؤنڈ کے چاروں طرف اس گیند کو مار لگائی۔ (عمران خان سے ذاتی گفتگو کے مطابق)۔

4 وسیم راجہ نے 23 مختلف سیریز کے دوران 57 ٹیسٹ میچوں میں حصہ لیا۔ ٹیسٹ میچوں کا یہ سلسلہ ان چند سیریز میں سے تھا جس میں اس نے تمام کے تمام پانچ ٹیسٹ کھیلے۔ جس میں 517 رنز بنا کر 57 کی اوسط حاصل

کی۔

5 وسیم راجہ کے چودہ چھکے کسی بھی ٹیسٹ سیریز کا ریکارڈ ہیں مگر اس ریکارڈ کو ابتک پانچ مرتبہ برابر کیا جا چکا ہے۔

6 ماجد خان نے پاکستانی ٹیم کے 77-1976 کے دورہ ویسٹ انڈیز کے آخری ٹیسٹ میچ کے دوران پیکر کے اقدام بارے پہلی بار سنا۔ ٹونی گریگ (Tony Greig) نے آ کر مجھے۔ عمران خان، مشتاق محمد اور آصف اقبال کو بلا کر ہم سے گفت وشنید کی (ذاتی گفتگو سے ماحاصل)۔

7 چاروں دستیاب ٹیسٹ کھلاڑیوں مشتاق محمد، ماجد خان، ظہیر عباس اور عمران خان میں سے کسی ایک کو بھی منتخب نہ کیا گیا۔ آصف اقبال نے اس وقت ٹیسٹ کرکٹ سے سبکدوشی کا اعلان کر رکھا تھا مگر اپنے فیصلے کو بعد میں اس نے کل عدم قرار دے دیا۔

8 ہنری بلوفیلڈ (Henry Blofeld) کے مطابق (صفحہ 154) قریشی اور کاردار کے تعلقات میں دراڑ اس وقت پڑی جب عمر قریشی پاکستانی ٹیم کے 1974ء کے دورہ پر ٹیم مینیجر تھا۔ ''کاردار کھلاڑیوں کے بالائی برآمدہ میں بیٹھ کر میچ دیکھنے کا شوقین تھا۔ پاکستانی کرکٹ بورڈ کے سربراہ کی حیثیت سے اس کی وہاں موجودگی کھلاڑیوں پر اثر انداز ہوتی تھی اور وہ بے چینی محسوس کرتے تھے اور جب انہوں نے اس کا تذکرہ عمر قریشی سے کیا تو اس نے کاردار سے بات کی۔ اور کہا کہ ''وہ امید کرتا ہے کہ وہ اس بات کا برا نہیں منائے گا کہ اگر وہ کسی اور جگہ بیٹھ کر میچ دیکھ لیا کرے۔'' کاردار نے اس بات کا برا مناتے ہوئے اسے عمر قریشی کی طرف سے اپنی ذات پر حملہ تصور کیا اور اس کے بعد ان میں دوستی کا رشتہ ختم ہوگیا۔

9 لاہور میں ہونے والے پہلے ٹیسٹ میچ کی پہلی اننگز میں انتہائی اہم کھلاڑی آئین بوتھم (Ian Botham) نامی ایک نوجوان آل راؤنڈر (Allrounder) دورہ کرنے والی ٹیم میں شریک تھا مگر اسے کھلایا نہ گیا۔

10 پاکستان کے بڑے پیمانے کے معیار کے لحاظ سے بھی ٹیم کے ساتھ انتظامیہ کی نفری ضرورت سے کہیں زیادہ تھی۔ شجاع الدین کے مطابق فوجی حکمران نے مختلف اداروں میں کرکٹ سے منسلک افراد کی بھاری تعداد کو ٹیم کے دورہ کے دوران اس کے ساتھ جانے کی اجازت دے دی تھی جب دورہ کرنے والی ٹیم انگلینڈ پہنچی تو یوں دکھائی دے رہا تھا کہ جیسے کوئی بارات آ گئی ہو کیوں کہ ساتھ آنے والے منتظمین میں سے بیشتر اپنے بیوی بچوں کو بھی ساتھ لائے تھے (شجاع الدین کی کتاب کے صفحات 82-181 سے ماخوذ)

11 اظہر کی پیدائش علیگڑھ میں ہوئی تھی۔ اور اس نے 1940ء میں مسلم لیگ کے اس اجلاس میں شرکت کی تھی جس میں قرارداد پاکستان منظور کی گئی تھی۔ محمد علی جناح کی آواز پر کہ برطانیہ کے لیے کنگ میں حصہ لینا چاہیے اس نے دوسری جنگ عظیم میں برما کے محاذ پر لڑائی میں حصہ لیا اور بعد میں 1948ء میں کشمیر کی لڑائی میں شامل ہوا۔ 1965ء کی جنگ کے دوران اس نے راجستھان میں تیرہ سو مربع میل کا علاقہ فتح کیا۔ 1971ء میں وہ پاکستانی افواج کی راجستھان کے محاذ پر سربراہی کرتے ہوئے زخمی ہوگیا تھا۔ اس نے پاکستان ہاکی فیڈریشن کے صدر کے طور پر بھی خدمات سرانجام دیں۔ اور شمال مغربی سرحدی صوبہ کا گورنر بھی رہا۔

12 پورا نام لیفٹیننٹ کرنل فرزند خاص دولت انگلیشیا شریمانت مہاراجہ فتح سنگھ راؤ پرتاب راؤ گائیکو

اڈ سینا خاص کھیل شمشیر بہادر مہاراجہ ہرودا۔ دائیں ہاتھ سے بیٹنگ کرنے والے گائیکواڈ نے رانجی ٹرافی میں برودا کی نمائندگی کر رکھی تھی۔ اس کے علاوہ وہ کرکٹ کا معروف تبصرہ نگار تھا۔

13 ماجد خان نے مجھے ذاتی گفت وشنید میں بتایا کہ ''وہ اس ملاقات میں شامل نہیں تھا کیوں کہ وہ تمام وقت تعطیلات گزار رہا تھا اور اسے اس سے کوئی فرق نہیں پڑا تھا۔''

14 اس کارکردگی کو پیچھے چھوڑتے ہوئے 88-1987ء میں عبدالقادر نے مائیک گیٹنگ (Mike Gatting) کی دورہ پر آنے والی انگلش ٹیم کے خلاف 56 رنز کے عوض 9 وکٹ حاصل کیں۔

15 عمران خان دوسرا شخص تھا جس نے جاوید میانداد کا دفاع کرتے ہوئے کہا کہ ''جاوید کی پرورش گلیوں میں کھیلی جانے والی انتہائی آزمائشی کرکٹ کھیلتے ہوئے ہوئی ہے۔ جس میں اس قسم کے واقعات معمول کا حصہ ہوتے ہیں۔ کرکٹ کے ہر قانون کو وہاں لوگوں کو آؤٹ کرنے کے لیے آخری حد تک استعمال کیا جاتا ہے۔ فیلڈر اکثر بیٹسمین سے کہتے کہ اس کی کوئی چیز گر گئی ہے اور جب وہ اس کی تلاش میں پچ پر جاتا تو وہ اسے رن آؤٹ کر دیتے۔'' (عمران خان کی کتاب آل راؤنڈ ویو کا صفحہ 38)۔

16 عمران خان نے صحافیوں کی خبروں کا طنزیہ جواب دیتے ہوئے کہا کہ ان کی تحریروں میں اس کے پٹھے کے زخمی ہونے کے متعلق ذرا بھی احساس سے نہیں لکھا جاتا بلکہ وہ تو یوں لکھتے ہیں جیسے مجھے یہ تکلیف ہندوستانی اداکاراؤں سے متبادل عیاشی کرتے ہوئے ہوگئی ہو۔ (عمران خان کی کتاب آل راؤنڈ ویو کے صفحہ 43 کے حوالے سے)۔

17 کوئی بھی ہندوستانی سیاسی پارٹی پاکستانی ٹیم کے ہاتھوں ہندوستانی ٹیم کی شکست سے اپنی وابستگی کا خطرہ مول لینے کے لیے تیار نہ تھی۔

14

# جاوید میانداد کا دوڑ میں خلافِ قاعدہ آنا

''ہم بالآخر پاکستان کی نمائندگی کر رہے تھے اور وہ یہ سمجھ بیٹھا تھا کہ وہ ہم سے کچھ بھی فائدہ لے سکتا ہے۔''

۔ڈینس للّی کے متعلق جاوید میاں داد کا تاثر

1979ء تک جنرل ضیاالحق اپنی فوجی حکومت مستحکم کر چکا تھا۔ روس کی افغانستان پر چڑھائی کے بعد امریکی صدر کارٹر کی انتظامیہ نے پاکستان کی فوجی اور معاشی امداد بحال کر دی۔ جس نے روس کے خلاف افغانستان میں لڑنے والے مجاہدین کے لیے وسیلے کا کام کیا۔ یہ امدادی رقم بالآخر بڑھ کر 3.2 ارب ڈالر تک پہنچ گئی۔ تاہم پاکستان کو 27 لاکھ افغان مہاجرین (جن میں زیادہ تر بوڑھے لوگ عورتیں اور بچے شامل تھے) جنہیں افغان سرحد کے نزدیک عارضی خیموں میں رکھا گیا تھا، کی دیکھ بھال کے لیے بھی مجبور ہونا پڑا۔

جنرل ضیاالحق کو اپنے فوجی ساتھیوں کو معیشت کے اہم اداروں کے سربراہ بنانے کا شوق تھا مگر اس کے باوجود اس کے دور میں پاکستان نے معاشی طور پر اعلیٰ کارکردگی کا مظاہرہ کیا۔ معاشی امداد کی بحالی اور نجی سرمایہ کاری جسے بھٹو کے قومیانے کے تجربہ کو ضیاالحق نے یکسر پلٹ دیا تھا۔ نے معیشت کی بے پناہ مدد کرتے ہوئے معاشی پیداوار کی اوسط کو 6.6 فیصد سالانہ تک پہنچانے کی حوصلہ افزائی کی۔ یہ کارکردگی پاکستان کی کسی حکومت سے بھی بہتر تھی۔ تاہم اس ترقی میں سب سے زیادہ حصہ سمندر پار کام کرنے والے پاکستانیوں کی بھیجے جانے والی رقوم میں اضافے کا تھا۔ یہ رقوم 77-1976ء بھٹو کے دورِ اقتدار کے آخری سال میں 578 ملین ڈالر یعنی 10 فیصد GDP تک پہنچ گئی تھی۔ آنے والے سالوں میں جب اس پیداوار میں کمی آئی تو اس کے ساتھ جنرل ضیاالحق کی مقبولیت میں بھی کمی واقع ہوئی۔

ملک میں اندرونی طور پر جنرل ضیا نے مذہبی جماعتوں اور فرقوں کی حمایت حاصل کرنے کی ان کوششوں کو جاری رکھا جس کی حکمت عملی کا آغاز بھٹو نے اپنے دور اقتدار کے آخری سالوں میں موقع پرستی

کے طور پر گیا تھا۔ تاہم اسلامی قوانین کے اطلاق میں جنرل ضیاالحق بھٹو سے بہت آگے تک گیا۔ اس نے اسلامی مندرجات کی تعلیمی نصاب کے ہر درجے پر ہمت افزائی کی۔ اس نے اپنے دوراقتدار کے آخری سال میں اعلان کیا کہ پاکستان میں شریعت نافذ کی جائیں گی جو پاکستان میں قانون کا سب سے مقدم ذریعہ ہوگیا اور تمام قوانین پر حاوی ہوگا۔ (اس کی اس حکمت عملی کا ایک نتیجہ یہ ہوا کہ پاکستان میں خواتین کی کرکٹ جس کی پہلی انجمن 1970ء کی دہائی کے آخر میں معرض وجود میں آچکی تھی ماند پڑ گئی)۔ ضیاالحق کے اس لائحہ عمل کو پاکستان کی شیعہ اقلیت نے ناپسندیدگی سے دیکھا جس کی وجہ سے پاکستان کے تمام اہم شہروں میں اشتعال انگیز تصادم ہوئے۔ کراچی کی طورتحال بھی بگڑتی جارہی تھی جہاں مہاجروں (تقسیم ہند کے وقت ہجرت کر کے آنے والے) اور پٹھاوں جن کی افغانستان میں لڑائی جھگڑے کی وجہ سے کراچی کی طرف ہجرت میں تیزی آ گئی تھی میں محاذ آرائی شروع تھی۔

## شکست کا ماحاصل

1979-80ء کی ہندوستان سے کرکٹ میں شکست کو پاکستان میں ایک قومی المیہ کے طور پر دیکھا گیا۔ جس کی بدولت تمام اونچے مرتبوں میں تبدیلی لائی گئی۔ آصف اقبال کا بطور کھلاڑی عظیم طلسماتی دور اپنے اختتام کو پہنچ چکا تھا۔ اس کے بعد بی سی پی کے صدر جنرل اظہر خاں کی چھٹی کی گئی۔ اسے جنرل ضیاالحق نے تعینات کیا تھا مگر شکست خوردہ جرنیلوں کی طرح بھاری قیمت ادا کرتے ہوئے برخاست ہوا۔ اس کی جگہ پر ایئر مارشل نور خان کو لایا گیا۔

نور خان پاکستانی فضائی فوج اور قومی ہوائی کمپنی پی آئی اے میں اپنے کارناموں کی شاندار فہرست سے جانا جاتا تھا۔ اور مناسب طور پر پاکستان ہاکی فیڈریشن کے اعلیٰ منتظم کے طور پر شہرت رکھتا تھا۔ نور خان نے پہلا قدم یہ اٹھایا کہ اس نے بائیس سالہ گستاخ اور نڈر جاوید میانداد کو پاکستانی ٹیم کا نیا کپتان بنا دیا۔ برخاست ہونے والے جنرل اظہر نے مشتاق محمد کو دوبارہ کپتان بحال کر دیا تھا مگر نور خان نے پہلے ہی روز دفتر آ کر اسے کپتانی سے ہٹا کر اس کی بجائے کوچ بننے کی پیشکش کی۔ مشتاق نے کچھ پس و پیش اور خفگی کا اظہار کرتے ہوئے پیشکش قبول کر لی۔

نور خان نے مشتاق محمد سے کپتانی کے لیے اس کے جانشین کے لیے مشورہ مانگا جس نے بغیر کسی توقف کے جاوید میانداد کا نام دے دیا۔ حالاں کہ تین سابق کپتان ماجد خان، ظہیر عباس اور وسیم باری بھی کپتانی کے خواہاں تھے۔ نور خان نے وضاحت کرتے ہوئے بیان کیا کہ اگرچہ مشتاق محمد کو دوبارہ کپتان بنانے کے لیے بے شمار استدعائیں تھیں کیوں کہ وہ غیر معمولی صلاحیتوں کا مالک اور ٹیم کی فتوحات دلوانے والا کپتان

تھا مگر ان تمام باتوں کے باوجود مجھے آئندہ مستقبل کو دیکھنا تھا۔

جاوید میانداد اس وقت 27 ٹیسٹ میچ کھیل چکا تھا اور اس نے 2,252 رنز بنا کر 62 رنز سے زیادہ کی اوسط حاصل کر رکھی تھی۔[1] اس نے پاکستان کی انیس سال سے کم عمر کی ٹیم (Under-19) کی کپتانی کر رکھی تھی اور اندرون ملک اس نے حبیب بینک کی کپتانی کرتے ہوئے اسے پاکستان کے تمام فرسٹ کلاس مقابلوں میں فتوحات سے ہمکنار کر رکھا تھا۔ جوکہ تمام مراحل میں کامیابیوں کی ایک منفرد تفصیل تھی۔ بدقسمتی سے وہ اپنے سے بڑے مرتبے کے کھلاڑیوں کی ناراضگی کو دور کرنے میں ناکام رہا۔

جاوید میانداد کے عہد کی ابتدا خوش آئند طور پر ہوئی جب دورہ پر آنے والی آسٹریلوی ٹیم کو کراچی میں سپنرز کے لیے مفید پچ پر سات وکٹوں سے شکست ہوئی۔ اقبال قاسم نے 118 رنز کے عوض گیارہ وکٹیں حاصل کیں اور ماجد خان نے خلاف معمول تحمل سے کھیلتے ہوئے 89 رنز بنا کر پاکستانی ٹیم کی پہلی اننگز کو استقامت دی۔ مگر اخباری شہ سرخیوں میں پاکستان کے نئے آف سپنر کھلاڑی توصیف احمد کا نام ابھر کر سامنے آیا۔ گوکہ ایسی کئی کہانیاں موجود ہیں جب نامعلوم کھلاڑی اچانک قومی ٹیم میں اہم دریافت کے طور پر شامل ہوئے مگر توصیف احمد کی داستان ان تمام کہانیوں سے بے نظیر ہے۔

جاوید میاں داد نے بعد میں دعویٰ کیا کہ توصیف احمد گلیوں سے اٹھ کر ایک نامعلوم کی حیثیت میں سیدھا پاکستان ٹیم میں آوارد ہوا۔ مگر ہر بات کسی حد تک مبالغہ آمیز ہے۔ اکیس سالہ توصیف احمد نے گذشتہ سال کرکٹ کے سیزن میں ایک فرسٹ کلاس میچ کھیل رکھا تھا۔ اس نے پبلک ورکس ڈیپارٹمنٹ (PWD) کی طرف سے پی آئی اے کی طاقتور ٹیم کے خلاف کھیلتے ہوئے بہت معمولی رنز کے عوض پانچ وکٹیں حاصل کی تھیں۔ اس کے بعد وہ کلب کرکٹ کھیلتے کھیلتے نظروں سے اوجھل ہو گیا۔ جاوید میاں داد کے مطابق توصیف احمد کے لیے اس کے ایک دوست ریاض ملک نے سفارش کی تھی جو ایک کامیاب تاجر ہونے کے علاوہ کراچی کی ایک باصلاحیت کرکٹ کلب بھی چلا رہا تھا۔ جاوید میاں داد نے اس کی بات مان کر توصیف احمد کو نیٹ پریکٹس میں آکر پاکستانی ٹیم کو باؤلنگ کرنے کی اجازت دے دی۔ تاہم کئی اور کے خیال میں توصیف احمد کے لیے پاکستانی ٹیم کے کوچ مشتاق محمد سے سفارش کی گئی تھی۔

بات چاہے کچھ بھی ہو، توصیف احمد اپنے گھر سے بس کے ذریعے نیشنل سٹیڈیم کی طرف روانہ ہوا۔ اس کے پاس خستہ اور بنیادی قسم کا کرکٹ کا لباس تھا جسے پہن کر اس نے پاکستانی ٹیم کے عمدہ ترین بیٹسمینوں کو نیٹ میں باؤلنگ کروانی شروع کی۔ اس کی تند خطرناک اور تیزی سے مڑتی ہوئی گیندوں کو کھیلنا ظہیر عباس، ماجد خان اور خود جاوید میاں داد کو مشکل لگا۔ اکثر اوقات ایسا ہوا کہ وہ گیند کو بالکل سمجھ نہ پائے اور گیند بلے سے لگے بغیر نکل گئی۔ اس کارکردگی کو مدنظر رکھتے ہوئے توصیف کو فوری طور پر پاکستانی ٹیم میں شامل کرلیا گیا

اور الیاس خان جسے ابتدائی طور پر پاکستانی ٹیم میں آف سپنر کے طور پر شامل کیا گیا تھا کو ٹیم سے علیحدہ کرنا پڑا۔

توصیف احمد نے ٹیسٹ میچ میں 126 رنز کے عوض 7 آسٹریلوی وکٹیں حاصل کرتے ہوئے پاکستان کو فتح سے ہمکنار کر دیا۔ اس نے مزید 33 ٹیسٹ میچ اور 70 ایک روزہ عالمی میچ کھیلے۔ وہ ایک اور آف سپنر باؤلر محمد نذیر کے متبادل کے طور پر بھی کھیلتا رہا۔[2]

بقایا دو ٹیسٹ میچ گو کہ برابر رہے مگر ان میں بے تحاشا رنز بنائے گئے۔ آسٹریلوی ٹیم نے فیصل آباد میں 617 رنز بنائے جن میں گریگ چیپل کے 235 رنز شامل تھے۔ وہ احتجاجاً چار روز تک بیٹنگ کرتے رہے کیوں کہ پاکستان نے بارش کی وجہ سے ضائع ہونے والے وقت کو آرام کے دن کھیل کر پورا کرنے سے انکار کر دیا تھا۔ جوابی طور پر کھیلتے ہوئے پاکستان کے پاس اتنا وقت تھا کہ اس میں وسیم باری کی جگہ کھیلنے والے وکٹ کیپر بیٹسمین تسلیم عارف نے آؤٹ ہوئے بغیر ڈبل سنچری بنالی جو کہ کسی بھی وکٹ کیپر کی طرف سے ٹیسٹ میچوں میں سب سے زیادہ رنز کیے گئے تھے۔ اس کارنامے پر زمبابوے کے اینڈی فلاور (Andy Flower) نے 2001ء میں بھارت کے خلاف کھیلتے ہوئے سبقت حاصل کی۔ لاہور میں کھیلے جانے والے تیسرے ٹیسٹ میچ میں ایلن بارڈر (Allan Border) دونوں اننگز میں 150 رنز سے زیادہ رنز بنا کر یہ کارنامہ سرانجام دینے والا دنیا کا واحد بیٹسمین بن گیا اور اسی ٹیسٹ میچ میں ماجد خان نے اپنی زندگی کی آخری ٹیسٹ سنچری کی۔

جاوید میانداد کا مقابلے کا اگلا سلسلہ 81-1980ء میں ویسٹ انڈیز کے خلاف پاکستان میں ہوا۔ اس کی ٹیم نے اپنی اہلیت کا خاصا ثبوت دیا۔ مگر مدمقابل ٹیم کے پاس بارودی طاقت کے طور پر خاصے تیز رفتار اور خطرناک باؤلر تھے جنہوں نے اس کے بیشتر بیٹسمینوں کے لیے خاصی دشواریاں پیدا کیں۔ ظہیر عباس کو خاص طور پر میلکم مارشل (Malcolm Marshall) کولن کروفٹ (Colin Croft) اور سیلویسٹر کلارک (Sylvester Clarke) نے بے حد پر غضب اور مشکل وقت دیا۔

پہلا ٹیسٹ میچ برابر رہا جس کا سہرا عمران خان کی پہلی ٹیسٹ سنچری کے سر رہا۔ اس کی معاونت کرتے ہوئے وسیم راجہ نے 76 رنز اور سرفراز نواز نے 55 رنز بنا کر پاکستانی ٹیم کو نجات دلوائی جس کے ایک موقع پر صرف 95 رنز کے عوض 5 کھلاڑی آؤٹ ہو چکے تھے۔ عمران خان انتخاب عالم کے بعد وہ دوسرا کھلاڑی تھا جس نے ٹیسٹ میچوں میں 1000 رنز بنا کر اور 100 وکٹیں حاصل کر کے دوہرا اعزاز حاصل کیا تھا۔ سرفراز نواز پچ پر سخت برانگیختہ تھا۔ اس کا دعویٰ تھا کہ یہ خاص طور پر صرف پاکستان کے سپن باؤلروں کی مدد کے لیے بنائی گئی تھیں۔ اس کے بعد وہ یہ کہتے ہوئے لندن روانہ ہو گیا کہ وہ اپنے جانگھ کے کھچاؤ کے علاج کے لیے جا رہا ہے۔ لہٰذا وہ فیصل آباد میں ہونے والا اگلا ٹیسٹ میچ نہ کھیل سکا جس کے لیے پچ تیار کی جا رہی تھی۔ یہ ٹیسٹ میچ ویسٹ انڈیز ٹیم 156 رنز سے جیت گئی۔ پاکستانی سپن باؤلروں عبدالقادر، اقبال قاسم اور محمد

نذیر نے مخالف ٹیم کی تمام بیس وکٹیں حاصل کیں مگر ویسٹ انڈیز کے بیٹسمینوں نے ان باؤلروں کو کھیلنے میں وہ وقت محسوس نہ کی جو پاکستانی بیٹسمینوں کو تیز رفتار باؤلروں کو کھیلنے میں ہوئی۔

مارشل نے 25 رنز کے عوض 4 وکٹ لے کر پاکستانی ٹیم کی دوسری اننگز کو تباہ کر دیا۔ 1969ء کے بعد اندرون ملک یہ پاکستان کی پہلی شکست تھی۔ تسلیم عارف کی انگلی ٹوٹ گئی جس کے ساتھ ہی اس کی ٹیسٹ کرکٹ بھی ختم ہو گئی جہاں بیٹنگ میں اس کی اوسط 62 رنز تھی۔ اس کی جگہ کو بہتر وکٹ کیپر وسیم باری سے پر کیا گیا۔ جاوید میاں داد کراچی میں ہونے والے اگلے ٹیسٹ میچ میں وسیم باری سے پُر کیا گیا۔

جاوید میاں داد کراچی میں ہونے والے اگلے ٹیسٹ میچ میں وسیم بار کی مدد پر اس کا مشکور تھا کیوں کہ اس نے ٹیم کی مدد اس وقت کی جب پہلی اننگز میں پاکستانی ٹیم کے 68 رنز پر 6 کھلاڑی آؤٹ ہو چکے تھے۔ جبکہ ظہیر عباس ماتھے پر کروفٹ (Croft) کی گیند کھا کر زخمی ہو کر باہر آ گیا تھا۔ 128 رنز کی اس اننگز میں 6 پاکستانی کھلاڑی بغیر کوئی رن بنائے آؤٹ ہوئے جو ٹیسٹ کرکٹ کا ایک سنگ میل ہے۔ جاوید میاں داد نے اچانک کے اعلیٰ خیال اور غیر روایتی فیصلے کے تحت عمران خان کے ساتھ باؤلنگ کا آغاز اقبال قاسم سے کروایا۔ مگر اس کے باوجود ویسٹ انڈیز کو 45 رنز کی سبقت حاصل ہو گئی۔

پاکستان ٹیم اپنی دوسری اننگز میں بھی مشکلات کا شکار ہو گئی۔ مگر وسیم راجہ جس نے آؤٹ ہوئے بغیر 77 رنز بنائے نے آخری کھلاڑیوں کو بچاتے ہوئے 9 کھلاڑی آؤٹ ہونے پر سکور کو 204 رنز پر پہنچا دیا۔ میچ تو بچ گیا مگر اس میں کچھ مدد امپائر کی بھی شامل تھی جس کی بدولت آخری دن کا کھیل 23 منٹ کی تاخیر سے شروع ہو سکا کیوں کہ وہ اپنا لباس ساتھ لانا بھول گیا تھا۔ شکور رانا کی بابت آئندہ بھی سننے میں آئے گا۔

آخری ٹیسٹ میچ میں ملتان کی نئی جائے وقوع پر منعقد کیا گیا۔ یہ اس بات کی نشاندہی تھی کہ کرکٹ کے کھیل کی ہر دلعزیزی دیر سے موجود مراکز سے نکل کر اب دوسرے شہروں میں بھی پھیل رہی تھی۔ یہ وہ عمل تھا جس کی حوصلہ افزائی کرنے کے لیے نور خان بیتاب تھا۔ صوفیا کا شہر ہونے کی شہرت رکھنے والے ملتان کے تماشائیوں نے اس شہرت کی لاج نہ رکھی۔ ایک تماشائی نے سلویسٹر کلارک کو مالٹے کا چھلکا مارا جس پر مشتعل ہو کر جوابی طور پر کلارک نے اینٹ اٹھا کر ماری جو طالب علموں کی یونین کے ایک رہنما کو جا لگی۔ جس پر عوامی طور پر ایک خوفناک ردعمل ہوا۔ کھیل کو بیس منٹ تک رکا رہنا پڑا۔ اور جب تک ویسٹ انڈیز کے بیٹسمین ایلون کالی چرن نے عوام کے سامنے گھٹنے ٹیک کر استدعا نہ کی کھیل جاری نہ ہو سکا۔

عمران خان کا ساتھ دینے سرفراز نواز، انگلینڈ سے واپس آ گیا تھا جس نے 62 رنز کے عوض 5 کھلاڑی آؤٹ کیے تھے۔ ووِرچرڈز (Viv Richards) نے خلاف معمول بڑے تحمل سے پاکستان کے خلاف اپنی پہلی سنچری بنائی اور ویسٹ انڈیز کا کل سکور 249 پر پہنچا دیا اور یہ 83 رنز کی برتری کے لحاظ سے کافی

تھا۔ کیوں کہ ماجد خان، جاوید میانداد اور وسیم راجہ نے چاروں تیز رفتار باؤلروں کی خوب مزاحمت کی۔ طوفانی بارش کی وجہ سے ٹیسٹ میچ بغیر کسی نتیجے کے ختم ہوگیا۔ ویسٹ انڈیز کو 5 کھلاڑی آؤٹ ہونے پر 116 رنز بنانے میں خاصی محنت کرنا پڑی۔ مگران کے لیے یہ کافی تھا کیوں کہ وہ 0-1 سے یہ سلسلہ جیت چکے تھے۔

ٹیسٹ میچوں کے اس سلسلے سے غیر ارادی طور پر پاکستان کے غیر جانبدار رہا تھا۔ ابھی یہ سلسلہ جاری تھا کہ پاکستان کے باعزت امپائروں میں شمار ہونے والے خالد عزیز نے انتظامیہ کے اس دباؤ کے خلاف کہ وہ قومی ٹیم کے حق میں فیصلے دے کر خلاف کھلے عام احتجاج کیا۔ راز افشاں کرنے والوں کے روایتی انجام کی طرح اسے برخاست کرتے ہوئے اس پر عمر بھر کی پابندی عائد کردی گئی۔ اس کے ایک ساتھی غفور علی خاں نے بھی انتظامیہ کی دخل اندازی کے خلاف احتجاج کرتے ہوئے پاکستانی امپائرز ایسوی ایشن کے سیکرٹری کے عہدے سے استعفیٰ دے دیا۔

## آسٹریلیا میں بغاوت کا فساد

ویسٹ انڈیز کے خلاف کم رنز کے ٹیسٹ میچوں کے سلسلے میں جاوید میانداد نے بیشتر کھلاڑیوں سے بہتر کھیل پیش کیا۔ (وہ 32.85 رنز کی اوسط سے صرف وسیم راجہ کے بعد دوسرے نمبر پر تھا) مگر اس کی کپتانی کے خلاف لاوا پک رہا تھا اور اسے شدید تنقید کا نشانہ بنایا جارہا تھا۔

موسم سرما میں اس معاملے میں ٹکراؤ کی صورتحال اس وقت پیدا ہوگئی جب جاوید میانداد 82-1981ء میں پاکستانی ٹیم کو لے کر آسٹریلیا گیا۔ یہ ٹیم بیٹنگ اور باؤلنگ کے دونوں شعبوں میں قدرے کمزور تھی۔ اس کے علاوہ اسے اپنے سے بڑی عمر کے کھلاڑیوں کی طرف سے توہین آمیز عداوت کا سامنا تھا جن میں خاص طور پر اس کا نائب کپتان ظہیر عباس شریک تھا۔[3] دورے کا آغاز ظہیر عباس کے لیے ناخوشگوار طور پر ہوا۔ برسبین ریاست کے خلاف کھیلے جانے والے میچ میں جیف تھامسن (Geoff Thomson) نے اس کی پسلی توڑ ڈالی۔ محسن خان کو متبادل کے طور پر بذریعہ ہوائی جہاز آسٹریلیا پہنچایا گیا۔

پاکستانی ٹیم کے حالات کچھ اچھے نہ تھے کہ وہ آسٹریلیا کی تیز ترین وکٹ پر پرتھ میں اپنے دورے کے ٹیسٹ میچوں کا آغاز کرتی۔ تاہم جاوید میاں داد کا پہلے باؤلنگ کرنے کا فیصلہ ابتدائی طور پر سودمند ثابت ہوا جب عمران خان نے 66 رنز کے عوض 4 وکٹ حاصل کیے اور آسٹریلوی ٹیم 180 رنز بنا کر آؤٹ ہوگئی۔

ان کے جواب میں پاکستان نے اپنا بدترین آغاز پیش کیا جب اس کے 8 کھلاڑی 28 رنز کے عوض ڈینس للّی اور مشتاق سوئنگ (Swing) باؤلر ٹیری آلڈرمین (Terry Alderman) کے ہاتھوں آؤٹ ہوگئے۔ سرفراز نواز کی کچھ مار دھاڑ نے سکور 62 رنز تک پہنچا دیا۔ اس کے بعد آسٹریلیا نے آرام سے

424 رنز بنا کر اپنی اننگز کے خاتمہ کا اعلان کر دیا۔ جاوید میانداد کی قیادت میں جس نے 79 رنز بنائے پاکستان نے دوسری اننگز میں بہتر کھیل پیش کیا۔ مگر بگڑتی ہوئی پچ پر آف سپنر (off Spinner) بروس یارڈلے (Bruce Yardley) نے 6 پاکستانی بیٹسمینوں کو آؤٹ کر کے پاکستان کو 286 رنز نے شکست دے ڈالی۔

اسی ٹیسٹ میچ پاکستان کی دوسری اننگز میں جاوید میانداد اور ڈینس للّی (Dennis Lillee) میں بدنام زمانہ ٹکراؤ اور تکرار ہوئی۔ جیسے ہی جاوید میانداد رن لینے کے لیے دوڑا باؤلر للّی (Lillee) نے پیچھے سے اس کے لات رسید کر دی اور یوں وہ یقیناً پہلا کھلاڑی بن گیا جس نے ٹیسٹ میچ کھیلنے کے دوران دوسرے کھلاڑی کو لات ماری ہو۔ گو کہ یہ لات سختی سے نہیں ماری گئی تھی مگر لات تو پھر لات ہوتی ہے۔ اس پر جاوید میانداد نے للّی (Lillee) نے دعویٰ کیا کہ جاوید میانداد نے اسے گالی دی تھی مگر جاوید میانداد نے قطعی انکار کیا (پاکستانی کھلاڑیوں کو ٹیسٹ میچ کے دوران آسٹریلوی کھلاڑیوں کی طرف سے مسلسل ہتک آمیز فقروں کا سامنا رہا مگر انہوں نے جسمانی طور پر کوئی ردعمل نہ کیا) آسٹریلوی ٹیم نے للّی (Lillee) کو 200 آسٹریلوی ڈالر کا جرمانہ کیا (جو اس وقت کے 120 برطانوی پونڈ کے برابر تھا) امپائروں کے خیال میں یہ جرمانہ ناکافی تھا۔ ان کے اصرار پر ڈینس للّی پر دو ایک روزہ عالمی میچ کھیلنے پر پابندی لگائی گئی۔[4] جاوید نے امپائروں سے اتفاق کیا۔ ''اس کے خیال میں ہم صرف معمولی پاکستانی تھے۔ اور وہ جو چاہتا ہم سے کر سکتا تھا۔ میں سوچتا ہوں کہ اگر میں انگلینڈ کی ٹیم کا کپتان ہوتا تو پھر دیکھتا کہ وہ بدلہ لینے کے لیے پیڈوں پر لات مارنے کے بارے میں کبھی سوچ بھی سکتا۔'' جاوید میانداد نے بعد میں تبصرہ کرتے ہوئے کہا۔

دوسرے ٹیسٹ میچ میں ڈینس للّی کو یہ جان کر تسلی ہوئی کہ اس کے ہاتھوں پانچ کھلاڑی آؤٹ ہونے والوں میں اس کا مہربان دوست جاوید میانداد بھی شامل ہے۔ ٹیم میں دوبارہ واپسی پر ظہیر عباس نے 80 بہادرانہ رنز بنائے۔ مگر اچھی بیٹنگ وکٹ پر پاکستان نے کل 291 رنز ناکافی تھے۔ گریگ چیپل کی ماہرانہ دوہری سنچری کی بدولت آسٹریلیا نے 9 کھلاڑی آؤٹ ہونے پر 512 جوابی رنز بنا کر اپنی اننگز کو ختم کرنے کا اعلان کر دیا۔ محسن خان اور مدثر نذر نے ابتدائی شراکت میں پاکستان کی دوسری اننگز میں 72 رنز بنائے۔ اگرچہ پرسکون پچ پر کھیلتے ہوۓ ٹیسٹ میچ بچایا جا سکتا تھا مگر دوسرے تمام بیٹسمینوں کی طرح ظہیر عباس اور ماجد خان بھی تذبذب اور غیر محتاط طریقے سے کھیلتے ہوئے یارڈلے (Yardley) کے ایک ہی اوور میں آؤٹ ہو گئے۔ اور یوں آسٹریلیا کو جیتنے کے لیے صرف تین رنز بنانے کی ضرورت رہ گئی۔ جاوید میانداد نے جب اشارتاً کہا کہ کھلاڑیوں نے پوری کوشش نہیں کی تو دوسرے تمام کھلاڑی سخت برہم ہوئے جن میں خاص طور پر عمران خان کو بہت غصہ آیا۔

سب کو حیرت میں مبتلا کرتے ہوئے میلبورن کے آخری ٹیسٹ میں پاکستانی ٹیم نے خود کو سنبھالا

دیا۔ چھ بیٹسمینوں نے نصف سنچریاں مکمل کرتے ہوئے 8 کھلاڑی آؤٹ ہونے پر 500 رنز مکمل کر لیے اور اس کے بعد پاکستان نے اپنی اننگز کو ختم کرنے کا اعلان کر دیا۔ آسٹریلیا کے تین تیز رفتار باؤلر للی، تھامسن اور ایلڈرمین کوئی وکٹ نہ حاصل کر سکے۔ عمران خان نے وقفوں کے ساتھ پرجوش باؤلنگ کی اور اقبال قاسم نے تو آسٹریلوی ٹیم کا گلا دباتے ہوئے اسے فالوآن یعنی دوبارہ کھیلنے پر مجبور کر دیا۔ دوسری اننگز میں ان ہی باؤلروں نے سرفراز نواز کی مدد سے مزاحمت نہ کرتی ہوئی آسٹریلوی ٹیم کو 125 رنز کے عوض ڈھیر کر دیا اور پاکستان کو ایک اننگز اور 82 رنز سے فتح حاصل ہوگئی۔

## میاں داد کے خلاف سرکشی

نورخان اور اس کے بورڈ کے ارکان کا مصمم ارادہ تھا کہ سری لنکا جسے حال ہی میں ٹیسٹ کھیلنے کا درجہ ملا تھا کے خلاف جاوید میانداد کو کپتان کی حیثیت میں برقرار رکھا جائے۔ اور یہ سوچ ہر طرح سے معقول تھی۔ پاکستان نے آسٹریلیا میں دو شکستوں کے بعد جیت حاصل کر کے لڑنے کے جذبے کو ثابت کر دیا تھا اور ٹیسٹ میچوں کے سلسلے میں جاوید میاں داد پر ہار کا الزام لگانا قطعاً درست نہیں تھا۔ مجموعی لحاظ سے جاوید میانداد کی کپتانی کی تفصیل قابل احترام تھی۔ اس نے آسٹریلیا کے خلاف پاکستان کی سربراہی کرتے ہوئے معروف فتح دلوائی تھی۔ ویسٹ انڈیز میں ٹیسٹ میچوں کے سلسلے میں زبردست مقابلے کے بعد شکست ہوئی تھی (اس وقت ویسٹ انڈیز کی ٹیم دنیا کی بہترین ٹیم مانی جاتی تھی) اور پھر میلبورن میں آسٹریلیا کو اننگز کے ساتھ شکست دی تھی۔

تاہم طویل عرصہ تک خدمات دینے والے کھلاڑی اس معاملے کو مختلف ٹیسٹ میچ کھیلنے والی قوم کا درجہ پا کر سری لنکا کی ٹیم کی آمد (پاکستان کے تیس سال قبل ٹیسٹ کھیلنے کا رتبہ حاصل کرنے کے بعد سری لنکا پہلا ملک تھا جسے وہ درجہ حاصل ہوا) کا مطلب یہ تھا کہ دنیا کے چار بڑے مذاہب (عیسائیت، ہندومت، اسلام اور بدھ مت) عالمی کرکٹ کی اوپر کی سطح پر نمائندگی کر رہے تھے۔ لیکن اس سے پاکستانی کرکٹ ٹیم کے لباس تبدیل کرنے کے کمرے میں نہ تو پیار محبت بڑھا اور نہ ہی ماحول پرسکون ہوا۔ سری لنکا کی ٹیم کی آمد سے دو روز قبل دس کھلاڑیوں جنہوں نے طویل عرصہ تک خدمات سرانجام دی تھیں نے ایک خط پر اپنے دستخط ثبت کرتے ہوئے جاوید میانداد کی کپتانی تلے کھیلنے سے انکار کر دیا۔ دستخط کرنے والوں میں ماجد خان، عمران خان، محسن خان، مدثر نذر، سرفراز نواز، سکندر بخت، وسیم باری، ظہیر عباس، وسیم راجہ اور اقبال شامل تھا۔

نورخاں نے جاوید میانداد سے کہا کہ ''ہم ان سب کو ٹیم سے باہر کر دیں گے۔ تمام کے تمام کھلاڑیوں کو۔'' ائیر مارشل نہ صرف پیچھے ہٹنے کو تیار نہیں تھا بلکہ وہ ان باغیوں سے بات چیت تک کرنے کا

روادار نہ تھا۔ اور اپنے سے پہلے کاردار کی طرح اس نے متبادل پاکستانی ٹیم کا انتخاب کرلیا۔ (بعد میں بینکوں کے مالک نے جہاں وسیم راجہ، اقبال قاسم اور محسن خان ملازمت کرتے تھے انہیں مجبور کیا کہ وہ باغیوں کے ساتھ چھوڑ دیں) ایک کھلاڑی جو مستفیظ ہوا وہ اٹھارہ سالہ سلیم ملک تھا جو تیسرا پاکستان کھلاڑی تھا جس نے (غالد عباداللہ اور خود جاوید میانداد کے بعد) اپنے پہلے ہی ٹیسٹ میچ میں سنچری سے آغاز کیا۔ دوسرا کھلاڑی ہارون رشید تھا جسے دو سال بعد دوبارہ ٹیم میں لایا گیا تھا۔ اس نے پہلی اننگز میں بحران کے دوران 153 عمدہ رنز بنا کر ٹیم کو مشکل سے نکالا تھا۔ سری لنکا کی ٹیسٹ کرکٹ کے معیار میں ناتجربہ کاری۔ اس کی دوسری اننگز کے دوران صاف عیاں تھی جس میں ان کے بیٹسمین صرف تین گھنٹے میں رنز دینے میں کنجوسی برتتے ہوئے اقبال قاسم کے خلاف شاٹ کھیلتے ہوئے 149 رنز بنا سکے۔

دوسرے ٹیسٹ میچ کے لیے بقیہ چار باغیوں ماجد خان، ظہیر عباس، عمران خان اور مدثر نذر کو ٹیم میں شامل کرلیا گیا۔ لیکن پھر جب تصفیہ کی گفت وشنید ناکام ہوئی تو انہیں نظرانداز کر دیا گیا۔ اس ٹیسٹ میچ میں سری لنکا کی بہتر کارکردگی تھی اور اگر ان کا کپتان مثبت کپتانی کرتا تو ممکن ہے کہ وہ فتح بھی حاصل کر لیتے۔ نئے وکٹ کیپر اشرف علی نے پاکستانی ٹیم کو اپنی بیٹنگ کے ذریعے دومرتبہ مشکل سے نکالا۔

ہار جیت کے بغیر ختم ہونے والے اس ٹیسٹ کے بعد یہ تشویش لاحق ہوئی کہ کہیں 1978ء کی طرح انگلینڈ کا آئندہ دورہ کرنے والی ٹیم کمتر کھلاڑیوں پر مبنی نہ ہو۔ اس موقع پر فضا کو سازگار بنانے کے لیے سری لنکا کی ٹیم کے دورہ کے بعد جاوید میانداد نے قابل توجہ اور نمایاں شائستگی کے مظاہرہ کرتے ہوئے رضاکارانہ طور پر کپتانی کا منصب چھوڑ دیا۔ اس نے یہ فیصلہ پاکستان کرکٹ بورڈ کی خواہش کے خلاف کیا جس نے اسے اپنے عہدہ پر بدستور رہنے کی تاکید کی تھی۔ جاوید میاں داد نے بعد میں اپنی تحریر میں بیان کیا کہ ٹیم کے اندر گروہ بندی ہو رہی تھی اور اگر میں کپتان کے طور پر اپنی حیثیت برقرار رکھتا تو پاکستانی کرکٹ تباہی کا شکار ہو جاتی۔ جاوید میانداد کا آخری اقدام عمران خان کی اپنے جانشین کے طور پر نامزدگی تھی۔ اس بات کا شبہ ہے کہ جاوید میانداد ظہیر عباس کی کپتانی میں کھیلتا۔

مدثر نذر، ماجد خان، ظہیر عباس اور عمران خان فوری طور پر واپس آ گئے۔ اشرف علی نے اپنی جگہ برقرار رکھی حالاں کہ اب وسیم باری بھی دستیاب تھا۔ عمران خان نے اس موقع پر جشن مناتے ہوئے سری لنکا کی پہلی اننگز میں 58 رنز کے عوض 8 وکٹیں حاصل کیں (ٹیسٹ کرکٹ میں یہ اس کے بہترین اعداد وشمار ہیں) اور دوسری اننگز میں مزید چھ وکٹیں بھی 58 رنز کے عوض حاصل کر لیں۔ ظہیر عباس نے بھی سنچری بنا کر خوشی حاصل کی اور ایک مزید سنچری محسن خان کی طرف سے آئی۔ اور یوں پاکستان کو ایک اننگز اور 102 رنز سے فتح حاصل ہوئی۔

ظہیر عباس کو امید تھی کہ وہ جاوید میانداد کے بعد کپتان بنے گا مگر ایک بار پھر کپتانی کے متعلق نور خان کی اپنی ایک علیحدہ سوچ تھی گو عمران خان کا نام تجویز تو ہوا مگر بہت سے لوگوں کو اس سے اختلاف تھا۔ بعض کا خیال تھا کہ کپتانی کی وجہ سے اس کی کارکردگی اثر انداز ہو گی جبکہ کچھ اور کے خیال میں وہ بہت غیر ذمہ دار تھا۔ مگر میں نے انگلینڈ میں اسے اپنے پاس بلایا اور اس سے لمبا تبادلہ خیال کیا جس کے بعد میں قائل ہو گیا کہ ذمہ داری اس کے لیے اچھی ثابت ہو گئی۔''

ظہیر عباس شدید طور پر مایوس ہوا۔ ''مجھے محسوس ہوا کہ مجھے بے عزت کیا گیا ہے جس سے میری ذلت ہوئی۔ یوں لگتا تھا کہ ہر ایک کو کم از کم ایک موقع دیا گیا تھا اور اب اس نوجوان لڑکے کو مامور کر دیا گیا۔'' ظہیر عباس کو نائب کپتان نامزد کر دیا گیا۔ نور خان نے عمران خان کو وہ تحفہ کرکٹ میچز کی صورت میں انتخاب عالم تھا۔ اس کی مصلحت شناسی اور نظم حکومت کا ہنر عمران خان کے لیے ایک قیمتی تضاد بنا رہا۔ وہ کئی سات تک عمران خان کو میدان میں یا اس سے باہر جس چیز کی بھی ضرورت ہوتی وہ اس کا مہیا کرنا یقینی بناتا رہا۔ درحقیقت عمران خان جسے ظہیر عباس نے طنزاً ''ینگ بوائے'' کہا، اس کی عمر 29 سال ہو چکی تھی اور وہ 37 ٹیسٹ میچ کھیلنے کا تجربہ رکھتا تھا۔ پاکستان کے نئے کپتان نے اگلے دس سال تک عالمی منڈپ پر چھائے رہنا تھا اور قومی ٹیم کی رہنمائی کرتے ہوئے ان کامیابیوں سے ہمکنار کرنا تھا جن کا تصور کبھی خواب میں بھی نہیں کیا جا سکتا تھا۔ کرکٹ کے وسیع سلسلے پر اثر انداز ہونے کے ردعمل کا صرف دو کھلاڑیوں کا موزانہ کیا جا سکتا ہے۔ ایک ڈبلیو جی گریس (W.G.Grace) ہے جس نے کرکٹ کو انگریزوں کے قومی کھیل میں تبدیل کر دیا اور دوسرا سر ڈونلڈ بریڈمین (Sir Donald Bradman) ہے جس کی بیٹنگ کے عظیم کارناموں نے 1930ء کی دہائی کے معاشی پستی کے سالوں میں آسٹریلوی شناخت کا اظہار کیا۔

## حوالہ جات:

1 جن کھلاڑیوں نے بیس سے زائد ٹیسٹ میچ کھیلے ہیں ان میں جاوید میانداد اور ہربرٹ سٹکلف (Herbert Sutcliffe) کے درمیان ایک مشترکہ نمایاں خصوصیت ہے۔ دونوں کی ٹیسٹ میچوں میں رنز کی اوسط کبھی 50 رنز سے نیچے نہیں آئی۔

2 الیاس خان اندرون پاکستان کھیلی جانے والی کرکٹ میں ایک تجربہ کار کھلاڑی کی حیثیت رکھتا تھا۔ اس نے گذشتہ چار سالوں میں 22 رنز فی وکٹ کے عوض فرسٹ کلاس کرکٹ میں 81 وکٹیں حاصل کر رکھی تھیں۔ مگر توصیف احمد کی خوش بختی کی وجہ سے وہ آئندہ کبھی پاکستان کے لیے کوئی ٹیسٹ میچ نہ کھیل سکا۔

3 ماجد خان نے یاد کرتے ہوئے بیان کیا کہ میلبورن (Melbourne) کی گراؤنڈ پر پاکستانی کھلاڑیوں کے کمرے میں پہلے ٹیسٹ میچ سے پہلے ریاسی میچ کے دوران دو کھلاڑی بھرے ہوئے لڑ جھگڑ رہے تھے۔ جاوید

میانداد، زخمی ظہیر عباس پر یہ الزام عائد کر رہا تھا کہ جب بغیر کسی نتیجہ کے اپنے اختتام کو پہنچ رہا تھا تو وہ بلا اجازت میدان سے کیوں چلا گیا تھا اور پھر سنسنی خیز طور پر پکارتے ہوئے کہا کہ ''میں دیکھوں گا کہ پاکستان کے لیے یا تم کھیلو گے یا میں!'' یہ جھگڑا اس وقت ختم ہوا جب انہیں تنبیع کی گئی کہ چند صحافی ان کی طرف آ رہے ہیں۔ ماجد خان نے جاوید میانداد پر زور دیا کہ وہ ظہیر عباس کے خلاف نظم وضبط کی پابندی کو توڑنے کے الزام میں کارروائی کرے یا پھر ٹیم میں اپنے اختیار سے دستبردار ہو جائے۔ تاہم جاوید میانداد نے مزید کوئی اور کارروائی نہ کی۔ (ماجد خان کے ساتھ ذاتی گفتگو کے دوران)۔

4 نعمان کی کتاب کے صفحہ 191 کے حوالے سے جاوید میانداد نے اپنی کتاب کٹنگ ایج (Cutting Edge) میں صفحہ 246 پر زور دفاع کرتے ہوئے قابل توجہ یہ الزام بھی عائد کیا ہے کہ پاکستانی ٹیم کے چند کھلاڑی یہ بھی چاہتے تھے کہ اسے بھی سزا ملے۔ اگر یہ سچ ہے تو اس نے ظاہر ہوتا ہے پاکستانی ٹیم کے ارکان سے اس کے ذاتی تعلقات کس حد تک بگڑ چکے تھے۔ 1983ء کی وزڈن (Wisden) کے صفحہ 975 پر جاوید میانداد پر معذرت نہ کرنے کی وجہ سے تنقید کی گئی ہے مگر زیادہ قصوروار للّی (Lillee) کو ہی گردانا گیا ہے اور یہ بھی لکھا ہے کہ اس کی ترمیم شدہ سزا بھی ناکافی تھی۔

15

# عمران اور دنیائے کرکٹ میں انقلاب

''میں اپنے دو خالہ زاد بھائیوں کو ٹیسٹ میچ کھیلتے دیکھ کر اپنے خیالوں میں تصور کرتا کہ میں بھی بیٹنگ کرنے کے لیے جا رہا ہوں اور اپنے بلے کے ذریعے عظیم کارنامے سرانجام دیتے ہوئے پاکستانی ٹیم کو مشکل گھڑی سے نکال رہا ہوں۔ بچپن کے یہ خیالی پلاؤ ایک عام چیز ہیں مگر میرے ان خوابوں میں حقیقت کا جوش تھا...''

-عمران خان کی خودنوشت All Round View کے مطابق

کرکٹ کے کچھ انگریز لکھاریوں نے عمران خان کی کچھ ایسی رنگا رنگ تصویر کشی کی جیسے اس کی بدولت ہندوستانی ریاستی شہزادوں کی روایت دوبارہ ظہور پذیر ہوگئی ہو۔ یہ کوشش اسے انگریز حاضرین سے مانوس کرنے کے لیے کی گئی تھی۔ حقیقت میں عمران کا شہزادگی سے کوئی تعلق نہ تھا اور نہ ہی وہ اس کا امرا کے طبقے سے تعلق تھا۔ اس کا خاندان کبھی بھی کرکٹ سے محبت رکھنے والے ہندوستانی شہزادوں کی طرح انگریزوں کی حکومت کا حامی نہیں تھا۔

عمران کے والد اکرام اللہ خان نیازی نے ماہر تعمیرات کی تعلیم لندن کے امپریل کالج سے کر رکھی تھی اور تقسیم ہند سے پہلے آزادی کی تحریک میں بھی شرکت کی تھی۔ عمران خان اپنے والد کی وضع قطع کے بارے کہتا ہے کہ وہ برطانوی نو آبادیاتی نظام کے سخت مخالف تھے اور اسے یاد ہے کہ جب کبھی لاہور جمخانہ کلب کے کسی خدمت گزار ملازم نے ان سے انگریزی زبان میں گفتگو کرنے کی کوشش کی تو اسے وہ جھاڑ دیا کرتے تھے۔

تاہم نو عمر عمران پر سب سے زیادہ اثر اس کی والدہ شوکت خانم کا تھا۔ اس کی والدہ کی پیدائش غیر معمولی قبیلہ برکی میں ہوئی تھی جس کا پاکستانی کرکٹ کی تاریخ میں ایک طاقتور اور تشکیلی کردار ہے۔ اس کے کارنامے قومی کرکٹ میں ایک دریا کی طرح بہتے رہے ہیں۔ عمران خان اس برکی قبیلے کی کرکٹ کھیلنے والی

تہذیب کی پیداوار ہے۔

مارچ 1965ء میں بارہ سالہ عمران کو اس کا ماموں احمد رضا خان جو قومی ٹیم کو منتخب کرنے والوں میں شامل تھا، راولپنڈی میں پاکستان اور نیوزی لینڈ کے درمیان ہونے والا میچ دکھانے ساتھ لے گیا۔ اس کے دونوں خالہ زاد بھائی ماجد خان اور جاوید برکی کھیل رہے تھے۔ ماموں بھانجے نے پاکستان کو ایک اننگز سے جیتتے ہوئے دیکھا (اس میچ میں خالہ زاد بھائیوں جاوید برکی اور ماجد خان کی طرف سے کوئی نمایاں معاونت نہیں ملی تھی)۔ اس وقت احمد رضا خان نے اپنے دوستوں سے مخاطب ہوتے ہوئے کہا، ایک دن عمران خان بھی پاکستان کے لیے کھیلے گا۔ عمران خان نے بعد میں تحریر کرتے ہوئے بیان کیا کہ ''وہ لمحہ وہ کبھی بھلا نہیں پایا۔ میرے ماموں کے الفاظ میرے لیے آسمانی صحیفے سے کم نہ تھے۔''

14 سال کی عمر کو پہنچ کر عمران خان ایچیسن کالج کی سکول ٹیم کا سب سے کم عمر کھلاڑی ہو کر ٹیم میں شامل ہو چکا تھا جہاں وہ اوپننگ بیٹسمین کی حیثیت سے کھیل رہا تھا۔ سولہ سال کی عمر میں اسے 19 سال سے کم عمر پاکستان (Under-19) ٹیم میں دورہ پہ آنے والی مڈل سیکس اور سرے کے سکولوں کی انگریز ٹیم کے خلاف منتخب کر لیا گیا۔ انگریزوں کی اس ٹیم میں مستقبل کے دو ٹیسٹ کھلاڑی باب ولس (Bob Willis) اور گراہم بارلو (Graham Barlow) اور مستقبل کے کئی کاؤنٹی کھلاڑی بھی شامل تھے۔ ''ابتدائی طور پر میرے ساتھ ایک حد تک مخالفت کا سلوک روا رکھا گیا۔ ٹیم میں میرے ساتھیوں کا خیال تھا کہ میں ٹیم میں منتخب ہونے کا اہل نہیں تھا۔ اور میری وہاں پر موجودگی میرے تعلقات کی مرہون منت تھی۔'' عمران نے بیان کیا۔ یہ نقطہ نظر نامناسب تھا۔ سولہ سال کی عمر میں عمران کو پہلی بار فرسٹ کلاس کرکٹ کھیلنے کے لیے لاہور کی طرف سے منتخب کیا گیا۔ سلیکٹرز کا سربراہ عمران کا ماموں تھا جبکہ ٹیم کا کپتان اور کچھ پرانے کھلاڑی اس کے رشتہ کے بھائی تھے۔ ''کچھ نے اسے اقربا پروری کا نام دیا مگر میرے لیے خالصتاً ایک اتفاق تھا۔'' عمران نے بعد میں تبصرہ کرتے ہوئے کہا۔

عمران خان نے لاہور اے کی طرف سے سرگودھا کے خلاف بیٹنگ کا آغاز بطور ابتدائی بیٹسمین کیا اور 30 رنز بنا کر نیم تیز رفتار باؤلر شیر انداز خان کی گیند پر وکٹ کیپر کے ہاتھوں کیچ آؤٹ ہوا۔[1] سرگودھا کی اننگز کے دوران عمران کو ساتویں باؤلر کے طور پر استعمال کیا گیا۔ اس نے سات اووروں میں 43 رنز کے عوض آخر کے 2 بیٹسمینوں کی وکٹیں حاصل کیں۔ اس کے بعد مینہ برسا۔ بجائے اس کے کہ وہ میدان میں موجود رہتا، عمران نے گھر جا کر سونے میں عافیت سمجھی۔ جب وہ واپس میدان میں واپس پہنچا تو کھیل پہلے سے ہی شروع ہو چکا تھا۔ جب کھیلنے کی اس کی باری آئی تو وہ پچ پر پہنچ کر فوراً ہی رن بنانے کی کوشش میں صفر پر رن آؤٹ ہو گیا۔ سرگودھا کی دوسری اننگز میں اس سے باؤلنگ نہ کروائی گئی۔ جب انہوں نے جیتنے کے لیے

5 وکٹ کھو کر ہراساں حالت میں 51 رنز بنائے۔ عمران خان کے عمر میں بڑے رشتہ کے بھائی اور ٹیم کے ساتھ جاوید زمان نے اس میچ کی یاد تازہ کرتے ہوئے بیان کیا کہ ''عمران کی کرکٹ کا آغاز ایک نامبارک انداز سے ہوا۔ باؤلنگ میں وہ بازو لٹکا کر پھینک مارنے کے انداز سے گیند کرتا۔ ابتدائی بیٹسمین کے طور پر اننگز کا آغاز کیا۔ اس نے کوئی خاص وکٹیں بھی نہ لیں (آخر میں کھیلنے والے دو بیٹسمین جو اس نے آؤٹ کیے تھے اس سے اس کا کوئی تاثر بھی نہ بنا) اور پھر وہ پہلے اوور میں ہی رن آؤٹ ہو گیا۔''

عمران اپنے خالہ زاد بھائی جاوید کی کپتانی میں بھی کھیلا۔ ''اس نے مجھے عقلمندی سے استعمال کیا۔ جب حالات مشکل اور بدتر ہو جاتے وہ مجھے ڈھال بن کر تحفظ دیتا اور موزوں اوقات پر میری حوصلہ افزائی کرتا۔'' 18 سال کی عمر میں جیسا کہ ہم دیکھ چکے ہیں، عمران خان کو پاکستان الیون ٹیم کے لیے مکی سٹیورٹ (Mickey Stwart) کی انٹرنیشنل الیون کے خلاف کھیلنے کے لیے منتخب کر لیا گیا۔ اس کی خاص بہتر کارکردگی کی بدولت اسے 1971ء میں انگلینڈ کا دورہ کرنے والی پاکستانی ٹیم میں شامل کر لیا گیا۔

انگلینڈ کے دورہ سے قبل ووسٹر شائیر کے سربراہ ونگ کمانڈر شیکسپیئر نے عمران سے رابطہ کیا اور اس کے لیے بطور طالب علم وورسٹر رائل گرامر سکول کی اقامت گاہ میں رہائش کا انتظام کر دیا جہاں سے عمران نے اے لیول کی تعلیم مکمل کرتے ہوئے آکسفورڈ یا کیمبرج میں داخل حاصل کرنے کی کوشش کی۔ ایک سال بعد عمران آکسفورڈ کے کیبل کالج میں جانے کے لیے تیار تھا۔ ونگ کمانڈر شیکسپیئر کی مداخلت نے نہ صرف عمران خان کی زندگی بلکہ پاکستان کرکٹ کی تاریخ بھی بدل کر رکھ دی۔

آکسفورڈ میں تعلیم حاصل کرنے کی وجہ سے وہ پاکستان میں اندرون ملک کھیل جانے والی کرکٹ سے دور رہا۔ لہٰذا اس کی کرکٹ گرمیوں کے مہینوں میں محدود ہو گئی تھی۔ جب وہ آکسفورڈ یونیورسٹی (جہاں وہ باؤلنگ کا آغاز کرتا اور چوتھے نمبر پر بیٹنگ کرتا اور آخر کار یونیورسٹی کی کپتانی کی) اور یونیورسٹی کی تعلیمی معیار کے اختتام پر وہ ورسٹر شائیر کے لیے کاؤنٹی کے اعلیٰ درجہ مقابلوں میں حصہ لیتا۔

آکسفورڈ کے اس تجربہ ممکن ہے کہ کرکٹ کے کھلاڑی کی حیثیت سے عمران کی پختگی کو دھیما کر دیا ہو۔[2] مگر وہاں اسے وسیع ذہنی تناظر اور رہنمائی کا تجربہ حاصل ہوا۔ آخر کار جب وہ چوٹی کے ٹیسٹ کرکٹر کی حیثیت سے سامنے آیا تو اس وقت اس کی عمر بیسویں سال کے درمیانی حصہ میں تھی۔ مگر وہ انسان کے طور پر چوٹی کے مقام پر کھیل کھیلنے کے لیے غیر معمولی طور پر صلاحیتوں سے لیس تھا۔ وہ اپنے اوپر نازاں ہونے کے ساتھ ساتھ اعلیٰ طور پر ذہین، نظم و ضبط کا پابند، محنتی اور ذاتی وجاہت سے مالا مال تھا۔ یہ جاذبِ نظر کرکٹ کھلاڑی عنقریب عظیم کرکٹ ٹیموں میں ایک ایسی ٹیم کی تشکیل کرنے والا تھا جس کی مثال اس سے پہلے نہ کسی دنیا میں سنی تھی اور نہ دیکھی تھی۔

## پاکستانی کرکٹ کا کامیابی سے ہمکنار ہونا

عمران خان نے پاکستان کرکٹ کو اس وقت سنبھالا جب وہ اپنی تاریخ کی انتہائی اہم تدریجی ترقی کے دور سے گزر رہی تھی۔ 1970ء کی دہائی کے اواخر سے کرکٹ کے کھیل کی اہمیت اور ہر دلعزیزی میں انتہائی اضافہ ہوا تھا۔ کرکٹ کے نئے انداز کے لیے جا رہے تھے اور پرانے طریقوں میں ایسی نئی چیزیں لائی جا رہی تھیں جن کے متعلق کبھی کوئی پیشین گوئی تک نہیں کر سکتا تھا۔ کرکٹ کا کھیل ایسے ایسے نئے علاقوں میں پھیل رہا تھا جہاں کبھی اس کا وجود تک نہ تھا۔ وہاں یہ انکشاف ہوا کہ یہ کھیل ہر طبقے کی توجہ اپنی طرف مائل کرنے کی خوبی رکھتا ہے اور پورے ملک کو یکجا کر کے اتحاد پیدا کرنے کی صلاحیت رکھتا ہے۔ پاکستانی کرکٹ کے کھلاڑیوں کو اب کرکٹ کھیلنے والی سفید فام اقوام جن کا کرکٹ پر تسلط تھا، کی سرپرستی کی بجائے ان کے خوف اور نفرت کا سامنا تھا۔ طاقت کا توازن جھک گیا تھا۔ یہ تمام تبدیلیاں عمران کے دورِ تسلط میں ہوئیں۔ وہ ذاتی طور پر نئے دور کی کرکٹ کے شعور کا نمائندہ بن کر سامنے آیا۔

اچانک ہی کھیل کو اس شدید جذبہ اور شوق کی نظر سے دیکھا جانے لگا جس طرح سے برازیل کے لوگ فٹ بال کھیلتے اور دیکھتے ہیں۔ بلاشبہ کرکٹ نے سماجی طور پر وہی کردار ادا کیا جو برازیل میں فٹ بال کرتا ہے۔ اس نے بندشوں اور رکاوٹوں کو دور کر کے قومی تشخص کی نمائندگی کا راستہ کھول دیا۔ تخلیقی صلاحیتوں سے بھرپور نئی نسل سامنے آ گئی جو قدرتی ہنرمندی سے اپنی توجہ مبذول کروا رہی تھی۔ ان نئے کھلاڑیوں میں بہت سے ایسے تھے جن کا تعلق غربت کے پس منظر سے تھا اور کچھ وہ تھے جن کا تعلق دور افتادہ علاقوں سے تھا۔ ان اعلیٰ ترین نئے کھلاڑیوں نے صرف پاکستانی کرکٹ کو ہی نہیں تبدیل کیا بلکہ انہوں نے عالمگیر طور پر کرکٹ کو نئے سرے سے ایجاد کر دیا۔ غیر تربیت یافتہ اور نجی طور پر خود ہی سیکھے ہوئے ان کھلاڑیوں نے کھیل کے ان اصولوں سے انکار کر دیا جن کی باقی تمام دنیا ترجمانی کر رہی تھی۔ انہوں نے اپنی شخصیات کو مسلط کرتے ہوئے کرکٹ میں جدت اور غیر معمولی آب و تاب کا وہ دور پیدا کیا جس کا موازنہ پہلی جنگ عظیم سے قبل کے نام نہاد سنہری دور سے کیا جا سکتا ہے۔

دو نئی دریافتیں نمایاں طور پر سامنے آئیں۔ پہلی دریافت ریورس سوئنگ (Reverse Swing) یعنی گیند کا واپس جھول جانا تھی جس کی بدولت کرکٹ میں اتنی تبدیلی آئی جتنی ملکہ وکٹوریہ کے عہد میں بازو کو اوپر گھما کر باؤلنگ کرنے میں آئی تھی۔ ریورس سوئنگ ایک ایسا نظریہ ہے جس کی اہمیت کی بدولت میں نے اسے کتاب کے تیسرے حصے میں علیحدہ ایک باب دیا ہے۔ جیسا کہ ہر نئی دریافت کے ساتھ ہوتا چلا آیا ہے ریورس سوئنگ کا (جسے عالمی کرکٹ میں اب قانونی طور پر تسلیم کیا جاتا ہے) فنی کشش اور تلخ ناراضگی کے ملے جلے جذبات سے خیر مقدم کیا گیا۔ امپائروں کے متنازع فیصلوں کے جھگڑوں سے کہیں بڑھ کر 1990ء کی

دہائی میں پاکستان اور سفید فام عالمی کرکٹ کے درمیان ریورس سوئنگ ناراضگی کی بنیادی وجہ بنی رہی۔

اگرچہ دوسری چیز کوئی نئی دریافت تو نہیں کہا جاسکتا مگر ایک قدیمی دریافت کو دوبارہ دریافت کا درجہ دیا جاسکتا ہے۔ یہ کلائی سے سپن کا عمل تھا جو 1960ء کی دہائی میں تقریباً ختم ہو چکا تھا۔ اس دور میں کرکٹ کی انتظامیہ اور کپتانوں خاص طور پر جن کا تعلق ذی اثر سفید فام اقوام سے تھا، نے مروجہ قواعد کو خاص اہمیت دیتے ہوئے لازم قرار رکھا۔ کرکٹ شہروں کے نواحی علاقوں کے درمیانہ درجہ کے طبقوں کی اقدار کا نشان بن چکی تھی اور یہ اقدار دوسری جنگ عظیم کے نتیجہ میں صنعتی دنیا میں تیزی سے پھیل رہی تھیں۔

برطانیہ میں سیم باؤلنگ ٹیم کے حملہ آور باؤلروں کے لیے سنجیدہ باؤلنگ کا لازمی جز وتھی۔ آف سپن جہاں باؤلر اپنی انگلیوں کی مدد سے گیند کو ہوا میں گھماتا تھا اگرچہ اہم تھی۔ مگر یہ ثانوی حیثیت کی تھی۔ آف سپن قابل بھروسہ قرینے اور اختیار میں ہوتے ہوئے ایک منجھے ہوئے ماہر کے ہاتھوں میں تھی جو 2.5 رنز فی اوور سے زیادہ نہ ہونے دینے کی تقریباً حماقت تھا۔ جان ایمبری (John Emburey) جو اس وقت کا انگلینڈ کا صف اوّل کا آف اسپین باؤلر تھا، کے نزدیک سپن باؤلنگ کا فن روکے رکھنے کا دوسرا نام تھا۔ اسے وکٹیں حاصل کرنے سے کہیں زیادہ رنز روکے رکھنے کی جستجو ہوتی تھی۔ یہ محتاط طریقہ جنگ عظیم کے بعد کے برطانیہ، نیوزی لینڈ اور آسٹریلیا کے متوسط طبقے کی روایت پسندی کے عین مطابق تھا۔

لیگ سپن باؤلنگ کرتے ہوئے صرف انگلیوں کا استعمال ہی کافی نہ تھا کیوں کہ اس کے لیے کلائی اور بازو کے اوپر کا حصہ بھی حرکت میں آجاتے تھے۔ اور اس طرح وکٹیں حاصل کرنے کے طریقوں کی ایک پوری کائنات کھل جاتی تھی۔ اس میں افراتفری اور آسانی سے قابو نہ آنے والا وہ عنصر موجود تھا جس کا آسانی سے اندازہ لگانا آسان نہ تھا۔ یہ انقلابی اور باغیانہ طور ان اقدار کے مخالف تھا جن کی کرکٹ میں انگریزوں کے حلقوں نے ہمیشہ ہمت افزائی کی تھی۔ پاکستانی کرکٹ میں انقلاب پیدا کرنے کی بنیاد لیگ سپن باؤلنگ تھی۔

## عبدالقادر: عظیم کرکٹر کے طور پر ایک فنکار

اس محبّ وطن اور بے حد مذہبی کرکٹ کھلاڑی کی داستان پاکستان کی حالیہ تاریخ کے دو عظیم موضوعات پر محیط ہے۔ ایک یہ کہ نئی نسل کی تکنیکی اور فنی ایجادات اور دوسرا ان کا تعلق درمیانے طبقے کے ممتاز حصہ سے نہ ہوتا۔ جب عبدالقادر نے لاہور کی کرکٹ تربیت گاہ کے بالائی حصہ میں اپنے دفتر میں بیٹھ کر مجھے اپنی کہانی سنائی تو اس کے انداز میں سپنر کی طرح گھمانے پھرانے کی بجائے ایک تیز رفتار باؤلر کی سی تیزی تھی۔ باتوں کے دوران اس کا دایاں ہاتھ جس نے اوّل درجے اور اہم ایک روزہ عالمی کرکٹ میچوں میں 60885 لیگ بریک گگلی اور فلپر پھینک رہے تھے، مسلسل حرکت ہوئے مڑتا اور ہلتا رہا جیسے وہ تمام گیند دوبارہ

کرنا چاہتا ہو۔

عبدالقادر چار بچوں میں سے ایک تھا جس کی پرورش لاہور کے دھرم پورہ کے پسماندہ اور پرہجوم علاقے کے ایک چھوٹے سے مکان میں ہوئی۔ اسے اپنے خاندان کے پٹھان سلسلہ نسب پر فخر ہے۔ اس کے والد نے لاہور نقل مکانی کر کے ایک چھوٹی سی مسجد میں معمولی تنخواہ کے عوض امامت کی۔ وہ مقامی لوگوں کو بلامعاوضہ قرآن کی تعلیم بھی دیتے رہے۔ ان حالات میں ان کی آمدنی خاندان کی گزراوقات کے لیے ناکافی تھی اور بعض اوقات کھانے کو روٹی تک نہیں ہوتی تھی۔ اس کے والد کو کھیلوں سے کوئی دلچسپی نہیں تھی۔ اس کے دوسرے رشتہ داروں میں بھی ایسا کوئی بڑا نہیں تھا جو اس کے دوسرے بیٹے کو کرکٹ سکھاتا یا اس کی حوصلہ افزائی کرتا۔ ''مگر اس کے باوجود کرکٹ میں عمدگی، ایمانداری، مخالفین کی عزت کی اقدار مجھے اپنے والد سے ورثہ میں ملیں۔'' عبدالقادر نے بیان کیا۔

اس نے مکمل طور پر خود کرکٹ سیکھی۔ وہ نیٹ کی تربیت کے دوران سخت محنت کرتا اور ہر وقت نت نئے تجربات کرتا یہاں تک کے خوابوں میں بھی وہی یہی کام کر رہا تھا۔ ''میں کرکٹ کی گیند لے کر سویا کرتا تھا اور جوں جوں مجھے نیند آ رہی ہوتی میں تصور میں گیند کو مختلف انداز سے پکڑتے ہوئے سوچتا کہ اب گیند کون سا رخ اختیار کرے گی۔''[3] ان طریقوں کی مدد سے گیند کرنے کے وہ تین چار نئے انداز دریافت کر لیے جو لیگ سپن باؤلر کے شعبدوں میں شامل ہوتے ہیں۔

فورٹریس سٹیڈیم کے نزدیک ایک میچ کھیلتے ہوئے وہ نظروں میں آ گیا اور اسے علاقے کی بہترین کلب دھرم پورہ جمخانہ میں شامل کر لیا گیا اور جیسا کہ عموماً پاکستان میں ہوتا ہے نووارد قادر کا میچ کھیلنا تو دور کی بات اس سے پہلے کہ وہ نیٹ میں کھیل سکتا، اسے اپنے سے بڑے کھلاڑیوں کی دیکھ بھال، نیٹ لگانے اور پچ تیار کرنے کی ذمہ داریوں کو سنبھالنا پڑا۔ آخرکار جب اسے بڑی ٹیم میں کھلایا گیا تو اس نے سنچری بنا کر اور 5 وکٹ حاصل کر کے احسان مندی کا ثبوت دیا۔

آل راؤنڈر کارکردگی کی بدولت اسے گورنمنٹ کالج لاہور میں جگہ مل گئی۔ جہاں سے وہ -/230 روپے فی ہفتہ لے کر واپڈا کے لیے ملازمت کے ساتھ ساتھ کرکٹ بھی کھیلنے لگا۔ (یہ رقم اس وقت دس برطانوی پونڈ کے مساوی تھی) پھر اس نے اس سے بھی بہتر پیشکش حبیب بینک کی طرف سے ہوئی جو -/750 روپے فی ہفتہ تھی (جو 32 برطانوی پونڈ کے برابر تھی) اس طرح قادر عبدالحفیظ کاردار کے تجارتی کمپنیوں کے نظام سے ابتدائی طور پر مستفید ہونے والوں میں سے ایک تھا۔ اس کے والد کو حیرت تھی کہ کرکٹ کھیلنے والے پیسے بھی کماتے ہیں؟ حبیب بینک کی ٹیم میں اس کا ساتواں نمبر تھا جن کی طاقتور بیٹنگ میں محسن خان اور جاوید میانداد جیسے کھلاڑی موجود تھے۔ اس لیے اس نے فیصلہ کیا کہ اسے زیادہ توجہ اپنی باؤلنگ کو دینی چاہیے۔

اس کے اس فیصلے کو مزید تقویت اس وقت ملی جب 20 سال کی عمر میں اپنے پہلے فرسٹ کلاس میچ میں ایس اے بھٹو کپ (سکندر علی بھٹو کپ کاردار اور بھٹو ور کی ایک اور تخلیق تھا) میں یونائیڈ بینک کے خلاف ساتویں نمبر پر بیٹنگ کرتے ہوئے اسے اگلے پاوں پر گیند کھانے کے نتیجے میں آوٹ دیئے جانے کا صدمہ سہنا پڑا۔ ''میں غسل خانے میں جا کر خوب رویا اور فیصلہ کر لیا کہ آئندہ کبھی پیڈ نہیں باندھوں گا'' جب حبیب بینک کی ٹیم فیلڈنگ کرنے لگی تو اس کے باؤلر جن میں ٹیسٹ میچوں میں آغاز کرنے والا لیاقت علی بھی تھا کامیابی حاصل کرنے میں ناکام ہو گئے۔ جب چھٹے باؤلر کے طور پر آخر کار اسے گیند دی گئی تو قادر نے 67 رنز کے عوض 6 وکٹ حاصل کر لیے۔ اس کی تصویر ڈان اخبار میں اس شہ سرخی کے ساتھ لگی کہ عبدالقادر نے مخالفین کو تباہ کر دیا۔[4]

عبدالقادر میں اس کا انوکھا پن اس کی تیزی اور طراری تھی۔ پاکستان کے پاس لیگ سپن باؤلروں کی روایت رہی تھی جن میں مشتاق محمد اور انتخاب عالم شامل تھے مگر صرف عبدالقادر نے کلائی کے ذریعے گیند گھمانے کو جارحانہ فن کے طور پر دیکھا۔ اس کا فلسفی عقیدہ حملہ آوری میں تھا اور اس کا اہم ترین مقصد وکٹیں حاصل کرنا تھا۔ عبدالقادر کے لیے لیگ اسپین باؤلنگ ایسے ہی تھی جیسے تیز رفتار باؤلنگ ہوتی ہے جس میں شدید دشمنی، پرزور شدت، کامیابی کی امنگ اور ذاتی جستجو جیسے عناصر شامل ہوتے ہیں۔

کرکٹ کے اپنے پہلے ہی سال میں اس نے فرسٹ کلاس کرکٹ میں 25 دوسرے مخالفین کو پچھاڑ دیا۔ اس سے اگلے سال 67 مزید کو آوٹ کر دیا جس کی بدولت دسمبر 1977ء میں پاکستان کے دورہ پر آئی ہوئی انگلینڈ کی ٹیم کے خلاف اسے ٹیسٹ میچ میں موقع دیا گیا جس میں اس کے اعداد و شمار متوسط قسم کے تھے (اسے گیارہویں نمبر پر کھیلنے والے بیٹسمین باب ولس (Bob Willis) کی واحد وکٹ 82 رنز کے عوض حاصل ہوئی) مگر اسے بدستور ٹیم میں شامل رکھا گیا اور حیدر آباد میں کھیلے جانے والے اگلے ٹیسٹ میچ میں اس نے 44 رنز کے عوض 6 وکٹ حاصل کر لیے۔ ٹیسٹ میچوں کے اس سلسلے میں پاکستان کا سب سے زیادہ وکٹ حاصل کرنے والا باؤلر عبدالقادر تھا۔ تاہم پھر بھی آئندہ چند سال ٹیم میں شامل رہنے کے لیے اسے مسلسل جدوجہد کا سامنا رہا۔ 1982ء تک جب عمران خان کپتان بن چکا تھا معمولی کارکردگی کی بدولت عبدالقادر کا اعتماد متزلزل ہو چکا تھا اور وہ صرف 27 سال کی عمر میں دل برداشتہ ہو کر کرکٹ کو خیرباد کہنے پر غور کر رہا تھا۔ عمران خان نے بغیر کسی شرط کے اس کی پشت پناہی کی۔ (جاوید میانداد نے اس کے برعکس بائیں ہاتھ سے گیند کرنے والے ہنرمند اقبال قاسم کو ترجیح دی تھی) اور اصرار کر کے اسے 1982ء میں انگلینڈ کا دورہ کرنے والی پاکستانی ٹیم میں شامل کروایا۔ عمران خان کی ماتحتی میں اسے وہ اعتماد اور دائرہ عمل اس نے اپنی تقدیر کی تکمیل کی۔ حاصل ہوا جس کی بدولت اس نے اپنی تقدیر کی تکمیل کی۔

# پاکستانی ٹیم انگلینڈ میں، 1982ء

جس طرح کاردار نے 1950ء کی دہائی میں پاکستانی کرکٹ کی وضاحت کی تھی اس طرح 1980ء کی دہائی میں عمران خان نے عظیم پاکستانی ٹیسٹ ٹیم پر اپنے تشخص کی مہر ثبت کی تھی۔ ابتدائی طور پر ناموافق اجزا تھے۔ مشتاق محمد کی قابل تعریف ٹیم زوال پذیر تھی۔ اس کے بیشتر عظیم کھلاڑی یا تو کنارہ کش ہو چکے تھے یا پھر اپنی بہترین صلاحیتوں کے دور کی آخری حد کو چھو چکے تھے جن میں وسیم باری، ماجد خان اور سرفراز نواز شامل تھے۔ (خود مشتاق محمد اور آصف اقبال سبکدوش ہو چکے تھے) ٹیم کو اندرونی جھگڑوں، خلفشار اور حسد جیسی مصیبتوں کا بھی سامنا تھا۔

ان حالات میں یہ بات ذرا بھی باعث حیرت نہیں کہ عمران کے قریبی دوستوں نے اس کپتانی نہ لینے کا مشورہ دیا۔ مگر عمران نے فوری طور پر اپنی شخصیت حاوی کر دی اور دو فوری لیے گئے اقدام نمایاں تھے۔ پہلا جسے اوپر کے حصہ میں بیان کیا گیا ہے عبدالقادر کا انتخاب تھا۔ دوسرا سخت گہرا اور ظالمانہ فیصلہ عمران کا ذاتی طور تھا جس کا اعلان اس نے بغیر کوئی اشارہ دیئے کیا اور جس کے تحت اس نے اپنے خالہ زاد بھائی ماجد خان کو ٹیم سے علیحدہ کر دیا۔ یہ ایجبسٹن (Edgbastan) میں شروع ہونے والے پہلے ٹیسٹ میچ کے پہلے روز ہوا۔ ماجد خان، عمران کے لڑکپن کے دورے ہی اس کی محبوب شخصیت تھا۔ عمران خان نے یادداشت کو دہراتے ہوئے کہا کہ ''اسے ایسا محسوس ہوا جیسے اس نے اپنے بڑے بھائی کو علیحدہ کر دیا ہو۔ یقیناً یہ ایک انتہائی ناگوار فیصلہ تھا مگر ماجد خان کو ٹیم کے کسی ایسے نوجوان کھلاڑی جو رنز بھی بنا رہا ہو، کی جگہ پر رکھنے کا قطعی جواز نہیں تھا۔'' اس واقعہ کے بعد ماجد خان نے پچیس سال تک عمران سے کلام نہ کیا۔

عمران خان کو اگر اس اقدام سے احساسِ جرم محسوس بھی ہوا ہو گا تو اس نے اس کا غصہ انگریزوں پر اس طرح اتارا کہ 168 رنز پر جب ان کے صرف دو کھلاڑی آؤٹ ہوئے تھے تو پھر اس کے بعد تمام ٹیم کو 272 رنز پر صاف کر دیا۔ اس نے 52 رنز کے عوض سات وکٹیں حاصل کیں جن میں بوتھم کی وکٹ بھی شامل تھی جسے عمران نے اپنے تباہ کن یارکر بولڈ کر دیا تھا۔ دوسری جانب سے عمران کی زیر حمایت عبدالقادر (جسے دانستہ طور پر حالیہ ایک روزہ میچوں کے سلسلے میں چھپانے کی غرض سے باہر رکھا گیا تھا) نے سوائے بائیں ہاتھ سے کھیلنے والے ڈیوڈ گاور (David Gower) کے ہر انگریز کھلاڑی کو اپنے جادو کے سحر میں مبتلا کیے رکھا۔ اس نے صرف ایک وکٹ حاصل کی۔ عمران اور اس کا خیال تھا کہ انگریز امپائر اس کی گگلی (Googly) اور ٹاپ سپنر کو سمجھنے میں اتنے ہی ناکام تھے، جتنے انگلش ٹیم کے چوٹی کے بیٹسمین۔ عبدالقادر کے دوست اور حریف اقبال قاسم کے مطابق گیند کرنے سے پہلے قادر امپائروں کو باقاعدہ اعلانیہ طور پر بتا دیتا تھا کہ وہ کس قسم کی گیند کرنے والا ہے۔

پاکستان کو پہلی اننگز میں برتری حاصل ہونا چاہیے تھی مگر غیر ذمہ دار بیٹنگ کے نتیجے میں وہ انگلینڈ کی ٹیم سے 21 رنز کم رہے۔ انگلینڈ کی دوسری اننگز میں وقتی طور پر اوپننگ بیٹمین کی حیثیت میں کھیلائے گئے ڈیرک رینڈل (Derek Randall) نے کسی نہ کسی طرح سنچری بنا ڈالی۔ حالاں کہ وہ عبدالقادر کے سامنے ہروقت مصیبت میں مبتلا رہا۔ مگر اس کے باوجود انگلینڈ کی ٹیم نے 8 کھلاڑی آؤٹ ہونے پر 188 رنز بنا لیے اور پاکستان سے صرف 209 رنز آگے تھے۔ اس میں گمنام باؤلر طاہر نقاش کی اعلیٰ کارکردگی شامل تھی جس نے 40 رنز کے عوض 5 کھلاڑی آؤٹ کیے تھے۔ اس کے بعد پاکستانی باؤلر اپنا لائحہ عمل بھول گئے جس کی وجہ سے وکٹ کیپر باب ٹیلر (Bob taylor) 54 رنز بنا گیا اور آخری دو وکٹوں کے ساتھ مزید 100 رنز کھینچ گیا۔ نمی سے بھرپور ماحول میں بوتھم نے مدثر نذر (جس نے دونوں اننگز میں کوئی رن نہ بنایا) اور منصور اختر دونوں کو بغیر کوئی رن کیے فوراً آؤٹ کر دیا۔ اس نے تبدیل ہوئے بغیر لگاتار 21 اوور کر کے چار وکٹ حاصل کیے جس کی بدولت پاکستانی ٹیم گرتی ہوئی 6 وکٹ کے عوض 77 رنز بنا پائی۔ عمران نے 65 رنز بناتے ہوئے مزاحمت کی اور طاہر نے 39 رنز بناتے ہوئے میچ میں عمدہ کارکردگی دکھائی مگر پاکستان کو پھر بھی 113 رنز سے شکست ہوئی۔

لارڈز گراؤنڈ پر کھیلنے جانے والے دوسرے ٹیسٹ میچ میں محسن خان کی خوبصورت ڈبل سنچری کے علاوہ ظہیر عباس اور منصور اختر کی نصف سنچریوں کی مدد سے پاکستان نے 8 کھلاڑی آؤٹ ہونے پر 428 رنز بنا لیے اور پھر دوسرے روز بارش کی لمبی تاخیر کے باوجود عمران خان نے پاکستان اننگز کو ختم کرنے کا اعلان کر دیا۔ اس کے بعد تماشائی عمران خان اور عبدالقادر کی ایک ساتھ باؤلنگ سے لمبے وقفے تک لطف اندوز ہوتے رہے۔ اس دوران قادر نے 39 رنز کے عوض 4 وکٹ لے کر انگلینڈ کی ٹیم کے نچلے درجوں پہ کھیلنے والے بیٹسمینوں کو آؤٹ کرتے ہوئے اسے تباہ کر دیا تھا۔ انگلینڈ کی ٹیم کو دوبارہ کھلاتے ہوئے عمران خان اور عبدالقادر کوئی خاص کامیابی حاصل کرنے میں ناکام رہے۔ ادھر کرس ٹیورے (Chris Tavare) نے آہستہ آہستہ کھیلتے ہوئے ٹیسٹ کرکٹ کی تاریخ کی دوسری سست ترین نصف سنچری بنا لی۔ اس میں وہ 67 منٹ بھی شامل تھے جن میں ابھی اس نے کوئی رن بنانا تھا۔ اس کے بعد وہ مزید کوئی رن کیے ایک گھنٹہ تک کھیلتا رہا۔ سرفراز نواز اور طاہر نقاش دونوں کی ناسازی طبع کی وجہ سے اور کسی متبادل کے نہ ہونے کی صورت میں عمران نے نیم تیز رفتار جزوی باؤلر مدثر نذر کو باؤلنگ کرنے کے لیے گیند تھما دی۔ اسے فوری کامیابی نصیب ہوئی۔ اس نے بغیر کوئی رن دیئے 6 گیندوں میں 3 وکٹ حاصل کر لیں۔ روشنی کی کمی کی بدولت (امپائروں نے اس صورتحال کو بے قاعدگی سے سنبھالا) پاکستان کی فتح کی کوشش کو خطرہ لاحق ہو گیا۔ مگر ٹیسٹ میچ کے آخری دن کی صبح مدثر نے تین مزید وکٹیں حاصل کر لیں۔ جن میں بوتھم (Botham) 69 رنز بنا کر شامل تھا (اس کا کیچ ایک لمبی ہٹ لگاتے ہوئے لانگ ہاپ (Longhop) پر ہوا) جبکہ 407 منٹ تک کھیل کر 82 رنز

بنانے والے ٹیورے (Tavare) کو عمران نے آؤٹ کیا۔ عمران نے معمول کے خلاف نیا گیند لینے میں 112 اوور ہونے تک تاخیر کی۔ اور پھر آخرکار جب عبدالقادر کو باؤلنگ دی تو اس نے آخری وکٹ کی تکلیف دہ شراکت کا خاتمہ کیا۔ سیاہ بادل چھا رہے تھے اور پاکستان کو زیادہ سے زیادہ 18 اووروں میں 76 رنز کا ہدف مکمل کرنا تھا۔ عمران خان نے جاوید میانداد کو محسن خان کا ساتھ بنا کر کھیلنے کے لیے بھیجا۔ اس جوڑی نے میدان میں پھیلی ہوئی ٹم کا توڑ بہترین دوڑوں کے ذریعے رنز بنا کر کیا۔ ابھی چار اوور بقایا تھے کہ انہوں نے پاکستان کو جیت سے ہمکنار کر دیا۔ اٹھائیس سال 1954ء کی اوول کے میدان میں جیت کے بعد انگلستان میں پاکستان کی یہ پہلی فتح تھی۔''

پاکستان کی اس فتح کی بدولت تین ٹیسٹ میچوں کے اس سلسلے کے اختتام میں دلچسپی پیدا ہو گئی تھی (جاوید برکی کی 1962ء کی ٹیم کے انگلینڈ کے خفت آمیز دورہ کے بعد پاکستان کو پانچ ٹیسٹ میچوں کے سلسلے کی اجازت نہیں دی گئی تھی) تاہم تیسرا ٹیسٹ میچ ایک مضحکہ خیز انداز میں شروع ہوا جب سرفراز نواز اور طاہر نقاش کی مسلسل غیر حاضری کی وجہ سے لیگ کرکٹ کھیلتے ہوئے سابقہ پاکستانی اوپننگ باؤلر احتشام الدین کو کھیلنے کے لیے ٹیم میں بلا لیا گیا۔ وہ بے چارہ کافی موٹاپے کا شکار تھا اس نے بمشکل 14 معقول اوور کیے جس کے بعد اس کا پٹھا چڑھ گیا اور وہ مزید کوئی کارکردگی کرنے کے قابل نہ رہا۔

پاکستانی ٹیم نے پہلے بیٹنگ کرتے ہوئے 275 رنز کیے۔ مدثر نذر، جاوید میانداد اور عمران خان نے نصف نصف سنچریاں بنائیں۔ ماجد کو ٹیم میں دوبارہ شامل کر لیا گیا تھا مگر اسے اب درمیانی جگہ پر بیٹنگ کرنے کے لیے کھلایا گیا تھا۔ گو ماجد صرف 21 رنز بنا پایا مگر اس کے ساتھ اسے یہ اطمینان ضرور حاصل ہوا کہ وہ پاکستان کی طرف سے ٹیسٹ میچوں میں سب سے زیادہ رنز کرنے والا کھلاڑی بن گیا۔ گاور نے 76 رنز اور بوتھم نے 57 رنز کرتے ہوئے انگلینڈ کا سکور 256 رنز پر پہنچا دیا۔ انہوں نے عبدالقادر کو ناکارہ بنا کر رکھ دیا۔ مگر قادر اس وقت غضبناک ہو گیا تھا جب امپائر ڈیوڈ کونسٹنٹ (David Constant) نے اس کی گیند پر گوور کو اپنی اننگز کے آغاز میں ہی وکٹ کیپر کے ہاتھوں کیچ آؤٹ نہیں دیا تھا۔

اپنی دوسری اننگز کھیلتے ہوئے پاکستانی ٹیم امپائر ڈیوڈ کونسٹنٹ (David Constant) پر مزید برہم ہوئی۔ جاوید میانداد کی مزید ایک اور نصف سنچری کے باوجود پاکستان ٹیم نے 7 کھلاڑی آؤٹ ہونے پر صرف 128 رنز بنائے تھے۔ پھر عبدالقادر اپنے مروی عمران خان کا ساتھ دینے کے لیے میدان میں اترا۔ دونوں نے مل کر 41 رنز کا اضافہ کیا اس کے بعد عمران خان کو سکندر بخت کی صورت میں ایک اور پرعظیم ساتھی مل گیا۔ دونوں نے مزید 30 رنز کا اضافہ کیا اور پھر بیٹ اور پیڈ (Bat and Pad) کی اپیل پر امپائر ڈیوڈ کونسٹنٹ (David Constant) نے سکندر بخت کو غلط طور پر آؤٹ قرار دے دیا۔ اسی فیصلے نے کھیل کا

رخ پلٹ دیا۔ آخری کھلاڑی احتشام الدین پر عمران کو کوئی خاص اعتماد نہ تھا۔ لہٰذا اپنی دوسری نصف سنچری مکمل کرنے کے لیے عمران خان نے بوتھم کی گیند پر باونڈری کی طرف ایک اونچی ہٹ لگائی مگر کیچ پکڑا گیا۔

انگلینڈ کو 219 رنز بنانا تھے۔ دو کھلاڑی آؤٹ ہونے پر 168 رنز ہو چکے تھے اور یوں لگتا تھا کہ ہدف با آسانی حاصل ہو جائے گا۔ احتشام الدین کی غیر حاضری میں عمران نے ایک بار پھر مدثر نذر کی طرف گیند پھینکی۔ پاکستان کے اس سنہری بازو والے باؤلر نے فوری تین وکٹیں حاصل کر کے انگلینڈ کی ٹیم کو دشواری سے دوچار کر دیا تھا۔ جس کے 189 رنز پر 6 کھلاڑی آؤٹ ہو چکے تھے۔ اس وقت بوتھم (Botham) نے روشنی کی کمی کی پیشکش کو قبول کر لیا۔ مدثر نے اسے اگلی صبح آؤٹ تو کر دیا مگر وک مارکس (Vic Marks) اور باب ٹیلر (Bob Taylor) نے کسی نہ کسی طرح جیتنے کے لیے درکار 20 رنز حاصل کر کے تین وکٹوں سے فتح حاصل کر لی۔

ٹیسٹ میچ کے اختتام پر ہونے والی گفتگو میں عمران خاں نے امپائر کونسٹنٹ (Constant) کی شدید مذمت کی۔ مگر دورے نے اس کی کپتانی کی شہرت کو دوبالا کر دیا۔ پاکستان کی 1-2 سے شکست کے باوجود عمران خان اپنی ٹیم کے کھلاڑیوں سے عزت اور وفاداری حاصل کرنے میں کامیاب ہو گیا تھا۔ اس نے بہادرانہ طور پر اپنی ٹیم کی رہنمائی کی تھی۔ ذاتی طور پر اس نے 53 کی اوسط سے 212 رنز بنائے تھے اور 18.6 رنز فی وکٹ کی اوسط سے 21 وکٹیں حاصل کی تھیں۔ آل راونڈر کی حیثیت سے ایک قلیل دورہ کے دوران ایسے نادر اعداد و شمار دنیا کے بہترین اعداد و شمار میں مانے جاتے ہیں۔ ابتلا کے مقابلے میں عمران خان نے اپنی بہادری کو ثابت کر دکھایا تھا۔

## آسٹریلیا کا صفایا

عمران خان کی کپتانی کا اگلا امتحان کوئی آسان کام نہ تھا۔ یہ موسم سرما میں آسٹریلوی ٹیم کا پاکستان کا دورہ تھا۔ عمران خصوصی طور پر عبدالقادر کے ساتھ منسلک رہا۔ ذرائع ابلاغ میں اسے منتخب کرنا تنقیدی کا نشانہ بنا رہا۔ خاص طور پر کراچی میں اس معاملے کو خاص طور پر اٹھایا گیا۔ اپنے پراسرار ہونے کے باوجود یہ لیگ سپنر انگلینڈ میں 40 سے زائد رنز فی وکٹ دے کر ٹیسٹ میچوں میں صرف 10 وکٹ حاصل کر سکا تھا۔

کراچی میں کھیلے جانے والے پہلے ٹیسٹ میچ کی ابتدا سے پہلے ظہیر عباس کے حوالے سے لڑائی جھگڑا ہوا۔ اسے کے حمائتیوں نے دھمکی دی کہ اگر اسے منتخب نہ کیا گیا تو وہ بم چلا دیں گے۔ (کراچی میں ایسی دھمکی کوئی معمولی چیز نہیں ہوتی) وہ منتخب ہوا اور اس نے 91 رنز بنائے جس کی بدولت پاکستان کو 135 رنز کی ٹھیک ٹھاک برتری حاصل ہو گئی۔ پاکستانی اننگز میں تماشائیوں نے پھلوں کے چھلکے اور پتھر مار مار کر اس میں

رکاوٹ ڈالی اور پھر پچ پر حملہ آور ہو گئے۔ کم ہیوز (Kim Hughes) ٹیم کو میدان سے باہر لے گیا۔ عبدالقادر نے دوسری اننگز میں آسٹریلوی بیٹسمینوں کو چکرا کے رکھ دیا اور 76 رنز کے عوض پانچ وکٹیں حاصل کیں۔ ٹیسٹ میچوں کے اس سلسلے میں یہ قادر کی پہلی اہم کارکردگی تھی۔ پاکستان کو میچ جیتنے کے لیے صرف چند رنز ہی درکار تھے۔

فیصل آباد میں پاکستان نے 8 وکٹوں کے عوض 501 رنز بنا لیے اور پھر عمران نے اننگز کو ختم کرنے کا اعلان کر دیا۔ ظہیر عباس اور منصور اختر نے سنچریاں بنائی تھیں۔ منصور اختر جسے کبھی ٹیسٹ ٹیم میں رکھ لیا جاتا اور کبھی نکال دیا جاتا صرف یہی ایک ٹیسٹ سنچری بنا سکا۔ وہ 99 رنز پر پہنچ کر 25 منٹ تک پریشانی میں کھیلتا رہا۔ پچ جو آسٹریلیا کے لیگ سپنر پیٹر سلیپ (Peter Sleep) کے لیے کوئی خاطر خواہ کام نہ کر سکی وہی عبدالقادر کے لیے تباہ کار ثابت ہوئی۔ اس نے 76 رنز کے عوض 4 کھلاڑی آؤٹ کیے۔ گھبرائی ہوئی بدحواس آسٹریلوی ٹیم 168 رنز بنا کر آؤٹ ہو گئی۔ دوبارہ کھیلنے پر انہوں نے گریگ رچی (Greg Ritchie) کی سنچری کی مدد سے مزاحمت کی۔ (گریگ رچی نے یہ سنچری اپنے دوسرے ٹیسٹ میں ہی کر ڈالی) مگر عبدالقادر نے اپنی گگلی فلپر (Flipper) اور لیگ سپنر کرتے ہوئے 142 رنز دے کر 7 اور کھلاڑی آؤٹ کر دیے۔ آج تک یہ اس کے بہترین اعداد و شمار ہیں۔ جن کی مدد سے پاکستان نے ایک اننگز اور تین رنز سے فتح حاصل کی۔

پاکستان نے لاہور میں کھیلے جانے والے اگلے ٹیسٹ میں فتح حاصل کر کے پہلی بار کسی حریف ٹیم کا مکمل طور پر صفایا کیا۔ جاوید میانداد نے 30 ماہ کے عرصہ میں پہلی سنچری بنائی اور ایک سنچری محسن خان کی طرف سے بھی ہوئی۔ عمران خان نے 151 رنز کی برتری حاصل کر کے اپنی اننگز کو ختم کرنے کا اعلان کر دیا۔ عمران نے پہلی اننگز کی طرح دوسری اننگز میں بھی آسٹریلیا کی مزید 4 وکٹیں حاصل کر لیں۔ قادر نے ہیوز اور باڈر کو آؤٹ کر دیا جس کے بعد پاکستان کے جیتنے کے لیے صرف 64 رنز کی ضرورت رہ گئی۔[5]

پاکستانی کھلاڑیوں اور خاص طور پر کپتان نے ٹیسٹ میچوں کے اس سلسلے کے بعد مقبولیت کا ایک نیا اور اونچا معیار حاصل کر لیا تھا۔ اس مقبولیت کے کچھ حصہ کو اپنا حق سمجھ کر جنرل ضیا نے ایک شاندار ضیافت کا اہتمام کیا جہاں اس نے کھلاڑیوں میں سونے کے تمغے تقسیم کیے۔

## ہندوستان کے خلاف کامیابی

اب عمران خان کے سامنے مقابلے کی وہ مشکل مہم آ کھڑی ہوئی تھی جو ہر پاکستانی کپتان کے لیے آخری مقابلے کا درجہ رکھتی ہے۔ یہ مقابلہ ہندوستان کے ساتھ پاکستان میں ہونا تھا۔ پاکستان اور ہندوستان کے درمیان یہ دور تعلقات کے لحاظ سے قدرے پُرمسرت وقت تھا اور اس پر امن وقت کی پیش رفت تسلسل

سے رابطے کی صورت میں کرکٹ کے میدان میں نظر آ رہی تھی۔

ٹیسٹ میچوں کے یہ مقابلے اعلیٰ ترین نوعیت کے تھے۔ ہندوستان کی ٹیم دنیا کی بہترین بیٹنگ ٹیم ہونے کا دعویٰ کر سکتی تھی۔ اس میں سنیل گواسکر، گنڈیا وشواناتھ، دلیپ وینگسارکر، مہندر امرناتھ، سندیپ پاٹل، یشپال شرما، روی شاستری اور کپل دیو شامل تھے اس کے برعکس پاکستان کی عظیم طاقت عمران کی سربراہی میں حملہ آور باؤلروں میں تھی۔ عمران کی عمر 30 سال ہو چکی تھی اور حملہ آور تیز رفتار باؤلر کی حیثیت سے وہ اپنی معراج کی بہترین حد چھو رہا تھا۔

تاریخ کے اس مقام پر اس کھیل میں چار بہترین ہرفن مولا آل راؤنڈر، عمران، کپل دیو، آئین بوتھم اور رچرڈ ہیڈلی کرکٹ کو شان دے رہے تھے۔ ہر بار جب بھی ان کا آمنا سامنا ہو، تا ان کے درمیان ذاتی کشمکش کا مقابلہ ہوتا۔ جب پاکستان نے بھارت کا دورہ کیا تھا تو فتح کپل دیو کی ہوئی تھی۔ ٹیسٹ میچوں کے اس سلسلے میں اگرچہ کپل دیو نے 24 وکٹیں حاصل کرنا تھیں مگر اس بار عمران فاتح کے طور پر نمودار ہوا۔

لاہور میں کھیلے جانے والے ٹیسٹ میچ میں بے تحاشا رنز بنیں مگر میچ کا کوئی خاطر خواہ نتیجہ برآمد نہ ہوا۔ مگر اس میں دو اہم سنگ میل سامنے آنے کی وجہ سے اس کی اہمیت بنی۔ ظہیر عباس نے جیف بائیکاٹ کے نقش قدم پر چلتے ہوئے ٹیسٹ میچوں میں اپنی دسویں اوّل درجہ کی سنچری بنائی۔ مگر اس نے ایک قدم آگے بڑھتے ہوئے اسے دوسری سنچری میں تبدیل کر دیا۔ محسن خان نے دونوں اننگز میں بالترتیب 94 اور 101 رنز بنائے جن کی بدولت وہ پہلا پاکستانی کھلاڑی بن گیا جس نے ایک سال کے اندر ٹیسٹ میچوں میں 1000 رنز مکمل کیے۔

پاکستان نے ہندوستان کو کراچی کھیلے جانے والے دوسرے ٹیسٹ میچ میں بری طرح سے شکست دے کر ایک اننگز اور 86 رنز سے ٹیسٹ جیت لیا۔ یہ پاکستان کی ہندوستان کے خلاف سب سے بڑی فتح تھی۔ اکیلے کپل دیو نے عمران اور قادر کی پہلی اننگز میں مزاحمت کی اور ہندوستان کا کل سکور 169 تک پہنچ سکا۔ ظہیر نے ایک اور زبردست سنچری بنائی (اسے غالباً ہندوستانی باؤلر پسند آ گئے تھے) اور مدثر نذر نے بھی ایک سنچری کر دی جس کی بدولت پاکستان کے 452 رنز بن گئے۔

عمران نے کراچی کی سمندری ہوا کو ہمیشہ پسند کیا تھا۔ ہندوستان کی دوسری اننگز کے دوران اس نے اپنی باؤلنگ کی کارکردگیوں کی ایک عظیم مثال پیش کی۔ اس نے 60 رنز کے بدلے 8 وکٹ حاصل کیں اور ہندوستان کی ٹیم 197 رنز پر آؤٹ ہو گئی۔ عمران کی دو گیندوں کی پیشکش جسے ویڈیو پر لاتا تعداد پر دکھایا جاتا ہے میں ایک تو اس رخ بدلتی کمر توڑ گیند کی ہے جس نے گواسکر کو اس وقت بولڈ کر دیا جب وہ 42 رنز بنا کر جوہر دکھانے کے لیے تل چکا تھا۔ دوسری ہوا میں جھولتی ہوئی گر کر جھولتی ہوئی رخ بدلنے والی یارکر گیند تھی جس نے دوسرے ہی گیند پر وشواناتھ کو بولڈ کر دیا تھا (یہ عمران خان کی ٹیسٹ کرکٹ میں دوسوویں وکٹ تھی)۔

فیصل آباد میں کھیلے جانے والے اگلے ٹیسٹ میچ میں عمران خان کو ٹیسٹ میچ میں سنچری بنا کر اور دس وکٹیں حاصل کر کے بوتھم کی برابری کرتے ہوئے ذاتی اطمینان حاصل ہوا۔ اس نے پہلی اننگز میں 6 وکٹیں لیں اور دوسری اننگز میں 5 سنچری بنانے والوں میں اس کا ساتھ جاوید میانداد، ظہیر عباس (اس کی دوبارہ سنچری) اور نوجوان سلیم ملک نے دیا جس کی وجہ سے پاکستان نے 652 رنز کرتے ہوئے 280 رنز کی برتری حاصل کر لی۔ ہندوستان کی دوسری اننگز میں عمران کا ساتھ سرفراز نواز نے چار وکٹ حاصل کر کے دیا۔ اس ٹیسٹ میں گواسکر پہلا ہندوستانی کھلاڑی بنا جو 127 رنز بنا کر آخر تک ناقابل شکست رہا۔ پاکستان کو فتح کے لیے صرف 10 رنز درکار تھے۔

چوتھے ٹیسٹ میچ میں پھر پاکستان کو اننگز کے ساتھ فتح ہوئی۔ پاکستان نے 3 کھلاڑی آؤٹ ہونے پر 581 رنز بنا کر اپنی اننگز کا اختتام کر دیا۔ مدثر نذر اور جاوید میانداد دونوں نے دوہری سنچریاں بنا کر 1934ء میں بنائے گئے اوول پر بل پونسفرڈ (Bill Ponsford) اور ڈان بریڈمین (Don Bradman) کی شراکت کے 451 رنز کی کارکردگی کو برابر کر لیا۔ عمران خان نے پھر ہندوستان کی پہلی اننگز میں 6 وکٹیں حاصل کر لیں اور ہندوستانی ٹیم 189 رنز بنا کر آؤٹ ہو گئی۔ اس نے دوسری اننگز میں 273 رنز کیے مگر سرفراز نواز 4 وکٹیں لے کر انہیں تباہ کرنے میں کامیاب رہا۔

یہ واقعات عمران کے اس متنازع فیصلہ کے سامنے ماند پڑ گئے جس کی بدولت اس نے کھیل کے تیسرے دن اننگز ختم کرنے کا اس وقت اعلان کر دیا جب جاوید میانداد 280 رنز بنا کر ابھی کھیل رہا تھا۔ اس فیصلہ سے وہ ناگہانی طور پر حالات کی بھینٹ چڑھ گیا۔ کراچی کے صحافی عمران خان پر چڑھ دوڑے کہ اس نے جاوید میانداد کو وہ موقع کیوں نہ دیا کہ وہ گیری سوبرز کا اس وقت کا 365 رنز کا عالمی ریکارڈ (یہ رنز اس نے پاکستان کے خلاف کیے تھے) توڑ سکتا۔ جاوید میانداد نے اپنی اس اذیت بارے اپنی خودنوشت سوانح حیات میں پورا ایک باب لکھا ہے۔ اس نے دعویٰ کیا ہے کہ عمران نے اسے کسی قسم کا کوئی واضح اشارہ پہلے سے نہیں دیا تھا کہ اس نے اننگز ختم کرنا ہے۔ حالاں کہ ہندوستان کو آخر کار شکست ہونے کے بعد بھی بہت سا وقت ابھی باقی تھا۔ ممکن ہے عمران نے یہ عمل اس سے حسد کی وجہ سے کیا ہو۔

عمران خان کی سب سے تازہ اور حالیہ سوانح عمری لکھنے والے ادیب کرسٹوفر سینڈفورڈ (Christopher Sandford) نے جائزہ لیتے ہوئے لکھا کہ اننگز کے خاتمہ کے اعلان کے وقت جاوید میانداد 30 رنز فی گھنٹہ کے حساب سے بنا رہا تھا۔ لہٰذا سوبرز سے برتری حاصل کرنے کے لیے اسے بھی مزید تین گھنٹے درکار تھے۔ اس نے عمران کی زبانی بیان کیا کہ پچ بالکل مردہ ہو چکی تھی اور بددل اور مایوس ہندوستانی کھلاڑیوں کو باؤلنگ کرنے کا یہی وقت تھا۔ اس نے مزید کہا کہ ''اگر تم نے دشمن کو گرا لیا ہے تو پھر اسے دوبارہ

اٹھنے کا موقع نہ دو۔''

اب عمران کو اپنی بائیں پنڈلی میں بار بار عود آنے والی درد محسوس ہونا شروع ہوگئی۔ اگرچہ وہ اچھی طرح سے باؤلنگ نہیں کر پا رہا تھا اور بعض اوقات اسے لنگڑاتے ہوئے صاف طور پر دیکھا جا سکتا تھا مگر پھر بھی اس نے بقایا دو ٹیسٹ میچوں میں جو بغیر کسی نتیجہ کے ختم ہوئے میں مشقت کرتے ہوئے 66 اوور اور 8 اوور ایک روزہ عالمی میچ میں بھی کیے۔ لاہور میں ہونے والا پانچواں ٹیسٹ میچ طوفانی بارشوں کا شکار ہوگیا جس کے باعث آخری دو دن ضائع ہوگئے۔ مگر اتنا وقت ضرور ملا جس میں مدثر نذر نے اپنے والد کے نقش قدم پر چلتے ہوئے 152 ناقابل شکست رنز بنا لیے۔ مدثر نے اتنے ہی رنز کراچی میں ہونے والے آخری ٹیسٹ میچ میں بھی کر لیے مگر یہ میچ تماشائیوں کے مظاہروں کی نذر ہوگیا۔ ان مظاہروں کی ملی جلی وجوہات تھیں جن میں ایک وجہ میچ کے ٹکٹوں کی گراں قیمتیں بھی تھیں۔ (میچوں کے سلسلے کے ٹکٹ بیچنے کے حقوق ایک تاجر کو فروخت کر دیئے گئے تھے) مگر وہ لاہوری کپتان عمران خان کے بھی پیچھے پڑ گیا۔ ایک موقع پر عمران خان نے زبردستی دخل اندازی کرنے والے شخص سے اپنے آپ کو بچانے کے لیے وکٹ اکھاڑ لی۔

اس ٹیسٹ میچ میں 5 تکلیف دہ وکٹیں لینے کے بعد ٹیسٹ میچوں کے اس سلسلے میں وہ 14 رنز فی وکٹ کے حساب سے 40 وکٹیں حاصل کر چکا تھا۔ آج بھی کسی بھی پاکستانی باؤلر کے لیے ٹیسٹ میچوں کے سلسلے کی یہ بہترین کارکردگی ہے۔ اس کے علاوہ عمران خان نے 61.75 کی اوسط سے 247 رنز بنائے تھے (کپل دیو نے 22.25 رنز کی اوسط سے 178 رنز کیے تھے) ٹیسٹ میچوں کے اس سلسلے میں ظہیر عباس 650 رنز بنا کر سب سے اونچا تھا۔ مدثر نذر نے 761 رنز اور جاوید میانداد نے 594 رنز بنائے تھے۔ دونوں کی اوسط 100 رنز سے کہیں زیادہ تھی۔ ان کی یہ کارکردگی کسی بھی تین بیٹسمینوں کی طرف سے ٹیسٹ میچوں کے کسی بھی سلسلے میں سب سے زیادہ تھی۔ پاکستان مکمل طور پر اپنے حریف پر حاوی ہوگیا تھا۔ جلد ہی واضح ہوا کہ یہ فتح ایک ناقابل برداشت قیمت کی ادائیگی کے بعد حاصل ہوئی ہے۔

## عمران خان کا اَن فٹ ہو جانا اور عالمی کپ 1983ء

عمران خان کو پہلی خرابی کراچی میں ہونے والے دوسرے ٹیسٹ کے پہلے دن محسوس ہوئی۔ اس نے عمدہ باؤلنگ کرتے ہوئے 19 رنز کے عوض 3 وکٹیں حاصل کر لیں اور بھارتی ٹیم ڈھیر ہو چکی تھی۔ اگلی صبح جب وہ بیدار ہوا تو اسے اپنی بائیں پنڈلی کی ہڈی میں درد محسوس ہوا۔

بیٹنگ کرتے وقت اسے کوئی تکلیف نہ ہوئی مگر ہندوستان کی دوسری اننگز میں اس نے جب باؤلنگ کا آغاز کیا تو اسے دوبارہ درد شروع ہوا۔ مگر وہ کراچی کی شام کی پرخنک ہوا میں اسے جلد ہی بھول گیا جب

ہندوستانی ٹیم کے ایک کھلاڑی آؤٹ ہونے پر 101 رنز کے بعد 114 رنز پر ساتھ کھلاڑی آؤٹ ہو گئے اور عمران نے تند و تیز ان سوئنگر (In Swinger) کرتے ہوئے 60 رنز دے کر 8 وکٹیں حاصل کر لیں۔

ہندوستان کے 83-1982ء کے اس دورہ کے دوران عمران نے اس سے پہلے کبھی اتنی عمدہ باؤلنگ نہیں کی تھی۔ وہ ابھی جوان اور تندرست تھا۔ مگر ایک دہائی کی محنت شاقہ اور تجربے کے زور پر اس نے عمر رسیدہ کھلاڑی کی مہارت حاصل کر لی تھی۔ اس عرصہ میں اس کا شمار دنیا کے عظیم ترین تیز رفتار باؤلروں میں ہوا۔ تیسرا ٹیسٹ فیصل آباد میں منعقد ہوا جو کہ عمومی طور پر باؤلر کے لیے ایک قبرستان کی حیثیت رکھتا ہے۔ ہندوستان کی ٹیم میں اعلیٰ بیٹسمینوں کے مقابلے میں عمران تباہ کن ثابت ہوا۔ اس نے انتہائی تیز رفتار 55 اوور کیے اور 181 رنز کے عوض 7 وکٹیں حاصل کیں۔ اس نے 117 رنز بھی کیے جن میں اس نے کپل دیو کے ایک اوور میں 21 رنز بنا کر تسکین حاصل کی۔ تاہم بیٹنگ کرتے ہوئے اسے پہلی بار درد محسوس ہونا شروع ہوا۔

وہ سفر کر کے چوتھا ٹیسٹ کھیلنے کے لیے حیدر آباد پہنچا جہاں اس نے میچ کے لیے روز تیز باؤلنگ کی۔ اس کے اپنے خیال کے مطابق یہ اس کی تیز ترین باؤلنگ تھی جو اس نے کبھی کی ہو۔ جس کے نتیجے میں ہندوستانی ٹیم تباہ ہو گئی۔ (گواسکر، وشواناتھ، وینگسارکر، کپل دیو اور کرمانی) سب ہی کی خوفناک مگر مکمل طور پر عمران کے اختیار میں باؤلنگ کا سامنا کرنا پڑا۔ اس لمحہ پر اس کی پنڈلی کی ہڈی پر ایک گلٹی نمودار ہو گئی۔ اور اس اب باؤلنگ کرنے سے پہلے اس پر درد رکھنے کے اسپرے کرنے کی ضرورت محسوس ہونے لگی۔ ''اس کے باوجود درد اور تکلیف شدید تھی۔'' عمران نے بیان کیا، ''میں مسلسل باؤلنگ کرتا رہا اور یہاں تک کہ مجھے درد کا احساس تک نہ رہا۔ مگر جونہی میں باؤلنگ کے بعد رکا تو مجھ میں کھڑے رہنے کی بھی ہمت باقی نہ تھی۔''

عمران کو اس کے بعد آرام کرنا چاہیے تھا۔ اس کی بائیں پنڈلی کی ہڈی میں مسلسل زور آزمائی سے دراڑ پیدا ہو گئی تھی۔ اس میں قطعی کوئی حیرت کی بات نہیں ہے جب یہ سوچا جائے کہ وہ 90 میل فی گھنٹہ کی رفتار سے 20 یا اس سے زیادہ اوور روزانہ کروا رہا تھا۔ اس موقع پر پاکستان میں ایسی تکنیکی سہولت میسر نہیں تھی جو اس تکلیف کی شناخت کر سکتی۔ پانچویں ٹیسٹ کے اختتام پر عمران نے چند ایکس رے کروائے مگر ان میں کوئی خراب سامنے نہیں آئی۔ آخری دو ٹیسٹ میچوں کے دوران عمران نے مزید 66 اوور کیے اور بعض اوقات باؤلنگ کیے لیے دوڑتے وقت لنگڑاتے ہوئے نظر آتا تھا۔ لیکن اس کے باوجود اس نے سات مزید وکٹیں حاصل کیں۔

ٹیسٹ میچوں کے اختتام پر پاکستانی ڈاکٹروں کی تشخیص کے مطابق عمران کی تکلیف معمولی چوٹ سے زیادہ نہیں تھی۔ مگر یہ ان کی فاش غلطی تھی۔ اگر اس نہج پر عمران آرام کر لیتا تو اس کی چوٹ کو نسبتاً آسانی سے شفا مل جاتی۔ مگر جب تین ماہ بعد دوبارہ نیا ایکس رے کیا گیا تو اس میں یہ بات شدید طور پر سامنے آئی

کہ پنڈلی کی ہڈی میں بہت بڑی دراڑ پڑ چکی ہے۔ خصوصی معالج نے عمران سے کہا کہ وہ حیران ہے کہ ہڈی پر جس قدر شدید دباؤ ڈالا گیا تھا تو وہ مکمل طور پر ٹکڑے ٹکڑے کیوں نہ ہوگئی؟ اس کے خیال میں دوبارہ صحت یابی کے لیے ایک سال تک کا وقت درکار تھا۔

عمران کو آرام اور دوبارہ صحت حاصل کرنے کے لیے کرکٹ سے دور ہٹ کر ایک لمبے عرصے کی ضرورت تھی اور یہی اس کے لیے ممکن نہ تھا۔ کیوں کہ اس وقت تک پاکستانی کرکٹ کا مکمل انحصار عمران خان پر ہو چکا تھا۔ انگلینڈ میں ہونے والے 1983ء کے آئندہ عالمی کپ میں پاکستانی ٹیم کے عظیم ترین سرمایے عمران خان کی غیر حاضری کی سوچ تک برداشت سے باہر تھی۔ یہ چیز تو مان لی گئی کہ عمران باؤلنگ نہیں کر سکے گا مگر منتخب کرنے والوں کا اصرار تھا کہ اسے بطور کپتان اس کی بیٹنگ کی صلاحیت اس کی رہنمائی اور انگلینڈ کے حالات میں ایک روزہ کرکٹ میچوں میں تجربے کی بدولت اسے ٹیم میں رکھا جائے۔

یہ فیصلہ پاکستانی باؤلنگ کے معیار پر اثر انداز ہوا۔ تاہم عمران نے اصرار کیا کہ ایک روزہ میچوں کے لیے عبدالقادر کی خدمات حاصل کی جائیں۔ اس بہادرانہ فیصلے سے اس وقت پاکستان اور عمران دونوں کو فائدہ ہوا۔ گرتے پڑتے پاکستان استثنائی دور سے گزرا جس میں سری لنکا نے جیتنے کے لیے 339 رنز بنانے کی جاندار کوشش کر کے انہیں ڈرا دیا تھا۔ اس کے بعد نیوزی لینڈ سے شکست ہوئی حالاں کہ اس میچ میں عبدالقادر کی 21 رنز کے عوض 4 وکٹوں اور ناقابل شکست 41 رنز کی کارکردگی کی بدولت اسے مین آف دی میچ کا اعزاز حاصل ہوا۔[6]

انگلینڈ کے خلاف ظہیر عباس کے 83 رنز کے باوجود پاکستان صرف 183 رنز بنا سکا۔ اور ابھی دس اوور باقی تھے کہ پاکستان میچ ہار گیا۔ دوسرے گروپ میچ میں سری لنکا نے پاکستان کو پہلے سے بھی زیادہ خوفزدہ کر دیا۔ پاکستان 43 رنز کے عوض 5 وکٹیں کھو چکا تھا جب عمران نے آ کر منتشر حالات کو جمع کرتے ہوئے ناقابل شکست سنچری بنائی۔ اس کا ساتھ ناتجربہ کار شاہد محبوب نے 77 رنز بنا کر دیا۔ جواباً جب سری لنکا نے 2 کھلاڑی آؤٹ ہونے پر 162 رنز بنا لیے تو ایسا محسوس ہو رہا تھا کہ پاکستان کا 235 رنز کا ہدف آسانی سے حاصل ہو جائے گا۔ اس کے بعد عبدالقادر نے بہت سے بیٹسمینوں کو اپنی تباہ خود کرنے پر اکساتے ہوئے 44 رنز کے عوض 5 وکٹیں حاصل کر لیں۔ لیکن سری لنکا کی آخری وکٹ کے کھلاڑیوں نے اپنی ٹیم کو ہدف سے صرف 12 رنز کے فاصلے پر پہنچا دیا۔ جس کا خاتمہ بالآخر سرفراز کے ہاتھوں ہوا۔ انگلینڈ کے خلاف پاکستان نے 232 رنز بنائے جس میں جاوید میانداد کی طرف سے 67 رنز تھے۔ مگر میچ بچانے کے لیے یہ رنز ناکافی تھے اور پاکستان کو شکست ہوئی۔

سیمی فائنل میں پہنچنے کے لیے پاکستان کا نیوزی لینڈ کو ہرانا ضروری تھا جس میں رن ریٹ کا اچھا

ہونا اہم تھا۔ظہیر عباس کی عمدہ سنچری اور عمران کے ناقابل شکست 79 رنز کی بدولت پاکستانی ٹیم نے 261 رنز حاصل کر لیے۔ نیوزی لینڈ نے 152 رنز کے عوض 7 وکٹیں کھودیں مگر پھران کے اکثر اوقات میں نجات دہندہ جیریمی کونے (Jeremy Coney) دوسرے قابل اعتماد ساتھیوں سے مل کر ایسی یلغار کی کہ پاکستان شکست سے دوچار ہوتے ہوتے رہ گیا۔ تاہم پاکستانی فیلڈر جو عام طور پر کمزور ثابت ہوتے ہیں نے اس بار ذمہ داری کا خوب ثبوت دیا۔ میدان کی دوری میں محسن خان اور متبادل کھلاڑی منصور اختر نے دوعمدہ کیچ پکڑے اور آخرکار کونے (Coney) کو عمران خان نے رن آؤٹ کر دیا۔ پاکستان یہ میچ صرف 11 رنز سے جیت سکا مگر اہم بات یہ تھی کہ پاکستان نے رنز بنانے کی رفتار میں 0.08 رن فی اوور کی برتری سے نیوزی لینڈ کو باہر کر دیا۔

یہ فتح پاکستان کو سیمی فائنل میں اپنی ہار کے مستقل وسیلے ویسٹ انڈیز کے مدمقابل لے آئی۔ پاکستان کی کمزور توقعات اس وقت مزید کم ہوگئیں جب جاوید میانداد نزلہ زکام کی وجہ سے میچ میں کھیلنے کے قابل نہ رہا۔ محسن خان نے ویسٹ انڈیز کے 60 اوورں میں سے 57 اوور کھیل کر 70 رنز بناتے ہوئے پاکستانی اننگز کو استقامت دی۔ مگر کوئی بھی ویسٹ انڈیز کے تیز رفتار باؤلروں حتیٰ کہ لیری گومز (Larry Gomez) اور ووِرچرڈز جیسے عارضی باؤلروں تک کے سامنے نہ ٹھہر سکا۔ پاکستان نے ویسٹ انڈیز کو جیتنے کے لیے 185 رنز کا ہدف دیا۔ جسے ویسٹ انڈیز نے دو وکٹوں کے نقصان پر بہ آسانی حاصل کر لیا۔

پاکستانی ٹیم کی کارکردگی پر عمران خان کو سخت تنقید کا نشانہ بنایا گیا۔ حالاں کہ اس کی ٹیم نے اپنی طرف سے پوری کوشش کر کے دکھائی تھی۔ اس تنقید میں اس وقت مزید تیزی آ گئی جب ہندوستانی ٹیم حیران کن طور پر ٹورنامنٹ کی فاتح قرار پائی۔ اس نے ویسٹ انڈیز کے خلاف فائنل میں صرف 183 رنز بنائے تھے جو سیمی فائنل میں پاکستان کے بنائے گئے رنز سے ایک رن کم تھے۔ لیکن اس کے باوجود ہندوستانی ٹیم نے ان رنز کا غیر معروف باؤلروں کے ذریعے خوب دفاع کیا اور جیت کر ٹرافی گھر لے جانے میں کامیاب ہوگئے۔

اس ٹورنامنٹ کے بعد عمران سکس کاؤنٹی کھیلنے لگا اور خصوصی معالج کی ہدایت پر بہت کم باؤلنگ کی مگر ہڈی میں دراڑ دوبارہ کھل گئی اور عمران کی پھر پہلی سی کیفیت ہوگئی۔[7]

## عمران کے بغیر ہندوستان کے خلاف بے کیف میچوں کا سلسلہ

پاکستانی کرکٹ اب الجھن کا شکار ہو چکی تھی۔ عالمی کپ کے بعد اسی سال خزاں کے موسم میں ہندوستان کے مختصر دورہ پر جانے کے لیے عمران نے اپنی معذوری کا اعلان کر دیا جس کی وجہ سے ظہیر عباس کا کپتان بننے کا دیرینہ خواب پورا ہوا۔ میچوں کے آغاز سے پہلے ہی پاکستانی ٹیم نے کاری ضرب لگانے والے اپنے باؤلر کھودیئے۔ سرفراز نواز نے جس طریقہ سے بی سی سی پی (BCCP) نے عمران کی چوٹ کے حوالے

سے رویہ اختیار کیا تھا کی سخت تنقید کی جس کے نتیجے میں سزا کے طور پر اس پر چھ ماہ کے لیے فرسٹ کلاس کرکٹ کھیلنے پر پابندی عائد کر دی گئی۔ اس نے قانونی چارہ جوئی کے ذریعے پابندی سے نجات حاصل کر لی اسے تربیتی کیمپ میں تو مدعو کر لیا گیا مگر اسے منتخب نہ کیا گیا۔ بظاہر اسے منتخب نہ کرنے کی وجہ اس کا مکمل صحت مند نہ ہونا تھا۔ عبدالقادر کو منہ زوری سے اپنا نیا گھر تعمیر کرنے کے لیے کرکٹ بورڈ سے تین لاکھ روپیہ قرض مانگنے کی پاداش میں ٹیم سے علیحدہ کر دیا گیا۔ اپنے سرپرست عمران خان کی غیر موجودگی میں اس کے لیے دوبارہ ٹیم میں شامل ہونا مشکل تھا۔

ہندوستان ان چیزوں سے کوئی بھی فائدہ حاصل کرنے میں ناکام رہا۔ تینوں ٹیسٹ میچ بغیر کسی نتیجہ کے برابر رہے جس میں بہت سا وقت بارش کی نذر ہو کر ضائع ہوا۔ بنگلور میں کھیلے جانے والے پہلے ٹیسٹ میچ میں جاوید میانداد اور ہندوستان کے بائیں ہاتھ سے آہستہ گیند کرنے والے متین طبیعت کے مالک دلیپ دوشی کے درمیان جھڑپ ہوئی۔ مگر جب جاوید میانداد 99 رنز بنا کر متبادل فیلڈر کرس سری کانت کے ہاتھوں کیچ آؤٹ ہوا تو تماشائیوں کی خوشی کی انتہا نہ رہی۔ جالندھر میں کھیلے جانے والے دوسرے ٹیسٹ میچ میں جاوید میانداد نے اپنے بخار کے خلاف جدوجہد کر کے 66 رنز بنائے اور وسیم راجہ نے تحمل سے سنچری بنائی۔ مگر پاکستانی ٹیم کی اس وقت امیدوں پر پانی پھر گیا جب ایک نئی حقیقت کے طور پر ہندوستان کے اوپننگ بیٹسمین انشومن گائیکواڈ نے 671 منٹ سے زیادہ وقت لے کر ٹیسٹ کرکٹ کی سست ترین ڈبل سنچری بنا دی۔ پاکستان کو فتح حاصل کرنے کا بہترین موقع ناگپور میں کھیلے جانے والے تیسرے ٹیسٹ میچ میں ملا جہاں صف دوم سے تعلق رکھنے والے آف سپن باؤلر محمد نذیر نے 50 اوورز میں 72 رنز دے کر 5 وکٹیں حاصل کر لیں۔ پاکستانی ٹیم میں محمد خاندان کے سلسلے سے نئی نسل سے تعلق رکھنے والے حنیف محمد کے بیٹے شعیب محمد نے شمولیت حاصل کی۔ اس کے ساتھ بائیں ہاتھ سے باؤلنگ کرنے والا عظیم حفیظ بھی ٹیم میں شامل ہوا۔ عظیم حفیظ کے جسم میں پیدائشی نقص تھا۔ اس کے دائیں بازو کا اگلا حصہ نسبتاً چھوٹا تھا اور جس کے آگے ہاتھ کی چار انگلیاں نہیں تھیں۔ صرف پچ پر اس حالت میں کھڑے رہنا ہی ایک بہت بڑا کارنامہ تھا۔ شعیب محمد اونچے درجے کا ٹیسٹ بیٹسمین ثابت ہوا جس کی بیٹنگ اوسط اپنے مشہور و معروف والد سے بھی اعلیٰ تھی۔

## عمران خان کا تاریک ترین لمحہ

ظہیر عباس اچھا دفاعی کپتان ثابت نہ ہوا جو پچھلے دور کے عین برعکس تھا۔ اس کے باوجود آئندہ دورہ پہ آنے والی آسٹریلوی ٹیم کے خلاف اسے بدستور کپتان رکھا گیا۔ مگر بی سی سی پی کے مداخلت پسند صدر نور خاں نے اپنی سلیکشن کمیٹی کے فیصلے کو رد کرتے ہوئے اپنی ذاتی حاکمیت کے بل بوتے پر عمران خان کو دوبارہ

کپتان بنا دیا۔ حالاں کہ عمران باؤلنگ کرنے کے لائق نہیں ہوا تھا اور اسے کھیلنے کا قطعی غلط مشورہ دیا گیا تھا۔

اس تعیناتی نے عمران پر نا قابل برداشت دباؤ ڈالا۔ کیوں کہ اس سے توقع کی جارہی تھی کہ وہ ٹیم میں اپنی شمولیت کو صرف اپنی بیٹنگ کے زور پر حق بجانب ثابت کرے۔ اس سے ٹیم غیر متوازن ہوگئی اور کھلاڑیوں میں کافی حد تک عداوت پیدا ہوگئی۔ عمران نے حالات کو مزید خراب تر کر دیا جب اس نے حنیف محمد کے بیٹے شعیب محمد کی ٹیم میں شمولیت کو اس کی نہایت کم عمری کی جواز بنا کر دعویٰ کرتے ہوئے رکاوٹ پیدا کر دی۔ یہ بات ماضی کے شواہد کے مطابق نہیں تھی۔ کیوں کہ پاکستان کو مہم جو نوعمری کی حکمت عملی سے ہمیشہ فائدہ پہنچا تھا۔ اس حکمت عملی کے نتیجے میں خود عمران خان فائدہ حاصل کر چکا تھا۔[8]

بہت سے مختلف معاملات پر اپنے فیصلوں کو رد ہوتے دیکھ کر سلیکشن کمیٹی کے سربراہ حسیب احسن نے بجا طور پر ناراض ہو کر اپنا استعفیٰ دے دیا۔ اور کچھ دیر بعد ہی یہ عمل نور خاں نے بھی دوہرا دیا۔ تاہم ایئر مارشل کی رخصتی کے اسباب کرکٹ سے متعلق نہیں تھے بلکہ صدر ضیاالحق کے ساتھ اس کے سیاسی اختلافات تھے۔

ابتری کا شکار یہ وہ حالات تھے جن کی موجودگی میں عمران خان کی ٹیم 1983ء کے آخر میں آسٹریلیا پہنچی۔ عمران نے اب اپنی پنڈلی کی زخمی ہڈی کو مزید مشورہ کے لیے برسبین میں مقیم خصوصی معالج کو دکھایا۔ (اس کے لیے بہتر ہوتا کہ وہ کپتانی پر رضا مند ہونے سے پہلے اس قسم کا مشورہ کرتا)۔ معالج کا مشورہ حتمی طور پر واضح تھا کہ باؤلنگ تو دور کی بات عمران کو دو ماہ تک بیٹنگ تک نہیں کرنا چاہیے۔ عمران خان نے یہ بات جب بی سی سی پی کو بتائی تو جواباً اسے ٹیم کے ساتھ رہنے کی ''اور وقت گزرنے کے ساتھ ساتھ جگہ لینے'' ہدایات ملیں۔ ظہیر عباس کو قائم مقام کپتان بنا دیا گیا۔ اس نے فوری طور پر بیان جاری کیا کہ وہ اپنی اس ٹیم سے مختلف ٹیم منتخب کرتا اور یہ کہ وہ تو صرف بطور نگران کپتان ہے۔

اب پاکستانی ٹیم پہلا ٹیسٹ کھیلنے کے لیے پرتھ پہنچی جہاں کی پچ پر گیند بہت زیادہ اچھلتی تھی۔ ایسی صورتحال کا سامنا کرنے کے لیے وہ ایک بار پھر تیار نہیں تھے۔ عمران بے تحاشا تنقید کا شکار ہو کر صرف ایک تماشائی بن کر رہ گیا تھا۔ پاکستان کو اس ٹیسٹ میں ایک اننگز سے شکست ہوئی۔ سترہ بیٹسمین بلے کے کنارے پر گیند لگنے کی وجہ سے کہیں نہ کہیں وکٹوں کے پیچھے پکڑے جانے پر آؤٹ ہوئے۔ مگر ایک نووارد کھلاڑی قاسم عمر جس کی پیدائش مشرقی افریقہ میں ہوئی تھی نے اپنے حوصلے کی بدولت تحسین حاصل کرتے ہوئے دونوں اننگز میں سب سے زیادہ رنز بنائے۔ (اپنے ٹیسٹ میچوں کے تمام دورانیے میں اس نے دو مرتبہ ڈبل سنچریاں کیں مگر 86-1985ء میں جب اس نے اپنے متعدد ساتھی کھلاڑیوں پر منشیات کے استعمال کے الزام عائد کیے تو اس کی کرکٹ ختم ہوگئی)۔ کھلاڑیوں نے ان الزامات کی تردید کی مگر کسی قسم کی کوئی تحقیقات نہ کی گئیں۔ اور اقبال قاسم پر سات سال کے لیے پابندی عائد کر دی گئی۔[9]

برسبین میں کھیلے جانے والے دوسرے ٹیسٹ میچ میں ظہیر عباس نے پہلے بیٹنگ کرنے کا فیصلہ کیا۔ اس کی نصف سنچری ہونے میں کسی نے اس کا ساتھ نہ دیا اور پاکستانی ٹیم 156 رنز کے عوض تمام آؤٹ ہوگئی۔ آسٹریلا نے جواب میں ایلن بارڈر اور گریگ چیپل کی سنچریوں کی بدولت 7 وکٹوں پر 509 رنز بنا کر اپنی اننگز ختم کردی۔ دوسری اننگز میں پاکستان نے انتہائی کم رنز کے عوض 3 وکٹیں کھودیں مگر طوفانی بارش ہونے کی وجہ سے ان کی جان خلاصی ہوگئی۔

ایڈیلیڈ کے تیسرے ٹیسٹ میچ میں پاکستانی ٹیم سرفراز نواز کی ٹیم میں شمولیت کی وجہ سے قدرے طاقتور ہوگئی تھی۔ سرفراز نواز پر سے پابندی لاہور کے ایک جج کے حکم پر اٹھالی گئی تھی۔ شروع ہی میں اس کی گیند پر ایک نووارد آسٹریلوی بیٹسمین کا کیچ اس کے اوپننگ ساتھی باؤلر مگر معذوری کے شکار عظیم حفیظ نے باونڈری پر گرادیا۔ کیپلر ویسلز (Kepler Wessels) جنوبی افریقہ کا جلاوطن تھا جسے رہائش کی مدت کی شرط کو پورا کرنے پر کھلایا گیا تھا، نے کیچ کے چھوٹ جانے سے بچنے پر 179 رنز بنادیں۔ عظیم حفیظ نے اپنی اس غلطی کا ازالہ کرنے کی کوشش کرتے ہوئے 167 رنز کے عوض 5 کھلاڑی آؤٹ کیے مگر آسٹریلیا نے پھر بھی 465 رنز بنا لیے۔ جواب میں پاکستان نے اپنی بیٹنگ کی بہترین کارکردگی دکھائی۔ محسن خان، قاسم عمر اور جاوید میانداد نے سنچریاں بنائیں جبکہ ہوائی سفر کی تھکن میں مبتلا اور ٹیم کو تقویت دینے کے لیے پہنچنے والے سلیم ملک نے 77 رنز بنائیں اور یوں پاکستان کا سکور 624 رنز پر پہنچ یا۔ کم ہیوز (Kim Hughes) نے سنچری بنا کر آسٹریلیا کو ممکنہ شکست سے بچالیا۔

عمران خان نے اب معالجوں کے مشورے کی حکم عدولی کرتے ہوئے ٹیم میں صرف بیٹنگ کرنے والے کپتان کے طور پر شمولیت اختیار کرلی۔ عمران نے یہ فیصلہ اس سوچ کے تحت کیا کہ وہ اپنا دورے پہ آنے کے جواز کو کسی نہ کسی طور برحق ثابت کرسکے۔ مگر یہ فیصلہ قابل فہم نہ تھا۔ اس نے ٹیم میں باؤلر محمد نذیر (جو جائز طور پر بے اثر ثابت ہو چکا تھا) کی جگہ شمولیت اختیار کرلی اور اس طرح پاکستان کے حملہ آور باؤلر سرفراز نواز، عظیم حفیظ اور عبدالقادر باقی رہ گئے تھے۔ عبدالقادر کے اعتماد اور اس کی چالاکیاں آسٹریلوی ٹیم جس نے بائیں ہاتھ سے کھیلنے والے بیٹسمینوں کی بھرمار کر رکھی تھی، پر خوب اثر کر رہے تھے۔

عمران نے بعد میں انکشاف کرتے ہوئے کہا کہ ''اس سے پہلے وہ ٹیسٹ میچ کھیلتے ہوئے کبھی پریشان نہیں ہوا تھا۔'' اس کے باوجود اس نے پہلی اننگز میں 83 رنز کیے اور میچ بچانے کے لیے دوسری اننگز میں ناقابل شکست 72 رنز بنائے۔ ان رنز کا مطلب یہ نکلا کہ وہ ہرفن مولا آل راؤنڈروں کے اس چھوٹے سے حلقے میں شامل ہوگیا تھا جنھوں نے ٹیسٹ میچوں میں 2000 رنز اور 200 وکٹیں لے رکھی تھیں۔

چوتھے ٹیسٹ میچ میں عمران کی بہادرانہ کارکردگیوں کے باوجود اس کی موجودگی نے ٹیم کو کمزور کردیا

تھا جو پہلے سے ہی کمزوری اور تفریق کا شکار تھی۔ اپنی شدید چوٹ میں مزید اضافہ کر کے عمران کو پاکستانی عوام سے کوئی ہمدردی حاصل نہ ہوئی۔ دوبارہ نئے ایکس رے نے ظاہر کیا کہ دباؤ کی وجہ سے اس کی ہڈی کا زخم دوبارہ کھل گیا ہے۔ عمران واپس پاکستان آ گیا جہاں ذرائع ابلاغ نے اسے خوب تنقید کا نشانہ بنایا۔ ادھر نور خان کے جانے کے بعد اب وہ کرکٹ انتظامیہ میں کسی دوست کی غیر موجودگی میں تنہا رہ گیا تھا۔ ظہیر عباس جس نے عمران کی سربراہی پر کبھی چھپ کر تنقید نہی کی تھی کو اب سرکاری طور پر مستقل کپتان بنا دیا گیا۔ عمران نے آخر کار اب اپنی ٹانگ پر توجہ دی جس کی بے حد ضرورت تھی۔ اس نے بعد میں قلمبند کرتے ہوئے بیان کیا کہ مارچ 1984ء میں مزید بہت سے ایکس رے کروانے پر یہ بات سامنے آئی کہ اس کی کرکٹ ختم ہو چکی ہے اور اسے اب کرکٹ کو خیر باد کہنا ہو گا۔ پاکستان کے بہت سے عظیم اور پرانے کھلاڑیوں کی طرح وہ بھی اب زخم خوردہ اور تنہا تھا۔ کرکٹ دوبارہ نہ کھیل سکنے کا خیال اس کے لیے نا قابل برداشت تھا۔ مگر اس سے بڑھ کر یہ حقیقت اس کے لیے اور بھی باعث عذاب تھی کہ اس کی عزتِ نفس کو جو صدمہ پہنچا ہے، وہ اسے کبھی بحال نہیں کر سکے گا۔

یہاں آ کر برکی خاندان سے تعلق اس کے کام آیا۔ عمران کا ماموں زاد بھائی پروفیسر فرخ خان کرکٹنگ ڈاکٹر تھا۔ اس سے پیشتر بھی ہم فرخ (یہ اس احمد رضا کا بیٹا تھا جس نے 1965ء میں عمران کو راولپنڈی میں ہونے والا ٹیسٹ میچ اپنے ساتھ لے جا کر دکھایا تھا) سے ہم پاکستانی ٹیم کا ڈاکٹر ہونے سے متعارف ہیں، جسے آصف اقبال کی ٹیم کے ساتھ ہندوستان کے دورہ پر پاکستانی ٹیم کے کھلاڑیوں کی بس میں ایک جواری کی موجودگی پر شک ہو گیا تھا۔

اب فرخ نے پنجاب کے وزیر صحت حامد ناصر چٹھہ سے عمران کی ٹانگ کے متعلق ذکر کیا۔ چٹھہ نے فوری طور پر لاہور میں ہڈیوں کے ماہر ڈاکٹروں کی ایک ہنگامی طور پر مجلس بلائی۔ ان میں سے ایک نے اس علاج کی صلاح دی جو ابھی تجرباتی عمل سے گزر رہا تھا۔ اس عمل کے ذریعے ٹانگ سے برقی رو گزاری جاتی تھی جس سے صحت یابی کا عمل تیز تر ہو جاتا تھا۔ یہ علاج انتہائی مہنگا اور صرف لندن میں دستیاب تھا۔ مگر جنرل ضیا نے اس بات کی ضمانت دی کہ تمام اخراجات حکومت برداشت کرے گی۔ لہٰذا 1984ء کے موسم بہار میں عمران 6 ماہ کے علاج کی غرض سے لندن کے کرامویل ہسپتال پہنچا۔ اس علاج کے دوران اس کی ٹانگ پر ایک سانچا چڑھا دیا گیا۔ اسے خود نہ ہی کسی اور کو یہ یقین تھا کہ اب وہ دوبارہ کرکٹ کھیل سکے گا۔

## پاکستان کے دورہ پہ آئی ہوئی انگلینڈ کی ٹیم کو شکست

اسے پسند کریں یا نہ کریں، مگر عمران اکیلا نہ تھا جو ملک میں ہونے والے مارچ 1984ء کے انگلینڈ

کیخلاف میچوں میں نہ کھیل سکا۔ جاوید میانداد بھی نہ کھیلنے والوں میں شامل تھا۔ اسے ایک بے معنی اور غیر اہم میچ میں ڈینس للّی کی ابھرتی ہوئی گیند سر پر جا لگی۔ جاوید میانداد نے خود اعتمادی کے باعث سر پر ہیلمٹ نہیں پہن رکھا تھا۔ چوٹ اتنی شدید تھی کہ خطرہ تھا کہ اس کے بعد جاوید میانداد دوبارہ کرکٹ کھیلنے کے قابل نہیں رہ سکے گا۔

کراچی کے ٹیسٹ میچ میں عبدالقادر نے دوبارہ اپنا جادو جگاتے ہوئے میچ میں آٹھ وکٹیں حاصل کرلیں۔ سرفراز نواز اور وسیم راجہ دوبارہ شامل کیے گئے توصف احمد کی مدد سے اس نے انگلینڈ کی ٹیم کو دونوں اننگز میں 200 رنز سے کم میں آؤٹ کر دیا۔ پاکستان کو جیتنے کے لیے صرف 65 رنز کا ہدف حاصل کرنا تھا مگر پاکستانی کھلاڑی انگلینڈ کے بائیں ہاتھ سے سست رفتار گیند کرنے والے نک کک (Nick Cook) سے گھبرا گئے اور اس نے بہت کم رنز کے بدلے 5 کھلاڑی آؤٹ کر دیئے۔ پاکستان کو جیتنے کے لیے اب اپنے نئے وکٹ کیپر انیل دلپت جو پاکستان کی طرف سے کھیلنے والا پہلا ہندو تھا کی پرسکون بیٹنگ کی ضرورت تھی۔ غیر معمولی طور پر یہ پاکستان کی انگلینڈ کے خلاف کسی سرکاری ٹیسٹ میچ میں اپنے ملک میں پہلی فتح تھی۔

زخمی آئین بوتھم دوسرے ٹیسٹ میچ کے شروع ہونے سے قبل ہی واپس اپنے ملک چلا گیا۔ یہ میچ جو پرسکون پچ پر کھیلا گیا بغیر کسی فیصلے کے تمام ہوا۔ مگر اس میں بے شمار رنز بنائے گئے۔ پاکستان کی طرف سے سلیم ملک اور وسیم راجہ نے سنچریاں بنائیں اور انگلینڈ کی طرف سے ڈیوڈ گاور (David Gower) نے شاندار 152 رنز کیے۔ اس کا ساتھ وک مارکس (Vic Marks) نے 83 رنز بنا کر دیا جو ٹیسٹ میچوں میں اس کے زیادہ سے زیادہ 0 رنز تھے۔ تاہم گاور کی خوش نصیبی تھی کہ بیٹ اور پیڈ پر لگنے کے حوالے سے اسے عبدالقادر کی گیند پر پُرزور درخواست کے باوجود بے تحاشا تنقید کا نشانہ بننے والے پاکستانی امپائر محبوب شاہ نے آؤٹ نہ دیا۔

پاکستان تیسرے ٹیسٹ میچ میں اپنی دوسری فتح کی طرف گامزن تھا کہ اچانک خود ساختہ مصیبت میں پھنس گیا۔ ظہیر عباس نے اپنی ٹانگ کی شدید چوٹ کے باعث رنز بنانے کے لیے مددگار رنر کے ساتھ کھیلتے ہوئے پاکستانی ٹیم کو پہلی اننگز میں مشکل سے نکالا۔ اس میں اس کا ساتھ سرفراز نواز نے دیا اور ٹیسٹ میچوں میں 90 رنز کی اپنی بلند ترین اننگز کھیل کر محفوظ ہوا۔ ان دونوں کی بدولت پاکستان کو 102 رنز کی برتری حاصل ہوگئی۔ ایک مزید عمدہ سنچری کرنے کے بعد ڈیوڈ گاور (David Gower) نے انگلینڈ کی اننگز کو ختم کر کے اعلان کے بعد پاکستان کو جیتنے کے لیے 243 رنز کا ہدف مہیا کر دیا۔ محسن خان نے تیزی سے سنچری بنائی اور اس کے ساتھ شعیب محمد نے 80 رنز کیے۔ پاکستانی ٹیم بغیر کسی نقصان کے 173 رنز بنا چکی تھی۔ پھر اچانک ایک اور گھبراہٹ تیز رفتار باؤلر نارمن کاونز (Norman Cowans) کی صورت میں پیدا ہوگئی۔ صرف 26 رنز کے عوض پاکستان نے 6 وکٹیں کھودیں۔ پھر رمیض راجہ اور سرفراز نواز نے راستے میں رکاوٹ بن کر میچ کو بچاتے ہوئے اسے برابر کیا۔ اور یوں پاکستان کو انگلینڈ کے خلاف سلسلہ وار ٹیسٹ میچوں میں پہلی بار فتح نصیب ہوئی۔

## ہندوستانی ٹیم کی جھلاہٹ بھری واپسی

صرف ایک سال بعد ہی اکتوبر 1984ء میں ہندوستانی کرکٹ ٹیم دوبارہ دورے پر پاکستان آ گئی۔ نور خان اور بی سی پی کو امید تھی کہ ہندوستان کے ساتھ اس تعلق سے مالی مفاد حاصل کرنے کے لیے ہر سال ایشز (Ashes) کی بنیاد پر آپس میں ٹیسٹ میچ کھیلے جائیں گے۔ مگر اس امید کو بلا نتیجہ ٹیسٹ میچوں کے دو سلسلوں میں مردہ پچوں پر بے کیف بیٹنگ میں عدم دلچسپی کے باعث تماشائیوں سے خالی و ویران میدانوں کے باعث ترک کر دینا پڑا۔ پہلے سے کبھی کہیں زیادہ محتاط اور دفاعی ظہیر عباس نے اپنی ٹیم کو بلے بازوں سے بھر دینے کی درخواست کی۔ فیصل آباد میں کھیلے جانے والا ٹیسٹ میچ اتنی شدید اکتاہٹ اور غیر دلچسپی کا شکار تھا کہ وہاں کے رئیس بلدیہ کو کہنا پڑا کہ "یہ پچ روئے زمین پر بدبخت ترین بانجھ پن کا ثبوت ہے۔"

قاسم عمر نے پاکستان میں 685 منٹ کی لمبی ترین اننگز کھیلتے ہوئے 210 رنز بنائے۔ مدثر نذر 555 منٹ صرف کر کے 199 رنز پر ٹیسٹ کرکٹ میں دوہری سنچری سے ایک رن کی کمی پر آؤٹ ہونے والا پہلا کھلاڑی بن گیا۔ اندرا گاندھی کے قتل ہوتے ہی ہندوستانی ٹیم نے دورہ ترک کر کے فوراً واپسی کی راہ لی۔ لہٰذا کراچی میں ایک روزہ عالمی اور ٹیسٹ میچ نہ کھیلے جا سکے۔

رچرڈ ہیڈلی اور اپنے سب سے زیادہ تجربہ کار بیٹسمین جیوف ہاورتھ (Geoff Howarth) کی عدم موجودگی میں نیوزی لینڈ کی ٹیم ہندوستانی ٹیم کے دورہ کے فوراً بعد ہی ٹیسٹ میچوں کے ایک مختصر سلسلے کے لیے آن پہنچی۔ مقابلوں کی تیاری میں بی سی پی پیٹرن الیون اور نیوزی لینڈ ٹیم کے مابین میچ میں ایک نوعمر تیز رفتار باؤلر کو بی سی پی کی ٹیم میں اس وقت لیا گیا جب آخری لمحہ میں سرفراز نواز اور طاہر نقاش کھیل سے علیحدہ ہو گئے۔ اس نووارد باؤلر نے اپنے اس دوسرے ہی فرسٹ کلاس میچ میں فوری طور پر 50 رنز کے عوض 7 وکٹیں حاصل کر لیں۔ یہ باؤلر وسیم اکرم تھا جس کا ابھی مزید چرچا ہونا تھا۔

پاکستان نے ٹیسٹ میچوں کے اس سلسلے کو 0-2 سے جیت لیا جبکہ ایک ٹیسٹ برابر رہا۔ ٹیسٹ میچوں میں فتوحات دلوانے والا اقبال قاسم تھا، جسے لاہور میں شروع ہونے والے ٹیسٹ میچ کے پہلے دن کی علی الصبح واپس ٹیم میں شامل کیا گیا۔ اس نے ان ٹیسٹ میچوں میں 22 رنز فی وکٹ کے حساب سے 18 وکٹیں حاصل کیں۔ اس کی معاونت عبدالقادر نے بارہ وکٹیں حاصل کر کے کی۔ مدثر نذر سے نئے گیند سے شروعات کرنے کا کام لیا گیا۔

دوسرے ٹیسٹ میچ میں جاوید میانداد نے حنیف محمد کے نقش قدم پر چلتے ہوئے ہر دو اننگز میں سینکڑہ کرتے ہوئے پاکستان کی فتح کو ممکن بنایا۔ ماہرین شماریات کے لیے یہ خوش آئند بات تھی کہ یہ ٹیسٹ کرکٹ کا ایک ہزاروں ٹیسٹ میچ تھا۔ مگر نیوزی لینڈ کپتان جیریمی کونے (Jeremy Coney) جو عام طور پر حلیم الطبع

تھا نے تلخی سے میاں محمد اسلم اور خضر حیات کی امپائری کے خلاف شکایت کی۔ کونے آخری ٹیسٹ میچ میں مزید برہم ہوا جہاں بائیں ہاتھ سے سپن باؤلنگ کرنے والے اسٹیفن بوک (Stephen Boock) کی عمدہ کارکردگی کی بدولت اس کی ٹیم حاوی ہوگئی تھی۔[10]

مگر جب آخری ٹیسٹ میں ایک متبادل امپائر نے جاوید میانداد کو ایک اور چھوٹ دیتے ہوئے آؤٹ قرار نہ دیا تو کونے (Coney) احتجاجاً اپنی ٹیم کو میدان سے باہر لے گیا اور کافی یقین دہانی کے بعد ٹیم کو واپس میدان میں لانے کے لیے رضامند ہوا۔ یہ متبادل امپائر شکور رانا تھا۔ بی سی پی (BCCP) کے نئے صدر جنرل صفدر بٹ نے اپنی شخصیت کا مظاہرہ کرتے ہوئے حنیف محمد کی سربراہی میں امپائروں کے فیصلوں کے متعلق ایک آزاد تفتیشی کمیٹی تشکیل دی۔ اس کمیٹی نے چھ مشتبہ فیصلوں کی نشاندہی کی جن میں چار فیصلے پاکستانی ٹیم کے حق میں کیے گئے تھے۔

## وسیم اکرم کی پہلی اعلیٰ کارکردگی

چند ہفتے بعد ہی پاکستان کا نیوزی لینڈ جانے کا واپسی دورہ آ گیا۔ ظہیر عباس کی جگہ جاوید میانداد کو کپتان بنا دیا گیا۔ اس نے پہلا قدم اٹھاتے ہوئے بدقسمت طاہر نقاش کی جگہ وسیم اکرم کو دورہ پہ جانے والی ٹیم میں شامل کرنے پر اصرار کیا۔ حالاں کہ طاہر نقاش پہلے ہی منتخب ہو چکا تھا۔ وسیم اکرم عالمی کرکٹ سے اس قدر لاعلمی رکھتا تھا کہ اسے یہ بھی احساس نہیں تھا کہ اسے کھیلنے کی اجرت بھی ملے گی۔

نیوزی لینڈ کی طرف سے کھیلنے کے لیے جیوف ہاورتھ اور خاص طور پر رچرڈ ہیڈلی ٹیم میں واپس آ چکے تھے۔ رچرڈ ہیڈلی 20 رنز سے کم فی وکٹ کے بدلے 16 وکٹیں حاصل کیں اور یوں نیوزی لینڈ نے 2-0 کی برتری سے اپنی شکست کا بدلہ لیتے ہوئے اس سلسلے کو جیت لیا۔ ویلنگٹن (Welliugton) میں کھیلا جانے والا پہلا ٹیسٹ میچ گو کہ زبردست بارش کی نذر ہو گیا مگر پاکستانی ٹیم کی حالت خاصی کمزور رہی۔ آکلینڈ (Auckland) میں ہونے والا ٹیسٹ میچ نیوزی لینڈ نے ایک اننگز سے جیت لیا۔ صرف مدثر نذر نے دوسری اننگز میں 89 رنز بنا کر کچھ مزاحمت کی۔ تیسرے ٹیسٹ میچ میں وسیم اکرم نے اپنی پہلی شاندار کارکردگی پیش کی۔ یہ اس کا صرف دوسرا میچ تھا اس نے ہر دو اننگز میں پانچ پانچ وکٹیں حاصل کیں۔ مگر میچ کا انجام المناک رہا۔

جیتنے کے لیے نیوزی لینڈ ٹیم 278 رنز کے ہدف کا تعاقب میں 228 رنز پر اپنی آٹھویں وکٹ کھو چکی تھی جس میں وسیم اکرم کے ایک اچھلتے ہوئے گیند نے لانس کیرنز (Lance Cairns) پر کاری ضرب لگائی تھی۔ نیوزی لینڈ کے آخری ماہر بیٹسمین کونے (Coney) کا ساتھ دینے دنیا کا بدترین بیٹسمین ایون چیٹ فیلڈ (Ewen Chatfield) میدان میں آیا۔[11] حیران کن طور پر دونوں نے شراکت میں 50 رنز بنا کر فتح حاصل

کرلی۔ کونے (Coney) کا دوڑ کر ایک ایک رن حاصل کرنے کی وجہ سے جاوید میانداد تنقید کا نشانہ بنا۔ مگر حقیقت میں چیٹ فیلڈ (Chatfield) نے زیادہ باؤلنگ کا سامنا کرتے ہوئے شراکت میں 21 رنز کا بظاہر بغیر کسی مشکل کا اضافہ کیا تھا۔ وسیم اکرم نے اپنی مایوسی کو صبر سے سہہ لیا۔ مگر ٹیلی ویژن پر میچ کے بعد اس کی انکساری سے بھرپور گفتگو نے ناظروں کو اس کا گرویدہ بنا دیا۔ مدثر نذر نے مترجم کے طور پر گفتگو میں اس کی مدد کی تھی۔ پاکستان ٹیم یہ ٹیسٹ میچ عبدالقادر کے بغیر کھیلی تھی۔ اس کا ظہیر عباس سے ایک صوبائی میچ کے دوران لاپرواہی سے فیلڈنگ کرنے پر جھگڑا ہو گیا تھا جس کی پاداش میں اسے پاکستان بھیج دیا گیا۔ اس نے بڑبڑاتے ہوئے کرکٹ سے کنارہ کشی کی دھمکیاں دیں۔ مگر مستقبل میں اس کی عظمت کے ابھی کچھ اور دن آنا باقی تھے۔

## حوالہ جات:

1 حیرت ہے کہ فرسٹ کلاس کرکٹ میں پہلی بار جس باؤلر نے عمران کو آؤٹ کیا تھا وہ بھی برکی قبیلے سے رشتہ میں اس کا بھائی تھا۔ شیر انداز خان کا چچا بقا جیلانی تھا اور وہ ڈاکٹر جہانگیر خان کا بہنوئی تھا۔ اس نے ہندوستان کی طرف سے دورہ کرتے ہوئے انگلینڈ کے خلاف 1936ء میں ایک ٹیسٹ میچ کھیلا تھا۔

2 آکسفورڈ کی کرکٹ اس دور میں مضبوط نہیں تھی۔ عمران خان نے آکسفورڈ یونیورسٹی کے لیے کھیلتے ہوئے فرسٹ کلاس کرکٹ میں کل 1306 رنز بنائے جن میں اس کی تین سنچریاں شامل تھیں اور اوسط 32.65 رنز رہی۔ اس نے یونیورسٹی کی طرف سے 85 وکٹیں بھی حاصل کی جن کی فی وکٹ اوسط 27.37 رنز رہی۔ آکسفورڈ یونیورسٹی اور کیمبرج یونیورسٹی کی مشترکہ ٹیم کی طرف سے دو میچوں میں حصہ لیتے ہوئے عمران نے مزید 370 رنز بنائے اور 26.18 رنز فی وکٹ کی اوسط پر مزید 11 وکٹیں حاصل کیں۔ اس 3 سالہ عرصہ میں جب وہ آکسفورڈ یونیورسٹی میں تھا تو یونیورسٹی کی ٹیم صرف دو فرسٹ کلاس میچ جیت پائی تھی۔ ان دونوں میں جیت عمران خان کی اہم کارکردگی کی مرہون منت تھی۔

3 عبدالقادر سے ذاتی گفتگو کے دوران اس نے مجھے بتایا کہ بارہ سال کی عمر تک اس نے کرکٹ بالکل نہیں کھیلی تھی۔ جب اسے یونہی کھیلا لیا گیا تو دونوں اننگز میں وہ پہلے ہی گیند پر آؤٹ ہوتا رہا۔ اس واقعہ کی اہمیت بتاتے ہوئے اس نے کہا کہ یہ میرا بدترین آغاز تھا۔

4 میں اس شہ سرخی کو تلاش تو نہیں کر سکا مگر مجھے عبدالقادر کی بات پر بھروسہ ہے۔

5 عمران نے مجھے بتایا کہ اس کی نظر میں دوسری اننگز میں اس کی باؤلنگ زندگی کی بہترین کارکردگی تھی جبکہ پچ بھی اپنی ابتدائی تازگی کھو چکی تھی۔ عمران نے غصہ کا اظہار کرتے ہوئے پچ بنانے والے شخص کی سختی سے مذمت کی جسے یہ احکام موصول ہوئے تھے کہ وہ چوتھے روز پچ میں باریک بجری ڈال دے تاکہ اس میں دراڑیں پڑ جائیں۔ مگر اسے خوشی ہوئی جب یہ سوچی سمجھی چال ناکام ہوئی۔ (عمران خان سے ذاتی گفتگو)

6 اپنے پیشرو سے اظہارِ عقیدت کرتے ہوئے شین وارن اپنی خودنوشت سوانح عمری My Autobiography ,Hodder and Stoughton 2002 میں لکھتا ہے: ہم تمام سپن باؤلر عبدالقادر کے زیر بار ہیں

کیوں کہ وہ پہلا لیگ سپن باؤلر تھا جو ایک روزہ کرکٹ میں خطرناک ثابت ہوا۔ (صفحہ 175) 1994ء میں اسے عبدالقادر کے پاکستان میں گھر جا کر خوشی حاصل ہوئی۔ جہاں اس کے مہمانوں کے کمرے کے فرش پر ہم ایک دوسرے کی جانب کلائیاں گھما گھما کر گیند پھینکتے رہے (صفحہ 230) کرکٹ کی تاریخ میں سپن باؤلنگ کے فن کی یہ عظیم ترین درسی نشست ہو گی۔

7 اس غلط فیصلے سے متعلق عمران کا اپنا بیان All Round View میں ہے، صفحہ 61۔

8 عمران کو شعیب کی قدر کا احساس ہوا۔ اس نے مجھے مزا لیتے ہوئے بتایا کہ "وہ پاکستان کا واحد کپتان تھا جو دوبار مستعفی ہوا۔ پہلی بار شعیب محمد کے ٹیم میں منتخب ہونے پاور دوسری بار جب ایک نئی منتخب کرنے والی کمیٹی نے اسے ٹیم میں نہیں رکھا۔" (عمران خان کے ساتھ ذاتی گفتگو کے دوران)۔

9 2001ء میں قاسم عمر بھر سے اس وقت توجہ کا مرکز بن گیا جب اس نے دعویٰ کیا کہ 1980ء کی دہائی کے درمیانے وقفہ میں جوا کرانے والوں نے کئی ممالک کے عالمی کھلاڑیوں سے میچوں میں بے ایمانی کروانے کے لیے انعام کے طور پر طوائفوں کا ایک گروہ تیار کر لیا تھا۔ اپنے اس دعویٰ کے سلسلے میں اس نے آئی سی سی (ICC) کے بدعنوانی کے خلاف سر پال کونڈن (Sir Paul Condon) کی سربراہی میں شعبہ سے طویل گفت وشنید کی۔ مگر اپنی روائیداد میں کونڈن (Condon) ان الزامات کو ثابت کرنے سے قاصر رہا۔ (دیکھئے اخبار آبزرور (Observer) مورخہ 21 جنوری 2001ء "طوائفوں سے کرکٹ میں رسوائی کے حوالے سے پوچھ گچھ کی جائے گی" (Call Girls to be Questioned in Cricket Scandal) ریڈفورڈ برائین (Rad ford Brian) Caught Out جان بلیک (John Blake) 2001۔

10 عمر نعمان اپنی کتاب کے صفحہ 210 پر ایک خفیف اشارہ دیتے ہوئے لکھتا ہے کہ بی سی سی پی (BCCP) کی انتظامیہ میں تبدیلی پاکستانی امپائروں کے فیصلوں کے خلاف نئے الزامات کی روشنی میں آئی۔ یہ وضاحت ضروری ہے کہ امپائروں کے جذباتی تناؤ اور ان کے مزاج کی کڑواہٹ کی باتیں ائیر مارشل نور خان کے بی سی سی پی (BCCP) کی صدارت کے عہدہ سے الگ ہونے کے بعد ہوئیں۔ نور خاں ایک قابل تعظیم اور اصول پرست شخصیت کا مالک تھا۔ اس کی جگہ پر جنرل صفدر بٹ کو لایا گیا تھا۔

11 چیٹ فیلڈ (Chatfield) انگلینڈ کے باؤلر پیٹر لیور (Peter Lever) کی 1975 میں سر پر گیند کھا کر مرتے مرتے بچا تھا۔

16

# خان کی واپسی

''ہمیں گھر کی راہ پر پہنچنے کے لیے ناچتے گاتے دو لاکھ سے زیادہ انسانوں کی بھیڑ سے گزر کر جو سڑک کے دو رویہ پاکستان کی ہندوستان کی سرزمین پر پہلی فتح کا جشن منا رہے تھے، گھنٹوں لگ گئے۔''

-عمران خان کی کتاب All Round View سے

اس دوران عمران خان سرکاری خرچ پر اپنے مہنگے علاج کا معمول جھیل رہا تھا۔ بعد میں اس نے اپنی خودنوشت سوانح عمری All Round View میں لکھا کہ ''ابتدا میں پاکستان میں کرکٹ سے متعلق افراد کے رویوں اور ان کے سلوک کے باعث اس نے بری طرح کی اداسی اور تلخی محسوس کی۔'' وہ لندن میں اپنے گھر میں محدود ہو کر رہ گیا تھا۔ سوائے کتابیں پڑھنے اور اپنے غم میں گھلنے کے علاوہ اور کرنے کے لیے کچھ نہیں تھا۔ مگر وقت گزرنے کے ساتھ ساتھ ظہیر عباس پر اس کا غصہ بھی ٹھنڈا پڑنا شروع ہو گیا۔ ''ماضی میں میں کسی کو آسانی سے معاف نہیں کر سکتا تھا۔ یہ مجھ میں پٹھانوں کا مخصوص وصف تھا۔ مگر اب میں نے لوگوں کو دوسروں کی نظر سے دیکھنا سیکھ لیا تھا جس کی بدولت انہیں بہتر طور پر سمجھا جا سکتا تھا۔'' آکسفورڈ میں گزارے دنوں کے بعد یہ پہلا موقع تھا کہ وہ اپنی مصورہ دوست ایما سارجنٹ (Emma Sergeant) کے تعاون سے کرکٹ کے حلقے سے نکل کر باہر کے لوگوں میں گھل مل رہا تھا۔ عمران جب الگ تھلگ رہنے کی عادت سے باہر آیا تو زندگی کے متعلق اس کے ذہن کا نقشہ پہلے سے کہیں زیادہ وسیع تر ہو چکا تھا۔ اگر اس صورتحال کو ماضی کی نظر سے دیکھا جائے تو غالباً یہیں سے عمران کا اسلام سے لگاؤ شروع ہوا اور یہیں سے وہ ایک نئی روحانیت کی طرف مائل ہوا۔

چھ ماہ گزر جانے کے بعد ایکس رے سے پتہ چلا کہ اس کی ٹانگ مکمل طور پر تندرست ہو چکی تھی۔ عمران دوڑ لگانے کے لیے ہائیڈ پارک جا پہنچا جہاں پہنچ کر اسے یوں لگا جیسے پنجرے سے نکل کر آزاد پنچھی

محسوس کرتا ہے۔ پہلی بار اس نے جب باؤلنگ کی تو درد پھر لوٹ آئی۔ مگر اس کا ذکر عمران نے کسی سے نہ کیا۔ وہ سمجھ چکا تھا کہ اس کا زخم دوبارہ کھل گیا تو اس کی کرکٹ ہمیشہ ہمیشہ کے لیے ختم ہو جائے گی۔

وکٹوریہ کرکٹ ایسوسی ایشن کی ایک سو پچاسویں تقریب منانے کے سلسلے میں کھیلے جانے والے ٹورنامنٹ کے لیے اس کی قومی ٹیم میں واپسی ہوئی جہاں عمران کا پہلی مرتبہ وسیم اکرم سے ساتھ ہوا۔ اس نے کہا، ''ایلن ڈیوڈسن کے بعد وسیم اکرم بائیں ہاتھ سے تیز رفتار باؤلنگ کرنے والا بہترین باؤلر ہوگا۔'' اس طرح کرکٹ میں عمران کی دوسری عظیم شراکت کا آغاز ہوا۔

پاکستان کا اگلا مقابلہ سری لنکا سے اپنی سرزمین پر تھا۔ فیصل آباد میں کھیلے جانے والے پہلے ٹیسٹ میچ میں جاوید میانداد کی کپتانی میں عمران خان بطور باؤلر دوبارہ نمودار ہوا۔ اس کا سامنا سری لنکا کے ایک غیر معمولی صلاحیتوں کے مالک کھلاڑی سے ہوا جس نے اپنی شاندار سنچری مکمل کرنے کے لیے عمران کی گیند کو ہک کرتے ہوئے زبردست چھکا لگایا۔ یہ بلے باز اروندا ڈی سلوا تھا جس کی زبردست شراکت میں مستقبل کا ایک اور قد آور کھلاڑی ارجنا رانا ٹنگا کھیل رہا تھا۔

سری لنکا کے 479 رنز کے جواب میں قاسم عمر اور جاوید میانداد نے کمزور باؤلنگ کے خلاف ڈبل سنچریاں بنا ڈالیں۔ دوسرا ٹیسٹ میچ پاکستان میں کھیلوں کے سامان بنانے والے صنعتی شہر سیالکوٹ میں پہلی بار کھیلا جا رہا تھا جہاں سری لنکا کی طرف سے اب تک باؤلنگ کا بہترین مظاہرہ ہوا۔ سوئنگ باؤلنگ کرتے ہوئے روی رتنائیکے نے 85 رنز دے کر 8 وکٹیں حاصل کیں۔ مگر پاکستان کو پھر بھی 100 رنز کی برتری حاصل رہی اور پھر جب عمران نے اپنی پوری طاقت کا استعمال کرتے ہوئے 40 رنز کے عوض 5 وکٹیں حاصل کر لیں تو سری لنکا پاکستان کو جیتنے کے لیے صرف 99 رنز کا ہدف دے سکا۔ پاکستان نے یہ ٹیسٹ میچ 8 وکٹوں سے جیت لیا۔

ظہیر عباس نے ٹیسٹ کرکٹ سے اپنی سبکدوشی کا اعلان کر دیا۔ وہ پاکستان کا پہلا کھلاڑی تھا جس نے ٹیسٹ میچوں میں پانچ ہزار رنز بنائے۔ ایسے کچھ اشارے سامنے آئے جن سے معلوم ہوتا تھا کہ کرکٹ چھوڑنے کے لیے اس پر دباؤ ڈالا گیا تھا۔ اور بہت سے دوسرے عظیم پاکستانی کھلاڑیوں کی طرح اسے بھی الوداعی ٹیسٹ میچ سے محروم رکھا گیا۔ ٹیم منتخب کرنے والوں نے اسے کراچی سے کھیلے جانے والے تیسرے ٹیسٹ میچ کے لیے ٹیم میں شامل نہ کیا اور اس کی جگہ پر رمیض راجہ (اس کے بھائی وسیم راجہ کا عالمی کرکٹ میں ایک اپنا درخشاں دور تھا جسے پچھلے سال ہی سلیکٹرز نے ختم کیا تھا) کو لایا گیا۔

عبدالقادر اور عمران خان دوبارہ ٹیم میں لائے گئے۔ ان دونوں اور توصیف احمد نے عمدہ باؤلنگ کے ذریعے ڈی سلوا کی خوبصورت سنچری کے باوجود پاکستان کو دس وکٹوں کی فتح سے ہمکنار کر دیا۔ ان تمام ٹیسٹ میچوں کے دوران سری لنکا کے کھلاڑیوں کو پاکستانی امپائروں سے مسلسل شکایات رہیں۔ مگر اگلے ہی

موسم سرما میں انہوں نے اپنے وطن میں پاکستان سے بدلہ لیا۔ مگر اس سے پہلے عمران خان کو دوبارہ کپتان بنا دیا گیا۔ جاوید میانداد دوسری مرتبہ رضا کارانہ طور پر کپتانی سے علیحدہ ہوا۔ شجاع الدین نے اس تبدیلی کو پاکستان کی کرکٹ کی تاریخ میں ''طاقت پر امن ترین تبادلوں میں سے ایک'' کا نام تھا۔ 1982ء کی طرح ایک بار پھر جاوید میانداد نے ٹیم کو اوّلین ترجیح دی۔ اپنی خودنوشت سوانح عمری میں اس نے اس کے اسباب بیان کیے ہیں۔ ''سری لنکا سے ٹیسٹ میچوں کے سلسلے کے بعد میرے پاس بدستور کپتان رہنے کا اختیار موجود تھا مگر میں نے اس کے برعکس فیصلہ کیا کیوں کہ عمران خان نے سری لنکا کے خلاف کھیلے جانے والے ٹیسٹ میچوں کے دوران مجھ سے مکمل طور پر تعاون نہیں کیا تھا جس سے مجھے انتہائی مایوسی ہوئی تھی۔ بطور کپتان میں عمران سے ایک خاص انداز میں باؤلنگ کروانے کے لیے کہتا۔ میں اس سے گیند پیچھے پھینکنے کے لیے کہتا یا اپنی تیز رفتاری میں کچھ آہستہ رفتار کے گیندوں کی ملاوٹ کے لیے کہتا۔ مگر اس کی بجائے وہ مجھے جواب دیتا کہ ان طریقوں سے وہ گیند پر قابو رکھنے سے قاصر ہے یا یہ کہتا کہ ایسا کرنے سے اسے خدشہ ہے کہ اس کی باؤلنگ کو مار پڑے گی مجھے اس کا جواب عجیب مذاق لگا کیوں کہ 86-1985ء میں بطور تیز رفتار باؤلر عمران فنی لحاظ سے اپنے عروج پر تھا اور گیند پر بہترین قابو رکھنے میں مہارت رکھتا تھا۔''

عمران خان اپنے پیشرو عبدالحفیظ کاردار کی طرح اپنے کسی ہم پلہ کے ماتحت رہ کر خدمات سرانجام دینے کے لیے تیار نہ تھا۔ اسے اس کے آمرانہ انداز کے خلاف احتجاج کے باوجود کپتان بنایا گیا۔ بی سی پی (BCCP) میں وہ اپنے دوست کھو بیٹھا تھا کیوں کہ اس نے سیکرٹری بی سی پی کرنل رفیع نسیم کا کھلاڑیوں کے کمرے میں داخلہ پر پابندی لگا دی تھی اور پھر اس کے بعد اخلاقی تفتیشی مجلس کے سامنے پیش ہونے سے بھی انکار کر دیا تھا۔ خانہ جنگی سے دوچار ملک میں عمران کی ٹیم کا خاموش ناراضگی کے ماحول میں استقبال کیا گیا اور یہ ماحول اس وقت مزید ابتر ہو گیا جب پہلے ٹیسٹ میچ کے دوران امپائروں نے چونکا دینے والے فیصلے کیے۔ ایک موقع پر پاکستان کی طرف سے کی گئی اپیل کو ماننے سے انکار کرتے ہوئے تیکھی طنز کے لہجے میں یہ تک کہہ دیا گیا کہ ''یہ پاکستان نہیں ہے''۔

''عداوت متفقہ طور پر مسلسل روا رکھی جا رہی تھی جس میں کمی کے کوئی آثار نظر نہیں آ رہے تھے۔''

عمران نے بعد میں بیان کیا، ''سڑکوں پر عام لوگ اور ہوٹل میں خدمت گار تک سبھی ہم سے بدتہذیبی سے پیش آتے تھے۔ ماحول اس قسم کا ہو چکا تھا جیسے واں کی تمام آبادی ہمارے خلاف اس حد تک متحد ہو چکی تھی کہ ہمیں ہر قیمت پر شکست دینی ہے اور ہم سے بدسلوکی بھی کرنی ہے۔ میرے خیال میں سری لنکا کی خانہ جنگی کی بدولت حب الوطنی کے جذبہ میں انتہائی شدت پیدا ہو چکی تھی جو کھیل کے میدان تک سرائیت کرتے ہوئے مخالف ٹیم کے لیے اندھی نفرت میں بدل چکی تھی۔''

عمران خان قبل از وقت دورے کا خاتمہ کرنا چاہتا تھا لیکن صرف جنرل ضیاالحق کے پیغام کے بعد وہ دورہ جاری رکھنے پر آمادہ ہوا۔ دوسرے ٹیسٹ میچ میں پریشانیوں میں مزید اضافہ ہوا۔ اس وقت ہوا جب جاوید میانداد کو ایک انتہائی نامناسب فیصلے کے تحت آؤٹ قرار دیا گیا۔ اور جب وہ واپس پویلین کی طرف جارہا تھا تو اسے ایک پتھر آ کر لگا۔ جاوید پتھر مارنے والے کی تلاش میں تماشائیوں میں جا گھسا۔

سری لنکا کے سیم باؤلروں نے حالات کا بھرپور فائدہ اٹھاتے ہوئے پاکستان کو 8 وکٹوں سے شکست دے ڈالی۔ غیر معیاری فیلڈنگ، ناروا موسم اور امپائروں کے متنازعہ فیصلوں کے ہاتھوں آخری ٹیسٹ میں پاکستان کے جیتنے کے مواقع ضائع ہو گئے۔ پاکستانی ٹیم کے غصے سے بھرپور حالات میں اس وقت مزید اضافہ ہوا جب وہ چار اقوام کے درمیان بیک وقت کھیلے جانے والے ایک روزہ ایشیا کپ اور جان پلیئر گولڈ لیف ٹرافی میں حصہ لینے کے لیے رکے۔ مگر جب عمران بیٹنگ کرتے ہوئے چوٹ لگنے کی وجہ سے باؤلنگ کرنے کے قابل نہ رہا تو سری لنکا نے فائنل میں انہیں با آسانی شکست دے دی۔ سری لنکا کی کسی بھی ٹورنامنٹ میں یہ پہلی فتح تھی اور وہاں کے شکرگزار صدر مملکت نے جنرل ضیاالحق کی تقلید کرتے ہوئے قومی چھٹی کا اعلان کر دیا۔

## کرکٹ کی تاریخ کا مشہور ترین شاٹ

پستی کے اس موڑ سے پاکستان اور خصوصاً جاوید میانداد فوری طور پر عظمت کی طرف لوٹے۔ عمران خان کی سربراہی میں ٹیم شارجہ پانچ قومی ٹرافی کے میچوں کے نئے سلسلے میں حصہ لینے کے لیے پہنچی۔ آسٹرل ایشیا کپ کے اس مقابلے میں پاکستان کے علاوہ آسٹریلیا، نیوزی لینڈ، سری لنکا اور ہندوستان حصہ لے رہے تھے۔

اگرچہ عمران کے بغیر پاکستان نے آسٹریلیا کے خلاف آسانی سے فتح حاصل کر لی تھی عبدالقادر اور توصیف احمد کی بدولت (عبدالقادر اب تک اس پرانی روایت کو غیر موثر ثابت کر چکا تھا جس کے مطابق لیگ سپن باؤلر بے تحاشا رن دیا کرتے ہیں اور وہ ایک روزہ کرکٹ کے علاوہ دوسرے میچوں میں بھی بہت ارزاں ثابت ہوتے ہیں)۔ اس نئے انکشاف کا اصل فائدہ شین وارن (Shane Warne) کو پہنچا) عبدالقادر اور توصیف احمد دونوں نے آسٹریلیا کا مل کر خوب گلا دبایا تھا۔ عبدالقادر ایک بار پھر وسیم اکرم کی شراکت میں تباہ کن ثابت ہوا اور پاکستان نے ان کی بدولت نیوزی لینڈ کو آسانی سے چت کر دکھایا۔

عمر نعمان کے مطابق، پاکستان اور موجودہ عالمی سورما بھارت کے فائنل مقابلے کو ایک ارب تماشائیوں نے ٹیلی ویژن پر دیکھا۔ انہوں نے گواسکر اور سری کانت کی تیز رفتار 117 رنز کی شراکت دیکھی، جس کے بعد گواسکر اور وینگ سارکر نے 99 رنز کا مزید اضافہ کیا۔ تاہم عمران اور وسیم اکرم نے ہندوستانی ٹیم

کو 246 رنز پر دبوچ لیا۔ جواباً کھیلتے ہوئے پاکستانی ٹیم بتدریج وکٹیں کھوتی رہی مگر آخری آسرے کے طور پر جاوید میانداد نے یہ ارادہ کر رکھا تھا کہ 50 اووروں کے بقایا تمام اووروں کو وہ کھیل کر اپنی ٹیم کو بے عزتی سے بچالے گا۔ ترقی پا کر اوپر کے نمبر پر بیٹنگ کرنے والے عبدالقادر اور عمران خان کے ساتھ جاوید میانداد کی اچھی شراکتوں کے ذریعے 6 وکٹوں کے نقصان پر پاکستان نے 211 رنز بنالیے اور جیتنے کے لیے بقایا تین اووروں میں 31 رنز درکار تھے۔ پہلا شکار تیز رفتار باؤلر چیتن شرما نے بولڈ کرتے ہوئے کیا۔ جاوید میانداد کا دوسرا ساتھی منظور الٰہی اونچا مگر آسان کیچ دے کر آؤٹ ہوگیا۔ اگلا بیٹسمین وسیم اکرم کھیلنے آیا مگر اس سے پہلے جاوید میانداد رن لیتے ہوئے بھاگ کر دوسری طرف آچکا تھا جہاں اسے گیند کا سامنا کرنا تھا۔ اگلی تین گیندوں پر جاوید میانداد اور وسیم اکرم نے مزید چار رنز بنالیے۔ شرما کی اگلی گیند اس کے اوور کی آخری گیند ہونا تھی مگر وہ نوبال (No Ball) ہوگئی جسے جاوید میانداد نے سکوئیر کٹ (Square Cut) لگا کر دو رنز لے کر اپنی سنچری مکمل کر لی۔ اگلی گیند پر اس نے مزید ایک رن لے لیا جس کے بعد وہ کپل دیو کا اوور کھیلنے اس کے سامنے آ گیا۔ اس وقت دو اووروں میں 18 رنز بنانا باقی تھے۔

کپل دیو کے اوور سے سات رنز حاصل ہوئے جس میں ایک اوورتھرو (Overthrow) کی مدد بھی شامل تھی جب باؤلر نے بیٹنگ کرنے والی سمت میں رن آؤٹ کی ناکام کوشش کرتے ہوئے گیند دے ماری تھی۔ ابھی 11 رنز بقایا تھے جب جاوید میانداد نے آخری اوور کھیلنے کے لیے شرما کا سامنا کیا۔ پہلی گیند پر لانگ آن کی طرف زوردار ہٹ کے نتیجے میں جاوید میانداد نے ایک رن لی۔ وسیم اکرم دوسرا لینے کی جستجو میں باؤلر سے رن آؤٹ ہوگیا۔ اس کے بعد نوعمر وکٹ کیپر ذوالقرنین کھیلنے کے لیے آیا۔

دوسری گیند پر جاوید میانداد نے آن ڈرائیو کے ذریعے چوکا لگایا۔

آف اسٹمپ سے باہر جاتی ہوئی تیسری گیند کو جاوید میانداد نے آگے بڑھ کر بیک ورڈ سکوئیر لیگ کی طرف کھینچا جہاں راجر بنی (Roger Binny) نے اسے عمدہ طریقہ سے روک لیا۔ جاوید میانداد صرف ایک رن لے سکا۔

ذوالقرنین کو ہدایت کی گئی تھی کہ وہ مار دھاڑ سے کام لے مگر وہ چوتھی گیند پر بولڈ ہوگیا۔ پاکستان کا گیارہواں کھلاڑی پانچویں گیند کا سامنا کرنے میدان میں اترا۔ مایوس کن بیٹسمین توصیف احمد تھا۔ جاوید میانداد نے اسے ہدایت کی کہ وہ گیند کو بلے سے چھو کر رن لینے کے لیے دوڑ لگا دے۔

پانچویں گیند کو توصیف احمد نے ہدایت کے مطابق شارٹ کور کی طرف آہستگی سے کھیل کر رن لینے کے لیے سرپٹ دوڑ لگا دی۔ ادھر ہندوستان کے بہترین فیلڈر اظہرالدین نے گیند کو وکٹوں میں مارنے کے لیے اسے پھینکا مگر اس کا نشانہ خطا گیا۔ اب صرف جیتنے کے لیے چار رنز باقی تھے۔

چھٹی اور آخری گیند کے لیے شرما نے یارکر (Yorker) پھینکنے کی کوشش کی مگر وہ یہ نہ دیکھ پایا کہ جاوید میانداد اپنی کریز سے بہت باہر نکل کر سامنے آچکا تھا۔ گیند فل ٹاس کی شکل میں جاوید میانداد نے بلے پر لی اور ایک زبردست ہٹ کے ذریعے میدان سے باہر پہنچا دی۔ کرکٹ کی تاریخ کے اس سب سے مشہور شاٹ کے ذریعے پاکستان نے ایک روزہ ٹرافی مقابلوں میں اپنی پہلی اہم فتح حاصل کرلی۔[1]

## غیر جانبدار امپائروں کی آمد

پاکستان کے سامنے اب کرکٹ کی قومی تاریخ کا سب سے پرکیف اور انتہائی اہم سال تھا۔ پہلا مقابلہ دنیا کی سب سے طاقتور ٹیم ویسٹ انڈیز سے پاکستان میں تھا۔ اس کے بعد پاکستانی ٹیم نے ہندوستان کا دورہ کیا اور پھر موسم گرما میں انگلینڈ کے دورہ پر گئی اور آخر میں 1987ء کا عالمی کپ کھیلا جانا تھا جس کے بعد عمران خان کرکٹ سے سبکدوش ہونے کا ارادہ کیے ہوئے تھا۔ اس نے بعد میں لکھتے ہوئے بیان کیا کہ ''میں جانتا تھا کہ میں کرکٹ کے ایک ایسے سفر پر روانہ ہونے والا ہوں جو بطور کھلاڑی اور کپتان میری شہرت کو بنا بھی سکتا ہے اور بگاڑ بھی سکتا ہے۔''

ویسٹ انڈیز کے ساتھ مقابلوں کا پہلا ٹیسٹ میچ فیصل آباد میں ہوا۔ یہ ٹیسٹ انتہائی کشمکش اور مقابلے کا تا جس میں عبدالقادر نے اپنی زندگی کی عظیم ترین کارکردگی دکھائی۔ ٹیسٹ میچ کے پہلے روز پاکستانی بلے باز ویسٹ انڈیز کے تیز رفتار باؤلروں کے سامنے ٹھہر نہ سکے اور صرف 37 رنز کے عوض پانچ کھلاڑی آؤٹ ہو گئے۔ اس موقع پر عمران خان بیٹنگ کرنے میدان میں آیا۔ پہلی ہی گیند بری طرح سے اچھل کر اس کے کندھے پر آلگی جس سے اس کا کندھا نہ صرف سوج گیا بلکہ اکڑ بھی گیا۔ مگر عمران خان اس کے باوجود ڈٹا رہا۔ وہ جانتا تھا کہ اگر وہ آؤٹ ہو گیا تو پاکستانی ٹیم مکمل طور پر ڈھیر ہو جائے گی۔ کچھ وقت تک وہ سلیم ملک کے ساتھ مل کر اپنی ٹیم کو سہارا دیتا رہا مگر پھر کورٹنے والش (Courtney Walsh) کی گیند نے سلیم ملک کا بازو توڑ ڈالا۔ عمران خان سب سے آخر میں 61 بہادرانہ رنز بنا کر آؤٹ ہوا اور پاکستان کل 159 رنز کر سکا۔ وسیم اکرم کا 6 وکٹیں حاصل کرنے کے باوجود ویسٹ انڈیز کو پہلی اننگز میں 89 رنز کی برتری حاصل ہوگئی تھی۔

پاکستان کی دوسری اننگز میں عارضی طور پر وقت گزارنے کے لیے بھیجے جانے والے بیٹسمین (Night Watchman) سلیم یوسف نے 46 اوور کھیل کر 61 رنز کیے۔ جبکہ محسن خان اور قاسم عمر نے 40,40 سے زائد رنز بنائے۔ جاوید میانداد نے 3 گھنٹے تک کھیل کر 30 رنز بنائے۔ مگر پاکستان کو صرف 135 رنز کی برتری حاصل تھی جب نویں نمبر پر وسیم اکرم بیٹنگ میں عمران خان کا ساتھ دینے میدان میں نکلا۔ پویلین میں سلیم ملک، والش (Walsh) کی گیند سے ٹوٹے ہوئے اپنے بازو کے علاج معالجہ میں لگا ہوتا تھا۔

وسیم اکرم نے عمران خان کے ساتھ مزید 34 رنز کا اضافہ کیا۔ جب توصیف احمد، وسیم کا ساتھ دینے آیا تو وہ اپنی وکٹ کو بچا بچا کر کھیلنے لگا جبکہ دوسری طرف وسیم اکرم، ویسٹ انڈیز کے تیز رفتار باؤلروں کو چھکے پہ چھکے لگا رہا تھا۔ آخرکار 38 رنز کا اضافہ کیا تھا۔ اس کے بعد بازو پر پلاسٹر چڑھائے سلیم ملک میدان میں کھیلنے کے لیے دوبارہ نمودار ہوا اور مزید 32 رنز کے لیے جما رہا۔ جبکہ دوسری طرف وسیم اکرم ٹیسٹ میچوں میں اپنی پہلی نصف سنچری بنانے میں کامیاب ہوگیا۔

ویسٹ انڈیز کو چار دورانیے کھیل کر 240 رنز کی ضرورت تھی۔ مگر وہ پہلے ہی دورانیے میں تباہ ہوکر رہ گئے۔ عمران نے اس تباہی میں 4 وکٹیں حاصل کر لیں اور عبدالقادر نے صرف 16 رنز کے عوض بقایا 6 وکٹیں لے لیں۔ ویسٹ انڈیز صرف 53 رنز بنا کر فارغ ہو گئی۔ اس وقت ٹیسٹ کرکٹ میں یہ ان کا سب سے کم سکور تھا۔[2]

لاہور میں کھیلے جانے والے دوسرے ٹیسٹ میچ میں ویسٹ انڈیز نے پاکستان کو ایک اننگز سے ہرا کر اپنی شکست کا بدلہ لے لیا۔ حالاں کہ ویسٹ انڈیز ٹیم کا سکور صرف 240 رنز تھا۔ میلکم مارشل نے 6 وکٹیں حاصل کیں۔ والش نے 7 اور غیر معروف ٹونی گرے نے 4 وکٹیں لیں۔ مشکوک پچ پر تیز رفتار باؤلروں کے اس اتحاد کے سامنے پاکستانی ٹیم مزاحمت کرنے میں ناکام رہی۔ قاسم عمر بھی چہرے پر والش کی گیند لگنے سے زخمیوں کی فہرست میں سلیم ملک کے ساتھ جاملا۔

کراچی میں کھیلے جانے والا تیسرا ٹیسٹ میچ ڈرامائی تاخیر کی نذر ہو کر بغیر ہار جیت کے ختم ہوا۔ وِور چرڈز کے 70 رنز نے ویسٹ انڈیز کو 240 رنز پر پہنچا دیا۔ جواب میں پاکستان نے 239 رنز کیے جس میں رمیض راجہ اور جاوید میانداد کے 50،50 رنز شامل تھے۔ ویسٹ انڈیز کی دوسری اننگز میں عمران خان کراچی کی سمندری ہوا سے دوبارہ لطف اندوز ہوا۔ اس نے طوفانی باؤلنگ کرتے ہوئے 11 رنز کے عوض 5 وکٹیں حاصل کر لیں۔ ڈیسمنڈ ہینز (Desmond Haynes) شروع سے آخر تک کھیلتا رہا اور اس نے 88 ناقابل شکست رنز کیے۔ پاکستان کے پاس جیتنے کے لیے 213 رنز کا ہدف تھا۔ آخری دن چائے کے وقفہ تک پاکستانی ٹیم کے 95 رنز کے عوض 7 کھلاڑی آؤٹ ہو چکے تھے اور عمران خان ابھی بیٹنگ کر رہا تھا۔ توصیف احمد ایک بار پھر بطور بیٹسمین پاکستان کے کام آیا اور آخر تک جما رہا، غرض یہ کہ امپائروں نے روشنی کی کمی کی وجہ سے میچ ختم کرنے کا اعلان کر دیا۔ یہ ہندوستانی امپائر تھے جنہیں عمران خان کے اصرار پر لایا گیا تھا۔ آخرکار پاکستان کو غیر جانبدار امپائروں کے اپنے موقف میں کامیابی حاصل ہو گئی۔ ان کی بدولت معمول کے خلاف میچوں کو انتہائی خوش اسلوبی کے ماحول میں کھیلا گیا۔

## نتیجہ خیز میچ پر ہندوستان پر غالب آنا

جب 87-1986ء کی جھلسا دینے والی گرمیوں میں عمران خان پاکستانی ٹیم لے کر 5 ٹیسٹ میچ کھیلنے کے لیے دو ماہ کے دورے پر ہندوستان پہنچا تو ہندوستانی انتظامیہ نے بدلے میں غیر جانب دار امپائروں کو نہ رکھ کر کسی خوشنودی کا اظہار نہ کیا۔ یہ مقابلے دونوں ملکوں میں سرحدی کشیدگی کی وجہ سے خوشنودی کا اظہار نہ کیا۔ یہ مقابلے دونوں ملکوں میں سرحدی کشیدگی کی وجہ سے مشکل بن گئے تھے جس کی بدولت اکثر تماشائی مشکلات پیدا کرتے ہوئے باؤنڈری پر فیلڈنگ کرنے والے پاکستانی کھلاڑیوں کو پھل اور پتھر مارتے۔ چوتھے ٹیسٹ میچ میں پاکستانی کھلاڑیوں نے اپنے آپ کو تماشائیوں کی ان کارروائیوں سے محفوظ رکھنے کے لیے باؤنڈری کے نزدیک فیلڈنگ کرتے ہوئے سروں پر ہیلمٹ پہننا شروع کر دیئے تھے۔ بنگلور میں کھیلے جانے والا پانچواں اور فیصلہ کن ٹیسٹ میچ کرکٹ تاریخ کے عظیم ترین مقابلوں میں شمار ہوتا ہے جس میں ہندوستان چوتھی اننگز میں جیتنے کے لیے 221 رنز کا تعاقب کیا۔

پاکستان 1-5 کی نسبت سے ایک روزہ میچ جیت لیے تھے۔ ہندوستان کی واحد جیت خوش قسمتی سے عبدالقادر کے ہاتھوں نصیب ہوئی کیوں کہ آخری گیند پر جب سکور برابر تھا تو وہ بھاگ کر رن لینے کی کوشش میں آؤٹ ہوگیا جوش میں آنے کی وجہ سے عبدالقادر کو کھیل کے قوانین یاد نہیں رہے تھے اگر وہ آؤٹ نہ ہوتا تو پاکستان کو اس میچ میں بھی فتح حاصل ہو جاتی۔

پہلے چاروں ٹیسٹ میچ حالیہ انداز کے مطابق کھیلے گئے جن میں بے شمار رنز بنے مگر کسی ایک کا نتیجہ نہ نکلا۔ مدراس میں کھیلے جانے والے پہلے ٹیسٹ میچ میں شعیب محمد نے صبر آزما طور پر کھیلتے ہوئے اپنی پہلی سنچری مکمل کی۔ جاوید میانداد کی سنچری مکمل ہونے میں ابھی 6 رنز باقی تھے کہ وہ رن آؤٹ ہو گیا۔ وسیم اکرم نے مار دھاڑ کرتے ہوئے 62 رنز بنا ڈالے جن میں 5 چھکے اور 6 چوکے شامل تھے۔ عمران خان نے آٹھویں نمبر پر آ کر 135 ناقابل شکست رنز بنائے جن میں 5 چھکے اور 14 چوکے شامل تھے۔ اس کی ایک بار پھر 81 رنز کی ناقابل شکست شراکت توصیف احمد کے ساتھ رہی۔ ہندوستان نے پاکستان کے 487 رنز کے جواب میں 527 رنز بنائے۔ جن میں کرس سری کانت کی زبردست سنچری شامل تھی۔ باقی ماندہ میچ کے دورانیے میں پاکستان تین وکٹوں کے نقصان پر کھیلتا رہا۔

کلکتہ میں ہونے والے دوسرے ٹیسٹ میچ میں پاکستانی ٹیم مشکلات کا شکار ہوگئی حالاں کہ سنیل گواسکر نے پراسرار ذاتی وجوہات کی وجہ سے ٹیسٹ میچ میں کھیلنے سے معذوری کر لی تھی۔ پاکستانی ٹیم ہندوستانی ٹیم کے 409 رنز کے جواب میں فالو آن ہوتے ہوتے بچ گئی۔ یہ بچت سلیم یوسف کی وجہ سے ہوسکی۔ یہ وسیم باری کے بعد آنے والا وہ پہلا وکٹ کیپر تھا جس کا شمار ان وکٹ کیپروں میں ہوتا ہے جو وکٹ کیپری سے بہتر

بیٹنگ کرتے تھے۔ ہندوستانی ٹیم نے اپنی دوسری اننگز کو سست رفتاری کا انداز دے کر ٹیسٹ میچ کو جیتنے کا موقع کھو دیا۔

راجستھان میں پہلی مرتبہ ٹیسٹ کرکٹ اس وقت کھیلی گئی جب وہاں ہندوستان اور پاکستان کے درمیان تیسرا میچ ٹیسٹ جے پور میں منعقد ہوا۔ گواسکر دوبارہ ٹیم میں شامل ہو چکا تھا مگر وہ حیرت انگیز طور پر عمران خان کی پہلی ہی گیند پر آؤٹ ہو گیا۔ یہ گیند اس کے بلے سے لگ کر پیڈ کو لگتی ہوئی سلپ کی طرف لپکی جہاں جاوید میانداد نے کیچ پکڑ لیا۔ دوسرے دن کے کھیل کا اہم واقعہ جنرل ضیاالحق کی اچانک اور غیر متوقع آمد تھی جس کے ذریعے کرکٹ کو بھارتی وزیراعظم راجیو گاندھی کے لیے سفارتی مقاصد کے لیے استعمال کیا گیا۔ جنرل ضیا کی اس اچانک پیش قدمی کے پیچھے جس نے راجیو گاندھی کو ششدر کر دیا تھا۔ راجستھان کے صحرا میں بھارتی افواج کی پیش رفت تھی جس کی وجہ سے خطرہ محسوس کرتے ہوئے جوابی کارروائی ہوتے ہوئے نظر آ رہی تھی۔ لاکھوں ہندوستانیوں نے ٹیلی ویژن پر جنرل ضیا کو ہندوستانی کھلاڑیوں اور ان کے مداحوں سے خوشگوار ماحول میں باتیں کرتے دیکھا۔ جنرل ضیا نے مدبرانہ حکمت عملی کا مظاہرہ کرتے ہوئے ہندوستان کے محمد اظہرالدین کے مسلمان ہونے کا ذکر کیے بغیر اس کی سنچری کی بے حد تعریف کی۔ اس نے کہا کہ کرکٹ برائے امن اس کا نصب العین ہے۔ میرا یہاں آنے کا مقصد صرف اچھی کرکٹ دیکھنا تھا اور اس کے ساتھ بھارتی وزیراعظم سے ملاقات کر کے غور کرنا تھا کہ ہم مل کر اپنے مسائل کو کس طرح حل کر سکتے ہیں۔'' جنرل ضیا کو ان عوامی تعلقات میں کامیابی حاصل ہوئی اور کرکٹ کے کھلاڑیوں اور مداحوں نے اس کا خوشدلی سے خیر مقدم کیا۔ ہندوستانی کرکٹ ٹیم کے سابق کپتان بشن سنگھ بیدی نے اخباروں میں بیک وقت شائع ہونے والے اپنے کالم میں لکھتے ہوئے جنرل ضیا کو دل میں گرمجوشی رکھنے والا مہربان انسان کہا۔ اس ملاقات سے راجستھان میں آمنے سامنے کھڑی افواج کی تلخی میں کمی پیدا ہوئی۔ مگر کشمیر کے اصل مسئلہ پر جنرل ضیا کسی قسم کی کوئی مراعات حاصل نہ کر سکا۔

جہاں تک عمدہ کرکٹ دیکھنے کا تعلق تھا تو ہندوستان نے 8 وکٹوں پر آرام سے 459 رنز بنا کر اپنی اننگز کو ختم کر دیا۔ اس نے غیر ضروری طور پر اگلی صبح صرف 6 رنز کے اضافے کے بعد یہ فیصلہ کیا تھا۔ پاکستان کو فالوآن کا کچھ خطرہ درپیش ہوا مگر عمران نے ناقابل شکست 66 رنز بنائے جو ایک بار پھر توصیف احمد کے ساتھ آخری وکٹ پر نتیجہ خیز شراکت کا نتیجہ تھے۔ اس میچ کا دوسرا واقعہ گرج چمک کے طوفان کے بعد پچ پر لکڑی کے برادہ کا پراسرار طور پر نمودار ہونا تھا۔ عمران خان کا دعویٰ تھا کہ اسے غیر قانونی طور پر بچھایا گیا تھا۔ ہندوستانیوں نے جواب میں کہا کہ یہ وہاں حادثاتی طور پر اڑ کر آ گرا تھا۔ یہ ٹیسٹ میچ ہار جیت کے فیصلے کے بغیر ختم ہوا اور اسی طرح احمد آباد میں کھیلا جانے والا چوتھا ٹیسٹ میچ بھی برابر رہا۔

آخری ٹیسٹ میچ بنگلور میں کھیلا گیا۔ تماشائیوں میں کمی دیکھ کر انتظامیہ نے بوکھلاہٹ کوئی نتیجہ حاصل کرنے کی غرض سے پچ کو مکمل طور پر تیار نہ کیا۔ یہ دیکھتے ہوئے پاکستانی ٹیم کو منتخب کرتے وقت آخری لمحہ پر فیصلے کے عبدالقادر کی جگہ پر اقبال قاسم کو شامل کر لیا گیا۔ عمران خان کو یہ اہم فیصلہ جاوید میانداد، مدثر نذر اور خود بے لوث طور پر عبدالقادر جواب تک 60 رنز فی وکٹ کے حساب سے ان ٹیسٹ میچوں میں صرف چار وکٹیں لے سکا تھا کے مشورے پر کرنا پڑا۔

ہندوستان کی طرف سے بائیں ہاتھ سے اسپین باؤلنگ کرنے والے نوجوان باؤلر مندر سنگھ نے پہلے کاری ضرب لگاتے ہوئے 27 رنز کے عوض 7 پاکستانی کھلاڑی آؤٹ کر دیئے اور پاکستانی ٹیم 116 رنز پر آؤٹ ہو کر رہ گئی۔ عمران خان اور وسیم اکرم کے چند اووروں کے بعد جن میں وہ کوئی وکٹ حاصل کرنے میں ناکام رہے۔ اقبال قاسم اور توصیف احمد کو باؤلنگ کے لیے پاکستان کی طرف سے لایا گیا۔ وینگسارکر کی نپی تلی نصف سنچری کی مدد سے ہندوستان نے چار کھلاڑیوں کے نقصان پر 126 رنز بنا لیے۔ لیکن جب وہ آؤٹ ہوا تو پاکستان کے دونوں اسپین باؤلروں نے بقایا پانچ وکٹوں کا 19 رنز کے عوض صفایا پھیر دیا اور اس طرح ہندوستان کو صرف 29 رنز کی برتری حاصل ہو سکی۔ عمران خان نے دانائی سے کام لیتے ہوئے رمیض راجہ اور جاوید میانداد کو بڑھاوا دے کر اننگز کی ابتدا کروائی۔ دونوں نے نہ صرف برتری کا ہدف پورا کر ڈالا بلکہ خصوصاً مندر سنگھ پر بھی خوب دباؤ ڈالا اور وہ گھبرا کر ضرورت سے زیادہ گیند کو گھمانے کی کوشش میں لگا رہا جس کی بدولت عمران خان نے 39 اور سلیم ملک نے 33 رنز بنائے۔ پھر بھی جب پاکستان کی آٹھویں وکٹ گری تو پاکستان کو صرف 59 رنز کی برتری حاصل کی تھی۔ توصیف احمد نے ایک بار پھر اہم شراکت کی اور یہ شراکت سلیم یوسف کے ساتھ 51 رنز کی تھی۔ پاکستان نے بالآخر ہندوستان کو جیت حاصل کرنے کے لیے تنگ کرنے والی پچ پر 221 رنز کا ہدف دے دیا اور اس نے یہ مہم سنیل گواسکر کی عمدہ اننگز کے ذریعے تقریباً سر کر لی تھی۔ جس نے پاکستانی سپن باؤلروں کے مقابلے میں پاؤں کے استعمال اور گیند کی بلے کے ساتھ تال میل کا عمدہ ترین درست دیا۔ وہ 96 رنز بنا چکا تھا جب اقبال قاسم کی ایک گیند انتہائی شدت سے اچھلی اور گواسکر کا کیچ سلپ میں پکڑا گیا۔ راجر بنی (Roger Binny) کی طرف سے آخری زبردست مزاحمت (جسے بعد میں عمران خان نے تشبیہ دیتے ہوئے کہا کہ یہ مزاحمت ایسی تھی جیسے مچھلی کانٹے میں پھنس کر آخری وقت میں تڑپ رہی ہوتی ہے) ہوئی مگر پاکستان نے اس انتہائی دلچسپ ٹیسٹ میچ کو 16 رنز سے جیت لیا۔ پاکستان کی بیرون ملک یہ صرف تیسری فتح تھی۔ وطن واپسی پر پاکستانی ٹیم کو مبارکبادوں کے ساتھ ساتھ زبردست عوامی استقبال بھی ملا۔

عمران خان نے اس عظیم استقبال کی خوشی کا اظہار کرتے ہوئے کہا کہ ''یہ وہ استقبال ہے جس کی بدولت محسوس ہوا کہ زندگی بھر کی کمائی حاصل ہو گئی۔ ہمارے استقبال کو آنے والا ہجوم ہوائی اڈے سے لے کر

اندرون شہر تک پھیلا ہوا تھا۔'' تاہم وطن واپسی پر ایک کھلاڑی کی دل آزاری ہوئی۔ عمران خان نے فتح دلانے والے اپنے باؤلر اقبال قاسم سے کہا کہ آئندہ آنے والے انگلینڈ کے دورے کے لیے وہ اسے ٹیم میں شامل نہیں کرنا چاہتا۔ عمران خان اب بھی عبدالقادر کو ترجیح دے رہا تھا۔ بے چارہ اقبال قاسم اس قدر دل شکستہ ہوا کہ وہ لڑکھڑاتے ہوئے کمرے سے باہر چلا گیا۔ اسے ٹیم کے ساتھ کھیلنے والے نائب مینیجر بن کر جانے کی پیشکش بھی ہوئی مگر اس سے بھی اس کا غم دور نہ ہو سکا۔ بعد میں اقبال قاسم نے لکھتے ہوئے بیان کیا کہ ''میں یہ بھی نہ سمجھ سکا کہ عمران خان کو مجھ پر زیادہ اعتماد کیوں نہ تھا؟ میں اسے بے حد پسند کرتا تھا کیوں کہ وہ ایک غیر معمولی انسان تھا۔ میں خاص طور پر اس کی بہتر سے بہتر بننے کی لگن کو بہت سراہتا تھا۔ اگرچہ میں کوئی عظیم باؤلر تو نہ تھا مگر پھر بھی میں نے 172 وکٹیں حاصل کر رکھی تھیں اور ملک سے باہر پاکستان کی جیت میں کئی بار اہم کردار ادا کر رکھا تھا۔''

## انگلستان کا دورہ 1987ء

جاوید برکی کی ٹیم کے 1962ء کے آفت زدہ دورے کے بعد 1987ء کا انگلستان کا دورہ پاکستانی ٹیم کا پہلا مکمل دورہ تھا۔ عمران خان کا صاف اور واضح مقصد تھا کہ اس کی رہنمائی میں انگلینڈ کی ٹیم کو انگلستان کی سرزمین پر شکست دی جائے۔ تاہم پاکستانی ٹیم کے لیے دورہ کی ابتدا ایک انتہائی بھونڈے انداز میں ہوئی۔

لندن کے ہیتھرو ہوائی اڈے پر اترنے کے بعد پاکستانی ٹیم کی تذلیل کرتے ہوئے اسے علیحدہ ایک طرف کھڑا دیا گیا اور دوسرے مسافروں کی نظروں کے سامنے سونگھنے والے کتوں کو لا کر ان کا سامان سونگھایا گیا۔ ادھر پاکستان کی درخواست کہ ڈیوڈ کونسٹنٹ (David Constant) جسے 1982ء کے ٹیسٹ میچوں کے سلسلے کے دوران ناقص فیصلوں کی بنا پر تنقید کا نشانہ بنایا گیا تھا کو امپائری کے لیے نہ رکھا جائے، کو ٹیسٹ کرکٹ اور کاؤنٹی کرکٹ کی انتظامیہ نے رد کر دیا۔ پاکستان نے جواب میں نقطہ اٹھایا کہ ہندوستان نے پچھلے انگلستان کے دورہ کے دوران کونسٹنٹ (Constant) پر اعتراض اٹھایا تو اسے ٹیسٹ میچوں کی امپائری سے علیحدہ کر دیا گیا تھا۔

جاوید میانداد کی ایک سنچری اور دو نصف سنچریوں کے باوجود پاکستان ایک روز ٹیکسا کو ٹرافی (Texaco Trophy) دو میچوں کے مقابلے میں ایک سے جیتتے جیتتے رہ گئی۔ ایجبیسٹن (Edgbaston) میں کھیلا جانے والا تیسرا میچ، انگلینڈ نے ایک وکٹ سے اس وقت دبوچ لیا جب پاکستانی ٹیم نے ایک رن آؤٹ کا موقع کھو دیا۔ تماشائیوں میں بھیانک تصادم ہوئے جنھیں نیشنل فرنٹ کے شراب میں دھت حمایتی مشتعل کر رہے تھے۔ وہ پاکستانی کھلاڑیوں کو میدان اور میدان کے باہر گالیاں دیتے رہے۔

مانچسٹر میں کھیلے جانے والے پہلے ٹیسٹ میچ میں پاکستانی ٹیم عمران خان کی باؤلنگ سے محروم رہی کیوں کہ ورزش کے دوران وزن اٹھاتے ہوئے وہ زخمی ہو گیا تھا اور ٹیسٹ نہیں کھیل رہا تھا۔ اس کے علاوہ عبدالقادر بھی نہیں کھیل رہا تھا کیوں کہ وہ ابھی پاکستان میں اپنی بیوی کی پراسرار بیماری کی وجہ سے اس کی دیکھ میں مصروف تھا۔ ٹیسٹ میچ بارش کی نذر ہو گیا پاکستانی ٹیم کے 5 کھلاڑی آؤٹ ہوئے اور ابھی وہ انگلینڈ کی پہلی اننگز کے 447 رنز سے 307 رنز پیچھے تھے۔ لارڈز میں شروع ہونے والے دوسرے ٹیسٹ میچ کے عین موقع پر عبدالقادر پہنچ گیا۔ مگر وہ بھی بارش کی نذر ہو گیا۔ مگر انگلینڈ نے اپنی پہلی اننگز کھیل کر 368 رنز بنا لیے تھے۔

ہینڈینگلے (Headingley) میں کھیلے جانے والے تیسرے ٹیسٹ میچ کے لیے عمران خان نہ صرف مکمل طور پر صحت یاب ہو چکا تھا بلکہ وہ جوش و جذبہ سے بھی بھرپور تھا۔ اس نے پہلے باؤلنگ کرنے کا فیصلہ کرتے ہوئے 3 وکٹ حاصل کر لیں اور اسی طرح وسیم اکرم اور تیسرے کم تر گردانے گے باؤلر محسن کمال نے بھی تین تین وکٹیں لے لیں۔ انگلینڈ کی ٹیم 136 رنز بنا کر آؤٹ ہو گئی۔ پاکستانی ٹیم لڑکھڑاتے ہوئے چار وکٹوں کے نقصان پر 86 رنز بنا پائی۔ مگر سلیم ملک نے ٹیم کی حالت کو سدھارتے ہوئے 99 رنز بنا کر اس میں جان ڈالی۔ اس کی تمام تر اننگز میں ایک بھی غلطی نہ تھی بلکہ غلطی سے صرف ایک فل ٹاس گیند کو کور میں کھیل کر آؤٹ ہوا نوجوان اعجاز احمد نے زبردست 50 رنز بنا کر اس کا ساتھ دیا تھا۔ اس کے علاوہ وسیم اکرم نے بری طرح کی مار دھاڑ سے 43 رنز بنائے تھے۔

عمران خان نے اپنی عظیم ترین کارکردگیوں کو دہراتے ہوئے دوسری اننگز میں گیند پر مکمل اختیار سے دیر میں آنے والی جھول (Late Swing) کا بہترین نمونہ پیش کرتے ہوئے 40 رنز کے بدلے 7 وکٹیں لیں۔ جن میں پہلی اننگز کی تین وکٹوں کو شامل کیا جائے تو میچ میں پوری 10 وکٹیں بن جاتی ہیں۔ اس کارکردگی میں صرف ایک خرابی اس وقت پیدا ہوئی جب وکٹ کیپر سلیم یوسف نے آئین بوتھم کا کیچ لینے کا ایک احمقانہ دعویٰ کیا حالاں کہ گیند اس کے بالکل سامنے زمین پر گری تھی۔ آئین بوتھم نے فوراً اس پر ردعمل دکھایا اور امپائر کین پالمر (Ken Palmer) کو دونوں حضرات کو ایک دوسرے سے علیحدہ کر کے چھڑوانا پڑا۔ عمران خان نے سلیم یوسف کو ڈانٹ پلائی کیوں کہ اس کی بے جا اپیل کی وجہ سے ساتھی کھلاڑیوں کو خفت اٹھانا پڑی تھی۔

چند انگریزی اخباروں نے اس واقعہ کو بڑی بڑی شہ سرخیوں سے بیان کیا۔ مگر بعد میں ڈیوڈ گاوَر نے ایک عمدہ جوابی اظہار خیال کرتے ہوئے ہو بہو ایسے ہی واقعہ کے بارے میں لکھا جس میں انگلینڈ کا وکٹ کیپر باب ٹیلر تھا، لہٰذا اسے تنازع بنایا گیا مگر جب کوئی پاکستانی کھلاڑی اس قسم کی حرکت کرتا ہے تو اس پر بے ایمان ہونے کا الزام چسپاں کر دیا جاتا ہے۔"

ماحول سے جب تلخی دور ہوئی تو پاکستان نے ایک اننگز کے ساتھ انگلینڈ پر اطمینان بخش فتح حاصل

کر لی۔ ایجبسٹین (Edgbaston) میں کھیلے جانے والا چوتھا ٹیسٹ میچ ہار جیت کے بغیر ختم ہوتا نظر آ رہا تھا۔ کیوں کہ پہلے چار دنوں کے کھیل میں دو اننگز کے دوران بہت زیادہ رنز بھی ہوئے تھے اور بارش کی وجہ سے کھیل میں التوا بھی پیدا ہوا تھا۔ لیکن پھر بغیر کسی وجہ کے پاکستانی ٹیم آئین بوتھم اور نیل فوسٹر کی باؤلنگ کے سامنے ڈھیر ہوگئی۔ مزید بارش اور عمران خان کی خودسر بیٹنگ جس میں اس نے 37 رنز بنائے نے دن کے پیشتر حصہ میں انگلینڈ کی ٹیم کو میدان میں باندھے رکھا۔ مگر آخرکار پاکستان نے انگلینڈ کو جیتنے کے لیے 18 اووروں میں 124 رنز کا ہدف مہیا کر دیا۔ عمران خان اور وسیم اکرم کی مسلسل اور بلاتبدیل ہوئے باؤلنگ کے سامنے اب گھبراہٹ اور پریشانی کی انگلینڈ کی باری تھی۔ کیوں کہ یہ ٹیسٹ میچ تھا لہٰذا دور تک فیلڈنگ پھیلا کر وکٹوں کی حد سے باہر تک باؤلنگ کروا سکتے تھے۔ دونوں باؤلروں نے 2,2 وکٹیں حاصل کیں اور 3 کھلاڑی رن آؤٹ ہوئے۔ بل ایتھے (Bill Athey) ان تمام معاملات میں ملوث رہا اور اس نے قومی طور پر پاجی پن کی شہرت اس وقت حاصل کی جب اس نے 7 اوور کھیلتے ہوئے صرف 14 رنز بنائے۔ انگلینڈ کی ٹیم نے جب 7 کھلاڑی آؤٹ ہونے پر 109 رنز بنا کر اپنی اننگز کو ختم کیا تو ابھی ان کے 15 رنز پاکستان سے کم تھے۔ پاکستانی ٹیم نے اس نتیجے کی خوشی مناتے ہوئے اسے اپنی فتح ہی تصور کیا۔

چند سالوں سے جاوید میانداد پر یہ الزام لگ رہا تھا کہ وہ انگلینڈ میں کھیلے جانے والے ٹیسٹ میچوں میں اپنی بھرپور کارکردگی دکھانے میں ناکام رہا ہے۔ ٹیسٹ میچوں میں 15 کھیلنے کے بعد وہ انگلینڈ میں بمشکل 355 رنز بنا سکا تھا اور اس کی اوسط 25.36 رنز رہی تھی۔ اوول کے میدان میں آ کر اپنے وقت ضائع کیے جانے کی کمی کو اس نے پورا کر دکھایا۔ 45 رنز پر جب دو کھلاڑی آؤٹ ہو چکے تھے تو جاوید میانداد کھیلنے کے لیے آیا اور جب وہ آؤٹ ہوا تو اس وقت 5 کھلاڑی آؤٹ ہونے پر سکور 573 رنز تھا۔ جس میں اس کا ذاتی سکور 260 رنز رہا تھا۔ اس نے بعد میں کھیلتے ہوئے اپنی اس اننگز کو اپنی بہترین اور خوشگوار اننگز میں گنا۔ ''مجھے یاد ہے کہ پہلے روز کے اختتام پر میں سنچری بنانے کے بعد ابھی 131 رنز پر کھیل رہا تھا۔ اگلی صبح جب میں کھیلنے کے لیے نکلا تو مجھے یوں محسوس ہو رہا تھا کہ حالات مکمل طور پر میرے قابو میں ہیں اور ذہنی طور پر میں ایک بڑی اننگز کھیلنے اور بڑا سکور کرنے کے لیے تیار تھا۔'' جاوید میانداد ہندوستان کے خلاف عمران خان کے اننگز ختم کرنے کے فیصلے پر اب تک اندر ہی اندر کھول رہا تھا۔ جس کی وجہ سے اس کی ناقابل شکست 280 رنز کی اننگز کا گلا گھونٹ دیا گیا تھا۔ اب ایک بار پھر سوبرز کے ناقابل شکست 365 رنز کے کارنامے پر سبقت لے جانے کا خواب دیکھنے لگا تھا۔ ''میں نے پہلے 200 رنز لیے پھر 250 تک بغیر کسی الجھن کے جا پہنچا۔ جب میں 260 رنز بنا چکا تو میں نے تیز رفتار باؤلر گراہم ڈلے (Graham Dilley) کا ایک اوور کھیلا۔ جس کے دوران باؤلنگ کرتے ہوئے ڈلے (Dilley) زخمی ہوگیا اور اس نے اپنا اوور مکمل کرنے کی غرض سے اپنی باؤلنگ کی

دوڑ کو مختصر کر لیا۔ میری قوت انہاک آخر کار خطا کھا گئی اور میں نے اسے ایک نیچا واپسی کیچ دے ڈالا۔ جو اس نے شدید بے تابی سے پکڑ لیا۔ اس کے بعد ہم دونوں پویلین کی طرف اکٹھے واپس آئے۔ سلیم ملک اور عمران خان کی سنچریوں کی بدولت پاکستان کا سکور 708 رنز پر جا پہنچا جو پاکستانی ٹیم کا اس وقت تک سب سے زیادہ سکور تھا۔

عبدالقادر دوسرا درخشاں ستارہ تھا جسے انگلستان میں اچھی کارکردگی نہ دکھانے کی وجہ سے تنقید کا نشانہ بنایا گیا۔ اس نے اس تنقید کا جواب انگلینڈ کی پہلی اننگز کے دوران اس وقت دیا جب اس کے تمام حربے کامیاب ہوئے اور اس نے 96 رنز کے عوض 7 وکٹیں لے کر ٹیسٹ میچوں میں اس وقت تک اپنی بہترین کارکردگی کا نمونہ پیش کیا۔ اس نے دوسری اننگز میں مزید 3 اور وکٹیں بھی حاصل کیں مگر پاکستانی ٹیم وسیم اکرم کی غیر موجودگی کی وجہ سے محدود ہو کر رہ گئی تھی۔ وسیم اکرم کا اپنڈکس کا ہنگامی طور پر آپریشن کیا گیا تھا۔ انگلینڈ کی ٹیم 176 رنز کی لمبی شراکت کی وجہ سے بچ گئی جس میں مائیک گیٹنگ نے 150 ناقابل شکست رنز بنائے۔ اور اس کا ساتھ دیتے ہوئے آئین بوتھم نے خلاف معمول روک روک کر کھیلتے ہوئے 252 منٹ صرف کرتے ہوئے ٹیسٹ کرکٹ میں اپنی زندگی کی سست ترین نصف سنچری مکمل کی۔

ٹیسٹ میچوں کے اس سلسلے کو 0-1 سے جیت کر عمران اب اپنے عروج کی معراج پر پہنچ چکا تھا۔ وہ غیر متنازعہ طور پر دنیا کا عظیم ترین آل راؤنڈر مانا جا رہا تھا۔ ٹیسٹ میچوں کے اس حالیہ مقابلے میں اس نے 47.75 اوسط سے 191 رنز بنائے تھے۔ اس کے ساتھ اس نے 21.66 رنز فی وکٹ کی اوسط سے 21 وکٹیں بھی حاصل کی تھیں جبکہ اس کے مقابلے میں اس کے حریف آئین بوتھم نے 33.14 کی اوسط سے 232 رنز کیے تھے اور 61.85 رنز فی وکٹ کے حساب سے صرف 7 وکٹیں لی تھیں۔ عمران خان کی اپنی ٹیم پر مکمل گرفت تھی اور پاکستانی کرکٹ انتظامیہ کے کرتا دھرتا افراد سے وہ اپنی مرضی کے مطابق جو چاہتا وہ حاصل کرتا۔ اس نے ذرائع ابلاغ اور اپنے مداحوں کی تنقید کا منہ کراچی سمیت بند کر دیا تھا۔ ہر ایک کو اس سے توقع تھی کہ مستقبل میں ہونے والے عالمی کپ میں وہ پاکستانی ٹیم کی سربراہی کرتے ہوئے اس فتح دلوائے گا۔ یہ عالمی کپ پہلی بار اس کے اپنے وطن پاکستان کی سرزمین پر کھیلا جانا تھا۔

## کرکٹ ورلڈ کپ 1987ء

اس سے پیشتر کہ اس عالمی مقابلے میں ایک بھی گیند کی جاتی، پاکستان کے لیے یہ بہت بڑی فتح تھی کہ یہ مقابلے اس کی سرزمین پر منعقد ہو رہے تھے۔ ہندوستان کے تعاون سے ان مقابلوں کو انگریزوں کے ہاتھوں سے چھین کر برصغیر ہندو پاک کی سرزمین پر منتقل کر دیا گیا تھا۔ دونوں ممالک کو قدیم تعصب کے برعکس

ثابت کرنا پڑا کہ ان میں اس اہم عالمی مقابلے کو منعقد کروانے کی مالی اور انتظامی اہلیت موجود ہے۔

ورلڈ کپ کے اس مقابلے کو اپنے ممالک میں منعقد کروانے کا سہرا بی سی پی کے صدر نور خاں اور اس کے ہندوستانی ہم منصب این کے پی سالوے (N.K.P.Salve) کے سر ہے۔ جو ان کے ذاتی تعاون کے نیچے میں حاصل ہوا تھا۔ اس تعاون کی آخری شکل لارڈز کے میدان میں ہندوستان کی 1983ء کے عالمی کپ میں فتح کے اگلے روز دوپہر کے کھانے پر دی گئی جب سالوے (Salve) اپنے ساتھیوں کی ٹولی کے لیے چار ٹکٹوں کی درخواست کو ٹھکرائے جانے پر غصے سے لال پیلا ہو رہا تھا۔ اس نے قیاس آرائی کرتے ہوئے کہا کہ ''اگر فائنل مقابلہ ہندوستان میں ہو رہا ہوتا تو مجھے ٹکٹ نہ دینے کی اگر کوئی جرأت کرتا تو اس کا کیا حشر ہوتا۔'' نور خاں نے موقع سے فائدہ اٹھاتے ہوئے فوراً لقمہ دیا، ''کیوں نہ ہم اگلا عالمی کپ اپنے ممالک میں کروائیں؟'' سالوے کو یہ مشورہ فوری طور پر پسند آیا اور اس نے اسی وقت بھانپ لیا کہ ہندوستان اور پاکستان کے اشتراک سے کتنا طاقتور محاذ کھڑا کیا جا سکتا ہے۔ حکومتی سطح پر اس معاملے پر عمل درآمد کے لیے احتیاط اور ذرائع کی ضرورت تھی اور ان دونوں حضرات کے پاس اس کام کے لیے قابلیت اور وسائل موجود تھے۔ نور خاں کے اس وقت جنرل ضیاالحق جس نے اس کی تقرری کر رکھی تھی، کے ساتھ اچھے تعلقات تھے اور سالوے (Salve) بذات خود راجیو گاندھی کی حکومت میں وزارت کے عہدہ پر فائز تھا۔

سالوے اور نور خاں نے پھر سے کاردار کے منصوبہ کی دوبارہ زندہ کرتے ہوئے سری لنکا جیسے ٹیسٹ کرکٹ کھیلنے کا نیا نیا رتبہ ملا تھا کی شراکت سے ایشیائی کرکٹ کونسل بنا لی۔ ان کے علاوہ بنگلا دیش، ملائیشیا اور سنگاپور نے بانی ارکان کی حیثیت سے شمولیت اختیار کی۔ سالوے (Salve) اس ادارے کا پہلا صدر مقرر ہوا۔ اس ادارے کے نمودار ہونے سے دنیائے کرکٹ میں رائے دہی کے ایک نئے اتحاد نے جنم لیا۔

نور خاں اور سالوے دونوں نے اپنی اپنی حکومتوں کو کامیابی کے ساتھ اپنا ہم خیال بناتے ہوئے عالمی کپ منصوبہ کے لیے زرمبادلہ حاصل کیا اور بنیادی ڈھانچہ اور میدانوں کی تیاری کی طرف مائل کیا۔ سالوے نے اپنے تعلقات بروئے کار لاتے ہوئے ریلائنس انڈسٹریز (Reliance Industries) کے فراخ دل تجارتی ادارے کو بطور سرپرست حاصل کر لیا۔ اس ادارے نے ستر کروڑ روپے (زرمبادلہ کے سرکاری نرخ کے مطابق 47 لاکھ برطانوی پونڈ کے برابر) مہیا کر کے سالوے اور نور خاں کو اس قابل کر دیا کہ انہوں نے اپنے مدمقابل انگریزوں کے مقابلے میں انعامی رقومات کو مزید 50 فیصد تک بڑھا دیا اور ذی فہمی کا ثبوت دیتے ہوئے یہ وعدہ بھی کر لیا کہ مزید انعامی رقم کو مقررہ شرح کے مطابق آئی سی سی کے تمام ارکان میں تقسیم کر دیا جائے گا۔

انگریزوں نے ایک اور اہم اعتراض اٹھایا۔ کہ ہندوستان اور پاکستان میں جلد سورج غروب

ہونے کی وجہ سے 60 اوور کے میچوں کو مکمل کرنا ناممکن ہوگا (اس وقت برقی تیز روشنیوں میں میچ کھیلے نہیں جاتے تھے) سالوے اور نور خاں کے پاس اس کا سادہ اور سیدھا جواب تھا کہ میچوں کو 60 کی بجائے 50 اووروں کا کر دیا جائے۔ (اس میں اصلاح کا بھی پہلو تھا جس کی بدولت کھلاڑی تروتازہ بھی رہتے اور مقابلوں کا انجام بھی زوردار ہوتا)۔

ہندوستان اور پاکستان کی مشترکہ بولی کو 12 کے مقابلے میں 16 ووٹوں سے آئی سی سی (ICC) میں کامیابی حاصل ہوئی۔ دونوں ممالک نے اپنے ناقدین کو تیز رفتار ترقی تنظیمی نظام، نقل وحرکت ضروریات کی فراہمی ٹکٹوں کی فروخت کے معاملات پر اپنے مکمل عبور سے حیرت زدہ کر کے رکھ دیا۔ پاکستان میں ان تمام معاملات کی نگرانی نور خاں کے نائب عارف عباسی نے ہنگامی طور پر انتہائی چابکدستی سے کی۔ لائحہ عمل کے مطابق 27 میں سے 10 میچ پاکستان کے حصے میں آئے۔ 3 میچ کراچی مرمت کے بعد بحال کیے گئے نیشنل سٹیڈیم میں۔ 2 قذافی سٹیڈیم لاہور اور ایک ایک میچ پشاور راولپنڈی، گوجرانوالہ، حیدرآباد اور فیصل آباد میں کھیلے جانے تھے۔

چوں کہ ہندوستان کا جنوب ترین مقام مدراس (اسے اب چنائی کہتے ہیں) تھا جہاں میچ کھیلا جانا تھا، لہٰذا 1987ء کا عالمی کرکٹ کپ کھیلوں میں تاریخی اور جغرافیائی طور پر صرف ایک کھیل کی حیثیت میں اتنے بڑے اور عظیم رقبے پر پھیلا ہوا تھا۔ سکلڈ بیری (Seyld Barry) نے وزڈن میں لکھتے ہوئے اس پر یوں تبصرہ کیا کہ ''یہ مقابلہ اس طرح منعقد ہوا جیسے سوائے روس کے پورے یورپ پر پھیلا ہوا ہو مگر اس میں یورپین طرز کی آمدورفت اور روابط کی سہولتیں میسر نہیں تھیں۔'' اس نے مزید لکھا کہ سری لنکا کی ٹیم کو اپنے حلقے کے میچ کھیلنے کے لیے پشاور سے کانپور پھر فیصل آباد اور وہاں سے پونے (Pune) کا سفر کرنا پڑا۔ تاہم اس نے اپنے بیان کا خلاصہ اس طرح کیا، ''چوتھا عالمی کرکٹ کپ تمام دنیا میں دیکھا گیا۔ یہ مقابلے انگلینڈ میں منعقد ہونے والے پچھلے تین عالمی مقابلوں سے کہیں زیادہ رنگارنگ اور بے جگری سے کھیلے گئے تھے۔'' خصوصی پہلو یہ تھا کہ ان عالمی کپ مقابلوں میں غیر جانبدار امپائروں کی خدمات حاصل کی گئی تھیں۔

پاکستان میں توقعات کا ایک انبار تھا۔ عمران خان کی سربراہی میں ایک روزہ میچوں کے لیے یہ اس وقت تک کی پاکستان کی بہترین ٹیم تیار کی گئی تھی۔ پاکستانی ٹیم نے اپنے حلقے کے تمام میچ اپنی سرزمین پر کھیلے اور 6 میں سے 5 میں فتح حاصل کی۔ خاص طور پر ان میں ایک میچ نے انتہائی سکون دیا۔ یہ میچ لاہور میں ویسٹ انڈیز کے خلاف تھا۔ پاکستان کی طرف سے آخری جوڑی عبدالقادر اور سلیم جعفر کو آخری اوور میں کورٹنے والش (Courtney Walsh) کی باؤلنگ پر جیتنے کے لیے 14 رنز عبدالقادر نے بنائے جن میں ایک سیدھا چھکا بھی شامل تھا۔ سلیم جعفر نے بقیہ رنز بنائے اور پاکستان نے میچ جیت لیا۔ آخری گیند پر والش (Walsh)

باؤلر کی طرف کھڑے ہونے والے بیٹسمین سلیم جعفر کو باآسانی رَن آؤٹ کر سکتا تھا کیوں کہ وہ رن لینے کے جوش میں اپنی حد سے بہت آگے تک نکل گیا تھا۔ مگر اس نے ایسا نہ کر کے 50 ہزار تماشائیوں کے دل جیت لیے جنہوں نے اسے بے حد سراہا۔

پاکستان کی ابتدائی فتوحات میں عبدالقادر اور عمران خان کی نمایاں کوششوں کا ہاتھ تھا۔ راولپنڈی میں انگلینڈ کی ٹیم کے خلاف عبدالقادر نے اپنے آخری اوور میں تین وکٹیں لے کر معمولی ہدف حاصل کرنے کی ان کی دوڑ کا گلا گھونٹ کر رکھ دیا۔ کراچی میں کھیلے جانے والے جوابی میچ میں عبدالقادر نے پھر عمران خان کے ساتھ مل کر انگلینڈ کی زیادہ رنز بنانے کی کوشش کو شروعات میں ہی دبوچ لیا۔ اپنے حلقے میں کھیلے جانے والے میچوں میں پاکستان کی طرف سے صرف ایک غلطی ویسٹ انڈیز کے خلاف کراچی میں کھیلے جانے والے بے معنی میچ میں اس وقت سرزد ہوئی جب پولیس نے احتجاج کرتے ہوئے طلبا پر آنسو گیس کا استعمال کیا۔ یہی پہلا اور آخری دھبہ تھا۔

جذباتی شدت سے بھرپور قومی توقعات کے سامنے لاہور میں پاکستان کا آسٹریلیا سے سیمی فائنل مقابلہ ہوا۔ آسٹریلیا نے مضبوطی اور ہمت سے بیٹنگ کا مظاہرہ کیا مگر جب عمران خان نے دوبارہ باؤلنگ کرنا شروع کی تو اس نے 17 رنز کے عوض تین کھلاڑی آؤٹ کر دیئے۔ پاکستانی ٹیم کو اس وقت ایک دھچکا لگا جب سلیم یوسف کے منہ پر گیند جا لگی اور جاوید میانداد کو 30 اووروں میں وکٹ کیپنگ کرنا پڑی۔ جاوید میانداد نے بعد میں فخریہ طور پر کہا کہ وکٹ کیپری کرتے ہوئے ایک اس نے سٹمپ اور ایک رن آؤٹ کیا۔ اس کے علاوہ بائی (Bye) کا ایک بھی رن ہونے نہ دیا۔ مگر وکٹ کیپری کرنے کے بعد جب وہ بیٹنگ کرنے کے لیے آیا تو بری طرح سے تھکن کا شکار تھا۔ ایک اور انتہائی اہم بدقسمتی یہ ہوئی کہ جب پاکستانی ٹیم فیلڈنگ کر رہی تھی تو عمران خان کو ایک گمراہ کن پیغام موصول ہوا کہ پاکستانی ٹیم صرف 49 اوور کی باؤلنگ کر سکے گی۔ اس نے یہ تمام اوور اپنی صف اوّل کے باؤلروں کو دیئے جن میں وہ خود وسیم اکرم، توصیف احمد اور عبدالقادر شامل تھے۔ مگر اس کارروائی میں ان باؤلروں کے حصے کے تمام اوور مکمل ہو گئے اور عمران خان کو مجبوراً آخری اوور کے لیے پانچویں باؤلر کے طور پر تجربہ سے عاری بائیں ہاتھ سے درمیانی رفتار سے سیم باؤلنگ کرنے والے سلیم جعفر کو استعمال کرنا پڑا۔ سٹیوا (Steve Waugh) نے اس اوور میں 18 رنز بنا ڈالے اور پاکستان کے لیے جیتنے کا ہدف 268 رنز کر دیا۔

جواب میں پاکستان نے تین فوری وکٹیں 38 رنز کے عوض کھو دیں۔ عمران خان اور جاوید میانداد نے سہارا دیتے ہوئے ٹیم کو کھڑا کرنے کی کوشش میں 26 اووروں میں 112 رنز کی شراکت کی جس کے بعد عمران خان کو ڈکی برڈ (Dickie Bird) نے جزوقتی سپن باؤلر ایلن باڈر کی گیند پر وکٹوں کے پیچھے کیچ

آؤٹ دے دیا۔ پاکستان کو سات رنز فی اوور کی ضرورت تھی۔ سلیم یوسف اور وسیم اکرم نے کچھ مقابلہ کیا مگر جاوید میانداد اتنا زیادہ تھک چکا تھا کہ وہ رنز کی ضروری رفتار کو برقرار رکھنے میں ناکام رہا۔ آخر کار جب وہ 70 رنز بنا چکا تو بروس ریڈ (Bruce Reid) کی گیند پر زبردست ہٹ لگانے کی کوشش میں بولڈ ہو گیا۔ عبدالقادر کی چند زبردست ہٹوں کے باوجود آخری تین وکٹوں کے لیے 56 رنز بنانا بس سے باہر تھا۔ آسٹریلیا کی جیت کا بالآخر انہی 18 رنز کا فرق نکلا جنہیں سلیم جعفر کے آخری مہلک اوور میں بنایا گیا تھا۔ عمران خان نے بعد میں اپنے خیالات کا اظہار کرتے ہوئے کہا کہ اس نے آج تک پاکستانی عوام کو اتنا مایوس اور افسردہ ہوتے نہیں دیکھا جتنا وہ سیمی فائنل کی شکست سے ہوئے تھے۔ میں عالمی کپ کے حوالے سے ان کے جذبات کی گہرائی کا صحیح اندازہ نہیں کر سکا تھا۔ میدان سے جاتے وقت بیشتر لوگوں کی آنکھوں میں آنسو تھے۔"

پاکستانی مداح اپنے مقبول کھلاڑیوں کے در پہ ہو گئے۔ سرفراز نواز جو اس وقت پنجاب قانون ساز اسمبلی کا رکن منتخب ہو چکا تھا کے الزامات کو لوگوں نے دلچسپی سے سنا۔ جن میں اس نے کہا کہ جوے بازوں کی مدد کی غرض سے میچ کو دانستہ طور پر ہارا گیا۔ جاوید میانداد ان کھلاڑیوں میں سے ایک تھا جن پر براہ راست الزام تراشی کی گئی۔ سرفراز نواز نے شارجہ کے عبدالرحمٰن بخاطر پر بھی انگلی اٹھائی۔ وہ سرفراز نواز کو عدالت میں لے گئے مگر یہ قانونی چارہ جوئی عدالتی نظام میں تاخیر کی وجہ سے بالآخر اپنے خاتمے کو پہنچی۔ مگر ان نقوش نے مستقبل میں پاکستان کی شکستوں پر میچ فکسنگ (پہلے سے طے شدہ) کے الزامات کا راستہ کھول دیا۔[3]

گو کہ یہ لمحہ درست نہیں تھا مگر پھر بھی عمران خان نے کرکٹ سے سبکدوشی اختیار کر لی۔ وہ اب 35 برس کا ہو چکا تھا اور نئے دور کے کرکٹ کے کھلاڑی کے حوالے سے یہ عمر کافی زیادہ ہو چکی تھی اور خاص طور پر اوپننگ تیز رفتار باؤلر کے لیے اس عمر کو عمر رسیدہ سمجھا جاتا ہے۔ اگرچہ عالمی کپ کی فتح اس کے ہاتھ سے نکل گئی تھی مگر عمران خان نے اس کے باوجود عمدہ دور گزارا تھا۔ عمران خان کی والدہ شوکت خانم کی کینسر سے 1985ء میں موت نے اس پر گہرا اثر چھوڑا تھا اور اسے یہ اشارے مل چکے تھے کہ اس کی زندگی میں کرکٹ کے علاوہ اور بھی ابھی بہت کچھ کرنا باقی ہے۔ جیسا کہ اب دستور بن چکا تھا عمران کی غیر حاضری میں جاوید میانداد کو کپتان بنا دیا گیا۔

## حوالہ جات:

1 یہ دلچسپی سے خالی نہ ہوگا کہ اس بات کا اندازہ لگایا جائے کہ ستائیس سال بعد بھی جاوید میانداد کے اس شاٹ کو کتنی بار دیکھا جا چکا ہے۔ اگر نعمان کے اس اوّلین اندازے کو مان لیا جائے کہ جب یہ شاٹ کھیلا گیا تھا تو ایک ارب دیکھنے والوں نے اسے دیکھا تھا تو دنیا کی آج کی آبادی کو ملحوظ خاطر رکھتے ہوئے بعد میں دیکھنے والوں کی تعداد

آسانی سے دس ارب ہو سکتی ہے۔ اس شارٹ کی بدولت منظم جرائم کرنے والوں کے بدنام زمانہ مفرور سرغنہ داؤد ابراہیم کو ممکنہ طور پر خاص دولت ملی ہوگی۔

دیکھیے www.interpol-int/notice/search-wanted/1993-14193 اور

(Profide:India`s fugitive gamgster, news.bbc.co.uk/hi/world/South/asia/ 4775531.stm)

یہ بھی دیکھیے (Times of India July 30,2005)"Dawood was at his daughter`s marriage"۔ دلیپ وینگ سارکر کے مطابق اس نے جیت کی صورت میں ہر ہندوستانی کھلاڑی کو ٹیوٹا کار دینے کی پیشکش کی تھی۔ (اخبار Dawn مورخہ 29 اکتوبر 2013ء) ابراہیم داؤد کی بیٹی نے بعد میں جاوید میانداد کے بیٹے سے شادی کر لی تھی۔

2 اس کے بعد یہ مزید کم ہو کر 47 رنز رہ گیا جو انگلینڈ کے خلاف کنگسٹن جمیکا (Kingston Jamaica) میں 2003-04ء میں ہوا۔

3 جاوید میانداد نے اپنی کتاب کے صفحات 61-160 پر دعویٰ کیا ہے کہ سرفراز نواز کی فلمی اداکارہ بیوی رانی نے اس سے آنسو بھری استدعا کی تھی کہ وہ عدالتی کارروائی بند کر دے۔

17

# شکور رانا کا واقعہ

''میں یقین سے کہہ سکتا ہوں کہ عام تاثر کے مطابق غیر سفید فام امپائر کی ایمانداری کو شک وشبہ سے دیکھا جاتا ہے جبکہ سفید فام امپائر سے وہی غلطی ہو جائے تو اسے انسانی لغزش کہا جاتا ہے۔''

- مائیک کوورڈ (Mike Coward) آسٹریلوی کرکٹ مصنف اور مؤرخ

فلسطینی ادبی نظریہ ساز ایڈورڈ سعید کے مطابق مغربی مصنفین اور نظریہ ساز، علمائے مشرق کو صرف گھسے پٹے اور بے مزہ انداز سے سمجھ سکے۔ انہوں نے دعویٰ کرتے ہوئے کہا کہ ان کی وہ تحریریں جو ذاتی احساسات سے مبرا ہونے کا دعویٰ کرتی ہیں، ان میں بھی تعصب کا عنصر موجود ہے جنہیں مغربی دانشور سمجھنے سے قاصر ہیں۔ ایڈورڈ سعید کے مقالہ میں اس کے مرکزی خیال کا نچوڑ یہ ہے کہ مغربی دانشوروں نے مشرقی فنونِ لطیفہ، تاریخ، سیاست اور تہذیب وتمدن کو غصب کرتے ہوئے ایک ایسا بیان تخلیق کیا جس نے خارجی سیاست اور معیشت کے تسلط کو جائز قرار دیا۔ انہوں نے لکھا کہ جن کا کام ہی عربوں پر لکھنا تھا، ان لوگوں کی زندگی میں بھی عرب مسلمانوں کے جذبے اور انسانی ٹھوس پن کی تفصیلات کا بہت کم دخل تھا۔

ایڈورڈ سعید اپنی رائے میں پختہ تھے کہ مغرب کا اسلام کے بارے میں مشاہدہ ابتدائی طور پر اپنے ہی شعور کی شناخت کا دعویٰ تھا۔ حقیقی خبر رسانی کی آڑ میں برائی کی طرف مائل کچھ اور ہی کھیل کھیلا جا رہا تھا جس میں مذہبی اور نسلی امتیاز کو سامراجی تسلط برقرار رکھنے کے لیے ہتھیار کے طور پر استعمال کیا جا رہا تھا۔ ایڈورڈ سعید نے پرزور طریقے سے اصرار کرتے ہوئے کہا کہ مغربی دانشوروں نے اسلامی کی شاندار تاریخ اور تہذیب لے کر اس کہانی میں مغربی اقدار کی ملاوٹ کی ہے۔ ایڈورڈ سعید کے خیال میں مغربی دانشوروں نے مشرق کو کمزور، غیر منطقی اور زنانہ خصوصیات کا حامل جبکہ اس کے موازنے میں مغرب کو طاقتور اور منطقی مردانہ خصوصیات کا حامل بنا کر پیش کیا ہے۔ لہٰذا مشرق کو ذی اثر اور پارسا مغرب کے مقابلے میں بدنصیب اور

ناشاد طور پر پیش کیا گیا۔

اپنی بحث پیش کرتے ہوئے سعید نے صرف علمی اور ادبی تحریروں پر انحصار کیا اور اس طرح مغرب کی اسلامی کھیل سے وابستگی کا ایک دلچسپ ذریعہ اس کی نظروں سے اوجھل رہا۔ برطانیہ اور پاکستان کی کرکٹ کی تاریخ میں ایسے موضوعات کی کئی مثالیں موجود ہیں جن پر ایڈورڈ سعید مرحوم نے تحقیق کی تھی جو خاص طور پر ناگوار نوعیت کی تھی۔ میں پہلے ہی 56-1955ء کی ادریس بیگ کے اغوا کے حوالے سے برطانوی موقف کی مشفقانہ روئیداد کا مطالعہ کر چکا ہوں۔ تین دہائی بعد تاریخ نے پھر اپنے آپ کو دہرا دیا۔

## انگلینڈ پاکستان میں 88-1987ء

شروع ہونے سے پہلے ہی لگ رہا تھا کہ انگلینڈ کی ٹیم کا پاکستان کا دورہ جیسے کوئی غلطی ہو۔ پاکستانی تماشائیوں کو اس میں کوئی خاص دلچسپی نہ تھی۔ خاص طور پر جب کہ دورہ عالمی کپ میں مایوسی کے فوراً بعد منعقد ہو رہا تھا۔ آئین بوتھم (Ian Botham) جو آرام کی غرض سے نہیں آیا تھا کے بغیر ٹیم میں وہ جوش اور ولولہ نہیں تھا اور انگلینڈ ٹیم کے کپتان مائیک گیٹنگ میں اس دورے کا دباؤ اور ذہنی مشقت سہنے کا مزاج نہیں تھا۔

جیسا کہ انگلینڈ کی ٹیم کے پاکستان کے دوروں میں اکثر ہوتا رہا ہے کھلاڑی بھی بدمزاجی اور اکھڑ پن میں مبتلا تھے۔ ''بہت جلد ہی ہم پر گھیراو کی سی کیفیت طاری ہو گئی۔'' گراہم گوچ نے بعد میں تبصرہ کرتے ہوئے کہا۔ بلے باز بل ایتھے (Bill Athey) نے مختصر مگر جامع انداز میں شدید نفرت سے کہا کہ ''ہم جتنی جلدی یہاں سے واپس اپنے گھر پہنچ جائیں کمبخت اتنا ہی اچھا ہے۔'' نومبر کے آخر میں لاہور میں کھیلے جانے والے پہلے ٹیسٹ میچ سے ہی مصیبت کا آغاز ہو گیا۔

پاکستانی سپن باؤلروں کے موافق بنائی گئی پچ پر انگلینڈ کی ٹیم پہلے بیٹنگ کرتے ہوئے 191 رنز پر عبدالقادر کے ہاتھوں آؤٹ ہو گئی۔ اس نے 56 رنز کے عوض 9 کھلاڑی آؤٹ کیے۔ یہ اب تک کسی بھی پاکستانی باؤلر کی طرف سے ٹیسٹ میچوں میں بہترین اعداد و شمار ہیں۔ مدثر نذر کی سرد مہری اور بے رحمی سے بھرپور سنچری کی بدولت پاکستانی ٹیم نے جوابی طور پر 392 رنز کیے۔

جب انگلینڈ کی ٹیم نے دوبارہ بیٹنگ شروع کی تو اس کے اوپننگ بلے باز کرس براڈ (Chris Broad) کو اقبال قاسم کی گیند پر وکٹ کیپر کے ہاتھوں کیچ آؤٹ دے دیا گیا۔ مگر وہ بدستور پچ پر کھڑا رہا اور اعلانیہ طور پر کہا، ''گیند میرے بلے سے نہیں لگی اور میں نہیں جاؤں گا۔ چاہو یا بھگتو میں یہیں ہوں۔'' تقریباً ایک منٹ اس کشمکش میں گزر گیا تو براڈ کے ساتھی بلے باز گراہم گوچ (جس نے بعد میں اعلان کیا کہ جب گیند براڈ کے بلے کے قریب سے گزری تھی تو اسے کوئی آواز سنائی دی تھی) نے براڈ کو چلے جانے کے لیے قائل کیا۔

اگر انگلینڈ کی ٹیم کی انتظامیہ اچھی ہوتی تو وہ براڈ کو پہلے ہی ہوائی جہاز کے ذریعے واپس گھر بھیج دیتی۔ مگر اس کی بجائے انگلینڈ ٹیم کے منیجر پیٹر لش (Peter Lush) جو ابھی تک تعلقات عامہ سے منسلک ہے، نے براڈ کی صرف سختی سے سرزنش کرتے ہوئے اسے چھوڑ دیا۔ ٹیسٹ میچ کے اختتام پر جس میں انگلینڈ کی ٹیم کو ایک اننگز اور 87 رنز سے شکست ہوئی تھی، گیٹنگ نے پاکستانی امپائروں پر بے ایمانی کا الزام عائد کر دیا۔ اس نے کہا، ''ہمیں اس کا کچھ تو اندازہ تھا مگر یہ ہماری سوچ سے بھی باہر تھا کہ اس قدر کھلے عام بے ایمان کی جائے گی۔ انہیں ٹیسٹ میچ جیتنے کی شدید تمنا تھی مگر میں اگر ان کی جگہ ہوتا تو جس طرح انہوں نے کیا مجھے اس کی قطعاً خوشی نہ ہوتی۔''

دوسرے ٹیسٹ میچ سے پہلے انگلینڈ کی ٹیم نے پنجاب کے وزیر اعلیٰ کی ٹیم سے ایک میچ کھیلا۔ مگر اس میں بھی اسے سکون نہ مل سکا کیوں کہ اس میچ میں ان کا سامنا عبدالقادر کی نقل سترہ سالہ مشتاق احمد سے ہو گیا جس نے 81 رنز کے عوض 6 وکٹیں حاصل کر کے اپنی آمد کا اعلان کر دیا۔

پہلے ٹیسٹ میچ میں کرس براڈ کی تنک مزاجی نے دسمبر کی ابتدا میں فیصل آباد کے اقبال سٹیڈیم میں منعقد ہونے والے دوسرے ٹیسٹ میچ میں آنے والے واقعات کی کیفیت پیدا کر دی تھی۔ یہاں آ کر انگلینڈ کی ٹیم کو ایک اچھا آغاز ملا۔ کرس براڈ کے 116 صبر آزما رنز اور گیٹنگ کے 79 رنز چکا چوند رنز (جو اس نے 81 گیندوں پر کیے) کی بدولت انگلینڈ کی ٹیم نے 292 رنز بنا لیے۔ جواب میں پاکستانی ٹیم ڈھیر ہو گئی۔ دوسرے دن کے اختتام کے وقت ابھی تین گیند کھیلنا باقی تھے کہ پاکستانی ٹیم کے 106 رنز پر 5 کھلاڑی آؤٹ ہو چکے تھے اور اسے شکست کا سامنا تھا۔ یہ وہ موقع تھا جب گیٹنگ کا امپائر شکور رانا کے ساتھ بدنامِ زمانہ ٹکراؤ ہوا۔

شکور رانا ان چار بھائیوں میں سے تھا، جنہوں نے اوّل درجے کی کرکٹ کھیلی تھی۔ اس کے بھائی شفقت رانا اور عظمت رانا ٹیسٹ کھلاڑی تھے۔[1] مگر شکور رانا کلب کرکٹ اور اندرونی ملک کرکٹ میں ہی محنت کرتا رہا تھا۔ پندرہ سالہ عرصہ پر محیط گیارہ فرسٹ کلاس میچوں میں اس نے 226 رنز بنائے تھے اور 11 وکٹیں حاصل کر رکھی تھیں۔ تاہم اپنے بھائی شفقت رانا کی نظر میں وہ ایک دلیر کھلاڑی اور سٹی جمخانہ کلب کا مضبوط اور کڑے ذہن کا کپتان تھا۔ وہ کھلاڑی کے طور پر اور بعد میں امپائر کی حیثیت میں کبھی کسی سے خوفزدہ نہیں ہوا تھا۔ شفقت رانا نے مزید بتایا کہ ''وہ ہمیشہ اپنے فیصلے بغیر تاخیر کرتا اور پھر ان پر قائم رہتا۔ جب محسن خان نے ایک مرتبہ اس کے ایل بی ڈبلیو (LBW) پر اعتراض اٹھایا تو اگلے دو میچوں میں جب ان کا آمنا سامنا ہوا تو شکور رانا نے اس کے خلاف دھماکہ خیز فیصلے دیئے۔ بالآخر محسن خان کو معذرت کرنا پڑی۔

شکور رانا نے 75-1974ء سے 14 ٹیسٹ میچوں میں امپائری کر رکھی تھی جس کی بدولت وہ پاکستان کا بڑے درجے کا امپائر تھا۔ تین ٹیسٹ میچوں میں تنازعے پیدا ہوئے۔ اس کے اوّلین ٹیسٹ میچ میں

ہی ویسٹ انڈیز کے باؤلر لارنس گبز (Lance Gibbs) نے شکور رانا کا نوبال کی آواز لگانے پر گستاخی سے احتجاج کیا تھا۔ (لارنس گبز پرانا اور عمر رسیدہ آف سپن باؤلر تھا جس کا باؤلنگ کا انداز دوسروں کے لیے نمونے کی حیثیت رکھتا تھا اور اس نے تقریباً شاید ہی کبھی کوئی نوبال کیا تھا)۔ شکور رانا اس پر مشتعل ہو گیا تھا۔ آرام کے دن کے وقفے میں اس کے ویسٹ انڈز کے مینیجر جیری الیگزینڈر (Gerry Alexander) اور کپتان کلایولائیڈ (Clive Lloyd) کے مابین ملاقات ہوئی جس میں گفت وشنید کے دوران کلایولائیڈ نے معافی مانگ کر معاملہ کو رفع دفع کیا۔ 79-1978ء میں ہندوستان کے ساتھ میچوں کے دوران شکور رانا، سنیل گواسکر اور بشن بیدی کے مابین اس وقت سخت جھڑپ ہوئی جب شکور رانا نے ہندوستانی کپتان کو اس کے باؤلروں کے بارے میں خبردار کرنے کی کوشش کی کہ وہ گیند بازی کرتے وقت پچ پر دوڑتے ہیں۔ یہ معاملہ بھی ہندوستانی ٹیم کے مینیجر مہاراجہ برودا کی معذرت کے بعد طے پایا۔

پھر اس کے بعد نیوزی لینڈ کے 85-1984ء کے دورہ کے دوران جیریمی کونے (Jeremy Coney) کا واقعہ پیش آیا۔ کونے کراچی میں کھیلے جانے والے تیسرے ٹیسٹ میچ میں اپنی ٹیم کے میدان سے باہر اس وقت لے آیا جب جاوید میانداد کے خلاف وکٹ کیپر کے ہاتھوں کیچ آؤٹ ہونے کی اپیل کو شکور رانا نے رَد کر دیا۔ کونے کا غصہ خاص طور پر قابلِ غور ہے کیوں کہ وہ تمام ٹیسٹ کرکٹ ٹیموں میں ایک ایسا واحد کپتان تھا جو اپنی خوش اخلاقی اور ملنساری کی بدولت شہرت رکھتا تھا۔

شکور رانا نے انگلینڈ کے موجودہ دورہ کے موقع پر پہلے ٹیسٹ میچ میں امپائری نہیں کی تھی۔ لہٰذا امپائری پر جو ابتدائی طور پر بے ایمانی اور تعصب کے الزامات عائد کیے گئے ان میں وہ شامل نہیں تھا۔ یقیناً دوسرے ٹیسٹ میچ میں اب تک یہ لگ رہا تھا کہ امپائری معقول طور پر کی جا رہی تھی۔ 38 سالہ ایڈ ہیمنگز (Eddy Hemmings) سلیم ملک کے خلاف باؤلنگ کر رہا تھا۔ اس سے پیشتر کہ ہیمنگز گیند کرتا، گیٹنگ نے اپنے ایک فیلڈر ڈیوڈ کیپل (David Capel) کو نزدیک بلا لیا تاکہ دوڑ کر ایک رن لیے جانے کو روکا جا سکے۔ جونہی ہیمنگز نے گیند کرنے کے لیے اپنی دوڑ کا آغاز کیا تو گیٹنگ نے کیپل کو اشارے سے سمجھایا کہ وہ کافی نزدیک آ چکا ہے۔ شکور رانا سکوئیر لیگ پر کھڑا تھا اس نے کھیل روک دیا تاکہ وہ سلیم ملک کو کیپل کی نئی جگہ پر موجودگی کا بتا سکے۔ وزڈن نے اس صورتحال کا خلاصہ یوں بیان کیا ہے: ''شکور رانا نے دعویٰ کیا کہ گیٹنگ باؤلر کی پیٹھ پیچھے ناجائز طور پر فیلڈر کو دوسری جگہ منتقل کرتا ہے۔ گیٹنگ نے امپائر کو مطلع کیا کہ اس کے خیال میں وہ اپنی حدود سے تجاوز کر رہا ہے۔[2] اس تمام گفتگو کے دوران عامیانہ زبان استعمال ہوئی۔[3]

دونوں یکدم ایک دوسرے کے روبرو آ گئے اور مشہورِ زمانہ انداز میں ایک دوسرے پر انگلیاں لہرائیں جس کی تصاویر دنیا بھر کے اخبارات میں لگیں۔ بعد میں گیٹنگ نے دعویٰ کیا کہ شکور رانا نے اسے پہلے

گالی دی۔ اس کے علاوہ اسے بے ایمان بھی کہا۔ شکور رانا نے اسی قسم کے الزامات گیٹنگ پر عائد کیے۔ اور دوبارہ کھیل شروع کرنے سے پہلے معافی کا مطالبہ کیا۔[4] گیٹنگ نے معذرت کرنے سے انکار کر دیا کہ اگر ایسا کرنا ہے تو پھر معذرت دونوں طرف سے ہونی چاہیے۔

لہٰذا تیسرے دن کا کھیل ضائع ہو گیا۔ بی سی سی پی سیکرٹری اعجاز بٹ کی بدولت معاملات میں مزید الجھن پیدا ہو گئی۔ ہم اعجاز بٹ سے پہلے یوں متعارف ہیں کہ وہ 1950ء کی دہائی کے آخری حصہ میں بطور نوجوان وکٹ کیپر بیٹسمین پاکستانی ٹیم میں منتخب ہو کر ویسٹ انڈیز کے دورہ پر گیا تھا۔ ابھی اس کا مزید ذکر ہو گا جب وہ پاکستان کرکٹ بورڈ کے بدحواس اور چڑچڑے چیئرمین کی حیثیت میں 2010ء کے موسم گرما میں سپاٹ فکسنگ (Spot Fixing) موقع پر جوا کھیلنے کے مسئلہ سے نبرد آزما ہونے میں ناکام رہا۔ اعجاز بٹ کی خصوصیت یہ تھی کہ وہ غلط آدمی کے طور پر غلط جگہ اور غلط وقت پر موجود رہتا تھا۔

ادھورے چھوڑے ہوئے تیسرے دن کی دوپہر کو جب صورتحال ابھی تک متنازع تھی۔ اعجاز بٹ اچانک فیصل آباد سے لاہور روانہ ہو گیا جس کی بدولت ایم سی سی کے مینیجر پیٹر لش (Peter Lush) کو بھی مجبوراً اس کے پیچھے جانا پڑا۔ لاہور پہنچ کر لش نے بی سی سی پی صدر لیفٹیننٹ جنرل صفدر بٹ (اعجاز بٹ سے کوئی رشتہ داری نہیں ہے) سے ملنا چاہا۔ مگر اسے بتایا گیا کہ جنرل بٹ کسی ضیافت میں مصروف ہے۔ کسی ایک بٹ سے رابطہ کرنے کے لیے لش کو اگلی صبح تک رکنا پڑا، مگر تب تک پورے دن کا کھیل ضائع ہو چکا تھا۔

ٹیسٹ میچ کے دوسرے روز کے کھیل کے خاتمے پر جب گیٹنگ اور شکور رانا کے درمیان تکرار ہوئی تو اس وقت انگلینڈ کی ٹیم میچ جیتنے کی امکانی حالت میں تھی۔ مگر آخر کار جب کھیل دوبارہ شروع ہوا تو میچ ہر صورت میں مردہ ہو چکا تھا۔ بارش اور روشنی کی کمی نے اس پر مزید رکاوٹ پیدا کر دی تھی۔

کراچی میں کھیلے جانے والا تیسرا ٹیسٹ میچ بھی برابر رہا۔ حالاں کہ اس میں عبدالقادر کی باؤلنگ کے کُل اعداد و شمار 04.4 اوور، 31 میڈن، 186 رنز کے عوض 10 وکٹیں خصوصی توجہ کے باعث تھے۔ عملی طور پر تماشائی یہ میچ دیکھنے تک نہ آئے۔ اور یوں ٹیسٹ میچوں کا یہ بے رونق سلسلہ اپنے بے کیف اختتام کو پہنچا۔ اس داستان میں آخری پھیر یہ آیا کہ ٹیسٹ اور کاؤنٹی بورڈ (TCCB) چیئرمین رامن سبارو (Raman Subba Row) انگلینڈ کی ٹیم کے ہر کھلاڑی کو ایک ہزار پونڈ ابتلا سہنے کے انعام کے طور پر دینے کے لیے راضی ہو گیا جس سے انگلینڈ ٹیم کے کپتان کے رویے کی توثیق ہو گئی۔

اس کے بعد انگلینڈ کی ٹیم نے آئندہ 5 سال تک پاکستان کے ساتھ کوئی ٹیسٹ میچ نہ کھیلا اور نہ ہی 13 سال تک پاکستان کا دوبارہ دورہ کیا۔ صرف 2 سال سے کچھ زیادہ عرصہ بعد ہی کہانی کے مرکزی کردار مائیک گیٹنگ نے 1990ء میں انگلینڈ ٹیم کی سربراہی کرتے ہوئے جنوبی افریقہ کا باغیانہ دورہ کیا۔ 1987ء میں

دورہ کرنے والی ٹیم کے چار کھلاڑی ایتھے (Athey)، براڈ (Brood)، جان ایمبرے (John Emburey) اورنیل فاسٹر (Neil Foster) بھی گیٹنگ کے ساتھ اس بدنامِ زمانہ مہم میں شامل ہوئے۔

یہ بات سمجھ میں نہیں آتی کہ کن اقدار کے تحت انگلینڈ کی ٹیم کے کپتان نے پاکستانی امپائری کی ناقص کارکردگی کے خلاف اس قدر شدید دعویٰ کیا اور پھر بڑے آرام سے نسلی امتیاز کے باوجود باغی کھلاڑیوں کی ٹیم کو لے کر جنوبی افریقہ کے دورہ پر چلا گیا۔ اس کے علاوہ ٹیم کے دو ارکان نے پہلے بھی 1982ء میں اسی قسم کا جنوبی افریقہ کا باغیانہ کر رکھا تھا۔ ایک تو یہ کھلاڑی گراہم گوچ تھا جس نے اس ٹیم کی کپتانی کی تھی اور دوسرا کھلاڑی ایمبرے (Emburey) تھا جو دونوں باغیانہ دوروں کی ٹیم کا رکن تھا۔ شکور رانا کے معاملے کے بعد انگلینڈ کی یہ وہ ٹیم تھی جو اخلاقی پریشانی میں مبتلا تاریک مستقبل دیکھ رہی تھی۔ دوسری طرف پاکستانی ٹیم قدم بہ قدم ترقی کی طرف گامزن تھی اور مستقبل میں عظمت اس کی راہ دیکھ رہی تھی۔

## ایک بزرگ کی ہدایت

جب انگلینڈ کی کرکٹ ٹیم پاکستان کا دورہ کر رہی تھی تو عمران خان اپنے دو دوستوں کے ہمراہ لاہور کے شمال میں ایک سو میل دور شکار پر گیا۔ شکار کے بعد میزبان نے مشورہ دیا کہ ہندوستانی سرحد سے چند میل دور گاؤں میں رہائش پذیر ایک بزرگ بابا جھلا سے جا کر ملاقات کی جائے۔

میزبان نے بابا جھلا سے پوچھا کہ عمران خان باقی زندگی کیسے بسر کرے۔ بابا جھلا نے عمران کی طرف دیکھتے ہوئے کہا کہ ''اس نے تو ابھی اپنا اصل پیشہ ترک نہیں کیا۔'' تینوں کھلاڑیوں نے بہ یک زبان جواب دیا کہ وہ تو سبکدوش ہو چکا ہے۔ مگر بابا جھلا نے جواب دیا کہ ''تمہارا کھیل ابھی ختم نہیں ہوا۔ یہی مشیت ایزدی ہے۔'' عمران خان پر کرکٹ میں واپسی کے لیے یقیناً دباؤ بڑھ رہا تھا۔ پاکستان کرکٹ بورڈ نے اسے باقاعدہ طور پر کھیلنے کی دعوت دی جسے اس نے قبول کرنے سے معذرت کر لی۔ مگر کھیل میں عمران خان کی واپسی کے لیے عوامی مظاہرے کیے گئے۔ شجاع الدین کے مطابق تو کچھ تو اس کے گھر کے سامنے بھوک ہڑتال تک کر دی۔ اور اس سے اپنی سبکدوشی واپس لینے کے لیے منت سماجت بھی کی۔ ویسٹ انڈیز کے خلاف مقابلے کا سلسلہ عنقریب شروع ہونے والا تھا، لہٰذا جنرل ضیا نے عمران خان سے ذاتی استدعا کی اور آخر کار عمران مزید کوئی انکار نہ کر سکا۔

جاوید میانداد ایک بار پھر غیر معمولی اخلاق سمجھ داری اور ذاتی دانشمندی کا مظاہرہ کرتے ہوئے کپتانی سے دستبردار ہو گیا۔ ''میں بہت پہلے اس بات پر ذہنی طور پر رضامند ہو چکا تھا کہ جب بھی عمران خان کھیل کے لیے دستیاب ہوگا، میں کپتانی چھوڑ دوں گا۔'' کرکٹ سے سبکدوشی کا عمران کا فیصلہ جذباتی اور قبل

از وقت تھا اور میرا خیال ہے کہ وہ بھی سمجھ چکا تھا کہ لاہور میں اس کے کینسر کے علاج کے لیے ہسپتال کی تکمیل کے لیے بہتر تھا کہ وہ ابھی عالمی کرکٹ سے وابستہ رہے۔

عمران خان کی کرکٹ میں واپسی ناگوار انداز میں ہوئی۔ ویسٹ انڈیز ٹیم نے پاکستانی ٹیم کو ایک روزہ میچوں میں 5-0 کے تناسب سے شکست فاش دی۔ دوسرے میچ کے دوران ڈیسمنڈ ہنیز (Desmond Haynes) کے خلاف ایل بی ڈبلیو کی کامیاب اپیل کے بعد عمران خان نے اسے واپس بلا کر ویسٹ انڈیز کے پرستاروں کے دل جیت لیے۔ اس نے ہنیز کے اس موقف کو مان لیا تھا کہ گیند پہلے اس کے بلے پر لگی تھی۔

جارج ٹاؤن میں شروع ہونے والے پہلے ٹیسٹ میچ سے پہلے پاکستانی ٹیم کے حوصلے شدید پستی کا شکار تھے۔ مگر عمران خان نے اپنے پاؤں کی زخمی انگلی کے باوجود 80 رنز کے عوض 7 وکٹیں لے کر باؤلنگ کی عمدہ کارکردگی دکھاتے ہوئے اپنی ذاتی تشویش کو دور کر دیا۔ ویسٹ انڈیز کی تمام ٹیم 292 رنز بنا کر آؤٹ ہوگئی۔ جواب میں 2 کھلاڑیوں کے 57 رنز پر آؤٹ ہونے کے بعد جاوید میانداد نے آ کر 6 گھنٹوں میں اپنی سنچری مکمل کر کے پاکستانی ٹیم کو استقامت دی۔ اس نے تابڑتوڑ اچھلتے باؤنسر گیندوں اور گندی زبان کا مقابلہ کیا۔ ونسٹن بینجمن (Winston Benjamin) نے دانستہ طور پر جاوید میانداد کو باؤلنگ حد سے نکل کر ایسے گیند کیے جن سے وہ جسمانی طور پر ہراساں کیا جا سکتا تھا۔ مگر جاوید میانداد کے مطابق، ''میرے لیے تو اپنے کھیل میں عمدگی پیدا کرنے کے لیے ایسی باؤلنگ نے مجھ میں مزید چستی اور جوش پیدا کر دیا تھا۔ میں نے باؤلروں کا مذاق اڑانا شروع کر دیا۔ میں نے ایمبروز (Ambrose) کو اپنی چھاتی کی طرف اشارہ کرتے ہوئے کہا کہ مجھے یہاں گیند مارو تا کہ میں تمہیں دکھاؤں میں کیا کر سکتا ہوں۔ یہ میں نے اسے اس وقت کہا جب ایک گیند اس نے میرے پاؤں کی طرف کی۔'' جاوید میانداد کا ساتھ دینے والوں میں سلیم یوسف (62 رنز) شعیب محمد (46 رنز) اور سب سے بڑھ کر حضرت متفرق تھے جس کی وجہ سے 71 رنز کا ٹیسٹ میچوں میں کارنامہ ہوا جس میں 38 نو بال (No ball) بھی شامل تھے۔ پاکستان کو 143 رنز کی برتری حاصل رہی۔ ویسٹ انڈیز کی دوسری اننگز میں عمران خان نے 41 رنز دے کر چار کھلاڑی آؤٹ کیے۔ عبدالقادر نے 3 وکٹیں لیں اور 2 وکٹیں شعیب محمد کی شاذونادر آف سپن باؤلنگ کے نتیجے میں حاصل ہوئیں۔ پاکستان کو صرف 30 رنز کی ضرورت تھی جو ایک وکٹ کے نقصان پر حاصل کر کے نو وکٹوں سے فتح حاصل ہوگئی۔ ویسٹ انڈیز کی اپنی سرزمین پر ایک دہائی میں یہ پہلی شکست تھی۔

پورٹ آف اسپین میں کھیلے جانے والے دوسرے ٹیسٹ میچ میں ویسٹ انڈیز ٹیم 174 رنز پر آؤٹ ہوگئی۔ جو کہ عمران خان (4-38) اور عبدالقادر (4-83) کی باہم کوشش کا نتیجہ تھا۔ پاکستانی ٹیم کی 68 رنز پر 7 کھلاڑی آؤٹ ہونے سے ہوا نکل گئی مگر سلیم ملک نے 66 رنز اور سلم یوسف نے 39 رنز بنا کر ٹیم کو سہارا دیتے

ہوئے 20 رنز کی برتری حاصل کر لی۔ وور چرڈز اور جیف ڈوجون (Jeff Dujon) نے سنچریاں بنا کر پاکستان کو بڑا ہدف پیش کر دیا۔ ویسٹ انڈیز کے 80 رنز پر 4 کھلاڑی ہو کر ٹیم لڑکھڑا رہی تھی جب رچرڈز ایل بی ڈبلیو کی اپیل کے باوجود بچ گیا۔ سلیم یوسف نے غصے کا اظہار کیا تو دونوں دست و گریبان ہونے لگے۔ عمران خان اور امپائیر کلایو کمبر بیچ (Clive Cumberbatchs) نے بیچ بچاؤ کر کے دونوں کو علیحدہ کیا۔

پاکستانی ٹیم کو جیتنے کے لیے 372 رنز کی ضرورت تھی۔ 3 وکٹوں کے نقصان پر جب 67 رنز تھے تو میچ میں فتح حاصل ہونا دشوار لگ رہا تھا۔ جاوید میانداد نے ایک بار پھر اپنی کمر کو کس لیا اور مزید ایک اور سنچری بنانے کی طرف چل پڑا۔ اس نے 7 گھنٹے اور 16 منٹ کے عرصہ میں 102 رنز بنا لیے۔ اس کا ساتھ دینے والوں میں اعجاز احمد (43 رنز) اور ایک بار سلیم یوسف (35 رنز) تھے۔ پاکستان کو جیتنے کے لیے آخری 20 اووروں میں 80 رنز کی ضرورت تھی اور ویسٹ انڈیز کے تیز رفتار خوفناک حملہ آور باؤلر جھاگ کی طرح بیٹھ چکے تھے۔ اس وقت رچرڈز نے اپنی کبھی کبھار کرنے والے آف سپن باؤلنگ کو آزمانے کی ٹھانی۔ اس نے اعجاز احمد اور سلیم یوسف دونوں کو آؤٹ کر دیا۔ آخری بیٹسمین عبدالقادر نے آ کر آخری پانچ گیندوں کو روک کر پاکستان کو شکست سے بچا کر میچ برابر کر دیا۔

اپنی اس کارکردگی کے بعد پاکستانی ٹیم میں اعتماد پیدا ہوا کہ وہ برج ٹاؤن میں ٹیسٹ میچوں کے اس سلسلے کو جیت سکتے ہیں۔ دونوں ٹیمیں اپنی پہلی اننگز کے رنز کی بنیاد پر برابر کی ٹکر کی تھیں۔ پاکستانی ٹیم نے 309 رنز اور ویسٹ انڈیز نے 306 رنز بنا رکھے تھے۔ پاکستانی ٹیم کو جیتنے کے لیے 268 رنز کا ہدف دیا گیا۔ شعیب محمد نے اپنی دوسری نپی تلی نصف سنچری مکمل تو کر لی مگر وہ وقتی طور پر باؤلنگ کرنے والے وو رچرڈز (Viv Richards) کے ہاتھوں آؤٹ ہو گیا۔ مدثر نذر نے 41 رنز، عمران نے صبر انداز میں 43 رنز اور سلیم یوسف نے اپنی ٹوٹی ہوئی ناک کے باوجود 28 رنز کیے۔ اس کے بعد وسیم اکرم نے ویسٹ انڈیز کے برق رفتار باؤلروں کے ٹولے سے کہیں زیادہ تیز رفتار باؤلنگ کرتے ہوئے اپنی پہلی اننگز میں حاصل کردہ 3 وکٹوں میں دوسری اننگز کی 4 وکٹیں 73 رنز کے عوض شامل کر دیں۔ جب پاکستانی ٹیم نے 207 رنز کے عوض ویسٹ انڈیز کے 8 کھلاڑی آؤٹ کر دیئے تو فتح ان کی گرفت میں آ چکی تھی۔ مگر پھر امپائروں نے دو متنازعہ فیصلے دے ڈالے۔ ایک فیصلے سے آخری بیٹسمین بینجمن کو موقع دیا گیا (اسے عمران خان کی گیند پر ایل بی ڈبلیو نہ دیا گیا) اور دوسرے فیصلے سے آخری مانے ہوئے بلے باز ڈوجون (Dujon) کو بچا لیا گیا۔ (عبدالقادر کی گیند پر سلی مڈ آن پر اس کا کیچ نہ مانا گیا) اس پر باؤلر اتنا مشتعل ہوا کہ ایک بدتمیز تماشائی سے اس کا جھگڑا ہو گیا۔[5] دونوں بلے بازوں کو آؤٹ نہ کیا جا سکا اور ویسٹ انڈیز نے بمشکل یہ ٹیسٹ جیت کر میچوں کے اس عمدہ سلسلے کو برابر کر دیا۔

بعد میں عبدالقادر ان شاندار میچوں کو اطمینان سے یاد کرتے ہوئے کہتا ہے کہ ''ہم نے ٹیسٹ میچوں کا وہ سلسلہ جیت لیا تھا۔ اگر وہ میچ غیر جانبدار امپائروں کی موجودگی میں ہوتے تو اب تک یہ شکوک نہ منڈلا رہے ہوتے کہ فتح کس کو حاصل ہوئی تھی۔ لیکن جس معیار کی کرکٹ کھیل گئی تھی اس کا سہرا دونوں ٹیموں کے سر ہے۔ اس بہترین معیار سے بڑھ کر کرکٹ نہیں ہوسکتی تھی۔''

## جمہوریت کی بحالی

17 اگست 1988ء کو جنرل ضیاالحق ہوائی جہاز کے حادثہ میں مارا گیا۔ اس کے ساتھ امریکہ کا پاکستان میں سفیر آرنلڈ رافیل (Arnold Raphael) پاکستان میں امریکی فوج کے وفد کا سربراہ جنرل ہربرٹ واسوم (Herbert Wassom) اور کچھ پاکستانی فوج کے جرنیل بھی مارے گئے۔ اس حادثے کے محرکات آج تک پُراسرار ہیں، مگر یہ حادثہ یقینی طور پر سازش اور تخریب کاری کا نتیجہ تھا۔

کراچی میں نسلی گروہوں کے مابین بڑھتے ہوئے پُرتشدد واقعات کی بدولت جنرل ضیاالحق کا اختیار خاصا کمزور ہو چکا تھا۔ بے نظیر بھٹو کی واپسی اور اس کی عوامی تقاریر کے علاوہ اسلام آباد کے نزدیک فوجی توپ خانے میں بارودی دھماکا جس میں سینکڑوں لوگ مارے گئے اور خودمختار وزیراعظم محمد خان جونیجو کی برطرفی سے اس کے لیے حالات مزید خراب ہو گئے تھے۔ ممنوعہ مخالف سیاسی جماعتوں کے دباؤ میں آ کر ضیاالحق نے نومبر میں قومی انتخابات کا اعلان کر دیا تھا۔ یہ انتخابات مجوزہ وقت پر ہوئے اور سیاسی جماعتوں پر ان پابندیوں کے بغیر ہوئے جنہیں ضیاالحق نے سوچ رکھا تھا۔ بے نظیر بھٹو کی پاکستان پیپلز پارٹی نے قومی اسمبلی میں 94 نشستیں جیت کر سب سے زیادہ نشستیں حاصل کیں۔ لیکن اس کے باوجود وہ مکمل اکثریت حاصل نہ کر سکی۔ تاہم نئے عارضی صدر غلام اسحاق خان جو سابقہ سرکاری ملازم رہ چکا تھا اور جس نے بے نظیر کے والد کے ساتھ سیکرٹری دفاع کے طور پر کام کر رکھا تھا اور پھر جنرل ضیاالحق کے ساتھ بطور وزیرخزانہ خدمات سرانجام دے رکھی تھیں نے اسے حکومت تشکیل کرنے کی دعوت دی۔ صوبائی انتخابات میں نوازشریف اور اس کے بھائی شہباز شریف کی سربراہی میں مسلم لیگ نے پنجاب میں اقتدار حاصل کیا۔ پاکستان میں یہاں سے دو سیاسی جماعتوں کی خاندانی سیاست کا لمبے عرصے کا دور شروع ہوتا ہے۔

## بدعنوانی اور سرپرستی

پاکستان کی اوّلین خاتون حکمران اور یقیناً کسی بھی مسلمان ریاست کی پہلی خاتون وزیراعظم ہونے کا شرف محترمہ بے نظیر بھٹو کو حاصل ہوا۔ کرشماتی شخصیت کے علاوہ وہ ہارورڈ اور آکسفورڈ کی تعلیم یافتہ تھیں۔

بے نظیر بھٹو کو اس کے مغربی سیاستدانوں اور صحافیوں کے ساتھ ایک لمبی مدت کے تعلقات سے بہت فائدہ حاصل ہوا۔ انہوں نے اسے ایک فیصلہ کن اور جدید خیالات سے بھرپور شخصیت کا تشخص دیا۔ اس کے ساتھ انہیں مسز تھیچر کا مخصوص نام خاتونِ آہن (Iron Lady) بھی دیا۔ عملی طور پر اس کے پہلے دور میں اس کی انتظامیہ قابل توجہ طور پر محتاط تھی اور وہ پاکستان میں مخصوص مفادات رکھنے والوں جن میں خاص طور پر مسلح افواج اور مذہبی جماعتیں شامل تھیں کو خوش اور مطمئن رکھنے میں مصروف رہی۔ اپنی ترقی پسند موثر خطابت کے باوجود اس نے جنرل ضیاالحق کے اسلامی قوانین کو نہیں چھیڑا۔ اپنی وزارت عظمٰی کے پہلے دور میں وہ پاکستان حکومت میں تنہا تھی اور ایک بھی قانون سازی کرنے میں ناکام رہی۔

اُس حکومت کا طرۂ امتیاز یہ تھا کہ اُس دور میں سرپرستی اور خصوصی تعاون کے بدلے منافع میں حصہ داری نے بہت زور پکڑا۔ ان تمام کاموں میں آصف علی زرداری پیش پیش تھا جن کے ساتھ 1987ء میں بے نظیر بھٹو نے خاندانی وجوہات کی بدولت شادی کی تھی۔ جلد ہی آصف علی زرداری Mr. Ten Percent کے نام سے مشہور ہو گیا۔ (بے نظیر بھٹو کے دوسرے دورِ حکومت میں اُس نے اپنی شرح بڑھا کر بیس فیصد کر لی۔ اگرچہ اس پر بارہا الزامات لگائے گئے مگر ابھی تک وہ کسی عدالت میں بدعنوانی کا مرتکب ثابت نہیں ہو سکا)۔ اس نئی حکومت نے قرضے حاصل کرنے کا بازار گرم کر دیا جسے بعد میں آنے والی حکومت نے بھی جاری رکھا۔ جس سے جنرل ضیاالحق کا چھوڑا ہوا پاکستان کا غیر ملکی قرضہ تیرہ ارب ڈالر سے بڑھ کر 1999ء میں 26 ارب ڈالر تک پہنچ کر دوگنا ہو گیا۔ اس رقم کے بیشتر حصہ کا کوئی حساب نہیں تھا۔

پاکستانی کرکٹ کی انتظامیہ پر نئی حکومت کے آنے سے کوئی اثر نہ ہوا۔ عارف عباسی کے کامیاب تجارتی اقدام اور 1987ء کے عالمی کپ کو منعقد کروانے کے باوجود جب بے نظیر بھٹو پہلی بار اقتدار میں آئی تو پاکستان کرکٹ میں نہ تو آمدنی کا اہم ذریعہ تھا اور نہ ہی کوئی سرپرستی میسر تھی۔ کچھ تو یہ وجہ تھی اور کچھ مسلح افواج سے سامنا کرنے کے خوف کی بدولت بے نظیر بھٹو نے جنرل ضیاالحق کے نامزد کرکٹ بورڈ کے چیئر مین جنرل زاہد علی اکبر خان کو اپنی جگہ پر ہی رہنے دیا۔ وہ تب بھی اپنی جگہ پر قائم رہا جب بے نظیر بھٹو کا اُس سے پاکستان کے جوہری اسلحہ کے لائحہ عمل پر ٹکراؤ ہوا۔ اور اسے فوج سے جبری طور پر سبکدوش کر دیا گیا۔

1990ء میں بے نظیر بھٹو کی سیاسی ساکھ بُری طرح سے متاثر ہوئی۔ پاکستانی معیشت کو اس وقت شدید دھچکا لگا جب امریکہ نے پاکستان پر اُس کے جوہری اثاثوں کی وجہ سے پابندیاں عائد کر دیں۔ جب کہ بے نظیر بھٹو اور اس کے شوہر کی بدعنوانیاں منظر عام پر آنے سے بے حد بدنامی ہوئی۔ اس کے علاوہ ان کی نالائق افراد کی تعیناتی پر بھی بہت سبکی ہوئی۔ اس کا میانہ رو صدر غلام اسحاق خان کے ساتھ مسلسل ٹکراؤ رہا جس نے بالآخر اسے اور اس کی حکومت کو نواز شریف کی مسلم لیگ کے حق میں برخاست کر دیا۔

## بڑبڑاتی آسٹریلوی ٹیم

1988ء کے آخر میں اب ناخوش اور بُو بڑاتی آسٹریلوی کرکٹ ٹیم کا پاکستان کا دورہ کرنے کی باری تھی۔ میچوں کے سلسلے کو منعقد کرتے وقت آسٹریلیا کی اپنے ملک کے اندر کھیلی جانے والی کرکٹ کے اوقات کو ملحوظِ خاطر رکھتے ہوئے ستمبر کے بے حد گرم موسم کا انتخاب کیا گیا۔ عمران خان نے اِسی وجہ سے اس دورے کے خلاف کھیلنے سے انکار کر دیا۔

ہمیشہ کی طرح جاوید میاں داد نے کپتان کی حیثیت سے عمران خان کی جگہ لے لی۔ اس نے کراچی میں کھیلے جانے والے پہلے ٹیسٹ میچ میں ڈبل سنچری بنا ڈالی۔ پھر اقبال قاسم نے اپنے جوہر دکھاتے ہوئے دونوں اننگز میں 64 اوور کر کے 84 رنز کے عوض نو آسٹریلوی وکٹیں حاصل کر لیں۔ عبدالقادر دوبارہ شامل کیے گئے تو صیف احمد کی معاونت سے پاکستان نے ایک اننگز سے فتح حاصل کر لی۔

آسٹریلوی کھلاڑیوں کو تقریباً ہر بات پر شکایت تھی جن میں پچ کی حالت گرمی شدت اور سب سے بڑھ کر محبوب شاہ کی امپائرنگ پر اعتراضات تھے۔ انہوں نے باقاعدہ طور پر پاکستانی انتظامیہ کے کمرے کے باہر کھلم کھلا احتجاج کیا اور پھر اخباری نمائندوں سے گفتگو کے دوران بھی اُن باتوں کو دہرایا جو خصوصی طور پر آسٹریلوی صحافیوں کے لیے منعقد کی گئی تھی۔ جس طرح اس سے پہلے مائیک گیٹنگ نے دورہ ختم کرنے کی دھمکی دے تھی، بالکل اسی طرح آسٹریلوی ٹیم کے کپتان ایلن بوڈر نے بھی وہی دھمکی دہرائی کہ وہ بھی دورہ منقطع کر کے ٹیم کو واپس گھر لے جائے گا۔ جوابی طور پر عارف عباسی نے محبوب شاہ کا پُر زور دفاع کرتے ہوئے اس کا شمار دنیا کے بہترین امپائروں میں کرتے ہوئے کہا کہ ''اس کی غیر جانبداری کو ہر کوئی تسلیم کرتا ہے۔'' محبوب شاہ نے 1987ء کے عالمی کپ کے فائنل میں کلکتہ میں امپائیری کی تھی جسے آسٹریلیا نے جیتا تھا۔ عارف عباسی نے مزید چبھتا ہوا فقرہ کستے ہوئے کہا، ''آسٹریلیا کی ٹیم نہ تو کیچ کر سکتی ہے اور نہ ہی سپن باؤلنگ کھیل سکی ہے۔'' (آسٹریلوی ٹیم نے پہلے دو ٹیسٹ میچوں میں تیرہ کیچ گرائے تھے)۔ یک جہتی کا عوامی طور پر مظاہرہ کرتے ہوئے محبوب شاہ کو فیصل آباد میں کھیلے جانے والے دوسرے ٹیسٹ میچ میں بھی فرائض پر مامور رکھا۔ یہ میچ بغیر کسی نتیجے کے برابر رہا۔

ایک سال پہلے مائیک گیٹنگ کی سربراہی میں دورہ کرنے والی انگلینڈ کی ٹیم سے موازنے کو رد نہیں کیا جا سکتا۔ بعد میں آسٹریلیا کے کرکٹ کے ادیب مائیک کوورڈ (Mike Coward) نے دورہ کی تکلیف دہ روائیداد لکھی۔ اس نے لکھا کہ سوائے چند باتیں چھوڑ کر آسٹریلوی ٹیم کا اخلاقی برتاؤ اس قدر غیر معقول اور متعصب تھا کہ صحافیوں کے لیے معاملات میں سچ اور جھوٹ کی تمیز کرنا ناممکن ہوگئی تھی۔ کوورڈ نے مزید بیان کیا کہ آسٹریلوی کھلاڑی احساسِ برتری میں مبتلا تھے اور ان کا رویہ اس قدر غیر شائستہ تھا جسے کرکٹ کی دنیا

میں کہیں اور کبھی قبول نہیں کیا جا سکتا تھا اور نہ ہی اُسے نظر انداز کرتے ہوئے معاف کیا جا سکتا ہے۔

## کرکٹ کا شیدائی وزیر اعظم

جب نومبر 1990ء میں نواز شریف نے بحیثیت وزیر اعظم بے نظیر بھٹو کی جگہ لی تو اُنہوں نے بینظیر کی حکومت کی طرح سرپرستی اور بدعنوانی جاری رکھی۔ فرق صرف یہ تھا کہ اب فائدہ اٹھانے والے بدل چکے تھے۔ تاہم وہ بے نظیر بھٹو سے کرکٹ سے حقیقی محبت رکھنے کے باعث مختلف تھے۔ اُنہیں اپنی اوّل درجے کی کرکٹ کے حوالے سے اپنے آپ پر فخر تھا۔ وہ صرف ایک بار بیٹسمین کی حیثیت سے ریلوے کی طاقتور ٹیم کی طرف سے 74-1973ء میں پی آئی اے کی بی ٹیم کے خلاف کھیلا تھا۔ اننگز کی ابتدا کرتے ہوئے وہ آغاز میں بیٹسمین کے طور پر بغیر کوئی رن بنائے آؤٹ ہو گیا تھا۔ وہ سیم باؤلر شاہد احمد فرسٹ کلاس کرکٹ میں تین شکاروں میں سے ایک ثابت ہوا۔ نواز شریف نے نہ تو باؤلنگ کی اور نہ ہی کوئی کیچ پکڑا۔ اور نہ ہی اُسے دوبارہ بیٹنگ کرنے کا موقع مِل سکا کیوں کہ اس کی ٹیم نے ایک اننگز کے فرق سے میچ جیت لیا تھا۔ وہ 1987ء میں قدرے کامیاب رہا۔ اس وقت وہ پنجاب کا وزیر اعلیٰ بن چکا تھا۔ لاہور جمخانہ کی طرف سے انگلینڈ کے خلاف تیاری کے میچ میں جو عالمی کپ سے پہلے کھیلا گیا، اس نے صرف ایک رن حاصل کی اور فِل ڈی فریٹس (Phil Detraitas) کے ہاتھوں بولڈ ہو کر آؤٹ ہو گیا۔

تین دن قبل اس نے اپنے آپ کو وزیر اعلیٰ پنجاب کی ٹیم کا کپتان بنا کر ویسٹ انڈیز کے خلاف تیاری کا ایک اور میچ کھیلا تھا۔ عمران خان جسے ہٹا کر وہ خود کپتان بن گیا تھا اس اقدام سے بے حد حیرت زدہ ہوا۔ اور یہ سمجھا کہ نواز شریف صرف اعزازی طور پر کپتان بن گیا ہوگا۔ اور وہ میچ کو کھلاڑیوں کے ساتھ بیٹھ کر باہر سے دیکھے گا۔ مگر عمران خان کی اس وقت حیرت کی انتہا نہ رہی جب ویسٹ انڈیز کے کپتان وورچرڈز کے ساتھ ٹاس کرنے کے بعد نواز شریف نے اس وقت کرکٹ تاریخ کے تیز ترین باؤلروں کے مقابلے میں آغازی بلے باز کے طور پر اننگز کی ابتدا کرنے کا فیصلہ کیا۔ اس کے ساتھی بیٹسمین زعیم قادری نے مکمل طور پر حفاظتی تدابیر اختیار کر رکھی تھیں جب کہ نواز شریف نے صرف پیڈ اور مسکراہٹ کے ساتھ سر پر کپڑے کی عام ہیٹ پہن رکھی تھی۔ عمران خان کہتا تھا کہ ''میں نے جلدی سے پوچھا کیا یہاں ایمولینس بھی کوئی موجود ہے؟''

دیوہیکل پیٹرک پیٹرسن کی پہلی گیند کی رفتار اس قدر تیز تھی کہ اس سے پہلے نواز شریف اپنے بلے کو حرکت دیتا، گیند سیدھی وکٹ کیپر کے ہاتھوں میں جا پہنچی۔ عمران خان کے مطابق، ''وہ غنیمت ہوئی کہ دوسری گیند سیدھی وکٹوں میں گئی اور اس سے پیشتر نواز شریف کوئی حرکت کرتا، اس کی وکٹیں اکھاڑ کر پھینکی جا چکی تھیں۔''

تاہم نواز شریف کو کلب کرکٹ کے معیار پر کافی کامیابی رہی۔ وزیراعظم کی حیثیت سے وہ ہفتہ کے آخر میں کھیلے جانے والے میچوں میں لاہور جیمخانہ کی نمائندگی کرتا۔ وہ کھیلنے کے لیے اسلام آباد سے بذریعہ ہوائی جہاز اپنے عملے کے ساتھ لاہور پہنچتا اس کے ساتھی کھلاڑیوں اور تماشائیوں نے مجھے بتایا کہ وہ ایک مضبوط اور زبردست ہٹیں مارنے والا کھلاڑی تھا مگر یہ بھی کہا گیا کہ وزیراعظم کو یقینی طور پر امپائر کی مرضی کی بھی حمایت حاصل تھی جو عموماً سیاسی معاون ہوا کرتا تھا۔ اگلے روز کے اخبارات میں عموماً نواز شریف کی زبردست سنچری کی تعریفی شہ سرخیاں لگیں۔

کرکٹ کے کھیل میں اپنی دلچسپی کے باوجود بے نظیر بھٹو کی طرح نواز شریف نے بھی پاکستان کرکٹ انتظامیہ کے معاملات کو اپنے آپ سے دور رکھا۔ اس نے بھی جنرل زاہد علی اکبر کو اپنی جگہ پر مسلسل رہنے دیا۔ یہ چیز خاص طور پر عمران خان کے لیے خوش آئند تھی کیوں کہ جنرل زاہد عمران خان کا رشتے میں کزن تھا۔ اور نواز شریف اس سے بھی بڑھ کر جنرل زاہد علی اکبر کو پانی اور بجلی (واپڈا) کے ترقیاتی محکمے کے سربراہ کی حیثیت سے اہم اور منفعت بخش عہدے پر فائز کر دیا۔ اس سے بنیادی طور پر یہ بات یقینی ہوگئی کہ پاکستان کرکٹ بورڈ میں اُوپر سے کسی روکاوٹ کے بغیر عمران خان کی ہر خواہش پوری ہونے لگی۔ شاذ و نادر ہی ایسا ہوتا کہ اس کی روک ٹوک ہوتی مگر ایسے موقعوں پر منتخب کرنے والی کمیٹی کے سربراہ کی حیثیت سے جاوید برکی اور ٹیم کا مینیجر انتخاب عالم اس کی اعانت کرتے۔ بہت سی وجوہات کی بدولت جنرل زاہد علی اکبر پاکستان کرکٹ بورڈ کے سربراہ کے طور پر بہترین انتخاب تھا۔ اور اس نے تین مختلف حکومتوں تلے اپنی چار سالہ معیاد کو مکمل کیا۔ ممکن ہے کہ وہ اور کاموں میں بھی مبتلا رہا ہو جیسا کہ بیس سال بعد الزام عائد کیا گیا جب اسے بوسنیا میں انٹر پول کی درخواست پر حراست میں لیا گیا۔ پاکستان قومی احتساب بیورو نے دعویٰ کیا کہ اس کے پاس 267 کروڑ روپے کے اثاثے ہیں (1.75 کروڑ برطانوی پونڈ کے برابر) جو کہ اس کی حیثیت سے کہیں زیادہ ہیں۔ اور اس کی کرکٹ اور پانی اور بجلی کے محکمہ کی دونوں تنخواہوں کو ملا کر بھی اُن رقوم کا خاطر خواہ جواز پیش نہیں کیا جا سکتا تھا۔ بعد میں اس کی رہائی ہوگئی کیوں کہ پاکستان کا بوسنیا کے ساتھ ملزمان کی حوالگی کا کوئی معاہدہ نہیں تھا۔

## حوالہ جات:

1 اس کے دونوں بیٹوں منصور رانا اور مقصود رانا نے پاکستان کی ایک روزہ عالمی میچوں میں نمائندگی کی۔

2 قوانین میں اس قسم کی کوئی شق نہیں تھی جو خصوصی طور پر گیٹنگ (Gatting) کو روکتی کہ وہ

باؤلنگ کرنے کے دوران فیلڈر کی جگہ تبدیل نہ کرسکتا۔ تاہم یہ بحث ضرور ہے کہ گیٹنگ نے روایت کو توڑا تھا۔ اس موضوع پر عمدہ بحث کے لیے بیری (Berry) کی کتاب کا صفحہ 146 ملاحظہ کریں۔

3 انگریزوں کے نقطہ نظر کے لیے اسٹیفن چاک (Stephen Chalke) کی کتاب مکی سٹیورٹ اور کرکٹ کا بدلتا چہرہ (Mickey Stewart and the Changing of Cricket) کے صفحات 9-250 دیکھیں۔ سٹیورٹ دعویٰ کرتا ہے کہ شکور رانا نے گیٹنگ کو گالی دیتے ہوئے ''بے ایمان لعنتی حرامزادہ'' کہا۔ اور یہ کہ گرنے والی پہلی 30 وکٹوں میں سے 14 وکٹیں پاکستان نے امپائروں کی غلطی کا شکار ہونے والے کھلاڑیوں کی حاصل کی۔'' سٹیورٹ نے مزید زور دیتے ہوئے کہا کہ پوری پاکستانی ٹیم کو جنرل ضیا سے خفیہ ملاقات کے لیے بلایا گیا۔ ان سب کھلاڑیوں کو ایک قطار میں صدر کے سامنے کھڑا کیا گیا اور حکم دیا گیا کہ وہ میچ کو جیتیں۔ سٹیورٹ کے (Stewart) کے دعووں کی کچھ بھی صداقت ہو مگر چاک (Chalke) کی کتاب انگریزی ٹیم کے ماحول میں کی گئی زیادتی کا واضح نقشہ پیش کرتی ہے۔ سٹیورٹ (Stewart) کے اس دعویٰ کو کہ امپائری کے مشکوک فیصلوں کے پیچھے عزت مآب جنرل ضیا الحق کا ہاتھ تھا کو مزید تقویت بیری (Berry) کی کتاب کے صفحات 10-109 سے ملتی ہے۔

4 دیکھیے جاوید میانداد کا بیان: یہ دعویٰ اکثر کیا جاتا ہے کہ مین نے شکور رانا کو مائیک گیٹنگ سے معافی طلب کرنے کے لیے اکسایا۔ یہ بالکل درست ہے مجھ سے جب شکور رانا نے صورتحال پر رائے مانگی تو میں نے اسے مشورہ دیا کہ وہ معافی طلب کرنے پر اصرار کرے۔ مجھے اس معافی کی بطور مخالف کپتان بلکہ ایک پاکستانی ہونے کی حیثیت میں ضرورت تھی۔ امپائر شکور رانا پر گیٹنگ کا دیدہ دلیری سے چلانا پاکستان کی توہین تھی۔ ذرا سوچیے کہ اگر میں کسی انگریز امپائر کو اس طرح دھچکا تھا جیسے گیٹنگ نے شکور رانا کے ساتھ سلوک کیا تو انگریز مجھ سے کیا کیا طلب کرنے کا اصرار کرتے۔'' جاوید میاں داد کی کتاب کا صفحہ 251۔

5 عارف عباسی نے اسے ایک ہزار ڈالر ادا کرنے کا بندوبست کیا تا کہ معاملہ کا تصفیہ عدالت سے باہر کیا جا سکتا۔ اور عبدالقادر اپنے خلاف مقدمے کے بغیر واپس گھر جا سکتا۔ (عارف عباسی سے ذاتی گفتگو کے حوالہ سے)۔

18

# جھُنجھلائے ہوئے چیتے

''ہمارے باہر نکل کر جھُنجھلائے ہوئے چیتوں کی طرح لڑنا ہوگا۔''

۔ عمران خان

آسٹریلیا اور نیوزی لینڈ میں منعقد ہونے والے 1992ء کے عالمی کپ میں شرکت کے لیے جاتے وقت پاکستانی ٹیم بدنظمی اور افراتفری سے دوچار تھی۔ وقار یونس کی زخمی ہونے کے باعث بالکل ہی شرکت نہ ہوسکی۔ اور وہ اس مقابلے سے مکمل طور پر غیر حاضر رہا۔ عمران خان بھی ابتدائی مقابلوں میں چوٹ لگنے کی وجہ سے شریک نہ ہوسکا اور پھر ایک عظیم باؤلر کی حیثیت سے اس کا دور ختم ہو چکا تھا۔ پھر جاوید میاں داد کا مسئلہ بھی درپیش تھا۔ توقع سے کمتر بیٹنگ کے حالات دیکھتے ہوئے اُسے شروع میں دورے پہ جانے والی ٹیم میں شامل نہیں کیا گیا تھا۔ اس اقدام سے وہ بے حد رنجیدہ تھا کیوں کہ ٹیم میں شمولیت کے لیے عمران خان اور ٹیم کے مینیجر انتخاب عالم نے اس سے وعدے کرر کھے تھے۔ ذرائع ابلاغ کے بیشتر لوگ اس کے خلاف تھے اور اسے یقین ہو چکا تھا کہ وہ کسی بڑی سازش کا شکار بن چکا ہے۔

صرف آخری لمحات میں جاوید میاں داد سلیکٹرز کو قائل کرنے میں کامیاب ہو گیا کہ وہ صحت مند ہے اور اس کی کمر مقابلوں کا بوجھ اٹھانے کی سکت رکھتی ہے۔ عارف عباسی کے مطابق، انہوں نے عمران خان اور سلیم ملک کو بتائے بغیر جاوید میاں داد کا بطور نائب کپتان اعلان کر دیا۔ جب کہ سلیم ملک یہ سمجھے بیٹھا تھا کہ وہ نائب کپتان ہوگا۔ جب جاوید میاں داد کو ہوائی جہاز کے ذریعے آسٹریلیا کے لیے عازم سفر کیا گیا تو عمران خان اس کی روانگی سے لاعلم تھا۔ یہ ایک الہامی فیصلہ تھا کیوں کہ دباؤ کے باوجود جاوید میاں داد کی مستقل مزاجی پاکستان کو بعد میں ہونے والے مقابلوں تک لے گئی اور بذات خود فائنل میں ٹیم کو بہترین سہارا دیا۔ ٹیم میں شمولیت کی وجہ سے عمران خان اور اُس کا یہ مشترکہ کارنامہ بن گیا کہ وہ دونوں واحد کھلاڑی تھے جنہوں نے ہر ورلڈ کپ مقابلے میں حصہ لے رکھا تھا۔

پاکستانی ٹیم کا آغاز انتہائی پستی کے عالم میں ہوا۔ رمیز راجہ کی سنچری کے باوجود انہیں ویسٹ انڈیز سے دس وکٹوں سے شکست ہوئی۔ عمران نے اپنے کندھے کی چوٹ کی وجہ سے اس میچ میں شرکت نہیں کی تھی۔ زمبابوے کے خلاف پاکستان نے باآسانی فتح حاصل کر لی جس میں عامر سہیل نے 114 رنز بنائے تھے۔ اس کے بعد انگلینڈ کے خلاف پاکستانی ٹیم ناموزوں طور پر صرف 74 رنز پر ڈھیر ہوگئی۔ اس کی تباہی میں ڈیرک پرنگل (Derek Pringle) کی عموماً عمدہ سیم باؤلنگ کا دخل تھا۔ پاکستانی ٹیم کو بارش نے آ بچایا اور اُسے اس مقابلے میں ایک قیمتی پوائنٹ حاصل ہوگیا۔ اپنی جانی دشمن ہندوستانی ٹیم کے خلاف عامر سہیل کے 62 رنز کے باوجود وہ آسانی سے حاصل ہو سکنے والے 216 رنز کا ہدف حاصل نہ کر سکے۔ جنوبی افریقہ کے خلاف بھی وہ 211 رنز کا ہدف حاصل نہ کر سکے اور بارش کی وجہ سے 36 اووروں میں 194 رنز تک پہنچ پائے۔ رمیز راجہ کندھا زخمی ہونے کی وجہ سے اور جاوید میاں داد پیٹ کی خرابی کی وجہ سے کھیل نہیں رہے تھے۔ یوں لگتا تھا جیسے ہر چیز پاکستان کے مخالف چل رہی تھی۔ پانچ مقابلوں میں تین پوائنٹ حاصل کر کے انہیں مقابلے میں بدستور رہنے کے لیے اپنی مخصوص جماعت کے تمام میچ جیتنا لازمی بن گیا تھا۔

اب یہ وہ موقع تھا جب عمران خان نے اپنی ٹیم کے سامنے اپنی زندگی کی بہترین تقریر کی۔ ''ہمارے پاس کھونے کے لیے کچھ نہیں ہے۔ ہمیں باہر میدان مین نکل کر جھنجلائے ہوئے چیتوں کی طرح لڑنا چاہیے۔'' اس کا اثر یہ ہوا کہ آسٹریلیا کے خلاف پاکستانی ٹیم کا اعادہ ہوا۔ پاکستان کے 220 رنز کے معمولی رنز کا تعاقب کرتے ہوئے آسٹریلیا کی ٹیم مشتاق احمد اور عاقب جاوید کے ہاتھوں آؤٹ ہوگئی۔ اس میچ میں عامر سہیل نے 76 رنز اور جاوید میاں داد نے اپنی بیماری سے کمزوری کے باوجود 46 رنز بنائے۔ اس نے خصوصی طور پر یاد کرتے ہوئے کہا کہ ''وہ میچ سے کہیں زیادہ فساد تھا جس میں دونوں ٹیموں کے کھلاڑیوں کا غصہ بھڑک رہا تھا۔'' پاکستانی ٹیم کا اعادہ مسلسل جاری رہا۔ اور اس نے سری لنکا کے خلاف بھی میچ جیت لیا۔ مگر بچے رہنے کی اُمید کو برقرار رکھنے کے لیے پاکستان کو ابھی نیوزی لینڈ کو شکست دینا باقی تھا کیوں کہ اب تک نیوزی لینڈ کو کوئی شکست نہیں ہوسکی تھی۔ اس وقت بھی تقدیر پاکستانی ٹیم کے ہاتھوں میں نہیں تھی۔ انہیں ویسٹ انڈیز کو ہرانے سے پہلے ابھی آسٹریلیا کو ہرانے کی ضرورت تھی۔

پاکستان نے اپنا کام مکمل کرتے ہوئے اپنی جماعت کے آخری مقابلے میں نیوزی لینڈ کو بُری طرح سے ہرا دیا اور صرف تین وکٹوں کے نقصان پر 166 رنز کا معمولی ہدف حاصل کر لیا۔ رمیز راجہ نے ناقابل شکست عمدہ سنچری بنائی اور جاوید میاں داد نے 30 رنز بنا کر اپنا حصہ ڈالا۔ آسٹریلیا نے ویسٹ انڈیز کے خلاف 216 رنز کا دفاع کر کے اپنے آپ کو سرخرو کر لیا۔

غیر متوقع طور پر سیمی فائنل کے مقابلے میں پہنچ کر پاکستان کا سامنا نیوزی لینڈ کی منظم ٹیم کے ساتھ

اُن کے اپنے تماشایوں کے سامنے ایڈن پارک آکلینڈ (Eden Park Auckland) کے میدان میں آ ٹھہرا۔ ان کے پاکستان مارٹن کرو (Martin Crowe) نے 91 رنز بنائے۔ پاکستان کی خوشی قسمتی تھی کہ اس کا پٹھا چڑھ گیا اور وہ اپنی جگہ دوڑ کر رن لینے والے کھلاڑی کی وجہ سے آؤٹ ہو گیا۔ جواب میں پاکستان کی طرف سے ہر دو کھلاڑیوں عمران خان اور رمیز راجہ نے 44 رنز بنائے۔ مگر جب 140 رنز پر سلیم ملک آؤٹ ہوا تو پاکستان کے پاس 123 رنز کرنے کے لیے صرف پندرہ اُوور باقی رہ گئے تھے۔ جاوید میاں داد کی اس وقت حیرت کی انتہا نہ رہی جب اس کا ساتھ دینے کے لیے انضام الحق کو کھیلنے کے لیے بھیجا گیا۔ ''وہ انتہائی پریشان اور مرعوب نظر آ رہا تھا۔ یوں لگ رہا تھا جیسے اس نے کوئی آسیب دیکھ لیا ہو۔''

اس کا یہ نوجوان ساتھی سیمی فائنل سے پہلے بیمار رہ چکا تھا۔ ٹیم کے مینیجر انتخاب عالم نے اسے کچھ نیند آور گولیاں دی تھیں۔ مگر ان کی بدولت وہ سات بار قے کر چکا تھا اور بہت کم سو سکا تھا۔ انضام الحق نے واقعتاً عمران خان سے کہہ دیا تھا کہ ''بیماری کے باعث وہ کھیلنے کے قابل نہیں ہے۔'' مگر عمران نے حد سے بڑھ کر بھروسہ کرتے ہوئے اصرار کیا کہ وہ کھیلے۔ [1] اور ایک ڈاکٹر ڈھونڈ نکالا جس نے آ کر اسے مالش کی میز پر لٹا کر اس کا علاج کیا۔ جب نیوزی لینڈ کی ٹیم کھیل رہی تھی تو ابتدائی اوورں کے دوران انضام میدان میں نہیں تھا اور کئی بار میدان سے باہر جاتا رہا۔

جاوید میاں داد نے تسلی دیتے ہوئے اپنے نوجوان ساتھی سے بات چیت کی۔ اور جلد ہی گیند انضام کے بلے کے بیچ میں آنے لگی۔ وہ یاد کرتے ہوئے کہتا ہے کہ ''اللہ نے میری رہنمائی کی جس کی بدولت میں عمدہ اور عظیم کھیل پیش کر سکا حالاں کہ میں اس وقت بھی کافی کمزوری محسوس کر رہا تھا۔'' اس نے 37 گیندوں پر 60 رنز بنائے اُن میں زیادہ رنز کرس ہیرس اور گیون لارنسن کی گیندوں پر کی گئیں۔ یہ نیوزی لینڈ کے وہ باؤلر تھے جو رنز روکنے کی شہرت رکھتے تھے اور ان کی گیندوں پر آسانی سے ہٹیں نہیں لگائی جا سکتی تھیں۔ جاوید میاں داد 84 رنز پر دو کھلاڑیوں کے آؤٹ ہونے پر کھیلنے کے لیے میدان میں آیا تھا اور اس نے 57 نا قابل شکست رنز بنا کر فتح حاصل کرنے کے لیے 264 رنز میں اپنا حصہ ڈالا۔

25 مارچ کو کھیلنے جانے والے انگلینڈ کے خلاف فائنل میں میلبورن کرکٹ گراؤنڈ پر پاکستان کو ابتدائی طور پر دھچکے سہنا پڑے۔ اس کے اوپننگ بلے باز عامر سہیل اور رمیز راجہ جلد ہی آؤٹ ہو گئے اور یوں پرانے استادوں عمران خان اور جاوید میاں داد کو میدان میں پھر ایک بار اکٹھا ہونا پڑا۔ جاوید میاں داد نے بعد میں تحریر کرتے ہوئے بیان کیا کہ وہ 'ایسی مشکل سے پہلے بھی دو چار رہ چکے تھے۔ ہم دونوں جانتے تھے کہ اگر مزید ایک اور وکٹ گر گئی تو پھر ٹیم کی بیٹنگ تباہی کے اندھیرے میں غرق ہو جائے گی۔ ہمارا لائحہ عمل بالکل سادہ سا تھا کہ ہمیں ہر قیمت پر اپنے پورے پچاس اوورں کو کھیلنا چاہیے۔'' [2] میلبورن کرکٹ میدان میں 87,182

خاموش نفوس کی موجودگی میں رن بنانے کی رفتار آہستہ تھی۔ ایک موقع پر تو 60 گیندیں کھیل کر صرف چار رنز بنا سکے تھے۔ اکثر دیکھنے والے یہ سوچ رہے تھے کہ کہیں عمران خان اور جاوید میاں داد کا یہ لائحہ عمل غلط تو نہیں ثابت ہو رہا؟ اننگز کے نصف حصہ تک پہنچ کر پاکستانی ٹیم کے صرف 70 رنز ہوئے تھے۔ اس موقع پر عمران خان چل کر دوسری طرف جاوید میاں داد کے پاس گیا اور اس سے کہا کہ وہ اب زوردار طریقے سے کھیلے گا۔ اس کے بعد رفتہ رفتہ تیزی پیدا ہوئی۔ اور جاوید میاں داد جیسے اننگز کے دوسرے حصے میں سخت پیٹ درد لاحق تھا جب 58 رنز بنا کر رچرڈ النگ ورتھ کے ہاتھوں آؤٹ ہوا تو اس وقت ان دونوں نے 31 اووروں میں 139 رنز بنا لیے تھے۔ اس کے بعد عمران خان 115 گیندوں پر 72 رنز بنا کر آؤٹ ہو گیا۔ اس نے اور جاوید میاں داد نے اپنا کام کر دکھایا تھا اور آنے والے باقی کھلاڑیوں کو بنیاد مہیا کر دی تھی۔ انضمام الحق نے 46 گیندوں پر 42 رنز اور وسیم اکرم نے 21 گیندوں پر 33 رنز کر ڈالے۔ اور پاکستان 249 رنز بنانے میں کامیاب ہو گیا۔

جب مار دھاڑ کرنے والے اوپننگ بلے باز کے طور پر آئن بوتھم، وسیم اکرم کی گیند پر وکٹ کیپر کے ہاتھوں کیچ آؤٹ ہو گیا تو یوں لگا کہ پاکستان کے رنز کو ناقابلِ تسخیر بنایا جا سکتا ہے۔ آؤٹ ہونے کے فیصلے پر بوتھم نے برہمی کا اظہار کیا۔ عامر سہیل نے اسے ساس کے متعلق ایک چبھتی ہوئی بات کہہ کر چلتا کیا۔[3] عاقب جاوید اور مشتاق احمد جنہیں عمران خان نے بہادرانہ طور پر استعمال کیا، نے مزید راہ ہموار کی۔ مگر نیل فیر برادر (Neil Fairbrother) اور ایلن لیمب (Allan Lamb) کے درمیان 72 رنز کی شراکت نے 4 کھلاڑیوں کے نقصان پر انگلینڈ کو 141 رنز پر پہنچا کر اپنی گرفت کو مضبوط کر لیا۔

عمران خان نے پھر وسیم اکرم کو دوبارہ باؤلنگ کرنے کے لیے موقع دیا۔ یہاں جاوید میاں داد روائیداد بیان کرتے ہوئے کہتا ہے کہ اس کے بعد کیا ہوا: ''ہماری کرکٹ کی تاریخ کے فیصلہ کن لمحات کے مطابق جب وسیم اکرم کے ہاتھ میں گیند آئی تو اس نے صرف اُن دو گیندوں کے ذریعے جنہیں کسی کے لیے بھی کھیلنا ناممکن تھا، پاکستان کے لیے عالمی کپ میں فتح کو یقینی بنا دیا۔'' پہلی گیند نے ہوا میں دیر سے جھولتے ہوئے لیمب کو بولڈ کر دیا۔ اس کے بعد دوسری گیند اس بری طرح سے ہوا میں مڑتی ہوئی آئی اس نے آل راؤنڈر کرس لوئیس کے جیسے دو ٹکڑے کر دیئے ہوں اور سیدھی وکٹوں سے جا ٹکرائی۔ کرس لوئیس پہلی ہی گیند پر صفر پر آؤٹ ہو گیا تھا۔ فیر برادر نے انگلینڈ کی ٹیم کو کچھ اُمید دلائی۔ اس نے ڈرمٹ ریو کے ساتھ مل کر 39 رنز کا اضافہ کیا۔ مگر پاکستان انگلینڈ کو 22 رنز سے شکست دینے میں کامیاب ہو گیا۔ عمران خان نے آخری بیٹسمین النگ ورتھ کر آؤٹ کر کے اطمینان حاصل کیا۔

کئی پاکستانی کھلاڑی میلبورن کرکٹ پر اپنے اللہ کی بارگاہ میں سربسجود ہو گئے۔ جاوید میاں داد جو طبیعت کی ناسازی کی وجہ سے کھلاڑیوں کے کمرے میں بیٹھا ہوا تھا، بھاگ کر میدان میں جشن میں شامل

ہونے کے لیے آ پہنچا۔ اس نے اپنی خودنوشت سوانح عمری میں تحریر کیا ہے کہ ''جب وہ عمران کو دیکھ کر اس کے قریب پہنچا تو اس نے پیچھے سے اس کے کندھے کو تھپتھپایا تا کہ وہ مڑ کر مجھے دیکھ سکتا۔ جونہی وہ مڑا ہم ایک دوسرے کے ساتھ فرطِ جذبات میں بغل گیر ہو گئے اور دیر تک اسی حالت میں رہے۔ کہنے کے لیے کیا کچھ نہ تھا مگر ہم دونوں چپ چاپ ایک دوسرے کے گلے لگے رہے۔ میرا خیال ہے کہ وہ ایک ایسا لمحہ تھا جہاں الفاظ کی حد ختم ہو جاتی ہے۔''

پاکستان نے کرکٹ کا یہ مقابلہ جیت لیا جسے رمضان کے مہینے میں منعقد کیا گیا تھا۔ یوں محسوس ہو رہا تھا جیسے قوم کی دعاؤں کے اثر سے یہ کامیابی حاصل ہوئی ہو۔ شجاع الدین نے تحریر کیا کہ ''حتیٰ کہ سندھ کے ڈاکو بھی اس فتح پر اپنی خوشی کے اظہار سے باز نہ رہ سکے۔ گو کہ وہ اپنی کمین گاہوں میں چھپے ہوئے تھے مگر پھر بھی انہوں نے اپنے ہتھیاروں سے گولیاں چلا کر خوشی منائی۔''

پاکستانی تاریخ میں یہ کرکٹ کی سب سے عظیم فتح تھی جس کا وہاں کے سیاستدانوں نے فوری طور پر استحصال کر کے مفاد حاصل کرنے کی کوشش کی۔ صدر پاکستان غلام اسحاق خاں جو بی سی پی کے سرپرست بھی تھے، نے ٹیم کے ہر کھلاڑی کو سونے کا تمغہ عطا کیا۔ جب کہ وزیر اعظم نواز شریف نے ہر کھلاڑی کو دو لاکھ روپے کا چیک دیا (جو اس وقت 4500 برطانوی پونڈ کے برابر تھا) اس کے علاوہ اس نے ہر کھلاڑی کو اسلام آباد میں زمین کا قطعہ بھی دیا جس کی مالیت تقریباً -/67500 برطانوی پونڈ تھی۔[4]

عمران خان کو چاہیے تھا اور وہ یہ کر بھی سکتا تھا کہ فتح کی صورتحال کو بہتر طور پر سنبھالتا۔ ورلڈ کپ حاصل کرتے ہوئے وہ اپنی جذباتی تقریر میں نا قابل معافی طور پر اپنے کھلاڑیوں کی کارکردگی پر انہیں خراجِ تحسین پیش کرنا سرے سے ہی بھول گیا۔

## عمران خان اور جاوید میاں داد۔ ایک جائزہ

افسوس سے کہنا پڑتا ہے کہ اس تقریر سے عمران خان اور اس کی ٹیم کے کئی کھلاڑیوں کے درمیان ناراضگی کا آغاز ہوا۔ ان کا خیال تھا کہ وہ عالمی کپ کی کامیابی سے صرف اپنے لیے مفاد اٹھانا چاہتا ہے۔ اپنے زخمی کندھے کو عذر کے طور پر پیش کر کے عمران خان نے اُس سال موسم گرما میں انگلینڈ کے دورے سے معذرت کر لی۔ (کاردار بھی اِسی قسم کا عذر پیش کیا کرتا تھا) اور پھر اسی سال موسم خزاں میں اُس نے کرکٹ سے سبکدوشی اختیار کر لی۔ مگر اس بار کرکٹ کو ہمیشہ کے لیے خیر باد کہہ دیا۔

عمران خان کی کارکردگی اور کارناموں کا کس طرح تجزیہ کیا جا سکتا ہے؟ وہ کوئی خصوصی طور پر قدرتی اور غیر معمولی طور پر کرکٹ کا ذہین کھلاڑی نہیں تھا۔ عمران خان کے کرکٹ کے معتبر صلاح کا جاوید

زمان نے مجھے بتایا کہ ''نوعمری کے زمانے میں عمران بہت پیارا لڑکا تھا اور اس میں کوئی بد دماغی اور تکبر نہ تھا۔ کھلاڑی کے طور پر وہ اوسط درجہ کا تھا۔ اس کے متعلق میری رائے یہ تھی کہ وہ بڑا کھلاڑی نہیں بن سے گا۔''

عمران کی کامیابی میں پہلا اور سب سے اہم کردار ذہانت اور قوت ارادی کا ہے جاوید زمان کے مطابق جب عمران خان نے ابتدا میں اونچے درجے کی کرکٹ کھیلنا شروع کی تو اس وقت اس کا باؤلنگ کا انداز بدنما قسم کا پھینک کر مارنے کا سا تھا۔ ''اُس نے کڑی محنت اور دلجمعی سے یہ سب بدل دیا۔'' عمران خان نے اپنے آپ کو سخت اور مشکل جسمانی تربیت اور ورزش کے نظام میں وقف کر لیا تھا۔'' وہ روزانہ دوڑ لگاتا اور جسم میں زیادہ آکسیجن پہنچانے والی کڑی قسم کی جسمانی ورزش کرتا جن میں کبھی ناغہ نہ ہوتا۔'' جاوید میاں داد نے یاد کرتے ہوئے کہا۔ اُس نے عمران خان کے ساتھ پاکستان اور سکس کی طرف سے اکٹھے کرکٹ کھیل رکھی تھی۔ ''وہ ہر روز چھ سے آٹھ اوور یقینی طور پر کرتا۔ وہ یہ گیند کسی بلے باز کو نہیں کرتا بلکہ وہ اکیلے ہی صرف ایک وکٹ لگا کر اس پر باؤلنگ مشق کرتا۔ باؤلنگ کرنے کی حدود کا نشان ہوتا اور اُس سے آگے بائیس گز کے فاصلے پر صرف اکیلی وکٹ لگی ہوتی۔ اس ماحول میں عمران خان باؤلنگ کرتا۔ یعنی وہاں صرف عمران اور اس کی باؤلنگ کی مہارت اس کے ساتھ ہوتی۔ باقی تمام دنیا کے خیالات اس کے ذہن سے مکمل خارج رہتے۔''

گیند کو پھینک کر مارنے کا وہ انداز جس پر جاوید زمان نے توجہ دلائی تھی، وہ اس وقت بھی موجود تھا جب 1971ء میں پہلی بار عمران خان نے اپنے اوّلین ناکام ٹیسٹ میچ میں حصہ لیا تھا۔ جب اس کے کزن جاوید برکی نے ماہر اور پختہ کار پیشہ ور کھلاڑی خالد عبیداللہ کو عمران خان پر رائے اظہار کرنے کا کہا تو خالد عبید اللہ نے جواب دیا کہ ''اس کی باؤلنگ کرنے کا انداز ایک نوجوان کا سا ہے جو زیادہ عرصہ تک نہیں چل سکے گا۔'' کولن کاوڈرے (Colin Cowdrey) نے عمران خان کو اپنی بیٹنگ پر توجہ دینے کا مشورہ دیا۔ جب کہ وورسٹر شائیر نے انگلش کاؤنٹی کے مطابق اسے سیم کا استعمال کرنے والے تیسرے باؤلر کے طور پر تربیت دینے کی کوشش کی۔

مگر عمران خان نے اس کی تعمیل سے انکار کر دیا۔ اس نے آج کے دور کے معیار کے مطابق کرکٹ میں برائے نام تربیت حاصل کی۔ وہ بنیادی طور پر خود اپنی محنت سے باؤلر بنا تھا۔[5] اس نے محنت شاقہ، قوت ارادی اور عمدہ ذہانت کے ساتھ شاندار جسمانی ساخت کی بدولت اپنے آپ کو دنیا کے عظیم ترین باؤلروں کی صف میں لا کھڑا کیا تھا۔

لہٰذا اس کا زاویہ ایک اور عظیم آل راؤنڈر سے قطعی مختلف تھا جس سے اس وقت عمران خان کا اکثر موازنہ کیا جاتا تھا۔ آئین بوتھم ٹیسٹ کرکٹ کے منظر پر حیرت انگیز صلاحیتیں لیے ایک دھماکے کے ساتھ نمودار ہوا تھا۔ جو باؤلر اور بیٹسمین کی حیثیت سے بتدریج بد سے بدتر ہوتی چلی گئیں۔ عمران اس کے برعکس تھا۔ وہ ہر

وقت سیکھنے کا متمنی اور ہر دم اپنے آپ کو بہتر سے بہتر بنانے کی دُھن میں مصروف رہا۔ اور ہمیشہ ذمہ داری قبول کرنے کے لیے تیار رہا۔

عمران خان کمزور مخالفین سے مقابلہ کرنے سے گریز کرتا۔ حالاں کہ ان کے ساتھ کھیل کر وہ اپنی اوسط بہتر کرنے کے لیے آسانی سے بے شمار رنز بنا سکتا تھا اور ان گنت وکٹیں حاصل کر سکتا تھا۔ اسے عظیم ٹیموں سے مقابلہ کرنے کی شدید خواہش رہتی تھی۔ یہ خوبی بھی بوتھم سے بالکل مختلف تھی کیوں کہ وہ ویسٹ انڈیز کے خلاف ہمیشہ ناکام رہا تھا۔

قومی ٹیم کی کپتانی ایک ایسا بوجھ ہے جو عموماً کھلاڑی کے اعصاب پر سوار ہو کر اُسے ناکارہ کر دیتا ہے جیسا کہ مثالی طور پر بوتھم (Botham) کے ساتھ ہوا۔ مگر کپتان بن کر عمران خان کہیں زیادہ بہتر کھلاڑی بن گیا۔ 1982ء میں کپتان بننے سے پہلے عمران خان نے 40 ٹیسٹ میچ کھیل رکھے تھے جن میں 27.14 رنز کی اوسط سے اس نے 1330 رنز بنائے تھے۔ اس کے بعد اس نے 48 ٹیسٹ میچ مزید کھیلے جن میں 50.55 رنز کی اوسط سے اس نے 2477 رنز کیے۔ کپتانی سے پہلے اس نے 26.56 رنز فی وکٹ کے حساب سے ٹیسٹ میچوں میں 158 وکٹیں لے رکھی تھیں۔ کپتان بن کر اس نے اِن میں 19.90 رنز فی وکٹ کی اوسط سے مزید 204 وکٹوں کا اضافہ کیا۔

پاکستان کی کرکٹ کی تاریخ میں عبدالحفیظ کاردار اور مشتاق محمد کے علاوہ عمران خان واحد کپتان تھا جس کے کردار میں اتنی طاقت تھی کہ وہ کرکٹ کی انتظامیہ اور افسر شاہی کے سامنے سینہ تان کر کھڑا ہو سکتا۔ کاردار کی طرح وہ بھی مطلق العنان تھا۔ کاردار کی طرح (کاردار عمران کو بے حد پسند کرتا تھا) وہ ٹیم منتخب کرتے وقت اپنے فیصلے خود کرتا۔ دونوں کا تعلق لاہور سے تھا۔ ان کی ذاتی اخلاقی بلندی اور ایمان داری شک وشبہ سے بالاتر تھی۔ دونوں نے آکسفورڈ سے تعلیم حاصل کی تھی۔ اس تجربے کی بدولت انہیں مغربی تہذیب کی پیچیدگیاں سمجھنے میں مکمل سوجھ بوجھ تھی جس سے انہیں اپنے حریف کو سمجھنے میں خوب آسانی تھی۔ دونوں کو اپنے مسلمان اور محبّ الوطن پاکستانی ہونے پر فخر تھا۔ دونوں برطانیہ اور امریکہ کی خارجہ حکمت عملی کو ہمیشہ شکوک وشبہات کی نظر سے دیکھتے اور بعض اوقات (خاص طور پر عمران کے حوالے سے) بے زاری اور برہمی محسوس کرتے۔ اپنے سیاسی کردار میں دونوں کاردار اور عمران نے اخلاقی خوبیوں اور پاکستان کی آزادی کو دوبارہ رائج کرنے کی سعی کی۔

حتمی طور پر دونوں میں خود اعتمادی تھی اور اپنے اپنے طریقے سے کپتانی کرنے کی صلاحیت اور لیاقت بھی۔ سلیکٹرز کی بندشوں سے آزاد عمران خان کی کپتانی کا خاصہ اس کے بہت سے بہترین وجدانی فیصلے تھے۔ ان فیصلوں میں سب سے نمایاں فیصلہ عبدالقادر کے متعلق تھا۔ عمران خان نے عبدالقادر کو غیر مشروط

حمایت اور وفاداری مہیا کی جو کہ ہر لیگ سپنر کو یقینی طور پر ملنی چاہیے تا کہ وہ اپنی بہترین کارکردگی دکھا سکے۔ کئی سال تک کرکٹ کی دنیا میں دنیا کے عظیم ترین تیز رفتار باؤلروں میں عمران خان کی سحر انگیز شخصیت نظر آتی رہی۔ وہ عبدالقادر کے شانہ بشانہ باؤلنگ کرتا جس نے کلائی کے زور پر سپن باؤلنگ کو دوبارہ ایجاد کرتے ہوئے اسے نہ صرف جارحانہ انداز دیا بلکہ اسے تخلیقی ہنر کی شکل دے دی۔ بارہا اِن دونوں نے مِل کر دنیا کی عمدہ ترین ٹیموں کے بیٹسمینوں کو ڈھیر کیا۔ امول راجن کی حالیہ تصنیف History of Spin Bowling، میں وہ لکھتا ہے کہ ''کرکٹ عبدالقادر کی خدمات کا قرض اتارنے سے اب تک قاصر ہے۔'' عمران خان نے عبدالقادر کی داستان میں ایک اہم کردار ادا کیا۔

اپنی کپتانی کے دور کے اختتام کے قریب پہنچتے ہوئے عمران خان نے اِسی قسم کا بھروسہ انضمام الحق اور مشتاق احمد پر بھی کیا۔ یہ وہ بھروسہ تھا جس کے نتیجے میں 1992ء کا ورلڈ کپ انعام کے طور پر حاصل ہوا۔ عمران خان کے اندازے ہمیشہ بھی کامیاب نہیں ہوا کرتے تھے۔ منصور اختر کو بیٹسمین کی حیثیت سے بے شمار ناکامیوں کے بعد ٹیسٹ میچ کی ٹیم میں شامل کیا گیا جب کہ دوسرے کئی اور کھلاڑیوں کو نظر انداز کر دیا گیا۔ لیکن عمران خان ایک عظیم رہنما تھا جسے اپنے کھلاڑیوں کی اُن بہترین خصوصیات کو اجاگر کرنے کا فن آتا تھا جس سے وہ خود بھی ناواقف ہوا کرتے تھے۔

عمران خان کا کوئی بھی سنجیدہ تجزیہ جاوید میاں داد کے تجزیے سے علیحدہ نہیں کیا جا سکتا۔ کیوں کہ جاوید میاں داد کے کردار کو شاذ و نادر ہی حقیقی طور پر سمجھا گیا ہے۔ خاص طور پر مغرب کے سفید فام صحافیوں نے اسے اخلاقی طور پر کم تر، گھٹیا، بے ایمان ناقابل بھروسہ اور غیر معتبر کے طور پر پیش کیا ہے۔ ان وجوہات کی بنیاد پر یہ سمجھا جاتا ہے کہ وہ کبھی بھی عظیم کپتان نہیں تھا۔

ان تمام مفروضوں کی درستگی ضروری ہے۔ بہت سے دوسرے کھلاڑیوں کی طرح جن کی پیدائش کراچی میں ہوئی جاوید میاں داد کا خاندان تقسیم ہند کے بعد پاکستان آیا۔ اس کے والد میاں داد نور محمد 1947ء سے قبل ریاست برودا میں پولیس کے محکمے میں خفیہ خبر رسانی کے افسر تھے۔ کراچی آنے پر اس کے والد نے کراچی میں کراچی کاٹن ایکسچینج میں روئی کی درجہ بندی کرنے کی ملازمت اختیار کر لی۔ وہ کرکٹ کے سرگرم کھلاڑی تھے اور کھیلوں میں دلچسپی رکھتے تھے۔ اپنے فالتو وقت میں وہ مسلم جیم خانہ میں بطور منتظم اور کراچی کرکٹ ایسوسی ایشن میں عہدیدار کی حیثیت سے فرائض سرانجام دیتے تھے۔ کرکٹ کے لحاظ سے وہ بھی عمران خان کی طرح تقریباً حکمران خاندان میں پیدا ہوا۔

جاوید میاں داد نے کرسچین مشن سکول سے تعلیم حاصل کی جن کے سابق طلبہ میں پاکستان کے بانی محمد علی جناح اور بے حد عزت کی نگاہ سے دیکھے جانے والے انتخاب عالم بھی شامل تھے۔ جن دنوں جاوید میاں

دادسکول کی تعلیم حاصل کر رہا تھا تو اس کا زیادہ وقت گلیوں میں کرکٹ کھیلنے میں گزرتا۔ کراچی میں آج بھی گلیوں میں کرکٹ بدستور اُسی طرح سے کھیلی جاتی ہے جہاں موٹر کاریں آہستگی سے اپنا راستہ بناتی ہوئیں سڑکوں پر کھیلے جانے والے میچوں میں بظاہر کوئی خلل اندازی کے لیے بغیر گزر جاتی ہیں۔

وہ جلد ہی نظروں میں آ گیا۔ مشتاق محمد نے اُس کے والد سے کہا کہ آپ کا بیٹا ایک دن پاکستان کے لیے کھیلے گا۔ مشتاق احمد نے نوعمر جاوید میاں داد کو بطور تحفہ کرکٹ کا بلا بھی دیا۔ جاوید میاں داد نے اپنی فرسٹ کلاس کرکٹ کا آغاز 74-1973ء میں سولہ سال کی عمر میں کراچی وائیٹس کی طرف سے پاکستان کسٹم کے خلاف کراچی جیمخانہ گراؤنڈ پر کیا۔ اور پچاس رنز بنائے۔

اگلے سال جاوید میاں داد کو سندھ کے نوجوانوں کی ٹیم کی طرف سے بیٹنگ کرتے ہوئے کاردار نے دیکھا جو اس وقت بی سی سی پی کا صدر تھا۔ کاردار نے نوجوان کھلاڑی کو اپنے پاس بلا کر مبارک باد دی۔ اگلے روز اخبارات نے کاردار کے حوالے سے خبر لگائی کہ ''میاں داد دہائی کی بہترین دریافت ہے۔''

لہٰذا جاوید میاں داد نہ تو خطرناک تھا اور نہ ہی وہ گلیوں کا پھٹے پُرانے پہنے کپڑے پہننے والا نیم تعلیم یافتہ شرارتی لڑکا تھا جیسا کہ اس کے خلاف مغربی اخبارات میں مسلسل سخت گیری سے تشہیر کی جاتی رہی ہے۔ وہ کافی تعلیم یافتہ ہونے کے علاوہ اعلیٰ روایات اور اقدار رکھتا ہے۔ البتہ جس نمایاں طور پر کراچی کی پیداوار ہے۔ شہری خصوصیات سے لیس سرگرم زود رنج لیکن ہمیشہ موقع کی تلاش میں رہنے والا۔ ''کرکٹ سے متعلق میرا رویہ ہمیشہ سے جنگجو رہا ہے'' اس نے کہا ''میرے نزدیک یہ کھیل کم اور جنگ زیادہ ہے۔'' مگر اس کا یہ مطلب نہیں ہے کہ جاوید میاں داد بے ایمان تھا جیسا کہ اس کے مخالفین کا غلط دعویٰ تھا۔

آیئے اب جاوید میاں داد کی بحیثیت کپتان کارکردگی کا جائزہ لیں۔ جب بھی عمران خان دستیاب نہ ہوتا تو کپتانی کی باگ ڈور جاوید میاں داد کو سنبھالنی پڑتی اور جب عمران خان واپس آ جاتا تو وہ خوش دلی سے دستبردار ہو جاتا۔ اس چیز کو اس نظر سے بھی دیکھا جا سکتا ہے کہ عمران خان عموماً جب بھی چاہتا وہ جاوید میاں داد پر بھروسہ کر سکتا تھا۔ عمران خان کی کپتانی میں کھیلے جانے والے 48 ٹیسٹ میچوں میں سے جاوید میاں داد نے 46 ٹیسٹ میچ کھیلے۔ اس کے برعکس جاوید میاں داد کی کپتانی میں کھیلے جانے والے 34 ٹیسٹ میچوں میں عمران خان صرف تیرہ ٹیسٹ میچوں میں کھیلا۔ دوسرے لفظوں میں عمران خان پاکستان کے درخشندہ بیٹسمین کی وفاداری پر انحصار کر سکتا تھا جب کہ جاوید میاں داد کو عام طور پر پاکستان کے نمایاں اور درخشندہ آل راؤنڈر کے بغیر ہی کھیلنا پڑتا تھا۔

دونوں کھلاڑیوں نے ٹیسٹ میچوں میں ایک ہی تعداد کی فتوحات حاصل کیں، یعنی 14۔ نمایاں طور پر جاوید میاں داد کی فتوحات کی اوسط عمران سے بہتر تھی۔ جاوید میاں داد کا انتہائی سنجیدگی سے پاکستان کے

بہترین کپتانوں میں شمار ہونا چاہیے۔

جاوید میاں داد نے ہمیشہ اس بات کا سب سے پہلے اعتراف کیا ہے کہ ''میں خوش نصیب تھا کہ میں نے اپنے دور میں پاکستان کی کرکٹ ٹیم کو دنیا کی بہترین ٹیموں میں شامل ہوتے دیکھا۔ اور یہ عمران خان کے بغیر ممکن نہ تھا۔'' جاوید میاں داد نے اپنی عمدہ خودنوشت سوانح عمری میں تحریر کرتے ہوئے بیان کیا۔ ''عمران خان کرکٹ کا کوئی معمولی کھلاڑی نہ تھا۔ اس کا شمار کرکٹ کی تاریخ کے عظیم ترین کھلاڑیوں میں ہوتا ہے۔'' خود جاوید میاں داد کے لیے بھی کہا جا سکتا ہے۔ اُس نے بھی عمران خان کی طرح تقریباً بے حد اہم کردار ادا کرتے ہوئے 1980ء کی دہائی اور 1990ء کی دہائی کے ابتدائی حصے میں عظیم ٹیموں کو بتدریج کامیابیوں کی سمت میں آگے بڑھایا۔ پاکستان کرکٹ میں کامیابیاں جاوید میاں داد کی بصیرت، تحمل، حسنِ سلوک، حوصلہ اور بیٹنگ میں اس کی اعلیٰ ترین مہارت کے بغیر ناممکن تھیں۔

## حوالہ جات:

1 عمران خان نے انضمام الحق کو اپنی حالت کی مثال دی کہ اس کے زخمی کندھے کی ہڈی میں کورٹی زون (Cortisone) کے انجکشن لگ رہے ہیں۔ اس نے مزید انضمام الحق سے کہا کہ ''اگر چارپائی پر بھی ڈال کر میدان میں لے جانا پڑا تمھیں تب بھی کھیلنا ہوگا۔'' (عمران خان کے ساتھ ذاتی گفتگو کے دوران)

2 جاوید میاں داد نے اپنی کتاب کے صفحہ 205 پر بیان کیا ہے کہ عمران نے میری اس طرف توجہ دلوائی کہ صرف اِس عالمی کپ میں باؤلروں کو دونوں طرف سے نیا گیند دیا گیا تھا تاکہ ابتدائی بلے بازوں کو کھیلنے کے لیے ایسی گیند ملے جس میں اُچھل بھی ہو اور عام طور پر برعکس دیر تک ہوا میں متحرک بھی رہ سکے۔ (عمران خان کے ساتھ ذاتی گفتگو میں) اِس قانون کو اگلے عالمی کپ 2015ء کے لیے دوبارہ نافذ العمل کر دیا گیا ہے۔

3 مگر کیا واقعی عامر سہیل نے کچھ ایسا کہا؟ یہ کہانی قمر احمد نے بیان کیا۔ جسے صحافیوں کے کمرے میں اس کے ساتھی صحافیوں نے عامر سہیل کے آئین بوتھم (Ian Botham) کو جاتے وقت کہے گئے الفاظ کا ترجمہ بیان کرنے کے لیے کہا۔ اس کے خیال میں عامر سہیل نے آئین بوتھم (Ian Botham) کو جا کر اپنی ساس کو کھیلنے کے لیے بھیجنے کا کہا۔ (یہ فقرہ آئین بوتھم کے اس جواب میں کہا گیا جب اس سے قبل اُس نے کہا تھا کہ ساس کو تفریحی دورہ پر بھیجنے کے لیے پاکستان موزوں ملک ہے) تاہم عامر سہیل اِس بات سے کبھی منحرف نہیں ہوا۔ اور اس نے بذاتِ خود یہی کہانی مجھ سے دہرائی۔ (قمر احمد اور عامر سہیل کے ساتھ ذاتی گفتگو کے دوران)۔

4 نعمان کی کتاب کے صفحات 71-267 اور شجاع الدین کی کتاب کے صفحات 6-345 حوالے سے پاکستان میں ٹیلی ویژن پر 1992ء کے عالمی کپ کے فائنل کو دیکھنے والوں کی تعداد کا اندازہ لگانے میں ناکام رہا ہوں۔ تاہم عالمی بینک کے انداز کے مطابق اس وقت پاکستان کے 28 فیصد گھروں میں ٹیلی ویژن سیٹ موجود تھا۔ پاکستان میں ٹیلی ویژن پر اہم واقعات کو سماجی طور پر گروہوں کی شکل میں دیکھا جاتا تھا جس میں تیس چالیس گھریلو افراد اور

ہمسائے مل کر اکٹھے ٹی وی سیٹ کے گرد بیٹھ کر اس کا تماشا کرتے تھے۔ اس بات کی شہادت کئی تصاویر سے مل جاتی ہے۔ اس وقت تک ٹیلی ویژن ابھی ریاست کی اجارہ داری میں تھا۔ جب 1958ء میں برازیل نے پہلی بار فٹ بال میں عالمی کپ حاصل کیا تو اس وقت وہاں تمام ملک میں صرف 78000 غیر رنگین ٹیلی ویژن موجود تھے۔

(ذریعہ: سرجیومیٹوس کی برازیل کے ٹیلی ویژن کی مختصر تاریخ)

A Brief History of Brazilian Telvision by Sergio Mattos.

5 یہ عمدہ نقطہ جاوید میاں داد نے اپنی نہایت باشعور خودنوشت سوانح عمری میں اُٹھایا۔ ''اس زمانے میں کرکٹ کی وہ تہذیب نہیں ہوا کرتی تھی جو 1990ء کی دہائی اور اس کے بعد کے عرصہ میں پروان چڑھی۔ اس وقت بہت کم رہنمائی میسر ہوتی تھی اور ہر ایک کو اپنی مدد آپ کرنا پڑتی تھی۔ یا خود رہنمائی تلاش کی جاتی تھی۔ اپنی تحریروں میں عمران خان نے اپنی کرکٹ کی تربیت کے اس پہلو کو کم اہمیت دی ہے مگر یہ بات طے شدہ ہے کہ اس نے زیادہ تر اپنی تربیت خود کی۔ اسے اپنی جسمانی اور ذہنی صلاحیتوں پر پورا بھروسہ تھا۔ جن کے استعمال سے اُسے بھرپور فائدہ پہنچا۔ دنیا میں کسی بھی کام میں عظمت حاصل کرنے کے لیے اس کی تربیت کے پیچھے ایک بہت طاقت ور ذہن کی ضرورت ہوتی ہے۔ عمران خان کی شخصیت کے اس پہلو کو بعض اوقات غلط طور پر بددماغی سمجھا جاتا ہے۔ مگر یہ دراصل صرف ایک طاقتور ذہن کی علامت ہے۔'' (صفحہ Cutting Edge 215)۔

حصہ سوم

# توسیع کا دور

1992ء - 2000ء

# تعارف

1992ء کے عالمی کپ میں فتح حاصل کرنے کے بعد پاکستان کرکٹ کے تاریخدان کو ایڈورڈ گبن (Edwrad Gibbon) کے ساتھ ہمدردی پیدا ہو جاتی ہے جیسے اُسے سلطنت روم کی آخری صدیوں سے سمجھوتا کرنا پڑا تھا۔ ایک کے بعد دوسرے کئی آنے والے ان حکمرانوں سے نباہ کرنا ضروری ہو جاتا ہے۔ جنہیں مختصر مدت کے لیے فائیز کر کے ہٹا دیا جاتا ہے اور کبھی کبھار قدیمی رومی افواج کی منظّم بغاوت کے نتیجے میں انہیں بحال بھی کر دیا جاتا تھا۔ جب کہ فوج میں عمدہ صلاحیتوں سے بھر پور سپاہ کی موجودگی بدستور قائم رہتی ہے جو مشہور فتوحات حاصل کرنے کی اہل ہوتی ہے مگر اکثر اوقات نظم و ضبط کے فقدان اور بدعنوانی کی موجودگی کی وجہ سے تباہ کن طور پر نقصان کا شکار ہو جاتی ہے۔ ایسے حالات میں خوش آئند وقفے بھی آتے ہیں جب مضبوط اور باصلاحیت رہنمائی بھی میسر ہو جاتی ہے۔ مگر وہ بھی زیادہ عرصہ تک نہ تو چلتی ہے اور نہ ہی اس کے پاس اخلاقی اور آئینی اختیار ہوتا ہے جس کی بدولت وہ مکمل طور پر اصلاح نافذ کر سکے۔

گبن (Gibbon) کو 1992ء کے بعد کی پاکستان کی کرکٹ سے خاص دلچسپی ہوتی کیوں کہ وہ باقاعدگی سے سلسلہ وار ہنگامہ خیز واقعات اور بناوٹی کاروائیوں سے بھر پور تھی۔ وہ نہ صرف ان حالات کا گہرائی سے جائزہ لیتا بلکہ پاکستان کرکٹ کی مشکلات کا خود پاکستانی ریاست کی مشکلات کی روشنی میں جائزہ بھی لیتا۔ جن میں جرائم، دہشت گردی، غیر ملکی مداخلت، پناہ گزینوں کا پُر خطر مسئلہ، طاقت کا بیجا استعمال، حد سے بڑھی ہوئی جڑوں تک بدعنوانی برائی کی سر پرستی، ماحول کی پستی، آبادی کا بڑھتا ہوا طوفان، اور کروڑوں لوگوں کی روٹی، مکان، تعلیم اور روزگار جیسے مسائل شامل ہیں۔ وہ پاکستانی فوجی اور عوامی حکومتوں کے آنے جانے کا بندھا ہوا تانتا دیکھتا جو اُن مشکلات سے نبرد آزما ہونے کی کوششیں کر رہی ہوتیں جن میں کامیابی کے امکانات کم ہوتے اور بعض اوقات حالات مزید خراب ہو جاتے غالباً گبن (Gibbon) تو پاکستانی کرکٹ کھلاڑیوں کی قوت برداشت پر حیرت زدہ ہو کر رہ جاتا جس کی بدولت وہ اپنے مداحوں میں اُمید اور خوشی کی لہر دوڑا

دیتے تھے۔

لہٰذا میں آئندہ دو دہائیوں کے بیان میں گذشتہ سالوں کی تاریخ کے بیان کے انداز کے برعکس واقعات کی صحیح ترتیب سے جزوی طور پر ہٹ کر لکھوں گا۔ بلکہ اپنی توجہ اُن نمایاں معاملات پر مرکوز رکھونگا جن کی بدولت پاکستانی کرکٹ کی نئے دور میں تشکیل ہوئی۔ آئندہ ابواب میں پاکستانی ایجاد ہوا میں واپس کرتیرتی ہوئی گیند یعنی ریورس سوئنگ جس نے پوری دنیا میں تیز رفتار باؤلنگ کا نقشہ بدل دیا۔ میچوں میں متواتر جوئے کی لعنت میں ملوث رہنے کے الزامات، شہری درمیانہ طور کی حدود سے نِکل کر کرکٹ کی جڑوں کا ہر طرف طوفانی پھیلاؤ۔ پٹھانوں میں کرکٹ کی شاندار ترقی۔ پاکستانی خواتین کی کرکٹ میں ڈرامائی داستان۔ کھیل میں مالی انقلاب اور حالیہ طور پر پاکستان کا عالمی کرکٹ سے الگ تھلگ ہو جانا۔ ان تمام مسائل پر بات ہوگی۔

ایک کے بعد ایک مشکل درپیش آتی رہی اور ان تمام مسائل کے پیچھے میدان میں اور میدان سے باہر رہنمائی کی ناکامی میں ملوث چھپا ہاتھ عرصہ دراز سے موجود رہا۔ میں اپنی پوری کوشش سے بڑی مقدار میں کپتانوں اور منتظمین کی پیداوار اور قومی سیاست کے تباہ کن اثرات جن کی بدولت پاکستان کرکٹ اُن مشکلات کا سامنا کرنے میں ناکام رہی ہے جن کا پوری قوم کو سامنا ہے، کو مفہوم دوں گا۔

اس کے علاوہ میں پاکستان میں کرکٹ کے غیر معمولی پھیلاؤ اور مقبولیت کی خوشی بھی مناؤں گا۔ میں یہ واضح کروں گا کہ کس طرح اس کھیل کو مزدور طبقے کے علاوہ شہری اور دیہاتی طبقوں نے گلے سے لگایا جس کا 1980ء سے قبل تصور بھی نہیں کیا جاسکتا تھا۔ میں وہ بھی کہانی بیان کروں گا کہ کِس طرح بالآخر خواتین بھی اس قومی کھیل میں بامقصد طور پر شامل ہوگئیں اور ان کی وہ مشکلات بھی سامنے لاؤں گا جنہیں انہوں نے مجبوراً سر کیا۔ کھیل صرف دِن کی روشنی تک محدود نہ رہا۔ برقی روشنیوں کی بدولت پاکستان میں کرکٹ جن میں نچلے ترین درجے کے کلب بھی شامل ہیں اب رات کو کھیلی جاتی ہے اور یوں دِن کی سخت گرمی سے بھی بچت ہوجاتی ہے۔ میں یہ بھی بیان کروں گا کہ کس طرح بار بار کرکٹ کے کھیل نے قوم کو ایک ہی مقصد کے لیے متحد کیا جو دوسرے کئی معاملات پر آپس میں حالت جنگ میں ہے۔

لہٰذا میرے براہِ راست بیان میں بعض اوقات تسلسل نہیں ہوگا کیوں کہ اس کا تعلق اِن اور کئی دوسرے مسائل سے رہے گا۔ تاہم بندش سے آزاد میری اِس داستان گوئی میں بذات خود پاکستان کرکٹ کی بدنظمی اور شادمانی نظر آئے گی۔

# 19

# ریورس سوئنگ (ہوا میں واپسی رُخ بدلتی گیند)

''تمہاری گیند تو ہوا میں گھومتی ہے مگر میری نہیں۔''

- عمران خان، سرفراز نواز سے

اپنی پوری تاریخ کے دوران کرکٹ نے مہارت اور طریق کار میں وہ سنسنی خیز خدمت دیکھی ہے جس سے انتظامیہ حیرت زدہ ہو کر رہ گئی اور جس نے کھیل کی فطری خصوصیات کو ہمیشہ کے لیے بدل کر رکھ دیا۔ باؤلنگ کرتے وقت بازو کو گولائی میں لا کر گیند کرنا پہلی تبدیلی تھی اور اس کے کچھ عرصہ بعد ہی بازو کو اُوپر لا کر گیند کرنے کی تبدیلی آ گئی۔ بیٹنگ میں ڈبلیو جی گریس (W.G. Grace) نے پچھلے پاؤں پر ہٹ کر اور ویسے ہی اگلے پاؤں پر آ کر کھیلتے ہوئے اپنے ہم عصروں کو ششدر کر دیا۔ انیسویں صدی کے آخر میں رنجیت سنجی کا لیگ گلانس (Leg Glance) کھیلنے کا انداز سامنے آیا۔ پھر اُدھر آسٹریلیا میں گلم ہل (Glem Hill) اور وکٹر ٹرمپر (Victor Trumper) کے ہُک (Hook) اور پُل (Pull) کرنے کا طریقے واضح ہوئے جن کی بدولت بیٹسمینوں کے لیے میدانوں میں مزید رنز بنانے کے مواقع پیدا ہوئے۔ (رانجی کے ہم عصر اور دوست سی بی فرائے (C.B. Fry) اگر لیگ (Leg) کی طرف کھیل کر کوئی رن بناتا تو سکول میں اس سے معافی مانگنے کی توقع کی جاتی)۔ اس دور میں بی جے ٹی بوسن کوئیٹ (B.J.T. Bosanquet) نے ٹینس گیند سے بلیئرڈ کے میز پر تجربات کرتے ہوئے اتفاقاً گُگلی ایجاد کر لی جو سپن باؤلروں کے لیے ایک نیا ہتھیار ثابت ہوا۔ جنگ عظیم سے پہلے دنیا کے عظیم ترین باؤلر ایس ایف بارنز (S.F.Barnes) نے درمیانی تیز رفتار باؤلنگ کرتے ہوئے گیند کو شدت سے گھمانے کا طریقہ دریافت کر لیا۔ (اگرچہ اس وقت سے لے کر اب تک یہ طریقہ کار تقریباً ہر باؤلر کے لیے بے حد مشکل رہا ہے)۔

باؤلنگ میں دوسرا حیرت انگیز اضافہ چائنا مین انداز کا تھا۔ یہ ہو بہو لیگ بریک تھی مگر یہ بائیں ہاتھ سے باؤلنگ کرنے والا باؤلر کلائی کی مدد سے خصوصی گیند کے طور پر کرتا تھا۔ ابتدائی طور پر اِس گیند کا

شکار ہونے والے نسلی متعصب شخص کی شکایت پر 1933ء میں یہ نام کرکٹ کی لغت میں داخل ہوا۔ انگلینڈ کے والٹر رابنز (Walter Rabins) نے 1933ء میں ویسٹ انڈیز کے عام سے معمولی باؤلر ایلس ''پُس'' اے چونگ (Ellis 'Puss' Achong) کی گیند پر اسٹمپ آؤٹ ہونے کے بعد شکایتاً کہا کہ ''ذرا غور تو کریں کِس طرح چائنا مین جیسی نامراد گیند پر آؤٹ ہوا جاتا ہے۔'' 1930ء کی دہائی کے آخری دور میں آسٹریلوی چک فلیٹ وڈ سمتھ (Chuck Fleetwood Smith) جو اِسی قسم کی باؤلنگ کا ماہر تھا، نے اپنے انوکھے سنکی پن اور امریکی اداکار کلارک گیبل سے مشابہت کی بدولت بہت سے مداح پیدا کر لیے تھے۔ اپنے ابتدائی دور میں گیری سوبرز بھی چائنا مین طرز کی باؤلنگ کرتا تھا۔ اور حالیہ دور میں جنوبی افریقہ کے پال ایڈمز بلے بازوں اور تماشایوں کو اپنے عرق نکالنے والی مشین میں ڈالے گئے مینڈک سے مشابہت رکھنے والے انداز سے ایسی ہی باؤلنگ کے ذریعے جُل دیتا رہا۔

1950ء کی دہائی میں دو پُراسرار باؤلر سامنے آئے۔ پہلا آسٹریلیا کا جیک آیورسن (Jack Iverson) اور دوسرا ویسٹ انڈیز (جزائرغرب الہند) کا سنی راما دھن تھا۔ مگر اُن دونوں نے ہی اپنے پیچھے دوسروں کے لیے کوئی میراث نہیں چھوڑی۔ باؤلنگ کے اگلے عظیم موجد پاکستانی تھی۔ سپن باؤلروں کے لیے ثقلین مشتاق نے ''دوسرا'' کو متعارف کروایا۔ ''اس کا لفظی معنی دوسری قسم کی گیند ہے'' جو کہ خفیہ لیگ بریک ہے۔ یہ ایجاد بھی طویل متنازع مباحثہ میں شامل رہی۔ لیکن پاکستان کی تیز رفتار باؤلنگ کی ریورس سوئنگ کے ادراک میں دوبارہ ایجاد نے سب سے زیادہ ہلچل اور الزامات کی بوچھاڑ پیدا کی۔ اور پھر بالآخر اس کی نقالی بھی کی گئی۔ اس کے حوالے سے دو معروف عدالتی مقدمے بھی ہوئے اور یہ طویل عرصہ تک سائنسی مباحثے کا سبب بھی بنی رہی۔

پاکستان میں تخلیق کی گئی اس مہارت نے قدیمی طور پر قائم شدہ سوئنگ باؤلنگ کے فن اور نظریے کو درہم برہم کر کے رکھ دیا۔ ایسا ہونے سے توازن ڈرامائی طور پر بیٹسمینوں سے منتقل ہو کر باؤلروں کی طرف تین مختلف طریقوں سے جھک گیا۔ روایتی طور پر سوئنگ میں گیند کی چمک سے بلے باز سمجھ لیتا ہے کہ ہوا میں گیند کس طرح سے رُخ بدلے گی۔ جب دائیں ہاتھ سے بیٹنگ کرنے والا مرد یا خاتون گیند کی دائیں طرف چمک دیکھتے ہیں تو انہیں آؤٹ سوینگر گیند کی توقع ہو جاتی ہے۔ یہ گیند اُن سے دور باہر کی طرف جاتی ہے۔ جب کہ ریورس سوئنگ کرتی ہوئی گیند اچانک مڑتی ہوئی بلے باز کی طرف اندر آجاتی ہے حالاں کہ گیند پر چمک اب بھی دائیں طرف موجود ہوتی ہے۔ جب اُسے ہوا میں چھوڑا جاتا ہے روایتی سوئنگ میں جب گیند نئی ہوتی ہے تو ہوا میں بہت پھرتی ہے۔ مگر ریورس سوئنگ بغیر کوئی پیش گوئی کے پرانی گیند پر بھی ہو جاتی ہے۔ روایتی سوئنگ باؤلنگ کے دوران تیز رفتاری اور سوئنگ کے درمیان باؤلروں کو توازن قائم رکھنا پڑتا ہے۔ مگر ریورس

سوئنگ کے دوران گیند زیادہ تیز رفتاری سے پھرتی ہے خاص طور پر جب باؤلر یارکر گیند کی حد کو چھو رہا ہو۔ ٹیسٹ میچوں میں کھیلنے والا بلے باز 85 میل فی گھنٹہ کی رفتار یا اُس سے زیادہ رفتار کی گیند کا سامنا کر رہا ہوتا ہے جہاں آخری لمحے میں گیند تیر کی طرح اُس کے پاؤں یا وکٹوں کے بنیادی حصے کی طرف بڑھتی ہے۔ یہ عمل جب سے ریورس سوئنگ معروف ہوئی ہے اور بھی مشکل ہوگیا ہے۔ 1980ء کی دہائی میں یہ شیطانی کام دکھائی دیتا تھا۔ اور اِس گیند کا شکار ہونے والے کھلاڑیوں کو اس کے سلسلہ نسب کی بدولت پاکستان اور اس کے کرکٹ کھلاڑیوں کے خلاف تعصب دکھانے کا ایک اور موقع فراہم ہوگیا۔

پاکستان کے تین عظیم ریورس سوئنگ باؤلنگ کے ماہر باؤلروں میں سے وسیم اکرم نے اِس باؤلنگ کو پاکستانی حالات کی پیداوار گردانا جہاں روایتی سوئنگ خشک ماحول اور پچوں کی بدولت بہت جلد ناکارہ ہوجاتی تھی۔ ''ہم نے عام طور پر گیند کے ایک حصہ پر چمک رکھنے کے طریقے سے اس امید پر گریز شروع کردیا کہ اِس سے سوئنگ کو مدد ملے گی۔ اس کی بجائے ہم گیند کی ایک طرف ہموار اور دوسری طرف کھردری رکھنے لگے۔ اس طریقے سے گیند کی ایک طرف کا وزن کم ہو جاتا تھا جس کی وجہ سے وہ اپنے دوسری طرف کے حصے کے مخالف حرکت میں آتی تھی اور نتیجتاً غیر متوقع طور پر لیٹ سوئنگ (Late Swing) یعنی گیند دیر سے پھرتی تھی۔ ہم گیند کے وزن کو کم رکھنے کے لیے اس ہموار سطح والے حصے پر پسینہ، تھوک اور مٹی کا استعمال کرتے۔ (1980ء میں گیند کی حالت تبدیل کرنے کے لیے مٹی کے استعمال کو غیر قانونی قرار دے دیا گیا تھا۔ انگریزی کتاب کے صفحہ 359 کے نچلے حصہ کا ملاحظہ کریں) تاکہ گیند خشک اور کھردرے حصے کی نسبت وزن میں بھاری رہتی۔ باؤنڈری پر لگے تختوں اور بلے پر متواتر لگنے کے علاوہ میدان کے کھردرے حصوں میں رگڑ کھانے سے گیند کو لازمی نقصان پہنچتا ہے۔ اسی لیے ہم چالیس پچاس اووروں کے بعد ریورس سوئنگ کرنے میں کامیاب رہتے تھے۔'' وسیم اکرم نے خصوصی طور پر کہا کہ ''ریورس سوئنگ کرنے کے لیے محنت اور کوشش کے ساتھ ساتھ گیند پر قابو بھی لازمی طور پر ہونا چاہیے۔ آپ کو صرف گیند لڑھکانا ہی نہیں ہوتا بلکہ ہر گیند کو یارکر کی حدود میں پہنچانا ہوتا ہے۔ اور اپنی باؤلنگ کے دوران چپکے سے ایک آدھ روایتی سوئنگ کا گیند بھی کر دیتے ہیں تاکہ بیٹسمین اندازے لگانے میں ہی اُلجھا رہے۔''

جنہیں ریورس سوئنگ کی اُس سائنس سے دلچسپی ہے جو وسیم اکرم کی وضاحت کی حمایت کرتی ہے تو انہیں باب وولمر کے ماہرانہ تجزیہ Science of Swing کا مطالعہ کرنا چاہیے۔ یہ تجزیہ اس کی کتاب Art and Science of Cricket میں کیا گیا ہے کہ جو افسوس سے اس کی وفات کے بعد شائع ہوئی۔ واضح طور پر کرکٹ کی گیند ریورس سوئنگ اس لیے کرتی ہے کیوں کہ اس کے ایک حصے کو بے حد کھردرا رکھا جاتا ہے جب کہ دوسرے کو ہموار رکھا جاتا ہے جن میں ہوا کا دخل مختلف طور پر ہوتا ہے۔ جیسا کہ ہم

عنقریب دیکھیں گے کہ گیند کی حالت بے حد اہم ہوتی ہے جسے قانونی اور غیر قانونی طریقوں سے حاصل کیا جاسکتا ہے۔ وولمر نے کرکٹ کے عظیم ماہر اور پاکستان کے کامیاب ترین کوچ کی حیثیت سے انتہائی مہارت سے اپنی کتاب میں پاکستانی باؤلروں کا دفاع کیا ہے۔ اور اپنی رائے کے اظہار میں لکھا ہے کہ گیند کی حالت میں دخل اندازی کے پاکستانی باؤلروں پر الزامات نسلی تعصب کی گھسی پٹی روایت کے مطابق ہیں۔

## موجِد: سرفراز نواز

ریورس سوئنگ کے موجد کے طور پر اکثر سرفراز نواز کا نام لیا جاتا ہے۔ وہ دراز قد اور انوکھے پن کے مزاج کا مالک تھا۔ مگر وہ پاکستان کا سمجھدار آغازی باؤلر تھا۔ جس نے 1969ء سے 1984ء کے عرصہ میں پاکستان کی طرف سے 55 ٹیسٹ میچ کھیلنے اور 177 ٹیسٹ وکٹیں حاصل کیں۔ جیسا کہ بوسن کوئیٹ (Bosanquet) کی گگلی کی ایجاد کے اور بھی دعویدار پیدا ہو گئے تھے۔ اِسی طرح ریورس سوئنگ کا بھی یہی معاملہ ہے۔ بہت سے ذرائع فرخ خان کے نام کا حوالہ دیتے ہیں جو 1950ء اور 1960ء کی دہایوں میں لاہور جم خانہ کا درخشاں ستارہ تھا کہ اُس نے یہ راز نوجوان سرفراز کو سمجھایا تھا۔

پروفیسر ڈاکٹر فرخ خان جس کا بدقسمتی سے اس کتاب کی اشاعت کے دوران انتقال ہو گیا تھا کا تعلق بھی برکی قبیلہ سے تھا۔ وہ جاوید برکی، ماجد خان اور عمران خان کا کزن تھا۔ وہ ہونہار واوپننگ باؤلر اور قابلِ اعتماد ہنرمند بلے باز تھا جو 1959ء میں اپنی قابلیت کے بل بوتے پر پاکستان ایگلٹس کی ٹیم میں انگلینڈ کے دورہ کے لیے منتخب ہوا۔ اس ٹیم کا کپتان سعید احمد تھا۔ دوسرے ابتدائی باؤلروں میں سخت مقابلہ اور اس دور میں پاکستان کے لیے ٹیسٹ میچ کھیلنے کے کم مواقعوں کے باعث فرخ خان نے کرکٹ چھوڑ کر امتیازی طور پر طب کا پیشہ اپنا لیا جو (جیسا کہ پہلے بھی بیان کیا ہے) اس کے کزن عمران خان کی کرکٹ کے لیے بے حد اہم ثابت ہوا۔

فرخ خان نے 1959ء میں ایگلٹس کے انگلستان کے دورے کی اپنی یادیں مجھ سے دہرائیں۔ اس دورے پر اس کی کامیابی بطور بیٹسمین تھی۔ اس کے سامنے اس کے ساتھی جن میں سعید احمد شامل تھا انگلستان کی پچوں پر متواتر ناکام ہو رہے تھے کیوں کہ وہ گیند کو اگلے پاؤں پر آ کر زور لگا کر کھیلتے تھے۔ اس نے سوچا کہ اس کے لیے بہتر ہے کہ وہ پچھلے پاؤں پر جا کر کھیلے۔ اس نے اس نقطہ پر اپنے کپتان کی توجہ مبذول کروائی۔ کپتان سعید احمد نے اُسے فوری طور پر اپنا نقطہ ثابت کرنے کا کہتے ہوئے ڈربی شائیر کے خلاف اگلے میچ میں ابتدائی بیٹسمین کے طور پر کھیلنے کے لیے کہا۔ ٹیم کے 120 رنز میں فرخ خان کے 80 رنز تھے اور باقی دورہ کے لیے ابتدائی بیٹسمین کی حیثیت سے اس کی جگہ پکی ہو گئی۔

چھ سات سیم باؤلروں کے مقابلے میں فرخ خان نے فیصلہ کیا کہ اُسے اپنی باؤلنگ میں مزید مختلف نوعیت کی صلاحیتیں پیدا کرنا ہوں گی۔ لہٰذا اس نے ایلف گوور (Alf Gover) سے رہنمائی چاہی جو ایک عرصہ سے نوجوان پاکستانی کھلاڑیوں کا مشیرِ خاص تھا۔ میں اسے جا کر رچمنڈ کلب کے نیٹ پر ملا۔ اور کہا کہ میں صرف آؤٹ سوئنگر یعنی باہر جانے والی گیند کرسکتا ہوں۔ اس نے مجھے ان سوئنگر یعنی اندر آنے والی گیند بھی کرنا سکھا دی۔ فرخ کی سیکھی ہوئی اس نئی گیند کے حربے کا پہلا شکار قابلِ تعظیم بلے باز لالہ امرناتھ تھا جو 1960-61ء میں کھلاڑی اور مینیجر کی حیثیت سے انڈین سٹارلیٹس (Indian Starlets) کی ٹیم کے ساتھ پاکستان کے دورہ پر آیا ہوا تھا۔ ''میں نے اُسے صاف بولڈ کر دیا۔'' پچاس سال سے زیادہ کا عرصہ گزر جانے کے باوجود فرخ کو امرناتھ کی وکٹ لینے پر آج بھی خوشی محسوس ہو رہی تھی۔ اور اس نے گیند پکڑنے کے انداز کو میرے سامنے دہرایا۔ وہ کامیابی کے ساتھ ان سوئنگر گیند کا لاہور کی کلب کرکٹ میں استعمال کرتا رہا۔ 1966ء میں لاہور جیمخانہ کلب میں نیٹ پریکٹس کے دوران اُس نے یہ طریقہ سترہ سالہ سرفراز نواز کو سمجھایا۔ ''میرا خیال ہے کہ سرفراز نواز نے بعد میں اُس میں مزید جدت اور ترقی پیدا کی۔'' فرخ نے کہا۔

یہ سوچنا ایک چٹکلے کے مترادف ہوگا کہ گوور اس حربے کا حتمی ذریعہ تھا جس کی بدولت 1980ء اور 1990ء کی دہائیوں میں کئی انگریز بلے باز اس کے ذریعے تباہ و برباد ہوئے۔ تاہم جو کچھ فرخ خان نے مجھے بیان کیا اور پھر عملی طور پر اس کی نمائش بھی کی تو وہ مجھے روایتی اِن سوئنگ کرنے کا طریقہ لگا۔ اس بات کی تصدیق سرفراز نواز نے بھی کی جب میں اُس سے اسلام آباد میں بنائی گئی اس کی کرکٹ کی تربیت گاہ پر مِلا۔

اپنے کھیلنے کے دنوں کے مقابلے میں سرفراز نواز کا وزن اب زیادہ ہے اور بڑے بھالو جیسا لگتا ہے۔ وہ دھیمے انداز میں گفتگو کرتا ہے۔ (وسیم باری نے مجھے بتایا تھا کہ انگلستان کے اپنے پہلے دورے کے دوران اُسے گلے کا آپریشن کرانا پڑا تھا تا کہ وہ کھل کر اپیل کر سکے آپریشن سے پہلے وہ اپیل کرتے وقت آوزیٹ (Owzat) سرگوشی میں کہتا اور ساتھی کھلاڑیوں کو اپیل کرنے میں ساتھ دینے کا اشارہ کرتا)۔ وہ ہر فقرے میں ''اس طرح کی چیز'' کے الفاظ بار بار دہراتا ہے جو بعض اوقات عجیب و غریب جگہوں پر بھی استعمال کر جاتا ہے جیسے ''تماشائی ہم پر ڈنڈوں اور آہنی سلاخوں سے حملہ آور ہو رہے تھے اور بہت سی اس طرح کی چیز۔''

بطور کرکٹ کھلاڑی سرفراز نواز دیر میں پختہ ہوا۔ وہ میٹرک کا امتحان پاس کر لینے سے پہلے سکول میں کبھی کرکٹ نہ کھیلا تھا۔ اس نے کرکٹ دیر سے اٹھارہ انیس سال کی عمر میں اس وقت شروع کی جب وہ اپنے والد کے تعمیراتی ادارے میں لاہور کام کر رہا تھا۔ اس کی کرکٹ میں آمد پاکستان اور بھارت کی کشمیر پر 1965ء کی جنگ کے نتیجے میں ہوئی۔ جنگ کی وجہ سے اس کے والد کے تعمیراتی کام کا ایک بڑا ٹھیکہ منسوخ

ہوگیا تھا۔ تعمیراتی مزدور ٹھیکے کی منسوخی کی وجہ سے بیکار ہو گئے تھے۔ انہوں نے دراز قد (چھ فٹ چار انچ) سرفراز نواز کو اپنے ساتھ کرکٹ میچوں میں کھیلنے کی دعوت دے دی۔ کرکٹ اسے یوں راس آئی جیسے وہ اُس کے خون میں شامل تھی۔ اور جلد ہی لاہور کے شاندار گورنمنٹ کالج میں اس کے کھیل کا امتحان لیا گیا اور ساتھ ہی ساتھ وہ لاہور کی کلب کرکٹ بھی کھیلنے لگا۔ اس نے تصدیق کرتے ہوئے بتایا کہ ''اس نے نیٹ پریکٹس کے دوران فرخ خان کے ساتھ کھیلتے ہوئے سیکھا مگر وہ ریورس سوئنگ نہیں کرتا تھا بلکہ وہ اِن کٹر (In Cutter) یعنی گر کے اندر آنے والی گیند کرتا تھا۔ اُسے ریورس سوئنگ بارے علم نہیں تھا وگرنہ وہ خود نہ کرتا۔''

سرفراز نواز ہمیشہ تجربے کرتا رہتا۔ اُس نے ہر قسم کی حالت کی گیند یعنی بالکل نئی، جزوی طور پر نئی اور پرانی سے باؤلنگ کر کر کے ریورس سوئنگ کو دریافت کیا۔ اس نے ابتدا بیٹنگ وکٹ پر باؤلنگ سے کی جہاں وہ گیند کو کامیابی کے ساتھ پھیرتا تھا۔ ''ایک روز میں نے بہت پرانی گیند کے ایک حصہ کو خوب چمکا لیا اور جب اس سے باؤلنگ کی تو گیند نے ہوا میں اپنا رخ بدلا۔ گیند کے دونوں حصے کھردرے تھے اور میں نے اس کا صرف ایک حصہ چمکایا تھا۔ گیند چمکتے حصے کی طرف گھومی جو اُسے نہیں کرنا چاہیے تھا۔'' پا لینے کے اس لمحہ میں ریورس سوئنگ کا جنم ہوگیا۔

اس نے لاہور کی مزنگ لنک کرکٹ کلب میں اس نئی مہارت کو مزید خوب تر کیا۔ ابتدائی باؤلنگ کے اس کے ساتھ سلیم میر کو بھی ریورس سوئنگ کرنا آتی تھی مگر دونوں نے دوسرے باؤلروں سے اس مہارت کو خفیہ رکھا۔

دوسرے ہنرمند نوعمر لڑکوں کی طرح سرفراز نواز پاکستانی کرکٹ کی صفوں میں تیزی سے اُبھرتا چلا گیا۔ 1967ء میں اس نے اوّل درجہ کی کرکٹ میں اپنا آغاز پنجاب یونیورسٹی اور گورنرالیون کے سالانہ مگر سماجی طور پر بے حد اہم میچ سے کیا۔ میچ میں وہ کوئی وکٹ نہ حاصل کر سکا۔ اور نہ ہی گورنرالیون کے لیے اسے بیٹنگ کرنے کا موقع ملا۔ مگر 69-1968ء کے قائداعظم ٹرافی کے فائنل میں اس نے لاہور کی طرف سے پہلی اننگز میں برتری کی بنیاد پر کراچی کو شکست دینے میں اہم کردار ادا کیا۔

اسی سال سرفراز نواز کو بڑا موقع اس وقت فراہم ہوا جب اُسے دورہ پہ آئی ہوئی ایم سی سی کی ٹیم کے کھلاڑیوں کو لاہور میں نیٹ پریکٹس کے دوران باؤلنگ کرنے کے لیے کہا گیا۔ راجر پریڈو (Roger Prideanx) پہلا انگریز بلے باز تھا جو سرفراز نواز کی ریورس سوئنگ پر حیران ہوا۔[1] وہ اُس سے اتنا متاثر ہوا کہ اُس نے سرفراز کو اپنی کاؤنٹی نارتھ ہیمٹن شائیر میں شامل ہو کر اُس طرف سے کھیلنے کی دعوت دے دی۔

سرفراز نواز نے اپنی ٹیسٹ کرکٹ کی زندگی کا آغاز انگلینڈ کے خلاف کراچی میں کھیلے جانے والے ٹیسٹ میچ سے کیا۔ انگلینڈ کی ٹیم نے لمبی اننگز تو کھیلی مگر بدامنی اور فساد کی وجہ سے اس کا خاتمہ ہوا۔ سرفراز نواز

نے بھرپور مشقت کرتے ہوئے 34اوور کیے مگر وکٹ لینے میں ناکام رہا۔کاؤنٹی کرکٹ کی ذمہ داریوں، چوٹوں اور منتخب کرنے والوں کی ناپسندیدگی کے سبب اسے اگلا ٹیسٹ میچ کھیلنے کے لیے 73-1972ء کے آسٹریلیا کے دورے کا انتظار کرنا پڑا۔مگر پھر وہ پاکستان کا مستقل طور پر آغازی باؤلر بن گیا اور اس کے ساتھ ساتھ نارتھ ہیمپٹن شائیر کے لیے بھی کامیابی کے ساتھ کرکٹ کھیلتا رہا۔

سالہا سال تک اُس نے ریورس سوئنگ کا راز ہر ایک سے چھپائے رکھا سوائے اوپننگ باؤلنگ کے اپنے پُرانے ساتھی سلیم میر سے۔ (سلیم میر کو ریورس سوئنگ سے کوئی زیادہ فائدہ حاصل نہ ہوا کیوں کہ فرسٹ کلاس آٹھ میچوں میں وہ چالیس رنز سے زیادہ فی وکٹ کی اوسط پر صرف آٹھ وکٹیں حاصل کر سکا۔ ریورس سوئنگ کرنے کے لیے ہمیشہ عمدہ درجے کی باؤلنگ کرنے کا فن جاننا ضروری ہے۔ یہی وجہ ہے کہ وسیم اکرم اور وقار یونس اس قسم کی باؤلنگ کے دوسرے نمائندوں سے کہیں اوپر ہیں)۔ انگلستان میں یہ مہارت سرفراز نواز کے زیادہ کام نہ آسکی کیوں کہ وہاں گیند اتنی کھردری نہیں ہو جاتی جتنی پاکستان میں ہوتی ہے۔لہٰذا وہ وہاں عام طور پر روایتی سوئنگ سے کام چلاتا۔ نارتھ ہیمپٹن شائیر کی ٹیم میں اس کے ساتھی اور مستقبل کے کپتان مشتاق محمد کو ریورس سوئنگ کا علم تو ضرور تھا مگر اُسے شاذ و نادر ہی دیکھا تھا اور وہ یہ بھی نہیں جانتا تھا کہ ریورس سوئنگ کِس طرح کی جاتی ہے۔

آخر کار سرفراز نواز نے یہ راز ایک اور ٹیسٹ کھلاڑی کے سامنے کھول دیا۔ 77-1976ء کے ویسٹ انڈیز کے دورہ پر گیانا کے خلاف ایک روزہ میچ میں وہ پرانی گیند سے ریورس سوئنگ کر رہا تھا جس نے اس کے ساتھی عمران خان کو مبہوت کر دیا۔عمران خان نے شکایتاً کہا کہ ''تمہاری گیند میں تو خوب حرکت ہے مگر میری گیند تو نہیں پھرتی؟'' ''وہ نہیں جانتا تھا کہ اپنے اوور کی آخری گیند کرتے وقت میں گیند کو دونوں طرف سے کھردرا کر دیتا تھا تا کہ عمران خان کی گیند سوئنگ نہ کر سکے۔'' چالیس سال بعد آج بھی سرفراز نواز کو اپنی اس چال پر خوشی محسوس ہوتی ہے۔''میں نے عمران سے کہا کہ میچ کے دوران نہیں مگر نیٹ میں تمہیں ترکیب سکھا دوں گا۔'' اگلے روز اس نے اپنے وعدے کا پاس کیا۔راز یہ تھا کہ گیند کی ایک طرف کو کھردرا رکھنا ہے اور اس کی دوسری طرف کو پسینے اور تھوک کی مدد سے بھاری بنانا ہے۔اس عمل سے گیند چمکتے ہوئے حصے کی طرف تیزی سے گھوم جاتی تھی اور روایتی سوئنگ کے برعکس کافی تیز رفتار پر نتیجہ حاصل کیا جا سکتا تھا۔''میں نے عمران خان کو صرف اِس لیے بتایا تھا کیوں کہ اس وقت وہ پاکستان میں مقامی کرکٹ نہیں کھیل رہا تھا۔''

میں نے سرفراز نواز سے سوال کیا کہ کیا اس نے آسٹریلیا کے خلاف میلبورن میں مارچ 1979ء میں اپنی سحر انگیز باؤلنگ کرتے ہوئے جب ایک موقع پر ایک رن کے عوض سات کھلاڑی آؤٹ کر کے آسٹریلیا ٹیم کو تباہ کر دیا تھا تو کیا اس نے وہاں ریورس سوئنگ سے کام لیا تھا؟ اپنی اس عظیم باؤلنگ کی مثال قائم کرتے

ہوئے سرفراز نواز نے اننگز میں 86 رنز کے عوض نو کھلاڑی آؤٹ کیے تھے۔ ٹیسٹ میچوں میں کسی بھی پاکستانی باؤلر کی طرف سے بہترین کارکردگی دوسرے نمبر پر تھی۔ جب کہ مُلک سے باہر کسی بھی پاکستانی باؤلر کے مقابلے میں یہ بہترین کارکردگی تھی۔ اس نے جواب دیتے ہوئے کہا کہ ''نہیں میں نے صرف روایتی سوئنگ کے علاوہ سمت اور فاصلے پر دھیان رکھا۔'' کچھ آسٹریلوی بلے باز گیند کا صحیح تعین بھی نہ کر سکے۔ ''میں نے ڈیوو ہاٹ مور (Dav Whatmore) کو اس کی ٹانگوں کے پیچھے سے بولڈ کر دیا تھا۔'' سرفراز نواز نے فخریہ انداز میں کہا۔ (وہاٹ مور جس نے اُس روز آسٹریلیا کی طرف سے بیٹنگ کا آغاز کیا تھا۔ بعد میں پاکستانی ٹیم کا کوچ مقرر ہوا)۔ میں نے سرفراز نواز کی اِس عظیم کارکردگی کو گھٹیا معیار کی فِلموں کے ذریعے دیکھا ہے مگر مجھے وہاں ریورس سوئنگ کا نام ونشانی تک نہ ملا۔ آسٹریلوی بلے بازوں کی زیادہ تر تعداد پچ پر گیند گرنے کے بعد آؤٹ ہوئی۔

سرفراز نواز اِس بات پر مصر رہا کہ اُس نے ریورس سوئنگ کو قانونی طریقوں سے حاصل کیا۔ اس نے خشک پچوں سے خصوصی طور پر پاکستان میں فائدہ اٹھاتے ہوئے گیند کے لیے مخصوص حالات پیدا کیے۔ اور اس نے اپنے ساتھی باؤلروں اور فیلڈروں کو تربیت بھی دی کہ گیند کو کِس طرح قانونی طریقے سے چمکا کر واپس کرنا ہوتا ہے۔ ''یہ ضروری نہیں کہ گیند کو سختی سے رگڑا یا کسی چیز کے ساتھ کھر چا جائے جیسا کہ اکثر انگریز اس کا دعویٰ کرتے ہیں۔ انہیں یہ پتہ ہی نہ تھا کہ پرانی ہو کر گیند کیا کر سکتی ہے۔'' تاہم اس نے غیر قانونی حربوں پر بھی کھل کر بات کی۔ اس نے عمران خان کے اُس اعترافی بیان کی طرف توجہ دلائی جہاں اس نے یہ مانا کہ اُس نے انگلش کاؤنٹی میچ کے دوران گیند کو بوتل کے ڈھکن سے رگڑا۔ مگر اِس کے ساتھ سرفراز نواز نے کئی اور جانے مانے کھلاڑیوں کے بھی نام لے ڈالے جو ایسی حرکات کے مرتکب تھے۔ بدقسمتی سے سرفراز نواز کی گفتگو میں دوسرے کھلاڑیوں کی بدنامی کا عنصر مسلسل موجود رہتا ہے۔ مثلاً ''فلاں جو میرے نیچے کھیلا اُس نے سب سے پہلے بوتل کے ڈھکن کا استعمال کیا اور پھر اس نے یہ راز ع اور غ کے حوالے بھی کر دیا جس کی وجہ سے گیند کرنے کا یہ راز ہر طرف پھیل گیا۔ انہیں گیند کرتے وقت مدد کی ضرورت ہوتی تھی۔ غیر قانونی طور پر گیند پر بہت سے حربے استعمال کیے جاتے ہیں۔ ایک کھلاڑی کی پتلون کی پچھلی جیب پر زِپ لگی ہوئی تھی جس کے آہنی دانت تھے۔ ایک امپائر نے اُسے پتلون تبدیل کرنے کا کہا۔ بعض اوقات کھلاڑی گیند پر گوند کا استعمال بھی کرتے تھے۔'' ع۔ غ اور ط سب پاکستان کے ٹیسٹ کھلاڑی ہیں۔

## موجد کے وارث: عمران خان، وسیم اکرم اور وقار یونس

جیسا کہ اکثر ہوتا ہے موجد کے وارث اس کی ایجاد سے اُس سے کہیں زیادہ منافع حاصل کرتے

ہیں۔

عمران خان نے اپنے سوانح نگار کرسٹوفر سینڈفورڈ (Christopher Sandford) کو بتایا کہ اُس نے پہلی بار ریورس سوئنگ کا استعمال میلبورن ٹیسٹ میں آسٹریلیا کے خلاف 1977ء میں کیا۔ پہلی اننگز میں روایتی حربے استعمال کرتے ہوئے اُس نے آٹھ کھلاڑی فی اوور کے حساب سے 22 اوور کیے اور 117 رنز دے کر کوئی وکٹ حاصل نہ کی۔ آسٹریلیا کی دوسری اننگز میں پچ اتنی سخت ہوگئی تھی کہ گیند میں سے لوتھڑے نکلنے لگے جس کی وجہ سے وہ لکڑی کے بنے قدیمی آسٹریلوی ہتھیار کی طرح لوٹ کر واپس آنے لگی۔ اُس نے 122 رنز کے عوض پانچ وکٹیں حاصل کیں (یہ پہلا واقعہ تھا کہ عمران خان نے ٹیسٹ اننگز میں پانچ وکٹیں حاصل کیں)۔ اُس کا شکار ہونے والے تین بولڈ ہوئے اور ایک ایل بی ڈبلیو تھا۔ کامیاب ریورس سوئنگ کی خصوصیت یہ ہے کہ بیشتر کھلاڑی یا تو بولڈ ہوتے ہیں یا پھر ایل بی ڈبلیو ہو جاتے ہیں۔ اِس نئی مہارت کی آمد بہت کم تبصرہ نگاروں کی نظر میں آئی کیوں کہ آسٹریلیا نے پاکستان کو 348 رنز کی منہ توڑ شکست دی تھی۔ عمران خان کی اگلے ٹیسٹ میں بہترین کارکردگی کے باوجود ریورس سوئنگ کا کوئی ذکر نہ ہوا حالاں کہ اس نے بارہ وکٹیں حاصل کی تھیں۔ اُس نے ہر وکٹ کیچ کے ذریعے حاصل کی۔ (چار کیچ وکٹ کیپر وسیم باری نے کیے۔ ایک کیچ عمران خان نے خود اپنی باؤلنگ پر کیا۔ دو کیچ متعارف ہونے والے نئے کھلاڑی ہارون رشید نے سکوئیر لیگ کی پوزیشن میں کافی پیچھے لیے۔ باقی ماندہ کیچ وکٹوں کے نزدیک کے اردگرد کے حصار میں پکڑے گئے) جیوف بائیکاٹ جواُن دنوں آسٹریلیا میں کھیل رہا تھا، نے عمران خان کی برق رفتار باؤلنگ، اُس کی توانائی، قوت برداشت اور قوت مزاحمت کو بے حد نمایاں کیا لیکن باؤلنگ میں گیند پر اُس کی خصوصی اثر اندازی پر کوئی توجہ نہ دی۔ اس نے عمران خان کا شکار بننے والے کھلاڑی روڈنی مارش جس کا کیچ عمران خان نے خود اپنی گیند پر کیا تھا کی مثال دیتے ہوئے کہا، ''عمران کبھی تھکتا نہیں ہے۔ آپ اس کی گیند پر چوکا لگالیں تو وہ پہلے سے مزید تر تیز رفتاری سے باؤلنگ کرتا ہے۔''

عمران خان کی ریورس سوئنگ کی عظیم کارکردگی ہندوستان کے خلاف دسمبر 1982ء میں کراچی میں کھیلے جانے والے دوسرے ٹیسٹ میچ میں سامنے آئی۔ ہندوستان اپنی دوسری اننگز میں 283 رنز کے ہدف کا تعاقب کرتے ہوئے زبردست مدافعت کر رہا تھا۔ سنیل گواسکر اور دلیپ وینگسارکر کی دوسری وکٹ پر لمبی شراکت ہوئی جس میں 74 رنز بنا کر وہ اپنی ٹیم کو ایک وکٹ کے نقصان پر 102 رنز تک لے گئے۔ پچ سیدھی اور بے جان تھی۔ عمران دوبارہ گیند کرنے کے لیے دوسری مرتبہ وارد ہوا۔ اس وقت تک گیند تقریباً چالیس اوور کرنے کے بعد پُرانی ہو چکی تھی۔ اگلی پچیس گیندوں میں 8 رنز کے عوض اس نے پانچ وکٹیں حاصل کر لیں۔ گواسکر جو عام طور پر ناقابل تسخیر کھلاڑی تھا عمران کی گیند پر بُری طرح سے بولڈ ہوا۔ اس کے بلے اور جسم کے

درمیان کھلے کواڑ جیسا فاصلہ پیدا ہو گیا تھا تجربہ کار اور تربیت یافتہ گنڈپا وشواناتھ کو یہ تاثر ملا جیسے گیند اس کی آف اسٹمپ سے بھی باہر جا رہی ہو۔ اس نے دیر سے گھومنے والی ریورس سوئنگ کے سامنے مزاحمت کی کوشش تو کی مگر صاف بولڈ ہو گیا۔ عمران خان نے 60 رنز کے عوض 8 کھلاڑی آؤٹ کر دیئے۔ کسی بھی ٹیسٹ اننگز میں یہ اس کی دوسری بہترین کارکردگی تھی۔[2] اس نے پانچ کھلاڑی بولڈ کیے اور دو ایل بی ڈبلیو ہو کر آؤٹ ہوئے جو کہ ریورس سوئنگ کی خصوصیت ہے۔ اس کی اس کارکردگی کو اس کے صلاح کار سرفراز نواز نے بھی دیکھا جو اس وقت پاکستان کے تیسرے سیم باؤلر کی حیثیت سے کھیل رہا تھا۔

ریورس سوئنگ کے اگلے ماہر وسیم اکرم کی جس طریقہ سے کرکٹ میں اوّلین شروعات ہوئی اس کا خواب ہر نوجوان پاکستانی دیکھا کرتا ہے۔ بائیں ہاتھ سے کھیلنے والے آل راؤنڈر کے طور پر وہ اسلامیہ کالج لاہور کی اوّل درجہ کی ٹیم میں بھی جگہ نہ بنا سکا۔ تاہم نومبر 1984ء میں انیس سال سے کم عمر (Under 19) لڑکوں کے نیٹ پر پریکٹس کرتے ہوئے اسے جاوید میاں داد نے دیکھا جس نے فوری طور پر اُسے دورہ پر آئی ہوئی نیوزی لینڈ ٹیم کے خلاف آزمائشی میچ میں کھلانے کی سفارش کر دی۔ راولپنڈی کی پچ کا شمار پاکستان کی اُن پچوں میں ہوتا ہے جو تیز رفتار باؤلروں کی ذرہ بھر اعانت نہیں کرتیں۔ وہاں وسیم اکرم نے پہلی اننگز میں 50 رنز کے عوض نیوزی لینڈ کے سات کھلاڑی آؤٹ کر دیئے۔ نیوزی لینڈ کے جوابی دورہ کے لیے اُسے فوری طور پر پاکستانی ٹیم میں شامل کر لیا گیا۔ اُسے بدقسمت طاہر نقاش کی جگہ لیا گیا جو پہلے سے ٹیم میں شامل تھا۔[3] "وسیم اکرم نے آک لینڈ (Auckland) میں کھیلے جانے والے پہلے ٹیسٹ میچ میں کوئی خاص کارنامہ نہ دکھایا مگر ڈن ایڈن (Dunedin) میں کھیلے جانے والے اگلے ٹیسٹ میچ میں اُس نے دس وکٹیں حاصل کر ڈالیں۔ اس میچ کا ذکر کرتے ہوئے وسیم اکرم کے خود اپنے بیان میں مایوسی جھلکتی ہے کیوں کہ نیوزی لینڈ کی طرف سے جیرمی کونے (Jeremy Coney) اور ایون چیٹ فیلڈ (Ewen Chatfield) کی نویں وکٹ کی زبردست شراکت کو توڑا نہ جا سکا تھا جس کی بدولت نہ صرف نیوزی لینڈ نے وہ ٹیسٹ میچ بلکہ ٹیسٹ میچوں کے سلسلے کو بھی جیت لیا تھا۔

عمران خان اس کا گرو تھا۔ کیوں کہ سرفراز نواز کرکٹ سے سبکدوش ہو چکا تھا۔ لہٰذا ریورس سوئنگ کا اب نگران عمران خان تھا۔ اس نے یقینی طور پر اپنے زیرِ اثر کھلاڑی کو اُن تمام رازوں سے روشناس کیا مگر وسیم اکرم نے اپنی خودنوشت سوانح عمری میں عمران خان کے دیئے گئے بنیادی اسباق پر زیادہ توجہ دی ہے۔ جن میں باؤلنگ کرتے وقت دوڑ کو درست کرنا۔ دیر میں پھرنے والی روایتی سوئنگ کرنا۔ اپنی مرضی سے یارکر پر قابو رکھنا اور سب سے بڑھ کر اپنی توانائی کا خیال رکھنا شامل تھا۔ عمران خان نے وسیم اکرم سے کہا کہ "وسیم تمہیں کتے کی طرح محنت شاقہ کرنا ہو گی۔"

پاکستان کا ریورس سوئنگ کا تیسرا عظیم ماہر وقار یونس بھی غیر معمولی صلاحیتوں سے بھرپور نوعمر لڑکا تھا جسے بہت جلد قومی ٹیم میں داخل کرلیا گیا۔ وہ ٹیلی ویژن کے ذریعے دریافت ہوا۔ عمران خان نے اسے سوپر وِلز کپ کے دوران 88-1987ء کے مقابلوں میں دیکھا جو پاکستان اور ہندوستان کی بہترین مقامی ٹیموں کے مابین کھیلے جاتے تھے۔ وہ اس قدر متاثر ہوا کہ اگلے دن میدان میں جا کر اُسے ہندوستان کے دورہ پر جانے والی پاکستان ٹیم کے لیے منتخب کرلیا۔ وقار یونس اپنی اٹھارویں سالگرہ سے ایک دن قبل اپنے پہلے ٹیسٹ میچ میں کھیلا اور اس نے ایک اور نوعمر بلے باز سچن ٹنڈولکر کو جو ابھی ٹیسٹ میں متعارف ہوا تھا، آؤٹ کردیا۔ اس نے اپنی شدید تیز رفتار باؤلنگ سے چار وکٹیں حاصل کر کے جلد ہی ٹیم میں اپنی جگہ کو مستحکم کرلیا۔

ریورس سوئنگ کے مؤرخ کے سامنے اب دو اہم مشکلات ظاہر ہوتی ہیں۔ پہلی یہ کہ اِس فن کے تینوں عظیم ماہر تیز رفتار باؤلنگ کے ہر ہتھیار کے اُستاد تھے۔ وہ صرف اپنی تیز رفتار باؤلنگ کے بَل بوتے پر بلے بازوں کے ناک میں دم کر سکتے تھے۔ وہ اپنی مرضی کے تحت باؤنسر اور یارکر کرنے کی اہلیت رکھتے تھے اور پھر سب سے بڑھ کر وہ روایتی طریقوں سے گیند کو تیزی سے اور دیر میں سوئنگ بھی کرا سکتے تھے۔ کرکٹ میں بیشتر جدتیں شوقین تماشائی کے مشاہدے میں ہوتی ہیں جیسا کہ باؤلنگ کرتے وقت باز و کو گھما کر گیند کرنا۔ رانجی کا لیگ گلانس (Leg Glance) شاٹ کھیلنا۔ بوسن کوئیٹ (Bosanquet) کا گگلی کرنا۔ اگرچہ یہ سب کرنے کے لیے جو بھی طریقہ کار اختیار کیا جاتا ہے وہ غالباً پُر اسرار ہو۔ ریورس سوئنگ کی گیند آتے وقت اپنا کوئی واضح نشان نہیں دیتی۔ جب تک قریب سے اس کی جانچ نہ کی جائے تو ممکن ہے کہ وہ روایتی سوئنگ ہی ہو جیسے غیر معمولی ہنرمندی سے کیا گیا ہو۔ دوسرا نقطہ یہ ہے کہ اِس فن کے تینوں عظیم باؤلروں نے اِس جدت پر بہت کم گفتگو کی۔ باؤلنگ میں جدت پیدا کرنے والے بیشتر باؤلر اپنی دریافت کے متعلق بات کرتے ہوئے شرماتے نہیں تھے۔ اِس سے پہلے کہ گگلی کا نرالا نام ہمیشہ کے لیے پختہ ہو جاتا بوسن کوئیٹ (Bosanquet) اِس بات پر بے حد خوش ہوتا کہ آسٹریلوی کھلاڑی اس کی مخصوص گیند کو اس کے نام کی مشابہت سے بوسی (Bosie) کہتے۔ نئے دور میں ثقلین مشتاق نے اپنے مخفی ہنر کا استعمال کرتے ہوئے ''دوسرا'' نامی گیند سے خوب فائدہ اٹھایا اور یہ بھی دعویٰ کیا کہ اُس نے ''تیسرا'' بھی ایجاد کرلیا ہے۔ اعلان کے جواب میں کہی تھی کہ اُس نے زُوٹر (Zooter) نامی گیند ایجاد کر لی ہے۔ عمران خان، وسیم اکرم اور وقار یونس نے اپنی کامیابیوں کے ثبوت میں اپنی وکٹوں کی تعداد کو ہی کافی سمجھا۔ انہوں نے غالباً شاذ و نادر ہی کبھی یہ کہا ہوگا کہ اُن کا شکار ہونے والے بلے باز ریورس سوئنگ سے مات کھا گئے۔

تینوں میں سے صرف وسیم اکرم نے اِس موضوع پر سب سے زیادہ لکھا ہے۔ تاہم اپنی خود نوشت سوانح عمری کے مطابق وسیم اکرم کا ریورس سوئنگ کے حوالے سے سب سے قابل فخر لمحہ کسی ٹیسٹ میچ میں

نہیں تھا بلکہ وہ روزز (Roses) کے اس میچ میں تھا جو لنکا شائیر اور یارک شائیر کے درمیان کھیلا گیا تھا، جو 1989ء میں اس کے پہلے انگلش کاؤنٹی سیزن کے دوران ہوا تھا۔ اس کے متعلق سوچتے ہوئے تمام انگریزوں کا ردِعمل ایسے ہی ہے جیسے ایک سانچے میں رہنے کے باوجود ایک غیر ملکی جدت پسند انہیں پیچھے چھوڑ گیا اور صرف کھیل کی ہی حد تک نہیں۔

''یہ پہلا موقع تھا کہ عام انگریزوں نے ریورس سوئنگ کو دیکھا کہ وہ کیا ہوتی ہے۔ میرا خیال ہے کہ فریڈ ٹرومین (Fred Trueman) میری بے تحاشا دیر میں ہونے والی سوئنگ سے بے حد حیرت زدہ تھا۔ میرے نزدیک یہ کوئی گہرا راز نہ تھا۔ میں نے اس خاص گیند کے لیے نیٹ میں وکٹ کے دوسرے طرف سے آ کر خوب مشق کر رکھی تھی اور اپنے جسم کا سامنے سے رُخ پھیر (Sideways) لیتا تھا تا کہ میں گیند کو ہوا میں حرکت دے سکتا۔ میں نے لنکا شائیر کی ٹیم میں اپنے ساتھیوں کو تیار کیا تھا کہ ریورس سوئنگ کے لیے موزوں ترین حالات خشک اور گرم موسم اور تقریباً چالیس اوورں کے بعد گیند کا ایک حصہ کھردرا ہوتا ہے۔ مگر اس کے باوجود انگلش کرکٹ میں اس وقت میں واحد کھلاڑی تھا جو اِس فن کو مہارت کے ساتھ استعمال کر رہا تھا۔ مجھے حیرت تھی کہ میرے ساتھی کھلاڑیوں نے ریورس سوئنگ کا تجربہ کرنے کی کوشش نہیں کی جبکہ میرے لیے ریورس سوئنگ مفید ثابت ہو رہی تھی۔ مگر اُس وقت وہ زیادہ تر گیند کی سیدھ اور فاصلے پر گفتگو کرتے رہے کہ باؤلنگ وکٹوں کے درمیان راہداری میں ہی کرنا چاہیے۔ یا پھر آف اسٹمپ (Off Stump) پر یا اُس کے نزدیک گیند گرنا چاہیے۔ یہ سب باؤلروں کے لیے مددگار وکٹوں پر اوسط درجے کے بلے بازوں کے لیے تو ٹھیک تھا مگر جب مردہ پچ پر کسی بلے گاز کا سامنا ہو تو وہ ایسی گیند پر تمام دِن مِڈ وکٹ کے حصے میں کاری ضربیں لگاتے رہے۔ اس میچ میں میری دس وکٹوں میں چھ کھلاڑی بولڈ ہوئے تھے۔ اور یہ صرف موزوں موسم میں ریورس سوئنگ کے صحیح استعمال کے نتیجہ میں ہو سکا۔ چند اور سال گزر جانے کے بعد انگریز باؤلروں کو اِس فن کی اہمیت اور قدر کا احساس ہوا۔''

یہ کہنا درست ہوگا کہ کرکٹ کی دنیا میں ریورس سوئنگ پر اس وقت تک توجہ نہ دی گئی جب تک اس کا شکار ہونے والوں نے اس کی شکایت کرنا نہ شروع کی۔

## گیند کو بگاڑے جانے (بال ٹیمپرنگ) کی مختصر سوانح

گیند کے کھیلوں میں کرکٹ وہ اہم کھیل ہے جس میں گیند کی حالت انتہائی اہمیت رکھتی ہے۔ جب تک گیند گم نہ ہو جائے یا اس کی حالت بُری طرح سے متاثر نہ ہو جائے، اُسی ایک گیند کے ساتھ کھیل کو لمبے عرصے تک جاری رکھا جاتا ہے اور وہ مختلف قسم کے باؤلروں کے لیے کسی نہ کسی طور مفید ثابت ہوتی ہے۔

بنیادی طور پر تیز رفتار باؤلر سخت اور چمکدار گیند پسند کرتے ہیں۔ سپن باؤلر وہ گیند پسند کرتے ہیں جس پر چمک نہ ہو اور اُسے آسانی سے گرفت میں لیا جا سکے۔ شروع میں جب سے باضابطہ کرکٹ کا آغاز ہوا باؤلروں نے اکثر اوقات وکٹ کیپر اور دوسرے فیلڈروں کی مدد سے کوشش کی کہ گیند اُن کی من پسند حالت میں آجائے۔ اکثر ان کے طریقے غیر قانونی ہوتے ہیں لیکن اگر وہ حربے غیر قانونی نہ بھی ہوں، پھر بھی ان کا شکار بننے والے انہیں غیر اخلاقی سمجھتے ہیں جس کے نتیجے میں کھیل کے قوانین اور ضوابط میں تبدیلیاں لائی گئیں۔ 4

گیند کی سلائی کو ابھارنا سب سے عام غیر قانونی حربہ ہے۔ اُبھرتی ہوئی سلائی سمت پر قابو رکھنے اور سوئنگ کرنے میں باؤلروں کی مددگار ثابت ہوتی ہے۔ اور سب سے بڑھ کر وہ پچ پر گرنے کے بعد گیند کو تیزی سے اُچھالتی ہے۔ آسٹریلیا کے عظیم تیز رفتار باؤلر کیتھ مِلر (Keith Miller) نے اِس حربے کا خود اعتراف کیا۔ 1953ء میں ایشز (Ashes) کے ایک اہم ٹیسٹ میچ میں انگلینڈ کے خلاف کھیلتے ہوئے جب یہ چیز سامنے آئی تو اس نے بڑی دیدہ دلیری سے الزام عائد کیا کہ ''آج کل جن گھٹیا معیار کے گیندوں سے کھیلا جاتا ہے یہ سب ان کی ابھری ہوئی سلائی کا قصور ہے۔'' عمران خان نے پاکستانی حربوں کے دفاع میں پُر زور طریقہ سے کہا کہ گیند کی سلائی ابھارنے کا عمل تو سالہا سال سے ہر قسم کی کرکٹ میں ہمیشہ عام رہا ہے۔ (اس عمل کا سامنا تو مجھے بھی انگلش کرکٹ کو سماجی طور پر کھیلتے ہوئے ہوا جہاں گیند کرنے والے کافی معمر بزرگ یہ حربہ استعمال کر رہے تھے)۔

گیند کی حالت تبدیل کرنے کے لیے دوسرے غیر قانونی حربوں میں گیند کی ایک طرف کا ٹکڑا نکالنا یا پھر مضبوط ناخنوں کے استعمال سے یا کسی تیز آلے کی مدد سے سلائی کے ٹانکے کھول دینا یا پھر کوئی غیر قانونی مادہ اس پر لگانا شامل ہیں۔ قانونی طور پر باؤلر اور فیلڈر گیند پر اپنا پسینہ یا تھوک استعمال کر سکتے ہیں۔ (بیس بال میں گیند پھینکنے والا (Pitcher) ایسا نہیں کرتا) 1980ء تک وہ گیند کو زمین پر گِھسا بھی سکتے تھے۔ غیر قانونی مادوں میں بُرادہ، نباتاتی گوند، چڑیوں کو پکڑنے کے لیے لگایا جانے والا لاسا (یہ وکٹ کیپر کے دستانوں پر لگایا جاتا ہے) اور سر پر لگانے والا تیل جسے پھر کیتھ مِلر (Keith Miller) استعمال کرتا تھا۔ یہ فن اسے ڈربی شائیر (Derbyshire) کے سیم باؤلر جارج پوپ (George Pope) نے سکھایا تھا۔ جس کے اپنے سر پر بال نہ ہونے کے برابر تھے۔ 77-1976ء میں ہندوستان کا دورہ کرنے والی انگلینڈ کی ٹیم کے جان لیور (John Lever) پر مخالف ٹیم کے کپتان بشن بیدی نے الزام لگایا کہ ہندوستانی ٹیم اس لیے تباہ کن طور پر آؤٹ ہوئی کیوں کہ گیند پر ویزلین (Vaseline) کا استعمال کیا گیا تھا۔ انگریز انتظامیہ نے اِس الزام کو قطعاً ماننے سے انکار کرتے ہوئے جواب دیا کہ لیور اور دوسرے باؤلر اپنی آنکھوں سے پسینہ دور رکھنے کے لیے ویزلین کا استعمال کر رہے تھے۔

جیسا کہ پہلے بیان کیا جا چکا ہے کہ ریورس سوئنگ کا تنقیدی طور پر تمام دارومدار گیند کی حالت پر ہوتا تھا۔ اس کا شکار بننے والے فوری طور پر خود ہی یہ باور کر لیتے کہ غیر قانونی طور پر گیند کی حالت بنائی گئی ہے۔ پہلی بار ت یہ الزام 1983ء میں سامنے آیا جب عمران خان نے 23 گیندوں میں 6 رنز کے عوض 6 وکٹیں حاصل کر لیں جن میں ایک ہیٹ ٹرک بھی شامل تھا۔ عمران خان یہ میچ سکس (Sussex) کی طرف سے وارکشائیر (Warwickshire) کے خلاف کاؤنٹی چیمپئین شپ میں کھیل رہا تھا۔ عمران خان کا شکار بننے والے ایک کھلاڑی کرس اولڈ (Chris Old) نے روزنامہ مرر (Daily Mirror) کو بتایا کہ ''گیند کی حالت ایسی تھی جیسے کسی کتے نے اُسے چبا رکھا ہو۔'' امپائر ڈان اوسلیر (Don Oslear) نے لارڈز انتظامیہ کو شکایت کی کہ گیند کا ایک حصہ گھسا ہوا اور کھرچا ہوا تھا۔ اور اس کے کچھ ٹانکے بھی کاٹ دیئے گئے تھے جس کی وجہ سے تکونی شکل کا چمڑہ گیند سے علیحدہ ہو گیا تھا۔ اس نے اس کی خبر ٹیسٹ اور کاؤنٹی کرکٹ کنٹرول بورڈ کو بھی دی مگر اس پر کچھ بھی نہ ہوا۔ 1992ء کے پاکستان کے انگلینڈ کے دورے کے دوران اوسلیر (Oslear) نے مختلف تنازعوں میں اہم کردار ادا کیا۔ عین ممکن ہے کہ اس پہلے واقعہ کی وجہ سے پاکستانی تیز رفتار باؤلروں اور برطانوی کرکٹ انتظامیہ کے متعلق اس کے طرز عمل کو پختہ ہونے میں مدد ملی ہو۔

پاکستان کے خلاف ریورس سوئنگ کے متعلق احتجاج سب سے پہلے 91-1990ء میں برصغیر کے دورہ پہ آنے والی نیوزی لینڈ کی حریف ٹیم نے کیا۔ وسیم اکرم اور وقار یونس نے نیوزی لینڈ کی گرنے والی 60 وکٹوں میں سے 40 وکٹیں آپس میں بانٹتے ہوئے انہیں 0-3 سے پاکستان کے حق میں شکست دی۔ نیوزی لینڈ کے کپتان اور بلے باز مارٹن کرو (Martin Crowe) نے لاہور میں شکایت کی کہ ایک طرف سے گیند مکمل طور پر چمکدار تھی جب کہ دوسری طرف کا حصہ بُری طرح سے اُکھڑا ہوا تھا۔ فیصل آباد میں کھیلے جانے والے تیسرے ٹیسٹ میچ کے دوران نیوزی لینڈ کی ٹیم نے عملی طور پر احتجاج کیا۔ وہاں کی مردہ صفت بدنام پچ جس پر نتیجہ حاصل کرنا انتہائی مشکل تھا کہ متعلق باؤلر کی مددگار پچ کے حوالے سے یہ تبصرہ کیا گیا کہ ''بُرا۔ بہت بُرا اور فیصل آباد ہوا کرتا ہے۔'' تمام دن باؤلنگ کرنے والے سیم باؤلر کرس پرنگل (Chris Pringle) اور اس کے فیلڈروں نے بھی خود ہلکے مشروب کی بوتلوں کے ڈھکنوں سے گیند پر چرکے لگا رکھے تھے۔ پرنگل نے اِس دورہ کی دلچسپ روداد سنائی۔ جو عام طور پر پاکستان اور وہاں کے کرکٹ کے کھلاڑیوں کے متعلق جائز ہے۔ جان بوجھ کر گیند میں خرابی پیدا کر کے پرنگل نے پاکستان کی پہلی اننگز کے دوران 52 رنز کے عوض سات وکٹیں حاصل کیں۔ اس طرح پاکستان نیوزی لینڈ کے خلاف 102 کے کمترین رنز پر آؤٹ ہوا۔ پرنگل نے اِس ٹیسٹ میں 152 رنز کے عوض گیارہ وکٹیں حاصل کیں۔ دلچسپ بات یہ ہے کہ وہ ریورس سوئنگ نہ کرا سکا۔ مگر کیوں کہ گیند کے ایک حصہ کو کھرچا ہوا تھا اِس وجہ سے وہ گیند کی سلائی کو اوپر کی طرف سیدھا رکھتے ہوئے گیند

کو پچ پر گرا کر اس کا رخ پھیرنے میں کامیاب رہا۔ پرنگل جن دوسرے تیرہ ٹیسٹ میچوں میں کھیلا جہاں گیند کی حالت کو تبدیل نہیں کیا گیا تھا اس نے 65 رنز فی وکٹ کی اوسط پر 19 وکٹیں حاصل کیں۔ اس نے دعویٰ کیا کہ اُس نے چِر کے لگی گیند متعدد بار امپائروں کو دکھائی مگر انہوں نے گیند کی حالت کو نظر انداز کیے رکھا۔ انہیں ڈر تھا کہ کہیں نیوزی لینڈ کے کھلاڑی پاکستانی ٹیم کے حربے منظر عام پر نہ لے آئیں۔

پاکستان کا دورہ کرنے والی اگلی ٹیم ویسٹ انڈیز کی تھی۔ عمران خان کی کپتانی میں (اُس نے نیوزی لینڈ کی کمتر ٹیم کے خلاف نہ کھیل کر اپنے آپ کو آرام دیا تھا) وسیم اکرم اور وقار یونس نے پہلے ٹیسٹ میں آپس میں پندرہ وکٹیں حاصل کیں اور پاکستان کو فتح حاصل ہوئی۔ ویسٹ انڈیز ٹیم نے مینیجر اور اپنے دور کے عظیم آف سپنر لانس گبز (Lance Gibbs) نے گیند کی حالت پر سخت احتجاج کیا۔ تاہم پی سی بی کے حوالے سے (جو ایک بار پھر ہنگامی حالات کے تحت جنرل اکبر خان کے زیر حکمرانی تھی) گبز نے بعد میں اعتراف کرتے ہوئے مانا کہ جو گیند ویسٹ انڈیز نے استعمال کی اُس کی حالت اُس گیند سے بدتر تھی جو پاکستان نے استعمال کی تھی۔ مدثر نذر (جو اس وقت پاکستانی ٹیم کا کوچ تھا اور گیند میں خرابی پیدا کرنے کا سخت مخالف تھا) نے کہا کہ ویسٹ انڈیز کے کھلاڑیوں نے اُس سے اِس بات کا اعتراف کیا کہ پچھلے سال انگلینڈ کے خلاف ویسٹ انڈیز میں کھیلے گئے آخری دو ٹیسٹ میچوں میں گیند کے حالت خراب بنائی گئی تھی۔ اِس کے ساتھ ہی ان کا احتجاج جھاگ کی طرح بیٹھ گیا۔

وسیم اکرم نے اِس میچ میں ایک اور اعلیٰ کارکردگی پیش کرتے ہوئے پانچ گیندوں میں چار وکٹیں حاصل کرلیں۔ اس کے بیان میں اِس بات کا ذکر نہیں ہے کہ اُس نے وکٹیں حاصل کرنے میں ریورس سوئنگ کا استعمال کیا بلکہ اُس نے اپنی ناراضگی کا اظہار کرتے ہوئے بیان کیا کہ عمران خان نے اس کی گیند پر مڈ آن پر ایک انتہائی آسان کیچ چھوڑ دیا جس کی بدولت وہ ہیٹ ٹرک سے محروم رہ گیا۔

## برطانوی ذرائع ابلاغ میں پاکستان کے ساتھ روایتی رویہ

تقسیم ہند کے بعد پہلی چار دہائیوں میں پاکستان کے کرکٹ کھلاڑیوں کو انگلستان میں عام طور پر پُرتپاک انداز سے دیکھا جاتا تھا تاہم وقتاً فوقتاً ان کے ساتھ ہمت افزائی کے ساتھ ساتھ حقارت آمیز سلوک بھی کیا جاتا رہا۔ اس بنیادی نیک خیالی کا دارومدار اِس بات پر مبنی تھا کہ پاکستان نہ تو میدان میں اور نہ ہی اس کے باہر کسی چیز پر زور دیتا تھا۔

1980ء کی دہائی میں جو عظیم ٹیمیں ظہور پذیر ہوئیں اور جو انگلینڈ کو شکست دینے کی اہلیت رکھتی تھیں اُن کی بدولت یہ سب بدلنے لگا او اس کے ساتھ ساتھ عالمی کرکٹ کی سیاست میں پاکستان کے جارحانہ رویے

سے بھی مزید تبدیلی پیدا ہوئی۔ 88-1987ء میں دورہ پہ آنے والی گیٹنگ کی ٹیم کھلاڑیوں نے جس بے صبری اور تنک مزاجی کا مظاہرہ کیا وہ اِسی بدلتی ہوئی صورتحال کا ردِعمل تھا۔ تاہم حالات کا اصل ٹکراؤ پاکستانی ٹیم کے 1992ء کے دورہ انگلستان کے دوران ہوا۔

یہیں آکر پاکستان کے فتوحات حاصل کرنے والے باؤلروں وسیم اکرم اور وقار یونس پر الزامات لگے کہ ان کی تباہ کن کارکردگی دراصل بے ایمانی کی وجہ سے حاصل ہوتی ہے۔ اِس دورے کے واقعات بیان کرنے سے پہلے یہ ضروری ہے کہ پیچھے ہٹ کر برطانوی ذرائع ابلاغ کی پاکستان کی کرکٹ کے متعلق داستان گوئی کا مطالعہ کیا جائے۔

1992ء تک برطانیہ کے مقبول اخبارات نے شہ سرخیوں اور تصاویر کے بل بوتے پر اس سوچ کو پیدا کردیا تھا کہ پاکستانی کرکٹ کے کھلاڑی ایک ناگوار اور بہ مشکل مہذب مُلک کی نمائندگی کرتے ہیں۔ کرکٹ میں انگلینڈ کے دوسرے حریفوں کو مسلسل اس طرح سے کبھی بُرا بھلا نہیں کہا گیا۔ اور یہ باعث حیرت نہیں کہ پاکستانی کرکٹ کھلاڑیوں اور تبصرہ نگاروں نے بھی جوابی طور پر انگلینڈ کے کھلاڑیوں اور امپائروں کو مغرور، منافق اور بے حد متعصب گرداننا شروع کردیا۔

گیٹنگ اور شکور رانا کے جھگڑے کے بعد دی سن اخبار نے تمام حدود پار کرتے ہوئے ایک نشانہ بازی کا گول ہدف (Sun Fun Dartboard) کی پیشکش کردی جس پر شکور رانا کا چہرہ بنا ہوا تھا۔ خوش نصیب پڑھنے والے عین اس کی آنکھوں کے درمیان ڈارٹ کے ساتھ نشانہ لیتے۔ سن اخبار تصوراتی تشدد کے بعد 1987ء کے موسم گرما میں انگلینڈ کے دورہ پہ آئی ہوئی پاکستانی ٹیم کے ساتھ میچوں کا حقیقی طور پر پُرتشدد سلسلہ شروع ہوا جس میں پاکستان کے ایک حمائتی پر ٹرینٹ برتج میں گلے پر چاقو سے وار کیا گیا۔ 1987ء کے ایجبیسٹن (Edgbaston) کے ایک روزہ عالمی میچ کے بعد ماہنامہ وِزڈن کرکٹ کے مدیر ڈیوڈ فرتھ (David Frith) نے اعلانیہ مذمت کرتے ہوئے کہا کہ پاکستانی حمایتوں کا لشکر صرف کرکٹ دیکھنے نہیں آتے بلکہ وہ عمران خان اور اس کے ساتھ کھلاڑیوں کی شرمندگی کے باوجود اپنی جنونی وحشت اور شدت پسندی سے اپنی ٹیم کے لیے اپنی شناخت کروانے آتے ہیں۔ ہمیں اپنی معلومات کے ذریعے معلوم ہوا ہے کہ اُن میں سے سینکڑوں ایسے تھے جو ٹکٹ خریدے بغیر اندر داخل ہو گئے تھے۔ اور انہوں نے باقاعدہ جنگ کرنے کا منصوبہ بنا رکھا تھا۔ تاہم اُس نے اُن سفید فام حمایتوں کا ذکر نہیں کیا جنہوں نے اپنے سر مُنڈوا رکھے تھے اور بڑے بڑے جوتے پہن رکھے تھے اور وہ بھی نمٹنے کے خیال سے وہاں منڈلا رہے تھے۔

1990ء میں کنزرویٹو پارٹی کے سابق چیئرمین نارمن ٹیبٹ (Norman Tebbit) نے قابلِ نفرت جملہ طرازی کرتے ہوئے پاکستانی کرکٹ کے حمایتوں میں عداوت پیدا کردی۔ انگلینڈ کے پاکستان اور

ہندوستان کے عالمی میچوں کے دوران ایشیائی تماشائیوں کا حوالہ دیتے ہوئے اُس نے سوال کیا کہ ''وہ کس ٹیم کی حمایت میں نعرہ بازی کرتے ہیں؟ کیا وہ اب بھی اُسی جگہ کے لیے آواز لگاتے ہیں جہاں سے وہ آئے تھے یا ذہنی طور پر وہ اب بھی وہیں ہیں؟'' اس نے سننے والوں کی توجہ کو دعوت دیتے ہوئے سمجھایا کہ اِس قسم کے حمائتی اب بھی بیگانے ہیں۔ اور ان کے دلوں میں اب بھی برطانیہ کے لیے وفاداری نہیں ہے۔ ٹیبٹ (Tebbit) نے اس قسم کا سوالیہ امتحان سفید فام حمائتیوں سے نہیں کیا جو دورے پر آنے والی ٹیموں کی حمایت کرتے تھے۔ مثلاً وہ برطانوی جن کی نسلی جڑوں کا تعلق نیوزی لینڈ سے تھا وہ رگبی میچوں پر آئی ہوئی مکمل سیاہ فام ٹیموں کی حمایت کرتے تھے۔

1992ء میں اخبار ڈیلی مرر (Daily Mirror) نے دورے پہ آئی ہوئی پاکستانی کرکٹ ٹیم اور اس کے حمائتیوں پر دہرا حملہ کیا۔ اخبار کے کھیلوں کے لکھاری مائیک لینگلے (Mike Langley) نے پاکستانی ٹیم کے کپتان جاوید میاں داد کو ''کرکٹ کا کرنل قذافی'' کا خطاب دے کر ماحول کو زہر آلود کر دیا۔ اِس پر بھی اُس کی تسلی نہ ہوئی تو اُس نے مزید ایک قدم اور لیتے ہوئے ٹیم کو ''جاوید میاں داد اور اس کے بدتمیز ساتھیوں کا خطاب دے دیا۔ اور جاوید میاں داد کی وضاحت کرتے ہوئے اسے ایسا جنگلی کہا کہ جس کا چہرہ درہ خیبر کے پہاڑوں میں گھات لگائے حملہ آور کے طور پر نظر آ سکتا ہے۔ (جاوید میاں داد کا تعلق ایک درمیانہ طبقے کے خاندان سے تھا جو جغرافیائی طور پر درہ خیبر سے ایک ہزار میل کے فاصلے پر کراچی میں رہائش پذیر تھا اور جس کی تہذیب وتمدن بالکل مختلف تھی) اُس نے جاوید میاں داد پر الزام عائد کیا کہ وہ جلد مشتعل ہونے والے پاکستانی حمایتیوں کو ہمیشہ اُکساتا ہے۔ لینگلے نے اُن حمایتیوں کے لیے مزید فقرہ چُست کرتے ہوئے انہیں خشک اور بے مزا تک کہہ دیا۔ آئین بوتھم کے کلمات کا حوالہ دیتے ہوئے کہ ''پاکستان ایسی جگہ ہے جہاں اپنی ساس کو بھیج دینا چاہیے۔'' لینگلے نے مزید تبصرہ کرتے ہوئے کہا کہ ''میرا خیال تھا کہ وہ ہنسی سے لوٹ پوٹ ہو جائیں گے اور جواباً کہیں گے کہ سکن تھارپ (Scunthorpe) بارے کیا خیال ہے؟'''' پاکستانی نہیں ہنسے کیوں کہ اُن میں شدید حب الوطنی کا جذبہ ہے۔ ان کے نزدیک چٹ پٹے قلیوں سے زیادہ معذرت کی اہمیت ہے۔'' ایک بار پھر یہ میرا تاثر ہے۔

ایسے مضامین صرف مقبول اخبارات تک محدود نہیں ہے۔ سیاسی کالم نگار سائیمن ہیفر (Simon Heffer) نے سنڈے ٹیلی گراف میں ایک چُبھتے ہوئے مضمون کے ذریعے پاکستانی ٹیم کو ''سماج سے دھتکاری ہوئی بے ذات'' کا نام دیا۔ اُس نے ہانپتے ہوئے مزید کہا کہ کرکٹ کی عالمی برادری میں آج تک کسی کی اتنی ذلت اور رسوائی نہیں ہوئی ہے جتنی موجودہ دورے پہ آنے والی ٹیم کی ہوئی ہے۔ اُس نے مزید کہا کہ فتح کی خاطر پاکستانی ٹیم کھیل میں انصاف تک کی پرواہ نہیں کرتی۔ اور اندرون ملک ان کے امپائر

بے ایمانی کے کھیل پر چشم پوشی کرتے ہیں۔ اور جاوید میاں داد میں جن اخلاقیات کا فقدان ہے انھی کی بدولت وہ اپنے ملک کا آخری فرد تھا جو کپتان بننے کا اہل تھا۔ ''چاہے وہ صرف پاکستان ہی کیوں نہ ہو۔'' یہ پھر میرا تاثر ہے۔ ہیفر (Heffer) نے بدمزہ تمہید باندھتے ہوئے مزید کہا کہ پاکستان کے کرکٹ میدانوں میں ایمانداری صرف اس وقت دیکھی گئی جب ان کا استعمال عوامی طور پر کوڑے مارنے کے لیے کیا گیا۔

1992ء کے دورے کا آغاز اطمینان بخش تھا۔ انگلینڈ نے پہلے دو ایک روزہ عالمی میچوں کو جیت کر اپنی عالمی کپ میں شکست کا کچھ تو بدلہ لے لیا۔ ایجبسٹن میں کھیلا جانے والا پہلا ٹیسٹ میچ بارش کا شکار ہو کر بغیر کسی نتیجے کے اختتام کو پہنچا۔ اس میچ کا خصوصی پہلو جاوید میاں داد اور سلیم ملک کی 322 رنز کی یادگار شراکت تھی۔ اس کے علاوہ جمعہ کے روز ٹی سی سی بی نے تماشائیوں کو ٹکٹوں کی رقم واپس کرنے سے انکار کر دیا۔ حالاں کہ صرف تین گیند کیے گئے تھے۔ لارڈز میں کھیلے جانے والا دوسرا ٹیسٹ میچ سنسنی خیز تھا۔ میچ کے آخری روز سترہ وکٹیں گریں۔ مگر اِس بار یہ میچ وسیم اکرم اور وقار یونس نے بلے بازوں کی حیثیت میں پاکستان کے لیے جیتا۔

اولڈ ٹریفرڈ پر کھیلے جانے والے تیسرے ٹیسٹ میچ میں رنز تو بہت زیادہ ہوئیں مگر کھیل بغیر کسی نتیجے کے ختم ہوا۔ عامر سہیل نے ڈبل سنچری بنائی۔ انگلینڈ کی طرف سے ڈیوڈ گاور (( جسے اگرچہ ٹیم میں واپس تو لے لیا گیا تھا مگر غالباً انگلینڈ کے آسٹریلیا کے حالیہ دورہ کے دوران اُس نے جو تفریحی ہوابازی کی تھی اُس پر ابھی اس کی معافی نہیں ہوئی تھی ) نے سب سے زیادہ رنز کیں۔ میچ جس وقت مکمل طور پر مردہ ہو چکا تھا تو امپائر رائے پالمر (Roy Palmer) نے پاکستان کو ناراض کرنے کی خاندانی روایت کو برقرار رکھتے ہوئے عاقب جاوید کو انگلینڈ کے گیارہ نمبر پر کھیلنے والے کھلاڑی ڈیون میلکم کو ہراساں کرنے پر تنبیہ کی۔ پاکستانیوں کے خیال میں یہ تنبیہ نا جائز تھی۔ کیوں کہ عاقب جاوید باؤنسر نہیں کروا رہا تھا جب کہ جس وقت میلکم پاکستانی بیٹسمینوں کو حد سے پیچھے گیند کر رہا تھا تو اُسے کوئی تنبیہ نہ کی گئی تھی۔ وہ پہلے ہی رمیز راجہ کے خلاف پالمر کے پہلی اننگز کے فیصلے پر بھرے بیٹھے تھے جس کے لیے انگریز کھلاڑیوں نے بے دلی سے اپیل کی تھی۔ عاقب جاوید نے غصہ سے ردِعمل کا اظہار کیا۔ جاوید میاں داد بجائے اس کے وہ اپنے نوجوان باؤلر کو مطمئن کرتا، وہ دوڑتے ہوئے اس کے پاس پہنچا اور انگلی ہلاتے ہوئے اس کی حمایت میں بولنے لگا۔ اس کے بعد وہ مشہور واقعہ پیش آیا۔ جسے وِزڈن کے غیر جانبدار الفاظ میں یوں بیان کیا گیا ''عاقب کا سوئیٹر غالباً امپائر پالمر کی پتلون کی پیٹی میں پھنس گیا تھا جس کی وجہ سے اس نے زور لگا کر اُسے ایک جھٹکے کے ساتھ عاقب کو واپس کیا تھا۔'' ٹیم کے مینیجر انتخاب عالم نے دعویٰ کیا کہ پالمر نے کھلاڑیوں کی توہین کرتے ہوئے سوئیٹر عاقب جاوید کی طرف پھینکا تھا۔

اِس واقعہ پر آئی سی سی کے ردِ عمل سے کوئی بھی مطمئن نہ ہوا۔ میچ ریفری کونرڈ ہنٹ (Conrad Hunte) جو اصل ثالث کلائیڈ وولکٹ (Clyde Walkoot) کی جگہ چوتھے اور پانچویں دن کے کھیل کے لیے فرائض سرانجام دے رہا تھا، نے عاقب جاوید کو میچ میں اس کی اجرت کے نصف حصہ کے برابر جرمانہ کر دیا۔ اس نے انتخاب عالم کو اس کی رائے زنی پر سخت سرزنش کی اور پھر اسے معذرت کی بجائے اپنی رائے دہرانے پر جرمانہ کر دیا گیا۔ جاوید میاں داد کو سزا نہ دی گئی اور انگلینڈ کی ٹیم کو اس وقت سخت طیش آیا جب ہنٹ (Hunte) نے دونوں ٹیموں کے کپتانوں کو مِل کر اِس بات کو یقینی بنایا کہ ان کی ٹیموں کو کھیل کی روح برقرار رکھتے ہوئے ضابطے میں رہ کر کھیلنا چاہیے۔ اس واقعہ سے سائیمن ہیفر (Simon Heffer) کے بھرپور لفظی جملے کو ہوا ملی۔ اور اخبار ڈیلی مرر (Daily Mirror) نے جاوید میاں داد کو خیبر کا جنگلی آدمی کہہ کر اس کا نقشہ کھینچا۔ کرکٹر رسالے (The Cricketer) کے مدیر چرڈ ہٹن (Richard Hutton) نے پالمر سے متعلق وضاحت کرتے ہوئے کہا کہ وہ ایک اور بپھرے ہوئے غول کے گھیرے میں آیا ہوا ہے۔

اخبار ڈیلی مرر نے جاوید میاں داد پر حملہ کرتے ہوئے اُسے یہ بھی خبردار کیا کہ وہ یہ بات اپنے ذہن میں رکھے کہ انگلینڈ کو یہ بھی لاعلاج تجسس لاحق ہے کہ پاکستانی باؤلر پُرانے گیند سے کِس طرح سوئنگ کر لیتے ہیں جب کہ اس دِن نیا گیند ذرا بھی رُخ تبدیل نہیں کرتا۔ ذارئع ابلاغ کے ذریعے یہ پاکستان کے دو ممتاز باؤلروں کے خلاف زہر افشانی کی ابتدا تھی۔ جن میں ٹیسٹ میچوں کے دوران بغیر کِسی خاص وجہ کے انگلینڈ کی ٹیم کو ڈھیر کرنے کی قابلیت تھی۔

لارڈز کے میدان میں انگلینڈ نے پہلی اننگز میں 42 رنز کے عوض اپنی آخری چھ وکٹیں کھو دی تھیں جب کہ دوسری اننگز میں 38 رنز کے عوض بھی یہی کچھ ہوا۔ ہیڈ نگلے میں کھیلے جانے والے چوتھے ٹیسٹ میچ میں 270 رنز پر ایک کھلاڑی آؤٹ ہونے کے بعد انگلینڈ کی تمام ٹیم 320 رنز پر پگھل کر رہ گئی۔ مگر اس کے باوجود کسی نہ کسی طرح سے چھ وکٹوں سے فتح حاصل کر کے ٹیسٹ سیریز کو برابر کر دیا۔ اس ٹیسٹ میچ میں امپائروں کے حوالے سے کئی ایک متنازع باتیں سامنے آئیں۔ کین پالمر (Ken Palmer) اور مروِن کچن (Mervyn Kitchen) نے کئی بظاہر معقول ایل بی ڈبلیو کی اپیلوں کو رد کر دیا۔ اور جس وقت انگلینڈ کی ٹیم جیتنے کے لیے معمولی ہدف حاصل کرنے کے لیے ہاتھ پاؤں مار رہی تھی تو پالمر نے غلطی سے گوچ کو رن آؤٹ دینے سے انکار کر دیا۔ اوول کے میدان پر کھیلے جانے والے فیصلہ کن ٹیسٹ میچ میں انگلینڈ کے ساتھ کھلاڑی صرف 25 رنز کے عوض پہلی اننگز میں آؤٹ ہو گئے اور دوسری اننگز میں 21 رنز کے عوض پانچ وکٹیں کھو دیں۔

بعد میں انگلینڈ ٹیم کے مینیجر مکی سٹیورٹ نے صحافیوں سے گفتگو کرتے ہوئے کہا کہ "گیند اچانک سوئنگ ہونا شروع ہو گئی۔" پھر دانستہ طور پر شرارت سے مزید کسی وضاحت کے بغیر کہا کہ "میں جانتا ہوں کہ

ایسا کیوں ہوا۔'' انگلینڈ کی دس وکٹوں سے شکست اور ٹیسٹ سلسلے کو 2-1 سے ہار جانے کے بعد اُس نے ذرائع ابلاغ کے ناگزیر سوالات کا جواب دیتے ہوئے کہا کہ ''میں جانتا ہوں کہ وسیم اکرم اور وقار یونس کیا حربہ استعمال کرتے ہیں۔ جس کی وجہ سے گیند اتنی زیادہ سوئنگ ہوتی ہے۔ فی الحال صرف اتنا ہی کہوں گا۔ اس موضوع پر کھلاڑیوں کے کمرے میں گفتگو ہو چکی ہے اور ہم جانتے ہیں کہ وہ یہ کیسے کرتے ہیں۔ میں بالکل پُراسرار نہیں بن رہا۔ میں نے بہت کچھ کہہ دیا ہے اور کوئی نازیبا بات نہیں کی۔''

اگر سٹیورٹ اور اس کی ٹیم کے کھلاڑیوں کو شک تھا کہ پاکستانی کھلاڑی گیند میں خرابی پیدا کر رہے ہیں تو اُن کے پاس اس کا علاج تھا۔ وہ امپائروں سے شکایت کر سکتا تھا۔ یا پھر آئی سی سی کی طرف سے مقرر کردہ نئے ریفری کی طرف رجوع کر سکتا تھا۔ وہ اپنے بلے بازوں کو ہدایت کر سکتا تھا کہ وہ گیند کا معائنہ کریں یا پھر امپائروں سے کہتا کہ وہ گیند کا معائنہ کرتے۔ وہ اُن ناظروں کا بھی انتظام کر سکتا تھا جو پاکستانی ٹیم کے میچوں کے دوران ان کی فلم بناتے یا پھر ٹیلی ویژن کی فلموں کا تجربہ کرتے۔ وہ اپنے طور پر پاکستان کے مینیجر انتخاب عالم کے ساتھ جس کا سرے کاؤنٹی میں وہ پاکستان بھی رہ چکا تھا معاملہ اٹھاتا۔ ان چیزوں کی بجائے اس نے ٹیسٹ میچوں کا سلسلہ ہار جانے کے بعد صحافیوں سے اشاروں کنایوں میں وضاحتیں کیں۔ اخبارات نے اُسے انعام کے طور پر'' پکڑے گئے وقار یونس گیند میں خرابی پیدا کرنے کے جھگڑے میں ملوث'' کی شہ سرخیوں سے سن اخبار نے نوازا۔ ڈیلی مرر کی سُرخی نے سوال کیا،''فاتح یا بے ایمان؟''

## لارڈز کے میدان پردہ پوشی

لارڈز کے میدان پر کھیلے گئے بارش زدہ ایک روزہ عالمی میچ میں پاکستان پر اُس وقت مزید نئے الزامات عائد ہوئے جب دوسرے روز گیند تبدیل کی گئی۔ ایلن لیمب کی شکایت پر میدان میں موجود امپائر جان ہیمپشائیر اور کین پالمر نے مِل کر تیسرے امپائر ڈان اوسلیر (Don Oslear) سے مشورہ کیا۔ اس نے آئی سی سی کے میچ ریفری ڈیرک مرے کو اطلاع دی کہ گیند تبدیل کرنا چاہیے کیوں کہ اُس میں صاف اور دانستہ طور پر خرابی پیدا کی گئی ہے۔ ڈیرک مرے نے دوپہر کھانے کے وقفہ کے دوران امپائروں، جاوید میاں داد اور انتخاب عالم سے ملاقات کی اور پھر گیند تبدیل کر دیا گیا۔ تاہم یہ سب خفیہ طور پر ہوا۔ اور اس کی خبر نہ تماشائیوں کو ہوئی اور نہ ہی ذرائع ابلاغ کو۔ طنزیہ طور پر دوسری گیند نے وسیم اکرم اور وقار یونس کی پہلی گیند سے کہیں زیادہ مدد کی۔ انہوں نے صرف 10 رنز کے عوض انگلینڈ کے چار بلے باز دھماکہ خیز طور پر آؤٹ کر دیئے اور پاکستانی ٹیم کے لیے فتح حاصل کر لی۔

انگلینڈ ٹیم کی طرف سے اخباروں میں بیانات نے پاکستانی ٹیم کے خلاف ذرائع ابلاغ میں ایک

طوفان برپا کر دیا۔ اس میں پیش پیش ڈیلی مرر اخبار میں ایلن لیمب کا اشتعال انگیز مکالمہ تھا۔ اخبار کے حریف دی سن نے بھی پُر زور مطالبہ کیا کہ پاکستان کو کرکٹ کی دنیا سے نکال پھینکنا چاہیے۔ اس اثنا میں دورہ پہ آئی ہوئی پاکستانی ٹیم کی انتظامیہ نے یہ بیان دے دیا کہ گیند کو پاکستانی ٹیم کی درخواست پر تبدیل کیا گیا تھا کیوں کہ اس کی ساخت میں خرابی گئی تھی۔ ذرائع ابلاغ میں ایک طوفان برپا ہونے کے باوجود ٹی سی بی اور آئی سی سی دونوں نے گیند تبدیل کرنے کی وجوہات پر چُپ سادھے رکھی۔ ان کے اس بے محل رویئے سے کوئی بھی مطمئن نہ ہوسکا۔ اس سے بھی بڑھ کر ٹی سی بی کا ایک اور مہمل اقدام تھا جس کے تحت اُس نے لیمب کو اس کے اخباری مکالمہ کی پاداش میں پانچ ہزار پونڈ جرمانہ کر کے اسُے شہید کے مقام پر پہنچا دیا۔ جب کہ پچھلے سال گیند میں خرابی پیدا کرنا ثابت ہو جانے پر سرے کو صرف ایک ہزار پونڈ جرمانہ ہوا تھا۔

## پاکستان کا دفاع کرنے والے

پھر بھی دورے کا اختتام خوش اسلوبی سے ہو گیا۔ وسیم اکرم اور وقار یونس دستخط حاصل کرنے والوں اور پاکستانی اور انگریز مداحوں میں مسلسل گھرے رہے۔ پاکستانی ٹیم نے اپنے دورے کے آخری تفریحی میچ میں جو سکاربیرو (Scarborough) میں کھیلا گیا تماشائیوں کو خوشی سے لبریز کر دیا۔ وہ بارش کے وقفوں میں تماشائیوں کے ساتھ مل کر کھیلتے رہے۔

ذرائع ابلاغ میں اُن کا بھی دفاع کرنے والے کچھ راست باز اور بیباک لوگ موجود تھے جن میں نمایاں طور پر ڈیوڈ گاوور جس نے پرانے قانون کو لاگو کرنے کے لیے آواز اٹھائی جس کے تحت باؤلروں کو زمین پر گیند رگڑنے کی اجازت تھی اور جیوف بائیکاٹ شامل تھے۔ اُس نے پاکستانی ٹیم کو ولولہ انگیز، پُرکشش اور ہنر مند پایا۔ اس نے مزید کہا کہ وہ بے ایمان نہیں بلکہ جادوگر ہیں۔ اُس نے انگلینڈ کی ٹیم کو مشورہ دیا کہ وہ چوں چوں کرنا بند کریں۔ یہ دونوں وسیم اکرم اور وقار یونس تو ہمیں ایک مالٹے سے آؤٹ کر سکتے تھے۔

جیک بینسٹر (Jack Bannister) نے بعد میں ڈان اوسلیر (Don Oslear) کے اشتراک میں Tampering With Cricket کے نام سے کتاب لکھی۔ مگر 1993ء کی وزڈن میں اس نے ریورس سوئنگ کی تعریف کرتے ہوئے لکھا کہ بازو گھما کر گیند کرنے کے بعد یہ باؤلنگ میں پہلی صحیح اختراع ہے۔ وہ اس حق میں بھی تھا کہ قانون میں باؤلروں کے لیے کچھ نرمی کر دینی چاہیے تاکہ وہ محدود طور پر گیند کا کچھ علاج کر سکیں۔ اس سال کے وزڈن کے مدیر میتھیو اینجل (Matthew Engel) نے وسیم اکرم کو سال کے پانچ بہترین کرکٹ کھلاڑیوں میں نامزد کر دیا۔

## ماحاصل

وسیم اکرم اور وقار یونس کی سربراہی میں 1990ء کی دہائی میں ریورس سوئنگ تیز رفتار باؤلروں کا باقاعدہ ہتھیار بن چکی تھی جس پر کوئی غیر قانونی دھبہ نہیں تھا۔

ریورس سوئنگ تیز رفتار باؤلروں کے لیے باقاعدہ اور قانونی ہتھیار بنتی جا رہی تھی جس پر کسی قسم کا کوئی غیر قانونی دھبہ نہیں تھا۔ انگلینڈ کے ڈیرن گوف (Darren Gough) کے علاوہ جنوبی افریقہ کے ایلن ڈونلڈ (Allan Donald) اور نیوزی لینڈ کے باؤلر ہیتھ ڈیوس (Heath Davis) نے ٹیسٹ کرکٹ میں اپنے مختصر دور میں ریورس سوئنگ میں مہارت حاصل کی۔ بعد میں اس فن کا استعمال کرنے والوں میں ہندوستان کا ظہیر خان اور سری لنکا کا لاست ملِنگا (Lasith Malinga) جو بازو گولائی میں گھما کر گیند پھینکتا تھا اور جس کی نقل کرنے کی کوشش تمام دنیا کے بچے کرتے ہیں بھی شامل ہو گئے۔

2005ء میں انگلینڈ کے سائیمن جونز نے ریورس سوئنگ کا استعمال کرتے ہوئے آسٹریلیا کے خلاف ایشز (Ashes) جیت کر قومی سورما کا رتبہ حاصل کر لیا۔ اور یہی کچھ 2009ء میں جمی اینڈرسن نے ایشز کے سلسلے میں کیا۔ دونوں نے اننگز کے شروع ہی میں ریورس سوئنگ کا استعمال کیا جب کہ پاکستانی عظیم باؤلر 1980ء اور 1990ء کی دہائیوں میں اس کا استعمال دیر سے کرتے تھے۔ میدان میں انگلینڈ کی ٹیم کے ساتھ گیند کی حفاظت اور اسے چمکانے کے لیے خصوصی طور پر نگران بھی موجود تھا۔

ریورس سوئنگ کے مستقبل بارے اور اس پر آخری دلچسپ مکالمہ عاقب جاوید کی طرف سے آیا جو عمران خان کے پیروکاروں میں سے تھا اور خود بھی اس فن کا استعمال کرتا تھا۔ 2004ء میں نوجوان پاکستانی کھلاڑیوں کے کوچ کی حیثیت میں اس نے ہندوستانی صحافی راہول بھٹے چاریہ کو بتایا کہ ''سچ تو یہ ہے کہ یہ بہت آسان چیز ہے۔ اگر آپ ہمارے نیٹ پر جا کر دیکھیں تو سولہ سال کا لڑکا بھی جس نے صرف چھ ماہ کرکٹ کھیلی ہے وہ بھی ریورس سوئنگ کر رہا ہے۔ اس کی وجہ ہے کہ ہمارے کرکٹ کے میدان کھردرے ہیں۔ ہماری کلبوں میں نئی گیند کو ایک ماہ تک استعمال کرنا ہوتا ہے۔ ان حالات میں میچ میں گیند کی خصوصی حفاظت کرنا ہوتی ہے تاکہ وہ ریورس سوئنگ کر سکے۔ میں آپ کو بتا رہا ہوں کہ اصل فن گیند کو صحیح حالت میں لانے کا ہے اور اس کام میں میں خصوصی اہلیت رکھتا تھا۔'' عاقب جاوید پر گیند میں خرابی پیدا کرنے کے متواتر الزامات کاؤنٹی اور ٹیسٹ کرکٹ کھیلتے ہوئے 1991ء اور 1992ء میں لگتے رہے۔ مگر مکالمے کے دوران اس نے اس پر خاموشی اختیار کیے رکھی۔ جیسا کہ سرفراز نواز نے مجھ سے مکالمے کے دوران اِس اہمیت پر زور دیا کہ باؤلنگ کرتے وقت اور گیند واپس کرتے وقت تمام کھلاڑیوں اور باؤلروں کو صحیح اور قانونی طریقہ کا استعمال کرنا چاہیے۔

عاقب جاوید نے ایک اور اہم نقطہ ٹیپ بال (Tape Ball) کی اہمیت پر اٹھایا۔ یہ بھی پاکستان کی ایک عظیم دریافت ہے جس کی بدولت ہزاروں بچوں اور نوجوانوں کا کرکٹ سے تعارف ہوتا ہے۔ اور اس کے بھی قومی سطح پر مقابلے ہوتے ہیں۔ اس میں ٹینس کی گیند کا استعمال ہوتا ہے جس پر غیر موصل پٹی (Insulation Tape) چڑھائی ہوتی ہے اور صرف ایک طرف چھوٹی سی درز رکھی جاتی ہے۔ اگر اسے صحیح انداز میں رکھا جائے تو درز کی وجہ سے دیر سے ہونے والی بے انتہا سوئنگ ہوتی ہے (یہ ریورس سوئنگ کے فن کی بہترین تربیت کرتی ہے) اور ہلکے گیند سے تیز رفتار باؤلنگ کرتے ہوئے نوجوان باؤلروں کے لیے اصل گیند ہاتھ میں آجانے سے پہلے بہترین تربیت ہے۔

اگر عاقب جاوید کی بات درست ہے اور کوئی بھی نوعمر باؤلر صحیح قسم کی گیند کے ساتھ ریورس سوئنگ کرسکتا ہے تو پھر حقیقی طور پر کہا جاسکتا ہے کہ پاکستان نے کرکٹ کو دوبارہ ایجاد کیا ہے۔

## حوالہ جات:

1 وسیم باری نے مجھ سے ہونے والی گفتگو میں اس کی تصدیق کی۔ اس نے فضل محمود کے بعد سرفراز نواز کو پاکستان کا سب سے عظیم درمیانی رفتار کا باؤلر قرار دیا۔

2 اس نے یہ کارکردگی معمولی فرق سے 82-1981ء میں سری لنکا کے خلاف قدافی سٹیڈیم لاہور میں 58 رنز کے عوض آٹھ وکٹیں حاصل کر کے بہتر کر لی۔

3 وِزڈن 1993ء کے صفحہ 20 پر جاوید میاں داد کے مطابق وسیم اکرم نے اُس سے پوچھا کہ وہ نیوزی لینڈ کے دورہ پر اپنے ساتھ کتنی رقم لے کر چلے۔ کیوں کہ اُسے یہ بھی معلوم نہ تھا کہ دورہ پر جانے والے پاکستانی کھلاڑیوں کو معاوضہ ادا کیا جاتا ہے۔ حوالہ عثمان سمیع الدین "Left Arm Explorers"

ww.espncricinfo.com/ maganine/content/story/457209/html

4 کرکٹ کے قوانین میں تبدیلی کے تخلیقی عمل سے مستفید ہونے والوں پر ایک دلچسپ تحقیقی تحریر تیار کی جارہی ہے۔ کئی باؤلروں کو شکایت ہے کہ کرکٹ انتظامیہ میں بیٹسمینوں کا عمل دخل زیادہ ہے اور نئے دور میں جتنے بھی قوانین تبدیل ہوئے ہیں ان کا فائدہ بیٹسمینوں کو پہنچا ہے۔ پچوں کو ڈھانپنا، باؤنڈریں کے فاصلے میں کمی (بھاری تلوں کا استعمال مزید فائدہ مند) فیلڈروں پر پابندی۔ اور اگلے پاؤں پر نو بال کا قانون جس سے مرحوم فریڈ ٹمس (Fred Titmus) کو خاص طور پر وحشت ہوتی تھی۔ مگر وہ فیصلے کو دوبارہ دیکھنے کے عمل پر خاموش ہیں جس کی بدولت ایل بی ڈبلیو (LBW) ہونے والوں کی تعداد میں اضافہ ہوا ہے۔ ڈیو رچرڈسن (Dave Richardion) جو اس وقت آئی سی سی (ICC) کا جنرل مینیجر تھا فیصلے کو دوبارہ دیکھنے کے نظام پر اُس کے تاثرات یہ تھے کہ کھیل پر اِس عمل کا جتنا بڑا اثر ہوا ہے ہمیں اس کا احساس نہیں تھا۔ (14 فروری 2012ء www.cricinfo.com)۔

20

# میچ فکسنگ کی لعنت

''بیشتر وقت کمیشن کو یہ محسوس ہوتا رہا کہ جو لوگ اُس کے سامنے پیش ہو رہے ہیں، وہ سچ بیان نہیں کر رہے۔ کم از کم وہ مکمل سچ نہیں بول رہے تھے۔''

۔ جسٹس قیوم

ریورس سوئنگ کا مطالعہ اور اس کے نتائج ہمیں سیدھا اکیسویں صدی میں لے آئے ہیں۔ اور تب تک اس کا استعمال بھی قابل عزت سمجھا جانے لگا تھا۔ مگر ایک اور تنازع جس سے پاکستانی کرکٹ کو بدنما زخم لگا، سامنے آیا۔ یہ میچ فکسنگ کی لعنت تھی۔ اس کا پس منظر سمجھنے کے لیے ہمیں دو دہائیاں پیچھے چل کر 1992ء میں جاوید میاں داد کی ٹیم کی انگلینڈ میں فتح کی حکایت کی طرف لوٹنا پڑتا ہے۔

پیچھے مڑ کر دیکھتے ہوئے یہ واضح طور پر محسوس ہوتا ہے کہ جاوید میاں داد جو عمران خان کا کردار خوب سیکھ چکا تھا کو اس موقع پر پاکستان کا لمبے عرصے کے لیے کپتان بنا کر اُس کی توثیق کر دینا چاہیے تھی۔ مگر ایسا نہ ہوا۔ وہ مزید صرف ایک اور ٹیسٹ میچ میں کپتان رہا جس کے بعد وہ عمر رسیدہ کھلاڑیوں کی بغاوت کا شکار ہو کر رہ گیا۔

نیوزی لینڈ کے خلاف اِس ایک ٹیسٹ میچ میں جاوید میاں داد نے 92 رنز کیں۔ پاکستان نے پہلی اننگز میں 48 رنز کا پیچھا کرتے ہوئے پانچ وکٹیں کھو کر ہدف پورا کر دیا۔ انضمام الحق نے ٹیسٹ میچوں میں اپنی پہلی نصف سنچری بنائی جس میں راشد لطیف نے اس کا ساتھ دیا۔ مگر پاکستان نیوزی لینڈ کے لیے صرف 127 رنز کا ہدف مہیا کر سکا۔ نیوزی لینڈ تین کھلاڑی آؤٹ ہونے پر 65 رنز بنا کر جیت کی طرف رواں دواں تھا۔ جاوید میاں داد سوچ رہا تھا کہ وہ وقار یونس کی جگہ مشتاق احمد کو باؤلنگ کے لیے لائے۔ اس موقع پر آصف مجتبیٰ نے شارٹ لیگ کی پوزیشن پر ایک حیران کن کیچ پکڑ لیا۔ جس سے وقار یونس دوبارہ فعال ہو گیا۔ اُس نے وسیم اکرم کے ساتھ مل کر باقی تمام وکٹیں صرف 28 رنز کے عوض حاصل کر لیں۔

اس سنسنی خیز فتح کے ساتھ جاوید میاں داد کپتان کی حیثیت سے چودہ ٹیسٹ میچ جیت چکا تھا۔ وہ کم ٹیسٹ میچوں میں زیادہ میچ جیت کر عمران خان کے برابر پہنچ چکا تھا۔ عمران نے یہ نتیجہ 48 ٹیسٹ میچوں میں حاصل کیا تھا جب کہ جاوید میاں داد نے وہی نتیجہ 34 ٹیسٹ میچوں میں حاصل کر لیا تھا۔ مگر اس نتیجے کے باوجود پاکستان کرکٹ بورڈ نے اُسے وسیم اکرم کے مقابلے میں ہٹانے سے گریز نہیں کیا۔ ''اس سازش کے تانے بانے بالآخر عمران خان کے ساتھ جا ملتے تھے۔'' جاوید میاں داد نے بعد میں یہ دعویٰ اپنی خود نوشت سوانح عمری میں کیا۔ ''عمران خان پاکستان کرکٹ بورڈ کے تمام اعلیٰ عہدہ داروں کے خصوصی طور پر قریب تھا جن میں چیئرمین اور سیکرٹری بھی شامل تھے۔ اور اُسے سرکاری طور پر بورڈ کا مشیر بنا لیا گیا تھا۔ جاوید میاں داد نے عمران خان پر الزام عائد کیا کہ اُس نے نوجوان کھلاڑیوں کو اس کی کپتانی کے خلاف اُکسایا تھا۔ مگر جاوید میاں داد میں انسانوں کو منظم کرنے کی صلاحیت کا فقدان تھا۔ لہٰذا عمران خان کو یہ قطعی ضرورت نہیں تھی کہ وہ جاوید میاں داد کی جگہ لینے کے لیے وسیم اکرم کی حوصلہ افزائی کرتا۔

پاکستان کرکٹ بورڈ کا نیا سربراہ جسٹس نسیم حسن شاہ مقرر ہو گیا تھا۔ یہ بونے قد کا فربہ سا شخص تھا۔ بالکل گول مٹول سا تھا۔ کرکٹ سے اس کا کوئی تعلق یا پس منظر نہیں تھا۔ اس کی تعیناتی صاف طور پر سیاسی تھی اور وزیر اعظم نواز شریف نے اُسے اس منصب پر بٹھایا تھا۔ نسیم حسن شاہ کو آسٹریلیا کے حالیہ دورے کے بعد اس کی تفصیلی روئیداد پیش کی گئی۔ جس میں ٹیم کی ناقص کارکردگی کا الزام جاوید میاں داد لگایا گیا تھا۔ یہ بات واضح تھی کہ وہ اپنی ٹیم کے غیر منظم اور با آسانی قابو نہ آنے والے نوجوان لڑکوں کے ٹولے پر حکم چلانے کے قابل نہیں تھا۔

عارف عباسی نے جاوید میاں داد کی حمایت میں بحث تو بہت کی مگر اس کے مخالف تعداد میں زیادہ تھے۔ جاوید میاں داد نے جسٹس نسیم حسن شاہ اور بورڈ کے سیکرٹری شاہد رفیع کا سامنا کرتے ہوئے انہیں کہا کہ ''آج آ جانے پاکستان کی کرکٹ کو تباہ و برباد کر دیا ہے۔'' اُس نے مزید کہا کہ ''وسیم اکرم ابھی کپتانی کے لیے تیار نہیں ہوا، لہٰذا ٹیم کا توازن بُری طرح سے متاثر ہو گا۔'' آنے والے حالات و واقعات نے ثابت کیا کہ جاوید میاں داد کے انداز میں کتنا وزن اور دانش تھی۔

## وسیم اکرم کا بحیثیت کپتان پہلا مگر ناشاد دورہ

وسیم اکرم کی کپتانی کا دور ایک معمولی سے زمبابوے اور سری لنکا کے خلاف شارجہ میں ایک روزہ میچوں کے سلسلے میں جیت سے ہوا۔ وہ سری لنکا کے خلاف فائنل میں 24 رنز کے عوض چار وکٹیں حاصل کر کے میچ کا بہترین کھلاڑی بنا۔ پھر پاکستان جنوبی افریقہ میں کھیلے جانے والے سہ طرفہ کے فائنل میں پہنچ کر ویسٹ

انڈیز سے ہار گیا۔ اس میچ کا بہترین کھلاڑی عامر سہیل تھا تاہم یہ بورڈ کی مستقبل میں کمزوری کا شگون تھا۔ کیوں کہ عامر کو نعم البدل کھلاڑی کے طور پر بھیجا گیا تھا جب کہ بدنظمی کے الزام میں اس پر اندرون ملک کرکٹ کھیلنے پر پابندی عائد تھی۔

پھر فروری مارچ 1993ء میں وسیم اکرم نے پاکستان کی ویسٹ انڈیز کے خلاف ٹیسٹ میچوں اور ایک روزہ میچوں کے سلسلے میں سربراہی کی۔ اس کے ساتھ وقار یونس بطور نائب کپتان تھا۔ کپتانی سے ہٹائے جانے کے بعد جاوید میاں داد ٹیم کے ساتھ بطور عام کھلاڑی شامل تھا۔ مگر منتخب کرنے والوں نے بظاہر بغیر کسی نمایاں وجہ کے تجربہ کار سلیم ملک اور شعیب محمد کو مسترد کر دیا تھا۔ ایک روزہ میچوں کے سلسلے میں پاکستان کی ڈرامائی طور پر واپسی ہوئی اور 2-2 کا نتیجہ رہا۔ جارج ٹاؤن میں جب عوام نے میدان پر دھاوا بولا تو اس کے نتیجے میں اس وقت وسیم اکرم آخری گیند پر حریف کھلاڑی کو رن آؤٹ کرتے کرتے رہ گیا۔[1]

ٹیسٹ میچوں کا سلسلہ شروع ہونے سے قبل ہی آفت زدہ ہو گیا تھا۔ گریناڈا میں تیاری کے آخری میچ کے دوران وسیم اکرم، وقار یونس، مشتاق احمد اور عاقب جاوید کو ساحل سمندر سے گرفتار کر کے انہیں پیدل تھانے لایا گیا اور اُن پر الزام عائد ہوا کہ اُن کے قبضے میں تشکیل کردہ چرس تھی۔ دو انگریز لڑکیوں کو بھی گرفتار کیا گیا تھا جس کی وجہ سے جنسی اقدام کے متعلق بھی افواہوں نے جنم لیا۔ برطرف شدہ سابق کپتان جاوید میاں داد کی خوشی کی اس وقت انتہا نہ رہی جب اس سے درخواست کی گئی کہ وہ ویسٹ انڈیز میں اپنے تعلقات اور اثر رسوخ کو بروئے کار لاتے ہوئے اپنے کپتان اور نائب کپتان کی مدد کرتے ہوئے ان کی گلو خلاصی کروائیں۔ تمام متعلقہ افراد نے الزامات کی تردید کی اور سختی سے دعویٰ کیا کہ ان کے ساتھ یہ سب سازش کے تحت کیا گیا۔ معاملہ ختم کر دیا گیا۔

ٹیسٹ میچوں کے سلسلے میں پاکستان کو 0-2 سے شکست ہوئی۔ سچ تو یہ ہے کہ پاکستان نے کہیں بھی جم کر مقابلہ نہ کیا۔ پہلے دو ٹیسٹ میچوں میں بُری طرح سے شکست ہوئی تھی جب کہ تیسرا ٹیسٹ میچ بارش کی وجہ سے برابر رہا تھا۔ وسیم اکرم بطور بلے باز ناکام رہا اور اس کی اوسط طرف 8 رنز ہو سکی۔ بطور باؤلر بھی اُسے کوئی خاص کامیابی نہ ملی وہ تمام ٹیسٹ میچوں میں 40 رنز کے عوض 9 وکٹیں حاصل کر سکا تھا۔ جس کی وجہ سے اُس نے اپنا اعتماد کھو دیا تھا۔ مشتاق احمد اور عاقب جاوید کے زخمی ہو جانے سے وقار یونس جس نے 19 وکٹیں حاصل کی تھیں کا کوئی معاون نہیں تھا۔ جاوید میاں داد کا دائمی کمر درد دوبارہ لوٹ آیا تھا اور اس وجہ سے وہ کسی بھی ٹیسٹ میں نصف سنچری تک نہ بنا سکا تھا۔ انضمام الحق بھی ابتدا میں ناکام رہا مگر آخری ٹیسٹ میچ میں انتہائی اہم سنچری بنا پایا۔ صرف نیا کھلاڑی باسط علی مستقل مزاجی سے کھیل سکا۔ اس نے 55 رنز سے زیادہ کی اوسط سے 222 رنز بنائے تھے۔ اس کے بارے میں یہ کہا جانے لگا کہ وہ اگلا جاوید میاں داد ہو گا مگر صرف چند سال میں

ہی وہ ناکام ہو کر اِس فریب سے نکل آیا اور عالمی کرکٹ سے تنگ آ گیا۔

باسط علی نے اپنا اچھا تاثر برقرار رکھتے ہوئے اگلے سال موسم خزاں میں ویسٹ انڈیز کے خلاف شارجہ کے فائنل میں سنیچری بنا ڈالی۔ وسیم اکرم زخمی تھا اور اکیلا وقار یونس جو خود بھی مکمل طور پر صحت مند نہیں تھا برائن لارا کو 153 رنز بنانے سے نہ روک سکا جس کی بدولت ویسٹ انڈیز نے 285 رنز کا تعاقب کر کے ہدف حاصل کر کے میچ جیت لیا۔ اور ابھی پانچ اوور باقی تھے۔

وسیم اکرم اس وقت بھی زخمی تھا جب زمبابوے کی ٹیم اپنے پہلے سمندر پار دورہ پر دسمبر 1993ء میں پاکستان آئی۔ وقار یونس نے وسیم اکرم کی جگہ کپتانی کی اور پہلے ٹیسٹ میچ میں اپنے مخصوص انداز سے 135 رنز کے عوض 13 وکٹیں حاصل کر کے بے حد اطمینان حاصل کیا۔ اس کے شکار ہونے والوں میں پانچ بولڈ ہوئے اور چھ ایل بی ڈبلیو تھے۔ تمام ترمیچوں میں تماشائی نہ ہونے کے برابر تھے۔ لہٰذا کراچی میں کھیلے جانے والے ٹیسٹ میچ کی جگہ بدل کر ڈیفنس ہاؤسنگ اتھارٹی کے چھوٹے میدان میں منتقل کر دیا گیا۔ پاکستان اپنے کمزور حریف کے سامنے سخت جدوجہد کرنا پڑی کیوں کہ زمبابوے کی ٹیم نے دو مرتبہ اپنی پہلی اننگز میں پاکستان سے زیادہ رنز بنا لیے تھے۔ پہلے دو ٹیسٹ میچ جیتنے کے بعد پاکستان آخری ٹیسٹ میچ میں بہ مشکل شکست سے بچ سکا۔ شعیب محمد نے 315 منٹ لے کر نصف سنچری مکمل کرتے ہوئے میچ برابر کرا دیا۔

جاوید میاں داد نے اس کا ساتھ دیتے ہوئے 31 رنز بنائے۔ جاوید میاں داد کے کل 124 ٹیسٹ میچوں میں یہ آخری ٹیسٹ میچ ثابت ہوا۔ اُس نے اپنی تندرستی ثابت کرنے کے لیے عداوت بھرے منتخب کرنے والے ارکان سے ایک لمبی لڑائی کی تھی جن میں حسیب احسن بھی شامل تھا۔ یہ وہ شخص تھا جسے بطور مینیجر جاوید میاں داد ایک زمانے میں بے حد گرم جوشی سے پسند کرتا تھا۔ اس نے اپنی خودنوشت سوانح عمری میں لکھا ہے کہ منتخب کرنے والے ارکان نے تیز رفتار باؤلروں کو حکم صادر کیا کہ مشق کے دوران اس پر باؤنسرز کی مسلسل بارش کی جائے۔ جب نیوزی لینڈ کے دورے پر جانے والی پاکستان ٹیم میں جاوید میاں داد کو منتخب کیا گیا تو اُس نے جذباتی پریس کانفرنس کر ڈالی جس میں اُس نے ذلت آمیز سلوک کی شکایت کرتے ہوئے پاکستان کرکٹ کی انتظامیہ کو خوب بُرا بھلا کہا اور اعلانیہ مذمت کی۔ اور موقع کی شدت کے پیش نظر اُس نے عالمی کرکٹ سے کنارہ کشی کا اعلان بھی کر دیا۔ اس کے ساتھ ہی احتجاج کی ایک لہر اٹھ کھڑی ہوئی۔ جاوید میاں داد کی عینی توقع کے مطابق نہ صرف کراچی بلکہ پورے پاکستان میں اس کی حمایت میں احتجاج کا سلسلہ شروع ہو گیا۔ پاکستان کرکٹ بورڈ کے قذافی سٹیڈیم دفتر کے باہر روزانہ ہڑتالیوں نے ڈیرے ڈالنے شروع کر دیئے۔ اور احتجاجیوں نے آگ لگا کر خودسوزی کی دھمکی بھی دے ڈالی۔ جاوید میاں داد نے بالآخر کرکٹ میں دوبارہ واپسی کا اعلان بے نظیر بھٹو کی ذاتی استدعا پر کیا جو دوبارہ وزیراعظم بن چکی تھی۔

## وسیم اکرم کی معزولی اور سلیم ملک کی آمد

غالباً جیسے کو تیسا کے مصداق، وسیم اکرم جو خود کھلاڑیوں کی بغاوت کے نتیجے میں کپتان بنا تھا، اب خود اُسی قسم کی بغاوت کا شکار ہو کر معزول ہوا۔ اس بغاوت کی سربراہی اس کا نائب وقار یونس کر رہا تھا۔ دس پاکستانی کھلاڑیوں نے وقار یونس کا ساتھ دیتے ہوئے وسیم اکرم کے متکبرانہ رویئے کے خلاف الم بغاوت بلند کیا۔ تاہم وقار یونس کی کپتان بننے کی پیشکش کو نئے منتخب کرنے والے ارکان نے قبول نہ کیا۔ ان نئے ارکان کو پاکستان کرکٹ کے اتحاد ثلاثہ کے تین ارکان جاوید برکی، عارف عباسی اور ظفر الطاف نے جسٹس نسیم حسن شاہ کے تختہ اُلٹنے کے بعد مقرر کیا تھا۔ نئے ارکان نے وقار یونس کی بجائے سلیم ملک کو ترجیح دی۔

اعداد وشمار کے لحاظ سے یہ معقول انتخاب تھا۔ وہ ایک لمبے عرصے سے پاکستان کے لیے کھیل رہا تھا اور پاکستانی ٹیم کے درمیانی نمبروں پر کھیلتے ہوئے مستقل مزاجی سے اچھی کارکردگی دکھاتا رہا تھا۔ اس نے ٹیسٹ میچوں میں دس سنیچریاں بنا رکھی تھیں جن میں 82-1981ء میں سری لنکا کے خلاف اپنے پہلے ہی ٹیسٹ میچ میں سنیچری بھی شامل تھی۔ وہ 1988ء میں وِزڈن کا سال کا بہترین کھلاڑی بھی منتخب ہو چکا تھا۔ اور ایسکس (Essex) بھی دکھا چکا تھا۔ مگر پھر بھی وہ کپتانی کے لیے کبھی کسی کی سوچ میں نہیں آیا تھا۔ اُسے کپتانی کا تجربہ صرف وہ تھا جب اُس نے 1992ء میں انگلینڈ میں ٹرینٹ برج (Trent Bridge) کے میدان میں جاوید میاں داد کی جگہ ایک روزہ عالمی میچ میں کی تھی۔ مگر کپتانی کا وہ تجربہ ناخوشگوار تھا اور بعد میں اُسے مجرمانہ غفلت سمجھا جانے لگا کیوں کہ اُس نے انگلینڈ کی ٹیم کو 363 رنز کا پہاڑ کھڑا کرنے دیا تھا۔

جاوید میاں داد کی طرح سلیم ملک کے متعلق بھی اکثر یہی خاصیت بیان کی جاتی ہے کہ وہ ایک غریب لڑکا تھا جس کے دِن پھرے تھے جس نے گلیوں کے شرارتی لڑکے کی حیثیت سے کرکٹ سیکھی تھی۔ حقیقت میں (جاوید میاں داد کی طرح) سلیم ملک کا تعلق درمیانے درجے کے طبقے سے تھا۔ اُس کے والد کا لاہور میں کپڑے کی برآمد کا کاروبار تھا۔ اور اُس نے کرکٹ لاہور کی معروف وکٹوریس کلب سے سیکھی۔ بعد میں پیش آنے والے واقعات کو سامنے رکھنے کے لیے ضروری ہے کہ یہ سمجھ لیا جائے کہ میچوں کو جوئے کے لیے بنانے اور بدعنوانی میں ملوث کرنے میں درمیانے طبقے سے تعلق رکھنے والے تعلیم یافتہ کھلاڑی بھی اُتنے ہی ملوث تھے جتنے نیم تعلیم یافتہ اور غریب پس منظر سے تعلق رکھنے والے۔ شہریار خان نے اپنی حالیہ کتاب میں اِس نقطے کو سلمان بٹ کی نسبت زبردست طریقے سے اٹھایا ہے۔ ''نوجوان کپتان جس کا تعلق پڑھے لکھے درمیانے طبقے سے تھا۔ اس کے پڑھے لکھے ہونے اور خوش گفتار راہبر ہونے کی وجہ سے قوم کا بھی نئے دور میں شامل ہونے کا تاثر ملتا تھا۔

نیوزی لینڈ کے دورہ کے لیے منتخب کرنے والے ارکان نے سلیم ملک کو ٹیم کے لیے ایک مضبوط

انتظامیہ دی۔ انتخاب عالم کو ٹیم کے معاملات طے کرنے کے لیے اور ماجد خان کو ٹیم کے مینیجر کے طور پر تا کہ وہ پاکستانی کھلاڑیوں کا قابل اعتراض تاثر دور کر سکے، ساتھ روانہ کیا۔ ٹیسٹ میچوں کا سلسلہ 1-2 سے جیت لیا گیا۔ وسیم اکرم کی بطور باؤلر دوبارہ واپسی ہوگئی اور اُس نے ٹیسٹ میچوں میں 25 وکٹیں حاصل کیں۔ بعد میں اُس نے تحریر کرتے ہوئے بیان کیا کہ ''ٹیم میں میری تقریباً کسی سے کوئی بات چیت نہ تھی مگر پچ پر پہنچ کر مجھ میں ایک ولولہ پیدا ہو جاتا تھا۔'' اس نے اور وقار یونس نے پہلے ٹیسٹ میچ میں پندرہ وکٹیں حاصل کیں۔ اُن کی اس کارکردگی میں راشد لطیف نے نو کیچ لے کر ریکارڈ قائم کرتے ہوئے ان کی مدد کی اور پھر میچ جیتنے کے لیے زور دار چھکا بھی لگا دیا۔ اس عمل کے دوران وسیم اکرم نے اپنی دوسویں وکٹ حاصل کی اور وقار یونس نے ایک سو پچاسویں وکٹ حاصل کی جو سوائے ایس ایف بارنز (S.F. Barnes) کے کسی اور باؤلر نے اتنے کم ٹیسٹ میچوں میں حاصل نہیں کی تھیں۔ دوسرے ٹیسٹ میچ میں وسیم اکرم نے مزید گیارہ وکٹیں حاصل کیں۔ اس کے علاوہ سلیم ملک اور انضمام الحق نے سنچریاں بنائیں۔ سعید انور جو آغازی بلے باز کے طور پر مستحکم ہو رہا تھا اس نے بھی اپنی پہلی ٹیسٹ سنچری مکمل کی۔

باسط علی کی اوّلین ٹیسٹ سنچری اور سعید انور اور عامر سہیل کی دھواں دار آغازی رفاقت کے باوجود پاکستان تیسرا ٹیسٹ میچ ہار گیا۔ پاکستان نے نیوزی لینڈ کو جیتنے کے لیے 324 رنز کا ناممکن ہدف دیا۔ لیکن پھر بھی دو تقریباً غیر معروف کھلاڑیوں برائن ینگ (Bryan Young) اور شین تھامسن (Shane Thomson) نے میچ جیتنے کی شراکت کرتے ہوئے ناقابلِ تسخیر وسیم اکرم اور وقار یونس کا خوب مقابلہ کیا۔ بعد میں میچ کے نتیجہ کو شک کی نگاہ سے دیکھا گیا۔

ایک روزہ میچوں کا سلسلہ پاکستان نے 1-3 سے جیت لیا۔ تاہم کرائسٹ چرچ میں کھیلا جانے والا پانچواں میچ نیوزی لینڈ نے جیت کر کچھ تسکین حاصل کی مگر بعد میں یہی میچ تفتیش کا موضوع بنا۔

ایک انوکھا واقعہ اُس وقت پیش آیا جب پہلے ٹیسٹ میچ میں سلیم ملک نے دعویٰ کیا کہ ٹاس اُس نے جیتا ہے۔ مگر وہ ٹاس کے لیے اُردو میں بولا تھا اور اس سے پہلے کہ نیوزی لینڈ کا کپتان کین ردرفورڈ (Ken Rutherford) سکے کو دیکھ سکتا یا اُردو کے ترجمہ کے لیے کہتا، سلیم ملک نے سکہ فوراً زمین سے اٹھا لیا۔ سلیم ملک کے لیے بطور کپتان اعلیٰ ابتدا ہوئی اور اس کی ٹیم نے بھی عمدہ جذبہ اور نظم و ضبط دکھایا۔

## سلیم ملک کے عمدہ آغاز کا تسلسل

پاکستان کی اگلی کامیابی اُس کے خاموش طبع کپتان کی سربراہی میں شارجہ میں ہوئی جب اُس نے آسٹرل ایشیا کپ جیتا۔ ہندوستان جو تنظیمی تعصب کے خلاف دو سال سے احتجاج کر کے کھیل سے باہر تھا

دوبارہ آ شامل ہوا۔ پاکستان فائنل ہندوستان کے خلاف جیتا جس میں عامر سہیل کی تمام میچوں میں عمدہ کارکردگی شامل تھی جس میں اس نے سچن ٹنڈولکر کا عمدہ کیچ پکڑ کر اُسے آؤٹ بھی کیا تھا۔

اس کے بعد پاکستان نے سری لنکا میں فتح حاصل کی۔ جاوید میاں داد کو ٹیم میں شامل ہونا چاہیے تھا۔ اُس نے بے نظیر بھٹو کی التجا کے پیش نظر کرکٹ سے اپنی سبکدوشی معطل کر دی تھی کیوں کہ وہ چاہتی تھی کہ جاوید میاں داد اس کی وزارت عظمیٰ کے دور میں ٹیسٹ کرکٹ میں اپنے دس ہزار رنز مکمل کرے۔[2] جاوید میاں داد نے اپنی تندرستی کے لیے سخت محنت کی اور دورے سے پہلے آزمائشی میچ میں سنچری بنائی۔ بد قسمتی سے فٹ بال کے اچانک میچ میں اس کے گھٹنے کی جھلی پھٹ گئی۔

اس کے بغیر بھی پاکستانی ٹیم سری لنکا کا ٹیم پر بھاری تھی۔ اروندا ڈی سلوا کی شاندار سنچری کے باوجود جو اُس نے چھکا لگا کر حاصل کی تھی، پاکستان نے پہلا ٹیسٹ میچ 301 رنز سے جیت لیا۔ پاکستان کی طرف سے سعید انور اور وسیم اکرم میچ جیتنے والوں میں تھے۔ سری لنکا کا ایک سپنر جس نے لگاتار مشقت کر کے 53 اوور کیے اور 165 رنز سے کر صرف ایک وکٹ حاصل کی۔ اُس کا نام میتا مرلی دھرن تھا۔ انتخابی مہم میں حالات کی سنگینی کی وجہ سے سری لنکا میں کرفیو لگ گیا تھا لہٰذا دوسرا ٹیسٹ میچ کھیلا نہ جاسکا۔ تیسرے ٹیسٹ میچ میں انضمام الحق کی سنچری کی بدولت پاکستان ایک اننگز سے میچ جیت گیا۔ وسیم اکرم اور وقار یونس نے سری لنکا کا ٹیم کے پرخچے اڑا دیئے تھے حالاں کہ دونوں میں اب بھی کلام نہ تھا۔ ایک دہائی میں پاکستانی ٹیم وہ پہلی ٹیم تھی جس نے سری لنکا میں ایک روزہ میچوں کا سلسلہ جیتا تھا۔

ان کامیابیوں کے بعد چار اقوام کے مابین سری لنکا ہی میں کھیلے جانے والے سنگر کپ میں پاکستانی ٹیم کی کارکردگی حیران کن طور پر بے حد کمزور رہی۔ پاکستان، ہندوستان، سری لنکا اور آسٹریلیا کے خلاف کوئی میچ نہ جیت سکا اور سب سے پیچھے رہ گیا۔ آسٹریلیا کے خلاف پاکستان نے ایک کھلاڑی کے نقصان پر آرام سے 77 رنز بنا لیے تھے۔ جب کہ ان کے سامنے صرف 151 رنز کا ہدف تھا۔ پھر اچانک سنسنی خیز طور پر تمام ٹیم ڈھیر ہوگئی اور آسٹریلیا نے 28 رنز سے میچ جیت لیا۔

پاکستان میں گردش کرتی ہوئی افواہیں پہنچیں کہ ٹیم کے کچھ کھلاڑی جوئے میں ملوث ہیں۔ سلیم ملک نے غصے سے ان افواہوں کی تردید کی مگر جاوید برکی (جواب صدر پاکستان فاروق لغاری کا کرکٹ کا مشیر تھا) نے ایک انتظامی تحقیقاتی کمیٹی بنا دی۔ سرفراز نواز (جیسے کہ اس کی عادت بن چکی تھی) نے اِس اقدام کو ناکامی قرار دیتے ہوئے اُسے رد کیا اور اس کی بجائے مکمل عدالتی تحقیقات کا مطالعہ کیا۔

## پاکستان کی انتہائی ڈرامائی جیت

اکتوبر 1994ء میں مارک ٹیلر کی کپتانی میں دورہ پہ آنے والی آسٹریلوی ٹیم کے ساتھ کراچی میں ہونے والے پہلے ٹیسٹ میچ کے سامنے پچھلے تمام واقعات ماند پڑ گئے۔ ٹیسٹ میچوں کی تاریخ میں یہ ٹیسٹ میچ ولولہ انگیز ٹیسٹ میچوں میں شامل ہے۔ وسیم اکرم، وقار یونس اور مشتاق احمد نے تین تین وکٹیں لے کر آسٹریلیا کی ٹیم کو 337 رنز پر آؤٹ کر دیا۔ سعید انور کے 85 رنز کے باوجود پاکستانی ٹیم پہلی اننگز میں آسٹریلیا سے 81 رنز پیچھے تھی۔ آسٹریلیا کی دوسری اننگز میں صرف ڈیوڈ بون جس نے سنچری بنائی اور مارک وا جس نے 61 رنز بنائے، وسیم اکرم اور وقار یونس نے سامنے ٹھہر سکے تھے۔ اور آسٹریلیا 232 رنز بنانے میں کامیاب ہو گیا تھا۔ میچ جیتنے کے لیے پاکستان کو ابھی 314 رنز درکار تھے۔ سعید انور کے 77 رنز کے باوجود پاکستان کے سات کھلاڑی 184 رنز پر آؤٹ ہو چکے تھے اور ایسا لگتا تھا کہ میچ پاکستان کے ہاتھ سے نکل چکا تھا۔ لیکن انضمام الحق ابھی کھیل رہا تھا۔ راشد لطیف ایک بار پھر مضبوط ساتھی کے طور پر سامنے آ گیا بلکہ اس نے 52 رنز کی شراکت میں 35 رنز بنا کر انضمام الحق سے زیادہ رنز کیے۔ لیکن جب شین وارن (Shane Warne) نے اپنی پانچویں وکٹ لی تو پاکستان کے نو کھلاڑی 258 رنز پر آؤٹ ہو چکے تھے۔ آخری کھلاڑی مشتاق احمد نے موقع کی مناسبت سے حالات کو سنبھالا۔ اور اُس نے شین وارن اور میگراتھ (McGrath) کو روکے رکھا اور دوسری طرف انضمام نے احتیاط سے اپنی نصف سنچری مکمل کرلی۔ جب جیتنے کے لیے صرف دو رنز باقی رہ گئے تھے تو اچانک بغیر وجہ انضمام الحق کی آنکھوں میں جیسے خون اُتر آیا ہو۔ اس نے وارن کی گیند پر حملہ آور ہونے کا فیصلہ کرلیا۔ جب اُس نے نکل کر کھیلا تو گیند بلے پر نہ آئی اور وکٹ کیپر آئن ہیلے (Ian Healy) کی طرف بڑھی جو بہ آسانی اسٹمپ کر سکتا تھا۔ حیرت ہے کہ ہیلے (Healy) جو عام طور پر ستھرا وکٹ کیپر تھا، گیند اس کی انگلیوں کے درمیان سے نکل کر باؤنڈری کی طرف چلی گئی اور بائی (Bye) کے چار رنز مل گئے اور یوں پاکستان نے میچ جیت لیا۔

باقی ماندہ ٹیسٹ میچوں میں بھی اِسی قسم کے ڈرامے ہوتے رہے۔ راولپنڈی میں پاکستان ٹیم کو فالو آن کرنا پڑا۔ سعید انور اور عامر سہیل کے ستر ستر رنز کے باوجود آسٹریلیا کا پلہ بھاری تھا (عامر سہیل نے پہلی اننگز میں بھی 80 رنز بنائے تھے)۔ سلیم ملک جب 20 رنز بنا چکا تو ٹیلر نے سِلپ میں اس کا کیچ چھوڑ دیا۔ اس کے بعد سلیم ملک نے 443 منٹ میں 237 رنز بنا کر پاکستان کی بہترین ٹیسٹ اننگز میں ایک اور عمدہ اضافہ کر دیا۔ عامر ملک (جس نے گاہے بگاہے چودہ ٹیسٹ کھیل رکھے تھے اور اس کی اوسط 35 رنز تھی) نے سلیم ملک کی اعانت کی۔ ایک بار پھر راشد لطیف نے آ کر کھیل کو سہارا دیا۔ لیکن وہ زخمی ہونے کی وجہ سے لاہور کے ٹیسٹ میچ میں شرکت نہ کر سکا۔ اس کے متبادل کھلاڑی معین خان نے موقع غنیمت جانتے ہوئے سنچری بنا ڈالی۔

پاکستانی ٹیم ایک بار پھر مشکل سے دو چار تھی حتیٰ کہ سلیم ملک کو آ کر ایک اور سنچری بنانا پڑی اور اس کے ساتھ عامر سہیل نے اپنی گردن کی تکلیف کے باوجود سنچری بنائی۔

میچ برابر رہنے کی وجہ سے پاکستان یہ سلسلہ جیت گیا۔ اس فتح میں کراچی کی ڈرامائی جیت کا اصل ہاتھ تھا۔ سلیم ملک چھ مکمل اننگز میں 557 رنز بنا کر ٹیسٹ میچوں کے اِس سلسلے کا بہترین کھلاڑی مانا گیا۔ اس نے یکے بعد دیگرے تین ٹیسٹ میچوں کے سلسلوں میں پاکستانی ٹیم کی رہنمائی کرتے ہوئے اُسے فتوحات سے ہمکنار کیا۔ اس سے پہلے ایسا کارنامہ کسی اور کپتان نے نہیں کیا تھا۔ اس کا مستقبل روشن نظر آ رہا تھا۔ لیکن اس نقطہ عروج پر پہنچ کر میچ بنانے کے حوالے سے سلیم ملک کی وہ بدنامی ہوئی کہ وہ شہرت کے آسمان کی بلندیوں سے منہ کے بل زمین پر آ گرا۔ اس کی عزت خاک میں مل گئی اور پاکستانی کرکٹ کو ایسا گہن لگا جس سے آج تک نجات حاصل نہیں ہوسکی۔

## میچ فکسنگ: مکروہ لفنگے اور جھانسے میں آئے ہوئے شکار

علی الصبح چھ بجے محمد عامر اور اس کے دو بھائیوں نے مجھے لاہور کے مہمان خانے سے جہاں میں ٹھہرا ہوا تھا، آ کر اپنے ساتھ لیا اور بذریعہ موٹر کار مجھے اپنے ساتھ اپنے گاؤں چنگا بنگیال لے گئے جو لاہور سے چار گھنٹے کی مسافت پر شمال میں راولپنڈی کی سمت میں واقع ہے۔ وہاں پہنچنے پر لذیذ ناشتے سے ہماری خاطر کی گئی۔ یہ ناشتہ عامر کی بہن نے تیار کیا تھا جسے ہم ان کے صحن میں بیٹھ کر نوش کر رہے تھے۔ اسی آنگن میں محمد عامر کی پرورش ہوئی تھی۔

اس کے بعد عامر اور اس کے بھائی گاؤں کے قریب ہی ایک کھلی جگہ جس کے گرد دیوار تھی، کی طرف چلے گئے۔ یہ وہ جگہ تھی جہاں چودہ سال کی عمر تک محمد عامر نے اپنی تمام کرکٹ کھیلی تھی۔ یہیں اُس نے نرم گیند پر پٹی چڑھا کر اس کے ساتھ نت نئے تجربات کیے۔ ہم جب وہاں پہنچے تو اس وقت وہاں کھیل جاری تھا جس میں محمد عامر فوری طور پر شامل ہوگیا۔ مجھے کچھ شرمندگی سی محسوس ہوئی کیوں کہ مجھے کسی نے کھیلنے کی دعوت نہیں دی تھی۔ لیکن میں خاموش رہا۔

لیکن پھر کہا گیا کہ میں امپائیر کے فرائض ادا کروں۔ لہٰذا میں وکٹوں کے پیچھے جا کر کھڑا ہوگیا اور محمد عامر دوڑتے ہوئے آیا اور اس نے گیند کی۔ تجربہ میری زندگی کی اعلیٰ ترین یادوں میں سے ایک ہے کہ میں نے بائیں ہاتھ سے اتنا رواں اور خوبصورت باؤلنگ کا انداز اتنے قریب سے دیکھا جس نے دنیا کے کچھ عظیم بلے بازوں کو حیرت میں ڈال رکھا تھا۔ مخالف ٹیم کے ارکان نے محمد عامر پر کوئی خاص توجہ نہ دی کیوں کہ وہ اُسے بچپن سے جانتے تھے۔ اُن میں چند لڑکے بے حد ہنرمند تھے۔ چھ چھ کھلاڑیوں کی دو ٹیموں کا یہ میچ پٹی

چڑھی گیند کے ساتھ پوری طاقت کے ساتھ کھیلا جا رہا تھا اور انتہائی دلچسپ تھا۔

محمد عامر جو پانچ سال کی سزا کاٹ رہا ہے پابندی کی وجہ سے اب تک صرف اِسی قسم کی کرکٹ کھیل سکتا ہے چاہیے ہونا تو یہ چاہیے تھا کہ وہ اپنے مُلک کے لیے کھیل رہا ہوتا۔ محمد عامر کی دلسوز کہانی سے بہت کچھ عیاں ہوتا ہے اس میں صرف میچ بنانے والے مکروہ لفنگوں اور اُن کے جھانسوں میں آئے شکاروں کا ہی نہیں پتہ چلتا بلکہ خود پاکستان کے بارے میں بھی پتہ چلتا ہے۔

یہ چھ بھائی ہیں اور ان کی ایک بہن ہے۔ (ایک اور بہن کم عمری میں ہی فوت ہوگئی تھی۔ اس کی قبر گاؤں کے قبرستان میں اپنے دادا دادی کے پہلو میں ہے)۔ محمد عامر کا والد پاکستانی فوم میں سپاہی تھا اور اس نے 1971ء کی جنگ میں خدمات سرانجام دی تھیں۔ جب وہ فوج سے سبکدوش ہوا تو وہ مقامی سکول میں چوکیداری کرنے لگا۔ محمد عامر اپنے بہن بھائیوں میں سب سے چھوٹے سے بڑا ہے۔ اس نے مجھے بتایا کہ وہ تقریباً چھ یا سات سال کا تھا، جب اُس نے پہلی بار گیند تھامی۔ اور گیارہ سال کی عمر میں وہ اپنے گاؤں میں کھیلے جانے والے میچوں میں کھیلنے لگا۔

پھر اُس کی زندگی میں وہ زبردست موقع آیا جب وہ کرکٹ کوچ آصف باجوہ کی نظروں میں آ گیا اور اس نے اُسے دعوت دی کہ وہ راولپنڈی میں اس کی تربیت گاہ میں آ جائے۔ اسے درسگاہ کی اقامت گاہ میں رہائشی کے طور پر داخل کر لیا گیا جہاں صبح کے وقت پڑھائی ہوتی تھی اور دوپہر کے وقت کرکٹ میں تربیت مِلتی تھی۔ جب وہ پندرہ سال کا ہوا تو اُسے پاکستان کے 19 سال سے کم (Under-19) عمر کے کھلاڑیوں کی آزمائش میں لاہور کی نیشنل اکیڈمی بھیجا گیا۔ یہاں اس کی ملاقات پاکستان کے مستقبل کے کپتان سلمان بٹ سے پہلی بار ہوئی۔ ابتدائی طور پر سلمان بٹ نے محمد عامر کی خوب حوصلہ افزائی کی اور پھر جلد ہی محمد عامر سلمان بٹ کی نیشنل بینک کی فرسٹ کلاس ٹیم میں شامل ہو گیا۔

محمد عامر کو کچھ تندرستی اور چوٹوں کے مسائل رہے مگر اُس نے جلد اُن پر قابو پا لیا۔ وہ سترہ سال کا تھا جب اُسے پاکستان کے لیے پہلی بار منتخب کیا گیا۔ اُس نے فوری اثر دکھایا۔ اور جلد ہی ٹیسٹ کرکٹ میں پچاس وکٹیں حاصل کرنے والا نوعمر ترین کھلاڑی بن گیا۔ اُس کی یہ ترقی جتنی چکرا دینے والی تیزی سے آئی اس کا زوال بھی اُسی ڈرامائی تیزی سے ہوا۔

2010ء میں لارڈز کے میدان پر پاکستان اور انگلینڈ کے درمیان کھیلے جانے والے ٹیسٹ میچ کے دوران اس وقت کے برطانیہ کے اتوار کے سب سے زیادہ فروخت ہونے والے مقبول عام اخبار نیوز آف دی ورلڈ کی طرف سے کی گئی ایک خفیہ کارروائی کے ہتھے محمد عامر چڑھ گیا۔ محمد عامر اُن تین کھلاڑیوں میں سے ایک تھا جن میں سلمان بٹ اور محمد آصف شامل تھے جنھیں کھیل میں سپاٹ فکسنگ کے لیے رقم ادا کی گئی تھی۔[3] اِس

کے نتیجے میں محمد عامر پر پانچ سال کی پابندی عائد کر دی گئی۔ اس نے بعد میں برطانوی عدالت میں اعتراف جرم کیا کہ وہ بدعنوانی سے رقوم حاصل کرنے کی سازش میں ملوث تھا۔ اِس جرم کی پاداش میں اُسے چھ ماہ قید کی سزا ہوئی جو اسے کم عمر مجرموں کے ادارے میں کاٹنا پڑی۔

محمد عامر کی کہانی انتہائی گھناؤنی ہے۔ جس لمحہ سے وہ پاکستانی کھلاڑیوں کے کمرہ میں داخل ہوا، اس غیر معمولی نوجوان کو جواریوں نے روپے کی لالچ دے کر بے ایمانی کے لیے اُکسانا شروع کر دیا۔ اُسے اس کے ساتھی کھلاڑی بھی ورغلاتے رہے جنہیں روکنا اس کے بس کی بات نہیں تھی۔ اور جنہیں نہ کرنا انتہائی مشکل کام تھا۔ انگلینڈ کے سابق کپتان اور دی ٹائمز اخبار کے کرکٹ کے نامہ نگار مائیکل ایتھرٹن نے اس پر سب سے عمدہ تبصرہ کیا ہے۔ اس نے ایک لمبا، تفصیلی، باخبر اور ہمدردانہ مضمون لکھا ہے جس میں ایتھرٹن کا خیال ہے کہ محمد عامر اپنی بیوقوفی کے ہاتھوں شکار بنا۔ وہ حالات کی بدی کا مرتکب نہیں تھا۔ ایک انتہائی اُلجھی ہوئی داستان کو آسان بناتے ہوئے محمد عامر کے پاس علی نامی ایک جوئے باز آیا جس نے اُسے بے ایمانی کی طرف مائل کیا مگر عامر نے اُسے انکار کر دیا۔ قانونی طور پر اخلاقیات اور ضوابط کے تحت اُسے اس کی شکایت کرنا چاہیے تھے۔ لیکن اس نے ایسا نہ کیا۔ اگرچہ اس نے یہ بات اپنے کپتان سلمان بٹ کو بتا دی تھی۔ مگر یہ اس کی سب سے بڑی غلطی تھی۔ بجائے اس کے کہ سلمان بٹ اس سے ہمدردی کرتے ہوئے اس کی مدد کرتا، اس نے محمد عامر کو مظہر مجید نامی بدعنوان تاجر کے سپرد کر دیا۔ مظہر مجید نے نوجوان تیز رفتار باؤلر کو ڈراتے ہوئے کہا کہ وہ بہت بڑی مصیبت میں پھنس چکا ہے اور سرکاری اداروں کو اُس کے نام کا پتہ چل چکا ہے۔ مظہر مجید نے محمد عامر سے کہا کہ وہ اس کی مدد کر کے اُسے مصیبت سے نکال سکتا ہے مگر اس کے لیے اس کی یہ شرط ہے کہ وہ اس کی درخواست پر عمل کرتے ہوئے لارڈز کے ٹیسٹ میچ میں دو نو بال کرے۔

یہ وہ چال تھی جو مظہر چل رہا تھا اور جس کا جال نیوز آف دی ورلڈ کے خفیہ خبر رساں نے بُنا تھا۔ اس بھانڈے کو پھوٹنے میں زیادہ دیر نہ لگی اور اس کے نتیجے میں محمد عامر نے صرف بے آبرو ہوا بلکہ اُسے جیل کی ہوا بھی کھانا پڑی۔

اِس بات سے انکار نہیں کہ محمد عامر عقل سے پیدل تھا مگر اُس وقت وہ بالکل نوعمر تھا اور جن مشکل حالات سے وہ دوچار ہوا، ان کا مقابلہ کرنے کی اُس میں صلاحیت نہ تھی۔ جب کہ سلمان بٹ کا طرزِ عمل سخت مکروہ اور قابلِ نفرت تھا۔ عامر کا قصہ المناک ہونے کے علاوہ سمجھ میں آتا ہے۔ جیسا کہ ایتھرٹن نے لکھا کہ ''میں خدا کا شکر گزار ہوں کہ مجھے سترہ سال کی عمر میں کھلاڑیوں کے اس قسم کے ڈریسنگ روم میں داخل نہ ہونا پڑا، جس میں محمد عامر کو جانا پڑا۔ میری کرکٹ کھیلنے اور دیکھنے کی پچیس سالہ زندگی میں میرے سامنے اِس سے زیادہ المناک کہانی نہیں آئی جس نے مجھے اس قدر اذیت دی ہو۔''

## میچ فکسنگ میں کیسے اضافہ ہوا

پاکستان کے ابتدائی دنوں میں کرکٹ میں جُوئے کے لیے میچ بنانے کا قطعی رجحان نہیں تھا۔ تمام بیانات اِس بات پر متفق ہیں کہ جوئے باز پہلے پہل 1980ء میں آصف اقبال کی کپتانی میں پاکستانی ٹیم کے آفت زدہ دورے کے دوران نمودار ہوئے۔ ہم پہلے ہی دیکھ چکے ہیں کہ ٹیم کے ساتھ دورہ پہ آئے ہوئے معالج اور ماجد خان کے کزن ڈاکٹر فرخ خان کو ٹیم کی بس میں جواری کی موجودگی سے کِس قدر پریشانی لاحق ہوئی تھی۔

کاردار کے دور کے پُرانے کھلاڑی شجاع الدین نے اُس ماحول کی صورتحال کو یوں بیان کیا، ''آصف اقبال کی کپتانی میں پاکستانی ٹیم کے لیے نظم وضبط کی کوئی اہمیت نہ تھی۔ اُن کی زیادہ توجہ منافع بخش تجارتی پیش کشوں اور سماجی تقریبات میں بٹی ہوئی تھی۔ اس کے علاوہ آصف اقبال پر کھلم کھلا الزام تراشی ہورہی تھی کہ ہندوستانی جواریوں اور سٹہ بازوں کے ساتھ مل گیا ہے اور اس کی ٹیم کے چند ساتھی ایسے بہکاوے کے سامنے کمزور پڑ چکے تھے۔'' جسٹس قیوم رپورٹ جو جوئے کے لیے میچ بنانے کے الزامات پر سب سے معتبر روائیداد ہے اس کے مطابق:

''پاکستانی کرکٹ ٹیم پر جوئے کے لیے میچ بنانے کے الزامات کی ابتداء غالباً اُس وقت شروع ہوئی جب 80-1979ء میں آصف اقبال کپتان تھا۔ آصف اقبال پر الزام عائد ہوا تھا کہ وہ ٹاس پر جُوا لگاتا ہے۔ کرکٹ کے ہندوستانی کھلاڑی جی وشواناتھ نے اپنی کتاب میں لکھا ہے کہ وہ جب ٹاس کرنے کے لیے گیا تو پاکستانی کپتان آصف اقبال نے ٹاس کیے بغیر اسے مبارک باد دیتے ہوئے کہا کہ ہندوستانی کپتان ٹاس جیت گیا ہے۔''

آصف اقبال اس الزام سے انکار کرتا ہے۔ اور یہ الزام یوں بھی مزید کمزور پڑ جاتا ہے کیوں کہ بھارتی کپتان وشواناتھ نے کوئی کتاب نہیں لکھی۔ سائیمن وائلڈ، جس کی جوئے کے لیے میچ فکسنگ پر کتاب کوانتہائی معقول اور قابلِ اعتماد وتحقیق سمجھا جاتا ہے، پُر زور طریقے سے کہتا ہے کہ جوئے کی شرطیں وصول کرنے والوں کو اس قدر بھاری نقصانات ہوئے کہ انہیں شرطوں کو کالعدم کرنا پڑا۔

میچ فکسنگ صرف پاکستان تک ہی محدود نہ تھا۔ یہ مصیبت ہندوستان میں بھی اُسی شدت اور نمایاں طور پر موجود ہے۔ محمد اظہر الدین جس کا شمار ہندوستان کے عظیم ترین کھلاڑیوں میں ہوتا ہے بدعنوانی کے الزامات کی وجہ سے برباد ہوگیا۔ جنوبی افریقہ میں ہینسی کرونیے (Hansie Cronje) کی کرکٹ سے وابستہ زندگی اس وقت تباہ ہوکر رہ گئی جب یہ ثابت ہوگیا کہ جوئے کے لیے میچ بنائے جانے کی فریب کاری میں وہ ملوث ہے۔ پچھلے تیس سالوں میں جوئے کی شرطیں وصول کرنے والوں کی ٹیسٹ کرکٹ کھیلنے والے ممالک کے

کھلاڑیوں پر گرفت مضبوط ہوئی۔

کرکٹ میں بدعنوانی نے خطیر رقومات اور ٹی وی پر زندہ کھیل دکھائے جانے کے عمل کو جنم دیا۔ جس کے ساتھ ہی اخلاقی اقدار میں بھی گراوٹ آ گئی۔ ان تمام چیزوں کو حد سے زیادہ بے معنی ایک روزہ میچوں سے مزید تقویت حاصل ہوئی۔ بہت سے شوقین تماشائی اس بات پر زور دیتے ہیں کہ جب یہ کھیل تاجر عبدالرحمٰن بخاطر کی سرپرستی میں شارجہ میں پھیلا تو اس نے وہاں ایسے سازگار حالات پیدا کر دیئے جن میں بدعنوانی پھل پھول سکتی۔ بخاطر اُن تین حضرات میں سے ایک تھا جنہوں نے اِس کتاب کے لیے گفتگو کے میرے دعوت نامے کا کوئی جواب نہ دیا۔ تاہم اُس نے اپنے اور شارجہ کے معاملات کا متواتر دفاع کیا ہے۔

عملی نقطہ نظر سے جس چیز نے اس مسئلہ میں اہم کردار ادا کیا ہے۔ وہ کرکٹ میں جوئے بازی کا ان دو ملکوں ہندوستان اور پاکستان میں غیر قانونی ہونا تھا جہاں اِس کھیل کے سب سے زیادہ چاہنے والے افراد تھے۔ ہندوستان میں گھڑ دوڑ پر جوئے کی اجازت ہے مگر اِس میں کم لوگوں کی دلچسپی ہے اور 2500 روپے سے اوپر جیتی ہوئی رقم پر بے تحاشا سرکاری ٹیکسوں کی وجہ سے داؤ لگانے والے گھڑ دوڑ کو زیادہ پسند نہیں کرتے۔ اُدھر پاکستان میں قانونی طور پر کسی قسم کے جوئے کی اجازت نہیں۔ جیسا کہ شراب پر پابندی کے دور میں امریکہ میں ہوا۔ جس چیز کی لاکھوں لوگوں کو خواہش تھی اس پر پابندی کی کوشش نے جرائم پیشہ عناصر کے لیے زبردست مواقع فراہم کر دیئے۔ ایسے مواقعوں کو مزید تقویت موبائل ٹیلیفونوں کے ذریعے مل گئی۔ 2000ء میں ٹائمز آف انڈیا میں چھپنے والے ایک تخمینے کے مطابق ہر ایک روزہ میچ پر 227 ملین امریکی ڈالر کا جوا لگتا ہے اور ہندوستان میں کرکٹ میچوں پر سال کے دوران چھ سے نو ارب امریکی ڈالر کا جوا لگایا جاتا ہے۔ غرضیکہ اِس کام میں بہت بڑی رقومات کا عمل دخل تھا۔

پاکستان کے دو سابقہ کپتانوں ماجد خان اور عامر سہیل نے کرکٹ میں جوئے کے لیے کسی نہ کسی قسم کے قانون کو لاگو کرنے کی ضرورت پر زور دیا ہے۔ دونوں کا نقطہ نظر ایک ہی تھا کہ قانونی جوئے کی بدولت غیر معمولی شرطوں اور ان کے طریقہ کار پر نظر رکھی جا سکتی ہے۔ مثال کے طور پر اگر کسی پھسڈی ٹیم پر بڑی شرطیں باندھی جائیں گی تو فوراً شک گزرے گا۔ ماجد خان نے مجھے صلاح دیتے ہوئے کہا کہ قانونی جوئے سے کرکٹ کو تقریباً 25 فیصد آمدنی بھی دی جا سکتی ہے۔ عامر سہیل کا خیال تھا کہ قانونی جوئے کے ذریعے ممکن ہے کہ ان بڑی مچھلیوں کا غیر قانونی جوئے پر تسلط ختم ہو جائے جو پاکستان میں چھوٹی مچھلیوں کے لیے غیر قانونی جوئے میں شرط جیتنے کے امکانات اور دوسرے کوائف کا تعین کرتے ہیں۔ قانونی جوئے کے علاوہ عامر سہیل نے پاکستان میں کھلاڑیوں کی اُجرت میں ترجیحی طور پر اضافے پر زور دیا۔ اس کے خیال میں کم اُجرت۔ فرسٹ کلاس کرکٹ اور ٹیسٹ کرکٹ میں منتخب ہونے کے غیر یقینی مواقع اور پھر بڑے کھلاڑیوں اور باقی ماندہ

کھلاڑیوں کی آمدنی میں عدم مساوات کی وجہ سے پاکستانی کھلاڑی ان تمام محرکات کی بدولت میچ بنانے کے خطرے کی طرف خاص طور پر پیش رفت کر لیتے ہیں۔

جس طرح امریکہ میں شراب پر پابندی سے شراب کی غیر قانونی فروخت میں اضافہ ہوا، سی طرح غیر قانونی جوئے سے برصغیر میں باقاعدہ جرائم کو مزید تقویت ملی۔ فتنہ پردازی، عصمت فروشی، منشیات، انسانوں کی غیر قانونی درآمد و برآمد، اسلحہ کا ناجائز کاروبار اور جرائم پیشہ گروہوں پر اُن جرائم پیشہ عناصر کی گرفت اتنی مضبوط ہوئی کہ وہ یہ کاروبار جو سرحد پار تک پھیلا ہوا تھا کو کسی بین الاقوامی تجارتی ادارے کی طرح چلاتے ہوئے قومی حکومتوں سے ماتھا لگانے سے بھی نہیں چوکتے تھے۔ ان جرائم پیشہ عناصر کے لیے سرکاری افسران، ججوں اور قانون نافذ کرنے والے افسران کو ورغلانا مشکل کام نہ تھا۔ ان کے پاس بہتر مالی ذرائع تھے اور اُن قانون نافذ کرنے والے افسران سے بہتر طور پر مطلع تھے جنہیں رشوت کے ذریعے خریدا نہیں جاسکتا تھا۔

ان بدمعاشوں کی موجودگی سے یہ با آسانی ثابت ہوتا ہے کہ کرکٹ میں بے ایمانی کرنے والے سب کے سب لالچ کی وجہ سے ہتھے چڑھے۔ اکثر اوقات انہیں جسمانی طور پر گزند پہنچانے کی دھمکیاں دی جاتی تھیں۔ (بعض اوقات ان کے افراد خانہ کو بھی دھمکیاں دی جاتی تھیں) اخلاقی دباؤ اور ڈر اور خوف کے دوسرے حربے میں بھی استعمال کیے جاتے رہے۔

مختلف ممالک کی کرکٹ انتظامیہ کی طرف سے بے حد کمزور ردِعمل رہا اور پاکستان کا وطیرہ بھی اُن سب سے کوئی مختلف نہیں ہے۔ وہ الزامات جن کے مطابق میچ بنانا پاکستانی کرکٹ کا حصہ ہے نے 1980ء کے بعد کبھی پیچھا نہ چھوڑا۔ ہم نے دیکھا کہ اِن الزامات نے اس وقت پھر سے سر اٹھایا جب 1987ء میں پاکستان عالمی کپ کے سیمی فائنل میں آسٹریلیا کے ہاتھوں دہشت ناک طریقے سے ہار گیا۔ 1990ء کی دہائی کے وسط میں قومی کھیل میں منصوبہ بندی کے تحت بے ایمانی کے اُن دعووں نے خوفناک ممکنات کا روپ دھار لیا جب پاکستان کے کپتان سلیم ملک پر الزامات کی بوچھاڑ ہوئی۔

## پاکستانی کرکٹ میں اخلاقی اقدار کا خاتمہ

سلیم ملک کی کپتانی کے زمانے 1994ء سے ہی جوئے کے لیے میچ بنانے کی افواہوں نے گردش شروع کر دی تھی خاص طور پر آسٹریلیا ایشیا ٹورنامنٹ جیسے اپریل میں شارجہ میں کھیلا گیا تھا۔ وہاں ہندوستان اور پاکستان کے درمیان ہونے والے فائنل میں جسے حالاں کہ پاکستان نے جیت لیا تھا، مشکوک سمجھا گیا تھا جس کے نتیجے میں ٹیم کے مینیجر انتخاب عالم نے کھلاڑیوں کو اکٹھا کر کے اُن سے قرآن پر حلف لیا تھا۔

ایک روزہ میچوں پر مبنی منڈیلا ٹرافی جس کا اہتمام انتہائی عجلت میں کیا گیا تھا میں سلیم ملک کے پراسرار اور نرالے فیصلوں نے میچ بنائے جانے کی افواہوں میں مزید تیزی پیدا کر دی۔ پاکستان سری لنکا اور نیوزی لینڈ کو پیچھے چھوڑتے ہوئے جو پہلے ہی ٹورنامنٹ سے باہر ہو چکے تھے اپنے میزبان جنوبی افریقہ کے مدِ مقابل آ گیا تھا۔ اپنے ساتھی کھلاڑیوں کے تقریباً متفقہ مشورے نظر انداز کرتے ہوئے سلیم ملک نے ہر فائنل میں ٹاس جیتنے کے باوجود پہلے باؤلنگ کرنے کا فیصلہ کیا۔ پاکستان کو دونوں میچوں میں بُری طرح سے شکست ہوئی۔ شجاع الدین نے تفصیل بیان کی کہ کِس طرح کیپ ٹاؤن (Cape Town) میں کھیلے جانے والے پہلے فائنل میں کس طرح ایک صحیح موقع کھو کر پاکستان نے میچ گنوا دیا۔ حالاں کہ تینوں فائنل میچوں کے مقابلے میں اِس فائنل کو جیتنے کے بہترین مواقع تھے۔ 216 رنز کے ہدف کے تعاقب میں دو کھلاڑی آؤٹ ہونے پر 101 رنز بنا کر پُر سکون صورتحال تھی۔ لیکن دو کھلاڑیوں کا رن آؤٹ ہونا تھا کہ ایک ایسا ماحول پیدا ہوا جس نے تباہ کر کے 37 رنز سے شکست دِلا دی۔ دوسرے فائنل میں بعد میں بیٹنگ کرتے ہوئے 42 رنز پر پاکستان کے 6 کھلاڑی آؤٹ ہو گئے۔ سلیم ملک کو اُس کے نائب کپتان راشد لطیف جس کی اس سے بہ مشکل بات چیت تھی اور وسیم اکرم نے صورتحال پر جواب طلبی کی۔ جنوری 1995ء میں جنوبی افریقہ کے ساتھ صرف ایک ٹیسٹ میچ کھیلے جانے سے ایک رات قبل ٹیم میں مشاورت کے دوران تلخ کلامی ہوئی جس کے نتیجے میں گفتگو کا دور بدمزگی کا شکار ہو گیا۔ راشد لطیف نے دعویٰ کیا کہ سلیم ملک نے منڈیلا ٹرافی کے دوسرے فائنل کی وضاحت پر کہ اُسے جوئے کے لیے بنایا نہیں گیا تھا پر قرآن اٹھانے سے انکار کر دیا تھا۔

جب ٹیسٹ میچ شروع ہوا تو جنوبی افریقہ نے ٹاس جیت کر پہلے بیٹنگ کی۔ راشد لطیف زخمی تھا (کپتان سے بات چیت کی بھی بچت ہو گئی) اس کی جگہ معین خان کو کھلایا گیا۔ حیرت کا مقام ہے کہ سلیم ملک نے متبادل تیز رفتار باؤلر عامر نذیر کو کھلانے پر اصرار کیا حالاں کہ وہ میچ شروع ہونے سے کچھ دیر پہلے ہی ہوائی جہاز سے پہنچا تھا۔ اور یہ حیران کن بات نہ تھی کہ وہ پٹھوں میں اکڑان پیدا ہونے سے کئی بار ہمت ہارا۔ اس نے دو وکٹیں وسیم اکرم سے کم رنز دے کر حاصل کیں جس نے 21 نو بال کیے تھے میدان میں کسی کھلاڑی نے جان نہ لڑائی جس کے نتیجے میں جنوبی افریقہ کے آل راؤنڈر برائن میکملن (Brian McMillan) نے آرام سے سنچری بنا لی اس کی معاونت میں گیری کرسٹن (Gary Kristan)۔ جونٹی روڈز (Jonty Rhodes) اور نمبر دس کھلاڑی تیز رفتار باؤلر فینی ڈی ولیئرز (Fanie de Villiers) نے بھی اپنی نصف سنچریاں مکمل کیں۔ جنوبی افریقہ نے کل 460 رنز بنا لیے اور پاکستان اس کا عین نصف بنا پایا جس میں سلیم ملک 99 رنز بنا کر آؤٹ ہوا۔ جنوبی افریقہ کا کپتان ہینی کرونیئے (Hansie Cronje) تھا جسے اس وقت ایک خدا خوف اور صاف ستھرے انسان کے طور پر دیکھا جاتا تھا۔[4] اس نے پاکستان پر فالو آن مسلط نہ کیا اور بالآخر پاکستان

کو جیتنے کے لیے 478 رنز کا ہدف دے ڈالا۔ صرف اکیلے انضمام الحق نے مزاحمت کرتے ہوئے 95 رنز بنائے۔ اور اپنی عمدہ کارکردگی کا آغاز کیا۔ ڈی ولیئرز (De Villiers) جس نے پہلی اننگز میں چھ وکٹیں حاصل کی تھیں نے دوسری اننگز میں مزید چار وکٹیں حاصل کرلیں۔ پاکستان کو 324 رنز کے فرق سے اپنی سب سے بڑی شکست ہوئی۔

زمبابوے میں اِس سے بھی بُرا حشر ہوا۔ ٹیسٹ کرکٹ کی سب سے کمزور اور نووارد ٹیم نے پاکستان کو ایک اننگز اور 64 رنز سے شکست دے ڈالی۔ میچ کی ابتدا متنازعہ طریقہ سے ہوئی جس میں ٹاس دوبارہ کیا گیا کیوں کہ ویسٹ انڈیز سے تعلق رکھنے والے ٹیسٹ نگران جیکی ہینڈرکس (Jackie Hendricks) نے سلیم ملک کا ٹاس جیتنے کا دعویٰ رد کر دیا تھا۔ دوبارہ کیے جانے پر ٹاس زمبابوے نے جیتا اور بیٹنگ کی۔ فلاور برادران کی شراکت میں 269 رنز ہوئے۔ اس کے بعد گرانٹ فلاور نے آل راؤنڈر گائے وٹل (Guy Whittall) کے ساتھ مِل کر مزید دوسو رنز سے زائد کی شراکت کی۔ پاکستان کی پہلی اننگز میں سلیم ملک کے ہم زلف اعجاز احمد نے 65 رنز بنائے جب کہ انضمام الحق نے 71 رنز کیے اور فالو آن ہونے پر مزید 65 رنز بھی کیے۔ اس کے علاوہ پاکستان ٹیم بری طرح سے پسپا ہوئی اور ابھی کھیل کا ایک دن باقی تھا کہ پاکستان کا شکست ہوگئی۔ اِس میں حیرت کی بات نہ تھی کہ میچ میں کھلاڑیوں کی کارکردگی کا گہری نظر سے تجزیہ کیا گیا کیوں کہ جوئے کے لیے میچ بنانے کی افواہوں نے مزید زور پکڑ لیا تھا۔

پاکستانی ٹیم نے اپنی صلاحیتوں کو اکٹھا کرتے ہوئے ٹیسٹ میچوں کے سلسلہ کو 1-2 سے جیت لیا۔ مگر اس کے باوجود سلیم ملک کی رہنمائی پر اعتماد بحال نہ ہوسکا۔ بطور بلے باز بھی وہ رنز بنانے میں ناکام تھا اور ٹیم کا نظم وضبط درہم برہم ہو چکا تھا۔ اُس نے ایک غیر معمولی مگر بلا ثبوت الزام تراشی کی کہ مقامی امپائیر نے گیند میں خرابی پیدا کی تھی۔ زمبابوے کے کھلاڑی بھی پاکستانی کھلاڑیوں کی طرف سے اپنے اوپر نسلی ہتک آمیز فقروں سے ناراض تھے اور خاص طور پر ان کے پہلے افریقی باؤلر ہنری اولونگا (Henry Olonga) کی جس انداز سے پاکستانی کھلاڑیوں نے شکایت کی تھیں وہ اس پر بھی دلبرداشتہ تھے۔

جونہی ٹیسٹ میچ ختم ہوئے پاکستان کے دو کھلاڑیوں راشد لطیف اور باسط علی جو کارکردگی دکھانے میں ناکام تھا، نے یہ سمجھتے ہوئے کہ اب بہت ہوگئی دورہ کے دوران ہی ٹیم سے علیحدگی اختیار کرلی۔ جلد ہی ایسی افواہیں گردش کرنے لگیں کہ اِن دونوں نے کپتان کی سربراہی میں ٹیم میں پھیلنے والی بدعنوانیوں کے خلاف ٹیم سے علیحدگی اختیار کی تھی۔ اِسی اثنا میں یہ خبر آئی کہ عامر سہیل کھلاڑیوں کو رشوت لینے پر اُن کی مذمت کررہا ہے۔ ''حالات اتنے خراب ہوچکے ہیں کہ وہ تمام کھلاڑی بھی بدنام ہورہے ہیں جو ایسی بدعنوانیوں میں ملوث نہیں ہیں۔''

## سلیم ملک کی معزولی

آسٹریلیا کے اخبار میں الزام لگنے کے پس منظر میں یہ بدترین خبر تھی کہ ''پاکستان کرکٹ کی ایک نمایاں شخصیت نے آسٹریلوی سپن باؤلروں شین وارن (Shane Warne) اور ٹم مے (Tim May) کو رشوت دینے کی کوشش کی تھی کہ وہ پچھلے موسم خزاں میں کراچی میں کھیلے جانے والے ٹیسٹ میچ میں ناقص باؤلنگ کرتے۔ (اِس ٹیسٹ میچ میں پاکستانی کو ایک وکٹ سے ڈرامائی فتح حاصل ہوئی تھی)۔

جاوید برکی (جو اس وقت صدر پاکستان کا مشیر تھا) ہوائی جہاز کے ذریعے لندن پہنچا اور آئی سی سی (ICC) کے ڈیوڈ رچرڈز (David Richards) سے ملاقات کر کے وعدہ کیا کہ اخبار کے الزامات پر فوری طور پر عمل درآمد ہوگا۔ کرکٹ بورڈ نے آٹھ گھنٹہ کی نشست کے بعد سلیم ملک کو غیر معینہ مدت کے لیے معطل کرتے ہوئے جوئے کے لیے میچ بنانے سے متعلق اپنا موقف بیان کرنے کے لیے سات دن کی مہلت دی۔ انتخاب عالم کو مینیجر کے عہدہ سے برطرف کر دیا گیا۔ راشد لطیف اور باسط علی پر فیصلہ صادر ہوا کہ انہوں نے ٹیم سے علیحدگی اختیار کر کے اپنے معاہدوں کی خلاف ورزی کرتے ہوئے سنگین جرم کیا ہے۔ عمران خان نے مطالبہ کیا کہ سلیم ملک اور اس کے ساتھ جوئے میں ملوث دوسرے کھلاڑیوں کے خلاف سخت کارروائی کی جائے (یعنی ذرائع نے کہا کہ عمران خان نے ان کے لیے پھانسی کا مطالبہ کیا تھا) اور ساتھ ہی اس کی سرفراز نواز سے دوبارہ چپقلش شروع ہوگئی۔

بورڈ نے اپنی دوبارہ نشست میں سلیم ملک کی معطلی کی تصدیق کر دی مگر چند روز بعد ہی اپنے اس فیصلے کو منسوخ کر دیا۔ سلیم ملک اور اس کے وکلا نے یہ موقف اختیار کیا کہ جب تک اس پر الزامات ثابت نہیں ہو جاتے وہ بے گناہ ہے اور اسے اجازت دی جائے کہ وہ اپنے اوپر الزامات عائد کرنے والے آسٹریلوی کھلاڑیوں کا سامنا کر سکے۔ ذرائع ابلاغ اور کرکٹ میں دلچسپی رکھنے والے لوگوں سے سلیم ملک کو اپنے موقف پر حمایت حاصل ہوئی۔ کیوں کہ انہیں اعتراض تھا کہ آسٹریلوی کھلاڑیوں کے الزامات عائد کرنے کے لیے پانچ ماہ تک انتظار کیوں کیا اور پھر اِس حوالے سے پاکستان آنے سے انکار کر دیا۔ یہی بحث بالآخر لاہور کی عدالت میں کامیاب ہوگئی اور جج فخر الدین ابراہیم نے سلیم ملک پر لگائے گئے الزامات کو عدم ثبوت کی بنا پر خارج کر دیا۔

اِس سے قبل پاکستان دورہ پہ آنے والی سری لنکا ٹیم کے خلاف رمیز راجہ کو قومی ٹیم کا کپتان بنا دیا گیا تھا۔ وہ جنوبی افریقہ اور زمبابوے کے دورہ پر نہیں گیا تھا (غالباً یہی اس کے کپتان بننے کی وجہ بنی) اس نے پشاور میں کھیلا جانے والا پہلا ٹیسٹ میچ جیت لیا جس میں وسیم اکرم نے آٹھ وکٹیں لیں اور انضمام الحق نے 95 رنز بنائے۔ تاہم وسیم اکرم اور دوسرے مرتبے میں بڑے کھلاڑی اس کی رہنمائی سے مطمئن نہ تھے۔ سری

لنکا نے پہلے تو ٹیسٹ میچوں کے سلسلے کو برابر کیا اور پھر آخری ٹیسٹ جیت لیا۔ جب وسیم اکرم اور وقار یونس زخمی کھلاڑیوں کی فہرست میں شامل تھے۔ اندورنِ ملک سری لنکا سے شکست کھانا عوام اور ٹیم منتخب کرنے والوں کے لیے بے حد ہتک کا مقام تھا۔ انہوں نے فوری طور پر وسیم اکرم کو آسٹریلیا کے دورہ پہ جانے والی ٹیم کے لیے بطور کپتان بحال کر دیا۔

اب تک سلیم ملک کو جج نے الزامات سے بری کر دیا تھا۔ منتخب کرنے والے ارکان نے دورہ پہ جانے والی ٹیم میں شامل کر لیا۔ اور مفاہمت کی فضا میں راشد لطیف اور باسط علی بھی پچاس ہزار روپے فی کس کا جرمانہ ادا کر کے ٹیم میں واپس شامل کر لیے گئے تھے (یہ جرمانہ /-920 برطانوی پونڈ فی کس کے قریب بنتا تھا) انتخاب عالم کو بھی بطور مینیجر بحال کر دیا گیا تھا۔ ماجد خان نے بورڈ کے اِن فیصلوں پر احتجاج کرتے ہوئے پاکستان میں آئندہ ہونے والے عالمی کپ کے میچوں کی انتظامیہ کمیٹی کی رکنیت سے استعفیٰ دے دیا۔

وسیم اکرم کی کپتانی کا دوسرا دور بھی اسی ناشاد طریقہ سے شروع ہوا جس طرح پہلا دور شروع ہوا تھا۔ پہلے ٹیسٹ میچ میں پاکستانی ٹیم شین وارن کے سامنے بے بس تھی۔ اس نے پہلی اننگز میں 23 رنز کے عوض سات وکٹیں حاصل کیں۔ یہ اس کی زندگی کی بہترین کارکردگی تھی۔ اس کی بیشتر وکٹیں اس نے تحفتاً حاصل کیں۔ مگر اس کا پرانا دشمن سلیم ملک اس کے ہاتھ نہ آیا کیوں کہ زخمی ہاتھ کی وجہ سے وہ بیٹنگ کرنے نہ آسکا۔ لیکن دوسری اننگز میں شین وارن نے سلیم ملک کو اپنی چوتھی گیند کے ساتھ صفر پر آؤٹ کر دیا۔ عامر سہیل کے 99 رنز کے باوجود پاکستانی ٹیم ایک اننگز کی شکست سے نہ بچ سکی۔ پاکستان دوسرا ٹیسٹ میچ بھی 155 رنز سے ہار گیا مگر مشتاق احمد نے میچ میں نو وکٹیں حاصل کر کے اپنی ٹیم کو کچھ اُمید دلوائی۔ آخری ٹیسٹ میچ میں مشتاق احمد نے مزید نو وکٹیں حاصل کر کے پاکستان کو 74 رنز کی فتح سے ہمکنار کر دیا۔ کم رنز کے اِس میچ میں سلیم ملک کے ہم زلف اعجاز احمد جسے دوبارہ ٹیم میں بحال کیا گیا تھا، نے اپنی عام روش سے ہٹ کر سخت محنت کرتے ہوئے نہایت اہم سنچری بنائی۔ جب کہ سلیم ملک نے ہر دو اننگز میں 36 رنز اور 45 رنز بنائے۔ اس کے بعد نیوزی لینڈ میں کھیلے جانے والے واحد ٹیسٹ میچ میں اعجاز احمد نے ایک بار پھر حوصلہ مند سنچری بنائی اور مشتاق احمد نے دوسری اننگز میں نیوزی لینڈ کی 56 رنز کے عوض سات وکٹیں حاصل کیں۔ اس کھیل میں اعجاز احمد اور مشتاق احمد کی خصوصی کارکردگی تھی۔ نیوزی لینڈ کے ساتھ پاکستان کے ایک روزہ میچوں کا سلسلہ 2-2 سے برابر رہا۔ انضمام الحق، عامر سہیل اور سلیم ملک جو آسٹریلیا کے دورے کے اثرات سے ابھی نکل رہا تھا جہاں اُس نے اپنا زیادہ وقت کمرے میں تنہا بند رہ کر ٹیلی ویژن دیکھتے ہوئے گزارا تھا، نے بیٹنگ میں اچھی کارکردگی دکھائی۔ وسیم اکرم کے اپنے مدِ مقابل کپتانوں مارک ٹیلر (Mark Taylor) اور نیوزی لینڈ کے لی جرمون (Lee Germon) سے خوشگوار تعلقات رہے۔ اور کہیں بدمزگی پیدا نہ ہوئی۔ اور نہ ہی کوئی ایسا واقعہ پیش

آیا۔ (حالاں کہ پاکستانی ٹیم کی فیلڈنگ اس قدر خراب تھی کہ وہ ٹیلی ویژن پر ایک مزاحیہ فلم کے طور پر دکھائی دیتی تھی) اور کسی میچ پر ایسا شبہ بھی نہ ہوا کہ اسے جوئے کے لیے بنایا گیا تھا۔

## ورلڈ کپ 1996ء

یہ خوشگوار وقفہ اُس وقت ختم ہوا جب پاکستانی ٹیم 1996ء کے عالمی کپ سے بُری طرح شکست کھا کر باہر ہوگئی۔ اپنے ملک میں اپنے تماشائیوں کے سامنے کھیلتے ہوئے پاکستان گروپ میچوں میں آسانی سے کامیاب ہوتا رہا۔ صرف ایک میچ میں جنوبی افریقہ سے شکست ہوئی۔ جاوید میاں داد جو حال ہی میں انگلینڈ میں ہونے والے گھٹنے کے پیچیدہ آپریشن سے صحت یاب ہوا تھا۔ اس کے لیے خوشی کا یہ آخری موقع اس طرح سے تھا کہ وہ واحد کھلاڑی تھا جس نے عالمی کپ میچوں کی ابتدا سے لے کر اب تک ہر ایک میں حصہ لیا تھا۔ اس کے اپنے الفاظ میں، ''مجھے یوں محسوس ہوا جیسے میں ٹیم کا ان چاہا رکن تھا۔ مجھے بیٹنگ کے لیے 5 یا 6 نمبر پر بھیجا جا رہا تھا جبکہ پہلے میں ہمیشہ 4 نمبر پر کھیلتا رہا تھا۔ کپتان وسیم اکرم اور مینیجر جانتے تھے کہ وہ میرا صحیح استعمال نہیں کر رہے تھے لیکن انہوں نے اس بارے میں کچھ نہ کیا۔'' عارف عباسی کی بدولت جنہوں نے بے تحاشا سیکیورٹی میں کراچی میں ورلڈ کپ میچ کروانے پر زور دیا تھا، جاوید میاں داد انگلینڈ کے خلاف جیتے میچ کے آخر میں اپنے ملک کے کراؤڈ کو باعزت طور پر الوداع کہہ پائے۔

کوارٹر فائنل بنگلور میں انڈیا کے خلاف ہوا۔ آخری منٹوں میں وسیم اکرم کو اپنی تکلیف کے باعث میدان سے باہر جانا پڑا۔ نائب کپتان عامر سہیل تھے۔ پہلی بار تھی کہ وہ پاکستانی ٹیم کی کپتانی کر رہا تھا، لیکن اس نے تجربہ کار میاں داد کو بالکل نظر انداز کیا، جسے تھرڈ مین پر فیلڈنگ دی گئی تھی۔ میچ عامر سہیل کے ہاتھ سے نکل گیا۔ انڈیا نے 293 سکور کیا، جس میں ناوجوت سدھو کے 93 اور اجے جدیجا کے 25 گیندوں پر 45 رنز شامل تھے۔ وقار یونس کی باؤلنگ بھی کام نہ آئی۔

پاکستان کی جوابی بیٹنگ میں جاوید میاں داد پھر نمبر 6 پر بھیجا گیا۔ عامر سہیل اور سعید انور کی جوڑی نے آغاز میں 84 سکور کیا۔ لیکن پاکستانی مداحوں نے چوکوں چھکوں پر زیادہ جوش نہ دکھایا۔ عامر سہیل نے خود سیم باؤلر وینک تیش پرشاد پر طنز کی مگر فوری طور پر اس کی اگلی ہی گیند پر بولڈ ہوگیا۔ جاوید میاں داد نے پر سکون ہو کر تحمل سے 38 رنز بنائے۔ مگر اگر وہ ایسی اننگز 6 نمبر کی بجائے 3 نمبر پر جا کر کھیلتا تو اُس سے پاکستانی ٹیم مستحکم ہوتی۔ لیکن نمبر 6 پر اس کی یہ کوشش بے کار تھی کیوں کہ پاکستان کی رن بنانے کی رفتار اپنی ضرورت سے کہیں پیچھے رہ گئی تھی۔ آخر کار پاکستانی ٹیم اپنے ہدف سے 39 رنز کی کمی پر آؤٹ ہوگئی۔

جاوید میاں داد نے بعد میں دعویٰ کیا کہ شکست خوردہ پاکستان ٹیم کا وہ واحد کھلاڑی تھا جس نے

لاہور کے قذافی سٹیڈیم میں سری لنکا کو آسٹریلیا سے فائنل جیتتے ہوئے دیکھا۔ باقی کھلاڑی اپنے استقبال کے خوف سے آنے کی جرأت نہ کر سکے۔ وسیم اکرم کے متعلق افواہوں کی گردش سامنے آئی کہ اُس نے جوئے بازوں سے رقم لے کر بناوٹی چوٹ کا بہانہ کر کے ہندوستان کے خلاف کھیلنے سے معذوری کر لی تھی۔ لاہور میں مشتعل ہجوم نے اس کے گھر پر پتھراؤ کیا اور کوڑا کرکٹ سمیت گندگی پھینکی۔ اس کا پتلا بھی جلایا گیا جس کے نتیجے میں اسے جبری طور پر چھپنا پڑا۔ جسٹس قیوم کمیشن کے سامنے وسیم اکرم نے اِن افواہوں کی تردید کی اور اُسے بری کر دیا گیا۔

## صبح کاذب کا سراب

ورلڈکپ میں شکست کے بعد پاکستانی کرکٹ صبح کاذب جیسی صورتحال سے دوچار تھی۔ اس کی ابتدا ہنگامہ خیز طور پر پاکستان کرکٹ بورڈ سے ہوئی جہاں عارف عباسی کی جگہ ماجد خان کو انتظامی امور کا چیف ایگزیکٹو مقرر کر دیا گیا۔ اس نے آتے ہی انتخاب عالم کو عنقریب انگلینڈ کے دورہ پہ جانے والی پاکستانی ٹیم کے مینیجر کے عہدہ سے ہٹا دیا۔ اور اس کی جگہ پاکستان کو سرکاری ٹیسٹ کھیلنے کا رتبہ ملنے سے پہلے کے اوّلین پاکستانی کپتان میاں سعید کے فرزند یاور سعید کو مقرر کر دیا۔

یاور سعید کے لیے یہ دورہ پُرسکون ثابت ہوا۔ دونوں مخالف کپتان وسیم اکرم اور مائیک ایتھرٹن لنکاشائیر کاؤنٹی میں ساتھی کھلاڑی تھے۔ اور دونوں نے ٹیموں کے درمیان پُرامن اور پُرسکون حالات رکھے۔ حالاں کہ اس وقت عمران خان اپنے خلاف آئین بوتھم اور ایلن لیمب کی طرف سے دائر کردہ ہتک عزت کے مقدمے میں اپنا دفاع کر رہا تھا جس میں مائیک ایتھرٹن گواہ تھا۔ میدان میں پاکستان کا مکمل طور پر پلہ بھاری رہا اور اُس نے تین میں سے دو ٹیسٹ میچ بہ آسانی جیت لیے۔ لارڈز کے میدان پر کھیلے جانے والے ٹیسٹ میچ میں انگلینڈ بظاہر خطرے سے باہر نظر آ رہا تھا اور اس نے ایک وکٹ کے نقصان پر 168 رنز بنا لیے تھے۔ لیکن پھر اچانک مشتاق احمد اور وقار یونس نے باؤلنگ کی ایسی تحریک دکھائی کہ تمام ٹیم 243 رنز پر آؤٹ ہو گئی۔ ہیڈنگلے (Headingley) میں کھیلا جانے والا ٹیسٹ میچ برابر رہا۔ مگر نسلی تعصب رکھنے والوں کے نعروں اور گالی گلوچ نے ماحول میں خرابی تو ضرور پیدا کی مگر وسیم اکرم نے اپنی ٹیم کو پُرسکون اور پُرامن رکھا۔ باؤلنگ میں کچھ عرصہ تک غیر موثر رہنے کے بعد وسیم اکرم نے اُوول کے میدان پر چھ وکٹیں حاصل کر کے پاکستان کو آسانی سے فتح سے ہمکنار کر دیا۔ امپائیروں کے گہرے معائنے کے باوجود جب بھی ضروری سمجھا وسیم اکرم اور وقار یونس نے ریورس سوئنگ کا استعمال کیا جس پر نہ تو کوئی شکایت ہوئی اور نہ ہی کوئی واقعہ پیش آیا۔ مگر ان دونوں کو باؤلنگ میں مشتاق احمد پیچھے چھوڑ گیا۔ اُس نے میچوں کے اِس مختصر سلسلے میں سترہ وکٹیں حاصل کی

تھیں۔ بیٹنگ میں پانچ پاکستانی بے بازوں کی 60 سے زاہد اوسط تھی۔ اِن میں بظاہر سدھرا ہوا سلیم ملک بھی شامل تھا۔ پاکستانی لحاظ سے بھی اِس کے بعد ایک غیر معمولی دور شروع ہوا۔

نیروبی کینیا میں چار اقوام کے مابین ایک روزہ ٹورنامنٹ سپر کپ کے نام سے منعقد کیا گیا۔ مشتاق احمد کے زخمی ہونے کی وجہ سے شاہد آفریدی کو متبادل سپن باؤلر کی حیثیت سے ہنگامی طور پر ٹیم میں شامل کیا گیا تھا۔ اس کا تعلق شمالی مغربی صوبے کے آفریدی قبیلے سے تھا۔ اس کی عمر ساڑھے سولہ سال تھی۔ (کم از کم سرکاری طور پر تو یہی کہا جاتا تھا) اُس نے اپنا پہلا عالمی میچ کھیلتے ہوئے نئے عالمی سورماؤں کی ٹیم سری لنکا کے خلاف 37 گیندوں پر سنیچری بنا ڈالی۔ جس میں سناتھ جے سوریا کے ایک اوور میں 28 رنز بنائے تھے۔[5] یہ ایک طوفانی سفر کا آغاز تھا جس میں اُسے نظم و ضبط کی خلاف ورزی پر متواتر ٹیم سے نکالا گیا اور لوگوں کے پُرزور اصرار پر اُسے دوبارہ ٹیم میں لیا جاتا رہا۔

اندرونِ ملک زمبابوے کے خلاف پہلے ٹیسٹ میچ کے لیے صوبائی شہر شیخوپورہ میں بے نظیر بھٹو کے نام سے منسوب نئے سٹیڈیم کا انتخاب کیا گیا۔ پاکستانی ٹیم کے 183 رنز پر چھ کھلاڑی آؤٹ ہو گئے جس سے ٹیم مشکل سے دوچار ہو گئی۔ اس موقع پر وسیم اکرم نے اپنے اُس دعویٰ کا ثبوت دیا کہ وہ عالمی معیار کا آل راؤنڈر بن سکتا تھا۔ اُس نے 257 رنز 363 گیندوں پر بنا لیے جن میں بارہ چھکے بھی شامل تھے۔ اُس کا ساتھ انیس سالہ ثقلین مشتاق نے دیا جو ابھی صرف اپنا پانچواں ٹیسٹ میچ کھیل رہا تھا۔ دونوں نے آٹھویں وکٹ کی شراکت میں یادگار 313 رنز بنائے۔

زمبابوے کے خلاف اندرون ملک کھیلے جانے والے دوسرے ٹیسٹ میچ میں حسن رضا جس کی عمر کے بارے میں باور کیا جاتا تھا کہ وہ چودہ سال کا تھا، کو کھلایا گیا۔ اس نے اطمینان سے 27 رنز بنائے اور پاکستان ایک اننگز سے ٹیسٹ میچ جیت گیا۔ لیکن اس کے بعد اُسے اگلا ٹیسٹ کھیلنے کے لیے مزید دو سال کا انتظار کرنا پڑا۔ تب تک باور کیا جاتا ہے کہ وہ سولہ سال کی پکی عمر کو پہنچ چکا تھا۔

## نوعمری کا سرچشمہ

حیران کن عمروں کے نوجوان پاکستانی کرکٹ کی تاریخ میں بار بار نمودار ہوتے ہیں۔ 33 کھلاڑی جنہوں نے اٹھارہ سال کی عمر سے قبل ٹیسٹ کرکٹ میں قدم رکھا۔ اُن میں 15 پاکستانی تھے۔ تقریباً چالیس سال تک ان میں سرفہرست مشتاق احمد کا نام تھا جس نے 15 سال 124 دِن کی عمر میں ویسٹ انڈیز کے خلاف 59-1958ء میں لاہور میں کھیلے جانے والے تیسرے ٹیسٹ میچ سے اپنی کرکٹ کا آغاز کیا تھا۔

حسن رضا نے 97-1996ء میں جب زمبابوے کے خلاف فیصل آباد میں ٹیسٹ کھیلا تو اُس نے

اپنی عمر 14 سال 227 دِن بتا کر مشتاق احمد کو پیچھے چھوڑ دیا تھا۔ تاہم اس کے ٹیسٹ کھیلنے کے چند روز بعد ہی پاکستان کرکٹ بورڈ کے انتظامی سربراہ ماجد خان نے حکم جاری کیا کہ وہ 15 سال سے کم عمر اور 19 سال سے کم عمر موجودہ کھلاڑیوں کے ساتھ اپنی عمر کے ثبوت کے لیے اپنی ہڈیوں کا قانونی معائنہ کروائے۔ معائنے کی بدولت (یہ معائنہ اس ہسپتال میں کیا گیا جسے عمران خان نے اپنی والدہ کی یاد میں تعمیر کیا تھا) ٹیم کے بہت سے کھلاڑی زیادہ عمر ثابت ہونے پر نااہل قرار دے دیئے گئے۔ اگرچہ حسن رضا اِن میں نہیں تھا مگر اس کی عمر کا جب دوبارہ تعین کیا گیا تو وہ تقریباً پندرہ سال کا نکلا۔ تاہم پاکستان کرکٹ بورڈ کی اپنی ویب سائیٹ پر آج بھی اس کی تاریخ پیدائش 11 مارچ 1982ء چلی آ رہی ہے۔ (اس عمر کی مطابقت اسی 14 سال کی عمر سے ہے جو اس نے اپنا پہلا ٹیسٹ میچ کھیلتے وقت بتائی تھی) اور اِسی طرح کے اور بھی بہت سے اعداد وشمار بدستور موجود ہیں۔

دوسرے سنسنی خیز طور پر کرکٹ کی ابتدا کرنے والوں میں شاہد آفریدی شامل ہے جس کے متعلق کہا جاتا ہے کہ اُس نے 16 سال 217 دِن کی عمر میں سری لنکا کے خلاف 37 گیندوں پر ایک روزہ عالمی میچ میں سنچری بنا کر یادگار کارنامہ سرانجام دیا تھا۔ عاقب جاوید نے ٹیسٹ کرکٹ میں شروعات کہنے کے مطابق 16 سال 189 دِن کی عمر میں کی مگر اس کا مطلب تو یہ نکلتا ہے کہ جب اُس نے لاہور ڈویژن کے لیے فیصل آباد کے خلاف اپنا پہلا فرسٹ کلاس میچ بطور ابتدائی باؤلر کھیلا تو اس کی عمر 12 سال 76 دِن تھی۔[6]

اگرچہ یہ طریقہ پُرانے نظام سے کہیں زیادہ باوثوق تھا مگر اِس کے باوجود یہ کھلاڑیوں کی یقینی عمروں کا تعین نہیں کر سکتا تھا کیوں کہ پاکستانی کرکٹ میں عمر سے بڑھ کر ذہین اور غیر معمولی صلاحیتوں کے مالک لڑکوں کی عمروں کے غیر یقینی ہونے کی بڑی سادہ سی وجہ ہے۔ انگریزوں نے برصغیر ہند میں اپنے پیچھے کئی ایک قابلِ قدر وراثتیں چھوڑی تھیں مگر ان میں پیدائشوں کو درج کرنے کا کوئی بااثر نظام نہیں تھا۔ اِس مسئلہ میں پاکستان کے ساتھ ہندوستان، سری لنکا اور بنگلہ دیش بھی شامل ہیں اور اُن کے بھی کھلاڑی اُن 33 کھلاڑیوں میں شامل ہیں جنھوں نے اٹھارہ سال کی عمر سے قبل ٹیسٹ کرکٹ کھیلی تھی۔ آزادی کے بعد پاکستان ن اس مسئلہ کو حل نہیں کیا۔ 2011ء میں یونیسیف کی دستاویز کے مطابق، 2000ء سے 2009ء کے درمیان صرف 27 فیصد پیدائشوں کو پاکستان میں درج کیا گیا تھا۔ حتیٰ کہ اعداد وشمار رکھنے والے پاکستان کے بہترین صوبے پنجاب میں بھی 77 فیصد پیدائشوں کو درج کیا گیا تھا (جس میں تقریباً 25 فیصد پیدائشوں کا اندراج نہیں ہوا تھا)۔ سندھ اور خیبر پختونخوا میں 20 فیصد پیدائشوں کا اندراج ہوا جب کہ بلوچستان اور وفاقی حکومت کے انتظام میں قبائلی علاقوں (Fata) میں صرف ایک فیصد پیدائشوں کا اندراج ہو سکا۔ اسلام میں عیسائیوں کی طرح مذہب میں داخل کرنے اور نام رکھنے کی رسم کے اندراج کا کوئی متبادل طریقہ نہیں ہے۔

اس طریقہ سے عیسائیوں کے سماج میں عمر کا تعین کیا جا سکتا ہے لہٰذا کرکٹ کھلاڑیوں اور دوسرے پاکستانیوں کی پیدائش کے وقت کا تعین بیشتر اوقات پیدائش کے چند سال بعد دوسرے سرکاری کاغذات خصوصاً سکول کی یادداشت یا پھر ذاتی یا خاندانی اقرارنامے کے ذریعے کیا جاتا ہے۔

پاکستانی کرکٹ کھلاڑیوں کا اپنی اصل عمر چھپا کر اپنے آپ کو کم عمر ظاہر کرنے کے کئی مقاصد ہیں کیوں کہ خاص طور پر 19 سال سے کم عمر (Under-19) اور پھر 16 سال سے کم عمر (Under-16) بڑی عمر کی پہچان کے درمیان ایک راستے کی حیثیت اختیار کر چکے ہیں۔ اپنی کرکٹ کے بعد کے دور میں عمر کے کچھ سال چھپا لینے سے عمر رسیدہ کھلاڑیوں کو پاکستانی ٹیم میں رہنے کے لیے مدد مل جاتی ہے۔ اپنی عمر کم دکھانے میں انہیں ذاتی فخر بھی حاصل ہوتا ہے جس کے تحت وہ چاہتے ہوں کہ نوعمر کھلاڑی ان کی تقلید کریں اور ان میں جوش اور ولولہ پیدا ہو۔ یا پھر انہیں سمندر پار کرکٹ کھیلنے کا معاہدہ مل جاتا ہے۔

چالیس سال سے زیادہ عرصہ تک پاکستانی کرکٹ انتظامیہ کھلاڑیوں کی اپنی تعین کی ہوئی عمروں کو مانتی رہی۔ ثبوت کے طور پر جو بھی کاغذات دیئے گئے جن میں عام طور پر سکول چھوڑتے وقت کی سند ہوتی تھی اُسے تسلیم کر لیا جاتا تھا۔ اس نظام میں بہتری کے لیے تبدیلی لانے والا پہلا شخص عارف عباسی تھا۔ جو 1994-96ء کے دوران پاکستان کرکٹ بورڈ کا انتظامی سربراہ تھا۔ اُس نے مجھے بتایا کہ وہ چاہتا تھا کہ پاکستان کی اندرون ملک کھیلے جانے والی اعلیٰ درجے کی 19 سال سے کم عمر (Under-19) کی کرکٹ میں وقار اور اخلاقی ایمانداری پیدا ہو۔ کیوں کہ اُن مقابلوں میں پی آئی اے پر الزام لگا تھا کہ اُس نے بڑی عمر کے کھلاڑی کو لیا تھا۔ اُس نے ٹیم کے مینیجر حنیف محمد کو جو کہ ایک اہم شخصیت تھا، سے کہا کہ تم نے بُری طرح سے ستیاناس کیا ہے۔ اور پھر پی آئی اے کی ٹیم کو نا اہل قرار دلوا دیا۔ عارف عباسی نے ایک نیا نظام رائج کیا جس کے تحت کھلاڑی کی عمر کا تعین اُس کے پرائمری سکول میں داخلہ کے وقت کی تصدیق شدہ سند کے مطابق تسلیم ہوگا۔ یہ سند پانچ سال کی عمر کے لیے سرکاری طور پر لازمی ہوا کرتی تھی۔

بہت سے پاکستانی بچے یا تو پرائمری سکول میں داخل ہی نہیں ہوتے یا پھر دیر سے داخل ہوتے ہیں اور یہ طریقہ خصوصی طور پر دیہاتی اور دور دراز کے علاقوں میں بہ کثرت موجود ہے۔ 2007ء میں یونیسکو کی ایک رپورٹ کے مطابق جس کی بنیاد پاکستان کے 2005-06ء کے سرکاری اعداد و شمار تھے کہ پانچ سے نو سال کی عمر کی آبادی کا 35 فیصد سکول میں داخل ہی نہیں ہے۔ دیکھا جائے تو 5 سال سے لے کر 9 سال کی آبادی کی تعداد ایک کروڑ پچانوے لاکھ بنتی ہے جس کے مطابق ستر لاکھ بچے جن کی عمریں پانچ اور نو سال کے درمیان ہے تعلیمی نظام سے باہر ہیں۔ تعلیم کے حصول کے لیے اسلام آباد اور دارالحکومت کے علاقوں میں داخلوں کی شرح سب سے زیادہ تھی۔ لیکن پانچ اور نو سال کی عمر کے مقامی بچے اس میں شامل نہیں تھے۔ فاٹا

اور بلوچستان میں پرائمری سکول کی عمر کے بچوں کی نصف تعداد تعلیمی نظام سے باہر تھی۔

پاکستان کو دوسرے آئی سی سی ممالک کی طرح اب کم عمر ٹورنامنٹ میں حصہ لینے والے کھلاڑیوں ک عمر کے تعین کے لیے ان کی دوبارہ تشخیص کرنا پڑتی ہے۔ پی سی بی کھلاڑیوں کی عمر کے ثبوت کے طور پر دستاویزات کی چھان بین کرتا ہے (جواب بھی عام طور پر سکول میں داخلہ کی سند ہوتی ہے) اس کے ساتھ جسمانی معائنہ بھی کیا جاتا ہے۔ اس کا دارومدار ہڈیوں کے ایکسرے پر ہوتا ہے (حسن رضا کو ایسے معائنے کے نتیجہ میں ہی دست بردار ہونا پڑا) ان معائنوں کی وجہ سے بہت سے عمر میں زیادہ کھلاڑیوں کو مقامی اور عالمی کرکٹ کے 19 سال سے کم عمر کے مقابلوں سے خارج کر دیا گیا۔

تاہم پاکستان اب بھی ایسا ملک ہے جہاں کے نوعمر کھلاڑی ناتجربہ کار ہونے کے باوجود اپنے ملک کی نمائندگی کرنے کے خواب دیکھتے ہیں۔ یہ روایت آج بھی زندہ ہے جس کے مطابق ایک عمدہ نوعمر کھلاڑی (جیسے انضمام الحق اور وقار یونس تھے) صحیح موقع پر اچانک اپنی صلاحیت دکھا کر منتخب کرنے والوں اور اپنے سے بڑے کھلاڑیوں کو حیرت میں مبتلا کر دیتا ہے۔ اور اُسے فوری طور پر عالمی میچوں میں حصہ لینے کے لیے ٹیم میں شامل کرلیا جاتا ہے۔

عاقب جاوید اور حسن رضا نے اِسی روایت سے فائدہ اٹھانے والوں میں تھے۔ ہندوستانی ادیب راہول بھٹہ چاریہ سے گفتگو کے دوران عاقب جاوید قطعی طور پر بے خبر تھا کہ اُس نے فرسٹ کلاس کرکٹ میں بارہ سال کی عمر میں شرکت کی تھی۔ فرسٹ کلاس کرکٹ؟ کیا وہ اوّل درجے کا میچ تھا؟ کیا اس بات پر قطعی طور پر یقین کیا جا سکتا ہے؟ ''مجھے یاد ہے کہ جب میں سکول میں تھا تو میں نے ایک میچ کھیلا تھا۔'' جب وہ ابھی کالج میں تھا تو وہ آزمائش کے لیے قذافی سٹیڈیم پہنچا جہاں وسیم راجہ کی سربراہی میں ایک تربیتی کیمپ جاری تھا۔ یہ تقریباً ایک مذاق ہی تھا کیوں کہ اُس نے آج تک کسی سٹیڈیم کی شکل تک نہ دیکھی تھی۔ ہر لڑکے نے صرف دو دو اوور کیے۔ عاقب کا خیال تھا کہ اس کے دو اوور بیشتر دوسرے لڑکوں سے زیادہ بہتر تھے۔ اس نے دلیری سے وسیم راجہ سے کہا کہ وہ اس کا دوبارہ معائنہ کرے۔ اور اُس نے تین یا چار مزید اوور کیے۔ اس نے اچھی گیندیں کی جو آؤٹ سوئنگ تھیں۔ وسیم راجہ نے ایک ماہ کی مدت کے تربیتی کیمپ میں اسے شامل کرلیا۔ وسیم راجہ نے درجہ بندی کرتے ہوئے اُسے سب سے ہنرمند کھلاڑی کا درجہ دیا اور 1988ء کے اُنیس سال سے کم عمر کے عالمی کپ کے مقابلے میں حصہ لینے والی ٹیم میں اُس کی شمولیت کی سفارش کی۔ وہاں پہنچ کر عاقب عمران خان کی نظروں میں آ گیا جو اُسے ہندوستان میں امدادی میچ کھیلنے کے لیے ساتھ لے گیا۔ اور پھر عمران خان نے بضد ہو کر اُسے ٹیسٹ میچ کھیلنے والی ٹیم میں آسٹریلیا کے دورہ کے لیے شامل کرلیا۔ بعد میں عاقب جاوید پاکستان کے نوعمر کھلاڑیوں کا کامیاب کوچ بن گیا۔

2005ء میں ایک گفتگو کے دوران حسن رضا نے اپنی کرکٹ کے آغاز کے حوالے سے دنیا میں سب سے کم عمر میں ٹیسٹ کرکے کھیلنے والے کھلاڑی کے رتبے سے ہٹائے جانے پر ذرا بھی ملال اور رنجش کا اظہار نہ کیا۔ اور نہ ہی بعد میں منتخب کرنے والوں کے اوچھے سلوک کے متعلق شکایت کی۔ اس کی کرکٹ کا آغاز مقامی لڑکوں کی طرح کراچی کی گنجان گلیوں میں ٹیپ بال کے ساتھ کھیلتے ہوئے ہوا۔ جہاں گیند کو گم ہو جانے کے خوف سے بڑی احتیاط اور سمت پر قابو رکھ کر کھیلا جاتا ہے۔ پھر اُسے لڑکوں کے گورنمنٹ ہائی سکول کی طرف سے کامیابی حاصل ہوئی جس نے اُس کی 1996ء کے پندرہ سال سے کم عمر کے عالمی کپ میں شریک ہونے والی پاکستانی ٹیم میں شمولیت کے لیے قسمت آزمائی کے لیے حوصلہ افزائی کی۔ وہ ٹیم میں شامل کرلیا گیا اور اُس کی کارکردگی عمدہ رہی۔ اس کے بعد اس نے 19 سال سے کم عمر کی کراچی لیگ کرکٹ میں 9 سنچریاں بنا ڈالیں۔ ظہیر عباس جو اُس وقت منتخب کرنے والے ارکان کا سربراہ تھا، نے اُسے فرسٹ کلاس کرکٹ میں شمولیت کا موقع دیا۔ اس کی عمر پندرہ سال سے زیادہ نہ تھی جب دورے پہ آئی ہوئی زمبابوے کی ٹیم کے خلاف اسے ایک آزمائشی میچ میں موقع دیا گیا جہاں اُس نے 58 رنز بنائیں۔ اس کے فوراً بعد قائداعظم ٹرافی میں اُس نے کراچی بلیوز (Blues) کی طرف سے کراچی وائٹس (Whites) کے خلاف عمدہ 90 رنز کیے۔ جس پر ظہیر عباس نے اُسے دوسرے ٹیسٹ کے لیے شامل کرلیا۔ ''مجھے کوئی خاص تجربہ نہ تھا اور میں حیران تھا۔ میرا اپنا مقصد اُس سال پندرہ سال سے کم عمر کے عالمی کپ میں پہلے کھیلنا تھا۔ اور پھر بالآخر پاکستان کے لیے مگر یہ سب اتنی تیزی سے ہوا کہ مجھے اس کا یقین نہیں آرہا تھا۔''

مشتاق محمد جسے ٹیسٹ کرکٹ کھیلنے والے سب سے کم عمر کھلاڑی کے منصب پر دوبارہ فائز کیا گیا تھا کو اب بھی 22 نومبر 1943ء کی اپنی پیدائش کی تاریخ کی درستگی پر آج بھی مکمل یقین ہے اور اسی طرح اس کے بھائی صادق محمد کو بھی اپنی عمر کی درستگی پر یقین ہے۔ تاہم حسن رضا کے مقابلے میں مشتاق محمد اپنی ٹیسٹ کرکٹ کے آغاز پر پندرہ سال کی عمر میں زیادہ تجربہ کار تھا کیوں کہ وہ فرسٹ کلاس میچ کھیل چکا تھا۔ اپنے پہلے میچ میں جب وہ بہ مشکل تیرہ سال کا تھا اُس نے کراچی وائیٹس (Whites) کی طرف سے سندھ کے خلاف 87 رنز بنائے تھے اور سندھ کی دوسری اننگز میں 28 رنز کے عوض پانچ کھلاڑی بھی آؤٹ کیے تھے۔ مشتاق محمد کہتا ہے کہ اپنا پہلا ٹیسٹ میچ کھیلتے وقت اس پر قطعی کوئی دباؤ نہ تھا۔ بلکہ میرے لیے وہ محض کھیل کا درجہ رکھتا تھا۔ اُسے پاکستان کی اس روایت پر ہمیشہ اعتماد رہا ہے جس کے ذریعے حیران کن طور پر ہوتے رہے تھے۔ ہر عمر کے کھلاڑی منتخب ہوتے رہے تھے۔ اور منتخب کرنے والے ارکان میں شامل ہو کر مشتاق محمد نے بھی اس ریت سے انحراف نہ کیا۔ اُس نے 2000ء میں بی بی سی کے ایک پروگرام میں کہا کہ ''جب آپ کو ہنر نظر آئے تو آپ کو اپنے اوپر اعتماد کر کے اُسے ٹیم میں شامل کرنا چاہیے۔

## مزید کرشمے

میں اپنے بیان کی طرف واپس آتا ہوں ۔ پاکستانی کرکٹ کے تدریجی عمل کے اِس حصے میں اگلا کرشمہ محمد وسیم نے نیوزی لینڈ کے خلاف کھیلے جانے والے دوٹیسٹ میچوں کے سلسلے میں پہلے ٹیسٹ کی پہلی اننگز میں صفر کرنے کے بعد دوسری اننگز میں اپنی زندگی کے ابتدائی ٹیسٹ میچ میں سنچری بنا کر لاہور میں دکھایا۔ تاہم اُس کا یہ کارنامہ پاکستان کوشکست سے نہ بچا سکا۔ پاکستان نے راولپنڈی کے اگلے ٹیسٹ میچ میں نئے تیز رفتار باؤلر محمد زاہد کی مدد سے جو اپنا پہلا ٹیسٹ میچ کھیل رہا تھا اور جس نے میچ میں نئی گیند کرتے ہوئے گیارہ وکٹیں حاصل کر لی تھیں ٹیسٹ میچوں کے سلسلے کو برابر کرلیا۔ ٹیسٹ میچ کے لیے پی سی بی کی انتظامیہ کی نااہلی کی وجہ سے نئی گیند کو جلد بازی میں کھیلوں کی مقامی دوکان سے خریدا گیا تھا۔ مشتاق محمد نے باقی ماندہ آٹھ وکٹیں حاصل کرلیں اور پاکستان یہ ٹیسٹ میچ ایک اننگز سے جیت گیا۔

اس کے بعد مدراس میں ہندوستان کے خلاف خصوصی ٹورنامنٹ میں جو جنوبی ایشیا کی آزادی کے پچاس سال منانے کے لیے کھیلا گیا تھا، کے ایک روزہ میچ میں سعید انور نے ایک حیرت انگیز اننگز کا مظاہرہ کیا۔ اس نے 194 رنز بنائے جو اس وقت ایک روزہ میچوں میں سب سے زیادہ انفرادی رنز تھیں۔ اس نے یہ رنز 147 گیندوں پر بنائیں جن میں 22 چوکے اور 5 چھکے شامل تھے۔ سعید انور دُبلا پتلا سا تھا جو چھ ماہ کی لمبی بیماری کاٹ کر آیا تھا اس کے تمام کھیل کا دارومدار اس کی عمدہ ٹائمنگ پر تھا۔ مخالف کپتان سچن ٹنڈولکر نے کہا کہ اس قسم کی شاندار اننگز اُس نے اپنی تمام عمر میں نہیں دیکھی اور اُسے عظیم ترین اننگز کہا۔ مقامی تماشائیوں نے کھڑے ہو کر سعید انور کو داد دی۔ اس عمدہ کارکردگی کے بعد افسوس ہے کہ سعید انور کا نام بھی داغدار کھلاڑیوں کی فہرست میں نظر آتا ہے جن پر میچوں کو جوئے کے لیے بنائے جانے کے الزامات ہیں۔

اب پاکستان کا وہ سال تھا جس میں پانچ مختلف کپتان آزمائے گئے ۔ 97-1996ء میں اندرون ملک کھیلے جانے والے میچوں میں نیوزی لینڈ کے خلاف سعید انور کپتان تھا۔ رمیز راجہ کو سری لنکا کے دورہ پر اُن کے ساتھ میچوں کے مختصر سلسلے کے لیے دوبارہ کپتان کی حیثیت سے بحال کیا گیا۔ سری لنکا میں دو میچوں کا انجام بوریت سے بھرپور برابر رہا۔ 98-1997ء میں جنوبی افریقہ کے خلاف اندرون ملک کھیلے جانے والے میچوں کے سلسلے میں سعید انور کو پھر سے کپتانی سونپی گئی۔ جس میں ایک شکست ہوئی اور بقایا دو میچ برابر رہے۔ یہ بات خاص طور پر قابل توجہ ہے کہ سلیم ملک نے چھ متعلقہ ٹیسٹ میچوں میں حصہ جن میں اُس نے آٹھ اننگز میں 427 رنز بنائے جن میں سری لنکا کے خلاف ایک بہترین سنیچری بھی شامل تھی۔

اس کے بعد وسیم اکرم کو ویسٹ انڈیز کا صفایا پھیر کر اطمینان حاصل ہوا۔ اس نے تینوں ٹیسٹ میچ جیت لیے۔ ویسٹ انڈیز کی ٹیم کمزور تھی اور عمر رسیدہ کورٹنی والش اس کی سربراہی کر رہا تھا۔ اُسے اچھے

باؤلروں کی حمایت بھی حاصل نہ تھی اور برائن لارا بھی سخت بے زار تھا۔ مگر اِس کے باوجود پاکستانی ٹیم نے نظم وضبط کے ساتھ عمدہ کارکردگی کا مظاہرہ کیا۔ انضمام الحق ، عامر سہیل اور اعجاز احمد نے رنز کے انبار لگا دیئے۔ وسیم اکرم نے اچھی رہنمائی کی اور سب سے زیادہ وکٹیں بھی حاصل کیں۔ اگر چہ ثقلین مشتاق اوسطاً سب سے اوپر رہا۔ اس نے نو رنز فی وکٹ کے حساب سے 9 وکٹیں حاصل کی تھیں۔

پاکستانی ٹیم کی اگلی مصروفیت جنوبی افریقہ اور زمبابوے کا دورہ تھا۔ غالباً سلیم ملک کی سربراہی میں پچھلی تباہی کو یاد رکھتے ہوئے منتخب کرنے والے ارکان جواب سلیم الطاف کی رہنمائی میں کام کر رہے تھے نے جوئے کے خلاف نبرد آزما ہونے والے کھلاڑیوں راشد لطیف اور عامر سہیل کو کپتان اور نائب کپتان بنا دیا۔ سلیم ملک اور وسیم اکرم دونوں کو شامل نہ کیا گیا اور سرکاری طور پر اُنہیں شامل نہ کرنے کی وجہ یہ بتائی گئی کہ وہ مکمل طور پر صحت مند نہیں تھے۔ کرکٹ بورڈ اور ٹیم منتخب کرنے والوں کو جو کوئی بھی نوعمر ٹیم سے جس ایک نئی صبح کی اُمیدیں وابستہ تھیں وہ بدقسمتی سے پورا نہ ہوسکیں اور سخت مایوسی ہوئی۔ پہلا ٹیسٹ میچ شروع ہونے سے پہلے ہی دونوں ٹیموں کے تعلقات زہر مار ہو گئے جب ثقلین مشتاق اور تیز رفتار باؤلر محمد اکرم نے دعویٰ کیا کہ انہیں سڑک پر لوٹ لیا گیا ہے۔ جنوبی افریقہ کے کھلاڑیوں نے الٹا دعویٰ کیا کہ یہ دونوں تو ایک رات کو کھلنے والی تفریح گاہ میں چیخ و پکار کے ساتھ جھگڑا کر رہے تھے۔

راشد لطیف کی گردن کو چوٹ لگی ہوئی تھی ۔ لہٰذا عامر سہیل نے پہلے دو ٹیسٹ میچوں میں کپتانی سنبھال لی۔ پہلا ٹیسٹ میچ بے کیف ہو کر برابر رہا۔ دوسرے ٹیسٹ میچ میں پاکستان کو جنوبی افریقہ کے خلاف پہلی بار فتح نصیب ہوئی۔ اس میچ کے نمایاں کردار اظہر محمود جس نے پہلے ٹیسٹ میچ کے علاوہ اس دوسرے ٹیسٹ میچ میں بھی سنچری بنائی اور مشتاق احمد تھے جس نے دوسری اننگز میں جنوبی افریقہ کی چھ وکٹیں حاصل کی تھین۔ پاکستان پہلے کرکٹ کھیلنے والے چوتھے عیسائی یوسف یوحنا نے اپنی لمبی کرکٹ کا آغاز معمولی انداز سے کیا۔ یہ فتح حاصل کرنے کے باوجود پاکستانی ٹیم کو استحکام حاصل نہ ہوا۔ پاکستانی ٹیم کے حوصلے کو اس وقت دھچکا لگا جب پی سی بی کے نئے سربراہ خالد محمود نے وسیم اکرم کو بھیجنے کے لیے اصرار کیا۔ اس بات پر ناراض ہو کر منتخب کرنے والے ارکان کی کمیٹی کے سربراہ سلیم الطاف نے استعفیٰ دے دیا۔ وسیم اکرم نے پہلی اننگز میں تین وکٹ حاصل کیے۔ مگر وہ میچ کھیلنے کے قابل نظر نہیں آ رہا تھا۔ اس کے مقابلے میں وقار یونس نے اچھی باؤلنگ کا مظاہرہ کرتے ہوئے میچ میں دس وکٹیں حاصل کر لیں۔ وقار یونس اب بھی وسیم اکرم کا سب سے بڑا رقیب تھا۔ راشد لطیف نے دوبارہ کپتانی سنبھالی تو مگر اُسے پہلی بار ہی تباہی کا سامنا کرنا پڑا۔ وہ دونوں اننگز میں کوئی بھی رن نہ بنا سکا۔ اس کی وکٹ کیپری بھی غیر معیاری رہی۔ اور پاکستان کو 259 رنز سے شکست فاش ہوئی۔

وسیم اکرم کو زمبابوے کے خلاف بخار کی وجہ سے پہلے ٹیسٹ میں شامل نہ کیا گیا۔ جو بے کیف ہو کر

برابر رہا۔ وسیم اکرم دوسرے ٹیسٹ کے لیے ٹیم میں واپس آ گیا جسے پاکستان نے جیت لیا۔ اس میچ کی جیت میں محمد وسیم کی عمدہ سنچری کا بے حد دخل تھا۔ راشد لطیف نے دونوں میچوں میں رہنمائی کی تھی۔

## قیوم کمیشن (جسٹس قیوم کی تحقیقات)

اس تمام عرصے میں بدعنوانی اور میچوں کو جوئے کے لیے بنائے جانے کی افواہیں گردش کرتی رہیں۔ ماجد خان کی رہنمائی میں پاکستان کرکٹ بورڈ نے جسٹس اعجاز یوسف کی سرپرستی میں انتظامی تحقیقات کا انعقاد کیا۔ اس نے ابتدائی تحقیق میں کھوج لگایا کہ سلیم ملک، اعجاز احمد اور وسیم اکرم میچوں کو بنانے اور جوئے میں ملوث ہیں۔ مگر پھر پاکستان کرکٹ بورڈ نے فیصلہ کیا کہ ان الزامات کی مکمل طور پر عدالتی تحقیقات ہونا چاہیے۔ اور جب تک تحقیقات مکمل نہ ہو جائے کھلاڑی کھیلنے کے لیے منتخب ہو سکیں گے۔ ماجد خان نے اِس لائحہ عمل پر عمل درآمد کے لیے صدر پاکستان محمد رفیق تارڑ جو اس وقت تک پاکستان کرکٹ بورڈ کا سرپرست تھا اور مسلم لیگ کا سیاستدان تھا سے رجوع کیا۔

یہ معاملہ جسٹس ملک قیوم کے سپرد کر دیا گیا جو نہ صرف ایک قابلِ تعظیم جج تھا بلکہ کلب درجہ کا اچھا بلے باز بھی رہ چکا تھا۔ اب تمام تحقیقات اس کی سربراہی میں ہونا تھی۔ جسٹس قیوم نے تحقیقات کا کام ستمبر 1998ء میں شروع کیا۔ اس نے 53 گواہوں کے بیانات قلم کیے جن میں موجودہ اور ماضی کے کھلاڑیوں سمیت عہدیداران، صحافیوں اور حتیٰ کہ جوئے بازوں کے بیانات لیے گئے۔ جن میں بعض نے اپنے جرائم کا خوشدلی سے اقرار کیا۔ جسٹس قیوم نے پاکستان کے دورے پہ آئی ہوئی آسٹریلوی ٹیم کے کھلاڑیوں مارک وا اور مارک ٹیلر کی بھی شہادتیں لیں۔ ان کی شہادتیں اس وقت شکوک کی نذر ہو گئیں جب مارک وا اور شین وارن جنہوں نے پہلے پہل سلیم ملک پر بدعنوانی کا الزام عائد کیا تھا، نے کھلے عام تسلیم کر لیا کہ انہوں نے ایک ہندوستانی جوا کرانے والے سے 1994ء میں سنگر ٹرافی میں پاکستان اور آسٹریلیا کے مابین ہونے والے میچ کے متعلق اطلاع مہیا کرنے کے عوض رقم وصول کی تھی۔ جسٹس قیوم تحقیقاتی کمیشن نے آسٹریلیا میں مارک وا اور شین وارن سے تازہ بیانات حاصل کیے۔ کرکٹ سے دلچسپی رکھنے والی پاکستانی عوام یہ جان کر سخت مشتعل ہوئی کہ آسٹریلین کرکٹ بورڈ نے مارک وا اور شین وارن کو جرمانہ تو کیا مگر اِس معاملے کو کئی ماہ تک چھپائے رکھا۔

قیوم کمیشن میں سماعت کے دوران نئے الزامات سامنے آئے۔ جن کی شروعات جیسا کہ پہلے واضح کیا گیا آصف اقبال کے اس سکہ سے ہوئی جس کے ساتھ اُس نے گنڈاپا وشواناتھ کے ساتھ 1979ء میں کئی سال پہلے ٹاس کیا تھا۔ دوسری اہم کہانیاں جن کا تذکرہ ہوا وہ مندرجہ ذیل ہیں:۔

1۔ یہ دعویٰ کہ سلیم ملک نے شین وارن اور ٹم مے کو 1994ء کی سنگر ٹرافی میں غیر معیاری باؤلنگ کرنے کی ترغیب دیتے ہوئے رشوت کی پیشکش کی تھی۔

2۔ قیوم کمیشن نے جنوبی افریقہ میں کھیلے جانے والے منڈیلا کرکٹ ٹورنامنٹ کے دوران سلیم ملک کے رویے اور طرزِ عمل کے خلاف راشد لطیف کے کیے گئے احتجاج کی توثیق کی۔

3۔ نوجوان تیز رفتار باؤلر عطاء الرحمٰن نے سامنے آ کر الزامات عائد کیے اور 94-1993ء میں نیوزی لینڈ میں کرائسٹ چرچ میں کھیلے جانے والے ایک روزہ میچ میں وسیم اکرم نے اُسے غیر معیاری باؤلنگ کرنے کے عوض میں ایک لاکھ روپے ادا کیے تھے۔ تاہم عطاء الرحمٰن کی شہادت میں چند مسائل یہ تھے کہ وہ مسلسل کہانی کو تبدیل کرتا رہا۔ (اس نے دعویٰ کیا کہ وہ یہ جرائم پیشہ عناصر کے دباؤ میں آ کر ایسا کرتا رہا تھا) راشد لطیف نے بھی دعویٰ کیا کہ یہ میچ جوا کرانے والوں کے ساتھ مل کر بنایا گیا تھا۔ اس نے قیوم تحقیقاتی کمیشن کو بیان دیا کہ میچ سے پہلے سلیم ملک نے اُسے اپنے کمرے میں بلا کر غیر معیاری کھیل پیش کرنے کے لیے رشوت دینے کی کوشش کی۔ راشد لطیف نے کہا کہ اس وقت چار اور کھلاڑی انضمام الحق، وقار یونس، اکرم رضا اور باسط علی بھی کمرے میں موجود تھے۔ (اِن میں سے پہلے تین کھلاڑیوں نے کمرے میں اپنی موجودگی سے انکار کیا ہے جب کہ باسط علی نے یرقان میں مبتلا ہونے کی وجہ سے اِس الزام پر تبصرہ نہیں کیا) راشد لطیف نے یہ بھی الزام عائد کیا کہ جب اُس نے آؤٹ کرنے کے لیے نیوزی لینڈ کے اوپننگ بلے باز برائن ینگ کا کیچ پکڑ لیا تو سلیم ملک نے میری سخت سرزنش کرتے ہوئے کہا کہ ''ہمیں تو یہ میچ ہارنا ہے اور تم کیچ پکڑ رہے ہو۔''[7]

4۔ یہ بھی الزام عائد ہوا کہ فروری 1994ء میں کرائیسٹ چرچ میں نیوزی لینڈ کے خلاف کھیلے جانے والے تیسرے اور آخری ٹیسٹ میچ کو سلیم ملک نے دانستہ طور پر ہارا۔ گواہان میں انتخاب عالم بھی شامل تھا جس کی گواہی خاص طور پر وزن رکھتی تھی وہ اِس لیے نہیں کہ اس کے پیچھے بے پناہ تجربہ تھا بلکہ اِس لیے کہ وہ اِس دورہ پر ٹیم کا مینیجر تھا۔[8]

5۔ ماضی میں فرسٹ کلاس کرکٹ کھیلنے والا سلیم پرویز جو بعد میں جواری بن گیا تھا، نے دعویٰ کیا کہ اُس نے سلیم ملک اور مشتاق احمد کو ایک لاکھ ڈالر بطور رشوت دیا کہ وہ 1994ء میں سری لنکا میں ہونے والے سنگر ٹورنامنٹ میں آسٹریلیا اور پاکستان کے درمیان ایک روزہ میچ کو ہار جائیں۔[9]

جسٹس قیوم رپورٹ پر ابھی کام جاری تھا کہ خالد محمود اور ماجد خان پاکستان کرکٹ بورڈ میں اپنے عہدوں سے فارغ ہو گئے[10] جن کے بعد بہت کم عرصے کے لیے فی الوقتی سربراہان مجیب الرحمٰن اور ظفر الطاف آ گئے۔

اکتوبر 1999ء میں جسٹس قیوم نے نواز شریف حکومت کو باریک بین اور تفصیلی رپورٹ پیش کی۔

اس کے فوری بعد جنرل پرویز مشرف کے فوجی انقلاب کے نتیجے میں نواز شریف حکومت کا تختہ اُلٹ دیا گیا۔ اس کے ساتھ ہی پاکستان کرکٹ بورڈ میں تازہ تبدیلی ہوئی اور جنرل مشرف نے اپنے اعتماد کے ساتھی جنرل توقیر ضیا کو نیا چیئرمین بنا دیا۔ جنرل توقیر ضیا اور نئی حکومت کئی ماہ تک قیوم رپورٹ پر بغیر کسی کارروائی کے بیٹھے رہے۔ آخرکار جب مئی 2000ء میں یہ شائع کی گئی تو اِس میں کئی مشہور و معروف کھلاڑیوں پر تحقیر بھری تنقید کی گئی تھی مگر مقابلتاً انہیں بہت معمولی سزائیں دی گئی تھیں۔[11]

رپورٹ کے تعارف میں جسٹس قیوم نے بیان کیا کہ کرکٹ کی تاریخ میں میچوں کو جوئے کے لیے بنایا جانا کرکٹ کے لیے بدترین خطرہ ہے۔ اس نے سلیم ملک کو جوئے میں میچوں کو بنانے کا مرتکب قرار دیا۔ اور اس پر کرکٹ کھیلنے کی تاحیات پابندی لگائے جانے کی سفارش کرتے ہوئے مزید دس لاکھ روپے جرمانہ بھی عائد کیا۔ (دس لاکھ روپے اس وقت تیرہ ہزار برطانوی پونڈ کے مساوی تھے) وسیم اکرم کو ناکافی ثبوت کی بنا پر جوئے میں ملوث ہونے سے بری الذمہ قرار دیا گیا لیکن اِس کے باوجود جسٹس قیوم نے دوٹوک انداز میں یہ بھی کہا کہ وسیم اکرم شک و شبہ سے بالاتر نہیں ہے۔ اور اس نے تحقیقاتی کمیشن کے ساتھ تعاون نہیں کیا۔ یہ صرف مشکوک حالات میں عطاء الرحمٰن کے بیان بدلنے سے ہوا کہ وسیم اکرم کو شک کا فائدہ دیتے ہوئے جوئے کے لیے میچ بنانے کے الزام میں قصوروار نہ ٹھہرایا جاسکا۔ مگر وہ شک و شبہ سے بالاتر نہیں ہے۔۔ جسٹس قیوم نے تین لاکھ روپے جرمانہ کی سفارش کی۔ میں نے اس کتاب کے لیے وسیم اکرم سے گفتگو کرنے کے لیے رابطہ کی کوشش کی مگر افسوس کہ مجھے اس کی طرف سے کوئی جواب نہ ملا۔[12]

جسٹس قیوم نے اپنی تحقیقاتی رپورٹ کے اختتام پر تباہ کن فیصلہ لکھتے ہوئے کہا کہ ''وسیم اکرم کو قومی ٹیم کی کپتانی سے ہٹا دیا جائے کیوں کہ اُس کی شہرت اِس قدر داغدار ہے کہ وہ اس مرتبے کا اہل نہیں ہے۔''

وقار یونس کی اگرچہ آسانی سے خلاصی تو ہوگئی مگر جسٹس قیوم کو اس کے بیان پر شبہ رہا۔ خاص طور پر اس کے اس بیان کو تنقیدی طور پر ادھیڑ دیا گیا کہ ''اس نے تو آج تک نہیں سنا تھا کہ کوئی جوئے کے لیے میچ بنانے میں ملوث ہے۔'' جسٹس قیوم نے فیصلہ دیتے ہوئے کہا کہ وقار یونس تحقیقاتی کمیشن کی مدد کرنے سے پس و پیش کرتا رہا۔ اور جب اُسے کچھ بتانے کی ترغیب بھی دی گئی تو پھر بھی اُس نے کھل کر بات کرنے سے اجتناب کیا۔ جسٹس قیوم نے اُسے ایک لاکھ روپے جرمانے کی سفارش کی جو اس وقت 700 برطانوی پونڈ کے لگ بھگ تھا۔ جسٹس قیوم نے خصوصی طور پر انضام الحق اور اکرم رضا کے ساتھ درشتی سے پیش آتے ہوئے اُن پر الزام عائد کیا کہ اُن پر وقتی طور پر نسیان کا مرض طاری ہو جاتا ہے۔ جسٹس قیوم نے مزید اضافہ کرتے ہوئے کہا کہ تحقیقاتی کمیشن کا خیال ہے کہ ان کھلاڑیوں کو معاملات کا جتنا علم ہے انہوں نے اسے ظاہر کرنے سے اجتناب کیا ہے۔ سعید انور سنگر ٹرافی کے آسٹریلیا کے خلاف میچ میں اپنے کردار سے مشکوک ہو چکا تھا اُسے

بھی ایک لاکھ روپے جرمانہ کی سفارش کی گئی۔ جسٹس قیوم نے محسوس کیا کہ سعید انور نے اپنی حرکات سے اپنے اوپر شک وشبہ پیدا کیا تھا۔ مزید برآں تحقیقاتی کمیشن نے محسوس کیا کہ سعید انور نے بھی اُس کے روبرو اپنا صحیح بیان نہیں دیا اور کچھ حقائق کو چھپائے رکھا۔

مشتاق احمد کے معاملے میں ثابت ہوا کہ اُس نے پاکستان کے نام کو جُوا کرانے والوں سے اپنے تعلقات کی وجہ سے بدنام کیا ہے۔ باسط علی جس نے انتخاب عالم کے مطابق جوئے کے لیے میچ بنانے میں اپنی شمولیت کیا تھا جسٹس قیوم کے غیض وغضب سے صرف اِس لیے بچ گیا کیوں کہ وہ کھیل کو اس وقت تک خیر باد کہہ چکا تھا مگر اُس کے لیے بھی تین لاکھ روپے جرمانے کی سفارش کی گئی۔ جسٹس قیوم نے سب کو ایک ہی لاٹھی سے ہانکتے ہوئے اپنا فیصلہ یوں صادر کیا:

''اس تحقیقاتی کمیشن کو بیشتر وقت یہ محسوس ہوتا رہا کہ زیادہ تر افراد جو اس کے سامنے پیش ہوئے وہ سچ بولنے سے گریز کرتے رہے۔ کم از کم انہوں نے مکمل طور پر سچ نہیں بولا۔ اس سے بھی بڑھ کر افسوسناک بات اُن اشخاص کا رویہ اور بیانات تھے جن کے مطابق انہوں نے کہا کہ انہوں نے تو جوئے کی خاطر میچ بنانے کا سِرے سے کبھی سنا تک نہیں ہے۔ کس اشخاص رٹے رٹائے بیانات لے کر آئے۔ جب کہ کچھ اور حالات کا سچائی سے پردہ اٹھانے کے لیے تیار نہ تھے۔ ان میں جناب وقار یونس بھی شامل تھا۔ جس نے ابتدائی طور پر کہا کہ اس نے تو آج تک نہیں سنا کہ کوئی جوئے کی خاطر میچ بنانے میں ملوث ہے۔ انضمام الحق بھی اِسی قسم کے مرض نسیان میں مبتلا تھا۔ دونوں کو سچ بولنے کے لیے اکسایا جاتا رہا لیکن پھر بھی شبہ ہے کہ انہوں نے پورا سچ بولا ہو۔''

اس وقت سے ایسی افواہیں گشت کرتی رہی ہیں کہ سزاؤں میں سختی ہوسکتی تھی اگر سیاسی مداخلت کے ذریعے بڑے مرتبے کے کچھ کھلاڑیوں کو بچا نہ لیا جاتا۔ جنرل پرویز مشرف اس وقت پاکستان بن چکا تھا اور خصوصی طور پر پاکستان کرکٹ کا سرپرست تھا جب 2000ء میں قیوم رپورٹ شائع ہوئی۔ میں نے جب جنرل مشرف سے لندن میں اس کے فلیٹ پر گفتگو کے دوران کھلاڑیوں کو بچانے کے لیے سیاسی مداخلت کی طرف اشارہ کیا تو اُس نے اس بات کو رد نہ کیا۔

قصہ مختصر جسٹس قیوم کی رپورٹ پاکستان کرکٹ کی معاشرت پر مذمت کی کاری اور تباہ کن ضرب تھی۔ اخلاقی طور پر افسوسناک تھی اور اُس میں بہت سے عظیم ترین کھلاڑیوں کو تنقید کا نشانہ بنایا گیا تھا۔ جن میں وسیم اکرم، وقار یونس، مشتاق احمد، سعید انور، سلیم ملک اور انضمام الحق شامل تھے۔ یہ سب اس قدر اندوہناک ہے کہ اسے الفاظ میں بیان کرنا ممکن نہیں ہے۔

## کوڈا: ورلڈکپ 1999ء اور بھنڈاری رپورٹ

جس وقت جسٹس قیوم تحقیقاتی کمیشن کی رپورٹ میں مصروف تھے پاکستان کرکٹ معمول کے مطابق جاری تھی اور بیشتر نمایاں مشکوک کھلاڑی اپنی اپنی جگہ پر قائم تھے۔ 99-1998ء میں وسیم اکرم کی سربراہی اور سلیم ملک کی ٹیم میں موجودگی میں پاکستانی ٹیم نے بھارت کا ہندو انتہا پسندوں کی دھمکیوں میں سخت حفاظت انتظامات کے تحت دورہ کیا۔ دو سنسنی خیز ٹیسٹ میچوں میں 1-1 سے سلسلہ برابر رہا۔ پہلے ٹیسٹ میچ میں پاکستان 12 رنز سے فتح چھیننے میں کامیاب رہا۔ اس ٹیسٹ میچ میں شاہد آفریدی نے سنچری بنائی اور ثقلین مشتاق نے میچ میں دس وکٹیں حاصل کیں۔ اس نے ہندوستان کی دوسری اننگز میں سچن ٹنڈولکر کو 136 رنز بنانے کے بعد اپنے مخصوص گیند ''دوسرا'' کے ذریعے آؤٹ کیا۔ ہندوستان نے دوسرا ٹیسٹ میچ بہ آسانی جیت لیا۔ انیل کمبلے نے یادگار باؤلنگ کرتے ہوئے پاکستان کی دوسری اننگز میں تمام دس وکٹیں حاصل کرلیں۔[13]

میچوں کے اس عمدہ سلسلے میں رتی بھر شک وشبہ کی گنجائش نہ ہوئی۔ مگر اس سے پہلے 1998ء میں جنوبی افریقہ نے پاکستانی امپائیر جاوید اختر پر الزام عائد کیا کہ اس نے غیر جانبدار امپائیر کی حیثیت میں انگلینڈ اور جنوبی افریقہ کے ٹیسٹ میچوں کے سلسلے میں اپنے فرائض کی ادائیگی کے دوران رشوت لی تھی۔ اس نے انگلینڈ کی سات ایل بی ڈبلیو کی اپیلیں منظور کیں جب کہ اس زبردست فیصلہ کن ٹیسٹ میچ میں جنوبی افریقہ کی صرف ایک اپیل منظور کی۔

1999ء کے عالمی کپ نے پاکستانی کارکردگی پر مزید نئے شک وشبہات پیدا کردیئے۔ الزامات لگانے والوں میں سرفراز نواز اور ماجد خان پیش پیش تھے۔ ان الزامات کا مرکز اپنے گروپ میچوں میں بنگلہ دیش کے ہاتھوں پاکستان کی افسوسناک شکست تھی۔ وسیم اکرم نے خراب باؤلنگ کرتے ہوئے نو بال اور وائیڈ گیندیں کرتے ہوئے دو فالتو اوور کیے۔ ثقلین مشتاق جو عام طور پر نپی تلی باؤلنگ کرتا ہے نے بھی چھ وائیڈ گیند کیں۔ آفریدی اندھا دھند ہٹ لگانے کی کوشش میں آؤٹ ہوا۔ سعید انور کو انضمام الحق نے رن آؤٹ کروا دیا۔ اور پھر خود بھی ایک ناقص ہٹ لگا کر آؤٹ ہوگیا۔ مشتاق محمد شکست کو دیکھتے ہوئے سخت اذیت میں مبتلا تھا۔ اسے ہنگامی طور پر ٹیم کا کوچ مقرر کیا گیا تھا۔ وہ اکھڑ جاوید میاں داد کی جگہ پر لگایا گیا تھا جس نے اِس ٹورنامنٹ سے ذرا پہلے شارجہ میں ناقص کارکردگی پر افواہوں کے حوالے سے پاکستانی ٹیم کا سامنا کرکے اُن پر سوالات اٹھائے تھے۔

شخصیت میں بالکل مختلف مشتاق محمد کا مصمم ارادہ تھا کہ وہ کھلاڑیوں کے ساتھ اچھے تعلقات رکھے۔ بنگلہ دیش کے ساتھ میچ میں کارکردگی کے متعلق اس نے اپنے شبہات کو دبا لیا۔ تاہم اس نے بعد میں لکھا کہ حالات جوئے کے لیے ایسے تھے کہ جیسے انہیں ہاتھ سے سازگار بنایا گیا تھا۔ جس میں جوئے میں لگائی جانے

والی رقوم کا جیت کا تناسب مضبوطی سے پاکستان کے حق میں تھا۔ (پاکستان یہ میچ ہار کر بھی اگلے درجے میں کھیلنے کا اہل رہتا)۔

سرفراز نواز اور ماجد خان نے بھی تمام تر توجہ غیر ذمہ دار شاٹ کھیلنے پر مرکوز کر دی جن کی وجہ سے پاکستان ہندوستان سے گروپ میچ میں ہار گیا تھا۔ اس کے بعد وسیم اکرم کا ضد پر مبنی وہ فیصلہ آ گیا جس کے تحت فائنل میں پہلے بیٹنگ کی گئی۔ میچ شروع ہونے سے قبل مشتاق محمد نے باؤلنگ پہلے کرنے کے حق میں سختی سے بحث کی۔ لارڈز گراؤنڈ نے ہمیشہ باؤلنگ میں پہل کرنے والے سیم باؤلروں کی مدد کی تھی (جیسا کہ وسیم اکرم کو لنکا شائیر کی طرف سے کھیلتے ہوئے اپنے ایک روزہ فائنل میچوں میں تجربہ تھا) اور پچ دو روز تک ڈھانپے جانے کے بعد نمدار بھی تھی۔ اس کے علاوہ پاکستانی ابتدائی باؤلروں کو مدد دینے کے ساتھ ساتھ (ٹیم میں سوئنگ باؤلروں کی بھرمار تھی) پہلے فیلڈنگ کرنے سے ٹیم کے نووارد کھلاڑی جو پہلی بار لارڈز گراؤنڈ میں آئے تھے بھی پُر اعتماد ہو جاتے۔ مگر مشتاق محمد، وسیم اکرم اعجاز احمد، سعید انور اور سلیم ملک (جو دورہ کرنے والی ٹیم کا رکن تو تھا مگر بحیثیت کھلاڑی تیزی سے تنزل پذیر تھا۔ وسیم اکرم کا خیال تھا کہ سلیم ملک تیز رفتار باؤلنگ کے سامنے اپنا حوصلہ کھو چکا تھا) کی مزاحمت کے سامنے بے بس رہا۔ پاکستان نے پہلے بیٹنگ کی اور صرف 132 رنز پر آسٹریلیا کے خلاف ڈھیر ہو گیا۔ یہ یک طرفہ ہار عالمی کپ کی تاریخ کی سب سے بڑی شکست تھی۔

سالہا سال گزرنے کے باوجود مشتاق محمد اس شکست کے اس تجربے سے اب بھی پریشان ہے۔ اُس نے مجھے بتایا کہ اکثر اوقات اسے محسوس ہوا کہ کچھ چیزیں درست نہیں تھیں مگر مجھے جوئے کے لیے میچ بنائے جانے کا علم نہ تھا۔ اور میں صرف شک کی بنیاد پر کسی پر الزام تراشی نہیں کر سکتا تھا۔ مجھے جوا کھیلنے کا کوئی تجربہ نہ تھا۔ جس کی بدولت میں کسی تحقیقات میں مدد دے سکتا۔ میں نے پاکستان کرکٹ بورڈ سے کہا کہ میں انہیں کسی بھی مشکوک چیز کی خبر کروں گا مگر اُس کے متعلق بعد میں مجھ پر کوئی سوال نہ کیا جائے گا۔

یہ تمام معاملات جسٹس قیوم تک بڑی تاخیر سے پہنچے لہٰذا ایک اور نئی تحقیقات لاہور کے جسٹس بھنڈاری کی نگرانی میں کی گئی۔ جس میں عبدالقادر کرکٹ کے معاملات پر ماہرانہ رائے کے لیے شامل تھا۔ جب جون 2002ء میں جسٹس بھنڈاری نے اپنی تحقیق مکمل کی تو اس نے تمام الزامات کو رد کر دیا۔ اس کے خیال میں جو کھلاڑی ملوث تھے انہیں محض رائے اور خود ہی نتیجہ اخذ کر کے مجرم قرار نہیں دیا جا سکتا ہے ایسی رائے ممتاز کھلاڑیوں کی ہی کیوں نہ ہو۔ جسٹس قیوم نے امپائر جاوید اختر کو بھی بری کر دیا۔[14] اس نے جنوبی افریقہ کرکٹ بورڈ پر تحقیقات میں تعاون کرنے کی پاداش میں سخت تنقید بھی کی۔ جسٹس بھنڈاری نے آئی سی سی کی طرف سے برطانوی پولیس کے سابق کمشنر پال کونڈن (Paul Condon) کی سربراہی میں بنائے جانے والے بدعنوانی کے خلاف یونٹ پر بھی تندو ترش الفاظ استعمال کیے کیوں کہ انہوں نے بھی کوئی ثبوت فراہم نہیں

کیے تھے سوائے وِزڈن (Wisden) میں چھپے ایک مضمون کی نقل کیے۔

سچی بات تو یہ ہے کہ جوئے کے لیے میچوں کو بنانا ایک عالمی مسئلہ ہے۔ اور یہ محض صرف پاکستان تک محدود نہیں ہے۔ دھما کا خیز نتائج نکلتے ہیں۔ پھسڈی ٹیموں کی فتح کھیل کو فرحت بخشتی ہے اور یہی کھیل کا مقصد ہوتا ہے۔ ایسے نتائج پر خود بخود شک وشبہ پیدا نہیں ہونا چاہیے۔ لیکن اس باوجود جوئے کے شواہد موجود ہیں۔ پاکستانی کھلاڑیوں کا تیار ہونے کا کمرہ اس عرصہ میں غلیظ گھٹیا او رمخاصمانہ ماحول کی آماجگاہ بنا رہا۔ جو کھلاڑی بدعنوانی میں ملوث تھے اُنھوں نے کرکٹ کے کھیل کے علاوہ کھیل کے لاکھوں زندہ دل شیدائیوں کے ساتھ ساتھ اپنے ملک سے بھی بے وفائی کی۔ وہ اپنے کردار، عمل اور گھناپن سے نہ صرف اپنے لیے بلکہ اپنے خاندانوں کے لیے بھی بے عزتی اور ذلت کا سبب بنے۔ اُن کی بدولت پاکستانی کرکٹ پر مستقل طور پر بدنامی کا انمٹ دھبہ لگا۔ آج تک ہر پاکستانی کرکٹ کے کھلاڑی پر شکوک وشبہات کے بادل چھائے رہتے ہیں جب بھی وہ اپنے ملک کے لیے کھیلنے کو نکلتا ہے۔ خاص طور پر (جیسا کہ عموماً کرکٹ کے کھلاڑیوں کے ساتھ ہوتا ہے) جب وہ غلط فیصلہ کرتا ہے یا پھر وہ اس کا بُرا دن ہوتا ہے۔ بدعنوان کھلاڑیوں کی وجہ سے بے پایاں نقصان پہنچا ہے۔ حیران کن بات یہ ہے کہ کئی عظیم ترین کھلاڑیوں کی بدعنوانی اور مشکوک پن کے باوجود کرکٹ کے کھیل میں اب بھی بے پناہ جذبہ موجود ہے۔

## حوالہ جات:

1 میچ کے ثالث رامن سبادو (Raman Subba Row) نے میچ کا فیصلہ برابر دیا۔ اس سے قبل وہ پہلے بھی 88-1987ء میں مائیک گیٹنگ (Mike Gatting) کی انگلش ٹیم جس نے پاکستان کا دورہ کیا تھا کو ایک ہزار پونڈ فی کس اضافی بونس دے کر پاکستان کے جذبات مجروع کر کے اسے ناراض کر چکا تھا۔ رامن سبارو کو ثالث اس وقت بنایا گیا تھا جب پاکستان نے ٹام گریونی (Tom Graveney) کے ثالث بننے پر اعتراض اٹھایا تھا کیوں کہ ''اس نے 1987ء میں دعویٰ کیا تھا کہ پاکستان 37 سال سے بے ایمانی کر رہا ہے اور وہ روز بروز اضافے سے بد سے بدتر ہو چکی ہے۔'' بحوالہ کتاب شجاع الدین صفحہ 309 اور وِزڈن 1994ء صفحات 6-1095۔

2 اس وقت تک جاوید میاں داد 8832 رنز بنا چکا تھا۔ اگر وہ پچاس رنز فی اننگز کی اپنی مخصوص اوسط بھی رکھتا پھر بھی دس ہزار رنز کا ہدف پورا کرنے کے لیے اُسے مزید 24 ٹیسٹ اننگز کی ضرورت تھی۔ بے نظیر بھٹو کو اُمید تھی کہ اِس بار وہ طویل عرصہ تک اقتدار میں رہے گی۔

3 موقع پر کھیل بنانا بے ایمانی کی وہ قسم ہے جس میں کھیل کے کسی خاص حصّہ کو بنا کر جُوا لگایا جاتا ہے۔ اس میں باؤلر کے ساتھ ایسا معائدہ شامل ہوتا ہے جس میں اُسے خاص قسم کے طریقہ سے باؤلنگ کرنا ہوتی ہے یا بلے باز کو پورا اوور بغیر کوئی رن بنائے کھیلنا ہوتا ہے یا پھر دیدہ دانستہ طور پر آؤٹ ہو جائے۔ یہ بنائے ہوئے میچ سے مختلف ہوتی

ہے کیوں کہ اس میں میچ کا نتیجہ پہلے سے طے کیا جاتا ہے۔ ٹی 20 قسم کی کرکٹ کے آنے سے موقع پر بنائے گئے جوئے کا کھوج لگانا بے حد مشکل ہو گیا ہے۔ عامر پر دو گیند نو بال بنا کر کرنے کا جرم ثابت ہوا تھا۔ قیوم رپورٹ نے میچ بنانے کی وضاحت بیان کرتے ہوئے لکھا کہ ''اِس میں میچ کھیلنے سے قبل ہی اس کا نتیجہ طے کر لیا جاتا ہے۔ اس کے بعد جب کھلاڑی کھیلتے ہیں تو وہ اپنی قابلیت اور اہلیت کے مطابق نہیں کھیلتے اور دوسروں کو بھی اپنے اِس عمل میں شامل رکھتے ہیں تاکہ میچ کا وہ نتیجہ حاصل ہو سکے جسے پہلے سے طے کر رکھا ہے۔'' اہم چیز یہ ہے کہ کھیل کو موقع پر بنانے کے لیے اکیلا کھلاڑی بھی یہ کام کر سکتا ہے۔ میچ بنانے کے لیے (جیسا کہ عمران خان نے قیوم کمیشن کے سامنے بیان دیا) کم از کم پانچ سے سات کھلاڑیوں کو ساتھ شامل کرنا پڑتا ہے۔

4 یہ واحد ٹیسٹ میچ تھا جس میں دورِ حاضر کے دو بد نام ترین کپتانوں سلیم ملک اور ہنسی کرونیئے (Hansie Cronje) نے اکٹھے حصہ لیا تھا۔ ان کا دوبارہ سامنا 1996ء کے عالمی کپ میں ہوا مگر اُس وقت سلیم ملک عام کھلاڑی کی حیثیت سے ٹیم میں شامل تھا۔

5 یہ سنچری سترہ سال تک ایک روزہ عالمی میچوں میں سب سے تیز رفتار سنچری مانی جاتی رہی تھی۔ حتیٰ کہ نیوزی لینڈ کے کورے اینڈرسن (Corey Anderson) نے 2014ء کے نئے سال کے پہلے روز ویسٹ انڈیز کے خلاف چھکا کار کر 36 گیندوں میں اپنی سنچری مکمل کر لی۔

6 اِس حساب سے وہ اوّل درجے میں پہلی بار کرکٹ کھیلنے والے ریکارڈ یافتہ علیم الدین جو پاکستان کے ابتدائی دنوں میں اوپننگ بلے باز تھا، سے صرف تین دن بڑا تھا۔ کہا جاتا ہے کہ علیم الدین تقسیم ہند سے پہلے ہندوستانی رانجی ٹرافی میں راجھستان کی طرف سے 12 سال 73 دِن کی عمر میں پہلی بار کھیلا تھا۔ (دیکھیے صفحہ 25 کے اوپر کے حصہ پر)۔

7 قیوم رپورٹ حصہ پنجم 19 جسٹس ملک قیوم کی توجہ میں یہ بات بھی آئی کہ یہ تو وہی میچ ہے جس کے متعلق عطاء الرحمٰن کہتا ہے کہ وسیم اکرم نے جوئے کے لیے اعجاز احمد اور ظفر علی جوجو کے ساتھ پاکستان میں بنایا تھا۔

8 قیوم رپورٹ حصہ سوئم۔ 29 جسٹس ملک قیوم کے مطابق انتخاب عالم اپنے بیان پر قائم رہا کہ اُس کے ٹیم مینیجر ہونے کے دوران جوئے کے لیے میچ بنائے گئے۔

9 جسٹس قیوم نے اُن دعوؤں کا تفصیلی جائزہ لیا جن کے مطابق مندرجہ ذیل میچ جوئے کے لیے بنائے گئے تھے۔ فروری 1994ء کا تیسرا ٹیسٹ میچ جو پاکستان اور نیوزی لینڈ کے درمیان کرائیسٹ چرچ میں کھیلا گیا۔ 16 مارچ 1994ء کو نیوزی لینڈ اور پاکستان کے مابین کرائیسٹ چرچ میں کھیلا گیا۔ پانچواں ایک روزہ میچ سنگر عالمی مقابلے میں 7 ستمبر 1994ء کو کولمبو میں پاکستان اور آسٹریلیا کے مابین کھیلا جانے والا میچ۔ اور 15 دسمبر 1997ء کو شارجہ میں کھیلا جانے والا پاکستان اور انگلینڈ کے مابین میچ۔

10 جسٹس قیوم کے نظریہ کے مطابق اس وقت کے پاکستان کرکٹ بورڈ کے انتظامی سربراہ ماجد خان کے دباؤ کے بغیر یہ تحقیقات نہیں ہو سکتی تھی۔ جسٹس قیوم کے مطابق ماجد خان نے درخواست کی تھی کہ جوے بازی اور میچ بنانے کے الزامات کی عدالتی تحقیقات ہونا چاہیے۔ کیوں کہ وہ محسوس کرتا تھا کہ صرف عدالتی کمیشن ہی سچ تک پہنچ پائے گا۔ عام مقامی تحقیقاتی افسران کے پاس اتنے اختیارات نہیں تھے کہ وہ کسی شخص کو حکم دے کر اپنے سامنے پیش ہونے کے لیے کہتے اور نہ ہی اُنھیں حاضری کے لیے مجبور کر سکتے تھے۔ اور نہ ہی اُن سے حلفیہ بیانات لے سکتے تھے۔ اور اگر وہ حلف

اٹھا کر جھوٹ بولتے تو اُن کے خلاف کارروائی نہیں کر سکتے تھے۔ (قیوم تحقیقاتی رپورٹ حصہ اوّل۔ 9)

11 جسٹس قیوم کی تحقیقاتی رپورٹ اس وقت منظر عام پر آئی جب جوے کے لیے بنائے جانے والے میچوں کی چہ مگوئیاں پوری دنیا میں پھیل رہی تھیں۔ صرف ایک ماہ قبل ہینسی کرونیئے (Hansie Cronjhe) نے جوئے کے لیے میچ بنانے کی بدعنوانی کے جُرم کا اعتراف کر لیا تھا۔ اور پھر اُسی ماہ ہندوستان کے عظیم آل راؤنڈر کپل دیو پر بھی بدعنوانی کا الزام عائد ہوا۔ اس پر الزام اس کے سابقہ ساتھی کھلاڑی منوج پربھاکر نے لگایا تھا۔ ہندوستان کے ٹیکس وصول کرنے والے اداروں نے کپل دیو سابق کپتان اظہر الدین اور بھارتی کرکٹ بورڈ کے سربراہ جگموہن ڈالمیا کے خلاف کئی چھاپے مارے۔ (بمطابق پائیس (Piesse) صفحہ 265 اور رے (Rae) صفحہ 272)

12 تاہم وسیم اکرم نے اپنی خودنوشت سوانح عمری میں جسٹس قیوم کو جواب دیا ہے۔ ''میں نے کبھی میچ ہارنے کی نہ تو کوشش کی تھی اور نہ ہی کبھی ایسا ایک سیکنڈ کے لیے بھی سوچا تھا۔ مجھے اس کا علم نہیں ہے کہ کسی پاکستانی کھلاڑی نے رقم لے کر میدان میں کھیل کے حالات پر اثر انداز ہونے کی کوشش کی ہو۔ یہ پاکستانی کرکٹ پر تہمت ہے جس سے آسانی سے پیچھا نہیں چھڑایا جا سکتا۔ سلیم ملک بھی اِسی کا شکار ہوا تھا جب اُسے کپتانی سے ہٹایا گیا تھا۔ سلیم ملک نے ہمیشہ اپنے بے قصور ہونے کا دعویٰ کیا ہے اور میرے نزدیک ایسی کوئی وجہ نہیں ہے جس کی بدولت مجھے اُس پر شبہ ہو۔ (وسیم اکرم کی خودنوشت سوانح عمری کا صفحہ 4)۔

13 اس کے دوست جواگل سری ناتھ نے دیدہ دانستہ طور پر اننگز کے اختتام کے نزدیک وکٹوں سے باہر گیندیں کیں۔

14 اپنی بریت کے بعد جاوید اختر نے اپنے اوپر الزام تراشی کرنے والوں کے خلاف مقدمہ دائر کر دیا۔ جنوبی افریقہ کرکٹ بورڈ کا سربراہ علی باکر (Ali Bacher) بھی شامل تھا۔ ہتک عزت کے اس دعوے میں دس کروڑ روپے کا ہرجانہ طلب کیا گیا تھا جو اس وقت بارہ لاکھ برطانوی پونڈ کے لگ بھگ بنتا تھا۔ علی باکر نے پاکستان میں آ کر عدالت کے سامنے پیش ہونے سے انکار کر دیا۔ امپائر جاوید اختر کو کوئی معاوضہ تو نہ مِل سکا البتہ اُس کے نام کی عزت بحال ہو گئی۔ (بحوالہ www.espncricinfo.com "Bacher refused to appear in Pakistan Court 2February 2001 علی باکر کا پاکستانی عدالت میں پیش ہونے پر انکار۔ 2 فروری 2001ء)۔

21

# پاکستانی کرکٹ کی افزائش

''جیسا کہ دوسری جگہوں پر ہوا، برصغیر پاک وہند میں بھی عوام الناس میں کرکٹ کی مقبولیت گلی کوچوں، غیر معروف چھوٹے شہروں، دیہات کے عام میدانوں، باغات کی چاردیواری کے اندر اور چراگاہوں میں پروان چڑھی۔''

۔مرتضٰی شبلی (برطانوی کشمیری ادیب وشاعر، کشمیر میں کرکٹ پر)

برطانیہ میں دوسری جنگ عظیم کے بعد فٹ بال کے کھیل نے کرکٹ کی جگہ قومی کھیل کی حیثیت اختیار کر لی تھی۔ کرکٹ کا کھیل صرف قومی ذہن میں سکڑ کر رہ گیا تھا اور اس کی مقبولیت عوام میں کم ہو چکی تھی۔ اس کا شوق صرف درمیانے طبقے کے محدود حلقے تک رہ گیا تھا۔

پاکستان میں یہ عمل بالکل الٹ چلا۔ 1970ء کی دہائی کے آخر تک پاکستان میں یہ کھیل ممتاز طبقہ کا شوق تھا۔ اور یہ کراچی اور لاہور کے درمیانے طبقوں تک محدود تھا۔ برصغیر کی دوسری جگہوں کی طرح 1980ء کے بعد کی تین دہائیوں میں اس کھیل میں جغرافیائی اور سماجی طور پر زبردست پھیلاؤ آیا ہے۔ اب کرکٹ کو دور دراز کے قصبوں کے غریب ترین لوگ شدت سے کھیلنے لگے ہیں۔

یہ کھیل زرعی دیہات میں پھیل چکا ہے جن میں بے رونق قصبوں سے لے کر پس ماندہ اور دور دراز پہاڑوں کے درمیان نشیبی علاقے تک شامل ہیں۔ ان میں وقت گزرنے کے ساتھ سرحد پار افغانستان کا علاقہ بھی شامل ہو چکا ہے۔ اس کھیل کو دریاروں کے کناروں پر پہاڑوں کی سطح مرتفع پر قبرستان میں بنجر قطعات پر غرضیکہ جہاں کہیں بھی ہموار زمین ہو کھیلا جاتا ہے۔ اسے کٹے ہوئے کھردرے تختوں، لکڑی کی گیندوں ربڑ کی بنی ٹینس کی گیندوں، پگھلا کر سکڑے ہوئے فٹ بال کی گیندوں یا پھر کوئی بھی چیز جو اُچھل سکے سے کھیلا جاتا ہے۔ اِس کھیل کو جتنا زیادہ مرد کھیلتے ہیں اُسی طرح اس کی مقبولیت عورتوں میں بھی بڑھتی جا رہی ہے۔ دھماکہ خیز دلچسپی کے باعث اس کھیل میں دنیا کے عظیم ترین کھلاڑی سامنے آئے۔

کرکٹ کے اس غیر معمولی شعور کی وضاحت کا ایک ذریعہ ذاتی بیانات کے ذریعے حاصل ہوا۔ ہم کلائی سے گیند گھمانے والے عبدالقادر کی کہانی پہلے ہی بیان کر چکے ہیں۔ اور پھر اس کے شاگرد اور جانشین مشتاق احمد کی کہانی خاص اہمیت اور شناخت کی حامل ہے۔

## مشتاق احمد: محنت کش کا بیٹا اور کرکٹ میں غیر معمولی فطری قابلیت رکھنے والا

عبدالقادر نئی نسل کے کرکٹ کے کھلاڑیوں کے لیے نقش اوّل کی حیثیت رکھتا تھا جس کی نمونے کے طور پر نقلیں کی جاتی تھیں۔ کرکٹ کا کھیل اُس کے نزدیک سماجی اور معاشی لحاظ سے ترقی کا ایک راستہ ہونے کے ساتھ تفریح کا بھی ذریعہ تھا۔ دس بچوں میں سے ایک (دو بچے بچپن میں ہی فوت ہو گئے تھے) مشتاق احمد ایک محنت کش کا بیٹا تھا۔ ''میرے والد شمس الدین کو ہمیں پالنے کی خاطر دِن رات کام کرنا پڑتا تھا۔'' اس کے بیٹے نے یادوں کو دہراتے ہوئے اپنی خودنوشت سوانح عمری میں لکھا۔ ''وہ اکثر اوقات علی الصبح پانچ بجے اپنے کام کا آغاز کرتے اور آدھی رات سے پہلے گھر نہ لوٹتے کیوں کہ وہ روئی کے ایک کارخانے میں کام کرتے تھے۔ اس کے علاوہ ان کی ذمہ داری میں کارخانہ کی ضرورت کے لیے دوسرے مزدوروں کو اکٹھا کرنا بھی شامل تھا۔ اس سب کام کی انہیں روزانہ ایک برطانوی پونڈ کے مساوی اُجرت ملتی تھی۔

مشتاق احمد کی پرورش پنجاب کے ضلع ساہیوال میں ہوئی (جس کا پرانا نام منٹگمری تھا) اور یہ لاہور سے دو گھنٹے کی مسافت پر واقع تھا۔ ''ہم اپنے صحن میں تین بھینسیں رکھا کرتے تھے۔'' اُس نے یاد کرتے ہوئے دہرایا۔ ''ہم انہیں خوراک کے طور پر خشک گھاس پھونس کا چارہ ڈالتے اور وہ روزانہ دودھ دے کر ہماری معاونت کرتیں۔ ہمارے گھر میں صرف تین کمرے تھے اور اُن میں سے ایک میں تمام بچے سوتے۔ ہم سب کا دارومدار اپنے والد کی روئی کے کارخانے سے حاصل ہونے والی کمائی پر تھا۔''

اپنے بچپن میں مشتاق احمد گلی میں مسلسل کرکٹ کھیلتا رہتا۔ اُس نے مزید دہراتے ہوئے بیان کیا:

''رفتہ رفتہ کرکٹ میرا جنون بنتی گئی۔ اگرچہ ہمارے گھر میں ٹیلی ویژن نہیں تھا مگر میرا جہاں کہیں بھی موقع لگتا میں کرکٹ دیکھتا اور جن کھلاڑیوں کو میں پسند کرتا اُن کی نقالی بڑی آسانی سے کر لیتا۔ میرے ہاتھ کبھی بھی گیند سے خالی نہ ہوتے اور میں بخوشی گھنٹوں پاپولر کے درخت پر باؤلنگ کرتا۔ میں اپنے خیالات میں گُم کبھی عمران خان بن کر درمیانی رفتار سے گیند بازی کرتا اور کبھی عبدالقادر بن کر گیند کو گھماتے ہوئے لیگ سپن باؤلنگ کرتا۔ میرے لیے وہ درخت وکٹوں کی حیثیت رکھتا تھا اور باؤلنگ کرتے ہوئے مجھے لگتا تھا کہ میں ٹیسٹ میچ کھیل رہا ہوں۔ اگر کبھی گیند درخت کو نہ لگتی تو مجھے گیند کے پیچھے دور تک بھاگنا پڑتا جس کے بعد میں پھر سے لگاتار گیند کرنے لگتا۔ اس چیز نے مجھے غلطی سے پاک معیار سکھا دیا۔ میں صرف اور صرف کرکٹ

کھیلنا چاہتا تھا۔ مجھے کھانا کھانے میں بھی دیر ہو جاتی۔ جونہی سکول سے فارغ ہوتا میں گھر آ کر کتابیں ایک طرف پھینکتا اور باہر جا کر کرکٹ کھیلنے لگتا۔ حتیٰ کہ سوتے وقت بھی کرکٹ کی گیند ساتھ رکھتا۔ میری والدہ کی سمجھ میں یہ سب نہیں آتا تھا کچھ لوگوں کے خیال کے مطابق میں ذہنی طور پر ڈانوا ڈول تھا۔ میں یہ بھی بتا دوں کہ اُس وقت جس قسم کی کرکٹ کی گیند ہم استعمال کیا کرتے تھے، وہ اُس گیند سے بالکل مختلف ہوا کرتی تھی جسے میں اب استعمال کرتا ہوں۔ اگر ہمیں ٹینس کی گیند مل جاتی تو ہم اُسے استعمال کرنے لگتے مگر وہ بہت مہنگی ہوا کرتی تھی۔ کبھی کبھار ہم سستی سی پلاسٹک کی بنی فٹ بال کی گیند کو بے حد گرم پانی میں اس وقت تک ڈالے رکھتے جب تک وہ پگھل کر سکڑ کر کرکٹ کی گیند جتنی نہ بن جاتی۔ اس طرح کی گیند اُچھلتی خوب تھی اور اس سے کچھ تیز رفتار باؤلنگ کی جاسکتی تھی۔ وہ گیند اِسی قسم کی ہوا کرتی تھی جس سے میں درخت پر باؤلنگ کیا کرتا تھا۔''

مشتاق احمد کا یہ بیان مکمل وضاحت سے وہ تجربہ بیان کرتا ہے جو پاکستان کے لاکھوں نوعمر لڑکے پچھلی دو تین دہائیوں سے کر رہے ہیں۔ بے شک اُن میں بیشتر کے خواب ادھورے رہ جاتے ہیں۔ اُن میں سے انتہائی جز و قلیل تھے جو ٹیسٹ میچ تو دور کی بات ہے صرف فرسٹ کلاس کرکٹ تک پہنچ پائے۔ آج بھی یہ نوجوان بھاری تعداد میں کرکٹ کے اس سمندر میں موجود ہیں جن کے قابل استعمال وسائل کا استفادہ نہیں کیا گیا۔ اگر پاکستان کے پاس منظم ادارہ ہوتا اور اس کے ساتھ ساتھ بصیرت بھی ہوتی تو وہ اِن نوجوانوں کو ترتیب سے اکٹھا کر کے ایک رات میں کرکٹ کی عظیم ترین قوم بن سکتی ہے۔

مشتاق احمد کے کنبہ کی طرف سے رجحان کے مطابق عداوت بھری مخالفت بھی تھی۔ اس کا والد اس کے سکول سے غائب ہو کر کرکٹ کھیلنے پر اُس کی پٹائی کرتا۔ وہ اپنے بیٹے سے کہتا کہ اگر اس نے اچھی تعلیم حاصل نہ کی تو اسے بھی اس کی طرح مجبوراً ایک محنت کش کی زندگی گزارنا ہوگی۔ اس کے علاوہ اس کے والد کو کبڈی کا شوق تھا۔ یہ جنوبی ایشیا کا کھیل ہے جس میں کشتی کا بھی عنصر موجود ہے۔ نوعمر مشتاق احمد کے چچا اُس سے کہتے کہ ''یہ صحیح کھیل ہے اور تمہیں یہ کھیلنا چاہیے کیوں کہ یہ مردوں کا کھیل ہے۔''

ایسا معلوم ہوتا ہے کہ مشتاق احمد جس دیہی علاقے میں رہائش پذیر تھا وہ کرکٹ کی تربیت کا کوئی انتظام نہ تھا لہٰذا اس نے ٹیلی ویژن دیکھ دیکھ کر کرکٹ سیکھی۔ ''ہمارے گھر میں ٹیلی ویژن نہ تھا مگر خوش قسمتی سے ہمارے ایک ہمسائے کے یہاں ٹی وی سیٹ موجود تھا اور مجھ سے جب بھی بن پاتا میں اس کے گھر جا کر کرکٹ دیکھتا۔ وہ میرے آنے سے خوش ہوتے کیوں کہ وہ مجھے اپنے گھریلو کاموں کے لیے استعمال کرتے۔ کبھی میں دھوبی سے ان کے کپڑے لاتا اور کبھی دودھ لا کر دیتا۔ میں تیز رفتاری سے دوڑتے ہوئے یہ کام نپٹا دیتا تا کہ بیٹھ کر ٹی وی پر کرکٹ دیکھ سکتا۔''

نوعمر مشتاق احمد نے تمام عظیم کھلاڑیوں کا اچھی طرح سے جائزہ لیا۔ اس نے اپنے آپ کو عمران

خان کی نقل کرنا سیکھ لیا۔ مگر زیادہ تر اُس کی توجہ عبدالقادر کے انداز پر مرکوز رہی۔ ''عبدالقادر باؤلنگ میں میرا محبوب ترین کھلاڑی تھا۔'' مشتاق احمد نے اعترافاً کہا، ''اُسے باؤلنگ کرتے دیکھنا مجھے بے حد پسند تھا اور میں اس کے کرشمات سے دم بخود ہو جاتا جب وہ بلے بازوں کی سٹی گم کر دیتا۔ اس عمر میں کرکٹ کے کھلاڑیوں کا بغور مطالعہ کرتا اور ان کی حرکات کا تجزیہ کرتا۔ میں عبدالقادر کی مختلف گیندوں کو دیکھتا اور پھر باہر جا کر ان کی مشق کرتا۔ اُس کی نقالی میں گھنٹوں مشق کرتے ہوئے مجھے اندازہ ہوا کہ گلی میں کھیلنے والے دوسرے لڑکے میری گیندوں کو کھیل نہیں پاتے اور میں انہیں آؤٹ کر دیتا تھا۔''

بالآخر مشتاق احمد کی لیگ سپن باؤلنگ نظروں میں آ گئی۔ وہ اپنے سکول محمدیہ ہائی سکول کے لیے منتخب ہو گیا۔ وسائل کے لحاظ سے یہ سکول غربت کا مارا ہوا تھا۔ مشتاق احمد کی کامیابی کا لمحہ اس وقت آیا جب محمدیہ سکول کا مقابلہ اپنے سے بہتر وسائل کے حامل اور مقامی مدِ مقابل کمپری ہینو سکول سے ہوا۔ کھیل کے اختتام پر جس میں مشتاق احمد نے اچھی کارکردگی دکھائی تھی کو مدِ مقابل ٹیم کی طرف سے کھیلنے کی دعوت ملی۔ چوں کہ وہ سکول چار میل دور کے فاصلہ پر تھا تو اُسے راغب کرنے کے لیے اُسے سائیکل دینے کی پیشکش بھی کی گئی۔

کمپری ہینو سکول پہنچ کر مشتاق احمد کے وہ تعلقات پیدا ہوئے جو اُسے کرکٹ کے بام عروج تک لے گئے۔ اسے منٹگمری کرکٹ کلب کی طرف سے کھیلنے کی دعوت دی گئی۔ یہ ایک اہم کلب تھی جو بسکٹ بنانے والی فیکٹری کے مالک بشارت شفیع کی ملکیت تھی۔ بشارت شفیع نے اس کا ماہانہ پانچ سو روپے کا وظیفہ مقرر کر دیا جس سے وہ کرکٹ کا سامان خریدنے کے قابل ہو گیا۔ بشارت شفیع ملتان کرکٹ ڈویژن کا صدر بھی تھا۔ ملتان کی طرف سے اپنا پہلا میچ کھیلتے ہوئے مشتاق احمد نے 75 رنز کیں۔ ایک غیر معروف نوعمر کھلاڑی انضمام الحق نے سنیچری بنائی۔ ایک اور اُبھرتا ہوا کھلاڑی وقار یونس بھی میچ میں شامل تھا۔

یہ تھا مشتاق احمد کی زندگی کا پس منظر جس کا زاویہ پچھلی نسلوں کی کرکٹ کی تعلیم سے قطعی طور پر مختلف تھا۔ اس نسل کا راستہ روایتی سکول اور یونیورسٹی کرکٹ کے ذریعے تھا جس کی بدولت اُس نے ترقی حاصل کی تھی۔ بنیادی طور پر مشتاق احمد نے گلی کوچوں میں کرکٹ کھیل کر خود سے تربیت حاصل کی تھی۔ ایک بار پھر اس کی خودنوشت سوانح عمری کا حوالہ دینا ضروری ہے:

''1980ء کی دہائی میں پاکستان کے غریب عوام کے دلوں میں کرکٹ کا بے حد جنون اور جذبہ تھا۔ نوے فیصد فرسٹ کلاس کھلاڑی اس قابل نہ تھے کہ وہ کرکٹ کا لباس اور سامان رکھنے کا تھیلا خرید سکتے۔ لہٰذا ان کا دارومدار اپنی کلبوں کی سرپرستی پر تھا۔ اور اگر ایسا نہ ہوتا تو پھر وہ کپڑے اور کرکٹ کا سامان اُدھار مانگ لیتے۔ مجھے علم ہے کہ انضمام الحق، وقار یونس، سعید انور اور میں نے پاکستان کے لیے قائم رہنے والی کامیابیاں اپنی پرورش کی بدولت حاصل کیں۔ ہم لوگ اُن امرا کی طرح کرکٹ کے کھلاڑی نہیں بن رہے تھے جو اوّل

درجہ کی کرکٹ میں ایک یا دو سال گزار کر واپس اپنے اپنے کاروبار میں چلے جاتے تھے۔ ہم اپنی بقا کی جنگ لڑ رہے تھے۔ ہم نے ایک طاقتور کردار اور ارادہ بنا لیا تھا کہ اگر ہم ایک بار اونچا مقام حاصل کرنے میں کامیاب ہو گئے تو ہمیں پھر اُس مقام پر رہنا ہے۔''

ایسے کھلاڑیوں کے لیے محنت اور جذبہ بے حد ضروری تھا۔ مگر یہ خصوصیات تو ہزاروں دوسرے کھلاڑیوں میں بھی تھیں۔ انہیں عمدہ ترین ہنر اور ضروری طور پر خوش قسمتی کی ضرورت تھی۔ عظیم کھلاڑی تو راتوں رات سامنے آ جاتے ہیں جیسے کسی آتش فشاں پہاڑ کا لاوا پھٹ پڑا ہو۔ یہی کچھ مشتاق احمد کے ساتھ بھی 1987ء میں ہوا۔ جب انگلینڈ کی دورہ کرنے والی ٹیم وزیراعلیٰ پنجاب کی ٹیم کے خلاف کھیلنے ساہیوال پہنچی۔ مشتاق احمد کے سرپرست بشارت شفیع نے اُسے پانی پلانے والے کے فرائض ادا کرنے کے لیے کہا۔ مشتاق احمد کو یاد ہے کہ میچ شروع ہونے کی صبح وہ انگلینڈ کی ٹیم کے کھلاڑیوں کو دیکھ رہا تھا جن کے پاس کرکٹ کا عمدہ سامان تھا۔ میچوں والے کرکٹ کے جوتے اور دھوپ کے چشمے تھے۔ پھر اچانک وزیراعلیٰ پنجاب کی ٹیم کا کپتان سلیم ملک جو اس وقت شہرت یافتہ کھلاڑی بن چکا تھا اس کی جانب آیا اور کہنے لگا، ''نوجوان مشتاق تم آج کھیل رہے ہو۔''

1987-88ء میں دورہ پر آئی ہوئی انگلینڈ ٹیم پہلے سے ہی ٹیسٹ میچوں میں عبدالقادر کی کلائی کے ذریعے سپن باؤلنگ کے سامنے زبردست مشکلات کا شکار تھی۔ اُسے توقع تھی کہ ست روساہیوال پہنچ کر اُسے کچھ سکون کا وقفہ میسر ہوگا۔ بلکہ اُس کے اُلٹ ان کا سامنا عبدالقادر کی ہوبہو نقل سے کروا دیا گیا۔ مشتاق احمد نے پہلی اننگز میں ان کی چھ وکٹیں لے کر اُنہیں نیست و نابود کر دیا۔ اس کے بعد اُسے کراچی کے ٹیسٹ کے لیے ٹیم میں شامل کر لیا گیا۔

ایک مشکل سر پر آ کھڑی ہوئی۔ اس دیہاتی لڑکے نے اِس سے قبل کبھی ہوائی جہاز کا سفر نہیں کیا تھا۔ لٰہذا اُسے سمجھانا پڑا کہ جہاز کی سیٹ پر کس طرح بیلٹ کا استعمال کیا جاتا ہے۔ ہوٹل پہنچ کر یہ بات سامنے آئی کہ اُس نے آج تک اوپر چڑھنے کے لیے کبھی برقی لفٹ کا استعمال نہیں کر رکھا، لٰہذا اس کے سامان سمیت اس کی امداد کی گئی۔ وہ انگریزی کا ایک لفظ نہیں جانتا تھا۔ اور نہ ہی چُھری کانٹے کے استعمال سے واقف تھا۔ یہ تمام ہنر وہ جلد ہی سیکھ گیا۔ ساہیوال کے دیہی علاقے سے تعلق رکھنے والے غیر معمولی ذہین لڑکے کا عالمی کرکٹ میں آغاز ہو چکا تھا۔

## شعیب اختر: نائٹ واچ مین کا بیٹا (رات کا چوکیدار)

اب ہم قدرت کے اس پُراسرار وجود کی طرف آتے ہیں جسے پاکستانی کرکٹ شعیب اختر کے نام

سے اب تک پیدا کیا ہے اور جسے عام عرفیت میں راولپنڈی ایکسپریس بھی کہا جاتا ہے۔ شعیب اختر نے اپنے آپ کو دنیا کا تیز ترین باؤلر کے طور پر منوایا۔ یہ پہلا شخص تھا جس نے 100 میل فی گھنٹہ کی رفتار کی حد کو عبور کیا۔ اُس کے متعلق کوئی پیش گوئی نہیں کی جاسکتی تھی۔ وہ بے رحم تھا جس کا سامنا کرتے خوف آتا تھا۔ کرکٹ سے متعلق لکھنے والے چند لکھاریوں نے شعیب اختر کو نہایت عمدہ مگر غیر مستقل مزاج کہہ کر رد کر رکھا تھا۔ اس شخص کے متعلق رائے گہری غلط فہمی پر مبنی ہے۔ اوائل عمر سے ہی شعیب اختر کو اپنی تقدیر کے دھتی ہونے کے متعلق علم تھا۔ اس خصوصیت کو عموماً ممتاز سیاستدان اور فنون لطیفہ سے تعلق رکھنے والے لوگوں سے منسوب کیا جاتا ہے۔ گہری دانش پر مبنی اِس احساس مقصد سے کرکٹ کے اس عظیم الشان سفر کو غیر معمولی شفافی اور ایمانداری میسر آتی تھی۔

شعیب اختر کی اپنے والد سے بہ مشکل ملاقات ہوتی تھی کیوں کہ اس کا والد ایک پٹرول پمپ پر رات کے چوکیدار کے طور پر نوکری سرانجام دے رہا تھا۔ شعیب جب بیدار ہوتا تو اس کا والد سو رہا ہوتا۔ اور جب اس کا بیٹا سونے کے لیے لیٹتا تو وہ اپنی نوکری پر جا چکا ہوتا۔ لہٰذا شعیب اختر کی زندگی میں رہنمائی کے لیے سب سے طاقتور عنصر اس کی ماں تھی، جس نے اپنے بیٹے کی پرورش غریب ترین محلوں میں سے ایک محلّہ جادی میں کی جو برطانوی راج کے دور میں پرانے راولپنڈی میں برطانوی فوج کا مسکن ہوا کرتا تھا۔

شعیب اختر کے بچپن کی یادوں میں سے سب سے ناقابل فراموش یاد مکان کی مالکہ کا اُن کے گھر آ کر کرایہ طلب کرتا اور اس کی امی کا مضطرب ہونا تھا۔ اس کے کنبے میں اس قدر غربت تھی کہ اس کی والدہ کو پانچ سال کی عمر میں ایک بے اولاد انگریز جوڑے کو گود لینے کے لیے دے دیا گیا تھا جہاں کئی ماہ گزارنے کے بعد وہ واپس بھاگ آئی تھی۔ اس کی تلاش میں وہ لوگ اس کے پیچھے آئے مگر اس کی ماں کے گھر کے افراد نے لاعلمی کا اظہار کیا۔

پاکستان کی کرکٹ سے دلچسپی رکھنے والے اُن تمام شائقین کو شعیب اختر کی ماں کی اُن کئی خانوادوں کی نامعلوم سربراہ ماؤں کے ساتھ ساتھ شکر گزار ہونا چاہیے۔ اس کے پانچ بیٹے تھے جن میں سے ایک کی موت شیر خوارگی میں ہی ہوگئی تھی۔ اس کے علاوہ ایک بیٹی تھی۔ کسی نہ کسی طرح اس نے اپنے بچوں کو تعلیم دلوائی۔ ایک بزرگ نے اُسے بشارت دی کہ اُس کے کئی بیٹے ہوں گے اور اُن میں سے ایک بہت نامور ہوگا اور دنیا میں اس کی شہرت ہوگی۔ شعیب اختر کی امی کو شروع ہی سے یہ گمان تھا کہ وہ سب سے چھوٹا بیٹا شعیب ہی ہوسکتا ہے کیوں کہ اس کے غور میں یہ بات آئی تھی کہ اندھیرے میں شعیب کی پیشانی چمکتی ہے۔

ابھی وہ سکول کا طالب علم ہی تھا کہ 1992ء میں پاکستان کی عالمی کپ میں فتح نے شعیب اختر میں ایک ولولہ پیدا کر دیا اور اس نے عمران خان کے انداز کی نقل کرتے ہوئے خود کو تربیت دینا شروع کر دی۔

جیسا کہ عموماً پاکستان میں ہوتا ہے وہ کھیل کے ایک کوچ شاہد بھائی جان کی نظروں میں آ گیا، جو اُسے کھلانے کی غرض سے راولپنڈی کلب لے گیا۔ ماجد خان نے شعیب اختر سے ملاقات کرتے ہوئے اس کا نام پوچھا تو اُس نے جواب دیا: ''شعیب۔ اور بہت جلد میرے نام کا ڈنکا بجے گا اور سب میرا نام جاننے لگیں گے۔'' ماجد خان نے اُسے ڈانٹتے ہوئے کہا کہ ''بیٹا میں اُمید کرتا ہوں کہ تکبیر کی بجائے تمہارا سر کندھوں کے ساتھ ٹھیک لگا کر جڑا رہے۔'' دونوں کے الفاظ اپنی اپنی جگہ پر آنے والے وقت کی پیشگوئی کر رہے تھے۔ ایک شام جب پاکستانی ٹیم راولپنڈی کلب میں مشق کر رہی تھی تو شعیب اختر کا وہاں سے گزر ہوا۔ ''میں نے وہیں اور اُسی وقت فیصلہ کر لیا کہ چاہے کچھ بھی ہو میں اِن عظیم کھلاڑیوں کے ساتھ قومی ٹیم میں ایک دِن کھیل کر رہوں گا۔'' شعیب اختر نے یاد کرتے ہوئے بتایا، ''مگر مجھے یہ قطعی معلوم نہ تھا کہ ایسا کرنے کے لیے مجھے کیا راستہ اختیار کرنا تھا حتیٰ کہ مجھے یہ بھی نہیں معلوم تھا کہ مجھے فرسٹ کلاس کرکٹ میں کِس طرح شامل ہونا ہے۔''

شعیب اختر پی آئی اے کی ٹیم میں شمولیت کے لیے لاہور آزمائش کے لیے پہنچا۔ چوں کہ رات گزارنے کے لیے کمرہ لینے کے لیے اُس کے پاس رقم نہ تھی، لہٰذا اس نے ایک تانگا بان کو اُسے بستر دے کر شب بسری کے لیے قائل کر لیا۔ اور اُسے کہا کہ ایک دن وہ قومی ٹیم کے لیے کھیلے گا اور جب ایسا ہوگا تو وہ اسے واپس ملنے کے لیے آئے گا۔ رخصت ہوتے وقت شعیب اختر نے تانگا بان سے کہا کہ وہ ''بس صرف نام یاد رکھے۔''

شعیب اختر پی آئی اے کے لیے منتخب تو ہو گیا مگر اس کا مطلب یہ تھا کہ اُسے اب کراچی رہنا ہوگا۔ یہ 95-1994ء کا وہ دور تھا جب کراچی میں متحارب گروہ ایک دوسرے کے ساتھ سول نافرمانی کے جھٹکے کھاتے ہوئے مار دھاڑ میں مصروف تھے اور اقتدار کے لیے خون ریزی کر رہے تھے۔ پانچ سو روپے ماہوار کی تنخواہ میں (جو اس وقت تقریباً گیارہ برطانوی پونڈ کے لگ بھگ تھی) شعیب اختر رہائش کے لیے سستی ترین جگہ صرف وہاں حاصل کر سکتا تھا جو لڑائی جھگڑے کا گڑھ تھا۔ نیشنل سٹیڈیم کراچی میں کرکٹ کھیلنے جاتے وقت اسے مردہ لاشوں میں سے گزر کر جانا پڑتا تھا۔ یہ وہ دور تھا جب گولیوں کے خوف سے کھلے میدانوں میں کرکٹ کھیلنا انتہائی خطرناک تھا۔ فوج کو دیکھتے ہی گولی مارنے کا حکم تھا میں ایسی کئی گولیوں سے بچا جو میری کھڑکی کے پاس سے گزرا کرتی تھیں۔ جب میں اس کے نزدیک بیٹھا کرتا تھا۔ میں نے لوگوں کو راکٹ لانچروں سے نیست و نابود ہوتے دیکھا'' اُس نے بیان کیا، ''مجھ پر ہر وقت خوف طاری رہتا۔ ابھی میری نوجوانی کا آغاز ہی تھا اور میں کئی راتیں سڑک کنارے گزار چکا تھا۔''

بالآخر شعیب اختر کو کراچی چھوڑنا پڑا۔ وہ گولیوں کے خوف کی وجہ سے وہاں سے نہیں نکلا بلکہ اُسے جس موقع کی تڑپ تھی وہ اُسے وہاں نہ دیا گیا۔ وہ پی آئی اے کی ٹیم کے ساتھ ناکام رہا۔ شعیب اختر نے بعد

میں لکھتے ہوئے بیان کیا کہ اُس نے پی آئی اے کے دفتر جا کر بڑے افسران کا سامنا کرتے ہوئے کہا:

''کمینو بے ایمانو! تم نے مجھے کھیلنے کا موقع نہیں دیا۔ اب دیکھو کہ میں تمہیں کیا کر کے دکھاتا ہوں۔ میں سال کے اندر اندر پاکستان ٹیم کے لیے کھیل کر دکھاؤں گا۔ روک سکتے ہو تو روک کر دکھاؤ۔ میں پاکستانی ٹیم کا دمکتا ستارہ بنا جاؤں گا۔ میرا یہ کہنا لکھ لو تا کہ تمہیں یاد رہے۔'' میں نے اپنا تحریری استعفیٰ پیش کرتے ہوئے کہا، ''لعنت بھیجتا ہوں اس نوکری پر۔ ٹھوکر مارتا ہوں اس نوکری پر۔ اس نوکری پر تم تمام لوگوں پر اور تمہاری کھیلوں کی اس تنظیم پر تھوکتا ہوں۔''

شعیب واپس اپنے گھر لوٹ آیا مگر اب اُس کے ذہن میں مقصد کی تکمیل کی لگن نے ہلچل مچا رکھی تھی۔ وہ بیان کرتا ہے کہ ''پورے ایک سال تک علی الصبح اٹھتا اور 3 بجے سے لے کر ساڑھے پانچ بجے تک دوڑ لگاتا۔ بہت سے اور بھی تھے جو یقیناً مجھ سے بہتر تھے۔ مگر وہ اتنے محنتی نہیں تھے۔ اُن میں وہ جنون نہیں تھا اور نہ ہی ان کے پاس نا قابل فراموش تصور تھا۔ اُن میں وہ لگن بھی نہ تھی اور نہ ہی اُن میں وہ یقین تھا جو کامیابی حاصل کرنے کے لیے ضروری ہوتا ہے۔'' یہ تمام تر وقت شعیب اختر کی زندگی کا مضطرب اور افسردگی اور تنہائی سے بھرپور دور تھا۔ ایک بار اُس نے آسمان کی طرف سر اٹھا کر دیکھتے ہوئے پوچھا کہ ''باس، کیا تم وہاں موجود ہو؟ کیا کوئی مجھ سے ہم کلام ہو کر مجھے مشورہ دے گا؟'' آخر کار شعیب اختر کو دوسرا موقع پاکستان کے زرعی ترقیاتی بینک کی طرف سے مِلا۔ اور جب اس کی ٹیم پی آئی اے کے خلاف کھیلی تو اُس نے اپنا بدلہ لے ڈالا۔ ''مجھے جب گیند تھمائی گئی تو غالباً میرے چہرے پر ایک خوفناک مسکراہٹ تھی جو میرے اندر کے جذبات کی ترجمانی کر رہی تھی۔ مخالف ٹیم کے دو کھلاڑیوں کے سروں پر موجود ہیلمٹ پر گیند ماری اور کل پانچ کو زخمی کر دیا۔''

کھیل کے بعد شعیب اختر پی آئی اے ٹیم کے ڈریسنگ روم کی کھڑکی کے باہر جا کھڑا ہوا اور چلایا، ''تم نے دیکھا کہ میں کیا کچھ کر سکتا ہوں؟'' شعیب اختر کہتا ہے کہ اُس وقت ان کا ماضی میں مجھ سے ناروا سلوک میرے اعصاب پر چھا گیا تھا جس کی وجہ سے میں انہیں للکارتا اور گالیاں دیتا رہا۔ آخر کار میری ٹیم کے ساتھی مجھے وہاں سے یہ کہتے ہوئے گھسیٹ کر لے گئے کہ ''خدا دا واسطہ، اب بس کرو اور ہمارے ساتھ چلو ورنہ کِسی بڑی مصیبت میں نہ پھنس جانا۔''

ایک سال بعد شعیب اختر پاکستان کے لیے کھیل رہا تھا۔ اُسے آٹھ ہزار روپے کا چیک ملا۔ وہ اپنی خودنوشت سوانح عمری میں بیان کرتا ہے کہ ''اُس نے پہلا چیک اپنی والدہ کی خدمت میں پیش کیا اور دعائیں لیں۔'' شعیب اختر نہ ہی تانگا بان کو بھولا جس نے لاہور میں اس کی مدد کی تھی۔ ایک لمبی تلاش کے بعد شعیب اختر نے اُسے ایک نکڑ پر سوتے ہوئے ڈھونڈ نکالا۔ ''میں اس کی جیب میں کچھ رقم ڈالنے کی کوشش کرتا رہا مگر اُس نے مجھے ایسا نہیں کرنے دیا۔ عزیز خان دنیا کی نظروں میں تو غریب تھا مگر میری نظر میں وہ عزت اور خودداری

سے مالا مال تھا۔‘‘ اور اِس طرح دنیا کے تیز ترین باؤلر کی کرکٹ میں غیر معمولی زندگی کا آغاز ہوا۔

## شمال مغرب: پاکستانی کرکٹ کی نئی سرحد

جوں جوں عوام میں کرکٹ کا ایک نیا جنون بڑھتا گیا اِسی طرح کی غیر معمولی تبدیلی پاکستان کے دور دراز کے شمالی مغربی علاقے میں بھی آئی۔ آزادی سے پہلے قبائلی لوگ کرکٹ کے کھیل سے انکاری رہے۔ کیوں کہ وہ اس کھیل کا تعلق غیر ملکی تسلط سے جوڑتے تھے۔ یہ شدید نفرت 1980ء کے بعد آ کر ختم ہوئی۔ ضروری ہے کہ اِس امر کی تفصیلی وضاحت کی جائے۔ جس میں بہت سے عناصر اور عوامل شامل تھے۔ ان میں سب سے اہم چیز غالباً پٹھان نژاد کھلاڑیوں کا معروف ہو کر کرکٹ کے اُفق پر جگمگانا تھا۔ جن میں سب سے زیادہ مشہور کھلاڑی عمران خان اور اس کے بعد شاہد آفریدی تھا۔ ٹیلی ویژن نے بھی اہم کردار ادا کیا۔ اسکی بدولت بھی کھیل پھیلا اور خاص طور پر اس وقت جب پاکستانی قومی ٹیم فتوحات میں اپنے بام عروج پر تھی۔ اور 1992ء کے عالمی کپ کی جیت پر اپنی معراج کو پہنچی۔ یہ لمحہ قوم کے لیے شادمانی اور کامیابی کا تھا۔

میں خیبر پختونخواہ کے انتظامی مرکز اور پایہ تخت پشاور پہنچا۔ جو قبائلی لاقانونیت اور جنگ کا آفت زدہ علاقہ ہے۔ 17 مرکزی حکومت کے زیرِ انتظام یہ قبائلی علاقے جنہیں فاٹا (Fata) کا نام دیا گیا ہے شمال مغربی پاکستان کی افغانستان کے ساتھ سرحد پر واقع ہیں۔ پہاڑی علاقہ ہونے کے ساتھ ساتھ یہاں رسائی بھی بے حد مشکل ہے۔ یہاں قبائل کا اپنا قانون اور اخلاقی اقدار نافذ ہیں۔ تقریباً تمام پٹھان اِس علاقے میں آباد ہیں جو برطانیہ کے دور میں بھی یہ ناقابل تسخیر رہے۔ ان کے طور طریقے باقی پاکستان سے علیحدہ ہیں اور یہ شاذ و نادر ہی اسلام آباد سے اپنے اوپر حکومت کے حق میں حامی بھرتے ہیں۔ 2001ء میں افغانستان پر چڑھائی کے بعد طالبان کا مضبوط اثر رسوخ رہا ہے کیوں کہ اس علاقے کے بہت سے حصے خانہ جنگی اور ڈرون حملوں کی وجہ سے تباہ و برباد ہو چکے ہیں۔

قبائلی علاقے سے تعلق رکھنے والے کرکٹ کے کھلاڑیوں کے ساتھ میری ملاقاتوں اور گفتگو کے دوران چند مشترکہ موضوعات سامنے آئے۔ پہلی چیز یہ تھی کہ وہ کرکٹ کا کھیل کھیلنے کے لیے ہر مشکل اور تکلیف سہنے کے لیے آمدہ تھے۔ دوسری چیز قبائلی بڑوں کا کرکٹ کے کھیل کے فروغ کو روکنے کے لیے بھیانک ردِعمل تھا۔ بعض جگہوں پر تو میں نے کرکٹ کے اِن کھلاڑیوں کے ساتھ براہِ راست گفتگو کی مگر تحفظ کے (مغربی ممالک سے تعلق رکھنے والے صحافیوں کا قبائلی علاقوں میں جانا احمقانہ حرکت ثابت ہو سکتی ہے) طور پر پریس نے پشاور کے صحافی عبدالرؤف یوسف زئی سے کہا کہ وہ میرے نمائندے کے طور پر اُن سے گفت وشنید کرے۔ عبدالرؤف یوسف زئی کو درہ خیبر پر لنڈی کوتل کا بیس سالہ وکٹ کیپر بیٹسمین ریحان آفریدی مل گیا۔

ریحان نے نو سال کی عمر میں گھر کے بنائے ہوئے بلوں کے ساتھ کرکٹ کھیلنا شروع کی۔ اُسے یاد ہے کہ کرکٹ کھیلنے پر اُسے کس قدر مار پڑی تھی:

''میرا دادا قبائلی سردار اور پرانی طرز کا سخت گیر انسان تھا۔ مجھے نہیں معلوم کہ اسے کرکٹ سے شدید نفرت کیوں تھی مگر ہمیں وہ صرف حکم عدولی کی وجہ سے مارا کرتا تھا۔ اور اس کا وہ حکم سیدھا سادھا تھا کہ ہمیں کرکٹ کا کھیل نہیں کھیلنا ہے۔ اس کے حکم کی خلاف ورزی ہونے پر میرا آمر دادا ہمیں چھڑی سے مارتا۔ جسے وہ قریبی درخت سے توڑ کر گھنٹوں لگا کر تراشا کرتا تا کہ اُسے اس خاص مقصد کے لیے استعمال کیا جاسکتا۔''

ریحان کہتا ہے کہ کرکٹ میں اس کی کشش اُسے ٹیلی ویژن پر دیکھنے سے پیدا ہوئی۔ مگر جہاں اُس کی پرورش ہوئی وہاں کے سخت اور پہاڑی علاقے میں نہ کوئی ادارہ تھا اور نہ ہی وہاں باقاعدگی کے ساتھ میچ کھیلے جاتے اور نہ ہی کسی قسم کے لیگ میچوں کا انعقاد تھا۔ سال میں صرف ایک بار ٹورنامنٹ ہوتا جسے ٹاکرہ میدان میں کھیلا جاتا۔ لنڈی کوتل کے علاقے میں یہی پچ کا کام دیتی تھی۔ لہٰذا ہم پورا ایک سال اُس ٹورنامنٹ کا انتظار کرتے تا کہ اُس میں ہم گیند اور بلے کے ساتھ اپنی ہنرمندی کا مظاہرہ کرسکیں۔ اگر ہم اپنے ہُنر کو پیش کرنے میں ناکام ہو جاتے تو ہمارے پاس صرف ایک ہی متبادل راستہ ہوا کرتا تھا کہ پھر مزید ایک سال اور انتظار کریں۔

ریحان نے یہاں سے ہٹ کر دوسری اطراف میں بھی نظریں دوڑانا شروع کیں۔ تیرہ سال کی عمر سے وہ باڑہ سے بس میں سوار ہو کر پشاور ڈیڑھ گھنٹے کی مسافت طے کر کے پہنچتا۔ ان قدیم بسوں کو چرس پی کر ڈرائیور دل دہلا دینے والی رفتار سے چلاتے۔ ہفتے میں دو دِن میں پشاور آیا کرتا اور میں نے یہ سلسلہ متواتر پانچ سال تک اپنائے رکھا۔ ریحان نے بیان کرتے ہوئے کہا جب بھی اُس کے دادا کو اس کے پشاور جانے کا علم ہوتا تو وہ اپنی مخصوص چھڑی بنا کر اُسے پیٹتا۔

پھر ایک روز جیسا کہ عموماً پاکستان میں ہوا کرتا ہے نوجوان ریحان نظروں میں آ گیا۔ یادوں کو کریدتے ہوئے اُس نے بتایا کہ ''پشاور میں ایک نانک پورہ سکول ہے جس کا سربراہ (پرنسپل) سہیل خان کلب درجہ کا امپائیر بھی تھا۔ اُسے کرکٹ سے شدید رغبت تھی۔ اس نے مجھے جناح کرکٹ کلب میں کھیلتے دیکھا۔ اُس نے مجھے اپنے سکول میں آنے کی دعوت دی اور کہا کہ وہ میری تعلیم کا انتظام کرے گا بشرطیکہ میں اُس کے سکول کی ٹیم میں کرکٹ کھیلوں۔''

ریحان سکول کی ٹیم کا کپتان بن گیا۔ جلد ہی کرکٹ کھیلنے پر اُسے اُجرت ملنے لگی اور 2009ء میں ملتان کی طرف سے اُس نے فرسٹ کلاس کرکٹ کا آغاز کیا۔ اس وقت سے اب تک وہ بنگلہ دیش اور کراچی میں کھیل چکا ہے اور جب ہم اس سے گفتگو کر رہے تھے تو اسے ہانگ کانگ کی ایک ٹیم کی طرف سے کھیلنے کی

پیشکش موصول ہوئی تھی۔ جیسے تیسے ریحان اپنا گزارا کر رہا ہے مگر اُسے شکایت ہے کہ فرسٹ کلاس میچوں کی بے حد کمی ہے۔ ''میرا اصل مقصد پاکستان کرکٹ ٹیم کے لیے کھیلنا ہے۔ میرا حوصلہ بلند ہے مگر میرے وسائل کم ہیں۔''

شمال مغربی سرحدی علاقے میں کرکٹ نہ ہونے سے یہ کھیل مفلوج ہو کر رہ گیا ہے۔ سکول کا استاد اور قبائلی علاقے میں کرکٹ میں مہارت رکھنے والا محمد سہیل مجھے پشاور جیمخانہ لے گیا۔ یہاں ایسا منظر تھا جسے دیکھ کر کرکٹ سے محبت رکھن والوں کو فرحت ملتی۔ دوپہر ختم ہونے والی تھی اور سورج رفتہ رفتہ غروب ہو رہا تھا۔ میدان کے درمیان کرکٹ میچ کھیلا جا رہا تھا۔ پشاور کلب کی حالت مشکل میں تھی۔ اُسے جیتنے کے لیے نو رنز درکار تھے اور اس کا صرف ایک کھلاڑی باقی تھا۔ میدان کے چاروں طرف نیٹ لگے ہوئے تھے جن کی تعداد تقریباً بیس کے لگ بھگ تھے۔ میدان کھلاڑیوں سے بھرپور تھے۔ میرا اندازہ ہے کہ تقریباً چار سو کھلاڑی مشق کرنے میں مصروف تھے۔

کھیل کا یہ میدان انگریزوں نے تقریباً ایک سو سال پہلے تعمیر کیا تھا۔ میدان کے ایک کونے میں میں نے دوٹن وزنی رولر دیکھا جو اب بھی زیرِ استعمال ہے۔ اس پر الفاظ کندہ ہیں کہ اسے 1902ء میں بمبئی کے ایک ادارے برن اینڈ کمپنی (Burn & Company) نے تیار کیا تھا۔ سہیل مجھے اسکندر پویلین میں لے گیا جسے کرکٹ سے محبت کرنے والے پاکستانی صدر اسکندر مرزا کے نام سے منسوب کیا گیا ہے جس نے ادریس بیگ کے معاملہ کے دوران ایک عمدہ اور معتبر سیاست کار کا کردار نبھایا تھا۔ وہاں ایک تختی آویزاں تھی جس کے مطابق اسکندر مرزا نے اِس عمارت کا افتتاح 10 نومبر 1957ء کو کیا تھا۔

جب مجھے سہیل خان بتا رہا تھا کہ میدان میں نصب نیٹ مختلف مقامی کلبوں کے ہیں تو اُس وقت پشاور کی ٹیم اپنی آخری وکٹ کھو کر غمگین انداز میں باہر جا رہی تھی۔ اکثر اوقات اِن کلبوں کے تقریباً ایک سو کے قریب رکن ہوتے ہیں۔ جس کے لیے وہ ایک معمولی رقم ادا کر کے شمولیت حاصل کرتے ہیں۔ اکثر اوقات بیس یا تیس کھلاڑی مشق کرنے آ جاتے ہیں۔ اور بلے باز کی خوش قسمتی ہوتی ہے کہ باؤلروں کو کھیلنے کے لیے پانچ یا چھ منٹ سے زیادہ وقت مِل جائے۔ جب کہ باؤلروں کو بھی صرف چند گیند کرنے کا ہی موقع ملتا ہے۔ اس نے مجھے مزید بتایا کہ اِن تمام مشکلات کے باوجود پشاور کرکٹ کلب کے صرف ایک نیٹ سے آٹھ ٹیسٹ کھلاڑی پیدا ہوئے۔

اُس نے ایک اور نیٹ کی طرف اشارہ کرتے ہوئے بتایا کہ عمر گل نے وہاں سے اپنے ہنر میں نفاست پیدا کی۔ وہاں ایک اور نیٹ بھی لگا تھا جس میں بڑے بڑے سوراخ کے علاوہ اس کی حالت بے حد خستہ تھی۔ یہ افغانیوں کا نیٹ تھا۔ سرحد پار کرنے کے لیے کسی ویزا کی ضرورت نہیں ہے۔ اور ہزارہا افراد

رروزانہ سرحد عبور کرتے ہیں۔ اُن میں سے کئی وہ ہوتے ہیں جو پاکستان کرکٹ کی مقامی لیگ میں کھیلنے کے مواقع کی تلاش میں آتے ہیں۔

دوسرے کھلاڑیوں کی گفتگو سے صاف عیاں تھا کہ اُن کی موجودگی کا ملے جُلے جذبات کے تحت استقبال کیا جاتا ہے۔ سہیل نے مجھ سے مخاطب ہوتے ہوئے کہا کہ ''آپ کو یہ بات سمجھنا چاہیے کہ اِس علاقے میں لوگوں کی دو ٹیمیں ہیں یعنی پاکستان اور افغانستان۔'' اُن کی وجہ سے وسائل پر بے حد بوجھ پڑتا ہے جو کہ بہت زیادہ ہوتا ہے۔ تقریباً چالیس کلبیں جو لگ بھگ چار ہزار کھلاڑیوں کی نمائندگی کرتی ہیں، کو پشاور جیمخانہ میں درج کیا گیا ہے۔ ان میں سے صرف دو ایک وقت میں میدان میں کھیل سکتی ہیں۔

اس کے علاوہ اُجرت انتہائی خفیف ہے۔ جیمخانہ کلب ذاتی ملکیت میں ہے جس کا مالک ایک میچ کھیلنے کا -/3600 روپے معاوضہ وصول کرتا ہے جو کہ پچیس برطانوی پونڈ کے مساوی ہوتا ہے۔ اس رقم میں دوپہر کے کھانے اور گیندوں کی قیمت کو شامل کرنے کے بعد ہر کھلاڑی کے حصے دو صد روپے آ جاتے ہیں (تقریباً برطانوی ڈیڑھ پونڈ) جس کے بعد وہ دِن بھر کرکٹ کھیل سکتا ہے۔ چوں کہ اِن میں بڑی تعداد طالب علموں اور بے روزگاروں کی ہوتی ہے لہٰذا یہ رقم ان کے وسائل سے بالاتر ہوتی ہے۔ مہینے میں زیادہ سے زیادہ ایک یا دو میچ کھیلنے والے اِن میں خوش قسمت سمجھے جاتے ہیں۔ اور بہت سے دوسرے صرف ایک میچ کھیلنے کی حسرت ہی لیے رہ جاتے ہیں اور کھیلنے سے محروم ہو جاتے ہیں۔

پشاور میں سڑک کنارے ایک چائے خانے میں میری ملاقات احسان اللہ وزیر سے ہوئی جس کا تعلق شمال مغرب کے پہاڑی علاقے جنوبی وزیرستان سے تھا۔ یہ کرکٹ کے کھیل کا دیوانہ تھا مگر مواقعوں کی کمی کے باعث اسے یہ کھیل مجبوراً ترک کرنا پڑا۔ یہ سُلجھا ہوا نوجوان جس کے لمبے سیاہ بال تھے یونیورسٹی میں کمپیوٹر سائنس کی تعلیم حاصل کر رہا تھا۔ ''ایک بار میں اپنی سند حاصل کرلوں تو دوبارہ کرکٹ کھیلونگا۔'' اس نے مجھے بتایا کہ اس وقت اس کی خوشی کی انتہا نہ رہی تھی جب 2008ء میں لڑائی اپنے عروج پر تھی تو جنوبی وزیرستان نے خیبر ایجنسی کو فاٹا کے طلائی کپ ٹورنامنٹ میں شکست دی تھی۔ ''اگر ہمیں باقی پاکستان کی طرح مواقع میسر ہوتے تو فاٹا میں کرکٹ کا سب سے زرخیز کھیل قبائلی علاقے کی شناخت بدل کر رکھ دیتا'' احسان اللہ نے بیان کیا۔ دنیا کی دوسری اقوام ہمیں آج کل دہشت گرد سمجھتی ہیں۔ فاٹا میں بیشک ہماری طاقت زیادہ نہ ہو مگر لوگوں کی یہ سوچ بدل کر رہے گی۔

احسان اللہ نے مجھے بتایا کہ جہاں وہ رہتا ہے وہاں کرکٹ کا دستور بالکل مختلف ہے۔ پنجاب اور سندھ میں کرکٹ موسم سرما میں کھیلی جاتی ہے۔ تا کہ پریشان کن موسم گرما اور شدید گرمی کی برسات سے بچا جاسکے۔ مگر پہاڑوں میں قبائلی علاقے میں کرکٹ صرف گرمیوں میں کھیلی جاسکتی ہے۔

وزیرستان میں کرکٹ کھیلنا یکم جون سے شروع ہو کر مسلسل تین ماہ تک جاری رہتا ہے۔ اس عرصہ میں گرمیوں کی چھٹیوں پر آئے ہوئے بہت سے طلبا اس میں حصہ لیتے ہیں۔ وہ جنوبی وزیرستان میں اپنے چھوٹے آبائی شہروں میں جانے کے لیے بے قرار ہوتے ہیں۔ جہاں کھیل خصوصاً کرکٹ اُن کی دلچسپی اور تفریح کا باعث ہوتی ہے۔ احسان اللہ بیان کرتا ہے۔ملک کے باقی علاقوں میں تیز گرمی کی وجہ سے میدانوں پر ویرانی طاری ہوتی ہے۔ جب کہ وزیرستان کے پہاڑی علاقے میں خوشگوار موسم کو مقامی نوجوانوں کا انتظار رہتا ہے جو تعلیم حاصل کرنے کی غرض سے ایجنسی سے باہر گئے ہوتے ہیں۔ احسان اللہ کے مطابق بہت سے قبائلی پٹھان جو باقی ماندہ سال کے دوران خلیجی ریاستوں میں ملازمت کی وجہ سے مقیم ہوتے اپنے اوقات کو ایسی ترتیب دیتے کہ اس دوران وزیرستان آکر کرکٹ دیکھ بھی سکتے اور کھیل بھی سکتے۔

پچھلے دو دہائیوں سے یہاں کا نمایاں مقابلہ بادشاہ خاں ٹورنامنٹ ہے جسے شکائی تحصیل میں کھیلا جاتا ہے۔ روزانہ پندرہ پندرہ اووروں کے تین میچ کارک کی مقامی طور پر بنی گیند سے کھیلے جاتے ہیں۔ کھلاڑی کرکٹ کے روایتی سفید لباس کی بجائے قبائلی علاقے کا لباس شلوار قمیص پہن کر کھیلتے ہیں۔ ایک سال کھلاڑیوں نے ٹیلی ویژن پر ایک روزہ میچ میں رنگین لباس دیکھ کر تجرباتی طور پر نقل کرتے ہوئے اس کا استعمال کیا۔ مقامی سرداروں نے اسے سخت ناپسند کیا۔ احسان اللہ بیان کرتا ہے کہ رنگین لباس کا وہ استعمال پہلی اور آخری بار ثابت ہوا۔

شکائی میں کھیلے جانے والے میچوں کو لوگ بڑی تعداد میں دیکھنے کے لیے آتے ہیں۔ یہ ایسا معاشرہ ہے جہاں دورِ حاضر کی تفریحات میسر نہیں ہیں۔ کرکٹ کا کھیل ان کے قبائلی ڈھانچے میں باآسانی اور فطرتی طور پر ضم ہو جاتا ہے۔ میچ کی صبح ٹیمیں ٹریکٹر ٹرالیوں، کاروں، موٹر سائیکلوں، بسوں اور چھکڑوں پر سوار ہو کر پہنچتی ہیں۔ ایسے کاروان کی رہنمائی کھلاڑی کر رہے ہوتے ہیں اور وہ ڈھول کی تھاپ پر میدان میں پہنچتے ہیں۔ کہا جاتا ہے کہ اشیاء فروخت کرنے والے بڑے میچ میں ایک دن میں اتنا کما لیتے ہیں کہ انہیں اتنا سال بھر میں بھی حاصل نہیں ہوتا۔ میچ میں فتح کو روایتی انداز میں منایا جاتا ہے جس میں جانوروں کو ذبح کیا جاتا ہے اور ضیافت میں اور قبائل کے لوگوں کو بھی شریک ہونے کے لیے مدعو کیا جاتا ہے۔

''ڈھول کی تھاپ پیچھے چلتے ہوئے جیتنے والی ٹیم پہاڑوں میں ایک روایتی جگہ پر چلی جاتی ہے جہاں فتح کی خوشی کو مناتے ہوئے رات بسر کی جاتی ہے۔'' احسان اللہ نے بتایا۔ ایسے کرکٹ میچوں کو دیکھنے اور بعد میں فتح کا جشن دیکھنے کے لیے میرا دل مچلا۔ اور اپنی اس خواہش کی تکمیل کے لیے میں کچھ بھی دینے کے لیے تیار تھا۔ اس سلسلے میں معلومات حاصل کرنے کے باوجود میں ایسا کوئی راستہ تلاش نہ کر سکا جو بے تکے خطرے سے خالی ہوتا۔

احسان اللہ کے مطابق کرکٹ کے کھیل کے لیے اتنا ذوق وشوق ہے کہ یہ قبائلی علاقوں میں خون ریز جنگوں کے درمیان بھی جاری رہتا ہے۔ اُسے فوج کی طالبان کے خلاف ایک ابتدائی کارروائی یاد ہے جنہیں اس بات کی سزا دی جارہی تھی کہ انہوں نے عرب اوران کی جنگجوؤں کو پناہ دی تھی۔ گلشن شکائی میدان کے مغربی جانب پاکستانی لڑاکا طیارے قریب واقع کوہ سلیر پر بمباری کر رہے تھے جب کہ تقریباً تین کلومیٹر کے نزدیکی نصف قطر کے فاصلے پر کرکٹ میچوں کا سلسلہ جاری تھا۔'' ریاستی لڑاکا طیارے پہاڑوں میں طالبان کے اُس گروہ کو نشانہ بنا رہے تھے جن کا سربراہ نیک محمد تھا۔ اِسی اثنا میں ایک اور طالبان کا سربراہ مولوی نذیر جو حکومت کے حق میں تھا کرکٹ کے اِن مقابلوں کو تحفظ دے رہا تھا۔

## طالبان کا کرکٹ سے متعلق رویہ

کرکٹ سے متعلق طالبان کے رویے کی متضاد خبریں ہیں۔ نظریاتی طور پر تحریک طالبان تمام کھیلوں کے خلاف ایک کٹر عداوت رکھتے ہیں۔ اور وہ کسی ایسے کھیل کو جس کا تعلق مغرب سے ہو جیسا کہ کرکٹ کا ہے، کو اپنے نزدیک گستاخی سمجھتے ہیں۔ اور پاکستان کے کچھ حصوں میں یہی صورتحال ہے۔ 2012ء کے موسم گرم کے آغاز میں جب حکومتی افواج کو طالبان کے قبضے سے علاقہ چھڑائے دو سال کا عرصہ گزر چکا تھا تو میں وادی سوات پہنچا۔ جہاں کہیں بھی میں گیا میں نے دیکھا کہ کرکٹ کا کھیل جاری ہے۔ میں نے کرکٹ کو پہاڑوں کے اطراف، چھوٹی گلیوں، اونچے پہاڑوں کے درمیان وادیوں میں کھیلا جاتے دیکھا۔ ان اونچے نیچے ناہموار پہاڑوں میں بہت کم ہموار جگہ ہے لیکن پھر بھی لگتا ہے جیسے ہر قطعے کو کرکٹ کے کھلاڑیوں نے نوآبادیاتی طور پر اپنے قبضے میں کر رکھا ہے۔ سوات کے وسط میں نل نامی گاؤں واقع ہے میں نے وہاں دریا کے کنارے کرکٹ کھیلی جاتی دیکھی جس کے تیز طرار پانی کے بہاؤ میں برف زار (گلیشیر) پگھل پگھل کر شامل ہورہی تھی۔

2010ء کے بدترین سیلابوں نے سوات کے قدرتی مناظر کی ترتیب بدل کر رکھ دی تھی۔ (سوات نے پاکستان کی طرح حالیہ سالوں میں اپنے حصے سے کہیں زیادہ تباہ کاری کو برداشت کیا ہے)۔ کرکٹ کے کھلاڑی زمین کے اس پر کھیل رہے تھے جو کبھی پھلوں کے باغات اور چاول کے کھیت ہوا کرتے تھے۔ اب یہ ریت، روڑی اور مٹی کے تودوں میں تبدیل ہو چکی تھی۔ کھلاڑیوں نے پچ کے لیے ایک ہموار حصہ تیار کر لیا تھا مگر کھیل کی باقی جگہ کا معاملہ کچھ اور ہی تھا۔ فیلڈر خطرناک پہاڑی سلسلے میں پتھروں پر اچھلتی ہوئی گیند کے پیچھے ناہموار طریقے سے دوڑتے۔ وکٹوں کو لوہے کی سلاخوں سے بنایا گیا تھا جنہیں مستطیلی شکل کے ٹکڑے پر تپا کر جوڑا گیا تھا۔ کھلاڑیوں کے پاس نہ تو پیڈ تھے اور نہ ہی دستانے یا کسی قسم کی کوئی چیز تھی۔ دس سالہ انور علی

اپنی سکول کی کاپی میں سکور درج کر رہا تھا۔

تاہم دس دس اوورں کے اس کھیل کا جو سوات کے پہاڑوں کے سائے تلے کھیلا جا رہا تھا کا معیار بہت اونچا تھا۔ بلے باز عمدہ طریقے سے ہک، کٹ اور کلائی کے استعمال سے شاٹ ایسے باؤلروں کے خلاف کھیل رہے تھے جو پیمانے کے عین مطابق ہونے کے ساتھ ساتھ تہذیبی سے باؤلنگ کرتے تھے۔ دونوں ٹیموں نے مجھے بتایا کہ وہ ہر روز مشق کرتے ہیں۔ اور ہفتے میں دو یا تین بار دوسرے دیہات کی مخالف ٹیموں کے ساتھ میچ کھیلتے ہیں۔

ان لڑکوں کے والدین پہاڑی پر کام کاج کرتے تھے اور اُن میں سے اکثر کے والد کو مجبوراً اپنے کنبے کو چھوڑ کر روزگار کے لیے سعودی عرب جانا پڑا تھا۔ اُن کا کرکٹ کا کوچ خاعوتا رحمٰن جس نے کمپیوٹر سائنس میں بی اے کی ڈگری حاصل کر رکھی تھی، نے مجھے بتایا کہ انہیں درست قسم کے بلوں اور گیندوں کی ضرورت ہے۔ اُسے یہ کہنے میں کوئی عار نہیں ہونا چاہیے تھا کہ اُسے ایک صحیح قسم کے میدان کی بھی ضرورت ہے۔ اِن سب کے جذبے اور ہنر مندی کے باوجود یہ انتہائی غیر یقینی امر ہے کہ کرکٹ کے اِن دیوانوں میں سے کوئی بھی اس قسم کی کرکٹ کھیل سکے گا جسے اس کتاب کو پڑھنے والے بیشتر لوگ عام چیز سمجھتے ہیں۔ یعنی وہ کرکٹ جو صحیح ساز و سامان کے ساتھ چمڑے کی بنی گیند سے گھاس لگے میدان پر کھیلی جائے۔

طالبان نے اِس علاقے میں کرکٹ کا کھیل ختم کر دیا تھا۔ جب بنیاد پرست رہنما مولانا فضل محمود اللہ نے پانچ سال قبل اختیار حاصل کیا تو اُس کا نصب العین شریعت کا نفاذ، اخلاقی اقدار اور اسلامی قانون کو نافذ کرنا تھا۔ اس نے کرکٹ کے کھیل کو یہ کہتے ہوئے رد کر دیا کہ یہ ادنیٰ کھیل جہاد کے فریضے سے توجہ ہٹاتا ہے۔ اس کے جنگجو نل کے گاؤں وارد ہوئے اور کہا کہ ''اس احمقانہ کھیل کو بند کیا جائے۔ ایسی کھیلوں میں وقت ضائع کرنے کی بجائے اپنی بندوق اٹھاؤ۔''

کرکٹ سے یہ حوصلہ شکن نظریاتی دشمنی دوسرے علاقوں میں موجود نہیں ہے۔ وزیرستان اور خیبر کے علاقوں کے جن نوجوانوں سے میری بات چیت ہوئی، اُنہوں نے مجھے بتایا کہ طالبان کمانڈروں کو کرکٹ سے محبت ہے۔ انہوں نے مزید کہا کہ بعض اوقات طالبان جنگجو ہمارے میچوں کو تحفظ دیتے رہتے ہیں۔ اور ان کے کمانڈر بھی ہمارے میچ دیکھنے آتے ہیں۔ یہ بھی بتایا کہ طالبان کی اپنی ٹیمیں بھی موجود ہیں۔ وہ اپنا روایتی لباس پہن کر کھیلتے ہیں جو ان کے شاٹ کھیلنے میں رکاوٹ بنتا ہے۔ (کبھی شلوار قمیص پہن کر لیگ گلانس کھیلنے کی کوشش کر کے دیکھیں)۔ مگر وہ کچھ خاص کھلاڑی نہ تھے۔ ''وہ اپنی شکست کو خوشدلی سے مان لیتے اور کھیل کے معاملے میں فراخ دل ہیں۔'' مجھے کرکٹ سے محبت رکھنے والے قبائلیوں نے بتایا کہ فوجی سالار انعامات تقسیم کرنے کے لی بھی آتے رہتے ہیں۔ شاذ و نادر موقعوں پر جب کبھی طالبان ٹیمیں فتح حاصل کرتیں تو خوب جشن

منایا جاتا جس میں ضیافت کے ساتھ ساتھ ہوا میں گولیاں چلا کر خوشی کا اظہار کیا جاتا۔

طالبان جنگجو پاکستانی قومی کرکٹ ٹیم کے زبردست حامی ہیں۔ ایک قبائلی کھلاڑی نے بتایا کہ 2011ء کے عالمی کپ کے دوران وہ شمالی وزیرستان میں میران شاہ میں تھا۔ اُس نے دیکھا کہ کس طرح طالبان نے اپنے ٹیلی ویژنوں کو نصب کیا تا کہ وہ یقینی طور پر میچ دیکھ سکیں۔ وہ شاہد آفریدی کو دیکھنا پسند کرتے تھے (جس کا تعلق پشتون پٹھانوں کے ایک انتہائی خونخوار اور معروف قبیلے سے ہے جو انگریزوں کی افواج کے خلاف اپنی بہادرانہ مزاحمت کی وجہ سے مشہور ہے)، جو زبردست ہٹیں مارتا تھا۔ ''اس نے مجھے مزید بتایا کہ طالبان کو پاکستانی کرکٹ سے بھی محبت تھی۔'' اگرچہ وہ پاکستانی افواج کے خلاف جنگ لڑ رہے ہیں مگر وہ پاکستانی کرکٹ ٹیم کو فتوحات حاصل کرتے دیکھنا چاہتے ہیں۔ ''اخبار ایکسپریس ٹربیون کے مطابق کرکٹ کے طالبان شائقین بڑی جدوجہد کر کے بجلی کے جنریٹر حاصل کرتے تا کہ بجلی بند ہو جانے کی صورت میں جو کہ پاکستانی زندگی کا باقاعدہ مرض ہے وہ اپنے میچوں کو تسلسل سے دیکھ سکتے۔ ''آج کل ہمارے گاہکوں میں زیادہ تر طالبان ہیں جو ہمیں ٹیلی ویژن کو جنریٹر سے جوڑنے کے لیے کہتے ہیں۔''18 یہ بات مجھے وزیری قبائل سے تعلق رکھنے والے ایک بجلی کے کاریگر نے بتائی۔ پاکستانی کرکٹ ٹیم کی فتوحات کو زبردست ملے گلے سے مناتے ہیں۔

لہٰذا کرکٹ کا کھیل وہ غیر معمولی عنصر ہے جو پاکستانی افواج اور طالبان کو اکٹھا کر سکتا ہے۔ جسے وقتی جنگ بندی کہا جا سکتا ہے۔ مثال کے طور پر یہ چیز غیر مانوس نہیں کہ فوج کے طاقتور ٹریکٹر جن سے زمین کو صاف اور ہموار کرنے کا کام لیا جاتا ہے۔ کھیل شروع ہونے سے پہلے پچ سے ٹوٹی پھوٹی چٹانوں کے بکھرے انبار کو صاف کرتے ہیں اور جب تک ٹورنامنٹ جاری رہتا ہے اُسے طالبان تحفظ فراہم کرتے ہیں۔ مجھے معلومات بہم پہنچانے والوں نے بتایا کہ القاعدہ والے کبھی کرکٹ نہیں کھیلتے بلکہ وہ والی بال کو ترجیح دیتے ہیں۔ انہیں فٹ بال بھی پسند ہے مگر کرکٹ سے ہرگز دلچسپی نہیں ہے۔

## شمال مغربی سرحد پر فرسٹ کلاس کرکٹ

تقسیم ہند کے موقع پر پاکستان کو شمال مغربی سرحد کرکٹ ایسوسی ایشن حصے میں آئی جس کے پاس پشاور میں فرسٹ کلاس کرکٹ کا میدان تھا۔ اُس نے وقفے وقفے کے ساتھ تقسیم سے پہلے رانجی ٹرافی کے فرسٹ کلاس مقابلوں میں حصہ لے رکھا تھا مگر اس کی ٹیمیں کمزور ہوا کرتی تھیں۔ یہی سلسلہ 1950ء کی دہائی میں قائداعظم ٹرافی میں بھی برقرار رہا (جب ٹیمیں این ڈبلیو ایف پی یا پشاور کے نام سے شریک ہوا کرتی تھیں)۔

ابتدائی کھلاڑیوں نے کوئی خاص تاثر نہ چھوڑا۔ پاکستان کے لیے منتخب ہونے والا پشاور کا پہلا کھلاڑی متنازع آف سپنر حبیب احسن تھا جسے بارہ ٹیسٹ میچ کھیلنے کے بعد پاکستان کے 1962ء کے تباہ شدہ

دور کے دوران واپس پاکستان یہ کہہ کر بھیج دیا گیا کہ وہ نو بال کرتا ہے۔ بعد میں وہ 1987ء میں دورہ کرنے والی پاکستانی ٹیم کا برملا بولنے والا مینیجر بن کر انگلینڈ آیا۔ 1960ء کی دہائی اور 1970ء کی دہائی کے ابتدائی دور میں شمال مغربی سرحدی صوبے کی کرکٹ میں آل راؤنڈر معاذ اللہ خان کا نام انتہائی اہمیت رکھتا تھا۔ مگر اس کی کوشش عموماً ناکام ہو جاتیں۔ قائداعظم ٹرافی میں پشاور یا شمال مغربی سرحدی صوبے کی ٹیموں کی طرف سے کھیلتے ہوئے وہ صرف ایک بار جیتنے والی ٹیم میں تھا۔ اور پچھلی چھ بار اُس کی ٹیم کو بُری شکست کا منہ دیکھنا پڑا تھا۔ اسے 1974ء میں انگلینڈ کے دورہ کے لیے منتخب کیا گیا تا کہ علاقائی توازن کو ملحوظ خاطر رکھا جا سکتا۔ اُس نے (اپنے آخری میچ میں) بہ مشکل ایک وکٹ حاصل کی اور دورے پر تمام کھلاڑیوں میں سے اس کی باؤلنگ اوسط سب سے افسوسناک رہی۔ جو 183 رنز پر صرف ایک وکٹ تھی۔ تاہم بطور کپتان اور بعد میں منتظم کی حیثیت سے اُسے یہ اعزاز حاصل ہے کہ اُس نے شمال مغربی سرحدی علاقے کے کھلاڑیوں کی دونسلوں کی حوصلہ افزائی کی۔

معاذ اللہ کے زیر اثر کھلاڑیوں میں سے ایک فرخ زمان پشاور کا دوسرا ٹیسٹ کھلاڑی 1976ء میں بنا۔ وہ بائیں ہاتھ سے آہستہ رفتار سے باؤلنگ کرتا تھا۔ اُسے دورہ کرنے والی ٹیم کے خلاف مشتاق محمد نے صرف دس اوور کرنے کا موقع دیا تھا۔ اس نے بہت معمولی رن دیئے مگر وکٹ حاصل کرنے میں ناکام رہا۔ اس کے بعد اسے دوبارہ ٹیسٹ کھیلنے کا موقع نہ مل سکا۔ اگرچہ اس نے اندرون ملک چوبیس سال تک کرکٹ کھیل کر چار سو سے زیادہ وکٹیں حاصل کی تھیں۔ اس نے اور اقبال بٹ نے جو ایک اور بائیں ہاتھ کا سُست رفتار باؤلر تھا، 1980ء کی دہائی میں پشاور کی طرف سے متوازن حملہ آور باؤلروں کی جوڑی بنے رہے۔ لیکن اس کے باوجود اندرون ملک مقابلوں میں ان کی ٹیم کوئی خاطر خواہ اثر نہ دکھا سکی۔ بالآخر 98-1997ء میں اس ٹیم نے سب کو حیرت زدہ کرتے ہوئے قائداعظم ٹرافی کے فائنل میں جا قدم رکھا۔ مگر وہ پہلی اننگز میں زیادہ رنز کی بنیاد پر کراچی بلیوز سے ہار گئے۔ ٹیم کے نمایاں کھلاڑیوں میں دو تیز رفتار باؤلر ساجد شاہ اور سترہ سالہ فضل محمودِ اکبر تھے۔ فضل محمودِ اکبر کا تعلق اسی درانی قبیلے سے تھا جس سے محمد برادران کے معروف کوچ ماسٹر عزیز اور اس کے بیٹے اور ہندوستان کے طلسماتی آل راؤنڈر سلیم درانی کا تھا۔

یہ وہ لمحہ تھا جب پشاور کی کرکٹ نے پرواز کرنے کی ابتدا کی۔ 02-2001ء میں ٹیم دوبارہ قائداعظم ٹرافی کے فائنل میں پہنچی۔ فضل محمودِ اکبر ایک بار پھر پیش پیش رہا۔ وہ اُس ٹیم کے اُن چار کھلاڑیوں میں سے تھا جنھوں نے پاکستان کے لیے ٹیسٹ میچ کھیلے۔ دوسرے دو کھلاڑی بلے باز سر حمید اور وجاہت اللہ واسطی تھے۔ چوتھا کھلاڑی دراز قد ارشد خان تھا جو تنگ کرنے والی آف سپن باؤلنگ کرتا تھا۔ فضل محمودِ اکبر، وجاہت اللہ واسطی اور ارشد خان قائداعظم ٹرافی کے فائنل 05-2004ء میں پشاور کی اُس ٹیم میں شامل تھے

جس نے پہلی اننگز میں رنز کی برتری کی بنیاد پر فیصل آباد کی ٹیم کو شکست دی جس کا سربراہ پاکستان کا مستقبل کا کپتان مصباح الحق تھا۔

اچانک پاکستان کے شمال مغربی علاقے سے زبردست کھلاڑیوں کی بڑی پیدا ہونا شروع ہوگئی۔ شاہد آفریدی کی پیدائش خیبر ایجنسی سے ہوئی۔ یونس خان، مردان میں پیدا ہوا۔ اور عمر گل پشاور میں پیدا ہوا۔ شاہد آفریدی اور یونس خان بچپن میں ہی کراچی نقل مکانی کر کے کراچی منتقل ہوگئے۔

شمال مغرب میں کرکٹ کی نشوونما کی واضح نشاندہی وہاں کے فرسٹ کلاس میدانوں کی تعداد سے ہوتی ہے۔ سالہا سال تک صرف پشاور کلب کا میدان ہوا کرتا تھا جہاں 1938ء سے فرسٹ کلاس کرکٹ کے میچ کھیلے جارہے تھے۔ اور 1955ء میں ہندوستان کے خلاف ایک ٹیسٹ میچ کھیلا گیا تھا۔ 1984ء میں اس کے ساتھ پشاور یونیورسٹی کے دو اور میدان شامل ہوگئے۔ 1985ء میں پشاور کو ٹیسٹ میچ کھیلنے کے لیے ایک اور جگہ مہیا ہوگئی جس کا نام ارباز نیاز سٹیڈیم تھا۔ یہاں 05-2004ء میں ہندوستان کی غیر سگالی دورہ کرنے والی ٹیم نے ایک روزہ عالمی میچ کھیلا۔ اور بازاروں اور مارکیٹوں میں مختصر حفاظتی انتظام کے تحت سیر کرتے ہوئے قالین بھی خرید کیے۔ سال 2004ء میں ایبٹ آباد کرکٹ سٹیڈیم میں بھی فرسٹ کلاس کرکٹ کھیلی گئی۔ 2010ء میں فرسٹ کلاس کرکٹ مردان کے سپورٹس کمپلیکس میں بھی آپہنچی اور صوابی کے گوہاٹی سٹیڈیم میں بھی کھیلی گئی۔ کرکٹ نے بالآخر ترقی کی طرف پیش قدمی شروع کر دی تھی۔

## کشمیری کرکٹ [1]

پشاور کے مشرق میں چند سو میل کے فاصلے پر مہاراجوں کی سابقہ ملکیت ریاست کشمیر واقع ہے۔ یہ پہاڑی علاقہ ہے جو آزادی کے وقت سے ہی ہندوستان اور پاکستان کے درمیان زبردست دشمنی کا باعث ہے تقسیم کے فوراً بعد ہی کشمیر ممالک کے لیے متنازع علاقہ بن گیا۔ اور دونوں کے بیانوں میں نئی حب الوطنی کی وضاحت میں دوڑ لگی ہوئی ہے جس کے نتیجے میں ہندوستان اور پاکستان نے علاقے میں اور علاقے سے باہر جنگیں لڑی ہیں۔ اس کی بدولت کشمیر جو کبھی دنیا میں جنت کے نام سے پہچانا جاتا تھا، تقسیم اور زخم خوردہ ہو کر رہ گیا ہے۔ ہندوستان او رپاکستان کے درمیان لائن آف کنٹرول جو ہندوستان اور پاکستان کے زیرِ اختیار علاقوں کو علیحدہ کرتی ہے، پر مسلسل لڑائی جاری رہتی ہے۔ اس کی وجہ سے دونوں اطراف کے فوجی اور شہری مارے جاتے ہیں۔

شمال مغربی سرحد کی طرح کشمیر میں بھی کرکٹ اُمرا کے کھیل کے طور پر شروع ہوا۔ کشمیر باضابطہ طور پر انگریزوں کے اختیار میں نہیں تھا۔ تاہم وہاں انگریز ریذیڈنٹ موجود تھا جو انگریزوں کے مفادات کا تحفظ کرتا

تھا۔ اور اس کے ساتھ ساتھ مہاراجوں پر بھی آنکھ رکھتا تھا جن میں سے کچھ کرکٹ کھیلنے کے شوقین ہوا کرتے تھے۔ عام لوگ اِس کھیل کو بہت کم کھیلتے تھے۔ حالاں کہ عیسائی مبلغوں نے اسے اپنے سکولوں میں متعارف کروا رکھا تھا۔

1947ء کے بعد کشمیر کی بڑی تعداد میں مسلمان آبادی کی مرضی کے خلاف اس کا الحاق ہندوستان سے کر دیا گیا۔ کشمیر کی رانجی ٹرافی مقابلوں کے لیے ٹیم تھی جس نے پہلے پہل 60-1959ء میں حصہ لیا تھا مگر اُسے کوئی خاطر خواہ کامیابی حاصل نہ ہوئی تھی۔ اس موقع پر بہت کم کشمیریوں کو کرکٹ سے دلچسپی تھی۔ ان کے خیال میں اِس کھیل کا تعلق امرا کے طبقے سے تھا اور ہندوستان کا کشمیر پر تسلط بھی اُسی کھیل کا ایک حوالہ تھا۔ کرکٹ کے کھیل میں دلچسپی کی ابتدا 1970ء کی دہائی کے آخری حصہ میں بھٹو کے اقتدار کے خاتمہ پر ہندوستان اور پاکستان کے درمیان کرکٹ میچوں کی تجدید سے ہوئی۔

کشمیریوں نے ان میچوں میں غیر معمولی طور پر دلچسپی لی جن میں ہندوستانی حکومت کے غصّے کے باوجود انہوں نے خصوصی طور پر پاکستان کی حمایت کی۔ ایک یا دو بار ہندوستان نے دورے پر آئی ہوئی غیر ملکی ٹیموں کے اِس علاقے میں میچ منعقد کرائے تھے۔ ہزاروں کی تعداد میں مسلمان کشمیریوں نے اِن میچوں کو دیکھا۔ پہلا میچ اکتوبر 1983ء میں ہندوستان اور ویسٹ انڈیز کے مابین سرینگر کے شیر کشمیر سٹیڈیم میں کھیلا گیا۔ اس سٹیڈیم کا نام مشہور کشمیری رہنما شیخ عبداللہ کی شان میں رکھا گیا تھا جو بھارت نواز تھا اور جس نے کشمیر کے ہندوستان کے ساتھ الحاق میں کلیدی اور اہم کردار ادا کیا تھا۔

اس میچ کی وجہ سے اُن سرگرم عوامل کو احتجاج کرنے کا موقع ملا جو ہندوستان سے آزادی چاہتے تھے۔ یہ مظاہرین ہاتھوں میں ہزاروں سبز پاکستانی پرچم اور پاکستانی کھلاڑیوں کی بڑی بڑی تصاویر اٹھا سٹیڈیم کی طرف چل پڑے۔ سٹیڈیم پہنچنے پر وہ مسلسل پاکستان زندہ باد کے نعرے لگاتے رہے۔ عمران خان کی ایک قد آدم تصویر کو چنار کے درختوں کے جھنڈ میں ایک درخت پر لٹکا رکھا تھا جو سٹیڈیم کے پہلو میں لگے تھے۔ ہر گرنے والی ہندوستانی وکٹ کا تمسخر اڑایا جاتا جب کہ تماشائی ویسٹ انڈیز کی طرف سے بننے والے ہر رن پر خوشی کا والہانہ اظہار کرتے۔

اپنی کتاب Runs and Ruins میں سنیل گواسکر بیان کرتا ہے کہ یہ اُس کی زندگی کا بدترین تجربہ تھا۔

''جونہی ہندوستانی کھلاڑی میدان میں ورزش کرنے آئے تو تماشائیوں کے کچھ حصوں میں سے اُن پر آوازے کسے گئے اور حقارت بھری ناپسندیدگی کا اظہار کیا۔ یہ حرکت ناقابلِ یقین تھی۔ ہم ہندوستان میں اپنے ملک میں تھے اور ابھی ایک بھی گیند نہ کی گئی تھی اور ہم پر آوازے کسے جا رہے تھے۔ شکست ہونے پر

آوازے لگنا تو سمجھ میں آتا ہے مگر یہ جو ہو رہا تھا وہ سمجھ سے بالاتر تھا۔ اس کے علاوہ تماشائیوں میں بہت سے ایسے تھے جو پاکستان کے حق میں نعرے بلند کر رہے تھے۔ اس پر ہم سخت سٹ پٹائے ہوئے تھے کیوں کہ ہم تو پاکستان کی بجائے ویسٹ انڈیز کے خلاف کھیل رہے تھے۔"

مخالف ٹیم کے کپتان کلائیو لائیڈ نے کہا کہ ویسٹ انڈیز ٹیم کو یوں محسوس ہوا جیسے وہ اپنے ملک میں کھیل رہی ہو۔ یہ میچ سیاسی تماشا بن کر رہ گیا۔ ہندوستانی ٹیم نے پہلے باری لی اور غالباً اس کے کھلاڑی اپنے استقبال پر اِس قدر پریشان اور ہراساں ہو چکے تھے کہ تمام ٹیم صرف 176 رنز بنا کر آؤٹ ہو گئی۔ ابھی صرف بائیس اوور ہی ہوئے تھے کہ ویسٹ انڈیز ٹیم کی اننگز کو روک دیا گیا کیوں کہ ایک گرد آلود آندھی آ گئی تھی۔ اس کے ساتھ ہی کشمیری نوجوانوں نے پچ اور کھیلنے والے حصے پر دھاوا بول دیا اور پچ کو کھود ڈالا۔ اور یوں میچ اپنے خاتمے کو پہنچا۔[2] غالباً عقل مندی یہی تھی کہ میچ کے نتیجے کو ویسٹ انڈیز کے حق میں رنز کی تیز رفتاری کی بنیاد پر دے دیا گیا۔

اس فتح کو پورے کشمیر نے منایا۔ جن افراد نے پچ کو کھود دیا تھا، انہیں محبوب و مقبول مانا گیا۔ اُن میں بیشتر وہ تھے جنھوں نے بعد میں کشمیر کی انقلابی تحریک میں نمایاں کردار ادا کیا۔ مثلاً مشتاق الاسلام ایک جنگجو گروہ کا سربراہ بن گیا اور حزب اللہ کا چیف کمانڈر بنا۔ شوکت بخشی ترقی کرتے کرتے جموں کشمیر آزادی فرنٹ کا سب سے اہم سالار بن گیا۔ شبیر شاہ جسے کشمیر کا نیلسن منڈیلا بھی کہا جاتا ہے اور ایک موقع پر وہ انسانی حقوق کی عالمی تنظیم کا "ضمیر کا قیدی" بھی رہ چکا تھا، پر بھی الزامات عائد ہوئے اور وہ بھی گرفتار ہونے والوں میں شامل تھا۔

اٹھائیس سال بعد نومبر 2011ء میں سرینگر کی عدالت نے ان بارہ ملزموں کی عدم ثبوت کی بنیاد پر بری کر دیا۔ بری ہونے والوں میں سے دو کو موت کے بعد بریت نصیب ہوئی تھی۔ شوکت بخشی نے ہندوستانی اخبار ٹیلی گراف سے بات چیت کرتے ہوئے بتایا کہ اس مقدمہ کی وجہ سے اُس نے بے حد تکلیف اٹھائی ہے۔ "اس وقت میں ایک بچہ تھا اور ہم وہاں صرف میچ کھیلنے کے خلاف احتجاج کر رہے تھے۔ مجھے وہاں گرفتار کر کے ابتدائی طور پر چار ماہ تک سلاخوں کے پیچھے بند رکھا۔ اور پھر مجھ پر مُلک کے خلاف جنگ کرنے کے الزام میں مقدمہ بنا دیا گیا۔ اگلے چھ سال تک مجھے مسلسل اس قدر ہراساں کیا گیا کہ بالآخر مجھے بندوق اٹھانا پڑی۔" جموں کشمیر آزادی فرنٹ کے سالار کے روپ میں شوکت بخشی کو 1990ء میں گرفتار کر لیا گیا اور اگلے بارہ سال قید میں رہا۔ ایک صدی کا چوتھا حصہ گزر جانے کے بعد علیحدگی پسند کشمیری اِس میچ کو اپنی آزادی کی جدوجہد کا سنگ میل تصور کرتے ہیں۔

اُسی کرکٹ میچ کے وقت کے لگ بھگ ہی کشمیریوں میں کرکٹ کا جنون شروع ہوا۔ میں نے اپنے

برطانوی کشمیری شاعر اور ادیب دوست مرتضیٰ شبلی جس کی 1980ء کی دہائی میں کشمیر میں پرورش ہوئی تھی، سے کہا کہ وہ میرے لیے یادداشتوں پر مبنی اپنی آپ بیتی لکھے۔ اس کی روائیداد اس قدر پُر اثر جذبات سے بھرپور اور درد بھری تھی اور جس کے کچھ حصے اتنے خوبصورت تھے کہ میں ان کا تفصیلی حوالہ دوں گا:

''مجھے یاد ہے کہ پاکستانی کھلاڑیوں ماجد خان، ظہیر عباس، عمران خان، اقبال قاسم، جاوید میاں داد، وسیم اکرم کے علاوہ کئی اور کھلاڑیوں کی اشتہاری تصاویر دکانوں، سکولوں، گھروں حتیٰ کہ چند سرکاری دفاتر کی عمارتوں پر سجاوٹ کے طور پر آویزاں ہوا کرتی تھیں۔

ان اشتہاری تصاویر کو فروخت کرنے والی دو کانوں میں سب سے بڑی دکان سرینگر کے وسط میں لال چوک میں ہوا کرتی تھی۔ یہ دکان محکمہ اطلاعات کے تشہیری شعبہ کے دفتر کے بالکل نیچے واقعہ تھی جو وسطی ہندوستان کے لیے مبالغہ آمیز پرچار کی نشر واشاعت کا محکمہ تھا۔

ہندوستانی کھلاڑیوں کا کبھی تذکرہ تک نہیں کیا جاتا تھا بلکہ اُن پر پھسڈی ٹیم ہونے کے ناطے بحث ہوتی تھی جسے پاکستانی کھلاڑیوں سے کھیل کے ہر شعبے میں مار پڑنی ہوتی تھی۔ خواہ وہ باؤلنگ، بیٹنگ یا فیلڈنگ ہی کیوں نہ ہو۔ کھیل کے ہر بار جذباتی ذکر میں جس میں سیاسی عنصر بھی شامل ہوا کرتا تھا پاکستانی کھلاڑی ہمیشہ محبوب ترین درجہ رکھتے تھے۔ کشمیری ہمیشہ دعائیں کرتے اور اس انتظار میں رہتے کہ وہ ہندوستان کی شکست اور اس کی تذلیل کا تماشہ دیکھ سکیں۔ اور جب ایسا ہوتا تو وہ اس کا جشن تقریباً مذہبی جوش و جذبے سے مناتے۔''

مرتضیٰ شبلی نے بچپن میں کرکٹ کھیلنے کو یوں بیان کیا:

''برصغیر پاک وہند کے دوسرے بہت سے علاقوں کی طرح عوام میں کرکٹ کے کھیل کی مقبولیت گلی کوچوں، غیر معروف چھوٹے شہروں، عام دیہات کے میدانوں، پھلدار باغات، چراہگاہوں، عید گاہ میدانوں میں جہاں مسلمان سال میں دو مرتبہ نماز عیدین ادا کرتے ہیں، جناز گاہ، کرکٹ میچ کھیلنے کے لیے پسندیدہ میدان بن جاتے تھے۔ خاص طور پر اتوار کے روز جب زیادہ تر لوگ گھر ہوا کرتے تھے۔ حتیٰ کہ مجھے قبرستان اور ہندو آبادی کے شمشان گھاٹوں تک میں کرکٹ کھیلنا یاد ہے۔ میرے بچپن کی خوشگوار یادوں میں سے ایک یادلاٹو مزار میں کرکٹ کھیلنا ہے جو ہمارے شہر کا سب سے بڑا قبرستان تھا۔ پچ کی لمبائی کا تعین قبروں کے درمیانی فاصلے پر لگے قبروں کے دو بڑے کتبوں سے کیا جاتا تھا۔ وکٹوں کی کوئی ضرورت نہ تھی کیوں کہ ان کی جگہ قبروں پر لگے کتبے کام دینے کے لیے کافی تھے۔

اُن دنوں زیادہ تر لوگوں میں صحیح قسم کا بلا خریدنے کی استطاعت نہیں تھی، لہٰذا کھردری لکڑی کی چھٹی سے بلے کی ایک بڑی بنیادی سی شکل بنا لی جاتی تھی جو عام طور پر علیحدہ دستہ سے عاری ہوتی تھی۔ اسی

طرح چمڑے کی صحیح گیند یا تو ممکن نہیں تھی یا پرھ بہت مہنگی ہوا کرتی تھی۔ لوگ اکثر پلاسٹک کی نرم گیند سے کھیلتے یا بیارا گیند سے کھیلتے جو کرکٹ کی چمڑے کی مخصوص گیند سے جسامت میں تقریباً آدھی ہوتی تھی مگر سستی ہونے کی وجہ سے مقبول تھی اور خریدنے میں آسان تھی۔

وزن میں یہ کافی بھاری تھی۔ مقامی ترکھان اِسے بادام اور چیری کے گھنے درختوں کی لکڑی یا پھر مقامی درخت بری موج کی لکڑی سے تیار کرتے تھے۔ چوں کہ پیڈوں دستانوں اور سر پر ہیلمٹ کا کوئی تصور نہیں تھا لہٰذا لکڑی کی گیند سے کھیلنا انتہائی خطرناک تھا۔ بیارا جب بھی کسی بلے باز یا فیلڈر کو لگتی تو اُسے زخمی کر دیتی۔ میں ذاتی طور پر اُس سے کئی بار زخمی ہوا۔ کئی بار میری ٹانگیں، پنڈلیاں اور فیلڈنگ کرتے ہوئے ہاتھوں کی انگلیاں زخمی ہوئیں۔ کئی مرتبہ لوگ سنگین حالات میں بُری طرح سے زخمی ہو جاتے۔ حتیٰ کہ ہم نے ایسی چوٹوں سے بچوں کے مرنے تک کی بھی خبریں سنیں۔ مگر کرکٹ میں پاگل پن کی حد تک کے شوق میں ہر کوئی خطرات اور زخموں کی تکلیف کو نظر انداز کیے کھیلنے میں مگن رہتا۔''

کرکٹ کا یہ جنون اب بھی برقرار ہے۔ پچھلے پچیس سال کی افراتفری کرکٹ کے کئی میدان تباہ ہو گئے یا پھر ہندوستانی فوج کے قبضے میں آ گئے۔ اس میں کینہ کے عنصر سے زیادہ ہندوستانی فوج کے بھاری نفری کو رکھنے کی ضرورت ہے۔ جو کشمیر میں موجود ہے۔ (یہ دنیا کا سب سے زیادہ فوج کے زیرِ اثر علاقہ ہے۔ جہاں ساٹھ لاکھ نفوس کی آبادی پر پانچ لاکھ سے زیادہ نفری کی فوج تعینات ہے) اس کے باوجود کشمیری پُر جوش طریقے سے کرکٹ کھیلنے میں مشغول ہیں۔ وہ گنجان پُرانے شہروں اور دیہات کے صحنوں میں ہڑتالوں کے دوران اور آزادی کے لیے علیحدگی پسندوں کی آواز پر کاروبار معطل کر کے مرکزی شاہراروں پر کرکٹ کھیلتے ہیں۔

وقت گزرنے کے ساتھ ساتھ کھیل میں ساز و سامان کا کچھ گنوار پن دور ہو چکا تھا۔ حفاظتی ساز و سامان اب تقریباً ہر میچ کے لیے لازمی قرار دیا جا چکا ہے۔ حتیٰ کہ مقامی میچوں پر بھی یہ شرط عائد ہے۔ لکڑی کی بنی بیارا گیند جو صرف پچھلی ایک یا دو نسلوں تک ہر جگہ موجود تھی، اب تقریباً ختم ہو چکی ہے۔ بیٹ بنانے کی مقامی منظم صنعت بڑھتی ہوئی ضرورت کو پورا کرتی ہے اور بیشتر لوگ اب بید کی عمدہ لکڑی سے بنا بلا خریدنے کے قابل ہیں۔

آج سینکڑوں کرکٹ ٹیمیں کشمیر کے ہر کونے میں موجود ہیں اور تسلسل سے کرکٹ کے صحیح سفید لباس میں کھیلتی ہیں۔ مرتضیٰ شبلی پرانی یادوں کو کریدتے ہوئے کہتا ہے کہ ''یہ کرکٹ اس کی نوجوانی کے دنوں سے زمین و آسمان کا فرق رکھتی ہے۔ کیوں کہ ہم جب کھیلتے تھے تو دانستہ طور پر مقامی چوغہ جسے فیران کہتے ہیں پہن لیتے تھے تا کہ اگر بلے باز گیند کھیل نہیں سکتا تو اس کا گھیرا اکثر گیند کو وکٹوں میں جا لگنے سے روک لیتا۔''

ہندوستانی حکومت اب کرکٹ کو ایک ایسے نرم ہتھیار کے طور پر دیکھتی ہے جس سے کشمیریوں کے

انتہا پسند حالات کو بدل کر ہندوستان کے حق میں کیا جا سکتا ہے۔ ہندوستانی فوج اور پولیس نے اپنے کرکٹ ٹورنامنٹ شروع کر دیئے ہیں جس میں وہ مقامی ٹیموں کی حمایت کرتے ہیں۔ فوج کی اعلیٰ قیادت اس بات پر قطعاً معذرت خواہ نہیں ہے کہ وہ کرکٹ سے فائدہ اٹھاتے ہوئے اسے انقلابی شورش میں جوابی کارروائی کے طور پر استعمال کر رہی ہے۔ ''فوج اور ریاستی پولیس کی کوشش ہے کہ مقامی نوجوانوں کی کھیل میں ہنر مندی کو بہتر بنا کر اُن کی حوصلہ افزائی کی جائے۔'' انقلابی بغاوت کے خلاف جوابی کارروائی کرنے والی نفری کلوفورس کے جنرل کمانڈر افسر میجر جنرل سارتھ نے یہ بات خبری ایجنسی انڈو ایشن نیوز سروس سے کی۔ کشمیر میں کچھ امن اور ہندوستانی پریمئیر لیگ کی مقبولیت اور اس میں کھیلے جانے کی اُمید نے کشمیری کھلاڑیوں کے ہندوستان کے ساتھ تعلقات کو مضبوب کرتے ہوئے اُنہیں قریب تر کر دیا ہے۔

مگر ایک چیز نہیں بدلی۔ کشمیری اب بھی جوش و خروش سے پاکستانی کھلاڑیوں کی حمایت کرتے ہین ہندوستانی کھلاڑیوں کی نہیں۔ 2011ء کے عالمی کپ کے میچوں میں یہ بات کُھل کر سامنے آئی۔ کواٹر فائنل پر جب پاکستان نے ویسٹ انڈیز کو ہرایا تو اس جیت کو طول و عرض میں منایا گیا اور خوشی کے اظہار میں آتش بازی کی گئی۔ مگر آسٹریلیا کے خلاف ہندوستان کی فتح کے موقع پر چوں بھی نہ ہوئی۔ موہالی میں ہندوستان اور پاکستان کے درمیان ہونے والے سیمی فائنل کی تیاری میں پولیس نے سرینگر میں دفعہ 144 نافذ کر دی۔ اِس حکم کے تحت چار سے زائد افراد کے اکٹھے ہونے پر پابندی ہوتی ہے۔ اس حکم کو نافذ کرنے کا مقصد یہ تھا کہ بہت سے لوگ اکٹھے ہو کر میچ نہ دیکھ سکیں۔ پولیس نے کُھلے عام ٹیلی ویژن کی بڑی اسکرینوں کو نصب کرنے پر بھی پابندی عائد کی۔ یہ پابندی سڑکوں کے کناروں اور دکانوں کے باہر ٹیلی ویژن سکرین لگانے پر بھی تھی۔ ایک پولیس افسر کے اس بیان کو کہ ''ہمیں ڈر ہے کہ اگر پاکستان کی شکست ہوئی تو کہیں نظم و ضبط کا نظام درہم برہم ہو کر مسئلہ نہ کھڑا ہو جائے'' کا حوالہ ''Greater Kashmir'' میں دیا گیا۔

تاہم سرینگر میں آتش بازی کا سامان فروخت کرنے والوں کی خوب چاندی رہی اور اُن کا کاروبار خوب چمکا۔ آتش بازی کا سامان فروخت کرنے والے سمیر احمد نے Greater Kashmir کو بتایا کہ وہ اپنا تمام مال بیچ چکا ہے پھر بھی مانگ ختم ہونے میں نہیں آ رہی۔ پانچ لاکھ سے زائد تربیت یافتہ فوجی نفری تعین کر دی گئی اور انہیں انتہائی طور پر چوکس رہنے کے احکامات صادر ہوئے تا کہ پاکستان کی حمایت کے آثار کو فوری طور پر روکا جا سکے۔ خوش قسمتی سے ہندوستان نے میچ جیت لیا اور تمام کشمیر رنج و الم میں ڈوب گیا۔ جس کی وجہ سے نہ تو کوئی جشن منایا جا سکا اور نہ ہی پاکستان کے حق میں شرمندہ کر دینے والی حمایت کا اظہار ہو سکا۔ صرف مایوسی اور خاموشی طاری رہی۔

مارچ 2014ء میں 66 کشمیری طالب علموں کو میرٹھ میں اُن کے کالج سے نکال دیا گیا۔ ان کا

قصور یہ تھا کہ انہوں نے ہندوستان اور پاکستان کے مابین ایشیا کپ کا میچ ٹیلی ویژن پر دیکھتے ہوئے ہندوستان پر پاکستان کی فتح کی خوشی میں نعرہ بازی کی تھی۔ اس سے قبل ابتدائی طور پر اُن پر بغاوت اور نظم ونسق میں خلل ڈالنے کا الزام عائد کیا گیا تھا۔

## بلوچستان کی کرکٹ

میں نے بلوچستان جانے کی بے حد کوشش کی مگر ہر بار جانے کا ضروری اجازت نامہ حاصل کرنے میں ناکام رہا۔ یہ صوبہ کئی سالوں سے تخریب کاری کی وجہ سے شورش کا شکار ہے لہٰذا میں کرکٹ سے متعلق براہِ راست اور قابلِ اعتماد روئیداد حاصل کرنے میں کامیاب نہ ہوسکا۔ سرکاری معلومات سے یہ پتہ چلتا ہے کہ کرکٹ کا کھیل (قابل فہم وجوہات کی بنا پر) کبھی بھی کوئی خاص مقبولیت نہ حاصل کرسکا۔ کوئی بھی بلوچی کھلاڑی کبھی عالمی اعزاز حاصل نہیں کرسکا۔ آفتاب بلوچ جس کے خاندان کی جڑیں بلوچستان سے ہیں، نے 1969ء اور 1974ء کے طویل وقفے میں دو ٹیسٹ میچ کھیلے مگر اس کی اپنی پیدائش کراچی میں ہوئی تھی۔ اور وہ کِسی بلوچی ٹیم کے لیے نہیں کھیلا تھا۔ [3]

اندرون ملک کھیلے جانے والی کرکٹ میں کوئٹہ کا موجودہ کپتان بائیس سالہ تیمور علی ہے جس نے انیس سال سے کم عمر (Under-19) کی پاکستان ٹیم کی طرف سے 2007ء انگلینڈ کے خلاف انگلینڈ میں ٹیسٹ میچ کھیلے۔ اس وقت سرکاری طور پر اس کی عمر سولہ سال تھی مگر یہ کوئٹہ کی ٹیم میں شامل ہونے سے پہلے کی بات ہے۔ اس کی پیدائش جیکب آباد سندھ میں ہوئی تھی۔ کوئٹہ کا ایک موجودہ کھلاڑی علی اسد ہے جس نے انیس سال سے کم عمر کے ٹیسٹ میچ کھیل رکھے ہیں۔ مگر یہ ہنرمند کھلاڑی بھی دوسری جگہ کراچی سے آیا ہے۔ منتخب کرنے والے بورڈ میں بلوچستان کا عرصہ دراز سے نمائندہ 57 سالہ آصف بلوچ ہے جس کی پیدائش کوئٹہ میں ہوئی تھی۔ فرسٹ کلاس کرکٹ میں اس کے اعداد وشمار سے بلوچستان کرکٹ کی کمزوری واضح ہو جاتی ہے۔ اس نے 27 میچوں میں 628 رنز بنائے اور اس کی اوسط 15 رنز سے کم رہی۔ اس نے 52 وکٹیں 52 رنز سے زیادہ فی وکٹ کی اوسط سے حاصل کیں۔ بلوچ صاحب محکمہ کسٹم کے اعلیٰ عہدہ پر بھی فائز ہیں۔ دسمبر 2012ء میں وہ ممکنہ سمگلروں کی گولیاں لگنے سے بُری طرح سے زخمی ہوئے تھے۔ اس وقت وہ بلوچستان کے مصیبت زدہ ضلع پنجگور میں اپنے فرائض انجام دے رہے تھے۔

بلوچی ٹیموں نے اندرون ملک مقابلوں میں بلوچستان ٹیم یا پھر عام طور پر کوئٹہ ٹیم کے طور پر حصہ لیا ہے۔ دونوں ٹیموں کے نام پر فرسٹ کلاس کرکٹ میں کوئی نمایاں کامیابی نہیں ہے۔ بلوچستان ٹیم نے 54-1953ء میں قائداعظم ٹرافی کے ایک میچ میں حصہ لیا اور پھر قائداعظم ٹرافی میں دوبارہ 73-1972ء تک

حصہ نہ لیا۔ جب کہ کوئٹہ کی ٹیم بی سی سی پی پیٹرن ٹرافی میں حصہ لیتی رہی۔ 73-1972ء سے لے کر 79-1978ء تک دونوں ٹیموں نے آپس میں کوئٹہ میں صرف تین میچ کھیلے۔[4] 1973ء سے لے کر 1977ء تک بلوچستان میں سخت تخریب کاری کا عمل جاری تھا جس کی وجہ سے اسّی ہزار فوجی وہاں تعینات تھے۔

دونوں ٹیمیں آج کے دور میں بھی فرسٹ کلاس کرکٹ کی ذمہ داریوں کو آپس میں تقسیم کیے ہوئے ہیں۔ بلوچستان ٹیم نے 12-2011ء میں فیصل بینک پینٹگلر کپ میں حصہ لیا اور وفاقی علاقہ جات کی فیڈرل ٹیم کے خلاف ایک فتح بھی حاصل کی جس سے وہ مقابلوں میں تیسرے نمبر پر رہی۔ ان تمام میچوں میں سے کوئی بھی کوئٹہ میں نہ کھیلا گیا۔ 13-2012ء میں قائداعظم ٹرافی کے ڈھانچے کی پیچیدگیوں کے باعث کوئٹہ کی ٹیم نے آٹھ میچ کھیلے جن میں کوئی بھی میچ کے ڈھانچے میں پیچیدگی کے باعث کوئٹہ کی ٹیم نے آٹھ میچ کھیلے میں کوئی بھی میچ اپنے شہر میں نہ کھیلا گیا۔ ایوب نیشنل سٹیڈیم میں آخری اوّل درجے کا میچ 94-1993ء میں کھیلا گیا۔ 1989ء میں کوئٹہ کے ریس کورس سٹیڈیم کا نام تبدیل کر کے بگتی سٹیڈیم رکھ دیا گیا۔ کوئٹہ کی کسی میدان میں کبھی ٹیسٹ میچ نہیں کھیلا گیا۔ ایوب نیشنل سٹیڈیم میں ہندوستان کے خلاف دو ایک روزہ میچ کھیلے گئے ایک میچ ہندوستان نے اکتوبر 1978ء میں جیت لیا اور ایک میچ اکتوبر 1984ء میں پاکستان نے جیت لیا۔ بگتی سٹیڈیم میں صرف ایک میچ کھیلا جا سکا، جو زمبابوے کے خلاف اکتوبر 1996ء میں ایک روزہ عالمی میچ تھا جسے پاکستان نے جیت لیا۔ اکتوبر 2008ء کے بعد کوئٹہ میں کوئی بھی فرسٹ کلاس میچ نہیں کھیلا گیا۔ کوئٹہ اور بلوچستان کی ٹیموں کی تقدیر کا موازنہ پاکستان کی قومی ٹیم کے ساتھ کیا جا سکتا ہے، دونوں صورتوں میں المناک وجوہات کی بنا پر جو خود کرکٹ کھلاڑیوں کے اختیار میں بھی نہیں ہے اور ناپسندیدگی کے باوجود دونوں ٹیموں کو اپنے ٹھکانوں سے باہر کھیلنا پڑتا ہے۔

## حوالہ جات:

1 میں نے کشمیر کا سفر نہیں کیا۔ البتہ کتاب کے اِس حصے کا زیادہ دارومدار مرتضیٰ شبلی کی تحریر کردہ روئیداد پر ہے۔ جو برطانوی کشمیری ہے اور اس کی پیدائش اور پرورش کشمیر میں ہوئی تھی۔

2 کچھ خبروں کے مطابق پہلے میدان کو کھودا گیا۔

3 طنزیہ طور پر یہ بلوچستان کی کمزور ٹیم کے خلاف تھی۔ اُس نے 74-2973ء میں چہار گانہ (Quadruple) سنچری بنائی (جس کے متعلق لاعلمی رہی) سات کھلاڑی آؤٹ ہونے پر سندھ کی ٹیم نے 951 رنز کا ریکارڈ قائم کر کے اپنی اننگز کا خاتمہ کر دیا جس میں اُس چہار گانہ سنچری کے رنز بھی شامل تھے۔

4 اپنے شہر میں کھیلے جانے والے 75-1974ء کے میچوں میں سے ایک میچ کوئٹہ کے ایک اور میدان میں کھیلا گیا جس کا حیرت انگیز طور پر اس وقت بھی نام ایوب نیشنل سٹیڈیم تھا۔ کوئٹہ کی ٹیم نے کسٹم کی ٹیم کو گیارہ رنز

سے سنسنی خیز شکست دی۔ اس عرصہ کے دوران کوئٹہ کے حصے میں صرف ایک اور فتح حاصل ہوئی جو سکھر کی کمزور ٹیم کے خلاف تھی۔ عموماً بلوچستان اور کوئٹہ کے لڑکے بہت مار کھاتے تھے۔ بلوچستان کے خلاف آفتاب بلوچ کے 400 رنز کے علاوہ کراچی کی اے (A) ٹیم کے آغازی بلے بازوں نے پہلی وکٹ پر 561 رنز بنا کر عالمی ریکارڈ قائم کر دیا۔ 77-1976ء کی پیٹرن ٹرافی کے اس میچ میں کوئٹہ کو ایک اننگز اور 294 رنز سے شکست ہوئی۔ منصور اختر نے 224 نا قابلِ شکست رنز بنائے اور اس کے ساتھی وحید مرزا نے 324 رنز بنائے۔ حیران کن طور پر ان دونوں نے کوئٹہ کے خلاف ان کی دونوں اننگز میں باؤلنگ کا آغاز بھی کیا۔ منصور اختر نے گیارہ ٹیسٹ میچ کھیلے اور اس کی اوسط 25 رنز رہی جس میں ایک سینچری بھی شامل ہے۔ مگر وحید مرزا کوئی ٹیسٹ میچ نہ کھیل سکا اور فرسٹ کلاس کرکٹ میں وہ صرف مزید ایک اور سنچری کر سکا۔ اس کی اوسط 26 رنز رہی۔ یہی کچھ پرویز اختر کے ساتھ بھی ہوا جس نے 1964ء میں ریلوے کی طرف سے کھیلتے ہوئے تہری (Triple) سنچری بنائی تھی۔ اُس میچ میں ڈیرہ اسمٰعیل خان کی بدقسمت ٹیم کو ایک اننگز اور 850 رنز سے شکست ہوئی تھی۔ اس کے بعد پرویز اختر فرسٹ کلاس کرکٹ میں صرف ایک اور مزید سنچری بنا سکا۔

22

# پاکستان میں خواتین کی کرکٹ کی تعمیر و ترقی

''بنیاد پرست اخبارات میں روزانہ دھمکیاں دی جاتی تھیں کہ ہمارے گھر پر پتھراؤ کیا جائے گا۔ وہ خواتین کی کسی بھی نئی سرگرمی کے خلاف تھے۔ ہمیں تو جان سے مار دینے تک کی دھمکیاں دی گئیں۔''

- شائزہ خان

پاکستان کی خواتین کی اوّلین نمائندہ کرکٹ ٹیم کی بانی اور کپتان

خواتین کی کرکٹ جن ممالک میں کھیلی جاتی ہے، اُن میں بیشتر میں خواتین کی کرکٹ ایک لمبی داستان ہے۔ انگلستان میں خواتین کے جس پہلے کرکٹ میچ کا حوالہ ہے وہ 1745ء بریملے (Bramley) اور ہمبلڈن (Hambledon) کے مابین گلڈفورڈ (Guildford) کے نزدیک سرے (Surrey) میں کھیلا گیا۔ اس کے دو سال بعد رچمنڈ (Richmond) کی شہزادی (Duchess) نے گوڈوڈ (Goodwood) میں اپنے شوہر کی اراضی پر خواتین کے ایک میچ کی ہمت افزائی کی۔

1822ء میں ایک نوجوان انگریز خاتون نے کرکٹ کے کھیل کو ہمیشہ کے لیے بدل کر رکھ دیا۔ اپنے بھائی جان (John) کو باؤلنگ کرتے اس کا لمبا گھیرے دار لباس بازو نیچا رکھنے کی وجہ سے بار بار لباس میں پھنس رہا تھا۔ کرسٹینا ولس (Christina Willes) نے اپنی یہ تکلیف دور کرنے کے لیے بازو گھما کر اوپر کی طرف سے گیند کی۔ اُس کے بھائی کو یہ طریقہ پسند آیا اور اُس نے بھی اُسے اپناتے ہوئے مردوں کے کھیل میں آزمایا۔ اس کے اس انداز پر اس کی گیند کو فوری طور پر نو بال کہہ دیا گیا جس پر وہ بیزار ہو کر رہ گیا۔ مگر چند سال بعد ہی بازو گھما کر گیند کو اوپر سے پھینکنے کا انداز قانونی طور پر تسلیم کر لیا گیا۔

خواتین کی پہلی باقاعدہ کلب وائٹ ہیدر (White Heather) 1887ء میں وجود میں آئی۔ اس کی ایک نمایاں کھلاڑی لوسی رِڈزڈیل (Lucy Ridsdale) مستقبل کے وزیرِاعظم سٹینلے بالڈون

(Stanley Baldwin) کے دل کو بھا گئی۔ عام ہڑتال کے دوران اس نے کلب کا مشاورت کا اجلاس وزیراعظم کی رہائش گاہ 10 ڈاؤننگ اسٹریٹ میں منعقد کیا۔ اُسی سال 1926ء کے دوران خواتین کی کرکٹ ایسوسی ایشن وجود میں آئی جس میں بڑی حد تک جنوبی انگلینڈ کی نمائندگی تھی جب کہ شمال میں انگریز خواتین کی کرکٹ فیڈریشن سامنے آئی۔

آسٹریلیا میں پہلی جنگ عظیم سے پہلے خواتین ریاستی میچوں میں حصہ لے رہی تھیں۔ 1934ء میں انگلینڈ کی ٹیم نے آسٹریلیا کا دورہ کیا اور خواتین نے ٹیسٹ میچوں کا اوّلین سلسلہ کھیلا۔ انگلینڈ کی ٹیم کو دو ٹیسٹ میچوں میں شکست ہوئی اور ایک میچ برابر رہا۔ مگر نیوزی لینڈ کو بری طرح سے مارا۔ جنگ کے بعد ان تینوں ملکوں کے درمیان کئی کئی وقفوں بعد میچوں کے سلسلے جاری رہے۔ پھر 61-1960ء میں انگلینڈ کی ٹیم نے جنوبی افریقہ کا دورہ کیا جہاں اس وقت صرف سفید فام کھیلتے تھے۔ ریچل ہے ہو (Rachael Heyhoe) نے اپنی کرکٹ کا بین الاقوامی سطح پر آغاز کیا۔

خواتین کا اوّلین ورلڈ کپ انگلینڈ میں 1973ء میں منعقد ہوا۔ یہ مردوں کے عالمی کپ سے دو سال پہلے وجود میں آیا۔ اس میں حصہ لینے والی ٹیمیں انگلینڈ، نوجوان انگلینڈ، نیوزی لینڈ، آسٹریلیا، جمیکا اور ٹرینی ڈاڈ اور ٹوبیگو تھیں۔ جنوبی افریقہ کی سفید فام ٹیم کا دعوت نامہ منسوخ کر دیا گیا اور اس کی جگہ انٹرنیشنل الیون کو ترتیب دیا گیا جس میں انگلینڈ، آسٹریلیا اور نیوزی لینڈ کے بقایا کھلاڑیوں کو شامل کیا گیا۔

1976ء میں ویسٹ انڈیز کی ٹیم نے آسٹریلیا اور ہندوستان کے خلاف اپنے اوّلین ٹیسٹ میچ کھیلے اور نیوزی لینڈ کا بھی دورہ کیا۔

ہندوستان میں لڑکیوں یا خواتین کے لیے باقاعدہ کرکٹ کھیلنے کا سہرا آسٹریلوی استاد مس این کیلوے (Miss Ann Kelve) کے سر ہے جس نے 1913ء میں کوٹایام کیرالہ کے سکول میں اس کھیل کو اپنی شاگردوں سے متعارف کروایا۔ اس کے بعد مؤرخ 1950ء کی دہائی تک خاموشی اختیار کیے رکھتے ہیں۔ جب کہ دہلی میں کرکٹ زور وشور سے جاری تھی۔ 1960ء کی دہائی میں خواتین کے کے مدراس، بمبئی، اور کلکتہ میں مضبوط کرکٹ کلب موجود تھے۔ 1969ء میں بمبئی میں وجے مرچنٹ اور پولی امریگر کی مدد سے البیس کلب (Albees Club) بنائی گئی۔ اس کلب کی وکٹ کیپر ٹینا لالو فاروق انجنیئر کی رشتہ کی بہن تھی۔ کلب کی ایک اور نمایاں کھلاڑی نوتن سنیل گواسکر کی بہن تھی۔

ہندوستان کی خواتین کی کرکٹ ایسوسی ایشن 1973ء میں وجود میں آئی۔ جس کے تحت پونا میں خواتین کا پہلا قومی ٹورنامنٹ کھیلا گیا۔ اگرچہ اس میں حصہ لینے والی ٹیمیں صرف اُتر پردیش، مہاراشٹر اور بمبئی سے تھیں۔ 1975ء میں پچیس سال سے کم عمر کی آسٹریلوی خواتین کی ٹیم نے ہندوستان کا دورہ کیا اور تین

ٹیسٹ میچ کھیلے۔ ان میچوں میں سولہ سالہ وکٹ کیپر فوزیہ خلیلی اور انیس سالہ آل راؤنڈر ڈائینا ایڈل جی جس نے خواتین کی کرکٹ کی لمبے عرصے تک خدمت کی نے عالمی منظر پر اپنے کھیل کا آغاز کیا۔ اِسی سال کے دوران ہندوستانی خواتین کی کرکٹ ایسوسی ایشن نے دورہ کرنے والی نیوزی لینڈ کی ٹیم کے سفری اخراجات برداشت کیے۔ اندرا گاندھی ہندوستانی خواتین کی کرکٹ کی زبردست حامی تھی۔ اس کے خیال میں ہندوستانی عورت کو بندش سے آزاد کرنے کا یہ ایک راستہ تھا۔ اس کے برعکس پاکستان میں خواتین کی کرکٹ کی تاریخ پر خاموشی ہے جو پچاس سال تک موجود رہی۔

## پاکستان میں خواتین کی کرکٹ کی آمد

خواتین کرکٹ کے پانچ عالمی کپ کھیلے گئے جن میں پاکستان کی ٹیم شامل نہیں تھی۔ آئیرلینڈ، ہالینڈ اور ڈنمارک (جہاں مردوں کے لیے فرسٹ کلاس کرکٹ کے مواقع نہیں ہیں) ان تمام ممالک نے پاکستان سے پہلے عالمی کپ میں شرکت کی۔

اب تک اس بیان میں خواتین کا ذکر پاکستان کے عظیم کھلاڑیوں کی پرورش کرنے والیوں یا ساتھیوں کے طور پر ہے۔ جیسا کہ دیکھا گیا محمد برادارن کی والدہ امیر بی خود ایک معروف کھلاڑی تھیں۔ مگر وہ کرکٹ کی کھلاڑی نہ تھیں۔ انہیں کیرم اور بیڈمنٹن میں برتری حاصل تھی۔ یہ وہ کھیل تھے جنھیں سماجی طور پر خواتین کے لیے تسلیم کیا جاتا تھا۔

برکی خاندان جس میں زبردست نتائج حاصل کرنے والے کرکٹ کے کھلاڑی اور دوسری کھیلوں کے کھلاڑی موجود تھے، اُن کی لڑکیاں اور خواتین اپنی پرورش کے دوران اپنے کنبے کے ساتھ گھر پر کرکٹ کھیلتی تھیں۔ لیکن اس سے آگے نہیں۔ جاوید برکی کے مطابق جن لڑکیوں نے سکول اور کالج میں نمایاں کارکردگی دکھائی، وہ دوڑوں اور دوسری کھیلوں میں تھی جن میں گیند سے متعلق کھیل شامل نہ تھے۔ کسی برکی خاتون نے عالمی طور پر کسی کھیل میں نمایاں حیثیت حاصل نہیں کی۔ ''اُس وقت قدامت پسندی کی وجہ سے اُن کی اس قسم کی چیزوں میں حوصلہ افزائی نہیں کی جاتی تھی۔'' سکول اور کالج کی تعلیم سے فارغ ہوتے ہی اُن کے لیے منظم کھیل ختم ہو جاتے۔ اگر برکی خواتین کے لیے منظم کرکٹ کھیلنا دشوار تھی تو اُن خواتین کی مشکلات کا اندازہ لگایا جا سکتا ہے جنھیں برکی خواتین جیسے وسائل اور تعلقات میسر نہ تھے۔

پاکستان کرکٹ بورڈ کے شعبہ خواتین کرکٹ کی سربراہ بیگم بشریٰ اعتزاز نے 1960ء کی دہائی کے آخری حصہ میں اپنے سکول کے ایام میں لڑکیوں کی کرکٹ کے متعلق دلچسپ روائیداد بیان کیا۔ ''سکول میں ہم لڑکوں کے ساتھ کرکٹ کھیلا کرتے تھے۔ ہمارے کھیلنے پر کوئی اعتراض بھی نہ تھا۔ ہماری مائیں صرف یہ کہتیں

کہ ’’تمہاری ٹانگ ٹوٹ جائے گی‘‘ یا ’’گیند تمہارے چہرے پر لگ جائے گی۔‘‘ مگر خاندان اور ماں باپ کی طرف سے ایسا کوئی دباؤ نہ تھا کہ کرکٹ مت کھیلو۔ مگر میرا نہیں خیال کہ لڑکیوں میں کرکٹ کھیلنے کی شدید خواہش تھی۔ وہ ہاکی کھیلتیں اور کالج میں ہم باسکٹ بال، نیٹ بال، ٹینس اور بیڈمنٹن کھیلتے۔‘‘ اس نے بتایا کہ 1970ء کی دہائی میں لاہور میں لڑکیوں کا کرکٹ کھیلنے میں اصل دشواری کا اسباب کرکٹ کھیلنے کے میدانوں کا فقدان اور کالج کی تعلیم کے بعد کھیلنے کے مواقع میسر نہ ہونا تھے۔

1980ء کی دہائی میں جب جنرل ضیاالحق اسلامی اقدار کی پیروی میں دلچسپی لے رہا تھا تو پاکستان کرکٹ کی خواتین کھلاڑیوں کی مشکلات میں قدامت پسند رویوں اور پابندیوں نے مزید اضافہ کر دیا۔ موجودہ پاکستانی کرکٹ ٹیم کی مینیجر عائشہ اشعر کو یاد ہے کہ اُس دور میں سکول میں لڑکیوں کے میچ یا کالج میں ٹورنامنٹ کے کسی بھی میچ کو دیکھنے کی کسی مرد کو اجازت نہ تھی۔ اُن میچوں کو صرف وہ خواتین یا مرد دیکھ سکتے تھے جو اپنے کنبوں کے ساتھ آئے تھے۔ لڑکیوں کے لیے کراچی اور لاہور سے باہر کرکٹ کھیلنا محال تھی۔

لیکن اصل مسئلہ اب بھی مواقع میسر نہ ہونے کا تھا۔ ’’1980ء کی دہائی کے دوران غالباً دو فیصد لڑکیاں جن کے خاندانی پس منظر میں وسائل وغیرہ تھے، کرکٹ کھیلتی تھیں۔ دوسری لڑکیوں کو ضلع میچ کھیلنے کے لیے سواری کی ضرورت ہوتی تھی جسے کے اخراجات کو برداشت کرنا اُن کے بس سے باہر تھا۔ میں سکول میں کرکٹ کھیلتی تھی مگر میں اس لیے بھی کھیلتی تھی کیوں کہ مجھے کھیلنا اچھا لگتا تھا۔ میں اپنی پسند کے میچ لاہور کے کھلے میدان میں کھیلتی جن میں پتنگ باز بھی پتنگیں اڑا رہے ہوتے۔‘‘ اس وقت کی دوسری ہنرمند نوعمر کھلاڑی خواتین کی طرح عائشہ اشعر نے بھی ہاکی کو ترجیح دی جب اُسے پاکستان ہاکی ٹیم میں منتخب کر لیا گیا۔ ہاکی کے ذریعے خواتین کو عالمی اور پیشہ ورانہ طور پر کھیلنے کے مواقع ملتے تھے مگر کرکٹ میں اس وقت سکول اور کالج سے فارغ ہونے کے بعد کوئی مستقبل نہ تھا۔‘‘

پاکستان میں خواتین کرکٹ کی ایسوسی ایشن 1978ء میں معرضِ وجود میں آئی اور اس کا مرکز لاہور کالج برائے خواتین تھا۔ اس کی بانی خواتین میں سے ایک عذرا پروین نے یونیورسل خواتین کرکٹ کلب کے نام سے کلب بنائی جس کی شاخیں اہم شہروں میں بھی کھولی گئیں۔ یہ ابتدائی کوششیں دھڑے بازی، سماجی اور مذہبی عداوت اور عمدہ مواقع کے فقدان کے باعث ناکام ہوگئیں۔ 1980ء کی دہائی میں خواتین کرکٹ کی کہانی خاموشی اختیار کر گئی۔ مگر اگلی دہائی میں جب اِس کا سلسلہ دوبارہ شروع ہوا تو یہ اُسی پیچیدہ صورتحال سے دوچار تھی جس کی بازگشت پاکستانی مردوں کی کرکٹ کے علاوہ بذاتِ خود پاکستان کے حالات میں بھی سنی جاتی رہی ہے۔ ایک بار پھر ہم کراچی اور لاہور کے درمیان دشمنی، نااہل اور لاپرواہ نوکری شاہی، الزامات اور جوابی الزام تراشی، سازشیں اور لمبے قانونی جھگڑوں کو دیکھیں گے۔ مگر ہم طاقتور سماجی اور مذہبی قوتوں کے خلاف

دلیری اور کامیابی کا بھی مشاہدہ کرینگے۔ آخر کار ہم یہ بھی دیکھیں گے کہ مسلسل مشکلات کے باوجود پاکستان خواتین کرکٹ میں مواقع پیدا ہونا اور اس کا ترقی کی راہ پر گامزن ہونا۔

## خان سسٹرز

اگر چہ ان کے مخالفین کی نظر میں ان کا کردار باعث اختلاف ہے۔ مگر پاکستان کا عالمی کرکٹ میں لمبی تاخیر کے بعد داخلہ یقینی طور پر کراچی کی غیر معمولی خان سسٹرز کی ہمت اور محنت کا نتیجہ ہے۔

شائیزہ اور شرمین خان ایک کامیاب قالین ساز صنعت کار کی بیٹیاں تھیں جس نے انہیں 1980ء کی دہائی میں تعلیم حاصل کرنے انگلینڈ بھیجا۔ وہاں انہوں نے سکول اور یونیورسٹی کے لیے کرکٹ کھیلنے کے علاوہ لندن کے جنوب مغرب میں واقع مانی ہوئی گنز بیری کلب (Gunnersbury Club) کے لیے بھی کھیلا۔ اور کاؤنٹی درجہ پر وہ مڈل سیکس کے لیے کھیلیں۔ وہ کہتی تھیں کہ 1993ء کے خواتین کے عالمی کپ کے لیے وہ انگلینڈ کی ٹیم میں منتخب ہوتے ہوئے رہ گئیں۔ چوں کہ اُن کے پاس برطانوی شہریت نہیں تھی سو آخری لمحہ پر آکر وہ منتخب ہوسکیں۔

اس وقت انہوں نے فیصلہ کیا کہ وہ اگلے عالمی کپ میں پاکستانی ٹیم کے ساتھ شریک ہوں گی۔ اور اس حوالے سے انہوں نے خواتین کی عالمی کرکٹ کونسل کو خط لکھا۔ (دنیا میں اس وقت خواتین کی عالمی کرکٹ اس ادارے کے زیر اثر تھی۔ جب کہ آئی سی سی کے زیر اختیار صرف مردوں کی کرکٹ تھی) کہ وہ پاکستان کی نمائندگی کرنا چاہتی ہیں اور 1997ء کے عالمی کپ میں شامل ہونے کے لیے انہیں کن ضوابط کو پورا کرنا ہوگا۔ جہاں خواتین کرکٹ کی عالمی کونسل کے افسران نے اُن سے کہا کہ 1997ء میں وہ اپنی ٹیم بھیجیں جس کا خیر مقدم کیا جائے گا۔ لیکن یہ کرنے کے لیے ضروری ہے کہ پاکستان میں اُن کی رہائش کا عرصہ ایک سال ہو اور انہوں نے مقامی ضروری شرائط کو پورا کیا ہو۔ اور عالمی کپ شروع ہونے سے پہلے کم از کم تین بین الاقوامی میچوں میں حصہ لینے میں کامیاب ہوگئی ہوں۔

انگلستان میں یونیورسٹی کی تعلیم کو خیر باد کہتے ہوئے وہ 1996ء میں پاکستان واپس آگئیں۔ انہوں نے عارف عباسی جو اس وقت پاکستان کرکٹ بورڈ کا افسر اعلیٰ تھا کی مدد سے کراچی میں ایسوسی ایشن قائم کر لی۔ جسے محدود کمپنی کے طور پر رجسٹر کروایا گیا۔ اور پاکستان کرکٹ بورڈ سے اُسے تسلیم کروالیا۔ اس کا اشتعال انگیز نام پاکستان وومن کرکٹ کنٹرول ایسوسی ایشن PWCCA رکھ لیا گیا۔

اُن کے پاس اب محدود وقت تھا جس میں انہیں ایک ٹیم بنانا تھی اور عالمی کپ میں شمولیت کی شرط کو پورا کرنے کے لیے تین بین الاقوامی مقابلوں میں ضروری حصہ بھی لینا تھا۔ اپنے نئے ادارے کو فعال

بنانے کے لیے انہوں نے اخبارات میں اشتہارات شائع کروائے جن میں پاکستان بھر سے لڑکیوں کو دعوت دی گئی کہ وہ آکر عالمی کپ کے لیے ٹیم میں شامل ہونے کے لیے اپنا امتحان دیں۔ انہوں نے اپنی ٹیم اور پاکستان کے سابقہ مرد ٹیسٹ کھلاڑیوں کے مابین بھی میچ کے اہتمام کی کوشش کی۔

اس آغاز کا اچھا ردِ عمل نہ ہو سکا۔ شائیزہ خان نے مجھے بتایا کہ ''بنیاد پرست اخبارات میں انہیں روزانہ دھمکیاں دی جانے لگیں کہ ہمارے گھر پر پتھراؤ کیا جائے گا۔ وہ لوگ خواتین کے کسی بھی نئے کام کے مخالف تھے۔ ہمیں جان سے ماردینے تک کی دھمکیاں ملیں۔'' کراچی پولیس کا کمشنر فساد سے خوفزدہ تھا اور اُس نے انہیں پُر زور مشورہ دیا کہ وہ میچ کھیلنے سے باز رہیں۔ اور بالآخر انہیں صرف لڑکیوں کے مابین میچ کھیلنا پڑا اور وہ بھی باپردہ چاردیواری کے اندر جسے دیکھنے کی ایک بھی مرد کو اجازت نہ تھی۔ صرف آٹھ ہزار پولیس نفری موجود تھی جس میں پولیس کمشنر بھی شامل تھا۔ ''ہمیں اپنے میچ کی کسی نہ کسی طرح تشہیر کرنا تھی۔'' شائیزہ خان نے مجھے بتایا۔ ''اگر ہم اس میچ کو معطل کر دیتیں تو ہماری ہمیشہ کے لیے موت ہو جاتی۔'' بیرونی مداخلت سے تحفظ اور بنیاد پرستوں کی دھمکیوں سے بچنے کی خاطر اُن کے والد نے اپنے قالینوں کے کارخانے کا کچھ حصہ اور اس کے میدان کو نجی کرکٹ مرکز کے لیے وقف کر دیا۔ اس میں دو صحیح پچ بنائی گئیں۔ اور ٹینس کھیلنے کی جگہ پر مشق کرنے کے لیے نیٹ لگا دیا گیا جس میں باؤلنگ کرنے کی مشین نصب کر دی گئی۔ اس کے علاوہ ورزش کرنے کا انتظام اور تیرنے کے لیے تالاب بھی مہیا کر دیئے گئے۔ سب سے اہم پہلو یہ تھا کہ وہاں کھلاڑیوں کی رہائش کا بھی انتظام تھا۔

اخباری اشتہارات کے نتیجے میں سینکڑوں جواب موصول ہوئے جن میں سے تقریباً بیس لڑکیاں جن میں زیادہ تر ہاکی کھیلنے والی تھیں میں کچھ صلاحیت نظر آئی۔ (شائیزہ اور شرمین خان نے مجھ سے تصدیق کرتے ہوئے کہا کہ اس وقت لڑکیوں کے لیے کرکٹ کی نسبت ہاکی کھیلنا زیادہ آسان تھی کیوں کہ خواتین کی ہاکی اولمپک کھیل تھا۔ پاکستانی مرد حضرات خواتین کا کرکٹ کھیلنے کے سخت مخالف تھے۔ اُن کا موقف تھا کہ ہم چھکا نہیں مار سکتیں اور صرف بھاگ کر ایک رن لے سکیں گی)۔

خاص طور پر ہنرمند اٹھارہ سالہ کرن بلوچ نئی کھلاڑی کے طور پر ٹیم میں شامل ہوئی۔ اس کے والد نے بلوچستان کے لیے قائداعظم ٹرافی میں کھیل رکھا تھا اور گھریلو خاندانی میچوں میں اپنے ہم نژاد بہن بھائیوں کے خلاف کرن بلوچ کی حوصلہ افزائی کرتے تھے۔ ''مجھے میرے والد نے آف سپن اور لیگ سپن کرنا سکھائی۔ پھر مجھے آگے بڑھ کر اور پیچھے ہٹ کر کھیلنا سکھایا۔'' مگر جب اُس نے کالج کے امتحانات کو ترک کر کے عالمی کپ سے پہلے اس میں شمولیت کی شرط پورا کرنے کے لیے آسٹریلیا اور نیوزی لینڈ کے دورہ میں شامل ہونے کا عندیہ دیا تو یہ معاملہ کچھ اور تھا۔ عارف عباسی کی مدد سے وہ اپنے والد کو راضی کرنے میں کامیاب ہوگئی کہ

پاکستان کی پہلی خواتین کرکٹ ٹیم کا حصہ بننا نہ صرف ایک منفرد اعزاز تھا بلکہ ایک غیر معمولی تجربہ بھی۔

عالمی کپ میں شمولیت کی شرط کو پورا کرنے کا یہ دورہ (بقول خان سسٹرز) اولمپک کھیلوں کے علاوہ کسی بھی پاکستانی خواتین کی مکمل ٹیم کا پہلا دورہ تھا۔ ''اس سے بیشتر خواتین کی کوئی ٹیم ہاکی کھیلنے یا بیڈمنٹن کھیلنے ملک سے باہر نہیں گئی تھی۔ یہ بند دروازہ ٹیم نے کھولا۔ خواتین کی ہاکی ٹیم ہمارے جانے کے چھ ماہ بعد ملک سے باہر گئی۔'' نئی کرکٹ ٹیم کو مکمل طور پر مات دکھائی گئی۔ جیسا کہ کرکٹ کے تمام درجات میں اکثر ہوتا ہے نیوزی لینڈ کی میزبان ٹیم نے اپنے مہمانوں کا مبالغہ آمیز اندازہ لگا رکھا تھا۔ اپنے پہلے بین الاقوامی میچ میں پاکستان خواتین 33.3 اوورں میں صرف 56 رنز بنا کر آؤٹ ہوگئیں۔ (کرن بلوچ نے سب سے زیادہ رنز بنائیں۔ اس نے چوالیس منٹ کھیل کر 19 رنز بنائے) اگلے روز اُن کی میزبان ٹیم نے ان کے خلاف 455 رنز بنا ڈالے جس کے بعد پاکستانی ٹیم کو 408 رنز سے یادگار شکست ہوئی۔ آسٹریلیا کے خلاف پاکستانی خواتین کی ٹیم صرف 23 رنز پر آؤٹ ہوگئی اور اُسے 374 رنز کی شکست سے دو چار ہونا پڑا۔ ''ہم افسوس کی ماری دو روز تک بستر سے نہ اٹھ سکیں۔''

اِن افسوسناک نتائج کے باوجود ٹیم کے کئی نئے خیر خواہ اور دوست پیدا ہو گئے اور سب سے بڑھ کر ہندوستان میں منعقد ہونے والے آئندہ عالمی کپ میں شمولیت کی شرط کو پورا کر دیا گیا۔

## متنازع شناخت

یہ کوئی حیرت کی بات نہ تھی کہ اِن نتائج کے بعد دورہ پر جانے والی ٹیم کی کچھ ارکان نے حوصلہ ہارتے ہوئے خان سسٹرز کے دستے سے علیحدگی اختیار کر لی۔ دونوں بہنوں نے کراچی میں اپنے والد کے کارخانے کے میدان میں اپنا تربیتی کیمپ جاری رکھا۔ اور بہ مشکل تمام عالمی کپ میں شرکت کے لیے ایک ٹیم اکٹھی کر سکیں۔ انہیں دو اور بھی دھچکے برداشت کرنا پڑے۔ پہلا یہ کہ اُن کے سرپرست عارف عباسی کی جگہ پاکستان کرکٹ بورڈ میں افسرِ اعلیٰ کے طور پر ماجد خان کو لگا دیا گیا۔ دونوں بہنوں نے ماجد خان کی وضاحت کرتے ہوئے مجھ سے کہا کہ ''وہ نا معقول قسم کا عورتوں سے تعصب رکھنے والا پٹھان ہے۔'' جس نے اُن کی تمام تر کوششوں کی حوصلہ شکنی کی۔ اُنھیں سٹیڈیم کے استعمال سے محروم کر دیا گیا اور نیٹ پر مشق کرنے اور پچ کے استعمال کرنے کی قیمتوں میں چار گنا اضافہ کر دیا گیا۔ وہ ملکی کوچ کی خدمات حاصل کرنے سے بھی محروم رہیں اور انہیں اپنے طور پر خواتین کرکٹ کی آسٹریلوی کوچ جوڈی ڈیوس (Jody Davis) کی خدمات حاصل کرنا پڑیں۔ تاہم ماجد خان سے جب میں نے یہ ذکر کیا تو اُس کی یادیں مختلف تھیں۔ اُس نے ہاتھ جھٹکتے ہوئے کہا، ''میں اُس کام میں شریک ہونا نہیں چاہتا تھا، میرے پاس اپنی کرکٹ کے بے شمار مسائل تھے۔''

یعنی مردوں سے متعلق۔ کرکٹ کے معاملات منصفانہ طور پر یہ بات درست تھی کیوں کہ ماجد خان کو بے شمار مصائب کا سامنا تھا۔ جن میں متعدد بار کپتان تبدیل کرنے کا مسئلہ، ذاتی جھگڑے، نظم وضبط کی مشکلات اور میچ بنا کر بے ایمانی کی پہلی بڑی الزام تراشی شامل تھے۔ (دیکھیے باب نمبر 20)۔

ماجد خان کو خان سسٹرز کے خلاف لاہور کے ایک طاقتور دھڑے کے ارکان کا بھی سامنا تھا۔ جن کا موقف تھا کہ پاکستان کی نمائندگی کرنا اُن کا حق تھا۔ جیسا کہ بیان کیا جا چکا ہے کہ 1978ء میں لاہور میں طاہرہ حمید[1] کی سربراہی میں پاکستان خواتین کرکٹ ایسوسی ایشن کی بنیاد رکھی گئی تھی۔ اس کے تحت خواتین میں کرکٹ ٹورنامنٹ کے مقابلے ترتیب دیئے گئے جس کے بعد یہ دو دھڑوں میں تقسیم ہوگئی۔ دونوں کا اصرار یہ تھا کہ وہ اصلی پاکستان خواتین کرکٹ ایسوسی ایشن ہے۔ 1997ء تک بیگم طاہرہ حمید کا دھڑا غیر فعال ہو چکا تھا اور بیگم شیریں جاوید کی سربراہی میں دوسرا دھڑا خواتین کرکٹ کے ٹورنامنٹ منعقد کروا رہا تھا۔

بیگم شیریں جاوید ایک اہم شخصیت تھی۔ اس کے سیاست اور کرکٹ میں مضبوط تعلقات اور اثر و رسوخ تھا۔ اس کا بہنوئی پاکستان کا سابق ٹیسٹ کھلاڑی اعجاز بٹ تھا جو بعد میں انتہائی مشکل حالات میں پاکستان کرکٹ بورڈ کا سربراہ بنا۔ 1988ء میں بیگم شیریں جاوید کے ساتھ ایک طاقتور مددگار ساتھی کی شکل میں بشریٰ اعتزاز مل گئی جس کا شوہر اس وقت داخلی امور کا وزیر تھا۔ دونوں نے ملک کر پاکستان کرکٹ بورڈ، صوبائی اور مرکزی حکومتوں کے سامنے خواتین کرکٹ کے حق میں بات چیت کا سلسلہ شروع کیا کیوں کہ اس وقت تک خواتین کرکٹ کو سرکاری طور پر کوئی حمایت حاصل نہ تھی۔ بیگم بشریٰ اعتزاز نے مجھے بتایا کہ ''ہم اُن پر دباؤ ڈال رہے تھے اور وہ ہم پر ہنس رہے تھے کہ ''اچھا تو یہ تمام خواتین پاکستان کے لیے کرکٹ کھیلنا چاہتی ہیں؟'' وہ اچھا اچھا تو کہہ رہے تھے مگر کوئی بھی اسے سنجیدگی سے نہیں لے رہا تھا۔ خیر ہم آگے بڑھے اور ہم نے چاروں صوبوں میں شاخیں قائم کر دیں۔ ہمارے ساتھ سیاستدان خواتین اور معروف خواتین تھیں جو اِن شاخوں کی سربراہ تھیں اور جن کی بدولت خواتین میں اعتماد پیدا ہو سکتا تھا۔ اس طرح پاکستان میں ہمارے پاس چار ٹیمیں بن گئیں۔

شیریں جاوید اور بشریٰ اعتزاز کے زیر اثر پاکستان وومن کرکٹ ایسوسی ایشن نے خان سسٹرز کی پیش قدمی کے خلاف سختی سے اعتراضات اُٹھائے۔ انہوں نے اپنے طور پر پاکستانی ٹیم مرتب کرنے کے لیے خواتین کھلاڑیوں کا امتحان لینا شروع کر دیا۔ جس میں عائشہ اشعر شامل تھی۔ اُن کے نزدیک خان سسٹرز پیسے کے بل بوتے پر غاصبانہ قبضہ جما رکھا تھا اور ان کا حق ناجائز طور پر استعمال کیا تھا۔ عائشہ اشعر نے مجھے اپنے دل ٹوٹنے کے اس وقت کے احوال سنائے۔ ''ہم نے ایک لمبے عرصے تک مشق کی تھی۔ مجھے یاد ہے کہ چھ ماہ تک محنت کی تھی مگر ہم کھڑی دیکھتی رہ گئیں اور کسی اور نے پاکستان ٹیم کے نام پر جا کر کھیل لیا۔ بنیادی طور پر

یہ وہ وقت تھا جب میں نے کرکٹ کو خیر باد کہہ دیا۔"

مقابلے میں آئے ہوئے دونوں دھڑوں نے ایک دوسرے کا سخت مقابلہ کیا۔ پاکستان کرکٹ بورڈ کی تفتیشی معائنے کی شاخ کے سکتہ طاری کرنے والے الفاظ میں جس نے بعد میں معاملہ سلجھانے کی نا کام کوشش کی کہ "قومی اخبارات میں دونوں ایسوسی ایشنوں کے نمائندوں کے بیانات اور جوابی بیانات شائع ہوئے جن میں ایک دوسرے پر تنقید کی گئی تھی اور ہر دو کی طرف سے دعویٰ تھا کہ وہی اصلی اور واحد ادارہ ہے جسے پاکستان میں خواتین کی کرکٹ کے معاملات پر اختیار ہے۔ مختلف ایسوسی ایشنوں کے درمیان الفاظ کی اِس جنگ نے شرافت کی تمام حدود پار کر ڈالیں۔"2

اس تلخ لڑائی میں خان سسٹرز کے ادارے کو ایک اہم ٹیم کے ہونے کی برتری حاصل تھی (اگرچہ وہ ٹیم تخفیف کا شکار تھی) جسے پاکستان کرکٹ بورڈ اور بین الاقوامی خواتین کرکٹ کونسل نے تسلیم کر رکھا تھا۔ انہوں نے لاہور کے دھڑے کے اعتراضات کو مسترد کر دیا۔ خان سسٹرز کو روکنے کی غرض سے لاہوری دھڑے نے عدالت (ہائی کورٹ) کی طرف رجوع کیا۔ اس کے علاوہ اُس نے ماجد خان اور قومی اسمبلی کی کھیلوں کی کمیٹی کو بھی اپنے ساتھ ملانے کی کوشش کی۔

نتیجتاً خان سسٹرز اور اُن کی ٹیم پر سرحدوں پر دُخول وخروج کے منتظم ادارے نے ملک سے باہر جانے پر پابندی لگا دی اور عالمی کپ میں حصہ لینے کے لیے جانے کی اجازت دینے سے انکار کر دیا۔ اس مسئلہ کو حل کرنے کے لیے انہوں نے اپنی ٹیم کو چھوٹی چھوٹی ٹولیوں میں تقسیم کر لیا اور کرکٹ کھیلنے کے سامان اور لباس کو ڈبوں میں چھپاتے ہوئے کراچی سے علیحدہ جہاز پر سفر کا آغاز کیا۔ کھلاڑیوں نے سفر کے دوران لباس تبدیل کرتے ہوئے پاکستان خواتین کرکٹ ٹیم کا لباس پہن لیا۔

خان سسٹرز کے مطابق اُن کی ٹیم کم ہو کر اب صرف گیارہ کھلاڑیوں پر مشتمل تھی۔ جب انہوں نے عالمی کپ میچوں میں متبادل کھلاڑی کی ضرورت پیش آتی تو وہ اس کے لیے اپنے مقامی ہندوستانی میزبانوں کی منت سماجت کرتیں۔ اُن کی تو سرکاری طور پر اور نہ ہی کسی تجارتی ادارے کی طرف سے کسی قسم کی حمایت یا معاونت کی گئی۔ عالمی کپ کے اس تفریحی دورے کے تمام تر اخراجات جو ایک لاکھ امریکی ڈالر کے قریب تھے خان سسٹرز کے والد نے اٹھائے۔

یہ کوئی اچنبھے کی بات نہ تھی کہ پانچ کہیں زیادہ تجربہ کار اور بہتر ذرائع کی حامل ٹیمیں اُن پر حاوی ہوگئیں۔ ڈنمارک کے خلاف انہیں آٹھ وکٹوں سے شکست ہوئی۔ اُن کی ٹیم 30 اوورں میں 66 رنز کے عوض آؤٹ ہوئی تھی۔ انگلینڈ کے خلاف اُن کی بیٹنگ میں بہتری آئی۔ انہوں نے 3 کھلاڑیوں کے نقصان پر 47 اووروں میں 146 رنز بنائے تھے۔ شرمین خان نے 41 رنز بنائے۔ کرن بلوچ نے 22 رنز اور شائیزہ خان

نے 35 نا قابل شکست رنز کیے۔ مگر انگلینڈ کی ٹیم پہلے ہی دو کھلاڑیوں کے نقصان پر 50 اووروں میں 376 رنز بنا چکی تھی۔ اُن کی اصلی بدبختی آسٹریلیا کے خلاف ہوئی جب 82 گیندوں پر 27 رنز کے عوض تمام ٹیم آؤٹ ہو گئی۔ آسٹریلیا نے جیتنے کا ہدف 37 گیندوں میں حاصل کر لیا، جن میں تین گیندیں بلے بازی کی حد سے باہر وائیڈ تھیں۔ آسٹریلوی ٹیم کی صرف ایک کھلاڑی رن آؤٹ ہوئی تھی۔ جنوبی افریقہ کے خلاف انہوں نے مخالف ٹیم کی سات کھلاڑی آؤٹ کر کے انہیں 258 رنز پر محدود رکھا۔ لیکن نا تجربہ کاری کی وجہ سے 46 گیندیں بلے بازی کی حدود سے باہر (Wide) کی گئیں۔ پاکستانی ٹیم نے اچھا آغاز کرتے ہوئے پہلی وکٹ کی شراکت میں 84 رنز بنا لیے جس میں شرمین خان نے 48 رنز کیے تھے۔ مگر پھر تمام ٹیم 109 رنز کے عوض آؤٹ ہو گئی۔ آئیرلینڈ کے خلاف شرمین خان نے اپنی لیگ سپن باؤلنگ کے ذریعے 42 رنز کے عوض تین وکٹیں حاصل کر لیں۔ آئیر لینڈ نے سات وکٹوں کے نقصان پر 242 رنز بنائے۔ مگر پاکستانی ٹیم جوابی طور پر 30. اووروں میں صرف 60 رنز بنا کر آؤٹ ہو گئی۔

البتہ عالمی کپ میں حصہ لینے کی غرض سے شرائط پوری کرتے ہوئے اس دورے کے ذریعے ٹیم کے کئی ایک خیر خواہ اور دوست بنے۔ اُن کے تمام حریفوں نے کہا کہ ''آپ کا یہاں آ جانا ہی دراصل آپ کی فتح ہے۔''

## باہمی الزام تراشیاں اور کارنامے

اس پہلے عالمی کپ مقابلے کے بعد پاکستان خواتین کرکٹ میں تقریباً دس سال تک اقتدار کے لیے جدوجہد جاری رہی۔ اس جدوجہد کی کھینچا تانی عدالتوں میں ہوتی رہی۔ پاکستان کرکٹ بورڈ میں ہوئی اور اس کے علاوہ قومی اسمبلی سے لے کر ذرائع ابلاغ تک میں بھی ہوئی۔ خان سسٹرز کی پاکستانی خواتین کرکٹ ٹیم سے متعلق حیثیت اسی کرایہ دار جیسی رہی جس کے پاس قبضہ ہو۔ اس میں انہیں انٹرنیشنل خواتین کرکٹ کونسل کی حمایت حاصل رہی جو پاکستان میں جاری جھگڑوں میں ملوث ہونے سے گریزاں رہی۔

1998ء میں بیگم شیریں جاوید کے زیر اثر لاہور میں قائم پاکستان خواتین کرکٹ ایسوسی ایشن (PWCA) نے پاکستان کرکٹ بورڈ اور پاکستان سپورٹس بورڈ کے سامنے اپنا موقف رکھا۔ جس پر ایک تفتیشی کمیٹی وجود میں آئی جسے یہ تعین کرنا تھا کہ پاکستانی خواتین کرکٹ کھلاڑیوں کی نمائندگی کا حق کس کے پاس ہے۔ خان سسٹرز نے اس کمیٹی سے اپنے آپ کو قطع کیے رکھا جو بیگم شیریں جاوید کی حمایت کر رہی تھی۔ مگر پاکستان کرکٹ بورڈ کے تمام اراکین نے اِس رپورٹ کو رد کر دیا کیوں کہ وہ بنیادی معاملات کو حل کرنے میں ناکام تھی۔ اس کے بعد پاکستان خواتین کرکٹ ایسوسی ایشن نے تفتیشی کمیٹی کی اُن کے حق میں کی گئیں

سفارشات کو عدالت (ہائی کورٹ) کے ذریعے لاگو کرنے کی کوشش کی مگر جون 2002ء میں وہ معاملہ پھر پاکستان کرکٹ بورڈ کی طرف لوٹ آیا۔ پاکستان کرکٹ بورڈ کا اب سربراہ جنرل پرویز مشرف کا نامزد جنرل توقیر ضیا تھا جس نے ایک نئی تفتیشی کمیٹی کا انعقاد کر دیا۔ جس کا سربراہ برکی خاندان کا بزرگ فرد اور لاہور کرکٹ کے بزرگ رکن جاوید زمان کو بنا دیا گیا۔ کمیٹی کے دوسرے ارکان میں 1980ء کی دہائی کا بین الاقوامی کھلاڑی اعجاز فقیہ اور نامور قانون دان فاروق رانا تھا۔

اسی دوران خان سسٹرز کی نگرانی میں پاکستان خواتین کرکٹ ٹیم نے اپنے دو ٹیسٹ میچ کھیلنے کے علاوہ یکے بعد دیگرے کئی ایک روزہ عالمی میچ بھی کھیل ڈالے۔ پہلا ٹیسٹ میچ اپریل 1998ء میں سری لنکا کے خلاف کولمبو میں کھیلا گیا۔ پاکستانی ٹیم کو اس میں 305 رنز سے شکست ہوئی۔ مگر پاکستان کی طرف سے کئی عمدہ کارکردگیاں دیکھنے میں آئیں۔ شرمین خان نے سری لنکا کی پہلی اننگز میں 23 رنز کے عوض 3 وکٹیں لیں۔ شائیزہ خان نے میچ میں 6 وکٹیں حاصل کیں اور پاکستان کی پہلی اننگز میں کرن بلوچ نے 76 رنز بنائے۔ سری لنکا نے تینوں ایک روزہ میچوں کو بہ آسانی جیت لیا۔ مگر پاکستان کے لیے کچھ اور خوش آئند لمحات تھے جن میں شائیزہ خان نے 46 رنز کے عوض 4 وکٹیں لیں اور نو عمر وکٹ کیپر عاصمہ فرزند (سابقہ ہاکی گول کیپر) نے 60 رنز بنائے تھے۔

ٹیم نے 2000ء میں آئیر لینڈ اور انگلینڈ کا دورہ کیا۔ آئیر لینڈ کے خلاف کھیلے جانے والے واحد ٹیسٹ میچ میں پاکستانی ٹیم دونوں اننگز میں 53 اور 86 رنز بنا سکی اور ایک اننگز سے شکست ہوئی۔ (از وبیل جوئیس (Isobel Joyce) جو مڈل سیکس ۔ سسیکس (Sussex) ۔ انگلینڈ اور آئیر لینڈ کے ایڈ جوئیس (Ed Joyce) کی بہن ہے، نے پاکستان کی دوسری اننگز میں 21 رنز دے کر چھ وکٹیں حاصل کیں) اس کے علاوہ آئیر لینڈ نے چار ایک روزہ میچ بھی آسانی سے جیت لیے۔ تاہم انگلینڈ میں پاکستانی ٹیم ایم سی سی کی ٹیم کو ہرانے میں کامیاب ہو گئی جس پر انہیں ملکہ برطانیہ کی طرف سے مبارکباد کا خط موصول ہوا۔[3]

نیوزی لینڈ میں منعقد ہونے والے خواتین کرکٹ کے 2000ء کے عالمی کپ میں پاکستان ٹیم شامل نہ ہو سکی۔ مگر اندرون ملک کراچی میں نیدر لینڈز کے خلاف 2001ء میں پاکستانی ٹیم نے اپنی پہلی بین الاقوامی فتح حاصل کی۔ یہ جیت آخری اُوور میں ایک وکٹ سے ملی۔ اس فتح میں اُن کی مخالف ٹیم نے 45 رنز وائیڈ کی مد میں دے کر اُن کی مدد کی تھی۔ مگر آل راؤنڈر ساجدہ شاہ جس کی سرکاری طور پر عمر صرف تیرہ سال تھی نے نا قابل شکست 28 رنز بنا کر پاکستانی اننگز کی بنیاد رکھی۔ پاکستان کو جب دوسرے ایک روزہ میچ میں فتح حاصل ہوئی تو ولندیزی خواتین نے اُنہیں اس بار 67 وائیڈ رنز دی تھیں۔ مگر اس فتح کا سہرا پھر بھی شائیزہ خان کے سر ہے جس نے ولندیز خواتین کی 35 رنز کے عوض 5 وکٹیں لی تھیں۔ اس کے بعد اس نے 33 رنز کے عوض چار وکٹیں لیں۔ اور 28 رنز بھی بنائے۔ ساجدہ شاہ نے 22 رنز کے عوض 4 کھلاڑی آؤٹ کیں۔ اور اس طرح

پاکستان کو 0-3 کی سبقت حاصل ہوگئی۔ ولندیزی ٹیم نے دوبارہ ہمت دکھائی مگر تب تک پاکستان 3-4 سے میچوں کا سلسلہ جیت چکا تھا۔ البتہ جب پاکستانی ٹیم 2002ء میں سری لنکا کے جوابی دورے پر پہنچی تو اُسے چھ ایک روزہ میچوں میں شکست کا منہ دیکھنا پڑا۔ پانچویں ایک روزہ میچ میں انہوں نے سری لنکا کو 119 رنز کے عوض آؤٹ تو کرلیا مگر پاکستانی ٹیم کی بے بازی اپنی مخالف ٹیم کی عمدہ باؤلنگ کے خلاف بے حد کمزور ثابت ہوئی۔ وہ کسی بھی ایک روزہ عالمی میچ میں 100 رنز تک نہ بنا پائیں۔

ان تمام میچوں میں سے کسی ایک کو بھی نہ تو سرکاری طور پر اور نہ ہی کسی تجارتی ادارے سے کوئی مالی معاونت حاصل نہ تھی۔ پاکستانی ٹیم کے تمام اخراجات خان قالین ساز کارخانے نے برداشت کیے۔

جنوری 2003ء میں تفتیشی کمیٹی نے پاکستان کرکٹ بورڈ کو اپنی رپورٹ پیش کی۔ اُس میں خان سسٹرز کے تربیت کے طریقوں اور اُن کے پاس میسر اُن کی سہولتوں کی تعریف کی گئی۔ رپورٹ کے مطابق اُن کی یہ تمام چیزیں جن میں بنیادی ڈھانچے کے علاوہ کرکٹ کھیلنے کا لباس، سکول میں تربیت اور کلب میچ لاہور کی پاکستان ومن کرکٹ ایسوسی ایشن سے بہت بہتر تھیں۔ اُس رپورٹ میں یہ بھی واضح کیا گیا کہ پی ڈبلیو سی اے (PWCA) کا نہ تو کوئی حتمی آئین ہے اور نہ ہی کوئی قانونی حیثیت ہے۔ اُس کے پاس نہ تو اپنا کوئی دفتر ہے اور نہ کوئی صحیح دفتری یادداشت موجود ہے۔

تاہم خان سسٹرز کے طریق کار میں ایک ایسوسی ایشن کی بجائے ایک اکیلی کلب کی شباہت نظر آتی تھی۔ لہٰذا وہ خواتین کی کرکٹ کا پاکستان میں اختیار حاصل نہیں کرسکتی تھیں۔ ان حالات کے تحت تفتیشی کمیٹی نے دونوں حریفوں میں کمزوریاں دیکھیں اور یہ سفارش کی کہ پاکستان کرکٹ بورڈ خواتین کرکٹ کے انتظام کو خود اپنے ہاتھوں میں لے لے۔ اور اپنے زیرسایہ اس کی علیحدہ شاخ برائے خواتین کا انعقاد کرکے اس کا انتظام کسی بااثر اور عمدہ شہرت کی حامل خاتون کے سپرد کردیا جائے۔ دونوں حریفوں میں کاری ضرب میں نرمی پیدا کرنے کی غرض سے سفارش کی گئی کہ خان سسٹرز کا ادارہ آگے بڑھ کر خواتین کرکٹ کے لیے سندھ اور بلوچستان میں نئی ایسوسی ایشن قائم کرے۔ جب کہ مسز شیریں جاوید کی سربراہی میں پاکستان خواتین کرکٹ ایسوسی ایشن پنجاب اور سرحد میں یہی فرائض سرانجام دے۔ اہم پہلو کے طور پر یہ بات سامنے آئی کہ پاکستان کرکٹ بورڈ کو ٹیم منتخب کرنے کے لیے غیر جانبدار اور اس کے معاملات کو سنبھالنے کے لیے کمیٹیاں تشکیل دینا چاہیے تاکہ قومی ٹیم اس کے زیراثر آجائے۔

تفتیشی کمیٹی کی سفارشات سے کسی کو بھی کوئی خاص خوشی حاصل نہ ہوئی۔ خان سسٹرز نے اُس پاکستان کرکٹ بورڈ کے سامنے جھکنے سے انکار کردیا جس نے خواتین کرکٹ کی کبھی حمایت نہیں کی تھی۔ اس کے علاوہ انہوں نے پاکستان ومن کرکٹ ایسوسی ایشن کے ساتھ اختیارات میں شراکت داری سے بھی انکار کر

دیا۔ تفتیشی کمیٹی کے سامنے اپنی عرضداشت میں انہوں نے یہ موقف اختیار کیا کہ اس کے پاس نہ تو بین الاقوامی تجربہ ہے۔ نہ ہی اس کی کوئی پہچان ہے۔ نہ ہی ان کا کوئی قانونی ڈھانچہ ہے اور نہ ہی اُن کے پاس خواتین کرکٹ کھلاڑیوں کی تعمیر و ترقی کا کوئی ریکارڈ ہے۔ اسی طرح پاکستان وومن کرکٹ ایسوسی ایشن بھی سخت خلاف تھی کہ پاکستان کرکٹ بورڈ خواتین کرکٹ کو اپنے عمل دخل تلے لے لے۔ ان کی ایک رکن نے پاکستان کرکٹ بورڈ کے خلاف جلوس نکالنے کا اہتمام کیا۔ بیگم بشریٰ اعتزاز نے مجھے بتایا کہ اس نے ایک گدھے پر چیئرمین پاکستان کرکٹ بورڈ کا نام لکھ کر اسے پریس کلب کے سامنے پھیرا۔ مقدمہ بازی دوبارہ شروع ہوگئی اور اس کے ساتھ ذرائع ابلاغ کی بھی جنگ چھڑ گئی۔

اُدھر خان سسٹرز کا ادارہ جسے اب تک انٹرنیشنل وومن کرکٹ کونسل (IWCC) تسلیم کر رہی تھی، نے ایک ٹیم تشکیل دی تا کہ وہ نیدر لینڈز میں مطلوبہ شرائط پورا کرنے کے لیے ہونے والے میچوں میں حصہ لے سکے جس کے بعد جنوبی افریقہ میں آئندہ ہونے والے 2005ء کے خواتین عالمی کپ میں شرکت ہو سکے۔ وہاں اس ٹیم نے جاپان کی حقیر ٹیم کو بُری طرح سے ہرا دیا۔ ساجدہ شاہ جواب سرکاری طور پر پندرہ سال کی عمر کو پہنچ چکی تھی نے صرف 4 رنز دے کر سات وکٹیں حاصل کرلیں۔ یہ وہ کارکردگی ہے جس مات کرنا مشکل نظر آتا ہے۔ جب کہ خورشید جبیں نے بقیہ تین وکٹیں 2 رنز کے عوض حاصل کرلیں۔ جاپانی ٹیم نے 26 رنز تو بنا لیے مگر اس میں 17 رنز کی امداد انہیں وکٹوں سے باہر کی مدد سے حاصل ہوئے تھے۔ پاکستان نے سکاٹ لینڈ کے خلاف کھیلا جانے والا میچ جس میں بہت کم رنز بنائے گئے تھے بھی جیت لیا۔ مگر نیدر لینڈ، ویسٹ انڈیز اور آئیر لینڈ کے ہاتھوں شکست کھانے کے بعد وہ عالمی کپ سے باہر ہوگئیں۔

2004ء میں پاکستان نے ویسٹ انڈیز کی میزبانی کرتے ہوئے کراچی میں پہلی دفعہ ٹیسٹ میچ کھیلنے والی ٹیم کے خلاف دو ایک روزہ میچ جیت لیے۔ اور کھیلے جانے والے واحد ٹیسٹ میچ میں اپنی عظیم ترین کارکردگی پیش کی۔ پاکستان کرکٹ بورڈ جس کا سربراہ اب سابق سفارتکار شہریار خان تھا۔ اس ٹیسٹ میچ کو ٹیسٹ کا رتبہ دینا نہیں چاہتا تھا۔ لیکن انٹرنیشنل وومن کرکٹ کونسل (IWCC) کی نظر میں یہ ٹیسٹ میچ ہی تھا۔ اسی بنیاد پر خان سسٹرز کے ادارے کو کراچی کا نیشنل سٹیڈیم ٹھیکے پر دے دیا گیا۔ عارف عباسی کے مطابق شہریار خان اس بات پر مقرر رہا کہ اس میچ کو سندھ اور ویسٹ انڈیز کے مابین تصور ہونا چاہیے تھا۔ عارف عباسی نے ٹیم کو مشورہ دیا کہ وہ رات کے اندھیرے میں نیشنل سٹیڈیم جا کر سکور بورڈ پر سندھ کی جگہ پاکستان کا لفظ لکھ دیں۔

پاکستان کے جھنڈے تلے کرن بلوچ اور ساجدہ شاہ نے بلے بازی کا آغاز کرتے ہوئے پہلی وکٹ پر 242 رنز بنائے جو خواتین ٹیسٹ کرکٹ میں واحد مثال ہے اور اس سے پہلے بین الاقوامی کرکٹ کی کسی ایک اننگز میں پاکستان نے کبھی اتنے زیادہ رنز نہیں کیے تھے۔ بدقسمتی سے ساجدہ شاہ 98 رنز بنا کر آؤٹ

ہو گئی مگر کرن بلوچ مسلسل کھیلتی رہی اور دوہری سنچری تک پہنچتے ہوئے ناقابلِ شکست 214 رنز بنا کر عالمی ریکارڈ قائم کر دیا۔[4]

اس کی ساتھی اس کی کپتان شائیزہ خان تھی جس نے اُسے پرسکون اور اس کی توجہ کو برقرار رکھا۔ اُس نے کرن بلوچ کو مزید 242 رنز تک کھیلنے دیا تاکہ پاکستان کا یہ ریکارڈ کوئی اور آسانی سے نہ توڑ سکے۔ یہ رنز 584 منٹ میں بنائے گئے۔ اور کسی بھی خاتون کی طرف سے یہ لمبی ترین اننگز تھی۔ پاکستان کے سات کھلاڑی آؤٹ ہونے پر 426 رنز بنا کر جب اننگز ختم کی گئی تو جواب میں ویسٹ انڈیز کی اننگز میں شائیزہ خان نے 59 رنز کے عوض 7 وکٹیں حاصل کر لین جن میں ہیٹ ٹرک بھی شامل تھی۔ فالو آن کرتے ہوئے ویسٹ انڈیز نے 146 اووروں میں 440 رنز کیے۔ شائیزہ خان نے اِن اووروں میں سے 55 اوور کیے اور 167 رنز کے عوض مزید 6 وکٹیں حاصل کیں۔ مگر پاکستان کو اتنا وقت نہ مل سکا کہ وہ 162 رن بنا کر ٹیسٹ میچ جیت سکے۔

شائیزہ خان کی تیرہ وکٹیں خواتین کے ٹیسٹ میچوں میں ایک اور سنگ میل تھا۔ مگر اس کی اور کرن بلوچ کی کارکردگی اُن کے اس یقین سے ماند پڑ گئی کہ اُن کا اپنا پاکستان کرکٹ بورڈ نہیں چاہتا تھا وہ جیتیں اور اس حوالے سے اُس نے امپائروں کو تنبیع کر رکھی تھی۔ اگرچہ اس بات کا کوئی ثبوت نہ مل سکا مگر میں نے اِس الزام کا حوالہ اس لیے دیا ہے تاکہ یہ بات سامنے آئے کہ اس وقت خان سسٹرز، ان کی ٹیم[5] اور پاکستان کرکٹ بورڈ کے مابین کس قدر عداوت چل رہی تھی۔[6]

## پاکستان کرکٹ بورڈ کا ذمہ داری سنبھالنا

یہ عظیم کارکردگی خان سسٹرز کے لیے آخری معرکہ ثابت ہوئی۔ اگلے سال انٹرنیشنل کرکٹ کونسل نے خواتین کی بین الاقوامی کرکٹ کی ذمہ داری سنبھال لی جو اب تک آزاد انٹرنیشنل وومن کرکٹ کونسل کے زیرِ اثر تھی۔ اس اقدام سے خان سسٹرز کا ادارہ پاکستان وومن کرکٹ کونسل ایسوسی ایشن بین الاقوامی پہچان سے محروم ہو گیا جو اُن کا قیمتی سرمایہ تھا۔ اسی سے پاکستان کرکٹ بورڈ کی راہ ہموار ہوئی اور اُس نے پاکستان خواتین کرکٹ کی ذمہ داری سنبھال لی۔

خواتین کرکٹ کی نئی شاخ کی پہلی سربراہ کے طور پر پاکستان کرکٹ بورڈ کے چیئرمین شہریار خان نے تعلیم کے شعبے کی نمایاں شخصیت بیگم میرا فیلبوس جس نے ایک لمبے عرصے تک لاہور کے معروف اور شاندار کینئرڈ کالج کی پرنسپل کی حیثیت سے خدمات سرانجام دی تھیں، کو سربراہ مقرر کر دیا۔ اسے خیال تھا کہ بیگم فیلبوس خواتین کرکٹ کو تازہ رہنمائی دینے میں کامیاب رہے گی۔ اور اسے دونوں متحارب دھڑوں سے بھی حمایت حاصل ہو گی۔ بدقسمتی سے میرا فیلبوس کو کرکٹ کا کوئی تجربہ منتظم یا کھلاڑی کی حیثیت میں نہیں تھا۔ اس

وجہ سے اُسے دونوں متحارب دھڑوں سے پذیرائی حاصل نہ ہو سکی۔ خان سسٹرز سکول ہیڈ مسٹریس کے زیر اثر آنے سے انکاری رہیں۔ ان کی جگہ عارف عباسی نے احتجاج کیا کہ پاکستان کرکٹ بورڈ (جو اس وقت بھی ہنگامی کمیٹی تلے تھا) کے پاس کوئی آئینی اختیار نہیں جس کے تحت وہ خان سسٹرز کی پاکستان وومن کرکٹ کونسل ایسوسی ایشن (PWCCA) کو ہٹا سکے۔

خان سسٹرز اور کرن بلوچ نے اس نئے نظام سے علیحدگی اختیار کر لی اور پھر دوبارہ وہ کبھی قومی ٹیم کے لیے نہ کھیلیں۔ اب وہ کرکٹ کھیلنے کا اپنا شوق انگلینڈ میں پورا کرتی ہیں۔ کسی بھی فریق پر کوئی فیصلہ صادر کیے بغیر افسوس سے کہنا پڑتا ہے کہ پاکستان خواتین کرکٹ نے اِن موجد اعانت اور کارنامہ سرانجام دینے والی خواتین کو فراموش کر دیا۔ 7

پاکستان وومن کرکٹ ایسوسی ایشن (PWCA) نے بیگم بشریٰ اعتزاز کے ذریعے بیگم فیلبوس کی تقرری پر اعتراض اٹھایا۔ اور بعد میں یہ دعویٰ بھی کیا کہ وہ کسی میٹنگ میں شریک نہیں ہوتیں۔ لاہور جیمخانہ کرکٹ عجائب گھر کے اعزازی منتظم جناب نجم لطیف نے اس بات کی سختی سے تردید کرتے ہوئے کہا کہ بیگم فیلبوس کو ناجائز طور پر مطعون کیا گیا۔ اور وہ دو متحارب دھڑوں کا شکار ہوئی۔ نجم لطیف نے مجھے بتایا کہ بیگم میرا فیلبوس ایک فعال اور محنتی سربراہ تھی جس نے پاکستان خواتین کرکٹ کو صحیح راستہ پر گامزن کیا۔ وہ اپنے ساتھ شریک ارکان میں مضبوط اور تجربہ کار شخصیات کو لے کر آئی تھی جس میں پاکستان کرکٹ ٹیم کے سابق کپتان عمر رسیدہ امتیاز احمد بطور صلاح کار اور لاہور خواتین کرکٹ کی آل راؤنڈر شمسہ ہاشمی بطور منتظم شامل تھے۔

مختصر یہ کہ شمسہ ہاشمی نے قومی خواتین کرکٹ کے مقابلے منعقد کیے جن میں 9 صوبائی ٹیموں نے شرکت کی۔ مقابلوں کے اس پہلے سال کراچی کی ایک ٹیم نے فتح پائی جس میں تمام نو وارد چہرے تھے۔ شمسہ ہاشمی اور امتیاز احمد دونوں کو اُس وقت نکال دیا گیا جب 2008ء میں بیگم فیلبوس کی جگہ بیگم شیریں جاوید نے لے لی۔ شمسہ ہاشمی کی جانشین عائشہ اشعر نے اپنی پیشرو کی توانائی کی مجھ سے تعریف کرتے ہوئے کہا کہ اس کی تنظیمی ہنرمندی کھیل میں کھلاڑی کی حیثیت سے اُس کی دلچسپی، قومی ٹیم کو منتخب کرنے کی ذمہ داری اور ٹیم کی مینیجر کی حیثیت کی نذر ہو گئی۔

بین الاقوامی طور پر اس نئی جماعت کو اُس وقت زبردست کامیابی حاصل ہوئی جب دہلی خواتین کی ٹیم پاکستان کا دورہ کرنے والی ہندوستان سے پہلی خواتین کرکٹ ٹیم کے طور پر پاکستان کے دورہ پر آئی۔ اُس نے پاکستان کی نئی ٹیم جس کی قیادت لاہور کی ثنا جاوید کر رہی تھی، کو تمام کے تمام پانچ میچوں میں شکست دی۔ اس کامیاب دورہ سے پاکستان کو پہلا بین الاقوامی ٹورنامنٹ منعقد کرنے کا حوصلہ حاصل ہوا۔ جس کی بدولت دوسرا خواتین کرکٹ کا ایشیائی کپ دسمبر 2005ء سے جنوری 2006ء کے درمیان کھیلا گیا جس میں پاکستان،

ہندوستان اور سری لنکا نے حصہ لیا۔ پاکستان کو اپنے پہلے بین الاقوامی میچ میں ہندوستان کی تجربہ کار ٹیم کے ہاتھوں زبردست شکست ہوئی۔ اور پھر ٹورنامنٹ کے تمام میچوں میں بھی شکست ہوئی۔ پاکستانی ٹیم کی اگلی بین الاقوامی مہم جنوبی افریقہ کا دورہ تھا۔ جس میں چار ایک روزہ بین الاقوامی میچوں میں شکست ہوئی اور ایک میچ کسی نتیجہ کے بغیر رہا۔

اس کے بعد پاکستان کو حق حاصل ہوا کہ وہ 2008ء کے شروع میں شرائط پر پورا اترنے کی غرض سے کھیلے گئے میچوں کی آئندہ عالمی کپ میں شمولیت کے لیے میزبانی کرے۔ تاہم سیاسی افراتفری جس کی بدولت پرویز مشرف کی حکومت لڑکھڑا رہی تھی کی وجہ سے ان میچوں کو جنوبی افریقہ منتقل کر دیا گیا۔ جہاں پاکستان کو عالمی کپ تک پہنچنے میں مسلسل کامیابیاں حاصل رہیں۔ پاکستان ٹیم نے اسکاٹ لینڈ کو صرف 26 رنز کے عوض آؤٹ کر دیا۔ اور زمبابوے کو بھی بُری طرح سے شکست دی۔ اور سب سے بڑھ کر اہمیت یہ حاصل ہوئی کہ اس نے آئیرلینڈ کو بھی پہلی بار شکست دے ڈالی۔ آسٹریلیا میں 2009ء کے عالمی کپ میں ویسٹ انڈیز اور سری لنکا کو ہرانے کے بعد فائنل میں شکست خوردہ نیوزی لینڈ کی ٹیم سے ہارنے کے باوجود پاکستانی ٹیم مقابلوں میں چھٹی پوزیشن حاصل کرنے میں کامیاب ہوگئی۔

## سونے کا تمغہ اور ہندوستان میں دھمکیاں

2010ء میں پاکستان خواتین کرکٹ ٹیم نے اپنا پہلا بین الاقوامی ٹورنامنٹ جیتا اور چین میں گوانگ زو کے مقام پر ایشیائی کھیلوں میں 20 اوور میچوں کے مقابلوں میں سونے کا تمغہ حاصل کرلیا۔ حقیقت یہ ہے کہ اُن کی مدِ مقابل ٹیمیں رعب داب والی نہیں تھیں۔ ہندوستان اور سری لنکا کی ٹیموں کی غیر حاضری میں پاکستان نے تھائی لینڈ، چین اور جاپان کی ٹیموں کو 61 رنز یا اُس سے بھی کم پر محدود کیے رکھا جس کے بعد فائنل میں اُن کا سامنا بنگلہ دیش سے ہوا۔ آل راؤنڈر ندا ڈار نے بہت کم رنز کے عوض میں تین سستی وکٹیں حاصل کرلیں اور بنگلہ دیشی ٹیم صرف 92 رنز تک پہنچ سکی۔ اس کے بعد ندا ڈار نے 51 رنز بنائے اور پاکستان نے میچ دس وکٹوں سے جیت لیا۔ ان کھیلوں میں پاکستان صرف یہی ایک طلائی تمغہ حاصل کر سکا۔ اس میچ کو نمایاں طور پر ٹیلی ویژن پر لوگوں کی بڑی تعداد نے دیکھا۔ بے نظیر بھٹو کے رنڈوے شوہر اور صدر پاکستان آصف علی زرداری نے اس فتح کو دیکھتے بہتر سمجھا کہ وہ اپنے آپ کو اس ٹیم کے ساتھ وابستہ کرلے۔ اس نے ٹیم کی جیت کو سراہتے ہوئے اسے قوم کے لیے ایسے وقت میں تحفہ قرار دیا جب وہ مصیبتوں میں گھری ہوئی تھی۔

پاکستان نے 2013ء کے عالمی کپ میں شمولیت کی شرائط کو پورا کرتے ہوئے بنگلہ دیش میں منعقد ہونے والے تمہیدی ٹورنامنٹ میں جنوبی افریقہ کو تاریخی شکست دے کر دوسری پوزیشن حاصل کر لی تھی۔ اس

میچ میں بہت کم رنز بنائے گئے تھے۔ تاہم عالمی کپ میں شرکت کے لیے ہندوستان پہنچنے پر انتہا پسند ہندوؤں کی دھمکیوں نے ماحول خراب کر دیا تھا جس کی وجہ سے انتظامیہ کو تمام میچوں کو کٹک منتقل کرنا پڑا اور پاکستانی ٹیم کو سٹیڈیم کے احاطہ میں رہائش کے لیے جگہ دی گئی۔ پاکستان کی نوجوان کپتان ثنا میر نے عزت افزائی کرتے ہوئے کہا کہ ''ہم یہاں عمدہ ترین ہوٹلوں میں رہائش کے لیے نہیں آئیں۔ ہم یہاں کرکٹ کھیلنے آئی ہیں اور ہمیں جہاں رکھا گیا ہے ہمارے لیے وہ جگہ آرام دہ ہے۔''

عالمی ذرائع نے اس کہانی کو نظر انداز کیا۔ خیال آتا ہے کہ وہ اس خبر پر کس طرح ردِ عمل کرتے کہ اگر یہ کہا جاتا کہ پاکستان دورہ پر آئی ہوئی ٹیم کی حفاظت کی ضمانت نہیں دی جاسکتی اور اُسے سٹیڈیم میں رہنے کے لیے مجبور کیا گیا ہے۔ ٹیم کی مینیجر عائشہ اشعر نے میری توجہ اس طرف دلوائی کہ پاکستان دورہ پر آنے والی ٹیموں کے لیے ایسی کئی گراؤنڈ ہیں جہاں رہائش کا وہی معیار ہے، جیسے کٹک میں ہمیں ملا تھا۔

ممکن ہے کہ پاکستانی ٹیم حالات سے مطمئن نہ ہونے کی وجہ سے شکست سے بُری طرح سے دوچار ہوئی ہو۔ اس نے اپنے گروپ کے تمام میچ ہار دیئے جہاں اس کا سب سے زیادہ سکور 104 رنز بن سکا۔ ساتویں پوزیشن پر پہنچ کر ایک بے معنی میچ میں ندا ڈار کے ناقابل شکست 68 رنز کی بدولت پاکستان نے 50 اووروں میں سات وکٹوں کے نقصان پر 192 رنز بنائے۔ مگر یہ کارکردگی میتھالی راج کی ناقابل شکست سنچری کے سامنے ماند پڑ گئی (اُس کا ٹیسٹ کرکٹ میں ریکارڈ کرن بلوچ نے توڑا تھا) جس کی بدولت ہندوستان کو سات وکٹوں سے فتح حاصل ہوئی۔ پاکستانی ٹیم کے مایوس کن نتائج کے باوجود ٹیلی ویژن پر ان میچوں کو ذوق شوق سے دیکھا گیا۔

## زمانۂ حال

میدان کے باہر ہونے والے واقعات کی طرف لوٹتے ہوئے 2008ء میں بیگم شیریں جاوید نے پاکستان کرکٹ بورڈ کی خواتین شاخ کی سربراہی بیگم میرا فیلبوس سے حاصل کر لی۔ اس کی یہ خواہش اس کے دل میں ایک مدت سے تھی اور اُس نے آتے ہی اس منصب کو زبردست توانائی دی۔ اس کے ساتھ ساتھ اس نے عمدہ تعلقات عامہ اور گفت وشنید کے ہنر کو نہ صرف اپنے بہنوئی اعجاز بٹ پر بلکہ مختلف پارٹیوں کے سیاستدانوں اور معروف تاجروں پر بھی آزمایا اس نے منتظم اور ٹیم مینیجر کے طور پر عائشہ اشعر کی تقرری کی۔ شیریں جاوید تنازعہ یا اختلاف سے خوفزدہ نہیں تھی۔ اُس نے ذاتی طور پر خواتین کرکٹ ٹیم کی کپتان عروج ممتاز کو پاکستان کی عالمی کپ 2009ء میں عمدہ کارکردگی کے باوجود برخاست کیا۔ کینسر میں مبتلا ہونے کی وجہ سے بیگم شیریں جاوید نے اپنے دو سالہ معائدہ کے اختتام پر اپنا منصب پاکستان خواتین کرکٹ شاخ کی

موجودہ سربراہ بیگم بشریٰ اعتزاز کے حوالے کردیا۔

جس طرح مردانہ کرکٹ میں ہے اُسی طرح پاکستان خواتین کرکٹ میں بھی مخالفتوں تنازعات اور رسوا کن الزامات کی بھرمار رہی ہے۔[8] لیکن اس بات سے انکارنہیں کہ پاکستان خواتین کرکٹ نے 1990ء کی دہائی سے پہلے کی خاموش تاریخ سے کہیں زیادہ ترقی کی ہے۔

92-1991ء کے کرکٹ دورانیے میں ایک بھی ایسا میچ نہ ہوا جس میں پاکستان میں لڑکیوں اور عورتوں نے حصہ لیا ہو۔ 12-2011ء کے کرکٹ کے دورانیے میں قومی خواتین کرکٹ کے مقابلوں میں 30 میچ کھیلے گئے جس سے 2004ء میں شروع ہونے والے یہ مقابلے اب مکمل طور پر مستحکم ہو چکے تھے۔ اِن میں گیارہ علاقائی ٹیموں نے حصہ لیا اور اسلام آباد، ایبٹ آباد، کوئٹہ، پشاور، ملتان، سیالکوٹ، راولپنڈی، فیصل آباد اور حیدرآباد کی نمائندگی کی گئی۔ لاہور اور کراچی کے علاوہ تین ٹیمیں آجروں کی بھی شامل تھیں۔ اس کے علاوہ پاکستان تعلیمی بورڈ، ہائیر ایجوکیشن کمیشن اور زرعی ترقیاتی بینک[9] جس نے مقابلہ جیتا، بھی شامل تھے۔

حصہ لینے والوں سے علاقوں کے بنیادی ڈھانچوں کے وجود کا نشان ملتا تھا۔ (غالباً اقتدار میں آئے ہوئے نئے لوگوں کا یہ سب سے اہم کارنامہ تھا) جب کہ زرعی ترقیاتی بینک کی شمولیت بطور سرپرست اس کے سابق سربراہ ذکاء اشرف کی مرہون منت تھی اور جس کی پاکستان کرکٹ بورڈ کے صدر اور صدر پاکستان آصف علی زرداری نے کرکٹ بورڈ میں تعیناتی کردی تھی۔[10] ان میچوں میں کسی ایک میں بھی کپڑوں اور تماشائیوں پر خاص شرائط کا اطلاق نہیں تھا جیسا کہ ماضی میں مذہبی اور قدامت پسند جماعتیں کرتی رہی تھیں۔ میچوں کو خاص طور پر ٹیلی ویژن پر دکھایا گیا۔[11]

جون 2013ء میں میں نے انگلینڈ کرکٹ بورڈ کی لف برو یونیورسٹی کو فراہم کردہ سہولت پر پاکستان خواتین کرکٹ کے حال اور مستقبل کو دیکھا۔ پاکستان کی قومی ٹیم انگلینڈ اور آئیرلینڈ کے مختصر دورہ پر آئی ہوئی تھی۔ ہندوستان میں 2013ء کے عالمی کپ کے بعد یہ اس کا پہلا سمندر پار سفر تھا۔

ایک لمبے ہوائی سفر کے اختتام پر کھلاڑیوں کو مزید فاصلہ طے کرنا پڑا۔ مگر اس کے باوجود وہ سرتوڑ مشق میں مشغول تھیں۔ نیٹ میں بلے باز کھلاڑی خاص طور پر خصوصی کوچ باسط علی کی زیرنگرانی محنت کر رہی تھیں تاکہ ان کی فنی کمزوریاں دور ہوسکیں۔ میں نے مختصراً دو کھلاڑی لڑکیوں سے بات چیت کی جس کے بعد انہیں فوری طور پر جم میں لے جایا گیا۔

ناہیدہ بی بی بلے باز آل راؤنڈر جس نے بین الاقوامی کرکٹ میں اپنی کرکٹ کا آغاز 2009ء میں سری لنکا کے خلاف کھیل کر کیا۔ اس وقت اس کی عمر 26 سال تھی اور اس کا تعلق بلوچستان میں کوئٹہ سے تھا جہاں ہم نے دیکھا کہ پاکستانی ٹیم کے لحاظ سے وہاں کرکٹ کے کھیل میں بہت معمولی دلچسپی رہی۔ وہ

بلوچستان یونیورسٹی میں کھیلوں کی سائنس میں ایم اے کرنے کی غرض سے طالب علم تھی۔

اس نے سکول اور کالج میں کئی کھیلوں میں حصہ لے رکھا تھا مگر 20 سال کی عمر میں اس نے اپنے آپ کو صرف کرکٹ کے لیے وقف کر دیا۔ ''میں نے جب کرکٹ کھیلنا شروع کی تو مجھے مشکلات کا سامنا ہوا۔ کیوں کہ کوئٹہ میں ایسے لوگ تھے جو نہیں چاہتے تھے کہ بچے کرکٹ کھیلیں۔ لہٰذا دخل اندازی تھی۔ میرے خاندان کے زیادہ تر افراد کو میری کرکٹ کھیلنے پر اعتراض تھا۔ لیکن میرے والد نے میری حمایت کی۔ پچھلے چھ سالوں میں حالات بہتر ہوئے ہیں۔ کیوں کہ خواتین کی کرکٹ ٹیم نے ترقی کی ہے جسے ٹیلی ویژن کے ذریعے لوگوں کو دکھایا گیا۔'' اُس نے مجھے یہ بھی بتایا، ''کہ کھیل میں بہتر مالی انعامات کی بدولت بہت سی لڑکیوں اور خواتین کو کرکٹ میں شامل ہونے کی ترغیب ملی ہے۔ وہ کرکٹ کو اپنا پیشہ بنانے کی امید کر سکتی ہیں۔'' میں اپنی تعلیمی سند حاصل کرنے کے بعد بھی کرکٹ کھیلتی رہوں گی۔''

پہلی بار متعارف ہونے والی دوسری نوجوان لڑکی اکیس سالہ ارم جاوید تھی جو لاہور کے ممتاز تعلیمی ادارے کینئرڈ کالج میں اُردو کی طالبہ تھی۔ ناہیدہ بی بی کی طرح وہ بھی بلے باز آل راؤنڈر ہے جس نے بچپن میں بہت سی دوسری کھیلوں میں حصہ لیا تھا لیکن سترہ سال کی عمر میں اس نے کرکٹ کو اپنا لیا جس سے اسے اصل محبت تھی۔ اس کے خاندانی پس منظر کا کرکٹ سے کوئی تعلق نہ تھا۔ مگر اس کے باوجود اسے حمایت حاصل رہی۔ اسے اپنی کرکٹ کھیلنے پر کبھی کسی مخالفت کا سامنا نہیں کرنا پڑا۔ اسے مقامی سکول کرکٹ کے مضبوط ڈھانچے اور ہم عمروں میں کرکٹ کھیلنے کا شوق کافی فائدہ حاصل ہوا۔ اس نے مجھے بتایا کہ ''ہمارے پاس لاہور میں کھیلنے کے لیے بہت کرکٹ ہے۔''

ارم جاوید کو بھی یقین ہے کہ ٹیلی ویژن کی بدولت خواتین کرکٹ سے متعلق رویوں میں زبردست تبدیلی آئی۔ ''اب ہر کسی کو معلوم ہے کہ ہم کیا کچھ کر سکتی ہیں۔'' اپنی کھیل کے بہت ہی ابتدائی مراحل میں وہ کئی بار ٹیلی ویژن پر دیکھی جا چکی ہے۔ وہ ٹیلی ویژن پر دکھائے جانے والے 19 سال سے کم عمر کے میچوں اور بے نظیر بھٹو T-20 مقابلوں میں نظر آئی۔ ناہیدہ بی بی کی طرح اپنی تعلیمی سند حاصل کرنے کے بعد اس کے سامنے بھی اپنے پیشہ کے متعلق واضح راستہ ہے۔ ''سوائے کرکٹ کے مجھے اور کچھ نہیں کرنا۔ مجھے کرکٹ سے محبت ہے۔'' اس کے اس اعتماد کے متعلق بیس سال قبل سوچا تک نہیں جا سکتا تھا۔ اس سے پاکستان خواتین کرکٹ کھلاڑیوں کے طے کردہ ایک لمبے سفر کا نشان ملتا ہے۔

## حوالہ جات:

1 وہ کسرتی جسمانی کھیلوں اور ٹینس کی معروف کھلاڑی تھی۔ مگر کرکٹ کی کھلاڑی نہیں تھی۔ اس کے

والد پاکستان اُولمپک ایسوسی ایشن کے پہلے سیکرٹری تھے۔ اس کا بھائی اور ایک رشتے کا بھائی دونوں کرکٹ کے ٹیسٹ کھلاڑی تھے۔ (دیکھیے www.dawn.com/2011/08/14/profile-in-a.league-of-her-own/)

2 جنوری 2003ء کی خواتین کرکٹ ایسوسی ایشن کی تفتیشی رپورٹ کے مطابق بیگم بشریٰ اعتزاز کے مطابق لاہور کالج میں ایک کرکٹ میچ کے دوران ہر ایسوسی ایشن سے منسلک کھلاڑیوں کے مابین حقیقتاً لڑائی جھگڑا رونما ہوا۔ کالج کی پرنسپل نے اس پر خواتین کا وہاں کرکٹ کھیلنے پر پابندی عائد کر دی۔

3 جنرل پرویز مشرف نے پاکستان کرکٹ بورڈ کے سرپرست کی حیثیت میں مبارک باد کا خط بھی اُنھیں بھیجا تھا۔

4 2002ء میں متھالی راجی نے ہندوستان کی طرف سے انگلینڈ کے خلاف قائم کیا تھا۔

5 ٹیم میں نمبر 10 اور نمبر 11 کے لیے میریم انور اور شبانہ لطیف کا انتخاب حیران کن تھا۔ دونوں نہ تو باؤلنگ کر سکتی تھیں۔ نہ ہی وکٹ کیپری کے لائق تھیں اور نہ ہی دونوں نے پاکستان کی دونوں اننگز میں بے بازی کی۔ مریم انور نے سات ایک روزہ میچوں کی صرف تین رنز بنائے۔ اور شبانہ لطیف نے چار ایک روزہ میچوں کی تین اننگز کھیلتے ہوئے کوئی رن نہ کیا۔ جیسا کہ سماجی کرکٹ میں اکثر دیکھا جاتا ہے کہ انہیں بھی خانہ پُری کے لیے شامل کیا گیا تھا۔

6 شائیزہ خان اور کرن بلوچ نے مجھے بتایا کہ ویسٹ انڈیز کی دوسری اننگز کے دوران امپائیروں نے ہماری لا تعداد اپیلوں کو مسترد کر دیا تھا۔ شائیزہ خان نے امپائیروں کو یہ پتہ ہی نہ چلنے دیا کہ کرن بلوچ عالمی ریکارڈ قائم کرنے والی ہے کیوں کہ اُسے ڈر تھا کہ کہیں امپائیر اس کو شکار نہ بنالیں۔

7 شہریار خاں کے مطابق پاکستان خواتین کرکٹ کونسل ایسوسی ایشن (PWCCA) نے کرن بلوچ کی خدمات کو منسوخ کر دیا تھا۔ مگر کرن بلوچ نے مجھے اس سے مختلف بتایا۔ ویسٹ انڈیز کے خلاف ٹیسٹ میچ میں دوسری نمایاں کھلاڑیوں میں ساجدہ شاہ، وکٹ کیپر بتول فاطمہ، خورشید جبیں، عروج ممتاز اور نازیہ نذیر نے خان سسٹرز کے جانے کے بعد اپنی بین الاقوامی کرکٹ کو جاری رکھا۔

8 مثال کے طور پر دیکھیں ''پانچ خواتین کھلاڑیوں پر جھوٹے جنسی الزامات لگانے کے دعویٰ پر پابندی عائد کر دی گئی۔ ایکسپریس ٹریبون (پاکستان) 25 اکتوبر 2013ء۔

9 زرعی ترقیاتی بینک لمیٹڈ (ZTBL) (جس کا سابقہ نام ایگری کلچر ڈیویسپ منٹ بینک آف پاکستان تھا) کا دعویٰ ہے کہ عوامی حلقے میں وہ مالی اعتبار سے پاکستان کا سب سے بڑا ادارہ ہے۔

10 روزنامہ ڈان اخبار 8 مارچ 2013ء کی خبر کے مطابق اس سال زرعی ترقیاتی بینک نے شہید محترمہ بے نظیر بھٹو 20 اوور کی مقابلے کی ٹرافی بھی جیتیں جس میں دوسری شرکاء پنجاب خواتین، سندھ خواتین، وفاقی دارالحکومت خواتین، بلوچستان خواتین اور خیبر پختونخواہ خواتین تھیں۔ مارچ 2013ء میں اس نے پھر دوبارہ ٹرافی جیتی اور دو لاکھ روپے (تقریباً 1350 برطانوی پونڈ) کے نقد انعام کا بھی حصہ ملا۔ فائنل میں ہارنے والی پنجاب کی ٹیم کو ایک لاکھ روپے کا حصہ ملا۔ زرعی ترقیاتی بینک لمیٹڈ کی کھلاڑی بسمہ معروف کو ٹورنامنٹ کی بہترین کھلاڑی قرار دیا گیا اور اُسے 25000 روپے ملے۔

11 بیگم بشریٰ اعتزاز سے ذاتی گفت وشنید۔ عائشہ اشعر اور بیگم بشریٰ اعتزاز دونوں نے میرے

سامنے اس بات پر زور دیا کہ خواتین کے کرکٹ کھیلنے پر انہیں کسی مذہبی فرقے یا سماجی حلقے کی طرف سے نہ تو کوئی شکایت موصول ہوئی ہے اور نہ ہی کوئی اعتراض یا احتجاج۔ بیگم بشریٰ اعتزاز نے مجھے ٹیلی ویژن کی طاقت کے حوالے سے ایک پُرمسرت اور دلچسپ کہانی سنائی جس کی بدولت رویوں میں تبدیلی آئی۔ قومی ٹیم میں ایک موجودہ معروف کھلاڑی جس کا تعلق صوبائی شہر سے اپنے بڑے بھائی سے ایک لمبے عرصے تک جدوجہد جاری رہی کیوں کہ اس کا بھائی نہیں چاہتا تھا کہ اس کی بہن کرکٹ کھیلے۔ پھر اس کے بھائی نے ٹیم کو ٹیلی ویژن پر دیکھا۔ ''وہ میرے پاس آیا اور بتایا کہ اس کی بہن کو کسی چیز کی تشہیر کرنے کے لیے پیشکش ہوئی ہے، کیا آپ کی طرف سے اُسے اجازت ہوگی کہ اس کی تصویر شارع عام پر لگے بل بورڈ پر لگائی جاسکے؟''

23

# مالیاتی انقلاب

''میں صرف کھیل کی خاطر کھیلا۔''

۔امتیاز احمد، 2011ء میں مصنف سے گفتگو کے دوران

جو 1952ء سے 1962ء تک پاکستان کے پہلے 39 ٹیسٹ میچ کھیلے

پاکستانی کرکٹ کو ایسی آمدنی حاصل ہوئی جس کا پاکستان میں کرکٹ کی داغ بیل ڈالنے والے رہبروں اور شروع کے محبوب و مقبول کھلاڑیوں نے کبھی خواب میں بھی تصور نہیں کیا تھا۔ یہ ان تبدیلیوں کے نتیجہ میں ہوا جو زیادہ تر تنظیموں نے بغیر کسی منصوبہ بندی کے کیں تھیں۔ بنیادی طور پر یہ دنیا کی تفریحی صنعت کا حصہ بن چکی ہے۔ جو ناظرین کو ایسی مصنوعات مہیا کرتی ہے جس کے لیے وہ خرچہ کرنے کو تیار رہتے ہیں۔ (یہ سلسلہ ناظرین کے لیے ذاتی اور معلوماتی ٹیکنالوجی کے ذریعے بڑھتا جا رہا ہے) پاکستان دوسری کرکٹ کھیلنے والی اقوام کے ساتھ بین الاقوامی کرکٹ میں 1993ء میں طرز حکمرانی اور مالیاتی معاملات میں بہ یک وقت اہم تبدیلیوں سے مستفید ہوا۔ جیسا کہ ہم دیکھیں گے کہ حاصل ہونے والے نظام کا مستقل دارومدار قطعی طور پر ہندوستان کی سرگرمی پر منحصر ہے۔ جو کہ ہر اعتبار سے ناظرین سے حاصل ہونے والی رقم کا سب سے بڑا ذریعہ ہے اور پاکستان خصوصی طور پر اپنے طاقتور اور بااثر ہمسائے کے مالیاتی سائے تلے برقرار ہے۔[1]

یہ وضاحت کرنے کے لیے کہ پاکستان اس صورتحال تک کیسے پہنچا بہتر ہے کہ اس کی طرز حکمرانی اور مالیاتی معاملات کے تین تدریجی مراحل کی تحقیقات 1993ء کے مالیاتی انقلاب سے پہلے سے کی جائے۔ ان مراحل میں پہلا مرحلہ 1947ء سے 1972ء تک کا غیر پیشہ ور دور تھا۔ دوسرا مرحلہ ذوالفقار علی بھٹو اور عبدالحفیظ کاردار اور تلے ریاستی اشتراکیت کا تھا۔ تیسرا مرحلہ جو تجارتی طور پر پہلا مرحلہ تھا۔ 1980ء کی دہائی میں عارف عباسی نے ابتدائی طور پر اس کی رہنمائی کی۔

# پاکستان کرکٹ کا غیر پیشہ ورانہ مرحلہ

اپنے پہلے چوبیس سالوں میں پاکستانی کرکٹ کو غیر پیشہ ور اور راضی خوشی سے مدد کرنے والوں کی معاونت سے قائم رکھا گیا۔ اس کے منتظمین خاص طور پر اے آر کارنیلس (A.R. Cornelius) اپنے کرکٹ کے متعلق کام کو اپنی دوسری اہم ذمہ داریوں کے ساتھ منسلک کر لیتے تھے۔ کھلاڑیوں کو مقامی میچوں سے برائے نام اجرت مل جاتی تھی جب کہ بین الاقوامی میچوں سے بھی انہیں کوئی قابل ذکر رقوم حاصل نہیں ہوتی تھیں۔ ان سے یہ توقع کی جاتی تھی کہ وہ اپنے ملک کی نمائندگی کر کے عزت حاصل کریں اور ٹیسٹ کرکٹ کھیلنے والی قوم کے طور پر اپنے ملک کو متعارف کروائیں۔ جب عظیم وکٹ کیپر امتیاز احمد نے اوول کے میدان میں 1954ء میں انگلینڈ کی ٹیم کو تباہ کر کے فتح حاصل کرنے میں فضل محمود کی اعانت کی تو انہیں ٹیسٹ میچ کھیلنے کی اُجرت پانچ پونڈ ملتی تھی۔ 1962ء تک پہنچتے پہنچتے یہ رقم بڑھ کر سات پونڈ دس شلنگ ہو گئی تھی۔

اس دور میں کامیابی سے کرکٹ کھیلنے کے لیے اس کا تمام تر دارومدار آمدنی کے صرف دو ذرائع سے تھا جس میں گیٹ کے ٹکٹوں کی فروخت سے حاصل ہونے والی رقم اور سرپرستی شامل تھے۔ گیٹ کے ٹکٹوں کی فروخت سے حاصل ہونے والی یہ رقم فرسٹ کلاس کرکٹ کھیلنے والے کھلاڑیوں کو اجرت دینے کے لیے ناکافی تھی بلکہ یہ رقم تو ان کے بنیادی ضروریات پر بڑی مشکل سے پورا کرتی تھی۔ سرپرستی کے کئی مختلف ذرائع تھے۔ وہ ریاست کے علاوہ علاقائی مختار کاروں کے ساتھ ساتھ تعلیمی اداروں اور امرا سے حاصل ہوتی تھی۔

ابتدائی سرپرست کرکٹ کے شیدائی تھے جنہیں سیاسی اور تجارتی مقاصد حاصل کرنے سے کوئی دلچسپی نہ تھی۔ یہ بات تو سرپرستِ اعلیٰ جو ملک کا سربراہ بھی تھا کے متعلق بھی کہی جا سکتی تھی جس کے ساتھ کارنیلیس نے دانستہ طور پر کرکٹ بورڈ کو منسلک کر دیا تھا۔ پاکستان کے ابتدائی حکمران گاہے بگاہے اپنے آپ کو پاکستان کے کرکٹ کھلاڑیون کے ساتھ وابستہ کرنے کی کوشش کرتے تھے۔ جب وہ کامیابی سے ہمکنار ہوتے اور جب انہیں ناکامی ہوتی تو منتظمین اور کھلاڑیوں کو سزا دی جاتے۔ جیسا کہ ہم نے دیکھا کہ ان حکمرانوں میں سے ایک خواجہ ناظم الدین جو عام طور پر امتیازی اوصاف سے عاری تھا، نے پاکستان کرکٹ کے لیے ایک انتہائی اہم ہدایت جاری کی جس میں واضح کیا گیا کہ سرکاری ملازمین جب بین الاقوامی میچوں میں حصہ لے رہے ہوں تو انہیں نوکری پر حاضر سمجھا جائے۔ لہٰذا کھیلنے کے لیے انہیں چھوڑا جانا ضروری ہے۔ اس کے علاوہ پاکستان کے ابتدائی حکمرانوں کا کھیل پر کوئی واضح ردعمل نہیں تھا۔ اس اولین دور میں جب پاکستانی کرکٹ کھلاڑیون کو جب تک مستقبل کی لگاتار بین الاقوامی کامیابیاں اور ٹیلی ویژن کے ذریعے ہونے والے شیدائی میسر نہیں ہوئے تھے تو حکومت کی ترجیحات میں کرکٹ شامل نہیں تھی۔ 2

اس وقت کرکٹ کے اخراجات متحدہ طور پر جاگیرداروں، خیرات، کلبوں سے وصول ہونے والی

رقومات اور حکومت کی طرف سے معمولی عطیات کے ذریعے پورا کیے جاتے تھے۔ مگر یہ ایک نیک مقصد تھا۔ اور اگر یہ مقصد قومی مقصد کی صورت اختیار کر جاتا تو کھیل کا مقصد پورا ہو جاتا۔ اور یہ سب غیر پیشہ ورانہ ڈھانچے کے ذریعے حاصل کرنا ممکن تھا۔ کیوں کہ جو ادارے 1950ء اور 1960ء کی دہائیوں میں فرسٹ کلاس کرکٹ کھلاڑیوں کی تعمیر و ترقی کی حمایت کر رہے تھے وہ تقسیم ہند سے پہلے کے عظیم سکول اور کالج تھے جنہوں نے پاکستان کو گلے لگایا اور جن کی بدولت مالی امداد اور میچ دیکھنے کے ٹکٹوں کی فروخت سے آمدنی حاصل ہوئی۔

گورنمنٹ کالج اور اسلامیہ کالج کے درمیان سالانہ میچ کو پُرانی یونیورسٹی گراؤنڈ میں کھیلا جاتا تھا اور جسے دیکھنے کے لیے چھ ہزار تک تماشائی آجاتے تھے۔ اس میچ کا آنکھوں دیکھا حال ریڈیو پر بھی نشر کیا جاتا تھا۔ اس میچ کو ٹیسٹ کرکٹ کا آزمائشی میچ سمجھا جاتا تھا۔

کھلاڑیوں کے لیے کرکٹ شہرت کا ذریعہ تو تھی مگر اس میں دولت نہیں تھی۔ مگر وہ کھیل جو بہ مشکل اپنے کھلاڑیوں کو زندہ رہنے کے لیے اجرت مہیا کر سکتا تھا وہ اُن مالی وسائل سے عاری نہیں تھا جنہیں کرکٹ میدانوں کی افزائش، مشق کرنے کی سہولتیں، تربیت دینے اور مقابلے کا وہ معیار پیدا کرنے جس سے بین الاقوامی مقابلوں میں لگاتار فتح حاصل کرنے والی ٹیم پیدا ہوسکتی اور یوں ٹیسٹ کرکٹ کا درجہ قائم رہا۔ مگر 1954ء میں جلد حاصل ہونے والی کامیابی سے توقعات کی تکمیل نہ ہوسکی۔

## ریاستی اشتراکیت تلے کرکٹ

جب 1971ء سے 1973ء تک ذوالفقار علی بھٹو صدر پاکستان کے طور پر منتخب ہوئے تو اُنہوں نے یہ فریضہ سمجھا کہ وہ پاکستان کے سماج اور معاشی حالات تبدیل کر کے اشتراکی اصولوں پر لے آئیں۔ اس کے لائحہ عمل میں اہم بینکوں اور صنعتی اداروں کو قومیائی جانا تھا جس کے نتیجے میں اُن درجن سے زائد خاندانوں کا اثر رسوخ محدود کیا جا سکتا جو معاشی طور پر پاکستان میں طاقتور تھے۔ اس نے عبدالحفیظ کاردار کو پاکستان کرکٹ بورڈ کا سربراہ مقرر کر دیا۔ بھٹو اور کاردار دونوں نے مل کر اہم تجارتی اور قومیائی گئے اداروں کو ہدایت جاری کی کہ وہ فرسٹ کلاس کرکٹ ٹیمیں بنائیں اور کرکٹ کھلاڑیوں کو اپنی ملازمت میں سمجھتے ہوئے تنخواہیں ادا کریں۔

بھٹو کا مقصد تھا کہ وہ اپنے ملک کا حوصلہ بلند کرے جو اقوام متحدہ میں اور 1971ء میں ہندوستانی افواج کے ہاتھوں مشرقی پاکستان کے نقصان پر ذلت سے ڈانواں ڈول تھا۔ پاکستان کرکٹ میں ہاکی (جسے اب بھی قومی کھیل سمجھا جاتا تھا) اور اسکوائش سے پیچھے تھا۔ اِن دونوں کھیلوں کو اہمیت میں اوّل درجہ حاصل تھا۔ لیکن اس کے باوجود کرکٹ کی پہنچ تمام علاقوں میں تھی اور اسے کھیلنے والے طبقات میں بے پناہ وسعت تھی۔ لیکن نئے طریق کار میں سیاسی مقصد بھی شامل تھا۔ اپنے معاشرتی انتہا پسند انقلابی خیالات کے وسیع تر

منصوبے کے تحت بھٹو چاہتا تھا کہ وہ فرسٹ کلاس کرکٹ پر اعلیٰ یونیورسٹیوں کا تسلط ختم کر کے اپنی سیاسی قوت کو مستحکم کرلے جس کی بنیاد طلبا تنظیموں میں ہو۔

1970ء کی دہائی کے ابتدائی دور میں چلنے والی غیر جانبداری کی تحریک کو بھٹو کی پیروی حاصل تھی۔ بھٹو کا کرکٹ کا نیا ڈھانچہ تیسری دنیا کے ممالک کے ترقی پذیر معاشی نمونے کے مطابق تھا جن کی انتظامی مرکزیت میں کسی اور کا عمل دخل نہ تھا۔ مگر یہ بات قابلِ غور طور پر نمایاں ہے کہ بھٹو نے فیصلہ کیا کہ وہ بھی کرکٹ کو اسی نظام میں رہ کر منظم کرے گا کوئی اور مقبول عوامی سیاستدان ہوتا تو وہ شاید اس کھیل کو اس کے حال پر چھوڑ دیتا کہ وہ ماضی کے برطانوی نوآبادیاتی نظام کی قدیم یادگار تھی اور مراعت یافتہ طبقے کے لیے ہراول دستے کی حیثیت رکھتی تھی جسے ختم کرنا ضروری تھا۔ خوش قسمتی سے بھٹو کو خود بھی کرکٹ سے محبت تھی۔ اس نے کرکٹ پر حملہ آور ہونے کی بجائے صرف اعلیٰ طبقے سے تعلق رکھنے والے کرکٹ کے معاونوں کو نکال باہر کیا۔ اس نے کرکٹ کو معاشی طور پر زندہ رکھنے کے لیے ریاست کے زیرِ اثر نشریات جن کی پہنچ طول وعرض میں تھی کے ذریعے ہر طرف پھیلا دیا۔

بھٹو اور کاردار کے سرکاری شعبوں سے تنخواہوں کے نظام سے کرکٹ کے کھلاڑیوں کو روزگار کا معقول سہارا ملا جو کمیونسٹ ممالک کے اولمپک میں کسرتی کھیلوں کے کھلاڑیوں کی ریاستی نظام یا فوج میں نوکری کی آمدنی سے مشابہت رکھتا تھا یا پھر اُن انگریز غیر پیشہ ورانہ کسرتی کھیلوں کے کھلاڑیوں سے جنہیں کھیلوں کے موسم کے بعد ہمدرد مالکان اُجرت دیا کرتے تھے۔ اگرچہ کاردار نے اس نئے نظام کو گرمجوشی سے قبول کیا مگر جیسا کہ ہم نے دیکھا کاردار غیر پیشہ ورانہ دور کے طرزِ عمل پر بھی سختی سے عمل پیرا رہا۔ خاص طور پر یہ کہ پاکستان کے بین الاقوامی کھلاڑی مالی قربانی دے کر اپنے ملک کے لیے کھیلیں۔

اس طرزِ عمل اور نئے نظام کو چوٹی کے کھلاڑیوں نے خود ماننے سے انکار کیا کیوں کہ 1968ء میں انگلش کاؤنٹی چیمپیئن شپ میں سمندر پار کھلاڑیوں کے لیے راستہ کھل جانے سے انہیں اپنی وقعت کا احساس ہو چکا تھا اور وہ جانتے تھے کہ ان کی انفرادی خدمات کی کیا قیمت حاصل ہو سکتی تھی۔ 1970ء کی دہائی میں بین الاقوامی کرکٹ میں کامیاب پاکستانی ٹیموں کے بیشتر کھلاڑی جن میں خصوصی طور پر آصف اقبال، انتخاب عالم، مشتاق محمد اور اس کا بھائی صادق محمد، سرفراز نواز، ماجد خان، ظہیر عباس، عمران خان اور جاوید میاں داد سبھی فرسٹ کلاس کاؤنٹیوں میں باقاعدگی سے کھیل رہے تھے۔ انہوں نے اپنے تجربے کی بنیاد پر اپنی ہنرمندی اور صرف پاکستان میں کرکٹ کھیلنے والے کھلاڑیوں کی ہنرمندی میں ایک واضح اور اچھا خاصا فرق پیدا کرلیا تھا۔ انہیں اپنی آمدنی کی نئی توقعات پیدا ہو چکی تھیں اور اُن کا پاکستان کے مقامی آجروں پر انحصار نہیں رہا تھا۔

دوسری طرف پاکستانی ٹیم کی بین الاقوامی کرکٹ میں کامیابیاں کرکٹ کے شیدائیوں کو کچھ تو ساتھ

کے ساتھ ٹیلی ویژن (بیشتر ناظرین اکٹھا ہو کر کھلی جگہ پر ٹیلی ویژن پر میچ دیکھتے) پر نشر ہونے کے ذریعے حاصل ہو جاتیں اور کچھ سستے ٹرانسسٹر ریڈیو پر کھیل کا آنکھوں دیکھا حال سُن کر معلومات حاصل کر لیتے۔

کیری پیکر کے واقعہ سے پاکستان کرکٹ کے ستارے عارضی طور پر ٹرانسسٹر ریڈیو اور ٹیلی ویژن کی مشترکہ اسکرینوں سے غائب ہو گئے تھے۔ اس سے انہیں روپیہ کمانے کا وہ موقع دستیاب ہوا جو اس وقت اُن کے بہترین ہم عصر کھلاڑی کماتے تھے۔ اور اپنے آپ کو پاکستانی کرکٹ منتظمین کی گرفت سے آزاد کرانے میں کامیاب ہو گئے۔ اس کے ساتھ کرکٹ دیکھنے کا ایک نیا نمونہ بھی سامنے آیا جس میں بہترین کھلاڑیوں کو مفت نہیں دیکھا جا سکتا تھا۔

## پاکستانی کرکٹ کا اوّلین تجارتی معاملہ

پیکر سے معاملات طے ہونے کے بعد پاکستانی کرکٹ کے ستارے اندرون ملک اور بیرون ملک عوامی نشریات کو دوبارہ مفت مہیا ہو گئے تھے۔ تاہم اس سے اُن کی تجارتی اہمیت واضح ہو گئی تھی۔ اور یہ چیز بھی سامنے آئی کہ اُن کی امنگیں اور خواہشات ریاستی اشتراکیت کے نظام میں پورا نہیں ہو سکتی تھیں۔ جو کہ بھٹو حکومت کے خاتمے اور اُسے پھانسی ملنے کے بعد تنزلی کی طرف گامزن تھا۔

عارف عباسی پاکستانی کرکٹ کا پہلا منتظم تھا جسے احساس ہوا کہ پاکستان کرکٹ کو آمدنی حاصل کرنے کی غرض سے نئے ذرائع کی ضرورت تھی۔ اور اُسے تفریحی جنس کے طور پر تجارتی سرپرستوں کے پاس بیچا جا سکتا تھا۔ عارف عباسی کو کرکٹ اپنے خاندان کی طرف سے میراث میں ملی تھی جس کا اس کھیل سے تاریخی طور پر قدیمی رشتہ تھا۔ وہ علی گڑھ سے فارغ التحصیل ہونے والے آل راؤنڈر کھلاڑی خان سلام الدین کا پوتا تھا۔ جس نے ہندوستان کی سرکاری ٹیسٹ ٹیم کے دورہ سے قبل 1911ء میں انگلینڈ کے خلاف ہندوستان کی طرف سے کھیلتے ہوئے اپنی کامیابیوں کے سر پر خاصی شہرت حاصل کی تھی۔ عارف عباسی کا خاندانی سلسلہ پٹودی خاندان سے جا ملتا تھا۔ اس نے پاکستان یونیورسٹی ٹیم کی طرف سے فرسٹ کلاس کرکٹ کھیل رکھی تھی۔ اس کا تعلق کراچی سے تھا اور وہ اوّلاً اور سب سے پیشتر ایک عقل مند کاروباری شخص تھا۔ وہ ائیر مارشل نور خان کے زیر اثر رہا تھا جس نے اُسے پاکستان کرکٹ بورڈ میں اس وقت شامل کیا تھا جب وہ 1980ء میں پاکستان کرکٹ کنٹرول بورڈ کا سربراہ بنا تھا۔

عارف عباسی کا پہلا قدم بھٹو دور سے ڈرامائی طور پر علیحدگی اختیار کرنا تھا۔ اُس نے اسلام آباد میں حکومت کو پیغام دیا کہ پاکستان کرکٹ بورڈ کو اُس سے ملنے والی سالانہ مالی امداد کی اب ضرورت نہیں بلکہ وہ آمدنی کے لیے خود نئے راستے تلاش کر سکا اُس نے بھٹو دور کے ایک اور دردِ سر سے بھی نجات حاصل کر لی۔

جس کے تحت پاکستان کے کرکٹ میچ ریاستی نشریات کو مفت دیئے جاتے تھے۔ اکثر اوقات ایسا بھی ہوا تھا کہ پاکستان کرکٹ بورڈ نے نشریاتی اداروں کے پلے سے رقم دی تا کہ وہ میچوں کو نشر کریں۔

عارف عباسی کی پہلی تجارتی مہم آج کے دور کے مقابلے میں صرف معقول حیثیت کی تھی۔ جس کے تحت کلائیو لائیڈ کی سربراہی میں دورہ کرنے والی ٹیم کو مناسب آمدنی کی ضمانت دینا تھا۔ یہ ضمانت ٹکٹوں کی فروخت، میدان میں اشتہارات کے ذریعے باآسانی پوری کرلی گئی اِس میں ٹیلی ویژن کی شرکت صرف برائے نام تھی میزبان کی حیثیت سے پاکستان کو اِس دورے کی وجہ سے تقریباً چار لاکھ ڈالر سے زیادہ آمدنی حاصل ہوئی۔ اس کامیابی نے پاکستان کے حوصلے میں اضافہ کیا جس کی وجہ سے اس نے ہندوستان کے ساتھ مل کر 1987ء کے عالمی کپ کو منعقد کرنے کی کامیاب مشترکہ کوشش کی۔ یہ ایک مزید اور اہم کاروباری کامیابی تھی۔ اگرچہ ٹیلی ویژن کے ذریعے آمدنی اب بھی کوئی خاص معنی نہیں رکھتی تھی۔

نمایاں طور پر عارف عباسی نے مقامی کرکٹ کی امداد کے لیے اہم تجارتی آمدنی حاصل کرلی تھی۔ اُسے تمباکو والوں سے سرپرستی حاصل کرنے میں کوئی عار نہ تھا۔ لہٰذا اُس نے اہم مالی معاونت پاکستان ٹبیکو کمپنی سے پیٹرن ٹرافی (Patron's Trophy) نئے ایک روزہ ولز کپ (Wills Cup) اور تاریخی قائداعظم ٹرافی کے لیے حاصل کرلی۔ پاکستان آٹوموبائل کارپوریشن (ریاستی ملکیت میں ادارہ جو پاکستان میں موٹر کار اور ٹرک وغیرہ بناتا تھا) نے نئے پاکو (PACO) کپ کی سرپرستی قبول کی اور اندرون ملک کھیلنے کے لیے اپنی ٹیم تیار کی۔ ایک اہم جدت انیس سال سے کم (Under-19) کا ٹورنامنٹ منعقد کرکے کی گئی جس کی سرپرستی پیپسی کولا نے کی مگر اس ٹورنامنٹ کی خصوصی توجہ علاقائی رہی۔ ان اقدام سے اندرون ملک کرکٹ میں 1980ء کی دہائی میں بے حد پھیلاؤ آیا۔ کرکٹ کے کئی سیزنز میں فرسٹ کلاس میچوں میں سو سے زائد ٹیمیں حصہ لیتی رہیں۔ (مقابلتاً قائداعظم ٹرافی کے پہلے سال 54-1953ء میں صرف سات میچ ہو سکے تھے۔ بھٹو اور کاردار کے نظام کے عروج کے دور میں 76-1975ء میں 63 میچ کھیلے گئے تھے۔)

اندرون ملک اِن کامیابیوں کو زیادہ تر ٹیلی ویژن سے حاصل ہونے والی آمدنی کے بغیر حاصل کیا گیا تھا۔ سچ تو یہ ہے کہ اس وقت ٹیلی ویژن کرکٹ میں ملنے والی کامیابیوں کا اُلٹا خود پیچھا کرتا تھا۔ جیسا کہ 90-1989ء میں پاکستان ٹیلی ویژن نے فیصلہ کیا کہ وہ قائداعظم ٹرافی میں ہونے والے میچوں کو پہلی بار براہِ راست دکھائے۔

## 1993ء کی کایا پلٹ تبدیلی

1993ء تک پاکستانی کرکٹ کو اپنی تجارتی کشش کا اندازہ ہو چکا تھا۔ اور اُسے مختلف ذرائع سے

آمدنی میسر تھی جس کا ریاست سے کوئی تعلق نہ تھا۔ پاکستان کو حاصل ہونے والے بالآخر تجارتی مال و دولت کا تقریباً تمام تر دارومدار بین الاقوامی کھیل کے حالات پر تھا جو کہ بہت حد تک اس کے اختیار سے باہر تھے۔

اِن حالات کا مطلب سمجھنے کے لیے ضروری ہے کہ 1965ء کی طرف واپس جائیں جب اس وقت کی امپریل کرکٹ کانفرنس، جس کی بنیاد 1909 میں انگلینڈ، آسٹریلیا اور جنوبی افریقہ نے مل کر رکھی تھی نے اپنا نام تبدیل کر کے انٹرنیشنل کرکٹ کانفرنس رکھ لیا تھا۔ اگرچہ اُس نے اپنے نام سے امپریل یعنی شہنشاہ سے منسوب لفظ تو ہٹا دیا تھا لیکن دنیائے کرکٹ کی دو نہایت ذی اثر قوتیں انگلینڈ اور آسٹریلیا (جو بنیادی ممبران کے طور پر جانے جاتے تھے) کے پاس مسترد کرنے کی طاقت بدستور موجود تھی۔ جیسا کہ ہم نے دیکھا کہ 1970ء کی دہائی میں کاردار نے اس کے خلاف کافی لعن طعن کی مگر اُسے کامیابی نہ ہوئی۔

لیکن 7 جولائی 1993ء کو آخر کار اُس کی خواہش پوری ہوئی اور انگلینڈ اور آسٹریلیا نے مسترد کرنے کی طاقت کھو دی۔ اس کے علاوہ آئی سی سی نے اپنے نام سے کانفرنس کا لفظ کھو کر اُس کی جگہ کونسل کا لفظ شامل کر لیا۔ انٹرنیشنل کرکٹ کونسل لارڈز کی بجائے دبئی میں وجود میں آ گئی۔ اور اس کا مرکز بھی وہیں قائم ہوا۔ 1997ء میں ہندوستان کی جگ موہن ڈالمیا آئی سی سی کا پہلا ایشیائی سربراہ بنا۔ اس کے آنے سے علامتی اور عملی طور پر دنیائے کرکٹ سے لارڈز کا تسلط اپنے اختتام کو پہنچا۔

1993ء کی طرز کا آئی سی سی سے میں آئی سی کے آباد علاقے کا نام دیتا ہوں آج بھی چند ترامیم کے ساتھ قائم ہے۔ اِسے دنیائے کرکٹ میں انٹرنیشنل اولمپک کمیٹی یا فیفا (Fifa) جیسی اہمیت حاصل ہے وہ کرکٹ میں برپا ہونے والے انقلاب سے متعلق حالات پر بااختیار رہی کیوں کہ وہ کھیل کی عالمی تنظیم کی بھی ذمہ دار ہے صرف قوانین اس کے دائرہ کار میں نہیں آتے۔[3]

آئی سی سی کا یہ وجود کھیلنے والے ممبران کی مایوسی کی وجہ سے قائم ہوا جن کے نزدیک انگلینڈ اور آسٹریلیا تسلط اور آئی سی سی کا انداز حکمرانی اور اُس کا اصل کام دوروں اور میچوں کو ترتیب دینا غیر منصفانہ تھا۔ زمبابوے کو 1992ء تک مکمل طور پر رکن ماننے سے انگلینڈ کی پس و پیش سے یہ احساس مزید بھڑکتا تھا۔

لہٰذا یہ معاشی کی بجائے سیاسی تصفیہ تھا۔ نمایاں طور پر آئی سی سی کے اس سمجھوتے سے کرکٹ کے ظاہری پہلو کی تہہ میں معاشی ترتیب کو کسی بڑی حد تک کوئی ضعف نہ پہنچا۔ رقومات میں تبدیلی تو آئی مگر اس کی تہہ میں حقوق مالکانہ اور اوسط آمدنی میں کوئی فرق نہ پڑا۔ اس فیصلے کے نتائج کا علم تو نہ تھا مگر یہ دور اثر تھے۔

1993ء میں آئی سی سی کا لندن میں آمدنی کے لحاظ سے اخراجات کا بجٹ تقریباً ایک لاکھ پونڈ تھا (اُس وقت آخری غیر پیشہ وروں میں شامل اس کا صدر کولن کاوڈرے (Colin Cowdray) 2007ء تک آئی سی سی کا کاروبار پوری دنیا پر پھیل چکا تھا۔ اُس نے 07-2001ء تک کے عرصے میں 550 ملین امریکی

ڈالر کی آمدنی حاصل کی اور اخراجات کے بعد تقریباً 320 ملین ڈالر کی رقم فالتو بچ رہی۔ اس فالتو رقم کو اُس کے ممبران میں بالکل اُسی تناسب سے تقسیم ہونا تھا جیسے 1993ء کے اخراجات کو تقسیم کیا گیا تھا۔ یعنی 75 فیصد (Funy) پورے ممبران (ٹیسٹ کرکٹ کھیلنے والے ممالک) اور 25 فیصد شریک ممبران کو ملنا تھے۔ آئی سی سی کی کایا پلٹ چکی تھی۔ وہ بین الاقوامی میچوں کے انتظام اور معقول اخراجات کو ترتیب سے چلانے والے ادارے سے نکل کر عالمگیر طور پر تفریحی کاروبار کا ادارہ بن چکا تھا۔ یہ سب آئی سی سی کے پاس صرف بین الاقوامی کرکٹ کھیلنے کے کھیل اور بین الاقوامی کرکٹ مقابلوں کے مالکانہ حقوق ہونے سے ہوا۔ جس طرح 1993ء میں آئی سی سی نے اخراجات کی بنیاد پر معاملات اپنے ہاتھ میں لیے تھے اُسی طرح آئی سی سی نے عالمی کپ کی ملکیت کو وراثت میں حاصل کر لیا تھا۔

اہم بات یہ تھی کہ اُس نے دوطرفہ بین الاقوامی مقابلوں، اندرون ملک کرکٹ، اصولی طور پر ٹیسٹ میچوں اور ایک روزہ بین الاقوامی میچوں کے دوروں سے اپنی اجارہ داری ترک کرکے اُسے اندرون ملک کے بورڈوں کو سونپ دی تھی۔ 1997ء میں آئی سی سی کے ارکان نے میچوں کو منعقد کرنے کے طریق کار کو آئندہ دوروں کی تفصیلات سے منسلک کرتے ہوئے نئی ترتیب دی۔ جس کے تحت قرار پایا تھا کہ دس فُل ممبران پانچ سال کے عرصہ میں ایک دوسرے کے ساتھ ایک دوسرے کے ممالک میں دوبار کھیلیں گے۔ ایسے سلسلوں میں کم ازکم دو ٹیسٹ میچ اور تین ایک روزہ بین الاقوامی میچ ہوں گے۔ قابل توجہ چیز یہ تھی کہ ان دو طرفہ میچوں کے مالی معاملات وہی تھے جو آئی سی سی سمجھوتے سے پہلے موجود تھے۔ یعنی دوروں کی آمدنی اور اخراجات میزبان ملک کے ذمے ہوتے تھے اور وہی اس کا مفاد حاصل کرتا تھا۔

لہٰذا اہم طور پر آئی سی سی سمجھوتے سے کھیل کا بنیادی مالی ڈھانچہ تبدیل نہ ہوا۔ خاص طور پر کھیلوں کے حقوق مالکانہ جن میں نمایاں طور پر ٹیلی ویژن اور سرپرستی کے حقوق ویسے ہی برقرار رہے۔ آئی سی سی کے پاس بین الاقوامی مقابلوں کے مالکانہ حقوق تھے۔ ممبران کے کرکٹ بورڈ اپنی اندرون ملک کرکٹ کے حقوق کی ملکیت رکھنے میں آزاد تھے (اگر انہیں اپنی حکومت کی طرف سے اجازت ہوتی) جس میں دوطرفہ مقابلے شامل تھے۔ اور اسی طرح اہم طور پر وہ موجودہ اور مستقبل کے اندرون ملک ہونے والے مقابلوں میں بھی آزاد تھے۔

1993ء میں ان حقوق کی معاشی طاقت اور کھیل کے مالی حالت کی کایا پلٹ جانے کا صحیح طور پر اندازہ نہیں لگایا جا سکا تھا۔ اس صورتحال کو چند دوررس کاروباری لوگوں نے جن کی سربراہی روپرٹ مرڈوک (Rupert Murdock)[4] سُبھاش چندر[5] اور مارک مکورمیک (Mark Mccormack)[6] کی آئی ایم جی کارپوریشن نے بھانپ لیا تھا۔

ان کاروباری مہم جو لوگوں کو ٹیلی ویژن کی دو اہم ترین منڈیوں ہندوستان اور برطانیہ میں قوانین

میں انقلابی تبدیلی سے زبردست موقع میسر ہوا۔ 1990ء کے برطانوی نشریاتی ایکٹ سے پانچویں متوازی ٹیلی ویژن چینل کے علاوہ بین الاقوامی سیٹلائیٹ ٹی وی کی بھی اجازت دے دی۔ 1991ء میں ہندوستان میں بھی اسی قسم کے اقدام سے برطانیہ کی نوخیز سیٹلائیٹ اور کیبل ٹیلی ویژن صنعت کو اپنے آپ کو مستحکم کرنے کا موقع ملا اور برطانیہ اور ہندوستان دونوں میں کھیل کو ٹیلی ویژن پر دکھانے کی حکمت عملی کا منصوبہ بنایا گیا۔ 2002ء میں صدر پرویز مشرف نے بالکل اسی طرح پاکستان میں بھی ذرائع ابلاغ کو آزاد کردیا جس کا ڈرامائی اثر ہوا اور پاکستان میں مقیم کاروباری لوگوں کو بھی اِس دوڑ میں شامل ہونے کی اجازت مل گئی جیسا کہ جنگ گروپ کے جیو ٹیلی ویژن نے کامیابی سے مقابلے میں شرکت کی۔

1993ء تک کرکٹ میں بڑا دھاکہ کرنے والے چار اجزا اپنی جگہ لے چکے تھے جن میں آئی سی سی سمجھوتہ اور بنیادی ممبران کا مسترد کرنے کے حق کا خاتمہ۔ کھیل میں ممبران کے درمیان اور مابین مالکانہ حقوق کو تسلیم کرنا (خاص طور پر ٹیلی ویژن کے حقوق) جب کہ آئی سی سی کی ملکیت میں بین الاقوامی حقوق، قومی کرکٹ بورڈ، دوطرفہ حقوق، بنیادی قوانین جن کے تحت کھیلوں کو ادائیگی کر کے نشریات پر دیکھنا تھا اور ٹی وی اور سیٹلائیٹ صنعت میں ذرائع ابلاغ کی عالمی کاروباری نسل کا وارد ہو جانا جو چوٹی کے نتائج حاصل کرنے کے لیے چوٹی کا سرمایہ لگانے کے لیے آمادہ تھے۔

جن خطرات کا سامنا کرنے کے لیے یہ کاروباری حضرات اور ان کے جانشین راضی تھے۔ اُن سیٹلائیٹ اور کیبل ٹیلی ویژن کی فنسیات میں بھاری سرمایہ کاری کی ضرورت تھی تاکہ ناظرین اپنے طور پر کھیل کو دیکھ سکیں۔ اور ان کا انحصار اجارہ دار قسم کے متوازی دینوی نشریات کرنے والوں پر نہ ہو۔ یہ ایک بہت بڑا جوا تھا۔ مگر انہیں یقین کامل تھا کہ کھیل کو دیکھنے والے ناظرین جنہیں آج غیر رومانی مگر درست طور پر ''مواد کے صارف'' کہا جاتا ہے، ٹیلی ویژن چینلوں کو باقاعدگی سے پیشگی رقوم ادا کر کے کافی تعداد میں کھیل دیکھیں گے۔ اس پیشگی رقوم سے ٹیلی ویژن ادارے ٹیکنالوجی میں کی گئی سرمایہ کاری کی رقوم کو بھی واپس حاصل کرلیں گے اور اپنے آپ کو درجہ بندی کے اُس معیاری مقام پر لے آئیں گے جس کی بدولت صارفین کی ضرورت کی اشیاء بنانے والے ادارے اُن سے بھاری رقوم کے عوض میں اپنے اشتہارات کے لیے وقت حاصل کریں گے۔

اس کام کے لیے بھاری سرمایہ کاری کی ضرورت تھی اور شروع کے نقصانات ناگزیر تھے۔ سب سے بڑا نقصان یہ ہوا کہ اس کام کے دوران نیوز کارپوریشن تقریباً بند ہوتے ہوتے رہ گئی۔ اسے ابتدائی طور پر بہت بڑے نقصانات کو برداشت کرنا پڑا۔ ان نقصانات کی تلافی اس وقت ہوسکی جب انگلش فٹ بال پریمیئر کے حقوق میں اُس کی سرمایہ کاری کو زبردست کامیابی حاصل ہوئی۔ یہ امریکہ سے باہر اُس وقت کی پہلی نمائش تھی جواب تک ''مواد کے صارف'' کے بٹوے میں بند پڑی تھی۔[7]

## 2000ء کا بڑا دھماکہ

ٹیلی ویژن کے حقوق کے امکانات میں پہلی پیش رفت اس وقت ہوئی جب 1996ء میں ہندوستان، پاکستان اور سری لنکا نے عالمی کپ منعقد کرانے کی مشترکہ کامیاب کوشش کی۔ جس کی تشکیل و تنظیم کا ہندوستان میں جگ موہن ڈالمیا کی سربراہی میں پِل کوم (Pilkom) نے اہتمام کیا۔ 1993ء میں عارف عباسی اور اس کے ساتھ پاکستانی احسان مانی جو مالیاتی امور کا ماہر تھا،[8] نے ٹی ڈبلیو آئی (TWI) جو کہ آئی ایم جی (IMG) کا حصہ تھی سے پندرہ لاکھ امریکی ڈالر کی قیمت کی ضمانت حاصل کر لی۔ بین الاقوامی طور پر یہ پاکستانی کرکٹ کے حقوق کی پہلی فروخت تھی۔ اسی عمل کو دوبارہ 2003-1998ء کے عرصہ کے لیے دہرایا گیا اور ٹی ڈبلیو آئی سے چونسٹھ لاکھ ڈالر کی بولی حاصل کر لی اور اس کے نتیجے میں اٹھاسی لاکھ ڈالر کا حصہ بھی حاصل ہوا۔ یہ رقوم یوں تو زیادہ معلوم نہیں ہوتیں مگر اپنے وقت میں یہ سنگ میل کی حیثیت رکھتی تھیں۔ اور پاکستان کرکٹ کی مالی خودمختاری کی خواہش کو مزید بھڑکایا۔

احسان مانی کے اپنے الفاظ کے مطابق وہ کرکٹ انتظامیہ سے حادثے کے طور پر منسلک ہوا تھا۔ مگر حقیقت یہ ہے کہ اسی کی بدولت عمومی تصور میں تبدیلی آئی جس نے تمام دنیا میں کرکٹ انتظامیہ کی کائنات کو بدل کر رکھ دیا۔

تجارتی کامیابی کے باوجود 1996ء کے ورلڈ کپ سے موجودہ نظام کے تحت کرکٹ کے حقوق کی فروختگی کی رکاوٹیں سامنے آئیں۔ یہی کیفیت انگلینڈ میں ہونے والے 1999ء کے ٹورنامنٹ کی تھی۔ دونوں مقابلوں کو میزبان ملکوں نے صرف ایک بار ہونے والے واقعہ کے طور پر فروخت کیا۔ اُس وقت کے معمول کے مطابق میزبان ممالک آمدنی کا بیشتر حصہ خود رکھتے تھے اور آئی سی سی اور اس کے ممبران کو نفع کا کچھ حصہ دیتے تھے۔ مگر انگلینڈ میں 1999ء کا منافع کچھ زیادہ نہ تھا۔

آئی سی سی کے لیے احسان مانی نے اس کا علاج یہ تجویز کیا کہ وہ اُن تمام مقابلوں کے حقوق جو اُس کے ازیرِ اختیار ہیں، کو محدود مدت کے لیے باہم گتھی کے طور پر فروخت کرے۔

ڈالمیا اور انگلینڈ اور ویلز کرکٹ بورڈ کے سربراہ لارڈ میک لورین (Lord MacLaurin) جس نے اِس سے قبل ٹیسکو (Tesco) کو ضروریات کی تمام اشیاء کی برطانیہ کی سب سے بڑی مارکیٹ بنا دیا تھا جس کی شاخیں ہر شہر میں پھیلا دی تھیں، کی عملی حمایت سے احسان مانیؔ آئی سی سی ممبران کو ہچکچاہٹ اور مزاحمت دور کرنے میں کامیاب ہو گیا۔ ان میں خصوصی طور پر مستقبل کے عالمی کپ کے میزبان جنوبی افریقہ اور ویسٹ انڈیز شامل تھے۔ 2000ء میں آئی سی سی نے اپنے زیر اثر ہونے والے آئندہ تمام بین الاقوامی میچوں کے ٹیلی ویژن اور سرپرستی کے حقوق ٹینڈر کے ذریعے فروخت کرنے کا فیصلہ کیا جس میں 2003ء اور 2007ء کے

عالمی کپ بھی شامل تھے۔

احسان مانی اور آئی سی سی کو اِس زبردست مقابلے میں بے حد فائدہ پہنچا جس میں خصوصی مقابلہ سبھاش چندر کی زی کارپوریشن اور مرڈوک گروپ میں تھا۔ باہم گتھی کے طور پر فروخت ہونے والے حقوق سے 550 ملین ڈالر حاصل ہوئے۔ اس وقت یہ رقم اتنی بڑی تھی کہ اُس نے ہلا کر رکھ دیا۔

یہ تھا کرکٹ میں بڑا دھماکہ اور 2000ء کے اِس دھماکے سے کرکٹ کی جو کائنات تخلیق ہوئی وہ مسلسل پھیلتی جا رہی ہے۔ آئی سی سی کے تجارتی ٹینڈر کے بعد 15-2007ء کے عرصہ کے لیے آئی سی سی نے عالمی کپ (2011ء اور 2015ء) کے لیے ٹورنامنٹ کے تجارتی حقوق باہم گتھی کے طور پر فروخت کیے جن میں آئی سی سی انیس سال سے کم عمر (Under-19) کا عالمی کپ (2008ء۔ 2010ء، 2012ء، 2014ء)۔ آئی سی سی عالمی ٹی20 (T-20) (2007ء، 2009ء، 2010ء، 2012ء، 2014ء)۔ خواتین عالمی کپ (2009ء اور 2013ء) آئی سی سی (چیمپئن شپ ٹرافی 2009ء، 2013ء) اور چار چھوٹے پروگرام شامل تھے۔ ٹیلی ویژن نشریات اور سرپرستی کے تجارتی حقوق کو تقسیم کر دیا گیا تھا۔ کامیاب بولی کل ڈیڑھ ارب ڈالر تک جا پہنچی۔ جس میں ESPN سٹار سپورٹس (نیوز کارپوریشن اور حصہ داران) نے نشریاتی حقوق 101 ارب ڈالر میں حاصل کیے۔ پیپسی، ایل جی (LG) ریلائینس کارپوریشن آف انڈیا، ایمریٹس ایئر لائنز اور کچھ اور کمپنیوں نے انفرادی بولیوں کے ذریعے مزید 400 ملین ڈالر کی آمدنی مہیا کی۔ 07-2000ء اور 15-2007ء کے ادوار کا براہِ راست موزانہ نہیں کیا جا سکتا کیوں کہ 2007ء میں آئی سی سی کے عالمی ٹی 20 کپ کی اہم شمولیت ہوگئی تھی۔ تاہم مقابلوں کی فہرست اور جو رقومات حاصل ہوئیں اور ان کے ساتھ سالانہ آئی سی سی ایوارڈ اور آئی سی سی ہال آف فیم (Hall of Fame) کا انعقاد اس بات کا واضح ثبوت ہیں کہ بین الاقوامی کرکٹ دنیا میں تفریح کا فلسفہ بن چکی ہے۔

## دوطرفہ ٹورنامنٹ اور ہندوستان کی طاقت

ان بین الاقوامی مقابلوں سے فُل ممبران اور شریک ممبران کو اُن کے حصے کے اُس تناسب سے جس کا 1993ء کے دُور افتادہ دنوں میں تعین ہوا تھا کہ بھاری منافع حاصل ہوا۔ اِن سب کا دارومدار اہم طور پر ہندوستان کی سرگرمی سے راضی ہونے پر تھا جس کا پاس کرکٹ دیکھنے والے ناظرین کی سب سے بڑی منڈی ہے جو روایتی ٹیلی ویژن کے علاوہ دورِ حاضر کے ذرائع ابلاغ کے ذریعے میچ دیکھتے ہیں۔ ہندوستان بغیر کسی شک وشبہ کے اس سے بھی کہیں زیادہ آمدنی حاصل کر سکتا تھا، اگر وہ اپنے حقوق علیحدہ فروخت کر دیتا یا اگر وہ بین الاقوامی ٹورنامنٹ کی آمدنی میں سے اپنا حصہ زیادہ مانگ لیتا۔ انڈین پریمیئر لیگ کی کامیابی کی بدولت

اگر ہندوستان ٹی 20 کے مقابلوں کو آئی سی سی کی گتھی سے نکال کر آمدنی کے حقوق اپنے لیے حاصل کر لیتا تو اسے بہت منافع ہوتا۔

دوطرفہ ٹورنامنٹوں میں ہندوستان کی طاقت اور بھی واضح ہے جہاں آئی سی سی نے ایک سادہ سے اصول پر سمجھوتہ کر رکھا ہے کہ تمام ممالک کے ٹیلی ویژن کے حقوق میزبان ملک کے ہوتے ہیں چاہے وہ میزبان پاکستان کی طرح کا ہو جس کے اپنے ملک میں کھیلے جانے والے میچ کسی دوسرے ملک میں کھیلے جاتے ہوں چوں کہ ہندوستان کے ناظرین سے حاصل ہونے والی آمدنی کسی بھی ملک کے مقابلے میں اتنی اہم ہے کہ ہندوستان کی ٹیم کے دورہ سے کسی بھی ملک کی کرکٹ سے حاصل ہونے والی آمدنی میں بے تحاشا فرق پڑتا ہے۔ ہندوستان کے بعد آمدنی کے لحاظ سے اپنے میزبان کے لیے انگلش ٹیم کا دورہ دوسرے نمبر پر آتا ہے۔ پھر اس کے بعد کچھ فاصلے پر آسٹریلیا کا نمبر آتا ہے۔ جب کہ باقی ممالک اِن سے بہت پیچھے ہیں۔ آئی سی سی کے مستقبل کے دوروں کا پروگرام 1993ء کے سمجھوتے کے مطابق ہے۔ جس کے تحت ضروری ہے کہ ہر ملک ایک دوسرے کا دورہ سالوں کے طے شدہ پروگرام کے مطابق کرے تاکہ ہر ایک کو ہندوستان کی ٹیم کے دورہ کی آمدنی سے فائدہ پہنچ سکے۔ اور وہ ایسے ملک کی ٹیم کی میزبانی کرنے کا دُکھ بھی سہہ سکیں جہاں سے انہیں کم آمدنی حاصل ہونا ہو۔

ہندوستان کا پاکستان کی میزبانی (جو آخری دفعہ 06-2005ء میں کی گئی تھی) قبول کرنے کے دیرینہ انکار سے پاکستانی کرکٹ کو اہم نقصان پہنچا ہے۔

## پاکستان اور کرکٹ کا بڑا دھماکہ

2000ء وہ سال تھا جب آئی سی سی نے اپنے حقوق کو پہلی بار یکجا کیا۔ پاکستان کرکٹ بورڈ کا 4.6 ملین ڈالر سے آمدنی اور خرچہ کا توازن برقرار رہا اور اُسے کوئی نفع نقصان نہ ہوا۔ بنگلہ دیش جو کرکٹ میں سب سے کمزور ملک تھا، نے دورہ کیا تھا۔ ان کی بجائے اگر قابل توجہ مخالف ٹیم ہوتی (ناظرین کے حقوق اور پسند کے لحاظ سے) جیسے کہ انگلینڈ یا آسٹریلیا تو یہی آمدنی کی رقم آٹھ سے دس ملین ڈالر ہوتی اور اخراجات نکالنے کے بعد چار ملین ڈالر کی بچت ہوتی۔

2002ء سے 2013ء تک پاکستان کو آئی سی سی کے منعقد کردہ ٹورنامنٹوں سے 74 ملین ڈالر کی آمدنی ملی جس میں 13.25 ملین ڈالر ٹورنامنٹوں کی میزبانی کی مَد سے حاصل ہوئے تھے۔ اور 3.5 ملین ڈالر شرکت کرنے (چیمپئنز ٹرافی اور 2011ء کا ورلڈ کپ) کی مَد سے ملے تھے۔ بقایا 57.5 ملین ڈالر آئی سی سی کی آمدنی سے وہ حصہ تھا جو قاعدے کے مطابق فُل ممبر کی حیثیت سے ملتا تھا۔

پاکستان کرکٹ بورڈ کی سولہ سال سے زیادہ عرصہ 1998ء تا 2013ء کی آمدنی کا مجموعہ 365 ملین ڈالر تھا۔ اور ٹیکسوں کی ادائیگی کے بعد 131 ملین ڈالر کی بچت ہوئی تھی جو 25 فیصد کے حساب سے تمام اخراجات کے بعد اچھا خاصا منافع تھا۔ سابقہ نسلیں یہ دیکھ کر حیران و پریشان ہو جائیں کہ پاکستان کرکٹ بورڈ قومی خزانے میں حصہ ڈال رہا ہے۔

مگر اعداد و شمار کا گہری نظر سے مشاہدہ کرنے پر معلوم ہوتا ہے کہ ان کی تہہ میں عبوری صورتحال اور تحلیل ہو جانے والی کیفیت پاکستان میں کرکٹ کے مالی امور کی حقیقت پسندانہ ترجمانی کرتی ہے۔

بچت کی کل رقم میں تقریباً 43 ملین ڈالر ہندوستان کے دو دوروں 2004ء اور 2008ء کی بچت سے حاصل ہوئے تھے جو کہ بالترتیب 18 ملین ڈالر اور 25 ملین ڈالر تھی۔ اِن اعداد و شمار کی ترقی سے واضح طور پر آئی سی سی کے سمجھوتے کے تحت دو طرفہ دوروں کے نتائج ظاہر ہیں۔ اور اس کے ساتھ میزبان ملک کے حقوق کی بڑھتی ہوئی وقعت خاص طور پر اگر دورہ کرنے والی قوم ہندوستان کی ہو۔

اِس آمدنی کی عبوری کیفیت کو اُس وقت فوری مالی نتائج کا سامنا کرنا پڑا جب نومبر 2008ء میں بمبئی میں حملہ ہوا اور پھر 2009ء میں دورہ پر آئی ہوئی سری لنکا کی ٹیم پر لاہور میں حملہ ہوا۔ اکتوبر 2008ء میں بمبئی حملہ سے ایک ماہ قبل ٹین سپورٹس Ten Sports (2008ء تک یہ سبھاش چندرا کی زی کمپنی کے زیر انتظام آ چکی تھی) نے پاکستان سے 2008ء تا 2013ء کے نشریاتی حقوق 125 ملین ڈالر میں خرید لیے تھے۔ جس سے ہندوستانی ٹیم کے مکمل دورہ کی پیشین گوئی ملتی تھی جس میں ٹیسٹ میچوں کے علاوہ ایک روزہ بین الاقوامی میچ بھی شامل تھے۔ ہندوستانی ٹیم کا دورہ منسوخ ہونے کا مطلب یہ تھا کہ پاکستان کرکٹ بورڈ کی آمدنی میں 35 ملین ڈالر کی کمی واقع ہو جاتی۔ یہ کمی 90 ملین ڈالر کے حقوق کی فروخت کے بعد بھی رہتی۔

ہندوستان اور پاکستان ابھی تک دو طرفہ دوروں کے سلسلے کو شروع کرنے پر آمادہ نہیں ہوئے جن میں غیر جانبدار مقامات کے میچ بھی شامل ہیں۔ ان میں پاکستان کے اپنے ملک میں کھیلے جانے والے میچ جنہیں ہندوستان کی سرزمین پر کھیلا جانے بھی شامل ہیں۔ آئی سی سی کے ممبران کو پاکستان سے ہمدردی ہے۔ پاکستان نے فل ممبران کے خلاف جن میں آسٹریلیا، انگلینڈ کے خلاف انگلینڈ میں اور متحدہ عرب امارات (UAE) کے خلاف میچ کھیلے ہیں مگر ہندوستان کے ساتھ پاکستان کے میچوں میں تعطل پیدا ہو جانے کی وجہ سے پاکستان کو جو خسارہ ہوا ہے اس کا کچھ حساب لگایا جا سکتا ہے۔ ذرا غور کیجئے کہ اگر تین دو طرفہ میچوں کے سلسلے خود پاکستان میں ہندوستان، انگلینڈ اور آسٹریلیا کے خلاف منعقد ہوتے جن میں ہر ایک میں تین ٹیسٹ میچ پانچ ایک روزہ بین الاقوامی میچ۔ پانچ ٹی 20 (T-20) ہوتے تو ہندوستان کے دورہ سے پاکستان کو تقریباً 70 ملین ڈالر حاصل ہوتے۔ انگلینڈ اور آسٹریلیا کے دوروں سے 35 ملین ڈالر فی دورہ ملتے۔ جس سے کل

آمدنی 140 ملین ڈالر کی ہو جاتی۔ اب ہندوستان کو ایک طرف کر دیں اور سوچیں کہ پاکستان میچوں کا یہی سلسلہ انگلینڈ، آسٹریلیا اور جنوبی افریقہ کے خلاف متحدہ عرب امارات میں کھیلتا ہے تو ممکن ہے کہ کھیلنے کے بعد اُسے ہر ملک سے 20 ملین ڈالر مل جاتے۔ جس سے کل رقم 60 ملین ڈالر بن جاتی۔ لہٰذا پاکستان کو دہشت گردی کے واقعات کی بدولت تقریباً 80 ملین ڈالر کا نقصان ہوتا ہے۔

## ترقی پر اثر

اِس قسم کی عبوری صورتحال کا سامنا کرتے ہوئے پاکستان کرکٹ بورڈ نے 13-2009ء کے عرصہ میں اپنے انتظامی اخراجات کو 12 ملین ڈالر پر سنبھالے رکھا۔ یہ اخراجات 2006ء میں 6 ملین ڈالر سے بڑھ کر اب دوگنا ہو گئے تھے۔ 10-2008ء کے خساروں کے بعد کسی حد تک اب کچھ استحکام حاصل ہوا ہے۔ عالمی کپ 2011ء سے حاصل ہونے والی خاصی رقم کے بعد 2012ء اور 2013ء میں معقول بچت بھی حاصل ہو سکے گی۔

بین الاقوامی کرکٹ میں بڑے دھماکے کی بدولت پاکستان کرکٹ کو جو آمدنی حاصل ہوئی ہے، وہ مُلک میں کرکٹ کی بنیاد رکھنے والوں کے وہم و گمان میں بھی نہیں آ سکتی تھی۔ پاکستان کرکٹ بورڈ کے قائم مقام چیئرمین نجم سیٹھی اور اس کے آئندہ جانشینوں دونوں کے سامنے ایک بہت بڑی ذمہ داری ہے کہ یہ آمدنی کسی صورت ضائع نہیں ہونی چاہیے۔ انہیں اور اہم معاملات کی طرف توجہ دینا چاہیے جن میں عملہ کے معاملات اور پاکستان کرکٹ بورڈ کے ساتھ نتیجہ خیز کارکردگی شامل ہے۔ ان میں استحقاق مقامی ڈھانچوں کے نمائندوں کی کارگزاری، آمدنی سے حصہ کے لیے ایک دوسرے کے مدِ مقابل دعوے دار (جن میں خواتین کرکٹ اور اپاہج لوگوں کی کرکٹ بھی شامل ہے) اور موجودہ منصوبہ بندی کا لائحہ عمل جیسے معاملات شامل ہیں۔ انہیں بہت سے ایسے معاملات اور مشکلات کو حل کرنا ہے جن کی وجوہات اُن کے دائرۂ اختیار میں نہیں ہیں۔ ان میں تحفظ، اخلاقی بگاڑ، بد دیانتی، میچوں کو جوئے کے لیے بنانا اور بہت سے نوجوان کھلاڑیوں کی غیر معیاری تعلیم شامل ہیں۔ اِن تمام معاملات کو ایسی فضا میں حل کرنا ہے جہاں مالی حالات کے پسِ پردہ عبوری آمدنی ہے۔ اخراجات بے تحاشا ہیں اور عدالتیں بار بار مداخلت کرتی ہیں۔

## ہندوستان کا دور

پاکستانی کرکٹ کے منتظمین کے سامنے جو معاملات تھے وہ جنوری 2014ء میں اور بھی ضروری صورت اختیار کر گئے۔ دُبئی میں اس ماہ کے دوران آئی سی سی نے اصولی طور پر اُس تجویز سے اتفاق کا اعلان کر دیا تھا جسے ہندوستان، انگلینڈ اور آسٹریلیا نے پیش کیا تھا کہ آئی سی سی کے 1993ء کے سمجھوتے کو ختم کر دینا

چاہیے۔ اور پھر مارچ 2014ء سے گفت وشنید کا ایک دور شروع ہونے والا تھا جس کی سربراہی ہندوستان کر رہا تھا۔ جس کے مطابق مستقبل کے اجتماعی دوروں کا لائحہ عمل ختم کر کے دوطرفہ میچوں کے سلسلے کے معاہدوں کو عملی جامہ پہنایا جائے۔ اس سے آئی سی سی کے مستقبل کے ٹورنامنٹوں کی آمدنی میں حصوں کی تقسیم کا تناسب بھی بدل جاتا تھا۔ (اس میں نمایاں طور پر نشریات اور سرپرستی کے حقوق شامل تھے جو پرانے طریقے کے تحت یکجا تھے اور ابھی 21-2015ء کے عرصہ کے لیے دہرایا گیا تھا۔ اور یہاں سے توقع تھی کہ 3ارب ڈالر کی آمدنی ہوگی) حصوں کی برابر تقسیم کی بجائے فُل ممبران کو اُن کی معاشی کارکردگی کے تناسب سے حصہ دینے کی تجویز تھی۔ اس طرح انگلینڈ اور آسٹریلیا کی مدد سے ہندوستان کے ہاتھ آئی سی سی کا پُر اثر اختیار آ جاتا تھا۔ اور ساتھ ساتھ وہ آمدنی بھی اس کے دائرۂ اختیار میں آ جاتی تھی جو ہندوستان کے اندر اُن کی ٹیلی ویژن منڈیوں کی معاشی طاقت کی ترجمانی کرتی تھی۔[9]

اس گفت وشنید کی اہمیت پاکستانی کرکٹ کے حوالے سے کسی طور بھی نظر انداز نہیں کی جاسکتی۔ اگرچہ اس صورتحال سے یہ خطرہ پیدا ہو گیا تھا کہ وہ کہیں پاکستان (اور چھ دوسرے ٹیسٹ کرکٹ کھیلنے والے ممالک) کی تنزلی کر کے اُنہیں مستقل طور پر بین الاقوامی کرکٹ میں دوسرا درجہ نہ دے دیں۔ یہ بھی ممکن تھا کہ وہ پاکستان اور ہندوستان کے درمیان دوطرفہ ٹیسٹ کرکٹ کی بحالی کے حالات پیدا کر دیتے جو کہ پاکستان کے لیے ایک بہت بڑا انعام ہوتا۔

کرکٹ کے اس نئے سمجھوتے کے پیچھے ہندوستان کی منڈی میں مقبولیت کی طاقت کارفرما تھی جو باقی تمام ممالک کے اکٹھا ہو جانے کے باوجود اُن پر بھاری رہتی۔ مالی انقلاب نے ہندوستان کے دور کو ابھارا۔ اب اُس پر یہ بھاری ذمہ داری عائد ہے کہ وہ اپنی طاقت کا استعمال پوری دنیا کی کرکٹ کے مفاد میں کرے۔

## حوالہ جات:

1 میں ان سب کا انتہائی شکر گزار ہوں جنہوں نے اپنی مصروفیت کے باوجود کئی صبر آزما گھنٹوں کا وقت دیا جس کے نتیجے میں یہ باب مرتب ہو سکا۔ خاص طور پر احسان مانی، عارف عباسی اور زاہد نورانی (ٹینی سپورٹس) کا بے حد مشکور ہوں کہ جن کے بغیر مالیاتی انقلاب ممکن نہیں تھا۔ پاکستان کرکٹ بورڈ میں سبحان احمد کے علاوہ بدر ایم خان اور میراں مبشر کی سربراہی میں مالیاتی امور کے ساتھیوں نے ہر وقت غیر محدود مدد دی۔ انٹرنیشنل کرکٹ کونسل (ICC) مالیاتی امور کے سربراہ فیصل حسنین اور اس کی ٹولی نے ضروری تفصیلی اور حقیقی رہنمائی بہم پہنچائی۔ اس باب میں ان سب نے اعداد وشمار مہیا کیے۔ یہ کاوش انھی کی ہے جب تک کہ اس کی تردید نہ ہو۔

2 آمدنی اور اخراجات کے تخمینہ (Budget) کے اعداد وشمار کو صفحہ 72-171 پر دیکھیے۔

3 کرکٹ قوانین کی ذمہ داری اب بھی ایم سی سی کے پاس لارڈز میں موجود ہے۔ یہ کردار گو کہ

اپنی اہمیت رکھتا ہے مگر اِس کردار کی مناسبت گولف کھیلنے والی سینٹ اینڈ ریوز کی قدیمی شاہی کلب (Royal & Ancient Club St. Andrews) سے ہے اور یہ آخری قوت جس کی بنیاد شاہی قوم نے رکھی تھی بدستور موجود ہے۔ آئی سی سی کے میچوں کی شرائط اور نظم وضبط ایم سی سی کی ذمہ داری نہیں ہے۔ بلکہ دونوں کے قوانین کا تقریباً علیحدہ علیحدہ ذخیرہ بن چکا ہے۔ آئی سی سی سے سمجھوتے سے پہلے عالمی کرکٹ کانفرنس (International Cricket Conference) کو ایم سی سی کی طرف سے سیکرٹری اور صدر مہیا کیے جاتے تھے۔

4 روپرٹ مرڈوک (Rupert Murdock) برطانیہ میں نیوز کارپوریشن اور اسکائی (Sky) ٹی وی کا بانی ہے۔ ہندوستان میں وہ سٹار ٹی وی (Star TV) کا مالک ہے۔

5 سبھاش چندر نے ہندوستان میں 1992ء میں زی ٹی وی (Zee TV) کی بنیاد رکھی۔

6 امریکی قانون دان مارک میکورمیک (Mark McCormack) (1930-2003) نے 1950ء کی دہائی میں انٹرنیشنل مینجمنٹ گروپ (International Management Group) IMG کی بنیاد رکھی تا کہ وہ گاف (Golf) کے کھلاڑیوں کی نمائندگی کرے۔ IMG ترقی کر کے کھیلوں کے لیے منڈیاں حاصل کرنے والی دنیا کے سب سے اہم اداروں میں شمار ہونے لگی۔

7 سکائی ٹی وی نے سب سے پہلے 93-1992ء میں انگلش فٹ بال پریمیئر لیگ کے نشریاتی حقوق حاصل کیے۔ عالمی طور پر اُس کی کامیابی نے سکائی ٹی وی کو دورِ حاضر کی کامیاب ترین ٹیلی ویژن چینلز کی صف میں لا کھڑا کیا تھا۔ اُس کی ابتدائی کامیابی کے بغیر یہ تصور نہیں کیا جا سکتا کہ 2003ء میں اس کی سرمایہ کاری کے ذریعے کرکٹ کو ٹیلی ویژن پر دکھایا جا سکتا تھا۔ یہ کہنے میں کوئی مبالغہ نہیں کہ یہ انگلش فٹ بال دیکھنے والے ناظرین ہی تھے جن کی بدولت ٹیلی ویژن کی بدولت دھما کہ خیز آمدنیاں حاصل ہوئیں جس کا فائدہ پھر کرکٹ نے اُٹھایا۔ میہر بوس کی کتاب گیم چینجر (Game Changer) (2012 Marshal Cavendish) میں مرڈوک (Murdoch) کا پریمیئر لیگ کو قابو کرنے پر عمدہ تجزیہ ہے۔

8 پیدائش راولپنڈی میں 1945ء میں ہوئی۔ گورنمنٹ کالج لاہور کی طرف سے کرکٹ کھیلا۔ چارٹرڈ اکاؤنٹ کی تعلیم برطانیہ سے حاصل کی۔ 1989ء سے وہ پاکستان کرکٹ بورڈ کا آئی سی سی (ICC) میں نمائندہ رہا۔ اور اہم طور پر آئی سی سی کی مالی امور اور کاروباری کمیٹی کا سربراہ 2002-1996ء کے عرصہ میں رہا۔ وہ 2003ء میں آئی سی سی کا صدر بن گیا۔

9 کرکٹ کے مطابق بلکہ معاشی طور پر دوسرے ٹیسٹ کرکٹ کھیلنے والے ممالک کی اہمیت کو جنوری کے اعلان کے بعد آئی سی سی کے پہلے ٹورنامنٹ میں نمایاں طور پر اجاگر کیا گیا۔ فروری 2014ء میں انیس سال سے کم عمر (Under-19) کے فائنل کا مقابلہ پاکستان اور جنوبی افریقہ کے درمیان کھیلا گیا جب کہ ٹورنامنٹ کی بہترین اننگز کوارٹر فائنل میں ویسٹ انڈیز کے کھلاڑی نے کھیلی۔

24

# امن کے آخری ایام

''بمباری کے لیے تیار رہو۔ قبل از تاریخ پتھروں کے دور میں واپسی کے لیے تیار ہو جاؤ۔''

۔امریکہ کی پاکستان کو دھمکی

ہم نے جب پاکستان کرکٹ کی آخری خبر دی تو اس وقت اُسے آسٹریلیا کے ہاتھوں 1999ء کے ورلڈ کپ میں لارڈز کے میدان پر ابھی نئی نئی ذلت آمیز شکست ہوئی تھی۔ اِس تباہی کا پہلا شکار پاکستان کرکٹ بورڈ ہوا جہاں ایک اور کمیٹی نے آ کر جگہ سنبھال لی۔

تجربہ کار خالد محمود کی جگہ مجیب الرحمٰن کو سربراہ بنا دیا گیا جو ایک صنعتی ادارے ریڈکو (Redco) کا مالک تھا۔ اُس کے پس منظر کا کرکٹ سے کوئی تعلق نہ تھا مگر سیاسی طور پر اُس کے تعلقات بہت وسیع تھے اور اُس کی کمپنی اندرون ملک کھیلے جانے والی کرکٹ کی اہم سرپرست تھی۔ اس ہنگامی کمیٹی کے دوسرے ارکانوں میں نوشاد علی (سابقہ ٹیسٹ کھلاڑی اور فوجی افسر) اور برکی قبیلے سے تعلق رکھنے والا بے حد عزت کا حامل جاوید زمان تھا۔

اس نئی منتظم کمیٹی نے قذافی سٹیڈیم لاہور میں نیشنل کرکٹ اکیڈمی جس کا عرصہ دراز سے انتظار تھا، کا آغاز کر دیا اور وسیم راجہ کو قومی کوچ مقرر کر دیا۔ یہ اُس سال کا تیسرا کوچ مقرر ہوا تھا۔ اِس سے پہلے نکلنے والوں میں جاوید میاں داد اور مشتاق محمد تھے جو عالمی کپ کے بعد اپنی مرضی سے علیحدہ ہوئے تھے۔

معین خان قومی ٹیم کا کپتان بننے والا تھا مگر احتساب بیورو اور پاکستان کرکٹ بورڈ کی اندرونی تفتیش جو جسٹس قیوم کی باضابطہ تحقیقات جس کا نتیجہ ابھی آنا باقی تھا سے پہلے کی گئی تھی بدعنوانی ثابت نہ ہونے پر وسیم اکرم اس کی جگہ کپتان بن گیا۔ وسیم اکرم کے ذمے پہلا کام ہی بہت مشکل تھا جو آسٹریلیا میں ٹیسٹ میچوں کا سلسلہ تھا۔ ٹیم کی روانگی سے قبل ہی اس کا کوچ علیحدہ ہو گیا۔ آزاد ذہن کے مالک وسیم راجہ مستعفی

ہوگئے اور اس کی جگہ جنوبی افریقہ کا رچرڈ پائی بس آ گیا جو عالمی کپ کے دوران تکنیکی کوچ رہ چکا تھا۔

افسوسناک طور پر پاکستانی حکومت کا بھی خاتمہ ہوگیا۔ پرویز مشرف نے نواز شریف کی حکومت کا تختہ الٹ دیا تھا۔ اور ناگزیر طور پر پرویز مشرف نے نواز شریف کے زیر اثر مجیب الرحمٰن کو ایڈہاک کمیٹی کی سربراہی سے برخاست کر دیا۔ اور اس کی جگہ تجربہ کار عبدالحفیظ کاردار سے تربیت یافتہ ظفر الطاف کو عارضی طور پر لایا گیا۔[1]

1999-2000ء کے اُس دورے پر پاکستان کو آسٹریلیا سے تینوں ٹیسٹ میچوں میں شکست ہوئی۔ خاص طور پر پہلے اور تیسرے ٹیسٹ میچوں میں بھاری رنز کے فرق سے مار پڑی۔ دوسرے ٹیسٹ میچ میں چار وکٹوں میں شکست ہوئی مگر آسٹریلیا کی دوسری اننگز میں امپائر کے فیصلے سے پاکستانی ٹیم نالاں ہوئی۔ یہ فیصلہ جسٹن لینگر (Justin Langer) کے حق میں دیا گیا جس نے بعد میں اپنی سنچری مکمل کرتے ہوئے آسٹریلیا کے شاندار نو دریافت وکٹ کیپر ایڈم گلِ کرائیسٹ (Adam Gilchrist) کے ساتھ مل کر میچ جیتنے کی شراکت قائم کی۔

پاکستان کی طرف سے چند عمدہ انفرادی کارکردگیاں سامنے آئیں۔ انضمام الحق، سعید انور اور اعجاز احمد نے سنچریاں بنائیں۔ ثقلین مشتاق نے دوسرے ٹیسٹ میچ میں اپنے خصوصی ''دوسرے'' کے ساتھ آسٹریلوی بلے بازوں کو بدحواس کیے رکھا۔ مگر مضبوط اور تسلی بخش صورتحال پر پہنچ کر پاکستانی بلے باز کئی بار ڈھیر ہو گئے۔ پاکستان باؤلر آسٹریلوی بلے بازوں کو روکنے میں ناکام رہے۔ جن میں گل کرائیسٹ (Gilchrist) لینگر (Langer) اور مائیکل سلیٹر (Michal Slater) 80 رنز سے زیادہ کی اوسط حاصل کرنے میں کامیاب رہے۔

سب سے افسوسناک بات یہ ہوئی کہ شعیب اختر پر یہ شک کیا گیا کہ وہ گیند کو صحیح طریقہ سے کرنے کی بجائے پھینکتا (Throw) ہے۔ پاکستان کرکٹ بورڈ کے سیکرٹری شفقت رانا نے اس الزام کی کھلے طور پر خدمت کرتے ہوئے ان شبہات کو نسلی تعصب قرار دیا۔ مگر اُسے یہ علم نہ تھا کہ نیوزی لینڈ کے جان ریڈ (John Ried) نے جو میچ کا ریفری تھا، نے درخواست کی تھی کہ شعیب اختر کے باؤلنگ انداز کی خفیہ طور پر عکس بندی کی جائے۔ جب یہ فلم آئی سی سی کو دکھائی گئی تو اس کا نقطہ نظر یہ تھا کہ وہ کبھی کبھار گیند کو باؤنس کرتے وقت اُسے صحیح طریقے کی بجائے پھینکتا ہے۔ آئی سی سی نے شعیب اختر پر بین الاقوامی کرکٹ کھیلنے کی پابندی عائد کر دی۔ پھر حیرت انگیز طور پر اُسے ایک روزہ بین الاقوامی میچوں میں کھیلنے کی اجازت دے دی۔

اس جھگڑے کی بدولت شفقت رانا کو اپنے عہدہ سے ہاتھ دھونا پڑے۔ اور پھر ظفر الطاف کو ایڈہاک کمیٹی کے سربراہ کے عہدے سے ہٹا کر اُس کی جگہ پرویز مشرف اپنے فوجی ساتھی جنرل توقیر ضیا کو لے

آیا۔ جنرل توقیر ضیا کا کرکٹ سے کچھ تعلق تھا مگر وہ ہندوستان کی سرحدوں پر نگرانی کرنے والی فوج کی کمان بھی کر رہا تھا۔ ابتدائی طور پر اُس نے کرکٹ کی ذمہ داری قبول کرنے سے انکار کیا مگر پرویز مشرف مصر رہا۔[2]

آسٹریلیا میں شکست فاش کے بعد پاکستان کے پہلے غیر ملکی کوچ کی حیثیت سے رچرڈ پائی بس کا کردار صرف چھ ہفتے بعد ختم ہو گیا۔ اس کی جگہ ہمیشہ حاضر رہنے والے انتخاب عالم نے پُر کر دی۔ کرنل شجاع الدین جس کا شمار اس وقت پاکستانی کرکٹ کے اعلیٰ بزرگوں میں ہوتا تھا، نے اپنی تاریخ میں احتجاجاً بیان کیا ہے کہ پاکستانی کوچنگ سے نکل کر آنے والے کھلاڑی محض ایک مذاق ہیں۔ اس کا نقطہ نظر درست تھا۔ 1999ء میں پاکستان کرکٹ بورڈ نے تین سربراہ دیکھے جنہوں نے ٹیم کو پانچ مختلف کوچ مہیا کیے اور ان کے علاوہ تین مختلف کپتان مقرر کیے۔

کچھ عرصہ ملک میں رہنے کے بعد پاکستانی ٹیم تین طرفہ عالمی سیریز کھیلنے واپس آسٹریلیا پہنچی۔ یہ ایک روزہ ٹورنامنٹ آسٹریلیا اور ہندوستان کے خلاف کھیلنا تھا۔ ابتدائی سلسلے میں چار میچوں میں شکست ہوئی اور چار میچ جیتے گئے (ایک میچ کا سنسنی خیز نتیجہ آخری گیند پر حاصل ہوا) ان میچوں میں عبدالرزاق کی نمایاں کارکردگی اُسے سیریز کا بہترین کھلاڑی ہونے کا اعزاز حاصل ہوا۔ مگر تین میچوں کے بہترین فائنل میں آسٹریلیا پاکستان پر پوری طرح سے حاوی ہوا۔

آسٹریلیا میں اپنی آخری شکست کے نو دن بعد پاکستان کا دورہ کرنے سری لنکا کی ٹیم آ پہنچی۔ وسیم اکرم کو اُس کی اپنی درخواست پر سرکاری طور پر کپتانی سے علیحدہ کر دیا گیا حقیقت یہ تھی کہ اسے برخاست کیا گیا تھا۔ معین خان نے اُس کی جگہ لینے سے انکار کر دیا اور سعید انور کو کپتانی قبول کرنا پڑی۔ وہ ولولہ اور اُمنگ پیدا کرنے کے قابل نہ تھا۔ اور سری لنکا نے ایک روزہ میچوں کا سلسلہ 0-3 سے جیت لیا اور اس کے ساتھ ہی بد مزاج قسم کے ٹیسٹ میچوں کے سلسلے کو بھی 1-2 سے جیت لیا۔ متیاہ مرالی دھرن پاکستانی بلے بازوں کے بس کی بات نہ تھا۔ گو کہ نوجوان پٹھان یونس خان ٹیسٹ کرکٹ کے پہلے ہی میچ میں سنچری بنانے والا ساتواں پاکستانی بن گیا۔

میچوں کی یہ سیریز ہار جانے کے بعد ایک فتح پاکستان کی کچھ دلجوئی کا سبب بنی۔ اور یہ فتح معین خان کے ہاتھوں ملی جو زخمی سعید انور کی جگہ کپتانی کر رہا تھا۔ وقار یونس ٹیم میں واپس آ چکا تھا اور اس نے تیرہ وکٹیں حاصل کی تھیں۔ اس ٹیسٹ میچ سے پیشتر انتخاب عالم کی جگہ جاوید میاں داد قومی کوچ کی حیثیت سے آ گیا تھا جس پر انتخاب عالم نے خلاف معمول برانگیختہ ہو کر پاکستان کرکٹ بورڈ کے خلاف ہرزہ سرائی کی۔

معین خان کو اب دوبارہ کپتان مقرر کر دیا گیا تھا۔ اس نے شارجہ میں منعقد ہونے والے کوکا کولا کپ میں ہندوستان اور جنوبی افریقہ کے خلاف فتوحات میں پاکستانی ٹیم کی سربراہی کی۔ اس کے بعد وہ زخمی

کھلاڑیوں کی اپنی ٹیم کو ویسٹ انڈیز کے دورہ پر لے گیا۔ 1993ء کے بعد پاکستانی ٹیم کا ویسٹ انڈیز کا یہ پہلا دورہ تھا۔ اس نے اُن کے اور زمبابوے کے خلاف ایک روزہ میچوں کے سلسلے جیت لیے۔ اس کے بعد تین ٹیسٹ میچ کھیلے گئے۔ پہلا ٹیسٹ بغیر ہار جیت ختم ہوا جس میں بارش کے بعد پاکستان کی صورتحال مضبوط تھی۔ دوسرے ٹیسٹ میچ میں معین خان اور جاوید میاں داد نے حیرت انگیز طور پر دفاعی حربے اختیار کیے جن کی وجہ سے اُن پر کافی تنقید ہوئی حالاں کہ صرف انیس سالہ عمران نذیر نے ایک تیز رفتار سنچری بنائی تھی دیر سے اننگز ختم کرنے کے نتیجے میں ویسٹ انڈیز نے باآسانی میچ ہار جیت کے بغیر اختتام کو پہنچا دیا۔

اینٹگوا (Antigva) میں کھیلے جانے والے تیسرے ٹیسٹ میچ میں یوسف یوحنا کی سنچری نے پاکستان کی بچت کرا دی جب کہ ابتدا میں کھلاڑیوں کے جلد آؤٹ ہونے سے ٹیم کی حالت مخدوش تھی۔ اس کے بعد وسیم اکرم نے طوفانی باؤلنگ کے ذریعے چھ وکٹیں حاصل کر کے ویسٹ انڈیز کی صرف چار رنز کی برتری کو محدود کر دیا۔ دوسری اننگز میں امپائر بلی ڈوکٹرو و (Billy Doctrove) کے مشکوک فیصلے سے انضمام الحق سخت برہم ہوا۔ جیتنے کے لیے ویسٹ انڈیز ٹیم 216 رنز کا تعاقب کر رہی تھی کہ امپائر ڈوکٹرو و (Doctrove) نے اس وقت مزید غضبانک صورتحال پیدا کر دی جب اس نے کپتان جمی ایڈمز (Jimmy Adams) کی ایک موقع دیا تاہم اس سے کوئی خاص فرق نہ پڑا جب وسیم اکرم نے مزید پانچ وکٹیں حاصل کر لیں۔ ویسٹ انڈیز کو جیتنے کے لیے ابھی 19 رنز کی ضرورت تھی جب اُس کا آخری بلے باز کھیلنے آیا۔ اس بلے باز کورٹنے والش (Courtney Walsh) کا شمار دنیا کے بدترین بلے بازوں میں ہوتا تھا مگر کسی نہ کسی طرح وہ بچتا ہوا ایڈمز (Adams) کے ساتھ رہا۔ اب پاکستان کو اشتعال دلوانے کی دوسرے امپائر کی باری تھی۔ یہ نیوزی لینڈ کا ڈگ کاووی (Doug Cowie) تھا۔ جس نے والش کے بلے اور پیڈ کے صاف امکان کو رد کر دیا۔ اس کے باوجود پاکستان کو میچ جیتنا چاہیے تھا۔ مگر ہراساں ثقلین مشتاق نے الٹے سیدھے ہاتھ مار کر رن آؤٹ کرنے کے دو ر آسان موقع گنوا دیئے۔ جب کہ دوسرے موقع پر تو دونوں بلے باز ایک ہی طرف اکٹھے ہو گئے تھے۔ اس کے بعد ویسٹ انڈیز کو جیتنے کے لیے لیگ بائی مہیا کر دی۔[3]

## جسٹس قیوم رپورٹ

پاکستانی کرکٹ کے بین الاقوامی لائحہ عمل کے اس موقع پر دبی ہوئی قیوم رپورٹ کو بالآخر منظر عام پر لے آیا گیا۔ جیسا کہ پہلے دیکھا اس میں سلیم ملک اور عطاء الرحمٰن پر تاحیات پابندی کی سفارش کی گئی تھی۔ دونوں کی بین الاقوامی کرکٹ پہلے ہی عملی طور پر ختم ہو چکی تھی۔ اہم موجودہ کھلاڑیوں میں وسیم اکرم، وقار یونس، مشتاق احمد، سعید انور اور انضمام الحق کو تعاون نہ کرنے پر جرمانے کے ساتھ کڑی تنقید اور سرزنش کی

گئی تھی۔

جسٹس قیوم کا فیصلہ وسیم اکرم کے لیے خاص طور پر اہم تھا۔ اس پر تنقید اور سرزنش سے اُسے چینل 4 ٹیلی ویژن کی تبصرہ نگار ٹیم میں اپنی تعیناتی سے دستبردار ہونا پڑا۔ مگر اصل سزا کے باوجود اُسے اجازت تھی کہ وہ جون 2000ء میں سری لنکا دورہ کرنے والی پاکستانی ٹیم میں شامل ہو۔ اُس نے میچوں کے سلسلے میں سنچری بنا کر اور نو وکٹیں حاصل کرکے خوشی کا اظہار کیا۔ اس کے علاوہ چار سو وکٹیں حاصل کرنے والا وہ پہلا پاکستانی بن گیا (یہ ریکارڈ بدستور قائم ہے)۔[4]

یونس خان، انضمام الحق اور سعید انور نے بھی اُسی اننگز میں سنچریاں بنائیں جس میں وسیم اکرم نے سنچری بنائی تھی۔ وقار یونس نے گیارہ وکٹیں حاصل کرکے اپنی اہمیت دکھائی۔ آف سپن باؤلر ارشد خان جسے شجاع الدین نے بے ہنگم طور پر لمبا اور پتلا دُبلا پٹھان کہا تھا، نے عمدہ سہارا دیا۔ عبدالرزاق نے ہیٹ ٹرک کی۔ اور یوں پاکستان پہلے دو ٹیسٹ میچ جیت گیا۔ بارش زدہ تیسرے ٹیسٹ میچ میں ممکن ہے تھکاوٹ کے باعث پاکستانی ٹیم نے سری لنکا کو موقع فراہم کیا کہ سناتھ جے سوریا اور مارون اٹاپٹو نے پہلی وکٹ پر 335 رنز بنا ڈالے۔ اس کے بعد سنگر کپ کے مقابلے میں پاکستان اپنے تمام ایک روزہ میچ سری لنکا اور جنوبی افریقہ سے ہار گیا۔ پھر بھی یوں لگتا تھا کہ پاکستانی کرکٹ جوئے کے الزامات کے صدمے سے کسی حد تک باہر نکل آئی تھی۔ وِزڈن نے معین خان کی قابل تعریف رہنمائی اور اس کی جاوید میاں داد سے شراکت پر تبصرہ کیا۔

تاہم معین خان کی رہنمائی کی ساکھ کو اس وقت بُری طرح سے دھچکا لگا جب 01-2000ء کے موسم سرما میں انگلینڈ کی ٹیم نے پاکستان کا دورہ کیا۔ جس میں تین ٹیسٹ میچوں سے پہلے تین ایک روزہ بین الاقوامی میچ کھیلے جانے تھے۔ پہلے ایک روزہ میچ میں پاکستانی ٹیم 304 رنز بنانے کے بعد اُس کا دفاع نہ کرسکی کیوں کہ نوجوان انگریز بلے باز اینڈریو ''فریڈی'' فلنٹاف (Andrew "Freddie" Flintoff) نے باؤلروں پر بھرپور جارحیت کا مظاہرہ کیا جن میں وسیم اکرم اور وقار یونس شامل تھے۔ اُس نے 60 گیندوں پر 84 رنز بنا دیئے۔ اگلے میچ میں پاکستان کی طرف سے جواب دیتے ہوئے شاہد آفریدی نے 40 رنز دے کر پانچ وکٹیں لیں اور 69 گیندوں پر 61 رنز بنائے۔ شجاع الدین نے مستند تبصرہ کرتے ہوئے کہا ''اس تندمزاج پٹھان کی ابھی پچھلے ہفتے ہی شادی ہوئی تھی اور اُس نے پختہ ارادہ کر رکھا تھا کہ وہ کھیل پر اپنی مہر ثبت کرے۔'' تیسرے ایک روزہ بین الاقوامی میچ میں ثقلین مشتاق نے انگلینڈ کی ٹیم کو اپنی جادوگری سے بدحواس کر دیا۔ اور پاکستان یہ سلسلہ 1-2 سے جیت گیا۔

لاہور میں ہونے والے پہلے ٹیسٹ میچ میں معین خان اور جاوید میاں داد پر بزدلانا دفاعی حربے اختیار کرنے پر خوب تنقید ہوئی۔ انگلینڈ کی ٹیم نے دو روز سے زیادہ عرصہ لے کر آٹھ کھلاڑیوں کے نقصان پر

480 رنز کیے۔ (یہ تمام آٹھ وکٹیں ثقلین مشتاق نے حاصل کی تھیں) اور اننگز کو ختم کرنے کا اعلان کیا۔ گراہم تھارپ (Graham Thorpe) نے ایک بھی باؤنڈری لگائے بغیر سنچری مکمل کی۔ پاکستانی ٹیم نے سُست روی سے جواب دیا۔ کیوں کہ اسے ایشلے جائلیز (Ashley Giles) اور کریگ وہائیٹ (Graige Wihte) نے دبوچ لیا تھا۔ مگر ثقلین مشتاق نے بلے باز کی حیثیت میں اہم کردار ادا کیا۔ اس نے نویں وکٹ کی شراکت میں سنچری بنانے والے یوسف یوحنا سے مِل کر 127 رنز کا اضافہ کیا۔

فیصل آباد میں منعقد ہونے والے دوسرے ٹیسٹ میچ میں عبدالرزاق کی اپنی پہلی ٹیسٹ سنچری مکمل کرنے پر دیر سے اننگز کے خاتمے کے اعلان سے معین خان کو بری طرح سے تنقید کا نشانہ بنایا گیا۔ اِس ٹیسٹ میچ سے لیگ سپنر دانش کنیریا نے اپنی ٹیسٹ کرکٹ کی زندگی کا آغاز کیا۔ (پاکستان کے لیے کھیلنے والا یہ دوسرا ہندو تھا۔ اس سے قبل اس کا رشتے کا بھائی وکٹ کیپر انیل دلپت کھیل چکا تھا) مگر وہ اور اس کے ساتھی انگلینڈ کی ٹیم کے لیے کوئی خطرہ نہ پیدا کر سکے۔ کیوں کہ انگلینڈ کی ٹیم کو اُن کے ہدف سے کوئی دلچسپی نہ تھی۔

دو ٹیسٹ میچ ہار جیت کے فیصلے کے بغیر ختم ہوئے۔ اس کے بعد آخری ٹیسٹ میچ کراچی میں شروع ہوا۔ انضمام الحق اور یوسف یوحنا نے سنچریاں بنا کر 259 رنز کی شراکت کی۔ لیکن ان دونوں کے علاوہ کسی اور نے کوئی خاص کارکردگی نہ دکھائی۔ اور پاکستانی ٹیم نے اپنی پہلی اننگز میں 405 رنز بنا لیے۔ انگلینڈ کی ٹیم نے جوابی طور پر 388 رنز بنائے جس کی بنیاد مائیکل ایتھرٹن نے 9 گھنٹے 36 منٹ کھیل کر 125 رنز بنا کر رکھی۔ اُس نے 350 گیندوں پر کوئی رن نہیں لیا تھا۔

ڈیلی ٹیلی گراف کے مائیکل ہینڈرسن نے تبصرہ کرتے ہوئے کہا کہ ''اس کارروائی کے دوران دو حکومتوں کے سقوط جتنا وقت سرف کرنے کے باوجود پھر بھی اتنا وقت بچ رہتا تھا کہ کسی شراب خانے کے بند ہوتے وقت پھرتی سے جا کر آخری جام حاصل کیا جا سکتا تھا۔'' پاکستانی ٹیم کو ایک بار پھر ایشلے جائیلز (Ashley Giles) نے دبوچ لیا تھا مگر چوتھے دن کے خاتمہ پر لگتا تھا کہ کھیل میں جان نہیں رہی۔ تاہم پانچویں دِن کی صبح معین خان اور عبدالرزاق فوری طور پر آؤٹ ہو گئے اور پاکستانی ٹیم نے خوف و ہراس کے بوجھ تلے دب کر 30 رنز کے عوض 6 وکٹیں کھو دیں۔ انگلینڈ کے کامیاب باؤلر ایشلے جائیلز اور ڈیرن گوف تھے جنہوں نے مِل کر یہ کارنامہ سرانجام دیا۔

انگلینڈ کی ٹیم کے سامنے 44 اووروں میں 176 رنز کا ہدف تھا۔ ثقلین مشتاق نے 51 رنز پر اُن کے تین کھلاڑی آؤٹ کر دیئے۔ لیکن تھارپ (Thrope) اور گریم ہک (Graeme Hick) کی 91 رنز کی شراکت نے کچھ صورتحال کو سنبھالا دیا۔ دونوں معین خان کی فیلڈنگ کی ترتیب کا فائدہ اٹھاتے ہوئے مسلسل ایک ایک دو دو رنز بغیر کسی خطرے کے لیتے رہے۔ معین خان کے مایوس طویل صلاح مشوروں اور فیلڈنگ میں

مسلسل تبدیلیوں سے لمبی تاخیر پیدا ہوتی رہی۔ مگر تھارپ (64 ناقابل شکست رنز) اور اس کے کپتان ناصر حسین نے بڑھتے ہوئے اندھیروں کے باوجود انگلینڈ کی ٹیم کی فتح سے اس وقت ہمکنار کر دیا جب مسجدوں سے مغرب کی نماز کی اذانیں سنائی دے رہی تھیں۔ 62-1961ء میں ٹیڈ ڈیکسٹر (Ted Dexter) کی دورہ کرنے والی ٹیم کے بعد یہ انگلش ٹیم کی پاکستان میں پہلی فتح تھی۔ اور نیشنل سٹیڈیم کراچی میں کسی بھی ٹیم کے سامنے پاکستانی ٹیم کی یہ پہلی شکست تھی۔

معین خان اِس تباہی سے بچ نکلا اور وہ کمزور اور حوصلہ شکن پاکستانی ٹیم کو اپنی سربراہی میں نیوزی لینڈ کے دورہ پر اگلی مہم کے لیے لے گیا۔ اس دورے نے زخمیوں اور ٹیم سے علیحدہ ہو جانے والوں کی بھرمار دیکھی۔ دورہ ختم ہونے سے پہلے چوبیس کھلاڑیوں نے کسی نہ کسی طور میچوں میں حصہ لیا۔ پاکستان نے ایک روزہ میچوں میں 2-2 سے سلسلے کو برابر کرلیا۔ لیکن جب آخری میچ میں نیوزی لینڈ نے 286 رنز کے ہدف کا تعاقب شروع کیا تو معین خان کا اپنی ٹیم پر اثر و رسوخ شبہ کا شکار ہو کر رہ گیا۔

تاہم آک لینڈ میں کھیلے جانے والے پہلے ٹیسٹ میچ میں پاکستان نے نیوزی لینڈ کو کمر توڑ شکست دی۔ اپنی دوسری اننگز میں نیوزی لینڈ نے 10 رنز کے عوض آٹھ وکٹیں کھو دی تھیں۔ یہ تباہی ثقلین مشتاق اور ایک اور غیر معمولی صلاحیتوں کے تیز رفتار باؤلر محمد سمیع عرف Karachi Kid کے ہاتھوں ہوئی۔ وہ دوبارہ زخمی ہونے والے شعیب اختر کی جگہ کھیلا تھا۔ اُس نے ٹیسٹ کرکٹ میں اپنے اس پہلے میچ ہی میں نیوزی لینڈ کی 5 وکٹیں 36 رنز کے عوض لے کر اس کا ملیامیٹ کر دیا تھا۔[5]

ایک اور نئے کھلاڑی نے اپنے لمبے مستقبل کا خاموشی سے آغاز کیا۔ یہ مصباح الحق تھا۔ پاکستان کا ایسی پچ پر پہلا تجربہ تھا۔ باؤلر کرائسٹ چرچ میں ہونے والے دوسرے ٹیسٹ میچ کی پچ سے بھی استفادہ حاصل نہ کر سکے۔ وہ پچ اس قدر پُرسکون تھی کہ اُس پر صرف 19 وکٹیں گر سکیں۔ ثقلین مشتاق نے اپنی شدید محنت کا عواضانہ سنچری بنا کر حاصل کیا۔ اُس نے یوسف یوحنا کی شراکت میں 248 رنز بنائے۔ یوسف یوحنا نے دوہری سنچری بنائی۔ نیوزی لینڈ نے تیسرا ٹیسٹ میچ بارش کے باوجود ایک اننگز سے جیت لیا۔ پاکستانی ٹیم ڈیرل ٹفے (Daryl Tuffey) اور کرس مارٹن (Chris Martin) کی سیم باؤلنگ (Seam Bowling) کے سامنے 104 اور 118 رنز پر تحلیل ہو کر رہ گئی حالاں کہ اِن باؤلروں کی باؤلنگ معیار کے مطابق تو ضرور تھی مگر وہ عالمی کرکٹ میں شکست دینے کی اہل نہیں تھی۔ زخمی معین خان کی جگہ ٹیم کی پہلی بار کپتانی کرتے ہوئے انضمام الحق کو اُس کا بدمزہ تجربہ کرنا پڑا۔ اگرچہ معین خان اس تباہی میں غیر حاضر تھا مگر اُس کی بچت پھر بھی نہ ہو سکی۔ منتخب کرنے والے ارکان نے نہ صرف اُسے کپتانی سے بلکہ وکٹ کیپری سے بھی علیحدہ کر دیا۔ اس کی جگہ 2001ء کی گرمیوں میں انگلینڈ کے مختصر دورہ پر جانے والی پاکستانی ٹیم کا کپتان وقار یونس کو بنا دیا گیا۔

وکٹ کیپر کی حیثیت میں منتخب کرنے والے ارکان نے راشد لطیف کو چار سال کی غیر حاضری کے بعد ڈرامائی طور پر بحال کر دیا۔ اس عرصہ میں وہ خصوصی طور پر بدعنوانی کے خلاف بولتا رہا اور اُس نے کرکٹ کی اپنی ذاتی تربیت گاہ بھی قائم کر لی۔ شعیب اختر کو آئی سی سی کو قائل کرنے کے بعد ٹیم میں بحال کر دیا گیا تھا مگر اس کی بنیاد یونیورسٹی آف ویسٹرن آسٹریلیا کا وہ ماہرانہ تجزیہ تھا جس کے مطابق شعیب اختر کے جوڑوں میں قدرتی طور پر معمول سے زیادہ اضافہ ہے۔ ایک تو وہ دیر میں شامل ہوا پھر پیٹ کی توجہ طلب بیماری کی بدولت جلد ہی واپس چلا گیا۔ ٹیسٹ میچوں میں اس کی سب سے بڑی کارکردگی یہ تھی کہ اس نے ناصر حسین کا انگوٹھا توڑ دیا تھا۔ شدید درد میں مبتلا ہوتے ہوئے انگلینڈ کی ٹیم کے کپتان ناصر حسین نے شکایت اور اعتراض کیا کہ ایشیائی نژاد برطانوی نوجوان پاکستان کی بلند آواز ہیں حمایت کرتے ہیں۔ حقیقت یہ تھی کہ میچوں کا یہ سلسلہ خصوصی طور پر پاکستانی کرکٹ کے حامیوں کے لیے منعقد کیا گیا تھا۔

اِن حامیوں کے لیے نعرہ بازی کے ذریعے حمایت کرنے کے لیے لارڈز کے میدان میں کچھ نہ تھا جہاں انگلش ٹیم نے ایک اننگز سے میچ جیت لیا تھا۔ ڈیرن گوف اور اینڈی کیڈک دونوں نے آٹھ آٹھ وکٹیں حاصل کیں۔ تاہم اولڈ ٹریفورڈ میں کھیلے جانے والے دوسرے ٹیسٹ میچ میں پاکستانی ٹیم انضمام الحق کے 114 اور 85 رنز سے محدود ہوئی۔ یونس خان اور راشد لطیف نے اپنی نصف سنچریاں مکمل کیں۔ انگلینڈ کی پہلی اننگز میں وسیم اکرم نے ایک عمدہ رن آؤٹ کر دکھایا جس کے بعد 2 وکٹوں کے نقصان پر 282 رنز بنانے والی ٹیم تمام کی تمام 357 رنز پر آؤٹ ہو گئی۔ کھیل کے آخری روز انگلینڈ کی ٹیم کو جیتنے کے لیے اب 90 لازمی اوورں میں 285 رنز بنانا تھے۔ دوپہر کے کھانے کے وقفہ تک اُس نے ایک کھلاڑی کے نقصان پر 64 رنز بنا لیے تھے۔ ثقلین مشتاق نے اُونچی نیچی باؤلنگ کے ذریعے انگلش ٹیم کو روکے رکھا۔ چائے کے وقفہ پر انگلش ٹیم کے پاس ابھی آٹھ وکٹیں باقی تھیں۔ اور 32 اووروں میں 174 رنز کا ہدف حاصل کرنا گرفت میں تھا۔ دوسرا نیا گیند لینے کے بعد وقار یونس اور وسیم اکرم نے دیوانہ وار باؤلنگ کی۔ ثقلین مشتاق نے انگلش ٹیم کا اپنے ''دوسرے'' کے خوف سے شکار کیا۔ اور یوں وہ بقایا آٹھ وکٹیں پگھلی چلی گئیں۔ اُن میں سے چار وکٹیں 13 گیندوں پر صرف ایک رن کے عوض گریں۔ اس بار پاکستان آخرکار امپائیروں کا مرہون منت ہوا یہ (انگلینڈ کے بے حد قابل تعظیم ڈیوڈ شیپرڈ اور ویسٹ انڈیز سے تعلق رکھنے والے ایڈی نکلز (Eddie Nicholls) تھے۔ انگلینڈ ٹیم کے چار بلے باز صاف طور پر نو بالوں پر آؤٹ دیئے گئے تھے۔

اِن میچوں کے بعد تین طرفہ ایک روزہ میچوں کا سلسلہ شروع ہوا جو انگلینڈ اور آسٹریلیا کے خلاف کھیلا جانا تھا۔ وقار یونس نے انگلینڈ کے خلاف 36 رنز کے عوض 7 وکٹیں حاصل کیں۔ ایک روزہ میچوں میں یہ کسی بھی پاکستانی باؤلر کی طرف سے بہترین کارکردگی تھی۔ تاہم فائنل میں پاکستان کو آسٹریلیا کے ہاتھوں بہت

بُری طرح سے شکست ہوئی جس میں پُر اسرار طور پر شاہد آفریدی کو نہیں کھیلایا گیا تھا۔

اس کے بعد پاکستانی ایشیا ٹیسٹ چیمپئن شپ میں شریک ہوا جو ہندوستان کے بغیر تھی جس نے آخری وقت میں کھیل سے علیحدگی اختیار کر لی تھی۔ انضمام الحق نے اپنے آبائی شہر ملتان میں بنگلہ دیش کے خلاف سنچری بنائی۔ اس کا ساتھ دینے والوں میں سعید انور، یوسف یوحنا، عبدالرزاق اور ایک نیا بائیں ہاتھ سے کھیلنے والا آغازی بلے باز توفیق عمر شامل تھے اپنے پہلے ہی ٹیسٹ میچ میں سنچری بنانے والا توفیق عمر آٹھواں پاکستانی تھا۔ یہ پہلی بار ہوا تھا کہ پانچ پاکستانی بلے بازوں نے ایک ہی اننگز میں سنچریاں بنائی تھیں۔[6] صرف فیصل اقبال (اپنے چچا جاوید میاں داد) کے سامنے یہ کارکردگی حاصل نہ کر سکا۔ پاکستان نے 3 وکٹوں کے نقصان پر 546 رنز بنا کر اپنی اننگز کو ختم کرنے کا اعلان کر دیا۔ (انضمام الحق پانی کی کمی کا شکار ہو کر کھیل سے دست بردار ہو گیا) دانش کنیریا نے انتہائی کم رنز دے کر بارہ وکٹیں حاصل کر لیں اور پاکستان کو ایک اننگز اور 264 رنز سے فتح حاصل ہو گئی۔[7]

ملتان میں بنگلہ دیش کے خلاف یہ آساں فتح معمول کے حالات کا آخری لمحہ تھا۔ ایک ہفتہ بعد نیویارک کی مینار نما جڑواں عمارتوں پر القائدہ کا حملہ ہو گیا۔

## حوالہ جات:

1 دورے پر جانے والی ٹیم کو انتخاب پر حیرت ہوئی۔ تجربہ کار عامر سہیل کی جگہ غلام علی کو منتخب کیا گیا۔ کیا یہ نوجوان کھلاڑیوں کے لیے اشارہ تھا؟ ہرگز نہیں۔ کیوں کہ غلام علی کی عمر 33 برس تھی اور یہی عمر نکالے جانے والے آغازی بلے باز عامر سہیل کی بھی تھی۔ وہ کسی کی نظروں میں بھی نہ تھا کیوں کہ اُس نے 1990ء کی دہائی کے ابتدائی سالوں میں تین ایک روزہ بین الاقوامی میچ وقفوں کے ساتھ کھیل رکھے تھے۔ غلام علی نے آسٹریلیا میں فرسٹ کلاس میچ میں صرف ایک اننگز کھیلی جس میں اُس نے 31 رنز بنائے۔ اُس نے اندرون ملک کئی سال تک کرکٹ کھیلی مگر وہ دوبارہ پھر کسی دورہ کرنے والی ٹیم کا حصہ نہ بن سکا۔

2 2011ء میں جنرل توقیر ضیا سے گفتگو کے دوران۔ جنرل توقیر ضیا نے کہا کہ جب وہ ملٹری آپریشنز (Military Operation) کا ڈائریکٹر تھا تو وہ اپنے ہندوستانی ہم عصر سے روزانہ بات چیت کرتا تھا۔ اُن کی گفتگو کا آغاز کرکٹ سے متعلق چھیڑ خانی سے ہوتا۔

3 وِزڈن 2001ء کے صفحات 17-1215 کے مطابق پاکستان کے خلاف دونوں امپائیروں نے نمایاں غلطیاں سرزد کیں۔ حیرت انگیز طور پر انہی دو امپائیروں نے پاکستان کے ایک اور سیاہ دن میں ڈیرل ہیئر (Darrell Hair) کی اُس میچ میں اعانت کی تھی جسے 2006ء میں اوول کے میدان پر مکمل ہونے سے پہلے ادھورا چھوڑ دیا گیا تھا۔

4 اس کے برابر پہنچنے کے لیے کسی اور پاکستانی کو بہت عرصہ درکار ہوگا۔ ستمبر 2013ء تک پاکستان کے نمایاں باؤلروں میں عمر گل (جس کی عمر 29 برس ہے) نے 169 وکٹیں حاصل کر رکھی ہیں اور سعید اجمل (جس کی عمر 35 برس ہے) نے 147 وکٹیں لے رکھی ہیں۔

5 محمد سمیع تمام وقت کبھی ٹیم میں اور کبھی اُس سے باہر رہا۔ اس کی عروج کی کارکردگیوں میں تینوں قسم کی بین الاقوامی کرکٹ میں ہیٹ ٹرک (Hat Trick) حاصل کرنا ہے۔ مگر اُس نے بین الاقوامی کرکٹ میں 2004ء میں ایشیا کپ ٹورنامنٹ میں بنگلہ دیش کے خلاف 17 گیندوں کا طویل ترین اوور بھی کروا رکھا ہے۔ ٹیسٹ کرکٹ میں اس کی حاصل کردہ 85 وکٹوں کی اوسط 53 رنز فی وکٹ ہے۔ پچاس وکٹیں حاصل کرنے والے کسی اور باؤلر نے اتنے زیادہ رنز دے کر وکٹیں حاصل نہیں کیں۔

6 آسٹریلیا نے 55-1954ء میں کنگسٹن میں ویسٹ انڈیز کے ساتھ بھی یہی کیا تھا۔

7 ٹیسٹ میچ ختم ہونے کے ایک دن بعد سعید انور کی نوعمر بیٹی کا انتقال ہوگیا۔ اس ناگہانی حادثے نے اُسے بدل کر صوم وصلواۃ کا پابند مسلمان بنا دیا۔ اور وہ پاکستانی ٹیم کے سابق کپتان سعید احمد کے نقش قدم پر چلتے ہوئے تبلیغی جماعت میں تعلیم وتبلیغ کی تحریک میں شامل ہوگیا۔ اُس نے دوبارہ پھر ٹیسٹ کرکٹ نہیں کھیلی۔ مگر وہ ایک روزہ بین الاقوامی میچ 2003ء کے عالمی کپ تک کھیلتا رہا۔ اس وقت اس کی عمر صرف 34 برس تھی۔

## حصہ چہارم

# تنہائی کا دور

2001ء سے تاحال

# تعارف

پاکستان نے اب خود کو امریکی صدر جارج ڈبلیو بش کی دہشت گردی کے خلاف جنگ میں گھرا پایا۔ 11 ستمبر 2001ء کی صبح امریکہ کی سرزمین پر القائدہ کے حملے کے چند گھنٹوں کے اندر اندر امریکہ کے صدر نے صدر پاکستان پرویز مشرف کو ٹیلیفون کر کے آخری دھمکی دیتے ہوئے کہا کہ یا تم ہمارے ساتھ ہو یا پھر ہمارے خلاف ہو۔ جنرل مشرف نے تعاون کا انتخاب کیا۔ اس کے اس فیصلے سے دیرپا نتائج نکلے۔ امریکہ کی حمایت کی بدولت اس کی حکومت کو امداد کا ایک لمبا سلسلہ میسر آ گیا۔ اگر چہ اس امداد کی تمام تر توجہ اندرون ملک کے مسائل کی ترجیحات کی بجائے فوج پر مرکوز تھی۔ اس امداد کی بدولت لمبے عرصے تک معاشی طور پر تیزی کا رجحان رہا۔ جنرل مشرف کے دورِ حکومت کے دوران پاکستان کی ترقی کا تناسب 4 فیصد سے بڑھ کر 7 فیصد ہو گیا تھا اور فی کس آمدنی دُگنی ہو گئی۔

یہ تمام تر کامیابیاں جنگ کے اخراجات کی وجہ سے تقریباً نہ ہونے کے برابر رہ جاتی تھیں جب طالبان نے افغانستان پر دوبارہ اپنا تسلط جمانے کی کوشش میں وہاں امریکی افواج پر حملہ کیا تو امریکہ نے جنرل مشرف کو حکم دیا کہ وہ طالبان کے خلاف اقدام کرے۔ مارچ 2004ء میں اس نے افغان سرحد کے ساتھ وزیرستان میں افغان طالبان کے مددگار ساتھیوں کے خلاف وسیع پیمانے پر فوجی کارروائی کا آغاز کیا۔ مگر اس کا کوئی خاطر خواہ نتیجہ نہ نکلا بلکہ پاکستانی فوج کے سینکڑوں بہادر مارے گئے۔ اس فوجی کارروائی میں جنگجوؤں کی بجائے مقامی شہری کہیں زیادہ تعداد میں مارے گئے۔ کیوں کہ جنگجو پاکستانی فوج سے بچنے کے لیے اپنی مقامی معلومات کے سر پر با آسانی دوسری جگہ منتقل ہو کر ہوا میں تحلیل ہو جاتے۔ اس سے مار دھاڑ کا ایک سلسلہ چل نکلا جو آج تک موجود ہے، جس میں نہ صرف طالبان بلکہ دوسری اسلامی جنگجو تنظیموں نے بھی پورے پاکستان میں دہشت گردی کے حملوں کی لہر دوڑا دی۔ ان میں سے کچھ تو وہ تھے جو پاکستانی فوج کے ہاتھوں مرنے والے اپنے جنگجوؤں کی موت کا براہِ راست بدلہ لے رہے تھے۔ اور بہت سے وہ تھے جو امریکہ اور مشرف کے خلاف اپنی ناراضگی کو جواز بنا کر فرقہ وارانہ تشدد کر رہے تھے یا پھر اس کے ساتھ فتنہ پردازی اور

منظم جرائم میں ملوث تھے۔ خودکش بمبار حملے جن کا پہلے کبھی پاکستان میں ذکر تک نہ تھا اب روز کا معمول بن چکے تھے۔ آج پاکستان دہشت گردی اور خانہ جنگی سے تباہ ہو چکا ہے۔ اور اس لڑائی جھگڑے میں تقریباً پچاس ہزار افراد کی جانوں کا نقصان ہو چکا ہے۔

جنرل مشرف کو تضحیک کا نشانہ بناتے ہوئے غیر ملکوں کے ہاتھ میں کٹھ پتلی کہا جاتا تھا۔ فوجی آمریت کے قانون کو بار بار نافذ کرنے کی کوشش میں ناکام ہونے کے بعد جنرل مشرف کو مجبور ہونا پڑا کہ وہ جلا وطن رہنماؤں نواز شریف اور بے نظیر بھٹو کی واپسی پر رضامند ہوں۔ بے نظیر بھٹو کو واپسی کے فوراً بعد ایک عوامی جلسے میں قتل کر دیا گیا۔ اس کی خاندانی پارٹی پاکستان پیپلز پارٹی اس کے رنڈوے شوہر آصف علی زرداری کے ہاتھ میں آ گئی۔ جنرل مشرف کے دور کے زوال میں مزید تیزی طنزیہ طور پر اس کے سب سے بڑے واحد کارنامے کے ہاتھوں ہوئی۔ جس کے تحت اُس نے ذرائع ابلاغ کو قوائد سے آزاد کیا تھا۔ اس کے اس اقدام سے آزاد ذرائع ابلاغ کے ہر شعبے میں بے تحاشا ترقی کی حوصلہ افزائی ہوئی۔ اُس میں اہم واقعات کی نشریات جن میں کرکٹ شامل تھی میں ڈرامائی صاف گوئی آ گئی۔ اس کا ایک ضمنی نتیجہ بھی نکلا کہ سرکاری ٹیلی ویژن پر کرکٹ دکھانے کی اجارہ داری بھی ختم ہوگئی۔

جب اگست 2008ء میں جنرل مشرف بالآخر اقتدار سے علیحدہ ہوا تو اُس نے اپنے جمہوری جانشینوں کے لیے مشکلات کا ایک بڑا ذخیرہ چھوڑا تھا جس میں منظم بغاوت، قتل و غارت اور معمول کی روزانہ مار دھاڑ، بڑھتی ہوئی بدعنوانی، کم تنخواہ دار بددل سرکاری ملازمین، خصوصی طور پر زمین کی ملکیت اور دولت کی تقسیم میں عدم مساوات، پس ماندہ تعلیمی نظام، ماحولیات میں تنزلی اور مستقل طور پر پانی اور بجلی میں کمی جیسے سنگین معاملات تھے۔

بین الاقوامی طور پر پاکستان کے ہندوستان کے ساتھ تعلقات نومبر 2009ء میں بمبئی پر دہشت گردوں کے حملے کے نتیجے میں برپا ہو چکے تھے۔ جنوری 2006ء میں ڈرون حملوں کی بدولت امریکہ سے بھی تعلقات خراب ہو گئے تھے جن میں قبائلی علاقوں اور شمال مغربی علاقوں میں سینکڑوں شہری مارے جا چکے تھے۔

جنرل مشرف کے بعد پاکستان پر حکومت آصف علی زرداری کی تھی یا پھر نواز شریف کی رہی۔ دونوں سیاستدان تھے جو اس نظام کی نمائندگی کرتے رہے ہیں جس کی بدولت 1999ء میں پاکستان دیوالیہ کہ نہج پر آ پہنچا تھا۔ یہ حالات اُن نے اخراجات سے پہلے تھے جن کا بوجھ بعد میں دہشت گردی کے سبب پاکستان کی گردن پر آن پڑا تھا۔ ان سیاستدانوں کی حکومتیں پاکستان کے گھمبیر مسائل حل کرنے کے لیے کچھ خاص نہیں کر سکیں۔ مگر وہ ایک تاریخی کارنامہ سرانجام دینے میں کامیاب ہو گئے تھے جسے 2013ء کے انتخابات کے ذریعے حاصل کیا گیا۔ پاکستان میں پہلی بار ایک منتخب حکومت نے پانچ سال کی مکمل مدت پوری کرنے کے بعد جمہوری طور پر دوسری منتخب حکومت کو اقتدار سونپا۔

یہ وہ عوامل تھے جن کی بدولت پاکستانی کرکٹ پر بے تعلقی اور تنہائی کا دور آیا۔

25

# جلاوطن کرکٹ

''کرکٹ کے بیس ہزار ہندوستانی شائقین نے پاکستان کا دورہ کیا۔ آپ نے بیس ہزار پاکستانی سفیر واپس ہندوستان بھیجے ہیں۔''

- ہندوستانی ہائی کمشنر کی شہریار محمد خان سے گفتگو

پاکستانی کرکٹ کو پہلا خمیازہ نیوزی لینڈ ٹیم کے پاکستان کے مجوزہ دورے کی منسوخی کی شکل میں بھگتنا پڑا۔ اب پاکستانی ٹیم اپنی سرزمین پر کھیلنے کی بجائے اس بات پر شکرگزار تھی کہ اُسے کچھ بین الاقوامی کرکٹ کے ٹکڑے خلیج ٹائمز ٹرافی کے ذریعے شارجہ میں سری لنکا اور زمبابوے کے ذریعے وہاں کھیل کر نصیب ہوئے تھے۔

پاکستان کو جلد ہی اپنے ملک میں کھیلے جانے والے ٹیسٹ میچوں کے سلسلے کو اب خلیجی ریاستوں میں کھیل کر نیا تجربہ حاصل ہوا۔ اس کا پہلا حریف ویسٹ انڈیز تھا جس نے کچھ تو 11/9 کے واقعہ کے بعد اور کچھ پاکستانی اور ہندوستانی افواج میں بڑھتے ہوئے تناؤ کی وجہ سے پاکستان کے دورہ سے معذوری کا اظہار کر دیا تھا۔ جنوری، فروری 2002ء میں شارجہ میں کھیلے جانے والے دو ٹیسٹ میچوں میں تماشائیوں کی تعداد محض چند سو تھی۔ لہٰذا وہاں کوئی رونق میلہ نہ بن سکا۔ اور نہ ہی کوئی ماحول پیدا ہوا۔ مگر ٹیلی ویژن کے ذریعے اہم آمدنی حاصل ہوئی۔ سری لنکا (جو خانہ جنگی سے تباہ ہو چکا تھا اور جس کے لیے دہشت گردی اجنبی نہ تھی) کی ٹیم 11/9 کے واقعہ کے بعد وہ پہلی ٹیم تھی جس نے پاکستان کلے دورہ پر آنے کا حوصلہ کیا۔ اور مارچ 2002ء میں منعقد ہونے والے ایشیا ٹیسٹ چیمپیئن شپ میں حصہ لینے لاہور پہنچ گئی۔ اُس نے پاکستانی ٹیم جو تفریق کا شکار ہونے کی افواہوں سے دوچار تھی اور افراتفری میں مبتلا تھی کو آسانی سے ہرا دیا۔ وسیم اکرم اور ثقلین مشتاق کو متنازع طور پر ٹیم میں شامل نہیں کیا گیا تھا۔

مئی 2002ء میں سخت حفاظتی انتظامات میں نیوزی لینڈ کی ٹیم بھی پاکستان کے دورہ پر آ گئی۔ ایک

روزہ میچوں کے سلسلے میں اُسے 0-3 سے شکست ہوئی۔ کراچی میں کھیلے جانے والے پہلے میچ میں شعیب اختر نے 16 رنز کے عوض چھ وکٹیں حاصل کیں۔ اور اس نے تیز رفتاری کی 100 میل فی گھنٹہ کی حد رفتار کو تیسرے میچ میں پار کر لیا۔ اس میچ میں شعیب ملک کی سنچری بھی شامل تھی۔ لاہور میں کھیلے جانے ولاے پہلے ٹیسٹ میچ میں حنیف محمد کے بعد انضمام الحق تہری سنچری کرنے والا دوسرا پاکستانی بن گیا۔ اُسے آخری وکٹوں کو سنبھالا بھی دینا تھا اور اس کے ساتھ وہ پٹھوں کی اینٹھن کا بھی سامنا کر رہا تھا جس کی وجہ سے ایک یا دو رنز لینا اُس کے لیے کسی آزمائش سے کم نہ تھے۔ [1] اُسے مجبوراً باؤنڈریاں لگانے پر توجہ دینا پڑی۔ وہ 38 چوکے اور 9 چھکے لگا کر 329 رنز بنا کر دسویں چھکے کی کوشش کرتے ہوئے آؤٹ ہوا۔ اس نے یہ اننگز 9 گھنٹوں اور 39 منٹ میں مکمل کی۔

اس اننگز کے دوران اس نے بدنام سلیم ملک جس کی بدولت پاکستانی کرکٹ کو ذلت آمیز رسوائی حاصل ہوئی تھی، سے زیادہ رنز بنا لیے۔ اور وہ پاکستان کی طرف سے دوسرا سب سے بڑا ٹیسٹ کرکٹ میں رنز بنانے والا کھلاڑی بن گیا۔ وہ اب صرف جاوید میاں داد سے پیچھے تھا۔ اس کے بعد شعیب اختر میچ پر حاوی ہو گیا۔ مردہ پچ کے علاج کی غرض سے اس نے اس پر قطعاً دھیان نہ دیا اور تیز رفتاری سے ہوا میں دیر سے جھولنے والے یارکر گیندوں کی بھرمار کر دی جس سے صرف 11 رنز کے عوض چھ بلے باز آؤٹ ہو گئے۔ پاکستان کے 643 رنز کے جواب میں نیوزی لینڈ صرف 73 رنز بنا کر ڈھیر ہو گئی۔ [2] اپنی اس کوشش سے شعیب اختر دوبارہ زخمی ہو گیا جس کی وجہ سے فالو آن کرتے ہوئے نیوزی لینڈ ٹیم نے کچھ دیر تک مزاحمت کی۔ مگر اس کو باوجود پاکستان کو اپنی ٹیسٹ کرکٹ کی تاریخ میں سب سے بڑی فتح نصیب ہوئی جو ایک اننگز اور 324 رنز سے تھی۔

دوسرا ٹیسٹ میچ جو کراچی میں کھیلا جانا تھا نہ ہو سکا۔ ایک خودکش دہشت گرد نے پرل کانٹی نینٹل ہوٹل کے نزدیک دھماکہ کر کے نہ صرف اپنے آپ کو اڑا لیا بلکہ تیرہ دوسری جانوں کا بھی نقصان کیا۔ اس ہوٹل میں دونوں ٹیمیں رہائش پذیر تھیں۔ ہوٹل کی کھڑکیوں کے شیشے چکنا چور ہو گئے اور نیوزی لینڈ ٹیم کا جسمانی علاج کرنے والا مالشیا ٹیم بس میں شیشہ ٹوٹنے سے زخمی ہو گیا تھا۔ یہ بس صرف چند منٹوں بعد کھلاڑیوں سے بھرنے والی تھی۔

نیوزی لینڈ کرکٹ بورڈ نے بقایا دورہ جاری رکھنے سے انکار کر دیا۔ نیوزی لینڈ ٹیم کے کپتان اسٹیفن فلیمنگ نے ہوٹل کے داخلی راستہ کے ذریعے باہر آ کر جائے حادثہ کا معائنہ کیا۔ اس کے مامور کردہ سوانح نگار کے مطابق، "وہ اس چیز کا مشاہدہ کیے بغیر نہ رہ سکا کہ اُس حادثے کو مقامی لوگوں نے بہ آسانی قبول کیا جب کہ بیشتر ممالک میں جائے واردات کے گرد رسہ تان کر حد بندی کر کے اس پر دِن رات پہرہ دیا جاتا تاکہ قضائی علم کے ذریعے تفتیش جرم میں مدد مل سکتی۔ مگر فلیمنگ نے دیکھا کہ واقعہ کے فوراً بعد دکان

داروں نے باہر آ کر بکھرے ہوئے ملبے کی صفائی کرتے ہوئے تمام شواہد کو بھی صاف کر دیا۔ لاشوں کو اٹھا کر لے جایا جارہا تھا۔ زخمیوں کی دیکھ بھال کی جا رہی تھی اور تجارت پیشہ افراد اپنے کاروبار کو دوبارہ چلانے کی کوشش میں مصروف تھے۔'' نیوزی لینڈ ٹیم کے کپتان کو اگر یہ معلوم ہوتا کہ کراچی کا شہر ایک دہائی سے زیادہ عرصہ سے نسلی خلفشار، فرقہ ورانیت اور سیاسی تشدد کو سہہ رہا ہے تو غالباً اسے کم دھچکا لگتا۔ اپنے ملک واپس جاتے ہوئے ٹیم سنگاپور رُکی جہاں شدید جذبات سے مغلوب فلیمنگ پریس کانفرنس کے دوران آنسوؤں سے رو پڑا۔

بم دھماکے کے بعد بین الاقوامی کرکٹ ایک بار پھر پاکستان سے غائب ہوگئی۔ پاکستانی ٹیم دنیا کے گرد ماری ماری پھرتی رہی۔ اور آسٹریلیا، کینیڈا، کولمبو، نیروبی، حتیٰ کہ ٹینجیر تک میں جا کر ایک روزہ بین الاقوامی میچ کھیلتی رہی۔ مراکش کپ جس کے لیے پاکستان، جنوبی افریقہ اور سری لنکا کے مابین مقابلہ ہوا شارجہ میں کرکٹ کے بانی عبدالرحمٰن بخاطر کی ایک اور تجارتی مہم تھی۔

کسی ایسی جگہ پر جہاں کرکٹ کے بیرون ملک مقیم شائقین کی تعداد نہ ہونے کے برابر ہو وہاں کرکٹ کو منعقد کرنے کی یہ پہلی کوشش تھی۔ مگر یہ کوشش ٹیلی ویژن کے لیے قدرے بہتر ثابت ہوئی۔ یقیناً پاکستانی ٹیم کے لیے اچھے مگر عارضی سٹیڈیم میں چند حیرت زدہ مراقشی لوگوں کے سامنے کھیل پر تمام ذہنی توجہ مرکوز رکھنا مشکل ہوا ہوگا۔ پاکستانی کھلاڑی شاہد آفریدی کے 40 گیندوں پر جنوبی افریقہ کے خلاف 62 رنز سے غالباً ضرور محظوظ ہوئے ہونگے۔ مگر پاکستان کو فائنل تک پہنچانے کے لیے یہ کافی تھا جسے سری لنکا نے جیت لیا تھا۔ آج بھی وہ مراکو کپ، سری لنکا کے پاس ہے جس کا ٹورنامنٹ صرف ایک بار کھیلا گیا تھا۔[3]

پاکستان نے اپنی ٹیسٹ کرکٹ کا سلسلہ دوبارہ شروع کرتے ہوئے زمبابوے کو نومبر 2002ء میں 2-0 سے شکست دی۔ اگر اِس جیت سے پاکستان کی آئندہ عالمی کپ کے لیے کچھ اُمید بندھی تھی تو وہ جنوبی افریقہ میں برباد ہوکر رہ گئی۔ نیل مینتھارپ (Neil Manthorpe) اور جان وارڈ (John Ward) نے 2004ء کے وزڈن میں لکھتے ہوئے بیان کیا کہ ایک عام آدمی بھی یہ دیکھ سکتا تھا کہ پاکستانی ٹیم دوستانہ ماحول اور یک جہتی سے عاری تھی۔ لیکن اگر اس بات پر کسی کو شبہ ہے تو اس دورہ پر نظر ڈال لیں جس کی جھگڑوں کی داستانوں اور آپس میں لڑائیوں کی کہانیاں ہر طرف عام تھیں۔

2003ء کے عالمی کپ نے ٹیم میں تقسیم کے تاثر کی تصدیق کر دی۔ پاکستانی ٹیم گروپ میچوں میں ہی فارغ ہوگئی۔ اُسے صرف ڈچ (ہالینڈ) اور نمیبیا کی معمولی اور غیر معیاری ٹیموں کے سامنے جیت حاصل ہوسکی۔ ان حالات کے تحت جنرل توقیر ضیا نے مستعفی ہونے کی کوشش کی مگر صدر پاکستان جنرل مشرف نے اُسے حکم دیا کہ وہ اپنے عہدہ پر برقرار رہے اور یوں وہ سال کے اختتام تک ہچکچاہٹ میں رُکا رہا۔ 3 وقار یونس

بھی زیادہ دیر تک نہ بچ سکا۔ پاکستان کی بین الاقوامی کرکٹ کی جلاوطنی سے عنقریب واپسی ہونے والی تھی مگر ایک نئے رہنما کی سربراہی میں۔

## شہریار خان کے زیرِ اثر ترقی

2003ء کے عالمی کپ کے پہلے ہی مرحلے سے ذلت آمیز طور پر نکلنے کے بعد پاکستانی کرکٹ تین سال کے عرصہ تک تجدیدِ نو کے عمل میں رہی جس کے اعزاز کی ابتدائی طور پر تین شخصیات حق دار ہیں۔

ان میں ایک سابقہ سیکرٹری خارجہ شہریار خان تھا جسے 2003ء میں صدر پاکستان جنرل مشرف نے حیرت انگیز طور پر پاکستان کرکٹ بورڈ کا سربراہ مقرر کیا تھا۔ اُس نے 1930ء کی دہائی میں اپنی کرکٹ معروف مسلمان کھلاڑی سید وزیر علی سے سیکھی تھی۔ شہریار خان ایک صاف ستھرے ذہن کے علاوہ ذاتی ایمانداری اور اخلاقی بلندی، سیاسی آزادی اور سفارتی تجربے کے ساتھ اِس عہدہ پر آیا اور اس کی ان صفات کی بدولت بین الاقوامی طور پر پاکستان کو کئی دوست نصیب ہوئے۔

دوسرا شخص باب وولمر تھا جس نے 2004ء میں پاکستانی ٹیم کے کوچ کی حیثیت سے جاوید میاں داد کی جگہ لی۔ اُس نے جلد ہی کھلاڑیوں کے اُس گروہ کا اعتماد حاصل کر لیا جن میں کوئی چیز مشترک نہ تھی۔ اس نے پُرانے کھلاڑیوں کو تیاری کے کمرے میں مراعات اور مشترکہ مفاد کا مختصر ٹولہ بنانے کی بھی اجازت نہ دی۔ اس نے کھلاڑیوں کے جسمانی معیار کے علاوہ ذہنی اور تکنیکی کارگزاری کو بھی بلند کیا۔ وولمر پاکستانی ثقافت کی بے حد عزت کرتا تھا اور وہ خود بھی اسی تہذیب کا ہو کر رہ گیا۔ وہ پاکستانی کھلاڑیوں کے لیے اندرون ملک اور بیرون ملک متعصب نقادوں کے سامنے سینہ سپر ہو جاتا۔

تیسرا شخص انضمام الحق تھا۔ ستمبر 2003ء میں وہ پاکستانی ٹیسٹ ٹیم کا ایک دہائی میں بننے والا دسواں کپتان تھا۔[4] اس نے کپتانی جن حالات میں قبول کی وہ غیر معمولی خصوصیات اور عوامی رسوائی کا عمومی امتزاج تھے۔ بنگلہ دیش جو فروری 2002ء میں دورہ ادھورا چھوڑ کر جانے والی نیوزی لینڈ ٹیم کے بعد پاکستان آنے والی پہلی ٹیسٹ ٹیم تھی کے خلاف دوسرے ٹیسٹ میچ میں غیر معمولی خصوصیات اس وقت سامنے آئیں جب کپتانی سے ہٹائے جانے اور توقع سے کمتر کھیل کے حالات کا سامنا کرتے ہوئے انضمام الحق نے ایک عمدہ اور ناقابل شکست سنچری بنا کر پاکستان کو ایک وکٹ کی فتح سے ہمکنار کر دیا۔[5] عوامی رسوائی کے معاملات میں ایک وہ کیچ تھا جو انضمام الحق کے پیشرو راشد لطیف نے بنگلہ دیش کے خلاف غلط طور پر وکٹوں کے پیچھے حاصل کیا۔ دوسرا معاملہ اس وقت کے چیئرمین پاکستان کرکٹ بورڈ کے بیٹے جنید ضیا کے منتخب ہونے پر لڑائی جھگڑے کا تھا۔

یہ کہنے کی ضرورت نہیں کہ تینوں مسلسل تنقید کا نشانہ بنے رہے۔ عارف عباسی کے خیال کے مطابق شہریار خان فیصلہ کرنے کی صلاحیت سے عاری تھا۔ اور شعیب اختر نے بھی اُسے کمزور قرار دیا تھا۔ وولمر کو غیر ملکی کوچ ہونے کے ناطے جس ناراضگی کا سامنا تھا جس میں خصوصی طور پر جاوید میاں داد کی یک طرفہ تنقید بھی شامل تھی۔ اُسے ان کا سامنا کرنا پڑا۔[6] ان تینوں میں سب سے زیادہ تنقید کا نشانہ انضمام الحق تھا۔ اُس کے نقاد اس پر حملہ آور تھے کہ وہ حکمت عملی کے بارے میں کچھ نہیں جانتا۔ (بعض اہم موقعوں پر اسے متعلقہ قوانین تک کا علم نہ تھا اور نہ ہی وہ کھیل کی کیفیات سے واقف تھا) اُس کے متعلق مشہور تھا کہ وہ بات چیت نہیں کر سکتا اور خاص طور پر انگریزی زبان سے نابلد تھا۔ کچھ کھلاڑی اس کے پسندیدہ تھے اور یونس خان سے اس کے تعلقات اچھے نہ تھے۔ ٹیم کے کچھ ارکان خصوصاً شعیب سے وہ مذہبی بنیادوں پر امتیازی سلوک کرتا تھا۔ اس کے برعکس وہ تجربہ کار کھلاڑی تھا اور ورلڈ کپ 1992ء کی جیت میں اس کا بڑا حصہ تھا۔

انضمام الحق کے زخمی ہونے پر یوسف یوحنا، پاکستان ٹیم کا پہلا (اور اب تک واحد) عیسائی کپتان بن گیا۔ شعیب اختر اور دانش کنیریا کی بدولت، جنہوں نے مجموعی تیرہ وکٹیں لیں، مہمان جنوبی افریقہ سے میچ جیت لیا۔ عاصم کمال تیسرا ٹیسٹ کھلاڑی تھا جس نے پہلے ہی میچ میں 99 سکور کیا۔ دوسرے ٹیسٹ میں انضمام واپس آ گیا جس نے یہ ٹیسٹ برابر کر کے سیریز 0-1 سے جیت لی۔ دو ٹیسٹ میچوں کے لیے پھر انہوں نے نیوزی لینڈ کا سفر کیا۔ ہملٹن میں پہلا ٹیسٹ برابر کرنے کے بعد شعیب اختر نے 11 وکٹیں لے کر دوسرا میچ جتوا کر پاکستان کو سیریز میں کامیابی دی، اگرچہ انضمام آخری روز اضافی آدھ گھنٹے کا کھیل لینا بھول گیا تھا۔

انضمام کی بڑی سیریز انڈیا کا پاکستان کا 14 روزہ دورہ تھا۔ 4-2003ء میں یہ میچ دو بڑی ٹیموں کے درمیان، بین الاقوامی کرکٹ میں یادگار سیریز تھے۔ حتیٰ کہ ٹیسٹ سے پہلے ایک روزہ میچ بھی ڈرامائی تھے۔ پہلا جو پاکستانی دباؤ میں کراچی میں ہوا، اس میں مجموعی 693 سکور ہوا، جو تب ایک ریکارڈ تھا۔ پاکستان کے 349 سکور کی ریس میں انضمام کے 102 گیندوں پر 122 رنز شامل تھے۔ انضمام کا مشکل کیچ محمد کیف نے بھاگتے ہوئے پکڑا لیکن پھر بھی معین خان نے آخری گیند پر چھکا مار کر میچ جتوا دیا۔ راولپنڈی میں دوسرا ون ڈے بھی اتنا ہی ڈرامائی تھا۔ انڈیا کی طرف سے ساچن ٹنڈولکر نے سنچری کی لیکن یاسر حمید اور سال کے بعد آنے والے شاہد آفریدی کی بدولت پاکستان میچ جیت گیا۔ یاسر حمید کے 98 سکور کے ساتھ پاکستان نے 244 رنز کا تعاقب باؤلرز پچ پر کر لیا۔

لاہور میں جہاں کرکٹ ویزا پر آئے انڈین مداحوں سے سٹیڈیم بھرا ہوا تھا، انضمام نے ایک اور سنچری کی۔ پاکستان یہ میچ جیت جاتا مگر راہول ڈریوڈ اور محمد کیف کی کامیاب شراکت رہی۔ انڈین مداحوں نے وی وی ایس لکشمن کی سنچری سے لطف اٹھایا اور یہ آخری میچ انڈیا جیت گیا۔

پہلا ٹیسٹ میچ انضمام کے شہر ملتان میں ہوا۔ یہ ایک ناخوش واپسی تھی۔ وریندر سہواگ نے انڈیا کے لیے 364 گیندوں پر پہلی ٹرپل سنچری کی اور انڈیا کے قائم مقام کپتان راہول ڈریوڈ نے ٹنڈولکر کے ڈبل سنچری کرنے سے پہلے متنازع طور پر 675 پر اننگز ڈیکلیئر کردی۔ ڈریوڈ کو اس فلیٹ پچ پر پاکستان کی بہتر بیٹنگ کی توقع ہوسکتی تھی لیکن ایک غلط فیصلے میں امپائر سائمن ٹفل نے انضمام کو 77 پر آؤٹ دے دیا، یاسر حمید 91 پر آؤٹ ہوا اور پاکستان فالو آن سے بچنے میں ناکام رہا۔ دوسری اننگز میں انضمام الحق رن آؤٹ ہوا۔ یوسف یوحنا نے شان دار سنچری کی لیکن وہ اور دوسرا کوئی بھی کھلاڑی پاکستان کو اننگز کی شکست سے نہ بچا پایا۔

لاہور میں دوسرے ٹیسٹ میں انیس سالہ عمر گل نے شان دار باؤلنگ کر کے میچ جتوا دیا۔ وزڈن نے اسے نواں خیل سے ماچس کی تیلی جیسا سیم باؤلر کہا، نواخیل پاک افغان سرحد پر گاؤں ہے، تاریخ کے دو عظیم سکواش کھلاڑیوں، جہانگیر خان اور جان شیر خان کا تعلق اسی گاؤں سے ہے۔ شعیب اختر اور محمد سمیع کے بعد گیند کو موو اور سیم کرتے ہوئے عمر گل نے 31 سکور دے کر پانچ وکٹیں لیں۔ انضمام الحق اور عمران فرحت نے سنچریاں کیں، یوسف یوحنا اور نو وارد عاصم کمال نے 70 سے زائد سکور کر کے پاکستان کو بڑی لیڈ دی اور یوں پاکستان یہ میچ 9 وکٹوں سے جیت گیا۔

راولپنڈی کے فیصلہ کن ٹیسٹ میچ میں پاکستان ٹیم 224 پر ڈھیر ہوگئی، اس میں زیادہ ہاتھ انڈیا کے باؤلر لکشمی پاتھے بالاجی کا تھا۔ ڈریوڈ نے بارہ گھنٹے بیٹنگ کر کے 270 سکور کیا، سارو گنگولی اور لکشمن نے بھی 70 سے زائد سکور کیے۔ یوں انڈیا کا مجموعی سکور 600 رہا۔ پاکستان کا اٹیک کمزور دکھائی دیا۔ عمر گل زخمی تھا، اس کی جگہ فضل اکبر سے کچھ بہتر کھیل دکھایا اور تین وکٹیں لینے کے بعد بھی شعیب اختر بھی زخمی ہوگیا۔ صرف عاصم کمال نے انیل کمبلے اور بالاجی کی وکٹیں لیں اور پاکستان ایک اننگز سے یہ میچ ہار گیا۔ عمر قریشی نے اس کارکردگی کو "پاکستان کرکٹ کی تاریخ میں سیاہ ترین کارکردگی" کہا۔ جاوید میاں داد کو قومی کوچ کے عہدے سے ہٹا دیا گیا۔ شہریار خان نے شعیب اختر پر اپنی ٹیم کے ساتھ وفاداری پر سوال اٹھایا اور اُسے ہدایت کی کہ وہ اپنا طبی معائنہ کروائے۔

اس قسم کی تکرار نے دونوں ٹیموں اور ان کے مداحوں کے درمیان حقیقی دوستانہ روابط کو گہنا دیا۔ وزڈن کراچی کے ایک روزہ بین الاقوامی میچ کے دوران راہول اور پرینکا گاندھی (اندرا گاندھی کے نواسا نواسی) عوامی حصہ میں مداحوں میں گھل مل گئے تھے۔ اور صدر پاکستان جنرل مشرف کے ساتھ مل کر ہندوستان کی اہم شخصیات نے محمد علی جناح کی بیٹی اور نواسے کو اس وقت خوش آمید کہا جب وہ لاہور میں ایک روزہ بین الاقوامی میچ دیکھنے بڑی خاموشی سے آئے تھے۔ عام پاکستانیوں نے ہندوستان سے آنے والے مہمانوں کی خوب خاطر تواضع کی۔ خاص طور پر ان کی جو تقسیم کے وقت ہندوستان ہجرت کر گئے تھے۔ وہ ہندوستان کے شکر گزار تھے کہ

انہوں نے پاکستانی کرکٹ کو بین الاقوامی علیحدگی سے نجات دلائی اور امن کے لیے اپنی خواہشات کا اظہار بھی کیا۔ ٹیسٹ میچ سیریز کے اختتام پر ہندوستانی ہائی کمشنر نے شہریار خان سے تبصرہ کرتے ہوئے کہا کہ "بیس ہزار مداح ہندوستان سے کرکٹ دیکھنے آئے اور آپ نے اب بیس ہزار پاکستانی سفیر واپس ہندوستان بھیجے ہیں۔"

وولمر کی پاکستانی ٹیم نے اس کے بعد دورہ پر آنے والی سری لنکا ٹیم کے ساتھ 1-1 سے سلسلہ برابر کیا۔ مگر پہلی بار اس کے ذمہ پاکستانی ٹیم کو آسٹریلیا کے دورہ پر لے جانے کی ذمہ داری آئی۔ اسے آسٹریلیا کی عظیم ترین ٹیموں میں سے ایک کا سامنا تھا جس کے بلے بازوں میں میتھیو ہیڈن (Mathew Hayden)، جسٹن لینگر (Justin Langer) رِکی پونٹنگ (Ricky Ponting) اور ایڈم گل کرائیسٹ (Adam Gilchrist) اور باؤلروں میں گلین میگراتھ (Glenn MeGrath) اور شین وارن (Shane Warne) شامل تھے۔

پاکستان ٹیسٹ میچوں کے سلسلہ متوقع طور پر 0-3 سے ہار گیا۔ پہلا ٹیسٹ میچ 491 رنز کے سنگِ میل فرق سے ہار گیا۔ انضمام الحق دونوں اننگز میں صرف ایک رن بنا سکا۔ اور پھر اُسے کمر درد لے بیٹھی۔ اس کی جگہ یوسف یوحنا دوبارہ قائم مقام کپتان بن گیا۔ عبدالرزاق ضرورت سے زیادہ پالک کھانے سے عجیب طور پر کھیل سے باہر ہو گیا۔

مگر اس کے باوجود پاکستانی ٹیم کے کچھ درخشاں لمحات بھی تھے۔ یونس خان کی رنز کی اوسط 40 رنز سے زیادہ رہی۔ شعیب اختر زخمی ہونے اور نظم وضبط کے فقدان کے باوجود تماشائیوں میں ہر دل عزیز رہا اور اُسے دنیا کا تیز ترین باؤلر سمجھا جاتا تھا۔ اس کے علاوہ ایک عمدہ سنچری ایک نوجوان نے بنائی جس کے بارے خیال تھا کہ اس کا مستقبل روشن ہے، یہ نوجوان سلمان بٹ تھا۔

وولمر کی اگلی ذمہ داری پاکستانی ٹیم کو ہندوستان کے دورے پہ لے جانے کی تھی۔ یہ دورہ ہندوستان کے پچھلے سال کے دورہ کے جواب میں تھا۔ دورہ پہ جانے والی ٹیم شعیب اختر کی غیر شمولیت کو محسوس کر رہی تھی (وہ گھٹنے کے پیچھے پٹھوں کے کھچاؤ کی تکلیف میں مبتلا تھا جس پر کسی کو حجت نہیں تھی) مشتاق محمد کے خیال میں شعیب اختر کے بغیر اس ٹیم کا معیار کسی کلب ٹیم سے زیادہ نہ تھا۔

حقیقت تو یہ تھی کہ اس ٹیم نے ٹیسٹ میچوں کے سلسلے کو برابر کر لیا۔ جس میں ایک بڑی شکست کے بعد ایک میچ برابر کر لیا اور پھر ایک بڑی فتح حاصل کر لی۔ پھر ایک روزہ میچوں کے سلسلے کو 2-4 سے جیت لیا۔ یوسف یوحنا نے میچوں کے اِس سلسلے میں 47 رنز کی اوسط حاصل کی جب کہ انضمام الحق کی اوسط 80 رنز اور یونس خان کی اوسط 100 رنز سے زیادہ رہی۔ ان تینوں کا شمار اس وقت دنیا کے بہترین بلے بازوں میں ہو رہا تھا۔

صدر جنرل مشرف نے کرکٹ کی سفارتکاری کو دوبارہ زندہ کرتے ہوئے ہندوستان جا کر دہلی میں ایک روزہ بین الاقوامی میچ دیکھا۔ اسے ہندوستانی وزیر اعظم منموہن سنگھ نے مدعو کیا تھا۔ یہ اس عمل کا نتیجہ تھا

جس کا آغاز اس کے پیشرو دیر سے جاری برف پگھلانے کی کوشش سے کیا تھا۔ مشرف نے بعد میں لکھا کہ میچ کے دوران اس کی تمام کوششوں پر شاہد آفریدی کے متواتر چھکوں سے پانی پھر گیا۔ جو بار بار انتہائی اہم شخصیات کے بیٹھنے کی جگہ پر گر رہے تھے۔ زیادہ سے زیادہ وہ صرف یہی کر سکتا تھا کہ ایسی ہٹوں پر اپنی خوشی کا اظہار نہ کرے۔ جنرل مشرف کی کوشش سے یہ ضرور ہوا کہ ان کے درمیان یہ معاہدہ طے پایا کہ کشمیر میں جنگ کے ان دو بھڑکتے علاقوں سیاچن اور سر کریک میں تناؤ کو کم کیا جائے۔ تاہم اس کی یہ پیشکش کہ پاکستان کشمیر پر اپنا حق چھوڑ سکتا ہے اگر اُس کے بدلے وہاں سے فوج ہٹا لی جائے اور صوبے میں خود مختاری کا حق دے دیا جائے (کرکٹ میچ کے دوران اس سے پہلے اس قسم کی ڈرامائی سیاست کاری اور مصلحت اندیش کبھی نہ دیکھی گئی تھی) مگر اس میں قطعی کوئی پیش رفت نہ ہو سکی اور 2008ء میں مشرف اقتدار سے علیحدہ ہو گیا۔

جیسا کہ پچھلے سال پاکستان میں ہوا ہندوستانی مداحوں (اور دوکانوں، ہوٹلوں اور طعام گاہوں) نے پاکستانی ٹیم کے ساتھ آنے والے مداحوں کا بڑھ چڑھ کر استقبال کیا گیا۔ حالاں کہ ہندوستانی منتظمین نے زیادہ پابندیاں عائد کر رکھی تھیں اور انہوں نے صرف موہالی میں کھیلے جانے والے ٹیسٹ میچ میں صلح اور امن کے ٹیسٹ میچ کا نام دیا گیا تھا، کے لیے ویزے جاری کیے۔

اس کے بعد پاکستان نے ویسٹ انڈیز کا مختصر دورہ کیا جہاں میچوں کے نتائج برابر رہے۔ برج ٹاؤن میں کھیلے جانے والے پہلے ٹیسٹ میچ میں 276 رنز کی شکست کے بعد پاکستان نے دوسرا ٹیسٹ میچ باآسانی جیت لیا جس میں انضمام الحق اور یونس خان نے سنچریاں بنائیں۔

انگلینڈ کی ٹیم جس نے تازہ تازہ ایشز (Ashes) اور ایک روزہ میچوں کے سلسلے کو جیتا تھا، نومبر 2005ء میں پاکستان کے دورہ پر آ گئی۔ پاکستانی ٹیم نے یہ سلسلہ 0-2 سے جیت لیا۔ ان میچوں کی نمایاں کارکردگی میں دوسرے ٹیسٹ میچ کی دونوں اننگز کے دوران انضمام الحق نے سنچریاں بنائیں (ٹیسٹ میچوں کے اس سلسلے میں اس کی سب سے کم رنز کی اننگز 53 رنز کی تھی) یونس یوحنا نے اسلام قبول کرنے کے بعد اپنا نام تبدیل کر کے محمد یوسف رکھ لیا۔ اس نے بھی دوسرے ٹیسٹ میچ میں دوسری سنچری بنائی اور سلمان بٹ نے لاہور کے ٹیسٹ میچ میں سنچری بنا کر متاثر کیا۔ اس ٹیسٹ میچ میں شعیب اختر نے بھی متاثر کرن باؤلنگ پیش کی۔ راولپنڈی ایکسپریس کہلانے والے اس باؤلر نے وولمر کی معتبر صلاح کاری پر سنجیدگی سے توجہ دی اور یہ اس کے لیے بہترین سلسلہ ثابت ہوا۔ اُس نے زیادہ تر 95 میل فی گھنٹہ کی رفتار سے باؤلنگ کرتے ہوئے 17 وکٹیں حاصل کیں۔ جس میں وہ کبھی کبھار ایک آدھ گیند جابکدستی سے شُبہ ہوئے بغیر آہستہ رفتار سے بھی کر دیتا تھا۔ میچوں کا یہ سلسلہ عام طور پر خوشگوار ماحول میں کھیلا گیا۔ اگرچہ شاہد آفریدی کو پچ خراب کرنے کی نیت سے اس پر واہیات طریقے سے ناچنے پر فیصل آباد میں کھیلے جانے والے دوسرے ٹیسٹ میچ میں اس پر

جرمانہ عائد کیا گیا اور اس کے کھیل پر پابندی بھی لگائی گئی۔ انگلینڈ کی ٹیم نے اپنے دورہ کے ابتدا ہوتے ہی مقامی طور پر ہر ایک کی اس وقت خوشنودی حاصل کر جب اس نے شمالی پاکستان میں آنے والے زلزلے کے نوجوان متاثرین کی مدد کی۔

ان نتائج کے بعد دورہ پر آنے والی ہندوستانی ٹیم کے خلاف پاکستان ٹیم نے دو میچ برابر کرنے کے بعد تیسرے میں زبردست فتح حاصل کر لی۔ ان میچوں میں ایک بار پھر یونس خان قائم مقام کپتان کے فرائض سرانجام دے رہے تھا۔ اس نے اِس سلسلے کے دوران پانچ اننگز میں اپنے 553 رنز مکمل کیے۔ کامران اکمل نے دو سنچریاں بنائیں اور اپنے آپ کو مختصر مدت کے لیے عظیم وکٹ کیپر بیٹسمین کے طور پر منوایا۔ محمد یوسف اور شاہد آفریدی نے بھی عمدہ کھیل کا مظاہرہ کیا اور دونوں نے ایک ایک سنچری بنائی۔ پس منظر میں کچھ ڈرامے بھی رونما ہوئے جن میں شعیب اختر کا مشتبہ باؤلنگ انداز، میچ کھیلنے کی حیران کن ترتیب جس میں ایک لمبے جھگڑے کے بعد راولپنڈی میں ایک ٹیسٹ کروایا جا سکا اور جس میں واحد نتیجہ حاصل کیا جا سکا۔ اور دوسری جگہوں پر ضرورت سے زیادہ محنت کر کے سست اور کاہل وکٹوں کا بنایا جانا شامل تھے۔ انضمام الحق کی راہول ڈیورڈ کے ساتھ ایک روزہ میچوں کے سلسلے کے دوران مختصر سے جھڑپ بھی ہوئی کیوں کہ وہ فیلڈنگ میں مداخلت کے قانون کو بھول گیا تھا۔ لیکن میچوں کے اس سلسلے نے ثابت کر دیا کہ وولمر کی نگرانی میں پاکستانی ٹیم نے ترقی کی تھی اور ٹیسٹ میچ ٹیموں کے مقابلے میں وہ اُوپر آئی تھی۔

## کمزور لیڈر اور ترتیب وار بحران

جلد ہی اس عمل کو نہ صرف روک لیا گیا بلکہ اُس کا رُخ بھی تبدیل ہو گیا۔ پاکستانی کرکٹ اب تاریک ترین دور میں داخل ہو چکی تھی جس میں شدت، دھینگا مشتی اور المیے کے امتزاج نے بالآخر دہشت اور ہراس پیدا کر کے قوم کو بے عزت کر دیا۔ مسلسل بحرانوں کے اس دور میں تکرار اور جھگڑے کرکٹ سے کہیں زیادہ گہرے تھے۔ ان کے بوجھ سے طاقتور رہنما بھی پریشان ہو جاتا مگر بد قسمتی سے اس وقت ان خصوصیات کا کوئی رہبر بھی نہ تھا۔ مصیبت کی اُس گھڑی میں اس وقت کسی با صلاحیت رہبر کی بجائے پاکستانی کرکٹ کے معاملات کو لوگوں کا ایک سلسلہ چلانے لگا جن کے پاس نہ تو اختیار تھا اور نہ ہی کردار اور نہ ہی اُن کے پاس معاملات طے کرنے کے لیے کوئی جائز آئینی حق تھا۔

پستی کا یہ راستہ 2006ء میں انگلینڈ کے دورہ پر جانے سے شروع ہوا۔ میچوں کے سلسلے میں تو پہلے ہی شکست ہو چکی تھی جب امپائیر ڈیرل ہیئر (Darrell Hair) نے بغیر کسی اطلاع تنبیہ یا وضاحت کے پاکستان کے خلاف گیند میں خرابی پیدا کرنے کے الزام میں اس کے پانچ رنز حذف کر لیے۔[7]

پاکستان واپسی پر ایک روزہ چیمپیئن ٹرافی ٹورنامنٹ کے لیے یونس خان کو انضمام الحق کی جگہ کپتان بنا دیا گیا۔ اُس نے ٹیم میں شمولیت کے لیے چند نام دیئے۔ جب انہیں شامل کرنے سے انکار کر دیا گیا تو یونس خان پاکستان کرکٹ بورڈ کی مجلس میں طوفانی طور پر داخل ہوا اور وہاں پہنچ کر مستعفی ہونے کا اعلان یہ کہتے ہوئے کر دیا کہ وہ محض کٹھ پتلی کپتان تھا۔ بعد میں اپنے کیے پر وہ پشیمان ہوا اور ٹیم کے ساتھ محمد یوسف کی کپتانی تلے عام کھلاڑی کی حیثیت میں رہنے پر رضا مند ہو گیا۔ اس موقع پر شہریار خان مستعفی ہو گیا اور اس کی جگہ پر جنرل مشرف کا وزیر ڈاکٹر نسیم اشرف آ گیا۔[8]

ڈاکٹر نسیم اشرف نے سب سے پہلا کام یونس خان کو بطور کپتان بحال کر کے کیا۔ نسیم اشرف کے دور کا آغاز غیر موافق انداز سے ہوا۔ اور ابھی مزید خرابی ہونا باقی تھی۔ پاکستانی ٹیم چیمپیئن ٹرافی کے پہلے ہی مرحلے میں بری طرح شکست کھا کر باہر ہو گئی۔ پاکستانی ٹیم کے دو نمایاں تیز رفتار باؤلروں شعیب اختر اور محمد آصف کا ممنوعہ سٹرائیڈ کے استعمال کے مثبت نتائج کے ثابت ہونے پر انہیں واپس پاکستان بھیج دیا گیا۔ اس معاملے کو جس طریقہ سے ڈاکٹر نسیم اشرف نے نمٹایا اس سے کوئی اعتماد اور بھروسے کی فضا پیدا نہ ہو سکی۔ پاکستان کرکٹ بورڈ نے شعیب اختر پر دو سالہ پابندی عائد کر دی۔ مگر محمد آصف پر صرف ایک سال کی پابندی لگائی گئی۔ دونوں نے ان فیصلوں کے خلاف اپیل کی اور کامیاب ہوئے، جس پر ورلڈ اینٹی ڈوپنگ ایجنسی نے ان کی معافی کے خلاف سوئیٹزرلینڈ میں قائم کھیلوں کی عالمی ثالثی عدالت میں اپیل دائر کر دی۔ اس نے فیصلہ دیا کہ یہ معاملہ ان کے دائرۂ اختیار میں نہیں ہے لہٰذا شعیب اختر اور محمد آصف کی معافی بدستور قائم رہی۔

## ورلڈ کپ میں ناکامی، شکوک و شبہات اور باب وولمر کی موت

ویسٹ انڈیز کے خلاف اُن دو باؤلروں کی کمی محسوس نہ ہوئی جن پر پابندی تھی، جب 9 سال بعد ویسٹ انڈیز نے پاکستان کا پہلی بار دورہ کیا۔ (2001-02ء اپنی سرزمین پر کھیلی جانے والی میچ سیریز عارضی جلا وطنی کے طور پر شارجہ میں کھیلا گیا تھا) ان باؤلروں کے متبادل کے طور پر عمر گل اور شاہد نذیر کو کھیلایا گیا جنہوں نے تین ٹیسٹ میچوں کے دوران آپس میں 27 وکٹیں حاصل کیں۔ دانش کنیریا نے اُن کی اعانت کرتے ہوئے 14 وکٹیں حاصل کی تھیں۔ محمد یوسف کی کارکردگی معرکہ خیز تھی۔ اُس نے پانچ اننگز میں چار سنچریاں بنا کر 665 رنز حاصل کیے۔ انضمام الحق جو ابھی پاکستان کی کپتانی کر رہا تھا درمیانے درجے کی کارکردگی دکھا پایا۔ مگر محسوس ہوتا تھا کہ پاکستان ٹیم نے 0-2 سے ٹیسٹ میچ اور 1-3 سے ایک روزہ بین الاقوامی میچوں کو جیت کر دوبارہ باہمی صلاحیت حاصل کر لی تھی۔

جن باؤلروں پر پابندی عائد ہوئی تھی وہ جنوبی افریقہ کے دورے پر جانے کے لیے دوبارہ پاکستانی

ٹیم میں آ چکے تھے۔ اگر چہ انضمام الحق یہ واضح کر چکا تھا کہ وہ شعیب اختر کی ٹیم میں شمولیت نہیں چاہتا۔ شعیب اختر نے دوسرے ٹیسٹ میچ میں حصہ لیا اور باؤلنگ کا دھماکہ خیز آغاز کرتے ہوئے 11 رنز کے عوض 4 وکٹیں لے گیا۔ اپنے گھٹنے اور اس کے پٹھوں کی تکلیف اور چوٹوں پر وولمر کے ساتھ دست و گریبان ہوتے ہوئے رہ گیا اور ایک بار پھر اُسے واپس پاکستان جانا پڑا۔ محمد آصف نے حملہ آور باؤلنگ کا بوجھ اپنے کندھوں پر اٹھاتے ہوئے عمدہ کارکردگی کے ذریعے ٹیسٹ میچوں کے اس سلسلے میں واحد فتح کے ساتھ ہمکنار کر دیا۔

یہ ناشاد دورہ ویسٹ انڈیز میں ہونے والے عالمی کپ کی تباہی میں بھلا دیا گیا۔ پاکستان ٹیم اپنی میزبان ٹیم سے شکست کھا گئی۔ اور پھر حیران کن طور پر آئیر لینڈ کی جز وقتی ٹیم سے بھی ہار گئی۔ اور یوں گروپ مقابلوں میں ہی اپنے اخراج کو یقینی بنا لیا۔ اسی رات مضطرب اور شدید ذہنی دباؤ میں وولمر ہوٹل میں اپنے کمرے میں اکیلا موت کے گھاٹ اُتر گیا۔ پاکستانی ٹیم اور خصوصاً انضمام الحق اس صدمے اور غم سے برباد ہو کر رہ گئے جس میں شکوک وشبہات افواہوں کی بدولت تکلیف میں مزید اضافہ ہو گیا۔ ان افواہوں کا محرک سرفراز نواز تھا، جس کا دعویٰ تھا کہ وولمر کو جوئے بازوں کے ٹولے نے قتل کیا تھا اور وہ عنقریب پاکستانی ٹیم کی غلط کاریوں سے پردہ اٹھانے والا تھا۔

جیسے ہی وحشت انگیز افواہوں میں تیزی آئی (جس میں مرض کے علامت جانچنے والے ڈاکٹر کی طرف سے افشا کی گئی رپورٹ بھی شامل ہو گئی) پاکستانی ٹیم کی علیحدہ ہوٹل میں منتقل کر کے رکھا گیا اور جمیکا کی پولیس اُن سے مسلسل پوچھ گچھ کرتی رہی۔ بالآخر پتھالوجسٹ کی ٹیم نے اس مفروضے کو غلط قرار دیتے ہوئے کہ باب وولمر کو ڈرگ سے کر اس کا گلا گھونٹا گیا تھا، کہا کہ اس کی موت فطری تھی۔ کرمنل تفتیش کے سربراہ مارک شیلڈز بھی اس کیس کو دیکھنے آئے۔

اس پر پاکستانی ٹیم کے خلاف سرگوشیوں میں کمی نہ آئی، خصوصاً جب جمیکن جیوری نے کھلا فیصلہ واپس لینے کا ارادہ کیا۔ اس سارے مسئلے میں پی سی بی نے اپنے کھلاڑیوں کو کم ہی سپورٹ کیا اور خود پی سی بی میں چیئرمین نسیم الطاف اور اس کے اعلیٰ منتظمین میں سے ایک سابقہ ٹیسٹ باؤلر سلیم الطاف میں تنازع رہا۔[9]

ورلڈ کپ کے معاملے کے بعد نسیم اشرف نے استعفیٰ پیش کیا، لیکن مشرف نے استعفیٰ رد کر کے اسے عہدے پر موجود رہنے کا حکم دیا۔ جنوبی افریقہ اور پھر انڈیا کے خلاف سیریز میں پاکستان کی ناکامی کی صورت کوئی تبدیلی نہ آئی۔ پاکستان کرکٹ کے تازہ آغاز کی امید میں نسیم اشرف نے نوجوان آل راؤنڈر شعیب ملک کو کپتان بنا دیا۔

بدقسمتی سے شعیب ملک کی وہ شخصیت یا کرکٹ استعداد نہ تھی کہ جس کی بدولت وہ کھلاڑیوں کے ڈریسنگ روم میں اُن میں اتحاد پیدا کر سکتا۔ ٹیم میں یک جہتی پیدا کر کے اس کی تعمیر کا کام اُس کے لیے مزید

مشکل ہو گیا جب پاکستان کرکٹ بورڈ نے فیصلہ کیا کہ لاہور میں جنوبی افریقہ کے خلاف ٹیسٹ میچ میں انضمام الحق کو اپنی سرزمین پر جذباتی الوداع کے طور پر کھیلایا جائے۔

انضمام الحق کے لیے اس کا آخری بار آؤٹ ہونا باعث شرمندگی تھا۔ وہ بائیں ہاتھ کے ناقابل ذکر باؤلر پال ہیرس (Paul Haris) کی گیند پر اسٹمپ آؤٹ ہو گیا اور ٹیسٹ میچوں میں 8832 کے جاوید میاں داد کے ریکارڈ کو وہ تین رنز سے توڑنے میں ناکام رہا۔ ہندوستان کے دورہ پر شعیب ملک کو یہ کہہ کر مطعون کیا گیا کہ اُس میں نہ تو فیصلہ کرنے کی صلاحیت ہے اور نہ ہی اس کی سربراہی ولولہ انگیز ہے۔ اس کے ساتھ ہی فٹ بال کھیلتے ہوئے اس کے ٹخنے میں موچ آ گئی۔ اس کی جگہ یونس خان نے لے لی (جس پر ڈاکٹر نسیم اشرف نے کپتان بننے کی تاحیات پابندی لگائی تھی)۔ نسیم اشرف کے باوجود زخمی شعیب اختر ایک بار پھر دوبارہ کرکٹ میں واپس آیا۔

ہندوستان میں پاکستان کی طرف سے سب سے زیادہ مصباح الحق کامیاب رہا۔ 2000ء سے وہ اب تک کل پانچ ٹیسٹ میچ مختلف وقفوں میں کھیلا تھا۔ جن میں 28 رنز اس کا زیادہ سے زیادہ سکور تھا۔ پھر وہ تین سال تک اندرون ملک کھیلی جانے والی کرکٹ میں روپوش ہو گیا جہاں اُس نے بے تحاشا رنز بنائیں۔ تیس سال کی عمر میں اُسے ہندوستان کے خلاف دوبارہ طلب کیا گیا۔ اس نے دو سنچریات بنا کر 116 رنز سے زائد اوسط حاصل کر لی۔

1970ء کے بعد 2008ء پہلا ایسا سال تھا جس میں پاکستانی ٹیم نے کوئی ٹیسٹ کرکٹ نہ کھیلی۔ اور اس کا ذمہ دار صرف ڈاکٹر نسیم اشرف تھا۔ آئی سی سی کے مستقبل کے دوروں کی ترتیب چند سال پیشگی ہو گئی تھی۔ آسٹریلیا کے خلاف طے شدہ سیریز کو سیکیورٹی کو لاحق خطرے کی وجہ سے آسٹریلوی کھلاڑیوں کے کہنے پر ترک کیا گیا تھا (جس کی کوئی تلافی نہ کی گئی)۔ پاکستان کرکٹ بورڈ نے بظاہر ایسی کوئی کوشش بھی نہ کی جس کے تحت کسی اور مخالف ٹیم کو مدعو کیا جاتا۔ بہت کم لوگوں کو اس دعویٰ پر یقین تھا کہ جنوبی افریقہ اور نیوزی لینڈ کی ٹیموں کو بلانے کی کوشش کی گئی تھی۔ صاف گوئی سے یہ کہنے میں کوئی عار نہیں ہے کہ کوئی بھی ملک پاکستان کے ساتھ اندرون ملک یا بیرون ملک کھیلنے پر رضامند نہ تھا۔

## حوالہ جات:

1 نیوزی لینڈ ٹیم کے کپتان اسٹیفن فلیمنگ (Stephen Fleming) نے انضمام الحق کی اننگز کے آخری دو گھنٹوں میں اُسے اپنی جگہ بھاگنے کے لیے رنر (Runner) لین سے انکار کر دیا تھا۔

2 ٹیسٹ میچوں میں پہلی اننگز کا یہ فرق دوسرے نمبر پر ہے۔ اس سے پہلے انگلینڈ نے 1938ء میں

اوول کے میدان پر 702 رنز کی برتری حاصل کی تھی جب لین ہٹن نے (Len Hutton) نے 364 رنز بنائے تھے۔

3 اِس مقابلے سے مقامی کرکٹ میں زبردست ولولہ پیدا ہوا۔ 2004ء میں برطانوی پارلیمنٹ کی نمائندہ کرکٹ ٹیم نے مراکش کے نوجوانوں کی مکمل ٹیم کے ساتھ ٹینجئیر (Tangier) میں دو میچ کھیلے۔ جن کی تربیت سابق آسٹریلوی ٹیسٹ آل راؤنڈر گیری گوزئیر (Gary Cosier) نے کی تھی۔ مراکش کی ٹیم نے ایک میچ جیت لیا جب کہ دوسرا برابر رہا۔ اس نتیجے سے مراکش نے اپنی پہلی بین الاقوامی فتح حاصل کر لی جس میں ٹینجئیر (Tangier) کے والی کی موجودگی اور خوشنودی شامل تھی۔ (ذاتی معلومات کے حوالے سے)۔

4 بشمول ایک روزہ میچوں کے، اس دوران کپتانی میں اٹھارہ مرتبہ تبدیلی آئی۔

5 پاکستان کی دونوں ایک وکٹ ٹیسٹ فتوحات انضمام الحق کی کریز پر موجودگی کے دوران حاصل ہوئیں۔

6 مشتاق محمد جو تین بات قومی کوچ رہے، اسے اچانک ہٹا دیا گیا، اس نے اپنی 2006ء میں شائع شدہ خودنوشت Inside Out (صفحہ 227) میں لکھا کہ وولمر کو اس لیے تعینات کیا گیا کیوں کہ ہمیں اب بھی برٹش راج کے دنوں کا احساسِ کمتری ہے جہاں گوروں کو جیسے خدا سمجھا جاتا ہے۔

7 اس واقعہ سے جو گڑبڑ پیدا ہوئی۔ اس کی لمحہ بہ لمحہ روئیداد شہریار خان نے اپنی کتاب کے صفحات 235-62 پر بیان کی ہے۔

8 ڈاکٹر نسیم اشرف کا تعلق طب سے تھا۔ وہ پاکستان واپس آنے سے پہلے امریکہ میں گردوں کے علاج کا خصوصی ماہر تھا۔ پاکستان آکر وہ جنرل مشرف کا مشیر بن گیا اور پھر وزارت کا عہدہ سنبھال لیا۔ اس نے 1960ء کی دہائی میں پشاور کی طرف سے بطور بلے باز فرسٹ کلاس تی میچ کھیلے تھے جن میں اُس نے کل صرف 50 رنز بنائے تھے۔

9 اگلے سال یہ جھگڑا کھل کر سامنے آگیا۔ سلیم الطاف کو برخاست کر دیا گیا، اس پر الزام تھا کہ اُس نے ٹیم کی کارکردگی سے متعلق ڈاکٹر نسیم اشرف کی ایک ای میل کو دانستہ طور پر ظاہر کر دیا تھا۔ مگر سلیم الطاف نے عدالت میں پاکستان کرکٹ بورڈ کے غیر قانونی طور پر اس کے ٹیلیفون کو ٹیپ کرنے کے عمل کا مقدمہ جیت لیا تھا۔ (سلیم الطاف سے ذاتی گفتگو کے دوران)۔

26

# لاہور میں خوف کی لہر

''ہماری جانیں حوصلہ مند محمد خلیل کی وجہ سے بچ سکیں۔''

- کمار سنگا کارا

2007ء کے آخر تک مشرف حکومت لڑکھڑانے لگی تھی جب سیاسی جماعتوں نے متحد ہو کر عوامی احتجاج شروع کیا جو مشرف کی اُس کوشش کے خلاف تھا جس کے تحت وہ پاکستان کے چیف جسٹس افتخار چوہدری کو برخاست کر کے اپنے آپ کو متنازعہ انتخاب کے ذریعے دوبارہ صدارت کے منصب پر فائز کر رہا تھا۔ نواز شریف اور بے نظیر بھٹو دونوں ہی جلاوطنی سے واپس آ گئے۔ بے نظیر کے جلوس پر بم کا خودکش حملہ ہوا جس میں درجنوں لوگ ہلاک ہو گئے۔ انہیں خود بھی راولپنڈی کے جلسے میں قتل کر دیا گیا۔ جیسے ہی مشرف کی لڑکھڑاتی حکومت نئے سال میں داخل ہوئی تو اس کے مامور کردہ چیئرمین پاکستان کرکٹ ڈاکٹر نسیم اشرف کا بھی اپنے آقا کی طرح انتظامی امور پر اختیار کم ہو کر رہ گیا۔

نسیم اشرف کی کمزوری اس وقت سامنے آئی جب اُس نے پاکستانی کھلاڑیوں کو حریف ملک ہندوستان کی ٹی 20 لیگ میں حصہ لیتے وقت جس طریقہ سے سنبھالا۔ میدان میں سب سے پہلے آنے والی انڈین کرکٹ لیگ کی بنیاد زی ٹی وی کے سبھاش چندرا نے رکھی تھی۔ کیری پیکر کی طرح وہ بھی ٹیلی ویژن حقوق حاصل کرنے کی کوشش میں ناکام بولی لگا چکا تھا۔ اور ہندوستان کرکٹ بورڈ کی سالہا سال سے مزاحمت کا سامنا کر رہا تھا۔ چندرا نے ٹونی گریگ (Tony Greig) سے بطور ڈائریکٹر شہرت دینے والے چہرے کے طور پر معاہدہ کر کے کیری پیکر کی یادوں کو تازہ کر دیا۔ ساتھ ہی کپل دیو بھی شامل ہو گیا (وہ جوئے کے لیے میچ بنانے کے الزامات کا سامنا کر چکا تھا اور اس کا عقیدت سے پوجے جانے والا مقام بحال ہو چکا تھا) تاہم کیری پیکر کے برعکس چندرا کا ٹیسٹ میچ حتیٰ کہ ایک روزہ بین الاقوامی تک کو منعقد کرنے کا ارادہ نہیں تھا کیوں کہ وہ نہیں چاہتا تھا کہ ہندوستانی کرکٹ کنٹرول بورڈ (BCCI) سے کسی قسم کا مقابلہ ہو۔ وہ جانتا تھا کہ

وہ ہندوستان کے کہکشاں کی مانند چمکتے کھلاڑیوں کو وہ آمدنی مہیا نہیں کرسکتا جس کا تعلق اُن کے ٹیسٹ کھلاڑی ہونے کے رتبے سے تھا۔ اس کی تجویز تھی کہ شہروں کے درمیان ٹی 20 ٹورنامنٹ کھیلا جائے جس کا ہندوستان کے بین الاقوامی کرکٹ پروگرام سے کوئی تصادم نہ ہوگا۔ اور نہ ہی وہ کسی دوسرے ملک پر کسی طور نظرانداز ہوگا۔

مگر دلچسپ بات یہ تھی کہ چندرا، پاکستان کی ٹیموں کو شریک کرنا چاہتا تھا۔ اُس نے پاکستان کے سابق کپتان معین خان کو بھرتی کرنے والے کے طور پر اپنی ملازمت میں رکھ لیا۔ کئی بین الاقوامی کھلاڑی متوجہ ہوئے جن میں سب سے زیادہ شہرت یافتہ انضمام الحق اور محمد یوسف تھے۔ دونوں ہی اپنی کرکٹ کے اختتام کے مرحلے میں تھے۔

آئی سی ایل نے پاکستان کو ممکنہ فوائد کی پیشکش کی جن میں ہندوستان کے ساتھ تعلقات میں بہتری اور کرکٹ کے ذریعے ٹیلی ویژن سے حاصل کردہ زبردست آمدنی میں حصہ شامل تھے۔ ان میں سے کسی ایک کا بھی جائزہ نہ لیا گیا۔ نسیم اشرف نے اُن تمام کھلاڑیوں پر بین الاقوامی اور اندرون ملک کرکٹ کھیلنے پر پابندی کا اعلان کردیا جنھوں نے آئی سی ایل میں کھیلنے کے معاہدے کیے تھے۔

یہ بات دلچسپی سے خالی نہ ہوگی کہ اگر اس اقدام کا موازنہ کاردار کی اُس مخالفت سے کیا جائے جو وہ کیری پیکر کے کھلاڑیوں سے کر رہا تھا۔ اگرچہ کاردار کا رویہ گمراہ کن تھا مگر وہ پاکستانی کرکٹ کے لیے نظریاتی طور پر لڑ رہا تھا۔ جس کے مطابق کھلاڑیوں کی تمام تر وفاداری ملک کے ساتھ ہوتی تھی اور انہیں کسی بڑے انعام کی توقع کی بجائے صرف اپنے ملک کی نمائندگی کرنا ان کے لیے سب سے بڑا اعزاز تھا۔

ایسا محسوس ہوتا تھا کہ نسیم اشرف کے زیر اثر پاکستان کرکٹ بورڈ کا کوئی واضح ارادہ نہیں تھا سوائے اس کے کہ کھلاڑیوں پر اپنا اختیار رکھا جائے۔ اور ہندوستانی کرکٹ بورڈ (BCCI) کے مطابق رہا جائے جو نومولود آئی سی ایل کو جڑ سے اُکھاڑنا چاہتا تھا۔ لیکن کیری پیکر دور کی بازگشت میں اور توقع کے عین مطابق معاہدہ کرنے والے کھلاڑیوں نے ٹیسٹ کرکٹ کے آغازی بلے باز عمران فرحت کی سربراہی میں پاکستان کرکٹ بورڈ کی طرف سے عائد کردہ پابندیوں کے خلاف عدالتوں میں مقدمات دائر کر دیئے۔ اپنی مخصوص رفتار کے مطابق آخری مقدمات کا فیصلہ اپریل 2013ء میں ہو سکا۔ اور تمام کھلاڑیوں کو ایک بار پھر اندرون ملک کرکٹ کھیلنے کی آزادی حاصل ہوگئی۔ سوائے انضمام الحق اور ثقلین مشتاق کے جو دونوں اب کرکٹ سے سبکدوش ہو چکے تھے۔

جب آئی سی ایل (ICL) کی مدِ مقابل انڈین پریمئر لیگ (IPL) نے کچھ عرصہ بعد ہندوستانی کرکٹ بورڈ کی نگرانی میں آغاز لیا تو پاکستان کے عظیم ترین موجودہ کھلاڑیوں کو ابتدائی نیلام میں شامل کرلیا

گیا۔ پاکستانی کھلاڑیوں میں سب سے بڑی بولی شاہد آفریدی کی لگی اس کی دکن چارجرز نے 675000.00 ڈالڑ کی بولی لگائی تھی۔ محمد آصف کو 650000.00 ڈالر میں دہلی ڈیئرڈیولز (Delhi Daredevils) نے حاصل کیا۔ شعیب ملک کی 500000.00 ڈالر شعیب اختر کی 425000.00 ڈالر۔ یونس خان کی 225000.00 ڈالر۔ کامران اکمل اور عمر گل کی ہر کس 150000.00 ڈالر کی بولیاں لگیں۔

سوائے شعیب ملک کے (جس کا نسیم اشرف کے ساتھ ذاتی جھگڑا چل رہا تھا اور نسیم اشرف نے اُس پر ہتک عزت کا مقدمہ دائر کر رکھا تھا) ان تمام کھلاڑیوں میں سے کسی ایک کو بھی پاکستان کرکٹ بورڈ نے سزا نہ دی۔ درحقیقت پاکستان کے قدیم ترین انگریزی اخبار ڈان نے 18 مارچ 2008ء کے شمارے میں لکھا کہ ''پاکستان کرکٹ بورڈ نے آئی پی ایل (IPL) کی طرف نرم رویہ رکھتے ہوئے جسے ہندوستانی کرکٹ کی مالی معاونت حاصل ہے صرف اُن پاکستانی کھلاڑیوں پر پابندی عائد کی ہے جنہوں نے آئی سی ایل (ICL) کے ساتھ معاہدے کیے ہیں۔

پاکستانی کرکٹ ہندوستانی کرکٹ کا طفیلی سیارہ بن کر رہ گئی۔ اور اس کی تمام حکمت عملی کو ہندوستان کا طاقتور ٹولہ اپنے اندرون ملک جھگڑے کی بدولت چلا رہا تھا۔ پاکستان کرکٹ بورڈ کی نامردی آئی پی ایل کے دوسرے سلسلے میں کھل کر سامنے آ گئی۔ دسمبر 2008ء میں بمبئی پر دہشت گردوں کے حملے کے بعد جس کا ہندوستان میں پاکستان پر الزام لگایا جاتا ہے۔ آئی پی ایل کی رکنیت رکھنے والی ٹیموں کے منتظمین نے فیصلہ کر لیا کہ پاکستانی کھلاڑی غیر مقبول ثابت ہوں گے۔ انہیں لیگ سے محض تجارتی وجوہات کی وجہ سے خارج کر دیا گیا اور دوبارہ کبھی نہ بلائے گئے۔

اس پابندی نے ایک بار پھر پاکستانی کھلاڑیوں کو غریب رشتہ داروں کی صف میں لا کھڑا کیا۔ اُن کے پاس قانونی وسیلے بھی نہ تھے جس کے بل بوتے پر وہ اپنے ہندوستان ہم عصروں سے دولت حاصل کر سکتے۔ اس طرح انہیں جوئے کے لیے میچ میں بے ایمانی کرنے کا معاشی جواز مل گیا۔ تاہم اس سے بات بیان سے آگے نکل جاتی ہے۔

## نسیم اشرف کی رخصتی اور اعجاز بٹ کی آمد

اگست 2008ء میں جنرل مشرف تعزیری کارروائی کی دھمکی میں آ کر اقتدار سے علیحدہ ہو گیا۔ اُسی روز اس کا مقرر کردہ چیئرمین ڈاکٹر نسیم اشرف بھی پاکستان کرکٹ بورڈ سے علیحدہ ہو گیا۔ اس عمل سے اس بات کا شدت سے اظہار ہوا کہ پاکستانی کرکٹ کا نظم و نسق اقتدار میں رہنے والی حکومت کے ہاتھ میں ہوتا ہے۔

بہت کم کو نسیم اشرف کی رخصتی پر افسوس ہوا۔ ناقدین کو شکایت رہی تھی کہ وہ ٹیم کے معاملات میں

بیجا مداخلت کرتا تھا۔ اور پاکستانی بورڈ میں بیجا بھرتیاں کر کے اُسے غیر ضروری طور پر پھیلا دیا گیا تھا۔ نسیم اشرف کے دور میں پاکستان کرکٹ بورڈ میں نفری 300 سے بڑھ کر 700 ہو گئی تھی۔ مگر اضافی طور پر بھرتی ہونے والوں میں کسی ایک میں بھی یہ شعور نہ تھا کہ وہ پاکستان کے اندر مقبول ترین ٹورنامنٹ ٹی۔ 20 کو منظّم کر سکتا۔ بے بہا غیر ضروری اخراجات کے ذریعے دولت کو ضائع کرنے کی افواہیں گردش میں تھیں۔ (ان افواہوں کی تصدیق اس کے جانشین نے پُر جوش طور پر کی)۔

تاہم پاکستانی کرکٹ شائقین نے نسیم اشرف کے جانشین اعجاز بٹ کے ساتھ ایک سال گزارنے کے بعد نسیم اشرف کو پسندیدگی کی نگاہ سے دیکھنا شروع کر دیا تھا۔ میں نے اعجاز بٹ سے گفتگو کی درخواست کی مگر اُس نے انکار کر دیا۔ پاکستانی کرکٹ کی اس تاریخ کو مرتب کرتے وقت میں نے پاکستان کے درجنوں بین الاقوامی کھلاڑیوں اور منتظمین کے ساتھ بے تحاشا گفت و شنید کی جن میں کسی ایک نے بھی اعجاز بٹ کے متعلق اچھے الفاظ میں ذکر نہ کیا، سوائے یاور سعید کے جسے اُس نے قومی ٹیم کا مینیجر مقرر کیا تھا۔

وکٹ کیپر بلے باز کی حیثیت میں اعجاز بٹ نے 1959ء سے 1962ء کے درمیان پاکستان کی طرف سے آٹھ ٹیسٹ میچ کھیلے۔ اگرچہ وہ اندرون ملک کھیلی جانے والی کرکٹ میں خاصا کامیاب رہا لیکن ٹیسٹ میچوں میں اس کی اوسط 20 رنز سے بھی کم رہی۔ کرکٹ سے سبکدوشی کے بعد اُس نے سروس انڈسٹریز میں کام کیا جو جوتوں اور ٹائروں کی انڈسٹری تھی اور ان کی ٹیم پاکستان کے ڈومیسٹک ٹورنامنٹس میں کھیلتی تھی۔

اس نے پاکستان کا آسٹریلیا کا 82-1981ء کا دورہ انتظام کیا (وہ ٹیسٹ سیریز 1-2 سے ہار گئے اور سینئر کھلاڑیوں نے کپتان جاوید میاں داد کے خلاف کھل کر بغاوت کی)۔ اس نے لاہور کرکٹ اور سیاست میں پاور بیس بھی بنائی اور نئے طاقتور وزیر دفاع چودھری احمد مختار کا رشتے کا بھائی تھا۔ اسے پرویز مشرف کے بعد آنے والے صدر پاکستان آصف علی زرداری، بے نظیر بھٹو کے شوہر، نے کئی ہفتوں کی سیاست گردی کے بعد پی سی بی کا چیئرمین بنا دیا۔ اس کی عمر پہلے ہی ستر سال ہو چکی تھی۔

اعجاز بٹ نے اپنی حکومت کا آغاز جوڑ توڑ سے کیا اور پچھلی چیئرمین شپ کی مذمت کی۔ اس نے دعویٰ کیا کہ نسیم اشرف کی چیئرمین شپ میں پی سی بی کے ریزرو 42 ملین امریکی ڈالر سے کم ہو کر 19 ملین امریکی ڈالر پر آ گئے تھے۔ اس نے کئی سابقہ کھلاڑیوں کو پی سی بی کے اہم عہدوں پر تعینات کر دیا، خصوصاً جاوید میاں داد جسے ڈائریکٹر جنرل بنا دیا گیا۔

جیسا کہ پہلے ذکر کیا جا چکا ہے، نومبر 2008ء میں بمبئی دہشت گردی حملے کے بعد پاک انڈیا تعلقات میں تناؤ آ گیا تھا۔ پاکستان کے ٹاپ کھلاڑی اس وجہ سے انڈین پریمئر لیگ میں جگہ نہ لے سکے اور انڈیا کا پاکستان کا ایک روزہ میچوں اور ٹیسٹ سیریز کے لیے دورہ کینسل ہو گیا۔ آسٹریلیا بھی اپنے طے شدہ

دورے سے پیچھے ہٹ گیا۔

سری لنکا کی خیرسگالی سے 2009ء میں پاکستان میں کرکٹ کی واپسی ہوئی۔ پہلا ٹیسٹ کراچی میں ہوا جس میں سری لنکا والوں کو ''صدارتی سیکیورٹی'' دی گئی۔ اس ٹیسٹ میچ میں کوئی خاص کارنامہ تو نہ ہوا بلکہ اِس میں بے تحاشا رنز ہوئے۔ سری لنکا کی ٹیم نے آغاز کرتے ہوئے سات کھلاڑیوں کے آؤٹ ہونے پر 644 رنز بنا کر اپنی اننگز کو ختم کر دیا۔ اس اننگز میں مہیلا جیاوردھنے اور تھیلن سماراویرا نے ڈبل سنچریاں بنائیں۔ پاکستانی ٹیم نے جواب دیتے ہوئے چھ کھلاڑیوں کے آؤٹ ہونے پر 765 رنز بنائے۔ ٹیسٹ میچوں میں یہ پاکستان کا سب سے زیادہ سکور تھا۔ اس پر یونس خان نے اننگز کو ختم کرنے کا اعلان کر دیا۔ اس اننگز میں 1493 گیندیں کی گئیں جس میں یونس خان ٹرپل سنچری کرنے والا تیسرا پاکستانی بن گیا اور کامران اکمل پچھلی ناکامیوں کے بعد 158 رنز بنانے میں کامیاب ہو گیا۔ پاکستان کو میچ جیتنے کے لیے اُمید تو ہوئی، تاہم یہ ٹیسٹ میچ بغیر کسی نتیجے کے ختم ہو گیا۔

دوسرا ٹیسٹ میچ کھیلنے کے لیے ٹیم لاہور پہنچی۔ لاہور میں ٹیسٹ میچ کھیلنے کا فیصلہ مخدوش تھا کیوں کہ پنجاب کے حالات افراتفری سے گزر رہے تھے اور پاکستان کے نئے صدر نے صوبے پر وفاقی حکومت نافذ کر دی تھی۔[1] تاہم پاکستان کرکٹ بورڈ طے شدہ پروگرام پر قائم رہا اور سری لنکا کے کھلاڑیوں نے اپنے تحفظ سے متعلق اس کی زبان پر اعتبار کر لیا تھا۔

ٹیسٹ میچ کے پہلے دو دنوں میں سری لنکا کی ٹیم نے رنز کا انبار لگا دیا۔ اور سماراویرا نے ایک اور ڈبل سینچری کر ڈالی۔ پاکستانی ٹیم نے جوابی طور پر پہلی وکٹ پر جلد ہی سو سے زائد رنز بنا لیے۔

تیسرے روز سری لنکا کی ٹیم کو بس کے ذریعے قذافی سٹیڈیم میں لایا جا رہا تھا کہ اس کے ہمراہ ایک منی بس تھی جس میں چار امپائر اور انگلینڈ سے تعلق رکھنے والا کرس براڈ (Chris Broad) میچ ریفری کے طور پر سوار تھے۔[2] سری لنکا ٹیم کے کرکٹ کوچ ٹریور بےلِس (Trevor Bayliss) کو پہلے سے ہی پریشانی تھی کہ بَس کے ساتھ چلنے والا مسلح حفاظتی دستہ موجود نہیں تھا۔ کراچی میں یہ دستہ اُن کے ساتھ مستقل طور پر ہوتا تھا جب کہ کرس براڈ نے مشاہدہ کیا کہ سڑکوں کو بھی خالی نہیں کروایا گیا تھا۔

تاہم سری لنکا کے کھلاڑی اپنے معمول کے مطابق باتوں میں اور موسیقی سننے میں مصروف تھے۔ اُن میں سے کچھ اپنے موبائل فونز کے ذریعے سری لنکا میں اپنے اہل خانہ کے ساتھ محو گفتگو تھے۔ اچانک انہوں نے ایک دھماکے کی آواز سنی اور پھر اگلی سیٹ پر بیٹھے دلشان تلکارتنے کی بلند آواز سنائی دی، ''نیچے جھک جاؤ۔''

گاڑیوں کا یہ قافلہ دہشت گردوں کے حملے کی زد میں آ چکا تھا۔ جو مشین گنوں، راکٹوں اور دستی بموں کا استعمال کر رہے تھے۔ گولیوں کی ابتدائی بوچھاڑ سے حفاظتی عملہ کے پانچ ارکان جو بس کے آگے گاڑی

میں سوار تھے مارے گئے (ایک ٹریفک وارڈن بھی مارا گیا) اس سے کھلاڑیوں سے بھری بس بھی ساکت ہو کر رہ گئی جس سے سری لنکا کے کھلاڑی مکمل طور پر خطرے کی زد میں آ چکے تھے۔

معجزانہ طور پر ان میں سے کوئی ہلاک نہ ہوا۔ٹیم کا نائب کوچ پال فار بریس (Paul Farbrace) اور سات کھلاڑی گولیوں اور بم کے ٹکڑوں سے زخمی ہو گئے۔ اُن میں سب سے زیادہ زخمی اوپننگ بلے باز تھرنگا پرانا وتنا جس کی چھاتی میں گولی لگی اور سمارا ویرا جس کی ران زخمی ہوئی تھی، کی حالت تشویشناک تھی۔

یہاں سے معجزانہ طور پر بچ نکلنے میں دو افراد نے اہم کردار ادا کیا۔ایک اگلی نشست پر بیٹھا دلشان تھا جس نے انتہائی خطرہ مول لیتے ہوئے سر اٹھا کر صورتحال کا جائزہ لیا اور پھر ڈرائیور کو حکم دیا کہ وہ بس کو پیچھے کرے اور جونہی ڈرائیور نے بس سنبھالی، اُسے ہدایات دینا شروع کر دیں۔ دوسرا شخص بس کا ڈرائیور محمد خلیل تھا جو بس کو پانچ سو میٹر کے فاصلے تک چلا کر آہنی رکاوٹوں کو توڑتے ہوئے اسے قذافی سٹیڈیم کے اندر لے گیا۔

کمار سنگا کارا کے الفاظ میں: ''ہماری جانیں بہادر محمد خلیل کی وجہ سے بچ سکیں۔بس کے ٹائروں کو گولیاں مار کر چلنے کے قابل نہیں چھوڑا گیا تھا اور اُسے ذاتی طور پر بھی سامنے موت نظر آ رہی تھی، وہ بس کے سامنے سے گولیوں کی زد میں تھا۔مگر ہمیں محفوظ مقام پر لے جانے کے لیے جان کی بازی لگانے کے لیے تیار تھا۔اور کسی نہ کسی طور وہ بس کو دوبارہ حرکت میں لے آیا۔''

سری لنکا میں ہونے والے دہشت گردی کے واقعات کے تجربے نے غالباً سری لنکا کے کھلاڑیوں کو اِن حالات کا سامنا کرنے کا حوصلہ دیا۔ اُن کے سپن باؤلر میتا مرالی دھرن نے تبصرہ کرتے ہوئے کہا کہ اُن کے کھلاڑیوں کا ردِعمل غیر شعوری فطرتی اور قدرتی تھا اور وہ نشستوں کے نیچے جانے کی بجائے سیدھے فرش پر لیٹ گئے۔

جس منی بس میں امپائر سفر کر رہے تھے، وہ اِن سے بھی بڑے خطرے سے دو چار تھی۔ اس کا ڈرائیور ظفر خان گولی لگنے سے ہلاک ہو چکا تھا۔خوش قسمتی سے وہ اپنی گاڑی کو ایک ایمبولینس کی اُوٹ میں لے جا کر کھڑا کرنے میں کامیاب ہو گیا تھا جس سے گاڑی کو کچھ تحفظ مل گیا تھا۔مگر اُسے کم از کم 85 گولیاں لگ چکی تھیں۔

بلند قامت کرس براڈ کو بچانے کی کوشش میں چوتھا امپائر احسن رضا کھڑا ہوا تو اُسے پھیپھڑے اور جگر میں گولیاں آلگیں۔ نا قابل برداشت درد سے اس نے کلمے کا ورد شروع کر دیا جب کہ براڈ نے رضا کے جسم سے نکلنے والے خون کو بند کرنے کے لیے دیوانہ وار کوشش شروع کر دی۔ دس منٹ سے زیادہ وقفے کے بعد بالآخر پاکستان کی مسلح ایلیٹ فورس نے منی بس میں قدم رکھا۔ براڈ جو اس وقت تک بھی رضا کی دیکھ بھال میں مصروف تھا کو اُن میں سے ایک کو اِس بات پر آمادہ کرنا پڑا کہ منی بس کو وہاں سے نکال کر سٹیڈیم پہنچا دیا

جائے۔[3] 1972ء کی میونخ کی اولمپک کھیلوں میں اسرائیلی کھلاڑیوں پر حملہ کے بعد کسی کھیلوں کی ٹیم پر دہشت گردی کا یہ پہلا حملہ تھا۔

جس قدر یہ دہشت ناک صدمہ تھا، تقریباً اسی قدر پاکستان کرکٹ بورڈ اور پاکستان حکومت کے سرکاری افسران کا افسوسناک ردِعمل تھا۔ اعجاز بٹ نے کہا کہ اس میں حفاظتی انتظام کی کوئی کوتاہی نہیں تھی۔ اور براڈ کے اس دعویٰ کو کہ سری لنکا ٹیم اور دیگر عہدہ داران کی حفاظت کے لیے پولیس کا کوئی عملہ موجود نہ تھا، کو جھوٹ کا پلندہ قرار دیا۔ جاوید میاں داد نے آئی سی سی سے مطالبہ کیا کہ وہ براڈ پر تاحیات پابندی عائد کر دے۔ پاکستان کرکٹ بورڈ نے کرس براڈ کے خلاف باقاعدہ طور پر شکایت دائر کی۔

اسی دوران ذہنی سراسیمگی سے دوچار سری لنکا ٹیم ہوائی جہاز کے ذریعے واپس اپنے ملک لوٹ گئی۔ اور لاہور کا ادھورہ ٹیسٹ میچ ترک کر دیا گیا۔ اُسی سال آئندہ آنے والی بنگلہ دیش اور نیوزی لینڈ کی ٹیموں نے اپنے دورے منسوخ کر دیئے۔ آئی سی سی نے براڈ کے خلاف اعجاز بٹ کی شکایت پر کوئی توجہ نہ دی۔ اور نہ ہی اعجاز بٹ کے اِس دعویٰ پر کوئی کان دھرا کہ چھ سے نو ماہ کے عرصے کے دوران پاکستان میں دوبارہ بین الاقوامی کرکٹ شروع ہو جائے گی۔ اِس واقعہ سے پاکستان کے ہاتھ سے ورلڈ کپ 2011ء کی شریک میزبانی بھی جاتی رہی اور پاکستان کے آئندہ دورے بھی غیر معینہ مدت تک کے لیے روک دیئے گئے۔

پاکستان کرکٹ بورڈ نے عجلت میں آئی سی سی (ICC) کو عدالت میں لے جانے کی کوشش کی۔ جس سے مزید خیر سگالی کے جذبہ کو دھچکا لگا۔ آخر کار میزبانی کھو دینے کے عوض میں پاکستان کو نقصان کے عوض 18 ملین امریکی ڈالر دینے پر معاملہ طے ہوا۔ آئی سی سی نے انگلینڈ کے جائلز کلارک (Giles Clark) کی سربراہی میں ایک ٹاسک فورس ترتیب دی تا کہ وہ پاکستان کو دوبارہ میدان میں لانے کے لیے اس کی مدد کر سکے۔

پاکستانی حکام کے مطابق، پنجابی دہشت گرد گروہ لشکر جھنگوی جس پر فرقہ وارانہ قتل و غارت کے کئی الزامات تھے اس واردات کے ذمہ دار تھے۔[4] یقیناً اس حملے کے طریق کار سے لشکر جھنگوی کی نمایاں خصوصیات واضح تھیں کیوں کہ وہ خودکش بمباری کی بجائے مشین گنوں اور دستی بموں کا استعمال کرتے ہیں۔ اور ان کی بسوں پر حملوں کی ایک لمبی تاریخ ہے۔

دہشت گردی کے اس حملے کے بعد گیارہ مشکوک دہشت گردوں کو گرفتار کرلیا گیا جن میں سے یہ کتاب لکھتے وقت تین بدستور زیرِ حراست تھے جب کہ آٹھ ضمانت پر رہا ہو چکے تھے (اِن میں سے ایک کے متعلق خبر ہے کہ وہ ڈرون حملہ میں مارا جا چکا ہے)۔ لاہور میں دہشت گردی کی عدالت میں چار سال سے ملزمان پر زور شور سے مقدمہ چل رہا ہے اور ابھی آدھے سے بھی کم اڑتالیس گواہاں پر جرح ہوئی ہے۔

مبصرین کے خیال کے مطابق یہ دہشت گردی کے اُن مخصوص مقدموں میں سے ایک ہے جن میں عدم ثبوت کی وجہ سے عام طور پر جرم ثابت نہیں ہو پاتے۔

یہ دہشت گرد کرکٹ کے ذریعے پاکستانی قوم کے دل پر ضرب لگانے میں کامیاب ہو گئے۔ اہم بین الاقوامی کرکٹ کھیلنے کا اس وقت جو نقصان ہوا وہ آج بھی بدستور موجود ہے۔ اس سے نہ صرف پاکستانی کرکٹ کا مالی نقصان ہوا بلکہ نفسیاتی طور پر بھی ہوا ہے۔ اس وقت سے اب تک ہر پاکستانی ٹیم اپنے افراد خانہ اور اندرون ملک دوستوں سے دور دوسرے ممالک میں غیر ملکی باشندوں کی طرح کھیل رہی ہے۔ حمایت کرنے والوں میں صرف جہاں حمایت کرنے والوں میں صرف بیرون ملک مقیم افراد اور مالدار طفیلی حواری ہوتے ہیں۔

## خوف و ہراس کے بعد

2009ء میں پاکستان کو ایک درخشاں لمحہ میسر ہوا۔ یونس خان کی سربراہی میں جون کے مہینے میں انگلستان میں پاکستانی ٹیم نے آئی سی سی کا ٹی 20 ورلڈ کپ جیت لیا۔ اس ٹورنا منٹ کا بہترین باؤلر عمر گل ثابت ہوا اور شاہد آفریدی اور سعید اجمل نے اُس کی عمدہ اعانت کی۔

رقت آمیز جذبات کے ساتھ یونس خان نے جیتی ہوئی ٹرافی باب وولمر کے نام کر دی اور دورہ کرنے والی ٹیموں سے استدعا کی کہ وہ پاکستان کے دورہ پر آئیں۔ ایسا تو نہ ہو سکا مگر حمایتی طور پر (تجارتی طور پر زیرک فیصلے کے تحت) پاکستان کے انگلینڈ کے آئندہ سال دورے کے دوران اُسے وہاں آسٹریلیا کے خلاف دو ٹیسٹ میچ کھیلنے کے لیے مل گئے۔

تاہم فتح کا نورانی ہالہ جلد ہی منتشر ہوگیا۔ اور چیمپیئز ٹرافی سے اخراج کے بعد پاکستانی کرکٹ حسب دستور اپنی مانوس وضع میں جا پہنچی۔ یونس خان کپتانی سے دوبارہ مستعفی ہو گیا اور محمد یوسف نے یہ ناپسندیدہ کام اپنے سر لے لیا۔ اُس کی خصوصیات انضمام الحق کی یاد دلاتی تھی۔ وہ اس طرح مطمئن اور مذہبی طبیعت کا تھا مگر وہ دفاعی ہونے کے ساتھ ساتھ تخیل کے مادے سے محروم تھا۔

پاکستان نے اپنے ملک میں کھیلے جانے والے سلسلے کو نیوزی لینڈ کے ساتھ شراکت کرتے ہوئے نیوزی لینڈ میں کھیلا۔ ہر دو ٹیموں نے ایک ایک ٹیسٹ میچ جیت لیا۔ پھر آخری ٹیسٹ کے لیے بے ڈھنگے وقت کا انتخاب کیا گیا تا کہ پاکستانی ناظرین اُسے ٹیلی ویژن پر دیکھ سکیں جس کے تحت کھیل دوپہر بارہ بجے شروع ہوتا تھا۔ اس طریق کار سے پاکستان کو میچ برابر کرنے میں مدد ہوئی۔ میچوں کے اس سلسلے کا ایک روشن پہلو یہ تھا کہ اس میں ایک سترہ سالہ بائیں ہاتھ سے تیز رفتار باؤلر نے وسیم اکرم کی یادیں تازہ کر دیں۔ آگے چل کر اس باؤلر جس کا نام محمد عامر تھا کے متعلق بہت کچھ سننے میں آئے گا۔

چار سال کے وقفے کے بعد شاہد آفریدی نے ٹیسٹ میچ کھیلا اور اُسے دوبارہ کپتان بنا دیا گیا تھا۔ اُس نے آخری ٹیسٹ میچ جون 2010ء میں پاکستان اور آسٹریلیا کے درمیان ہونے والے مقابلے میں لارڈز کے میدان پر کھیلا تھا۔ بطور کھلاڑی اور کپتان اُسے کوئی خاص کامیابی حاصل نہ ہوسکی اور پاکستانی ٹیم کی بھاری شکست کے بعد وہ فوری طور پر مستعفی ہو گیا۔

پاکستان کی طرف سے واحد کامیاب بلے باز جس نے 2003ء سے مختلف وقفوں کے دوران ٹیسٹ کرکٹ کھیلی تھی اور اس کی اوسط 30 رنز سے کچھ اوپر تھی۔ یہ بلے باز سلمان بٹ تھا، اُس نے اس ٹیسٹ میچ میں 63 رنز اور 92 رنز بنائے تھے۔ وہ تعلیم یافتہ ہونے کے ساتھ ساتھ گفتگو میں بھی رواں تھا اور ابھی کم عمر بھی تھا۔ سلیکٹرز نے فیصلہ کیا کہ سلمان بٹ ٹیم کو ایک نئی شکل دے سکے گا۔ اس کا آغاز انتہائی عمدہ طریقے سے ہوا۔ اس نے اگلا ٹیسٹ میچ جیت کر آسٹریلیا کے خلاف پاکستان کے مسلسل تیرہ ٹیسٹ میچ ہارنے کے تسلسل کو ختم کر دیا۔ اس کے تین تیز رفتار باؤلر عمر گل، محمد عامر اور محمد آصف نے آسٹریلیا کو پہلی اننگز میں پچھاڑ کر رکھ دیا۔ جواباً بیٹنگ کرتے ہوئے اس نے سب سے زیادہ رنز بنائے۔ 178 رنز کے ہدف کا تعاقب کرتے ہوئے پاکستان ٹیم مطمئن اور پرسکون رہی۔ نئے کپتان نے انتہائی عمدہ تاثر دیا اور اُس نے پاکستانی ٹیم کی فتح کو ملک میں اُن لوگوں کے نام کر دیا جو اُسے ٹیلی ویژن پر دیکھنے سے محروم رہے تھے۔

پاکستانی باؤلروں نے انگلینڈ کے خلاف ٹیسٹ میچوں میں اپنے اعلیٰ معیار کی تصدیق کر دی تھی۔ البتہ کمزور بلے بازی کے ہاتھوں انہیں دو بھاری شکستوں کا منہ دیکھنا پڑا۔ لیکن وہ دوبارہ ابھرے اور تیسرا ٹیسٹ میچ جیت لیا جس میں محمد عامر اور وہاب ریاض نے اننگز میں پانچ پانچ وکٹیں حاصل کیں۔

لارڈز میں کھیلے جانے والے آخری ٹیسٹ میچ میں محمد عامر نے پاکستان کرکٹ تاریخ کی بہترین کرشماتی باؤلنگ کے باب میں ایک اور اضافہ کرتے ہوئے عمدہ باؤلنگ کا مظاہرہ کیا جس سے انگلینڈ کے 102 رنز پر سات کھلاڑی آؤٹ ہو گئے۔ محمد عامر نے دلیری سے حدود سے باہر پاؤں رکھ کر ایک نو بال بھی کر دیا۔ تبصرہ نگار مائیکل ہولڈنگ، کمنٹری بکس میں بیٹھے یہ دیکھ کر بہ مشکل اپنے جذبات پر قابو پا سکا۔ اس کی کوشش تھی کہ وہ کہیں اس غلط کاری کی براہِ راست الزام تراشی نہ کر دے۔ (اس کے برعکس شاطر محمد آصف کسی کو شبہ ہوئے بغیر نو بال کرنے میں کامیاب رہا)۔[5]

محمد عامر کو جب دوسری قسم کی باؤلنگ نہیں کرنا ہوتی تو وہ عمدہ باؤلنگ کرواتا رہا۔ لیکن وہ اور دوسرے پاکستانی باؤلر آٹھویں وکٹ پر جوناتھن ٹراٹ (Jonathan Trott) اور سٹورٹ براڈ (Sturat Broad) کی 333 رنز کی پریشان کن رفاقت سے اپنی محنت پر پانی پھرتا دیکھ رہے تھے۔ پاکستان ٹیم کو ایک اننگز کی بُری طرح شکست ہوئی۔ لیکن اُس وقت تک کرکٹ پر اخبار نیوز آف دی ورلڈ کے تاریک

کی کہانی کے تاریک سائے پڑ چکے تھے۔ یہ کہانی تیسرے دن کے کھیل کی رات کو منظر عام پر آ گئی تھی۔

ہندوستانی جوئے بازوں کی انجمن کے مشترک مفاد کے افراد کے نمائندہ کا روپ دھار کر اخبار کے تفتیشی خبر رساں مظہر محمود نے سلمان بٹ کے نمائندے مظہر مجید کو ایک لاکھ چالیس ہزار پونڈ دے دیئے تا کہ کھیل کے طے شدہ دورانیے میں تین نو بال کروائے جائیں۔ مظہر مجید کو گرفتار کر لیا گیا اور سلمان بٹ، محمد عامر اور محمد آصف سے پولیس نے پوچھ گچھ کی۔

اعجاز بٹ نے اِس کہانی پر ردِعمل کرتے ہوئے اُس سے صاف انکار کر دیا۔ ''یہ محض الزامات ہیں۔ کوئی بھی کھڑا ہو کر کسی کے بارے میں کچھ بھی کہہ سکتا ہے۔ اس کا یہ مطلب نہیں کہ وہ سچ ہو۔'' اُس نے آئندہ ہونے والے ایک روزہ میچوں کے سلسلے سے ان کھلاڑیوں کو معطل کرنے سے انکار کر دیا جس پر دھمکی ملی کہ میچوں کا سلسلہ منسوخ کر دیا جائے گا۔ بالآخر دورے پر آنے والی پاکستانی ٹیم کے مینیجر یاور سعید نے اعلان کیا کہ ''انہیں رضا کارانہ طور پر علیحدہ کر دیا گیا ہے۔'' چوں کہ پاکستان کرکٹ بورڈ کھلاڑیوں کے خلاف کوئی کارروائی نہیں کر رہا تھا، لہٰذا انہیں معطل کرنے کا معاملہ آئی سی سی کی صوابدید پر چھوڑ دیا گیا۔

ایک روزہ میچوں کے لیے شاہد آفریدی دوبارہ کپتان بن کر آ گیا۔ اُس نے سلمان بٹ اور پاکستان کرکٹ بورڈ کے برعکس معافی مانگ کر پاکستان کے دوستوں کی ہمدردیاں حاصل کر لیں۔ ''اِن لڑکوں کی طرف سے میں تمام کرکٹ کے شیدائیوں اور کرکٹ کھیلنے والی اقوام سے معافی مانگتا ہوں۔'' شعیب اختر دوسرا نمایاں کھلاڑی تھا جو دوبارہ ٹیم میں لوٹا۔ پاکستان نے ابتدائی طور پر 0-2 سے مات کھانے کے بعد سلسلے کو برابر کر دیا جس کے بعد آخری فیصلہ کن میچ میں شکست ہوگئی۔ میچوں کے اس سلسلے سے ممکن ہے کہ تعلقات میں کچھ بہتری آئی ہو۔ اور اوول میں کھیلے جانے والے تیسرے میچ تک حالات ٹھیک ہی لگ رہے تھے کہ اچانک اخبار نیوز آف دی ورلڈ کے ذیلی ادارے دی سن اخبار کے راز دارانہ اشارے پر آئی سی سی نے اعلان کر دیا کہ وہ پاکستانی اننگز میں رن بنانے کے مختلف مشکوک نمونوں کی تحقیقات کرے گی۔

تند مزاج شاہد آفریدی نے ردِعمل کے طور پر ان الزامات کو فضولیات کہہ کر رد کر دیا۔ (بعد میں آئی سی سی نے بھی اِسے رد کر دیا)۔ گمان کے مطابق اُس کے ذی ہوش اور ذمہ دار چیئرمین اعجاز بٹ نے فیصلہ کیا کہ اوول میدان پر کھیلے جانے والے ایک بین الاقوامی میچ کو انگریز کھلاڑیوں نے جان بوجھ کر ہارا تھا۔ مگر اس الزام کا کوئی ثبوت نہ تھا۔ ''جوئے بازوں کے حلقے میں با آواز بلند سنا جا رہا ہے کہ کچھ انگریز کھلاڑیوں نے میچ ہارنے کے لیے بھاری رقوم لی تھیں۔ اِسی لیے اس میں حیرت کی کوئی بات نہیں کہ ٹیم اِس بُری طرح سے ڈھیر ہوئی۔''

اگر اعجاز بٹ کے یہ الفاظ اپنے ملک پاکستان کے سامعین کے لیے تھے تو اُسے سخت مایوسی اور ناکامی ہوئی۔ پاکستانی ذرائع ابلاغ اور سیاستدان دونوں نے اُسے آڑھے ہاتھوں لیا اور اُسے نا اہل قرار دیا۔

کہ وہ نہ صرف غلط معاملات کو سنبھالنے میں ناکام رہا بلکہ اُس نے پاکستان کے دوستوں کو بھی اس وقت کھو دیا جب اُن کی اشد ضرورت تھی۔ پاکستان کی قومی اسمبلی میں کھیلوں کی کمیٹی نے دباؤ ڈالا کہ اُسے تبدیل کر دیا جائے۔ اور زیادہ اہمیت کی یہ بات سامنے آئی لندن میں سفیر پاکستانی ہائی کمشنر واجد شمس الحق نے اُس کے خلاف تنقید سے بھرا خط صدر آصف علی زرداری کو ارسال کیا۔

مُلک کے اندر دباؤ سے اعجاز بٹ بچ نکلا۔ لیکن آئی سی سی کی دو روزہ مجلس میں اسے حقیقتاً نگرانی میں رکھا گیا۔ اُسے بدعنوانی کے خلاف قانونی ضابطہ متعارف کروانے کے لیے ایک ماہ کی مہلت دی گئی۔ اور آئی سی سی کی موجودہ جائلز کلارک کے زیر اثر آئی سی سی کی موجودہ ٹاسک فورس کو مزید اختیارات کے ذریعے مضبوط کیا گیا اور اُسے یہ کام سونپا گیا کہ وہ پاکستان کرکٹ کی طرزِ حاکمیت کا تفصیلی اور عمومی جائزہ لے۔

جوئے کے لیے میچ فکسنگ کی کہانی زندہ رہی اور تین کھلاڑی جن پر جرم عائد ہوئے کو آئی سی سی کی لمبی کارروائیوں کا سامنا رہا۔ اس کے بعد انگلینڈ میں اُن پر فوجداری مقدمات دائر ہوئے۔ اِن واقعات کو اس وقت مزید ہوا ملی جب پاکستان کا اگلا بین الاقوامی سلسلہ اگرچہ دُبئ میں کھیلا گیا مگر ان میچوں کو پاکستان میں جنوبی افریقہ کے خلاف اپنی سرزمین پر کھیلا جانا تصور کیا گیا۔ اِن میچوں کے دوران پاکستان کا نیا اور نوجوان وکٹ کیپر بیٹسمین ذوالقرنین حیدر اچانک لندن بھاگ گیا جہاں پہنچ کر اُس نے دعویٰ کیا کہ چوں کہ اُس نے کرکٹ میں جوئے میں ملوث ہونے سے انکار کیا ہے، لہٰذا اُسے اور اس کے خاندان کے افراد کو جان سے مار دیئے جانے کی دھمکیاں مل رہی ہیں۔ ذوالقرنین نے بتایا کہ ایک پُر اسرار آواز جو اُردو زبان میں بات کر رہی تھی نے اُس سے جوئے کے سلسلے میں بات کی تھی۔ لیکن وہ اس کے لہجے کی شناخت نہیں کر سکا۔ بہت دن گزرنے پر بھی وہ اُن دھمکیوں اور اُن کی اصلیت کے متعلق تفصیلی بات کرنے سے گریزاں رہا۔ اور اُس نے یہ بھی دعویٰ کر دیا کہ اسے آئی سی سی کے اپنے بدعنوانی کی روک تھام کے ادارے اور اس کی حفاظتی تنظیم پر بھی بھروسہ نہیں ہے۔ چند ماہ بعد وزیر داخلہ کی طرف سے اپنی اور اپنے اہل خانہ کی حفاظت کی یقین دہانی پر وہ پاکستان لوٹ آیا اور اُسے فرسٹ کلاس کرکٹ جاری رکھنے کی اجازت مل گئی۔ اِسی دوران پاکستانی ٹیم کا نیا کپتان بنا دیا گیا جس کی آمد سے پاکستانی کرکٹ کے طوفانوں میں کچھ ٹھہراؤ آ گیا۔

## حوالہ جات:

1 پاکستان کرکٹ بورڈ کو لاہور میں ٹیسٹ میچ کروانے کے خلاف متعدد بار خبردار کیا گیا۔ جسے نظر انداز کر دیا گیا۔ حفاظت کے معاملات کو پنجاب کی نئی انتظامیہ کے سپرد کر دیا گیا تھا (قمر احمد کے ساتھ ذاتی گفتگو کے دوران)۔

2 قافلے میں پاکستانی ٹیم شامل نہیں تھی جیسا کہ عام طور پر ہوتا تھا۔ یونس خان نے امپائروں سے کہہ دیا تھا کہ پاکستانی ٹیم کے کھلاڑی تھکے ہوئے ہیں اور وہ بعد میں پہنچیں گے۔ بحوالہ وِزڈن 2010 صفحہ 9-28 کے بعد اِس چیز کو سازشی خیالات کے لوگوں نے خوب ہوا دی۔

3 دیکھیے اس کا بیان جو ''No one came to our rescue'' کے عنوان سے 8 مارچ 2009ء کے اخبار سنڈے ٹائمز میں چھپا تھا۔ رضا کو ہسپتال میں خون کی بیس بوتلیں لگائی گئی تھیں۔ ڈاکٹری مشورے کے برعکس اُس نے دس ہفتے بعد ایک بڑے میچ میں امپائری کی۔ (وِزڈن 2010ء صفحہ 34)

4 دیکھیے مجاہد حسین کی کتاب Punjabi Taliban (Pentagon Press 2012) صفحہ 118۔ 25 جولائی 2009ء کو وزارتِ داخلہ نے قومی اسمبلی کی کھیلوں اور ثقافت کی اسٹینڈنگ کمیٹی کو اطلاع دی کہ سری لنکا کرکٹ ٹیم کی بس پر قاتلانہ حملہ کا عملی اقدام کرنے والوں کا تعلق لشکر جھنگوی سے تھا اور وہ بس کو اغوا کرنا چاہتے تھے تا کہ اُس کے ذریعے حکومت پر دباؤ ڈال کر اپنے رہنماؤں ملک اسحاق اور اکرم لاہوری کو رہا کروا سکیں۔

5 محمد عامر نے حدود سے بڑھ کر تقریباً ایک فٹ باہر پاؤں رکھا جب کہ محمد آصف کا پاؤں صرف دو انچ باہر تھا۔ (وِزڈن 2011ء صفحہ 34)۔

27

# مصباح الحق اور مستقبل

''جس انتظامی ڈھانچے کا مندرجہ بالا ذکر ہوا ہے، اُس کے متعلق مدلل طور پر کہا جا سکتا ہے کہ وہ ماحول میں عدم استحکام اور غیر یقینی صورتِ حال پیدا کرنے میں معاون ہے جس میں گورننگ بورڈ، کھیل کی بجائے پیٹرن کو جواب دہ ہے، روزمرہ کے معاملات چلانے کے لیے اس انتظامیہ کے پاس اختیارات بھی ناکافی ہیں۔''

- پاکستان ٹاسک فورس ٹیم (PTT) رپورٹ

مصباح الحق کو جب پاکستان کی کرکٹ کی ٹیسٹ ٹیم کا کپتان بنایا گیا تو اس کی عمر 36 برس ہو چکی تھی۔ اُس کے سامنے وہ دشوار کام تھا جو اس سے پہلے کسی بھی سابقہ کپتان بشمول کاردار کو درپیش نہیں آیا تھا۔ اسے کرکٹ ٹیم کی جلاوطنی میں رہنمائی کرنا تھی اور بدعنوانی اور جوئے کے لیے میچ بنانے کے مسلسل الزامات کا سامنا کرنے کے علاوہ اُسے غیر منظّم انتظامیہ کے ساتھ بھی چلنا تھا۔

مصباح الحق کی تعریف میں جتنا بھی کہا جائے کم ہے کہ جس طریقے سے اُس نے ان تمام آزمائشوں کا مقابلہ کیا۔ وہ اندرون ملک کھیلی جانے والی کرکٹ میں بطور بلے باز ہمیشہ رنز بناتا مگر ٹیسٹ کرکٹ میں وہ کبھی ٹیم میں ہوتا اور کبھی باہر ہوتا۔ صرف 08-2007ء میں ہندوستان میں کھیلے جانے والا میچوں کا سلسلہ اس کے لیے بہترین ثابت ہوا تھا۔ اس کے بعد کوئی خاص بات نہ ہو سکی۔ اسے انگلینڈ جانے والے دورے سے بھی خارج کر دیا گیا۔

ان باتوں سے اس کی خود اعتمادی پر کوئی اثر نہ ہوا۔ وہ پٹھان تھا اور اُسے فخر تھا کہ اس کا اسی نیازی قبیلے سے تعلق تھا جس سے عمران خان کے والد کا تھا اور وہ عمران خان سے ہی نہ صرف متاثر تھا بلکہ اسی سے ولولہ حاصل کرتا تھا۔ اس کے پاس کرکٹ کا ایک عمدہ دماغ تھا (اُسی کو استعمال کر کے اُس نے لاہور یونیورسٹی آف مینجمنٹ ٹیکنالوجی سے اپنی کپتانی کے دوران ایم بی اے (MBA) کی ڈگری حاصل کی)۔ مقصد

حاصل کرنے کے لیے وہ عمدہ ترغیب دینے کی خوبی رکھتا تھا اور کم عمر کھلاڑیوں کے لیے وہ پختہ کار مشیر کی حیثیت رکھتا تھا۔ سخت ضرورت میں رنز بنانے کی اپنی خوبی سے اُس نے ٹیم کی کمزور درمیانی پوزیشن کو مستحکم کیا۔ پاکستان کا سابق ٹیسٹ بلے باز محسن خان جو مارچ 2010ء میں منتخب کرنے والی کمیٹی کا بارہ ماہ میں بننے والا چوتھا سربراہ بنا تھا، کے ساتھ کامیابی سے کام کیا۔[1]

مصباح الحق نے نومبر 2010ء میں جنوبی افریقہ کے ساتھ ملک سے باہر کھیلی گئی ''ہوم'' سیریز میں پاکستان کی رہنمائی کرتے ہوئے دو میچ برابر کر لیے۔ پہلے میچ میں جنوبی افریقہ کا پلہ بھاری تھا۔ اُس نے پاکستان کو جیتنے کے لیے 419 رنز کا ہدف دیا۔ 157 رنز پر تین کھلاڑی آؤٹ ہونے پر مصباح الحق میدان میں یونس خان کا ساتھ دینے اُترا۔ دونوں نے 186 رنز کی ناقابل شکست شراکت کرتے ہوئے 58 اوور کھیل کر میچ بچا لیا۔ دوسرے ٹیسٹ میچ میں مصباح الحق نے 77 رنز اور 58 ناقابل شکست رنز کیے۔ اُس سے پہلے جنوبی افریقہ کی پہلی اننگز میں اے بی ڈی ویلیئرز (AB de villiers) نے مار دھاڑ سے بھرپور 278 ناقابل شکست رنز بنائے تھے (جو اس وقت کا قومی ریکارڈ تھا)۔

اس کے نیوزی لینڈ میں جنوری 2011ء میں مصباح الحق نے ایک اور نصف سنچری بنائی اور میچ دس وکٹوں سے جیت لیا۔ پھر دوسرے ٹیسٹ میچ میں جو برابر رہا اُس نے 99 رنز اور ناقابل شکست 70 رنز بنائے اور میچوں کی یہ سیریز جیت لی۔ 2011ء کے عالمی کپ کے لیے لیے شاہد آفریدی کو کپتان بنایا گیا۔ اس عالمی کپ کی میزبانی پاکستان کو کرنا تھی مگر سری لنکا کی ٹیم پر دہشت گردوں کے حملے کے بعد یہ ممکن نہ ہو سکا۔ پاکستان اپنے گروپ میچوں میں آسانی سے رواں دواں رہا جن میں پانچ میں کامیابی حاصل ہوئی اور نیوزی لینڈ کے ہاتھوں شکست ہوئی۔

شاہد آفریدی ٹیم کے لیے کم رنز کے عوض وکٹیں حاصل کرتا رہا اور اُوپر کے درجے پر کھیلنے والے تمام بلے بازوں نے جب بھی ضرورت پیش آئی رنز مہیا کیے جن میں خاص طور پر یونس خان اور مصباح الحق شریک تھے۔ تاہم سیمی فائنل میں پاکستان کا مقابلہ ہندوستان کے ساتھ آ پڑا جس نے پہلے بیٹنگ کرتے ہوئے 260 رنز بنا لیے۔ پاکستانی ٹیم نے سچن ٹنڈولکر کے چار بار کیچ گرا کر اپنے لیے اچھا نہ کیا جو 85 رنز بنانے میں کامیاب ہو گیا جو اس باختہ عمر گل نے ناکارہ باؤلنگ کی اور وریندر سہواگ نے اس کی خوب پٹائی کی۔ مگر وہاب ریاض نے اچھی باؤلنگ کرتے ہوئے 46 رنز کے عوض پانچ وکٹیں لے کر میچ کو پاکستان کے مقابلے میں لے آیا۔ جوابی طور پر پاکستان نے پُر امید آغاز کیا مگر ہندوستان کے سیم باؤلروں اشیش نہرا اور مناف پٹیل نے کئی گیندوں پر رن بننے نہیں دیئے جس سے رن بنانے کی مطلوبہ رفتار متاثر ہونے لگی۔ چار کھلاڑی برے شاٹ کھیل کر آؤٹ ہو گئے۔

مصباح الحق اور اکمل نے مل کر سنبھالا دیا لیکن جب پانچویں وکٹ کے طور پر عمر اکمل آؤٹ ہو گیا تو اس وقت پاکستان کو سات رنز فی اوور کی رفتار سے ابھی 119 رنز درکار تھے۔ جب شاہد آفریدی نے فل ٹاس گیند پر ہٹ لگانے کی کوشش میں اونچا کیچ دے دیا تو مصباح الحق آخری اُمید بن کر رہ گیا۔ اُس نے رنز بنانے کے لیے تیزی سے کھیلنا شروع کیا مگر اُس کا کھیل ناکافی رہا اور پاکستانی ٹیم کو 29 رنز سے شکست ہو گئی۔

مصباح الحق اور یونس خان پر سست رفتاری سے کھیلنے کی بدولت تنقید ہوئی۔ مگر شکست کے بعد شاہد آفریدی نے انتہائی عزت افزا تقریر کی۔ عام خیال کے مطابق پاکستانی ٹیم کی کارکردگی توقعات سے کہیں بڑھ کر تھی۔ پاکستان کے کرکٹ کے نمایاں مصنفوں میں سے ایک عثمان سمیع الدین کے جائزے کے مطابق، سوائے چند معمولی واقعات کے پاکستانی ٹیم نے ٹورنامنٹ کے دوران کوئی بڑا رسوا کن کام نہیں کیا۔ اور دیکھنے میں کھلاڑیوں میں مکمل اتحاد تھا اور وہ بطور ٹیم یک جان تھے۔ پچھلے واقعات دیکھتے ہوئے یہ بات بذات خود انتہائی کامیابی کی ترجمان تھی۔

پاکستانی ٹیم کے ایک مداح کو اس جائزے سے اتفاق نہیں۔ اظہر صدیق نے دعویٰ کیا کہ ہندوستان اور پاکستان کے تعلقات میں بہتری لانے کی غرض سے اِس میچ کو فکس کیا گیا تھا۔[2] اُس نے لاہور کی عدالت عالیہ میں درخواست دائر کرتے ہوئے استدعا کی وہ شاہد آفریدی اور دو وزراء کے مابین ٹیلیفون پر مبینہ گفتگو کی تفتیش کرے اور اُسے منظر عام پر لائے۔ عدالت نے اُس کی درخواست مسترد کر دی۔ آئی سی سی کے سربراہ ہارون لورگاٹ (Haroon Lorgat) نے دوسری تفتیشی درخواستوں کو بھی صاف صاف رد کر دیا اور یوں یہ شک وشبہات نومبر 2012ء تک دبے رہے جب برطانوی مصنف ایڈ ہاکنز (Ed Hawkins) نے اپنی کتاب "Bookie, Gambler, Fixer, Spy: A Journey to the Corrupt Heart of Cricket's Underworld" شائع کی جس میں اُس نے بیان کیا کہ اُسے میچ دیکھنے کے دوران ایک ہندوستانی جوا کھلانے والے کا ٹوئیٹر (Twitter) کے ذریعے پیغام موصول ہوا جس میں پاکستانی اننگز کے دوران رن بنانے اور آؤٹ ہونے کے حتمی انداز کی پیشگوئی کی گئی تھی۔ ہندوستانی کرکٹ بورڈ اور آئی سی سی اپنے موقف پر قائم رہے کہ تفتیش کرنے کا کوئی جواز نہ تھا۔ اور ایڈ ہاکنز نے کوئی واضح ثبوت فراہم نہیں کیا تھا۔ مگر اُس کی کہانی سے یہ تصدیق ضرور ہوئی کہ بین الاقوامی کرکٹ کھلاڑیوں پر جوئے کے لیے میچ بنانے کے سیاہ بادل چھائے رہتے ہیں۔ کسی بھی غلط فیصلے یا کسی کھلاڑی کی غیر تسلی بخش کارکردگی سے شک وشبہات خود بخود جنم لے لیتے ہیں۔

## آئی سی سی کی پاکستان ٹاسک فورس ٹیم پر رپورٹ

ورلڈ کپ میں شکست کے بہ مشکل ایک ماہ بعد مصباح الحق کو ویسٹ انڈیز کے دورے پر جانے والی پاکستانی ٹیم کا کپتان بنا دیا گیا۔ پہلے ٹیسٹ میچ میں سعید اجمل اچانک گمنامی سے نکل کر دنیا کے بہترین آف سپنر باؤلر کے طور پر سامنے آ گیا۔ اس کی عمر اس وقت 63 / 35 سال تھی۔ کم رنز کے اِس میچ میں اُس نے گیارہ وکٹیں حاصل کی تھیں۔ مگر پاکستانی بلے بازوں کی ناکامی نے ٹیم کو سہارا نہ دیا۔

219 رنز کے معمولی ہدف کے تعاقب میں صرف مصباح الحق نے نصف سنچری مکمل کر لی تھی مگر پاکستانی ٹیم کو 40 رنز سے شکست ہوگئی۔ اگلے ٹیسٹ میچ میں پاکستان نے ویسٹ انڈیز کو 196 رنز کی کمر توڑ شکست دے کر سلسلہ برابر کرلیا۔ اس ٹیسٹ کی دوسری اننگز میں مصباح الحق اور آغازی بلے باز توفیق عمر جسے ایک لمبے عرصے کے بعد موقع دیا گیا تھا، نے سنچریاں بنائی تھیں۔

ایک ماہ بعد جون 2011ء میں آئی سی سی نے ہانگ کانگ میں مجلس کی تاکہ پاکستان ٹاسک فورس ٹیم (PTT) سے کرکٹ پر رپورٹ لی جاسکے۔ اس دشوار اور زبردست دستاویز نے پاکستانی کرکٹ کی انتظامیہ کی بنیاد اور اس کے ریاست کے ساتھ براہِ راست تعلق پہ چھوٹ کی۔ یہ تعلق دانستہ طور پر ساٹھ سال پہلے جب پاکستان کرکٹ کی ابتدا ہوئی تھی جسٹس کارنیلس نے اصول کی بجائے عملی نتائج حاصل کرنے کے لیے پیدا کیا تھا۔

رپورٹ میں زوردار تبصرہ کیا گیا تھا۔ اُس کے بااختیار انتظامی خلاصے کے مطابق ''یہ انتہائی خلاف معمول بات ہے کہ ملک کے صدر کے پاس یہ حق ہو کہ وہ پاکستان کرکٹ بورڈ کے چیئرمین اور آدھے سے زیادہ گورننگ باڈی کے ارکان کو مقرر کرے۔ یہ بات موجودہ زمانے کی کھیلوں کی تنظیم کے بھی منافی ہے کہ چیئرمین کے پاس چیف ایگزیکٹو آفیسر کے بھی اختیارات ہوں۔ یہ بات سمجھ سے بالاتر نہیں کہ ایک رات میں تبدیلی نہیں آسکتی مگر پاکستان ٹاسک فورس ٹیم کو یقین ہے کہ اگر موجودہ صورتحال کو برقرار رکھا گیا تو اُس سے مستقبل کے لمبے عرصے تک پاکستانی کرکٹ کی ترقی محدود رہے گی۔ کھیل کی تنظیم کے لحاظ سے بین الاقوامی دستور سے یہ بات قطعی مختلف ہے۔

پاکستان کرکٹ بورڈ نے اس کا جواب خاموشی سے دیا۔ تاہم اعجاز بٹ کا ناروا ردِعمل یہ تھا کہ سفارشات پر عمل درآمد کرنا تو مکمل طور پر پاکستان کرکٹ بورڈ کے ہاتھ میں ہے۔ مگر پاکستان کرکٹ بورڈ کے چیف آپریٹنگ افسر معاملات چلانے کے افسر اعلیٰ سبحان احمد نے چند دِن بعد ماحول میں قدرے نرمی پیدا کرنے کا رویہ اختیار کرتے ہوئے اہم تاثر دیا کہ پاکستان کرکٹ بورڈ آئی سی سی کے عمومی حکم جس کے مطابق کرکٹ میں سیاسی مداخلت کو ختم کرنا ہوگا پر اعتراض نہیں اُٹھائے گا۔[3]

## الوداع اعجاز بٹ

ایک طرف تو پاکستان کرکٹ بورڈ آئی سی سی کی اُن شرائط سے زور آزمائی کر رہا تھا جن کے تحت بین الاقوامی کرکٹ میں پاکستان کا مقام برقرار رہتا تھا دوسری طرف مصباح الحق کی سربراہی میں کھلاڑی بتدریج معمول پر آ رہے تھے۔

ایک معمولی سیم باؤلر اعزاز چیمہ اور اس کی اعانت میں سعید اجمل اور محمد حفیظ کی ثانوی سپن باؤلنگ نے مل کر زمبابوے کے خلاف ایک ٹیسٹ کے سلسلے کو جیت لیا۔ زمبابوے کی میزبان ٹیم نے اپنی پہلی اننگز میں 412 رنز بنائے تھے۔ پھر متحدہ عرب امارات میں پاکستانی ٹیم نے سری لنکا کی میزبانی کرتے ہوئے تین ٹیسٹ میچوں کا سلسلہ جیت لیا۔

فتوحات کے اس سلسلے کے دوران اکتوبر 2011ء میں اعجاز بٹ نے پاکستان کرکٹ بورڈ کو خیر باد کہہ دیا۔ اس کے جانے پر شاید ہی کسی کو افسوس تھا۔ متحدہ عرب امارات کے اخبار The National میں عثمان سمیع الدین نے لکھتے ہوئے تبصرہ کیا کہ ''اس کی بلاتعصب تشخیص کے مطابق حالات تباہ کن ہو چکے تھے۔ میدان میں اور میدان سے باہر اُس ٹیم کی پُروقار شہرت جو کبھی اپنے بام وعروج پر تھی اب محض چیتھڑوں کی صورت اختیار کر چکی تھی۔ اور خبطی طور پر برباد ہوگئی تھی۔ اِس مکمل تبدیلی تک پہنچانے کا ذمہ دار اعجاز بٹ تھا۔

چند ہفتوں کے وقفے اور قیاس آرائیوں کے بعد صدر آصف علی زرداری نے ذکاء اشرف (نسیم اشرف سے کوئی رشتہ داری نہیں) کو پاکستان کرکٹ بورڈ کا نیا چیئرمین مقرر کر دیا۔ وہ آصف علی زرداری کا سیاسی رفیق تھا جسے کرکٹ کا کوئی تجربہ نہ تھا۔ اور زرعی ترقیاتی بینک (سابقہ ایگری کلچر ڈویلپمنٹ بینک دونوں ناموں کے تحت پاکستانی کرکٹ کا لمبے عرصے سے سرپرست ہے) کے سربراہ کی حیثیت میں ناکارہ کارکردگی کی وجہ سے تنقید کا نشانہ بنا ہوا تھا۔

ذکاء اشرف خاموش اور دھیمے انداز کے ساتھ پاکستان کرکٹ بورڈ کا چیئرمین بن گیا۔ اس کا یہ انداز اپنے پیشروؤں سے مختلف تھا۔ وہ بڑے عہدوں پر فائز اپنے عملے کے ارکان کو ساتھ رکھنے میں کامیاب رہا خاص طور پر ہنرمند اور قابل سبحان احمد کو جو مارچ 2014ء تک پاکستان کرکٹ انتظامیہ کے بااختیار اور مرکزی افسرِ اعلیٰ کے طور پر اپنے عہدے پر قائم دائم تھا۔

## انگلینڈ کی دُھلائی

نئے چیئرمین کی حرکات سے شرمندگی کی مصیبت کا خطرہ نہ رہا اور پاکستانی کھلاڑی ترقی کی طرف گامزن رہے۔ بنگلہ دیش کے خلاف پاکستانی ٹیم کا غیر سرزمین پر پلہ بھاری رہا اور وہ دو میچ بہ آسانی جیت گیا۔

سال کے آخر میں پاکستان کرکٹ بورڈ نے مصباح الحق کو سال کا بہترین کھلاڑی قرار دے دیا۔عزت افزائی کے الفاظ میں ان الفاظ پر خاص توجہ دی گئی کہ پاکستانی کھلاڑیوں کے تیار ہونے کے کمرے میں خوش آئند طور پر تازگی اور پُرمسرت زندہ دلی کا ماحول پیدا ہو چکا ہے۔نوجوان کھلاڑیوں کے کندھے پر اب ایک شفیق مضبوط اور وفادار ہاتھ تھا۔ پاکستانی ٹیم سے دوطرفہ سیاست اور گھٹیا قسم کے جھگڑے رخصت ہو چکے تھے اور اب وہ ایک متحد ٹیم بن چکی تھی اور 2012ء میں اپنی چمک دکھانے کے لیے شادمانی کے نغمے الاپ رہی تھی۔[4]

عزت افزائی کے ایسے الفاظ زیادہ تر کپتانوں کے لیے بدقسمتی کا پیش خیمہ ثابت ہوتے مگر مصباح الحق کے لیے ابھی عظیم ترین لمحات آنا باقی تھے۔ پاکستانی ٹیم کا اگلا مقابلہ متحدہ عرب امارات میں انگلینڈ سے ہوا جسے اس کا پاکستانی دورہ سمجھا گیا۔ پاکستانی ٹیم نے تینوں کے تینوں ٹیسٹ میچوں کو جیت کر انگلینڈ کی مکمل طور پر دھلائی کر دی۔ ان کامیابیوں کا سہرا پاکستانی باؤلروں کے سر تھا جن میں عمر گل نے گیارہ وکٹیں 22 رنز فی وکٹ کے حساب سے لیں۔عبدالرحمٰن نے 19 وکٹیں 16.73 رنز فی وکٹ کے حساب سے حاصل کیں اور سب سے بڑھ کر سعید اجمل نے 24 وکٹیں 14.7 رنز فی وکٹ کی اوسط سے لی تھیں۔سعید اجمل نے انگریز بلے بازوں کے ہوش گم کر دیئے تھے۔ وہ روایتی آف سپن باؤلنگ کرتا تھا جو یکایک تیزی سے مڑتی تھی۔اس کے ساتھ وہ ایک پوشیدہ اور پُراسرار دوسرا بھی کرتا تھا جو دوسری طرف مڑ جاتا تھا۔

اس کی عمر اگرچہ 34 برس ہو چکی تھی مگر پھر بھی کسی بھی پاکستانی باؤلر کے مقابلے میں اُس نے سب سے تیزی سے 100 وکٹیں حاصل کیں۔ پاکستان کی اندرون ملک کھیلے جانے والی کرکٹ میں سالہا سال مشقت کے بعد یہ عزت افزائی اُسے صلے کے طور پر حاصل ہوئی۔سعید اجمل، فیصل آباد میں پیدا ہوا اور اُسی کے لیے کئی سال پہلے 1996ء میں قائداعظم ٹرافی کھیل کر اپنی کرکٹ کا آغاز کیا۔اس کا خاندانی پس منظر کمزور تھا۔ اپنی گفتگو کے دوران وہ یہ کہانی سناتا رہا ہے کہ اُن کے گھر کے سامنے سے کھلا گندا نالہ گزرتا تھا جسے اُس نے صاف کروا کر فخریہ طور پر نہر کا نام دیا۔ دوسرے دو عظیم سپن باؤلروں بھگوت چندراشیکھر اور مِیتا مرلی دھرن کی طرح اُسے بھی اپنے دائیں بازو کی دشواری کو سر کرنا پڑا تھا۔ وہ 2009ء میں ناموافق امپائر کی اپنے باؤلنگ انداز کے خلاف کی گئی رپورٹ کے باوجود بچ گیا تھا۔ اس پر انگریزوں کو دوبارہ شبہ اس وقت ہوا (خاص طور پر دوسرا کرتے ہوئے) جب اس نے بلاسوچے سمجھے اپنی ٹوٹی پھوٹی انگریزی میں رائے زنی کی کہ ہے۔ دایاں بازو سیدھا کرنے کے لیے اسے مناسب حد سے زیادہ اجازت تھی۔

تاہم کسی نے بھی اس کی ایمانداری کو شک کی نگاہ سے نہ دیکھا۔ 2010ء کے میچ میں جوا لگانے کے بدنام واقعہ کے دوران جوئے باز مظہر مجید نے اس کے متعلق ایک خفیہ ویڈیو میں کھوٹی عزت افزائی کے طور پر کہا تھا کہ وہ اس قدر مذہبی خیالات رکھتا ہے کہ وہ سپاٹ فکسنگ میں کبھی ملوث نہیں ہوگا۔

## مختصر ہنی مون (سہاگ رات)

باوجود یہ کہ پاکستانی ٹیم نے تاریخی فتح حاصل کی مصباح الحق اور محسن خان پاکستانی عوام میں زیادہ دیر تک مقبول نہ رہ سکے۔ جب پاکستان کرکٹ بورڈ ایک اور غیر ملکی کوچ لانے کا سوچ رہا تھا تو محسن حسن تقریباً بورڈ سے نکل چکا تھا۔ پاکستان کرکٹ بورڈ تجربہ کار ڈیووہاٹ مور (Dav Wahtmore) کو لانے پر بالآخر متفق ہو چکا تھا۔[5]

مصباح الحق پر ایک روزہ میچوں کا کپتان اور کھلاڑی ہونے پر تنقید کی گئی کیوں کہ انگلینڈ کی ٹیم نے 50 اووروں کے مقابلے میں 0-4 سے شکست دی تھی اور ٹی 20 کو 1-2 سے جیت لیا تھا۔ اِن حالات کے تحت مصباح الحق ٹی 20 کی کپتانی سے دستبردار ہو گیا اور اس کی جگہ آغازی بلے باز اور آل راؤنڈر محمد حفیظ آ گیا جو مصباح الحق سے عمر میں چھ سال سے زیادہ چھوٹا تھا۔

انگلینڈ کے خلاف میچ سیریز سے پہلے پاکستان نے افغانستان کے خلاف ایک روزہ بین الاقوامی میچ کھیل کر نئی تاریخ رقم کی تھی۔ ایک دہائی پہلے مشتبہ بدعنوانی میں ناپسندیدہ قرار دیئے جانے کے بعد پاکستانی ٹیم پہلی بار شارجہ لوٹی تھی۔ پاکستان نے یہ میچ سات وکٹوں سے جیت لیا مگر افغان کھلاڑیوں نے تماشائیوں کو اپنے کھیل سے بے حد خوش کیا۔ وہ پورے میچ میں زبردست مقابلہ کرتے رہے۔ یہ پہلا موقع تھا کہ وہ کسی ٹیسٹ میچ کھیلنے والے ملک کا مقابلہ کر رہے تھے۔ سعید اجمل جس نے حال ہی میں انگلینڈ کی ٹیم کو تباہ کیا تھا جب باؤلنگ کے لیے آیا تو اس کا سامنا کرکٹ کے عمدہ لباس میں ملبوس آغازی بلے باز محمد شہزاد کر رہا تھا۔ اُس نے بغیر پرواہ کیے تیسرے ہی گیند پر ریورس سویپ کرتے ہوئے چھکا لگا دیا۔

اسی اثنا میں مصباح الحق نے پاکستانی ٹیم کی رہنمائی کرتے ہوئے چار قومی ایشیا کپ کے ایک روزہ میچوں کا ٹورنامنٹ بنگلہ دیش میں جیت لیا۔ اس کے بعد 13-2012ء میں سری لنکا اور جنوبی افریقہ میں میچوں کے سلسلوں میں شکست ہوئی۔

جنوبی افریقہ کے خلاف جوہانس برگ میں کھیلے جانے والے پہلے ٹیسٹ میچ میں ڈیل سٹائن (Dale Steyn) نے پاکستانی ٹیم کو اڑا کر رکھ دیا۔ اس نے صرف 8 رنز کے عوض 6 وکٹیں حاصل کیں اور پاکستانی ٹیم اپنی تاریخ کے کم ترین 49 رنز پر آؤٹ ہو کر رہ گئی۔ دوسری اننگز میں مصباح الحق نے سب سے زیادہ رنز کرتے ہوئے 64 رنز بنائے مگر پاکستانی ٹیم کو 211 رنز سے شکست ہو گئی۔ دوسرے ٹیسٹ میچ میں زبردست مقابلہ ہوا۔ یونس خان اور اسد شفیق دونوں نے سنچریاں کرتے ہوئے فی کس 111 رنز بنائے اور پاکستانی ٹیم کو پہلی اننگز میں معمولی برتری حاصل ہو گئی۔ دوسری اننگز میں صرف مصباح الحق اور اظہر علی کی طرف سے قابلِ ذکر دفاع اور مزاحمت ہوئی۔ اگرچہ سعید اجمل نے جنوبی افریقہ کی انتہائی کم رنز کے عوض 4 وکٹیں تو

لے لیں مگر جنوبی افریقہ کی ٹیم نے کسی پریشانی کے بغیر 182 رنز کے ہدف کا تعاقب کیا۔ تماشائی پاکستان کے بائیں ہاتھ سے سیم باؤلنگ کرنے والے 7 فٹ سے لمبے قد کے محمد عرفان کو اپنا پہلا ٹیسٹ میچ کھیلتے ہوئے دیکھ کر خوب لطف اندوز ہوئے۔ فرسٹ کلاس کرکٹ میں محمد عرفان جتنے لمبے قد کے کسی اور کھلاڑی نے شرکت نہیں کر رکھی۔

پھر بھی مصباح الحق کی کپتانی کے خلاف پہلی بار تنقید کا شور سنا گیا۔ وطن واپس پہنچنے پر اُس نے ذرائع ابلاغ کی اُن کہانیوں کی تردید کی جن میں اُس کے اور محمد حفیظ کے اختلافات کا ذکر کیا گیا تھا۔ اعجاز بٹ جواب گوشہ نشین تھا خاموش نہ رہ سکا اور صورتحال میں بہتری پیدا کرنے کی بجائے اُس نے یہ دعویٰ کر دیا کہ محمد حفیظ نے کوچ ڈیو واٹ مور سے ساز باز کر کے مصباح الحق کو ٹیم میں تنہا کر دیا ہے۔

## جلاوطنی کا اثر

2009ء میں شروع ہونے والی جلاوطنی کے بعد پاکستان نے 43 ٹیسٹ میچ کھیلے ہیں جن میں متحدہ عرب امارات میں جنوری 2014ء میں سری لنکا کے خلاف سیریز بھی شامل ہے۔ پاکستان کو 15 ٹیسٹ میچوں میں فتح، 18 میں شکست اور 10 میں برابری حاصل ہوئی۔ ان میں 14 ٹیسٹ میچوں کو تصوراتی طور پر سمجھا جاتا ہے کہ وہ پاکستان میں کھیلے گئے۔ ان کے ساتھ دو انگلینڈ میں اور باقی متحدہ عرب امارات میں کھیلے گئے جن میں سات میں فتح حاصل ہوئی۔ تین میں شکست اور چار برابر رہے۔ اس عرصے میں پاکستانی ٹیم نے 125 ایک روزہ بین الاقوامی دوطرفہ طور پر کھیلے (جن میں 2011ء کا عالمی کپ اور دوسرے بین الاقوامی ٹورنامنٹ شامل نہیں ہیں)۔ ان میں 36 وہ ہیں جنہیں متحدہ عرب امارات میں کھیلا گیا مگر انہیں یہی سمجھا جاتا ہے کہ وہ پاکستان کے دورے پر آ کر کھیلے گئے۔

بین الاقوامی کرکٹ میں پاکستان کے دونوں کپتانوں نے سری لنکا کے خلاف 14-2013ء میں متحدہ عرب امارات میں منعقد ہونے والے ٹیسٹ میچوں اور ٹی 20 کے سلسلے کے دوران جلاوطنی کے اثرات پر کھل کر بات کی۔ تیسرے ٹیسٹ میچ کے دوران مصباح الحق نے گفتگو کرتے ہوئے کہا کہ ''کپتانوں اور کھلاڑیوں کی بیشتر تعداد اپنے کھیل کے اعداد و شمار کو اندرون ملک کرکٹ کھیل کر بہتر بناتے ہیں۔ کیوں کہ وہ اُن میدانوں پر کھیل رہے ہوتے ہیں جہاں انہوں نے اپنے کھیل کی ابتدا اپنے مقامی تماشائیوں کے سامنے کی ہوتی ہے۔ میری ٹیم کے آدھے سے زیادہ کھلاڑی پاکستان کے لیے پاکستان میں کبھی نہیں کھیلے ہیں۔ کھلاڑیوں میں یونس خان، محمد حفیظ اور میرے علاوہ موجودہ ٹیم کے بیشتر کھلاڑیوں کو اندازہ ہی نہیں ہے کہ بین الاقوامی کرکٹ کو اپنی سرزمین پر کھیلنے کا مزہ کیا ہے۔''

مصباح کا تبصرہ اس کے سٹار باؤلر سعید اجمل کے سبب ہے۔ جنوری 2014ء تک وہ 31 ٹیسٹ میچ کھیل چکا تھا، جن میں سے ایک بھی پاکستان میں نہ ہوا تھا۔ اس کے 105 بین الاقوامی ایک روزہ میچوں میں سے صرف پہلے دو پاکستان میں ہوئے تھے (دونوں کراچی میں 2008ء ایشیا کپ میں)۔

دسمبر 2013ء میں پاکستان کے ٹی20 کپتان محمد حفیظ نے پاکستان سے باہر ہی میچ کھیلنے کی پابندی پر بات کی جب دبئی میں سری لنکا کے خلاف 3 وکٹوں سے پاکستان کی جیت کے بعد اس سے انٹرویو کیا گیا۔ ''ہم پچھلے چار سال سے پاکستان سے باہر کھیل رہے ہیں اور یہ ذہنی طور پر ہم پر اثر انداز ہو رہا ہے۔ کھلاڑیوں کے طور پر ہم اپنے ملک میں نہ کھیلنے کے سبب کئی چیزوں سے نمٹ رہے ہیں۔ پاکستان سے کوئی سپورٹ نہیں۔ سال میں لگ بھگ 11 مہینے خاندان سے دور رہنا بڑی بات ہے اور پھر بھی کھلاڑی پرفارمنس دے رہے ہیں، اس کا کریڈٹ ان کو جاتا ہے۔''

ایک بار پھر سعید اجمل کا جائزہ اہم ہے، اور سال 2013ء میں اس کے سفر۔ اس کا آغاز دو بین الاقوامی ون ڈے سے انڈیا میں ہوا۔ فروری اور مارچ میں وہ جنوبی افریقہ گیا اور تین ٹیسٹ میچ اور پانچ ون ڈے میچ دیکھے۔ مئی میں اسے آئرلینڈ اور سکاٹ لینڈ دو ون ڈے میچوں کے لیے جانا پڑا اور پھر اس نے پاکستان کے لیے انگلینڈ میں آئی سی سی چیمپنز ٹرافی کے لیے تین ایک روزہ میچ کھیلے۔ جولائی میں وہ پانچ ایک روزہ میچوں کے لیے ویسٹ انڈیز گیا۔ اگلے مہینے زمبابوے کی باری تھی، جہاں اس نے دو ٹیسٹ میچ اور تین ایک روزہ میچ کھیلنا تھے۔ اکتوبر میں آخر کار وہ ایک ٹیسٹ اور ایک روزہ بین الاقوامی سیریز جنوبی افریقہ کے خلاف متحدہ عرب امارات میں کھیلا جو تصوراتی طور پر جنوبی افریقہ کا پاکستان کا دورہ سمجھا جاتا ہے۔ لیکن شارجہ میں آخری ایک روزہ میچ مکمل ہونے کے صرف تین دِن بعد وہ کیپ ٹاؤن میں ایک روزہ میچوں کے جوابی سلسلے کے پہلے میچ میں کھیل رہا تھا۔ دسمبر میں وہ واپس متحدہ عرب امارات آیا جہاں اُس نے سری لنکا کے خلاف پانچ مزید ایک روزہ میچوں میں حصہ لیا۔ سال کے اختتام کے دِن وہ سری لنکا کے خلاف پہلے ٹیسٹ میچ کے پہلے دن کے کھیل میں شریک تھا۔

2013ء میں وہ پاکستان میں فرسٹ کلاس کرکٹ میں قطعاً حصہ نہ لے سکا جب کہ وہ 9 میچ سمندر پار کھیل چکا تھا جن میں آٹھ ٹیسٹ میچ تھے۔ 5 اور 11 اپریل کے درمیان صدارتی کپ مقابلے میں اسے اندرون ملک چار ایک روزہ میچ کھیلنے کا موقع مل گیا جب کہ اُسے مقابلے میں وہ 33 میچ (تمام بین الاقوامی) پاکستان کے باہر کھیلا تھا۔

ٹیسٹ میچوں میں تماشائیوں سے خالی میدانوں کو دیکھ کر عمومی طور پر دُکھ ہوتا ہے، مگر مجھے 23 اکتوبر 2013ء کو دبئی میں پاکستانی ٹیم کو جنوبی افریقہ کی ٹیم کا مقابلہ کرتے ہوئے دیکھ کر سخت مایوسی ہوئی۔

نئے دور کا یہ سٹیڈیم کھیلوں کی عمارات میں واقع ہے جس کا کرکٹ سے کوئی تعلق نہیں۔ بلکہ کسی بھی کھیل سے نہیں ماسوائے بازپروری کے۔ اُس روز اگر تماشائیوں کی گنتی کی جاتی تو وہ محض چند درجن تھے اُن کی اتنی بھی تعداد نہ تھی کہ ٹیلی ویژن پر اچھے کھیل کے ردِعمل میں انہیں دکھایا جا سکتا۔ گو کہ دُبئی میں کئی پاکستانی مقیم ہیں جن میں کچھ ہی جو ٹکٹ خریدنے کی استطاعت رکھتے تھے یا میچ دیکھنے کے لیے چھٹی لے سکتے تھے۔ جو میچ دیکھنے آسکے، انہوں نے اپنی ٹیم کے حق میں نعرہ بازی کر کے ماحول پیدا کرنے کی کوشش کی مگر بدقسمتی سے پاکستانی ٹیم پہلے دِن کے آغاز پر جنوبی افریقہ کے باؤلروں (جن میں ستانے کے لیے سابقہ پاکستانی عمران طاہر بھی شامل تھے) کے سامنے ٹھہر نہ سکی۔

گھروں سے مہینوں دور رہنے اور ہوٹلوں کے مختلف کمروں میں رہائش پذیر ہونے کی اذیت میں صرف ایک دوسرے کا سہارا بن کر رہنے کے علاوہ گھر کی آسائشوں، میل جول اور اپنے مداحوں کے محروم رہنے کے سخت گیر دستور اور عذاب سے پاکستان کے بین الاقوامی کرکٹ کھلاڑیوں کی مستقبل قریب میں نجات نظر نہیں آتی۔

ظاہر ہے کہ اُن کی اس غیر حاضری سے اندرون ملک پاکستانی کرکٹ پر بُرا اثر پڑا ہے۔ اس سے مقامی ٹیموں کے معیار میں کمی آئی ہے اور قدردان اپنے بہترین کھلاڑیوں کو سوائے ٹیلی ویژن کے دیکھنے سے محروم رہتے ہیں۔ اور نوجوان کھلاڑیوں کو اپنے نمایاں اور مایہ ناز کھلاڑیوں سے تب تک سیکھنے کا موقع نہیں ملتا جب تک وہ خود بین الاقوامی ٹیم کا حصہ نہ بن جائیں۔ کرکٹ کے منتظمین اور سابقہ کھلاڑیوں نے یہ نقطہ میرے سامنے بارہا اٹھایا ہے۔ اس صورتحال سے پاکستانی کرکٹ کی وہ رومانوی روایت بھی خطرے میں پڑ جاتی ہے جس کا ذکر میں نے بارہا کیا ہے کہ کوئی نوعمر ذہین لڑکا بھولا بسرا مسافر اچانک وارد ہو کر مشق کرتے ہوئے نامور کھلاڑیوں کو اپنے فن سے حیران کر دے، اگر وہ ممتاز کھلاڑی کبھی مُلک میں ہی نہ ہوں گے تو کسی اگلے وسیم اکرم یا توصیف احمد کی کیا اُمید کی جاسکتی ہے کہ وہ آ کر ایک ہی رات میں دھوم مچا سکے؟

## پاکستانی کرکٹ کی تقدیر عدالتوں میں

مئی 2013ء میں پاکستان میں قومی اور صوبائی اسمبلیوں کے انتخابات ہوئے۔ پاکستانی تاریخ میں پہلی بار کسی جمہوری حکومت نے اپنے پانچ سالہ دورِ حکومت کو پورا کیا اور حکومت کو جمہوری طور پر منتخب ہونے والے اگلے جانشین کے سپرد کر دیا گیا۔ قومی انتخابات کے نتیجے میں معلق پارلیمان سامنے آئی جس میں نواز شریف کی سربراہی میں مسلم لیگ حاوی تھی۔ چند ہفتوں کی گفت وشنید کے بعد وہ انہیں آزاد امیدواروں کی حمایت حاصل کر کے اتحادی حکومت قائم کرنے میں کامیاب ہو گیا اور تیسری بار پاکستان کا وزیراعظم بن گیا۔

دوسری طرف آئی سی سی کے فیصلے کے مطابق پاکستان کرکٹ بورڈ سے بھی توقع کی جارہی تھی کہ وہ بھی جمہوریت متعارف کروائے۔ قومی انتخابات کی طرح یہ عمل بھی کچھ اچھا ثابت نہ ہوا۔ مئی میں صدر آصف علی زرداری جو اس وقت بھی پاکستان کرکٹ بورڈ کا سرپرست تھا، نے امیدواروں کی ایک مختصر فہرست تیار کی جنہیں پاکستان کرکٹ بورڈ کے گیارہ منتظمین کے لیے منتخب ہونا تھا۔ اُس میں دو نام وہ تھے جن میں ایک عہدے پر فائز ذکاء اشرف کا تھا (جسے صدر آصف علی زرداری نے پرانے نظام کے تحت اکتوبر 2011ء میں مقرر کیا تھا) دوسرا نام آفتاب احمد خان کا تھا، جو کرکٹ کی دنیا میں نا معلوم تھا۔ لیکن وہ ایک کامیاب اکاؤنٹنٹ اور لاہور سٹاک ایکسچینج کا سابق چیئر مین تھا۔ انتخاب کھلے عام نہ کیا گیا اور یہ بات واضح نہیں ہے کہ آفتاب احمد خان نے انتخابی مہم کو کِس بے جگری سے چلایا۔ اگر ایسا ہے تو اس سے کچھ حاصل نہ ہوا۔ ذکاء اشرف 8 مئی کو متفقہ طور پر چار سال کے لیے منتخب ہو گیا۔

مگر اس کی بدقسمتی کے اس انتخاب پر فوری طور پر عدالتوں میں دو کارروائیوں کے ذریعے اعتراض اٹھا دیا گیا۔ راشد لطیف نے کراچی اور پاکستان کی فوجی ٹیم کے سابق کوچ احمد ندیم نے اسلام آباد میں مقدمات دائر کر دیئے۔ احمد ندیم کی درخواست میں اس بات کی نشاندہی کی گئی کہ پنجاب جو آبادی میں پاکستان کا سب سے بڑا صوبہ ہے کو انتخاب میں نمائندگی حاصل نہیں ہوئی۔ اسلام آباد کی عدالت نے ذکاء اشرف کو معطل کر دیا اور جج نے تبصرے میں کہا کہ ''محسوس ہوتا ہے کہ پاکستان کرکٹ بورڈ کے چیئر مین کے انتخاب کا تمام عمل ترغیب اور آلودہ تھا۔ لہٰذا مقدمے کی بحث درخواست گزار کے حق میں اچھی معلوم ہوتی ہے۔''

چند ہفتے بعد اسلام آباد کی عدالت نے حکم جاری کیا کہ حکومت ذکاء اشرف کی جگہ پاکستان کرکٹ بورڈ کا عارضی چیئر مین مقرر کر دے جو آئی سی سی کی آئندہ مجلس میں پاکستان کی نمائندگی کر سکے۔ عورت یا مرد دونوں میں سے اس مقصد کے لیے کسی ایک کا انتخاب بین الصوبائی کمیٹی نے کرنا تھا جو پاکستان میں تمام کھیلوں کو چلا رہی تھی۔ اُس کی سفارش پر نواز شریف نے نجم سیٹھی کو مقرر کر دیا۔ اس پر صرف اتنا ہی کہا جا سکتا ہے کہ یہ تقرری دلچسپ تھی۔ نجم سیٹھی جس کی عمر ساٹھ سال کے درمیانی حصہ میں تھی، نے آزاد خیال صحافی کے طور پر بین الاقوامی انعامات حاصل کر رکھے تھے۔ وہ لاہور کے ایک اخبار کا بانی تھا اور کئی دوسرے اخباروں کا مدیر رہ چکا تھا۔ اس کے علاوہ جیو ٹیلی ویژن پر موجودہ حالات پر باقاعدگی سے ہونے والے پروگرام کا معروف پیش کار تھا۔ 1999ء میں اُسے پاکستان کی انٹر سروسز انٹیلی جینس ایجنسی (ISI) نے گرفتار کیا تھا کیوں کہ اُس نے بی بی سی پر حکومت میں بدعنوانی پر گفتگو کی تھی۔ اس پر فردِ جرم عائد کیے بغیر ایک ماہ تک حراست میں رکھا گیا تھا۔ اُس نے بنیاد پرستی کے خلاف بھی مہم چلائی تھی جس پر اُسے مختلف اسلامی تنظیموں کی طرف سے جان سے مار دینے کی دھمکیاں بھی ملی تھیں۔ مارچ 2013ء میں اسے مسلم لیگ اور اس کی مخالف جماعت پاکستان

پیپلز پارٹی نے متفقہ طور پر انتخابات کے دوران پنجاب کے عارضی وزیر اعلیٰ کے طور پر منتخب کیا تھا۔[6]

عارضی چیئرمین ہونے کے باوجود نجم سیٹھی نے اپنے فرائض کی پوری ذمہ داری اٹھالی۔ 15 جولائی کو اُس نے پاکستان کے سابق کپتان اور وکٹ کیپر معین خان کو اقبال قاسم کی جگہ منتخب کرنے والی کمیٹی کا سربراہ مقرر کر دیا۔ جب کہ باقی منتخب کرنے والی کمیٹی جو علاقائی بنیاد پر متوازن تھی، کو برقرار رکھا۔ اس کا پہلا فریضہ زمبابوے کے دورے پر جانے والی ٹیم کا انتخاب تھا۔

تاہم ایک ہفتے بعد اسلام آباد ہائی کورٹ کے جج شوکت عزیز صدیقی نے اس کی تقرری کو منسوخ کر دیا اور پاکستان کرکٹ بورڈ کو حکم دیا کہ وہ منتخب کرنے والی کمیٹی میں ایک کھیلوں کا صحافی، ایک کرکٹ کا آنکھوں دیکھا حال بیان کرنے والا اور ایک پاکستان کے کرکٹ کے مداحوں میں سے وہ جو کھیل کو خوب سمجھتا ہو، کو شامل کیا جائے۔ میں یہ معلوم کرنے سے قاصر رہا ہوں کہ کتنی تعداد میں لوگوں نے اس پر کشش منصب کے لیے درخواستیں دی ہوں گی اور کیا اُن میں سے کسی کو منتخب کیا گیا؟ اہم بات یہ ہوئی کہ اِس حکم کے ذریعے نجم سیٹھی سے وہ تمام اختیارات لے لیے گئے جن کے ذریعے وہ اہم فیصلے کر سکتا تھا۔ پاکستان کرکٹ بورڈ کو حکم میں مزید کہا گیا کہ وہ نوے دن کے اندر پاکستان کی تمام علاقائی اور ضلعی کرکٹ ایسوسی ایشنوں کے نمائندوں کے الیکشن کمیشن کے ذریعے انتخابات کروا کر نیا چیئرمین منتخب کرے۔[7]

اس کے بعد مختلف عدالتوں کے کئی اور حکم آئے جس سے پاکستانی کرکٹ کے مستقبل میں مزید غیر یقینی صورتحال اور انتشار پیدا ہو گیا۔ وزیر اعظم پاکستان نے نجم سیٹھی کے مقام کو سہارا دینے کی غرض سے ایک معمولی درجہ کا آئینی انقلاب برپا کرتے ہوئے اپنے آپ کو پاکستان کرکٹ کا سرپرست مقرر کر دیا۔ (اِس عمل سے صدر یا ریاست کے سربراہ کے اُس کردار کو بدل دیا گیا جسے کرکٹ کھیلنے والی قوم بننے پر پاکستان میں شروع کیا گیا تھا)۔ پھر اس نے نجم سیٹھی کو عارضی انتظامیہ کمیٹی کا چیئرمین نامزد کر دیا جس میں شہریار خان، ظہیر عباس، ہارون رشید اور سابق ٹیم مینیجر نور چیمہ بھی شامل تھے۔ اس انتظام پر بھی عدالت میں اعتراض اٹھا دیا گیا۔ جنوری 2014ء کے عدالتی حکم سے ذکاء اشرف بحال ہو گیا مگر ایک ماہ بعد نواز شریف نے اُسے برخاست کر کے نجم سیٹھی اور ایڈ ہاک کمیٹی کو بحال کر دیا۔

اس دوران مصباح الحق قومی ٹیم کی بدستور رہنمائی زبردست ہنر مندی قوتِ ارادی اور اخلاقی بلندی سے کرتا رہا۔ اس سے پہلے عمران خان سمیت سالہا سال تک کسی بھی پاکستانی کپتان کے لیے ٹیم کی کپتانی کرنا آسان کام نہ تھا مگر مصباح الحق کے لیے اُن سب سے زیادہ مشکل صورتحال تھی۔ اپنے سے پہلے کے بیشتر کپتانوں کی طرح اُسے بھی ٹیم کے اندر آپس کے جھگڑوں کا سامنا کرنا پڑا۔ اس کے علاوہ اُسے بے ربط انتخابی کارروائیوں اور پاکستان کرکٹ کی منتشر انتظامیہ سے بھی برتنا پڑا جو سیاسی اور عدالتی مداخلت سے

شدت اختیار کیے ہوئے تھی پھر اُسے ایسی ٹیم کی قیادت کرنا پڑی جو 2010ء میں جوئے کے لیے میچ بنانے کی بدنامی سے داغدار ہونے کے ساتھ ساتھ بددل بھی ہو چکی تھی۔ اور سب سے بڑھ کر اہم بات یہ تھی کہ سری لنکا کے کھلاڑیوں پر 2009ء کے دہشت گردوں کے حملے کے بعد اُسے جلاوطنی میں بین الاقوامی ٹیم کی قیادت کرنا پڑی۔ بطور کپتان مصباح الحق کے 27 ٹیسٹ میچ (اور 86 ایک روزہ بین الاقوامی میچ) پاکستان سے باہر کھیلے گئے۔ جنوری 2014ء میں مصباح الحق نے بطور کپتان اور بلے باز اہم کارکردگی کا مظاہرہ کرتے ہوئے سری لنکا کے خلاف شارجہ میں ٹیسٹ میچوں کا وہ سلسلہ جیت لیا جسے پاکستان میں کھیلا جانا تصور کیا گیا۔ اس میں جیتنے کے لیے تین سو رنز سے زیادہ تیز ترین رنز بنانے کا سنگِ میل بھی قائم ہوا۔

اگرچہ اس کی عمر چالیس سال کے قریب ہو چکی ہے مگر اس کے باوجود پاکستانی ٹیم کا اس کے بغیر تصور کرنا مشکل ہے۔ اس نے ٹیم کی رہنمائی کرنے کے فرض کو نبھاتے ہوئے ذہنی مشقت اور دباؤ کی بات کی ہے۔ اور اس بات پر توجہ دلوائی ہے کہ اس کی ٹیم میں ایسے کتنے کم کھلاڑی ہیں جنھیں اپنے ملک میں اپنے حمائیتوں کے سامنے کھیلنے کا موقع ملا ہو۔ 2013ء میں مصباح الحق کی مسافرت سے اُس کے اس نقطہ کو وزن ملتا ہے۔ اس کا سفر ہندوستان میں شروع ہوا جو اُسے پھر جنوبی افریقہ، سکاٹ لینڈ، آئیرلینڈ، ویسٹ انڈیز، زمبابوے اور متحدہ عرب امارات دوبارہ واپس جنوبی افریقہ اور پھر متحدہ عرب امارات تک لے گیا۔ اُس سال وہ پاکستان میں صرف ایک اوّل درجے کا میچ کھیل سکا۔ اس کے مقابلے میں 9 جو سب کے سب ٹیسٹ میچ تھے اُس نے سمندر پار کھیلے۔ وہ کسی نہ کسی طرح پاکستان میں اپنی مقامی ٹیم (سوئی نادرن گیس پائپ لائنز لمیٹڈ) کے لیے پندرہ دنوں میں چھ ایک روزہ میچ کھیل پایا جب کہ ان کے مقابلے میں وہ 34 میچ سمندر پار کھیلا۔

پاکستان کرکٹ کے بین الاقوامی کھلاڑیوں کی اب ایسی ہی زندگی ہے وہ مستقل طور پر غیر ملکی ہوٹلوں کے کمروں کے پے در پے چکر لگا رہے ہوتے ہیں اور ویران میدانوں میں جہاں کرکٹ کی کوئی جڑیں نہیں میں وہ میچ کھیل رہے ہوتے ہیں۔ جنھیں اپنے ملک میں کھیلنا چاہیے تھا۔ وہ اپنے عزیز واقارب، رشتہ داروں اور اپنے علاقے کے لوگوں کے میل جول سے کیے رہتے ہیں۔ پاکستانیوں میں ایسے میل جول اور تعلقات کی بڑی اہمیت ہوتی ہے۔ خیال آتا ہے کہ کب تک مصباح الحق اپنے کھلاڑیوں کی کارکردگی اور ذہنیت کو برقرار رکھ سکے گا۔

ایسے شدید اور مشکل وقت میں اس بہادر اور غیر معمولی شخص کی جدوجہد نے قومی ٹیم کو اکٹھے رکھا ہوا ہے۔ اُس نے اپنے آپ کو عظیم سابق کپتانوں عبدالحفیظ کاردار اور عمران خان کا قابل احترام جانشین ثابت کر دکھایا ہے۔ اس سے بڑھ کر اُس کی کوئی اور تعریف نہیں کی جا سکتی۔

## حوالہ جات:

1 2مارچ 2010ء کا بی بی سی سپورٹس نیوز دیکھئے جس کے مطابق ''محسن خان نے پاکستانی کرکٹ ٹیم کی منتخب کرنے والی کمیٹی میں سربراہ کا عہدہ سنبھال لیا۔'' محسن خان نے ہندوستانی فلمی اداکارہ رینارائے سے شادی کرلی تھی اور خود بھی مختصر عرصے کے لیے بمبئی کی فلموں میں کام کیا۔

بحوالہ(www.myasia-bollywood.com/ celebrity/ mohsin-khan)

2 اِس میچ کو دونوں ممالک کے وزرائے اعظم نے اکٹھے بیٹھ کر دیکھا تھا۔ اس کے چند ماہ بعد دونوں ملکوں نے ایک دوسرے کو درجہ دینے کے بعد تجارتی معاہدے کیے۔ اور واہگہ اور اٹاری کی سرحدوں پر خشک بندرگاہوں کے اڈے قائم کیے۔ (بحوالہ انڈیا ٹائمز شمارہ 20 نومبر 2014ء، دیکھئے ''Inside the Dark World of Match Fixing''

3 دیکھیے پاکستان ایکسپریس ٹریبیون مورخہ 5 جولائی 2011ء ''حکومتی مداخلت پر پاکستان آئی سی سی کے عمومی حکم کی پابندی کرے گا۔'' آئی سی سی ٹاسک فورس ٹیم کی مورخہ 20 جولائی 2013ء کی رپورٹ کے مطابق پاکستان نے اپنے طرزِ فکر میں نرمی اختیار کرلی ہے۔ پاکستان کرکٹ بورڈ میں صرف سبحان احمد وہ غیر معمولی مثال تھا جس کی شعیب اختر نے تعریف کی۔ ''کرکٹ بورڈ میں کام کرنے والا اگر کوئی ہے تو وہ سبحان احمد ہے۔ وہ وہاں کسئی حیثیتوں میں کام کرتا ہے جن میں ٹائپ نویسی (Typist) انتظامی امور چلانا اور دوروں کو منظم کرنا شامل ہیں۔ صرف وہی واحد شخص ہے جو کام کرتا ہے اور اس کے علاوہ وہاں کوئی اور نہیں ہے جو ڈھنگ کا کام کرتا ہو۔'' (بحوالہ شعیب اختر صفحہ 214)

4 دیکھیے 31 دسمبر 2011ء www.pcb.com.pk ''مصباح الحق پاکستان کا 2011ء کا بہترین کھلاڑی ہے۔

5 دیکھیے 8 فروری 2012ء پریس ٹرسٹ آف انڈیا کے مطابق ''اگلے ماہ وہاٹ مور (Whatmore) پاکستانی کرکٹ کوچ کے طور پر اپنے فرائض سنبھال لے گا۔'' اس خبر سے یہ بھی اشارہ ملتا ہے کہ ذکاء اشرف محسن خان کے خلاف ہوگیا تھا اور اُس نے محسن خان پر الزام عائد کیا کہ وہ پاکستان کرکٹ بورڈ میں اپنی نوکری کو طول دینے کے لیے دباؤ کے ہتھکنڈے استعمال کررہا ہے۔ اگر یہ سچ ہے تو یہ اُسی طرح کا مخصوص مقابلہ تھا جو میں پاکستان کرکٹ بورڈ اور ایک اعلیٰ افسر کے درمیان ہوا تھا۔

6 دیکھیے روزنامہ ڈان مورخہ 27 مارچ 2013ء ''نجم سیٹھی نے پنجاب کے نگران وزیراعلیٰ کے طور پر حلف اٹھالیا۔'' نجم سیٹھی کے مداحوں میں عمران خان شامل نہیں ہے۔ جس نے اس پر نواز شریف سے گہری قربت اور انتخابات میں ٹیلی ویژن پر بطور صحافی کردار ادا کرنے پر جس میں متضاد مفادات کا ممکنہ تصادم بھی تھا شدید تنقید کی۔ عمران خان نے نجم سیٹھی پر خصوصی طور پر یہ بھی تنقید کی کہ اُس نے پاکستان کرکٹ کے ٹیلی ویژن حقوق اُس چینل کو دے دیئے جس کے ساتھ وہ خود منسلک تھا۔ (عمران خان سے ذاتی گفتگو کے دوران)۔ پاکستان کرکٹ بورڈ نے ٹیلی ویژن حقوق دیئے جانے کے عمل کا یہ کہہ کر دفاع کیا کہ پاکستان کرکٹ بورڈ کو وہی سب سے بہترین پیشکش ملی تھی اور تمام عمل مکمل طور پر شفاف طریقے سے ہوا تھا دیکھئے .www.espncricinfo.com مورخہ 6 ستمبر 2013ء ''پاکستان کرکٹ بورڈ نے قلیل عرصہ کے لیے ٹیلی ویژن کے حقوق کا سودا کرلیا۔''

7 جج شوکت عزیز صدیقی دائیں بازو کے خیالات رکھنے والا نمایاں شخصیت کا مالک تھا جس کے بہت سے ناقدین تھے۔ ایک نے نقطہ اٹھایا کہ وہ راولپنڈی بار کا سابق صدر ہے جس کے دور میں 2011ء میں گورنر پنجاب سلمان تاثیر کے قاتل کی حمایت کی گئی تھی کیوں کہ سلمان تاثیر نے مذہب کی بے حرمتی کے قوانین کے غلط استعمال کو رد کیا تھا۔ دیکھیے www.riazhaq. com/2013/04/pak-media-chyeers-as-vindictive-right. html.۔ وہ 2002ء کے انتخابات میں (جنرل مشرف کے دور میں) ایم ایم اے (MMA) کے مذہبی اتحاد کے ٹکٹ پر قومی اسمبلی کا اُمیدوار تھا (www. electionpakistan.com/ge2002/NA-54.html)۔

# سبز پر سفید

ہم موحد ہیں ہمارا کیش ہے ترکِ رسوم
ملتیں جب مٹ گئیں اجزائے ایماں ہو گئیں

- مرزا اسداللہ خان غالبؔ

عبدالحفیظ کاردار کی روح سوتے ہوئے قفس عنصری سے اُس کمرے میں پرواز ہوئی جہاں وہ اپنے گیارہ سالہ پوتے کے ساتھ محوخواب ہوا کرتا تھا۔ کاردار کی موت کی خبر جنگل کی آگ کی طرح پھیل گئی کہ ''سکپر (Skipper) دنیا سے رخصت ہوگیا ہے۔'' یہ سنتے ہی لوگوں کا ہجوم کاردار کے گھر جمع ہوگیا جس میں عزیز واقارب کے علاوہ سیاستدان، دانشور اور کرکٹ کے کھلاڑی شامل تھے۔ فضل محمود کے ساتھ اُس ٹیم کے تمام کھلاڑی موجود تھے جس نے آزادی کے بعد اپنی کامیابی کی بدولت قوم کا نام روشناس کروایا تھا۔ عمران خصوصی طور پر پرواز کے ذریعے اسلام آباد سے پہنچا تھا۔

اپریل 1996ء میں اپنی وفات سے پہلے کاردار دنیا سے کنارہ کش ہو چکا تھا۔ اُسے اپنی بیوی شہزادی کی موت سے سخت دھچکا لگا تھا۔ زندگی کے آخری مہینوں میں وہ دعا گو رہتا کہ ''میں جانا چاہتا ہوں۔ مجھے دنیا سے رخصت کردو۔ میں تیار ہوں۔''

میں کاردار کی قبر پر میانی صاحب کے قبرستان جو شہر کی فصیل سے زیادہ دور نہیں خراج عقیدت پیش کرنے پہنچا۔ اس کی قبر پر لگا کتبہ سادہ ہے جس پر صرف اس کا نام، تاریخ پیدائش اور تاریخ وفات درج ہے۔ گورکن نے مجھے بتایا کہ کاردار نے اپنی موت سے ایک سال پہلے اپنا کتبہ تیار کروالیا تھا۔ حتیٰ کہ اپنی قبر تک خود کھدوائی تھی جس میں گندم کی بوریاں رکھ دی گئی تھیں تاکہ اس کے دفن ہونے کی جگہ کوئی دوسرا نہ لے سکے۔

اس کے بعد کاردار وہاں تقریباً ہر روز آتا۔ ''وہ یہاں آکر اپنی بیوی کی قبر پر قرآن خوانی کرتا'' گورکن نے مجھے بتایا۔ کاردار کو دل کا پہلا دورہ 1987ء میں ہندوستان کا دورہ کرتے ہوئے اس وقت پڑا تھا

جب وہ سیڑھیوں کے ذریعے کئی منزلیں طے کرتے ہوئے کلکتہ میں ٹیسٹ میچ کے دوران کنٹری بکس (آنکھوں دیکھا حال بیان کرنے والا کمرہ) میں پہنچا تھا۔ وہ علاج کے لیے واپس لاہور آ گیا اور اس کے بعد وہ کھیل سے دور ہو گیا۔ جس میں اس نے ایک معروف کردار ادا کیا تھا۔ یقینی طور پر وہ اس کے پُر فریب خیال سے نکل چکا تھا۔ اس کے بیٹے شاہد کے بقول اس کے والد نے پاکستان کرکٹ کے مستقبل میں آنے والے خطرات اور مصائب کو محسوس کر لیا تھا۔ ''ایک نیا عنصر آ رہا ہے۔ جو لالچ اِس وقت نظر آ رہا ہے اسے سنبھالنا کسی کے بس کی بات نہ ہوگی۔''1 (کاردار کی باریک بینی اور تنک مزاجی شاہد کو اپنے والد سے ورثہ میں ملی ہے۔ میں جب پاکستانی کرکٹ کے عظیم کپتان کے اکلوتے بیٹے سے ملنے گیا تو وہ حال ہی میں گورنر اسٹیٹ بینک کے منصب سے علیحدہ ہوا تھا۔ خبر تھی کہ اس نے صدر آصف علی زرداری کی نوٹ چھاپنے کی حکمت عملی کے خلاف احتجاجاً استعفیٰ دیا تھا)۔

کئی سال تک کاردار مفکروں کے ایک چھوٹے سے گروہ کی سربراہی کرتا رہا جس نے مستقبل میں پاکستان کی رہنمائی کرنے کی کوشش کی تھی۔ انہوں نے توانائی کی حکمت عملی اور زرعی اصلاحات پر مکالے لکھے جو اپنے وقت سے بہت پہلے تھے۔ لاہور کے ایک دانشور مسعود حسن جس نے ان مکالوں کی ترتیب و اشاعت کی تھی نے کاردار کو یاد کرتے ہوئے کہا کہ ''وہ مجھے ہمیشہ واسکٹ سمیت سوٹ پہن کر ملنے آیا کرتے تھے۔ ان کی نکٹائیاں انتہائی خوبصورت ہوا کرتی تھیں۔ اپنے آخری دنوں میں کمرے میں داخل ہوتے وقت وہ تھوڑا لڑکھڑا جاتے تھے اور پنجابی میں کہتے، ''ڈگدے، ٹھیندے اسی آ ای گئے آں'' (گرتے پڑتے ہم آخر آ ہی پہنچے ہیں)۔ ان کے لیے اپنے کام کی اُجرت ایک ذمہ داری ہوا کرتی تھی اور جب تک وہ ایک ایک پیسہ ادا نہ کر لیتے، انہیں چین نہ آتا۔''

کاردار مصنف بن گیا تھا۔ اس کی کتابیں آزادی کے بعد پاکستان کی جدوجہد کی عکاسی کرتی تھیں۔ بنگلہ دیش کی علیحدگی پر آزردگی کا اظہار کرتیں۔ فوجی حکومت کی طرف رُخ مڑ جانے پر ہوتیں اور پاکستانی کرکٹ پر ہوا کرتی تھیں۔ اقتصادی اور سماجی انقلاب پر لکھے گئے ایک کتابچے میں کاردار لکھتا ہے کہ ''میری سوچ کے مطابق معاشرے کو منظم کرنے کا ایک ہی راستہ ہے جس کی بدولت انہیں تمام بندشوں سے آزادی کی حقیقی ضمانت دی جا سکتی ہے۔ اور وہ یہ کہ اقتصادی منصوبہ بندی مرکزی طور پر کی جائے جس میں ذرائع پیداوار کی ملکیت افراد کی بجائے اشتراکی طور پر ہونا چاہیے۔''

میاں محمد سعید جسے عبدالحفیظ کاردار نے پاکستانی کرکٹ ٹیم کی کپتانی سے بے دخل کروایا تھا، نے بھی کرکٹ سے اپنے آپ کو منسلک رکھا۔ اُس نے پاکستان ایگلٹس (Pakistan Eaglets) ٹیموں کے انگلستان دوروں پر بحیثیت مینیجر فرائض سر انجام دیئے اور 1958ء کے موسم گرما میں اُس نے ایک سال رچمنڈ

کرکٹ کلب کے لیے کھیلا۔ یہ انتظام اس کے قریبی دوست اور کوچ (Coach) ایلف گوور (Alf Gover) نے کیا تھا۔ 47 سال کی عمر میں میاں سعید کا وزن بڑھ چکا تھا اور اس کے بالوں میں سفیدی نظر آنا شروع ہو چکی تھی۔ ''میں نے بعد میں سنا تھا کہ اس کی مخالف ٹیم کے نوجوان تیز رفتار باؤلروں نے ابتدائی طور پر اِس بوڑھے شریف آدمی پر باؤنسرز سے حملہ آور ہونے کا فیصلہ کیا تھا۔'' ایلف گوور (Alf Gover) نے اپنی خودنوشت سوانح عمری میں بیان کیا، ''سعید اُن کے اس طرزِ عمل پر خوش ہو کر باؤلروں کو حیران اور پریشان کرتے ہوئے سکوئیر لیگ کی طرف ہُک (Hook) کرتے ہوئے باؤنڈریاں لگاتا رہا۔''

1974ء میں میاں سعید پر فالج کا حملہ ہوا۔ اور باقی ماندہ زندگی پہیوں والی کرسی کے ذریعے گزری۔ اسی میں بٹھا کر اُس کے دوست اُسے کرکٹ دکھانے لے جاتے جس سے اُسے محبت تھی۔ مصنف سلطان محمود تقسیم کے بعد کی پاکستانی کرکٹ کے حالات پر تحقیق کے دوران میاں سعید کے پاس پہنچا اور جا کر بے حد اصرار کیا کہ وہ اُسے اُن واقعات کے متعلق لکھنے کی اجازت دیں جن کا تعلق اُن کی کپتانی اور کاردار سے تھا۔ میاں سعید نے ایسا کرنے سے انکار کر دیا۔

دوسرے بہت سے مسلمانوں کی طرح میاں سعید بھی بڑھاپے میں داڑھی رکھ لی تھی۔ 1970ء کی دہائی کے آخری سالوں میں وہ بھی حسنِ اتفاق سے مے فیئر فلیٹس کی اُسی عمارت میں رہائش پذیر تھا جس میں کاردار بھی رہتا تھا۔ سیڑھیوں میں جب بھی دونوں کا آمنا سامنا ہوتا تو وہ ایک دوسرے کے ساتھ مہذب رویہ رکھتے۔ مگر اِن دونوں کے درمیان وہ کچھ ہو چکا تھا جس کی بدولت اُن میں دوستی نہیں ہو سکتی تھی۔

1979ء کے موسم گرما میں میاں سعید بسترِ مرگ پر تھا۔ وہ وقت یاد کرتے ہوئے اُس کے بیٹے یاور سعید نے بیان کیا کہ دروازے پر دستک ہوئی اور کاردار کمرے میں داخل ہو گیا وہ آ کر میاں سعید کے نزدیک بیٹھ گیا اور آدھے گھنٹے تک وہاں رہا۔ دونوں نے ایک دوسرے کے ساتھ کوئی بات نہ کی۔ جب وہ وہاں سے رخصت ہو رہا تھا تو کاردار کی آنکھوں میں آنسو چھلک رہے تھے۔ میاں سعید کے جنازے میں پاکستان کرکٹ سے وابستہ ہر شخص موجود تھا جن میں نمایاں طور پر ڈاکٹر جہانگیر خان نظر آ رہا تھا جس نے اپنی بیشتر کرکٹ میاں سعید کے شانہ بشانہ کھیل رکھی تھی۔ جہانگیر خان کی جب میاں سعید کے بیٹے یاور سعید سے ملاقات ہوئی تو اُس نے اظہارِ افسوس کرتے ہوئے کہا کہ ''وہ ہر میچ میں مجھ سے پہلے باری لینے جاتا تھا۔ وہ پیڈ باندھ کر پہلے اندر جاتا تھا۔ اور اب پھر اُس نے وہی بات دہرا کر مجھ سے پہلے باری لے لی ہے۔''

کرکٹ سے ریٹائرمنٹ کے بعد میاں سعید کا داماد فضل محمود بدستور پولیس کی ملازمت میں رہا۔ کہا جاتا ہے کہ جب بھی اُس کی تعیناتی کسی دوسرے شہر میں ہوتی تو اس کی بارعب دیانت اور ایمانداری کی شہرت کا سن کر بدعنوان عہدہ دار یا تو اپنی تبدیلی کسی اور جگہ کروا لیتے یا پھر اُس کے آنے سے پہلے ہی کسی دوسری

نفری میں چلے جاتے۔ وہ اپنے گھر میں بھی سخت گیر تھا اُس نے اپنے بیٹے شہزاد پر حکم صادر کر رکھا تھا کہ وہ سورج غروب ہونے کے بعد گھر سے باہر نہ نکلے۔ شہزاد کو یاد ہے کہ اس اصول کی خلاف ورزی کرنے کا اُسے کتنا زیادہ خوف رہتا تھا کیوں کہ ایسا کرنے سے اُس کے باپ کا عتاب نازل ہو جاتا تھا۔ (شاہد کاردار کو بھی اپنے والد عبدالحفیظ کاردار کا یہی طور طریقہ اور سلوک یاد ہے)۔

فضل محمود کی آخری تعیناتی ڈپٹی انسپکٹر جنرل آف ٹریفک پنجاب ہوئی تھی۔ صرف وہی لوگ جنہیں رش کے دوران لاہور کی سڑکوں کا تجربہ ہوا ہے سمجھ سکتے ہیں کہ یہ ذمہ داری سرانجام دیتے ہوئے اُسے کس قدر شگفتگی، فہم وفراست، فولادی تحمل اور سرد مہری کا خزانہ محفوظ رکھنا پڑا ہوگا۔ اپنے اس منصب پر رہتے ہوئے فضل محمود نے ہدایات پر مبنی ایک دستی کتاب Speed with Safety: A Guide to Traffic in Lahore مرتب کی جو تقریباً 200 صفحات پر مشتمل ہے اور کہا جاتا ہے کہ معتبر کتاب ہے، اگرچہ اِس کی اب تک اشاعت نہیں ہوسکی۔

میں فضل محمود کا پرانا گھر دیکھنے کے لیے گیا۔ جہاں پہنچنے کے لیے مجھے ٹیلیفون کی چھوٹی دوکانوں، سائیکل اور موٹر سائیکل کی حرمت کی دوکانوں اور پھل فروشوں کے کھوکھوں کے درمیان سے گزر کر جانا پڑا۔ مقامی بچے گلی میں باہر کرکٹ کھیل رہے تھے۔ کیا میں نے اُن میں سے کسی ایک کو فضل محمود کا مخصوص گیند لیگ کٹر گیند کرتے دیکھا؟ دو منزلہ مکانوں کی قطار میں فضل محمود کا گھر سب سے بڑا تھا۔ اُس میں بمباری سے بچنے کے لیے ایک تہہ خانہ بھی ہے جسے 1965ء اور 1971ء کی ہندوستان سے جنگوں کے دوران استعمال کیا گیا تھا۔ مگر فضل محمود نے اپنے آپ کو نچلی منزل پر محدود کر رکھا تھا۔ وہ اپنی چھوٹی سی خوابگاہ سے نکل کر شاذ و نادر ہی باہر جاتا تھا۔ اس کے علاوہ ویسا ہی سادہ اور معقول مہمان کمرہ تھا اور عمارت کے دروازے پر لکڑی کی بنی اُس کی کرسی رکھی تھی۔

دونوں کمرے جوں کے توں ویسے ہی ہیں جیسے 2005ء میں فضل محمود کے انتقال کے وقت پر تھے۔ کھڑکی کے نزدیک ایک صوفہ رکھا ہوا ہے۔ پاکستان کے قومی شاعر محمد اقبال جب بھی فضل محمود کے والد پروفیسر غلام حسین سے ملنے کے لیے آتے تو اسی پر بیٹھا کرتے جب کہ ننھا فضل محمود چائے سے اُن کی میزبانی کرتا۔ صوفے کے نزدیک پاکستان کے ایٹمی میزائل کا نمونہ رکھا ہے اور ساتھ ہی 1954ء میں اوول کے میدان پر کھیلنے والی پاکستانی کرکٹ ٹیم کی تصویر رکھی ہے۔ اُس کے سامنے دیوار پر خانہ کعبہ کی تصویر آویزاں ہے جس کے ساتھ فضل محمود کی اہم ترین اور مقدس ملکیت کی حیثیت سے غلافِ کعبہ کا سیاہ ٹکڑا فریم میں لگا ہے۔ کپڑے کا یہ ٹکڑا خانہ کعبہ کے اُس غلاف کا حصہ ہے جس سے مکہ میں واقع مسجد الحرام میں خانہ کعبہ کو ڈھانپا جاتا ہے۔ فضل محمود کے پاس ٹھنڈک پیدا کرنے کے لیے کوئی ائیر کنڈیشنر نہ تھا۔ وہ گرمی کے دنوں میں

باہر کھلی ہوا میں سونا پسند کرتا تھا۔ اُس کا کہنا تھا کہ وہ ایک طرف سے دن بھر گھنٹوں باؤلنگ نہیں کروا سکتا تھا اگر وہ گرمی کے شدید موسم میں اپنے آپ کو برداشت کا مادہ پیدا نہ کرتا۔

فضل محمود زندگی کی گتھیوں اور گہرے سوالات کے مطالعے میں دلچسپی لینے لگا جس کے نتیجے میں غیر معمولی کتاب Urge to Faith تشکیل ہوئی۔ اس کتاب میں مذہب، فلسفہ اور سیاست پر غور وخوض کیا گیا ہے۔ یہ کتاب مذہب پر گہری بصیرت اور ہدایت کا اظہار کرتی ہے۔ اُس میں موقع کی مناسبت سے قرآن مجید سے کئی اقتباس لیے گئے ہیں۔ فضل محمود متذبذب تھا کہ کیا مغربی جمہوریت اسلامی انصاف نافذ کرنے کی اہل ہے؟ اس نے لکھا کہ جمہوری سیاست ذاتی فعل بن جاتی ہے جس میں اصولوں سے زیادہ شخصیات کو نمایاں بنا کر ابھارا جاتا ہے۔ معاشرتی اقدار کو پسِ پشت کر کے چند لوگوں کے مفاد کو جن میں چالباز، امرا اور بدمعاش شامل ہیں کا طوطی بجایا جاتا ہے۔

''اسی لیے پاکستان میں جمہوریت صرف فساد برپا کرے گی اور یہ صرف تماشے کے علاوہ بیکار آسائش ہوگی۔ ایک دوسرے پر کیچڑ اچھالا جائے گا۔ بدعنوانی اور طاقت کا بے جا استعمال وسیع طور پر کیا جائے گا جس سے غربت کے مارے عوام الناس لطف اندوز ہونے کی استطاعت رکھنے کے اہل نہیں۔ ووٹ ڈالنے والے ووٹرز، جاگیرداروں، چکنے چپڑے الفاظ، نعروں اور غنڈے بدمعاشوں سے مرعوب ہو جائیں گے۔ کالے دھن سے چور بازاری کے ذریعے ووٹ خرید کر انہیں سیاہ مقاصد کے لیے استعمال کیا جائے گا۔ پاکستانی عوام کا بیشتر حصہ بدحال غربت اور قطعی جہالت میں مبتلا ہے۔ دس یا پندرہ فیصد سے زیادہ پڑھے لکھے لوگ نہیں ہیں۔ انہیں بھی نعروں معمولی تحفوں یا طاقت دکھانے کے ذریعے آسانی سے راضی کیا جا سکتا ہے۔''

فضل محمود چاہتا تھا کہ ذہین اور عقل مند حضرات اللہ کی رہنمائی کے مطابق حکمرانی کریں۔ اُس نے سیاست میں آنے پر غور کیا اور مجھے بتایا گیا کہ اُس نے قومی اسمبلی کی نشست کے لیے مقابلہ کیا۔ تاہم اُس کے مخالفین انتخاب گاہ پر حملہ آور ہو کر ووٹوں کے ڈبے اٹھا کر لے گئے۔ فضل محمود نے اپنی کار میں اُن کا تعاقب کیا مگر ووٹوں بھرے ڈبے واپس لانے میں ناکام رہا اور انتخاب ہار گیا۔ اُس نے عہد کیا کہ اب وہ آئندہ کسی نشست کے لیے انتخاب میں حصہ نہیں لے گا۔

اُس نے لڑکیوں کے لیے ایک سکول بھی قائم کیا جس کا نام ابتدائی طور پر سدرہ ماڈل سکول رکھا۔ 1954ء میں اوول کے میدان پر فتح حاصل کرنے کے بعد کھلاڑیوں کو تحفے کے طور پر دیہی علاقوں میں زمین دی گئی تھی جسے وہ اپنی مرضی کے مطابق استعمال کر سکتے تھے۔ فضل محمود نے اپنی زمین کو تعلیم نسواں کے فروغ کی خاطر استعمال کیا۔

اپنے آخری سالوں میں فضل محمود جو کبھی دعوتوں میں جانے کا رسیا ہوا کرتا تھا، لوگوں کے میل جول

سے دور رہنے لگا تھا۔ اُس کی مسجد اُس کے گھر سے دوسو میٹر کے فاصلے پر تھی۔ بڑھاپے میں وہ وہاں کا موذن بن گیا تھا اور فجر کے وقت اذان دینے لگا تھا۔ وہ علی الصبح چار بجے مولوی کے آکر تالہ کھولنے سے پہلے مسجد کے دروازے پر پہنچ کر انتظار کر رہا ہوتا۔ فضل محمود نے آخری بار یہ فرض 30 مئی 2005ء کو نبھایا جس دِن اس کی موت واقع ہوئی۔ مسجد سے فارغ ہو کر وہ اپنے دفتر پہنچا (اس وقت وہ کپڑا بنانے والے ادارے میں ملازم تھا) جہاں سے اُس نے اپنے بیٹے کو ٹیلیفون کر کے ''God bless you'' (اللہ تمہارا نگہبان ہو) کہا۔

چند منٹ بعد یہ شاندار اور زبردست شخص جس کا شمار اب تک کے بہترین بہادر اور اصول پسند کھلاڑیوں میں ہوتا ہے کرسی پر بیٹھے بیٹھے اچانک گرا اور وفات پا گیا۔ اپنی زندگی کے آخری دنوں تک اُسے افسوس رہا کہ اسے ڈان بریڈ مین کے خلاف کھیلنے کا موقع نہ مل سکا۔ جو عین ممکن تھا اگر وہ 1947ء میں ہندوستان کی ٹیم کے ساتھ آسٹریلیا کے دورے پر چلا جاتا۔

آج اُس ٹیم کے صرف چار کھلاڑی بقیدِ حیات ہیں جس نے ساٹھ سال پہلے اوول کے میدان پر وہ مشہور و معروف فتح سخت مقابلے کے بعد حاصل کی تھی۔ حنیف محمد سے میری ملاقات کراچی میں اس کے گھر کے باغیچے میں ہوئی۔ اذان کی گونج میں حنیف محمد نے مجھے اپنی زندگی کی کہانی بیان کرنا شروع کی۔ کہ کس طرح آزادی سے پہلے اس کا خاندان جونا گڑھ میں عیش و آرام کی زندگی بسر کر رہا تھا اور وہ کس طرح اپنے بڑے بھائیوں رئیس محمد اور وزیر محمد کو نواب صاحب کی مقامی ٹیم میں کھیلتے دیکھنے جایا کرتا تھا۔ اور پھر کس طرح ایک روز گلیوں میں ٹینک آ گئے اور اس کے والدین نے کھڑکیاں بند کر دیں اور بچوں کو خاموش رہنے کی تلقین کرتے ہوئے باہر جانے سے منع کر دیا اور ہلنے جلنے سے روک دیا۔ اور وہ کس طرح بھاپ سے چلنے والی چھوٹی کشتی میں وہاں سے فرار ہوئے۔ اس نے کہا کہ انہیں ڈر تھا کہ کہیں وہ پاکستان جاتے ہوئے پکڑے نہ جائیں۔ ''میں عمر میں بے حد چھوٹا ہونے کی وجہ سے خوفزدہ نہیں تھا۔'' مگر اس کے والدین بے حد پریشان اور فکر مند تھے۔ مگر ہم سے وہ یہی کہتے رہے کہ ''فکر نہ کرو سب ٹھیک ہو جائے گا۔'' میرے لیے اس پرکشش انسان سے گفتگو کرنا باعث فخر تھا جو پاکستان کے ابتدائی دور میں جرأت مندی اور تحمل کی علامت تھا۔ حنیف محمد جس کا قد 5 فٹ 3 انچ ہے، نے وضاحت کرتے ہوئے بتایا کہ بلے باز کے لیے چھوٹا قد مددگار ثابت ہوا ہے۔ اور اس کے لیے اس نے گواسکر، ہٹن (Hutton) ویکس (Weekes) ہیسٹ (Hassett) اور لارا (Lara) کی مثالیں دی۔ اس کا دعویٰ تھا کہ تیز رفتار باؤلنگ کو کھیلنا آسان ہے کیوں کہ اچھلتی گیندیں تو بغیر کوئی گزند پہنچائے سروں کے اوپر سے گزر جاتی تھیں جب کہ پیچھے گرنے والی گیندوں کو چھوٹے قد کے کھلاڑی آسانی سے کٹ لگا لیتے تھے (سی ایل آر جیمز (C.L.R. James) نے 1954ء میں وورسٹر شائر میں حنیف محمد کا موثر طور پر کٹ شاٹ کھیلنے کا خوب جائزہ لیا تھا)۔ اُس نے اپنے موقف کی مزید بحث کرتے ہوئے کہا کہ

چھوٹے قد کے کھلاڑی چوں کہ زمین کے زیادہ نزدیک ہوتے ہیں لہٰذا وہ گیند کے گرنے کی جگہ (Length) کا کہیں زیادہ تیزی سے اندازہ لگا لیتے ہیں اور انہیں دوسروں کی نسبت یہ فیصلہ کرنے کے لیے کہ کس گیند پر ہٹ لگانا ہے، کچھ زیادہ وقت مل جاتا ہے۔

حنیف محمد نے مجھے بتایا کہ ''میں وو رچرڈز جیسا عظیم کھلاڑی نہیں تھا۔ میں تو صرف درمیانے درجے کا بلے باز تھا جو آؤٹ ہونے کا موقع دیئے بغیر اپنی ٹیم کے لیے کھیلنا چاہتا تھا۔'' یہ بات یقیناً درست نہیں۔ اس کے ابتدائی تشکیلی دور میں حنیف محمد پاکستان کا سب سے بہترین بلے باز تھا۔ اُس نے ٹیسٹ میچوں میں بارہ سنچریاں بنائیں جس میں اپنے مدمقابل ٹیسٹ کرکٹ کھیلنے والے ہر ملک کے خلاف اندرون ملک اور بیرون ملک سنچری کی۔ (سوائے جنوبی افریقہ کے)۔ حنیف محمد کے ویسٹ انڈیز کے خلاف 337 رنز صرف دوسری اننگز میں سب سے زیادہ رنز بنائے جانے کا ہی سنگ میل نہیں بلکہ بیرون ملک سب سے زیادہ رنز بنائے جانے کا بھی ریکارڈ ہے۔ اور دفاعی اننگز کے طور پر کرکٹ کی تاریخ میں سب سے عظیم اننگز تھی۔

حنیف محمد، عبدالحفیظ کاردار، فضل محمود اور اُن کے دوسرے ساتھی پاکستان کی مجموعی یادوں کا حصہ ہیں۔ ان کی یادیں مزاحمت، دھچکوں اور ابتلا کے باوجود آج بھی تروتازہ ہیں۔ وہ اب بھی ولولہ اور جوش پیدا کرنے کا ذریعہ ہیں۔ حنیف محمد کی انگلیاں کسی پرانے درخت کی خشک ٹہنیوں جیسی تھیں۔ وہ بیس سالہ کرکٹ کے نتیجے میں خم دار، مڑی اور ٹوٹی ہوئی تھیں۔ جس زمانے میں وہ کھیل رہا تھا، اس وقت ایکس رے کا استعمال نہیں کیا جاتا تھا اور ٹوٹی ہوئی انگلیوں کو ٹھیک ہونے کے لیے ان کے حال پر چھوڑ دیا جاتا تھا۔

میں جب اُسے ملنے کے لیے پہنچا تو اُس کا بیٹا شعیب محمد اپنے والد سے ملاقات کے لیے آیا ہوا تھا جس نے اپنے والد کے نقش قدم پر چلتے ہوئے پاکستان کی ٹیسٹ ٹیم میں کامیابیاں حاصل کر رکھی تھیں۔ شعیب محمد کا اپنا بیٹا شہزاد جس نے ابھی سے کراچی کے لیے فرسٹ کلاس کرکٹ کھیل لی ہے، بھی ملنے کے لیے آ گیا۔ اس کی قمیص پر عمران خان کی سیاسی تنظیم کا انتخابی نعرہ ''آؤ پاکستان کو بہتر بنائیں'' درج تھا۔ محمد خانوادے میں کرکٹ کی روایت مضبوطی سے برقرار ہے۔ مگر جب لاہور میں ماجد خان سے میری گفتگو ہوئی تو اُس نے مجھے بتایا کہ برکی خاندان منتشر ہو چکا ہے اور اس کا خیال تھا کہ اب اس قبیلے سے فرسٹ کلاس کرکٹ شاید ہی کوئی کھیل سکے گا۔ اس کتاب پر تحقیق کرتے ہوئے کہ خبر میرے لیے انتہائی افسوس ناک تھی۔

جہاں تک جسٹس اے آر کارنیلس کی بات ہے تو وہ 88 سال کی عمر میں 1991ء میں وفات پا گیا تھا مگر اس کا حسنِ اخلاق، اخلاقی بلندی اور ایمانداری آج بھی ضرب المثل کے طور پر زبان زدِ عام ہے۔ وہ لاہور میں عیسائیوں کے قبرستان میں مدفن ہے۔ وہ اور اس کی بیوی فلیٹیز ہوٹل کے دو کمروں میں رہا کرتے تھے جہاں دوروں پر آنے والی کرکٹ ٹیمیں لاہور آتیں تو روایتی طور پر اُسی ہوٹل میں ٹھہرتیں۔ 58 سالہ ازدواجی

زندگی گزارنے کے بعد جب اُس کی بیوی کا انتقال ہوا تو وہ ایک کمرے میں منتقل ہوگیا۔ اپنی سرکاری ملازمت سے ریٹائر ہونے کے بعد اُس نے وکالت شروع کی تو اُس کے قانونی ادارے میں اس کے حصہ داران کو یہ دیکھ کر سخت حیرت اور پریشانی ہوئی کہ وہ غیر معروف وکلا سے بھی کم اُجرت پر کام کرنے کو راضی تھا۔[1] وہ اجتماعی اور معاشرتی تقریبات میں شرکت سے گریز کرتا تا کہ وہ عدالتی غیر جانبداری اور انصاف پسندی کو علیحدہ رہ کر برقرار رکھ سکتا۔ اس کی کفایت پسندی کی مزید نشاندہی اس بات سے بھی ہوتی تھی کہ جسٹس کارنیلس وہی سبز رنگ کی وولز لے کار[2] استعمال کر رہا تھا جو اس نے بطور جج 1950ء کی دہائی میں حاصل کی تھی جو اس کی زندگی کے آخری دنوں تک اس کے زیر استعمال رہی۔ وہ کہا کرتا تھا کہ ''ہمارے لوگوں کے لیے دولت کی افراط زہر قاتل ہے۔''

اپنی زندگی کے آخری دور میں وہ صبح صبح لاہور کے قذافی سٹیڈیم کے باہر ٹیسٹ میچ دیکھنے قطار میں لگے نمایاں شخصیت نظر آتا تھا۔ اُس نے کھردرا اونی کوٹ، سرمئی پتلون، خصوصی نرم چمڑے کے جوتے اور سر پر گالف کھیلنے والی ٹوپی پہن رکھی ہوتی۔ اس کے ہاتھ میں کھانے کا ڈبہ اور دستی چھڑی جس کا سرا کھل کر نشست کا کام دیتا ہے (Shooting Stick)، ہوا کرتی تھی۔ اس کی جان پہچان کے ایک شخص نے ایک مرتبہ اُس کے قریب جا کر پوچھا کہ وہ سستے ترین حصہ کی نشستوں کی طرف کیوں جاتا ہے کیوں کہ اس کی نمایاں حیثیت کا بطور قابلِ تعظیم شخصیت خصوصی سرکاری نشستوں کے کسی بھی حصہ میں خیر مقدم ہوسکتا ہے۔ جسٹس کارنیلس نے جواب دیا، ''اب مجھے کوئی نہیں جانتا کہ میں کون ہوں۔ اور اگر وہ مجھے جانتے بھی ہوں گے تو انہیں میری کوئی پرواہ نہیں ہوسکتی۔'' اس نے مزید کہا کہ ان باتوں کے علاوہ اُسے اپنی دستی چھڑی پر بیٹھ کر میچ دیکھنے کا زیادہ لطف آتا ہے اور لوگوں کی چھیڑ خوانی اور جگتوں سے خوب لطف اندوز ہوتا ہوں جب کہ یہ تفریح اُسے سرکاری اور منتظمین کے حصوں میں بیٹھ کر میسر نہیں ہوسکتی۔[3]

میں نے اکثر حنیف محمد کے کراچی اور کارنیلس اور ماجد خان کے لاہور کے درمیان بذریعہ ریل اس وقت سفر کیا جب میں اِس کتاب کے لیے تحقیق کی غرض سے تقریباً درجن بار پاکستان کے دورے پہ آیا۔ سندھ میں سورج غروب ہوتا دیکھتے دیکھتے میں نیند کی آغوش میں چلا جاتا۔ اور جب پنجاب میں سورج طلوع ہو رہا ہوتا تو میں اٹھ بیٹھتا۔ دن کی روشنی کے اوقات میں جب بھی میں کھڑکی سے باہر دیکھتا تو مجھے کسی نہ کسی قسم کا کرکٹ میچ کھیلا جاتا نظر آجاتا۔ کچھ میچ تو باقاعدہ پچ پر جب کہ زیادہ تر کسی بھی ہموار سطح کو وقتی طور پر استعمال کرتے ہوئے کھیلے جا رہے ہوتے۔ دونوں صورتوں میں کھلاڑی پُر جوش طریقے سے کھیل رہے ہوتے۔

ریل کا سفر کرتے ہوئے پنجاب کے چھوٹے شہر بہاولپور کا میں نے دورہ کیا (تا کہ وہاں ڈرنگ سٹیڈیم کا مشاہدہ کر سکوں) اور سڑک سے ملتان کا سفر کیا جہاں عظیم انضمام الحق اور مشتاق نے اپنے کھیل میں

تربیت حاصل کی تھی۔ ملتان میں میں نے مقامی لڑکوں کے ساتھ مِل کر معروف درگاہ کے باہر گلیوں کی کرکٹ کھیلی جہاں پولیس نے مجھے حراست میں لیا۔ اُن کا کہنا تھا کہ انہیں میری سلامتی کی پریشانی لاحق تھی۔ اس کے بعد نصف درجن رینجرز کے نوجوان جو مشین گنوں سے لیس تھے، کو میری حفاظت پر مامور کر دیا گیا۔ پھر جہاں بھی گیا، وہ میرے ساتھ ساتھ رہے۔

پشاور میں ریاست کے خفیہ خبر رساں ادارے آئی ایس آئی کے دو ارکان میرا پیچھا کرتے رہے۔ انہوں نے مجھ سے تو براہِ راست کوئی گفتگو نہ کی لیکن جس کسی سے میں گفت وشنید کرتا، وہ تفصیل سے اُس سے پوچھ گچھ کرتے۔ بعد میں مجھے بتایا گیا کہ رفتہ رفتہ وہ بھی میرے منصوبے اور کوشش کے حامی بن گئے اور کتاب پڑھنے کے لیے بے تاب تھے۔

میں نے وادی سوات تک کا سفر کیا جہاں زمین کے ہر اُس قطعے پر جو ہموار تھا، نوجوان ربر کے ٹیپ چڑھے گیند کے ساتھ کرکٹ کھیلتے دکھائی دیئے۔ میں بذریعہ موٹر مالا کنڈ سے گزرا جہاں 1897ء میں اس علاقے میں ونسٹن چرچل نے مختصر اور عارضی قیام کیا تھا۔ وہ پولو کو ترجیح دیتا تھا مگر جب میں چرچل کے خصوصی مقام (Churchill's Point) سے گزرا تو مجھے یہ جان کر خوشی ہوئی کہ آج کل مالا کنڈ میں بے شمار کرکٹ کے کھلاڑی ہیں۔ میں نے شندور کے پہاڑی سلسلے کے درہ سے گزر کر گلگت سے چترال کا سفر بھی کیا جہاں میں نے اُس بوڑھے گڈریے کا سنا جس کا چند سال پہلے انتقال ہو گیا تھا۔ وہ مکمل طور پر اندھا تھا اور اس نے کبھی کرکٹ کا کھیل نہیں دیکھا تھا۔ لیکن اس کے باوجود وہ بھیڑیں چراتے چراتے ریڈیو پر کرکٹ کا اُردو میں آنکھوں دیکھا حال کئی دہائیوں تک سننے کے بعد کرکٹ اور اُس سے متعلقہ کھلاڑیوں کے بارے ختم نہ ہونے والی معلومات کا خزانہ بن گیا تھا۔

میرا استقبال فراخ دلی اور شفقت سے کیا گیا۔ عام شوقین، عظیم کھلاڑی، تنگ آئے ہوئے عہدیداران ہر ایک نے بڑھ چڑھ کر میرے سوالات کے جواب دیئے۔ اُن سب کی طرح جو پاکستان کو اچھی طرح سمجھ لیتے ہیں، مجھے بھی اس ملک سے عشق ہو گیا اور جب کبھی بھی واپس لوٹا، بے پناہ پُر مسرت جوش محسوس کیا۔

یہ کتاب جب تقریباً مکمل ہو چکی تھی تو میں پاکستان کرکٹ کے عظیم ترین کھلاڑی عمران خان سے ملاقات کیے لیے گیا۔ عمران خان سے ملنا میں نے آخر میں اس لیے رکھا تھا کیوں کہ وہ بے حد مصروف تھا اور میں اُس کی مصروفیات میں خلل انداز ہونا نہیں چاہتا تھا۔ کرکٹ سے جب وہ ریٹائر ہوا تو کھیل میں رہنے کے لیے اُسے کئی پیشکش ہوئیں مگر اس نے انکار کر دیا۔ 1996ء میں اُس نے اپنی سیاسی جماعت پاکستان تحریک انصاف (PTI) تشکیل دی۔ 2002ء میں وہ اپنے قبائلی شہر میانوالی سے قومی اسمبلی کے لیے منتخب ہو گیا مگر قومی

سیاست میں مقام حاصل کرنے کے لیے ہاتھ پاؤں مارتا رہا۔ کچھ عرصہ تک کے لیے اسے محض ایک مذاق سمجھ کر حقیر جانا گیا۔

مگر جن سالوں میں یہ کتاب لکھی جا رہی تھی عمران خان نے اپنی آواز پالی تھی۔ اُس نے 2013ء کے قومی انتخابات میں مرکزی سیاسی جماعتوں کی بدعنوانیوں اور امریکہ کے سامنے پاکستان کی ماتحتی کے خلاف احتجاج کرتے ہوئے حصہ لیا۔ جس روز عمران خان کی انتخابی مہم کا آغاز ہوا، میں باغِ جناح سے جہاں میں کرکٹ میچ دیکھنے گیا تھا، رکشہ میں سوار ہو کر لاہور میں پاکستان تحریک انصاف کے جلسے کا آغاز دیکھنے کے لیے پہنچا۔ ماحول میں توقعات اور امیدوں کی برقی لہر دوڑ رہی تھی۔ میں عقیدت مندوں کے ایک بہت بڑے ہجوم کے پیچھے گھنٹوں کھڑا رہا جن میں زیادہ تر وہ تھے جو تمام دن انتظار کرتے رہے تھے۔ میرے اردگرد کے لوگوں میں زیادہ تعداد نوجوانوں کی تھی اور ایک بہت بڑی تعداد خواتین کی تھی جو پاکستان میں غیر معمولی بات تھی۔ اُن خواتین نے کہا کہ وہ عمران خان کو نجات دہندہ اور مسیحا سمجھتی ہیں۔ انہیں یقین تھا کہ صرف عمران خان ہی اس بے زاری اور بدعنوانی سے چھٹکارا دلا سکتا ہے جس نے پچھلی دو دہائیوں میں ملک کو گھٹنے ٹیکنے پر مجبور کر دیا۔

وہ اس کے پیغام کو اپنی آغوش میں باندھے ہوئے تھیں کہ اُن کے ملک کے ساتھ لالچی، اور مغرب زدہ سیاسی طبقے نے دھوکہ کیا ہے اور پاکستان کے قدرتی وسائل کو ضائع کرتے ہوئے آنکھوں کو چکا چوند کر دینے والے منافقوں کو آف شور بینک اکاؤنٹس میں چھپا کر خفیہ طور پر رکھی ہے۔ عمران خان کو زبردست خراجِ تحسین حاصل ہوا جب اُس نے کہا ''میں دو مخالفوں نواز شریف اور صدر زرداری کی ایک ہی گیند سے وکٹیں اڑا دوں گا۔''

مگر انتخابات میں وہ ایسا نہ کر سکا۔ مگر قومی اسمبلی میں 35 نشستیں جیت کر معقول اور توجہ طلب کامیابی حاصل کر لی۔ خیبر پختونخواہ سابقہ شمال مغربی سرحدی صوبہ میں پاکستان تحریک انصاف (PTI) نمایاں اور سرکردہ جماعت بن گئی۔ صوبے میں اتحادی حکومت پر یہ حاوی ہے۔ اور اپنے وعدوں کا پاس رکھتے ہوئے انہیں پورا کرنے کے لیے فوری طور پر کوشاں ہو گئی جس میں خاص طور پر بدعنوانی اور تعلیم پر خصوصی توجہ دی گئی۔

جب انتخابات ختم ہو گئے تو میں نے پوچھا کہ کیا میں عمران خان سے اب کرکٹ کے موضوع پر گفتگو کر سکتا ہوں؟ جب وہ اسلام آباد میں ہوتا ہے وہ پہاڑی کی چوٹی پر ایک خوبصورت گھر میں رہتا ہے جو شہر کے باہر موٹر کے ذریعے ایک گھنٹے کی مسافت پر ہے۔ ایک ملازم مجھے اندرونی صحن سے گزار کر ایک پُر آسائش اور آراستہ دیوان خانے میں لے آیا جو دوسری طرف برآمدہ میں واقع تھا اور اُس کا رخ شمال پہاڑوں اور

قبائلی علاقوں کی طرف تھا۔

وہاں میری عمران خان سے ملاقات ہوئی۔ اس کی مردانہ وجاہت اب بھی قائم تھی۔ وہ چاق و چوبند اور کسرتی جسم کا مالک تھا۔ اُس کی رنگت بھورے رنگ کی بنفشی تھی۔ وہ انتخابی مہم کے اختتام پر حادثہ کا شکار ہو کر صحت یاب ہو چکا تھا۔ ہم گلابی سردی کی دھوپ میں بیٹھ کر چائے سے لطف اندوز ہوئے۔ اور پھر گھر کے اندر جا کر جلتی لکڑیوں کی انگیٹھی کے سامنے بیٹھ کر گفتگو کی۔ ''مجھے جاننے کے لیے آپ کے لیے ضروری ہے کہ آپ میرے خاندان کی معلومات سے بھی آگاہ ہوں۔'' عمران خان نے کہا، ''سب سے پہلے میرا تعلق پشتون پس منظر سے ہے۔ میرے والد نیازی قبیلے سے تھے۔ جب کہ میری والدہ برکی قبیلے سے تعلق رکھتی تھیں۔ لہٰذا میرا تعلق دو پشتون قبیلوں سے ہے۔''

''پشتون ہمیشہ غلامی کے خلاف رہے ہیں۔ اور جیسے آپ کے علم میں ہے پشتون کسی دوسرے کی ماتحتی میں نہیں رہتے۔ یہی پشتونوں کی تاریخ ہے۔ میں مکمل طور پر پاکستان میں پلا بڑھا۔ میری پیدائش 1952ء میں ہوئی۔ مجھے اس بات پر فخر ہے کہ میں ایک آزاد مملکت میں پیدا ہوا۔ برطانوی نوآبادیاتی دورِ حکومت میں پیدا ہونا کتنا گھٹیا ہوتا۔''

اُس نے مجھے زمان پارک میں اپنے والدین کے گھر اپنی پرورش کے متعلق بتایا۔ اُس کا بچپن کھلی ہوا میں تیتر اور جنگلی جانوروں کا شکار کرتے اور کرکٹ کھیلتے گزرا۔ اس کا خالہ زاد بھائی ماجد خان اس کے بچپن کا مقبول کردار تھا۔ ''ہم اکٹھے صرف کرکٹ کھیلتے اور پھر شام کو اس کے گھر جا کر مل بیٹھتے۔ ماجد خان کا گھر میرے لیے دوسرا اپنا گھر تھا۔ میں ماجد خان کی والدہ کو اپنی دوسری ماں سمجھتا تھا۔ ماجد خان کے والد جہانگیر خان بارعب شخصیت کے مالک تھے۔ وہ ایک باکردار انسان تھے اور انہیں اپنے آپ پر مکمل نظم و ضبط تھا۔ مجھے ان کا تاریخ بیان کرنا ہی یاد ہے۔ وہ ایک عظیم تاریخ دان تھے۔''

عمران خان نے یادوں کو دہراتے ہوئے کہا کہ ''میرے ماموں احمد رضا خان اُسے شکار کے لیے پہاڑوں پر لے کر جایا کرتے تھے۔ جہاں ہم انگریزوں کے بنائے ہوئے ڈاک بنگلوں میں رہائش اختیار کرتے۔ کیوں کہ سمجھا یہی جاتا تھا کہ شکار کرنے کا یہی درست انداز تھا۔ صرف تیتر مارنا ہی مقصد نہیں تھا۔ شام کے وقت ہم لکڑیوں کی آگ جلا کر بیٹھ جاتے اور میں اُن سے اُن کی کرکٹ اور دوسرے امور سے متعلق کہانیاں سنتا۔''

عمران خان جب 9 سال کا تھا تو اس کی والدہ اُسے پاکستان اور ٹیڈ ڈیکسٹر (Ted Dexter) کی رہنمائی میں انگلینڈ کے مابین لاہور سٹیڈیم میں ٹیسٹ میچ دکھانے لے کر گئی۔ اس کے خالہ زاد بھائی جاوید برکی نے سنچری بنائی۔ ''اور یہی وہ لمحہ تھا جب میں نے فیصلہ کیا کہ میں بھی ٹیسٹ کھلاڑی بنوں گا۔''

عمران خان نے مجھے بتایا کہ کس طرح 1970ء کی دہائی کے آخری حصہ میں کرکٹ سے قومی دلچسپی ہندوستان اور پاکستان کے میچوں کے دوران تیزی سے شروع ہوئی۔ ''پھر جب ٹیلی ویژن سے نشریات کافی بہتر ہوئیں تو پھر دلچسپی میں مزید اضافہ ہوا۔ اور پھر 1992ء کے بعد تو شوق کی انتہا کئی گنا بڑھ گئی۔ ہم میچ دیکھنے قبائلی علاقوں میں جاتے اور اکثر اوقات میچ لڑائی جھگڑے کی وجہ سے روک دیا جاتا لیکن اس کے بعد کھیل دوبارہ شروع ہو جاتا۔ میں نے کئی مرتبہ اخبارات میں پڑھا کہ کرکٹ میچ کے دوران کسی کا قتل ہو گیا۔'' 'اس نے مجھے تفصیل سے اپنے منصوبے سے آگاہ کیا جس کے تحت وہ قبائلی علاقوں میں کرکٹ سے متعلق سنجیدہ سہولتیں مہیا کرنا چاہتا ہے۔

سب سے بڑھ کر میں یہ جاننا چاہتا تھا کہ عمران خان کے نزدیک عبدالحفیظ کاردار کی کیا حیثیت تھی۔ ''میں کاردار کو اچھی طرح سے سمجھ گیا تھا کہ اس کا وہ طور طریقہ کیوں ہے۔ آپ جانتے ہیں کہ پاکستان میں کرکٹ کا کوئی ڈھانچا نہ تھا اور بے حد مشکلات تھیں۔ کاردار ایک ایسی شخصیت تھی جسے کرکٹ کی سمجھ تھی۔ اُس کی شخصیت کے رعب داب سے اس کی عزت کی جاتی تھی۔ وہ مکمل طور پر محب وطن تھا۔ وہ برطانوی نو آبادیاتی نظام کا شدید مخالف تھا اور کھلاڑیوں کو اُن کی اہلیت کی بنیاد پر منتخب کرتا تھا۔ اگر کھلاڑی ٹیم میں انفرادی الفاظ ''میں'' یا ''میرا'' استعمال کرتے تو وہ اُن سے سختی سے پیش آتا۔ اس کے بہت سے دشمن بن گئے تھے اور وہ لوگوں کا مقابلہ کرتا۔ مگر حقیقت یہ ہے کہ اُس نے پاکستانی کرکٹ میں بہت بڑی خدمت سرانجام دی ہے۔''

بطور کھلاڑی عمران خان کاردار سے کہیں زیادہ بڑا کھلاڑی اور ایک طاقتور اور پُر اثر سیاستدان ہے۔ مگر دونوں کرکٹ اور اپنی زندگیوں میں ایمانداری، حب الوطنی اور اٹل ارادے سے بھرپور تھے۔ 1947ء میں برطانیہ سے آزادی حاصل کرنے کے بعد پاکستان کی شناخت کرکٹ کے ذریعے ہوئی کہ ملک کن اصولوں پر قائم ہے۔ ابتدائی ایام میں وہ قومی ٹیم پاکستان کے بانیوں کے بے لوث اور بے غرض جذبے کا اظہار کرتی تھی۔ مگر حالیہ دور کے سیاستدانوں کے غرور اور انتشاری سیاست نے قومی سیاست کے گھٹنے ٹکوا دیئے ہیں۔ جوئے اور میچ فکسنگ کی رسوائی کے دوران یہی عنصر سامنے آیا۔ سلمان بٹ اور اس کے ساتھی دھوکہ باز کھلاڑیوں نے نہ صرف غیر قانونی حرکت اور فوجداری جرم کا ارتکاب کیا بلکہ اعتماد کو جھٹلانے کی وہ حرکت کی جسے الفاظ میں بیان کرنا ممکن نہیں۔ ان شرمناک حرکات سے پاکستان کے لاکھوں کروڑوں کرکٹ کے مداحوں کے اعتماد کو شدید دھچکا لگا کیوں کہ وہ ان کھلاڑیوں کی طرف متوجہ رہتے تھے تاکہ وہ ان کی زندگیوں میں اُمید کی کرن اور ولولہ پیدا کر سکیں۔

انگلینڈ میں جیل کاٹنے کے بعد سلمان بٹ رِہا ہو کر پاکستان واپس پہنچا۔ اور اس نے کہا کہ وہ بے گناہ تھا اور اُس نے کوئی جرم نہیں کیا تھا اور اُسے ناجائز طور پر سزا دی گئی تھی۔ اُس نے کلب کرکٹ کھیلنے کی

کوشش کی مگر پاکستان کرکٹ بورڈ نے مداخلت کرتے ہوئے اُسے ایسا کرنے سے روک دیا۔ اس کے بعد اُس نے ٹیلی ویژن کے لیے اشتہاری فلموں میں کام کرنے کی کوشش کی اور اس سلسلے میں فلم سازی کی غرض سے لاہور جیمخانہ کرکٹ گراؤنڈ آپہنچا۔ عمران خان کے رشتہ دار جاوید زمان جو کرکٹ کلب کا اعزازی سیکریٹری تھا کو جب یہ خبر ملی تو وہ آگ بگولا ہو گیا اور اُس نے سلمان بٹ کو وہاں سے فوری طور پر چلے جانے کا حکم دیتے ہوئے کہا کہ ''وہ ایک جرائم پیشہ اور بے ایمان شخص کو ٹیلی ویژن کے ذریعے پاکستان کی نوجوان نسل کے لیے مثالی کردار بننے کی اجازت نہیں دے سکتا۔'' سلمان بٹ اور اس کے ساتھ فلم سازی کی غرض سے آئے ہوئے افراد دبے پاؤں وہاں سے رخصت ہو گئے۔

میں پاکستان میں جہاں کہیں بھی گیا مجھے محسوس ہوا کہ لوگوں میں اپنے ملک پاکستان پر فخر کرنے کا بے حد جذبہ موجود ہے۔ یہ جذبہ اور فخر پاکستان کرکٹ ٹیم کے ذریعے بھی واضح ہوتا ہے جس کا سبز گھاس پر سفید لباس خوبصورتی سے پاکستان کے پرچم کے رنگوں کی نمائندگی کرتا ہے۔ کرکٹ کھیل دیہات اور قصبوں میں کھیلا جاتا ہے۔ اس کھیل کو بڑے بوڑھے نوجوان امیر غریب سب ہی کھیلتے ہیں۔ اسے سندھ کے صحرائی میدانوں اور شمال کے پہاڑی علاقوں میں کھیلا جاتا ہے۔ اسے پاکستانی فوج بھی کھیلتی ہے اور طالبان بھی۔ اس سے پاکستان کا ہر فرقہ اور مذہب لطف اندوز ہوتا ہے۔ یہ نہ صرف پاکستان کی تاریخ کا حصہ ہے بلکہ اُس کا مستقبل بھی۔ یہ کھیل کرشماتی بھی ہے اور حیرت انگیز بھی۔ کرکٹ کے علاوہ کوئی اور کھیل پاکستانی قوم کے انوکھے پن، غیر فطری قابلیت اور کبھی کبھار کے پاگل پن کے علاوہ کھیل سے وابستہ اقوام میں اُن کی عمدہ خدمات کی نمائندگی نہیں کر سکتا۔

## حوالہ جات:

1 تین سال تک مائیل کرنے کی کوششیں جنہیں ہر بار شائستگی اور ٹھوس طریقے سے رد کیے جانے کے بعد جنوری 1980ء میں جسٹس کارنیلس لاہور کے ایک قانون دان ادارے لین مفتی کے ساتھ بطور بڑے رتبے کے حصہ دار وابستہ ہو گئے جس کے بعد ادارے کا نام بدل کر کارنیلس، لین، مفتی، برے بنتی (Cornelius, Lane, Mufti, Braibanti) رکھ دیا گیا۔

2 29 اکتوبر 2013ء کے روزنامہ ڈان کے مطابق اسے جلد ہی عدالتوں کے خصوصی عجائب گھر کو بطور عطیہ دے دیا جائے گا۔

3 جسٹس کارنیلس نے اپنے اس ردِعمل کا اظہار نجم لطیف سے کیا۔

اضافی خلاصہ

# مصباح الحق کی رہنمائی میں مسلسل بلندیوں کی طرف پیش قدمی

پاکستانی کرکٹ کی طویل عالمی جلا وطنی اور متواتر مشکلات جن کی بدولت نہ صرف اندرون ملک کرکٹ پر بلکہ پورے ملک پر منفی اثرات کے باوجود مصباح الحق اپنی ٹیم کی استقامت سے رہنمائی کرتے ہوئے اُسے 2014ء اور 2015ء میں ٹیسٹ ٹیموں کے سلسلہ مدارج کی بلندیوں کی طرف لے گیا۔ حالاں کہ پاکستانی ٹیم کھیل کی بدلی ہوئی شکل کے مختصر میچوں میں غیر یقینی انداز سے کھیلتی رہی۔ پاکستان کے کامیاب ترین کپتانوں عمران خان اور جاوید میاں داد کی کارکردگیوں کو پیچھے چھوڑ جانے کے باوجود مصباح الحق کو پاکستانی کرکٹ کے بیشتر حمائتیوں کی پذیرائی حاصل نہ ہوسکی بلکہ وہ ایک دوسرے پر سبقت لے جانے کے زبردست مقابلے میں واضح بولنے والے ذرائع ابلاغ کی نکتہ چینی اور تنقید کا نشانہ بنا رہا۔ تاہم مصباح الحق کپتان کی حیثیت سے اپنے طریق کار پر ڈٹا رہا۔ جو کچا ٹلا ہونے کے ساتھ ساتھ غیر نمائشی تھا۔ بطور بلے باز وہ لمبی اننگز کھیلنے کے لیے ہر وقت تیار رہتا۔ اور بلے بازوں کی کمزور لڑی کو ستون بن کر سہارا دینے کے لیے کوشاں رہتا۔ ان دونوں کرداروں میں یونس خان مستقل مزاجی سے اس کی اعانت کرتا رہا۔ اگرچہ یونس خان بالکل مختلف شخصیت کا مالک تھا مگر وہ بھی ٹیم میں اخوت کی روح پھونکنے اور نوعمر کھلاڑیوں کو مشورے دینے کے لیے اتنا ہی پختہ ارادہ رکھتا تھا۔

ٹیسٹ میچوں میں کامیابیوں کی طرف پیش قدمی ابتدائی طور پر سری لنکا میں روکی گئی جہاں پاکستان کو دونوں ٹیسٹ میچوں میں شکست ہوئی۔ ابھی تک صرف یہی میچوں کا ایک سلسلہ ہے جس میں مصباح الحق کو شکست کا منہ دیکھنا پڑا۔ یونس خان نے پہلے ٹیسٹ میچ میں بہت عمدہ اور بڑی سنچری بنائی مگر کمار سنگا کارا نے ڈبل سنچری بنا کر سری لنکا کو رنز میں آگے لے گیا جس کے بعد بائیں ہاتھ سے سپن باؤلنگ کرنے والے تجربہ کار باؤلر رنگنا ہیرات نے پاکستان کی دوسری اننگز میں چھ وکٹیں حاصل کر کے سری لنکا کو جیتنے کے لیے معمولی رنز بنانے کا ہدف پیش کر دیا۔ دوسرے ٹیسٹ میچ میں ہیرات پہلے سے بھی زیادہ کامیاب ثابت ہوا جہاں اُس نے

چودہ وکٹیں حاصل کیں (پہلی اننگز میں 9وکٹیں حاصل کیں جو اُس جیسے کسی بھی باؤلر کی طرف سے ٹیسٹ میچوں میں بہترین کارکردگی ہے) وکٹ کیپر بلے بازوں کی پاکستان کی ضرورت کو مسلسل پورا کرنے والی کھیپ سے تعلق رکھنے والے ایک اور سرفراز احمد کی دونوں اننگز میں سنچری اور نصف سنچری کے باوجود سری لنکا نے ٹیسٹ میچ آسانی سے جیت لیا۔ میچوں کے اس سلسلے کے بعد مصباح الحق نے اپنے نمایاں وکٹیں حاصل کرنے والے باؤلر سعید اجمل کو کھو دیا جس کے باؤلنگ کرنے کے انداز پر آئی سی سی نے پابندی عائد کر دی تھی۔ اس سے بھی کوئی فرق نہ پڑا۔ متحدہ عرب امارات میں آسٹریلیا کے خلاف کھیلے جانے والے دو ٹیسٹ میچوں کے سلسلے کے لیے مصباح الحق نے اور بھی زیادہ کارآمد متبادل کھلاڑی دریافت کر لیے تھے۔ یہ بائیں ہاتھ سے سست رفتار سے باؤلنگ کرنے والا ذوالفقار بابر اور نیا متعارف ہونے والا لیگ سپنر یاسر شاہ تھے۔ سالہا سال کی محنت کرتے ہوئے انہوں نے پاکستان کے اندرون ملک کھیلے جانے والی کرکٹ سے وکٹیں حاصل کرنا سیکھ لیا تھا۔ دونوں کو کھیلنا آسٹریلوی کھلاڑیوں کے لیے بے حد مشکل ثابت ہوا جس پر پاکستانی ٹیم میں خوشی کی لہر دوڑ گئی۔ یونس خان نے متواتر تین سنچریاں بنا ڈالیں۔ جب کہ مصباح الحق دوسرے ٹیسٹ میچ میں دو سنچریاں بنانے میں کامیاب ہوا۔ چوں کہ اُس کے پاس وقت کی قلت نہیں تھی، لہٰذا مصباح الحق نے فالو آن لاگو نہ کیا۔ اُس نے 40 سال کی عمر میں تیز ترین ٹیسٹ سنچری بنانے کا وِو رچرڈز کا سنگ میل 56 گیندوں میں سنچری مکمل کر کے برابر کر دیا۔[1] پاکستان نے پہلا ٹیسٹ میچ 221 رنز اور دوسرا ٹیسٹ میچ 328 رنز سے جیت لیا۔ ٹیسٹ میچوں میں جیت کے رنز کا یہ بڑا فرق پاکستان کے لیے سنگ میل تھا۔

اس کے بعد متحدہ عرب امارات میں پاکستان نیوزی لینڈ کا میزبان تھا۔ پہلا ٹیسٹ میچ پاکستان نے بہت بڑے طور پر جیتا۔ دونوں اننگز میں پاکستان نے صرف پانچ وکٹوں کے نقصان پر 700 سے زیادہ رنز بنائے۔ اندرون ملک کھیلی جانے والی پاکستان کرکٹ کے ایک اور غیر معروف بائیں ہاتھ سے تیز رفتار باؤلنگ کرنے والے باؤلر راحت علی نے چار وکٹیں حاصل کیں۔ نیوزی لینڈ نے دوسرے ٹیسٹ میچ میں زبردست بہتری حاصل کی اور یہ ٹیسٹ میچ سرفراز احمد اور اسد شفیق کی قطعی ہمت سے شکست سے بچ سکا۔ تیسرے ٹیسٹ میچ میں نیوزی لینڈ نے 690 رنز بنا کر بے پناہ قوت کا مظاہرہ کیا۔ اس عمدہ کارکردگی کی رہنمائی برینڈن میکلم (Brendon McCullum) اور کین ولیم سن (Kane Williamson) نے کی جس کی بدولت محمد حفیظ اور اسد شفیق کی سنچریوں کے باوجود نیوزی لینڈ کو فتح حاصل ہوئی۔ یاسر شاہ ترقی کی طرف مزید گامزن رہا اور وہ اپنے پہلے پانچ ٹیسٹ میچوں میں جو تمام کے تمام متحدہ عرب امارات میں کھیلے گئے تھے 27وکٹیں حاصل کر چکا تھا۔

جیسا کہ پہلے بیان کیا جا چکا ہے کھیل کے مختصر انداز میں پاکستان کی کارکردگی اچھی نہ تھی۔ ایشیائی

20 کپ میں شاہد آفریدی نے اپنی شخصیت کو بطور قومی علامت برقرار رکھا (وہ اب تک پاکستان کا کھلاڑیوں میں بکنے والا سب سے کامیاب نام ہے) اُس نے آخری اوور میں دو چھکے لگا کر ہندوستان کے خلاف پاکستان کو ایک وکٹ سے فتح سے ہمکنار کر دیا۔ مگر فائنل میں پاکستان کو سری لنکا سے بری طرح سے شکست ہو گئی۔ اگلے ٹی 20 میں بھی پاکستان کو ویسٹ انڈیز کے ہاتھوں شکست کا منہ دیکھنا پڑا۔ پاکستان کو ایک روزہ عالمی میچوں کے سلسلوں میں سری لنکا، آسٹریلیا اور نیوزی لینڈ سے شکست کھانا پڑی۔

## نیا پاکستان کرکٹ بورڈ

آخر کار پاکستان کرکٹ بورڈ پر اختیار حاصل کرنے کے لمبے قانونی جھگڑے کو وزیراعظم نواز شریف نے ختم کر دیا۔ اور اُس نے نیا دستور نافذ کر دیا۔ جس کے تحت پہلی بار حکومت کا سربراہ مُلک کے سربراہ کی جگہ کرکٹ کا نگران اعلیٰ بن گیا اور تمام اختیارات اُس کے دائرہ عمل میں آ گئے۔ اس اقدام سے پاکستان کرکٹ بورڈ، آئی سی سی کی 2011ء کی اس رپورٹ سے مزید دور چلا گیا جس میں اُسے سیاسی مداخلت کی راہ سے آزاد رہنے پر زور دیا گیا تھا۔ تاہم آئی سی سی نے نئے تصفیے کے تحت نظام کو قبول کر لیا۔ ٹیسٹ کرکٹ کھیلنے والی دوسری اقوام نواز شریف کے پی سی بی کے سربراہ کے انتخاب پر مطمئن ہو گئیں۔ وہ سابق سفارت کار شہریار خاں کو دوبارہ واپس لے آیا تھا جس سے پچھلی دہائی میں اس کے کامیاب دور کی یاد تازہ ہو گئی تھی۔ البتہ اس کی عمر اب 80 سال سے زیادہ ہو چکی تھی۔ اور نجم سیٹھی کے بطور منتظم اعلیٰ اور طاقتور انتظامی بورڈ کے سربراہ کی حیثیت سے تقرری کی بدولت شہریار خاں کے اختیارات خاصے مدھم پڑ گئے تھے۔ دونوں حضرات کے آپس میں تعلقات بھی کوئی آسان نہ تھے اور ذرائع ابلاغ نے اُن کے مبینہ اختلافات کو خوب اُچھالا۔ نئے پاکستان کرکٹ بورڈ کو کچھ نمایاں کامیابیاں حاصل ہوئیں۔ اندرون ملک کرکٹ میں نمایاں سرمایہ کاری ہوئی اور پاکستان کی علاقائی کرکٹ کو کافی حد تک خود مختاری سونپی گئی۔ تاہم پاکستان کرکٹ بورڈ اندرون ملک مقابلوں میں اپنی تقریباً سالانہ مداخلت کی خواہش سے باز نہ رہ سکا۔ اس مرتبہ اُس نے پیٹرن اور علاقائی ٹیموں کو دو حصوں میں کھیلی جانے والی قائداعظم ٹرافی کے لیے دوبارہ ضم کر دیا۔

ہنر مند نئے باؤلروں کے سامنے آنے کے باوجود ماجد خان جیسے ناقدین کے خیال میں اندرون ملک کھیلے جانے والی کرکٹ اب بھی بین الاقوامی کرکٹ کھیلنے کی اچھی تربیت دینے کے ناقابل تھی۔ ہم مردہ پچوں پر یا تو بے تحاشا رنز بنائے جاتے تھے یا پھر نیم تیار شدہ پچوں پر تیزی سے فتوحات کا سلسلہ جاری تھا۔ ناقدین میں خود نوجوان کھلاڑیوں نے مثالیں دیتے ہوئے کہا کہ سکولوں اور کالجوں میں کرکٹ کے کھیل کا معیار زوال پذیر تھا۔

کم آمدنی والے کھلاڑیوں کے لیے جو کرکٹ کو اپنا پیشہ بنانا چاہتا ہے اخراجات اور کئی دوسری روکاوٹیں اُن کے راستے میں حائل ہیں۔ سرپرستی کی برداشت اور کھلم کھلا بدعنوانی نے کلب کرکٹ کو تباہ و برباد کر کے رکھ دیا ہے۔[2]

آئی سی سی کے نئے مالیاتی ڈھانچے جسے ہندوستان نے انگلینڈ اور آسٹریلیا کی مدد سے مسلط کیا، میں حیران کن طور پر پاکستان ایک طاقتور حیثیت سے سامنے آیا۔ (دیکھیے باب 23) ابتدائی طور پر پاکستان کرکٹ بورڈ نے سری لنکا اور جنوبی افریقہ کی مدد سے مخالفت مرتب کی لیکن آخر میں تصفیہ کے طور پر پاکستان آئی سی سی کی آمدنی میں چوتھا سب سے بڑا حصہ ملا۔ اس سے بھی بڑھ کر پاکستان ہندوستان کے ساتھ دوطرفہ ٹیسٹ میچوں کی بحالی کا وعدہ حاصل کرنے میں کامیاب ہوا جو سلسلہ 08-2007ء سے معطل تھا۔[3]

## وعدہ خلافی، سیاست کی بدولت پاکستان ہندوستان کرکٹ تعلقات کی بربادی

مئی 2014ء میں جب پاکستان کرکٹ بورڈ اور ہندوستانی کرکٹ بورڈ (BCCI) نے آئندہ کے لیے ایک مفاہمی معاہدے پر دستخط کیے تو اس وقت ماحول انتہائی پُر امید تھا۔ اس معاہدے کی رو سے 2015ء اور 2023ء کے درمیان کم از کم چھ دوطرفہ سلسلے کھیلے جانا قرار پایا تھا۔ ان میں سے پہلا سلسلہ دسمبر 2015ء میں پاکستان میں کھیل تصور کرتے ہوئے متحدہ عرب امارات میں منعقد ہونا تھا۔

پاکستان کی بدقسمتی کہ اس معاہدے پر دستخط ہندوستان میں کانگرس حکومت کے آخری دنوں میں کیے گئے ۔ جب مئی 2014ء میں نریندرہ مودی کی رہنمائی میں مدمقابل بی جے پی کی حکومت نے زبردست کامیابی کے بعد اقتدار سنبھالا تو ہندوستانی کرکٹ بورڈ نے نئی حکومت سے کرکٹ میں دوطرفہ تعلقات کی بحالی کے لیے منظوری کی درخواست کی ابتدائی طور پر پاکستان کے لیے نریندر مودی نے کچھ خیر سگالی کے اشارے دیئے لیکن پھر وہ اپنے ملک کے حب الوطن دھڑوں کے زیر اثر آ گیا جن میں خاص طور پر عسکری پسند شوسینا کی حمایت شامل تھی۔ یہی وطیرہ ہندوستانی کرکٹ بورڈ نے بھی اپنا لیا جس کا نیا سیکرٹری بی جے پی کا بلند حوصلہ سیاستدان انوراگ ٹھاکر مقرر ہو گیا۔ ہندوستانی کرکٹ بورڈ نے مفاہمتی معاہدے پر عمل درآمد کی بجائے لیت و لعل کرنا شروع کر دیا۔ اور مختلف قسم کی جوابی تجاویز پیش کرنا شروع کر دیں۔ جو مالی اعتبار سے پاکستان کے لیے ناقابل قبول تھیں۔ اس تعطل کو ختم کرنے کے لیے شہریار خاں نے مسلسل کوشش جاری رکھی جس میں کامیابی حاصل نہ ہو سکی۔ پھر 2015ء کے موسم گرما میں ہندوستانی پنجاب میں پاکستان کی سرکاری سرحد کے نزدیک گورداس پور میں پولیس تھانے پر دہشت گردوں کے حملے کے بعد سیاسی صورتحال مزید گھمبیر ہو گئی۔ ہندوستانی ذرائع ابلاغ اور ارکان اسمبلیوں نے فوری طور پر الزام عائد کیا کہ یہ حملہ پاکستانی فوج اور آئی ایس آئی کی اعانت سے کیا گیا ہے۔ انوراگ ٹھاکر نے

بطور بی جے پی سیاستدان اعلان کیا کہ دونوں ممالک کے درمیان کرکٹ کے تعلقات ناممکن ہو گئے ہیں۔ بادل نخواستہ شہر یار خاں نے ایک بار پھر مفاہمتی معاہدے کی تجدید کے لیے ہندوستان کا دورہ کیا جہاں شیوسینا نے احتجاجی مظاہرے کیے جس میں ہندوستانی کرکٹ بورڈ کے دفاتر پر زبردستی قبضہ بھی شامل تھا (جس کی بظاہر کوئی مزاحمت نہ کی گئی)۔

اِس تحریر کو لکھتے وقت پاکستان اور ہندوستان کے درمیان کرکٹ کے دوطرفہ تعلقات کی بحالی مزید ناممکن ہوگئی ہے کیوں کہ دونوں ممالک لائن آف کنٹرول کے ساتھ لڑتے لڑتے کشمیر میں دوبارہ کھلم کھلا جنگ کے دہانے پر آ کھڑے ہوئے ہیں۔ اس بحران کا فوری ردِعمل ثقافتی طور پر ہوا۔ ہندوستان کی بھاری بھرکم تفریحی صنعت میں پاکستانی فنکاروں اور تکنیک کاروں پر پابندی عائد کر دی گئی۔ پاکستانی ٹیلی ویژن اور ریڈیو نے ہندوستانی فلموں کی نمائش اور دیگر ہندوستانی پروگراموں پر پابندی لگا دی۔ اس کے ساتھ ساتھ پاکستانی سینما گھروں میں بھی ہندوستانی فلموں کی نمائش روک دی گئی۔

## ورلڈکپ 2015ء میں مایوسی

2015ء کے عالمی کپ میں پاکستانی کارکردگی سے ظاہر ہوتا ہے کہ یہ ملک ابھی تک موجودہ ایک روزہ بین الاقوامی میچوں میں بلے بازی کے جس معیار کی ضرورت ہے وہاں تک نہیں پہنچ پایا۔ پاکستان کے مقابلوں کا آغاز ہندوستان سے شکست کے ساتھ ہوا۔ عالمی کپ میچوں میں اُس نے اپنے سابقہ تسلسل کو برقرار رکھا۔ ورات کوہلی نے سنچری بنا کر پاکستان کو جیتنے کے لیے 301 رنز کا ہدف پیش کر دیا۔ پاکستان نے جلد ہی وکٹیں کھونا شروع کر دیں اگرچہ مصباح الحق نے جواباً 76 رنز بنا کر استقامت پیدا کرنے کی کوشش کی مگر پھر بھی تمام ٹیم صرف 224 رنز پر آؤٹ ہوگئی۔ اگلا میچ اس سے بھی بدتر تھا۔ ویسٹ انڈیز نے چھ وکٹوں کے نقصان پر 310 رنز بنائے اور جواب میں پاکستانی ٹیم نے ایک روزہ بین الاقوامی میچوں میں بدترین شروعات دکھاتے ہوئے صرف ایک رن کے عوض پہلی چار وکٹیں کھو دیں۔ بڑی مشکل سے گھسٹتے ہوئے 160 رنز تک پہنچ پائی۔ سرفراز احمد کی سرکردگی میں پاکستان کو دوبارہ سنبھالا ملا اور اُسے زمبابوے، متحدہ عرب امارات، جنوبی افریقہ اور آئیر لینڈ کے خلاف فتوحات حاصل ہوئیں۔ جب کے نتیجے میں پاکستان کوارٹر فائنل میں پہنچ گیا۔ اپنے آسٹریلوی میزبانوں کے سامنے پاکستانی ٹیم صرف 213 رنز بنا سکی۔ لیکن وہاب ریاض کی تیز رفتار باؤلنگ کے ایک شدید ریلے نے پاکستان کو جیتنے کا موقع فراہم کیا۔ مگر وہ کثیر تعداد میں چھوڑے گئے کیچوں کی نظر ہو گیا۔ اور پاکستان مقابلوں سے باہر ہو گیا۔ ایک روزہ بین الاقوامی میچوں میں مصباح الحق اور شاہد آفریدی کا یہ اختتام عروج کی بجائے زوال کی نذر ہو گیا۔ مصباح الحق کے حصے میں ایک عجیب سنگ میل آیا کہ اُس نے

سنچری بنائے بغیر ایک روزہ بین الاقوامی میچوں میں سب سے زیادہ رنز بنائے تھے۔

پاکستانی ٹیم کی ایک روزہ بین الاقوامی میچوں میں ناکامیوں پر مزید نمک چھڑکنے کے لیے نئے کپتان اظہر علی کی سربراہی میں وہ بنگلہ دیش کے خلاف سلسلے کے تینوں میچ ہار گئے۔ تاہم ٹیسٹ میچوں میں مصباح الحق نے ایک ٹیسٹ برابر کر کے سلسلے کو جیت لیا۔ پہلے ٹیسٹ میچ میں رنز کی جیسے بارش ہوئی ہو۔ محمد حفیظ اور بنگلہ دیش کے تمیم اقبال نے ڈبل سنچریاں بنائیں۔ دوسرے ٹیسٹ میچ میں اظہر علی نے ڈبل سنچری بنائی جب کہ یونس خان اور اسد شفیق نے اپنی اپنی سنچریاں مکمل کیں۔ اس میچ میں جیت یاسر شاہ کی مرہون منت تھی۔

## زمبابوے کی بدولت مصنوعی سورج کا طلوع

مئی 2015ء میں پاکستان میں قومی طور پر خوشیاں منائی گئیں کیوں کہ بالآخر 2009ء میں سری لنکا کی ٹیم پر حملے کے بعد وہ پہلی بین الاقوامی ٹیم اور آئی سی سی کے مکمل رکن کی پاکستان میں میزبانی حاصل کرنے میں کامیاب ہوا تھا۔ ٹیسٹ کھیلنے والے ممالک میں سب سے کمزور ملک زمبابوے نے اپنی ٹیم سے بھی کمزور ٹیم کو بھیجا تھا جس نے قذافی سٹیڈیم لاہور میں سب کے سب تین ایک روزہ بین الاقوامی میچ کھیلے۔ مگر شدید گرمی کے باوجود تماشائی گھنٹوں قطاروں میں کھڑے ہو کر انہیں دیکھنے کے خواہشمند تھے۔ وہ دورہ پر آنے والے مہمانوں کے شکر گزار تھے کہ وہ آخر کار آئے تو۔ انہیں امید تھی کہ ان کے بعد دوسرے بھی آئیں گے۔ تماشائیوں نے زمبابوے کے کھلاڑیوں کے اچھے کھیل پر فراخدلی سے اُن کے حق میں نعرے لگائے اور داد دی۔ اور اسی طرح اپنی پاکستانی ٹیم کو بھی داد دی۔

پاکستان نے پہلے دو میچوں میں بے تحاشا رنز بنا کر فتح حاصل کی۔ آخری میچ میں زمبابوے کے پاس جیتنے کا اچھا موقع تھا مگر میچ کو کسی دہشت گردی کی بجائے قدرتی تشدد کی طوفانی آندھی کی وجہ سے معطل کرنا پڑا۔

افسوس ہے کہ زمبابوے کی ٹیم کا یہ دورہ مصنوعی سورج کا طلوع ثابت ہوا۔ سخت حفاظتی انتظامات کے باوجود جس نے پورے لاہور شہر کو جکڑ رکھا تھا۔ قذافی سٹیڈیم کے باہر دوسرے میچ کے دوران ایک دھماکہ ہوا (پہلے پہل اُسے بجلی میں نقص سمجھا گیا) جس سے دو افراد ہلاک ہو گئے۔ اس سے یہ بات سامنے آئی کہ اگر پاکستان کے دورے پر آئے ہوئے کھلاڑیوں کی حفاظت ممکن بھی ہوتی، پھر بھی کرکٹ کے تماشائیوں کی حفاظت کرنا ناممکن ہے۔ اس کے بعد یہ چیز سامنے آئی کہ پاکستان کرکٹ بورڈ نے زمبابوے ٹیم کے ہر کھلاڑی کو ساڑھے بارہ ہزار امریکی ڈالر ادا کیے تھے۔

اس سے قبل پاکستان کرکٹ بورڈ نے آئی سی سی کے شریک ممبر ملک کینیا کی ٹیم کے مختصر دورہ کی

میزبانی کی تھی۔ کینیا کے کھلاڑی ابھی پاکستان میں ہی موجود تھی کہ اسلحے کے زور پر دہشت گردوں نے پشاور کے آرمی سکول میں سو سے زائد بچوں کو شہید کر دیا تھا۔

## پاکستان سُوپر لیگ

2015ء میں نجم سیٹھی پاکستان کرکٹ بورڈ کی ٹی 20 سوپر لیگ مکمل کرنے میں کامیاب ہو گیا۔ یہ ایک لمبی تاخیر کے بعد ہندوستان کی حریف آئی پی ایل (IPL) کے جواب میں بنائی گئی تھی۔ شقی القلب لوگوں کو حیرانی تھی کہ کیا تماشائی، کھلاڑی، فرنچائز اور نشریاتی ادارے مشکل سے پاکستانی شہروں کی نمائندگی کرنے والی ٹیموں جنہیں مجبوری کی حالت میں متحدہ عرب امارات میں کھیلنا تھا میں دلچسپی لے سکیں گے؟ تاہم پانچ فروخت کاری کا حق رکھنے والے اداروں کو حقوق فروخت ہوئے (یہ حقوق پشاور، کراچی، اسلام آباد، لاہور، کراچی اور کوئٹہ کے لیے تھے) گیارہ ممالک جن میں ہندوستان شامل نہیں تھا، کے نمایاں کھلاڑیوں نے 2015-16ء کے افتتاحی ٹورنامنٹ میں شرکت کی جسے مصباح الحق کی کپتانی میں اسلام آباد نے جیتا۔ پاکستان کرکٹ بورڈ نے حقوق کی فروخت کا تجارتی کاروباری ٹیلی ویژن ادارے کے ساتھ پندرہ ملین امریکی ڈالر میں سودا کیا۔ تجارتی حقوق کی کُل قیمت اگلے دس سالوں میں 91 ملین امریکی ڈالر حاصل ہونا تھی۔

پہلے سال کے نتیجے کی حوصلہ افزائی سے نجم سیٹھی نے منصوبہ کا اعلان کرتے ہوئے کہا کہ 2017ء کا فائنل لاہور میں منعقد کیا جائے گا۔ لیکن نمایاں کھلاڑیوں کے نمائندوں نے پُر زور جواب دیتے ہوئے کہا کہ اُن کے موکلوں نے حفاظتی تدابیر جن میں ذرہ بھر لغزش کا خطرہ نہ ہو اور اضافی رقومات کے بغیر جانے کا کوئی اقرار نہیں کیا ہے۔

## ٹیسٹ میچوں میں مزید فتوحات

2015ء کے موسم گرما میں مصباح الحق کی رہنمائی میں پاکستانی ٹیم نے سری لنکا میں ٹیسٹ میچوں کا سلسلہ 9 سال بعد جیتا۔ پاکستان کو ایک کے مقابلے میں دو ٹیسٹ میچوں میں فتح نصیب ہوئی۔ یاسر شاہ نے 24 وکٹیں حاصل کیں۔ اس سلسلے کا روشن پہلو وہ تھا جب پاکستان نے آخری ٹیسٹ میچ میں 37 رنز کے ہدف کا کامیابی سے تعاقب کیا جس کی بنیاد یونس خان کے 171 رنز بنے۔

پھر متحدہ عرب امارات میں انگلینڈ کے خلاف کھیلتے ہوئے یونس خان ٹیسٹ میچوں میں پاکستان کا سب سے زیادہ رنز بنانے والا کھلاڑی بن گیا۔ وہ نہ صرف جاوید میاں داد پر سبقت لے گیا بلکہ سب سے زیادہ سنچریاں بنانے کا اعزاز بھی اپنے نام کر لیا۔ جاوید میاں داد کی طرح یونس خان نے بھی پاکستان کے لیے

حالات میں رنز بنائے اور پاکستان کے لیے چوتھی اننگز میں رنز بنا کر فتوحات حاصل کیں۔ خاص طور پر اُس نے مصباح الحق کے ساتھ مل کر پاکستان کو سنچریوں کی بہترین شراکت داری مہیا کی۔

پاکستان نے میچوں کا یہ سلسلہ 0-2 سے جیت لیا۔ مگر اس میں کئی اتار چڑھاؤ بھی آئے۔ پاکستان کے سابق کپتان شعیب ملک کو ایک لمبی غیر حاضری کے بعد دوبارہ واپس بلایا گیا۔ پہلے ٹیسٹ میچ میں پاکستانی ٹیم نے 8 کھلاڑیوں کے نقصان پر 523 رنز بنا کر اپنی اننگز کو ختم کر دیا جس میں شعیب ملک کی دوہری سنچری شامل تھی۔ مگر ایلسٹیر کُک (Alastair Cook) نے جوابی طور پر 263 بنا کر عظیم کارنامہ سرانجام دیتے ہوئے انگلینڈ کو 75 رنز کی برتری حاصل کر دی۔ کھیل کے آخری دن پاکستانی ٹیم لاپرواہی سے کھیل کر 173 رنز پر آؤٹ ہوگئی جس سے انگلینڈ کو جیتنے کے لیے صرف 99 رنز بنانے کی ضرورت تھی۔ لیکن روشنی کی کمی کے باعث ، اوور میں رن بنانے کی سست رفتار اور شعیب ملک کی عمدہ آف سپن کی بدولت ایسا نہ ہوسکا۔ شعیب ملک کو محمد حفیظ کی جگہ موقع دیا گیا تھا جس کے باؤلنگ انداز پر آئی سی سی نے پابندی عائد کر دی تھی۔ دوسرے ٹیسٹ میں مصباح الحق اور یونس خان دونوں نے سنچریاں بنائیں اور پاکستان کو آسانی سے فتح حاصل ہوگئی۔ تیسرے ٹیسٹ میچ میں پاکستان کو پہلی اننگز میں 72 رنز کی کمی رہی مگر دوسری اننگز میں محمد حفیظ نے 151 رنز بنا کر انگلینڈ کو جیتنے کے لیے ایک بہت بڑا ہدف دے دیا جب کہ انہیں پانچویں روز کی پچ پر یاسر شاہ کا بھی سامنا تھا۔ اُس نے میچوں کے اس سلسلے میں 15 وکٹیں حاصل کیں مگر بعد میں ادویات کے استعمال کے امتحان میں ناکام ہونے پر اس پر تین ماہ کی پابندی عائد کر دی گئی۔ (اُس نے اُس دوائی کا استعمال کیا تھا جو اُس کی بیوی کے لیے تھی)۔

کھیل کے مختصر انداز میں پاکستانی ٹیم کی مشکلات بدستور قائم رہیں۔ اور وہ انگلینڈ کے خلاف ایک روزہ بین الاقوامی میچوں کا سلسلہ بُری طرح سے ہارے۔ اور آئی سی سی کے عالمی کپ 2016ء کے ہندوستان میں کھیلے جانے والے ٹورنامنٹ میں بھی بری طرح سے باہر ہو گئے۔ شکست خوردہ کپتان شاہد آفریدی کے لیے یہ میچ جذباتی الوداع ثابت ہوا۔

البتہ 2016ء میں پاکستان نے انگلینڈ کے دورہ پر ٹیسٹ میچوں کا زبردست سلسلہ پیش کیا۔ پاکستانی ٹیم نے میدان پر عمدہ کھیل دکھایا اور کھیل کے میدان کے باہر بہترین نظم وضبط اخلاق اور تمیز کا مظاہرہ کیا۔ جس کی بدولت 2010ء کی شرمناک یادیں مٹ گئیں۔ 1970ء کی دہائی میں انتخاب عالم کی رہنمائی میں آنے الی ہنرمند ٹیموں کے بعد موجودہ دورہ کرنے والی ٹیم سب سے زیادہ ہر دلعزیز ثابت ہوئی۔ اور یہ بھی عین درست ہوا کہ اس ٹیم کا مینیجر انتخاب عالم تھا۔ پاکستانی کرکٹ میں اُس کی اُن خدمات کا یہ نقطہ عروج تھا جن کا آغاز کئی دہائیاں پہلے 1959ء میں ہوا تھا۔

میچوں کے اس سلسلے کے دوران ایک کے بعد ایک پاکستانی کھلاڑی موقع کی مناسبت سے ابھرتا رہا اور انگریز تماشائیوں کے دل جیت لیے۔ ان میں سب سے پہلے بجا طور پر مصباح الحق تھا جو انتخاب کے الٹ پھیر کی وجہ سے 42 سال کی عمر میں انگلینڈ کے اپنے پہلے دورے پر آیا تھا۔ وہ 1921ء کی آسٹریلوی ٹیم کے پُر شکوہ کپتان واروک آرم سٹرانگ (Warwick Armstrong) کے بعد دورہ پر آنے والا سب سے بڑی عمر کا کپتان ہے۔ لارڈز کے میدان پر نہ صرف مصباح الحق نے سنچری بنائی بلکہ اس نے سنچری کی خوشی میں ڈنڈ لگا کر تماشائیوں کو بھی محظوظ کیا۔ اس کا یہ عمل پاکستانی فوج کے تربیت کاروں کے لیے خراج عقیدت تھا جنہوں نے دورہ پر جانے سے پہلے پاکستانی ٹیم کی توانائی کے لحاظ سے فوجی کیمپ میں تربیت کی تھی۔ اس کے بعد پُھد کتے خوش باش یاسر شاہ کا نام آتا ہے (جو پابندی کے بعد واپس آیا تھا) اُس نے میچ میں دس وکٹیں حاصل کر کے زبردست مقابلے کے بعد پاکستان کو فتح سے ہمکنار کیا۔

اس ٹیسٹ میچ میں محمد عامر بھی دوبارہ بحال ہوا۔ جوئے کے لیے میچ بنانے کا جرم ثابت ہونے کی سزا کاٹنے اور پابندی میں پانچ سال ضائع ہونے کے بعد بھی وہ صرف 24 سال کا تھا۔ وہ اظہر علی اور محمد حفیظ کی ابتدائی مزاحمت کے بعد ٹیم میں شامل ہونے میں کامیاب ہوا تھا اور اُسے انگریز ٹیم کے حامیوں کے ''نوبال'' کے طعنے اور آوازے بھی برداشت کرنا پڑے۔ 2010ء کے کارناموں کے مقابلے میں اب اُس کے زور وشور میں کمی آ چکی تھی۔ اس نے میچوں کے تمام سلسلے میں بہت زیادہ رنز کے عوض صرف 12 وکٹیں حاصل کیں۔ مگر اُس کی گیندوں پر کیچ نہ پکڑے جانے کی وجہ سے وہ بدقسمت رہا۔ مگر اُس نے چار باؤلروں کے گروہ میں رہتے ہوئے ایک محنت کش رکن کی حیثیت سے تماشائیوں کی نیک تمنائیں جیت لیں۔ (انگلینڈ ٹیم کے پاس آل راؤنڈروں کا وسیع خزانہ تھا اس کے برعکس پاکستان کے پاس شعیب ملک اور محمد حفیظ کا بطور باؤلر نہ ہونے کی وجہ سے اختیار محدود ہو کر رہ گیا تھا۔ مصباح الحق مجبور تھا کہ وہ سات بلے بازوں کو منتخب کرے اور انگلینڈ کی ٹیم کو دوبار آؤٹ کرنے کے لیے چار باؤلروں پر انحصار کرے)۔

اولڈ ٹریفرڈ کے میدان میں کھیلے جانے والے دوسرے ٹیسٹ میچ میں پاکستانی ٹیم ملیا میٹ ہو کر رہ گئی۔ یاسر شاہ جس نے لارڈز کے میدان میں زبردست عروج حاصل کیا تھا، مانچسٹر آ کر سخت محنت کے باوجود 266 رنز کے عوض صرف ایک وکٹ حاصل کر سکا۔ جوروٹ (Joe Root) اس پر مکمل طور پر حاوی رہا اور میچ میں 325 رنز بنائے اور صرف ایک بار آؤٹ ہوا۔

ایجبیسٹن (Edgbaston) میں کھیلے جانے والے تیسرے ٹیسٹ میچ کے پہلے دو روز پاکستانی ٹیم کا پلہ بھاری رہا۔ اُس نے انگلینڈ کی ٹیم کو 297 رنز پر آؤٹ کر لیا۔ محنت سے سیم باؤلنگ کرنے والے باؤلر سہیل خان کو دوبارہ ٹیم میں شامل کیا گیا تھا۔ اس سے پہلے اس نے ٹیسٹ میچوں میں 245 رنز کے عوض صرف ایک

وکٹ حاصل کر رکھی تھی۔ اس نے اننگز میں پانچ وکٹیں حاصل کیں اور خوشی میں آ کر تماشائیوں کو ایک بار پھر ڈنڈ نکالنے کا مظاہرہ پیش کیا جواب میں پاکستان نے دو وکٹوں کے نقصان پر 257 رنز بنائے جس میں اظہر علی جو اب پریشانی کا شکار تھا کی سنچری شامل تھی۔ اس کی معاونت نوجوان آغازی بلے باز سمیع اسلم نے کی جو عمدہ مزاج اور درست صلاحیت کا مالک تھا۔ مگر اظہر علی دن کے آخری گیند پر آؤٹ ہو گیا اور اسی لمحہ کھیل کا توازن تبدیل ہو گیا۔ مصباح الحق اور سرفراز احمد کے سوا پاکستان کی باقی ٹیم کی کارکردگی تقریباً خراب رہی۔ اور صرف 103 رنز کی برتری حاصل ہو سکی۔ انگلینڈ کی ٹیم نے یہ ہدف بغیر کسی نقصان کے پورا کر لیا۔ پاکستانی باؤلر غیر معیاری باؤلنگ کرتے ہوئے گیند پیچھے کرتے رہے۔ پانچ بلے بازوں نے پچاس سے زائد رنز بنائے۔ سمیع اسلم کی ایک اور ماہرانہ نصف سنچری کے باوجود پاکستانی ٹیم 343 رنز کے ہدف کے قریب تک نہ پھٹک پائی۔

پاکستان کی پہلی ٹیمیں ایسی شکست سے غالباً دلبرداشتہ ہو جاتیں مگر اس موجودہ ٹیم نے بے انتہا کوشش کر کے اوول کے آخری ٹیسٹ میچ کے لیے اپنے آپ کو یکجا کیا۔ انگلینڈ نے اپنی پہلی اننگز میں 328 رنز بنائے جس میں سہیل خان نے پانچ وکٹیں حاصل کیں۔ پاکستانی ٹیم نے نمبر تین پر کھیلنے والے اسد شفیق کے ساتھ اسٹیبلشمنٹ پر دونوں اننگز میں صفر کے باوجود اپنی امیدیں وابستہ کر لیں۔ اس نے بھرم رکھا اور ایک ماہرانہ اور خوبصورت سنچری بنا دی۔ پھر یونس خان نے آ کر مخالف ٹیم کے لیے بڑا ہدف بنانے میں اپنی کارکردگی دکھائی۔ وہ پہلے تین ٹیسٹ میچوں میں گھبرایا ہوا بے چین نظر آتا تھا مگر اس بار وہ اپنی پرانی ریت اور مہارت کے ساتھ کھیل رہا تھا۔ اُس نے آخری بلے بازوں کی صحبت میں دوہری سنچری بنا ڈالی۔ یاسر شاہ نے دوبارہ اپنی ہنر مندی دکھاتے ہوئے انگلینڈ کی دوسری اننگز میں پانچ وکٹیں حاصل کر لیں۔ مگر پاکستانی ٹیم جانی بئیر سٹو (Johnny Bairstow) کی وجہ سے اعصابی دباؤ میں آنا شروع ہو گئی جو 80 سے زائد رنز بنا کر پاکستان کو جیتنے کے لیے پریشان کن ہدف دینے کی دھمکی دے رہا تھا۔ وہاں ریاض نے پھر مسلسل دو گیندوں پر میچ کا پانسہ پلٹ دیا۔ پہلی گیند پر اُس نے کسرتی دوڑ لگا کر بیئر سٹو (Bairstow) کے خصوصی ساتھی کرس ووکس (Chris Woakes) کو آؤٹ کر دیا۔ اظہر علی نے بہت بڑا چھکا لگا کر پاکستان کو دس وکٹوں کی فتح سے ہمکنار کر دیا۔ سنہری دھوپ میں پاکستانی ٹیم کو باؤنڈری کے ساتھ میدان میں چکر لگاتے دیکھ کر دونوں طرف کے شائقین نے خوب دل کھول کر داد دی۔ پاکستان نے میچوں کا یہ سلسلہ برابر کر لیا تھا۔

اگست 2014ء میں ہندوستانی مصنف ششی تھرور نے جب اس کتاب کی انگریزی زبان میں تصنیف کا جائزہ لیتے ہوئے تبصرہ کیا اور تحقیر بھرے الفاظ میں مذمت کرتے ہوئے کہا کہ ''پاکستانی کرکٹ کے حالات افسوسناک اور دگرگوں ہیں۔ بین الاقوامی میچوں سے محروم عمر رسیدہ کھلاڑیوں کی ٹیم میں آنے والے

نئے کھلاڑیوں میں وہ بانکپن، طراری اور آب و تاب نہیں ہے جو اُن کے پرانے کھلاڑیوں میں ہوا کرتی تھی۔ پاکستان کرکٹ کا مستقبل غیر یقینی ہے اور اس کا زوال ناگزیر ہے۔''

مصباح الحق اور اس کی ٹیم نے ششی تھرور کے خیالات کو بہترین طور پر رد کر کے دکھایا ہے۔ ٹیسٹ میچوں میں انگلینڈ کے خلاف ہندوستان کی کارکردگی پر پاکستان نے ہندوستان کے خلاف ڈینگیں مارنے کے حقوق محنت کے معاوضے کے طور پر حاصل کر لیے ہیں۔

اعداد و شمار کا حساب رکھنے والوں نے یہ حقوق فوری طور پر پاکستان کے نام کر دیئے۔ 2010ء سے پاکستان نے دس ٹیسٹ میچ کھیلے ہیں (ان میں سے ایک بھی اپنی سرزمین پر نہیں کھیلا) جن میں 7 میں فتح ہوئی۔ ایک برابر رہا اور دو میں شکست ہوئی۔ اسی دورانیے میں ہندوستان نے انگلینڈ کے خلاف 13 ٹیسٹ میچ کھیلے۔ جن میں دو میں فتح حاصل ہوئی۔ ایک برابر رہا اور 10 میں شکست ہوئی۔

اِس سے بھی بڑھ کر اوول کے میدان میں پاکستان کی فتح نے اُسے دنیائے ٹیسٹ کرکٹ میں مرتبے کے لحاظ سے پہلی بار اوّل پوزیشن پر پہنچا دیا ہے۔ مرتبے کے جانچنے کا طریقہ 2003ء میں وضع کیا گیا تھا۔ اگرچہ بین الاقوامی کرکٹ اُن کے ملک میں اب بھی نہیں کھیلی جا رہی مگر پاکستانی شائقین کم از کم مصباح الحق کو قذافی سٹیڈیم میں آئی سی سی کا گرز وصول کرتے دیکھ کر لطف اندوز ہوئے۔

ایک سادہ مگر شستہ تقریر کے ذریعے مصباح الحق نے اُن سب کا شکریہ ادا کیا جنہوں نے جلاوطنی میں ٹیم کی حوصلہ افزائی اور حمایت کی اور خصوصی طور پر کھلاڑیوں اور ان کے خاندانوں کا بھی شکریہ ادا کیا۔ اس کے علاوہ اپنے اُس اعتماد کا اظہار بھی کیا جس کے مطابق بین الاقوامی کرکٹ پاکستان جلد لوٹ کر واپس آئے گی۔

## حوالہ جات:

1 اس کا یہ مشترکہ سنگ میل کچھ دیر بعد ہی کھو گیا جب نیوزی لینڈ کے برینڈن میکلم (Brendon McCullum) نے اپنے الوداعی ٹیسٹ میچ میں آسٹریلیا کے خلاف **2006**ء میں 54 گیندوں پر سنچری بنا دی۔ لیکن مصباح الحق کا ٹیسٹ میچوں میں 21 گیندوں پر نصف سنچری بنانے کا سنگ میل سلامت اور برقرار ہے۔

2 اِن تمام موضوعات کی رچرڈ ہیلر اور پیٹر اوبورن کی تصنیف شدہ کتاب White on Green جسے 2016ء میں (Simon & Schuster) نے شائع کیا، میں چھان بین کی گئی ہے۔

3 اِن کا آمنا سامنا 13-2012ء میں ہندوستان میں ہوا جہاں تین میچوں کا ایک روزہ بین الاقوامی سلسلہ منعقد ہوا جسے پاکستان نے جیتا۔ لیکن دو طرفہ تعلقات کو محدود دوروں کی صورت میں بھی معطل کر دیا گیا تھا۔

# تصاویری ذرائع

مصنف اور اشاعتی ادارہ مندرجہ ذیل ذرائع کا شکر گزار ہے کہ اُن سے اِس کتاب کے لیے تصاویر حاصل ہوئیں:۔

1۔ فضل محمود کے والد پروفیسر غلام حسین کی نایاب تصویر۔ بشکریہ معین افضل

2۔ برطانوی سپاہ کوہاٹ میں کرکٹ کھیلتے ہوئے۔ بشکریہ نیشنل آرکائیوز آف پاکستان

3۔ جالندھر کے برکی۔ بشکریہ ماجد خان

4۔ جہانگیر خان شہنشاہ جارج پنجم سے ہاتھ ملاتے ہوئے۔ بشکریہ ماجد خان

5۔ بادشاہ اور مصاحب۔ بشکریہ شاہد کاردار

6۔ پاکستان ٹیم 1954ء لارڈز۔ بشکریہ نجم لطیف

7۔ وزیراعظم خواجہ ناظم الدین پاکستانی کھلاڑیوں سے ملاقات کرتے ہوئے۔ بشکریہ معین افضل

8۔ پاکستان کرکٹ کی اہم شخصیات۔ بشکریہ ماجد خان

10۔ تین کھلاڑی دوست۔ بشکریہ ماجد خان

11۔ امیر بی کرکٹ قبیلے کی عظیم سربراہ۔ بشکریہ مشتاق محمد

12۔ ایک منفرد تصویر۔ پاکستان کرکٹ ٹیم کے تین کپتانوں کی مائیں۔ بشکریہ ماجد خان

13۔ پاکستان ٹیسٹ کرکٹ میں حاصل کردہ اوّلین وکٹیں۔ بشکریہ نجم لطیف

14۔ فضل محمود، لکھنؤ ٹیسٹ میں 1952ء۔ بشکریہ نجم لطیف

15۔ 1954ء میں انگلینڈ کے دورے پر جانے والی پاکستانی ٹیم۔ بشکریہ نجم لطیف

16۔ ساڑھے تین بجے عمدہ اور طاقتور جسامت کا شخص۔ بشکریہ نجم لطیف

17۔ لین ہٹن بولڈ خان محمد، لارڈز۔ بشکریہ نجم لطیف

18۔ لین ہٹن، فضل محمود کے ہاتھوں آؤٹ۔ بشکریہ نجم لطیف

19۔ فضل محمود اور اس کی پاکستانی کرکٹ ٹیم میدان سے رخصت ہوتے ہوئے۔
بشکریہ نجم لطیف

20۔ حنیف محمد (دائیں طرف) اور علم الدین کھیل کا آغاز کرنے جاتے ہوئے۔
بشکریہ نسرین الٰہی

21۔ 1955-56ء میں پاکستان کے دورے پر آنے والی ایم سی سی ٹیم۔ بشکریہ نجم لطیف

22۔ بھاری لمبے کوٹوں میں ملبوس دو شخصیات۔ بشکریہ شاہد کاردار

23۔ 1948ء کے دورہ کے دوران جارج ہیڈلے۔ بشکریہ نجم لطیف

24۔ نیویارک 1958ء۔ بشکریہ نجم لطیف

25۔ صدر اسکندر مرزا، پاکستانی ٹیم کو کھیلتا دیکھتے ہوئے۔ بشکریہ نجم لطیف

26۔ امریکی صدر آئزن ہاور اور پاکستانی صدر ایوب خان۔ بشکریہ نجم لطیف

27۔ رائج الوقت وضع کی انتہا۔ بشکریہ ماجد خان

28۔ سعید احمد اپنی مشہور زمانہ کور ڈرائیو کی مشق کرتے ہوئے۔ بشکریہ نجم لطیف

29۔ قد آور بریگیڈیئر 'گسی'' حیدر 1962ء کی پاکستانی ٹیم کے ساتھ انگلینڈ کے دورہ پر۔
بشکریہ نجم لطیف

30۔ حنیف محمد، ملکہ برطانیہ الزبتھ ثانی سے خالد عباد اللہ کا تعارف کرواتے ہوئے۔
بشکریہ نجم لطیف

31۔ پاکستان کی ابتدائی خواتین کرکٹ کھلاڑی۔ بشکریہ نوشین حنیف کنیئرڈ کالج لاہور

32۔ دو عظیم کھلاڑی ماجد خان اور آصف اقبال۔ بشکریہ ماجد خان

33۔ عبدالحفیظ کاردار حسب عادت عمدہ لباس زیب تن کیے ہوئے۔ بشکریہ شاہد کاردار

34۔ ماجد خان واکر کی گیند پر مارش کے ہاتھوں 158 رنز بنا کر آؤٹ ہوتے ہوئے۔
بشکریہ ماجد خان

35۔ صادق محمد۔ آصف محمود و دیگر کھلاڑی۔ بشکریہ ماجد خان

36۔ تین بھائی۔ بشکریہ ڈاکٹر فرخ احمد خان

37۔ نذر محمد، امتیاز احمد۔ بشکریہ نجم لطیف

38۔ کھلاڑی خواتین لاہور جمخانہ میں کرکٹ کھیلتے ہوئے۔بشکریہ رچرڈ ہیلر

39۔ عبدالحفیظ کاردار اور ذوالفقار علی بھٹو، انتظامی امور پر گفتگو کرتے ہوئے۔
بشکریہ شاہد کاردار

40۔ عبدالقادر، مایہ ناز لیگ سپنر۔بشکریہ نغمہ راحیلہ

41۔ وسیم اکرم ایک اور ریورس سوئنگ کی منصوبہ بندی کرتے ہوئے۔بشکریہ افضال احمد

42۔ جاوید میاں داد، پاکستان کا ٹیسٹ کرکٹ میں سب سے زیادہ رنز بنانے والا کھلاڑی۔
بشکریہ یاسمین حبیب

43۔ وزیراعظم پاکستان نواز شریف بیٹنگ کرتے ہوئے۔بشکریہ نجم لطیف

44۔ کپتان عمران خان 1992ء میں اپنے زچ ہوئے شیروں کے ساتھ عالمی کپ جیت کر فتح کا جشن مناتے ہوئے۔بشکریہ نجم لطیف

45۔ خطرناک تیز رفتار باؤلر وقار یونس۔بشکریہ افضال احمد

46۔ انضمام الحق، پاکستان کے ہردلعزیز کوچ باب وولمر کے ساتھ۔بشکریہ افضال احمد

47۔ اسلام آباد کے نواح میں کرکٹ کھیلتے بچے۔بشکریہ محمد عمران ملک

48۔ ملتان میں کرکٹ شائقین سابق کپتان سلمان بٹ اور محمد آصف کی تصاویر کو نذرِ آتش کرتے ہوئے۔بشکریہ یاسمین حبیب

49۔ شاہد بُوم بُوم آفریدی۔بشکریہ نغمہ راحیلہ

50۔ سعید احمد جو اَب اسلام کا سرگرم اور جوشیلا مبلغ ہے۔بشکریہ رچرڈ ہیلر

51۔ عمران خان جلسے سے خطاب کرتے ہوئے۔بشکریہ نجم لطیف

52۔ پاکستانی کپتان مصباح الحق ہٹ لگاتے ہوئے۔بشکریہ افضال احمد

53۔ شعیب اختر، تیز رفتار باؤلر۔بشکریہ یاسمین حبیب

54۔ قذافی سٹیڈیم میں اپنے خصوصی حصہ میں بیٹھی خواتین کرکٹ سے لطف اندوز ہوتے ہوئے۔بشکریہ محمد عمران ملک

# QUITTERS NEVER WIN

# QUITTERS NEVER WIN

MICHAEL BISPING
WITH ANTHONY EVANS

EBURY
PRESS

3 5 7 9 10 8 6 4 2

Ebury Press, an imprint of Ebury Publishing
20 Vauxhall Bridge Road
London SW1V 2SA

Ebury Press is part of the Penguin Random House group of companies whose addresses can be found at global.penguinrandomhouse.com

First published by Ebury Press in 2019

www.penguin.co.uk

A CIP catalogue record for this book is available from the British Library

ISBN 9781529104448

Typeset in 11/18 pt ITC Galliard Std
by Integra Software Services Pvt. Ltd, Pondicherry

Printed and bound in Great Britain by Clays Ltd, Elcograf S.p.A.

*For Rebecca. Without her,*
*the following wouldn't have*
*happened...*

# CHAPTER ONE
# THE COUNT

Bisping couldn't sleep the night before the big battle.

He knew nothing about the adversary he'd be fighting the next day. He felt unprepared. As the other fighters conserved their energy and took their minds off fighting with idle chatter, Bisping left the camp. He was going to spy on the enemy.

He travelled on foot into the dusk and continued until the sky was pitch-black. He walked slowly, crawling at times to avoid the attention of wolves which, he knew, could weigh over 10 stone. Finally, he reached the foot of the mountain that had been on the horizon. There was no moon but the stars, unusually bright, gave light enough for Bisping to pick his way up the slopes and through the vineyards that clung to its moist soil.

From the summit, Bisping found what he was looking for: the enemy encampment. It was too dark to see the individual soldiers, but every campfire was clearly visible in the night, and these allowed him to make an accurate estimate of the enemy's number. And Bisping – or *Bischoping* as he would have spelled it – returned to his own camp armed with that vital piece of information.

With full knowledge of the forces opposing them, the army of the Prince-Bishop, sovereign ruler of the state of Münster, attacked immediately. The rout of these invaders earned Bischoping (Germanic for 'Bishop's Man') land and the hereditary title of

Count. The family coat of arms was created – it depicts a bright star over a grapevine.

That coat of arms was worn centuries later by Thomas Bischoping when he served in the army of King Stefan Batory of Poland. Thomas had been born around 1560 in Münster but left home to seek greater fame and fortune in the war against Ivan the Terrible's Russian army. Like his ancestor, Thomas's courage and fighting ability were rewarded by the grant of lands – this time on the provision that Thomas and his descendants would defend it against invasions from the north.

Two decades later, on 4 January 1609, Thomas's younger son, Johann Bischoping, rode his horse through the gates of Hradcany Castle in Prague. He demanded an audience with King Rudolph II, the Holy Roman Emperor.

As the younger son in an age when only the eldest inherited lands and titles, Johann had left his ancestral home to seek his own fortune and glory as a commander in the army of Lithuania. But, initially, the Lithuanian military questioned whether the man who showed up was truly one of the famous Bischoping fighting noblemen.

Johann vowed to return with proof of his birthright – a letter signed by the King.

The Imperial Chancellery's endorsement of Johann's nobility, dated 5 January 1609, is still in the Vienna State Archives. Written in Latin, the document describes in minute detail the Bischoping coat of arms and warns any royal house of Europe refusing to recognise Johann Bischoping's status will be fined 50 gold marks (half of which would be paid to Johann, and half to the treasury).

Now convinced the knight was the man he claimed to be, the Lithuanian army dispatched Bischoping and a garrison of men to defend a stretch of the northern border. Johann defended it so well that he was granted ownership of much of the land. Now a nobleman in his own right, Johann had founded another Bisping dynasty.

On 12 September 1683, Teofil Bisping served gallantly in the liberation of Vienna from the Ottoman Empire forces who'd laid siege to the city since July. The Bisping banner is displayed to this day in a Viennese chapel commemorating 'the rescue'.

A century later, when Poland ceased to be recognised by the Russian, Austrian and Prussian aggressors as an independent state, Jan Bisping was among the nobles who refused to surrender. In 1812, that Bisping founded a military unit and joined forces with Napoleon to fight against their common enemies.

One hundred and thirty years later, at the onset of the Second World War, another Jan Bisping was the latest Bisping to be called upon to defend his ancestral home. This time the invading Russians wore the uniforms of the USSR's Red Army. They came with machine guns and tanks and the orders to kill every Polish noble.

Jan Bisping had no choice but to flee west into what was now German-occupied Poland. He and his wife Maria loaded their 11 children on a cart drawn by draught horses. Communist sympathisers arrived and blocked their escape. Jan handed rifles to his three eldest sons, including 15-year-old Andrzej, and charged. The communists scattered as the young Bispings fired and the cart got through.

The Germans allowed the Bispings to pass into the territory they occupied, and the family were given shelter in a farmhouse. They probably rested easy for the first time in days, but they were not out of the reach of the Red Army yet.

It was September 1939 and the Molotov–Ribbentrop Pact between Russia and Germany came into effect. The Bispings had gone to sleep in the relative safety of German-occupied Poland; when they woke the border had been moved miles to the west, and they were again deep into Russian territory. A desperate flight to the new border ensued but the Russians were determined to capture the nobleman. As they closed in on him, Jan Bisping gave himself up so his family could escape.

He was never heard from again.

Maria made it to Western Europe. Some of her children were taken in by relations in powerful families in Italy and France but she continued until reaching England. Andrzej, now a man, accompanied her. With his mother safe, Andrzej ('Andrew') joined the Free Polish unit of the British military.

His son, the latest Jan Bisping, was born in London after the war. Proud of the country of his birth, Jan served in the British Army until the 1980s.

I am Jan's son. My name is Michael Bisping. I am a fighter from a very long line of fighters.

I was born Michael Galen-Bisping on 28 February 1979. My mother, Kathleen, was taken to the Princess Mary's Hospital at the small Akrotiri British military base near Limassol, in the south of Cyprus. Like with international embassies, military bases are sovereign territory. I'd have to explain that I was actually born on British soil to UFC producers, who thought they needed to show the twin olive branch flag of Cyprus when I was introduced in the Octagon.

My parents met during my dad's previous stationing to Ballykinler Barracks in County Down, Northern Ireland. My mother was one of 12 children and contracted polio as a child; she's extremely tough and mentally strong. A British officer getting involved with an Irish civilian was not the done thing during the mid-1970s but, at 6ft 6in tall, my dad had long since gotten used to a) attracting sideways glances and b) not really giving a fuck.

They married and had a big family. I came after my big brothers Stephen and Konrad, and twins Maxine and Adam followed and then finally my little sister Shireen completed the Bisping family.

My dad left the army in 1983 after serving our country for 17 years. The Cyprian heat had somewhat alleviated the after-effects of an IRA nail bomb but as he started to get older those injuries began to prevent Dad from doing the job he loved, which he found frustrating.

Now I'm the same age he was then, I can relate.

After his honourable discharge, Dad moved the whole family to Clitheroe, Lancashire, where his mother had grown up. My nan had died in a car crash years before, but we still had family in the area and Dad felt he could better support us in the North rather than in London where he'd been raised.

Worthy of a picture postcard, Clitheroe, population 15,517, is up a bit and a little to the left of Manchester. It has very narrow streets, old stonework buildings that blend in to the countryside and even has an eleventh-century castle. At the American producers' insistence, the Norman keep has lurked in the background of many a *UFC Countdown* show. They love a castle, the Yanks.

Despite the castle, the surrounding countryside and an olde tea room that does a good trade in Cornettos during those few days a year when it's warm, Clitheroe is a working-class town. Monday to Friday, its factories and industrial estates are full of hard-grinding people and – as I'd come to know in my teens – on the weekend Clitheroe's pubs and bars are ram-packed with people celebrating the end of another week of hard work.

More of that later.

If we were underprivileged, the only reason I knew that was because bullies at St Michael and St John's school made sure of it. Wearing the same school shirt days in a row, having a mediocre brand of trainers on my feet (which may or may not have been waiting in a cupboard since they got too small for my older brothers) – these were the main avenues of attack.

I'm not going to bullshit you. I could say that, like Georges St-Pierre or Daniel Cormier, the reason I began in martial arts was with the honourable intention of learning how to defend myself. But the reason I started training was because I liked being a fighter. I followed my brother Konrad to a class one night and found that this was more than something I was good at – this was who I was.

The martial art I studied was a version of Japanese jujitsu called Yawara Ryu. It was a full-system style martial art with throws, grappling on the ground, submissions and striking with fists, feet, knees and elbows. If that sounds familiar, it should; years before the advent of the UFC or Pancrase in Japan, here was a proto-mixed martial art in the UK.

I remember the excitement of my first day of training. I didn't know what the hell I was doing, so copied everybody else. When everyone stood in a line with their left fist and left foot forward, so did I. By the time anyone explained to me that, being left-handed, I was supposed to lead with my right it was too late. Without intending it, I was now a converted southpaw and my jab would be thrown using my power hand for the rest of my martial arts career.

Yawara Ryu, as the schools which followed its curriculum called it, was developed by a visionary martial artist and sports scientist named Paul Davies.

Coming from a military background, my dad understood the life lessons I could gain from training. He was incredibly supportive of my new obsession. If I needed a new *gi* (white uniform) or gloves, I got them. He drove me all over the country as I entered not only jiu-jitsu but full-contact karate and kickboxing tournaments. My dad was my driver, advocate and cheerleader – he also enjoyed giving me grief on the occasions I didn't win.

By the middle of high school I'd usually enter and win the Under-15 category, then win the Under-18 and, if they'd let me, usually reach the final if not win the adult competition.

Paul Davies took notice. When the local Yawara Ryu club in Clitheroe shut down, Davies spoke to my dad about me training in Nottingham. Twice a week my dad would do the four-hour round trip so I could continue training.

It was a funny excuse for not doing homework:

'I couldn't do it,' I'd tell my teachers, honestly enough. 'I went to Nottingham again last night and didn't get home till 1am.'

'Michael,' they'd say, 'there's no way anyone is driving you to Nottingham – a four-hour round trip – twice a week to do martial arts.'

'My dad is.'

My favourite type of competition, by far, was Knockdown Sport Budo. Just as he'd developed his own fighting system with Yawara Ryu, Paul Davies also created his own expression of combat sports with KSBO.

If you think of modern MMA and subtract wrestling takedowns and Brazilian jiu-jitsu (BJJ) guard work and add a five-second count-out, that's essentially what a KSBO fight looked like. There were over 30 UK clubs affiliated with KSBO – including several like London Shootfighters which would, in time, become full-blown MMA gyms and produce UFC fighters of their own – and many more in Sweden, France and elsewhere in Europe.

Four times a year, these clubs would send their best fighters to compete against each other in KSBO tournaments. I won titles in 1995, 1996, 1997 and 1998. Davies would telephone me incessantly, holding me hostage on the handset plugged in near the bottom of the stairs as he waxed lyrical about how KSBO would eventually become this massive mainstream sport.

When I was 16, Davies presented me with the chance to travel to New Zealand to compete in the jiu-jitsu world championships. I'd be fighting grown men with years of experience at this level.

My family and friends helped me get just about enough money to go. Blackburn Rugby Union Football Club, where I played as a flanker, went above and beyond and threw a fundraising dinner for me. What an adventure for a 16-year-old, amazing, I couldn't wait!

I travelled with an older fighter, a 6ft 5in monster called Richard who was competing for the heavyweight title in New Zealand and then remaining in the country indefinitely. He was twice my age and, supposedly, would be looking after me on my first trip to the other side of the world. We'd be staying with a friend of his when we landed in New Zealand.

Richard was waiting for me at Heathrow airport. Right away he goes, 'Here, I got too many bags – carry this for me,' and handed me his rucksack.

Things started going wrong on the first leg of the flight. Our connection in Bali was delayed until the following afternoon. No worries, the competition wasn't until the weekend, and a day stretching our legs sounded good to me. But, unlike New Zealand, Bali requires visitors to have six months – minimum – left on their passport. Mine only had five.

'You stay here in the airport – see you tomorrow.' And with that Richard left me – and his carry-on bag – and disappeared through customs. Then the airport security threatened to put me on a plane back to England before, at 3am and after hours of me arguing with them, deciding instead I needed to leave the airport immediately.

'Come back, get on plane. No wait for plane here. Go!'

So there's me, 16 years old, with my own suitcase, Richard's suitcase and, of course, Richard's fucking rucksack. I'm basically a teenaged packhorse. I'm wearing a tracksuit and trainers which are already squelching with foot sweat in the humidity of Bali.

Dog-tired and desperate to get some sleep, I flagged a cab outside the airport and asked to be taken to a decently priced hotel. He drove by several reasonably priced hotels until I realised he was either running up his tab or taking me somewhere I really didn't want to go.

'Stop! Stop!' I get out the cab, with my luggage, next to open sewers on both sides of the road and straw-hat-wearing old men straight out of every martial arts movie. I drag those suitcases for over an hour – in a giant fucking circle. I'd been awake for 26 hours. I just needed somewhere to lie down – so I headed in the direction of the beach.

'Hey – young man! Young man! Come have a beer!' shouts a German accent from a beach dive bar made out of driftwood and bamboo.

Just to sit down and peel those suitcases out of my palms felt amazing – so you can imagine how the beer made me feel. I began to tell bar patrons – three impossibly drunk fat German businessmen and a local transvestite – my troubles.

'So ... nowhere to stay tonight?' the transvestite repeated back to me. 'Yes, you do. You come stay with me.'

Now, I didn't want to be impolite, but I was happy when the Germans said I could come back to their posh hotel instead. A monkey woke me up. Jet-lagged and drunk off bottled beers, I'd passed out on the German guys' balcony. Now I was getting woken up by a monkey – a wild animal who apparently lived nearby – laughing at me. Of course he was – I'd pissed my tracksuit in my sleep.

The Germans rolled through the door, back from what I imagined was a breakfast of piled sausages. I didn't want them to see that I'd pissed myself, so I thanked them for their hospitality and got outta there.

Time to get back to the airport – only, I had no clue where the airport was. I dragged those bloody suitcases around in the heat and sweat of the city all morning. By 10am I was croaking like a frog: '... water ... please ... water'.

Everywhere I turned, I was mobbed by street merchants. On every corner, I was literally surrounded me by people of all ages selling watches, T-shirts, necklaces and even electrical goods. 'Good deal for you! Good quality!' they'd holler as they stalked after me into the next crowded street – where I'd immediately find myself in another fence's patch and then I'd be harassed all over again. There were these two girls – about my age, 16, 17 years old – who were the most aggressive of the lot. They pulled and tugged at me as I walked, begging me to buy a leather bracelet.

'Okay, you have for free!' they said and tied a bracelet on each of my wrists as I hauled my suitcases behind me.

'No, get those off me,' I said. 'No thanks.'

As I stopped to untie the bracelets, I spotted a KFC. Like an oasis in the desert! I pushed my way by the street sellers and swung open the door into the beautifully air-conditioned fast-food restaurant. I ordered a giant Sprite and sucked it down like it was life-force itself! I went to pay and ... those fucking girls had pickpocketed me. They'd stolen everything.

There are probably legends in Bali to this day of a crazed teenager trucking two lumpy suitcases through the streets and over the sewers – but the two girls were long gone.

And I was even more lost. I almost passed out from thirst getting to the airport but I made it back in time for my flight on to New Zealand. My bad luck followed me. The trip from hell continued with me contracting a crazy foot disease. My left foot was bleeding and reeked like a zombie's fart.

When I landed in New Zealand, Richard was waiting for me

'Where the fuck have you been?' he demanded.

'Where the fuck have *you* been!' I answered.

'Have you got my bag? Where's my bag?'

'Here's your fucking bag!'

Richard tore the zipper down – and pulled out over $20,000 in cash. He was planning to stay in NZ – and didn't want to pay tax on the money he was bringing in.

Whatever, I just needed to get medical attention for my foot. The doctor I saw had no idea what I'd caught in Bali. He prescribed me antibiotic tablets the size of Big Macs.

Richard's friend we were supposed to be staying with? Turned out not to be much of a friend at all, so we stayed in a hostel that a serial killer would be ashamed to visit. Capping off a grand experience, Richard – 30-something and huge – also beat the shit out of 16-year-old me every day in sparring.

In the end, though, he was knocked out in the opening round. I took home the silver medal in the light heavyweight division and a series of anecdotes I've been telling ever since.

It wasn't as much that I was losing interest in martial arts (I continued to kickbox) as much as I became more interested in DJing.

One night when I was 16 and walking home from work, I popped in to see a mate and he had a set of decks. I thought it was the coolest thing I'd ever seen. He let me have a go and I was hooked. Like with martial arts, I drove myself into an obsession DJing. I got my own decks and practised relentlessly. I secured a paid gig at a club and improved to where I was one of the more popular and respected DJs in the northwest of England.

I played a lot of the major clubs of that time including having the 2am and 6am slots at the infamous Monroe's nightclub in Great Harwood. The best DJs in the country worked Monroe's.

Monroe's was a crazy place. During one set during my first few nights there, I saw a pushing and shoving match on the dance floor escalate to where one guy bit the nose off another. I'd learn that was a slow night; several months later during one of my breaks, a man stormed passed me wearing a red balaclava and wielding a Samurai sword. He was making his exit after chopping someone up on the dance floor. Then there was the time when my records got stolen between sets. I went outside to the car park and forced two dodgy-looking guys to show me whatever it was they were obviously hiding in their boot ('Open your fucking boot now,' I said. 'No problem – but when you see what is in there, walk away'). Instead of my records, it was some poor guy gagged and wrapped in duct tape.

The place was finally closed down in 2004 after 200 police descended and arrested everyone in sight. Along with a mountain range of ecstasy tablets, the cops found CS-gas sprays and various weapons including, you guessed it, samurai swords.

I was around those sorts of people here and there but while I was no angel – and no stranger to street fights – I was never interested in being part of that kind of lifestyle in the slightest. All I cared about was having a good night out with my mates. But, even though I didn't go looking for trouble, one night trouble came looking for me.

On a summer's night in 1996, a man came to my apartment to kill me.

I'd moved out of the family home in April. I was 17, earning some money and after growing up in a noisy house of eight, I couldn't wait to have a place all to myself. I'd found a fully furnished apartment for 67 quid a week. It was fully furnished with funky plastic furniture from the 1980s but, hey, 67 quid a week.

The five rooms I was renting had been requisitioned from the homes on either side of it. It was basically a bedsit space zig-zagging through the larger building. While everyone else who lived in Bawdlands (no 'Street', no 'Lane', just 'Bawdlands') entered their home via the main street, the only way in – or out – of my apartment was via a back alley behind a greengrocer's.

The back/front door opened into a vestibule. To the right was a slender, rectangular kitchen area which was separated from the living room by a very 80s-style door – clear glass held in a wooden frame. From the living room you could take the Mount Everest of steep staircases to the upstairs bathroom and bedroom.

Like any 17-year-old kid would, I thought the place was fantastic. I didn't consider that entering via a dark alleyway could be in any way unsafe. I didn't care how dark the yard outside my door was. I didn't think about how low to the ground the bedroom window stood. Why would it occur to me that having only one way in – one way out – could be so dangerous?

The unthinkable happened at 11:45pm on a Saturday night in mid-July. I'd arrived home about 20 minutes before. I was a little drunk from that evening as well as hung over from the night before. Thank God I didn't let the lads talk me into another late one. I collapsed on the old-fashioned PVC sofa and finished off the last few sips of a can of Foster's I found in the fridge. I was knackered from the two-day bender with my mates. I kicked off my shoes, socks and jeans, lay on the couch and began to watch a late-night Channel 4 movie.

*I'll have a doze here*, I thought. *Maybe when I wake up I'll have the energy for the hike upstairs to bed.*

I don't think I fell asleep, but, if I did, it was for a minute tops.

My eyes flickered open. I'd heard a noise. A faint tapping. I sat up and listened. I couldn't hear anything. I started watching the movie again when …

*Knock-knock, knock-knock-knock …*

I definitely heard that! I was a little spooked. I was 17, living on my own for the first time. I got up and turned the TV down a bit. I waited a few minutes, listening. Then I heard it again.

*Knock-knock, knock-knock-knock …*

It was faint, it was intermittent, but there was definitely a knocking. It was creepy; loud enough for me to hear but only just about. Something wasn't right.

It came again:

*Knock-knock, knock-knock-knock …*

Fuck. *Fuck!*

It was coming from the kitchen. I skulked to the glass door to the kitchen and opened it, placing one hand on the pane to stop it from rattling in its frame. Something wasn't right. I left the kitchen lights off. Instead I crept on my hands towards the door. It was pitch-black outside. Blacker than when I'd arrived home 25 minutes before.

I waited, crouched there in the dark. I calmed down a little and almost felt silly when …

*Knock-knock, knock-knock-knock …*

I freaked the fuck out. I could hear my heartbeat. No doubt about it now – someone was outside my door. Someone was in the dark knocking on my door, remaining silent for long minutes and knocking again.

'Who is it?' The words shot out of my mouth.

They were met with a stretch of silence. Then a muffled voice replied: 'It's Jon …'

Ron? Jon? I didn't make it out. 'Who?'

'Jon.'

I didn't know a Jon. 'Jon who?'

More silence. I stood up and switched the kitchen light on. The light made everything look normal.

'Who is it?' I asked.

'It's me! It's Jon!' This time the voice was assertive. Annoyed, almost. I unlocked the door and pulled it open, expecting to see the familiar face of a friend of a friend who I knew only by a nickname.

There was no face. Only the glimpse of a large outline in the dark – and a *hissssss.*

'AGGHHH!!!'

I'd been sprayed in the face. My eyes were welded tight shut. I couldn't open them. I stumbled into the kitchen. Snot exploded from my nose and my throat burned. I wrenched and coughed. I'd been CS-gassed in the face. What the fuck was happening? I had to get my eyes open! What was all that *splashing*? I tore my left eyelid open. I couldn't believe what I saw. An intruder was standing inside the kitchen. He was over 6ft 3in, decked in black. Black boots, black combats, black bomber jacket and what I can best describe as a black KKK hood. There were two holes for his eyes and one for his mouth. The intruder was swinging a can of petrol everywhere. It was slapping against the walls and the kitchen counters. And all over the floor.

He saw my eye was open and threw petrol on me. It splashed my clothes. I was beyond scared. I screamed words but I can't remember what.

Terrified, I realised this intruder was here to hurt me. Maybe more.

'AGGGH! STOP! STOP! WHO ARE YOU?' I screamed. The intruder said nothing. He shook the last drops of petrol on the floor and placed the can by his feet. Looking directly at me, he took out a box of Swan matches. He struck one against the box. Too hard, it snapped. He struck another; it snapped. As he went for a third I scrambled – half-blind – deeper into the house. I flipped another light on and reached the landline phone just inside the living room. I dialled 999 without taking my eyes off the doorway to the kitchen.

'Emergency Services—'

'Help! Please send police! There's someone in my house trying to kill me.'

The voice on the line told me to calm down. The voice asked if I required police, ambulance or fire brigade.

'Please send someone!'

'Sir, I understand you are—'

I'd stopped listening. The intruder was stood near the doorway, looking right at me. He was huge. The look in his eyes …

'He's here right now!'

A coat-hanger smile stretched behind the intruder's hood. He was six paces from me. He still hadn't uttered a word. He was absolutely motionless. He was just watching, watching me on the phone.

'Sir, it is important that you—'

I slammed my finger down to hang up on the emergency operator.

The smile tightened beneath the mouth hole. I could see teeth.

I hit speed-dial.

It rang twice and then: 'Hello?'

'Mate – it's Mike! Call nine-nine-nine! Someone's in my house! He's trying to kill me! Please! Seriously! There's a man here right now! Nine-nine-nine wouldn't believe me! Call the police! Please!'

The intruder jerked his head to one side. Something had surprised him. His thin lips crushed the smile gone. Slowly and deliberately he reached into his black jacket. He pulled out a lump hammer.

I leapt to the door and slammed it shut. I jammed my bare foot against the doorframe and pressed my entire weight against it. I dug in, pushing with all my strength. The masked intruder pressed his forehead against the glass. Our faces were less than a foot apart.

A smile stretched across the mouth hole again. Without moving his head off the glass, the intruder lifted the hammer up.

*Clink, clink, clink …*

He gently rapped the hammer on the glass.

*Clink, clink, clink …*

'Who the fuck are you?! What do you want?!'

More smiling.

*Clink, clink, clink …*

There was nowhere to run. There were no doors to lock behind me. What could I do? Who the fuck *was* this? In a split-second my mind raced over anyone – everyone – it could possibly be. It returned one name. The name of a thirty-something lout who I'd had several run-ins with. A bully who, finally, I'd snapped on and decked with a punch earlier that month.

'Bruno?'

His face startled back from the glass. The smile was gone.

'Bruno – is that you?'

He took a step back.

*It was fucking Bruno!*

'YOU FUAGH—' I couldn't shout. My throat was a cube and my lips had curled back.

White-hot anger flushed out the panic and terror in an instant. This was no practised killer, no horror-movie madman. He was just a bloke. Just a bloke named 'Bruno' who'd picked – and lost – a fight with me outside a pub a few weekends before.

I swung the door open ready for the fight of my life. The hammer arced just inches away from my head. I felt the draught on my neck hair. He turned and ran out outside. Barefoot, wearing only boxers and a T-shirt doused in petrol, I chased. I was across the backyard, down the alley, I hurtled around the corner into the street. Black boots thumped down on the pavement down Bawdlands. He skittled a family saying goodbye to visitors about to get into a car. It's crazy, but I apologised for my would-be immolator's poor manners ('Sorry! Sorry! Excuse us!').

I couldn't keep up with him. My adrenaline was burned to fumes and the soles of my feet were already red raw. The man in the black hood was now at the end of the road. Without glancing back, he turned the corner and disappeared.

My mate arrived first. The cold and the adrenaline dump had me shivering but I didn't want to go back inside my apartment. We went back to his place and called the police again from his phone.

'It was Bruno!' I told the police as two cars of them pulled up. 'It was (I gave his real name)! Lives on (I gave the street he lived on)! Calls himself Bruno! I said his name and he stopped. As soon as I said, "Bruno!" he ran off. It was him!'

They radioed that information to their colleagues and continued to take my statement in between me washing my eyes out with cold water. They stung but I didn't need to go to the hospital.

The police told me that crime-scene experts had looked over my apartment. They confirmed petrol had been thrown everywhere – and found something chilling. My attacker had been inside my home earlier in the day.

'There's evidence of forced entry through the bedroom window,' the officer said. 'And your doorbell wire was cut.'

'My doorbell?'

'It appears the assailant thought he was cutting your phone wire.'

I swallowed hard. That explained him standing there smirking when I was on the phone – he thought the line was dead and was getting off on me trying to use a phone he'd taken out of commission. That puzzled look, the tilt of the head, when I phoned my mate – that's when he realised he'd messed up and the phone was working. Even the quiet knocking at the door – he'd probably tried the doorbell as soon as I got home.

He'd been waiting for me. Planned it so I was blinded in a house set on fire and unable to call for help.

But it wasn't Bruno. The police were at his house – miles across town – within minutes of me giving them his name. They found Bruno asleep in bed; his flatmate said they'd been in all evening.

'There's no way he could have gotten from Bawdlands to his house in such a small window of time,' the cops pointed out.

'So why'd he run, then?' I gasped. 'Why'd he run when I said the name "Bruno"?'

The coppers didn't know, but put forward a theory.

'Things were going wrong for him,' one of them pointed out. 'The doorbell was cut, so he'd spent a long time trying to get you to answer the door. Every time he knocked he risked being spotted by a neighbour or setting a dog off. Then the matches didn't light. He'd gone to a lot of trouble to cut the phone line while you were out, but he'd messed that up and you'd alerted Emergency Services and your friend. He knew assistance was on the way. His plan was falling apart – you mis-identifying him offered him a way out – someone else would get the blame – and he took it.'

I never stepped foot in that apartment again by myself. My mates came with me the next day to collect my stuff.

You'd think a masked man trying to murder a 17-year-old by burning him alive would be worth a follow-up, but the police didn't contact me about the incident again.

I still get chills when talking about what happened – what could have happened – that night. But I never had nightmares or anything like that. I moved back in with my mum (my parents had now divorced) for a while, but moved back out as soon as I found another place I could afford.

I'm not a psychologist, but if I were to guess why something like that didn't affect me more I'd say it was because I got some measure of closure.

A month after the knocks on the door, I got word who the masked man was. It was credible. The guy in question – we'll call him Ronnie – was a well-known psychopath around town who believed he had a reason to dislike me. Ronnie wasn't just a local hardman, he was a violent criminal.

Literally the night I was given Ronnie's name, I spotted him in a pub. He was the right height and bulk. I walked towards him.

'Alright, Jon?'

He turned around. He recognised me.

'I said, are you alright, Jon?'

'My name's Ronnie.' He kept his teeth behind his lips. But I was almost positive, just from the eyes.

'I know your name is Ronnie. But you say it's Jon some nights, don't you, Jon?'

We looked at each other.

'You're nuts,' he said. He turned around but as I walked away his eyes kept darting back towards me.

That was 24 years ago. I've thought about that night a lot. I'm not 100 per cent sure that Ronnie was the man who broke into my house looking to do me harm. Maybe 85 per cent.

The other reason I don't think the incident affected me that much is that I chased him away. He came to my home in the middle of the night with a plan, CS gas, a can of petrol, matches and a lump hammer. But it was him who ran away – not me.

Now you understand why I rolled my eyes whenever internet MMA fans accused me of being 'afraid' of any fighter in the UFC. I haven't been afraid of any man since I was 17 years old.

## CHAPTER TWO

# LAST CALL

I returned to doing martial arts in the late 1990s. I wanted something a little different, so began to do kickboxing with Allan Clarkin's Black Knights in Burnley. Over the course of two stints there, I won several national and international titles.

Then I moved on from martial arts entirely. I felt like I needed to focus on 'real life'. I was enjoying my DJing but, while the money was good, working weekend nights wasn't going to be a living any time soon. And I now had responsibilities.

I'd first noticed Rebecca when she worked in the office of a factory I was slaving at. She was blonde and Australian and when I spotted her on a night out with her friends I used my best cheesy chat-up lines. She remembers I was very sure of myself and funny. Let's go with that. Two years later we'd bought a house on Nelson Street and were expecting our first child.

My personal life had never been better, but I felt professionally I could be doing so much more than lurching from one dead-end job to the next. I felt like life hadn't yet left the station for me – then, on the night of 12 January 2002, it jumped the tracks.

The evening began like any other Saturday night. I was running late to meet my mates in town, my mobile phone was vibrating with 'WHRE R U?' messages. Rebecca – who is now my wife – was calling upstairs to see if I needed help.

'Nah, you rest,' I shouted down the stairs. 'I can iron my shirt, babe.'

The shirt was quickly thrown around my back and buttoned up as I thumped down the stairs. The stairwell was narrow and steep, as stairwells tend to be in two-up, two-down terraced houses up North.

Rebecca was flicking through Saturday night TV, waiting for a friend to come over. I kissed her goodnight, told her not to wait up, and then hurried on foot into town to join my mates. It was absolutely freezing out; too cold to turn the drizzle to snow. The newspapers that weekend had stories about sheep freezing to death in farmers' fields and Manchester airport runways turning into black-ice slides. But Arctic enough to kill farm animals or not – I wasn't going to commit social suicide and actually wear a coat in public.

We don't wear coats in the North of England.

Blenky, Benty, Burge, Robbie and Aspy were already two and a half pints into a good time when I arrived, damp and ready for a session, at the Castle pub at about 7:30pm. This was my stress release from the soul-decaying boredom of my Monday to Friday, nine to five life. I was working as a door-to-door double-glazing salesman at the time so, needless to say, I was well up for a pint and overtook my mates' lager consumption easily enough over the next four hours.

We sloshed our way through beer and rainy streets along our usual Saturday night circuit of Clitheroe's public houses. A few in the Castle, one or two in the Starkies, then we hit the Swan, the White Lion and the Pit before picking up speed in the Social and the Dog until, at about 11:30pm, we dived out of the heavier rain into the Key Street.

From the outside the Key Street still looked like the stonework cottage it was decades before, but this was no quiet country pub, my friend. It was the closest thing Clitheroe had to a nightclub – drink was served until 1am, there was a dance floor and DJ and, best of all, you didn't need to spend thirty quid on a cab into Blackburn or Manchester.

Stepping past the bouncers and through the double front door, we found ourselves in the middle of our natural habitat. The ceiling was low and the air wet with sweat. It was sweaty in the Key Street no matter the weather outside because it was always ram-packed with drinkers. To the right was the ever-busy bar. It was six deep with customers on the near side that night and on the other side of the draught handles and overflowing beer trays a small army of bartenders were grabbing twenties and handing over pints, wine and shots.

To the side of the bar was an archway into a dance-floor area. It wasn't much of a space, maybe 12 metres or so surrounded by high chairs and a few tables ordered from Argos. That's where the DJ was set up and to the side of him – for use during warmer weather – there was a door to a decent outside courtyard with wooden tables. Completing our tour of this fine establishment, I'll tell you that to the far left of the front door was a short series of narrow hallways which led to the toilets.

We managed to get served in record time and took up one of our usual positions around a high table near the archway.

'I'M GOING TO TAKE A PISS,' Benty proudly announced after a couple of pints. The music and noise of the place made every conversation a shouting match. 'YOUR ROUND, MIKE. GET ME A VODKA AND COKE!'

With that, Benty crabbed his way sideways and disappeared in the direction of the toilets. After getting in the round (vodkas plus a pint for all of us ... we got there late, remember?) I also needed a piss. I turned and began picking my way through the crowd, retracing Benty's route through a haze of aftershave, perfume and wine breath.

This is where it stopped being like any other boozy Saturday night.

Having reached the end of the first corridor, I pushed open the door on the left, which stood under a big sign that read 'MEN'. The sounds of the bar and dance floor were muffled to almost nothing as the door shut behind me. I made my way down the short corridor towards a second door. That door opened into the bogs.

There were two guys between me and that second door. They looked about late twenties and were dressed in shirts and smart jeans. The bigger of the two spoke: 'You can't go in there.'

'I need a piss, mate,' I said. Although I'd seen their faces before I didn't really know these two. Why couldn't I go in? Was there broken glass, puke – maybe both – on the other side of that door?

Now the other one pushed his palms against my shoulders and said, 'You're not fucking going in!'

The way he said it, I just knew. *Shit! Where's Benty?*

'Out of my fucking way!' I said, shoving the pair of them aside and pushing through the door.

*Shit!*

My mate Benty was on the floor near the urine trough. Two lads were kicking the crap out of him. Benty had crawled under the twin sinks to get some protection for his head and was lying on his side, covering his balls and guts with his knees. His face was bloody. He was clearly done in – and they were still kicking him.

I jumped in between them – arms extended – to get them to stop. I began dragging Benty to his feet …

BANG!

The top of the back of my head exploded in pain and a ringing started in my left ear. The two dickheads who had tried to stop me from discovering what was going on had followed me in. Obviously.

Now it was on. I punched one of them, then another. Benty was swinging, too, and then I was grabbed from behind and we fell into a mess of flailing arms and ripping shirts. Our two-on-four brawl in the bogs was cut short, though, as a platoon of bouncers appeared out of nowhere. The scrap was broken up before it could begin. It wasn't the first time these bouncers had earned their money in that place, and we were quickly escorted outside. I was the last one to be pushed out into the night air. Even though it was still cold and drizzling, there were 25 or 30 people milling about waiting for taxis just across the narrow street by the big car park.

Benty was sat down on the wall across the road. He was alone; our mates were still inside, wondering where we'd got to. I went over to Benty to see how bad his cuts were. He looked alright. He was telling me what happened when I laid eyes on one of the two guys who'd been sticking the boots to him.

Clitheroe is a small place, so I knew the guy's name. He was an ex-military type who fancied himself as the 'ardest man in our little town. It is a slightly embarrassing thing to brag about, being the toughest guy out of such a small population. (It must have been what Brian Stann felt like when he was the WEC 'world' light heavyweight champion!)

Every town in Britain has a self-appointed 'Ardest Man. This was Clitheroe's. He saw me, too, and we moved towards each other, near the middle of the road.

(Note to reader: I'm not going to name him or anyone else involved here. I'm telling this story to show how a series of stupid mistakes I made when I was 22 followed me around for years and, several times, almost wrecked the life I wanted to give my family. It would be hypocritical of me to bring any embarrassment to the other lads all these years later. For all I know – and I really do hope it's the case – everyone involved in this petty brawl has long since grown the hell up.)

But back to the brawl outside the pub: 'Ardest Man started yelling insults. I was drunk. My mate had been bashed up. My ear was swollen fat from a sneak-attack punch. He didn't need to goad me – I'd already made the decision he was gonna pay for what he'd done to my mate.

He sensed that was the case and grabbed a young girl – 19, tops – in a full-nelson hold and literally hid behind her. He'd taken a hostage! She was yelling and trying to get away as he kept on talking shit to me. 'I just kicked the shit outta your mate – I'm about to do the same to you.' That sort of stuff.

Then, out the corner of my eye, I noticed his mate. It was the other one who'd been kicking Benty. He was keeping to my left and behind me, edging closer and closer to me. He was wearing his right fist on the side of his face.

*Got it,* I thought, *the idea is to hit me from behind again and, no doubt, 'Ardest will then throw the girl aside and join his sneaky mate in their second double-team of the night.*

*Well, no. No, you fucking won't!*

*If this prick takes one step closer to me I'll …*

WHAM!

My left shin baseball-batted off the guy's head. Regrettably, after years of martial arts, a head kick was what my mind selected to defend myself with. It was a total overreaction. I knew that and I regretted it. I wasn't fending off knife-wielding muggers here, this was a continuation of a stupid scrap that had begun in a toilet.

The sight of Sneaky getting dropped like a stone was enough for the 'Ardest Man. He threw his captive towards me and took off in the other direction. I remember how funny he looked, legging it down the road in tight trousers and sliding here and there in dress shoes. Then I noticed Sneaky was slowly getting to his feet, at least, and that was when the whole street blazed up blue.

*VOOP! VOOP! VOOP!*

A vanful of coppers had responded to a call from the Key Street. The side doors whipped open and four policemen wearing padded coats and waterproof hats rushed towards me. They had handcuffs and pepper sprays clipped onto big black belts.

I fucking legged it.

I didn't think – I set off sprinting towards the stone steps on the far side of the cark park. The steps would take me into the darker back alleys, where I thought I'd be able to put in enough distance for the police to lose interest. I was positive they had seen who the real aggressor was and would be more interested in having a word with 'Ardest Man.

A large shape jumped out of a parked car and blocked my way to the steps. Then another flipped out the other side. 'Don't bother running,' the first one shouted towards me. 'We know where you live, Michael!'

*Michael?*

Now this side of the car park lit up with that same swirling blue. Blue/white/blue/white was reflecting off the wet houses and tarmacked puddles. The vehicle I'd been sprinting towards was an unmarked police car. I stopped – and within seconds I was surrounded. My head got shoved across the bonnet of the police car. The front of my recently ironed shirt and one side of my face soaked up the rainwater while two bobbies snapped handcuffs around my wrists.

'You are under arrest,' I was told, but I'd already figured that part out.

I was thrown in the back of the van. One officer got in with me, the door slammed and the van began driving to Blackburn police station.

As you would when you'd gone about the last few years believing a bit of a scrap didn't *necessarily* have to ruin a great night out, I didn't understand *why* I was under arrest. There were scuffs and scraps every Friday and Saturday night. No big deal. The police usually dealt with it with the obligatory indifference of a supply teacher. ('Break it up, lads. You walk that way – and you go that way. I'd better not see either of you two again the rest of the night!')

I'd been arrested for scrapping before – and all it'd cost me was a bit of embarrassment and a taxi fare home. I'm offering an explanation rather than any excuse here. To be blunt, what had happened outside the Key Street was nothing compared to some of the incidents I had managed to get myself involved in previously. When my brother Konrad and me were cornered in Blackpool by a whole gang armed with broken bottles and baseball bats wrapped in barbed wire (years before *The Walking Dead* made it cool) – well, *that* was a big deal. That was worth calling the police for.

Sparking out some arsehole who was trying to sneak-attack me? And so obviously in self-defence? I couldn't understand why the cops had even wasted the petrol to drive me to the station.

Naturally, I told them as much in the interview room. I wasted no time in laying out what I thought was a pretty devastating case for my immediate release and – quite probably – a cup of tea and a lift home:

*It was just a bit of a ruck … That guy was going to blindside me … they started it … he grabbed a girl in a full-nelson – you must have seen that, surely? … Well, I had to protect myself, didn't I? There was two more inside the pub, as well. They kicked fuck out of my mate. Those guys are well known for causing fights, ask anyone. No, really, you should ask anyone …*

It was still raining when I started the walk to Blackburn bus station at eight o'clock the next morning. Becky was having toast in the kitchen when I got home. I was ashamed to I tell her I'd got arrested, again.

I hired a solicitor from Clitheroe town centre when I got word I might actually face charges. In early March I was on the phone with him for an update. The good news, he began, was the guy I'd kicked was declining to press charges, but …

*But?*

'But the local authorities are on a "zero tolerance of antisocial behaviour" drive. And they have filed charges.'

I couldn't believe it, 'Pressing charges? It's going to court?'

'Yes, Mr Bisping.'

I managed to keep listening as my lawyer laid out why the Crown Prosecution Service (CPS) was so sure of a conviction. Essentially, it boiled down to: 'Six police officers saw you commit an assault – and then you resisted arrest by attempting to flee the scene.'

Given these facts, my solicitor convinced me it was in my best interest to plead guilty to a lesser 'public order' charge and avoid antagonising the authorities into considering more serious charges.

'Plead guilty to the Public Order charge,' my legal rep recommended. 'Give the CPS an easy win and the local authority something to add to their statistics showing they are doing something about the binge-drinking culture.'

Pleading guilty was a hard thing to agree to, even as a strategy to eliminate any possibility of going to prison, which was a crazy thought to consider. Why did I need a strategy to not go to prison?

'This is stupid,' I said. 'I didn't even do anything. The other guys did way worse – and they weren't even brought in for questioning?'

'You don't have to think it is fair,' answered my solicitor. 'But you do have to think about the expense and likely return on taking this to trial, especially given the testimonial evidence the CPS will be able to bring to the court.'

*Crap.*

'Alright, then, let's plead guilty.'

I'd like to tell you that the night before the court date was some long, lonely night of my soul. That I lay there in bed and reflected on my behaviour, contrasting it with my ambitions to be a good father to my soon-to-arrive son.

But I'm not going to bullshit you – I was way more focused on the promotion I'd be getting as a double-glazing salesman; that was scheduled four hours after what I assumed would be a ten-minute appearance before the magistrate.

Me and Rebecca arrived at Blackburn Magistrates' Court at 9am. I was dressed as a double-glazing salesman which – luckily enough – meant black shoes, black trousers and a white shirt. I signed the paperwork at the front desk, got padded down by the surprisingly small security guard and walked through the X-ray machine. Being pregnant, Rebecca didn't have to go through the machine.

My solicitor showed up about the same time. In the end, we had 40 minutes to kill in the waiting room before my name was called. I can't remember feeling worried for one second of those 40 minutes.

We filed into the courtroom. It was an old-school-looking court exactly like you've seen on TV: lots of wood, lots of gold paint and a coat of arms hanging above the raised bench where the magistrate was sitting. There was a clerk hurrying about with files but there was no one else in the courtroom except the five of us.

I didn't blame Rebecca for taking a seat near the back of the court. I took my place next to my solicitor and the proceedings began. After hearing my plea and apology, the magistrate said a few words before standing up and leaving through the door behind his bench.

That was kinda odd. The magistrate didn't leave the court the last time I was here. Then the clerk exited the court through the door to my left. It shut behind him and the courtroom was silent. I was about to ask my lawyer if I was supposed to go back into the waiting area when he dropped an atom bomb on my world.

'Michael,' my solicitor began, 'I have to inform you that when a defendant is about to be taken into custody, security guards from Group 4 arrive. And they have just entered this courtroom.'

My head shot to the right. There they were, four of them, in their dark-blue jumpers. It took me a second to catch on.

'Hold on a minute!' I said. 'You mean there's a chance *I'm* going to *prison*? Today? Now?'

'There was always that chance, Michael,' came the patronising answer. 'And that appears what is about to happen.'

This new reality – *I was going to prison right now* – was like an out-of-body experience. Without even looking at the idiot who'd talked me into pleading guilty, I hurried to the back of the court to speak to Rebecca.

'They are sending me to prison!' I said.

She rolled her eyes and smiled. The day before, I'd told her that I'd taken so long in the shower because I'd been 'practising not dropping the soap'. I'd been making silly little jokes like that for weeks.

'Rebecca! Seriously! These guards are going to take me to prison. My solicitor just told me that's what is happening!'

Shock, disbelief, fear ... I can't even describe the look on Rebecca's face. As she began to process what I was telling her, I glanced down at her belly. I don't want to describe how dejected I felt. She began to say something when I heard someone shout, 'Mr Galen-Bisping!' from the bench. My solicitor was gesturing urgently for me to retake my place next to him.

Just then the magistrate re-entered the chamber. I swear, his lips curled when he saw I'd left my seat and gone to the back of the court.

Y'know, I hold the UFC record for getting knocked down but getting back up to win (seven!). I go back and forth on whether that's a good record to hold or not, but it does show I can get about on wobbly legs. My knees could barely keep me upright as I stood there, waiting for my sentence.

'I'm disappointed to see you in this court once again,' the magistrate began. '*Clearly*, the fine you left here with last time was not a sufficient deterrent. *Clearly*, you have not learned your lesson. *Clearly*, you are not getting the message.'

Only at the end of his lecture did he say: 'I hereby sentence you to serve 28 days in prison. Take – him – down.'

My head spun around. Rebecca was already crying.

The handcuffs pinched my wrists as I was led away, taken downstairs through a back entrance and helped up into a waiting security van. The veins in my neck were throbbing an inch thick. I had no idea what would come next and I was going quietly mental inside my head.

I was driven the nine miles to Preston Prison, an over-crowded, high-security facility for 'those whose escape would be highly dangerous to the public or national security'.

Every second of the way I couldn't believe what was happening to me. I shouldn't have kicked that guy. I knew that the second he hit the tarmac. Prison, though? I wasn't the type of guy, the type of man, who needs to be sent to prison. I didn't belong here! How could I be here?

More than anything, I thought about my girlfriend. My pregnant girlfriend. The woman who I was going to marry when I could give her the wedding I wanted to give her. I had driven our Volkswagen Polo to the court with her, and she was driving it back alone.

Like you've seen in the movies, I was told to strip and hand over my clothes and belongings. Then I was showered and given a crappy prison tracksuit, tatty slippers and told to step into a holding cell. Putting the prison-issue underwear on was soul-destroying.

There were seven or eight prisoners in the holding cell. They were all skinny, scrawny dregs of society. Two of them were engrossed in the football highlights on the TV mounted on the far wall. The rest were greeting each other like old mates, swapping stories of what they were in for. I was in that room for an hour and blanked the lot of them whenever they tried to talk to me.

*Why?* I kept thinking. *Why am I here with these people in this room? Is this really happening to me? I shouldn't have kicked the guy, yeah, but was the choice really let him punch me from behind again or prison? What should I have done instead?*

In twos and threes the dregs were taken out of the holding pen to whatever prison cell was now expecting them. Then it was my turn to be led away by men in uniform who referred to me by a number. The metal stairs, the industrial-estate décor, the cells and the thin cot beds – it all looked just like what I'd seen on TV or in films. Maybe because the first prisoners I saw were cigarette-stained older men, I don't know, but I wasn't scared. I was sad, sick and dejected.

My cell was also just like on TV. My cellmate was an arsonist. He told me that within minutes of me sitting down on my cot, on the left of the grey room that had been his home for a long time. He was a little guy, nine stone maybe. He was definitely weird and off-putting but I didn't get a 'dangerous' vibe off him.

Preston Prison had a 24-hour lock-up. At 7am each morning, prisoners – like me – got woken up and marched downstairs to get breakfast. We'd splat our food on a plastic tray and get marched right back to the cells, where we'd eat it with the doors already locked again behind us. A while later the trays would be collected through a slit in the door. At noon, we'd be marched downstairs to get dinner (lunch) and marched back to the cells to eat it. The tray would be collected through the slit in the door. Then a long crawl to 5pm. There'd be another march downstairs, another plastic tray would be carried upstairs and the same door would be locked. Repeat the next day, and the day after and so on. Once a week there was an hour of walking in a circle outside in a dusty yard.

Just one month to do, I kept saying to myself. Just one month in this place. I could do that. I've no idea how anyone copes any longer.

On the fifth day two guards came into the cell to do a routine search. One of them was a stocky guy, with longer hair than I thought was sensible for his line of work. Anyway, somehow he knew that I'd been a martial artist once. He'd seen me compete somewhere. I can't quite remember the details, but we had a conversation about a karate fighter from Liverpool we both knew a little.

Then the guard asked me what I was in for and I told him all about it.

'What was the charge?' he asked.

'Public order. I pleaded guilty because I was told I'd avoid coming here.'

'You sound like a prospect to be transferred. You should be in a lower-security prison,' he said.

He shut the door behind him. When it opened again the next morning, I was informed I'd been transferred.

Her Majesty's Prison Kirkham was like a Pontins but you weren't supposed to leave. It had once been an RAF base and the 'billets' – basically, villas with six bedrooms – did have a real Second World War BBC period drama feel to them. It was a palace compared to Preston! We all had our own rooms which we could lock with our own key. We had our own bathrooms; there was a communal kitchen, a living room – and even a games room.

Three hours after waking up next to a creepy fire-starter and surrounded by murderers and rapists, I was playing Space Invaders with tax evaders.

Then I caught another break. I was scheduled to be released on 1 April but that was Easter Monday and, luckily for me, the staff who process releases didn't work bank holidays. They didn't work Sundays either. Nor Saturdays. And, of course, the Friday before Easter Monday is Good Friday, another bank holiday. So, I was released from prison at 9:05am on Thursday, 28 March.

The elderly guy who signed me out gave me my double-glazing salesman white shirt, black trousers and black shoes along with an envelope with a train ticket and 50 quid. 'That's ta get home with, my mate,' he said. 'Bus station is o'wer d'are. Don't get a return ticket, eh? Ha-ha-ha!'

As the small, single-deck bus rattled along the A583 I let myself turn around for a second. *I'm never going back there*, I knew.

Easy for me to say now, but that magistrate did me a big favour. He sent me a message; a message I'd received before but had just laughed off with the arrogance of someone who'd gotten away with too much shit for too long.

What was the message?

It was pretty simple, really: *Stop getting into scraps – and stop getting arrested.*

Real life isn't like one of those pre-fight vignettes designed to encapsulate a fighter's life in a few minutes. I didn't get to skip the boring parts like you can when bingeing on Netflix Originals. There wasn't an inspirational music track to let me know better times were coming.

Even though I swore to myself, Rebecca and everyone who cared about me that I'd never, ever put myself in a situation to be arrested again, I still didn't have a direction in life. Vowing to do better than getting locked up for scrapping outside pubs is a pretty low bar as far as life ambitions go, y'know?

Rebecca and I were sitting down for a meal with her parents when the call came. It was the evening of Tuesday, 14 January 2003, and we were all excited that Rebecca and I were about to become parents to a baby girl.

My phone rang. I answered to hear my mum – who's about as tough as they come – wailing in agony. She was frantic, panic-stricken and incoherent. Something awful had happened, that was clear, but she was so heartbroken and hysterical she wasn't making any sense.

'Mum, calm down,' I said. 'Take a deep breath. Tell me what's happened. Mum … mum!'

'Konrad,' I heard. Then, '… With an axe.'

Konrad was serving as a lance corporal in the Queen's Lancashire Regiment. He was due to be shipped out to Iraq in a few months' time, but was still in England.

*What could have happened to him to upset my mum like this?*

'You've got to take a breath, mum. Calm down!'

Rebecca and her parents looked on with increasing concern on their faces. Then my phone beeped with another call. It was a landline number I didn't recognise. I declined it and continued to try to get my mum to calm down a little. The landline number called again – and somehow I knew whoever it was had information about Konrad.

It was a Families Officer from the British Army. Konrad had been attacked by a private from his own platoon during a training exercise on Salisbury Plain. He'd been airlifted to Southampton General Hospital.

'Is he alive?' I heard myself ask of my brother.

'He is right now. He's undergoing surgery to try to get the brain swelling under control.'

The entire family – my parents and siblings – flew down the motorway to Konrad's bedside. He'd always been my hero; I'd looked up to Konrad since I was a toddler. I'd started martial arts because Konrad did it. I'd played rugby because Konrad did. He was now 6ft 6in tall and always the toughest, strongest – and funniest – guy in the room.

He was out of surgery when we reached the hospital. I stared down at the man in the bed with wires and tubes leeching blood out of his bandaged skull. His neck and cheeks were swollen around a breathing mask that held the tube that was helping him cling to life in his mouth. He was surrounded by white plastic machines that were keeping him alive.

His wife said a priest had been to perform last rites.

Later, I met a colleague of Konrad's who witnessed the attack. What he said – and what was said at the trial – has never left me or my family.

My brother was leading his platoon through a war game in preparation for the deployment to Iraq. A little shit named Grant Kenyon couldn't handle the pace. This coward waited for Konrad to take off his helmet and sit down during a break. Then he crept up on Konrad and swung a 3ft-long army issue pickaxe with a 1ft-wide blade head into my brother's skull.

'Your brother died,' the solider told me. 'He dropped to the ground with the axe sticking out his head. He turned blue. We checked his vitals. He was dead, gone! Then – I still can't believe it – he jumped up gasping for breath! He tried to pull the axe out before falling on the ground again. It was the craziest thing I've ever seen.'

We all stayed in the hospital for days waiting for signs of improvement. The staff – who were great – found a bed for my mum and sister to sleep in and I slept on a couch. On the fourth day, with Konrad still in a coma, I had to go back north to be with Rebecca who was due to give birth and looking after Callum on her own.

I'd been home for a couple of days when my mum called with the news. Konrad was awake! I'm not religious, but I struggle to find a better word for it than 'miracle'.

But the life Konrad had made for himself was over. He received compensation from the army but his career, his sight, his health – even his ability to take care of himself – they'd been taken away from him.

But he's a Bisping. He battled back. He's a father and husband. He still loves to compete – and came close to reaching the Paralympics in 2012. I'm so incredibly proud of him.

(Kenyon was released after serving only two years in prison. It wasn't long before he committed another cowardly and sickeningly violent act.)

On 5 February, I held my newborn daughter in my hands. After trying out several different names, Rebecca and me named her Ellie. I remember driving my young family home from the hospital, knowing Konrad had a long stay in series of hospitals in front of him.

What had happened to Konrad made me realise I needed to make the most of life – for myself and my family – while I could. I could do better than bounce around minimum wage factory jobs during the prime of my life. I had to do something different!

After bouncing around a few jobs here and there, including time as a postman and slaughterhouse worker, I'd settled into a role at an upholstery business on the edge of Clitheroe. It was boring work but I really liked my direct supervisor, a guy 35 years or so older than me named Mick. To me, Mick had life all figured out. He was a decent man earning an honest living for his family. I looked up to him and he was a mentor at a time when I really needed one. We worked side by side for over a year – which was the longest I'd ever held down a job. I was determined to keep regular money coming in for Callum's and Ellie's sake.

On tea-breaks during the warm months Mick and I would go outside, lean against the wall and pass the ten minutes talking. One day he asked me what I wanted to do with my life.

'Mick, that's what I've been trying to figure out for ages. I dunno.'

'You're a smart lad,' Mick said. 'You should really try to figure it out sooner rather than later – or do you want to be working here in ten years' time?'

'Sorry …' I hesitated before continuing my thought. 'Please don't take this the wrong way but, if I'm honest, I don't want to be here in one month's time.'

Mick knew I wasn't insulting him or denigrating what he did for a living. He liked his job and had been encouraging me to find one that, at the very least, I didn't hate.

'Don't spend your life watching the clock until it's time to go home,' he said. 'Everybody is good at something; you owe it to yourself to work out what that is. You are young enough to do it. If you are unhappy at work, you can't help but take that home with you eventually. So really think about it – what are you good at? And then think about how you can go about doing that for a living.'

Over the weekend, with my babies cooing on my lap, I did think about it. I picked up the conversation with Mick on

Monday over the steam of a cooling chicken and mushroom pot-noodle lunch.

'So, Mick,' I began. 'I've thought about it. I *am* good at something – very good at something!'

'Let's have it then – what?'

'From the age of six to about seventeen I was a really good, world champion level, martial artist. So – I'm going to become … a professional boxer.'

Mick looked at me as if he was embarrassed to have called me a 'smart lad' the week before.

'Oh, a boxer,' he said.

In the summer of 2003, I'd never heard of the UFC, PRIDE FC, Cage Warriors, Cage Rage or anything remotely to do with mixed martial arts. I'd seen a few minutes of an early UFC – maybe *UFC 1* – while in New Zealand when I was 16 but I hadn't been entirely sure it wasn't pro-wrestling (which I loathe). As far as I knew back then, getting paid as a professional fighter meant one thing: boxing.

'That's what I'm going to do, Dad,' I told the old man when he came round my house one evening.

My dad was 100 per cent on board with it. He'd always been so supportive of my KSBO fighting and I think he missed the road trips we'd taken around the country. He was more than encouraging about me becoming a boxer – he actually came up with a great plan of action.

'Join the army and, from there, join the army boxing team,' he said. 'I know how good you are at this – and the army love athletes. After basic training, you'll never have to deploy or do much of anything other than train boxing. It'll be fantastic for you. You'll get paid a decent wage to train and compete as a boxer for the army.

Then after a few years you come out, turn professional, and you'll have all that experience under your belt. Basically, the British Army will pay you to train and box for them.'

Of course, this wasn't the first time Dad had suggested the armed forces. He was a military man and had passed on his patriotic pride to all us kids. Not only Konrad but also my younger brother Adam had joined up when they'd got old enough and I'd given it thought here and there too. But I'd always considered the services as a back-up, a Plan B.

This suggestion, though – this was genius. My dad, brothers and I had been big fans of two-division boxing world champion Nigel Benn, a massive star on ITV in the early 1990s. Benn had learned to box while serving in the Royal Regiment of Fusiliers.

'That's the blueprint,' I told Rebecca when she got in from work. She got it immediately and was on board, even if it meant moving our family to live on a base somewhere in the world. Her father was an ex-serviceman, and he'd left the Australian Air Force with a degree, a pilot's licence and a secure future.

'Let's go for it,' she said. 'I'm with you.'

Literally the next day, I was stood in the British Army Recruitment Services office in Blackburn, filling in paperwork to join up.

There are a lot of empty words thrown around – particularly in America – about 'supporting the troops' but, having signed my name on those papers, I got a new appreciation for the men and women who volunteer. When I handed my signature over, neither me nor Rebecca had any idea what the next few years would look like – we'd waived all say in where we'd live and how much time we'd be able to spend together.

What our servicemen do is essentially hand our country a blank cheque, to be cashed in at any time, anywhere in the world, for a sum up to and including their lives. It is an incredibly generous thing to do, I realised in that moment, which is why whenever I've been asked to visit soldiers the answer has always been 'yes'.

I was proud of myself. I felt the pride of my family, my dad, my brothers and Rebecca. I had a mission, a purpose, and I began attacking it with a determination I hadn't felt in a long time. And while I was waiting for the paperwork to come through I pushed myself in weight-lifting, running, and also started training at an amateur boxing club.

Assessing my fitness levels from an athlete's perspective, the four years away from competition had left me out of shape. I'd made some efforts to trim the beer belly around my waist but, stood next to guys who trained even four times a week, I looked a little soft.

Still, after my first night of sparring, three things were obvious to me:

First, I was still fast. (Faster than these boxers, anyway.)

Second, I was still good. (Good enough for a beginner, anyway.)

And, finally, I had badly, badly missed competition fighting.

This was my direction – the one I was always heading in but didn't realise it.

I was at the upholstery place, helping Mick and another lad carry a sofa from one side of the workshop to another. Work now had a last-week-of-school feel to it. From my brothers, I knew it would be a matter of days until I was interviewed by the army and then it would be a two-day stay at an assessment centre and, maybe three weeks after that, I'd be ordered to report for basic training.

The army had assigned me a CSM – a Candidate Support Manager – who was my point of contact during the wider enrolment process.

He had my mobile, home and work numbers. He called me at work.

'Mikey – phone!' said Mick. I walked over to the phone that was mounted on the wall next to the ladies' bathroom. There were people using hammers all around me so I pressed the handset hard against my ear and turned my back to the noise. The CSM got right to the point.

'I regret it is my duty to inform you, you are not a candidate for recruitment into the British Army at this time.'

*Wha?*

'Background check ...'

*Wha— No!*

'... this type of conviction ...'

*Fuck, no, no, no.*

'... encouraged to reapply in five years.'

*No. Please, just ... no.*

At some point the CSM was gone and I was still pressing the phone against my ear with my back turned to everyone. There were tears in my eyes and I didn't want anyone to see. I was at rock bottom. I had no options in life. Not even the Army. I was going nowhere. I stood facing the wall and pressing the phone against my ear for over ten minutes. I pretended to talk until the tears were gone.

'I don't know what to do next,' I said to Rebecca at home. 'The army was Plan B – and they don't want me. My entire family is in the forces, but they don't want me. I've fucked everything up.'

This was a real low point for me. I felt very sorry for myself and angry against myself. The two emotions would roll together like in a barrel, one was on top, then the other, then the first one would be back and then they'd mix together and I'd feel just . . . I dunno, despair maybe. I was stuck, trapped. Every negative thought I'd ever had was churned up. *Rebecca is too good for me. I don't deserve to be happy. I didn't deserve to go to prison. I did it, though. I fucked up and went to prison. I did all this – it is my fault. There's nothing in front of me but 50 years of dead ends.*

Whenever I was at my lowest, Rebecca was at her best. She was amazing; solid as a rock and twice as tough. Let's go one step at a time, together, she said. As bad as one aspect of my life was, she quickly reminded me that we were lucky in others. We were very happy together in our terraced house in Nelson Street. We had a home, we had each other and we had Callum.

Those doubts and negative thoughts sunk beneath the surface again, and I starting gathering myself to search for something else to do. One night I was on the computer in the kitchen and, as a last resort, I googled Paul Davies's name. I found he was still lecturing sports science at Nottingham University. There was an email listed and I clicked on it. I poured my heart out a little to my childhood guru.

A week later, Rebecca told me someone was on the phone for me. It was Paul, and it was the most important phone call of my life. We caught up, and he raved about how sad he'd been when I drifted away from competing.

'You're still the best fighter I've every trained,' he said. 'You made a mistake quitting, but it's not too late. In fact, there's never been a better time to come back because big things are happening.'

Paul had always said that martial arts would become like boxing – big business and sold-out arenas and TV-rights fees. Kickboxing promoters had been saying that, too, for decades. It never happened. The only 'fights' anyone bought a ticket or turned on a TV to see was boxing.

'Things have changed since you've been away from martial arts,' Paul insisted. 'It is already happening – just like I said. Have you seen what's been happening with the UFC in America?'

I hadn't a clue. Unless the term had been used in the two minutes of that early event I saw, this conversation could literally have been the first time I'd heard the words 'Ultimate', 'Fighting' and 'Championship' strung together in a sentence.

Paul went on for hours, describing this whole other world. The UFC was taking over America, he said, doing pay-per-view events and creating champion millionaires who guest-starred in movies and drove sports cars. It was owned by two of the richest men in the US; a pair of Las Vegas casino owners. It was run by a friend of theirs. And in Japan, the sport of mixed martial arts was even bigger – crowds of 40,000 people and half the country watching on TV.

'Mixed martial arts is a sport that combines striking and grappling,' Paul said. Then he paused, dramatically, before adding, 'I prepared you for a sport which combines striking and grappling since you were six years old! You can kickbox. You know submissions and how to defend submissions. You know elbow strikes. Knees. You have a head-start on most fighters in the UK.'

My head started buzzing with where this was obviously going.

Paul informed me, 'I'm putting a squad of the best fighters in the country together. I want you on it ... if you can still fight?'

'I can still fight,' shot out of my mouth.

Paul didn't take my word for it. He arranged for me to attend a training camp in Wales. I went about my business that weekend like a man possessed. I wasn't in shape, but I squeezed every drop of effort out of my body. My skills were dull from lack of use, but they were exactly where I'd left them. Paul liked what he saw.

The deal I worked out with Paul was that he'd provide me with food, accommodation and 25 quid towards my petrol money while training me four days a week in Nottingham. I would have to quit my job at the upholstery place, of course, but if I could make it to the top five MMA fighters in the UK, he would pay me a weekly wage.

'It will take four to six months to get you ready for your first MMA fight,' he said. 'I'll take a percentage of your earnings from fights, but don't worry, I won't put you in a pro-fight unless a) you are ready and b) it is for life-changing money!'

It wasn't boxing but, with respect to Nigel Benn and Frank Bruno, it was better than boxing. I didn't have to learn a new style of fighting; I'd take the style that I'd used to great success for over a decade and build on its foundation.

Again, the support from my partner was absolute. Rebecca and I sat down with a notepad and figured out a budget. It cut to the bone but it was manageable if I continued to get 200 quid or so cash every weekend. So that was the plan – I'd drive to Nottingham early Monday and train during the week. Then I'd drive home Fridays to be with my family and on Saturday I'd DJ for money.

Rebecca bought me a UFC DVD, *Ultimate Submissions.* We couldn't believe the size of the spectacle, the celebrities in the front row. It was all rock music and lights and money. It was a million miles away, in Las Vegas and exotic places with open-top cars and palm trees. It was something I knew I could do.

'You are going to be great at this,' Rebecca said. 'This is what you were supposed to be doing all along. This is the beginning of something big for you.'

I shook my head. 'For us. I'm doing this for us.'

## CHAPTER THREE

# THE BEGINNING

Just after teatime on Sunday, 4 January 2004, I threw two bags of clothes, a small mattress and a sleeping bag into my dad's Peugeot 306 estate. It was bitter cold and dark, and I appreciated him driving me to Nottingham to begin training. 'It's been a while since we did this,' he said.

It had been years.

It was pitch-black down the M1 and there was little traffic all the way to Junction 25. We were on the road to Nottingham, but my real destination was Las Vegas.

Paul Davies was very connected not only in martial arts but with gyms, sports halls and venues. He knew the right people to get a good rate on hiring a sports hall on Nottingham University campus and taught Yawara Ryu jiu-jitsu there on weeknights. I recognised the others there from the training camp I'd attended in Wales. Like me, they stood out in a room full of martial arts hobbyists.

This smaller group also trained together during the day at Sherwood Community Centre, where Davies was well known, and also in a makeshift MMA gym, which was little more than a room with a punching bag and mats set up in an unused space in an industrial unit owned by, you guessed it, someone Paul knew.

My new colleagues included a Thai boxer called Mark Ferron and a hairy-backed heavyweight named Andy Harby, who was at least ten years older than the rest of us but had developed scary physical strength working on the farm he owned. Then there was Freddy, who claimed to be an Olympic wrestler originally from Iran (he was from Iran), a hard-hitting kickboxer, Paul Daley, and finally a prickly 21-year-old local lad named Dan Hardy.

At first glance, I figured Dan was pursuing fighting as just another part of his counter-culture experimentation, like with his tattoos, Eastern philosophy books and punk rock music. In fact, despite having a university place waiting for him, Dan was just as determined to fight as I was. He was also the most talented guy in our team of rivals (except for me, of course, ha!) and was a great partner during those early months of my MMA training.

Davies was a taskmaster as a trainer. I knew that already, but from my first day in Nottingham he worked me like I was a professional athlete and with the expectation I would knuckle down like a pro-athlete. And that's what I did. Every week was a blur of classes with Paul and our elite group: weight-lifting sessions, submission lessons, cardio training. Afterwards, Paul would take me and occasionally Dan to the specialist stores to get whey protein, creatine, fish oils and other nutrients vital for building the body of a professional fighter. He was light years ahead of the game in terms of nutrition and strength and conditioning.

'You can't out-exercise a poor diet,' he'd say over and over.

We did pad work together but much of my striking practice was done at a boxing gym twice a week and a Thai boxing club, both in Nottingham and on the schedule Paul had packed back-to-back for me. It was a crash course; I was getting information dumped into me like a first-year law student. This sport wasn't fully formed. We were all pioneers, making shit up as we went along, cobbling together drills from trial and error and copying techniques we'd seen on UFC tapes or instructional videos mail-ordered from America.

And I absolutely *loved it.* I was happier than I'd ever been in any job I'd had. I felt fulfilled. MMA was strategic, athletic and it required strength, speed, stamina and – most of all – imagination. There were infinite ways to combine the martial arts forms – grappling, striking and wrestling – and the most unexpected amalgamations, the fastest transitions from one to the other, were what separated tough-guy 'cage fighters' from a true mixed martial artist.

Spending so much time away from my family was very tough, though. Paul set me up with a job as a lifeguard at a local swimming baths but I quit after a day of learning CPR. I made better money DJing and if I wasn't training, I wanted to be with my family.

Paul would use his contacts to either bring in or have us travel to train with combat sports specialists. When he did, he'd always seek to test my progress with these little challenges: like, one day, he offered me an extra 50 quid if I could last ten minutes grappling with four-time BJJ world champion Braulio Estima (he got me just after nine minutes, dammit).

As much as I loved the training in the days, I sort of dreaded the evenings. My accommodation from Monday nights to Friday mornings was a sleeping bag laid out in the living room of, all together now, some bloke Paul knew. Where Paul had met this guy ... I couldn't begin to guess. It wasn't from martial arts or fitness training, that's for sure.

My host was about 32, nerdy and dressed as though his mum still had the final say on what clothes he bought. He was monosyllabic and made zero effort to make me feel welcome. Any attempt by me to make conversation was met with an exasperated gesture towards the always-on TV and two words: 'Watching telly!'

That fucking TV was on until at least midnight – every single night – and I was supposed to sleep in that very same room. My sleeping bag was rolled out in a crawl space behind a wooden cabinet. Getting any rest was impossible.

Proving the theory that there's someone out there for everyone, my host had a girlfriend. On the nights she visited I had two of them telling me 'Shhh! Watching telly!' if I made a sound from my cubby-hole. I felt like a red-headed step-child.

These were the strangest humans I'd ever come across. The only thing worse than getting shushed by them ('Shhhh! Telly!') was getting falsely accused of the most mental of transgressions.

A lot of the time, I had my evening meals at Paul's house. It was awkward, gate-crashing his family's evenings together. Whenever I had some spare money from DJing at the weekends, I'd treat myself to a room in a twenty-quid-a-night B&B. I also started sleeping in my car – a banged up Volvo that Paul loaned me – outside the Sherwood Leisure Centre; anything but stay in that room with that TV.

There was a snowstorm one of those nights. The swirling flakes were orange in the street lamppost's light, and when they began sticking to the windscreen the temperature in the car plummeted.

I reclined the seat as far as it would go and climbed into my sleeping bag (I may have left my trainers on, it was that bloody cold). The palm trees and flashing lights of a big fight day in Las Vegas felt a like a long way away at that moment, but I had no doubt this was the path I was supposed to be on.

That's when Rebecca called. Another bill had come in. We'd already borrowed money from our parents.

'We will be okay,' I said. 'I'm going to book a fight. I'm going to tell Paul tomorrow that – fuck more training – I'm ready to fight. Time to earn some money from the sport.'

I got paid literally nothing for my first professional fight.

No, that's not quite right. When I fought Steve Mathews on 10 April 2004, I actually paid the promoter 25 quid because – despite me bringing over 40 family and friends up to Newcastle-upon-Tyne, the promoter wouldn't comp me a single ticket for Rebecca.

The cheap so-and-so in question was a promoter/fighter/ referee/MC named Ian Freeman. Freeman, I'd learned by now, was British MMA royalty.

Known as 'The Machine', the sawn-off Sunderland heavyweight had turned professional before there really was a profession. In the 1990s Ian had gotten hold of early UFC and PRIDE FC videotapes and, God knows what possessed him, off he flew to cramped dojos in Tokyo and sweatboxes in the United States to learn ground-fighting. In March 2000 Freeman became the first Brit to compete in the UFC – but his legacy is more than just the answer to a trivia question.

When the UFC first brought the Octagon to the UK in the summer of 2002, Freeman stood in front of the Fleet Street press as a passionate advocate for the sport. Then, in the most publicised fight on the 13 July *UFC 38* event at London's Royal Albert Hall, Freeman wrecked the undefeated reputation of heavyweight-champ-in-waiting Frank Mir.

It was the first major British success in the UFC. What's so heart-breaking about it is when Ian got back to the dressing room; he was informed his father had passed away two days before. As a former boxer himself, his dad's dying wish was that no one say a word to Ian, so he could fight his best.

Like all British fighters who followed him should, I tip my hat to the Machine ... even though he paid me fuck-all for my first fight. Ha!

A few days before my pro-debut in Newcastle, Davies informed me that there wouldn't actually be any pay.

'That is ... *not* life-changing money,' I said.

'Let's just get the ball rolling,' Davies answered. 'Freeman's well known and a lot of the bigger promoters attend his shows. This is a chance to get your name out into the British MMA community.'

Maybe I could have been pissed off about the pay, particularly because over 40 of my family and friends all bought tickets, so it wasn't like I didn't earn my place on the card in terms of putting arses on seats. But, spending months orienting my life around fighting without actually fighting was driving me nuts. I've never been afraid of a fight in my life and I didn't see any reason not to supercharge my training with actual fights.

The event, *Pride and Glory 2: Battle of the Ages*, took place in a leisure centre in Eldon Square. A boxing ring set up in a gym hall with netball court lines painted on the floor was a long way from Las Vegas's MGM Grand, but it was a start.

Every fighter on the card – including my opponent and everyone else's opponent – got changed in the same poky storage backroom. There were 24 of us rubbing against each other's shoulders and nerves.

My anxiety was throbbing out of my eyeballs. It wasn't fear. Fear I knew what to do with. I was literally shaking under the pressure to win this thing. If I couldn't beat someone named Steve Mathews, on a card held in a Tyneside netball court, in a fight so insignificant the promoter saw no need to pay for it ... well, this whole thing was over, wasn't it?

There wasn't any reason to worry. I took Mathews – who apparently had some sort of hard-man rep – apart in a blaze of strikes. (Somehow, the fight was recorded as a submission win via armbar, and for the rest of my career I was credited with one extra sub and one less TKO.)

'The ball's rolling now, Paul,' I said afterwards.

Even as I hit the bar with Rebecca and my friends, I kept turning back to the action in the ring. The nervous energy I'd felt was something else. It was a hundred times more pressure than in my competitions as a kid but I knew I could control it better in my second fight and, in time, learn to use it as a positive force. I couldn't wait to get back in there.

My second pro-fight came just 50 days later. It was on a Sunday afternoon card at the Circus Tavern, the venue of choice for Essex wedding receptions and bar mitzvahs. The event was billed as *UK MMA 7: Rage and Fury!* which sounded like a charming evening's entertainment. My opponent, John Weir, was 3–1 with three KOs.

The way the 600 or so fans pressed up against the boxing ring was a fire hazard, but it made for a great atmosphere. The fight was raw. Weir had skills – he landed several knees before I overwhelmed him with strikes against the ropes and he planted face-first into the canvas.

After two fights, I'd earned some status in the slowly expanding pocket universe of British cage fighting.

By now I'd realised the UK MMA scene was the plaything of a few unsavoury characters. A lot of the promotions back then were run by gangsters or bench-pressing mobster wannabes. They'd all seen *UFC 38* sell out the Royal Albert Hall and concluded pound notes were to be made in 'cage fighting'. And with the UFC having to postpone plans for regular UK events to focus fully on its home US market, *UFC 38* had created a market the UFC currently couldn't service.

British MMA, circa 2004, was a subculture: 99.9 per cent of people had no clue it even existed, but the 0.1 per cent who did lived it. The vibe around the sport, in the gyms, in training, around the fight hotels and arenas, was edgy and cool. Years before social media was big, fans and fighters communicated directly with each other using insider terms on message boards, one of which is, to this day, called 'the Underground'. It wasn't unlike my DJing – it was more than an interest, it was a lifestyle and a tribe with its own language.

Of the dozen or so promotions who rushed to capitalise on that early interest, two in particular emerged as the big fish in the small pond. In the North of England there was Cage Warriors, and in the London area there was Cage Rage.

By 2004, Cage Rage was steaming ahead, scoring a TV deal with Sky Sports and attracting regular crowds of nearly 3,000 to shows known for flashing lights, gallons of dry ice, bad tattoos and creosoted bikini girls.

They had quality fights as well. Yeah, Cage Rage had its fair share of radioactive steroid doormen, but its main eventers were usually world-class talent including Freeman and other UFC veterans like Mark Weir, Matt Lindland and 'Babalu' Sobral.

It was Sobral that Cage Rage owners Andy Geer and Dave O'Donnell called Davies to talk about in June 2004. The Brazilian submission expert's opponent for their 10 July London event had pulled out, and they needed a replacement.

'Dat Bisping kid you got – duz 'ee fancy it?' O'Donnell wanted to know. The pay was a thousand quid. The fight was also for the newly created Cage Rage light heavyweight title and – a huge selling point – the main card of *Cage Rage 7* would be broadcast several times on Sky Sports.

Davies pitched it to me. 'Sobral is a big name, but I have confidence in you.'

I had confidence in me, too, and I took the fight. Of course, fighters are *supposed* to be brave and be willing to take on anyone, anywhere, anytime. It's the manager's job to be more circumspect.

Sobral was more than a big name. Babalu had beaten 25 of the 31 opponents he'd faced in his eight years as an MMA fighter, including a former UFC champion (Maurice Smith), a UFC title challenger (Jeremy Horn) and a future PRIDE and UFC champion (Shogun Rua). The only men to have beaten him were Chael Sonnen, Chuck Liddell, Kevin Randleman, Fedor Emelianenko, Valentijn Overeem and Dan Henderson. The Brazilian was as legit as it gets on the ground and had massive experience against the best fighters in the entire sport.

To match against that, I had six months of training in Nottingham and 100 seconds of MMA fight experience. It was probably for the best that Sobral himself pulled out just ten days before the event, and was replaced by Mark Epstein.

'The Beast' was the Cage Rage heavyweight champion and, maybe as a favour to his friends and training partners O'Donnell and Geer, he decided to drop down to the 205lb light heavy division.

'This is still a step up,' Davies told me when we met up after the weigh-in at the budget north London hotel. 'Epstein has had nine fights, some against good American competition. He's pals with the promoters – so don't expect the judges to necessarily do you any favours.'

I have great memories of *Cage Rage 7*. It was held at Wembley Conference Centre. The place is gone now, knocked down years ago, but to me on that night that 2,500-seat venue with its 1970s lighting was *the Wembley*. The place where real sports take place.

Somehow reporters from US-based websites like Sherdog and MMAWeekly got my mobile number and I did my first interviews with American media. On weigh-in day I did my first to-camera interview, which was both exciting and painfully awkward. Without warning, I'd been ushered in front of a big Cage Rage logo, had a camera shoved in my face and was asked: 'What's your message to Mark Epstein?' The very best line I could think of was, 'Good luck. You are going to need it.'

Dave O'Donnell was something to behold in his element. With his bald head squeezing out the top of a red shirt and black suit, and perpetually yelling and laughing in the thickest of cockney accents, Dave was the face and voice of Cage Rage. He absolutely loved MMA – he does to this day. On the afternoon of *Cage Rage 7* he was bolting around everywhere – front of house, backstage with fighters, taping interviews to be rolled in during the TV broadcast – he was on fire and loving every second of it. I immediately liked the guy.

For a lot of British MMA fighters, Cage Rage was the big show. They were almost physically aroused to be part of the UK's UFC cover band for four Saturday nights a year. It was extra money, a reason to train and – best of all for these guys – great for the hardman rep when working the doors of London nightclubs. But I wasn't like them, I was here to earn some money, get better and use the experience to go on to the world stage. Wembley or not, Cage Rage was not my World Cup Final.

It was time for my fight. The noise the fans were making was amazing. I'd be lying if I told you my heart wasn't pumping hard as I walked across the catwalk-like runway from the backstage area to the cage apron. I stepped into a cage for the first time ever. A few moments later, the cage emptied and I heard a bolt scrape shut. The door had been locked. It was just me, the referee and Epstein surrounded by a wire mesh and a wall of noise.

*Oh, shit,* I surprised myself thinking. I was literally locked in a cage with a man I was going to fight.

I felt adrenaline sharpening my senses. This one was a little different. I'd never even trained inside a cage, but in the few times we'd spoken about it, Paul and I agreed the best plan would be to stay in the middle and avoid getting pushed against the fence.

My opponent stood waiting for me in the centre of the cage. We were both wearing bright-red shorts. Even though he was Cage Rage's heavyweight champion, Epstein was squatter than me at 5ft 9in – but dense with muscle.

One report I read the week of the fight observed Epstein 'had the face of a murderer'. I'm not sure I'd go that far, but he certainly fit the bill of a 'cage fighter'.

Even so, there was no hesitation when it came to attacking him at the first bell. I hacked at him with straight punches and stunned him with a right. I gave chase across the cage – but ran into a solid counter. Epstein surged forward with leg kicks and power punches. He pressed me against the fence. For the first time in my life, I felt the skin on my shoulder pinch as the mesh stretched and contorted under our weight. I fought my way off the fence but then foolishly threw a front kick, which Epstein caught. With me stood on one leg, he took me down to the ground.

'The Beast' loved to ground and pound, I knew. I was a little worried he'd taken the fight precisely where he wanted it. The rest of the round was spent with Epstein on top of me but, as ref

Grant Waterman stood us up when the bell sounded, I realised I'd controlled the whole round. I'd stifled Epstein's aggression with an active and constantly moving guard, threatened him with submissions, and landed punches from the bottom. He'd not been able to hurt me even from his favourite position. I couldn't wait for round two and, as soon as it began, the bombardment started.

I blasted him with lefts, rights, hooks and knees. Mark was a tough guy and somehow had packed an Incredible Hulk's worth of muscle around his shoulders and neck. He absorbed a ton of punishment before the ref waved it off 87 seconds into the second round. The Cage Rage belt – my first in MMA – was handed over.

There was only one more fight after mine (Mark Weir lost to a quiet, respectful American fella named Jorge Rivera) so by the time I'd dried myself off from a quick shower Dave O'Donnell had put his commentator's microphone down and was once again bouncing around backstage doing a million things at once.

But he wasn't too busy to notice that I'd brought over 60 ticket-buying family and friends with me.

'Fackin' 'ell, yew are a popular laad, aintchya?' he boomed. ''Ere – 'ave a pint on me, mate.'

He handed me 600 quid in cash, on top of the grand I'd got for fighting. Then he slapped me on the shoulder and on Dave went, his bald head swivelling left and right, clearly having the time of his life.

A little while later I limped across the car park next to the Conference Centre. It was about midnight and the car park was almost empty. In the distance seven huge cranes loomed over a construction site which would, in a few years, be the new Wembley Stadium. I climbed aboard the packed 72-seater coach that had been waiting for me and it erupted in cheers. Then came the song:

There's only onnnne Mikey Bis-Ping!
Onnnnnnne Mikey Bis-Ping!
Walkin' along,
Singin' a song,
Walkin' in a Bisping Wonderland!

I cracked up as my family and friends sang a song of victory for me. They were standing and cheering and all looked so proud and happy. They'd had a great time at the fight.

'COME ON!' I shouted, yanking the title belt out of my bag to more cheers.

With a seven-hour drive north in front of him, the driver pulled off as I went up and down the coach hugging my dad, siblings and friends. Keeping my balance wasn't easy and I sat down next to Rebecca. I cracked open a lager as we settled in for a noisy ride home.

This was one of the best moments of my career. It's still so vivid I could describe the way the fabric of the seat made the middle of my back itch a little, and the grunting noise the coach made as it went from first to second gear. It's so vivid, but that night also seems an eternity ago.

## CHAPTER FOUR

# BEST IN BRITAIN

Twenty-eight days after winning the Cage Rage belt, I had my fourth fight. It was another Freeman-promoted *Pride and Glory* show in Newcastle and I knocked out Andy Bridges in 45 seconds.

The Machine began training with Davies's small group, driving down from Tyneside twice a week to spar. By this time my main accommodation was an array of Nottingham's cheapest B&B's, friends' couches or, more often than not, my car.

With a full-time job, a family and several paying strength-and-conditioning clients, Davies's ability to commit to me would ebb and flow. More than once, instead of meeting me at the gym, he would only have time to email me a weight-training session. I understood that Paul had a million other things to do – I really did – but this wasn't a side-project to me. This was my career; it was time away from my family. Rebecca and me were banking everything on this.

Determined to continue to improve as quickly as possible, I began networking like crazy, zigzagging the north of the country on a quest to become a better fighter. There was a Gracie Barra BJJ school in Bolton, so I went there to absorb submission defences. I trained in kickboxing at the well-respected Black Knights gym. There was a good group of MMA guys in the Birmingham area, I heard, so I drove down there one day only to arrive as the class ended. A guy called Marc Goddard, who'd go on to be a leading referee, took pity on me and invited me in for a roll. I sparred with pro-boxers, Thai fighters and kickboxers – anyone who had professional combat sport experience. All the while I trained and entered any jiu-jitsu tournament I could get to.

I laugh at young fighters today when I hear them saying things like, 'In my next camp, I want to work on such-and-such a thing.' What's wrong with them? They're young – they should be training every single day! They've no idea how lucky they are to have a striking coach, a BJJ coach, a wrestling coach, strength-and-conditioning experts and top-drawer sparring all under the same roof. If I'd had access to the training available today, I'd have been UFC-ready inside of one year, believe you me.

My cardio levels got a massive boost when an old-school strength and fitness expert called Jeff Rainbow took me under his wing. I can still remember groaning at the sound of his instructions at the bottom of Nottingham's Castle Hill: 'At the top of that hill there's a tree with a branch about nine foot above the ground – sprint up the hill to the tree, jump and touch the branch ten times with your right hand. Then ten times with your left hand. Then do ten push-ups and get back here. You've got five minutes. Go!'

Jeff was awesome. He helped forge one of the most effective weapons I used in my entire career – my cardio. He showed me how to weaponise it – to push through pain and keep working through exhaustion and take the fight where other athletes couldn't follow without falling apart. I kept on pushing my entire career and I credit my cardio with many of my biggest career wins.

With all the quality training I was getting, I underwent a physical transformation. I was beginning to look, feel and perform like the athlete I always should have been.

And I needed to. Epstein's supporters had bombarded the UK MMA forums like CageWarriors.com and SFUK with posts saying my Cage Rage title win was a fluke. That Mark took the call on short notice and, if he'd had a full camp, he'd have thumped me. Our *Cage Rage 7* fight was already considered to be one of the best in the short history of the British scene – and Dave O'Donnell had already seen I could do a bit of box office. The rematch was a no-brainer.

The return bout was set for *Cage Rage 9*, on 27 November 2004, back at Wembley. By the time it rolled around, I felt several levels above the fighter who'd faced Epstein in July. My body was trip-wire tight and my skillset was bigger and sharper. I'd been training full-time for 11 months, and felt I had an edge in talent, aggression and athleticism over any fighter in the UK. I was the best of the Brits, I wasn't shy of saying it.

The Wembley Conference Centre sold out on the night and Sky Sport's cameras were once again trained on the cage. It was still a niche sport, but the UK MMA scene was growing rapidly. You could feel it.

Just like in the first fight, I attacked Epstein from the opening bell. This time I found my range quicker and sensed Epstein's counters sooner. I dropped him for a split-second with a sustained attack and, later in the round, chopped him down with a jab + cross + left hook combo. The second knockdown hurt him. I pounced on top of him and rained shots from full mount for several minutes. Referee Waterman must have thought about stopping it.

In the second, I continued to exploit my height and reach advantages: cracking home lefts and rights in combinations while Epstein could only swing and miss. The only shot Epstein landed with any regularity was a leg kick. I hit him at will. By the end of the second round, Epstein had the face of a murder victim rather than a murderer.

He hurt me in the third, though, and I had to overcome the first difficult moments of my career. I'd not learned how to check a leg kick yet (the art of intercepting the oncoming strike on the shin, rather than allowing the impact to tenderise your leg muscles) and, unable to land much else, the Beast had continued to go for my lead left leg all night. Towards the end of the third and final round, Epstein slammed his shin into the flesh just above my left knee.

My entire leg locked stiff with pain. The London Massive went nuts as Epstein went after my leg again and again. Nothing hurts quite as vindictively as a solid kick to the leg – they are horrible – and with me not knowing how to defend against them, I took a few more than I would have liked. But, gradually, feeling returned to the limb and I re-engaged. Epstein's brief rally was over. I found the target for a big right hand to end it at 4:41 of the last round.

That's how my first year as a mixed martial artist ended, 5–0, with all five wins coming inside the distance. I'd not seen any life-changing money yet, but everything else Paul Davies had predicted before the previous Christmas was coming true. I now looked and felt like a real professional athlete. I had miles to go in terms of development, but at least I knew I was on the right road. I couldn't wait for 2005.

My left leg took a while to heal from the leg kicks. I watched the Epstein rematch back on tape TV over and over, partly because it was cool seeing myself on a Sky Sports broadcast but mainly because this was my first opportunity to take a detailed inventory of my progress as a mixed martial artist.

Each time I put the DVD in, I underlined the same conclusion in my mental notebook: I needed to improve my defence against leg kicks.

'We got to get you to Thailand,' Paul said. 'That's where the best strikers in the world are. That's where you are going next.'

The hotel I stayed in when I arrived two weeks later in the Ramkhamhaeng region of Thailand was next to a river that churned up the stench of human faeces whenever motor boats went by. There are many incredibly nice parts of Thailand – this wasn't one of them.

My small room had a low-laying bed, a table, a light bulb hanging by a wire and a tiny bathroom with bright blue tiles. All 12 square feet of it was infested with unreasonably sized insects. These bugs looked at you with eyes that took up half of each side of their face while waving these antennae around in the air as if they planned to lasso you. Some of these creeps had bodies the size of rounders bats. My skin crawled at the first sight of them but by the second week I was brushing them off my toothpaste in the morning like it was normal.

Thai food has become one of my favourites, but back then my palate hadn't travelled too far outside of England. I was okay eating dishes made with rice and eggs but I steered well clear of the food I dubbed 'dead things in water'. Some of the local favourites were dead scorpions in water, dead toads in water and – for snobs who insisted in messing around with a classic – dead spiders floating on water.

The training I received at a hardcore traditional Thai boxing gym made it all worthwhile. At first the trainers treated me like just another martial arts tourist acting out his Jean-Claude Van Damme fantasies, but after a day or so they realised this *farang* ('person from the white race') was actually a genuine fighter. From then on, the training they gave me was amazing.

The gym was exactly how Van Damme's movies portrayed, a huge space where 40 or 50 leather-skinned Thais sparred and whipped their shins into rows of sun-bleached heavy bags.

While other traditional martial arts had grown overly codified and isolated in their dojos, the techniques used in Muay Thai (literally 'boxing from Thailand') had been continuously sharpened in actual combat for at least 300 years. Thai fighters were typically trained from a young age, drilling twice a day – morning and evening – to avoid the worst of the wet heat. Unless the event was rained off, there were fights almost every day in the major towns. It was literally everyday entertainment, a place to go and gamble like people in England go to the bookies. Boxing-style gloves were only introduced in the twentieth century, although the bareknuckle variety was still widely practised just across the western border in Myanmar as Lethwei.

Having been accepted by the coaches and fighters, I began making significant progress not just on defending and countering leg kicks, but also everything else I could take from these masters of the 'Art of the Eight Limbs'.

Nobody spoke much English – not the fighters, the trainers or even the hotel staff – so I spent a lot of time inside my own head, reflecting on these people who had quickly accepted me into their community. I was impossibly wealthy in comparison to all of them. I was training so I could fight to get a bigger house, a better car and a better future for myself and my family. These guys kicking the bag next to me were fighting literally to win enough prize money to eat, to provide one meal for a loved one or maybe put a roof over their heads before the rainy season struck.

I'm sorry that I don't know their names to put down in this book. Thai names are hard to pronounce and even harder to spell. I do know I left Thailand a better fighter and humbled by the experience. Every young fighter should travel to Thailand and learn from these people. When I got home, I couldn't wait to use my new armaments. I took a K-1 rules kickboxing fight and a cage kickboxing bout and won them both by knockout.

My sixth MMA fight came in the Cage Warriors promotion on 30 April 2005. They, too, had created a light heavyweight championship and invited me to compete for it at their event at the Xscape Centre, Castleford. Opposing me for the inaugural title would be 35-year-old boxer Dave Radford.

Radford had once fought legendary boxer Roberto Duran on a few hours' notice. His eyes and cheeks were permanently puffy from years of bareknuckle fights. He was obviously a tough bastard. What he was not was a mixed martial artist. I knocked him out in 2 minutes and 46 seconds.

As the champion of Cage Rage and Cage Warriors, it was getting harder for the naysayers to deny I was the best light heavyweight fighter in Britain.

Paul casually mentioned to me that he'd been offered a good opportunity in sports science in New Zealand that he intended to pursue. He began selling the idea of me moving down there with him. I didn't know what to say. I still had this student/master relationship with him, just like I had since I was eight years old, so didn't feel it was appropriate to point out that I had a family, was the champion of several UK-based promotions and that there was no MMA scene at all in New Zealand. I found it easier to say, 'I'll talk to Rebecca about it,' rather than give him the obvious 'no'.

I knew something had to change but I was looking for Paul – my mentor and the man who had a sixth sense about martial arts – to suggest what that looked like.

Instead, a way forward sort of presented itself. There was a thread on the CageWarriors.com forum from a big new gym in Liverpool asking for sparring partners. 'Big guys only need apply' was written at the bottom of the post.

They replied to my message quickly and I drove down towards Liverpool a few days later. The building the new gym was housed in was a bland factory unit on an industrial estate directly next to the M62. Its windows were shuttered in metal and the painted door, reinforced with metal plating, looked like it could keep Robocop out.

I stepped inside and to the immediate left a door was open to a makeshift office. I introduced myself to the woman in there and said I was here for the sparring. Within a few minutes I had met Tony Quigley, a Sherman tank of a man with ginger hair and a well-groomed beard (also ginger). He was the boxing coach and I liked him immediately. He showed me the changing room opposite the office and, when I was gloved up, he took me into the gym to get warmed up.

The gym space was basically a 4,000-square-foot cube with training mats on the ground. A row of heavy bags hung from brackets in the wall on the right, and behind and to the left was a lonely weights bench and a few barbells. Music with a little too much bass was getting forced though stereo speakers mounted here and there. At the far side of the gym there was a decent-sized cage and full-sized boxing ring. The cage and ring were packed tightly next to each other. That far-left corner that the cage was pressed against had a rolling shutter door, a reminder this building had once been used as a sausage factory.

The place was one of the best-equipped MMA facilities in the UK, but in 2005 that was a pretty low bar to clear. The sparring I was there for was against an undefeated Brazilian super-heavyweight named Antonio Silva, a karateka and judoka whose size had, inevitably, resulted in him earning the name 'Bigfoot'.

Sharing a cage with the 6ft 6in, 20-stone future UFC heavyweight title challenger wasn't a particularly pleasant experience, but by then I had mad cardio and I'd always been a scrapper. I'd barely made the drive back home when the owner of the gym called me up. The charm offensive that came down that phone would have made Pepé Le Pew blush, if only he could have understood the thickest Scouse accent I'd ever heard.

There were appeals to my patriotism – did I want to be the British fighter who went on to fight and beat the Brazilians and Americans? There were appeals to my ego – I'm already the best in the UK, with better regular sparring I would be the best in the world. And, finally, an appeal to my wallet and common sense – did I really like being away from my family all week, sleeping in my car and on sofas? Wouldn't it be better to drive to this gym in the morning and be home in time to see my kids before they were in bed?

He also slipped in enough seemingly random information about his other businesses for me to receive the impression he was both a successful businessman and a passionate investor in the future of MMA.

What the Liverpool gym offered was a one-stop shop for all my training. After more than a year of ploughing up and down motorways going from gym to dojo, the idea of having boxing, kickboxing, grappling, a cage to practise in and quality sparring all in one place was very appealing. Especially as not only Freeman, but also Hardy and Daley were gone from the roster of training partners in Nottingham.

It turned out Hardy leaving (and Daley following him) had been on the cards since the moment I'd begun training in Nottingham. Dan is a smart guy with a lot of pride and, unbeknown to me, before I'd even arrived for my first training session with them, Paul Davies had been sermonising to all his students that 'the most naturally talented fighter in the country' would soon be joining them 'as the leader of the team'.

To their credit, none of them blamed me personally, but they all must have been pissed off that I got the lion's share of Davies's tuition. (I found a similar situation during *The Ultimate Fighter* season three infuriating – and said so after about one week.) Eventually, Dan had enough and informed Paul that he and Daley were moving on to train elsewhere.

Davies called up everyone in his extensive contacts book and told them not to train with Hardy or Daley. He infamously used the phrase that they'd been 'outlawed'. Hilariously, and so typical of him, Hardy adopted it as his official nickname as a 'fuck you' to Paul. Dan 'The Outlaw' Hardy would go all the way to challenge for a UFC world title while Paul 'Semtex' Daley would also fight in the UFC and other top promotions in the US.

I had no intention of leaving Paul – but I did need more training and better sparring than he could provide in Nottingham for now. Especially with his looming emigration to the other side of the planet, something had to change now. Basing my training in Liverpool seemed like the obvious move, and Davies was open to the idea. He drove up to see the gym, met the coaches and from there we all sat down together and worked out an arrangement. I'd train day-to-day in Liverpool, but Paul would still be the head coach and the Liverpool gym and Paul would split the commission.

'I'll still be your manager and coach, though,' Paul warned. 'I will still be in regular contact checking on your progress and you'll adhere to my training methods on a day-to-day basis. I will email you your workout regimes and what you are to do. Follow those instructions exactly. I will also be your chief cornerman during all your fights.'

As has been reported in the media, the relationship with the Liverpool gym ended bitterly and with lawsuits. I've no wish to be associated with these people, who I mistakenly trusted with managing my career from late 2005 to 2011. Nor do I want to give them undue credit for my success as a mixed martial artist. So, you'll have to forgive me when I refer to the gym and the owners/management generically.

There was a honeymoon period in Liverpool, for sure. Some of the coaches were glorified pad holders, but Tony Quigley was an outstanding boxing coach. When the place was full it was good training, especially as I had the chance to spar and roll with several different professional-level mixed martial artists and had a cage to practise in. I'd already met Bigfoot, of course, and there were several other Brazilians who lived and trained in the gym including José Nindo, Choco Nogueira and Mario 'Sukata' Neto. The character member of the place, and someone I immediately liked, was a chubby, freckled Scouser with a wicked sense of humour named Paul Kelly.

It was a relief to be able to spend less time on the motorway and more time with my kids, but I quickly noted the disconnect between what I'd been told the Liverpool gym would be and what it was in reality. For example, one of the resident coaches spent most of his time sat down reading newspapers.

One morning I saw him roll and do a superb escape and sweep. When I asked him to show me how to do it later that morning, he point-blank refused.

'You don't pay me,' he said, picking up his newspaper.

'But, the gym takes a percentage from my purses and sponsors,' I said. 'Then the gym pays you from that.'

He shook his head and mumbled something. He never showed me that sweep and this was one of many issues I encountered while training at this place. On more than one occasion, I'd make the hour-plus drive from home only to be told (in person or by an unopened metal door) that the gym was closed for the day. There were many other occasions where I'd be the only guy working out, my punches on the heavy bag sending echoes around an empty gym.

Nevertheless, Liverpool was a better option than Nottingham.

Maybe we were both naive thinking the physical distance wouldn't result in an emotional distance, too, but my relationship with Paul Davies began to decline. That was really difficult for me. I'd looked up to Paul since I was a child. I don't want to use the word 'love' because that's not quite it, but I had a ton of respect for him. I wanted him to be proud of me and to reward his belief in me.

We should have had a proper adult conversation about it – especially about the whole moving to New Zealand thing – but I was young, inexperienced in managing my own career and deferential to Paul. To be fair to Paul, I think maybe he felt he was losing me to the Liverpool people and didn't want to come out and have the talk we needed to have. Instead, we kept up a forced politeness as things became more and more tense.

I was getting dismayed by the lack of support during fight weeks. I was left to do my weight-cut and travel to whatever town I was competing in by myself. I wouldn't see Paul until a few hours before I actually fought.

Things came to a bit of a head for my 18 June challenge for Alex Cook's FX3 organisational title on a show in Reading. Not knowing any better – and with no one to teach me any better – I did the weight-cut at home in Clitheroe and then made the drive to Reading for the weigh-in by myself. Anyone who knows anything about weight-making will understand how crazy it was for me to get behind the wheel of a car at all, much less for a six-hour drive down the M6.

Back then, my week-to-week weight hovered around 15 stone. I would then subject my body to a combination of extreme sweating and starvation, dehydrating it until I weighed the 14st 4lb maximum allowed for light heavyweights. The dehydration plays havoc with body and mind.

I was so weight-drained during the six-hour drive I actually slammed on the brakes on the M6 to avoid a pack of dogs I hallucinated. I shudder at the memory.

I weighed in, ate alone and went to bed in the Reading hotel. The next day I ate breakfast and a light lunch alone too. Neither Paul nor the Liverpool group were anywhere to be seen. Finally, about an hour before I was due to travel to the fight venue in the late afternoon, I clocked Paul sipping a pint at the bar with a random mate.

'You got handwraps?' Paul asked me.

No, I hadn't brought handwraps. I easily could have but that wasn't how we'd operated for the previous six fights. Our separation of responsibilities placed Paul, as head coach, in charge of my training and equipment needs.

I said, 'Sorry, I didn't think I needed to bring any.'

'It's okay, I forgot to bring any with me also. Don't worry – I'll go speak to the front desk. They'll have some sort of bandages in the hotel's first-aid kit.'

Wrapping hands in combat sports is an art form. Like the gloves used in boxing, kickboxing or MMA, the purpose of the wraps is to protect your hands, not your opponent's face. With the fingerless style of gloves used in MMA weighing only 4 ounces, there's only so much wrapping that is allowed or even practical but all 27 bones in your hand have to be equally well fortified. Damage to any one of them renders a pro-fighter unable to use one of his main weapons during a fight and, if the injury is serious, potentially unable to work.

With only cheap first-aid bandages available I asked Tony Quigley, who'd bound thousands of fists in his boxing career, to wrap my hands once we got to the fight venue. That pushed Paul further into a dark mood in the dressing room, but I had a fight to win. Paul's ego wasn't something I had the luxury of worrying about at that time.

I beat Alex Cook in 3 minutes 21 seconds of the first round. I softened him up with strikes and then choked him to take the FX3 light heavyweight title. It was my third championship belt in my short MMA career.

The win didn't cheer Paul up. I'd looked up to this man since I was eight years old but it was now impossible to ignore the fact that, visionary though he was, Paul was learning about professional combat sports just like I was.

My first defence of my Cage Warriors title was up next, less than a month later in Coventry. The opponent was Miika Mehmet, a polar-bear-sized European buzzcut. A few weeks before the 16 July 2005 event, Paul called, insisting I drive down to see him.

I drove the familiar M62–M1 route from Clitheroe to Nottingham without nostalgia. When I pulled up outside Paul's semi-detached house, he was in the front window waiting for me. His family was out somewhere. My childhood mentor and I spoke over his kitchen table. He got right into why we couldn't have had this conversation over the phone.

'Michael, for you to prove your loyalty to me – today – you will sign this contract.'

'I am loyal, Paul,' I said.

'If that's true – sign this document.'

He pushed a typed-up agreement across the table to me. The pupil/sensei dynamic kicked in, and I didn't feel like it was appropriate to read every single line on each page. This was my mentor and I was loyal and grateful for the opportunities that were now becoming a reality. Even if I had read every word, it was written in the intentionally protracted manner of practised legal jargon. Among his many talents, Paul Davies was a lawyer.

'You either trust me, or you don't,' he pressed. 'You will sign that now, or you won't. You will prove to me that you are loyal right now or you tell me that you aren't loyal.'

He didn't expect me to sign it in blood, but he wanted it signed there and then.

'Of course I'm loyal,' I stressed. 'I'll prove that right now.'

But he wanted a witness. Paul virtually frog-marched me next door to his neighbour's house, where a baffled fella who clearly had never met Davies served as a witness to me putting my signature on paper. That crazy piece of business completed, I began trying to talk to Paul about my upcoming fight. Paul demurred and said that he'd be moving to New Zealand reasonably soon.

I shook hands with the man who'd coached me off and on since I was a child. I climbed back in my car for the journey back to Clitheroe and put my seatbelt on. I waved as I pulled away, but he didn't.

I wouldn't hear from Paul Davies again for five years.

In my first fight without Paul in my corner, I defeated Miika Mehmet in the first round (strikes) to defend my Cage Warriors title. After three minutes and one second of fighting, I was declared the winner and was now 8–0 as a professional mixed martial artist.

But I didn't get the chance to defend my Cage Rage title again. The promotion had a major falling-out with the Liverpool gym over a payout for Bigfoot Silva's purse. Threats were exchanged and Cage Rage immediately banned all fighters associated with the gym from competing on their shows. With Paul Davies having left the hemisphere, that meant I was also a banned fighter from Liverpool, too.

I was bummed out. Cage Warriors wasn't yet at the level of Cage Rage and, of course, I wanted to appear on Sky Sports rather than on taped delay on the Wrestling Channel or whatever rinky-dink station Cage Warriors was on at the time. Andy Geer – Dave O'Donnell's business partner – was the one who called to tell me I was no longer the Cage Rage champion. Geer sounded positively thrilled about taking a title off a northern fighter and, for years afterwards, I couldn't stand anyone associated with Cage Rage.

But my time on the UK circuit was coming to a natural end anyway. I made two more defences of my Cage Warriors belt, beating Jakob Lovstad and then Ross Pointon in one round apiece on shows in Coventry.

I was 10–0 with all ten fights coming inside the distance. And that's when the UFC came calling.

## CHAPTER FIVE

# THE ULTIMATE FIGHTER

While I was fighting for recognition in the UK, UFC boss Dana White and his team hit upon a Trojan Horse approach to get UFC fights on American television.

Part *Big Brother*, part the best bits of *Rocky*, *The Ultimate Fighter* took 16 of the best unsigned fighters in the US and put them in a Las Vegas mansion together before dividing them into two teams of eight. The two teams were coached by an established UFC star and his staff, giving the contestants access to world-class training. In every episode, a fight would take place in the gym, with the losers eliminated from the show. The final two fought on an actual UFC event in Las Vegas and the winner would be awarded a life-altering contract with the UFC.

The show attracted a huge audience, mostly comprised of people who were seeing the amazing sport of mixed martial arts for the first time.

What *TUF* had done for the sport on US television, the UFC reasoned, it could do on British TV, too.

Everyone and anyone connected with combat sport in the UK got the email from UFC matchmaker Joe Silva: an open audition for *The Ultimate Fighter* season three would take place in London in December 2005. Prospective fighters needed to have had at least one professional fight, be able to fight as a middleweight or a light heavyweight, own a valid passport and be able to travel to the United States for one week immediately to complete the final audition process.

The entire UK scene was buzzing on the day of the audition inside a leisure centre in central London. About 30 hopefuls, plus their trainers, piled into a large hall and soon the gunshot sounds of Thai pads getting kicked bounced off the wooden floor and into the air. Rumour had it the UFC were going to take only one light heavyweight and one middleweight, so we were all sizing each other up, big time.

An American woman stepped into the middle of the mat, welcomed us and informed everyone that Joe Silva and the UFC President himself, Dana White, would be there shortly along with the producers of *The Ultimate Fighter*. She directed us to the other side of the floor, where there was paperwork to be filled in. I took especial care to boldly and cleanly list my undefeated record and titles won.

Then the lady told us to warm up and be prepared to grapple soon.

The doors opened again, and in walked Dana, Joe Silva and several others. A cyclone of energy and swearing, Dana wasted no time letting us all know what an opportunity we had in front of us. As if to demonstrate just how much winning *TUF* could change our lives, the UFC boss had brought Forrest Griffin and Stephan Bonnar with him. The two light heavyweight Americans had fought in the finale of season one of *TUF* earlier in the year and were already superstars of the sport.

'These two guys are now two of the hottest fighters in the sport,' White roared. 'This is it! You guys over here have been asking, when's the UFC coming back? How do I get into the UFC? How do I get the UFC to notice me in England? We are here! You have our attention right now! This is fucking it! Show us what you fucking got!'

Then Joe Silva, a short guy whose jet-black hair hinted at his Puerto Rican ancestry, reiterated what they were looking for. He said he was familiar with who most of us were and our records, but we shouldn't assume that. 'Tell us why we should pick you and not someone else here today.'

The final big decision-maker was the tall and artificially tanned Craig Piligian. He was the executive producer of the series.

'Dana and Joe care about finding the next UFC champion,' he said in the most American of accents. 'I'd like to see that happen, too, but what I care most about is making great television. After Dana and the guys look at your fight skills, we will sit you down and interview you – but I don't want to hear "yes, sir – no sir" answers. I want to see personality.'

I took note.

Piligian, Dana and Silva sat down behind a desk while Forrest and Bonnar walked around as smaller groups of us were paired off to grapple. Then they held target and kick pads for us. Forrest held pads for me.

I heard Forrest speaking to Joe Silva a few minutes later, saying something to the effect of 'That guy over there is the best one here,' and Joe, who prides himself on a) knowing more about every fighter in the planet than anyone else and b) letting everyone know he knows more, replied with something like: 'No shit. He's the champion of every promotion in the country.'

Those that got through to the next round were all then invited back inside the hall individually for an interview.

This was Piligian's forte. He opened up with: 'It says here your name is Michael *Galen* Bisping —'

'Yeah, you can keep your gay jokes to yourself, mate,' I shot from the hip, 'I've heard 'em all before.'

Dana let out a chuckle and Craig smiled before pressing: 'You've not heard my jokes before …'

'Oh, yeah, I'm sorry. I'm sure they will be *completely* original and *absolutely* hilarious. I mean, you do look like a *very* funny guy …'

Everyone laughed. My gambit of insulting the exec producer had paid off.

Dana then asked what I thought about 'my competition' – the other guys who'd shown up looking for a spot on *TUF 3* that day.

'I'm so happy they are here,' I answered. 'Thrilled, really.'

'Yeah? Why?'

'Because I've beaten every single one of 'em in MMA, kickboxing or BJJ,' I stated to laughs from Dana and Piligian. Dana turned to Joe to confirm my record.

'He's ten and zero with all ten by stoppage. He's won the Cage Rage and Cage Warriors belts.' Joe Silva seemed to be a 'yes' vote for me. (When I got to know Joe over the years, he'd tell me I was about to be called up to the UFC anyway, based on my record alone, but he and Dana thought I'd be perfect for the *TUF* series.)

'Who's here today that you beat?' Dana asked.

I rattled off Alex Cook, Ross Pointon and several other names and added, 'I'll beat everyone you've got waiting for me in America, too.'

'See,' Dana said to Piligian. 'What did I tell you about this guy?'

We were told our flights to Las Vegas for the final interview would be booked that night, and we should report to Heathrow Terminal

1 the following morning at 8am sharp. Paul Kelly and Ross Pointon were among the six or seven of us who'd made it through to the final interview process in Las Vegas.

As soon as you land in Las Vegas, it bombards your senses and reaches for your wallet. The airport hummed with the noise of big-screen commercials for the Blue Man Group, Penn & Teller, and nightclubs open until 9am.

We were staying in a smaller hotel a few miles away from the Strip. When in the hotel we were told to not leave our rooms, full stop, unless we were sent for – or we'd be disqualified from consideration for the show.

'So ... we're like prisoners, yeah?' Ross asked.

'Pretty much,' said one of the UFC producers. 'We don't want you guys seeing who the American fighters are – if that leaks out, it hurts the show. Plus, if you make it to the show, you aren't allowed to leave the *TUF* house during the entire seven weeks of filming. You will be driven to the *TUF* gym to train and back twice a day. It is not for everyone. We need to see if you guys can hack it. But that's to come – tomorrow you'll be driven together to do your medical.'

Even though 'doing medicals' doesn't sound thrilling, the first day in Vegas was a blast. We weren't on holiday, but you couldn't have known it from how we were acting. We clowned around in the doctors' offices, in the van and in the restaurants we ate in.

After the blood tests (Hep B, HIV etc. – anything that can be transmitted by blood during a fight), eye tests and the rest were done we were taken back to the hotel and sent to our rooms like naughty kids.

Halfway through the next day I was so bored. The hotel room was closer to what I'd seen in *Leaving Las Vegas* than *Casino*. The television was unwatchable – there are so many adverts on American TV you actually forget what it is you're watching. My sweaty, bland meals were delivered three times a day in black plastic boxes that creaked.

On day three I was so bored I sneaked out for a walk. I was still bored when I got back, so I decided to have a little fun with Ross and Paul.

'Mate,' I began the call to both their rooms, 'the UFC producers are here in my room and they want to film us sparring. You've gotta come here in fifteen minutes – they will take us together to a ballroom or something where we'll spar.'

I pretended to be talking to someone in my room for a second, then added, 'Mate – the producer says warm up in your room so you look sweaty for the camera. They are pretending we've been working out in a gym or something. You've got to come in wearing your fit gear. Shorts, gloves, no shirt, barefoot – and ready to spar right away. Fifteen minutes, mate, be ready!'

Both Ross and Paul showed at my room up 15 minutes after I called. They'd both walked the hallways and rode the elevator with beads of sweat rolling over their stomach tattoos, looking like proper dickheads.

'No way, man, no way,' Ross protested when he found out he'd been had. 'I was in the lift with a mum and her two kids. Daughters, like. She was pulling them close to her like I was gonna kidnap one of 'em. I was trying to tell 'em I was a UFC fighter, like, but I was too out of breath to talk proper. I just sorta breathed at 'em like a horny bull. That really freaked her out, man.'

On the fourth day of captivity, there was a phone call to be ready for the final interview. An hour later came a knock on my door and I followed the producer down the hall, a few floors up in the elevator and into a suite.

There was a circular wooden table with chairs around it. I sat on one side; Dana and the producers were on the other. The final interview went pretty much like the first one, with me giving the producers as good as – or better than – I got.

'Get the fuck outta here!' Dana laughed, telling me I'd aced the final hurdle and was now going to be on season three of *The Ultimate Fighter*.

I went back to my room and called Rebecca.

'I'm in,' I told her. 'Fighting on American TV to get a UFC contract!'

'I knew it,' she said. 'I knew you'd get in – but I'm not sure America is ready for you.'

Paul Kelly didn't make the show. Dana knew he wasn't a real middleweight and the producers didn't know what the hell he was saying in that Scouse accent. He was told to keep winning – as a welterweight – and he'd be in the UFC sooner or later. Paul seemed happy enough with that.

Ross, though, did make the selection. He was told to report back to Vegas as a middleweight. He was childlike in his excitement.

I spent Christmas 2005 at home and trained like a maniac. I was going to be ready to fight on day one of filming. I made the return journey to Vegas just a few days into 2006.

You've probably seen on the show that I was dropped off outside the big Vegas mansion. Most of the other fighters were already in the house and overcome with excitement to be unpacked at a $5million, seven-bedroom house with a snooker table and swimming pool.

My opponents – and that's exactly what I viewed them as – hadn't showed up with the mentality I had. Some of them weren't in condition to spar, much less fight. Others were more impressed by getting on TV than the chance to break into the big leagues of mixed martial arts. We weren't there to 'help each other get better' or 'push ourselves to be the best martial artists we could be', as I heard some of them repeating back and forth to each other like they were in a Nike commercial.

This was *prize*-fighting! And the prize was a literally life-changing contract with the number-one organisation in the sport. There was one of those for the light heavyweights to fight over and one for the middleweights – and the light heavyweight one was going to be mine.

The ones who were there to actually fight stood out. Ross, of course, is the epitome of a scrapper. Then there was Kendall Grove, a 6ft 6in tattooed Hawaiian with a great sense of humour who, somehow, fought as a middleweight. Ed Herman, also a middleweight with a neck as red as his hair, wasn't there to make friends either.

The one light heavyweight I noticed was Matt Hamill, an ox of a man from Ohio with menacing physical strength and impressive wrestling credentials. Hamill was profoundly deaf and clearly used to smashing through life's obstacles.

The other 15 contestants and I were driven early the next morning to the *TUF* gym. We were told to bring our gear. The gym was located at the end of a long cul-de-sac about a ten-minute drive around the I-15 freeway that orbits Las Vegas and its surrounding suburbs.

From watching the first two seasons on British television, I thought the *TUF* gym was right next to the Palms Casino. It was actually over a mile away, at the end of a lane in a business sector.

Were it not for the big production truck parked outside, the *TUF* gym would not have stood out at all from the rest of the white commercial units that surrounded it. Inside, though, was a different story.

The main space was part TV studio with rigs throwing dramatic light and shadows from the rafters 30ft up; part high-tech MMA training facility with rubber-covered mats, brand-new punching bags lined against one wall along with raised platform treadmills, bikes and stepmasters; and, finally, part fight arena – the Octagon, the real, UFC-approved Octagon – was at the far end of the rectangular room.

The walls were stark yellows and deep blues – colours that 'pop' for the cameras. There were banners hung from the walls featuring images of legendary UFC fighters past and present.

There were cameramen pointing metal and glass tubes at us from every angle. The producers needed to capture every interaction and word spoke by all 16 of us.

Dana was there and gestured to two men walking towards us: 'Meet your coaches, Tito Ortiz and Ken Shamrock.'

Dana informed us that light heavyweights would immediately train with Shamrock and his coaching team. Then we'd be back the day after to train with Tito and his people. From those two evaluation sessions, Shamrock and Tito would get an idea of who they wanted on their specific teams.

'Middleweights? Get outta here!' Dana yelled. 'Light heavyweights – warm up!'

Ken Shamrock was one of the OGs of the sport. Already a UFC Hall of Famer, he had competed at the very first UFC event in November 1993. He was action-movie muscular and had parlayed his early-era Octagon success into a big-money run with the WWF pro-wrestling circus. He'd yo-yoed between wrasslin' and MMA for the next decade, absorbing the worst kind of injuries associated with both. By the time of his fourth – and final – return to the UFC in 2006, he was 40-something. A faded force as a fighter, out of touch as a trainer.

'I don't do no BJJ stuff,' he said, with the complacency of a man who'd decided there was nothing more to learn. 'I am a brawler and a leg-lock guy.'

Team Shamrock's evaluation process consisted of a bunch of unstructured sparring that Ken watched dispassionately from afar, then 300 press-ups, 300 sit-ups and 300 squats followed by 'feats of strength' tests that had no relevance to the sport of MMA.

The contrast with Tito's evaluation session the next day couldn't have been more pronounced. Tito was 11 years younger than his bitter rival and only two years removed from his record-setting reign as UFC light heavyweight champion. Anxious to get first-hand intel on our abilities, Tito rolled with each and every one of us.

I made an impression by catching him with an old-school armlock I'd used since I was a child. Tito tapped and we continued to roll. He used a great sweep on me and, after we'd finished, made sure to demonstrate it at half-pace. That was training with Tito Ortiz – no ego, just a guy with a ton of knowledge he clearly intended to share with whoever made it onto his team.

And Ortiz's assistant coaches were also amazing to work with. Dean Lister, I knew, was a BJJ world champion who had won several MMA titles and recently signed to the UFC. The chance to spend almost two months training with Lister alone was an amazing opportunity. The third man on 'Team Punishment' (named after Tito's branded clothing line) was a hugely respected striking coach named Saul Soliz. I completely 'clicked' with Saul during my 15 minutes on the pads with him.

After a day of training with each coach, there was no doubt in my mind that I wanted to be picked for Tito's team.

On the third day of filming, that's what happened. Ortiz won the coin toss to get first pick and went for Matt Hamill. I was the second pick, but was happy enough to leave there safely on Ortiz's team.

Team Punishment began training twice a day the next morning. We were picked up at 9:15am and all driven together to the *TUF* gym for a 10am session. Team Shamrock would be arriving as we left at noon and trained until 2pm. We'd go back to the house to eat and rest up and then be back at the gym at 4pm for another two hours. Team Shamrock's second session was 6pm to 8pm.

We trained seven days a week. For the entire seven weeks of filming, I think Tito gave us maybe three afternoons off. It was intense but I'm immensely grateful to have been given that opportunity – it was transformative for me as an athlete and fighter.

The level of the tuition, the precision of the drills we were put through and the knowledge Tito, Dean and Saul were sharing was a revelation to me.

Broadly, Saul was the striking coach, Dean was the submission coach while Tito was the wrestling coach and handled most of the strength and conditioning. All three knew where their speciality intersected with the others and how best the different aspects of MMA could be welded together in the strongest way.

I became aware there was a stigma of sorts about British MMA fighters. There was no denying British MMA was years behind the US, but some of the Team Shamrock light heavyweights were quietly dismissive of my chances.

Then Kendall beat Ross pretty easily in their quarter-final fight.

*See, see?* guys like Mike Nickels and Kristian Rothaermel snickered. *These British guys can't get it done in America. Bisping is just cocky – that's not real confidence.*

I just sort of looked at them and smiled. I wasn't Ross. Kristian Rothaermel would find that out himself – he was my quarter-final opponent.

The day of my quarter-final arrived and I couldn't wait to get to the *TUF* gym. To encourage the flow of conversation for the cameras, the producers had the two fighters who'd be in action travel to the gym with just one teammate. Kendall and I had quickly become mates and so I chose him to drive with me.

'Five grand, coming my way,' I told him in reference to the $5,000 bonus which was paid for every stoppage victory scored on the series.

'You got this,' he said.

The rest of Team Punishment and our coaches were already at the gym. Saul taped my hands in our team dressing room. The referee came in and reminded us that, during this season of *TUF*, the fights in the gym were scheduled for two five-minute rounds. 'In case of a draw after those two rounds, you will be returned to your corners and commence a third round fought under sudden victory rules.'

The clunky term 'sudden victory' was used in place of the actual name of such a sporting situation – sudden death. There hadn't been a serious injury in MMA to that point, but no one was looking to tempt fate.

Tito reiterated the plan: 'Get him tired, then get him outta there.'

On Tuesday, 17 January 2006, at *The Ultimate Fighter* gym, 19–21 Complex Drive, Las Vegas, Nevada, I stepped inside a UFC Octagon for the first time for a fight.

To ensure bouts could fit into *TUF* episodes uncut, most of the ceremonies associated with professional fights were stripped down or cut out completely. There was no MC, no walk-out music and, the biggest difference, no crowd except for the two teams, coaches, Dana and a few UFC staff and the production team.

I stormed out of the dressing room to the Octagon first. Tito and the coaches kept pace a few steps behind me. My teammates shouted and clapped encouragement as they took positions on one side of the cage. Then Rothaermel entered the Octagon. He looked like he didn't want to be there.

*I'll soon get you outta here, mate.*

I knew from the Shamrock evaluation that I would have a big edge in stamina so set a fast pace. He took me down a couple of times and went for the submissions he favoured. But I'd escape, and he couldn't match my striking. Two minutes in, Rothaermel was hurt, bleeding and tired. I could hear him snatching for air as I spiked elbows in him on the ground. I stepped away, forcing him to use his last ounce of energy to climb back to his feet. Then I slammed home a right cross that ended the fight. The cheers from Tito and Team Punishment were immediate and loud.

'As usual!' I made the point of saying loud enough for the light heavyweights to hear. American opponent? American soil? Didn't matter – same result.

# CHAPTER SIX
# TUF TIMES

There was a difference in the house after that fight. I didn't hear any more whispers about how being the best in the UK 'don't mean shit in America'. The relentless aggression I'd showed against Rothaermel spooked the Team Shamrock light heavies. The gossip in the house was now that the 205lb contract would be going to whoever won the inevitable clash between me and Matt Hamill.

Having trained with and against Hamill for several weeks, I'd already reached that conclusion.

After twenty years of training and a desk drawer of gold medals in both Greco-Roman and Freestyle, Hamill's wrestling ability was substantial. During the first weeks of filming, he'd been able to literally shrug off the rest of Team Punishment's takedown attempts without using his hands.

Ortiz obviously expected Hamill to win the light heavyweight tournament. Before adding me to his team Tito had said, 'Every great champion needs a great training partner.' That was hurtful to a young fighter like I was – a mess of pride and insecurity. It's easy to recognise now: I was jealous. I looked up to Tito – he was the man – and it stung that Hamill was getting more one-on-one time than me.

Hamill was also dangerously aggressive in training. He recklessly injured several teammates by going much harder than was prudent for guys hoping to fight twice inside six weeks. And it wasn't Matt's deafness – even after the producers hired a full sign-language interpreter, he would still go 100 per cent when we'd all clearly been instructed to go 40 per cent.

The producers of the show need to craft narratives, of course, but the reality was Hamill was roughed up in sparring, too. Kendall rocking him with a right had made the final cut but there were several occasions where myself and others would give Matt a receipt for an earlier transgression of training etiquette.

Then there was the incident where Matt and I were drilling armbar escapes. Matt – again refusing to acknowledge the difference between drilling and fighting – refused to concede he couldn't escape and instead yanked his arm out at a crazy angle.

The resulting injury to his right elbow was a factor in Matt's unimpressive points win over Mike Nickels. Matt's kickboxing had remained battering-ram crude and he didn't seem to be improving his striking at the rate I was advancing my wrestling. Nevertheless, I had no doubt in my mind Hamill was the only guy who could stop me from winning the whole thing.

Then came the news that the medical team wouldn't clear Matt to fight in the semis. Hamill was out of the competition.

With Matt medically prevented from competing, the UFC needed to bring back one of the eliminated Team Shamrock light heavyweights. As shown on the series, Tait Fletcher and Kristian Rothaermel both refused the opportunity to fight me.

The identity of my new semi-final opponent was revealed to me on the floor of the gym. Both teams were in line-up along the outside of the blue mats like every other fight pick. I was stood next to Team Punishment's Josh Haynes, who'd reached the semis by out-willing Fletcher; across from us stood Jesse Forbes, Mike Nickels, Fletcher and Rothaermel.

All four of Team Shamrock's 205ers had lost their quarter-finals, but two would be invited back to replace Hamill and Team Punishment's Noah Inhofer, who quit the show because of some girlfriend nonsense.

Dana and the coaches walked to the centre of the mat and we got the full story from the UFC president. One part motivation discourse, two parts full-on bollocking, Dana launched into one of his patented speeches:

'Alright, we're in a situation where Matt Hamill can't return. Mike [Nickels], unfortunately you have a broken nose so you can't return to the competition. I'd be lying if I said I wasn't disappointed with what I heard today [Fletcher and Rothaermel refused to fight me]. I'm fucking shocked and disappointed. But I know somebody who'll take this fight with Bisping. I know someone who'll come in and give his all.

'The first fight on Thursday will be Jesse and Josh ... And the second fight will be on Friday ... and all I got to say is, thank God for fucking England.'

The door opened and there he was.

*This guy! This crazy, utterly fearless fucking nutter!*

'COME ON, ROSS!' I shouted, and I grabbed and hugged Pointon like a long-lost brother. 'You've got some fucking balls, mate!'

His big smile flashed his gold tooth. He flexed his arm tattoos.

Everyone in the room – me, Dana, Shamrock, Tito, Jesse, Josh and the production people you can't see when you watch this episode back – were smiling and laughing. Ross's excitement to be back was infectious. All of us were so happy for him, a guy who genuinely, passionately loved the sport and whose blind courage was really easy to admire.

My pride and excitement for Ross wore off in the van ride home. It was me he was fighting, and me who was going to have to break his heart.

Can you imagine being so mind-numbingly bored that a visit to the doctor's sounded like almost hedonistic debauchery? Neither could I, until the fifth week of filming *TUF*.

I'd become good friends with Kendall – we are close mates to this day – but we'd all run out of things we wanted to say to each other after a month of living in each other's pockets. Cabin fever had set in. Our communication had become limited to points, nods and the occasional inarticulate grunt. It was like we'd been poisoned and were slowly turning into Yoel Romero.

Being unable to contact my family was really taking a toll on me as well.

So, I concocted a little scheme. Fighters who complained of injuries were quickly taken out of the house and to whatever Las Vegas doctor specialised in the type of injury they had. Not wanting to alarm the producers, I claimed I had sprained my ankle and would like it medically checked out.

The show took zero chances with fighter health, and I was booked an appointment the very next morning. As I hoped and suspected, no camera crew was assigned to my little day trip. It was just me and a driver. I softened the poor guy up with a couple of jokes and small talk about his own family and then: 'It's killing me, not been able to speak to my family for this long. Could – could you give me your cellphone so I can call home? Just one minute, just to hear my kids' voices this once.'

The driver eventually relented. 'One minute!' he said. 'I'll be in deep shit if anyone finds out this happened.'

I dialled Rebecca. She picked up and was thrilled to hear from me. Having already broken one of the clauses on my *TUF* contract, I went right ahead and broke another.

'I won my first fight two weeks ago and I'm fighting in the semi-final in four days,' I told her. 'Get this – I'm fighting Ross! Ross Pointon!'

She knew what that meant.

'You've got this,' she said.

I got the chance to hear Callum and Ellie's voices. It was a huge boost for me. A reminder of why I was actually lucky to be going stir-crazy 6,000 miles away.

Whatever Tito Ortiz said when he picked me, after working with me twice a day, every day, for six weeks the UFC legend had this to say: 'Michael Bisping has a huge opportunity to be a great fighter.'

I believed it more than ever. I'd reported to the *TUF* gym in January in the best shape of my life. Six weeks later, I was three times fitter than that. I'd added a dimension to my cardio that I barely knew existed. My striking had improved, my submissions too, and I'd gained a solid foundation to build a wrestling base upon. More than any of that, I'd worked with the best of the best and confirmed to myself there was no massive gulf between them and me. I was ready to leave the UK scene behind and fight my way through the UFC ranks.

Ross was four inches shorter than me, had a shorter reach and, since his loss to Kendall three weeks before, had barely trained. He would be short and static in the Octagon – so I drilled flying knees for three days straight.

Referee Big John McCarthy signalled the fight to start and I went after my place in the final, firing a kick to the body and punches to the face. I ran into a hard right-cross counter from Ross. It snapped the back of my head into my shoulders at a weird angle. I disengaged, shook it off and calmed myself down.

'That's the last one you're getting,' I told Ross.

Shamrock was yelling for Ross to move around but my mate had the right idea: he stayed put, planted his feet and conserved what energy he had until I got close – then he swung for my face with all his might. He missed – by miles – with almost everything as I tore away at him with bursts of punches and kicks to the body. Then I launched into a flying knee – it thudded against Ross's chin.

He tried frantically to escape my follow-up attacks. He absorbed everything he could – but it was all over. I'd done it. I was in the final. I celebrated with my coaches as the reality of reaching the finale sank in.

Across the other side of the Octagon, Ross's heart was breaking clean in two. As I knew it had to.

'Come here,' I said, embracing him.

'I wannabe a fighter,' he cried into my shoulder. 'I ... I just wannabe a fighter.'

I peeled him off my shoulder just far enough that I could look him in his eyes. 'Ross! Ross, listen! Listen to me ... you *are* a fighter!'

Tito joined me in consoling my countryman. 'No one else had the balls to step up! Head up – be proud! You are a fucking warrior!'

Ross's courage earned him two fights on the official UFC roster. He retired years later with a 6–17 MMA record. Ross had dreamed bigger than fighting on the UK circuit – his life's ambition was to be a UFC fighter. No one can ever take away that he was exactly that.

My own ambition was bigger. I'd left the Rosses and cage rage warriors behind me and was about to step onto the biggest stage in the sport.

It seemed like I'd only been back in the UK for five minutes when a UFC camera was trained on me once again, this time following me, Rebecca and the kids around for three days, getting 'day in the life' footage that is so vital in connecting fighters with their audience. Then a British TV crew began filming a documentary for the UFC's UK broadcast partner Bravo (remember that channel?).

As the episodes of *TUF 3* began to air on both sides of the Atlantic, I began to see glimpses of what life as a UFC star would look like: an interview with an American magazine here, a photoshoot for a sponsor, the occasional request to sign an autograph while shopping in Manchester. That was all nice, but the doors opening in front of me would be slammed shut if I didn't beat Josh Haynes on 24 June back in Las Vegas.

I applied everything Team Punishment had taught me while training at the Liverpool gym, which I now knew for sure was leagues below the type of training Josh was getting at the famed Team Quest in his native Portland, Oregon.

In early June I was back in Vegas. I was training with Paul Kelly and a few others from Liverpool along with Canadian Sam Stout and Georges St-Pierre. Stout was headlining the 24 June finale event at the Hard Rock Casino while 'GSP' – already considered one of the sport's super-talents – was helping his friend prepare. I got several useful sessions of grappling with both.

Less useful was the torn ligament in my left knee I suffered 14 days before the showdown with Haynes. I was in front of a sports doctor the next day, who assured me that despite the pain, the only performance impact would be a slight decrease in stability on that leg. It was gonna take more than that to stop me.

Besides, the documentary show had hired out a 1956 Cadillac convertible for me to drive and I was due to pick Rebecca up at the airport. She loved it. I threw her bag in the back seat and my arm around her shoulder on the big wide seat and we cruised down the Strip like we were in a movie.

It's all coming right, I was showing her.

Josh Haynes was a tough, determined guy who was fighting, not unlike me, to provide a better life for his family. While I meticulously refused to underestimate him, I'd gotten the better of him every single time we'd sparred as part of Team Punishment.

Those memories buoyed my confidence ... until the day of the fight.

The pressure to win locked my shoulders tight. The dressing room at the Joint in the Hard Rock Hotel was tiny, airless. The walk from backstage to the Octagon was short. The TV lights above the cage were startlingly bright and hot. I felt I was going to faint. I paced the canvas, searching for breath.

My coach yelled through the fence, 'Deep breath! Take a deep breath!'

I did. I drew in several long draughts of air and on each exhale I felt a little of the tension ease out of my upper body. The fight was only seconds away but I was almost ready.

Then someone from my corner shouted, 'Remember! Everything you want in life depends on this fight!'

My stomach churned. Referee John McCarthy gave final instructions. The fight began.

Haynes surged forward with a right. I threw him over my right hip and followed him to the ground. I roughed him up with ground and pound, which settled my nerves. He used the cage to get back to his feet and I shot a knee into his gut. Josh swung another right hand. I landed a cross of my own. And another. We brawled against the fence and a battle of skill and will began.

Josh was willing – but he lacked the variety of skills I'd developed. I Thai-clinched his skull and sailed my right knee into his chin, dropping him hard on the seat of his pants. In a massive rookie mistake, I wasted two halves of a second waiting for the ref to stop it. He didn't – and instead Josh had time to scramble forward with a desperate takedown attempt. I kneed him again – but his hand was on the floor. The second knee had been illegal.

Big John directed me to a neutral corner to admonish me.

'You kneed him when he had a hand down – that's illegal.'

'He was out!' I wasted energy protesting.

'He wasn't out. Don't do that again.'

Haynes was recovering across the cage. I had to shake my head clear of thoughts of having won the fight.

The fight restarted and I went after my opponent with knees, elbows, big right hands, kicks, slams. Josh Haynes's face was red with blood, a strange contrast with his pale skin and neon-blue Mohawk. But he was still game. This was a man inspired to fight after his young son had defeated cancer – he had no quit in him.

In between rounds Josh's right eye had closed and he was noticeably more tired than the previous round. He was easier to control in the clinch and I could get him to the ground at will. He refused to tap to several close submission attempts – but fighting me off leached energy out of him. Three minutes into the second round I beat him in a scramble and began a hailstorm of strikes while he was on the ground. He desperately got to his feet and I dropped him again with a left uppercut. I poured on the punishment but Josh still wouldn't signal surrender. I let him get up and decked him again. This wasn't defiance, this was denial. It was now the referee I was appealing to. I was unrelenting and, with 47 seconds left, McCarthy finally rescued my opponent from his own courage.

I collapsed with a smile on my face. I was the Ultimate Fighter.

In the crowd of 3,800 fans, my dad and Rebecca were hugging and celebrating with 20 more family and friends who'd flown ten hours to support me.

Doing guest commentary on the broadcast, Tito Ortiz said, 'Bisping was the most vicious 205er, the most technical and the most skilled out of all of them. Too bad I didn't see that when we first got a chance to train – but he is *The Ultimate Fighter* light heavyweight champion.'

For the first time in my life, Bruce Buffer, known then and now as the Voice of the Octagon, announced that I'd won an official UFC fight for the very first time. '… for the winner by TKO – and now – the new Ultimate Fighter to receive a six-figure contract with the UFC – MICHAEL "THE COUNT" BIS-PING!'

Then another first. Joe Rogan, the UFC's colour commentator, conducted an interview with me. 'This is an absolute dream come true. Josh showed great heart. The first round – the knee – I thought he was out cold. I stood back to admire my work. My mistake. The guy's got phenomenal heart.'

'I think we're gonna need some subtitles,' Joe said, referring to the text that accompanied every utterance I'd made on the series.

Then Dana White was on the microphone to present me with my trophy.

'Michael Bisping, on behalf of your coaches, Lorenzo Fertitta, Frank Fertitta, myself, congratulations! You are the Ultimate Fighter! You get the six-figure contract with the Ultimate Fighting Champions and you also get this Breitling watch.'

The glass trophy was nice but the watch – called a Breitling Avenger Seawolf – was a profound physical representation of what I'd achieved. It cost more than any car I'd ever owned. It was a token that the sacrifices we'd made as a family were paying off, and a promise there was more to come.

Rebecca and I took the kids on a holiday in the summer of 2006. It felt earned, a reward for all the time we'd spent apart. The UFC contacted me about fighting a BJJ expert, Eric Shafer, in early November and I began to train for that. Life began to settle into a rhythm as a UFC fighter.

Then a letter from United States Citizenship and Immigration Service dropped on my doormat like an atomic bomb.

Under INA section 212(a)(2)(A)(i)(I), 'previously convicted of a crime involving moral turpitude', my request for a US Employment Authorization Document works visa had been declined. In fact, I was banned from ever travelling to the United States again.

I fell apart in the hallway. My UFC career was over.

## CHAPTER SEVEN

# VISA PROBLEMS ... AND SOME OTHER THINGS

Rebecca had retrieved the US Immigration letter from where I'd flung it. She read all of it – which I clearly had not – and showed me the line where it clearly stated I was able to appeal the decision.

Two months later I was sat at the kitchen table. It was about 10:30 on the night of 2 November 2006. The kids and Rebecca were all upstairs asleep and I was left with a cup of tea for company. I've never been a worrier, but the US works visa situation was obviously on my mind. There had been no updates from the immigration attorney I'd hired and nothing from the American Embassy.

My management and I had not heard from the UFC in several weeks, either. I imagined they were pretty unhappy their new *Ultimate Fighter* winner was in limbo. After all, what's the point in an American fight promotion promoting a fighter banned from America?

This waiting around and uncertainty was draining. I'd had no real income since June. That evening, I'd broken the glass and used the 'emergency only' credit card to pay for another week's petrol to get to the Liverpool gym and back. We were on our way to being broke again. After all that training, 13 fights (13 wins! all inside the distance!) and giving up months of time with my family– after all of that – we were falling backwards to square one.

The Breitling Avenger Seawolf was on my wrist. I'd barely taken it off since June. I had daydreams of giving it to Callum when he grew up, and him giving it to his son or daughter. Maybe my grandchild would feel something of the sort of pride I felt when my old man first told me about Grandad Andrzej riding out to face the Russian invaders.

I wondered if I'd have to sell it.

As if to answer that gloomy thought, my phone began buzzing. It was a '001-702' number. A Las Vegas number. If I was nervous when I answered, my heart skipped a beat when I heard the voice speaking from the other side of the world.

'Bisping? Dana.'

*Oh, shit. This is it.*

'Hi, Dana. How … how's it going, okay?

'Good, buddy. Listen, we haven't been able to book you a fight since June …'

*Oh, here we fucking go …*

'… so how are you doing for money?'

*Huh?*

'Money? Err, yeah, things are tight. I'll be happy when I fight again, that's for sure. But, yeah, no, I'm doing alright.'

Dana said as soon as I was able to come to the US, Joe Silva would be arranging a fight on a 'big show'. Then we had a brief chat about the upcoming *UFC 65* fight with Georges St-Pierre challenging Matt Hughes, the dominant UFC welterweight king who'd repelled GSPs challenge before. I was again struck by how much Dana sounded like an everyday fan when he talked about the big fights.

There was a pause in the conversation.

'Listen, I'm sorry about all this, Dana.'

'What you talking about?'

'Y'know, the visa and everything . . .'

'Don't worry about that,' he said. 'We all do stupid shit when we are kids.'

Three days after the call from Dana, a thin US cheque for $10,000 was delivered to my home. Paper-clipped to the front was a handwritten note:

*Get your kids something for Christmas. See you soon – Dana.*

That cheque was a turning point. I felt supported and understood by the people I worked for. The cheque had barely cleared when the postman delivered more good news: upon appeal, the American Embassy had approved my visa to travel and work in the United States. The relief I felt with that piece of paper in my hand was unreal.

There was more good news – I would be fighting again in 2006. The UFC rapidly rebooked the Schafer showdown as the opening bout on the massive five-fight *UFC 66* pay-per-view event. Scheduled for 30 December in the 16,000-seater MGM Grand Garden arena inside the city-like MGM Grand hotel, the end-of-year bonanza was going to be headlined by the long-awaited rematch between Chuck Liddell and Tito Ortiz.

Moving from the *Ultimate Fighter 3 Finale* to the main card of *UFC 66: Liddell vs Ortiz II* was like going from a town-hall gig to opening up a stadium for Guns N' Roses. Tito had wiped the floor with Shamrock over the summer and was now rematching Liddell in a fight that had captured the imagination of fans and media far outside the Sherdog.coms of the world. *UFC 66* was going to be a massive, pivotal night for the entire sport – and I was going to be part of it.

After taking off from Manchester at 10am I spent ten hours on a packed Virgin Atlantic Boeing 747 before landing in Las Vegas at 2pm, local time, on Sunday, 17 December 2006. As predicted by my lawyer, rather than getting rubber-stamped through customs like everyone else, I spent over 90 minutes in the company of the thorough officers of America's largest law enforcement agency, the Customs and Border Protection (CBP). Who cared, though? I was just relieved to be back in America and the Fight Capital of the World.

There was no information as to which carousel my suitcases would have come out on, so I had to stomp around the entire Baggage Claim – while under heavy audio/visual bombardment from commercials to go see a Céline Dion concert – until I located them. Snatching the handles, I dragged them out backwards through the doors before my ears could again be molested by the shrieks of that fucking sinking-boat song.

Few people who've been caught outside in the furious sunrays of Las Vegas's summer can believe it, but it gets surprisingly cold there in the winter. I pulled my hoodie up as I stood in line for a taxi. The neon lights of America's playground for grown-ups flashed off the cab's roof. I wasn't heading towards all the action for another week, though. I directed the driver to drive right through the strip and four miles along the Interstate 15.

The UFC provides rooms for fighters and cornermen during fight week, but my team and I agreed we needed to get out here a week before that to fully acclimatise. My manager would be arriving two days later along with my striking coach Tony and a much-needed sparring and running partner. A California jiu-jitsu world champion named Kazeka Muniz had been drafted in to help sharpen my submission defence. He was to meet me at the hotel right away.

The hotel we were staying in until 26 December was located off Interstate 15 on Sahara Avenue. Set among petrol stations and plain office buildings, the Palace Station had offered bingo and a buffet to Vegas locals since 1976. It was the oldest of the Fertitta family's 16 casinos, but was literally walking distance from the basement gym under the UFC offices. That gym would be my training camp until I could move to the MGM Grand the day after Christmas.

Muniz had arrived before me and checked into the twin room we'd be sharing. He was a smaller guy, with an accent drifting between Brazilian and Californian, sometimes within the same sentence. He was an outstanding BJJ coach but soon revealed himself prone to mood swings. We were total strangers, thrown together: working out, eating together and sharing a small hotel room . . . I could have done without him making it even weirder.

After 48 hours glued together, we both were looking forward to the Liverpool team arriving so we had other people to talk to – and I could bunk in with Tony.

But I didn't see the Liverpool crew that week. Instead I'd get a daily text or telephone call from my manager stuffed with 'dog ate my homework' excuses. Every day, Mr Liverpool would insist flights were booked. The day after he'd admit they weren't – but they would be booked that day.

Miffed, I took full charge of my own training. I ran the hotel's 16-storey staircase every morning, repeating the lung-busting drills

Tito had put me and Team Punishment through six months before. I made full use of the basement UFC office gym, hitting the UFC logo on the black heavy bag with jabs, hooks and crosses at a pace I knew would overwhelm Shafer.

Then, luckily, Forrest Griffin appeared in the UFC office gym. We were having a bit of a chat when he asked why I was training alone. In no mood to bullshit the guy on behalf of a bullshitter, I told him.

'I've had no sparring since I left England,' I finished.

'Wanna spar? I'm going to Xyience now,' Griffin said. 'There's a few guys, Mike Whitehead, Jay Hieron. Decent group. I'll drive.'

He didn't need to ask me twice.

The Xyience Training Center was a small gym in a strip mall on South Tenaya Way. (A strip mall, to the disappointment of many pervy tourists, is what Americans call a row of shops.) The rectangular space could easily have been used as a DVD store, a grocery, a shoe shop or anything else. It's long since shut down, and is probably now a Starbucks.

Forrest was fighting Keith Jardine at *UFC 66*. He and I were both competing on the night as light heavyweights but Griffin was enormous compared to me. He was also a very hard worker in the gym and our sparring session (in the middle of the mats – the gym had no cage or ring) was intense. Some of the guys working out stopped to watch us go at it, but we kept it professional and well under control.

Afterwards, we grabbed lunch together and Forrest then dropped me off at the Palace Station.

As happy as I was to have had some great sparring finally, at the same time I was even more pissed off that my own team was AWOL. I dialled England again. 'When are you going to get here?'

I demanded of my manager, who was still at home in Liverpool on the Saturday before *UFC 66*.

'It is Christmas Eve tomorrow, so, y'know . . .' my manager began as if the steady progression from 17 December to 24 December was both unanticipated and personally inconvenient. 'We'll have Christmas here and be in Vegas on Boxing Day. The flights are all booked, nice and cushy. We land early afternoon and we'll train yer that night.'

'I've been here six days without a proper striking coach to hold pads,' I said. 'The fight's just a week away now. I should have been sparring all week.'

'Don't worry. It'll be cushy. We will be there on Tuesday.'

Christmas Day 2006 was thoroughly depressing. I never thought I'd spend Christmas away from my kids, but instead of watching the excitement on Callum and Ellie's faces and having a turkey dinner with my loved ones I was alone in an aging casino, watching the dregs of Las Vegas stuff banknotes into slot machines.

Everything changed on Boxing Day.

As the official host hotel for *UFC 66*, the MGM Grand was already buzzing when we took a cab over in mid-morning. *UFC 66* had taken over the place. There were Liddell and Ortiz banners hanging from the tall ceilings of the busy lobby. UFC T-shirts were flying out of gift shops and onto the backs of every third guy you laid eyes on. The giant 25ft screens behind the jet-wing-sized front desks pumped out a *UFC 66* ticket commercial into the eyes and ears of everyone checking in. And Chuck and Tito's images glared at each other across customised velvet poker tables.

If you include the surrounding hamlets and farms, Clitheroe has about 14,000 residents. The MGM Grand in Las Vegas has just under 7,000 hotel rooms, average occupancy of which is 1.8 people. Add the hundreds of hotel staff, restaurant workers and an army of maids and cleaners, and the MGM can easily house the entire population of the town I'm from. And next door is another hotel almost as big. And next door to that another one. And another. And another. I've never got used to Las Vegas.

My comp'd room on the 17th floor had a walk-in shower, a king-size bed, a three-seater couch, a leather-topped writing desk and a dresser that contained a 70-inch TV. After eight nights sleeping a side table away from a sourpuss submission instructor, I'd have been happy with a mattress and a sleeping bag – but this was more like it!

As instructed, I reported to the temporary UFC office to pick up my per diem and fight-week schedule. The office had been set up in a large function room just yards away from the entrance to the Grand Garden Arena itself.

I couldn't resist it – I ducked into the arena and walked into the centre of the floor where the Octagon would stand four days later. I turned around slowly. Every one of the 16,800 emerald-green seats that stretched out from the floor to the rafters would have a person in it when I fought.

Beyond excited, I rushed back to my room. I was bursting with nervous energy and wanted to train as soon as Tony and the others were ready. I tried to call their rooms. The hotel switchboard operator insisted no such people were checked in.

'Sir, I have no record of any bookings for any of the names you've provided me,' the nice American lady on the phone said. 'I've searched as far as January fifteenth – nothing. Is it possible your friends are in another Las Vegas property?'

'No,' I said. 'Thank you, though.'

'You're welcome, sir. Is there anything else I can help you with today?'

Unless she weighed 200lb and could hold pads, there really wasn't.

In disbelief, I called my manager's mobile, fully expecting another blizzard of bullshit from him. The dial tone confirmed he was still in England. Then it went to voicemail.

My manager didn't call or return texts until several days after I got back from America.

But Rebecca arrived on 28 December. She was all the support I needed.

The *UFC 66* weigh-in was attended by more fans than had ever attended any of my fights. Over 4,000 fans piled into one half of the Grand Garden Arena to see the 18 fighters hit their poundage mark and pose in their shorts.

The other half of the arena was kept out of the fans' view, behind a giant curtain. UFC floor manager Burt Watson directed me and Kazeka through a partition in the curtain and to a section of seats.

'Sit here until called for, baby,' said Watson. He was an African-American who'd gone from the military to managing boxer Joe Frazier. He described the job he did for the UFC as 'babysitter to the stars'.

In contrast to the noise and brightness of the stage area, backstage was so dark the Nevada Athletic Commission had bankers' table lights set up so they could see the paperwork every fighter had to complete. Next to the paperwork desk was a small curtained-off booth where each fighter was taken one by one for a final medical and eye exam. Next to that was another table with bankers' lights where we chose the gloves we would fight in.

The emerald seats all around us looked black in the dimness. And finally, in the middle of the floor like it was waiting in the shadows, was the Octagon.

At 4pm Joe Rogan, live mic in hand, burst into view of the fans and skipped up the stairs to the stage. 'LADIES AND GENTLEMEN, WELCOME TO THE OFFICAL U-F-C SIX-TEE-SIX WEIGH-INS!'

He was joined on the stage by Watson, Joe Silva, the Octagon Girls and the Nevada Athletic Commission boss Keith Kizer. One fighter after the other walked out, weighed in, and hammed it up with his opponent for the cameras.

This ritual repeated with a rising sense of anticipation until, 15 minutes in, Rogan announced, 'NOW FOR THE MAIN CARD OF *UFC 66* – LIVE ON PAY-PER-VIEW …'

It was Eric Shafer's turn. My opponent was wearing green shorts that, with his bright-red hair, made him look very festive indeed. The biggest stars in the sport – Andrei Arlovski, Forrest, Tito and Liddell – were in line behind me but my eyes lasered on Shafer's back. He looked big, strong. And then he was told to walk and disappeared through the curtain.

Rogan's voice boomed again: 'TWO-OH-FIVE FOR ERIC SHAFER! AND … HIS OPPONENT FROM THE ULTIMATE FIGHTER … MICHAEL "THE COUNT" BISPING!'

'Go, Bisping,' said UFC staffer Liz Hedges. I stepped through the parting in the curtains – into a shower of cheers. I was taken aback for a second. I wasn't expecting that sort of response. The previous nine athletes hadn't got those sort of cheers – but that was the power of *The Ultimate Fighter*. The show had placed me in the fans' living rooms every week for three months.

They hadn't merely seen me win fights, they'd seen me miss my family, tell anecdotes and jokes to pass the time and even make a bit of an arse of myself. They'd seen enough of me to know a little of who I was as a person – and they'd decided they liked me.

I managed the walk up the stairs to the stage without tripping but I'd made a rookie mistake in electing to wear a sweater, tracky bottoms, trainers and, who knows why, even a baseball cap. It took me forever to strip down. I'd noticed the other fighters would hand their clothes to their cornerman – which is the whole reason we go up there with a cornerman – but Muniz stood there with his hands in his pockets. I rushed to pile my clothes up on the floor while Dana, the Who's Who of the UFC and 4,000 strangers watched me.

Exhaling and stretching out my arms, I stepped on the scale.

'Two-oh-five!' Kizer said.

'TWO-OH-FIVE FOR MICHAEL BISPING!' yelled Rogan.

Stood there in only my underwear, I scrambled to pick up some of my garments from the ground (Muniz's hands remained pocketed), but apparently I'd already held the show up too long already.

'Mike!' Dana shouted.

I dropped my tracksuit bottoms and posed off with Shafer in my underwear. You'll forgive me, but I didn't attempt any sort of banter or intimidation tactics on account I felt kinda awkward with my arse squeezed into compression shorts. Shafer and I shook hands and the formalities were over. He exited stage right while I gathered up my garments.

After reaching the backstage area I retook my seat. I vaguely noted every other fighter was ecstatically excited to be drinking and eating.

'Dana will be here in thirty minutes for the fighter meeting,' UFC vice president Donna Marcolini shouted to all the fighters. 'All fighters and camps – remain here for the fighter meeting.'

Then Donna approached me and asked if I had a CD with me. I looked at her like she had two heads.

'A CD,' she repeated. 'For your walk-out music? Your manager would have been told to bring one with whatever song you want played as you walk out to fight.'

It was the first I'd heard of it, I had to tell her. My managers hadn't shown up for two weeks. I'd not given a second's thought to walk-out music. I was brand new to all of this, sorry.

'Dana will pick something for you,' Donna said. 'Don't worry.'

The *UFC 66* fighter meeting was held about half an hour after Chuck and Tito had weighed in. All the fans and most of the staff had left and the arena was even darker, and quiet except for the periodic *Beep! Beep! Beep!* of an articulated crane slowly carrying large spotlights into the rafters above the Octagon.

The other 17 fighters who'd be fighting the following night all sat in the first six or seven rows of the risers. Most fighters had one or two coaches with them, and each mini-team was spread out from the others. Particular care had been taken to avoid close proximity with opponents.

The new kid in class, I sat right at the front. Rory Singer apparently wanted to make a similarly good impression and sat right next to me. After a few minutes, Dana and Joe Silva came over to us. They went over a couple of house-keeping regulations (a holdover, probably, of the days when different MMA organisations had slightly different rules) before getting into the real reason for the gathering.

Dana put both fists down on the long table the Commission had used an hour earlier. The UFC president leaned forward and began to fire us up.

'Tomorrow night's your night,' he said to one and all of us. 'Go out and fucking shine. Win! Fucking win – but win exciting! Let it go! Don't be sitting at home next week and be going, "Oh, fuck! I should have let it all hang out – I should have let it go." Let it go!'

I was already nodding away – but Dana wasn't done.

'Do it! And for that . . . I'm gonna give twenty thousand dollars to the two guys in the best fight of the night. That's twenty thousand dollars! Each! And twenty thousand dollars for the best knockout and twenty thousand dollars for the best submission . . .'

Almost interrupting himself, he added, 'Fuck it! Make it twenty-five thousand dollars for the best fight, best knockout and best submission!'

'Make it thirty!' I shouted.

Rory liked my suggestion. 'MAKE IT THIRTY!' he yelled, as if, together, we could peer pressure the UFC president. But then Joe Silva was heard from: 'Remember, you can get two bonuses. You can get Fight of the Night and either Knockout or Submission of the Night in the same fight. It's happened.'

I hadn't thought of that. Quickly, I calculated how much money that would be in British pounds: more than I'd seen in my life.

I looked over my right shoulder and found Eric Schafer. *Sorry, buddy, but I'm gonna smash you tomorrow.*

*UFC 66*, fight day, was here. In the morning I took Rebecca shopping for something nice for her to wear to the fights but – not knowing enough to go to one of the off-Strip malls – we couldn't find anything within our budget. Still, we had a great few hours; neither of us had done much travelling and it was a relaxing way to spend the last few hours before the fight. When we got back to the hotel we had a light lunch in the MGM Grand buffet before heading back up to our hotel room to wait out the final few hours before the fight.

The information packet the UFC had given me at Tuesday's check-in said I needed to be at the arena by 4pm. That was about three hours and ten minutes before I would be gloved up and making the walk. Muniz had promised to arrive a little before me. He would make sure the room was set up correctly, that we had towels, water, a spit bucket and the other tiny details that became vitally important the instant you needed them. He would be joined by Walter, another friend of my amazing manager, who had been recruited – by text, no doubt – to also work my corner.

Around 3:30pm, I put on a pair of tracksuit bottoms, trainers and a UFC-branded hoodie. Rebecca looked on with pride.

'I love you,' she said.

'I love you,' I pulled her close into a big hug. 'Don't worry. I've got this, babe.'

With that, I set off from my hotel room.

As soon as the elevator doors opened to the ground floor I felt it – the MGM was blazing with energy. Nothing compares to a big-fight night in Las Vegas. The tables and slots were doing noisy business, the restaurants and bars were buzzing and everywhere you looked there were hordes of fans in UFC, Tapout and Affliction gear.

As I got closer to the entrance to the Grand Garden Arena itself, I ran into a wall of maybe 2,000 fans anxiously waiting for the doors to open. These were the hardcore of the fanbase; the ones who absolutely had to see every single fight on the card.

They were locked shoulder to shoulder like a Viking shield wall. *How are UFC fighters supposed to get to the arena?* I asked myself.

The Bisping family. Back row, left to right: Dad, Konrad, Stephen and me. Front row, left to right: Adam, Maxine, Mum and Shireen.

Me as British kickboxing champion, aged 16, circa 1995.

At a martial arts tournament somewhere in the UK with early training partners Andy Harby and Dan Hardy, early 2004.

Beating Ross Pointon on 26 November 2005, in Coventry at a Cage Warriors event. We'd meet again two months later during *The Ultimate Fighter.*

Hitting the big time, beating Josh Haynes to win The Ultimate Fighter, June 24 2006 in Las Vegas, Nevada.

Finishing Eric Schafer at UFC 66 at the MGM Grand Garden Arena on December 30 2006 in Las Vegas.

Me and UFC President Dana White, Octagonside at an event in 2007.

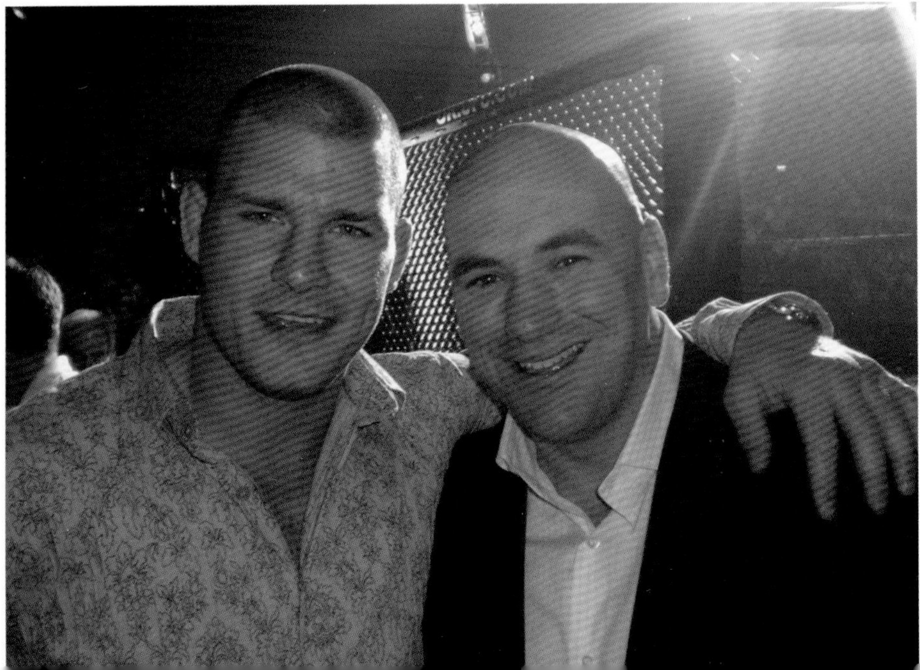

My unforgettable first UFC win on British soil, vs Elvis Sinosic, UFC 70: Nations Collide, April 21 2007.

UFC co-owner Lorenzo Fertitta, Rebecca, UFC President Dana White and me backstage at an event in 2008.

Hugging Callum moments after the emotional comeback win vs Denis Kang, UFC 105, Manchester, England, November 14 2009.

I always look for Rebecca immediately before stepping onto the Octagon, for a kiss. On the few occasions she hasn't been at my fights, I think of her and kiss my glove. (December 3 2011, Las Vegas before my Jason Miller fight.)

Rebecca and me on our big day, Rancho Las Lomas, Southern California, May 2014.

I was always fired up at the weigh-ins for UFC fights in the UK, and the July 17 2015 ceremony in Glasgow, Scotland, ahead of the Thales Leites fight was no different.

With Anderson Silva in front of Tower Bridge on February 25 2016, ahead of our fight in London.

Decking Anderson Silva in the second round with this left hook was a huge moment in the fight for me.

The fourth round against Anderson Silva was the most important of my entire career. I was hurt, bloody and tired but I knew I had to win that round.

*Their managers probably figured that out for them*, I answered, *and your manager is in Liverpool.*

With no clue what to do, I approached a pair of security guards in purple blazers. Trying very hard not to say, 'Do you know who I am?' I explained why I needed their help. They looked at my UFC hoodie and exchanged glances.

'You're a fighter, sir?' one asked. 'Where's your wristband? Where's your team? Why don't you have any bags, sir?'

I didn't know I'd had three days to collect a wristband from the UFC. Apparently it was written in my fighter packet somewhere but I'd missed it. If only I'd paid someone, let's say 20 per cent of my purse, to take care of all this for me.

'I'm sorry, I didn't know about the wristbands,' I said. 'I really am a UFC fighter. My name is Michael Bisping. My team are waiting for me in the arena.'

A throng of fans managed to convince the security guys to escort me through the crowd, through the metal detectors, down the escalators, into the Grand Garden Arena and into the backstage hallways.

From there I picked my way by the commissioners, UFC staff and camera crews until I reached my dressing room.

MICHAEL
BISPING

was printed out on a sheet of A4 and taped to the outside of the door. I stepped into a room about the size of my bedroom back in Clitheroe. There were two foldout chairs and a massage bench against the walls; a bathroom off to the left and two mats on the floor. A TV crew from the British channel Bravo was waiting to capture the shot. Muniz and this Walter were nowhere to be seen.

'Where's your team?' the British producer asked.

'Good question.'

Ten minutes later there was a knock on the door and Mario Yamasaki stepped inside to touch base. The referee assigned to officiate my fight, he went over the rules (in 2006, rules varied slightly from promotion to promotion). He wished me luck and left. I waited another 15 minutes and then stood up and went back into the corridor to stretch my legs – only to be asked to clear the way as gloved-up fighters and their cornermen stormed by towards the entrances to the arena floor. Just then, Tito Ortiz came bouncing by on the way to his dressing room. He was flanked by five members of his world-class team and they all wore uniformed 'Team Punishment' gear.

I went back inside my room and took a piss.

Around 5:15pm Muniz and Walter showed up. Almost 90 minutes late. At least they had my gear with them. I got changed into my army camo-coloured shorts. I laid my civilian clothes out on a chair and placed my trainers side by side underneath. An official came in to wrap my hands. Then he helped me squeeze my fists into the gloves I'd selected the day before. He then left. It was still only 5:45pm and time was slowing down.

'Let's warm up,' I said. I stretched until I felt limber enough to drill some submissions with Muniz. Then I shadowboxed up a sweat. I felt solid and fast; 6:40pm was here. Good. It wouldn't be long now.

'FIFTEEN MINUTES, BISPING!' boomed Burt Watson from the doorway.

I continued bobbing up and down on the mat. I threw jabs and hooks at two-thirds pace, visualising.

'FIVE MINUTES! FIVE MINUTES, BISPING, AND WE ROOOOOOLLING!

The UFC's theme music could be heard from the monitors. Mike 'Goldie' Goldberg and Rogan were talking into the camera. *UFC 66: Liddell vs Ortiz II* was live on pay-per-view.

Watson and two other staff were at the door.

'TIME TO ROLL, BABY! LET'S DO THIS! THIS IS WHAT WE DO! ALL NIGHT LONG! ALL NIGHT LONG! WE'RE ROLLING!'

Burt led me to the lip of the arena tunnel. There was only a black curtain between me and *UFC 66* now. Shafer was already in the Octagon, waiting. I heard the first few bars of 'London's Calling' by The Clash over the speaker banks. Nice choice.

'LET'S GO!' Burt threw back the curtain. I could literally feel the body heat of 13,761 people as I plunged into the MGM Grand Garden.

The arena had transformed yet again. Lit up in blue and gold, and noise in every direction. Fans were cheering, reaching out for fist bumps. I reached back. I caught sight of Rebecca for a second.

*I got this, babe.*

I quickened my pace and turned left to the Octagon. The nerves caught me again as I stopped to have Vaseline applied to my face. They fell away for good as I leapt up the step to the Octagon. I felt the texture of the canvas under my feet as I did a lap around the cage.

Buffer introduced us. The referee gave us our final instructions. One last roar from the crowd. The fight was happening.

Schafer had a tense, straight-up gait about him in the Octagon. He was stalking forwards but not in a stance that offered much defence. I cracked him with a lead right cross. The shot stunned him for a second. I followed up by pressing him against the cage and digging a knee into his midsection. I then stepped back and disengaged. It was early days. I wanted him in the Octagon centre.

Now he followed with his hands tight by his eyes so I flicked a kick to his lower leg. He caught it but I managed to scramble to my feet. Nevertheless, I was surprised how fast his hands had gone from guarding his head to grabbing my ankle.

Resetting myself, I shot another arrow of a right hand and it also hit the mark. Then my jab landed. But then I again followed up the punch with another left-leg kick to Schafer's mid-section. This time he not only caught it, but made sure he completed the takedown. I landed in the centre of the Octagon with a thud. A split-second later my opponent's full weight crashed on my chest.

This was exactly where Shafer wanted the fight. He set to work, trapping my right arm under his knee and working to land strikes to my face. I didn't panic. I pulled my arm free and claimed half-guard. Schafer passed, though, and locked in an arm-triangle. He squeezed – hard – but the pressure was in the wrong place. I escaped and climbed to my feet. He jumped on my back. His grip was tightening around my neck but from the feel of his weight I knew his head was higher in the air than mine. I leapt up into the air before arching down towards in a swan dive to the canvas. Schafer's skull bore the impact of over 410lbs of fighter hitting the Octagon. Rattled, Schafer lost his grip and I used the fence to get back to my feet, threatening him with a guillotine to keep him thinking as I did.

He dived for a takedown. It was slow. My left knee thudded into his jaw. We grappled again – Eric the Red's strength was evaporating. He was now impossible to miss with punches. Blood was pumping from his open mouth as he lay on the floor. He was tired and open-mouthed. An open mouth makes the jaw even less adept at absorbing punches; every time I saw the black of his mouthpiece I threw a punch.

Schafer rolled over to his side – a clear signal to the referee that his ambitions had ended.

The referee waved it off at 4 minutes and 24 seconds of the very first round.

Lying on the Octagon, with the cameras catching every inch of my smile, I caught my breath. The Octagon door swung open. Medics rushed in to tend to my defeated opponent. My corner, Shafer's corner, Dana and Rogan, all followed.

Thank you, I said to Kazeka. I tried to hand him my mouthpiece to put in his bucket, but he was celebrating like we'd won the lottery.

Buffer announced me for the second time in six minutes. While interviewing me in the Octagon, Rogan volunteered the information I'd had 'visa problems and some other things'.

'I'd like to fight a lot more regularly,' I said. 'I could not wait to get in here . . . somebody – everybody – better watch their fucking back.'

Yeah, alright, the smack talk still needed some practice. A lot of things did but, for now, it was finally a time for a celebration. After the 'visa issue and some other things', I could finally relax and let myself enjoy some of the fruits of my hard work. I showered and dressed quickly and joined Rebecca, who'd watched my fight all by herself from the stands, to see the rest of the fights.

I'd been sat down for less than five minutes when Donna found me. She gave me and Rebecca tickets for Octagonside seats but then added, 'Michael – Dana and Lorenzo need to see you.' She didn't say 'now' but she meant it.

Leaving Rebecca alone again, I was taken backstage and ushered into a dressing room which the UFC owners had turned into a command centre of sorts for the night. There were monitors and headsets set up on tables in front of leather sofas, and a choice of several suits still hung in plush dry-cleaning bags next to the vanity dressers. The room was empty and I couldn't resist helping myself to some of the food that was laid out on a black table at the back.

I had a gob full of cheese and crackers when the UFC owners – Dana and Lorenzo – came through the door. They both slapped hands and hugged me.

'Awesome performance,' Lorenzo smiled.

'Great fight,' Dana added. 'Fucking great.'

I was handed an envelope. It was the same size and shape as the one that had been delivered to my door in Clitheroe.

'Open it,' Dana said.

It was another cheque, fifty thousand dollars with the tax already paid – a gift for a job well done. The mental calculation I'd done at the fighter rules meeting was still fresh in my brain. I knew exactly how much money that was in British pounds.

A quiet pride swelled up as I sprinted back to Rebecca. I hugged her and told her and showed her all about the cheque all at the same time, but she understood what I was saying, like always.

I woke up in my room on the 17th floor of the MGM Grand on New Year's Eve, 2006. My face was a little sore from the four minutes I'd spent with Eric Shafer the previous evening. My head was *very* sore from the four-plus hours I'd spent enjoying the Las Vegas nightlife.

Before I'd crashed asleep five or six hours beforehand, I'd apparently had the foresight to leave a bottle of water on the elaborate side table next to the bed. I sat up and guzzled it down a dry throat. Rebecca was next to me, sound asleep.

The beds in the best Las Vegas hotels are much wider and longer than the beds I was used to. The mattresses are so deep you sink like a stone and almost have to climb out the next morning. I looked across the spacious room I'd stayed in for the last week. The dresser with the TV. The couch. The leather-topped writing table. And beyond the clothes and shoes I'd wrestled myself out of a few hours earlier there was a massive floor-to-ceiling window. I got out of bed and looked out of it.

Across the road, and 250ft below, the police were beginning to cordon off Las Vegas Boulevard. Every 31 December at about 2pm the streets around the Strip become pedestrianised so thousands of tourists can see in the New Year looking up at fireworks shooting off the roofs of these massive hotels.

A new year would arrive shortly with limitless possibilities. I was so ready for it. No one was going to work harder than me, I swore. I'd be the first in the gym, the last to leave, I'd fight my heart out each and every time. I'd say 'yes' to every opportunity that came my way outside the Octagon.

I couldn't wait for 2007 to start!

## CHAPTER EIGHT

# HOMECOMING

By Wednesday, 17 January 2007, I was already back in Las Vegas. Manchester's boxing world champ Ricky Hatton was having his first Vegas fight that weekend. To capitalise on the British sports press all being in town, the UFC had a big announcement at the *Ultimate Fighter* gym at 6pm. I was part of it.

The *TUF* gym was always overhauled between seasons. The red and green liveries of Team Punishment and Team Shamrock had long since been stripped away – a whole other series had been shot and aired between then and my UFC debut – and now yellow and blue, representing season-five coaches Jens Pulver and B.J. Penn, had been installed. The UFC had hired a gourmet hot dog and beer stand for the evening. The secret to a well-attended PR event, I was assured, is serving quality food.

About a dozen British boxing writers were bussed in from whatever hotel they were staying in to cover Hatton's fight. Dana White welcomed them, then stood on the apron of the Octagon and informed the room that the UFC was making a massive push in the UK. There would be a full-time office in London, a major TV deal had been signed, and there would be huge UFC events – stacked with the biggest names in the world – held in the British Isles each year.

It's probably difficult for newer fans to grasp just how world-changing this was for British MMA. From that point on, the biggest events in MMA wouldn't always take place on the other side of the world in the middle of the night when British fans were asleep. The summit of the sport wasn't remote and unreachable – it was an afternoon's drive away.

Then Dana introduced me to the British newspaper guys.

'You guys love fighting,' Dana said. 'We were always coming back to the UK. But it makes things easier that Bisping came along at exactly the right time. This guy is our Ricky Hatton.'

I spent an hour talking to the media, spending most of it trying to live down the Hatton comparison. Several of these guys were crusty old boxing types whose interest in the evening began at one end of a hotdog and finished at the other. But a handful – Gareth Davies from the *Telegraph*, Steve Bunce from the BBC and a few more – seemed genuinely interested in MMA, its rules, how I trained, and how far I thought I could go in the UFC.

I also met someone who'd become a major part of my career for the next few years and a good friend to this day. Marshall Zelaznik, a silver-haired 40-something from California, was the new president of the UFC's UK division and one of the smartest, most charismatic and funniest guys I know. We hit it off immediately.

'Did you hear what Dana said to the press guys?' I asked Marshall after the media left. 'The UFC are doing a big show at the Manchester Arena. That's thirty minutes from my front door. Do you know if I'll be on that card?'

A smile danced across Marshall's face. He said, 'Yeah, um, Mike ... you're the reason we are taking this first event back in the UK to Manchester.'

Oh, right.

*UFC 70: Nations Collide* was announced for 21 April 2007, at the mountainous Manchester Arena. The UFC weren't tiptoeing over the Atlantic this time. The company spent millions of pounds promoting the *UFC 70* event and its re-entry into the British sporting landscape. There were posters featuring *UFC 70* headliners Mirko Cro Cop and Gabriel Gonzaga, plus Andrei Arlovski and me, all over the country. My shaven head and face were plastered on bus stops in Manchester, train stations in the Midlands and taxis in London.

The event was constantly promoted with television and sports-radio adverts. You could feel a real sense of excitement build in British MMA as the days counted down. Over 15,000 tickets – £1.3million worth – had been sold. It was like the UFC had taken over Manchester.

My *UFC 70* opponent was Elvis Sinosic, a former UFC title challenger from Australia. The King of Rock 'n' Rumble, as he invited people to call him, was a legit BJJ black belt.

The UFC set up headquarters in the Lowry hotel in Manchester. In terms of the requirements of a UFC hotel, the five-star member of The Leading Hotels in the World™ with its health-spa lighting and original artwork galleries was a slight overkill.

On the day before the weigh-in, after my final sit-down interviews with the media (the UFC production crew's need for combative soundbites was sated when I said, 'Jiu-jitsu is great; doing jiu-jitsu when getting punched in the face isn't so great') I returned to my room to face the nightmare of sorting out tickets for my family and friends.

The moment *UFC 70* was announced I'd been inundated with requests for tickets. Most of the immediate asks came from the same people who'd travelled up and down the country to see my early fights, and I loved paying back that support by getting them seats to a massive show just a couple years later.

But the requests kept on coming and, not wanting to big-time anyone, I kept saying I'd take care of it. With 48 hours to go before the event, I had over 150 tickets sprawled all over my hotel-room floor needing to be sorted into specific envelopes with specific names written on the front. It took forever but I finally got it done.

Afterwards, I decided to drive home and spend the night in my own bed. I'd barely eaten all day, what with my media commitments and the stress of the tickets, so when a Burger King sign approached on the left, I turned in and joined the drive-thru line.

*Sluurp!*

*Oh, fuck!*

The medium Sprite in my hand had been drained down to the ice cubes. The Triple Whopper (with cheese and bacon) box was empty, too. The weigh-in to *UFC 70* was less than 23 hours away. I'd picked a great time to become a fast-food fan.

I needn't have worried. I hit the light heavyweight limit no problem.

The energy at the Manchester Arena on fight night made the hairs on the back of my neck tingle. It had been almost five years since welterweight legend Matt Hughes, a farmer from Middle America, had headlined in London, but those seeds had taken root. *UFC 38* had sold out the Royal Albert Hall's 3,800 seats – I would be fighting in front of a crowd of Brits four times that size.

The pressure to win for my family and for myself was as strong as ever but, as I warmed up backstage, I felt something else as well.

I wanted to win for the British fans.

This was UK MMA's coming-out party. Those thousands upon thousands of fans in the stands and those watching at home were counting on me to win. In a way, I was glad they were counting on me. If I had anything at all to do with it, I would not let them down. I felt the kind of pride I imagined my father and brothers felt when they put on their uniforms. I was going to represent my country and fight.

I stiffened my jaw and continued to hit Tony Quigley's mitted hands. The shots flowed. As the fight got closer, Tony had me running shuttles up and down the broad corridors underneath the arena. If the idea was for the sprints to burn off excess energy – that didn't happen. My brain had opened my adrenal glands and adrenaline was gushing through my body.

Finally, the call came: 'Bisping – let's roll!'

I'd picked my own walk-out music this time. I'd walked from the Lowry to the HMV store in Manchester town centre earlier in the week. I wanted something British, a song which would get the fans going. I picked Blur's 'Song 2'. It reminded me of the late 1990s, the days where I competed as a teenager with no pressure and purely for the love of the fight.

The space where the backstage area meets the walkway to the arena floor – usually a tunnel – is emptied of people in the minutes before a fighter is due to walk out towards the Octagon. Standing there, looking down the tunnel that cuts through two tiered sections of the crowd, is a nerve-racking moment.

You just want to get on with it. You've left your dressing room; you are on your way to fight . . . and then you are told to stop by the UFC production floor manager. You are held in place for several minutes with a camera crew capturing every micro-emotion that crosses your face.

The lights had been dimmed out in the arena. Everyone's attention was on the 50ft screens that hung from the rafters. A video package was playing, hyping my fight. I heard my own voice echoing around the building: 'Jiu-jitsu is great; doing jiu-jitsu when getting punched in the face isn't so great.'

I focused on my breathing and waited for the lights and sound to come up.

The first few bars of 'Song 2' blasted out – and the Manchester Arena erupted. The place became unglued! The fans went mental! A BBC boxing report said it sounded like a pair of jet engines had been fired up. Nothing had prepared me for this reception. My adrenaline spiked sharply. I couldn't wait a second longer. I swerved passed the cameraman and sprinted towards the cage.

There were mobs of fans everywhere I looked. Everyone was going mental. The crowd noise shook the floor. It shook the roof. I had to be physically stopped from leaping up the stairs leading to the Octagon door with my trainers and hoodie on. I kicked my shoes halfway across the arena. I tore the hoodie off. I was almost sparking with energy as the cutman tried to apply Vaseline to my brow and face. When he was done, I stamped up the steps and burst into the Octagon.

It was like the world was in fast-forward. The introductions were over in another thunderous, rolling yell from the crowd and – at last – it was time to fight.

Sinosic was an inch taller than me but he fought taller than that. At the start of the fight he walked towards me with a straight-up stance and began firing leg kicks. He'd said in interviews that he would attack – he hadn't lied.

But I was a man possessed. I surged forward and caught his leg. I dumped him on the canvas. There was a rumble from the stands as

I began to ground and pound from inside his guard. As good as my word, I brushed aside an armbar attempt and continued to punch, hammerfist and elbow away. The reverberations in the place grew louder and louder. I could feel – physically feel – the soundwaves the fans were making. I speared my fists into Sinosic's ribs and head. I postured up to drop maximum weight into my elbow strikes.

Sinosic was trapped on his back. At the three-minute mark, my opponent's face was submerging into a pool of red. Elvis had several moments of influencing my posture or holding on to my wrists, but each time I'd rip away from his grip and resume my attacks.

'Overwhelming – an onslaught like we have rarely seen!' said commentator Mike Goldberg.

The referee appeared to be thinking about stopping it when the horn sounded to end the first round. The former UFC title challenger remained on the canvas for much of the rest period, attended to by his cornerman and checked out by the doctor, but – to his credit – Elvis came out for the second.

The round began with me landing hard punches and kicks. The crowd was screaming with all of their lungs. The finish! I wanted to give them that finish! Sinosic was desperate for a handhold in the fight. Momentarily, he grabbed a Thai clinch. High on adrenaline and with my brain racing ahead, I did the one thing you don't do to escape a Thai clinch. I ducked.

There was a flash.

Sinosic was on top of me. I was flat on my back. Holy shit – how did I get here? He had my left arm locked in a Kimura …

*Pop! Pop! Pop!*

I heard the sound of my elbow joint popping three times. Sinosic was cranking the double wristlock with every ounce of his strength. There was no way I was tapping. Not here. Not now. I broke out of the hold. I twisted into his guard and – from there – I unleashed a ferocious attack. Fourteen, fifteen, sixteen punches landed until the referee stopped the fight.

The whole arena went deranged. I lifted my arms as the house lights came up, revealing for the first time row after row of roaring fans stretching back and upwards almost as far as I could see. The British fans were going nuts as they celebrated our victory! They'd thrown and taken every shot – but the job was done! It was an intimate moment with 15,114 strangers.

I barely had chance to catch my breath as Bruce Buffer announced me the winner in 1 minute 40 seconds of the second round. Then Callum ran across the Octagon and into my arms. I picked him up and he took the first question from Joe Rogan.

'How great was it watching your daddy win?'

'Very good,' Callum answered.

That night spilled beyond my wildest dreams. I'd be awarded more Fight of the Night bonuses, I'd go on to fight on and headline huge UFC events around the world; I'd get the chance to do some amazing things outside the Octagon. But *UFC 70*, 21 April 2007, the Manchester Arena ... that night will bring mist to my eyes for as long as I'm alive.

The UFC had proved popular enough to sell out the biggest arenas in the country, and it was becoming commonplace to see MMA magazines on the shelves of WHSmith and for a UFC fighter to guest star in a TV show here and there. But there was still a lot of work to do in terms of educating the British public and media about what the sport actually entailed.

Over the next few years the UFC PR team put Marshall Zelaznik and me in front of dozens of writers, reporters, TV and radio hosts, and editors to put the sport's best foot forward. It was an additional responsibility the UFC expected of me and one I took very seriously. Today, when I hear young fighters moan about having to do promotional work, I can't help but think they should be more grateful that there was a generation before them who did all the heavy lifting for them.

One well-known radio personality, a lady in her mid-fifties who'd squeezed herself into, I'm guessing, her daughter's leather miniskirt, began a live, in-studio interview by describing MMA as 'a sport for barbarians'.

I said, 'Well, I'm not a barbarian—'

'You look like a barbarian,' she insisted.

In those situations, when you find yourself live on air with someone only interested in manufacturing a Jeremy Kyle moment for their own purposes, I find fighting fire with fire a good strategy.

'I'll keep most of my thoughts on your appearance to myself,' I answered. 'Mutton dressed as lamb comes to mind, though.'

Despite a handful of interviews like that, the tide began to turn and the UFC became accepted, at worst, as an alternative combat sport to boxing. I'm proud to have helped lay the foundations for the sport in the UK and other places.

Don't get me wrong, I liked the media stuff most of the time. Some of the appearances were a lot of fun. Once me and Marshall were in a studio on Ian Wright's radio show in London. The former England footballer spoke to me as a fellow athlete, which was appreciated, and he mentioned the sport was rapidly growing.

Marshall agreed: 'A black-cab driver who brought us here was asking Mike about his next fight ...' Unfortuately Marshall's resoundingly American accent placed the emphasis on black – and I saw a great chance to troll the UFC exec live on air.

'A *black* cab driver?!' I exclaimed. 'Can you say things like that these days, Marshall?'

In his 15-year career as a striker, Wrighty had never been passed the ball so close to an open goal. As I knew he would, he whacked it into the back of the net.

'Did it surprise you that the driver was black?' the host asked a mortified Marshall with mock-seriousness. 'I guess I'm a *black* talk-radio host, am I?'

Marshall held his hands up in surrender and joined in the entire studio having a friendly laugh at his expense.

There were some fringe benefits to my unofficial role as a UFC UK spokesman. There was a lot of filet mignon at fancy restaurants (good food = media attendance, remember?) and I got to travel a bit while not having to worry about fighting.

Whenever UFC puts on an event, several 'guest fighters' are brought in to do the additional media appearances and fan meet-and-greets that athletes days and hours away from a fight can't be expected to do.

I attended *UFC 72* in Belfast in June 2007 as a guest fighter and used the trip to visit family. My cousin Tony picked me up from the hotel and drove me the 45 miles westward to Killylea, the tiny village where my mum's side of the family are from. The small pub we dropped into was ram-packed.

'This place must make a killing,' I said. 'You can barely move in here – and it's a Wednesday.'

Tony smiled. 'Michael – you are related to almost every single person in this bar.'

I had a great time having a drink with aunts, uncles and cousins I only knew from my mum's stories. I never billed myself as 'Irish

Mick Bisping' or anything, but I'm as proud of where my mother comes from as I am my heritage from my father's side of the family.

The next day I was eating breakfast at the *UFC 72* hotel when Dana bounced into the restaurant looking for me. He seemed like he'd been awake the whole flight over the Atlantic and was buzzing with the ideas he'd come up with.

'We're going to London in September,' Dana said. 'There will be a huge main event – biggest one on free TV in the US we've ever done. And we want you on the card in a big fight – in the co-main event.'

'Sounds good,' I said. 'Who's the opponent?'

# CHAPTER NINE
# MAIN EVENT

The 'big event in London' was, of course, *UFC 75*, which was announced and scheduled for 7 September 2007, in the gigantic $O_2$ Arena on the banks of the Thames. The biggest indoor arena in the UK, the $O_2$ is situated inside the spaceship-like white structure that used to be known as the Millennium Dome.

The huge main event Dana alluded to was Quinton 'Rampage' Jackson unifying the UFC light heavyweight title he'd recently ripped away from Chuck Liddell against newly signed PRIDE FC champion Dan Henderson. *UFC 75* was promoted as 'Champion vs Champion' and, just like *UFC 70*, the event would be broadcast on American cable-television station Spike, which would guarantee millions of viewers in the US alone.

When Joe Silva placed the official call to my management regarding my co-main event slot, my opponent was revealed as Matt Hamill.

The fight made sense from the UFC's perspective. Bisping vs Hamill had seemed destined to happen during *TUF 3* and there was plenty of footage of the pair of us together for video-hype packages etc. 'The ultimate grudge', as it was billed, was an easy story line for the fans to buy into.

The PR push when tickets go on sale for a big event (for UFC, typically three months or so before the fight night itself) is unimaginatively called the 'on-sale'. Rampage Jackson was flown into London to join me in doing the on-sale.

Although the same age as me, Rampage had been fighting half a decade longer. He'd fought his way around America's MMA circuit until making the leap to Japan's PRIDE FC in 2001 and becoming one of the biggest stars in the sport. He'd jumped back over the Pacific again to join the UFC in February 2007 and had repeated an earlier KO win over Chuck Liddell to win the UFC light heavyweight title.

Rampage was awesome, I decided very quickly. The African-American brawler from Memphis was hilarious. Self-deprecatingly hilarious, too, which was a rare thing for one of the most menacing fighters in the world. He was a proud dad. We had that in common, too. Rampage also had a big heart – while we were walking to the restaurant he slipped away and bought takeaways for two homeless men sitting in dirty green sleeping bags in an alleyway.

We really clicked over those few days.

'Come to Big Bear and train for this fight with me,' Rampage said over dinner. 'You look like the kinda guy who loves him some trainin'. My manager Juanito has a great camp in the California mountains. You should come.'

I felt obligated to clear it with my management, but they agreed a camp with the world's number-one light heavyweight – plus a host of other UFC contenders and MMA fighters – would be too good an opportunity to pass up.

In July, I was in California, on the winding roads towards the rarefied air of Big Bear. Generations of legendary boxing champions had based their training camps in the small town that sits 6,752ft above sea level, but I was dropped off at what was unmistakably an MMA camp.

Rampage's manager and trainer at the time was a Mexican-American named Juanito Ibarra. Like his adoptive home town, he'd migrated from boxing (his best-known client was Oscar de la Hoya) to MMA; he was running a fantastic camp in the wooded hills of San Bernardino County. That camp in the summer of 2007 was world class: the coaching was as good as I'd received during *TUF*, but the training and sparring partners were out of this world.

In addition to the UFC light heavyweight champion, UFC heavyweight contenders Cheick Kongo and Brandon Vera were there along with welterweight Zach Light and five others who had fights coming up in the next few months.

It was a stacked camp – everyone was a professional fighter – and Juanito ran it with the precision of a Swiss watch.

The term 'camp', by the way, never felt more appropriate than when I was in Big Bear. Most of us were staying in log-fire luxury cabins dotted around the centre of town. We took our meals at Juanito's place (where Rampage was staying), which was located across the street from the gym.

The gym was situated in one of the few buildings I set foot in during my stay that wasn't made entirely of wood. It was a two-storey structure and had a long matted section and a cage on the ground floor. Then, up a flight of stairs, was a naturally lit space with heavy bags creaking from wood beams. Rounding out the facilities on the same side of the road (it felt like there was only one) as Juanito's house was a surprisingly well-equipped weights gym that Kongo became fond of.

My first spar with Rampage Jackson, the UFC world champion of the same light heavyweight division I competed in, came on the third day of camp.

'When we spar,' Rampage said with his mouthpiece already in, 'Yo' kick my ass – all good. I kick yo' ass – all good. Okay?'

Only, Rampage wasn't really okay with getting hit in sparring. Whenever he was cracked with a good shot in the gym, you could visibly see his temper brewing behind his mouthpiece and eyes. More than one training partner of his was made to regret their momentary successes.

Like with my spars with Forrest Griffin six months earlier, I took a lot of confidence from how I measured up against the world's No.1 light heavyweight.

I also took full advantage of the chance to train at altitude for the first time (with all due respect to Castle Hill in Nottingham). Every morning the team went for a jog into the surrounding greenery of the San Bernardino National Forest. The idea was to loosen the muscles a little, get the blood pumping before the hard work began. Y'know, that sort of thing.

On the first day of these little jaunts, maybe 400 yards into it, I noticed Zach Light darting his eyes sideways at me. Then he put on a burst of speed and pulled a yard ahead. My eyes were darting now. And I pulled level. So he increased speed, slightly, once more. And I pulled level again. We both knew what would come next – we broke into a full-on sprint.

Every day thereafter was the same: Zach and I would have a race. We never spoke about it, but we were locked in a one-on-one three-mile race. He won the early meets, but by the end of the camp I was flying ahead of the group. This is a prime example of one of my character flaws – excessive competitiveness – manifesting itself in my fighting career.

Another focus of my work in Big Bear was wrestling. I knew from experience that Hamill was outstanding at takedowns and controlling opponents with his grappling. That's what everyone expected him to do in the fight. I was lucky enough to have a naturally good sense of balance, but this camp – grappling with a powerhouse like Rampage and heavyweights in Kongo and Vera – was my master's degree in takedown defence.

The night of *UFC 75* arrived and I was in the best shape of my career. I was markedly more experienced now. One of the biggest lessons I'd taken from my first year as a UFC fighter, so I thought, was not to allow my emotions to dictate the way I fought like I had at *UFC 70*.

So, as I made my way out of the tunnel into the $O_2$ Arena, I pushed my breath out in long exhales. Wave after wave of cheers from the 16,235 fans crashed around the former Millennium Dome but I kept my feet on the ground and refused to be swept away. I smiled and acknowledged that I appreciated the fans' support, but I kept it at arm's length. I declined to be pulled into the kind of shared emotional frenzy that got me into trouble in Manchester.

I calmly took my shoes off at the prep-point next to the Octagon. I took my T-shirt off and handed it to my cornermen. I gave the cutman plenty of time to apply grease to my skin. I took the stairs one at a time. I jogged lightly in circles across the canvas. I saw my mum at ringside and give her a smile, and I had a thumbs-up for Dana.

On the other side of the Octagon, my opponent was whipping himself into a frenzy. This was the fight he'd waited over a year for.

Hamill charged across the Octagon like a madman. He was fired up – but instead of going for takedowns like we expected, he was throwing bombs. With the 20/20 of hindsight, I'd overcompensated for Manchester and done myself a disservice by starting the fight so calm. I was scrambling, a pilot sprinting towards his plane during a surprise air raid. Hamill kept heaving forward with power shots.

At one point this ape of a bloke had me in the sort of headlock you'd put your younger brother in – only he was smashing me in the face with his other fist. I distinctly remember seeing blood curve around my nose and drip to the canvas and thinking, *Well, this isn't going to fucking plan, is it?*

He scored two takedowns and, while I nullified his ground and pound, I'd lost a round for the first time in my pro career.

The second round was a war of attrition and my California crash-course in wrestling and altitude training proved their worth. I'd drilled throwing punches from my back relentlessly and, when the fight went to the ground, I out-landed Hamill from inside my guard. As the round wore on, I countered Matt's lunging strikes on the feet with jabs and combinations more and more.

The third and final round was my strongest. I dug deep, set the pace and landed several satisfying power punches. The fight ended with me slamming home a solid head kick and stuffing a takedown attempt.

My first points decision of my pro MMA career was a split-decision victory. The two American judges awarded me the fight while the British judge had Hamill the winner. It was a very close fight.

What I should have said to Joe Rogan afterwards was, 'Wow, all respect to Matt. That was a hard fight. He surprised me in the opening round – I had to fight my heart out to get the win.'

But that doesn't even resemble what I broadcasted from the middle of the Octagon. I gave Matt no credit. I was obnoxious. I look back on my conduct and cringe. I deeply regret the way I behaved that night.

After I retired, 11 years after *UFC 75*, I was put on the spot by a live interviewer.

'Who gave you the toughest fight of your UFC career?' he asked.

He probably expected a big name like Anderson Silva, GSP or Dan Henderson.

Instead, he got the honest answer that I didn't give all those years before.

'Matt Hamill,' I said. 'Matt Hamill gave me the toughest fight of my career.'

Over five million Americans had watched the fight on US television – and they wanted the rematch. A month after UFC 75, the UFC called and asked me if I could be ready to face Hamill again at the *UFC 78* pay-per-view event scheduled for New Jersey. I had six weeks to train, but readily accepted the chance to underline my win, but Matt had suffered an injury and couldn't be ready until the New Year.

Just as I thought my 2007 campaign was over, the UFC came back and said they still wanted me for *UFC 78* – and in an even bigger fight.

Rashad Evans was 10–0–1 and had begun his UFC run by winning the heavyweight *Ultimate Fighter* tournament during season two of the reality show. He immediately dropped down to light heavyweight and began marching towards a title shot. The draw on his record had come in a fight many felt he'd won versus Tito Ortiz.

'This is going to be the first time two *Ultimate Fighter* winners have fought each other,' Joe Silva said, before adding the bombshell: 'This is going to be the main event of *UFC 78*.'

Less than two years since I'd travelled to London to audition for *The Ultimate Fighter* and only four years since giving up working in the upholstery factory, I would be headlining a pay-per-view event in the USA.

'They're throwing you to the wolves, Mike,' warned Tony Quigley. 'The UFC are setting you up to lose this one.'

Tony was from the world of boxing with its backroom schemes of protecting fighters by matching them with has-beens and never-weres until they'd built 32–0 (with 31 knockouts) records and were on the cusp of a shot at the half-dozen or so 'world' titles.

That wasn't how it worked in the UFC. In the UFC, there's only one champion per division, for a start. And I wasn't getting thrown anywhere, I'd fought my way from the reality series to the opening fight of the *UFC 66* pay-per-view, to the middle of the main card for *UFC 70* and co-main spot at *UFC 75*. The next step up was headlining, and you don't headline major UFC events without fighting elite contenders.

Tony thought he was looking out for my best interests, but I could have done without him expressing those sorts of sentiments. I'd never turned down a fight in my life, and I sure as hell wasn't turning down the chance to main-event a major show in America.

'Tony,' I said, 'I'm not in the UFC so I can cut the line at Las Vegas nightclubs to impress my mates. I'm there to go all the way. I'm going to win the world title – and you don't hand-pick opponents all the way to the belt in the UFC.'

Rampage – who'd defended his title in London – wasn't scheduled to fight again until the following summer and with less than two months to get ready for Rashad, I trained in Liverpool.

The quality of that preparation vis-à-vis what I'd experienced in Big Bear was stark. My main (and on a lot of days, only) sparring partner for Rashad – an explosive athlete and wrestling virtuoso – was Gary Kelly, a Liverpool lightweight training for his pro debut.

Gary was a scrapper; he could give me a workout but he wasn't any sort of wrestler at all. And he was a *lightweight* – Rashad had stamped his ticket to the UFC by winning *The Ultimate Fighter* heavyweight tournament. Fortunately, I'd trained wrestling like crazy for the Hamill fight. That, I hoped, would be enough against Suga Rashad.

Rashad and I had spent several days together in London earlier in 2007, signing autographs at a martial arts and sports convention in London along with Josh Koscheck and Anderson Silva. We were both light heavyweights at similar stages of our careers. We didn't need to mention it, but the thought we'd be fighting each other soon occurred to both of us.

Nevertheless, we got on great during those three days. And, today, Rashad is one of my absolute favourite people to share a commentary desk with. Love that guy now …

… but not so much in mid-November 2007.

The abbreviated build-up to our fight was punctuated with the pair of us sniping at the other in interviews. By the time I was in New Jersey, we'd worked ourselves into a definite dislike of each other. We exchanged glares during the press conference and whenever we saw each other at the hotel.

One of the times I spotted him was the morning of the weigh-ins. He was glistening in a rubber suit, the arms and legs taped shut, and on his way to a sauna to spurt out the last few pounds before he stepped on the scale.

I paused for a second. My opponent, a couple of inches shorter than me, was dressed as a cosmonaut and on his way to boil in a Turkish suite. Meanwhile – at the absolute insistence of the Liverpool gym folk – I was about to leave the hotel in search of a Chinese-meal lunch.

Three and a half hours after I chose the 'healthiest' dish at the Peking Pavilion, I stepped on the scale, set up on the New Jersey Devils' practice ice-rink at the Prudential Center arena.

Frigid surroundings or not, Rashad's temper was red hot. He refused to shake my hand after we both weighed within the 205lb limit and then we had to be separated backstage.

When I walked out to the Octagon on fight night, Mike Goldberg read out that I'd said Rashad's style was so negative that I'd seen more aggression from Rebecca when she hit the January sales.

Joe Rogan cracked up laughing, adding, 'He's a funny guy – he says lots of funny things like that.'

The US fans weren't so sure. At *UFC 66* less than 11 months before, I'd been cheered against an American on American soil. But the fallout from *UFC 75* had cast me as a pantomime heel, and the Americans booed the British baddie.

Unquestionably, Rashad was another distinct step up in competition. He was effortlessly athletic and his movements a series of controlled detonations. My previous two opponents were big and strong, but Rashad was different. He was explosively powerful. Instead of boaring in, he disguised his takedown attempts with strikes and feints (which are the key to MMA wrestling).

Rashad had advantages in wrestling. I had advantages in striking. He'd take me down; I'd get up. I'd rake him with a short uppercut or cross; he'd answer by pressing me against the cage. At one point he scooped me up and slammed me down; I gave him a receipt later in the form of a two-punch combo to the face.

As the fight went on, I began to read Rashad's takedown set-up and redistribute my weight to stifle his wrestling. Then, near the end of the second, I drew Rashad's attention with a knee to the guts and dived down for a takedown of my own. I lifted my opponent up and dumped him on the canvas as the horn to end the round sounded. It felt *really* good to give him a dose of his own medicine.

The first round was Rashad's. I had taken the second. Everything would come down to the final five minutes.

My opponent came swaggering out of his corner for the last. I went out to meet him, composed and confident. We fired single bullets at each other for a minute, then Rashad pressed for a takedown that, eventually, he won. Twenty seconds later we scrambled, and I took him down. The fight returned to standing and I landed a solid left hook. Then Rashad did. Half the round had gone and we were deadlocked.

'Who wins this fight may be determined in the next two and a half minutes,' Goldberg said.

My future friend chased a right cross across the canvas and took me down. We got up and he landed a one-two. He went for another takedown. I sprawled and landed a punch to his jaw. I put another knee in his ribs. Neither of us could hold on to the initiative for long.

*I'll win this in the last ten seconds,* I thought. *When I hear the 'clapper' announce we're in the last ten seconds of the fight, I'll throw everything at him – give the fans what they want, draw a cheer and impress the judges.*

*Clap-clap-clap!* There it was—

Rashad took me down again.

*Fuck, no!*

That last, final takedown was enough to win Rashad the decision 29–28, 29–28, with one judge disagreeing and giving it to me 28–29. Even when I watched the fight back on tape, my honest impression is that Rashad nicked it in the final moments and deserved to win.

'Will you shake my hand now?' I said to Rashad in the middle of the Octagon.

He smiled and took my hand. We hugged and congratulated each other. The respect we earned from each other that night would, in time, develop into a real friendship.

On the way to the post-fight press conference, Joe Silva shared an encouraging word: 'Your wrestling was phenomenal.'

Prompted by Gareth Davies and Kevin Francis from the UK newspapers, who were angling for a quote for 'Brit Bisp Will Be Back!' type stories, Dana said: 'I don't think Michael lost anything tonight. He proved he is for real.'

Under some circumstances, those could have been nice, smoothing sentiments. They weren't that night. Not at all. As the reality of my first professional loss sank in, I began to take an honest inventory of what I could have done differently.

First, I'd given Rashad far, far too much respect in the fight. While everything I said above about Rashad's ability is 100 per cent accurate, I flew the length of the Atlantic back home knowing that

I could have done more in the Octagon. I would never wait until the final seconds of a fight to push the pace again. From then on, if I had energy to attack – I attacked.

And second, there was no more hiding from the fact that I could do more – much more – outside the Octagon, too.

'I need to make changes,' I told Rebecca first, and then the Liverpool gym. 'I'm not making the sacrifices I could make to get the best out of my ability and the opportunities I'm earning.'

Okay, they said. But – was I sure I wanted to drop from light heavyweight to the middleweight division?

'That's a 20lb drop,' they said.

Yes, I was sure. I'd avoided thinking too much about it because I'd been winning all my fights, but the evidence had been there all along. True light heavyweights were the size of Forrest Griffin and Rampage. They had to cut weight to make 205lb – they were 205lb for a handful of minutes a year. I was 205lb all year. They wore rubber suits to saunas and rubbed thermogenic liniments on their skin to make them lose water-weight faster. They didn't wolf down Whoppers the day before weigh-ins or go for a Chinese for lunch hours before stepping on the scale.

The call went out to Joe Silva.

My first fight of 2008 would be in the UFC's middleweight division.

## CHAPTER TEN

# ONE EIGHT FIVE

Ever since I first landed in America to do the medicals and final interview for *TUF 3*, I'd gotten puzzled comments from MMA people regarding my choice of weight division. In MMA, the light heavyweight championship limit is 205lb (14st 9lb) and to fight in the middleweight division you cannot weigh more than 185lb (13st 3lb). And everybody thought I should have been competing as a middleweight.

Now the '0' in my record was gone forever and I forced myself to face the reality that I hadn't been making the sacrifices I could have made. I owed it to myself, my family and supporters to work for every last possible advantage in the Octagon and I'd not been doing that. I never fought as a light heavyweight again.

One of the many advantages of America's obsession with high school and college wrestling is every year thousands more young athletes are indoctrinated into the dark arts of the weight cut. 'Cutting weight' is a process where an athlete rapidly loses enough fluid and salts to temporarily lower their mass for an official weight check, only to equally rapidly replace that fluid and return to their previous poundage and strength. The result is an athlete who was a 185lb middleweight on Friday's official weigh-check weighing 200lb or more come fight time.

Cutting weight can be a horrible and sometimes dangerous process, I knew. Athletes in several sports, including MMA, have become seriously ill and have even died when cutting too much weight or not going about it properly. No one on my team had the experience to help me yoyo down to 185lb for the weigh-in and safety back to around 200lb for the fight 24 hours later.

So I elected to diet and exercise my way down to 185lb.

Twenty pounds is a lot of person, though, believe you me. It is twice as much weight as the average person's head – skull, brain, the lot – for example. Put another way, if you took nine and a half litres of water out of Michael Bisping the light heavyweight, you'd be looking at a Michael Bisping who would just about be small enough to compete as a middleweight.

To complete the move to 185lb, I'd need to lose a full 10 per cent of my body weight. Because I'd not weighed 185lb since I was a teenager, Joe Silva had suggested pushing my next fight to the springtime. 'Give your body time to adjust, try out a weight cut. Get this right,' the matchmaker said.

Silva's concern wasn't purely altruistic. While every fighter on the UFC roster was entitled to pick whichever division they wanted to compete in, Silva had a responsibility to the company to ensure fights were safe as well as competitive.

So, in January 2008, I set about transforming myself into a middleweight. Only, I was totally naive when it came to how to go about it. Instead of cutting the weight, like almost every other fighter on the roster, I dieted and exercised my arse off. Rather than bungee-jumping in down to 13st 3lb for a few moments, I spent months slowly lowering my mass from around 15 stone towards the middleweight limit.

First, obviously, anything remotely resembling fast food was eradicated from my diet. Then processed foods and anything containing sodium, refined sugar and carbohydrates was cut out.

And I'd run, my God did I run. I'd run four miles – at a pace – in the morning on an empty stomach.

It wasn't as hard as you might be imagining. At light heavyweight, my breakfast staple of choice was chicken sausage, eggs and mushrooms. Omelettes, boiled eggs and salads with lumps of chicken were also my go-to meals for later in the day. Without that kind of calorie intake and with the additional running, plus two training sessions and sparring or weights in the evening, the weight came off me and a call was placed to Joe Silva to arrange my first fight as a middleweight.

'There's a lot of guys at one-eighty-five who want to fight you,' Silva said over the phone from his basement office in his Virginia home.

He was excited about his middleweight division, which had also just added Dan Henderson, bonkers BJJer Rousimar Palhares, submission specialist Demian Maia and half a dozen fresh newcomers from the latest *TUF* season.

The way MMA sports writing works a lot of the time is that a fighter (in this case me) will make an announcement (in this case my middleweight move) and the media will then call people who may be able to offer an interesting response to that announcement (in this case middleweight fighters who wanted to fight me). So, I was already well aware of my popularity among my new peers. For example, fan-favourite brawler Chris Leben went out of his way to inform the MMA media he fancied his chances. Alan Belcher, a ginger kickboxer from Mississippi who I knew mainly as the owner of the world's worst arm tattoo, was another vocal campaigner to welcome me to the division.

In the end, my middleweight debut was scheduled for 19 April 2008, at *UFC 83* in Montreal, Canada. My first middleweight opponent was to be 'Chainsaw' Charles McCarthy, a submission specialist from Florida who'd made his way to the UFC roster via the fourth season of *TUF*. McCarthy was dangerous on the ground – all ten of his pro wins were via submission – and my game-plan obviously included keeping the fight standing.

On the morning of the weigh-in in Montreal, I bumped into Eddie Bravo in the host hotel.

'How's your weight-cut?' the dark-haired BJJ icon and flat-earth aficionado asked in that distinctively raspy So-Cal accent of his.

'I've actually not cut anything,' I answered. 'I've done it all by dieting. I've got about a pound to get rid of now, and then I'm good.'

Bravo's eyebrows levitated as I explained that the last pound would vanish over the course of a brisk walk to get some post-weigh-in protein drinks from a GNC health store down the road. 'I'm wearing a rubber sweat suit under this hoodie and jogging bottoms, just to make sure,' I added.

'Wow,' Bravo said. 'That's it? If you cut weight you could make welterweight, bro. You're walking around at eighty-six? You could cut the fifteen down to one-seventy, no problem. I know guys who fight at welterweight and they walk around at ninety-five all the way to two-ten.'

As I paid for my protein shakes at that store up the road, I couldn't help but think I was still getting this aspect of the game wrong. I mean, I was no welterweight, I knew that for a fact. I'm 6ft 1in tall; if I went down to the 170lb division I'd be so skinny I'd be able to grate cheese with my ribs.

But … Bravo knew his shit. He's been around wrestling, grappling and MMA for years. If American-based welterweights were cutting down from around 200lb, it obviously followed the middleweights were cutting down from 215lb or 220lb. In terms of making the most of my drop to middleweight, I was doing the equivalent of using first-aid kit bandages as handwraps.

The *UFC 83* weigh-in was memorable for two reasons.

First, the atmosphere in the Bell Centre in downtown Montreal was like being inside a lightning storm. The fans there had waited for years to finally get a UFC event in Canada and that pent-up excitement saw all 21,390 tickets sold out in minutes, breaking the UFC attendance record.

Adding to the anticipation was the main event. Georges St-Pierre – who grew up and still lived in Montreal – re-matched with brash Long Island champ Matt Serra for the UFC welterweight title. The fight had every ingredient a promoter could wish for: a hometown hero challenging for the belt against a cocky champion who delighted in playing the bad guy.

Serra had stopped GSP with strikes a year before, ripping the Canadian's belt away in what is to this day the biggest upset in UFC history. Now, as a people, Canadians are typically a laid-back, friendly bunch, but months of Serra's insults ('frog-eating Frenchies', 'red-wine drinkers') had them foaming at the mouth to see their fighter shut the American up.

Meanwhile, the polite and professional St-Pierre was cheered and high-fived everywhere he went.

*Funny*, I couldn't help but think. *I'm GSP when I fight in the UK and Matt Serra when I fight in America.*

The second reason this weigh-in sticks out in my memory is that I accepted a second fight before even weighing in for the one I was in town for.

Marshall was hovering around while I went through my pre-weigh-in medical checks. When I retook my seat on the Bell Centre riser, he and Joe Silva approached me.

'We need you on the London show,' Marshall said, referring to *UFC 85*, scheduled for seven weeks later. 'We did all this PR for Chuck Liddell, but he's out hurt. Every fight Joe lines up for the event falls apart due to injuries. It's like the event is cursed. You know how big that $O_2$ venue is – we could really use you to help fill it.'

UFC marketing had dubbed the *UFC 85* event as *Bedlam* without realising just how apt the name would be. The term bedlam comes from the nickname of London's infamous lunatic asylum and its centuries of urban legends which have literally inspired horror movies. Apparently, this 'Bedlam' had already driven the UFC's matchmaker insane.

'We could really use you on that card, Mike,' Marshall said again. 'Would you think about it?'

I gave them a puzzled look.

'There's not much to think about,' I answered. 'Of course I'll fight, assuming tomorrow goes well.'

And so, there and then, I agreed to a 7 June fight against popular brawler Chris Leben.

'You've got to come through tomorrow night okay,' Silva added, like he was trying to jinx me.

By the time I stepped through the curtains to weigh in, I'd managed to push London and Leben out of my thoughts. I was 100 per cent focused on the battle at hand. The noise from the crowd would have jarred me back to the present anyway – the weigh-in attendance was the largest I'd seen yet. It was like a huge heaving mass of faces and cheers. After I hit 185.5lb on the scale (most athletic commissions give a one-pound allowance for non-title fights), McCarthy and I faced off on the stage.

'I'm going to break your arm,' the BJJ fighter informed me over the cheers. 'You won't have the chance to tap! I'll break it!'

McCarthy had a high opinion of himself and the brown belt he'd just earned from the American Top Team gym in Florida. He didn't hold yours truly in such high regard, though. During fight week, he referred to me as a 'stepping stone'.

Chainsaw carried that confidence all the way into the first round, bless him. I disabused him of it right away, setting up right hands, hooks and knees to his face off of my jab. I felt razor-sharp and a lot of commentators remarked I looked physically imposing as a middleweight.

McCarthy scored a good takedown, though, halfway through the round; he snagged my arm as I was scrambling to my feet, and wrenched for the armbar with all he had. I remained calm and, after a couple of long moments, worked my limb free using a textbook armbar defence.

Back to the feet with a minute to go, I forced my opponent against the cage. McCarthy buried his chin into his chest and welded his forearms in front of his face. I laid siege to those defences, firing broadsides of uppercuts and hooks before using a Thai clinch technique I'd learned while in Ramkhamhaeng. My Thai coaches had me grabbing a heavy bag as if I had an opponent in a clinch, and then skipping knees into it for round after round after round. That's what I did to McCarthy, I drove over 20 knee strikes into him, smashing through his defences until they landed flush on his face. He dropped like a stone and I continued to throw at him while he lay on the ground.

The round ended but my opponent couldn't get to his feet. Sensibly, the referee waved the fight off before round two could happen. McCarthy had said he was going to break my arm – instead it was his ulna forearm bone that had been fractured by my knees.

My middleweight campaign was up and running.

'We've never seen Michael Bisping look as good as he did tonight,' Goldberg said on the broadcast of my middleweight debut.

'I'm looking forward to seeing Bisping compete in this division again,' Rogan added.

He wouldn't have to wait long.

There wasn't a whole lot of downtime between *UFC 83* and *UFC 85*. The UFC had a lot of tickets to sell in London and while there was an increasing number of British fighters joining the UFC roster – Birmingham kickboxer Paul Taylor, Liverpool submission specialist Terry Etim and, to his delight, a slimmed-down Paul Kelly – most of the heavy lifting in terms of PR was still on my shoulders.

But, apparently, the Bedlam curse wasn't done with the *UFC 85* event quite yet. The news soon came down that Leben had an issue getting a passport at short notice and he was pulled from the event. (Basically, Chris decided moving to a Hawaiian beach house was sufficient excuse not to bother with a court-mandated anti-drunk-driving class in Oregon; an Oregon judge disagreed.)

It was a shame; I'd been looking forward to the match. Leben was a big name and coming off two Fight of the Night and Knockout of the Night performances in his last five outings. Beating 'The Crippler' would mean something to the fans and from the excited tones they spoke about him, it would clearly mean something to Joe Silva and Dana, too. Plus, Leben had been talking some crap about me in interviews and I preferred it when opponents made it a little personal.

Instead, Jason Day would be facing me from across the Octagon in London. Day was a polite Canadian who went about his work as unassumingly and professionally as a trade union worker. He had beaten Alan Belcher at *UFC 83* in the first round.

'Fair play to Jason for accepting the fight on even shorter notice than I have,' I told the media on the conference call to announce the fight. 'I want to thank him and look forward to a good fight in London.'

The short training camp and change of opponent didn't bother me in the slightest. I was young and I loved what I did for a living. It wasn't that I felt invincible, but I'd earned a rock-solid confidence in myself and my ability to read and adapt to what my opponent was doing. But the build-up to the contest was far from routine.

Two weeks out from the fight, my manager called and said one of his business partners was going to be in my corner at *UFC 85*. I was about to say, 'Oh, that's nice to hear,' but of course he meant *literally* in my corner.

Apparently not content with his Octagonside seat, this business partner wanted to displace one of the three people officially allowed in my corner and get himself even closer to the action. At his own invitation, he would be backstage in my dressing room, walk out to the Octagon with me (which, I suspected, was the whole appeal), stand on the Octagon apron during my fight and even enter the Octagon between rounds and after the fight.

The advice a fighter receives in the 60-second breaks between rounds can be vital. Even mundane tasks like handing over water bottles and rinsing out a mouthpiece takes on mission-critical importance in the few spare seconds between a fighter sitting and rising back up from his stool.

'Yeah, sorry,' I told my manager, 'but he's not a trainer. He's not a fighter. He can't give me any advice on any facet of the sport if things aren't going my way. The answer is no, sorry.'

'I insist . . .' he said slowly.

'You don't get to insist on this.' I stood my ground. 'Sorry, it's my corner.'

'Who do you think you are?' he said, with an edge I'd not heard in his voice before.

I couldn't believe what I'd just heard.

'I'm pretty sure I'm the guy who'll be getting punched, kicked, kneed and elbowed in there.'

'He's going to be very upset . . .'

'Listen, I'm not trying to upset anyone,' I explained, trying to keep an even tone. 'But every fight is the biggest fight of my career at this point. He's got no business trying to force his way into my fight-night team.'

There was a silence.

Then: 'We'll have a fucking conversation about this after the fight,' and he ended the call.

That was the last I heard from my management/camp until fight day. Every other fighter in that Docklands hotel had a full team around them all week, helping them cut weight, liaising with the UFC over their promotional schedule and basically providing support.

My support consisted of Kazeka Muniz, my moody companion from the lonely Christmas of 2006, who'd been sent to float around and, no doubt, report back my every word and movement to Liverpool. And I had my friend from Clitheroe – Jacko – for company. For keeping sharp, I had the heavy bag in the hotel workout room and the pavement outside.

After making weight, Jacko and me went out for the post-weigh-in meal with Midlands fighter Paul Taylor and his team.

Finally, on fight day, and after I'd paid for his petrol, Tony appeared with an hour to go before I left for the $O_2$ Arena.

In a quiet word away from the others, Tony informed me the gym owners 'had been going ballistic all week' about my perceived snub. He wouldn't elaborate further.

Even though we'd both won in Montreal, I didn't meet Jason Day until we found ourselves in the UFC office at the same time on the Tuesday before our fight. I stood up from signing posters for the UFC and shook my opponent's hand.

*Fucking hell!* I thought. *He's considerably bigger than me.* What happened to dropping down to middleweight and fighting smaller guys?

That was the first time I realised that I'd still be fighting bigger guys, even at 185lb. It was kinda shocking.

The Jason Day fight itself couldn't have gone any better. The form that I showed day in, day out in the gym was – for one of the few times in my career – on full display in the Octagon.

The 15,327 British fans gave me a thunderous reception when I walked out. The support from them was unwavering and gave me an extra boost to put on what Joe Rogan told the viewers was my best UFC performance so far: a 3-minute, 42-second TKO via two well-placed takedowns and relentless ground and pound.

'Huge, huge performance by Michael Bisping,' Rogan said. 'Bisping was all over Jason Day, landing big punches early on, taking side control and dropping bombs, elbows and everything. Michael Bisping just overwhelmed Day. Out of all the performances in the UFC, that was his most impressive to date.'

In my post-fight interview with Joe in the Octagon, I began by thanking the British fans. 'The support I get from you guys – I could cry. I do not take it for granted. Every one of you – thank you from the bottom of my heart.

'Regarding my performance, I've said that I've not performed to the best of my ability in the UFC. I think I've started to do that. Yeah, I'm happy.'

'You've just served a big notice to the middleweight division,' said Joe, wrapping things up.

There were a lot of people on the dais at the *UFC 85* post-fight press conference. Besides me, Thiago Alves was there to talk about his main-event win over Matt Hughes, Hughes was there to take the loss like a man, Mick Swick was asked for words regarding his points win over fellow welterweight Marcus Davis, Thales Leites and Nate Marquardt argued about their split decision and UFC newcomer Kevin Burns was given time to talk the press through his Submission of the Night win.

With so many fighters fielding questions, there were long minutes while I was just sat there listening. So I took a sneaky look at my phone, which had been vibrating like a sex toy convention with incoming texts.

I wished I hadn't checked. I'd been sent a series of text messages from my manager. The texts were abusive. I sat there, in front of thirty reporters and five cameras which were live-streaming to hundreds of thousands of fans around the world, and stared at what was written on the screen.

Then I was asked a question by one of the reporters.

I turned the phone off and put it in my jacket pocket.

Ninety minutes later the coach, loaded to capacity with bruised and bloodied fighters and sports bags overstuffed with gloves and target pads, pulled up outside the Ibis hotel in the Docklands area of London. It was just before 1am, three hours after Alves's flying knee had brought *UFC 85* to an official close. The *UFC 85* host hotel bar was already five-deep.

It was time to jog upstairs for a quick shower and fresh clothes and then me and Rebecca – who I met up with backstage – were going to see about a drink and a bite to eat.

Paul Kelly was in the hotel lobby; when he saw me waiting for the elevator, he came over and confirmed that our mutual 'friends' from Liverpool were on the warpath. I told him about the texts I'd gotten while I was at the press conference. It was then that Paul clued me in about the type of people who we'd involved ourselves with.

When I got to my room, the landline was already ringing. Rebecca answered the phone and told me it was the business partner of the Liverpool gym. The same one I'd refused to allow work my corner.

I said hello.

'Can I speak to the superstar, please?' He repeated this three times in a ridiculously high-pitched voice before launching into a screaming rant.

I'd have loved to have ended my association with them and there. But that wasn't an option at that time.

So, while I couldn't bring myself to give the apology they demanded, I made peace by saying that, after thinking about it, maybe I'd not considered their request like I could have done and, fair enough, maybe I had a bad attitude about it. It was, probably, y'know, due to the stress of the fight. That kinda stuff.

Nothing was the same again, no matter how it appeared when cameras were rolling in the gym. Tony Quigley left the team for his own reasons around this time, leaving me feeling even more isolated. My mate Jacko was studying film production, and I hired him as my social media manager to keep me company as much as his skills as content creator.

# CHAPTER ELEVEN

# I'M GOING TO BE A CONTENDER

It was more of an emotional fear than something I thought was a genuine possibility, but I'd sometime worry that any career that had skyrocketed as quickly as mine could crash just as fast. In interviews I did at the time, I found myself bringing up how I used to wander from job to job and add comments like 'I've left all that behind me for now,' or 'I've shown my family a better life and it's up to me to make sure that continues.'

It always terrified me, the idea of going back to living pay cheque to pay cheque. To be constantly overdrawn, unable to buy the kids new clothes – the thought of finding myself back in that situation fuelled me in training. There wasn't anything in particular I was worried that could happen, it wasn't like I was dealing with a career-threatening injury (that would come later), or that I'd lost two fights in a row and feared getting cut from the UFC roster. It was the indistinct dread any decent family man feels when he finds himself with something to lose.

This fear helped push me in training all the way to having a resting heart rate of 36 beats a minute.

My next fight was scheduled for 18 October 2008. Having expressed sufficient contrition for not previously giving a fuck, Leben was cleared to leave the US and our fight was rebooked as the main event of *UFC 89*. Headlining a UFC card in the United States had been a huge feather in my cap – but topping the bill in my own country was very special.

The assignment at Birmingham's National Indoor Arena came with extra expectations, of course. As one half of the headline attraction, the box office of the event would be a reflection on me and my fight. I'd benefited from being on cards headlined by Rampage, Chuck Liddell and Tito Ortiz, and wanted to play it forward to fighters up and down the *UFC 89* card, including Paul Kelly and my old Nottingham training partner Dan Hardy, who was making his own UFC debut.

Plus, this was around the time the UFC had – finally – exhausted every macho-sounding subtitle in the English language: *UFC 42: Sudden Impact, UFC 48: Payback, UFC 55: Fury* etc. To be honest, for some of the historical UFC events, the marketing people seemed to have gone down to the local Blockbuster Video store and picked titles to copy at random. I mean, *UFC 19: Young Guns* was bad enough, but who the hell thought *UFC 26: Field of Dreams* was the one to go with?

And so *UFC 89* would be marketed as simply *Bisping vs Leben*. And of course, I wanted an event with my family's surname in the title to be a success.

'Tickets are going great, almost sold out,' Marshall assured me during one of the PR days the UFC arranged with me.

He felt horrible about it afterwards, but Marshall added to the pressure when he confirmed rumours the next season of *The Ultimate Fighter* could be based around a Team UK vs Team USA concept. Dan Henderson and Rich Franklin were under consideration as the American coaches, but I needed to beat Leben in order for the concept to make sense.

Coaching *TUF* was a huge opportunity for me. Being on the show as a contestant had changed my life. I really wanted to return in the mentor role; it would be months of great exposure on television on both sides of the Atlantic and a chance to help other British fighters get to the UFC.

The pressure to beat Leben increased again when the UFC advertised open auditions for British fighters – lightweights (155lb) and welterweights. Everyone on the forums and websites put two and two together: a British team would need a British coach. And so began the bombardment of questions regarding my involvement.

'I know about as much as you do,' I answered. 'I'd love to do it, if the UFC ask me, but I have Chris Leben to focus on right now.'

The other question I began to get over and over was, 'When are you going to fight for the title?' Many of the media people putting me on the spot were used to covering boxing, where one or two wins over American opposition was considered enough to get a shot at a belt. I had to explain to them, while trying not to sound like I didn't have confidence in myself, that, unlike in boxing, the UFC had only one middleweight championship, not four or five, and I still had work to do before I got my shot.

Speaking at the time, I said, 'One of the toughest parts of my career is other people's expectations. I already put a ton of pressure on myself – this is how I provide for my family, after all – but on top of that there's people pressuring me to call out the champion, Anderson Silva.

'I just want to earn the right to fight for the belt. I'm not here to make up the numbers, I'm here to become the champion of the world. Of course, I want to fight for the belt more than anything; I want to fight the best of the best. But I don't want to sound arrogant and call anyone out. I want it to be obvious I am next in line for the belt and whenever the UFC gives me the chance, I'll be ready to win that belt. So I'm not watching Anderson Silva that closely right now – all my attention has to be on Chris Leben.'

In fact, I was watching Anderson very closely. Live at 6am UK time or not, I never missed one of the Spider's fights live. The greatest fighter in the world was the champ of my division. He'd come from Cage Rage, like me, and we'd reached UFC level at the same time. I was doing well, but Anderson was doing phenomenally well, winning the world title in his second UFC fight and already having defended it four times. He wasn't just the best in the middleweight division, he was the best fighting in the sport, full stop.

With no real option, I compartmentalised the thuggish antics of my management and got on with my job of training for a UFC fight. Quigley had been replaced by respected boxing coach Mark Kinney, who I happily credit with helping me tighten my striking and footwork during the time I worked with him.

The Leben fight came soon enough. I spent the Monday of fight week doing PR in Manchester and Birmingham while Leben, who'd smartly flown from the US early to give his body every chance to shake any jetlag, did interviews in London.

We both checked into the host hotel on the Tuesday, where more media commitments awaited us as headliners. Kevin Iole, in Birmingham to cover another UFC for *Yahoo! Sports*, began his one-on-one interview with me with: 'Have you seen Chris Leben yet? He's shown up looking quite the physical specimen.'

When I did lay eyes on Leben, I knew what Iole meant. After hearing Leben talk about me having a speed advantage over him, I'd expected him to come in leaner, and with an expanded gas tank.

Instead, he'd shown up with the upper body of a rhinoceros. I got a real good look at him when we found ourselves riding the same tiny elevator in the hotel. The muscles along his neck, shoulders, biceps and chest had been built out so far his sponsored T-shirt creaked like the deck of a galleon.

Leben was a fan favourite for two reasons: his 'don't give a fuck' approach to life and his fighting style. Actually, those reasons were probably one and the same. He'd only been stopped once – by some bloke called Anderson Silva – and had since re-established himself with two Knockout of the Night performances. His intentions at *UFC 89* weren't exactly a secret.

'My style is a little loopy, a little wild, but – guess what? – that style knocked people out,' he said at the pre-fight press conference. 'I put guys to sleep. Bisping hasn't fought a striker of my calibre. There's no one out there I can't knock out and until the referee raises your hand – you're not done fighting me. When I take him into the deep water of the fight, he'll lose.'

Despite the swollen muscles under his tattooed skin, Leben's strength wasn't massively out of the ordinary, not to a guy who'd grappled with light heavies like Matt Hamill the year before. And while I gave Leben full respect and definitely felt his southpaw left hands and hooks when they landed, Rashad's power had given me more to worry about. (In fact, at *UFC 88* the month before, Rashad had blitzed Chuck Liddell – sparked the legendary 'Ice Man' out cold – to earn a UFC light heavyweight title shot that he'd also win via knockout.)

Leben fought a great fight, though. He started off by throwing a lot of leg kicks, trying to moderate my speed and footwork advantages, and marched forward throwing his short, thick arms like they were wooden baseball bats. I landed with right hands, jabs and hooks as Leben shelved his leg-kick strategy.

On commentary, Rogan accurately relayed my game-plan to the viewers around the world: 'Bisping is using Leben's own aggression against him. He's moving back and countering, relying on the fact that Leben is always going to come forward.'

My punches were straighter and faster, plus I had a five-inch reach advantage over the Crippler. The first round ended with me knocking the American back on his heels with power punches; he went back to his corner bleeding from his nose and eyes.

At the start of the second round, Leben seemed to have tired himself out a little throwing those kicks. His nostrils, flooded with blood, would be little help in getting oxygen to his lungs for the rest of the fight. He got a little breather as the ref called time out when he kicked me low, but after I'd recovered the pattern of the fight was established: Leben doggedly aggressive, swinging away with big punches to the face and kicks to my legs, and me timing his attacks and countering with punches and knees.

My strikes were slicing Leben's face up pretty badly. I was winning every minute of every round but he drew blood, too, after a right hook exploded my left earlobe. That would sting like crazy when the adrenaline of the fight wore off.

By the time he came out for the third, Leben's right eye was now almost completely closed. I made sure I touched gloves with him; this guy was a warrior and giving it his all.

In the third round, I landed 30 power strikes, more than double the amount Leben found a target for, despite his best efforts. The

Crippler knew he'd been beaten; he raised his hands in the air in the last few seconds to goad me into hitting him – and I responded by kicking him in the face. I'd closed the show with my most dominant round and had won all three comfortably. Two of the three judges agreed, awarding me the decision by scores of 30–27, while the third official gave Leben one round for a 29–28 scorecard.

Chris and I had a good chat in the cage and a lot of mutual respect was expressed. Callum came into the Octagon again. He was a lot bigger than he'd been at *UFC 70* and much more aware of the realities of what his dad did for a living.

'Chris is tough as hell,' I told Joe Rogan in the interview. 'I knew he could take a punch. The fight went down how I felt it would, I needed to use footwork. I was countering, landing shots and got the decision.'

Leben was magnanimous in defeat. He conceded I landed a lot more shots and said he was content enough with giving the fans an exciting fight. 'This right here is my favourite fight,' he said.

He was a likable bloke. I suspected we were similar people; two guys who got their sense of pride and self-respect from competing. He also had a sense of humour. When he'd stepped into that elevator with me we'd cracked up laughing ('Well, *this* is awkward!').

Then the news broke that Leben owed his new physique to stanozolol, an anabolic steroid banned in sports since the 1970s. I wasn't angry, exactly, because I'd won. If anything, it made my win even more impressive, but I couldn't help but feel disappointed. The fight had an asterisk now and Chris had been fined a third of his purse and lost his livelihood for nine months.

He at least admitted he took the stuff on purpose, though. That wouldn't be my last encounter with an artificially enhanced opponent and – unlike Leben – most didn't have the stones to admit they cheated.

The night of *UFC 89* was a lot more fun than after *UFC 85*. I had a bunch of mates who'd come down the M6 and we had a great night out. Referee Marc Goddard, who'd given me that grappling session in Birmingham years before, knew everyone in every club in Birmingham and was ensuring every fighter was having a good time. Dan Henderson, potentially my next opponent, was in town for the fight and was sat at a table next to us. We had a brief chat and my sister and a couple of mates took photos with him as we partied the night away.

The following day I caught the train to London. I was enjoying a hearty dinner while chatting away to a blue-rinsed old lady who'd found herself sitting opposite me in First Class. Rumour has it that I love talking, and I admit I'll hold a conversation with anyone given half the chance.

While I was chatting away to the old girl I began scratching my left ear ... and with a creeping sense of embarrassment I remembered that the previous night I'd had stitches in my left earlobe – and had just pulled them out in a squishy glob of jellied blood.

The old lady's dismay cannot be exaggerated.

'Sorry!' I told the grandmother, 'this isn't what it looks like. I'm not a thug or anything. I'm a UFC fighter.'

I may as well have told her I was a UFO pilot.

'A mixed martial artist ...' I tried.

Still no recognition.

'A professional fighter … an athlete … kinda like a boxer? You hear of it?'

She clearly hadn't.

'I'm a … cage fighter.'

'Oh,' she said, with palpable disappointment in what I was doing with my life.

If the UFC marketing machine hadn't quite reached the sexagenarian demographic Generation X and the millennials had heard the siren call of the fastest-growing sport in the world loud and clear. If I had any remaining doubts just how quickly MMA was growing in the UK, they were set to rest at the *TUF 9* open auditions on Monday, 20 October 2008.

Over 140 young hopefuls showed up to try out at Earl's Court. They walked through the doors full of confidence and dreams and nerves, just like I had three years earlier. Dana and Craig Piligian were there, like they were in 2005, but instead of Forrest Griffin I was now the guy in the room the young fighters wanted to emulate. It was a weird moment, stepping into the role of giving 'big brother' advice for the first time.

'Take this seriously, this is everything you've worked for,' I told the room when Dana asked me to say a few words. 'If you make it to Vegas, show up in shape – be ready to go on day one. In the season I won, a couple of guys showed up expecting to use the show to get in shape. Don't do that to yourselves – train your arses off and we'll have two more *TUF* champions from this part of the world.

'I was you three years ago, and *The Ultimate Fighter* changed my life in ways I couldn't even believe. Show us what you got. Make Dana pick you!'

This time round, the producers were looking for eight British fighters, not just two, and the interviews all took place on the same day. The auditions began at 10am, and the last fighter interview with Piligian took place after 7pm.

The rumoured coach of Team USA was either Dan Henderson or Rich Franklin, and when the pair were matched in the main event of *UFC 93* in Dublin, Ireland, it was obvious what Dana was planning.

'The winner of this fight will be the coach of Team USA,' Dana confirmed at a pre-fight press event in the Irish capital. 'Whoever wins will fly to Vegas next week and begin coaching against Team UK's captain Michael Bisping.'

I didn't have a preference who I wanted to win between Franklin and Henderson. They were both world-class fighters; Franklin was a former UFC middleweight champion who hadn't lost a fight to anyone not named Anderson Silva in six years and Henderson was a two-division champion from PRIDE who'd beaten everyone from Minotauro Nogueira to Renzo Gracie and Vitor Belfort to Wanderlei Silva. And of course, I'd been there when he gave Rampage a war for the light heavyweight belt at *UFC 75*.

Maybe Franklin would have been more fun to do *The Ultimate Fighter* with, though. You don't automatically think of ex-algebra teachers as wildly charismatic, but 'Ace' had a personality and, well, 'Hendo' never had a conversation he didn't want to cut short.

Whoever won the 17 January 2009 fight at the $O_2$ in Dublin would be the toughest opponent of my career, no question. In the end, Henderson won an exciting fight by split decision. He was now the guy I had to beat, the gatekeeper to my shot at the UFC world title. Filming had already begun for the ninth season of *TUF* and Henderson, myself and Team UK flew the Atlantic to join the already selected Team USA in Las Vegas.

My foot was in water.

Running fast over my toes. And down my shoulders and my neck.

My forehead was laying against something cold. I was standing up. There was a white noise crammed into my ears. I heard voices miles away.

I was standing in a shower, resting my head against a cool white wall. Probably to help with the headache I'd just noticed.

It felt like I was about to wake from a dream. But I didn't, so I knocked the shower off. The white noise melted away and the talking sounded closer. I turned around in the steam. I was in a small bathroom with a box shower in a corner.

I put a towel around myself. I was a little dizzy. I was carrying two headaches, one at the back of my skull and one dangling above my left ear. The white noise changed pitch into a long ringing. My jaw felt funny as well. I walked through the archway of a door and there was a larger, too much brighter room with six men in it. I knew them. There were bags crammed with stuff on the floor. One of the men gave me a friendly nod as the rest kept talking in muted voices.

My mate – Jacko – was sat on a bench nearest to me. There were people wearing ID cards going in and out of the room. Something had happened. I didn't know what.

Acting as normal as possible, I quietly gestured for Jacko to come closer.

'Hey – what's going on?' I whispered.

Jacko had a sympathetic look on his face. 'It's alright mate,' he said. 'Go get dried and we'll go.'

'Yeah, yeah, alright,' I said, and turned back into the bathroom. I dried myself and put some clothes on but then I went back to Jacko, confused all over again.

'Hey,' I whispered again. 'Where are we going? What's going on?'

'You've just fought.' He looked concerned. 'They are waiting to talk to you to check you out ... you remember, yeah?'

'Oh yeah ... course. Gimme a minute.'

I put the rest of my clothes on slowly, buying time. Not enough.

'Tell me again – what are we doing?' I asked Jacko.

'You've got to go the hospital, mate.'

'What are you saying?'

He turned to the rest of the guys in the room, attracting their attention.

'Do ya remember what happened, Mike?' asked one of them.

'Yeah, yeah,' I lied again. 'But ... what are we all doing now?'

'You got knocked out,' he replied. 'You'll be okay but they are going to take you for a check-up.'

'Okay,' I said. 'Let me get my shoes on.'

Jacko followed me into the shower room. I began lacing up my shoes.

'What they on about?' I asked him. 'Knocked out? I'm not fighting for another two months. Why was I knocked out?'

'You just fought – you lost by knockout,' Jacko said. 'They are going to take you to get checked out as soon as you are dressed.'

What on earth were they all talking about? I was fighting in Las Vegas in two months' time. In July, at *UFC 100.* But I couldn't remember why I was in the shower, or in this room.

'Why have I had a fight?' I asked, almost angry. 'Did I take a short-notice fight or something? I'm fighting in July, why did I fight just now?'

'It's July now, mate,' I was told. 'We are at *UFC 100* now. You lost the fight to Dan Henderson.'

Not being able to recall a few hours is one thing, but losing two months? Crazy. Didn't make sense. I kept trying to remember what had happened earlier that day, or the day before or earlier in the week. It was like typing in a password that you know is correct, only to get an error message over and over no matter how slowly you pushed the keys.

Jacko could see I was struggling. 'Let's go, mate. They are taking you to get looked at in the hospital.'

It took the lot of them to convince me to climb into the ambulance. I'd learn later that this was the third time in twenty minutes that my team had pleaded with me to accept what my brain would never remember. They'd explained what had happened to me in the Octagon and before I'd gotten into the shower.

'You okay, Mikey?' Mark Kinney asked.

'Yeah, yeah,' I said, waving everyone's intense attention away as the ambulance door shut. 'Yeah, I'm fine. Don't worry.'

I doubt I sounded convincing.

The euphemism the UFC use for fighters getting taken away in an ambulance is 'transported'. On 11 July 2009, around 10:15pm Pacific Time, I was transported from the Mandalay Bay Events Center to Sunrise Hospital on South Maryland Parkway, Las Vegas.

Jacko was with me, and Frank Mir, who'd lost his claim to the UFC heavyweight title in a brutal beatdown from Brock Lesnar in the *UFC 100* main event, was my rideshare buddy.

While my face was unmarked – you'd never have guessed I'd been on the losing end of a fist-fight – Mir's jaw, cheeks and eyes were swollen purple and blacks. Yet the seventeen-and-a-half-stoner's sense of humour remained undamaged.

'So ... how's your evening going?' he asked as the ambulance pulled out of the Mandalay Bay back entrance.

Then the ambulance turned off the Strip and into the more residential parts of the city and something turned a corner inside my head, too.

'Awww ... mother-fucker!' I suddenly said.

'What's up?' Jacko asked.

'Well, y'know when I said I was alright? That I could remember the fight?'

'Yeah?'

'I was lying. I couldn't remember a thing. I was just saying that so you'd all stop asking me if I was okay. But now I can remember the whole fucking thing. Fuck!'

Coaching Team UK during season nine of *The Ultimate Fighter* had been a privilege. Fuelled by patriotic pride, we wiped the floor with Henderson's US team. Not only did Ross Pearson and Andre Winner from our team fight each other in the all-British lightweight finale (Ross won a great fight) but James Wilks won the welterweight finale. It felt great to see Team UK win both tournaments and have three of the four finalists; and it was very satisfying to help a group of fighters – British fighters – in the way Tito Ortiz, Saul Soliz and Dean Lister had helped me.

I was emotionally invested and that passion led me to get a bit carried away in front of the cameras. After one particular incident when I got a little too wound up, I approached Dana in the car park and asked if maybe some of my edgier moments could hit the cutting-room floor.

'Bisping,' the UFC boss said while getting into his sports car, 'if you don't want to look like a dick on TV, guess what? Don't act like a fucking dick on TV.'

Obviously, I got no favours, and I shouldn't have been surprised. While it was shown on Sky in the UK and elsewhere around the world, the reality show was produced for an American audience, and Americans love their British bad guys. Plus, Henderson's coma-like charisma left the producers with no choice but to fill running time with me doing almost all the talking. If they had given Dan equal screen time, audiences would have been as bored as a gang of midgets in a theme park.

For two sessions a day, six days a week, for six weeks, I was a very hands-on coach. But, unfortunately, I also enjoyed getting my hands on a pint and the best food Vegas had to offer. I'd spent a year and a half dieting to keep my body way south of my natural walking-around weight and, with a nine-month break between the Leben fight and *UFC 100*, I was glad to dodge chicken salads for a while.

Unfortunately, I let my weight creep up to a mortifying 239lb (16st 9lb). I shake my head to recall it, to be honest. One of my biggest regrets is that I didn't maintain the lifestyle of an athlete all year round during my career; I actually eat better and exercise more consistently now I'm a retired 40-something than I did during my UFC run. That's pretty ridiculous to think about, isn't it?

Don't get me wrong, once it was time for me to train, I could flip a switch. Once filming for *TUF 9* wrapped in early April, I got back on my diet, hit the road for five miles plus a day and attacked the gym like a psychopath. In other words, I went from enjoying myself too much to training too hard.

My training for *UFC 100* saw the team join a massive camp based in Big Bear, California, once again run by Juanito Ibarra. I'd been training like a madman for months when, on 2 June, the UFC publicly confirmed that whoever won the showdown between me and Henderson would be declared the official No.1 contender.

This was the big one. This was it. A chance to earn a UFC title shot and match my skills against my generation's Sugar Ray Robinson. It was everything I'd been working towards. The raised stakes made me train even harder. Whatever Henderson was doing – running, sparring, lifting, rolling – I needed to do twice as much!

You can only do as well as you know, and I didn't know any better in the summer of 2009. So I pushed myself over the border between working hard and overworking. With three weeks to go until I faced Henderson, my body was shipwrecked.

My knees, hips and back became so sore every training session had to begin with half an hour of slowly running in circles on the padded mats. I'd begin, with gritted teeth, at walking pace and slowly encourage warm blood to travel to pained joints that just wanted to be left alone for a few days. Then I'd push myself through a four-mile run, sparring, drilling and rolling all day. I was hammering at it so hard I was taxing my immune system; the little nicks and scrapes of everyday training loitered on my elbows, knees and lips. I remember one particularly painful cut in the tight skin on the top of my left foot that just wouldn't heal up.

In the years that followed, I'd come to understand that it takes confidence to take a day off when preparing for a fight. As the weeks and days counted down to *UFC 100*, I didn't have that confidence. That was my fault, too. I'd spent over half a year with Dan Henderson living next door to my thoughts. I'd watched his fights over and over, witnessing him beat up legends like Wanderlei Silva and Renzo Gracie and even UFC *heavyweight* champion Minotauro Nogueira.

The worst Henderson could do to me was played on a loop, over and over, when I should have been focused on what I was going to do to *him*.

When I checked into the site of *UFC 100*, the golden Mandalay Bay hotel, in early July I was over-trained, over-tired and over-anxious.

The sport came of age at *UFC 100* and I am gratified to have been part of that milestone event in the sport's history. The high-water mark of *UFC 66* was beaten and then some. There were hundreds of media in attendance from around the world, ESPN and other TV cameras were everywhere. The UFC put on a three-day fan expo which reportedly drew over 50,000 attendees each day.

The pay-per-view event itself was stacked beyond belief. The double main event was WWF wrestler turned UFC kingpin Brock Lesnar clashing with enemy Frank Mir for the UFC heavyweight title, and Georges St-Pierre's latest UFC welterweight title defence against top contender Thiago Alves. Japanese judo champion Yoshihiro Akiyama – the UFC's big new signing – made his much-anticipated UFC debut on the card, plus UFC Hall of Famer Mark Coleman continued his unlikely comeback and a massively exciting 22-year-old talent named Jon Jones was given 15 minutes in the spotlight.

I'd gotten used to even the biggest Las Vegas hotels becoming MMA mini-cities, but *UFC 100* transformed all of Vegas to a fight town. A huge crimson carpet had been laid in the exterior lobby of the Mandalay Bay Resort, emblazoned with the centennial numbers and 'UFC' and everywhere you looked – from the restaurants to taxi ranks to the lines in Starbucks – people were wearing MMA clothing and talking about the fights.

It was like being at Woodstock, if instead of music and free love Woodstock was about fighting and overpriced skull T-shirts. This was the sport's coming-of-age party and MMA took its place among the major sports in America.

And I couldn't wait for it to be over.

Two nights before *UFC 100*, I went to the Noodle Shop in the Mandalay Bay with Jacko. It was early in the evening so we were the only ones sat in the hotel's resident Chinese restaurant. I had a three-course meal. When I weighed myself in my room two hours later, I was only 187lb. I felt skinny.

My memory of the first Dan Henderson fight comes from watching it on tape years later. I can't give you any insight into what happened other than what you can see for yourself. We had a close first but in the second round I was knocked out.

Henderson's weapon of choice was a right-handed punch thrown in an arch, raising up before crashing down like an artillery shell. At 3 minutes 17 seconds of the second round he landed one directly to the left side of my jaw. I was out before my head bounced off the canvas.

I go back and forth on how I feel about the second shot Henderson chose to throw while I was laid out and defenceless. Either way, I'd been knocked out in the most devastating fashion. A decade-plus later, *Henderson KO 2 Bisping* remains one of the top three knockouts in the sport's history.

'I remember the whole thing now, Jacko,' I repeated in the ambulance on the way to hospital.

'Sorry, mate,' he said.

'We're all fucking sorry in this vehicle,' Mir added.

We all shared a laugh or two, gallows humour for two guys who'd already been to the gallows. The hospital ran their tests. I was fine. 'You're good to go,' they said.

And I did go … out for a drink. I felt I had to. When I got back to my hotel room a dozen family and friends were waiting for me, they all cheered and clapped me as I walked in the room. I was hugged and had my shoulders slapped. These people had travelled to the other side of the world to support me and for some of them this was their one holiday of the year. Even though I wanted to crawl into bed and shut off the lights, I owed it to them to suck it up, put on a brave face and spend some time with them.

'Alright, let's go drown my sorrows!' I announced to cheers.

In hundreds of MMA, kickboxing, KSBO, BJJ and every other type of fight I'd been in, I'd hardly ever lost and had never once been defeated conclusively.

Even the impact of the Rashad loss had been cushioned. After all, I'd told myself, it was a split decision in a weight division I clearly wasn't best suited to. Plus, there were positives (my wrestling, the second round) and clear corrective action (moving to middleweight) to focus on and get busy doing.

The Henderson result was something else entirely. I hadn't just been beaten; I'd been KO'd at the biggest show in UFC history. There was no commuting this defeat; I'd trained harder and for longer than for any fight in my life and still didn't get the win. There were no positives to take away or easy answers to implement.

*UFC 100* never ended. The image of Henderson, arched in mid-air, swinging the base of his fist downwards towards my unprotected chin, was everywhere. On T-shirts, banners, posters and every UFC broadcast. A plastic figurine (aka a toy for under-sexed grown-ups) was released of Henderson swooping down with that hammer fist.

The final seconds of the fight were omnipresent on every website, forum and embedded in every nasty tweet I was sent.

It felt like half the world was celebrating the worst moment of my life and so I hid behind self-deprecating humour.

'Who'd circle into his opponent's best punch?' I asked rhetorically in interviews.

I was smiling as I spoke, but inside I was *crushed*.

## CHAPTER TWELVE

# AIN'T GOING NOWHERE

Growing up, I felt like I was good at one thing – fighting. All the way to my early twenties, my sense of self and, really, self-worth was based on being a good fighter. Now it felt like half the world was insisting I wasn't a good fighter. The online abuse was insane. My entire career was getting torn apart. It bothered me more than I let on to anyone.

It's a lonely place to put yourself, hiding what you are really going through. I even kept Rebecca in the dark.

Right after *UFC 100*, Rebecca, the kids and me joined her parents in Malaysia for a long holiday. Kate and Graham had moved there earlier in the year and they were dying to show their grandkids their pool and nearby beaches. Lying around in the moist heat in the morning and playing in the cool saltwater of the South China Sea with my kids in the afternoon was exactly what I needed. I remember lying down on a towel on the sand, watching Callum and Ellie build sandcastles. *This is why I work so hard,* I thought; *this is what Rebecca and me get in return for me going away for weeks and even months on end.*

It was a great holiday. But *UFC 100* sat in my guts like a rusty beer can the whole time.

Early on the second Sunday morning we were in Malaysia, *UFC 101* was broadcasting live from Philadelphia, 13 time zones away.

The top attraction was Anderson Silva, in search of someone to give him competition, stepping temporarily up to light heavyweight to take on former 205lb champion Forrest Griffin.

We sat down as a family to watch in my in-laws' living room while eating a fruit breakfast. The kids were kept happy for a couple of hours with the promise of another day at the beach.

As everyone who was a UFC fan by 2009 knows, Anderson blew Forrest away. Despite Forrest's size, courage and world-championship-winning abilities, Silva knocked him down three times in a three-minute blitz.

My mother-in-law couldn't contain her astonishment.

'What's his secret?' Kate asked me. 'He's so good! Why is he so much better than everyone else?'

My comeback fight was scheduled for *UFC 105* in Manchester in November. I asked for Wanderlei Silva, the Brazilian whose five-year reign of terror as PRIDE FC champion had already made him a legend in the sport, but he was out for the rest of 2009. Instead, I was matched against another PRIDE stand-out, Denis Kang.

The 'Super Korean' had been the runner-up in PRIDE's 2006 Grand Prix, fighting in the finale despite tearing a bicep in the semi-final earlier than night. Kang was the kind of assignment every fighter faces without an abundance of enthusiasm: a dangerous opponent whose name isn't well known outside the hardcore fan base.

Kang was installed as the odds-on favourite to win the fight on 14 November, while I was listed by American sports books as a +175 (7/4) underdog. What that meant was the bookies gave Kang a 64 per cent chance of winning the fight and me a 36 per cent.

'I'm going to go out there and win big,' I told the fans and media at a ticket on-sale event at the Manchester Arena. 'I'm looking to finish in the first round, be very aggressive like I was early on in my career.'

My training for the fight began in late summer. I don't remember feeling any difference in returning to the gym after the Henderson result than any other first week back. My confidence wasn't shaken or anything, I wasn't gun-shy in sparring and there were no doubts or hesitations I needed to address.

Apparently the team around me felt differently. We had several established boxers in the gym with us for a week, and I took the opportunity to spar with them. In one session, one of the pugilists dropped me a couple of times. I could feel an anxiety tighten around the room. Heavy bags went unpunched for a few seconds and Zach Light, who was now coaching at the gym, put both his hands on the ring apron and trained his eyes on me.

Then I touched down a third time and Zach leapt into the boxing ring to wave the sparring off.

'No more today,' he said as he stepped in front of me.

My sparring partner looked at me for confirmation.

'Nah, I'm good to go,' I said, rolling my shoulders and getting back into stance.

'No!' Zach insisted. He stepped back in front of me. 'It's over. You are done for today.'

It was frustrating. I really was perfectly fine but everyone in the gym was sliding me glances. I can understand it. From the outside looking in it can't have looked good. Most of the people in the gym were there in the Mandalay Bay Arena dressing room when I literally couldn't remember where – or when – I was. Now I was getting dropped in sparring. I got it, Zach felt he needed to look after me.

One Sunday evening in August, I was in bed at home enjoying *Rocky III*. The kids had commandeered the TV downstairs. I love the Rocky movies; even the ones that are heavy on 80s excess have devastatingly accurate character beats for fighters.

I got to the part where Balboa was knocked out by Clubber Lang and had to hide his anguish from Mickey. Sly Stallone's character was beaten and heartbroken but still trying to pretend everything was okay. I teared up. Then I broke down. It had taken two and a half months for me to not choke these feelings back down.

That's when Rebecca came up to check on me.

'What's the matter?' she said, slipping through the door.

I had one hand pressed against my eyes, holding the tears inside, and waved for Rebecca to shut the door with the other. I didn't want the kids to hear.

'It's okay,' Rebecca said, holding me. 'I had no idea, I'm sorry.'

'I'm sorry,' I said. 'I didn't let on ...'

That was a big first step.

Slowly, piece by piece, I began to reconstruct myself.

Losing like I had sucked. Missing out on the title fight sucked. The abuse I was taking was awful and it sucked. It all sucked but ... I wasn't finished. I'd made some money by that point, enough to propel myself into a different career. If I truly thought that was as far as I was going in the UFC I would have walked away.

But I wasn't done. Fuck, no, I wasn't done by a long way. The naysayers were wrong. I was one of the best in the world. I would fight my way to the world title.

'You'll get there,' Rebecca said.

'We. *We'll* get there,' I reminded her. 'I wouldn't have even had one pro fight without you.'

We also decided to have another child.

A couple of weeks later I was on my way out the door to have a quiet drink with my friend Blenky when Rebecca shouted for me to come upstairs for a minute.

'I've news,' she said. 'We're pregnant.'

I was looking forward to at least a couple of months of trying every night but baby number three was already on the way. Michael 'The Count' Bisping, 67 per cent accuracy in the Octagon, 100 per cent accuracy in the bedroom! Ha!

We hugged and laughed and then I shouted Blenky, who was waiting for me in the kitchen.

'Blenky!' I yelled. 'Me and Becks are having another baby. This isn't a quiet drink any more, mate – you and me are going to go get shit-faced!'

There were factors that, while they had nothing directly to do with me running into Henderson's atomic right hand, had still contributed to the loss. I couldn't afford to ignore them any longer. My body had been a ruin in the weeks leading up to *UFC 100* and, while I would struggle not to over-train for the rest of my career, I now accepted that there was such a phenomenon.

The way I'd been making weight – dieting and running the pounds away weeks and weeks before the fight – was thrown out of the window, too. The Liverpool gym coaches had no experience with or inclination to learn how to properly cut weight, but after three years in the UFC I had dozens of contacts who did.

*UFC 105* was the first time in my career I did my weight correctly. I reported to the UFC hotel HQ on the Monday weighing a stone (14lb) above my weigh-in weight. I loaded myself with gallons of water, literally flushing out toxins and sodium from my body, for three days. That dropped my weight by 4lb. In the 24 hours before the weigh-in I used salt-baths and a sauna to drag out every drop of moisture from my body. Then at 4:20pm on the Friday, in front of 4,000 fans at the weigh-in, I scaled 185lb exactly. By 10pm that night I was back up to 195lb and by fight time I was a little more than that.

It's important to realise that social media isn't real life; and that MMA bloggers' opinions only matter as much as you think they do. I got that message *deafeningly* loud and *crystal* clear from the 16,693 fans packing out the Manchester Arena.

The ear-splitting cheers those people gave me at *UFC 105* meant *everything* to me. They didn't hold back their emotions or hedge their bets until I had the fight won. They put their heart and souls on the line and declared – as loudly as their voice boxes could – that they were with me. All the way!

It wasn't just the decibels ringing in my ears or the rumble under my feet, it was the outstretched hands, the fists pumping in the air and the expressions on their faces. Not one of them had written me off. They still believed in me. The energy surge was intoxicating. I pointed down the TV camera tracking me to the Octagon and screamed at my critics: 'YOU HEAR THAT, YOU FUCKERS?!?'

On commentary, Joe Rogan mistook my gestures for anger – 'Man, Bisping is pumped up! Look at him! He looks psychotic!' – but it wasn't anger. It was determination. Weapons-grade determination. I would not let these people down.

The first round against Kang did not go to plan, though. He caught me with a right hand and I spent the next four minutes grappling to defend against his attacks. When the horn sounded to end the round I turned to all four sides of the arena and mouthed, 'I'm sorry, I'm sorry.' I'd promised them that I'd be aggressive and go all out for the first-round finish, and I'd spent most of the first round on my back.

Everything clicked together in the second round. I landed combinations, changed levels, took him down and unleashed an arsenal of punches, elbows and knees. Every success was cheered. I felt like myself once more. Kang got up briefly. I took him down again. I continued to hack away. Then I let him up and landed more strikes from a standing position until he fell.

Referee Dan Miragliotta waved it off at 4:24 of the second round.

The fans went mental and I was so overcome with emotion that I had to sit down on the canvas for a few seconds to compose myself.

'That answered every single question,' Rogan had to yell into his mic over the noise in the arena. 'Every single one of them. Bisping's back was against the wall, he took on a very tough guy, and – in my opinion – had the performance of his career. He was put in a bad position, he got dropped, he defended on the ground and when it was time to finish – he finished. He beat up Denis Kang and finished him.'

As Rogan took his headset off to walk up the stairs and interview me, Callum sprinted across the Octagon. I saw him coming and knelt down to hold him tight.

'I love you,' I told him.

'I love you!' he said.

Joe touched me on the arm to signal the start of the interview. The fans were still cheering.

'You've no idea how I felt after the last fight,' I said into the microphone. 'This is my life, I dedicate everything to this and it really hurts me when people don't give me the respect I think I deserve. I've never, ever, turned down an opponent in my life. I'll fight anyone. I want to go right to the top. I know I've got a long way to go. Bear with me. I'm trying, guys.'

After rebounding from *UFC 100*, something changed in me. I stopped worrying about my MMA career abruptly ending and me going back to my former directionless life. There were no more unforced and almost superstitious references to leaving my old life behind 'for now'.

Our family had moved just outside of Clitheroe to a newer, bigger house. We'd given my mum the place on Nelson Street. We weren't rich, but the debts were long gone, the house was paid for and there was money in the bank.

One midweek lunchtime I was slowly driving a brand-new silver Audi S5 through the narrow roads of Clitheroe town centre. I was going to pop into my dad's for a cup of tea. I passed the Key Street pub on the left and the car park where my life had once jumped the tracks and derailed on the right. The night of the arrest seemed ages ago, in a lifetime lived by a completely different guy.

That was the moment when I realised I'd come too far to ever be pulled back. I'd done it – I'd made something of myself.

'YES!'

I thumped my fist into the car roof and drove on.

The fight with Wanderlei Silva materialised as the co-main event of the promotion's first ever event in Australia. *UFC 110* was booked for the Acer Arena, Sydney, on Sunday, 21 February 2010. To keep the US pay-per-view slot of 7pm on Saturday night, *UFC 110* would start at breakfast, local time, and I'd be fighting in the early afternoon.

I flew out with Jacko two weeks before the fight. We stayed with Tama Te Huna, a former fighter turned gym owner whose younger brother James was making his UFC debut on the card. One of the best things about the MMA world is the sense of community. It's a crazy thing we do for a living, and there's often an immediate camaraderie between those of us who do.

The warm weather had a great effect on my body; old injuries didn't nag nearly as much and sweat flowed evenly from my pores. I felt I was getting healthier as well as stronger and fitter.

The first order of business was getting my body used to providing maximum output at the time I'd be fighting. To drag the hands of my body-clock to AEDT time, I would go for sprints in the surrounding woods and hills early in the morning. Then I'd eat a light breakfast and rest for a bit before heading to Tama's Elite gym for pad and bag work and light sparring.

The MMA scene in Australia was still developing, but the Elite gym was always packed. They weren't all pro-level in terms of skills, but they were in shape and the facilities they had access to were great. It was impossible not to consider moving down under permanently; Rebecca and the kids all had Aussie passports, after all.

While I was considering my future, there was a sucker punch from my past.

It was around this time that Paul Davies, who I'd not even had as much as an email from in five years, got back in touch. Ultimately, he would serve me with a lawsuit. Remember that document I'd signed just before he emigrated? Davis was claiming management fees for while I'd been in the UFC. I was shocked and hurt, to say the least. I'd looked up to this man my entire life. He'd offered me a path forward when my life had reached a complete dead end.

If he'd have made a phone call or sent me a message I'd have been happy to pick up the conversation exactly where we'd left off half a decade before, when we were sat at his kitchen table in Nottingham.

I put the legal letter out of my mind for the moment but, months later, I settled out of court with Paul for an amount I would have been happy to have given to him if he'd have gone about it any other way.

Naively, I thought a British guy who had kids with Australian passports and had a long-time partner who was an Aussie would be welcomed in Sydney as an adoptive son. I also thought the English vs Aussie sporting rivalry was just a bit of fun, and mainly confined to cricket.

Nope. The Aussies booed the hell out of me at the Acer Arena. Yeah, I was fighting a living legend in Wanderlei Silva, but the abuse they yelled made me wonder if *Mad Max 3* was a documentary.

'I HOPE HE FUCKING KILLS YOU!' screamed one bloke, his upper body locked rigid in fury.

'FUCK YOU, YOU POM!' another managed to say despite the white foam in his mouth.

'GIVE US BACK KYLIE, YOU ENGLISH PIG-DOG!' howled another.

(Alright, I may have made that last one up.)

As much as they booed me, they cheered for Wanderlei even more. They roared like mad when he landed anything on me – and sometimes even when he didn't – while my best work was met with glum indifference. That may have affected the judges' decision, who knows, because other than two big moments when he got me in a deep guillotine choke and a brief knockdown in the last few seconds of the fight, I felt like I controlled the action.

I'd been knocked back down the rankings with another decision loss. It was disappointing – losses always are – but it wasn't massively discouraging. I truly felt I'd won the fight and asked the UFC for another match-up soon.

The UFC came back with an assignment and a date – Dan Miller in Las Vegas, *UFC 114*, 29 May 2010 – faster than I expected. One the one hand, Rampage was fighting on the card (vs Rashad Evans in a much-anticipated grudge match) so I'd have him to train with in Liverpool, but on the other, my third child was due in the middle of May.

There was no way I was going to leave Rebecca and miss the birth of our child, so Rampage and the rest of the team departed for the US two weeks before the fight without me. Days went by with no sign of a contraction. When we got to within a week of when I would be fighting Miller, I turned to Rebecca and cheerfully said, 'No pressure or anything, but you've got to have this baby today.'

We googled a million old wives' tales as to how to trigger labour and our house smelled like an Indian restaurant with all the spicy food Rebecca ate. Then, on the Monday of fight week, the little guy who'd go on to troll his old man to the amusement of an international audience, finally signalled he was ready to make an appearance.

Rebecca took no pain medication and gave birth like it was something she did most Monday evenings. Our baby boy – who we'd eventually name Lucas – was super-healthy and we took him home early Tuesday morning. I woke up after a few hours' rest to the sizzle and smell of chicken sausages and eggs. Upon staggering downstairs, I found a steaming pot of coffee freshly brewed. Rebecca had gotten up with the baby and had made me breakfast.

'Your flight's in five hours,' she said as she sat down at the kitchen table with our newborn in her arms. As blown away by this woman as I routinely am, this was one of the occasions where I just looked at her in awe. I just shook my head.

'What's the matter?' she asked.

'Nothing,' I smiled. 'I'm just thinking it might be better for me to stay here and you go fight Miller on Saturday.'

On the night, I managed to get the job done. Miller was every bit as tough as his reputation and had a great engine, but I won a unanimous decision. That set up a fight with contender Yoshihiro Akiyama in a main event in the autumn.

*UFC 120*, 16 October 2010, was UK MMA's coming-out party. The UFC put on a two-day Expo at Earl's Court; over 30 UFC fighters and personalities did Q&As, seminars and autograph sessions for over 20,000 fans. The *UFC 120* card itself at the $O_2$ Arena was stacked with British talent and set a European attendance record of 17,133. Me and Dan Hardy, who was the co-main event attraction, did more media than either of us had ever done in the UK. The whole country, it seemed, was buzzing about its emergence as an MMA power.

Then the fights started.

The fight card was a disaster from a British standpoint. One by one the UK fighters were defeated. London heavyweight James McSweeney was knocked out in the opening fight and Curt

Warburton from the gym I trained at lost his UFC debut. Then *TUF 9* champ James Wilks was defeated.

There were three fights to go before I made my walk to the Octagon. My phone rang. The display read 'HOME' and I answered.

'Hi, I'm sorry, can you talk?' Rebecca's mum, Kate, asked.

'Yeah, of course. I'm not on for another three fights.'

'I know – we're watching the fights in the front room,' she said. 'Callum's really upset and worried. Can you have a word with him?'

'Yeah, put him on.'

The potential consequences of what Dad did for work had become more rooted in reality for Callum over the previous 12 months. He'd watch the fights but if I got hit or taken down, he'd bolt out of the room upset. When I fought in the US, he'd be unable to sleep until he was told – around 5am – that Dad was okay. And obviously, hiding the fact I was fighting on a particular date was impossible.

'Hello, Callum,' I said in my Dad voice, 'you alright? You're not nervous, are you?'

'Maybe a little bit,' he said quietly.

'Aww, there's no need to be. I'm not going to get hurt, am I? What do I always say, it doesn't matter if you win or lose, as long as you go out there and try your best. Isn't that right, Cal?'

'Yeah …'

'Listen, I can't promise you that I'll win, Cal. I can't do that for you, mate, I'm sorry. But I can promise that I'm going to try my very best. Is that okay?'

'Yeah.'

'You go back and sit with Grandma and Gramps. I'm going to try my best, okay? Promise. And no matter if I win or lose, I'll give you a call right after the fight, okay?'

'Yeah! You home tomorrow?'

'Yeah, me and Mum will be home tomorrow afternoon.'

'Okay. Love you, Dad.'

'Love you too, Cal.'

Back in the Octagon, the night was going from bad to worse from a British perspective. Previously unbeaten wonderkid John Hathaway, coming off an impressive win over Diego Sanchez, was routed by Las Vegas welterweight Mike Pyle. Then came the co-main event, when the 17,133 fans, who'd been chanting 'Hardy! Hardy! Hardy!' so loudly I could hear it through the walls, were silenced when Dan was knocked cold in the first round by Carlos Condit.

Dan and I were sharing the same dressing room. We'd warmed up together on the thick red training mats. We'd tapped gloves just before he made his ring walk and I'd joined everyone else in clapping him out of the room. 'Let's go, Dan!' I shouted. He returned 20 minutes later with the same evacuated look in his eyes that, I knew, I'd had at *UFC 100.* My heart broke for him.

'I've been there, mate, it fucking sucks,' I said, trying to say something. 'I'm sorry, mate. You'll be back. Just listen to the people around you and go get yourself checked out.'

Dan nodded affirmatively but, given how I'd been after the Henderson KO, I wasn't at all sure he knew what was happening. Between the phone call with Cal and seeing Dan like that, I could have used a few minutes to gather my thoughts.

But Burt Watson was at the door:

'LET'S ROLL, BISPING! LET'S ROLL! WE ROOOOOLLING! YEAH!'

The noise was as overwhelming as ever from the UK fans, but this time felt a little different. This time, they needed something from me. After watching half the British roster getting beaten one after the other, they needed me to win.

Akiyama was coming off two Fight of the Night performances and hadn't come to London to mess about. Barely 11 seconds into the fight, he landed a thunderbolt of a right cross to my temple. There was a flash behind my eyes and a ringing inside my ears. It was the same shot he'd used to KO Denis Kang with. I retreated for a couple of seconds, checked my equilibrium was good, and then set about winning the fight.

I'd landed some meaty punches and a hurtful kick to his ribs when an errant fingernail raked my right eyeball. So much wet gushed out I kept patting away at it with my glove to check it wasn't bleeding. While I waited for the eye to clear up, I made adjustments in my stance and footwork to use the peripheral vision of my other eye.

We had a great striking battle. This was high-level MMA. Language barriers vanished in the Octagon. The way we exchanged nods of appreciation when the other executed a great combination, smiled at each other when a huge kick or spinning back fist missed by less than an inch and nodded apologies after inadvertent fouls told us all we needed to know about the other's character.

Akiyama surged forward at the end of the first round, I countered with a left that was blocked, and a right that I knew he would slip – directly into a left shin to the face. I needed to think two and even three steps ahead with Akiyama.

The man known to Japanese women as 'Sexyama' threw a left hook at the beginning of the second, but I knew he was really looking for that right again. I was landing more and more combinations, hitting the shorter man with uppercuts and setting the pace I wanted to keep the fight at. We continued to exchange punches and kicks. I don't know what the yen was worth against the British pound but on that night I gave Akiyama 2.25 strikes for every one he gave me.

The fight stats show that I threw 268 strikes – and all but one of them were power punches or kicks. I came close to finishing the show in the third, but I mistimed a leg kick and caught Akiyama in his cup. He rightly took time to recover from the low blow – but he also recovered some of his strength and my chance for a stoppage had come and gone.

After 15 minutes, the judges confirmed I'd won all three rounds. The British fans went home happy.

Akiyama-san came to my dressing room after the fight with his cornermen and his translator, a tiny Japanese man in his mid-seventies who could have been the inspiration for the Mr Miyagi character in *The Karate Kid*. Through his translator, Akiyama told me it had been an honour and pleasure fighting another martial artist.

'It was a pleasure,' I said, and I bowed.

Then I called Cal up. He already knew I'd won and, bless him, asked if Akiyama was okay.

At the post-fight press conference, I said I wanted to fight again quickly.

'I think I'm one or two more fights away from a title shot,' I told the press. 'I'm getting better and better each fight. I'm putting it together now I have this experience. Mr Akiyama gave me a great fight and I'd like a top-five opponent next.'

Three weeks after *UFC 120*, I was sitting on my couch at home watching TV when my manager called my mobile.

'Alright, Mike, the UFC have got ya an opponent for *UFC 127* in Australia like ya wanted,' he said.

I muted the TV and sat up. I was excited. Despite the boos, I'd loved fighting in Sydney at *UFC 110*. Rebecca and me were seriously thinking of relocating our family there. So when we'd heard the Octagon would be going back to the same Acer Arena in February 2011, I let the UFC know I wanted to be part of it.

'That's great,' I said. 'So, am I the main event for this one?'

'Co-main,' he said. 'I think they've got B.J. Penn to headline.'

Fair enough. My mate 'Baby Jay' was only two fights removed from his legendary run as UFC lightweight champion and the Hawaiian 'Prodigy' was a massive draw worldwide.

'Let's have it, then,' I said. 'Who am I fighting?'

My manager paused before answering, 'The UFC have got ya Jorge Rivera.'

'Got me? Jorge Rivera? As what? A sparring partner?'

'I know, Mike,' my manager continued. 'But that's all who's available. The guys above you in the rankings who aren't out injured are already booked for other shows. If you want to fight in Sydney – or any time before the spring – all the UFC have for you is Rivera.'

I sighed out a swear word. The New Jersey-based Puerto Rican was a 39-year-old undercard lifer winding up a 19–7 career. He was a good puncher with his right – he'd knocked out Kendall Grove with it recently – but he just wasn't the kind of name I was expecting for my 14th UFC opponent.

Even his name – pronounced 'Horr-Hey Rivera' – made me roll my eyes. It sounded like some sort of floating brothel.

'Alright, fuck it,' I said at last. 'Let's just get the win. I'll put on a great performance and make everyone take notice despite the opposition.'

I parked my car in the tiny, broken tarmacked car park across the road from the Liverpool gym just before 10am on 3 January 2011. The car boot opened and I grabbed the large blue bag which contained all my training gear. I slammed the boot shut. *UFC 127* was now eight weeks away.

It was bitter cold out. Not as cold as the record-breaking, ball-numbing December had been but frigid enough to make the grass between the car park and gym white and crunchy underfoot. Training bag swung over my shoulder, I hurried to the gym door which – as usual – was locked from the inside. All I could do was bang away at it with my fist, praying someone would answer before my ears froze off.

Eventually, Paul Kelly opened the door. As I stepped inside, I realised it was actually colder in the gym than it was outside with the frozen white grass. Paul saw the look on my face. 'Wait till you get on the fuckin' mats,' he said. 'It's like March of the fuckin' Penguins in 'ere.'

I'd recently begun training Muay Thai with a new coach – a master of the eight-limbed art named Daz Morris – several times a week and how I missed his centrally-heated Salford gym that morning.

Training at the Liverpool gym during the winter was like swimming in a freezing pool – you just had to commit to jumping in and getting your body temperature up. I pulled a T-shirt over my rash guard and joined my teammates doing shuttle runs from one side of the gym to the other. The whole squad bounced from wall to wall and you could see breath swirling out of our mouths and shooting out of our nostrils. In a few minutes, those of us working the hardest had sweat literally steaming off our skulls and necks.

With hindsight, I could have been a little burned out. I'd fought 4 times in 11 months already. Put another way: I'd spent 29 of the previous 48 weeks of my life doing exactly what I was about to do for the next 8 weeks.

But Rivera himself was about to provide all the motivation I needed.

A month out from *UFC 127*, Rivera's camp began putting out a series of YouTube videos designed to hype up the fight and annoy me. It was bizarre stuff; him and his team working their way through every British stereotype and jerking themselves through rehearsed dance routines and yelling penis jokes cribbed from *South Park*. The videos kept coming and continued to get more personal until there was a reference to my family. The following Monday, Callum, aged nine at the time, came home from school upset. The kids at school had been playing Rivera's videos.

Now I couldn't wait to fight him.

I made my way through Australian immigration on Sunday, 13 February. The fight was scheduled for the morning of Sunday 27th. We'd again arranged to acclimatise for a week at Tama Te Huna's Elite Fighter gym in the suburb of Penrith. For the second year in a row, the difference between spiky British winter and Sydney's summer climate took me by surprise.

Like at *UFC 110* the previous year, Tama's younger brother James was in action at the UFC event. Two other fighters from the Liverpool gym were also fighting at *UFC 127*, along with Ross Pearson from *TUF 9*. My mate Jacko was with me again, doing video blogs for my website and keeping my mood light. All in all, we had a huge English posse with us and Tama Te Huna graciously put us all up.

In the evenings, Dean Amasinger – a *TUF 9* alumnus who was now branching out into personal training and nutrition – would barbecue our meals as we all sat around a giant circular table under a low sun. Yep, I could really see myself living and training here.

When we all moved to the host hotel on the Sunday, the mood changed. At *UFC 110* we'd stayed at a Hilton in Darling Harbour, where the famous white opera house sits next to the water. This time we were closer to the middle of town at the Star City Resort, a modern hotel/casino doing a decent impersonation of mid-sized Las Vegas property.

I'd barely made it to the hotel lobby when several reporters ran up to me. They excitedly repeated quotes they'd gotten earlier from Rivera where he said if I were 'really a man' I would come find him there and then and not wait until we were in the Octagon.

That nonsense set the tone for Rivera's conduct all week. Every time we were within 100 metres of each other, Rivera or his tough-guy sidekick (a boxing coach turned wannabe UFC fighter) would sneer and shout at me like we were in rival street gangs. The wannabe was especially pathetic – the way he acted in public embarrassed everyone. I couldn't wait to put this fight behind me.

The only time I responded verbally was at the press conference, which took place at 2pm local time on Friday, 25 February, in a mini theatre area to the side of the casino floor.

Despite under-21s not being allowed in, there was still a fairly big crowd of fans present. *UFC 127*, after all, had sold out all 18,186 tickets ($3.5million worth) in just 22 minutes. And, bless 'em, several US- and UK-based journalists had once again persuaded their bean counters that a week in the Sydney sun was an absolute editorial necessity.

No doubt because of me and Rivera, the UFC kept opponents far apart. Red corner fighters – B.J. Penn and myself – were held in a dressing room behind stage left while Rivera and B.J.'s opponent Jon Fitch waited in a room behind stage right. Also joining us on the stage would be two Aussie fighters – Kyle Noke and George Sotiropoulos – who were fighting Dennis Siver and Chris Camozzi, respectively, on the 12-fight card.

While we were waiting, B.J. showed me an enormous swelling on the back of his head. He'd been bitten by some sort of spider on his first day in Australia and had a throbbing pink L-shaped pus-pocket to show for it. The doctors had told him it was fine and not to touch it, but he joked he was planning on bursting it with a knife before the weigh-in. 'This shit all squirts out? I'll make 170lb easy.'

Speaking of rancid pus, when the press conference began I tried to keep my emotions even but the few words I allowed myself to say were dipped in bile.

'I'm a professional fighter, not an idiot in a schoolyard,' I said. 'This is a press conference, by the way, Jorge. These people are journalists. This is what you do when you are on the main card – but after this fight you'll be back on the undercard, believe me.'

Rivera was mute with stage fright.

There were security guards at the ready for the photo-op face-off. Rivera was wearing a branded baseball cap which cast a shadow over his eyes but, stood barely two feet away, I detected a look of fear in them.

'I hope you're ready,' I told him, loud enough for only him and a clearly nervous Marshall to hear.

Rivera nodded slowly as the cameras flashed away. Marshall tapped me on the back and began to tell the pair of us to exit via opposite ends of the stage. But I wanted to give Rivera a clear message.

'Now you're gonna have to back that shit up!' I told him, loudly. It felt good not to choke my feelings back – so I said it again, even louder: 'Now you're gonna have to back that shit up!'

Rivera slunk away without a word.

The 5,000 fans at the weigh-in at the arena were into our fight, I'll give Rivera that. I hit just over 84 kilos (the 186lb maximum) and stepped off the scale. I quickly loaded my body with fluid and then stormed forward four steps to where Rivera was waiting.

Perhaps feeling he'd been punked the day before, the Puerto Rican threw his hands up and started cursing.

'Mother-fucker – bring it! Bring it! Mother-fucker!' he said.

'You're the mother-fucker, you prick,' I told him. 'You're fucking dead!'

Dana signalled us to break it off; I turned to the fans and gave them a cheeky smile.

*Job done*, I thought. *The next time I see that guy I'll be able to give him exactly what he's been asking for. I made it the whole week without lowering myself to Team Rivera's level. Well done, Mike!*

The fight was here. Referee Marc Goddard was giving me and Rivera final instructions in the Octagon.

'When I say stop, you stop,' he yelled over the crowd. 'Touch up and let's do this!'

Rivera and I didn't touch gloves. He backed away and I turned and stormed back to my corner. When I turned around a moment later the arena was going ballistic. I got into a fighting stance and let my body sway as the arena rumbled like an earthquake. Just 20 feet in front of me, Rivera stared from behind a high guard. His court jester was outside, hollering something.

It felt like I waited another eternity but, finally, Goddard started the fight.

Rivera had clearly been brainwashed by the pre-fight narrative that a) I was especially vulnerable to right crosses and b) that he possessed the best right cross in the history of the UFC.

He threw five right-handed haymakers in the opening minute, all of which I saw coming before he'd even balled up his fist. To settle things down, I shot for a takedown. It was completed with ease. Rivera confirmed my suspicions about his limitations as a grappler; all he knew to do on the ground was deploy a vicelike grip as a defence. I let him back up and clipped him with a left hook as he climbed to his feet.

'Is that all you've got, mother-fucker?' Rivera began his attempts to draw me into a brawl.

He went for three more lead right hands, all loaded with everything he had. All of 'em missed. I flicked a leg kick and a jab and took him down again. His only defence to my ground and pound was to grab hold like an aunt getting rescued by a fireman. Doing that would burn his shoulders and torch his speed of punch, I knew.

After changing the angles on him to give his arms a proper workout, I stood up in his guard and threw a big right hand to his jaw. Then a left and another right landed hard. Now I wanted him to again use up energy. I stepped back. As he began to rise I kneed him in the forehead. The realisation of what I'd done hit me before referee Goddard jumped between us.

*Damn it!*

The knee had been illegal. Under the rules, a fighter who had any part of his body other than his feet in contact with the canvas was considered a 'downed' opponent. Striking a downed opponent with a knee was prohibited.

The referee signalled he'd taken a point from me. Outside the Octagon, the wannabe was yelling obscenities. I flipped him the finger. Rivera took two of the five minutes he was allowed to recover, and the fight continued.

He went for broke. He threw a cross that came close and a couple of left hooks. He then pumped out several one-two combos and even turned southpaw. He stuffed one takedown attempt but I took him down on the second. He only had muscle on the ground; muscles that I could feel becoming swollen and weakened. I repeated the game-plan – ground and pound, make him get up, and pounce. I landed three very solid shots to the head which took a lot out of him. Again he went for a series of right crosses, but he was button-bashing now.

The round ended and Rivera and I exchanged words as we crossed paths back to our respective corners. He knew what I knew, though. After all his taunts and boasts, he'd realised far too late that, yes, I was an elite mixed martial artist.

My corner had seen exactly what I'd detected up close. 'More combinations,' they said. 'Don't let him catch his breath.'

Round two began – and Rivera finally landed the right hand he'd been looking for. A ringing sound erupted in my left ear and I needed to put my hand down on the canvas for a split second. Thinking I was hurt, Jorge charged after me, but I dodged his two right hands, tied him up and pressed him against the fence before extinguishing his ambitions with a knee to the body.

Even when I stepped back, Rivera seemed reluctant to follow me away from the fence. It took a second to realise it but, barely 40 seconds into the second round, he was hurt and out of ideas. Just to make sure, I stabbed him with an inside leg kick. Then I used a lead right cross and a jab. He was gasping for oxygen. I could see him pulling his lips back around his mouthpiece and dragging breath back.

This was it, I knew. I sat down on my shots. A left hook to the head buzzed him. A right cross staggered him. The end was near. I planted my feet like the roots of an oak and drove my gloves into Rivera. Then my knees. Then an uppercut. A hook. Another right cross.

After dropping to one knee, Rivera covered his face with his palms; and not like a professional fighter biding his time behind a defence. He was like someone's sister watching a horror film. He couldn't have seen the final three punches coming and was still covering his eyes in surrender as the referee waved it off.

'Go home, loser,' I told him.

The wannabe boxing coach leapt up on the apron of the Octagon. His face was contorted, his finger pointing like a gun and he was still screaming obscenities like he'd been all week. I'd fucking had it with this prick.

The euphoria of winning and the adrenaline of the fight overthrew my better judgement and I stormed towards the fence to get closer to him. He screamed some more at me, clearly threats and bullshit. I began to shout back at him, but there was no way he'd hear me. So I spat on the ground between us, the ultimate show of disrespect. Within moments my temper had evaporated and I regretted it.

Real contempt isn't often seen in sports. The pantomime put-downs of the press conferences are shrugged off as 'hyping a fight' but, confronted with a genuine dislike between two fighters, some sports writers pretended it was beyond the pale.

I had to talk about the fight over and over at the time, but one thing I want to make very clear now – I didn't intentionally knee Rivera illegally. I was winning every second of the fight. Why would I purposely hand him a point on the scorecards and give him up to five minutes' rest? No, I intended to knee him in the face – as hard as humanly possible – *legally*.

These were my actions in the heat of the moment. They followed me around for a long time afterwards. I regret how I acted after the fight, that's not how an athlete should conduct himself. But, I have to be honest, mostly I hate the fact I let those arseholes wind me up so much.

The Rivera fallout caricatured me as a 'brash British bad boy' in the United States, seemingly forever. The US media reacted like we'd reached the End Times or something, rather than one fighter letting himself down for a few moments. ESPN – who would hire me as an analyst a decade later – replayed my flying saliva more than any flying knee in the history of their UFC coverage.

'We'll have to see what the UFC wants to do with Michael Bisping now,' one hand-wringing broadcaster signed off.

The UFC knew exactly what to do with me. Same thing they'd done the last time I'd become a public enemy in the United States – they capitalised by having me coach *The Ultimate Fighter* again.

## CHAPTER THIRTEEN

# ANY TIME, ANY PLACE

If the theme of *TUF 9* was patriotism then the theme of *TUF 14* was aggravation.

The whole premise behind the UFC's casting of Jason 'Mayhem' Miller as the other coach, I knew damn well, was that Miller would annoy the hell out of me. The UFC newcomer had already caused a literal riot on live television during his run in the Strikeforce organisation. 'Let Miller wind Bisping up – it'll be great TV' – I knew that was the whole idea.

Now, I want to be a little careful with my words here, because since we did the show together and fought, it's become obvious that Jason Miller is not entirely well mental-health wise. He's been arrested half a dozen times for crazy things like smashing up a tattoo parlour, breaking into a church naked and picking fights with random police officers. There was an incident where he live-tweeted a day-long stand-off with armed police. By the time you read this it's possible Miller will have been sentenced to prison for a long time.

There's no way to avoid saying it, though. Mayhem Miller annoyed the hell out of me. He had all the charm of a burning dog-rescue shelter. He was just awful, and I so badly wanted to punch him in the face by the end of filming.

Coaching *TUF* for the second time was fun. I was a much more relaxed guy than I'd been just two and a half years before. Also, I was coaching a mixed group of Americans, Europeans and a Brazilian. I wanted my guys to win just as much as I had during *TUF 9* but, of course, I'd had a different kind of relationship with the British team.

I also had a completely different coaching staff with me. My relationship with the Liverpool gym had come to a head, again. I'd been owed sponsorship money from a supplement company who, according to everyone else they sponsored, paid on time every time. When my manager decided to base Rampage Jackson's entire camp for his challenge to UFC light heavyweight champ Jon Jones in the same sponsor's training facility, I pressed the issue.

'Have you gone and spoken to them yet?' I asked over the phone from Vegas.

'Not really,' was the predictable answer. 'I've just been so busy here with Rampage, when he's not training he's doing interviews so there's been no time for me to talk to them about your money.'

'Well, you're not training yourself, though,' I said, having no more of this bollocks. 'And you're not doing the interviews. Can you please go and speak to someone then?'

'You fuckin' what? What did you fucking just say?'

And there was that tone. The tone from *UFC 85.* I was so done with these people.

I called Dana and said that I would have a different coaching staff with me this time. I brought in Tiki Ghosn, a well-connected fighter I'd become mates with, his BJJ coach Brady Fink, who would in time become one of my best friends to this day, and 'Razor' Rob McCullough, the former WEC lightweight champion who was a similar size to the *TUF 14* contestants.

The top featherweight on my team was a teak-tough Brazilian named Diego Brandão. He buzzsawed through the competition and, in the finale, won the *TUF* trophy along with Fight and Submission of the Night bonuses. Also on my team was bantamweight T.J. Dillashaw, who I knew was a massive talent. He lost the finale match to John Dodson, but went on to be UFC champion.

With the filming done I flew home to England to be with my family. Like in a lot of families where one parent spends time away from home, the dynamic in the Bisping household is that when I get back from spending time away it is party-time for the kids. This time, though, instead of a family vacation Rebecca and I took a long weekend in Paris. It's important in any relationship to make time just for the two adults who started the family, y'know?

It was a warm September night in the French capital and I'd surprised Rebecca by taking her to Maxim's, arguably the most famous restaurant in the world. There are only a dozen tables served a night and I had to strongly economically encourage the concierge to get us a table at short notice. The place was amazing; everyone from Victorian Era royalty to famous poets and playwrights to today's celebrities have been there and I was really looking forward to spoiling Rebecca after being away from her for two months.

Located at No.3 Rue Royale, Maxim's has been open since 1893 and retains the over-the-top affluence of that age. It also works hard to echo the social culture of the era; my menu included prices while Rebecca's did not. It was like a scene from a romance novel sitting there among all the gold refinery, drinking wine with the woman I love. But I was distracted.

'You know what,' I suddenly announced to my partner, 'I'm not doing this any longer. I'm not having these people take the piss and disrespect me.'

She knew what I was on about. 'Your management?'

'Yeah,' I replied, and I told her about the latest phone call. 'I'm not going to put up with these people any more. The contract I signed – the one I never got a copy of – it's up now and I won't be signing another one.'

With that off my chest, me and Rebecca had an amazing experience at Maxim's. The waiters came around and performed tap-dances wearing turn-of-the-century clothing and hats, the old movie-blonde lighting made the oil paintings blend in the walls – it was like stepping back in time.

And then we came crashing back to the twenty-first century, when they gave us a bill that, if cashed in 1893, would have bought half the street.

When I got back to England a few days later I sat at my computer and typed out an email to the Liverpool gym. I was professional, polite and thanked them for everything they'd done over the years, but made it clear that I was moving on.

'Babe, let's just book the flights and go,' I said.

Rebecca looked up from the living-room couch where she was reading on her iPad. She knew exactly what I meant.

'Really, Michael? You sure this time? Because we've talked ages already …'

Yeah, I was sure. We were going to move to America. Australia had been on the cards for a while, but in the end I realised I would still need to go to the US to get the level of training and sparring I needed. I had a lot of friends and contacts in

California. Plus, Rebecca's parents had moved to the Far East, most of her friends had moved away, and I was gone for weeks on end throughout the year. She wanted to move somewhere warm. Plus, I was breaking into television work and had landed a few parts in action movies. Plus, we'd had a vacation in Orange County and the kids loved it there. Everything just lined up and pointed to making this move.

'We've got the works visa,' I reminded my partner. 'There's nothing stopping us. Let's not keep talking about it – we've talked about it for a year now. If we're not going, let's stop talking about it. Let's go – try it – and if we don't like it, guess what? Planes fly both ways over the Atlantic, and we'll come home.'

Rebecca began bashing away at her iPad and, there and then, booked a flight for five days later. Just like that, the Bispings were moving to Orange County, California. We packed up clothes and things we could carry and were in a rented house in no time. We left for the airport in a taxi, leaving the Mercedes E-Class in the drive.

We left it to my dad to send over our stuff from our old house in the UK.

'Right, Dad, I've gone through the house,' I'd told him. 'There are Post-it notes on every piece of furniture in the entire gaff. Follow the instructions on those Post-it notes carefully – some of the stuff, like the big table, we want to have in America. But most of it you can either sell or, if you can't, give or throw away.'

What did my old man do? He sent everything with a Post-it note on to us. Yep, even the stuff clearly marked 'THROW AWAY'.

My ex-manager continued to reach out, but now in a less aggressive manner. I agreed to meet him while I was in Las Vegas for a few days. The irony that he'd finally met up with me at the Palace Station, five Decembers after he was supposed to have for *UFC 66*, didn't escape me.

We sat down at the café and he was apologising before his arse hit the seat.

'I'm sorry, Mike, I was just so stressed with Rampage's camp,' he began. 'I'll never speak to yers like that again.'

He's a charming, charismatic guy, I'll give him that. Against my better judgement, I listened to what he said and agreed – on a trial basis and at a significantly reduced percentage – for him to represent me.

The fight with Miller was scheduled for the *TUF Finale* itself, 3 December 2011, at the Palms Casino in Las Vegas. The set up was similar to the last time I'd appeared on a TUF Finale, a decade ago.

Putting the fight on the Spike TV cable channel was a going-away present from the UFC, who had signed a new seven-year massive-dollar deal with Fox Sports beginning in 2012.

Remember what happened with my manager no-showing at *UFC 66*? Same thing with the Mayhem Miller fight.

'We'll be there the week before the fight … week of the fight … tomorrow … no, tomorrow … for the weigh-in … for the fight,' and then a no-show.

Lawsuits were filed and court dates attended, but I never worked with those people again. The only negative was that my friendship with Rampage was over. They poured poison in his ear about me, and my mate – who'd been a great mentor and supporter to me since my second fight in the UFC – began to repeat their bullshit in interviews.

Years later, Rampage came to the same realisation I had about those people. We had a long text exchange one night where he acknowledged they'd bullshitted him about me. We didn't rekindle our friendship but the final texts between us were:

> Me: So, we cool?
> Rampage: You and me are cool.

You're supposed to walk to your corner upon entering the Octagon. I refused. I stood near the centre of the canvas, hands on hips, staring at Mayhem Miller until his eyes met mine.

'Two minutes,' I mouthed at him. Two minutes and I'd put my fists on him.

He tried to morph into his cartoon-character persona, but it was too intimidated to make an appearance. Miller had a good ground game but his punches were so weak, Italian soccer players would have hesitated before taking a dive from them. He took me down and held onto my legs for a while but once I got up I battered him from one side of the Octagon to the other. I finished him in the third round with an avalanche of 69 strikes.

Dana called the fight the most one-sided in UFC history. It might have been but on the night I was overly harsh on myself and told the media that, on that performance, I wasn't ready to challenge Anderson Silva quite yet.

Dana came to see me in my dressing room after the fight. He was wearing a silver suit and white shirt. He always wore suits at live events but it was always a little strange seeing the multi-millionaire promoter out of his jeans and T-shirt.

'Could you be ready to go again by January 28?' the UFC president asked.

'I could be ready to go again in twenty-eight minutes,' I said.

Dana laughed. 'We want you to fight Demian Maia on Big Fox.'

'Big Fox' was what Dana called the Fox television network. It was the US equivalent of fighting on BBC1 and meant I'd be fighting in front of one of the biggest audiences in the history of the sport.

'Sounds great,' I said. 'Email the contract directly to me.'

Eleven days before the fight, two days before I was scheduled to fly to Chicago where the event was taking place, I got a call from White.

He explained that Mark Muñoz, who was scheduled to collide with No.1 contender Chael Sonnen in the co-main event of *UFC on Fox 2*, was out of the Chicago event injured.

'What we want to do is pull you from the Maia fight,' the UFC boss explained. 'How would you feel about fighting Chael Sonnen in Chicago?'

Sonnen had given Anderson Silva the fight of his life the previous summer. The self-styled American Gangster had swept the first four rounds from the defending champion before making a massive mistake just minutes away from a historic victory. When Sonnen returned to defeat the dangerous puncher Brian Stann, a rematch seemed all but inevitable. The Muñoz fight had been seen by many fans and critics as unnecessary; Chael was clearly the No.1 contender.

'So,' I asked Dana, 'Chael Sonnen is the number one contender. If I beat Chael next week – what does that make me?'

Dana's answer was unambiguous. 'The winner of this fight goes on to fight Anderson Silva for the UFC middleweight title.'

That was all I needed to hear, but there was more. Dana and the UFC execs had mapped out two version of 2012 – one where Chael went on to fight Anderson again, and one where I earned the title shot.

The UFC brass told me that if I beat Chael and went on to fight Anderson, I'd challenge for the title in the UK. 'We're looking at maybe a soccer stadium in the summer,' White dangled.

Travelling doesn't feel glamourous when your alarm goes off at 3am and you know you'll find yourself in three airports before you sleep again but, no doubt about it, the chance to travel around the world is one of the best side-benefits to my career.

The fight, the co-main event, was to take place at the sold-out arena where the Chicago Bulls basketball team played. Chicago, Illinois, is one of the most amazing cities I've ever visited. There's a reason it's used as a backdrop for so many major movies and television shows. The sheer scale of the place, the heights of the buildings, how wide the streets are and, yes, how windy and cold it is in that city in January cannot be exaggerated.

The suite that I was put up in for the *UFC on Fox 2* event was beautiful. It was a 2,000-square-foot suite on the 34th floor of the Hard Rock Hotel, located in the famous Carbide and Carbon building. The whole place was incredible. I had my own bowling alley, my own pool table, several coffee tables with built-in video games and there was a guitar mounted over my bed that had been played by Joe Perry during a 1989 Aerosmith concert.

But it was the floor-to-ceiling window on one side of the suite that was the real jaw-dropper. I couldn't get enough of the view from 450ft above North Michigan Avenue. During the day, the only architecture visible above the cold fog was the last 15 or so storeys of the other skyscrapers sticking out of the swirling white below. At night the view was literally right out of the Christian Bale *Batman* movies. I was so blown away by it I ate my breakfasts that week sat in a chair by the window. I also called Rebecca back home in California and told her to take advantage of her parents' visit and join me for a few days.

Chael Sonnen was one of the biggest, if not the biggest, stars in the sport. In 2010 he had beaten Anderson Silva up – landing 320 strikes and taking the champion down at will – in a fight so one-sided it defied belief. Then, with only 100 seconds to go, Anderson caught Sonnen in a triangle choke and saved his title.

As if that performance wasn't enough, Chael had a wit and charisma all of his own. He maintained a persona of 'The American Gangster' all times. The joke – made all the funnier because everyone was in on it – was that Chael hailed from an affluent part of Oregon.

'Yeah, we had a maid,' he shrugged, completely in character, when asked how hard his upbringing could possibly have been, 'but she only came three times a week. What do you think happened on the other four days? I grew up witnessing things you couldn't even believe, jaywalking, littering, bad manners – you name it. You've never walked in my shoes. You've never seen what my eyes have seen.'

The ribbing stopped when he fought. And as a fighter, Chael could be as tenacious as a harbour shark. He threw in volume, not unlike me, and was similarly relentless in his attacks. While I had an advantage over him in striking, he was one of the best wrestlers in the sport.

'If I'm gonna be champion, I need to be able to beat these guys,' I said during a radio interview, conducted over the phone from my rock'n'roll penthouse three days before the fight. 'I'm not going to sit on the sidelines, twiddling my thumbs, hoping everyone beats each other and somehow I get a title shot almost by fluke. If I beat him, great, I go on and fight Anderson for the belt. If I don't beat Chael then I don't deserve the title shot. Simple as that.'

As was expected of us, Chael and me exchanged a few insults in the pre-fight press conference but there really wasn't any time for me to develop a dislike of the guy. Chael works hard to entertain whenever he has a microphone in front of him and in Chicago he carried a replica UFC belt around all week and deadpan insisted he was the legitimate champion.

For my part, I didn't need to work myself up into a feud to be motivated for this fight. The chance to finally earn No.1 contender status was all the incentive I needed.

As I expected, Sonnen shot across the canvas at me in the opening seconds of the fight. I landed a right cross, then he managed to take me down but I got up. All of that happened in the first 13 seconds of the fight and the pace barely slowed down from there.

Chael continued to skip forward, his gloves and elbows held in a very high guard. I landed a one-two combination which backed him off (he later informed me the combo badly rocked him – but his poker face was perfect). We grappled on the feet, our backs rolling against the fence. We were cheek to cheek, battling for control of each other's wrists and spiking each other with knees to the stomach.

The second round was the best of my night. I landed a lot of significant strikes at range and when we fell into clinch work against the fence, I continued to boss the fight. Rogan told the six million Americans watching live on Fox, 'Michael Bisping is imposing his game far more than Chael's been able to impose his. Chael's not been able to take Bisping down or hold him down.'

Chael took the third, taking me down and keeping me on the canvas for much of the round, working with punches and submission attempts.

'Chael Sonnen has to submit Bisping here to get that title shot and rematch against Anderson Silva,' was Rogan's opinion. 'He's winning this round but he didn't win the first two.'

I did what I could from the bottom – landing strikes of my own – but by the time I got up there was only seconds remaining. Still, I managed to take the All-American wrestler down and land three big elbows before the fight ended.

Before Bruce Buffer made the announcement, Chael and I shook hands.

'So,' he asked, 'what do you think?'

For the first time all week, I found myself speaking to Chael the bloke and not 'Chael P. Sonnen, American Gangster' the character.

'I think I got the first two,' I said.

With unanticipated honesty, Sonnen answered, 'Yeah, I think you did, too.'

But I hadn't. Not according to the only three people whose opinion counted. Two of the judges saw it 29–28 for Sonnen while the third, some cornflakes for brains named James Goodman, gave Chael every round.

There's always disappointment in losing a big fight, but here I'd lost a final eliminator for the UFC middleweight title that no one, including my opponent, felt I actually did lose. I focused on the positives; there was nothing else to do.

You are waiting for me to talk about Chael's history with performance-enhancing substances, aren't you? Or rather his history and *future* with them, because he'd been suspended for artificial testosterone usage before we fought and he'd be suspended for human growth hormone (HGH) and recombinant human erythropoietin (EPO) after he fought me.

Honestly? I wasn't bitter then – I'd accepted the fight because I thought I could beat him and become the No.1 contender. And I'm not bitter now. Yeah, I could muster the emotions if I really wanted to, but I actually really like Chael. He cheated, got caught and 'fessed up.

Chael went on to challenge Anderson Silva at *UFC 148* on 7 July. Round one of fight two saw the American dominate from start to finish but a single mistake sank Sonnen in the second.

Meanwhile, I was recovering from orthoscopic knee surgery. My left knee – which I first hurt back in 2006 – had begun to seize due to a torn meniscus and loose bodies in the joint. I was forced to sit out the summer but it meant I got extra time with the family as we settled in Orange County. Ellie and Callum soon became minor celebrities at their new school, learning what I'd already come to terms with – to an American ear even the most northern of accents sounds sophisticated. The kids – including young Lucas – loved their new house. That was no accident. Rebecca and I knew it would be an easier transition for them if their new house had a big pool.

Because of my experiences with the Liverpool lot, I was very reluctant to join one of the big MMA teams in the US. Especially as most of the gyms within driving distance of where I now lived had UFC middleweight – potential future opponents – already established there.

By this stage in my career – 27 pro fights and counting – I was a difficult guy to coach. I'd gone through years of trial and error to know exactly how to prepare for a fight and could recognise charlatan trainers a mile off. I needed a coach that I respected, someone who wasn't afraid to give me hard truths even though I was paying him.

That someone was Jason Parillo, who I called up for a session after he was recommended to me.

'You are left-handed,' he said after I'd pop-pop-popped maybe six combinations into his hands at the RVCA gym at Costa Mesa.

'Yeah,' I answered, and boomed the jab-jab-hook combo Jason had silently called for with the positioning of the target pads.

'Bring your feet with you a little more when you step in to throw the right hand,' he told me, and immediately I felt the difference.

'You have a lot of power on the left hook,' Jason added a minute later. 'I can help you put more on it.'

Jason Parillo is a former pro fighter himself and the son of a motivational speaker – he not only knew what he was talking about but also exactly how to say it.

Bringing Jason onboard as my coach was the best move I ever made. Even more important than the technical refinements Jason made to my game was what he did for me mentally.

A few months after we began working together we sat down on the ring apron sipping from our plastic Blender Bottles. Other than the creaks the tight new BJJ mat made under the feet of a solitary shadow boxer, the gym was pretty quiet.

'You're a natural fighter, Mike,' Jason said. 'By that I mean you've been fighting on natural talent, heart, your speed and all those years of experience. I'd say you are one of the top natural talents I've worked with.'

I thanked him and waited for the rest.

'You let your emotions control you and anger you,' he added. 'That's part of who you are as a fighter – and it has taken you all this way – but it won't take you much further.'

I nodded slowly. I'd thought this myself in my last few fights, but now one of the best coaches in the world was saying it out loud.

'If we can reprogramme you to control the fight with this [Jason tapped his head three times] you can become champion.'

My next fight – my seventeenth on the UFC – didn't come until 22 September 2012, at *UFC 152* in Toronto, Canada. I was matched against former US Marine Brian Stann, a powerfully built hard-hitter who'd won the Silver Star medal on active service in Iraq. The UFC was yet to introduce official rankings but most credible ratings had me at No.3 or 4 and Stann at No.6. A win over the WEC veteran, I believed, could well be enough to secure the title shot.

I actually suffered a neck injury while going for a takedown in the gym during the Stann camp but it would take several years before I realised just how much damage I'd done. I flew to Canada feeling very confident.

The PR build-up was great. Brian is another old opponent who I became friendly with after we fought, but it was obvious which buttons to press to rattle him during the final weeks before the fight. Brian had discovered his talent for MMA while serving in the US Marines and – rightly so – was very proud of his service. I knew that was a pressure point.

When Brian vowed to put me asleep, I fired back, 'Are you going to tell me some more boring war stories? Listen Captain Cliché, I was fighting in the UFC while you were peeling potatoes and getting called a maggot by your drill sergeant. There's no tanks, no bombs, no guns, no unit backing you up,' I continued, addressing the audience now. 'This is a sport, not war. It's an individual sport and on Saturday night I will individually kick his arse.'

Here's what I said just two days before the fight: 'Stann is one of the best fighters in the division, and I know he's going to look to knock my head off with every shot just like he did with Chris Leben and the others. He's also got some nice leg kicks which I expect he will try to use to slow me down, because I am clearly the faster fighter.'

Those words were prophetic. Brian had his moments in the opening round and his leg kicks were nasty, but my speed, variety and overall skillset saw me out-strike and out-grapple the 'All-American' hero over three rounds. I won 29–28 on all three scorecards.

At the post-fight press conference at the Canada Air Arena, Dana uttered these words: 'Bisping and Brian Stann was a great fight, me and Joe Silva were talking earlier tonight and I said that Bisping versus Silva is an interesting fight. Bisping always brings it, he always fights hard. We think Bisping and Anderson will be a great fight.'

When I was asked to respond to Dana's comments in a one-on-one interview afterwards, I said, 'In the three years since *UFC 100*, I'd won six fights, half of them via stoppage. My only losses in that time had been to Wanderlei Silva, who I thought I'd beaten, and Chael Sonnen, who everyone including Chael Sonnen thought I'd beaten. I feel I've more than earned a title shot by this point.'

Unfortunately, the title shot against Anderson never materialised.

Getting title fights, I was now sharply aware, depended on many factors I couldn't control. One of the most crucial – and obvious – is the availability of the champion. It didn't really matter that I was ready to fight for the title if Anderson wasn't ready to defend it; and the Brazilian didn't put his belt on the line until the following July against Chris Weidman.

The UFC was putting on more and more shows, sometimes running events in two different countries during the same weekend. Between me beating Stann and Anderson's next title fight, there were 24 UFC events.

Before long, Dana called me to offer a fight to headline one of them.

'Vitor Belfort,' the UFC president said, 'January 19 in Brazil.'

Even with the promise of a title shot if I won, this was the only time in my 29 UFC fights where I paused before accepting a fight.

With Dana on the phone, I weighed it up.

Like everyone else in the sport, I considered Belfort to be the most despicable performance-enhancing drugs (PEDs) cheat in the history of mixed martial arts. His physique was ridiculous; tubular veins stretched from slab after slab of square muscle and held in place by stretched skin. And it wasn't the lumbering bulk of a weight-lifter; Belfort's inhuman physical structure was packed with fast-twitching fibres which gave him menacing speed as well as strength.

Belfort had already been caught using anabolic steroids (by the Nevada Athletic Commission in 2006 vs Dan Henderson) and on another occasion walking around with almost double the normal levels of testosterone bouncing around his veins. There was no doubt in my mind I'd be facing a vastly more physically powerful opponent if I accepted the São Paulo fight.

And yet ... I also felt Vitor Belfort was mentally weak. Whatever the bullshit excuses they come up with, people like Belfort didn't take steroids because they were confident in their abilities, they took them because they weren't confident. Belfort had psychologically collapsed several times when faced by someone who fought back – he was terrified of Anderson Silva in 2011 – and I knew damn well I'd fight back.

That's who I was, wasn't it? I was the guy who never once said 'no' to a fight. I'd never ducked any opponent – and I never would.

'Yeah, I'll fight him, Dana,' I said.

The Brazilians I met out and about in São Paulo couldn't stand Belfort. Some of them didn't know much English but they knew enough to tell me how they felt about my opponent: 'Belfort – cheat!'

And not only a cheat, but one who used his sanctimonious Bible-thumping to excuse his cheating. When he was asked at the press conference to explain how it could be fair that he, a former PED abuser, got to now use Testosterone Replacement Therapy (TRT), Belfort had the gall to say, 'Like Jesus said, throw the first rock who never did anything wrong. I believe everyone in the world has done something wrong but that's not a reason to crucify them.'

When MMAJunkie.com reporter John Morgan pressed for a legitimate answer, Belfort asked for volunteers to beat John up. How Christian.

Belfort was insanely jacked at the weigh-in at the Ginásio do Ibirapuera arena the day before our fight. You could virtually hear his skin creaking against the bulging muscles and veins. He looked like the Incredible Hulk squeezing his penis.

My plan in the fight was to take over after the opening rounds. I felt good in the opening round, which was essentially the boxing match I'd anticipated. But in the second, I was stunned by a head kick to my right orbital socket. Belfort followed me to the ground and attacked with hammer fists and the referee stopped it. I thought the stoppage was early – I was fine – but it was what it was.

Twenty minutes after the fight, me and Belfort were lying down backstage on two gurneys about ten feet apart. The space we were in was curtained off and we were both getting cuts on our faces sewn. I always preferred getting stitched by the medical personnel at the arena rather than at a hospital when the adrenaline of the fight has worn off.

'Hey, brother, we both came out okay,' Belfort said. 'This is great; we are all happy and safe. God took care of us both.'

I made a joke about it being easy for Vitor to say that because he'd won the fight. The fight was over, y'know? We shook hands and went our separate ways. Before I left the arena, I checked my fresh stitches in a mirror.

The eye didn't look bad.

The flashes came later. The first thing I noticed was my fingers turning invisible in restaurants. The first time it happened I was reaching for my drink and my hand became a stump. I moved my hand a little closer to the centre of my vision and everything looked fine. *That's weird*, I thought, before carrying on eating and chatting away with Rebecca.

My professional record now stood at 23 wins and 5 losses. I didn't like the look of that '5'. I texted Dana White saying I wanted to fight again as quickly as possible. The match the UFC came back with was one that had been talked about, at least by my opponent, for over five years.

Alan Belcher had been vocally campaigning to fight me since I first moved down to middleweight.

'I'll have a fight with Alan Belcher on the way to the car back to the hotel,' I answered a fan question at the *UFC 152* press conference, 'but he should stop worrying about me and arrange a fight with whichever tattoo artist drew that abomination on his arm.'

Poor Alan's enormous tattoo of (allegedly) Johnny Cash, which covered the entirety of his upper left arm, was great for piss-taking. It's awful; the condensed forehead and elongated jaw makes it look like the result of a union between Roseanne Barr and Tim Sylvia. It was the worst ink job this side of that fat pervert in *The Girl with the Dragon Tattoo.*

Belcher had been on a good run while calling me out, beating Denis Kang (submission), Wilson Gouveia (TKO), Patrick Cote (submission) and Rousimar Palhares (TKO). He was coming off a loss, like me, so the fight made sense. The Arkansas striker did his best to talk up the fight but at the *UFC 159* weigh-in at Newark, New Jersey, I could see in his face that his confidence was wobbly.

'You are shitting your pants!' I told him. He confirmed my suspicion by shoving me in the chest.

Belcher had wanted to fight me for half a decade but, half a minute in, it was dawning on him that we were operating at two different levels. He was significantly slower than me. I felt like I had ages to get out of the way of his strikes. At one point I slipped a kick and actually said to him, 'What the fuck was that?'

We had a pure kickboxing battle. I landed triple the shots he did until, inadvertently, one of my fingers cut his eyelid and we went to the scorecards 29 seconds before the scheduled end of the final round. I won 30–27 on two cards and 29–28 on the other.

The next day I was getting a coffee from a Starbucks in the hotel and saw Belcher with his team waiting to be picked up to go to the airport. I went over to check if Alan's eye was okay and we spent about ten minutes chatting and laughing about the insults we'd thrown at each other over the years.

Despite being only 29 years old, that was the last time Alan Belcher competed in MMA. It was very nearly the final fight of my career, too.

'Oh, you're doing that crazy thing again,' my mate Damien said.

And I was. I was slowly moving my right hand side to side along the restaurant table, wiggling my fingers slowly as they disappeared into thin air. It was always in dark restaurants or watching the TV at home at night. Whenever my right hand was 45 degrees from my line of sight, I couldn't make out my fingers. They disappeared behind a grey curtain. Then I'd move my hand closer to my line of sight and my fingers would reappear. My eye didn't hurt at all, so I didn't go to see a doctor. I can be stupidly macho like that.

A few weeks after the Belcher fight I noticed my whole hand would now vanish if I moved it more than 40 degrees into my peripheral vision. The grey curtain had moved inwards. Then it was 30 degrees. Then 20. And then I was sitting at the kitchen table one night when I realised I couldn't see anything out of my right eye. Nothing at all.

I spun into a panic.

I googled the symptoms – hit after hit suggested one thing. I then googled 'best eye doctor' and telephoned the first one with a five-star rating.

'Hello, I think I may have a detached retina,' I said when they picked up. I explained I was a professional fighter who'd been kicked in the eye months before, and described my worsening symptoms.

I was put on hold for 40 seconds before the receptionist came back on the line. 'We were due to close in twenty minutes but I've spoken with the ophthalmologist and he wants to see you immediately. Do you have our address? And is there someone who can drive you here?'

Rebecca drove. When we got there I was laid down on a white examination table in a white room with a bright white light shining down. Drops were used to dilate my right eye and they swung some sort of viewing apparatus over my face which streamed images to a screen.

He wasn't looking for more than 30 seconds before he removed the apparatus from above my face. 'You do have a detached retina,' he said. 'Do you know what that is?'

'Just what I read on Google …'

'The retina is what we call the thin layer of light-sensitive tissue at the back of the eye,' he explained. 'It is attached to a layer of blood vessels which provide the eye with oxygen and nutrients. If the retina is torn away from those blood vessels – in the case of your right eye now – not only is vision impaired but the eye is starved of that oxygen and those nutrients. I need to perform what is called a scleral buckling procedure, immediately.'

The surgery lasted an hour and it involved injecting oil into my eyeball to push the retina back against the blood vessels. The retina was then lasered back in place and, finally, a silicone sponge was positioned on the outside of my eyeball to help take the pressure off the tear while it healed.

Even though I'd left it for *months* before seeking medical treatment – and had even fought with the injury – the operation was a success. My eye definitely looked a little different with the oil inside it, but until the last couple of decades a detached retina was the absolute end of any sporting career, so I was happy that treatment was available.

I flew to London to film a movie called *Plastic* and then accepted a fight in Manchester vs Mark Muñoz on 26 October. Muñoz – who's now a real mate and our kids are friends – is a two-time All-American wrestler, so I supplemented what I was doing with Jason and Brady by working with MMA pioneer and catch wrestling legend Erik Paulson.

My camp was going so well, but looking back both Jason and Paulson commented that I was sparring far too hard. I wanted to send a message in the Muñoz fight, though, and kept pushing it hard. In late September I was driving the five miles from Erik's CSW Training Center in Fullerton to my house when a grey darkness skated from across my eyes as slowly and deliberately as electronic curtains in a posh hotel room.

It was a super-creepy experience. I knew exactly what had happened. My retina had detached again. I called the same ophthalmologist I'd seen just three months before and was scheduled for an operation the next day. I called Dana and informed him.

'Hey Dana, I've got some bad news but it will be okay. My retina has re-detached but I'm still going to be able to fight in Manchester because—'

'Wow, stop.'

'I'm having an operation tomorrow – I'll be in and out in an hour and—'

'Stop, stop.'

'… I reckon that if I rest for two or three weeks—'

'Mike! Stop!'

'… I'll be fully healed and I'll be able to fly to the UK and do the fight.'

'Stop! What are you talking about? Bro, you just told me your retina is detached. The fight is off.'

The UFC has always been great with anything to do with injuries. Dana had the UFC's medical adviser, Dr Jeffrey Davidson (known to everyone as 'Dr D'), liaise with my ophthalmologist as I prepared to go into surgery and I gave permission for Dr D and the UFC to be kept informed of my progress.

The day after the surgery I was in the passenger seat of our family car. Rebecca and I had dropped the kids off at school and had stopped off at a local Target (kinda like a giant Asda or Tesco) to pick a few things up for the house. I was dressed in a tracksuit and wearing a black eyepatch over the white bandages around my right eye. My phone rang.

'It's Dana,' I told Rebecca as she pulled out of the supermarket car park. I answered and said hello.

'I just got off the phone with your doctor,' Dana said. 'I'm so sorry, it's not good news. You're probably not going to fight again. Your doctor says there's too much scar tissue back there. He said you've been unlucky; the scar tissue has pushed the retina to detach again. In his opinion, he can't see how you get to fight again.'

## CHAPTER FOURTEEN

# EYE OF A NEEDLE

I pushed the news away from me. I wanted nothing to do with the idea that my fighting career was over. There was no way I was done fighting. No way.

But the nightmare had only just begun. The worst day of my life came a few weeks later. It began when I woke with a headache. Going for a walk with my dog Ditto and Lucas didn't help, it was getting progressively worse, and when we got back it was so bad I lay face down on the floor.

The pain just kept getting worse and worse. Over the course of an hour in the afternoon, I went from 'Agh, agh, this really hurts!' to screaming – *screaming* – in agony.

Rebecca called my ophthalmologist, but he was in surgery and so I went to the emergency care hospital at Garden Grove. There, I was diagnosed with a condition known as acute angle-closure glaucoma.

Basically, the eyeball is kept wet by the constant secretion of a clear protein-rich fluid that moisturises both the front of the eye and the chamber behind it. The chamber behind the eyeball is called the posterior cavity and the normal 'water pressure' (called IOP) in there is 9–20mmHg of pressure. Sometimes the drain in the posterior cavity becomes blocked, flooding the cavity and increasing the pressure on the eyeball.

Any IOP of 22 or over is considered high pressure. The worst case of acute glaucoma Garden Grove had ever seen was 60mmHg.

My eye pressure was 89mmHg.

'Think of a water balloon on a tap,' one of the doctors said. 'The water will keep filling the balloon until, eventually, the pressure will cause the balloon to burst. That's what's happening behind your eye.'

They treated it there and then with a laser – burning a tiny hole to let the fluid drain. They gave me pills for the symptoms and another set the size of Big Macs for the pain. Then they sent me home to rest. The pills knocked me groggy but didn't land a glove on the pain. When we got home, I lay face down on the living-room floor. I went to bed around 5pm. I shut the curtains because the light was painful. Rebecca checked on me every half-hour, growing more concerned that, despite the laser, despite the meds and the painkillers, I was still groaning with discomfort. Around 2am, I began screaming in white-hot agony at the top of my lungs.

The pain was now almost indescribable. I didn't know humans could suffer like that without passing out. It was like a rat was eating my eyeball from the inside out.

Rebecca dialled my ophthalmologist – who picked up but was about to go into an emergency surgery. He was extremely concerned that I was in such agony again. He instructed us to go to the nearest hospital immediately.

'They will be waiting for him,' he told Rebecca. 'Get him there right away.'

We threw some clothes on and Rebecca drove there as safely as she could with me screaming and howling behind her in the back seat. When we arrived the pain was so searing I'd have gladly shot myself in the head – anything to make it stop.

There was a doctor, a bald guy with a moustache, and a nurse in her thirties, waiting for me outside. My ophthalmologist had briefed them on the phone. I was awful to them, screaming and swearing as they tried to get me to answer a series of questions. 'DO SOMETHING!' I shouted, over and over.

'Michael,' the doctor said evenly, 'your IOP eye pressure is greatly elevated again. I can relieve the pain now but I need you to lay down on that bed and hold very still. Do you understand? Hold *very* still?'

'YES! WHATEVER IT IS, DO IT! NOW! JUST FUCKING DO IT!'

I locked my spine in a line, squeezed my fists as tight as I could and pressed the back of my skull into the bed I was lying on. The nurse stood behind me and braced my temples with her palms. My good eye darted anxiously about the room, trying to see what was coming. The doctor appeared above me with a needle. He moved fast. There was a stab of pain and – the relief was instant and overwhelming. I moaned ...

The doctor and nurse stepped back and told me to sit up. The pain had vanished like a childhood nightmare when the light's turned on. I spent 20 minutes apologising to both of them for the screaming and cursing.

The doctor then showed me a tiny rounded silicone device, maybe an inch in size. 'We need to insert this into your eye,' he said. 'It is an artificial drain and this will prevent the pressure from building again. Your eye isn't draining on its own.'

'Okay,' I said, now capable of a rational discussion once more. 'But I'm a professional fighter – can I fight with that in my eye?'

'Your only concern tonight is with your eye,' the doctor said. 'Patients lose their sight due to glaucoma and we don't want that happening.'

'No, I need to know,' I pressed. 'Fighting is how I take care of my family – it is how you are getting paid. I can't have a procedure done if it will end my career.'

The doctor relented. 'You can fight. I fitted this on a heavyweight boxer several years back and he resumed his boxing career afterwards.'

'Let's do it,' I said.

But the operation didn't go to plan. First, I came out of the general anaesthetic early, while the operation was still ongoing. I began convulsing uncontrollably until I was put back under. When I woke up again I was still in pain, pain that quickly boiled like a kettle until I was screaming again.

'Is it the same pain as when you came in tonight?' the doctor asked several times as I howled in agony.

'WORSE! MUCH WORSE!'

I was put under again. Adjustments were made to the positioning of the drain. After three procedures in one day, I went home exhausted, drugged-up and concerned about my future.

The eye injury not only torpedoed my MMA career but, I feared, would hurt my budding acting career. On top of that, I was fighting a ridiculous lawsuit brought by the Liverpool gym people back in England. It was a stressful period for me and one of the times my Rebecca and the kids rallied around me.

The doctor who'd performed the surgery had referred me to another doctor, who I saw every Tuesday at 11am for check-ups. It was an 80-minute drive there. It was an 80-minute drive back.

'We're going to keep you under close observation,' the new doctor said on my first visit. He was a middle-aged fella, balding on the temples and with the long physique of an enthusiastic amateur runner. 'Our main concern is around the scar-tissue area. We need to keep a close watch that it isn't pushing at your eye and tearing the retina once again.'

Asking for a timetable on returning to the Octagon was pointless at this stage, I knew that. I understood why sparring was out, too. So I asked him if there were any other exercises I should avoid while I ticked over waiting for my eye to heal.

Without looking up from his computer terminal he told me *any* physical exercise was out.

'Increasing your heartrate will cause an increase in blood pressure, and we need your blood pressure low if we are interested in this retina staying where it is.'

This became an impossibly boring, frustrating and worrying time in my life. Most days I'd come home from dropping the kids off at school and lie on the couch until it was time to go get them again. I spent a month watching *The Sopranos* all day, and at night I would drink more – much more – than I had since 2003.

Over the next few months, I grew to hate that doctor's office. I couldn't stand that I was the only patient under the age of 60, the waiting room was annoying, I loathed going through the conveyor belt of tests, getting the ink squirted into my eyeball, the light and air blasted into my iris and the waiting around to do the same binocular screen test. Most of all, I hated having the same conversation with the doctor at the end.

'There's no change, which suggests it is healing,' he'd say.

But I couldn't train.

'There's some improvement,' he'd say.

But I couldn't train.

'There are reasons to be optimistic,' he'd say.

But I couldn't train.

He wouldn't be drawn on any time frame for recovery.

'Your eyesight may never improve enough for you to resume your fighting,' he'd say, never realising what that meant to me. 'But it could also improve dramatically next week.'

The doctor thought he was dealing with a lunatic. 'A twice-detached retina is enough for anyone,' he said during one appointment.

'I can still fucking fight,' I told Rebecca walking back to the car many times. 'I am *going* to fight. I'm *going* to. I can fight with one eye if this one doesn't get better.'

To be granted a licence as a professional mixed martial artist by almost every major sanctioning body in the world, you must have uncorrected vision (without glasses or contacts, for obvious reasons) of 20/200 or better.

It's not a particularly high bar to hit, believe me: 20/200 vision means you need to be 20ft away from an object in order to see what 'normal-sighted' folks can see from 200ft away. It means you can't read newspaper headlines clearly. If you can't meet this standard even when wearing glasses or contacts, it means you are, in fact, legally blind. (There's also an argument that measuring how well fighters can see objects 20ft and more away is a stupid way of testing their eyesight for a fight.) But, week after week, my right eye failed to hit the 20/200 minimum.

The UFC brought me in as a guest fighter for the huge *UFC 168* event in Las Vegas, Christmas week 2013. I'd looked forward to it but when I got there and felt the excitement of a major UFC fight week, it was rough.

I'd been drinking way too much for months and the night before the fight in Vegas was no exception. It wasn't happy drinking, either, and it wasn't a happy hangover I brought to my ringside seat at the same MGM Grand Garden Arena where, seven years almost to the day, I'd won at *UFC 66*.

It didn't feel like the party was over. It was more troubling than that. The sport was getting bigger and bigger all the time. As I sat there watching Uriah Hall blast Chris Leben out in one round in what was the final fight of my old rival's career, and Ronda Rousey and Miesha Tate tear the house down in the second women's title fight in UFC history, it felt like the party was just beginning. But maybe I had to leave anyway.

While I'd been contemplating that someone sat in the row behind me had kept pushing my shoulder.

And again, and once more. I turned my head, just to let whoever was doing it know they were bothering me. Then it happened again, harder, and I heard laughing. I turned all the way around and saw it was Mark Coleman, a UFC heavyweight champion of the late 90s who few in the sport missed.

'You one-eyed bastard!' he laughed.

'Fuck you, pal,' I said.

There was more snickering, high-pitched like a child's, further to the right. Dan Henderson was sat two seats down from Coleman. He was giggling away, loving it.

'And you – fuck you, too!' I told him.

I got up and walked towards the exit to the backstage area. I needed to get out of there before I did something embarrassing in front of a lot of people.

On the way out I bumped into Dana, who was returning to his seat as the main card began. He asked me how I was doing or something. I stormed right past him and into the backstage area. Once I was away from the cameras and eyeline of the fans, tears raged from my eyes. I was angry and unsure what the future looked like.

Burt Watson spotted me. 'Come with me, Mike.' He put his arm around me and led me into a small dressing room which was going unused that night. Burt spent five minutes talking me off the ledge.

'You stay here as long as you need, baby, as long as you need to get your shit together,' he said in that almost musical voice of his. 'You do not want to go back out there like this – do not give those guys you are talking about the satisfaction of seeing you all emotional.'

I stayed in that tiny room for ages, listening to the noise of a full UFC house through the walls of the arena.

I felt better when I got off the pain medication. With a clearer head, some perspective returned. Instead of sitting in front of the TV (I'd finished *The Sopranos*, anyway), I'd drive to the park with Ditto and go for a long walk. Then I'd go home to my amazing family and our big house with its own swimming pool. Life could be a hell of a lot worse; I never lost sight of that.

My agent called with great news: I'd been cast in the major US TV show *Strike Back*. Things were going to be okay, no matter what happened with my eye.

The weekly eye-doctor appointments continued. Every week, Rebecca would drive me the 80 minutes there. We'd sit in the waiting room with the polished floor and black-and-white photographs of trees, the grey door would open and my name would be called to signal the battery of tests, the oil drops, air blast and the inevitable answer when I asked if I could train yet.

On one such soul-singeing visit in February 2014, I'd gone through all of that and was waiting in the doctor's office as usual. When the door opened, in walked an Asian man about 5ft 6in tall with salt-and-pepper hair. He had a real presence about him, and the kind of strong Californian accent that you hear in car commercials.

He shook my hand and introduced himself by his first name. I could read his credentials – there were a lot of them on the ID he was wearing on his lapel.

'Your doctor is away for a couple of weeks so I'll be looking after you today,' he said with a smile.

He was just the coolest fucking guy I've ever met. He was charismatic, funny, very intelligent – obviously, he was intelligent to be an eye doctor – but also worldly wise with it. He engaged with me, the person, not the injury. After taking a look at the day's test results, he swung a medical stool on its wheels and sat directly in front of me.

'Everything is looking fine,' he said. 'The repair looks good, no swelling, and vision has improved to 20/200.'

I asked him if that meant I could train again. Before he answered I started selling him on how important it was that I exercise.

He nodded away as I spoke. 'Yeah, sure, yeah.'

'Sorry, you mean I can work out?'

'Yeah, sure.'

'Any restrictions or—?'

'No, no, don't worry about that. Go do what you want to do.'

'Really? The other doctor said it wouldn't be safe ...'

'I can't imagine that cage fighting is safe,' he smiled. 'But you are at no increased risk than anyone else in your colourful profession.'

'Wait, wow.' I looked at Rebecca for a second – she was stunned, too. 'Are you saying I can *fight* again?'

'Yeah, sure. Call the UFC and book a fight.'

'Oh my God,' Rebecca said, knowing what this meant to me.

I struggled to take it in. It was like the world was re-ordering itself.

'So ... I'm at no extra risk of hurting my eye?'

The doctor used his feet to paddle his stool closer to me.

'Whether or not your retina will tear again, I can't say. No one can tell you that. What I can say is that your retina is fine today and your vision is sufficient to be licensed as a professional fighter in the state of California.'

*Oh, fuck.*

'Michael,' the doctor added, 'my father always said to me there are two types of people who live in the jungle. The first are the kind who go steadily when they're swinging through the trees; these people don't let go of one vine until they have a firm grip on the next. That's safe, that's very practical. But it may not get them to where they want to be in life before it is too late.

'Then there's the second type, the ones who swing as fast as they can go, letting go of one vine and stretching as hard as they can for the next. These people aren't as safe but they just might get to where they want to be in life. Something tells me that you are very much the second type of person in the jungle.'

'I am, Doc,' I said. 'That's exactly what I am like.'

'I know you are.' And he smiled again. 'Call the UFC. Tell them to book your next fight.'

The call was placed to UFC matchmaking that very day. The return call from Joe Silva came three days later.

My opponent was Tim Kennedy, a former US Army Special Forces sniper and 12-year MMA veteran who was coming into his own as a contender. He was coming off a first round KO of the in-form Rafael Natal. His only loss in three years was on points to Luke Rockhold for the Strikeforce organisation that had recently been absorbed into the UFC.

I knew him well. He was part of the same group that produced those juvenile videos with Jorge Rivera for *UFC 127*, and had a long-standing resentment of me.

The fight would be the main event – meaning a five-rounder – of a Wednesday night event in Quebec City in Canada. The event would be taking place on 16 April 2014, which gave me only seven full weeks of training after having little exercise for the best part of a year.

The first few weeks back in the gym were challenging, but I was just happy to be back doing what I loved to do. Kennedy had plenty to say to promote the fight. I'd missed every aspect of being a UFC fighter, including firing one-liners at opponents, so happily returned fire.

As great as it was being back, I absolutely hated the fight itself. Kennedy came with a game-plan of taking me down and holding me there, and that's what he managed to do for long stretches of the match. And it was a 'match' because, for me, it wasn't a UFC fight as much as it was a rough freestyle wrestling match.

Takedowns are supposed to lead to something offensive – like a submission attempt, an elbow strike, hammer fist – something. Only, Kennedy didn't go for any of those things and, having underestimated his wrestling ability, I needed him to do so to give me the space to escape and get back to my feet. At one point Kennedy was holding me down right in front of my corner and Jason and Brady were saying, 'Get up, Mike,' to which I could only answer, 'I'm fucking trying.'

Kennedy never hurt me, but it was incredibly frustrating. Before long boos were churning around the Colisée Pepsi arena. By the time he was announced a unanimous points winner I was disgusted with the fight, and myself for allowing him to do that to me.

This wasn't the return I'd wanted and I was happy to learn that my next fight would be against an opponent who wouldn't be looking to lay and pray.

That summer, Rebecca and I were married in front of family and friends in a beautiful ceremony not far from our home in California. We'd long since made a life-long commitment to each other, of course, but it was one of the proudest days of my life when we got around to the ceremony.

Bruce Buffer served as an unforgettable MC, introducing both me and my stunning bride as we walked into the reception.

Most marriages are a celebration of a life two people are going to build together; me and Rebecca's was a celebration of the life we were living.

'Hey, buddy, all your interviews done now?' I asked as I returned the fist bump offered by Cung Le, my next opponent.

'Yeah, now I'm ready to eat,' the former Strikeforce MMA and multiple-time world kickboxing champion answered.

We took our places around the circular glass table. It was a weekday in early June and we were in a private dining room at the Lung King Heen restaurant at the Four Seasons hotel in Hong Kong. The room, the restaurant and the hotel itself were all absolutely incredible, an award-winning kaleidoscope of Eastern style and Western money. There were some seriously wealthy people in there. I spotted at least three watches that would have set their owners back over $200,000 and women with diamonds on their fingers the size and shape of Quarter Pounders with Cheese.

Typically, UFC fighters who are scheduled to fight don't break bread together, but me and Le had gotten along great during our three-day trip to promote our 23 August main event. We were to headline a card due to take place 55 minutes across the South China Sea in a casino in Macau. And, y'know, you don't turn down a private room in a restaurant like Lung King Heen when someone else is paying.

Cung had a background right out of the martial arts movies he appeared in from time to time. Born just days before the fall of Saigon, when Communist North Vietnam captured the capital of South Vietnam, Cung had been smuggled out by his mother under heavy machine-gun fire. His family eventually settled in San José, California, where bullying led Cung to begin training in martial arts at the age of ten. He would become one of the best kickboxers in the world, and after dominating that sport, he moved to MMA in 2006. His flashy striking had beaten the likes of Frank Shamrock, Patrick Cote and, most recently, he'd slept former UFC middleweight champ Rich Franklin in the most devastating one-punch KO of 2012.

As we ate our ludicrously expensive – but also free – gourmet meal, Le and I traded stories about breaking into action movies and showed each other pictures of our families. Other than him name-dropping actor Channing Tatum several times more than anyone could be expected to feign a polite interest in, I enjoyed his company.

The next morning I flew home to get ready for a fight against a fellow martial artist, a fellow striker who I respected and actually quite liked.

A few weeks later Callum stuck his phone under my nose and showed me a UFC fan Q&A with Cung and Luke Rockhold that had taken place that day.

My eldest son had developed into a hardcore UFC fan. He watched not only every fight, but watched and read every piece of UFC content he could get his hands on. (He even visited the fan forums, which had me joking that he'd develop a very unfavourable opinion of his father if he believed what he read there.)

Callum pressed play and, wouldn't you know it? There was my Hong Kong dinner date, Cung Le, joining in a bit of Bisping bashing.

There was an adjustment period as I adapted to the diminished eyesight in my right eye.

Can you see your nose? No, you can't. It's always in your field of vision but your brain perceives it as a distraction; and so it filters the image out, and replaces that part of your vision with information from your opposite eye.

My brain perceived the less detailed information from my right eye as a distraction, and was filtering it out in favour of the 'better' data from my left eye. This threw my depth perception off a little and I found that my jab, for example, which had been a key weapon for me throughout my career, was now often half an inch or so off target. If you look at my punch stats pre- vs post-eye-injury, you can see that I went from landing dozens of jabs in each fight to barely a handful.

*I'll figure it out*, I told myself. *You did this before in the middle of the Akiyama fight.*

I'd begun training regularly with my old mate Kendall Grove. My fellow *TUF 3* winner had left the UFC three years before and was preparing for a fight in the Bellator organisation. Having him around was great, I'd managed to put a terrific team around me in California – and that included my new management team. I'd begun working with Paradigm Sports, an Irvine, California, agency founded by an Iraq-born former college athlete named Audie Attar. We'd started on a fight-by-fight deal (I wasn't going to sign anything long term after Liverpool) but Audie was doing a great job by me.

I made a lot of progress during the summer of 2014. I'd adapted my style and found a group of people who had my back. I got back on the plane to China determined to remind the whole MMA world what I was capable of.

'Are you sure that Cung Le isn't on TRT, Dad?' Callum asked via email.

I was sat on my bed in my suite back at the Four Seasons. During the time I'd been in the Far East ticking down to fight day, I'd seen headlines about my opponent looking 'ripped' and in 'insane' shape in an Instagram post, but until Callum emailed me the link I hadn't seen what the fuss was about.

A click later, I saw. There was Cung Le photographed from the waist up, wearing nothing but a gormless grin, looking for all the world like a condom stuffed with Lego bricks.

The recriminations from the MMA community were well under way. Some media and fans were wondering how on earth Le had gained so much lean muscle and trimmed all excess fat after the age of 40. Other weren't wondering at all – they were flat out stating their belief such a transformation had required the use of banned substances.

If Le had posted that same picture five years before, I believe, he'd have gotten exactly the feedback he was obviously looking for. 'Wow! Cung's in amazing shape for Bisping!' 'Holy cow! Le is shredded!'

Times had changed, though. Cheaters like Vitor Belfort had made everyone who followed the sport a reluctant expert on the effects of performance-enhancing drugs.

When Jason Parillo clocked Le in the hotel lobby four nights before the fight he walked straight up to him and said, 'You are looking very vascular, Cung. Trained hard for this?'

If my opponent's head coach had flat-out accused me of doping, I'd have told him to fuck right off. Cung didn't do that.

Here's what I said about the now-infamous picture when asked at the UFC press conference three days before the fight.

'It's funny how Cung's genetics have finally kicked in now he's forty-two,' I told reporter John Morgan. 'He's trained hard his entire life, but he's never had a physique like he's got now. Now, maybe he's just really applied himself like never before. I hope he has. I hope that's the case because if he pisses hot on Saturday night, that throws the whole fight into disrepute.'

Morgan, seemingly present at every MMA event in the world, asked his follow-up question: 'Does it give you pause, though? Given your track record with guys you fought on—'

'I would love to do a blood test Saturday night,' I answered quickly. 'A urine sample isn't enough for me. I would happily do a blood test and a urine sample.'

Morgan walked across the thick carpet of the function room and relayed my comments to Le. They say only a guilty man runs when no one chases, and Le's rambling three-and-a-half-minute answer did nothing to abate what had become a full-on PR nightmare for the previously well-respected fighter.

Here's just some of the explanations that came rambling out of his mouth: when the picture was taken, he'd just lost 'six-and-a-half pounds' in a 'hard-ass workout', the picture was taken in 'perfect light', he'd always been veiny (y'know, apart from the entirety of his MMA career, where he'd always been borderline soft), back in his younger days he used to 'eat fries with double cheeseburgers' – '*triple* cheeseburgers', even! – *before* his training sessions, but now, over two decades into his competitive martial arts career, he'd finally bothered to figure out a proper diet ... he was now finally injury-free and able to train hard ... etc., etc.

At no point in this barrage of bullshit did Cung Le deny taking performance enhancers.

It's just not in my nature – or any real fighter's nature – to pull out of a fight purely on the suspicion that an opponent is doping. Whatever it is in our brains that allows us to fight in cages for a living in the first place doesn't switch off when the word 'steroid' is mentioned. I thought I could beat Cung Le, on steroids, on HGH, on Captain America's Super Serum – whatever he liked.

That said, after losing a world-title shot to Dan Henderson (who'd since been outed as the OG of TRT in the sport), Wanderlei Silva (who the Nevada Athletic Commission wanted to ban for life for literally running away from a random drug test) and Chael Sonnen (since banned for two years for multiple failed tests) and almost losing an eye to Vitor Belfort (biggest cheating scumbag ever), I was done with tiptoeing away from this issue.

I found Dana White and said I wanted to be tested 'to the max' along with Cung Le.

'Not just a post-fight urine sample, Dana,' I said. 'Pre-fight and post-fight, blood and urine. You can literally test the piss out of me – I'm clean.'

I let the implication hang in the air for him to pick up.

'Good news for Michael Bisping,' Ariel Helwani reported on Fox Sport's *UFC Tonight* TV show in the US an hour later. 'I spoke with UFC president Dana White from Macau and he told me that Cung Le and Michael Bisping will be subjected to enhanced drug testing. Blood and urine testing after the fight.'

Whether or not Le was running on Super Unleaded or not, I put it out of my mind. This fight was about me, not him.

The words I recorded for the UFC's opening promo were:

> *I'm not finished. I ain't going nowhere. I still want to be the world champion. While there's still life in my body, that's what I will try and achieve. There's a lot at stake in this fight for me. My back is against the wall, I know that. I've got to prove I'm still the fighter that I've been proclaimed to be. I need to go out there and finish Cung Le.*

My performance against Cung Le in Macau on 23 August 2014 was one of the best of my entire career. Although Le had been a collegiate wrestler, his MMA style was almost entirely strike-based; without having to split my focus on defending potential takedowns, I was able to use the full compass of my own striking ability.

From the moment the fight started, it was all about pressure. I went out there to absolutely destroy Le. He started off confidently, marching forward while throwing out some of the tricks he was famous for. He went for a spinning back fist, he landed a hard right hand to the body, he threw back fists. But I found my rhythm quickly and it was my spinning heel kick that landed halfway through the first round.

Le had broken Frank Shamrock's forearm clean through when the former UFC light heavyweight champion blocked one during their 2008 fight. They were powerful kicks and I fired combinations as soon as Le was in range to discourage them. Le landed the same right hook that knocked out Rich Franklin in his last fight, which got my attention, but I soon landed a hook of my own to underline that I'd won the first round.

I began to open up a lead in the second. I read Le's attacks like a book and began to walk him down, throwing and landing far more kicks than in my recent fights. A right cross raised a huge welt around Le's right eye and he began to look distressed. I hit him again in the eye, and the bruise was burst open. Then I cut him with a hook and right cross to the left eye. Then I ripped his bottom lip apart. From then on, Le fought covered, brow to beltline, in his own blood.

'Cung Le is a mess,' understated commentator Kenny Florian.

The referee called the doctor in to check Le could see. He could, but he was insisting – incorrectly, as confirmed by replays – that I'd poked him in the eyes.

Le continued to fire his heavy artillery. A spinning back fist into a roundhouse kick; a hook kick chased me back to range after I landed an uppercut. I landed another lead right cross to the face and Le's blood literally splattered on my forearm. I was two rounds up, dominating.

There was no poker face on Le in the third. His features were slippery with blood and, behind the red, black bruises were contorting his face even more. He couldn't hide the pain he was in – but he wasn't beaten yet. His corner had instructed him to fire the right hook and he did until one landed on my jaw. As I stepped back for a second, Le landed a spinning heel kick to my stomach.

I had to take in some deep breaths because that one really hurt. I returned fire with a shin to the ribs; Le answered that with one of his own. I closed the distance and dug a three-punch combination into Le.

We were putting on a true mixed martial arts contest in front of 7,022 smartly attired Asian fans at the Cotai Arena. China is in many ways the birthplace of martial arts and I was in a real-life *Bloodsport* or *Big Boss* movie.

I hurt the former Strikeforce middleweight champion with a right hook in the last 90 seconds of the third. His legs shuddered for the first time.

The fight was mine to lose going into the fourth. Le's face looked like the front cover of a horror movie Blu-Ray. I'd swept the first three rounds and could certainly have made the calculation to play the percentages all the way to a clear points decision. But I'd not flown all that way to win via the scorecards.

A left kick to the temple bounced off Le. Then a jab stabbed at his now entirely closed right eye. An uppercut rocked him back on his heels and I sensed my siege of Cung Le had entered its final stage. I'd pushed him back to his last line. He was cornered, desperate; out of ammo and ideas. The aggression had drained from his eyes. He was pushing out strikes as pleas to leave him alone and let him rest. Another left shin to the head signalled a sustained attack of 15 punches – all of them with vicious intentions – and then a knee to the jaw sent him careering backwards half-unconscious. Referee John Sharp called it off 57 seconds into the fourth.

It was 4 months since the boring 25 minutes with Tim Kennedy, 6 months since I was told I could fight again, 11 months since my first eye surgery and 20 months since my retina was torn vs

Belfort . . . but I was back! I'd put on an exciting and dominant performance when I needed to the most. The Kennedy fight was an aberration, everyone could see that now, it was the result of rushing back after a long lay-off. The real Michael Bisping was back.

'This is what I'm capable of,' I told Kenny Florian in the post-fight interview. 'Believe me, I am capable of better. I want to be world champion – I have the tools to do it. But I've got to back it up – this was the start of backing it up.'

Knocking out Cung Le was my 15th win in the Octagon. No other fighter in the history of the UFC had won so much without getting a title shot.

There's no better platform a UFC fighter is afforded than those few moments after a big win, that's when you are able to craft your own narrative, when you can't be misquoted and you have everyone's full attention. I knew what I needed to do.

'There's an idiot called Luke Rockhold who can't stop talking about me – I think he's got the hots for me, to be honest – Rockhold called me out. You want it? Let's dance. I'll beat Luke Rockhold and then I'll take the title.'

I knew Le's pal Rockhold, the last man to hold the Strikeforce title, was in the front row. He'd been calling me out for a couple of years and, I knew, a fight with the UFC's answer to a Ken doll would land me right back in the top three.

My dad came to all but two of my professional fights. He couldn't make *UFC 66* or *UFC 127* – he was at every single one of the rest. It's one thing to tirelessly travel up and down the British motorways, and another to fly from England to North American a dozen times, to Australia and China twice and Brazil, especially when you're as tall as my father is.

My dad's best mate – Mick Warburton, aka 'Little Mick' – travelled with him to most of my fights.

The morning after I beat Cung Le, my dad, Little Mick and I were enjoying an awesome breakfast of eggs, turkey and apple sausage, toast, mushroom and tomato sauce (because that's what Englishmen eat for breakfast when they travel to China) in the hotel when we were interrupted.

'I'm going to beat the fuck out of you!'

There was Luke Rockhold.

'I'm going to destroy you. You want to fight me? I'll fucking retire you!' he raged, attracting whispers and worried looks from a restaurant full of the sort of people who wear dress shirts to breakfast.

'What are you doing, Luke, you idiot? I'm having a quiet coffee here with my dad and mate,' I explained. 'I don't fight in restaurants, and you shouldn't promote a fight when there's no one else around. Stop making an exhibition of yourself, you knob, and I'll see you soon enough.'

The match was set for 8 November 2014, at the same arena in the outskirts of Sydney, Australia, where I'd faced Wanderlei Silva and Jorge Rivera.

The genesis of the feud with Rockhold began two years earlier, when I appeared on a TV show called *MMA Uncensored Live* and was asked about the Strikeforce middleweights being absorbed into the UFC. Should Luke Rockhold, the Strikeforce champion, for example, be automatically installed as the next contender for the UFC belt?

Jason Parillo had brought Luke to the RVCA gym a few months earlier to spar and, put on the spot and looking to entertain, I said,

'Let me put it like this: I've sparred with Luke Rockhold recently and let's just say I'm the unofficial Strikeforce champion. Sorry, Luke!'

Now, me going on cable TV and bragging about kicking his arse probably wasn't the thank-you Luke was expecting when he did me a favour and came and sparred with me. But it was a joke, another joke in an interview that had been light-hearted and irreverent all the way through.

Rockhold took himself way too seriously to get over it. He dropped my name for the next two years and, finally, the fight happened at *UFC Fight Night: Rockhold vs Bisping*.

Almost every day – literally, not kidding, every single day – I'd have at least a few minutes spent worrying that my vision had dipped just 1 per cent below 20/200. The days leading up to an eye exam were almost unbearably anxious. My right eye had 20/200 vision on its best day; there was no margin for having tired eyes.

If I'd stayed up late watching the end of a movie, or if I had a bit of a head cold, or showed up on the day of the eye exam with a shiner – who knows?

As well as fretting about my eyesight declining on its own – I was now wearing glasses to watch TV at night – I fretted that some random doctor at a weigh-in would take one look at my right eye and consider his Hippocratic Oath demanded erring on the side of not sending a man with one good eye into a cage fight.

Worrying about an impromptu eye exam and having my licence to fight withdrawn – and potentially my whole career ended – became the opponent I faced every day in the gym and every second of fight week.

My anxiety in Sydney was through the roof. Just two days before I left for Australia – flying the 15 hours from LA and not the 23 hours from Manchester this time – I was cut on my good eye in sparring. I needed six stitches to close up the three-quarter-inch slice at the top of my eyelid.

'Mike, if you lose this fight, that's it, right? If you don't win this one then you'll never get another No.1 contender fight again, so it is fair to say your career is on the line here?'

'No,' I answered in a one-on-one interview after the press conference. 'I won't lose this fight but, even if I did, I am not going anywhere until I get my world title shot. Fair enough, if I lose to Luke, I will drop down the rankings again, but I'll dust myself off and try again.'

Tall with dark features, Luke Rockhold had been blessed with the good looks of a supermodel and half the brain power. He was also enormous for a middleweight, had a powerful kick and punch and was very good at submissions. He was the best opponent I'd faced in a long time and the sports books had me as a 2/1 underdog.

I arrived at the arena, now called the Allphones not the Acer, and was ambushed by two frantic UFC staff. 'The commission doctor needs to see you immediately,' they said.

*Oh, shit.* 'Why?'

'Because of your eye.'

*Shit, this is it. The moment I've been dreading.*

In fact, the Aussie doctor needed to take my stitches out. I don't know why I thought it would be okay to fight with medical sutures, but at least I got the benefit of them right up until a couple hours before the fight.

It wasn't long enough. Barely 90 seconds into the fight Rockhold ducked down and his head collided with my face, re-tearing the sore flesh above my right eye. Referee Herb Dean saw the head clash and brought in the same doctor who'd removed my stitches earlier to check the cut out. The fight resumed, but I knew I was in trouble.

Blood was running directly into my left eye. Every time I blinked it was like using car windscreen wipers on mud. I tried using my fingers and gloves to clear my eyes, but nothing restored the vision in my good eye.

If you watch the fight back, it is obvious I couldn't really see. I'm trying to con Rockhold into staying away – firing kicks and punches into his general direction. It was like a video game: if I managed to blink 10 or 12 times I'd get a few moments of sight and be able to throw a one-two or block one of Luke's nasty kicks effectively. Then a red curtain would roll down the world and I'd be back to seeing lights and shapes again.

My corner did what they could between the first and second round but the whole thing was doomed. A minute into the fight resuming, Rockhold landed a whip kick to the left side of my face I barely saw coming and then he brought up a baseball bat of a left shin to the right side of my head that I didn't see at all. He landed a big right on the ground and pound. As I scrambled to get up, he clinched in a guillotine choke to win the fight.

Other than congratulate Rockhold and affirm the obvious – yes, the cut did affect me – I couldn't say too much more. I needed to avoid any talk of why blood in one eye changed the complexion of the fight before it'd even begun.

I had to. Because, just like I told that reporter earlier in the week, I had every intention of dusting myself off and trying again.

## CHAPTER FIFTEEN

# SILVA BULLET

When people say Anderson 'The Spider' Silva is the greatest pound-for-pound fighter in the history of the UFC, they are just reading a label that's been attached to the Brazilian since 2006. The term 'P4P' and even his statistics – record longest title reign in UFC history (2,457 days), record longest winning streak in UFC history (16), record number of knockdowns in UFC history (17) and on and on – don't really describe how good a fighter he was.

At his best – and his best could be summoned at a moment's notice – he was as good in our sport as Pelé or Ali were in theirs.

In speed, power, timing, the ability to take a punch, Silva was more than an equal for anybody in the middleweight division; but it was in the less obvious attributes that Anderson held all the X-factors. He had the timing of an orchestra conductor, sat-nav-like precision and uncanny spatial awareness in avoiding attacks. And in terms of imagination – using techniques on the biggest stage that most fighters would be apprehensive to attempt behind closed gym doors – there was no one like him.

Only those of us who've swapped talent and bad intentions with him can really explain how outstanding a prizefighter Silva really was. And we don't do it with words. Rich Franklin's misshapen nose, Chael Sonnen's crushed ego, Forrest Griffin's shattered pride and the zagged scar on the bridge of my nose tell you the story.

The first time I became aware of this slender, almost skinny, Brazilian who preferred to strike was during his four-fight run in Cage Rage. My Cage Rage debut came at *Cage Rage 7*, while Anderson's came at *Cage Rage 8*. Two years later we graduated to the UFC on two different Las Vegas cards during the same week; while I won the *TUF 3* tournament, Silva annihilated Chris Leben in 49 seconds.

Just 16 weeks later Silva was back in Las Vegas for the *UFC 64* pay-per-view, in a challenge to superstar middleweight champion Rich Franklin. 'Ace' Franklin was a former maths teacher at Oak Hills High School in Cincinnati but Silva gave him a lesson in trigonometry, finding the angles for shot after shot before subtracting Franklin's world title from him in 2 minutes and 59 seconds.

Silva was just getting warmed up. Over the next seven years, the Spider defended the middleweight title ten times, a record likely to stand for decades. He dismissed a generation's worth of contenders, often with the bored superiority of a big brother handing out Xbox schoolings.

During those seven years as champion Silva had no one to overtake on top of the pound-for-pound rankings other than previous versions of himself. There was no one in MMA's short history to compare him with. So most experts didn't even try; instead, they would make contrasts with the giants of the boxing ring like Roy Jones Junior, Sugar Ray Leonard and even Muhammad Ali himself.

Every time I checked where I stood in the middleweight Top 10, it was his name at the top. He was the summit I was working so hard to climb to and, quite honestly, I felt I'd give him a much better fight than several challengers who seemed overawed by Silva's reputation. I badly wanted to fight him.

I'd had my chances to fight him over the years. If I'd have beaten Henderson at *UFC 100*, I'd have fought Anderson Silva for the belt in late 2009. If the judges had acknowledged that I had beaten Chael, I'd have fought Anderson at *UFC 148* in July 2012. If I'd have beaten the Radioactive Man in January 2013, I was tabbed to fight Anderson for the title at *UFC 162*.

But none of that happened and, instead, Anderson's time as champion came to an end in those two bizarre fights with Weidman in 2013. Chris Weidman, 9–0 at the time, had apparently earned his title shot by staging a 12-month sit-in at his home in Baldwin, New York.

At *UFC 162* in Las Vegas, Silva acted like he'd had some Adderall crunched up into his morning protein shake the entire fight – yelling, pointing and even dancing while in range of the New Yorker's punches. Finally, Weidman capitalised and threw a left hook that the defending champion – the same man who made Forrest Griffin, Vitor Belfort, Dan Henderson and all the rest miss by millimetres – all but head-butted.

It was shocking. It didn't look like real life.

The rematch later in the year ended in even more bizarre circumstances – Weidman blocked/checked a routine leg kick and Silva's shinbone snapped clean in two. I was in the front row and heard the wet snap, like a whip hitting a puddle, and witnessed the foremost talent in MMA being carried out on a stretcher. He screamed in agony the whole way. It was awful.

It looked like the greatest career in MMA history would end on the cruellest and most painful of flukes but, to everyone's astonishment including my own, Silva returned just 13 months later and soundly defeated Nick Diaz in a super-fight. Both fighters tested positive for banned substances in their post-fight test, and

Silva's reputation took a hit as he was banned for a year for, he claims, taking an erection tablet a friend of his brought back from Thailand.

Yeah.

While Anderson was serving his time, I was clawing my way back up the rankings with two straight wins. I probably should have taken the time to get elbow surgery done on my right arm. Some cartilage tissue had broken off during training for the Brian Stann fight and had been floating around in my joint so long they'd become calcified. They were so big my range of motion was becoming affected. But I wanted to fight, to win, as soon as possible.

A good win over veteran contender C.B. Dollaway at *UFC 186* in Montreal on 25 April 2015 set me up for a headline fight back in the UK.

After years of teasing it, the UFC finally held an event in Scotland on 18 July. The SSE Hydro arena in Glasgow was packed with over 10,000 fans. A lot of my friends and extended family from Clitheroe, who couldn't fly to Brazil, Canada, the US or China on two months' notice, all made the drive to Glasgow.

My opponent was Thales Leites. It was another one of those fights where only the people who really follow the sport understood how tough an assignment it was. Leites was a legit third-dan BJJ black belt and, after losing to Silva in a UFC title challenge, had really worked on his striking.

The US-based Brazilian was on an eight-fight win streak and the odds-on favourite when he landed in Scotland to fight me. After the Rockhold loss, I'd been written off by some sections of the MMA world, I think that's fair to say.

But I knew things the critics didn't. First and foremost, I knew I was getting better.

Jason Parillo and the team were pushing me to another level. I was now one of the most experienced mixed martial artists in the sport and, because of the way I'd always trained, I could pair that experience with a level of aggression no one in the division could match.

But – even more importantly – I'd become a much more even-tempered fighter. That hadn't come about overnight. It took time and patience on Jason's part to round the jagged edges off my mindset when it came to my fight career. But, after eight fights and three years together, I trusted him implicitly.

One humid May morning, I pulled into the RVCA gym car park and chose a spot under the giant graffiti-style mural that lights up the outside of the white building. I was grabbing my gym bag out of the boot (I still couldn't bring myself to say 'trunk' quite yet) when Jason appeared.

Yours truly had been a little irate towards his training partners the previous few days. I'd lost my cool in sparring and allowed it to darken my mood. My coach wanted a word about it.

'There are a lot of good guys inside that gym who want to spar with you, Mike,' he began. 'They are all very, very good. But you're world champion calibre. I'd like you to go in there and *act* like the world champion we both think you are – handle them like they are the world champion's sparring partners. Don't let them get the better of you and your emotions. Go in there and dominate the room in a positive way. Set the tone, set the worth ethic. Can you do that for me?'

I nodded: 'I can do that.'

And I did that all through the camp and all the way to a win over Thales Leites. The only time my emotions spiked was when I hugged Callum seconds before I stepped into the Octagon.

As a main eventer, I was allowed an extra cornerman. I'd asked Cal if he wanted to do it. His eyes lit up and the grin on his face went from ear to ear. He had the best week, following me around during the PR stuff, collecting his official Reebok cornerman tracksuit from the UFC office. He was really professional as I went about my usual fight-week routine. I was so proud to have him with me and I thought this could be a regular thing whenever I was given a fourth cornerman.

Then it came to the fight. When I got to the Octagon steps and gave Callum one of those last-moment hugs fighters share with their team my emotions burst through like a dam. The whole reason I began this journey was to provide for Cal and Ellie when they were toddlers and the emotions were stirred up too much. It was an emotional distraction exactly when I needed one the least.

Leites and I had a hard five-round fight. He was very big and strong for a middleweight and caught me with some hard shots. As if he wasn't a tough night's work on his own, my right elbow locked up a couple of times due to those floating pieces of calcified cartilage, plus I suffered a crazy injury in the first round. Somehow, I caught the underside of my big toe on the edge of the sandpaper-like logo on the Octagon canvas and it sheared the skin off like a doner kebab.

You're going to have to take my word for it – every second my toe was on the canvas, it was like an electrical current of pain. One of the newspapers the next day had a close-up of it with the headline 'TOE-TALLY GROSS!'

Nevertheless, I landed great combinations on Leites in every round and mixed my shots up very well. In all, I landed over 30 more significant strikes than he did in a fight which was almost entirely spent striking. I won the decision.

My old opponent Brian Stann interviewed me afterwards and I reaffirmed once again I was coming for the title.

'UFC – I am still here ten years later,' I said. 'Weidman, Rockhold, Yoel Romero, line 'em up and I'll take 'em out.'

My next opponent was supposed to be Robert Whittaker, not a big name at the time but clearly a fighter who had a big future, at the massive *UFC 193* event in Melbourne, Australia. I was really looking forward to competing on the blockbuster indoor-stadium card; Ronda Rousey, by now the top star in the sport, was defending her women's title vs Holly Holm and a staggering crowd of over 56,000 would be on hand.

Then I got an email from the UFC.

'NOOO!' I yelled, making Rebecca jump as we ate breakfast at the kitchen table.

I read her the email. Because MMA had only just been sanctioned by Sport and Recreation Victoria State authority, after years of lobbying by the UFC, the local commission was insisting on all 26 fighters on the card retaking all their annual medicals once we got to Australia. That would mean heart tests, blood work, MRIs and, yeah, a full battery of eye tests.

I'd already seen at first hand the huge variance between medical opinions regarding my eyesight. One doctor insisted I couldn't even go for a jog; the next week another doctor had cleared me to actually fight. What if this random Australian doctor, assigned by an authority who until recently had refused to even sanction MMA, decided the baseline requirement of 20/200 wasn't good enough?

It wouldn't just mean I'd be taken off *UFC 193* and miss out on a payday despite completing and paying for a full training camp. If I was denied a licence to fight anywhere in the world, it would make getting a licence to fight everywhere that much more difficult. There was every chance my entire career could unravel.

Putting my entire career in the hands of some stranger who, for all I knew, could have been against MMA getting sanctioned in Victoria in the first place made me very anxious. It was all I thought about for several days; every scenario ran through my head all at once. The one I kept coming back to was a jobsworth doctor declaring me medically unfit.

'You can't go on like this,' Rebecca said. She was the only one in the world who I confided in. 'You're supposed to be focused on training and fighting, but all your mental energy leading into fights is spent worrying about eye tests.'

She was right, of course. From the Kennedy fight to my retirement, the mental stress I felt regarding my eye situation was unbearable. The fighting itself was easy in comparison; climbing into the Octagon for a professional fist-fight was a reward, a stress reliever almost.

Thoughts of my career coming to an end via the email of an Australian doctor plagued me. I was distracted and distant in training. During a wrestling practice I was taken down and posted my left hand awkwardly. The pain was enough for me to call time; when I stood up my arm was locked at 45 degrees.

'Guys, I can't move my arm,' I said as Jason and a few others gathered around. 'I'm trying to straighten it as hard as I can – it's not moving.'

I knew exactly what had happened. I dug my fingers into the joint and could feel one of those calcified floating bodies jammed deep in my joint. It was painful, but I wiggled it out and could move my arm again.

I saw a specialist that afternoon. Doctor Mora was of Peruvian descent and one of the best orthopaedic surgeons in America (he's also handsome enough to star on *The Young and the Restless*, or so Rebecca has informed me more than once). He told me the bits of tissue were now so big they would continue to get jammed up my elbow.

'These bodies are going to continue to calcify,' he said, 'which means they will get bigger and will interfere with your range of motion with increasing frequency.'

The news my arm could lock out in front of me at 45 degrees – like a German with a beer tankard – in the middle of a fight wasn't great, but the doctor had more.

'I encourage you to get this taken care of now,' she said. 'I know you have a match coming up. From personal experience, I can tell you it is not worth it. I had similar foreign bodies floating around my knee – I put off the surgery until the end of the season but my leg locked up in the middle of a meet. It is literally like throwing a spanner in the works. I damaged the joint so much I missed a full season.'

The next morning I called the UFC and pulled out of the Melbourne event, then I called the specialist back and confirmed I'd take the Thursday slot for the operation.

I hated pulling out. I prided myself on showing up and fighting but I think Rebecca had a point when she said the elbow injury was a blessing in disguise.

'You probably should have got the elbow surgery several fights back,' she said. 'There's a reason you didn't. Maybe something was going to happen in Australia with the eye exam.'

'I don't know how much longer I can go on doing this,' I admitted. 'The stress of the eye situation … and a random doctor could take it upon himself to overrule the others and end my career on the spot. I'm paranoid about people looking at my eye. Did you see me at the last press conference? I've taken to wearing sunglasses indoors!'

Rebecca looked at me with an exaggeratedly puzzled look. And I laughed.

'Yeah, I'm well aware of what I used to say about dickheads who wear shades indoors,' I sighed, appreciating her lightening the mood. 'And I wasn't wrong! If you wear sunglasses indoors, in the winter, then you are announcing yourself as a dickhead. Only difference is that I'm now one of them.'

It was Christmas Eve 2015 and I was sat on the couch at home with Ellie and Rebecca. Callum was playing with his phone across the room, and Lucas was lying on his back on the rug in front of me, watching the television upside down.

My elbow was fully recovered and the Bispings were ready for Christmas. In fact, after living in America for a couple of years we'd begun to use Thanksgiving almost as a dress rehearsal for Christmas, so we'd been ready for over a month. I was dodging most of the tasty food, though, because I was already in training to face Gegard Mousasi in London on 27 February 2016.

I'd be back in the gym on Boxing Day (or, as Americans call it, 'December 26' – they have no idea what Boxing Day is and, after years of trying to explain it, I realised that neither do I).

We were about to make a decision on whether or not to go out that night when my phone rang.

*Dana calling on Christmas Eve? What could this be about?*

He got right into it: 'We're thinking of changing things around on the London card. You versus Anderson Silva, main event, $O_2$ Arena. How's that sound?'

*Wha—*

'Hell, yes! I've always wanted to fight him.'

'Yeah, I know. Merry fucking Christmas.'

'Merry fucking Christmas!' I said.

We hung up. From the first ring to me putting my phone back down took less than 30 seconds.

'Who was that?' Ellie asked.

'Dana,' I said.

I just sat there. My family knew something was up. Rebecca and Callum leaned in. Lucas told me to be quiet – he was watching his movie.

'I'm fighting Anderson Silva in London.' I heard the words come out of my month. Just like that, after all these years, it was a reality. It actually felt like a Christmas present. Magical, almost.

I was already training very hard for the London event but from the moment Dana called my discipline became razor-edged. I didn't have a single 'cheat meal', cheeky glass of wine with dinner, nothing. I called Daz Morris, my old friend and one of the best Thai coaches in the UK, and added him to my team for this one.

No stone was left unturned – beating Anderson Silva was everything to me. This fight, I knew, would deliver the final verdict on my entire career. I knew the sport's self-appointed historians had already drafted the summary: *'Michael Bisping, perennial contender, BUT couldn't win the Big One.'*

Anderson Silva would be fighting for his legacy, too.

After getting chinned by a meat and potatoes left hook from Weidman, the uncontrollable agony of the leg-break rematch, the drug test ruining the Lazarus-like comeback vs Diaz and the embarrassment of the 'Thai erection pill' defence, Silva needed a resounding victory himself.

He wouldn't just be looking for a win; I knew that for a fact. His ego would demand the full restoration of his near-mythical status that only a spectacular knockout would deliver.

The UFC promoted the showdown as a decade in the making. We both had so much at stake, so much to win. For one of us to succeed the other had to fail.

'It took Chael Sonnen two years of non-stop bullshit to finally anger Anderson,' the Spider's manager Ed Soares said during fight week. 'It's taken Bisping less than two months.'

No doubt about it, I'd worked fast. You can guess which pressure point I focused on. Silva refused to discuss the doping failure, stating it was not 'relevant' and insinuating I was somehow being 'unprofessional' for bringing it up in media interviews.

When we did an open workout for the media and hundreds of fans at a UFC Gym location in Torrance, California, on 11 February, Silva learned that I'd bring his doping up to his face, too. I waited until the cameras were rolling and gate-crashed Silva's interview scrum.

'Hey – did it work?' I asked with the tone of a comedian about to roast a hapless audience member. 'Did the Thai sex pill work? Did you have an erection?'

During fight week in London, at the press conference, and at a photo-op shot on the banks of the Thames with Tower Bridge in the background, I wasted no opportunity to get right up in Silva's face.

At the weigh-in I held out my hand to shake his. He looked puzzled. I held it out further. 'C'mon, shake,' I said. He reached for my hand – and I withdrew mine, putting it behind my back. I leaned my face into his again. No respect. No quarter asked because none would be given.

Silva smiled, but his eyes were on fire.

Finally, when handed a microphone to address the 5,000 British attending the weigh-in, I had this to say: 'When I step into that cage tomorrow I'm doing it on behalf of myself and Great Britain. This man is a cheat! This man is a fraud! All the needles in your arse, all the steroids will not help you, you pussy!'

So, why did I go all out to piss off the most talented fighter of all time?

Simple, I respected him far too much.

There's no shame in admitting that I had massive appreciation, admiration, really, for Anderson as a fighter. I had to completely change that mindset to give myself the best chance of winning.

Silva preyed on respect. For years, I'd watched opponent after opponent fail to challenge him to the best of their ability because they went in going, 'Oooh, I'm in with the legendary Anderson Silva.'

The Rashad Evans loss in 2007 was caused by the folly of giving too much respect to an opponent. And so, I seized upon Silva's positive steroid test. That one event was the entirety of his life, in my mind's eye. He was a *fucking cheat.* Another Dan Henderson, another Vitor Belfort. He deserved contempt, not respect. Mentally, I diminished him until he was the size of a normal fighter.

This wasn't a trivial mental exercise. Silva was a master mind-gamer himself, often exchanging meticulous respect (the bowing and all that nonsense) to con opponents into 'respectful' martial arts contests that suited his style. Then, inevitably, he sprung the trap and smashed them to defeat as brutally as anyone in the sport.

My vocal disrespect sent the message none of that would work.

Between *UFC 120* on 16 October 2010 and the Anderson Silva fight in February 2016, there was a gap of five years, four months and ten days between me fighting in England. That was literally, almost to the day, half of my UFC career.

The atmosphere crackled with energy as I stepped into the Octagon. I was back in the fortress, ready to defend my undefeated record on British soil. Everybody I knew from Clitheroe was there, like my mate Burge, people I used to train with years before like Ian Freeman, my friends from the acting world like Noel Clarke, Guy Ritchie, my mum, my dad, Rebecca – everybody.

Referee Herb Dean brought us together in the middle of the cage for final instructions. When Dean was finished, Silva offered both gloves, stretched into fists. He also bowed in the traditional form of respect one martial artist shows another. I accepted the show of respect and said, 'Good luck.'

I meant it. Despite what I'd said during the previous two months, I respected the man and didn't want either of us to win due to some fluke occurrence.

The fans erupted as the moments ticked down to the opening buzzer. This was it. My title shot, my legacy and the final verdict on my 35 professional fights, 12 years as a professional, 25 years of training, thousands of miles of road work, hundreds of days away from my family.

There was no way to beat Silva on the back foot, I knew. I had to take the centre of the Octagon right away, be intelligently aggressive and push the pace. Silva would counter and hurt me, he'd play his gamesmanship and make me miss, he'd pretend nothing I did was working but – whatever happened – I knew I could not let him blunt my aggression.

I landed first, and not just a single shot but a combination. Silva switched from his natural orthodox stance to his preferred southpaw, back and forth, back and forth, and I could see him performing calculations behind his eyes. He threw – and landed – several punches. The speed was equal to the accuracy. I had no trouble landing on him, though. I kept pressing him backwards, landing ones, twos and even several three-punch combinations. I worked his lead leg and got the better of a clinch. He wasn't as hard to hit as I had expected, although hitting him with the same combination or set-up twice proved difficult.

As if a timer had gone off, Silva surged forward in the last 30 seconds. I had to stand my ground – and did – clipping him with a big left hook that staggered him as the buzzer sounded.

As the horn blared out to end my 10–9 round, Anderson attached a goofy grin on his face and came in to give me a hug. It was another one of his psychological set pieces. *Congratulations on winning a round against the great Anderson Silva*, his embrace inferred. I shoved him backwards – hard – with both hands and told him what he could use a Thai sex pill for.

*You are not coming to my country and condescending me in front of my own people. I am just getting started with you – see you back here in one minute.*

I sat down on my stool feeling good.

'Our round?' I asked Jason as he and the team worked on me like a Formula 1 pitstop.

'Our round. You're doing great. Don't let him bait you into bullshit,' was Jason's final instruction.

Anderson reached deeper into his bag of magic tricks in the second.

Silva's reflexes were extraordinary. He could go from nought to nuclear in a split second. But one of my long-held suspicions was already confirmed – he relied on discouraging opponents from throwing combinations as much as his own reflexes to avoid them. I'm a stubborn bastard at the best of times, and I trusted my cardio and skillset to land strike numbers three, four and five even if numbers one and two missed.

This was no unmasking, though. Silva was every bit as good as he'd looked during his championship reign. On several occasions, his anticipation of my attacks was so exact it gave me the disquieting sensation we were doing fight-movie choreography. I had to push such thoughts away as the imposters they were. He was just another fighter who I needed to keep the pressure on.

A minute into the second round, Silva backed himself against the fence, squared his hips into a normal standing posture and waved me in. 'Come on, man,' he said in that Michael Jackson voice of his, expecting me to play the game of firing punches while he dodged like Keanu Reeves in the *Matrix* movies.

Unfortunately for Anderson I'd seen this ruse before (most memorably vs Stephan Bonnar in 2012). His squared-up stance made dodging punches easier, not harder, and the proximity to the fence all but ensured no one would try a full-power kick and risk catching their toes in the chain links.

It was a con, not unlike those can't-win carnival games, and I'd have none of it. I stepped back three paces to the centre of the Octagon, put my hands on my hips and shot Silva an unimpressed look. *I'm not one of the overawed challengers you've clowned and beaten for years*, I said with my eyes. The British fans played their

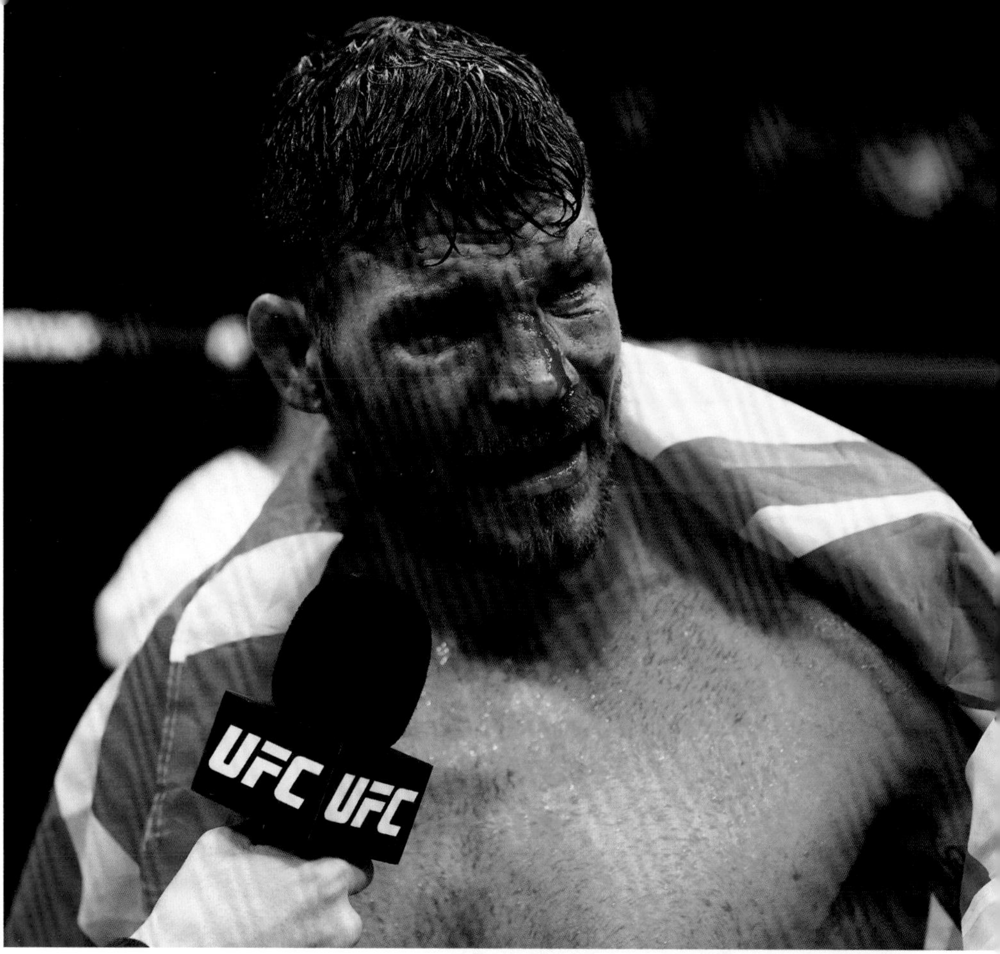

My nose was broken and I was cut and bruised – but beating Anderson Silva in front of the UK fans was one of the greatest moments of my life. London, February 2016.

Shaking hands with Anderson Silva immediately after our fight. You can see I'd bled from literally head to toe.

Getting back from a run with Callum and Dito the dog, May 28 2016, the weekend before winning the UFC world title.

After a decade of chasing it, the UFC world title belt was wrapped around my waist after defeating Luke Rockhold on June 4 2016, in Inglewood, California.

My left orbital socket was broken in the rematch vs Dan Henderson at UFC 204 on October 8 2016, closing my good eye as the fight went on.

Kneeing Dan Henderson during our fight in Manchester.

An amazing aerial shot of me celebrating in the ring, after my first round knockout win against Rockhold.

HARLEY-DAVIDSON MOTOR CYCLES
H-D.COM
TOYO TIRES
IT'S TIME
JULY 9 SA
UFC
BUD LIGHT
metroPCS

Promoting the GSP fight during an appearance on Conan O'Brien's late night talk show, October 2017.

At the UFC 217 press conference at Madison Square Garden. I took to wearing sunglasses to prevent anyone taking a closer look at my damaged eye.

Landing a punch against Georges St.-Pierre during UFC 217 at Madison Square Gardens. NYC, November 4 2017.

Meeting British fans after the UFC Hall of Fame announcement at the O2 Arena, London, March 2019.

On May 4 2019, I made my debut as a UFC colour commentator.

On the set of Fox Sport 1's UFC Tonight show in Los Angeles, California, with Lucas.

With my daughter Ellie.

The Bispings on holiday in Hawaii. Providing a better life for my family was the reason I set out to become a fighter in the first place.

part, too, cheering my bravado and letting Silva know he was a long way from Brazil.

Because of my role as a TV analyst, I knew for a fact that Silva hadn't even attempted a takedown in over six years. Like with the Cung Le fight, that knowledge enabled me to bring a whole other arsenal of strikes to this fight. I used a push kick to position my opponent against the cage and a roundhouse kick to his right thigh.

While we were exchanging strikes, Silva caught me with a counter – an elbow to the ear – that was so fast commentators John Gooden and Dan Hardy didn't see it.

Despite taking that and several hard strikes, the second round was going even better than the first for me. Silva knew it, too, and in the final minute he dropped down off his toes and loaded more TNT in his gloves. Silva pressed forward but I sent him into reverse with a push kick. Then I flicked a jab on my way inside and – BAM! – a drum-tight left hook buzzed him badly. Before he could recover any equilibrium I twisted my hips into a right cross and then arched another left to the jaw. BAM-THUD-BOOM!

I'd decked him! He was down, hurt!

The British fans roared like the place had caught fire. I followed Anderson to the ground – taking an up kick from the lightning-fast Brazilian on the way down – into his guard and began hacking away at him like a madman.

(The up kick was incredible, I have to add. I could see in his eyes he was rocked – but this man is such an instinctual fighter he still fired and landed a counter.)

I had no fear of his BJJ guard. I wish I'd got him down earlier, because the 30 seconds of ground and pound were my most dominant of the fight so far. I smacked him with both fists and elbows until the round ended.

The fans went crazy at the end as I walked to my corner. I felt great. It was hard; I was a little bloodied already – but I was putting on the performance of my life. I was two rounds up, 100 per cent. I just had to keep focused like the edge of a scalpel.

'You're doing well,' Jason said. 'Stay focused. Rip the body when you find him open. You are getting close enough.'

For the third round, Anderson shot off his stool like a man determined not to lose a third straight round. He was coldly aggressive, less content to give ground and, after getting hurt and dropped by the left hook, he wore his shoulders locked in formation either side of his chin.

Silva's punches and kicks were as accurate and slicing as the strokes of a diamond-cutter. He is the only fighter in a quarter-century to have landed over half his strikes. He thudded a kick into my mid-section. I refused to back off. I chased Silva to the fence and landed three of a four-punch combination. Silva's right fist sent sweat bouncing from my head. Moments later I felt his nose stab between my middle knuckles as a right cross crunched into his face.

'This fight is living up to the hype,' commentator John Gooden stated.

*BISPING! BISPING! BISPING! BISPING!* rumbled around the arena.

Anderson slammed his left knee through my defences and into my guts. He chased me along the fence. We exchanged shots and, somehow, my mouthpiece fell out. I pointed the ref's attention to it, lying on the canvas, and Herb Dean went to retrieve it.

For a split second I thought about the long-term consequences of professional cage fighting. I wanted my gumshield back in before my incisors were knocked out or my face was grated from the inside out.

'Mouthpiece!' I said to the referee. The Spider read my preoccupation as a weakness and attacked – ripping in strikes to my head. He caught me in a Thai clinch and threatened a knee strike but I escaped and stepped back.

That was a lull in the action, as far as I was concerned, and the referee needed to step in and replace my mouthguard. 'Mouthpiece,' I turned and repeated to the referee.

Silva blasted into the air like a rocket and drove his knee directly into my face. I crumpled to the canvas with blood gushing from the bridge of a broken nose. Before I'd finished falling Anderson had landed, turned and was walking towards the centre of the Octagon.

BEEEEEP!

The round ended two seconds after Silva's knee had struck.

If that had been the end of the fight, it would have haunted me for the rest of my life. I'd fought an intelligently aggressive fight for 14 minutes and 58 seconds, hurting the GOAT in the first round, dropping him in the second and out-striking him 63–36. And then I'd completely disengaged from the task and invited a calamity to happen.

But it wasn't the end of the fight. My face felt collapsed but I was still with it. 'I'm not knocked out!' I told Herb Dean. 'I'm okay!'

One of those statements was more accurate than the other, but Dean confirmed I wasn't out of the fight.

'No, you're not knocked out,' Dean said to me clearly. 'End of round.'

Twelve feet away Silva had thrown himself into celebration. Somehow, his entire team burst into the Octagon to join him. Confused commissioners wandered after them; emasculated grandparents trying to persuade kids that it's bedtime.

Silva then leapt up and straddled the Octagon fence and celebrated even as officials on both sides of the mesh – including Dana White – pleaded with the excited Brazilians to accept the fight was not over.

Somehow, his manager Ed Soares was in the Octagon speaking with him but, at the opposite gate, Jason, Brady and Daz were refused entry by security. Some official brought me my stool to sit on and for several long moments I had three perfect strangers all talking at me. The referee told them to clear the cage. Bags of blood gushed out of the cuts and I badly needed the assistance of a cutman and my team. The cutman appeared above me momentarily, only to be marched away by some random official without so much as applying grease to my lacerations.

Finally, Jason and Brady sprinted over to me. They were told I needed to return to my corner (there's no such rule – but the Octagon was a complete clusterfuck by now).

'You've still got this,' Jason said calmly. 'You can still win – this is still your fight.'

When I raised my head once more the Octagon had been cleared. Anderson Silva was pacing for the fourth round to begin. I rose off my stool.

'Michael Bisping does not look like himself,' Dan Hardy told the television audience. 'He looks dazed. He looks confused.'

In fact, mentally/cognitively I felt okay – physically I was a car wreck. My right leg trailed behind me as I moved across the canvas; my full weight had collapsed on top of my bad knee and the bottom half of my leg was numb. My nose was broken and I couldn't breathe through its collapsed nostrils for the rest of the night.

But I wasn't done.

*I can do this!* I swore behind the blood and my bruised eyes. *I can do this!*

That's when I heard it. The roar.

The roar of the British fans rolling tighter and tighter until I could feel the soundwaves moving the hairs on my forearms. They still believed I had this, too. For a full decade, no matter what, they'd always believed in me. I can't describe what that cheer did for me. Whatever confidence Jason had instilled, whatever self-belief I'd dragged from the bottom of my soul – these people doubled and tripled it.

I let the referee's signal release me. I went out and took the fight to Anderson Silva all over again.

We had both reached the championship rounds hurt and tired. The fight had become a battle of wills. I expected Silva to pounce on me but, instead, he skipped around on the outside for a full minute. I continued to walk him down until I trapped him against the fence. I pumped out combinations: an inside leg kick followed by a foot stomp into a jab, a right cross, a left hook, a right hook and another left.

'Great work by Michael Bisping! His hands are really fast and Anderson Silva is struggling to keep up with him,' Dan Hardy said on colour commentary.

Silva remained against the cage, looking for a big counter, as I kept the pressure up. I switched up my attacks constantly, trying to make it harder for him to read what I was doing next.

*BISPING! BISPING! BISPING! BISPING! BISPING!* The fans were heard again.

In the inverse of my stance, Anderson is right-handed but fights as a southpaw – which makes his jab feel almost as hard as a cross. He speared at my face with it half a dozen times during the fourth round, puncturing my already bruised features above and below the left eye. With the cuts I'd already sustained, my entire face and neck were awash with blood.

Once again, he launched a lightning raid in the final 40 seconds. A corkscrew uppercut plus left cross combination buzzed me and opened the gash under my eye a little wider. I timed his next attack and sent him careering backwards with a right hand. The round ended.

The most ridiculously talented improvisational mixed martial artist ever had the same strategy for each opponent: 'Be Anderson Silva.' At the end of the fourth round he went back to his corner with the knowledge that wasn't enough. Not against me, not on that night. He'd emptied out his bag of magic tricks. He'd gone through his arsenal of special weapons. Yet I was still marching him down.

The fourth round was my most active of the fight; I threw 80 strikes, all but 12 of them power punches and kicks, and out-landed Silva by a third. I was sure I'd taken a decisive round.

'You are winning this fight, Mike,' Jason said. 'He's looking to counter with something big when you got him against the cage. Keep smart pressure on him.'

The cutman could do nothing with any of the axe wounds on my face. In the seconds before the fifth and final round I looked up at one of the big screens suspended 140ft in the air. There was my face, shredded raw.

The cut above my left eye was drowning my good eye with a constant pour of blood. Every blink smeared the blood across my eyeball. Whenever I was far enough away from Anderson's striking range to risk it, I'd scoop the blood on the tips of my fingers and then wipe it on my shorts.

Silva went for the knockout right away – I barely blocked two head kicks thrown just moments apart.

Unable to breathe through my nose, I had to curl my lips and drag air over my mouthpiece for long stages of the fight.

(Opening your jaw is a huge no-no in a fight; a strike to a slack jaw increases the effect of the strike and risks a broken jaw and broken teeth.) My oxygen levels must have plummeted, because I was more tired in that last round vs Anderson than in any in my career. The blood loss wouldn't have helped, either. Blood was landing on my shorts in such quantities the cloth could no longer absorb it. Red streaked from my face to my torso to my shorts to literally my ankles.

The Brazilian was fighting on fumes, too, I could see him biting down on his mouthpiece as he stalked forward, throwing every last watt of power into his strikes.

The referee brought in the doctor to look at my cuts, but I wasn't worried the fight would be stopped so late on cuts. 'Do you want to continue?' the doctor asked. Of course I did.

Anderson walked towards me with his palms open. We touched both our gloves in respect. It was genuine and hard earned.

The legend whipped a big left cross in. I matched him with a hooked right cross that sent him backwards against the cage. I gave chase but missed the follow-up and – BANG! – I was sent staggering backwards by something.

Silva had uncorked the front kick to the jaw that had so iconically laid out Vitor Belfort. I was hurt and Anderson went for broke. His knee thudded into my guts, then my chin. He kicked my nose and the already contorted cartridge felt like it snapped. Everything he sent into the air was intended to land with a fight-finishing detonation.

But I refused to go backwards for long. I landed a heavy one-two combination to his mouth. My left hook landed once, twice and a third time. Then he clubbed my jaw with that Filipino back fist. I heard him gasp as I swung a kick to his mid-section.

And then the round – the fight – ended. Exhaustion hit me like a tidal wave. I'd spent all of myself. Nothing was left.

You never know when close fights go to the scorecards, but all three judges scored it 48–47 for me. That moment was overwhelming. The swelling and blood gave my tears cover as they streaked out of my eyes. I was overcome with emotion. This was my world title win, the Big One.

When the critics least expected it and when I needed to the most, I produced the performance of my life. I took control of the narrative of my career like I had the narrative of my life 14 years before. *I was one of the best fighters in the world.* No one would be able to take that away from me again.

Dan Hardy was hovering around with a microphone in his hand to interview me but I ran out of the cage to my family. The first person I gave a blood-splattered hug to was my mum. Then I saw Rebecca, and the look of pride on her face. She knew what this meant for me. (Unfortunately, I didn't know what her new suede jacket meant to her. I got blood all over it – and to this day I have to hear all about it.)

I shared a brief moment with my family before turning back towards the Octagon. I'd run out of the cage seconds before but, with the adrenaline gone, I limped up the steps towards Dan.

'I wanted this fight for so long,' I told my old training partner. 'These people (I looked around the arena) – they give me the power. I'm just a guy, from a very normal background, and you guys have been in my corner every single time. Thank you so much.'

I addressed Anderson, who was stood just feet away putting on a tracksuit. 'Anderson, I know I said some things, but I worship you. You're the greatest martial artist of all time. That's why I am so emotional, this has been a lifelong dream. The respect I have for you cannot be measured. You inspired me when I was a cocky young kid, saying things I regret, and there was you … I wanted to be like you.'

The UFC didn't want me to go to the post-fight press conference. My fresh stitches had finally stopped weeping pink ooze but my face was a mosaic of black and deep red swellings. The medical staff was insisting I go directly to the hospital. I refused. I was going to get dressed and go to the post-fight press conference.

Desperate, the medical team asked a couple of UFC staff members who I had a lot of respect for and had personal relationships with to come and change my mind. They didn't.

'I've wanted to fight – and beat – that man for ten years,' I told Reed Harris, a silver-haired UFC vice president I'd always liked. 'If you think I'm missing the press conference about the biggest achievement in my entire career you've got another thing coming.'

The media room was crammed with over 70 reporters and crew clutching cameras, lights and laptops. It isn't supposed to be the done thing, but the media stood and gave me a round of applause when I took my seat at the dais.

Ariel Helwani waited until the presser was over to speak with me. 'Why didn't you call for a title shot?' he asked. 'You've been calling for your shot after every win for the last three, four years. The moment was perfect tonight. So why not?'

I didn't have a good answer for him. Calling for a title shot just never entered my mind while I was in the Octagon. I had too many people to thank, too many emotions to allow myself to feel. I'd reached the summit of a mountain few believed I could climb and I just lived that moment rather than moving on to the future.

I turned 37 years old two and a half hours after defeating Anderson Silva. I didn't know how many fights I had left in me.

## CHAPTER SIXTEEN

# ACTING HARD

In 2010, before I'd moved to the US, my T-shirt sponsor Tapout called and said they were putting up some money for a feature film entitled *Beatdown*. Tapout had cast several of its sponsored UFC fighters – including Mike Swick and Bobby Lashley – in the movie and, out of the blue, offered me a major part. I'd started martial arts in the first place because of beat 'em up movies so, terrified as I was, I jumped at the chance.

Director Mike Gunther – who'd worked on everything from *Sons of Anarchy* to *Grey's Anatomy* – and producer Stan Worthing helped settle me down when I arrived in Texas to shoot the film.

'I was kinda shocked you've not acted before,' Stan said after the first couple of days' filming. 'You've got real presence. I encourage you to continue with this as a side-career to your fighting.'

Upon my return to the UK, I continued taking acting lessons in Manchester. The first thing my coach did was get me bawling my eyes out crying by getting me to focus on my children, what had happened to my brother Konrad and other emotional touchpoints. I found the craft fascinating. I wanted to do more.

My second acting gig was on *Hollyoaks Later* – the annual five-episode spinoff series of the long-running British soap opera. Some of my mates had the time of their life taking the piss, but for me, it was about getting more time on a set, having more lines to learn, meeting more people who knew what was what in the industry. My villainous Nathan McAllister character also got one of the best on-screen deaths since Christopher Lee's Dracula – I was thrown off a rooftop into a giant vat of oil. My on-screen brother – played by Chris Overton – desperately drains the oil only to discover I'd been impaled on a spike. Chris and I are mates to this day and he went on to become an Oscar-winning director.

The move to California was for the benefit of my UFC career and so I wasn't away from my family quite as much but, obviously, for someone who had developed a passion for acting I couldn't have relocated to a better place. I hit up Stan from the *Beatdown* movie on email and he put me in touch with a manager, Aaron Ginsburg, who agreed to meet with me at his offices in LA.

I was five hours late to that meeting. I was entirely reliant on my car's sat-nav to get me there and it proved as dodgy as Vitor Belfort's protein supplements. Aaron, amazingly, laughed it off and agreed to manage me.

He helped me land a role in the big Cinemax/Sky One action series *Strike Back: Legacy*, based on the novel by SAS officer turned writer Chris Ryan. It was a hugely successful, big-budget show, and the cast featured people I'd seen in movies and TV. This was during the time my MMA career was supposedly over due to my eye injury, so getting cast on a major network show like *Strike Back* felt like a lifeline.

We began filming in January 2014 in Bangkok, Thailand. Nine years before I'd flown out there to work on my clinch work, and now I was back to get a crash course in shooting an action series.

The star of the show was Sullivan Stapleton, an Australian actor who'd just finished the sequel to the *300* movie. 'Sully', as everyone calls him, was just a great guy to be around and we hit it off right away.

One night after filming was done, a whole bunch of the cast and crew went out for a meal and a nightcap. We filtered into the street outside the club we'd been in and began flagging down rides back to the hotel.

Me, Sully and four others flagged down what's known as a 'tuk-tuk', an auto-rickshaw taxi. Three guys and a woman from production jumped in the cab while Sully and I stood on the thin bumper at the back and grabbed onto the roof.

The tuk-tuk was soon hurtling down Bangkok's side streets at 30mph when – BUMP! – the whole vehicle jolted forwards and then lurched into the air for several terrifying seconds. Sully was thrown into the air and slammed onto the asphalt behind us.

'WAIT! STOP! STOP!' I banged on the roof until the driver brought the tuk-tuk to a halt. Sully was still on the ground 50 yards back down the road. He was spread-eagled on his back and wasn't moving.

I sprinted over to him. A pool of blood was creeping out in a circle from behind Sully's head.

I dropped to my knees and tried to rouse him. 'Hey, Sully, Sully! You okay? Can you hear me?'

He was lifeless.

The others caught up and started freaking out.

'Sully? Sully? SULLY!'

My brain flew back to a bit of CPR training I'd had in Nottingham all those years before. I checked his pulse – but couldn't find one. The blood flow from Sully's head kept coming.

The knees of my jeans were soaked like blotting paper. I checked for breath, putting my cheek next to his mouth. No breath. I pressed my ear against his chest. No heartbeat!

*He's gone – he's dead!*

A muttering crowd formed around us. Mopeds beeped and honked and swerved. No one helped. Somehow, it was on me.

Copying from what I'd seen on television, mostly, I started pumping his chest and giving CPR. I did the one-one-thousand, two-one-thousand, three-one-thousand and breathed into him. Nothing. I did it again. Still nothing. And again. Nothing, nothing.

'NO! NO! COME ON, SULLY! DON'T YOU DIE! DON'T FUCKING DIE!' I heard my voice bark. I wasn't going to give up. I tried hitting his heart as hard as I could. I hammer-fisted his chest once, twice and then …

'Arck! Arck!'

*He was breathing!*

Slowly, I turned him on one side. I cradled his head and could feel breath pushing out on my wrist.

A white ambulance arrived seemingly a minute later. Two men leapt out and lifted Sully onto a blue stretcher and into the ambulance. My four colleagues piled into it along with Sully and within moments its whirling blue light was a mile away into the night. It then turned a corner and vanished, leaving me to walk back to the hotel covered in blood.

Everyone was in a state of shock the next day. Sully was in critical care. Then we were informed the local police were doing a full investigation into how a Hollywood actor had almost died on their streets. Everyone who was present at Sully's accident would have to go to a police station to be – I'm quoting here – 'interrogated'.

As if that didn't already sound dodgy enough, we were then told to say that no one in our party had been drinking alcohol. Why we were told that, I can guess, but I was having none of it.

'Yeah, I was hoping this would lead to more television work but starring in *Locked Up Abroad* wasn't what I had in mind. Lie to the authorities in this part of the world? Sorry, I'm not risking spending the next three years in the "Bangkok Hilton".'

That afternoon me and five others (none of whom would appreciate getting named here) were picked up and taken to a bunker of a police station located on a side street to nowhere. In a car park area to one side, thirty police in uniform were stood in a rank formation listening to a little man wearing medals and a moustache.

Directly across the road from the station was a breezeblock wall, unpainted and unrepaired, running down the street in both directions. It was covered in dozens of posters, not quite weathered enough for me not to see they were advertising English-speaking lawyers.

Everyone had heard horror stories about the Thai authority's corruption. Fake arrests to get bribes, that sort of thing. There was an American movie star in intensive care and I felt anxious as I followed the group inside the station.

There was no air conditioning, just humming fluorescent lights and cops with hair slicked back with sweat. We were taken – marched, really – down zigzagging narrow corridors. The place was way bigger than it looked from the street.

'Sit here.' A tall, skinny policeman gestured to plastic chairs lined against a wall. Then a windowless door opened to our right, and they took one of the guys inside to be interviewed. We sat in silence. The girl looked petrified and on the verge of tears. Sweat was streaming down my ribs and back. I was now sat nearest the door – I would be taken in next.

Twenty minutes later the door opened and out came my *Strike Back* colleague. I stood up and gave the police officer an expectant look.

'Not you! Sit,' the skinny policeman said. 'You talk last,' and, with that, another guy was taken in and I sat back down.

My paranoia kicked in. Were they looking to pin this on me? To get me to pay them so I could leave the country? To send a message that Thailand was tough on crime? Were they going to tell me to pay a ton of money or I was going to prison?

I really began to sweat.

'We find it very strange Mr Stapleton fell off the tuk-tuk so violently but you did not.'

Finally, I was sat inside the interrogation room with the two policemen. The room was small and I was sweating so much my forearms slid on the table.

'I don't find it strange,' I said.

'No? So, explain to us why he fall and you did not.'

'I can't explain that, can I? Maybe he wasn't gripping as tightly as I was?'

'When he was on the ground in a serious medical state, why did you strike him with your fists?'

And that's how it went on, for almost an hour. Finally, they were satisfied what had happened was simply a terrible accident.

When I got back to the hotel the call had been made to wrap filming. What else could they do? There were still no details on how Sully was doing for a while after I got back home. A short statement was put out, but that was it.

The truth eventually came out that my mate had fallen into a coma. When he woke he was kept under care for six months. Amazingly though, Sully rehabbed his way to a complete recovery.

Fourteen months after the accident we were all back in Thailand to finish the series. I dropped my bags off in my room and went to see Sully in his suite. It was the first time we'd been face to face since he'd been driven away in that ambulance.

We sat down on the balcony and he asked me what had happened that night. 'I can't remember a bloody thing,' he said. So I described it to him pretty much like I have to you.

He got emotional. Then he stood up and gave me the biggest hug. We've been brothers ever since.

A loud and abrasive personality gets you noticed in combat sports; if you can then back it up when it counts it can boost your career. That's not how it works in the acting world, where those traits will get you nothing but a reputation as hard to deal with.

That said, there are some attributes that made me successful in MMA that are helping me in Hollywood. Just like in the UFC, I like to think I'm earning a reputation as a hard worker who shows up prepared every time. I've also experienced a lot of great highs and lows in my fighting career that I can tap into when I'm playing different characters and, like my opponents found out, I'm not discouraged by setbacks.

And, of course, because I've trained in half a dozen martial arts since I was a small boy, I pick up fight choreography quickly. In fact, when I got my big break in *xXx: Return of Xander Cage* in 2016, they were interested in having my input in the fight scenes. It was really cool that massively experienced action-movie veterans

Vin Diesel, Donnie Yen and director D.J. Caruso were so openly collaborative in a huge summer blockbuster.

It was also ironic because, years before, on a tiny movie that may not have seen the light of day, I was informed I had 'little aptitude for martial arts'.

True story. It was on a small independent movie about kickboxing; I had a small part as the main character's sparring partner. It actually cost me money to do the project – I turned down two weekends of working as a TV analyst for Fox Sports' UFC coverage – but I wanted the experience.

And what an experience it was.

The fight choreographer – I'm going to call him *Sensei Guru* – was one of the most conceited and unbearable characters I've ever come across (and, remember, I've met Colby Covington).

There were five of us actors in the small dance studio in the outskirts of LA. We lined up in front of the mirrors and Sensei Guru got off to a flying start by introducing himself as 'the motivating dynamism behind the most successful people in America'. He listed off a bunch of big-name actors, pop stars, TV presenters and, I think, basketball players. 'These A-listers turn to me for enlightenment,' he said, 'and they leave with the courage to grab greatness.'

Then he got to his McDojo martial arts credentials. He was the first Westerner to be taught at 'the Temple' by some grandmaster in Japan, he'd won some super-secret tournament he's not supposed to talk about and, yes, he even mentioned the *dim mak*.

Over the coming week in that studio, we were assured, he would distil some of this knowledge for us lucky wretches. It was weird but, whatever, I was there to learn and so applied myself to doing exactly what was asked of me.

He barked orders like we were Marine recruits but I didn't so much as roll my eyes when he 'corrected' my stance over and over again. Nor did I utter a word when he singled me out as 'doing everything one-eighty degrees wrong from how it works in real fights'.

'*Show* me a left hook!' he suddenly snarled at me. I did, but apparently not to his satisfaction.

Sensei Guru closed his eyes and whipped his head left and right like he was riding an old roller coaster. 'No! No! Wrong!' he howled.

He took two steps back to ensure everyone could see him clearly. Ancient martial knowledge was about to be imparted, I could just tell.

'*This* is how a left hook is thrown!' He demonstrated three times and then glared at me. '*See* the difference?'

I nodded and said, 'Absolutely, I can do that, no problem. It's the position of my fist you want me to change, yeah? I throw hooks with my thumb facing the ceiling rather than back towards my face – but I can do it your way, easy.'

'*My way* is the correct way,' he stated. 'I've no idea where you picked up *that*.'

*This is the most bizarre day of my life*, I remember thinking. *This would make for a hysterical hidden-camera prank.*

The studio was an hour's drive home – two hours if I hit traffic – but I had barely got halfway before the production company called.

'The fight coordinator says he can't work with you,' I was told.

'What?' I asked over the car's hands-free.

'Yes, [Sensei Guru] says you're struggling with the complexity of the fight choreography and, because this project is on a tight schedule, we'll have to move on without you.'

'Seriously? Because I throw a left hook with my thumb tucked correctly?'

'He knows what he's doing. He's trained with the Japanese temple and—'

'Yeah, yeah, he told us already,' I said.

I beat most of the LA traffic and got home just as Rebecca was pulling out of the drive to do the school run to get the kids. She wound her car window down as I pulled level with her.

'Home early?' she said.

'Hey, babe!' I smiled. 'So – funny story – about that movie I was doing …'

On television, I've guest-starred in some great shows like *Twin Peaks*, *MacGyver* and *Magnum PI*. I played the notorious London underground bareknuckle boxer Roy Shaw in a biopic of his archrival Lenny McLean (*My Name Is Lenny*).

Despite the occasional dickhead like Sensei Guru, there are a lot of really genuine, hard-working people in the TV/movie world. Noel Clarke and I met way back in 2010 to talk about me playing an MMA fighter in a movie he was writing and although that movie wasn't made, he cast me in his 2014 sci-fi movie *The Anomaly* and attended some of my biggest UFC fights to support me.

Most of the roles I'm offered are bad guys in the action genre. It's fun to play toy soldiers, running around exotic locations, doing fight scenes and shooting off guns, and it allows me to continue to use the martial arts training I've done for over three decades now. But of course I want to do different types of roles; I'm actually looking to do some more dramatic work, the type which will really challenge my acting skills.

People laughed when I said I was going to get paid as a DJ, they laughed when I said I was going to be an MMA fighter, they laughed at my UFC title ambitions and they're doing it again now I'm trying to make it as an actor.

The biggest role I've gotten so far is playing 'Hawk' in *xXx*, which I filmed after the Anderson Silva fight. It was one of those auditions where I just felt sure I'd done well and given the casting agents what they'd been looking for.

The very next day my dynamite agent Mike Staudt, who now handled much of my career outside the UFC, called me. 'You've got it. They loved you ... and you have to leave tomorrow for Toronto. For five to six weeks.'

Vin Diesel is one of the biggest stars in Hollywood – and one of the nicest guys I've met in that world. When I arrived on the set of the franchise he created, Vin stopped what he was doing and made a huge fuss of me. We talked about the UFC, my win over Anderson and fights that he was looking forward to for over an hour. Then he gave me a tour of the set. Any nerves I arrived with were settled right away.

It really was an amazing experience. I'd done nothing even close to this level before. The production was incredible – the movie cost $85million to make. The fight scenes, the stunts, you name it, it was unreal being part of it. Even when I wasn't needed on set or location, the weapons training, going over the choreography, it was like the best get-away ever for someone like me.

There were a few moments on *xXx* when I was having fun, working hard on a big blockbuster movie, where I could have convinced myself that I would be okay if I never fought in the UFC again.

Beating Anderson Silva – the guy I'd measured myself against for a decade – maybe that was enough of a legacy for me to leave behind. It's possible that I could have convinced myself of that.

It's also possible, though, I'd have grown resentful that I never got the chance to fight for the UFC title. It's possible that, on the nights I couldn't sleep, I'd compare my record against some of the fighters who have gotten title shots and feel pissed off. There's only so long you can feel pissed off before you grow bitter.

I don't know how I would have looked back on my career if I'd not fought for the belt. I'll never know, of course, because in the last few days of filming *xXx*, I finally did land my shot.

## CHAPTER SEVENTEEN

# (ONE) EYE ON THE PRIZE

Eighteen days before I fought for the UFC title, I woke up in a hotel room in Toronto, Canada. I'd been staying in that room at the Soho Metropolitan for nine weeks, filming the movie *xXx: Return of Xander Cage*.

I'd auditioned for the role of Hawk, a badass spy who fights and then teams up with actor Vin Diesel's title character. I felt I'd smashed the audition.

With these casting calls, the best thing you can do is show up prepared, do your best, go home and forget about it. If you get a call back – fantastic, but don't waste energy worrying about it. The very next day my dynamite agent Mike Staudt called me.

'You've got it. They loved you . . . but you have to leave tomorrow for Toronto. For four to six weeks.'

Filming really was amazing. I'd done nothing even close to this level. For one, the cast were amazing. Vin Diesel was just an absolute legend. The production was incredible. The fight scenes, the stunts, you name it. It was just amazing. And on the days off, with all the weapons training, doing all the choreography – it was just a lot of fun, especially for someone like me who is kind of like an adrenaline junkie, if you will.

The four to six weeks had turned into six, and seven and then nine.

I only had one shoot left – on location the following night in the downtown area – and with my mind on finally going home I was looking for gifts for the family. For Lucas, I was after some walkie-talkies. I loved playing with walkie-talkies as a kid, hiding in one part of the house while talking to one of my brothers hiding in another.

After I got a pair, I decided to visit a Starbucks for a coffee and a quick read. It was a Monday and after lunch hour. There were plenty of places to sit. I took a comfy armchair towards the back of the café, fired up Twitter and began to scroll the latest world happenings, 160-character hot-takes at a time.

My thumb froze mid-air.

*Chris Weidman pulls out of UFC 199 title fight*
*Middleweight No.1 Weidman injured*
*Weidman out of UFC 199 title rematch with Rockhold*

Headline after headline confirmed that the rematch between UFC middleweight champion Luke Rockhold and the man he'd beaten for the belt, Chris Weidman, scheduled for 4 June at the Forum in Inglewood, California, was off. The challenger was out. The champion, obviously, needed a new opponent. The fight was only 19 days away. If – and it was an if – Rockhold still wanted to defend his title the UFC would already be frantically searching for a replacement opponent.

If I'd missed the chance to call for a title fight immediately after beating Silva, I wouldn't this time. Shooting upright in the leather armchair, I used both thumbs to bash out a text to Dana White.

*Hey Dana if you need someone to step in and fight for the world title on 2 weeks notice you know where I am*

The reply came within moments. It was a photograph of Lorenzo sat across an office table. A huge grin was on his face as he gave a thumbs up direct to camera. Underneath, Dana wrote, 'FUCKING LOVE! SO DOES LORENZO!'

From the photo, it looked like the UFC owners were sat at one of the conference tables in their upstairs offices at 2960 West Sahara Avenue.

Then came the follow-up: 'We are talking to Jacaré. Will let you know.'

Ronaldo 'Jacaré' Souza was the No.2 ranked middleweight challenger, one place below Weidman. At *UFC 198* he had hammered Vitor Belfort, ranked No.3, inside of one round. I was ranked at No.4. I figured there was no way Jacaré – who was obviously in fight shape and had seemed to take no damage against Vitor – would turn the fight down. But I wasn't quite ready to move on yet.

My thumbs whirled as I shot off a couple of tweets to stir the pot. My Twitter stream was already flooded with @mentions from fans and even media asking me if I wanted the *UFC 199* title shot. I quickly picked one that also @mentioned Rockhold. My reply was that I wanted the fight – but Rockhold didn't.

You can see what I was doing there: goading Rockhold into a public statement in favour of fighting me.

The fans responded really well to the tweets. A lot of people seemed to be excited to see me get the shot.

I finished my coffee, grabbed the box of walkie-talkies and went back to my hotel. Once there I called the family, had a shower and put the news on while I got dressed to go to my mate Jason Falovitch's house to watch a basketball game. I unplugged my phone from the charger as I left the room. There was still no call or text from Dana or the UFC. There was little doubt in my mind the UFC would be announcing Rockhold vs Jacaré shortly.

*Oh well*, I thought. *It's probably for the best. Rockhold is a tough bastard and brilliant fighter. I'm not in shape to go five rounds anyway, not at the pace I would need. I'd always said the goal wasn't to fight for the belt, but to win the belt.*

If nothing else that day, I'd reaffirmed to the UFC, to Dana and – most importantly – to myself that I wasn't satisfied yet. The movie had taken my full attention since the Anderson fight, but the day's events had made me realise just how close I was to the UFC championship.

It dawned on me that with Weidman out hurt, Jacaré about to get his shot in a few weeks, and Cheator Belfort about to drop from his No.3 position after getting beaten at *UFC 198*, I would become the next UFC middleweight title challenger after *UFC 199* was done.

This was great. I got dressed and went to my mate's. I didn't go nuts, but I drank a little and indulged in some tasty food. Around 1am I was back in my hotel room and drifted off to sleep with nothing but the following day's shoot on my mind.

My call time for my final day of filming wasn't until the late afternoon. We were going to be shooting on location, outdoors on a closed-off street in downtown Toronto just after dark. With another full day to kill, I took the opportunity to hit the gym and sweat out the previous night's junk food and drink. (And, of course, get a little pump on my biceps and chest. Gotta look buff for the cameras!)

The GoodLife Fitness club I'd been using for over two months was about a ten-minute run away. As I was checking into the gym, my phone started flashing like an office Christmas party. All kinds of notifications were blowing up: Twitter, texts, Instagram, Facebook Messenger. Stepping to one side, I looked at my screen just as Ariel Helwani texted 'Congrats on the fight!'

Not quite believing what was clearly happening, I called Ariel: 'Congrats on what fight? The title fight?' I asked.

'Yeah! Dana just went on ESPN Sport Center and said Jacaré turned it down, he has an injury, and so you are getting the shot.'

*Oh, fuck! This was real.*

I got off the phone with Ariel quickly and rushed up the stairs and dived into the changing rooms. I leapt onto a set of digital scales, fearing the worst.

It was worse. Displayed right there under my nose in red LED, it read: 215.7lb.

Oh, *fuck*. How on earth am I going to be at 185lb in just 17 days? By two and a half weeks out, I needed to be well under 205lb and, ideally, hovering around 200. This weight cut was going to murder me. It was also going to hurt my chances in the fight.

*The* fight. *The* UFC title shot I'd always wanted and chased so long after.

Bollocks to all the fancy equipment in the gym, I needed to lose weight and get in shape. Fast! That meant old-school road work – right fucking now! I darted towards the exit in full panic mode, throwing my backpack over my shoulders and apologising for knocking a few gym members flying as I hurried down the stairs.

I exploded out of the gym doors and into the streets like an escaped lunatic. I can't even imagine how crazy I must have seemed to people I was blowing past. I went from nought to nuclear in three seconds flat. My hands snatched at the air, trying to reach top speed.

*Fucking hell, Mike. Thirty pounds! In two fucking weeks!*

Within a couple of blocks, the city became very built up and there were hundreds of people on the street, shopping, grabbing lunch, climbing in and out of cabs and delivering parcels. I zigzagged around them, trying to maintain a fat-burning pace, then I hit a traffic light and had to bounce around on my ankles for an eternity.

'Fuck this!' I said out loud and leapt into the traffic. I was almost splattered by a white van with a ladder strapped to its roof before I finally started getting room to go through the gears. I ran out of the business district and into a residential area. My body settled into an autopilot rhythm. My mind settled down as well. I began to process the enormity of what was happening.

I was running through a park – I've no idea of the name – that had a winding path through trees when the music in my headphones was replaced by a ringtone. Without slowing my pace, I answered. A familiar voice congratulated me.

'Hey, thanks for the heads up, Dana,' I said with no small amount of sarcasm.

We spoke briefly about the fight, the PR plan and my purse. I kept running the whole time. I ran a few more miles and my phone went again. It was Jason Parillo. I kept up my pace while I downloaded to my coach where my head was at.

'I've not trained for four months,' I pointed out.

Jason let me hear his amusement in his voice. 'You've been training for this your whole life. What would one more month do for you? You're in shape – how's your run going?'

I slowed down to a jog, a walk and then a full stop. I wiped wet from my hairline and checked the tracker app on my phone.

'Jason, I'm not in bad shape. I just ran over five miles at a good pace and I feel great..'

'No, you ran five miles at a good pace dodging through traffic and pedestrians. And talking on the phone the whole time.'

I was already breathing normally, I noted.

'You've been training for this your entire life,' Jason repeated.

I turned around and headed back in the general direction of my hotel. I'd run so far I didn't quite know the way back to where I was staying. But I knew the direction I was heading in – I was on the final mile before reaching the UFC world title.

It was bittersweet being home. I'd missed my family like crazy while in Toronto and even though I was back, I knew I had to begin to fully focus on *UFC 199* almost immediately. I was so happy to be back with them, though.

Lucas was baffled by my gift of walkie-talkies. He stared at the box as if it was a long-division maths problem, so I explained how much fun we'd be having, talking to each other from other parts of the house.

'Thanks, Dad,' he said. 'But we've got cell phones, so ...'

Later that evening, once the kids were upstairs, Rebecca and I continued a conversation we'd been having off and on since my first eye operation.

'You've done it now, Michael,' she said. 'You've got the world title fight you always said you'd earn. Win or lose, I think it is time for you to retire. You've been pushing your luck with the eye injury long enough. I don't want to see you go through any more. I think you'll beat Rockhold and that would be a great way to leave. And if you don't win, finally fighting for the title is a good way to sign off, too.'

Despite agreeing with every word, I found I could only meet her halfway.

'If I lose, I'll retire there and then in the Octagon,' I promised. 'Right after the fight, I'll tell Joe Rogan and everyone watching that I'm done. I'll probably make an arse of myself, crying my eyes out. I'll spend eternity as a Twitter meme but, I promise, if I lose this is my last fight ever. Promise.'

'But, if and when you win ...'

'If and when I win, I'll defend that goddamn belt as long as I can.'

Real fighting isn't like *Rocky*. One pep talk from a Mickey figure doesn't infuse a fighter with the confidence of reinforced concrete. As much sureness as I'd gotten from Jason and that run in Toronto, some of it had evaporated by the third day of training back at the RVCA gym at Costa Mesa.

The bookies made me a 6 – 1 against underdog. I became irritable. Brady caught the worse of it. While I was packing up to go home, I was deep inside my head and didn't notice Jason was stood in front of me until he spoke.

'Mike. Let's talk after the guys leave.'

Twenty minutes later Jason locked the gym door and sat next to me on the apron of the boxing ring. I felt like a dog in a vet's waiting room.

'You're fighting for the middleweight title of the world in two weeks. You are the official top contender to the entire division. This is what you've worked for. This is *it* – the top of the mountain.

'I think you're gonna win. Brady thinks you are gonna win. We all think you will win. But – there's a chance it doesn't go our way. There's always a chance it doesn't go our way. This could be the only two weeks we get as the No.1 contender. Why not go through it with a smile on our faces and enjoy the moment?'

I nodded away but Jason knew I needed to hear a little more.

'No one thought we'd get here and we did,' he added. 'This is a great moment for us – a great moment for *you*. It is everything you have worked for and everything you deserve. This should be a great time in your life. You will look back on these few days for the rest of your life. Mike – fucking smile! You are fighting for the championship of the world!'

Now you see why Jason Parillo is the best coach I've ever had. He's the best coach in the sport, bar none.

I stood up and shook Jason's hand.

'You're right, Jason,' I said. 'You're one hundred per cent right.'

From that moment on, everything went right in camp. It was like destiny. Don't ask me to explain it, but the weight fell off me. On the fourth day in the gym, I was flying. My long-time strength and conditioning coach, Scot Prohaska, did wonders in the short time we had. My wrestling was razor-blade sharp. Brady wasn't able to tap me again for the entire camp.

Most importantly, Jason and I both felt I'd found another 15 per cent in punching power. I'd dropped Anderson Silva twice with my left hook and we all felt that punch would be a key weapon against Rockhold. Not only was the defending champion a southpaw (considered to be predominantly vulnerable to the left hook thrown from an orthodox stance) but Rockhold's style contained several fault lines we fully intended to exploit.

Watching the wins Rockhold had after our last fight closely, we confirmed that he still stood with his feet a little too far apart after missing with punches. This would limit his available escape routes from my counter-punches.

'When he winds up like that he can only pull back in a straight line,' Jason pointed out on a laptop. 'He even does that with his hands by his sides.'

'He's overconfident,' Brady said.

Jason agreed: 'Rockhold is going to be real overconfident now he's the champ. Mike's going to get him all steamed up in the build-up. Rockhold will be overconfident and also pissed off. He usually likes to start slow and find his range before committing in a fight – this fight he'll be rushing. He will make mistakes and we are going to take advantage of every one.'

Fight week arrived and before I knew it the UFC camera crew were following me around everywhere for the fly-on-the-wall series *Embedded*. The crew was positively thrilled when I told them I was going to drive with Rebecca to pick Lucas up from school and, of course, the little terror didn't waste his chance to troll his old man again.

'I think he may be stronger,' my offspring said of Rockhold.

'Who's going to win though?' I pressed, expecting exactly what I got.

'I think ... him!'

While I was volunteering to be clowned by my own son for the cameras, Rockhold had the *Embedded* crew follow him to his regular pedicure spot.

'Bisping thinks this is going to be his fairy tale,' the champion said while soaking his nails. 'I will have none of that. This will be his swan song. I will prove there's no such thing as destiny. I cannot wait to shut his mouth.'

Myself, Jason and Brady all lived driving distance away from the host hotel, the Manhattan Beach Marriott, but on the Tuesday of fight week we were all in the lobby checking in. The traffic in LA is so unpredictable it just made sense to stay at the host hotel. It was only 45 minutes from my house (traffic allowing) so I packed lightly.

Just before I left, I went back upstairs to our bedroom. It took a minute of rummaging through drawers to find, but I put the Breitling Avenger Seawolf watch on again. Its long wait to be passed on to Callum was only a few years from being over, but I wanted to wear it again that week.

And Callum was also with me the whole week, too. He was off school, so it was perfect. He was understanding when I explained he couldn't be in my corner, that the emotional distraction in Scotland the year before had been too much for me. But being with me for all the TV, radio and PR hits, the press conference and weigh-ins plus staying in the hotel was an amazing shared experience for me and my first baby. Callum was one of the boys all fight week. Me, Callum, Jason and Brady laughed and joked our way to challenging for the world title.

In 25 UFC fights, I'd never struck the exact balance between focus and fun like I did in June 2016. One night, when we got back to the hotel after doing a late-night talk show, we were met by a Vicky Coghlan, who was now the UFC head of PR in the UK. She presented me with a British flag with literally hundreds of good-luck messages inscribed on the cloth.

'These messages are from actual fans,' she said. 'We put it out on social media and we took hundreds of them and printed them onto the flag.'

The messages were in tiny print, but were powerful motivation. These were the people who'd been behind me for a decade, and they were with me again before the biggest fight of my life. My throat clicked a little from the inside. I was going to carry that flag – and the dreams of the people who'd supported me the longest – with me come Saturday.

By this stage in my career I'd headlined ten UFC events in eight different countries. I'd fought on massive cards like *UFC 66* and *UFC 100.* None of them compared to headlining as the challenger for the world UFC title. There was a buzz about the event. I got the sense a lot of people who followed the sport were happy I'd finally got my shot.

'This isn't an accident,' I told several interviewers as they pointed cameras and recorders at me at the media day. 'I'm not here because Jacaré turned down a shot – I'm here because of a lifetime's worth of hard work. From the age of eight when I first put on a pair of gloves I knew I could become world champion one day. I've worked tirelessly – you've no idea how hard I've worked for years – I've had twenty-six fights in the UFC, almost forty professional fights and God knows how many kickboxing fights and jiu-jitsu tournaments before that. I have worked for this my entire life.'

On my opponent, I was honest about the task in front of me. 'I know Rockhold. I know what he is capable of. He is a very, very good fighter – but the opponent doesn't matter. This is about me. Me getting the chance to fulfil my destiny and becoming world champion is what I am focusing on. It doesn't matter if it is Rockhold or Godzilla on the other side of the Octagon – it is going to take a bullet to the brain to stop me Saturday night.'

The press conference was held at the Forum itself on the Thursday. Opened in 1967 and located directly under the eastern approach route for planes landing at LAX, at 3900 West Manchester

Blvd, Inglewood, the Forum is about as historic as American arenas get outside New York's Madison Square Garden.

The Forum had served as the home ground for the Lakers basketball and Kings hockey teams as well as hosting virtually every major music act you could think of. As we made our way to the arena floor we passed a huge wall where hundreds of the biggest names in sports and entertainment were listed in painted block letters as previous headliners. I stopped for just a second to see that Elvis had sold the place out, Bob Dylan had recorded his famous *Before the Flood* live album there and Muhammad Ali had fought there.

The press conference was set up on the arena floor. A lot of press and perhaps 500 fans were in attendance. There was a real buzz about *UFC 199*. The co-main was another grudge match, the third (and final) clash between Dominick Cruz and Urijah Faber, and both the bantamweight greats were sat with Rockhold and me as Dana White introduced the two pay-per-view title fights.

With the presser under way I wasted no time needling Rockhold, who had shown up dressed like a daytime talk-show host.

'Luke says he's on a different level, that he can destroy everybody and this, that and the other. I don't turn down fights. Two weeks, two days, two hours – I'll fight anyone, any time, any place, and certainly against this arsehole.'

It was a jab, intended to sting. I wanted to draw a response from the media and fans in the audience – and from Luke. And that's what happened. The fans giggled and Luke started his first pre-fight press conference as champion on the defensive.

'I chose you, I said I wanted—' Rockhold began, but I cut him off.

'You chose WRONG!'

Rockhold takes himself extremely seriously. I know how thin his skin is from mutual friends who delight in ribbing him. Luke had come to the press conference intending to project himself as a professional, a well-spoken and well-respected sports champion. My job that day was to ruin all that for him and send him away off-balance and angry.

Cruz and Faber were two old rivals and they went at it too, making for a lively opening few minutes of a press conference. Then Rockhold answered a question from my regular broadcast partner on Fox Sport (and now ESPN) Karyn Bryant about people confusing his confidence with arrogance. And MMA's answer to a Ken doll launched into this homily about putting positive energy out into the cosmos.

'Some people strive to hate but some people strive to achieve things.' Rockhold spoke as if he were revealing the secrets of the universe. 'If you think something, the likelihood of it happening is very slim. But if you *believe* something, if you *know* something is going to happen and have *confidence* ... you will *achieve* things in life.'

A vague embarrassment blew across the room, but guru Luke had more pretentious nonsense to drop.

Mic in his right hand, he leaned forward and started hitting the table, televangelist style, with his left. 'That's how you *overcome*. That's how you put yourself *out there*. That's what I do. I *believe*—'

I'd had enough: 'Sounds like the worst self-help book you've ever read: conceive, believe, achieve ... Shut the fuck up!'

Half the room, including Dana White at the podium, laughed out loud. More than just uncomfortable, Rockhold was now embarrassed. I pressed home the advantage.

'You're talking as if you are this dominant champion,' I said, turning to look in his direction. 'You just won the belt. This is your first defence. It's not like you are Anderson Silva – who I just beat, by the way.'

Rockhold did his best to come back. 'You're just an average bloke ... I AM A SAMURAI!'

'Samurai? What is this? "Conceive, believe, achieve – I am a samurai!" Stop it. You are making a fool of yourself.'

I turned to the crowd. 'I get to come in on two weeks' notice, punch him in the face, and become world champion. I am a happy man. This is my destiny. I *believe* it, Luke! I *bee-lee-ve*!'

Uproarious laughter rained down on the champion and his fresh pedicure. This press conference was already a 10–8 round.

Then Ariel Helwani asked Rockhold about the infamous sparring session and I jumped in again. 'Here come the excuses! Don't worry, Luke, I got them: he was drinking red wine, he'd had a late night, he hadn't sparred for a while and he was hanging out with chicks. Did I miss any, Luke? It's okay, mate. I know it's sparring and you shouldn't talk about it – but I did. It is out there. I whupped your arse!'

It was all too much for the housewives' favourite. He was now stripped of his zen yoga master affectations and the real him started to leak out.

In response to Anderson Silva's name, he spat, 'I'll show you the greatest!' Trying to change the narrative that he had all the advantages in the fight, he stupidly volunteered that he had a knee injury. Finally, as if to show me how clowned and humiliated he felt, he went below the belt and made several nasty remarks about my eye injury.

It was like getting an FBI psychological profile on my opponent. His mindset was reckless, angry and easily manipulated. That's exactly how I wanted him in the fight.

## CHAPTER EIGHTEEN

# CONCEIVED, BELIEVED, ACHIEVED

After the fun and games of the press conference came the serious matter of making 185lb the following day. *UFC 199* was the first event where the weigh-ins were held from 9am to 11am the day before the fight. Until then, the practice had been for fighters to step on the scale at 4pm, but the California Athletic Commission had come out with a new procedure to give fighters additional time to recover from squeezing their bodies into their chosen weight division. So, for the very first time, the weigh-in would be held in a small function room at the hotel. That was when I needed to hit 185lb.

But UFC weigh-ins were a tried and tested part of promoting a big fight and so in addition to the official weigh-in a 'ceremonial' one was scheduled for 5pm at the Forum arena. The ceremonial weigh-in would be identical to the usual big production weigh-ins – big stage, music, Dana, Rogan, Octagon girls and thousands of fans – except just for show.

'The early morning weigh-in is the one you hit weight on,' we were all told a million times. 'The 5pm weigh-in doesn't count.'

Me and Rockhold would be fighting at around 9:15pm the following evening – that was 36 hours after weighing in. Looking back, it was very possible that those additional six hours could have handed the naturally bigger Rockhold yet another advantage. However, I was focused on myself. I welcomed the early weigh-in because I knew it would do me good.

A 9am weigh-in meant that if I woke up overweight at a normal time, say 8am, there would be little or no time to correct course. That gave us three choices. 1) Cutting all the weight before I went to bed and trying to sleep weighing 185lb – a total non-starter. 2) Waking up at 5am and cutting weight then – I didn't fancy that either. So we split the difference and went for 3) I cut weight until midnight and then woke again at 7am to cut the rest.

Just before 9:15am we made our way down to the second-floor function room that had been set up for the weigh-in. I was surprised how much media were there, sat to one side in rows. There was a step-and-repeat banner and a stage with the scale on. Behind the step-and-repeat – and out of view of the media – the UFC and Commission had an area to complete the official particulars. I took care of that, selected the gloves I would fight for the world title in, got undressed and went out to step on the scale.

185lb!

Job done, I started rehydrating immediately.

Seven hours and about 14lb later, there was a crowd of thousands at the ceremonial weigh-in at the Forum. They knew the real weight-making had come and gone, but the ceremonial weigh-in was free to get in and had become part of the anticipation for a big fight.

With the heavy towels and salt baths a distant memory, I felt amazing. Sat backstage, all the fighters looked to have more energy. Instead of slumping lethargically in chairs like we usually would be, we were all up and about chatting to each other and staff.

Callum, the expert in MMA that he'd become, was loving it. But he was nervous and excited when it came time to walk through the curtain and climb the stairs to the stage in front of 3,000 people. While Dana, the matchmakers, Joe Rogan and the rest waited I began stripping off. I'd gotten my shirt and a shoe off before there was an awkward moment as a floor manager leaned in to explain stripping off wasn't actually necessary.

Kinda like *UFC 66*, I thought, another echo from a decade ago. Everything is coming full circle. I stepped on the scale and hammed it up for the fans.

'THE CHALLENGER – MICHAEL BISPING!' Rogan boomed into the microphone, drowning out cheers and piped-in rock music.

Now Rockhold came out, skipping from behind the curtains towards the stage. I didn't notice he wasn't cheered as much as I was. The fact he appeared fully recovered from the weigh-in had my entire focus. Reaching the stage, the champion threw off his white T-shirt and stepped on the scale. As Rogan bellowed out his name, Rockhold raised closed eyes to the heavens and stretched his arms out in a Jesus Christ pose.

Every single time you see Rockhold you can't help but notice he's fucking big. No beanpole, either. His long limbs are wrapped in the kind of tight, cabled muscle that generate power. He was impossibly huge for a middleweight. He got off the scales and walked towards me. Dana stepped between Rockhold and me, on high alert.

'Let's see what you got, big boy!' I said. Luke got into it, too, and we smirked and gestured aggressively at each other while lobbing insults. The crowd was loving it, which was why I was doing it. I was now a hugely experienced UFC veteran and had learned to manage my temperament. Fighting under a red haze of anger was not going to help me win the UFC title. The banter on the stage was only for fun.

Dana wasn't so sure. 'Don't touch! Don't touch!' he yelled as he gestured me towards Rogan, who was waiting mic in hand to do a quick interview.

Joe asked me what it meant to be fighting for the belt. 'I've been in the UFC for over ten years,' I said. 'I've fought the best in the world. I've had my ups and downs but you can't keep a good man down. I'm here now and I do believe this is my destiny.'

Then I played to the audience, adding, 'There's not a single person in the world I'd rather take the belt off than this smug arsehole!'

The crowd cheered and laughed. I'd given them what they wanted from a Bisping weigh-in. They were very welcome.

After about ten hours of deep sleep I woke up. Here it was. Saturday, 4 June 2016. In 12 hours I'd finally challenge for the UFC championship of the whole world. This was the end of the road I'd been on since I set off for Nottingham. Before that, even. Since the age of six when I wanted to be the best kid in the jiu-jitsu class.

After a good breakfast downstairs and a little rest, I tried something new for a fight day. I went to work out.

While attending an event as a commentator, I'd been stunned to see Jon Jones sweating in the hotel gym just hours before one of his fights. I'd gone my whole career hoarding every drop of energy from the moment I made weight to the second I stepped into the Octagon. But here 'Bones' was pounding a treadmill with his size 15s.

Jones explained that, after putting our bodies through the horrors of a weight-cut, the first time we asked them to perform athletically should not be under the win/lose circumstances of the fight. This idea had sort of occurred to me before, but having one of the best ever swear by it convinced me. So, about 1pm on fight day, Brady, Mario, Jason and I went to the fighter workout room. The blue mats the UFC provide all week had already been packed away and the standalone, UFC-branded punching bags were gone too. The room was now just a room, but it was all good.

'Let's get some music on,' I said, and Brady set up his phone and a speaker on the windowsill. I'd previously introduced Brady to some old-school British music and, as chance would have it, Stereo MCs' 'Connected' was the first song on his playlist.

As I shadow-boxed, hit pads and drilled takedown defences for the next 50 minutes I absorbed the soundtrack of my carefree teens and early twenties. I wanted to carry some of who I was back then into the Octagon. Not the recklessness and anger but the feeling of having nothing to lose. That every chance was one worth taking.

The 90s-infused workout helped me cast away into a restful sleep for a few hours. I woke up feeling good. At the pre-arranged time, Jason and Brady came to my room and we packed our gear for the fight. Callum had now joined Rebecca and Ellie. I'd see them all Octagonside later.

'Feeling good?' Jason asked.

'Great,' I said. The confidence was still there but the fight nerves had now made their appearance too.

We went through our checklist. Fight gloves, check. Cup, check. Mouthpiece, check. Something to play music on, check. Shin pads just in case I wanted a light spar, check. Boxing gloves just in case, check. Bucket, check. Stopwatch, check. Separate bucket for ice, check.

And I was already wearing the watch I'd first put on the evening of 24 June 2006.

'Full circle,' I said as we made our way downstairs to be transported to the arena.

The early prelims were well under way when I arrived at my dressing room at the Forum. The ceiling was lower than in more modern arenas, but there was a lot of space. My Reebok fight gear was waiting for me, neatly arranged in an open locker. Several BJJ mats were taped down to the floor. As usual, there was a monitor showing the prelim fights. I turned the sound up a little and sat down to watch as my team began unpacking our gear.

Sitting there like any other fan watching on any other TV screen, I let myself become absorbed by the fights. The idea was to delay getting into 'fight mode' for as long as possible. That was easier said than done with people constantly coming in and out of the locker room. First the California Commission needed to see us. Then my assigned cutman came in. Then the UFC needed to shoot some inserts. Then the referee of my main-event fight, Big John McCarthy, stepped through the door for his pre-fight instructions.

I listened intently, as I always did whenever McCarthy spoke. Then, respectfully, I said to Big John, 'Don't stop this fight. If I am in trouble, I'll let you know. I'm going to turn this fight into a war. That's the plan to win. Don't you stop it just because I'm in trouble.'

McCarthy had heard this before in his quarter-century of serving as the third man in the cage. He said simply, 'I'll do my job. Nothing more, nothing less.'

After Big John left, I got back to watching the fights. The pay-per-view portion of the card was starting. I began to get changed into my fight gear. I let the reality of the evening begin to build. My hands were taped and the fight gloves wrenched over that tape.

My fists felt strong. I stretched my leg, back and shoulder muscles out, all the better to squeeze them tighter in the fight.

Brady and I drilled on the mat. We moved in circles, sliding arms and legs in and out of jiu-jitsu holds.

On the monitor, the second PPV fight was about to begin: Henderson vs Hector Lombard. A horrible and overhyped little man, Lombard was someone I'd had several run-ins with at UFC events over the years. I thudded punches into Jason's target pads. I raised my heartrate up, then paced the room and let it drop. Hendo got a massive win with an elbow strike. I was happy Hendo had scored another one of his big knockouts, especially against that Unhappy Halfling. I smiled and pointed, but didn't focus on it for longer than a moment.

I went back to the drills. I felt amazing. I was enjoying the moment. I'd earned this.

'Two more fights and then we walk, Bisping!' came a voice as the door shut again.

(The only sour moment came when I was told I wouldn't be able to walk out with the British flag with the messages from the UK fans. Even though it was, y'know, the flag of my nation and it had been given to me by literally the UFC PR department, the people in charge of enforcing the Reebok policy told me they'd fine me $20,000 if I walked out with it. Despite this nonsense, that flag is one of my most prized pieces of memorabilia from my entire career. It's folded into a triangle and in my office as I type this.)

It was now time to fully focus on the battle ahead. I hit the striking pads with 85 per cent power. I felt *amazing*. My weapons were ready. My confidence was sky-high. Thirty, forty minutes melted.

'Bisping – time to walk!' came the call.

And so we walked. But this time was different. It was unlike every other fight I had in my career. This was usually the time when the fight became real. Physiologically, my autonomic nervous system would recognise the 'fight or flight' situation and shut down non-essential functions, diverting their energy into my muscles. (One of the non-essential functions is the digestive system – hence the feeling of butterflies in the belly.)

By now, just minutes before the start of the fight, I knew the butterflies and nerves wouldn't be making an appearance this fight. I felt focused, not fixated; energised, not hyper.

We arrived at the tunnel from backstage to the arena floor. The pre-fight promo was running in the arena and the lights were dark. The only illumination was coming from the camera in front of me, which would beam our short walk to the Octagon to the world.

'Man,' Scot said, 'I've never seen you move as well as you have this camp. I've never seen you as calm as you are tonight.'

'Destiny,' Jason said.

The air inside the arena was warm. Because of the body heat of the crowd, it always was come main-event time. 'Song 2' blasted out. The lights blazed colours. The cameras sped towards me. Fans outstretched arms. I got close to the Octagon and looked for Rebecca, Callum and Ellie. There they were, front row. I went over and hugged them for a second. Their expression told me everything I needed to hear.

'YEAH!' I yelled.

My team took my walkout shirt off. I was checked over at the prep point. Vaseline was applied to my face so Rockhold's punches wouldn't tear at my skin. The roar of the crowd registered for the first time as I ascended the Octagon steps. On the top step I turned around and flexed my biceps to cheers. The fans – these American fans – were for me. And not just Americans – I saw several British flags wiggling excitedly in the stands. More than just enjoying it all, I took the best of each moment – the support, the love, the thrill of what I was about to do – without allowing anything to weigh down my concentration.

Rockhold walked through the Octagon gates minutes later. He looked even bigger than the day before and had regained that look of can't-be-bothered confidence. He was prancing around, running backwards and doing weird dance steps. Like all samurais do, I guess. He pretended to yawn several times. What a bell-end.

Bruce Buffer did his thing. While he was introducing me, I took out my mouthpiece and made sure the British fans watching at home saw I had our flag on it.

Jason and Brady were on the other side of the fence now, leaning in. 'I feel fucking great,' I told Jason. 'You fucking look great!' he said. 'Best I've ever seen you!'

Rockhold was announced. He did some Bikram Yoga bullshit for the camera. Buffer left the Octagon. All but one of the camera crew followed. Very near now. Referee McCarthy waved Rockhold and me towards the centre. The crowd noise rolled up into a roar. Big John gave his final instructions but Rockhold and I were more interested in a final few verbals.

Rockhold mumbled something and shook a hand side to side.

'What's that, buddy?' I smiled.

'No touch,' said Rockhold, announcing he wouldn't partake in the traditional show of respect.

I smiled wider. 'No touch?'

Rockhold shook his head again. 'No touch!'

'I'll touch ya in a second, mother-fucker!' I laughed, backing up into my corner.

The cameraman retreated to the safe side of the fence. The Octagon door locked. We waited for McCarthy to signal us to fight. The final few moments were ticking away and I was still as relaxed as I'd ever been. Measured in years, sweat or tears, it had taken an eternity to get here. Now the UFC champion was 20 feet away; the title 25 minutes of everything I had away. Rockhold looked bigger still. I didn't care. He was a great athlete. I was a great *fighter*. And we were about to have a *fight*!

I barely heard Big John's catchphrase: 'Are you ready? Are you ready? Let's get it on!'

Rockhold came forward to meet me, smiling. I kicked him in his lead right leg and the smile disappeared. I tried a little pressure, but while searching for my range Rockhold whipped my lead leg with a kick. That stupid ho-hum expression expanded across his face. I landed a right cross. Then a jab came close. My arms, shoulders and back felt loose. Rockhold looked annoyed.

One minute in, my scouting report read that 1) Rockhold was indeed predisposed to moving his head to his left every time I threw a straight punch; 2) while he'd added a much heavier jab to his game, he overcommitted to it and became off balance when it missed; and 3) he was again looking to take my head off with the left head kick.

I put 1) to good use immediately. I threw a jab which was never intended to land, tricking the champion into moving his head to the left – and into a nice right cross. Then I continued to batter Luke's right knee. I didn't know whether this was the one he'd hurt in training but, for sure, it was the one that needed planting in order for 3) to happen.

The war began at the 3:15 mark. I stepped in and missed with a left hook but had time enough to throw a straight right behind it. Luke slipped the cross exactly as I expected him to – and my second left hook landed with a thud. Rockhold retaliated with his best punch – the right hook – and came after me.

In most other fights, I'd have moved away at angles only to return a second later to take the initiative back. Not on this night. I planted my feet and fired my fists. Another left hook bounced off Rockhold's head. There was no poker face about him. Luke Rockhold was very pissed off and overconfident. The smack-talking, the disrespect I'd made him chew on in the build-up and his own condescending superiority was working against him. So was his lack of fighting IQ; I knew from that sparring session that when it came to reading a fight in real time, Rockhold was a functional illiterate at best.

My last left hook had clipped Rockhold but didn't land with full authority. I could have felt a little anxious that I'd given the game away – but I didn't think that one technique was going to win me the fight all by itself. In our game-plan the 'draw his right hook/side-step/left hook counter' was one of a dozen micro-strategies in place to bring Rockhold to a place where he'd begin the championship rounds tired, hurt and discouraged.

And once we were inside that inferno where our lungs were choked and our arms were filled with lactic acid, I knew – *I knew* – that I could remain in that place longer than Luke Rockhold could ever believe possible. I knew that I would emerge from that kind of firestorm as the UFC middleweight world champion.

He landed a solid left shin to my stomach. I snapped my heel into his right knee. Maybe recognising that I was laying foundations for the later rounds, Rockhold's aggression sky-rocketed. He landed four kicks – to my body and leg – in a row. Then he landed a left cross. That look was back on his face as he swaggered towards me with his hands by his side.

Whether it was anger or arrogance, Rockhold was now intent on a first-round KO. Rockhold's corner were not happy with what they were seeing. 'Tighter!' 'Not so hard!' 'Don't rush!' 'Quit chasing him!' they shouted.

On the PPV broadcast, Joe Rogan noted at this point: 'Rockhold's chin is straight up in the air.'

I'd noticed that, too, as I bit down harder on my mouthpiece. *You arrogant dickhead*, I thought. *I can't wait to see the look on your face in round three, round four, round five, as it dawns on you – way too late – that you had no idea what you were in for tonight.*

He landed a hard inside leg kick before whipping another towards my face. I used both hands to parry it and even through my gloves my palms stung for a second.

Rockhold then skipped forward and threw his jab. It was a good shot but instinctively, I'd placed my left foot on the outside of Luke's right. I fired a right hook to his body and the left hook that Jason and I had drilled. The telemetry from my fist reached my brain immediately. I'd landed a massive shot direct to the champion's jaw.

He dropped to the canvas. He was hurt.

*YES!* I thought. The crowd's roars faded into static. Time slowed down. Rockhold scrambled to his feet.

*No you don't!*

BOOM!

Another hook detonated on his chin. The impact sent him spinning backward. He crashed on the canvas again.

Instead of his expected day at the beach, I'd now swept Rockhold far out to sea. He was out of his depth, broadcasting panicked distress signals with every short-circuited movement. I went in for the finish like a Great White.

Rockhold was slumped, arse on the canvas and his back against the cage. The angle was awkward. I was conscious to avoid getting pulled into his guard. I side-stepped his prone legs and torqued every bit of power I could into my punches. Rockhold's head snapped right. Then left. Then right again. The lights cut out behind his eyes.

Suddenly Big John's oak-tree forearm swung against my lower neck so fast the impact hurt. It was the best feeling in the world because it meant the referee had waved the fight off. It was over.

A second of time snapped and I heard my own voice inside my head say, *I've won!*

'MICHAEL BISPING! IS THE NEW! UFC MIDDLEWEIGHT CHAMPION OF THE WORLD!' Mike Goldberg screamed on the broadcast.

The moment overloaded my senses. A thousand different thoughts flooded my brain all at once. There would be no need for a war. I wouldn't need to take this fight into the trenches. I wouldn't have to fight my way out of any tough spots. I wouldn't need to ignore painful cuts around my eyes or climb off the canvas. My heart and will to win would not even be needed. Because it was over, already. Done! I was already the UFC Middleweight Champion of the Whole World!

I screamed in victory and vaulted to the top of the cage. My arms shot into the air as the fans roared noise down at me. As I celebrated the Octagon was rapidly filling up with security, commissioners and whoever the hell these people are who materialise the moment a big fight is over. My eyes found Rockhold. He was still sat against the fence; now surrounded by methodical medical people and concerned teammates.

I understood immediately what was beneath the bewildered look on Rockhold's face – an offline human brain sprawling to reboot. Then his expression changed and I knew he could now see me again, too.

'FUCK YOU!'

He couldn't possibly have heard me yelling, not over the racket of the 15,587 fans who were cheering and yelling after witnessing what to them was one of the biggest upsets in recent UFC history. But it wasn't necessarily a *fuck you* to Rockhold. It was a *fuck you* to everyone who'd doubted me, underestimated me and tried to stop me from becoming the man and father I wanted to become. Sat on that Octagon fence, at the summit of the MMA world, it was a *fuck you* to anyone who'd ever written me off, and a *fuck you* on behalf of everyone and anyone who'd ever believed in me.

Nothing I say can do justice to what I felt in those few seconds. That left hook had whacked the top off a fire hydrant and I could feel emotions I'd kept shrink-wrapped inside since school gushing out.

I dropped off the fence and my bare feet hit the canvas. 'Easiest fight of my life!' I told the camera.

This was the moment I'd chased for long years – I was now living it! UFC world middleweight champion! Won it forever. No one could ever take what I had done away from me! First round! No one gave me a chance! No one! No one except ...

*My family. Where's my family?*

I saw Audie Attar had already managed to get Rebecca, Ellie and Callum to the top of the steps. I waved the security guy to let them through the Octagon door and hurried towards them.

Rebecca and I sank into a massive hug in the centre of the Octagon. 'We did it! We did it! We did it! Babe – we did it!' I repeated it over and over into her ear.

We did it – as a team. I wouldn't have got as far as Eldon Square Leisure Centre without Rebecca. She is the only woman in the world who would have supported such a crazy idea in the first place. She'd put a roof over our family, then put her own ambitions aside so I could pursue my dream. She'd put me back together so many times; after the army rejection letter, the visa issue, *UFC 100* and other defeats, the manager issues, nearly losing my eyesight. When sections of the media painted me as a villain, she reminded me who I was to the people who knew me the best. She was my wife, my motivation, my sports psychologist and my best friend.

For a second, it was a decade before and I was running up to her at the MGM Grand with that first bonus cheque at *UFC 66.* I snapped back into the present and I hugged my two eldest kids.

Only dads of daughters know the special pride when his little girl looks up to him as her protector. Ellie was looking with tears of pride in her eyes at her dad – me – the UFC champion of the world. I choke up even thinking about it. And Callum – my first-born's face said it all. He understood what we'd all achieved together. He was crying and cheering both at once.

We all held each other in the centre of the Octagon. We'd all sacrificed time together in order for this to happen. Spending the first minutes of my reign as world champion in a group hug with my family was my proudest moment on earth.

I celebrated with Jason, Brady and Scot. Lorenzo Fertitta, on the verge of selling the UFC for over $4 billion, was in the Octagon and looked thrilled for me. Back in the locker room my phone was blowing up with texts that would take me days to return 'thank yous' to.

The UFC title belt – identical but much heavier than the replicas I'd allowed myself to hold once or twice – was wrapped around my waist by Dana as I heard Bruce Buffer, the man who'd MC'd the other happiest day of my life, announce the greatest moment of my career.

'Ladies and gentlemen, referee John McCarthy calls a stop to this contest at three minutes, thirty-six seconds of the very first round ... Declaring the winner ... BY KNOCKOUT! AND NEW! UNDISPUTED! U-F-C MIDDLE-WEIGHT CHAMP-I-ON OF! THE! WORLD! ... MIKE-AL! THE COUNT! BIS-PING!'

Rogan asked me to describe what I was feeling. I did my best.

'Listen, I want to be humble here even though I want to be an arsehole. First of all, thank you all for being here. I am so happy right now. I started fighting when I came out of my mother. [Ugh, what I meant to say was "I was born a fighter".] I have always been a fighter. It always got me in trouble. But there's nothing I do in this life better than fighting. This woman here [Rebecca] supported me every step of the way. If it wasn't for her, my family, my dad, my mother, the support of the UK, everybody here, I could not have done this. I'm an average guy. This was my dream. Nobody was taking this away from me!

'People say I've got no punching power. I knew I could punch. This guy [Rockhold] demolishes everybody – finishes them in the first round. Check this out: first-round knockout. Left hook! Thank you, Jason Parillo. Everyone in the UK – thank you so much! Apart from my children and my wife, this is the greatest moment in my life.'

## CHAPTER NINETEEN

# FIVE O'CLOCK IN THE MORNING

The UFC's UK office arranged for me to fly over for a 'victory tour' after I became Britain's first ever UFC world champion.

We did a bunch of interviews and TV appearances in London then moved on to Manchester. Vicky from UFC PR picked me up from the hotel lobby for an early start on 17 June. I climbed into the 'executive class' people carrier that would be driving us around Manchester and she handed me the schedule for the day. The last item on the list was the one I was looking forward to:

**FAN MEET & GREET – TRAFFORD CENTRE, STRETFORD (6pm – 7:30pm)**

It was the highlight of the tour. Actually, it was one of the highlights of my career – and I'm a veteran of these things. I've always enjoyed meeting the UFC fans, especially those in the UK. In 2009, me and Ross Pearson did an appearance at a video-game store in Glasgow which drew so many people other store managers called the police, complaining their store fronts were blocked with UFC fans. At the Oxford Street HMV in London two months before *UFC 120*, the line went out the door and around the building into a back alleyway.

The crowd at the Trafford Centre, though, was easily three times the size of the one at HMV. I was set up on a raised stage/bandstand area in the middle of the shopping centre. As I walked out onto the polished faux-wood floor I could see only a sea of faces in front of me all the way past the fountain-pool features, above on the upper levels and all the way to the lifts in front of me. It was humbling. There were over 2,000 people in line already. The ones at the front would have been waiting in place for hours; the ones at the back of the line had hours of waiting in front of them.

I was handed a mic. I managed to thank the fans for coming. I added, 'I'll see you soon.'

'We better get this going,' I said to Vicky as I handed her the mic back.

The fans were allowed up in ones, twos and threes into the small stage arena for pictures and, if they were old-fashioned, they could also get a signed 10x8 autographed picture of me with the UFC belt.

One of the first guys up was a bear of a bloke in a grey T-shirt, jeans and biker boots. He was crying. Tears streaked from his brown eyes and into his black bush of a beard.

'Mate – thank you,' he said. 'Never thought I'd see a British UFC champion …'

I stood up and we clasped hands. This guy was enormous and here he was in tears because of something I'd done. One of the UFC staff had the big guy's phone all ready and we did a picture together.

'I'll be at your first defence,' he said. 'It'll be here in Manchester, yeah?'

'Thank you,' I said. 'And, yeah, if I've got any say in it, yes, I'll defend the belt here.'

Twenty minutes and forty selfies later, I met a dad and his two lads, both blond and about aged ten. They'd driven up from Exeter, the dad told me. Up the M5 and M6 … on a Friday afternoon?

'Yeah, they both really wanted to see you,' the dad said. 'We all stayed up to see you win. The big 'un 'ere lost his voice shouting for you.'

The lad in question, his larynx apparently recovered, asked quickly, 'Will you fight in England again?'

'I think so, mate, the UFC are working on it,' I said. 'If it is in the UK, will you and your brother come see me and cheer for me?'

They both nodded excitedly. Then they held either end of the UFC world title belt, the big gold plate between them, and posed with their dad and me.

These were the stories I heard – or saw in teared eyes – for over three hours. I knew the British fans supported me, I knew they'd have been thrilled to finally get a British world champion but, again, the personal connection they'd made with me … it was almost overwhelming.

When we finally left late into the evening, after every person in line got a picture, or a signature, or even a fist bump if that's what they wanted, there were still hundreds of people there wanting pictures. They swarmed around the entrance to the back-of-house area so tightly the mall's security people were worried someone could lose their footing and get trampled on. Before we made a break for it, they asked me not to stop walking for any reason, and they escorted me out of there like I was the US President during an assassination attempt.

The fans followed us to the door and – somehow – were even waiting by the service entrance. They cheered and flashed camera phones as I was bundled into the black people carrier and driven away. It was like being in a boy band for the evening.

I texted my manager, Audie, a picture I'd taken of the crowd.

'We've got to get the UFC to confirm my next fight will be in the UK!' I wrote underneath the image.

I was the oldest first-time UFC champion ever. My wife and manager were hinting that I shouldn't be fighting much longer. My body was delivering the same message, only less ambiguously. I had to use my status as the world champion to open as many doors for my post-fighting life as possible, I knew.

And things were going well. My acting career was gaining traction. My regular work with Fox Sports and presenting the *UFC Tonight* magazine show had seen me develop into a competent television analyst and host. I had several business interests including UFC Gym locations in California and the UK. Plus, I'd launched a regular weekly podcast with comedian and undefeated mixed martial artist Luis J. Gomez.

Luis J. Gomez (I have to write his entire name out – he insists on his middle initial as if he studied eight years at Yale to get it) and I started working together on a weekly show for American talk radio. We had a great chemistry together on the air. About 18 months into our show's run (which I did from home on a DSL, aka broadcast-quality, line) we were both frustrated with our compensation. Luis J. Gomez suggested we strike out by ourselves with a podcast. That's how the *Believe You Me* podcast came out.

Around the same time, I also branched out into commentating, first doing the *Contender Series* on the UFC Fight Pass streaming service and then for televised UFC events.

Whenever it came, I was determined I would be ready for life after active competition. This was completely different to when I thought my career had been ripped away from me due to the eye injury in 2013. I'd won the title now, I'd won respect and my place in history. I wasn't ready to go yet; but I was ready to start getting ready.

Given the heat between me and Rockhold and the fact the score was 1–1 between us (well, 2–1 to me when you include the sparring session – ha!), I thought the UFC could give the ex-champion an immediate rematch. I also expected to hear 'Jacaré' when Dana called with the name of the first challenger to my title. Or, maybe, 'Mousasi', who I was originally scheduled to fight in London. And, around this time, there was the first crazy talk of legend Georges St-Pierre coming out of retirement to fight me.

Instead, when the call came, Dana said a name that had been linked to mine for over eight years: Dan Henderson.

Joe Rogan is the UFC's most respected colour commentator, an arena-packing stand-up comic, a TV host and BJJ black belt. But perhaps his biggest success is turning *The Joe Rogan Experience* on YouTube into the most influential podcast on earth.

If *The JRE* gets behind something, it blows up; on the 16 June episode, Joe was getting behind Michael Bisping vs Dan Henderson, the rematch, for the UFC middleweight title.

'What could be a better, more exciting fight to see than Bisping versus Hendo two?' he enthused. 'How often do you get to do a rematch of the most brutal knockout in history, with both guys just having KO'd two monsters? That's the most exciting fight right now.'

Rogan added that he'd already called Dana with his matchmaking brainstorm. The fans and media ran with it. My Twitter blew up asking if I'd take the fight. Of course, I answered. Henderson was asked and answered in the affirmative, too.

I mean, what did people think we were going to say?

The call from Dana came.

'Yeah, sounds great,' I told the UFC boss. 'But what about it being in the UK? Is that going to happen?'

Manchester Arena or 'a stadium in Cardiff' were both available, he answered.

'It's gotta be Manchester!' I said.

And that was that. The rematch of the worst defeat of my career was on.

There was some bellyaching from the middleweight division over the fight the UFC had put together. Guys like Jacaré (who'd turned down a title shot already), Yoel Romero (forgetting he was suspended for a USADA violation), Vitor Belfort (who'd started a streak of getting knocked out in the USADA era), they all felt very entitled to tell me, the champion, where, when and whom I should fight.

Contrary to what was reported at the time, I didn't ask for Henderson. My only ask was to fight in the UK. But, believe you me, if only I'd known how much it would piss off these self-entitled whiners, I'd have beaten Joe Rogan to it and called Dana White to suggest it myself.

Henderson and I did a press conference together in Las Vegas on Friday, 19 August, and of course I was asked about Henderson's past TRT usage.

In the first fight, I got the weight-cutting wrong in the same way that I got circling into his right cross wrong. While I was holding my body hostage and starving it of nutrients, Dan Henderson was darting needles containing synthetic testosterone into his backside, which boosted his energy levels, bone density, strength and muscle mass.

Would I have liked to have known Henderson was on TRT before I fought him at *UFC 100*? Well, yeah, of course. I'd also have liked to have known there even was such a thing as TRT, too, because back then I had no clue this legal cheating was going on in the sport.

There's a difference between what Henderson was doing with TRT – exploiting a loophole and using a medical therapy that these commissions ignorantly allowed him to use – and what Vitor Belfort was doing. Hendo's physique had barely changed in the post-TRT era, to be truthful, while Belfort now sported moobs like a grandmother.

'After TRT was banned and USADA testing came in, I became UFC world champion,' I said. 'I've never been a big believer in coincidence. Dan Henderson said he needed TRT to compete, that he'd get sick without it, but here he is today alive and well. He's a miracle of modern medicine.'

The MMA community was probably expecting something a little stronger than that but, the truth is, I've never had much animosity towards Henderson.

True, I didn't appreciate the incident with Mark Coleman but, looking at it literally from his perspective, maybe he just saw me and Coleman getting into it and had no idea what Coleman had just said to me. And other than that, Dan's pretty inoffensive. He really doesn't say much. He just sort of mumbles and shrugs his way to fight day.

That doesn't necessarily help the box office, though. Like I said earlier, I always felt responsible for putting arses in seats when I was headliner and especially so in the UK.

Just like with all PPV events the UFC presented outside of North America, *UFC 204: Bisping vs Henderson 2* would be broadcasting live at 7pm US Pacific Time. That meant my fight would begin around 5am in Manchester. I was a bit worried the tickets wouldn't sell well for an event where fans would be filing out the arena at breakfast time. It was a huge ask of the British fans, I felt.

Yet all 16,693 tickets sold out in six minutes. The British public were pumped the UFC championship of the world was coming home.

For two weeks of the camp I was on a movie set in London, playing real-life 70s London hardman Roy 'Pretty Boy' Shaw in *My Name Is Lenny*, the biopic of Shaw's underground boxing rival Lenny 'The Guv'nor' McClean.

Again, it wasn't like I'd won the UFC belt aged 28. I had a short window to use my world-champ status to help open up as many doors as possible for my post-fighting career.

Jason Parillo, as you can well imagine, was positively thrilled when I told him I'd be on a British movie set for a fortnight, then would come back to California for a month, and then we'd head back to the UK for the fight.

My call time for the movie was typically before 7am and I'd leave the set about 6pm, but I still trained twice a day. My friend Daz Morris was with me the whole time; we'd run in the mornings (well, Daz came with me once) and he'd take me on the Thai pads after filming was done for the day.

Playing a character like Roy Shaw was a lot of fun and a new challenge. I researched the real-life 'Pretty Boy' extensively. I watched his old fights so I could mimic his wild, aggressive style and read his autobiography to get a handle on who he was. I studied his old interviews, and noted he licked his lips as he spoke, almost like a nervous tick. I incorporated this odd habit into my portrayal.

Josh Helman and John Hurt were the movie's leads but, for me, the real star was this beautiful woman, Rebecca something her name was, who had a small part in the film.

As a team, we made the decision to remain on Pacific Time once we landed in Manchester the week before the fight. We were going to sleep during the day and be awake during the night. The fight was taking place to suit Pacific Time, after all, and we wanted to confuse my body clock as little as possible.

Team Bisping – Jason, Brady, Daz and Lorenz Larkin and me – stayed in the Lowry. The last night I'd stayed in Madchester's only five-star hotel was hours after I'd beaten Elvis Sinosic at *UFC 70.*

It felt like a lifetime and five minutes ago. As I walked into the hotel's plush bar/café area on the first floor with its deep cushioned armchairs and sky-blue mood lighting, a flash-flood of memories came back to me of the *UFC 70* after-party. This same empty bar had been packed as tight as a nightclub in the small hours of 22 April 2007. Everyone had congratulated me on winning the Fight of the Night and, by the time I'd made my way over to order food, the kitchen had closed.

'Aww, really? I'm starving,' I'd said. 'I've not ate anything since before the fight.'

There had been a tap on my shoulder. I turned to see Jean-Claude Van Damme, my childhood action hero large as life, offering me half of his prawn sandwich. It had been a surreal moment for a guy only three years removed from working in an upholstery factory.

Now I was back in the same place a decade later. I was no longer young or wide-eyed, but a grizzled, seen-it-all champion.

Even though jetlag wasn't a factor, preparing for a 5am fight had its own challenges. I trained Monday and Tuesday night around 2am, getting my body used to working out hours after the sun went down. The Lowry staff were fantastic in accommodating our sleeping patterns during fight week, even serving us all breakfast from 3pm to 6pm, but, mostly, we were bored.

It is pitch dark by 5:30pm in Manchester in October and we were waking up around 4pm. It's not like we could pass the time going sight-seeing or take a wander around the shops in the middle of the night. So, we spent a lot of time in my suite at the Lowry, just bullshitting and enjoying each other's company. The highlight of the week was listening to Brady's lunatic-fringe conspiracy theories.

During the media interviews and press conference, I talked a great game about getting my revenge on Henderson, and I meant it. Even at the weigh-in, I felt confident in every word I said to my challenger on the stage, including that I would knock him out.

Confidence ebbs and flows, though. Yes, I was a completely different fighter to the over-trained, undernourished and over-thinking lad who showed up to *UFC 100*. That was a fact.

But ... it was also a fact that the last time I got hit by this guy, I came to in a shower not knowing what month it was.

There was a jagged energy about me on fight day. I was fidgety at breakfast and irritable at lunch. My afternoon workout rounded some of the sharp edges away but I still struggled to fall asleep for my usual pre-fight nap. I must have lain there for an hour in my blacked-out bedroom, listening as the people and cars outside the hotel went about their Saturday evening.

The UFC bus to the arena wouldn't leave until 2:30am. It was a ten-minute drive in the day; in the middle of the night the trip would be five minutes, door to door. Then there would be the two-hour wait in the dressing room. That was all ten hours away. So, I needed to sleep. I couldn't sleep. All I could think about – the only thought that took form between my ears for over an hour – was *UFC 100.*

When I eventually nodded off, I flinched from right crosses in my dreams.

Around midnight my mate Jason Falovitch, who'd flown from Toronto, Canada to support me, stopped by my suite to say hi. Jason Parillo and the team were already with me, checking and double-checking all our fight gear was packed. I was sat on a cappuccino-coloured couch, putting on the mental armour I needed to wear into battle. On the wall behind me was a framed, oversized photograph of a tree leaf.

Falovitch is a really trusted friend – we're now partners in a fantasy sports business called PlayLine.com – but I was still unusually tense. It wasn't the time or place for me to hear about his adventures in Prague earlier that week.

'Jason, you've gotta go, mate,' I said abruptly. 'I love you and thank you for coming to support me but I need to get into fight mode now. Please, I need to be left alone with my team.'

He understood, and I'd managed to say all that to Jason in a friendly, even tone. My mood continued to blacken after he left, though, and Brady wasn't so lucky. We began warming up, using some of the carpeted floor space to drill a few techniques. The little errors in communication that always happen when you are rolling were somehow all unacceptable – and all Brady's fault.

'Ferfuckssake!' I said more than once.

My temperament darkened the energy in the room. I was the same in the van as it looped its way through Deansgate's deserted streets. We pulled up alongside the service entrance to the venue. The van door swung open and we climbed out into the cold autumn air. There was a noticeable difference between the cold and quiet air outside, and the warm humidity and noise inside the packed Manchester Arena.

If I warmed up in the same dressing room I'd been in at *UFC 70* or *UFC 105*, I couldn't tell. I barked at Brady again; more than once.

Then, about an hour before the fight, something levelled out inside my mind.

Brady was sat in front of me, thrusting fight gloves over my already-wrapped hands. He was fully focused on his task, sure, but I knew his eyes were locked in a downwards position because they didn't want to catch mine.

Brady pushed my left glove on. Then the right.

'Feel good?' he asked.

'Yeah,' I said, knowing I needed to say a lot more.

Brady Fink is a great guy who takes shit from exactly no one. But all night he'd been doing just that – because he understood his friend was going through a motherload of pre-fight anxiety.

*Some friend*, I thought. I felt horrible.

Like I had on the phone with Callum in another dressing room years before, I took off the mental armour and became a fully functional person again.

'Brady, I'm sorry for being such a twat all day,' I said, breaking the silence in the room. He looked up for the first time all night. 'Mate, really, I'm sorry.'

He shrugged. We looked at each other for a second longer. Then he enjoyed a silent chuckle in front of me while shaking his head.

Yeah, Brady knew me. He knew the whole stupid process. He knew I could be a right arsehole fight week. He knew I didn't mean to be. He also knew that after the fight was over I'd be mortified by my behaviour and apologise profusely.

And then – we both knew – the process would be completed by everyone taking the piss out of me without mercy for days afterwards. That's when everyone got their own back. There would be impressions of my mood swings, which would draw howls of laughter at my expense. I'd have my own words twisted into darts and thrown back at me in bars and restaurants. Then, it would be my turn to sit there and take my medicine.

Yes, Brady was familiar with how it was going to go.

Or … maybe not this time. Because then I started to laugh along with Brady. Not silently, though. Loudly! It felt *good*!

Brady looked at me with a 'Why are you laughing?' expression.

'All of you – guys, guys – listen. I'm sorry. I'm sorry I've been a miserable arsehole all night. I don't know why I'm stressing like this and putting us all through this. I mean, what's the worst that can happen tonight? I lose a fight? I've lost before and it wasn't the end of the world.'

A weight lifted off my shoulders as I spoke and I added: 'I do *really* appreciate all of you being here for me, away from your families all week. I'm sorry I've been a dick …'

Without turning his body, Jason's head spun round from watching the undercard fights: 'You are the biggest wanker, Bisping!'

The sound of a British-English curse-word deadpan delivered in Jason's hybrid New York/California accent was too much. Daz and Lorenz cracked up. So did Brady and Jason. The vicelike tension I'd felt all night just melted as we all fell about pissing ourselves.

We all started talking. The music was cranked up. I began to hit pads with Jason. The energy built and built. I felt better. I felt like myself. I felt like the champion of the world.

I didn't go through the process of putting back on the mental armour. I never put it on again; didn't need it. I was a different fighter, a different man now.

There was a knock on the dressing-room door. It was fight time.

'This isn't *UFC 100*,' I told Jason as we left the dressing room.

It had been seven years since Manchester had given me that amazing, inspiring welcome at *UFC 105*. They were there for me when I needed to put *UFC 100* and the knockout to Dan Henderson behind me. We were here together again for the rematch.

The entire camp – the entire plan – was based around avoiding Henderson's arched right cross. Of course, I knew better than most the 'H-Bomb' was his primary weapon.

In the later stages of his two-decade MMA career, Hendo was content to spend long moments doing next to nothing offensively. The threat level he eradiated out, though, was constant. He always had enough energy to throw one of those big right hands. And – bless him – one was usually all he needed. Henderson's punching style would horrify boxing purists; but, in MMA, when opponents had to worry about the two-time Olympian's takedowns, kicks and back fists, torque was more important than technique.

The opening minute was rigidly tense, all feints and range-finding. Then a right cross swiped the bridge of my nose, tearing open the scar tissue that had grown over the cut caused by Anderson Silva's knee.

Henderson ducked very low and to his right whenever I threw my cross. He was intelligent and experienced, of course, in using his 5ft 11in stature as a defensive advantage.

He landed a solid right, and I gave him a nod and a smile. I planted my left shin into his guts. It stung him into surging forward and he almost threw himself to the canvas trying to land an axe of a right hand. He missed another a few moments later. He *badly* wanted to land that H-Bomb.

Meanwhile, I was almost as anxious to land my left hook. Several got through; most were blocked. Henderson carried his right fist very high near the ear, almost like he was clutching an invisible satellite phone. I tried the lead left hook once too often – BANG!

With 42 seconds remaining of the first round, *UFC 100* exploded into the present as Henderson landed the H-Bomb dead on my chin; my legs went stiff and I was sent sprawling to the canvas.

*No! No way! This isn't happening again! No!*

This was different to *UFC 100*. It had to be. I wasn't knocked unconscious. I had enough about me to try the up kick that Anderson had got me with. It didn't land. But – it changed Henderson's trajectory through the air. He missed his patented leaping hammer fist that he'd aimed at my jaw.

The challenger landed in side control, kneeing to my right side. I dodged an elbow strike + righthand + another elbow. With everyone in the area thinking I was one shot away from going out,

I spun on my back. I need to get my legs between me and his fists. I raked his face with my heel.

He was now on the left of me, though, and his right hand that much closer to his target. A hammer fist landed on my temple. A fist to my ear. His fingers pressed down on my eyes so I couldn't see – STAB! – an elbow spiked into my orbital bone. The pain was startling.

*Fight! Fight! He's not taking my belt! Fight of my life! Now! NOW!*

He drew his arm up for another strike. It landed. He drew up again – and I sprung off the canvas. We were back on our feet. He was swinging, hacking away with his fists like a madman. I was calm, giving myself every chance to weather the storm. I was able to deflect almost everything but the force of his blows threw us both off-balance. With my back against the cage I threw a right cross – it bounced off Henderson's shoulder and knocked him backwards two steps.

Henderson smiled at me – but didn't advance. Whether he saw I wasn't close to being finished or made the decision he'd used up enough energy for the first round already, Henderson called off the assault.

With the fans in a frenzy, we glared at each other for several moments. We were ten feet apart, far out of range. I had time for an inventory. My left eye – my *good* eye – was a mess. Blood was gushing into it and my fingertips felt a bruise the size of a slice of orange swelling up. It was a bad contusion that, I was sure, would get worse and limit my vision. My legs felt solid, though. My equilibrium was there. There had been no white flash behind my eyes when I got dropped. I was okay. The crowd kept the noise at a deafening level as I skipped forward and threw a head kick. He blocked it and the round ended.

'Your conditioning is there, man, his mouth is open already,' Jason said in the corner. 'You were winning that round and he caught you at the end.'

'What was it?' I asked.

'The right hand,' Jason said. 'The big right hand. Stay focused.'

'I'm alright,' I said.

At the start of round two I went back to the game-plan: intelligent pressure. I threw my left hook, kicked his thigh and his calf and jabbed. I tried to keep him guessing. I began to time his footwork – as he stepped to his left, I beat him to where he was going by skipping to my right and landing lead right crosses.

'Bisping is finding his rhythm,' my former opponent turned colour commentator Brian Stann told the broadcast audience.

Another combination – an inside leg kick followed by a right cross followed by a jab – pushed Henderson backwards. He smiled at me. I landed a harder inside leg kick, a harder right hand and, this time, a left kick to the head that the American only partially blocked. The crowd went nuts. I'd taken over the fight. Hendo threw a leg kick of his own – but I knew what was next – I stepped back before the H-Bomb was off the launch pad. I threw a right cross to distract him and whipped up another left kick to the head. It landed. The stutter-step confused him. I was able to land another lead left leg to his jaw. He disengaged for a few moments. A right cross found a home. I was in control.

Another lead left shin to the head rocked him. Another right cross thudded into his cheek. Henderson now covered up in the 'peek-a-boo' defence made famous by Floyd Patterson in the 1950s and again by Mike Tyson in the 1980s, so my one-two punch combo follow-up was partially blocked. A kick to the beltline sent him scuttling around the circumference of the cage. I chased and landed another right cross. The fans were going crazy.

BANG!

I was down! That fucking right hand again! But, no, it wasn't as bad as in round one. My legs felt fine and I managed to wrap them around Henderson's waist as he threw himself down on top of me. I held the challenger tight in my BJJ guard for the final minute of the round. Henderson smothered me with his hands but, more importantly, I smothered his ground and pound. Unlike the previous round, I took no damage.

'The whole world knows it's coming,' play-by-play commentator Mike Goldberg said during the replay of the second knockdown, 'but Henderson still connects with the H-Bomb!'

Despite the knockdown, I felt like I'd won the round. I'd probably pulled level on the cards *if* the three official judges had scored the first round 10–9 for Henderson rather than a 10–8.

Whatever, there were three rounds to go and I felt coldly confident.

'You've started to take control,' Jason confirmed to me. 'Push him back with the kicks, fire the right hand.'

Another stutter-step + left kick landed in the first 20 seconds of the third round. Henderson was going backwards, conserving his energy and, I knew, trying to get me to chase him into a trap.

'That's the thing with Hendo,' Stann said. 'He can be throwing no punches into the last thirty seconds – but if he just lands one he can end the fight. This is a really smart plan by Dan Henderson. He knows he's not going to outpace Michael Bisping over twenty-five minutes so he's staying patient and waiting for what he knows best – the knockout.'

Henderson was backing up in a crouch, his chin tucked down so far it was swallowed into his chest. The beef of his shoulders seemed to surround his temples. There was barely a square inch to aim a punch at. And all the while he ambled backwards, I knew, he was carrying that H-Bomb in one glove and the detonation device in the other. He wasn't throwing much but what he did was aimed directly into my swollen left eye. He knew exactly what he was doing.

In order to not give Henderson an opportunity he couldn't create without a mistake from me, I used constant movement. In and out, side to side, and different attack from a different angle every time. It's absolutely the correct strategy to use with an opponent like Hendo. The problem by the third round, though, was that I had to keep Henderson within an increasingly narrow field of vision. Put simply, I had to remain in front of him because my peripheral version was becoming nonexistent.

The level of concentration I needed to maintain – at 5:20am – was inhuman. But I landed combinations, kicks, jabs, left hooks and lead rights. I noted Henderson would sometimes come to a complete stop and I timed that to land a huge kick to the back of his legs. That clearly hurt him.

'LET'S GO, BIS-PING! LET'S GO, BIS-PING! LET'S GO, BIS-PING!!' reverberated around the stands.

The challenger threw a fastball right at the two-minute mark. It missed. A full minute later he threw the next one – directly into my rapidly closing left eye. Within moments my eye was almost swollen shut. He became a blur under the bright lights.

Now Henderson was looking for a breather. I gave him a left-hook/right-hook combination. He steadied himself on the fence after the right thudded into his cheek.

'Bisping has made the adjustments,' Stann said.

'Just like against Anderson Silva,' Goldberg added.

'He did it against Anderson Silva, he did it against me – he's done it to a lot of fighters,' Stann continued. 'He gets rocked early, makes adjustments and goes on to win the fight.'

But Henderson still had his moments – targeting my swollen eyes over and ever. My eyes were slits in blood-drenched curtains. One reporter, Chuck Mindenhall, wrote my face wouldn't have looked out of place on the cover of *Fangoria*, the magazine dedicated to horror movies.

Another one of those bastard right hands struck directly on the left eye. Nevertheless, I'd dominated the round – landing triple the amount of strikes and easily stuffing Hendo's two takedown attempts.

The fans knew it, too. They roared at the end of the third round. I gave them a thumbs up, took my mouthpiece out and showed them I had the Union flag on it.

*We're going to do this. I got it.*

An accidental kick to Henderson's family jewels gave the American a much-needed time-out at the start of the fourth. The fans clearly didn't buy he needed 85 seconds to recover and booed lustily. I didn't buy it either; he was wearing a protective cup and had taken a kick to the balls, not undergone a fucking sex change.

Henderson was much more aggressive after his second minute's rest. He threw combinations, his leg kicks came back into the fight and he caught me with a solid knee to the jaw. My 'good' eye had now become my 'other bad eye'. I was relying on stolen glimpses here and there, like when you are driving a car uphill into blazing sunlight.

But if I couldn't see, I could *sense*. My right hand thudded home once, twice, three times. Henderson still had no counter to my high kicks. I worked his body and his legs. Henderson continued to throw giant, oval punches on the assumption he only needed to land one. But, I allowed myself to think, I'd already taken his best shot while he was fresh. He wasn't going to hit me any harder now.

'We got this,' Jason said before the final round.

Although the fifth and final round began at 5:32am local time, the British fans showed no sign of fatigue. They screamed encouragement at me as I prepared for the last five minutes of another fight that, perhaps, would be decided in the final round.

'Hendo is starting to go hunting now,' Stann said.

In the last round of a career that began in 1997, Henderson went for broke to win a UFC world title on his third attempt. He threw more strikes in the first minute than in any of the previous three rounds. His best was a right hand to the left side of my head that, quite honestly, I didn't see until I watched the fight back days later. I adjusted my stance so I could peer out of the cracks of my eyes. Hendo threw another big right, I saw it, side-stepped, and landed a big hook and then a kick to the ribs that made him exhale hard. I kicked his guts again. I stuck an arrow of a right cross in him. Then a left hook.

Henderson looked up at the clock on the giant screens, calculating, no doubt, when to throw what he had left into the fight. I landed a right uppercut. Henderson caught me again on the eye with a solid punch. With 1:45 left on the clock, Henderson shot for a takedown. We scrambled and he ended up with a half-nelson, pressing me against the cage. I popped out and, by the way his outline swayed and staggered, I could tell Henderson's reserves were gone. With my opponent virtually stationary, I threw and landed a flying knee strike that struck the chin. The fight ended seconds later.

I was confident I'd won. I'd been the aggressor for 23 minutes of the 25-minute fight; I'd landed over 40 more significant strikes. The scores were read out: '49–46 ... 49–48 ... and 49–48 ... declaring the winner ... AND STILL ... !'

During the walk-outs half an hour before, the British fans had done what they felt they had a duty to do – boo Dan Henderson. Afterwards, though, with Henderson confirming his all-time-great career was over, the Brits saluted him.

'Give it up for Dan Henderson,' I encouraged them. 'He just kicked my ass, man. Dan, good job. He's tough as old boots. You've gotta respect a legend.'

The fans responded with a resounding chant of 'Hendo! Hendo! Hendo!'

Fight-day nerves aside, I'd long since gotten over *UFC 100*. In fact, without that 2009 result, I might not have developed into the fighter that beat Anderson Silva and won the world title. I wouldn't change a thing about that first Dan Henderson fight but, when fans in the future look at my record, they'll see I won the rematch.

Backstage, the UFC medical staff only approached me once about going to the hospital before calling in reinforcements. This time they went to get the big guns, my manager Audie and Dana. They were both waiting for me in my dressing room after I'd showered and put on my clothes. I don't think they saw that I needed Daz to help me in and out of the shower due to my entombed eyeballs, but they could have been right there the whole time for all I could see.

'You need to go to the hospital, Mike,' Dana said.

'Nah, I'm good. I'm good, Dana.'

'You don't fucking look good,' Dana shot back. 'You need to go to the hospital to get that eye checked out.'

*My eye getting checked is exactly why I'm not going to the hospital*, I thought.

'Nah, I'm fine,' I said.

'You know, I fucking care about you,' Dana said. 'You need to get the eye looked at and an MRI done. That was a crazy fight. You took a lot of big shots. You are going to the hospital.'

It wasn't a suggestion.

Then Audie tagged in, 'You need to go to the hospital tonight, Mike. You aren't going to the post-fight, you are going to get looked at now.'

So, I climbed into the waiting ambulance and was driven to Manchester Royal Infirmary for an MRI. I was as abrupt and uncommunicative as possible ('No pain', 'No headache', 'I'm fine', 'Are we done?') and left as soon as the MRI scan came back clear.

My after-party began in my suite as the first rays of sunlight slithered through Manchester's grey clouds. My team was there, I had my friends from the US and the UK there and, extra special to me, my big brother Konrad had come to the fight and stayed with me all night.

We were buzzing with energy and we had a great time all day. In the early evening we went out for something to eat at a nice restaurant. I apologised and explained to everyone in there – the waitress, the staff and the other guests – that despite my appearance I wasn't on the run from a rival street gang.

We had a great day. I finally went to sleep around midnight.

I was still peering over and under black bruises on Monday morning. I knocked my aftershave over when I reached to turn the light on in the bathroom. My face had a shade of black-purple I'd never seen before. I moved closer to the mirror. I was swollen and technicoloured. I grabbed a bottle of water and got back into bed.

Outside, it was around 9:30am. Already, I knew, middleweight contenders had tweeted challenges at me, and their managers were machine-gunning texts to new UFC middleweight matchmaker Mick Maynard. Before I wrestled myself back to sleep I ran the tips of my fingers around my head, ribs and forearms. Every inch felt like Braille, telling me a story I already knew: my time as a UFC fighter was almost over.

The Dan Henderson win wasn't supposed to be the last time I competed in Great Britain. I always wanted my final fight to be in the UK. That was the plan for years and years. In my mind's eye I saw myself – sweaty but hopefully not too bloody and having spent every last effort to win – taking the microphone after the fight. I would say thank you to the British fans. I'd try and articulate how grateful I was.

But I didn't get to do that, and so I'll write down here what I would have tried to have said in the arena *if* I could have got through it without choking up.

> Believe me – I never, ever, took your support for granted.
>
> More than anyone outside my family, there's no one I wanted to make proud more than the British fans. Early on in my career there were times I experienced this as pressure. Pressure to perform, pressure to win, pressure to send you home happy. Quickly, though, it wasn't pressure, it was support.

There's no doubt in my mind I achieved more because I had that support. At the elite level of MMA, every extra percentage of energy, confidence and will makes a difference. When I walked out in Manchester following *UFC 100*, when my toe was hanging off in Scotland, at the start of the fourth round against Anderson Silva in London, during the fight with Dan Henderson in Manchester, you made a difference.

When I climbed into the Octagon on British soil, I was invincible.

Bringing the UFC world championship home to Great Britain was the honour of my life. I'll never forget the support you gave me as long as I live.

Now, there's a new generation of British mixed martial artists coming through. Support them like you supported me and – believe you me – there will be more British UFC title challengers. There will be more British UFC *champions.*

From the bottom of my heart, thank you.

## CHAPTER TWENTY

# THE FINAL COUNTDOWN

The surgeon wanted to weld a metal rivet into my face.

I was back in California, getting the bruise under my left eye checked out. Turned out Henderson's big punch (or maybe big elbow) in the first round had separated the zygomatic arch and maxillary, the two bones that join together to form the underside of the orbital socket. That's why my left eye had swelled up so nastily, the doctor told me.

The bones had already knitted back together, and a metal plate under my good eye sounded like another athletic commission licensing nightmare. So, after getting assurances the fracture would quickly heal on its own, I demurred.

Besides, my most pressing medical concern wasn't my fractured face … it wasn't the stinger I'd first suffered training for Brian Stann years before (which had gotten so bad my right shoulder, biceps and triceps were atrophying) … it wasn't even my right eye.

No, my biggest concern was always with injuries that could physically stop me from training and fighting and, at that moment, my left knee was pretty close to doing just that. The same kind of calcified floaters that had caused my elbow to lock out were causing my knee to lock in place periodically.

If I was going to have any operation done, it was to fix my knee. I was looking at getting the procedure done in November 2016. I was done fighting for the year – or was I?

My flight to Dubai had reached the halfway point over the Atlantic. The cabin had been blacked out for the night and I'd just finished watching a movie. The main source of light in the business-class cabin was the white glow from the dozens of television screens which hung silently in front of my fellow passengers' sleeping faces. I couldn't rest, though. My left knee had locked up in exactly the same way my elbow had two years before. Twice on the flight, I had to dig my fingertips into the joint and root out the calcified shards. It bloody hurt.

I ordered another glass of wine and began searching for a second movie to watch when my phone buzzed with an SMS.

It was Dana and the text conversation went like this:

> Dana: Call me.
> Me: I'm on a flight to Dubai. What's up?
> Dana: U healthy?
> Me: Problem?
> Dana: Are you healthy/healed up?
> Me: Yeah, healthy as fuck. All healed and pretty. Why?
> Dana: Keep between u and me and don't EVER say I don't love u!! I don't have deal done yet but U vs GSP in Toronto Main Event!!! If I can get this done are u in?

A fight with Georges St-Pierre! I'd paid little attention to the rumours that 'GSP' – who for years was neck and neck on the pound-for-pound list with Anderson Silva but a much bigger box-office draw – was close to breaking his three-year sabbatical from the sport he'd once dominated. The two-time welterweight champion had vacated his crown in November 2013, saying he needed time away from the grind of defending his title. He'd remained a martial arts fanatic, though, and never stopped training. Now he wanted to come back and become one of the very few fighters to win UFC titles in two separate divisions.

Beating Anderson Silva and GSP would be like having wins over both Floyd Mayweather and Manny Pacquiao on your record. Plus, I understood immediately my cut of pay-per-view revenue would be double, no, triple the biggest payday of my career.

It took me a moment of just sitting there in my half-reclined seat before I could take it all in.

I texted back:

> I'm healthy enough to beat Georges. I'm in!

My trip to Dubai was in and out, very short, to open a UFC Gym there. My mobile phone couldn't dial out while I was there but, as you can imagine, I was texting Dana every day for updates. There weren't any, nor when I called the day after I returned from the Middle East.

Whatever the hold-up was, I had to move forward as if the fight was happening. There were barely seven weeks until the mooted Toronto date, so I worked with Jason and Brady to put together a tight, intense camp heavily focused on countering GSP's formidable takedowns. I continued to either speak or text with Dana every day – until the day he texted me: 'IT'S OFF'.

Apparently, the UFC and the former champion had not reached an agreement. GSP was remaining retired and I'd got excited for nothing.

It would have been for the best if I'd had the knee surgery as soon as I got the news St-Pierre wasn't coming back, but there was a constant stream of rumours and chatter from people close to the former pound-for-pounder, so I held off over Christmas, just in case the GSP fight suddenly reappeared. It didn't, so I had the surgery in January.

In February, Dana contacted me saying the UFC and St-Pierre were having productive talks again.

'He's in on fighting you,' the UFC president told me. 'We got some stuff to figure out, but you are the fight he wants.'

St-Pierre, I was sure, had hand-picked me as his comeback opponent for two reasons. First, I had the middleweight belt. Second, he'd outwrestled me when we'd trained together all those years ago, before I'd won *TUF 3*.

I was confident for the opposite reason. I knew there was a world of difference between the wide-eyed kid he'd out-grappled at that UFC HQ basement gym in Las Vegas and the fighter I had become. A career of difference. A world *championship* of difference.

I still laugh at how dismayed poor Georges was when I showed up late to our mid-morning press conference in Las Vegas, 3 March 2017, hoarse and a little worse for wear.

'My God, Biz-ping! My God!' he gasped with that accent that literally everyone on earth can do a spot-on impression of. 'What haz 'appened to you? Biz-ping – what haz 'appened? Are you en-tock-zeek-ated?'

'I am en-tock-zeek-ated,' I admitted with zero shame. 'I'm English; I'm in Las Vegas so I went out and had a good time last night. It's not like I have a date to train for ... when is the fight, Georges?'

Georges didn't say. In what I think was a first for the UFC, we were there to announce a fight would happen – but couldn't inform the public as to where or when. I heard rumours as to what the delay was – everything from GSP having an issue with his eyes (which, obviously, I didn't have much sympathy with) to disagreements between the UFC and Georges over everything from money to where and when the fight would take place.

It could well have been a combination of all those things – I didn't care. I just needed a date to aim for. If it was going to be in the next three/four months, I needed to begin organising a training camp and sparring partners. If the fight was five months or more away, I wanted to know now.

But – even after we'd announced the fight, done a press conference and squared up in front of the MMA media's cameras – no confirmation of any date came.

It was frustrating for me and the UFC. A couple of months after the face-to-face press conference in Vegas, Dana announced that whenever St-Pierre felt ready to commit to an actual date for his big return, he would be fighting for his old welterweight title, held by Tyron Woodley.

'The shot at the middleweight title has sailed,' he informed the media.

Obviously, I was pissed off. Twice now I'd had this massive, career-best-and-then-some payday dangled in front of me only for it not to happen. And yet, St-Pierre himself continued to indicate it was me he wanted to fight and no one else. I remained quietly confident the fight would happen eventually.

I underwent a second knee operation in early summer. Dr Steve A. Mora, who'd done all my orthopaedic surgeries, told me the prognosis wasn't terrible. The floating bodies had done a little damage before he'd removed them in January. In layman's terms, my knee was no longer able to lubricate itself and friction within the joint was causing the swelling. The treatment was to inject fatty tissue, removed from my mid-section, into the knee to prevent further friction.

It was a relatively minor procedure and the recovery time was only a few weeks. Only, I left for Thailand to film the movie *Triple Threat* two days later. As you can imagine with a film featuring martial arts movie heroes like Scott Adkins and Michael Jai White, *Triple Threat* called for a lot of fighting, jumping off things and running. Every evening I'd get back to my hotel room with my left knee twice the size of my right.

One evening I was sat in my room icing the knee when Dana called. He wanted me to defend the belt in early July at *UFC 213* at the big annual International Fight Week event.

'I'll text you a picture why I can't,' I said, 'I'm sorry.'

Dana saw what I meant. He called back a few days later and said he planned on moving ahead with the two leading 185lb contenders, Yoel Romero and Robert Whittaker, fighting each other at *UFC 213.* He told me the plan included awarding the winner an 'interim UFC middleweight title' and asked me if I was okay with that.

'It seems a little unnecessary to me, I defended the title six months ago,' I shrugged, 'but I appreciate you asking. I don't care either way, to be honest. Neither of them has headlined a big card before so if we can bill my fight with the winner as a "champion versus champion" fight, and maybe sell a few more pay-per-views as a result, fuck it, I'm good with it.'

Dana told me he wanted me there for the fight and to keep him posted with how my knee was doing.

The plan for the middleweight title for the rest of the year was for me and the winner of the 8 July Whittaker/Romero fight to coach *The Ultimate Fighter*, season 26, opposite each other and then fight in November or December.

In Dana's dressing room before the fights began at *UFC 213: Whittaker vs Romero* I sat down with him and Hunter Campbell, the UFC's chief legal officer, and Craig Piligian to negotiate my fee for doing *TUF*. I wasn't unreasonable, but I pointed out this would be the third time I'd coached the series, that I was now the world champion and, most importantly, I'd developed my television and film career to the point where me filming for two consecutive months for any show had to require compensation.

We hashed out a deal and, with that done, I took my Octagonside seat next to Dana for Whittaker vs Romero. The lights went out inside the brand-new T-Mobile Arena and the giant screens began blaring the pre-fight promo.

Dana leaned in. 'Who you got?' he said.

'Probably Romero early or Whittaker late,' I shouted over the in-arena music. 'Romero would be better for me, though. He gases. Plus, there's some needle there for *TUF*.'

The fight was one of the best of 2017, with Whittaker sweeping the last three rounds to win on points. I knew the Australian had a quieter personality so I went into the Octagon to ignite Bisping vs Whittaker in the fans' imaginations. I took a replica UFC title belt with me and threw it down at Whittaker's feet, telling him to pick that one up, too. My point was there were plenty of belts with 'U-F-C' written on them – but no matter how many he had, he still wouldn't be the champion.

'See you in a few days,' I told Dana. I went home and spent some time with the family, waiting for the call that my return flight to the Fight Capital of the World had been booked.

Monday came. Then it went.

Tuesday, came. Then it went, too.

On Wednesday afternoon, I called Dana.

'*TUF*'s not happening,' he said. 'We had to go with two other coaches.'

Dana explained the new 'interim' champion had torn the medial ligament in his knee fighting Romero. I'd flown to Vegas the week before to see if I'd be fighting Romero or Whittaker; with one beaten and the winner injured, I'd be fighting neither.

With the 'interim champion', aka No.1 contender, Whittaker out, there didn't seem to be a natural match for me for my second title defence. There certainly wasn't one that would do even one quarter of the PPV buys that the GSP fight would generate nor, with respect to the available opposition, mean half as much on my record as the former two-time UFC champion.

The rest of the middleweight Top 5 were all coming off losses; No.2 Romero of course had lost to one-legged Whittaker, No.3 Rockhold hadn't fought since I'd KO'd him, No.4 Souza had been KO'd by Whittaker and Weidman had been stopped in his last three fights in a row.

These were the fighters – along with their financial dependants – who fertilised Twitter with a blizzard of bullshit. 'Bisping's ducking me,' they blarted; 'Bisping's hand-picking challengers,' they moaned.

Well, I'd fought Rashad Evans on six weeks notice, and Vitor Belfort on super-unleaded in his home town. I'd faced Dan Henderson in America during the 4th of July weekend, I fought Chael Sonnen on one week's notice and I beat Anderson Silva. I did all of this – just to earn a last-minute title shot.

So, forgive me if I was indifferent to these entitled demands from contenders who couldn't string two wins together.

I had to fight someone, though, and of the possible challengers I figured I'd get either Romero, the rubber match with Rockhold or maybe the rematch with Anderson (who was at least coming off a win). I was wrong on all three.

The call from Dana came just before 11pm on 29 July. That night's *UFC 214* hadn't been off the air for even an hour. Dana was still in his dressing room/office at the Honda Center in Anaheim, California.

'You and GSP, one hundred per cent, November four, Madison Square Garden,' he said. 'You in?'

I knew what had happened. Tyson Woodley's successful defence of the UFC welterweight title vs Demian Maia earlier that night, while one-sided, had been far from a classic. It was the second straight fight where the UFC president had been displeased with Tyron's performance as champion.

'You in?' Dana repeated.

There was no point playing hard to get – of course I still wanted the fight. And competing at the iconic Madison Square Garden on New York's 7th Avenue, where so many legendary boxing matches had taken place, was appealing as well.

But I still turned the fight down.

Booking a fight under the administration of the New York State Athletic Commission would be the end of my career. I was sure of it.

The NYSAC had a reputation for applying its own rules unevenly. During *UFC 205* the previous year, the regulator refused Rashad Evans a licence due to an 'irregularity' that no other commission – before or since – had found.

It also refused to license a female fighter the same day, waiting until the actual weigh-in to inform her that, due to her breast implants of all things, it was too dangerous for her to compete. All this was made public, needlessly embarrassing the athlete, only for the NYSAC to change its mind and allow her to fight anyway.

If the NYSAC thought boobs too dangerous, I could only imagine what it would make of my right eye – especially as it was about to settle a lawsuit for gross negligence to a boxer named Magomed Abdusalamov for $22million.

'I don't want to fight in New York,' I told Dana plainly. 'Can't we do it in December in Vegas?'

'No,' Dana said. 'I need GSP for Madison Square Garden.'

'Can't do it,' I said.

Dana asked if I was sure. I went radio silent on him for a second.

*I've rolled the dice on my eye situation this long*, I said to myself. *This fight is the biggest purse of my career. It's worth rolling the dice for again, isn't it?*

'This GSP fight will definitely happen this time?' I asked.

'If you are in, I'm going to walk into the press conference here at the arena in five minutes and announce it,' came the answer.

Five minutes later, Dana did just that.

'I know Michael Bisping will fight,' the promoter told the assembled media. 'I know Bisping will show up, and he will fight. No doubt about it.'

'You told us that ship had sailed,' a reporter pointed out.

'It sailed right back.'

Now we had a location and a date – MSG in New York City, 4 November 2017 – it was time to promote the fight with a series of interviews and appearances across the US and Canada.

Georges St-Pierre was the guy I'd thanked on live TV when I won my very first fight in the UFC, all those years ago in Vegas vs Josh Haynes. If you don't respect GSP as a fighter, you don't like mixed martial arts; if you don't respect him as a person, you don't like people.

But I had a fight to promote, an opponent to unsettle and, to be honest, a lot of talking about the exact same thing that I needed to get through without sounding bored out of my mind. St-Pierre is cerebral and calculating, a difficult man to get an emotional response out of. The Canadian has heard it all during his 15-year career; between them, GSP's former opponents Matt Serra, Dan Hardy, Josh Koscheck and Nick Diaz called him every name under the sun, questioned his manhood, insulted his country, his accent – none of it worked. St-Pierre never seemed to anger; and come the first round he was never emotional.

The only subject that elicited uncontained passion from the man from the Great White North was palaeontology, the study of dinosaurs. What the hell could I do with that? Tell him he has the reach disadvantage of a T-Rex? That brontosauruses aren't real? That a triceratops couldn't hack it during the USADA era?

St-Pierre steadfastly refused to return fire whenever I trolled him at press engagements and laughed with genuine amusement when I ribbed him. Nothing I said particularly fazed him – until mid-October. Following a press conference at the Hockey Hall of Fame in Toronto, Canada, Georges was standing among the exhibits of Wayne Gretzky and, y'know, other people who were good at ice hockey. He had some of his team around him and there were UFC PR staff dotted around. Georges was in the process of signing autographs for a couple of hockey moms – and I spied a camera guy who I knew worked for news website TMZ was filming him.

I turned to Jason and said, 'Let's go sell some pay-per-views.'

One hundred per cent playing the character of 'Michael Bisping, MMA villain', I stormed up to St-Pierre yelling, 'Hey, Georges! Georges! Keep your fucking hands to yourself! If you put your hands on a man – that means you got a fucking problem. I will knock you the fuck out right now!'

Jason played his part, too, halting my momentum exactly in front of the TMZ camera. The alarmed UFC staff also stepped between me and Georges, as I wanted them to.

'Keep your hands to your fucking self!' I continued.

'You put your hands on me,' GSP said as his confusion gave way to anger. 'Fuck off, man! Fuck off!'

I revved it up some more, pointing my finger in his face as I cursed at him.

'Don't touch me!' he said. 'Don't touch me! Fuck off, man!'

Job done, I turned and walked away. As I did, I offered this advice to the most professional and composed athlete in the sport: 'Learn to control yourself, Georges!'

TMZ captured the whole thing – including the aftermath. After I left, Georges turned to the hockey moms – and the young lad who'd stood there during the blitzkrieg of f-bombs – and tried to continue his autograph signing. The kid ran off in tears.

The video was posted on TMZ and got over a million views that day alone. Like I said, job done.

I had to let Georges in on the act later that day. While waiting to appear live on Rogers Sportsnet (kinda like the Sky Sports News of Canada) at their studio, I went to the bathroom and found myself standing next to my opponent while having a slash.

It was a small staff bathroom, with only three stalls and two urinals, side by side, next to the twin sinks. I didn't even know it was GSP I was stood next to until the UFC camera crew came bursting in the door.

'Hey – get out!' I said.

GSP chuckled.

'Oh, hello,' I laughed.

If you are a guy reading this, you know that when you are using a urinal next to another dude, you stare at the wall. So there's me and Georges St-Pierre stood shoulder to shoulder, our eyes locked dead ahead, taking a leak. We'd both obviously drunk a lot of water that day, because we were stood there for what seemed like a while.

'So,' Georges broke the silence, 'you've got a Range Rover?'

He'd obviously been watching my video blogs.

'Yeah,' I answered, 'but it's in the shop right now.'

'Oh those things mal-funct-ion all the time, man,' the former two-time UFC welterweight champion lamented. 'I had one. You gotta get rid of dat, man.'

I thanked him for the advice. We both zipped up and moved on to the sinks to wash our hands.

'Alright, buddy, let's get back into character.' I made an exaggerated 'mean face' to Georges and went back to my green room.

Twenty minutes after that, we were on set and live on air, and I was back to eviscerating him.

Despite creeping into my late thirties and despite my body constantly reminding me I was fighting on borrowed time, I was in the form of my life. I was riding a personal best streak of five consecutive wins in the UFC. I felt I had the beating of everyone in my division.

Jason had trained me for ten fights now and had unpicked all the psychological locks that had been holding back my full talent. The anger-induced swagger had been replaced by genuine confidence that, whoever I fought, whatever situation I found myself in, I had more than enough skill, experience and willpower to prevail.

The camp for the GSP fight went fantastically. I felt like I could drag more oxygen than ever into my lungs. I wore muscles tighter around my arms, shoulders and chest. My thighs were powerful and my punching power had increased again.

I've been told more than once that you're not really supposed to talk about what happens in sparring – or the BJJ equivalent 'tap and tell' – so you'll have to take my word for it that I was dropping UFC and Bellator fighters left and right. I felt like I had before the Anderson fight; more than a match for one of the all-time greats.

We were using a ton of training partners and the RVCA gym was packed. The sponsors wanted to take advantage of the visual and shoot footage for an upcoming campaign, so, eight days from the fight, we had a camera crew filming us.

Former *TUF 9* Team UK member Dean Amasinger was part of the GSP fight preparation too. Dean had retired from active competition in 2015 and was transitioning into coaching; he offered his services as a training partner and I was happy to have him around.

Unfortunately, in the last day of sparring he shot for a takedown and his full weight crashed through his shoulder into my ribs.

There was a searing, tearing sensation I'd never felt before and I knew immediately I was injured. I screamed – not in pain – but in frustration. The best camp of my life for the biggest fight of my life ... and I'd been injured with a week to go.

An X-ray showed that it wasn't broken but the cartilage had been shorn off. It was extremely painful and would need a while to heal.

There was no way I was pulling out of the fight, though. This fight had been on and off for almost a year now, I'd turned down opportunities outside of the Octagon to ensure I was available to make this happen and – bottom line – I'd gone through too much for too long for this fight not to happen now.

One of my friends from California, a medical practitioner, suggested I take an injection of lidocaine just before the fight to reduce the pain and allow me full movement. I initially said no, but I triple-checked and lidocaine was not on the ten-page-long USADA list of banned substances.

'Okay, then, let's do that,' I said once I was satisfied.

But it wasn't so simple.

The best advice I could find was that while taking lidocaine before a fight was perfectly fine, if I wrote down I had injured ribs during the pre-fight medical at the weigh-in at New York, there was every chance the NYSAC would pull me from the event.

'Okay, I'll take the injection in my hotel room, before I leave for the arena,' I said.

Nope, that wouldn't work either.

'Lidocaine only lasts for a very short period,' I was told. 'We're talking twenty minutes to an hour. With your body working so hard in the fight, the effects will be gone sooner than that but, by then, the adrenaline released in the fight will take over and you won't need the lidocaine.'

'There's no way I can take a doctor into the dressing room with me,' I said. 'The Commission will obviously ask me what I'm taking and a whole can of worms will be opened just minutes before my fight. New York has already kicked off about licensing me about my eye ... I think if I go to them with a rib injury on top of that they'll cancel the fight there and then.'

So, a crazy plan was formulated ...

'Remember,' my medical friend said, 'if you get this wrong you'll puncture your lung.'

Worries about the rib injury were stacked on top of months of worrying about the NYSAC refusing to license me over my right eye.

Before applying, I underwent a one-hour operation to remove the plastic drain I'd worn on my eyeball for over four years. The drain had become preventative by that point and, although I'd had it in for my previous eight fights, I wanted to do all I could to ensure the Commission licensed me.

I'd initially provided them with, literally, an inch-thick file of scans, test results and a letter explaining it all from my eye doctor, who also noted that I have a 'heavy-set brow and recessed globes', which gave my eyes further protection. (Rebecca found this part absolutely hysterical. 'See? See!' she squealed. 'I always said you look like a caveman!')

That wasn't enough. The NYSAC had their own eye expert, they noted, and he disagreed with my doctor.

The people now in charge of the Commission were clearly – and understandably – extremely cautious out of concern of another multi-million-dollar lawsuit.

The NYSAC offered a way forward. If I signed a disclaimer stating that I would not bring any lawsuit against them in relation to my eyes, they would license me to compete at *UFC 217* on 4 November.

Madison Square Garden, located in 7th Avenue, Manhattan, is about as American as sports venues get. Although to a Brit, some of the history doesn't translate, to an American fight fan 'The Garden' conjures up a lineage that stretches all the way to Rocky Marciano in the 40s, Joe Louis in the 30s and even Jack Dempsey in the 20s.

Three UFC titles were on the line on that freezing November night and the limos and Uber XLs were pulling up three-deep alongside the iconic marquee on 7th Avenue.

The Garden is also known as the Mecca of basketball, with the NY Knicks calling MSG home since its current incarnation opened in 1968. And it was into the Knicks' recently refurbished locker room that I was directed when my team and I arrived at the fight venue a little after 9pm local time. The Knicks logo blazed up from the thick carpet, which itself was a cool blue contrast to the redwood and shining brass horseshoe of open 'lockers' that dominated the room.

The room was surprisingly small for the dressing room of a team of 6ft 7in basketballers. But there was more than enough room for myself, my team and Rose Namajunas and her crew. 'Thug Rose', an introverted 24-year-old outside the Octagon and a stone-cold executioner inside it, would be challenging Joanna Jedrzejczyk for the women's strawweight title on the card.

When the knock on the door came for Rose, I got ready to put my crazy plan into action. It was time.

Time to root the wrapped towel out of my bag and carry it to an empty stall in the bathroom; time to set my phone down on top of the toilet tank cover and, after hopefully getting three bars or more, calling my medical-expert friend on Facetime. And if that went well, it would be time to carefully unroll the towel and take out the two-inch syringe containing lidocaine and, with my digital medical assistant giving step-by-step instructions in real time, it would be time to inject myself in the ribcage in exactly the right spot to numb my injury but not puncture my left lung.

Eyeing my blue gym bag with the towel and syringe in it, I waited for my moment. But Commission members were in and out of the room. Then Big John McCarthy came in to give his instructions for the main event. A UFC camera crew wanted to know when they could film me warming up. A Reebok rep checked to see if all the kit was good. Then Rose came back – having won the title with a first-round KO.

*This is lunacy!* I thought. *My ribs will just have to hurt.* The stress of finding a window to go and take an online anatomy class, involving injecting myself in the toilets, was somewhat distracting me from preparing for my world title defence. If only I'd been as familiar with needles as Vitor Belfort.

I grabbed the blue gym bag and put it in the locker.

St-Pierre was two years younger than me and, as a result of his vigilant fighting style as much as his sabbatical from the sport, he had far fewer miles on the clock. While I am two inches taller than the Canadian, I never expected to have a size advantage in the Octagon; Georges is an incredible athlete with a deceptively large frame. His back, biceps and shoulders looked very large and his arms and legs were longer than mine too.

The 18,201 fans enjoyed booing me in the way they'd boo a pantomime villain or a pro-wrestling heel. They had a black hat to boo and a vanilla hat to cheer.

Both Georges and I understood what a victory against the other would cost. We bumped fists twice during referee Big John McCarthy's instructions.

Any thought of my rib injury melted away at the start of the fight. St-Pierre was circling constantly in the early going; clockwise and then counterclockwise and then back the other way, keeping the fight at jabbing distance. GSP had beaten some very good fighters for five rounds apiece purely with his jab. I lamented that my own jab was a relic of what it had been before the eye injury.

Georges threw a big left hook – the first of many – two minutes in. I didn't see the fist flying towards my right temple but I saw the way his feet, legs and trunk had moved and I sensed the punch. He hit nothing but air and I landed a one-two while he was still open.

A jab bit into my nose. I nodded to my opponent. That was a well-timed one. So was the right cross he stuck in my left ear. For a guy who'd not fought officially for four years GSP had started very sharply – which I expected – and was using striking rather than wrestling – which I had not anticipated.

He landed another solid jab. I clipped him with a right hook. With one minute to go he shot his first takedown. It was a single-leg near the cage that had me sitting on my arse, my back against the fence. Georges held on to my left leg and didn't move for several moments. I looked up at Big John and gestured for him to instruct my opponent to try to advance his position; when he did I posted off my right and regained my feet.

I was overthinking; my conscious mind was struggling to let my instincts take over and guide my actions in the fight.

We both fell short with a handful of punches each – then just as I was at the absolute apex of changing my weight to step to the left, Georges flew forward with a Superman jab. Because he'd timed it so exactly with the movement of my feet, the force of the blow knocked me backwards as I regained my balance. The timing of the punch couldn't have been more precise even with the use of an atomic clock. The crowd leapt to their feet cheering – then a spinning wheel kick bounced off the top of my head seconds before the round ended.

'I tell you what,' Rogan explained on commentary. 'GSP might have been lying – he might be even better. He might be better!'

No question, round one was a wash. Jason told me not to load up on my punches so much.

Round one was cut adrift in my mind. I started the fight from scratch in round two.

GSP came out kicking. He threw a side kick, a push kick, a leg kick. None landed but they were delivered with such crisp perfectionism the three judges would have been impressed nevertheless. He then threw a left hook, but this time did a better job of disguising it. I had to change the direction of the fight. I used the stutter-step left high kick that had worked so well on Henderson. St-Pierre skipped forward and pushed me back with a side kick to the body. He again threw a leaping left hook in an arc so wide there was no doubt now that he was looking to take advantage of my diminished eyesight on that side.

Rogan spotted it, too. 'Georges is really threatening with that left hook,' he informed the huge PPV audience. 'He's throwing it so wide it's insane. Michael's got to be careful about that.'

Georges has very few 'tells' in his game, but I had picked up when he was going to throw a leg kick. I was setting him up for one and, instead of moving to check it, I stepped and threw a right hand down the pipe. It detonated right on his jaw. Georges was hurt, big time. His features went blank and I knew he'd seen that white flash behind his eyes. I was taking over. Georges stayed closer to me, which brought my jab into the fight. At this range, where the need for depth perception was less pronounced, I could jab with him on even terms. I could see he was open for the right, and I landed another huge cross that rocked him to his heels.

With the fight moving away from him, Georges shot for the takedown. His level changes weren't particularly fast but he disguised his intentions very well. I scrambled and regained my balance, only for 'Rush' to pull at my shorts for illegal leverage so hard my left butt-cheek was exposed in the World's Most Famous Arena. It was the most aggressive pulling down of MMA shorts this side of Vitor Belfort's TRT clique.

'Don't hold on the shorts!' the ref told GSP, but the advantage had been taken. I was down, with GSP on top in half-guard. This was exactly where I didn't want to be. I clipped him with pushes to the ears, trying to distract him from working. I allowed my left arm to linger as I drew it back and forth towards his head – Georges took the bait. He whipped his left arm from round the back of my head and went for a keylock. As he moved, I shot my arm under him and created enough space for me to plant my feet and power up into a standing position.

Seconds after the stand-up battle resumed, I cracked him with a lead right hand. I could feel my groin protector moving around for some reason; it was a distraction I could have done without while matching wits with the most cerebral tactician in the game.

His jab was still effective but I was landing with increasing regularity now. I timed another low kick and landed a left hook.

I timed – and caught – another kick, sending Georges sprawling backwards to the fence. We exchanged jabs and I heard my corner shouting, 'He's feeling it, Mikey!' I landed the left kick to the head again, this time he barely got a hand up to block any of it. St-Pierre looked tired and I was chasing him now. I feinted with a jab and then a kick so I could land the right hand on his temple.

The horn ended a much better round for me. 'Your round!' Jason said. We'd both landed 17 shots, but I'd landed with the heavier artillery. I asked my corner to take a look at my cup. The challenger had pulled so hard on my shorts that he'd snapped the lacing which held my groin protector up. I always wore metal Muay Thai cups because they gave better protection, but now it wasn't tied in place the extra weight made the thing move around inside my shorts.

I expected the takedown to come at the start of the third round but, despite my best efforts, St-Pierre ended up in my full guard. Again, this was not where I wanted to be but I landed a solid right fist to his jaw from the bottom. Then an elbow strike cut St-Pierre's forehead wide open and another right opened the cut on his nose further. GSP tried to change position, posture up, and get his ground and pound working, but I realised I was giving far more than I got from the bottom. I was content with the rate of exchange; I would stay there slicing his face with elbows until St-Pierre gave me an opening to get up.

Georges threw everything he had into two elbows; one of them caught me above the hairline. He punched me in the body. Two more elbows from me tore at his eyebrows. He was bleeding all over me now. He pressed his face against my stomach, hiding his cuts from my elbows. For the third time in as many fights, my body and trunks were covered in blood. This time, though, it wasn't my own. While St-Pierre was so distracted by his bleeding I drew my soles to his hips and thrusted him off of me. The fight was back on the feet.

There was a cut on the bridge of his nose, too. He dabbed away at his eyes with his fingertips. Blood, I saw, was flowing into the challenger's eyes. I knew the feeling. I landed a big right hand. He landed one of his own. He landed an inside leg kick. I waited for another, it came, and I threw the right. GSP ducked under it and – BANG!

I was on the floor. It must have been a left hook. Didn't see it. He was in my guard. Much higher than before. Boom! A left elbow I didn't see. Boom! Another. Boom! Another. Another. Another. Another. A punch. Another punch. Elbow! My head was against the cage. I turned my body to the left. He was still hitting me. I turned right. I found a little space and tried to get up. He had my back. His hooks shot in. I couldn't turn. Rear naked choke. I fought his forearms. His squeeze was very tight. My brain was starving for oxygen. My thinking went fuzzy. I pulled at his arms but I couldn't escape. I wouldn't tap. I'd worked too hard for this title. Everything went fuzzy, then black …

…

…

…

… three men were kneeling over me. Their faces too close, their voices not close enough. One of them was John McCarthy. His big shoulders were blocking whatever was happening behind him. An instant later I knew what was happening behind me.

Georges St-Pierre was celebrating his win.

I'd lost.

The title was gone.

'Rear naked choke' is a misnomer. The technique doesn't work by obstructing the windpipe to stop you from breathing; it works by compressing the carotid arteries and jugular veins, limiting the blood flow to the brain and causing a temporary cerebral ischemia. In other words, you pass out.

It's not uncommon to wake up feeling confused, but I was fully aware of my surroundings even as I lay on the canvas. Georges walked over and helped me to my feet.

'It could have gone the other way, Michael,' the new UFC middleweight champion said.

On *The Joe Rogan Experience* six months later, GSP confirmed that he and his team had made good use of the worst-kept secret in the sport.

'The thing with Michael is he'd adjusted very well to this [eye issue], he adjusted so he kept me in his line of sight [with the good eye] all the time. So I had to wait for him to commit with the right hand, so he moved his line of sight to the left, before I could come over the top with the left hook. It was always when he missed the right hand he could be caught with that left hook.'

St-Pierre added: 'Bisping is a great example of hard work, perseverance and that anything is possible if you are courageous and don't give up. He is a tremendous fighter and great role model for the sport.'

Funny, that's exactly what I think of Georges St-Pierre. He is the man, someone you can point to as a role model in the sport; a champion who left the sport richer than he found it.

I hated losing my title. I'd given a decade of my life, months on end away from my family, my right eye and paid a butcher's bill of body parts to get that belt. I never wanted to lose that. But, it didn't cut me to the bone to have lost it to Georges, a clean fighter and one of the very best mixed martial artists of all time.

'How you doing, Dad?' Callum asked as he folded his long legs under the chair next to mine.

Rebecca had brought our two eldest kids into my dressing room (Lucas was still too young to come and was at home with his grandparents).

'Yeah, I'm okay,' I answered truthfully. 'I thought I had him in the second but, y'know, he's one of the best and he caught me. It's okay. You can't win them all.'

Ellie sat down on the other side of me. 'You definitely hurt him in round two,' she said, 'you were doing great.'

The conversation was upbeat. I'd shown my kids over the years that in any competition where there's a winner, there must be a loser. And while it's okay to be disappointed with a loss or setback, you don't get dejected.

'It's a sport,' I told the media at the post-fight press conference twenty minutes later. 'In sport, one side wins and one side loses. Tonight, Georges was the better man and he beat me fair and square. He caught me with a good shot, put me down and I remember trying to fight his hands in the choke but he was very strong. All those push-ups and protein shakes paid off for him, and good for him.

'What's next? I dunno. I feel like I can go again right now. I've no injuries at all. I feel great. I don't think this is the last you'll be seeing of me.'

## CHAPTER TWENTY-ONE

# ANYTHING'S POSSIBLE

The Friday after the fight in New York Ellie and Cal were back in school and I was driving myself, Rebecca and her parents to the Filling Station, my usual brunch location in Orange County. I'd missed the turkey chilli cheese omelettes.

The news from Las Vegas was the pay-per-view number for *UFC 217* was very good. Of course, I was gutted my reign as world champion was over but, years from November 2017, that disappointment would be long gone while the payout from the St-Pierre fight would still be earning interest.

The car radio was switched to Sirius XM and *The Luke Thomas Show* was on. Thomas is an MMA journalist, a big-bearded ex US serviceman with a passing resemblance to Bluto from *Popeye* fame. Luke had breaking news to report: 'Anderson Silva is out of UFC Shanghai on November twenty-fifth. Middleweight Kelvin Gastelum is left without an opponent for the headline fight of the UFC's first event in mainland China ...'

Turning the volume on the radio down a little, I turned to Rebecca in the front passenger seat.

'What do you think?' I asked. 'Should I take it?'

'What?' she said. 'You can't do that.'

I raised my eyebrows at her.

She shook her head, 'You're crazy . . .'

'Two paydays for one training camp,' I said.

My wife looked at me like I had two heads. 'Michael, you can't do that.'

I sure could. When we pulled up outside the Filling Station restaurant I fired off a quick text to Dana White.

Hear you need a main event for China. I know a guy.

Every fight since Anderson Silva had a sense of potentially being my finale but, ironically, when I flew to China I didn't feel in my heart that, win, lose or draw, this would be my last fight. When I boarded that plane to Shanghai, I was travelling those 14 hours to go there and win. This wasn't just a nice payday. It was a chance to do something a bit special and underline that I always battle back from adversity.

I'd no illusions about getting my title back. Even as champion I was taking it one fight at a time. GSP was supposed to defend the belt against Whittaker early in 2018 and Romero and Rockhold were already positioned as challengers after that. I was pragmatic.

'The first rule of MMA,' Forrest Griffin told me a long time before, 'is don't be forty.'

I would turn 39 in three months. The Gastelum fight would be my 39th as a professional mixed martial artist. Time had almost caught me. So while I was healthy enough to fight – I was going to fight.

Coming back and beating a genuine contender the same month I lost the title? That wouldn't be nothing and, touch wood, would set me up for a big farewell fight in the UK in 2018.

Bless my innocent heart. I'd assumed the dog and pony show I'd put on to get licensed in New York meant I'd quickly get approval to fight in China, where the UFC essentially serves as the regulator as well as promoter.

I'd assumed wrong. Even though I had literally one week to train for Kelvin, the UFC had me driving all over town doing another MRI, a heart stress test, blood work, you name it – along with, yes, another bloody eye exam.

As chance had it, my eye doctor had listened to *The Luke Thomas Show* too, while driving to his practice.

'I expected this call,' he said when he picked up the phone. 'I heard there's a UFC main event in need of a middleweight ...'

'That's right,' I said, 'I'm reaching for another vine.'

When I earned my first UFC contract by winning *The Ultimate Fighter* season three, Kelvin Gastelum still had four years of Cibola High School in Yuma, Arizona, in front of him. He was 22 years old when he followed in my footsteps and won *TUF 17* in 2015 and was 25 when we fought in front of 15,128 Chinese fans at the Shanghai Arena. A squat puncher with a sawn-off right cross and fastball left hook, Gastelum was a young man hurrying towards a title shot.

Making 185lb twice in 21 days was hell on earth. I remember looking at myself in the mirror and thinking, for the first time since before *UFC 100*, that I looked gaunt and underpowered. It's just not in my nature to make demands or ask for special stipulations in a fight, but I really wished I'd told the UFC I wanted this fight to be at 195lb.

While hitting the pads with Jason backstage, though, I told my trainer the fight wouldn't be going the distance. I felt good. I felt sharp.

That feeling fell away once I got to the Octagon. I felt like I was chasing myself across the Octagon in the opening minutes. I didn't feel fully present in the moment. In hindsight, I'd drained myself physically and emotionally for the GSP fight. Nevertheless, I began to settle down in the middle of the first round.

Then I was lying on my back looking at the lights.

I had no clue what had happened.

While nodding to the men asking me if I was okay, I pieced it together. I'd lost the fight by knockout.

When I got back to my feet I used self-deprecatory humour as a front to hide just how jumbled my thoughts were. Then I saw the finish play out in slow-motion on the giant screens around the arena. Just like GSP had, Gastelum had countered my cross by firing a left hook that my right eye didn't see coming.

Kelvin hit plenty hard, but there's no way that right + left combo would have knocked me out in the past. I'd have recovered, regrouped and got back into the fight. Instead – for the first time literally in my life – I'd lost two fights in a row.

Backstage everybody was saying nice things. No one else would have the balls to attempt what I'd just tried to do. I was a warrior. A legend.

Nothing anyone says makes you feel better in those lonely moments after a big loss, but you appreciate that people care enough to make the effort.

My dad and Little Mick had come out to see the fight – even on 14 days' notice they flew halfway around the world to support me. Jacko, who now lived in Australia, had flown to China to see me, too, and I'd had him work my corner along with Daz, Brady and Jason. They all joined me and my fight team in a post-fight drink. These people had literally followed me to the ends of the earth, and that kind of friendship is always worth a toast or two.

Sixty years after Shanghai's nightlife was driven underground by Mao's Communist Party, the most ridiculously plush nightclub in the city is perched 24 floors above street level. M1Nt has a vast dance floor, a lounge and restaurant with incredible panoramic views of the city. The centrepiece of the lounge is a giant floor-to-ceiling shark tank. The neon-lit water gave off a brilliant blue-white.

We sat down in deep leather chairs around a black marble table. The music from the dance floor on the other side of the bar was exactly loud enough. Drinks were on the way. Win or lose, I'd always gone out after a fight but, on that night, having six of the people who'd supported me the most with me, I was ready for a great night.

An hour in, I went over with Jacko to one of the 40-foot floor-to-ceiling windows that wrapped around the club. Glasses in hand, we took in the breathtaking and almost futuristic view of the biggest city on earth. A grey mist rising over the Yangtze River delta was blasted purples and lime-greens by lights from the Oriental Pearl Tower and Shimao International Plaza, two of the six or seven buildings that looked gigantic even from a distance. It was like something out of a movie.

A strobe light from the direction of dance floor yanked my attention back inside. We went back to our table. I sat down next to Jason this time and caught up to the conversation. There was another flash. I dropped out of the banter. The second blaze of white couldn't have come from the dance floor. A dreadful feeling crawled around my guts. I closed my right eye, leaving my good eye open. I breathed in and darted my left eyeball left and right.

*Flash!*

White light spiralled behind my vision.

I moved my good eye again.

*Flash!*

No …

*Flash!*

No, no, no.

*Flash!*

Fuck. Not this eye too.

As soon as I was off the plane at LAX airport I was on the phone to my eye doctor.

'My good eye,' I told him. 'My good eye is doing those flashes like the left did. I think the retina is detached in my good eye.'

My doctor did what he could to calm my nerves. He told me the flash I'd described didn't necessarily indicate a detached retina but, I don't mind admitting, I was terrified. I'd left the club in Shanghai soon after that first flash. Daz and Jason followed me back to the hotel to make sure I was okay. There were more flashes as I tried to sleep. It was identical to what had happened after the Belfort fight.

My doctor got me an appointment with another specialist within 24 hours of me calling him from LAX. I couldn't believe I was going through those tests again – and now for my left eye.

As ever, I used humour as a force field.

'So, do I pick my white stick up on the way out, doc?' I asked the optometrist jokingly.

The tall, middle-aged woman with the tied-back blonde hair was quiet for a second too long. 'I don't think we are there yet,' she said.

*What!?! I was fucking joking.*

*I've fucked myself,* I thought, *my pride, my ego have really fucked me this time.*

After what seemed like an eternity, my left eye was diagnosed as experiencing posterior vitreous detachment. There are millions of fine fibres attached to the surface of the retina, and as we age tens of thousands of those break off. It was natural enough, but it was happening to me earlier in life, and in my good eye. I was told that, because the process was already under way in my eye, there was an increased chance that the fibres would rip a hole in my retina.

'Or detach it entirely,' Rebecca repeated the optometrist's words. 'She said there's an increased chance that the fibres would tear a macular hole *and* there was an increased chance of the fibres pulling on the retina hard enough to detach it.'

We were at home. It was mid-January 2018 and we were talking about me fighting one more time. Well, I was talking about it. The UFC had confirmed a March 2018 event for the $O_2$ in London and I saw a chance to bow out of the sport exactly as I'd envisioned it. I was in discussions to fight on the card.

Rebecca – for the very first time – was flat-out telling me that I should retire. 'Your eye, Michael. Why? Why risk it? Nothing is worth your eyesight.'

I was listening to her. And to my manager, Audie, who was one of several people whose opinion I valued who wanted me to call it a day.

Only ... the moment I'd told new UFC matchmaker Mick Maynard that I wanted to fight in London, I'd fallen in love with the idea of performing one last time in front of the British fans, hearing 'Song 2' lift the roof off the $O_2$ one last time, of retiring on a win, of one final pay cheque as a UFC headliner.

Half the UFC roster wanted to fight me but Mick put together the fight I'd asked for: a rematch with Rashad Evans. I thought a rematch of my first ever loss, against somebody I now very much liked and respected, who was from my generation of UFC stars and who was also looking to call it a day soon ... I thought that would be a great final lap.

But, in the end, I couldn't reach an agreement with the UFC quickly enough to make the fight happen. I began edging towards making an announcement that I'd retired – but then another UK event, this time in May in Liverpool, was announced.

The Rashad fight could still happen. At 195lb, too. Another pay cheque, and that final goodbye to the UK fans. It was all right there for me. I kept going back and forth ... until the deadline to commit to competing in Liverpool came and went.

I was about 75/25 in favour of retiring at this point. I didn't want to announce it until I was 100 per cent sure; when I retired, it would be forever. I spoke with Jason Parillo again.

'Mike, no one's going to remember who your last fight was against,' he said. 'They'll remember you won the world title on short notice, that you were the champ, that you beat Anderson Silva and Dan Henderson and fought anybody they put in front of you.

'I get it, one more fight, one more payday. It's only once more, right? But if you lose your sight you would trade that last win in the UFC, give back that money – fuck, you'd spend every penny you've ever earned to be able to look at your kids again.'

Those words were still sinking in when I boarded a plane to New York. The *Believe You Me* podcast had really taken off and Luis J. Gomez and me had committed to doing two shows a month face to face rather than over a camera link. On the flight, I watched a movie I'd auditioned for, *Journeyman*, which was directed, written and starred Paddy Considine. It's a heart-wrenching story;

a champion fighter wins a world title but suffers an injury that devastates his family.

That was when I knew. For sure. I'd had enough. Enough money from the sport, enough titles, enough wins, enough ego. I'd beaten the best of the best; I'd won the world title. I'd kicked and clawed against every obstacle put in front of me for so long. Now it was time to stop.

The next day at the GaS Digital studio in New York City I began the 28 May 2018 episode of *Believe You Me* by announcing my retirement from mixed martial arts.

The reaction was humbling.

Within minutes of the episode's conclusion, I had tens of thousands of messages and comments on social media from MMA fans. I should retire more often, I decided. Dana called me and said I should be proud of everything I'd accomplished over the years and that he was looking forward to working with me as a broadcaster. The MMA media wrote some really touching retrospectives. A lot of fighters said some really generous things; I was particularly moved by what some of the younger British fighters said.

Still, people needed to be convinced this was final. Hunter Campbell from the UFC called a few days later, asking me if my retirement meant that I wanted out of the USADA drug-testing programme. As thorough as ever, Hunter made sure I was fully aware that withdrawing from the USADA programme would mean, should I change my mind, I'd need to be tested for six consecutive months before I could step into the Octagon and compete.

He reminded me that other fighters who'd quit the sport – including Urijah Faber and Ronda Rousey – continued in the testing pool 'just in case'.

'Hunter, that's exactly why I want you to pull me out of the USADA pool,' I said. 'I can't leave the door ajar. I'd see a big fight or a short-notice opportunity and I'd think to myself, "Hey, I'm in shape," and I'd be sending you and Dana a text. I can't – I won't – do that to my family. I need that six months cooling-off period between me and the Octagon. Take me out of the USADA pool, please. I really am done.'

When most people retire or leave a job they've had for 15 years, I imagine the first Monday morning feels a little weird. Not for me. I still train and I still go for runs almost every day. Between doing three podcasts a week and traversing North America several times a month doing broadcast work, I'm around the sport as much as ever.

Mixed martial arts is an amazing sport. I see a fight like Israel Adesanya vs Kelvin Gastelum or Dustin Poirier vs Max Holloway and I love the sport as much as I ever did, despite the pound of flesh it took from me. I read a good review of *Triple Threat* the other week where my 'surprisingly powerful performance' was noted along with the observation that 'years of UFC fighting has layered scar tissue over Bisping's boyish good looks'.

After retiring, the sight in my right eye continued to deteriorate and there's also nothing that can be done to repair the damage to my left knee. I was shooting a documentary in England in early 2019 and they wanted to film me running the same Clitheroe streets approaching the castle that I'd pounded thousands of times early in my career.

This time, though, the cold and the cobblestones pounded back.

But I'd do it all over again. In a heartbeat.

The final fight in the UK never happened – but I got to bid the British fans farewell anyway.

On 16 March 2019 I was working for American broadcaster ESPN, providing pre- and post-fight analysis alongside Karyn Bryant on the *UFC Fight Night* event at the $O_2$ Arena. It was odd being back at my old fortress wearing civilian clothes. The same Octagon where I'd beaten Anderson and Akiyama lay waiting with its doors open, but I wouldn't be walking up its stairs again.

'You wish you were backstage getting warmed up?' Karyn asked.

'Of course,' I said, 'I'll still feel that way if I attend an event here when I'm seventy.'

About halfway through the card one of the UFC production staffers asked me to go and take a front-row seat for a few minutes. They wanted to show me at Octagonside in between fights, so the fans in the arena and watching on British television could see I was in attendance.

It was a ruse. I heard commentator John Gooden make some sort of announcement but couldn't make out what. Then the arena went dark and the big screens played a really touching vignette recapping my career. Rebecca, my dad, my kids, former opponents and other champions were all featured. The UFC production team lead by Zach Candito did a beautiful job. I teared up.

Then came the kicker. At the end of the piece was the UFC HALL OF FAME logo and the words:

*UFC Middleweight Champion*
*Winner of 20 UFC Fights*
*Pioneer of British MMA*

I then got a standing ovation from 16,602 fans in the arena where I'd left parts of my heart and soul.

'Thank you,' I said to as many of them as I could make eye contact with. 'Thank you.'

About a week ago I took my coffee outside and sat on a deckchair and watched my three kids buzz in and out of the kitchen as they busily got ready for their day at school. Lucas was hunting a missing shoe with his never-ending energy; Ellie – so much like her mum and loving life in California – was grabbing breakfast and Callum, taller than me already and not far away from being stronger than his old man, too, was packing his wrestling gear.

Then Rebecca sat down next to me and put her head on my arm. We took a moment, sat in the warming sun and just watched our children start another day in their lives.

'You working on the book this morning?' she asked.

'Yeah, almost done,' I said. 'Trying to figure out how to end it.'

'Why not right here?' my wife said. 'This is what you fought for – providing a better life for our children. This is the proof you made it more than the gold belt in your office.'

I shook my head and pulled her close.

'How many more times do I have to say it, lady? *We! We* made it.'

# AFTERWORD

What always terrified me was the thought of not being able to provide for my wife and children.

The odds were against me. I'm from a very ordinary background and, as you've read, I've made mistakes that made the path for me to succeed in life even narrower. But by taking a chance on a brand-new sport none of my friends had ever heard of, I beat those odds.

I won the championship of the world and I've parlayed that success into TV work, acting and several businesses. This isn't a humblebrag, this is proof that anybody reading this can be successful if they go for it.

Think back to the first chapter of this book. If you'd met me as I was aged 22, would you have predicted anything big for that guy? Of course not – but here I am.

We all have a skill, something we're good at. For me it was martial arts, but it could be computers or sewing or photography – who knows – and I'm encouraging my kids to figure out what that is for them.

In my experience, having travelled the world and met a lot of interesting and successful people, this skill is usually something we're good at already. Trust me, getting paid for doing something you once did purely for the love of it is one of life's greatest successes.

If you have confidence in yourself and are willing to make the sacrifices, it can be done. Believe you me.

Thank you for reading.